FLAUBERT

l'Intégrale

Collection dirigée par Luc Estang, assisté de Françoise Billotey

FLAUBERT

ŒUVRES
COMPLÈTES

PRÉFACE DE JEAN BRUNEAU
PROFESSEUR A LA FACULTÉ DES LETTRES DE LYON

PRÉSENTATION ET NOTES
DE BERNARD MASSON
AGRÉGÉ DE L'UNIVERSITÉ

TOME DEUX

L'ÉDUCATION SENTIMENTALE
TROIS CONTES - BOUVARD ET PÉCUCHET
LE DICTIONNAIRE DES IDÉES REÇUES
THÉATRE - VOYAGES

AUX ÉDITIONS DU SEUIL
27, rue Jacob, Paris-VIe

ISBN 2.02.005677.1 (éd. complète)
ISBN 2-02-000723-1 (tome 2)

© Éditions du Seuil, 1964

GRANDES ŒUVRES NARRATIVES

L'ÉDUCATION SENTIMENTALE
HISTOIRE D'UN JEUNE HOMME

L'Éducation sentimentale *porte à leur point limite les traits caractéristiques du génie de Flaubert. Contrairement à* Madame Bovary, *qui représente en quelque sorte une rupture avec la production antérieure, l'Education s'inscrit dans une ligne de continuité, puisque le titre choisi pour ce roman a déjà servi vingt-quatre ans plus tôt et que la même femme posera successivement pour les* Mémoires d'un fou *(1838) et pour les deux* Education sentimentale *(1845 et 1869); elle est donc en un sens une de ces vieilles « toquades » chères à Flaubert, dont la* Tentation de saint Antoine *demeure l'exemple le plus célèbre. Mais, contrairement à la* Tentation, *l'Education sentimentale* traite une matière sans éclat, toute de grisaille et de banalité quotidienne, où Flaubert, comme dans Madame Bovary, cherche à exorciser les démons *romantiques de sa jeunesse. Située ainsi à un carrefour de contradictions, l'Education devait poser à son auteur de redoutables problèmes de synthèse, qui expliquent en partie les lenteurs de sa douloureuse élaboration.*

Lenteurs d'élaboration ? Cinquante-six mois — soit du 1ᵉʳ septembre 1864 au 16 mai 1869. Mais, pour avoir été l'objet de soins aussi prolongés, il s'en faut que le sujet du roman se soit imposé d'emblée à l'esprit de son auteur avec l'évidence obsédante d'une nécessité. 1863 est au contraire pour Flaubert, enfin délivré de Salammbô, *une année de dépression et d'embarras : la correspondance et surtout le carnet nº 19, publié et commenté par Mme Durry dans son livre capital,* Flaubert et ses projets inédits, *nous montrent un Flaubert dispersé en de multiples projets, parmi lesquels on voit pourtant se dessiner trois directions : reprendre le fameux saint Antoine dont la version remaniée de 1856 ne le satisfait pas entièrement; écrire le roman de l'idée reçue et de la bêtise humaine en faisant vivre et dialoguer deux « cloportes » qui se nommeront plus tard Bouvard et Pécuchet; raconter une fois encore et de façon définitive l'histoire du grand amour de sa jeunesse, qui a déjà fait l'objet de plusieurs écrits autobiographiques. C'est finalement ce troisième projet qui l'emporte, non sans toutefois que Flaubert ait tâté de la création dramatique avec une féerie, le* Château des cœurs, *écrite en collaboration avec Bouilhet et d'Osmoy à la fin de l'été 1863.*

Qu'une « passion qui dure toute une vie » soit le « thème générateur de l'Education sentimentale » — pour reprendre les expressions de M. René Dumesnil —, le carnet nº 19 en serait, s'il en était besoin, la preuve évidente : *Mme Schlesinger, née Elisa Foucault, est Marie Arnoux bien plus sûrement que Mme Delamare est Emma Bovary. Sur cette tendre et mystérieuse figure féminine et sur le rôle qu'elle a joué dans l'existence de Flaubert, on ne peut que renvoyer le lecteur aux travaux décisifs de M. Gérard-Gailly :* Flaubert et les Fantômes de Trouville *(1930);* l'Unique Passion de Flaubert, Madame Arnoux *(1932);* le Grand Amour de Flaubert *(1944). Ainsi donc — ô paradoxe! — le livre qui allait devenir le bréviaire des jeunes romanciers naturalistes avait en son centre une poétique figure de femme et pour support une histoire d'amour simple et grave qui, par bien des côtés, était une confession.*

Mais, pour être un roman personnel, recueilli à la source même de la sensibilité la plus intime, l'Education sentimentale n'en était pas moins un livre difficile à écrire, car l'ambition de Flaubert était, comme toujours, plus complexe et plus haute. Plus d'une fois Flaubert s'est rendu compte de la difficulté du sujet, comme le montrent ces deux citations, plus explicites que de longs commentaires : « Je veux faire l'histoire morale des hommes de ma génération (...) Le sujet, tel que je l'ai conçu, est, je crois, profondément vrai, mais à cause de cela même, peu amusant probablement. Les faits, le drame, manquent un peu; et puis l'action est étendue dans un laps de temps trop considérable. Enfin j'ai beaucoup de mal, et je suis plein d'inquiétudes. » *(6 octobre 1864.)* — « J'ai bien du mal à emboîter mes personnages dans les événements de 48. J'ai peur que les fonds ne dévorent les premiers plans; c'est là le défaut du genre historique (...) Et puis, quoi choisir parmi les faits réels ? C'est dur!... Quant aux renseignements à recueillir, ça me demande un temps terrible (...) Bref, je suis fatigué et assez dégoûté, et il me reste encore 250 pages à écrire. » *(14 mars 1868.)*

Tel est bien, en effet, le paradoxe de l'Education sentimentale : à la fois et du même mouvement, fresque sociale et récit autobiographique, chronique de 1848 et concerto dédié à la mémoire d'un ange. Rude problème, on s'en doute, de construction et d'équilibre, et que n'aplanit guère la manière « réaliste » du romancier : car puiser dans ses souvenirs, c'est, pour Flaubert, s'engager à leur donner une existence objective et, pour ainsi dire, historique. Aussi bien les soucis de documentation ne le cèdent-ils point en la circonstance à ceux de naguère, quand Flaubert créait Yonville l'Abbaye ou reconstituait l'an-

tique Carthage. Deux exemples suffiront à illustrer l'épuisant labeur que s'impose le romancier ; s'agit-il de décrire le petit Eugène Arnoux atteint du croup ? Flaubert non seulement lit attentivement la Clinique médicale du Docteur Trousseau, mais décide de se renseigner par lui-même et passe « une semaine entière à (se) trimballer à l'hôpital Sainte-Eugénie, pour étudier des moutards atteints de croup » (14 mars 1868); n'ayant pas eu le courage d'assister jusqu'au bout à une trachéotomie, Flaubert pousse la probité jusqu'à faire bénéficier le petit Eugène d'un processus de guérison naturelle, l'expulsion spontanée de la fausse membrane, que Trousseau reconnaît exceptionnelle. S'agit-il maintenant de faire revenir Frédéric, le 24 juin 1848, en diligence, de Fontainebleau à Paris ? Flaubert charge son fidèle Duplan de répondre aux questions suivantes : comment, à cette date, on allait de Paris à Fontainebleau; quelles voitures on prenait; où descendaient ces voitures à Paris. Duplan recopie pour Flaubert la page 1843 du Bottin de 1848 concernant les services de voitures publiques sur la ligne Paris-Fontainebleau et retour; et cela donne, dans le roman, la phrase suivante : « ... Il n'était pas facile de s'en retourner à Paris. La voiture des messageries Leloir venait de partir, les berlines Lecomte ne partiraient pas... » Ainsi Flaubert avait-il mobilisé son dévoué correspondant pour obtenir une précision qui figurerait dans le texte définitif sous la forme de deux noms propres sans autre importance dans le roman que de rendre, à leur modeste place, témoignage à la vérité.

On comprendra sans peine qu'une méthode de travail aussi épuisante ait entretenu parfois chez Flaubert une lassitude proche de l'accablement; et l'on communie avec soulagement à l'explosion de joie par laquelle le romancier salue sa délivrance : « Fini! mon vieux! écrit-il à Duplan le 16 mai 1869. Oui, mon bouquin est fini! (...) Je suis à ma table depuis hier, 8 heures du matin. La tête me pète. N'importe. J'ai un fier poids de moins sur l'estomac. » — Le dossier était, au vrai, impressionnant : 2 355 feuillets, remplis au recto et au verso; des passages dix fois retouchés; la description de la forêt de Fontainebleau, soit à peu près quatre pages du livre, couvrant à elle seule 72 feuillets de reprises multiples. Le manuscrit autographe comptait 498 feuillets, écrits d'un seul côté; mais c'est une copie manuscrite de 654 feuillets qui servit pour l'impression et fut remise à cette fin entre les mains de Michel Levy. A la fin d'août et non sans mal, un traité est conclu avec l'éditeur : Flaubert cédait l'Education sentimentale pour dix ans moyennant 16 000 F. L'édition originale, en deux volumes datés de 1870, paraissait le 17 novembre 1869.

La presse fut exécrable. Sainte-Beuve était mort le 13 octobre précédent et Flaubert savait bien qu'il avait perdu là le plus intelligent des lecteurs (« J'avais fait l'Education sentimentale en partie pour Sainte-Beuve. Il sera mort sans en connaître une ligne! »). L'éreintement le plus massif était signé de Barbey d'Aurevilly dans le Constitutionnel du 19 novembre. Les félicitations réconfortantes de Victor Hugo et un article aussi affectueux que pénétrant de George Sand dans la Liberté du 22 décembre compensaient à grand-peine l'incompréhension générale d'une opinion quelque peu déconcertée par la nouveauté, l'ambiguïté, la secrète poésie d'une œuvre exceptionnelle.

D'une abondante bibliographie, où brillent les ouvrages de Gérard-Gailly cités plus haut, on détachera particulièrement : M. J. Durry, Flaubert et ses projets inédits, Paris, 1950; P. G. Castex, Flaubert, l'Education sentimentale, « Les cours de Sorbonne », Paris, 1959; R. Dumesnil, l'Education sentimentale de Gustave Flaubert, Paris, 1963.

PREMIÈRE PARTIE

I

Le 15 septembre 1840, vers six heures du matin, *la Ville-de-Montereau*, près de partir, fumait à gros tourbillons devant le quai Saint-Bernard.

Des gens arrivaient hors d'haleine; des barriques, des câbles, des corbeilles de linge gênaient la circulation; les matelots ne répondaient à personne; on se heurtait; les colis montaient entre les deux tambours, et le tapage s'absorbait dans le bruissement de la vapeur, qui, s'échappant par des plaques de tôle, enveloppait tout d'une nuée blanchâtre, tandis que la cloche, à l'avant, tintait sans discontinuer.

Enfin le navire partit; et les deux berges, peuplées de magasins, de chantiers et d'usines, filèrent comme deux larges rubans que l'on déroule.

Un jeune homme de dix-huit ans, à longs cheveux et qui tenait un album sous son bras, restait auprès du gouvernail, immobile. A travers le brouillard, il contemplait des clochers, des édifices dont il ne savait pas les noms; puis il embrassa, dans un dernier coup d'œil, l'île Saint-Louis, la Cité, Notre-Dame; et bientôt, Paris disparaissant, il poussa un grand soupir.

M. Frédéric Moreau, nouvellement reçu bachelier, s'en retournait à Nogent-sur-Seine, où il devait languir pendant deux mois, avant d'aller *faire son droit*. Sa mère, avec la somme indispensable, l'avait envoyé au Havre voir un oncle, dont elle espérait, pour lui, l'héritage; il en était revenu la veille seulement; et il se dédommageait de ne pouvoir séjourner dans la capitale, en regagnant sa province par la route la plus longue.

Le tumulte s'apaisait; tous avaient pris leur place; quelques-uns, debout, se chauffaient autour de la machine, et la cheminée crachait avec un râle lent et rythmique son panache de fumée noire; des gouttelettes de rosée coulaient sur les cuivres; le pont tremblait sous une petite vibration intérieure, et les deux roues, tournant rapidement, battaient l'eau.

La rivière était bordée par des grèves de sable. On rencontrait des trains de bois qui se mettaient à onduler sous le remous des vagues, ou bien, dans un bateau sans voiles, un homme assis pêchait; puis les brumes errantes se fondirent, le soleil parut, la colline qui suivait à droite le cours de la Seine peu à peu s'abaissa, et il en surgit une autre, plus proche, sur la rive opposée.

Des arbres la couronnaient parmi les maisons basses couvertes de toits à l'italienne. Elles avaient des jardins en pente que divisaient des murs neufs, des grilles de fer, des gazons, des serres chaudes, et des vases de géraniums, espacés régulièrement sur des terrasses où l'on pouvait s'accouder. Plus d'un, en apercevant ces coquettes résidences, si tranquilles, enviait d'en être le propriétaire, pour vivre là jusqu'à la fin de ses jours, avec un bon billard, une chaloupe, une femme ou quelque autre rêve. Le plaisir tout nouveau d'une excursion maritime facilitait les épanchements. Déjà les farceurs commençaient leurs plaisanteries. Beaucoup chantaient. On était gai. Il se versait des petits verres.

Frédéric pensait à la chambre qu'il occuperait là-bas, au plan d'un drame, à des sujets de tableaux, à des passions futures. Il trouvait que le bonheur mérité par l'excellence de son âme tardait à venir. Il se déclama des vers mélancoliques; il marchait sur le pont à pas rapides; il s'avança jusqu'au bout, du côté de la cloche; — et, dans un cercle de passagers et de matelots, il vit un monsieur qui contait des galanteries à une paysanne, tout en lui maniant la croix d'or qu'elle portait sur la poitrine. C'était un gaillard d'une quarantaine d'années, à cheveux crépus. Sa taille robuste emplissait une jaquette de velours noir, deux émeraudes brillaient à sa chemise de batiste, et son large pantalon blanc tombait sur d'étranges bottes rouges, en cuir de Russie, rehaussées de dessins bleus.

La présence de Frédéric ne le dérangea pas. Il se tourna vers lui plusieurs fois, en l'interpellant par des clins d'œil; ensuite il offrit des cigares à tous ceux qui l'entouraient. Mais, ennuyé de cette compagnie, sans doute, il alla se mettre plus loin. Frédéric le suivit.

La conversation roula d'abord sur les différentes espèces de tabacs, puis, tout naturellement, sur les femmes. Le monsieur en bottes rouges donna des conseils au jeune homme; il exposait des théories, narrait des anecdotes, se citait lui-même en exemple, débitant tout cela d'un ton paterne, avec une ingénuité de corruption divertissante.

Il était républicain; il avait voyagé, il connaissait l'intérieur des théâtres, des restaurants, des journaux, et tous les artistes célèbres, qu'il appelait familièrement par leurs prénoms; Frédéric lui confia bientôt ses projets; il les encouragea.

Mais il s'interrompit pour observer le tuyau de la cheminée, puis il marmotta vite un long calcul, afin de savoir « combien chaque coup de piston, à tant de fois par minute, devait, etc. ». — Et, la somme trouvée, il admira beaucoup le paysage. Il se disait heureux d'être échappé aux affaires.

Frédéric éprouvait un certain respect pour lui, et ne résista pas à l'envie de savoir son nom. L'inconnu répondit tout d'une haleine :

— Jacques Arnoux, propriétaire de *l'Art industriel*, boulevard Montmartre.

Un domestique ayant un galon d'or à la casquette vint lui dire :

— Si Monsieur voulait descendre? Mademoiselle pleure.

Il disparut.

L'Art industriel était un établissement hybride, comprenant un journal de peinture et un magasin de tableaux. Frédéric avait vu ce titre-là, plusieurs fois, à l'étalage du libraire de son pays natal, sur d'immenses prospectus, où le nom de Jacques Arnoux se développait magistralement.

Le soleil dardait d'aplomb, en faisant reluire les gabillots de fer autour des mâts, les plaques du bastingage et la surface de l'eau; elle se coupait à la proue en deux sillons, qui se déroulaient jusqu'au bord des prairies. A chaque détour de la rivière, on retrouvait le même rideau de peupliers pâles. La campagne était toute vide. Il y avait dans le ciel de petits nuages blancs arrêtés, — et l'ennui, vaguement répandu, semblait alanguir la marche du bateau et rendre l'aspect des voyageurs plus insignifiant encore.

A part quelques bourgeois, aux Premières, c'étaient des ouvriers, des gens de boutique avec leurs femmes et leurs enfants. Comme on avait coutume alors de se vêtir sordidement en voyage, presque tous portaient de vieilles calottes grecques ou des chapeaux déteints, de maigres habits noirs, râpés par le frottement du bureau, ou des redingotes ouvrant la capsule de leurs boutons pour avoir trop servi au magasin; çà et là, quelque gilet à châle laissait voir une chemise de calicot, maculée de café; des épingles de chrysocale [1] piquaient des cravates en lambeaux; des sous-pieds cousus retenaient des chaussons de lisière; deux ou trois gredins qui tenaient des bambous à ganse de cuir lançaient des regards obliques, et des pères de famille ouvraient de gros yeux, en faisant des questions. Ils causaient debout, ou bien accroupis sur leurs bagages; d'autres dormaient dans des coins; plusieurs mangeaient. Le pont était sali par des écales de noix, des bouts de cigares, des pelures de poires, des détritus de charcuterie apportée dans du papier; trois ébénistes, en blouse, stationnaient devant la cantine; un joueur de harpe en haillons se reposait, accoudé sur son instrument; on entendait par intervalles le bruit du charbon de terre dans le fourneau, un éclat de voix, un rire; — et le capitaine, sur la passerelle, marchait d'un tambour à l'autre, sans s'arrêter. Frédéric, pour rejoindre sa place, poussa la grille des Premières, dérangea deux chasseurs avec leurs chiens.

Ce fut comme une apparition :

Elle était assise, au milieu du banc, toute seule; ou du moins il ne distingua personne, dans l'éblouissement que lui envoyèrent ses yeux. En même temps qu'il passait, elle leva la tête; il fléchit involontairement les

---

1. Alliage de cuivre et d'étain, dont la couleur rappelle celle de l'or.

épaules; et, quand il se fut mis plus loin, du même côté, il la regarda.

Elle avait un large chapeau de paille, avec des rubans roses qui palpitaient au vent derrière elle. Ses bandeaux noirs, contournant la pointe de ses grands sourcils, descendaient très bas et semblaient presser amoureusement l'ovale de sa figure. Sa robe de mousseline claire, tachetée de petits pois, se répandait à plis nombreux. Elle était en train de broder quelque chose; et son nez droit, son menton, toute sa personne se découpait sur le fond de l'air bleu.

Comme elle gardait la même attitude, il fit plusieurs tours de droite et de gauche pour dissimuler sa manœuvre; puis il se planta tout près du banc, près de son ombrelle, posée contre le banc, et il affectait d'observer une chaloupe sur la rivière.

Jamais il n'avait vu cette splendeur de sa peau brune, la séduction de sa taille, ni cette finesse des doigts que la lumière traversait. Il considérait son panier à ouvrage avec ébahissement, comme une chose extraordinaire. Quels étaient son nom, sa demeure, sa vie, son passé? Il souhaitait connaître les meubles de sa chambre, toutes les robes qu'elle avait portées, les gens qu'elle fréquentait; et le désir de la possession physique même disparaissait sous une envie plus profonde, dans une curiosité douloureuse qui n'avait pas de limites.

Une négresse, coiffée d'un foulard, se présenta en tenant par la main une petite fille, déjà grande. L'enfant, dont les yeux roulaient des larmes, venait de s'éveiller. Elle la prit sur ses genoux. « Mademoiselle n'était pas sage, quoiqu'elle eût sept ans bientôt; sa mère ne l'aimerait plus; on lui pardonnait trop ses caprices. » Et Frédéric se réjouissait d'entendre ces choses, comme s'il eût fait une découverte, une acquisition.

Il la supposait d'origine andalouse, créole peut-être; elle avait ramené des îles cette négresse avec elle?

Cependant, un long châle à bandes violettes était placé derrière son dos, sur le bordage de cuivre. Elle avait dû, bien des fois, au milieu de la mer, durant les soirs humides, en envelopper sa taille, s'en couvrir les pieds, dormir dedans! Mais, entraîné par les franges, il glissait peu à peu, il allait tomber dans l'eau; Frédéric fit un bond et le rattrapa. Elle lui dit :

— Je vous remercie, monsieur.

Leurs yeux se rencontrèrent.

— Ma femme, es-tu prête? cria le sieur Arnoux apparaissant dans le capot de l'escalier.

Mlle Marthe courut vers lui, et, cramponnée à son cou, elle tirait ses moustaches. Les sons d'une harpe retentirent, elle voulut voir la musique; et bientôt le joueur d'instrument, amené par la négresse, entra dans les Premières. Arnoux le reconnut pour un ancien modèle; il le tutoya, ce qui surprit les assistants. Enfin le harpiste rejeta ses longs cheveux derrière ses épaules, étendit les bras et se mit à jouer.

C'était une romance orientale, où il était question de poignards, de fleurs et d'étoiles. L'homme en haillons chantait cela d'une voix mordante; les battements de la machine coupaient la mélodie à fausse mesure; il pinçait plus fort : les cordes vibraient, et leurs sons métalliques semblaient exhaler des sanglots, et comme la plainte d'un amour orgueilleux et vaincu. Des deux côtés de la rivière, des bois s'inclinaient jusqu'au bord de l'eau; un courant d'air frais passait; Mme Arnoux regardait au loin d'une manière vague. Quand la musique s'arrêta, elle remua les paupières plusieurs fois, comme si elle sortait d'un songe.

Le harpiste s'approcha d'eux, humblement. Pendant qu'Arnoux cherchait de la monnaie, Frédéric allongea vers la casquette sa main fermée, et, l'ouvrant avec pudeur, il y déposa un louis d'or. Ce n'était pas la vanité qui le poussait à faire cette aumône devant elle, mais une pensée de bénédiction où il l'associait, un mouvement de cœur presque religieux.

Arnoux, en lui montrant le chemin, l'engagea cordialement à descendre. Frédéric affirma qu'il venait de déjeuner; il se mourait de faim, au contraire; et il ne possédait plus un centime au fond de sa bourse.

Ensuite, il songea qu'il avait bien le droit, comme un autre, de se tenir dans la chambre.

Autour des tables rondes, des bourgeois mangeaient, un garçon de café circulait; M. et Mme Arnoux étaient dans le fond, à droite; il s'assit sur la longue banquette de velours, ayant ramassé un journal qui se trouvait là.

Ils devaient, à Montereau, prendre la diligence de Châlons. Leur voyage en Suisse durerait un mois. Mme Arnoux blâma son mari de sa faiblesse pour son enfant. Il chuchota dans son oreille une gracieuseté, sans doute, car elle sourit. Puis il se dérangea pour fermer derrière son cou le rideau de la fenêtre.

Le plafond, bas et tout blanc, rabattait une lumière crue. Frédéric, en face, distinguait l'ombre de ses cils. Elle trempait ses lèvres dans son verre, cassait un peu de croûte entre ses doigts; le médaillon de lapis-lazuli, attaché par une chaînette d'or à son poignet, de temps à autre sonnait contre son assiette. Ceux qui étaient là pourtant n'avaient pas l'air de la remarquer.

Quelquefois, par les hublots, on voyait glisser le flanc d'une barque qui accostait le navire pour prendre ou déposer des voyageurs. Les gens attablés se penchaient aux ouvertures et nommaient les pays riverains.

Arnoux se plaignait de la cuisine : il se récria considérablement devant l'addition, et il la fit réduire. Puis il emmena le jeune homme à l'avant du bateau pour boire des grogs. Mais Frédéric s'en retourna bientôt sous la tente, où Mme Arnoux était revenue. Elle lisait un mince volume à couverture grise. Les deux coins de sa bouche se relevaient par moments, et un éclair de plaisir illuminait son front. Il jalousa celui qui avait inventé ces choses dont elle paraissait occupée. Plus il la contemplait, plus il sentait entre elle et lui se creuser des abîmes. Il songeait qu'il faudrait la quitter tout à l'heure irrévocablement, sans en avoir arraché une parole, sans lui laisser même un souvenir!

Une plaine s'étendait à droite; à gauche un herbage allait doucement rejoindre une colline, où l'on apercevait des vignobles, des noyers, un moulin dans la verdure, et des petits chemins au delà, formant des zigzags sur la roche blanche qui touchait au bord du ciel. Quel bonheur de monter côte à côte, le bras autour de sa taille, pendant que sa robe balayerait les feuilles jaunies, en écoutant sa voix, sous le rayonnement de ses yeux! Le bateau pouvait s'arrêter, ils n'avaient qu'à descendre; et cette chose bien simple n'était pas plus facile, cependant, que de remuer le soleil!

Un peu plus loin, on découvrit un château, à toit pointu, avec des tourelles carrées. Un parterre de fleurs s'étalait devant sa façade; et des avenues s'enfonçaient, comme des voûtes noires, sous les hauts tilleuls. Il se la figura passant au bord des charmilles. A ce moment, une jeune dame et un jeune homme se montrèrent sur le perron, entre les caisses d'orangers. Puis tout disparut.

La petite fille jouait autour de lui. Frédéric voulut la baiser. Elle se cacha derrière sa bonne; sa mère la gronda de n'être pas aimable pour le monsieur qui avait sauvé son châle. Etait-ce une ouverture indirecte?

« Va-t-elle enfin me parler? » se demandait-il.

Le temps pressait. Comment obtenir une invitation chez Arnoux? Et il n'imagina rien de mieux que de lui faire remarquer la couleur de l'automne, en ajoutant :

— Voilà bientôt l'hiver, la saison des bals et des dîners.

Mais Arnoux était tout occupé de ses bagages. La côte de Surville apparut, les deux ponts se rapprochaient, on longea une corderie, ensuite une rangée de maisons basses; il y avait, en dessous, des marmites de goudron, des éclats de bois; et des gamins couraient sur le sable, en faisant la roue. Frédéric reconnut un homme avec un gilet à manches, il lui cria :

— Dépêche-toi.

On arrivait. Il chercha péniblement Arnoux dans la foule des passagers, et l'autre répondit en lui serrant la main :

— Au plaisir, cher monsieur!

Quand il fut sur le quai, Frédéric se retourna. Elle était près du gouvernail, debout. Il lui envoya un regard où il avait tâché de mettre toute son âme; comme s'il n'eût rien fait, elle demeura immobile. Puis, sans égard aux salutations de son domestique :

— Pourquoi n'as-tu pas amené la voiture jusqu'ici?

Le bonhomme s'excusait.

— Quel maladroit! Donne-moi de l'argent!

Et il alla manger dans une auberge.

Un quart d'heure après, il eut envie d'entrer comme par hasard dans la cour des diligences. Il la verrait encore, peut-être?

« A quoi bon? » se dit-il.

Et l'américaine [2] l'emporta. Les deux chevaux n'appartenaient pas à sa mère. Elle avait emprunté celui de M. Chambrion, le receveur, pour l'atteler auprès du sien. Isidore, parti la veille, s'était reposé à Bray jusqu'au soir et avait couché à Montereau, si bien que les bêtes rafraîchies trottaient lestement.

Des champs moissonnés se prolongeaient à n'en plus finir. Deux lignes d'arbres bordaient la route, les tas de cailloux se succédaient; et peu à peu, Villeneuve-Saint-Georges, Ablon, Châtillon, Corbeil et les autres pays, tout son voyage lui revint à la mémoire, d'une façon si nette qu'il distinguait maintenant des détails nouveaux, des particularités plus intimes; sous le dernier volant de sa robe, son pied passait dans une mince bottine en soie, de couleur marron; la tente de coutil formait un large dais sur sa tête, et les petits glands rouges de la bordure tremblaient à la brise, perpétuellement.

Elle ressemblait aux femmes des livres romantiques. Il n'aurait voulu rien ajouter, rien retrancher à sa personne. L'univers venait tout à coup de s'élargir. Elle était le point lumineux où l'ensemble des choses convergeait; — et, bercé par le mouvement de la voiture, les paupières à demi closes, le regard dans les nuages, il s'abandonnait à une joie rêveuse et infinie.

A Bray, il n'attendit pas qu'on eût donné l'avoine, il alla devant, sur la route, tout seul. Arnoux l'avait appelée « Marie! » Il cria très haut « Marie! » Sa voix se perdit dans l'air.

Une large couleur de pourpre enflammait le ciel à l'occident. De grosses meules de blé, qui se levaient au milieu des chaumes, projetaient des ombres géantes. Un chien se mit à aboyer dans une ferme, au loin. Il frissonna, pris d'une inquiétude sans cause.

Quand Isidore l'eut rejoint, il se plaça sur le siège pour conduire. Sa défaillance était passée. Il était bien résolu à s'introduire, n'importe comment, chez les Arnoux, et à se lier avec eux. Leur maison devait être amusante, Arnoux lui plaisait d'ailleurs; puis, qui sait? Alors, un flot de sang lui monta au visage : ses tempes bourdonnaient, il fit claquer son fouet, secoua les rênes et il menait les chevaux d'un tel train, que le vieux cocher répétait :

— Doucement! mais doucement! vous les rendrez poussifs.

Peu à peu Frédéric se calma, et il écouta parler son domestique.

On attendait Monsieur avec une grande impatience. Mlle Louise avait pleuré pour partir dans la voiture.

— Qu'est-ce donc, Mlle Louise?

— La petite à M. Roque, vous savez?

— Ah! j'oubliais! répliqua Frédéric, négligemment.

Cependant, les deux chevaux n'en pouvaient plus. Ils boitaient l'un et l'autre; et neuf heures sonnaient à Saint-Laurent lorsqu'il arriva sur la place d'Armes, devant la maison de sa mère. Cette maison, spacieuse, avec un jardin donnant sur la campagne, ajoutait à la considération de Mme Moreau, qui était la personne du pays la plus respectée.

Elle sortait d'une vieille famille de gentilshommes, éteinte maintenant. Son mari, un plébéien que ses parents lui avaient fait épouser, était mort d'un coup d'épée, pendant sa grossesse, en lui laissant une fortune compromise. Elle recevait trois fois la semaine et donnait de temps à autre un beau dîner. Mais le nombre des bougies était calculé d'avance, et elle attendait impatiemment ses fermages. Cette gêne, dissimulée comme un vice, la rendait sérieuse. Cependant, sa vertu s'exerçait sans étalage de pruderie, sans

2. Voiture légère et découverte à quatre roues.

aigreur. Ses moindres charités semblaient de grandes aumônes. On la consultait sur le choix des domestiques, l'éducation des jeunes filles, l'art des confitures, et Monseigneur descendait chez elle, dans ses tournées épiscopales.

Mme Moreau nourrissait une haute ambition pour son fils. Elle n'aimait pas à entendre blâmer le Gouvernement, par une sorte de prudence anticipée. Il aurait besoin de protections d'abord ; puis, grâce à ses moyens, il deviendrait conseiller d'Etat, ambassadeur, ministre. Ses triomphes au collège de Sens légitimaient cet orgueil ; il avait remporté le prix d'honneur.

Quand il entra dans le salon, tous se levèrent à grand bruit, on l'embrassa ; et avec les fauteuils et les chaises on fit un large demi-cercle autour de la cheminée. M. Gamblin lui demanda immédiatement son opinion sur Mme Lafarge [3]. Ce procès, la fureur de l'époque, ne manqua pas d'amener une discussion violente ; Mme Moreau l'arrêta, au regret toutefois de M. Gamblin ; il la jugeait utile pour le jeune homme, en sa qualité de futur jurisconsulte, et il sortit du salon, piqué.

Rien ne devait surprendre dans un ami du père Roque ! A propos du père Roque, on parla de M. Dambreuse, qui venait d'acquérir le domaine de la Fortelle. Mais le Percepteur avait entraîné Frédéric à l'écart, pour savoir ce qu'il pensait du dernier ouvrage de M. Guizot. Tous désiraient connaître ses affaires ; et Mme Benoît s'y prit adroitement en s'informant de son oncle. Comment allait ce bon parent ? Il ne donnait plus de ses nouvelles. N'avait-il pas un arrière-cousin en Amérique ?

La cuisinière annonça que le potage de Monsieur était servi. On se retira, par discrétion. Puis, dès qu'ils furent seuls dans la salle, sa mère lui dit à voix basse :

— Eh bien ?

Le vieillard l'avait reçu très cordialement, mais sans montrer ses intentions.

Mme Moreau soupira.

« Où est-elle, à présent ? » songeait-il.

La diligence roulait, et, enveloppée dans le châle sans doute, elle appuyait contre le drap du coupé sa belle tête endormie.

Ils montaient dans leurs chambres, quand un garçon du Cygne de la Croix apporta un billet.

— Qu'est-ce donc ?

— C'est Deslauriers qui a besoin de moi, dit-il.

— Ah ! ton camarade ! fit Mme Moreau avec un ricanement de mépris. L'heure est bien choisie, vraiment !

Frédéric hésitait. Mais l'amitié fut plus forte. Il prit son chapeau.

— Au moins, ne sois pas longtemps ! lui dit sa mère.

---

3. Héroïne d'une retentissante affaire d'empoisonnement ; le procès s'était achevé le 2 septembre 1840 par la condamnation de Mme Lafarge aux travaux forcés à perpétuité.

II

Le père de Charles Deslauriers, ancien capitaine de ligne, démissionnaire en 1818, était revenu se marier à Nogent, et, avec l'argent de la dot, avait acheté une charge d'huissier, suffisant à peine pour le faire vivre. Aigri par de longues injustices, souffrant de ses vieilles blessures, et toujours regrettant l'Empereur, il dégorgeait sur son entourage les colères qui l'étouffaient. Peu d'enfants furent plus battus que son fils. Le gamin ne cédait pas, malgré les coups. Sa mère, quand elle tâchait de s'interposer, était rudoyée comme lui. Enfin le Capitaine le plaça dans son étude, et tout le long du jour, il le tenait courbé sur son pupitre, à copier des actes, ce qui lui rendit l'épaule droite visiblement plus forte que l'autre.

En 1833, d'après l'invitation de M. le président, le Capitaine vendit son étude. Sa femme mourut d'un cancer. Il alla vivre à Dijon ; ensuite il s'établit marchand d'hommes [4] à Troyes ; et, ayant obtenu pour Charles une demi-bourse, le mit au collège de Sens, où Frédéric le reconnut. Mais l'un avait douze ans, l'autre quinze ; d'ailleurs, mille différences de caractère et d'origine les séparaient.

Frédéric possédait dans sa commode toutes sortes de provisions, des choses recherchées, un nécessaire de toilette, par exemple. Il aimait à dormir tard le matin, à regarder les hirondelles, à lire des pièces de théâtre, et, regrettant les douceurs de la maison, il trouvait rude la vie de collège.

Elle semblait bonne au fils de l'huissier. Il travaillait si bien, qu'au bout de la seconde année, il passa dans la classe de Troisième. Cependant, à cause de sa pauvreté, ou de son humeur querelleuse, une sourde malveillance l'entourait. Mais un domestique, une fois, l'ayant appelé enfant de gueux, en pleine cour des moyens, il lui sauta à la gorge et l'aurait tué, sans trois maîtres d'études qui intervinrent. Frédéric, emporté d'admiration, le serra dans ses bras. A partir de ce jour, l'intimité fut complète. L'affection d'un grand, sans doute, flatta la vanité du petit, et l'autre accepta comme un bonheur ce dévouement qui s'offrait.

Son père, pendant les vacances, le laissait au collège. Une traduction de Platon ouverte par hasard l'enthousiasma. Alors il s'éprit d'études métaphysiques ; et ses progrès furent rapides, car il les abordait avec des forces jeunes et dans l'orgueil d'une intelligence qui s'affranchit ; Jouffroy, Cousin, Laromiguière, Malebranche, les Ecossais, tout ce que la bibliothèque contenait y passa. Il avait eu besoin d'en voler la clef pour se procurer des livres.

Les distractions de Frédéric étaient moins sérieuses. Il dessina dans la rue des Trois-Rois la généalogie du Christ, sculptée sur un poteau, puis le portail de la cathédrale. Après les drames moyen âge, il entama les mémoires : Froissart, Commynes, Pierre de l'Estoile, Brantôme.

---

4. Fournisseur de remplaçants aux « conscrits » désireux de se faire exempter du service militaire.

Les images que ces lectures amenaient à son esprit l'obsédaient si fort, qu'il éprouvait le besoin de les reproduire. Il ambitionnait d'être un jour le Walter Scott de la France. Deslauriers méditait un vaste système de philosophie, qui aurait les applications les plus lointaines.

Ils causaient de tout cela, pendant les récréations, dans la cour, en face de l'inscription morale peinte sous l'horloge; ils en chuchotaient dans la chapelle, à la barbe de saint Louis; ils en rêvaient dans le dortoir, d'où l'on domine un cimetière. Les jours de promenade, ils se rangeaient derrière les autres, et ils parlaient interminablement.

Ils parlaient de ce qu'ils feraient plus tard, quand ils seraient sortis du collège. D'abord, ils entreprendraient un grand voyage avec l'argent que Frédéric prélèverait sur sa fortune, à sa majorité. Puis ils reviendraient à Paris, ils travailleraient ensemble, ne se quitteraient pas; — et, comme délassement à leurs travaux, ils auraient des amours de princesses, dans les boudoirs de satin, ou de fulgurantes orgies avec des courtisanes illustres. Des doutes succédaient à leurs emportements d'espoir. Après des crises de gaieté verbeuse, ils tombaient dans des silences profonds.

Les soirs d'été, quand ils avaient marché longtemps par les chemins pierreux au bord des vignes, ou sur la grande route en pleine campagne, et que les blés ondulaient au soleil, tandis que des senteurs d'angélique passaient dans l'air, une sorte d'étouffement les prenait, et ils s'étendaient sur le dos, étourdis, enivrés. Les autres, en manches de chemise, jouaient aux barres ou faisaient partir des cerfs-volants. Le pion les appelait. On s'en revenait, en suivant les jardins que traversaient de petits ruisseaux, puis les boulevards ombragés par les vieux murs; les rues désertes sonnaient sous leurs pas; la grille s'ouvrait, on remontait l'escalier; et ils étaient tristes comme après de grandes débauches.

M. le censeur prétendait qu'ils s'exaltaient mutuellement. Cependant, si Frédéric travailla dans les hautes classes, ce fut par les exhortations de son ami; et, aux vacances de 1837, il l'emmena chez sa mère.

Le jeune homme déplut à Mme Moreau. Il mangea extraordinairement, il refusa d'assister le dimanche aux offices, il tenait des discours républicains; enfin, elle crut savoir qu'il avait conduit son fils dans des lieux déshonnêtes. On surveilla leurs relations. Ils ne s'en aimèrent que davantage; et les adieux furent pénibles quand Deslauriers, l'année suivante, partit du collège pour étudier le droit à Paris.

Frédéric comptait bien l'y rejoindre. Ils ne s'étaient pas vus depuis deux ans; et, leurs embrassades étant finies, ils allèrent sur les ponts afin de causer plus à l'aise.

Le Capitaine, qui tenait maintenant un billard à Villenauxe, s'était fâché rouge lorsque son fils avait réclamé ses comptes de tutelle, et même lui avait coupé les vivres tout net. Mais comme il voulait concourir plus tard pour une chaire de professeur à l'Ecole et qu'il n'avait pas d'argent, Deslauriers acceptait à Troyes une place de maître clerc chez un avoué. A

force de privations, il économiserait quatre mille francs; et, s'il ne devait rien toucher de la succession maternelle, il aurait toujours de quoi travailler librement, pendant trois années, en attendant une position. Il fallait donc abandonner leur vieux projet de vivre ensemble dans la capitale, pour le présent du moins.

Frédéric baissa la tête. C'était le premier de ses rêves qui s'écroulait.

— Console-toi, dit le fils du Capitaine, la vie est longue, nous sommes jeunes. Je te rejoindrai! N'y pense plus!

Il le secouait par les mains, et, pour le distraire, lui fit des questions sur son voyage.

Frédéric n'eut pas grand'chose à narrer. Mais, au souvenir de Mme Arnoux, son chagrin s'évanouit. Il ne parla pas d'elle, retenu par une pudeur. Il s'étendit en revanche sur Arnoux, rapportant ses discours, ses manières, ses relations; et Deslauriers l'engagea fortement à cultiver cette connaissance.

Frédéric, dans ces derniers temps, n'avait rien écrit; ses opinions littéraires étaient changées : il estimait par-dessus tout la passion; Werther, René, Frank, Lara, Lélia [5] et d'autres plus médiocres l'enthousiasmaient presque également. Quelquefois, la musique lui semblait seule capable d'exprimer ses troubles intérieurs; alors, il rêvait des symphonies; ou bien la surface des choses l'appréhendait, et il voulait peindre. Il avait composé des vers, pourtant; Deslauriers les trouva fort beaux, mais sans demander une autre pièce.

Quant à lui, il ne donnait plus dans la métaphysique. L'économie sociale et la Révolution française le préoccupaient. C'était, à présent, un grand diable de vingt-deux ans, maigre, avec une large bouche, l'air résolu. Il portait, ce soir-là, un mauvais paletot de lasting; et ses souliers étaient blancs de poussière, car il avait fait la route de Villenauxe à pied, exprès pour voir Frédéric.

Isidore les aborda. Madame priait Monsieur de revenir, et, craignant qu'il n'eût froid, elle lui envoyait son manteau.

— Reste donc! dit Deslauriers.

Et ils continuèrent à se promener d'un bout à l'autre des deux ponts qui s'appuient sur l'île étroite, formée par le canal et la rivière.

Quand ils allaient du côté de Nogent, ils avaient, en face, un pâté de maisons s'inclinant quelque peu; à droite, l'église apparaissait derrière les moulins de bois dont les vannes étaient fermées; et, à gauche, les haies d'arbustes, le long de la rive, terminaient des jardins, que l'on distinguait à peine. Mais, du côté de Paris, la grande route descendait en ligne droite, et des prairies se perdaient au loin, dans les vapeurs de la nuit. Elle était silencieuse et d'une clarté blanchâtre. Des odeurs de feuillage humide montaient jusqu'à eux; la chute de la prise d'eau, cent pas plus loin, murmurait, avec ce gros bruit doux que font les ondes dans les ténèbres.

Deslauriers s'arrêta et il dit :

— Ces bonnes gens qui dorment tranquilles, c'est

5. Il s'agit des héros littéraires créés respectivement par Gœthe, Chateaubriand, Musset, Byron, George Sand.

drôle! Patience! un nouveau 89 se prépare! on est las de constitutions, de chartes, de subtilités, de mensonges! Ah! si j'avais un journal ou une tribune, comme je vous secouerais tout cela! Mais, pour entreprendre n'importe quoi, il faut de l'argent! Quelle malédiction que d'être le fils d'un cabaretier et de perdre sa jeunesse à la quête de son pain!

Il baissa la tête, se mordit les lèvres, et il grelottait sous son vêtement mince.

Frédéric lui jeta la moitié de son manteau sur les épaules. Ils s'en enveloppèrent tous deux; et, se tenant par la taille, ils marchaient dessous, côte à côte.

— Comment veux-tu que je vive là-bas, sans toi? disait Frédéric. (L'amertume de son ami avait ramené sa tristesse.) J'aurais fait quelque chose avec une femme qui m'eût aimé... Pourquoi ris-tu? L'amour est la pâture et comme l'atmosphère du génie. Les émotions extraordinaires produisent les œuvres sublimes. Quant à chercher celle qu'il me faudrait, j'y renonce! D'ailleurs si jamais je la trouve, elle me repoussera. Je suis de la race des déshérités, et je m'éteindrai avec un trésor qui était de strass ou de diamant, je n'en sais rien.

L'ombre de quelqu'un s'allongea sur les pavés, en même temps qu'ils entendirent ces mots :

— Serviteur, messieurs!

Celui qui les prononçait était un petit homme, habillé d'une ample redingote brune, et coiffé d'une casquette laissant paraître sous la visière un nez pointu.

— Monsieur Roque? dit Frédéric.

— Lui-même! reprit la voix.

Le Nogentais justifia sa présence en contant qu'il revenait d'inspecter ses pièges à loup, dans son jardin, au bord de l'eau.

— Et vous voilà de retour dans nos pays? Très bien! j'ai appris cela par ma fillette. La santé est toujours bonne, j'espère? Vous ne partez pas encore?

Et il s'en alla, rebuté, sans doute, par l'accueil de Frédéric.

Mme Moreau, en effet, ne le fréquentait pas; le père Roque vivait en concubinage avec sa bonne, et on le considérait fort peu, bien qu'il fût le croupier d'élections [6], le régisseur de M. Dambreuse.

— Le banquier qui demeure rue d'Anjou? reprit Deslauriers. Sais-tu ce que tu devrais faire, mon brave?

Isidore les interrompit encore une fois. Il avait ordre de ramener Frédéric, définitivement. Madame s'inquiétait de son absence.

— Bien, bien! on y va, dit Deslauriers; il ne découchera pas.

Et, le domestique étant parti :

— Tu devrais prier ce vieux de t'introduire chez les Dambreuse; rien n'est utile comme de fréquenter une maison riche! Puisque tu as un habit noir et des gants blancs, profites-en! Il faut que tu ailles dans ce monde-là! Tu m'y mèneras plus tard. Un homme à millions, pense donc! Arrange-toi pour lui plaire, et à sa femme aussi. Deviens son amant!

Frédéric se récriait.

— Mais je te dis là des choses classiques, il me semble? Rappelle-toi Rastignac dans la Comédie humaine! Tu réussiras, j'en suis sûr!

Frédéric avait tant de confiance en Deslauriers, qu'il se sentit ébranlé, et oubliant Mme Arnoux, ou la comprenant dans la prédiction faite sur l'autre, il ne put s'empêcher de sourire.

Le clerc ajouta :

— Dernier conseil : passe tes examens! Un titre est toujours bon; et lâche-moi franchement tes poètes catholiques et sataniques, aussi avancés en philosophie qu'on l'était au XIIe siècle. Ton désespoir est bête. De très grands particuliers ont eu des commencements plus difficiles, à commencer par Mirabeau. D'ailleurs, notre séparation ne sera pas si longue. Je ferai rendre gorge à mon filou de père. Il est temps que je m'en retourne, adieu! As-tu cent sous pour que je paye mon dîner?

Frédéric lui donna dix francs, le reste de la somme prise le matin à Isidore.

Cependant à vingt toises des ponts, sur la rive gauche, une lumière brillait dans la lucarne d'une maison basse.

Deslauriers l'aperçut. Alors, il dit emphatiquement, tout en retirant son chapeau :

— Vénus, reine des cieux, serviteur! Mais la Pénurie est la mère de la Sagesse. Nous a-t-on assez calomniés pour ça, miséricorde!

Cette allusion à une aventure commune les mit en joie. Ils riaient très haut, dans les rues.

Puis, ayant soldé sa dépense à l'auberge, Deslauriers reconduisit Frédéric jusqu'au carrefour de l'Hôtel-Dieu; — et, après une longue étreinte, les deux amis se séparèrent.

III

Deux mois plus tard, Frédéric, débarqué un matin rue Coq-Héron, songea immédiatement à faire sa grande visite.

Le hasard l'avait servi. Le père Roque était venu lui apporter un rouleau de papiers, en le priant de les remettre lui-même chez M. Dambreuse; et il accompagnait l'envoi d'un billet décacheté, où il présentait son jeune compatriote.

Mme Moreau parut surprise de cette démarche. Frédéric dissimula le plaisir qu'elle lui causait.

M. Dambreuse s'appelait de son vrai nom le comte d'Ambreuse; mais, dès 1825, abandonnant peu à peu sa noblesse et son parti, il s'était tourné vers l'industrie; et, l'oreille dans tous les bureaux, la main dans toutes les entreprises, à l'affût des bonnes occasions, subtil comme un Grec et laborieux comme un Auvergnat, il avait amassé une fortune que l'on disait considérable; de plus, il était officier de la Légion d'honneur, membre du conseil général de l'Aube, député, pair de France un de ces jours; complaisant du reste, il fatiguait le ministre par ses demandes continuelles de secours, de croix, de bureaux de tabac; et, dans ses bouderies

6. Agent électoral.

contre le pouvoir, il inclinait au centre gauche. Sa femme, la jolie Mme Dambreuse, que citaient les journaux de modes, présidait les assemblées de charité. En cajolant les duchesses, elle apaisait les rancunes du noble faubourg et laissait croire que M. Dambreuse pouvait encore se repentir et rendre des services.

Le jeune homme était troublé en allant chez eux.

« J'aurais mieux fait de prendre mon habit. On m'invitera sans doute au bal pour la semaine prochaine? Que va-t-on me dire? »

L'aplomb lui revint en songeant que M. Dambreuse n'était qu'un bourgeois, et il sauta gaillardement de son cabriolet sur le trottoir de la rue d'Anjou.

Quand il eut poussé une des deux portes cochères, il traversa la cour, gravit le perron et entra dans un vestibule pavé en marbre de couleur.

Un double escalier droit, avec un tapis rouge à baguettes de cuivre, s'appuyait contre les hautes murailles en stuc luisant. Il y avait, au bas des marches, un bananier dont les feuilles larges retombaient sur le velours de la rampe. Deux candélabres de bronze tenaient des globes de porcelaine suspendus à des chaînettes; les soupiraux des calorifères béants exhalaient un air lourd; et l'on n'entendait que le tic tac d'une grande horloge, dressée à l'autre bout du vestibule, sous une panoplie.

Un timbre sonna; un valet parut, et introduisit Frédéric dans une petite pièce, où l'on distinguait deux coffres-forts, avec des casiers remplis de cartons. M. Dambreuse écrivait au milieu, sur un bureau à cylindre.

Il parcourut la lettre du père Roque, ouvrit avec son canif la toile qui enfermait les papiers, et les examina.

De loin, à cause de sa taille mince, il pouvait sembler jeune encore. Mais ses rares cheveux blancs, ses membres débiles et surtout la pâleur extraordinaire de son visage accusaient un tempérament délabré. Une énergie impitoyable reposait dans ses yeux glauques, plus froids que des yeux de verre. Il avait les pommettes saillantes, et des mains à articulations noueuses.

Enfin, s'étant levé, il adressa au jeune homme quelques questions sur des personnes de leur connaissance, sur Nogent, sur ses études; puis il le congédia en s'inclinant. Frédéric sortit par un autre corridor, et se trouva dans le bas de la cour, auprès des remises.

Un coupé bleu, attelé d'un cheval noir, stationnait devant le perron. La portière s'ouvrit, une dame y monta et la voiture, avec un bruit sourd, se mit à rouler sur le sable.

Frédéric, en même temps qu'elle, arriva de l'autre côté, sous la porte cochère. L'espace n'étant pas assez large, il fut contraint d'attendre. La jeune femme, penchée en dehors du vasistas, parlait tout bas au concierge. Il n'apercevait que son dos, couvert d'une mante violette. Cependant, il plongeait dans l'intérieur de la voiture, tendue de reps bleu, avec des passementeries et des effilés de soie. Les vêtements de la dame l'emplissaient; il s'échappait de cette petite boîte capitonnée un parfum d'iris, et comme une vague senteur d'élé-

gances féminines. Le cocher lâcha les rênes, le cheval frôla la borne brusquement, et tout disparut.

Frédéric s'en revint à pied, en suivant les boulevards.

Il regrettait de n'avoir pu distinguer Mme Dambreuse.

Un peu plus haut que la rue Montmartre, un embarras de voitures lui fit tourner la tête; et, de l'autre côté, en face, il lut sur une plaque de marbre :

JACQUES ARNOUX

Comment n'avait-il pas songé à elle, plus tôt? La faute venait de Deslauriers, et il s'avança vers la boutique, il n'entra pas, cependant; il attendit qu'Elle parût.

Les hautes glaces transparentes offraient aux regards, dans une disposition habile, des statuettes, des dessins, des gravures, des catalogues, des numéros de *l'Art industriel;* et les prix de l'abonnement étaient répétés sur la porte, que décoraient à son milieu les initiales de l'éditeur. On apercevait, contre les murs, de grands tableaux dont le vernis brillait, puis, dans le fond, deux bahuts, chargés de porcelaines, de bronzes, de curiosités alléchantes; un petit escalier les séparait, fermé dans le haut par une portière de moquette; et un lustre en vieux saxe, un tapis vert sur le plancher, avec une table en marqueterie, donnaient à cet intérieur plutôt l'apparence d'un salon que d'une boutique. Frédéric faisait semblant d'examiner les dessins. Après des hésitations infinies, il entra.

Un employé souleva la portière, et répondit que Monsieur ne serait pas « au magasin » avant cinq heures. Mais si la commission pouvait se transmettre...

— Non! je reviendrai, répliqua doucement Frédéric.

Les jours suivants furent employés à se chercher un logement; et il se décida pour une chambre au second étage, dans un hôtel garni, rue Saint-Hyacinthe.

En portant sous son bras un buvard tout neuf, il se rendit à l'ouverture des cours. Trois cents jeunes gens, nu-tête, emplissaient un amphithéâtre où un vieillard en robe rouge dissertait d'une voix monotone; des plumes grinçaient sur le papier. Il retrouvait dans cette salle l'odeur poussiéreuse des classes, une chaire de forme pareille, le même ennui! Pendant quinze jours, il y retourna. Mais on n'était pas encore à l'article 3, qu'il avait lâché le Code civil, et il abandonna les *Institutes* à la *Summa divisio personarum.*

Les joies qu'il s'était promises n'arrivaient pas; et, quand il eut épuisé un cabinet de lecture, parcouru les collections du Louvre, et plusieurs fois de suite été au spectacle, il tomba dans un désœuvrement sans fond.

Mille choses nouvelles ajoutaient à sa tristesse. Il lui fallait compter son linge et subir le concierge, rustre à tournure d'infirmier, qui venait le matin retaper son lit, en sentant l'alcool et en grommelant. Son appartement, orné d'une pendule d'albâtre, lui déplaisait. Les cloisons étaient minces; il entendait les étudiants faire du punch, rire, chanter.

Las de cette solitude, il rechercha un de ses anciens camarades nommé Baptiste Martinon; et il le découvrit dans une pension bourgeoise de la rue Saint-Jacques, bûchant sa procédure, devant un feu de charbon de terre.

En face de lui, une femme en robe d'indienne reprisait des chaussettes.

Martinon était ce qu'on appelle un fort bel homme : grand, joufflu, la physionomie régulière et des yeux bleuâtres à fleur de tête; son père, un gros cultivateur, le destinait à la magistrature, et, voulant déjà paraître sérieux, il portait sa barbe taillée en collier.

Comme les ennuis de Frédéric n'avaient point de cause raisonnable et qu'il ne pouvait arguer d'aucun malheur, Martinon ne comprit rien à ses lamentations sur l'existence. Lui, il allait tous les matins à l'École, se promenait ensuite dans le Luxembourg, prenait le soir sa demi-tasse au café, et, avec quinze cents francs par an et l'amour de cette ouvrière, il se trouvait parfaitement heureux.

« Quel bonheur! » exclama intérieurement Frédéric.

Il avait fait à l'École une autre connaissance, celle de M. de Cisy, enfant de grande famille et qui semblait une demoiselle, à la gentillesse de ses manières.

M. de Cisy s'occupait de dessin, aimait le gothique. Plusieurs fois ils allèrent ensemble admirer la Sainte-Chapelle et Notre-Dame. Mais la distinction du jeune patricien recouvrait une intelligence des plus pauvres. Tout le surprenait; il riait beaucoup à la moindre plaisanterie, et montrait une ingénuité si complète, que Frédéric le prit d'abord pour un farceur, et finalement le considéra comme un nigaud.

Les épanchements n'étaient donc possibles avec personne; et il attendait toujours l'invitation des Dambreuse.

Au jour de l'an, il leur envoya des cartes de visite, mais il n'en reçut aucune.

Il était retourné à l'Art industriel.

Il y retourna une troisième fois, et il vit enfin Arnoux qui se disputait au milieu de cinq à six personnes et répondit à peine à son salut; Frédéric en fut blessé. Il n'en chercha pas moins comment parvenir jusqu'à Elle.

Il eut d'abord l'idée de se présenter souvent, pour marchander des tableaux. Puis il songea à glisser dans la boîte du journal quelques articles « très forts », ce qui amènerait des relations. Peut-être valait-il mieux courir droit au but, déclarer son amour? Alors, il composa une lettre de douze pages, pleine de mouvements lyriques et d'apostrophes; mais il la déchira et ne fit rien, ne tenta rien, — immobilisé par la peur de l'insuccès.

Au-dessus de la boutique d'Arnoux, il y avait au premier étage trois fenêtres, éclairées chaque soir. Des ombres circulaient par derrière, une surtout; c'était la sienne; et il se dérangeait de très loin pour regarder ces fenêtres et contempler cette ombre.

Une négresse, qu'il croisa un jour dans les Tuileries tenant une petite fille par la main, lui rappela la négresse de Mme Arnoux. Elle devait y venir comme les autres; toutes les fois qu'il traversait les Tuileries, son cœur battait, espérant la rencontrer. Les jours de soleil, il continuait sa promenade jusqu'au bout des Champs-Elysées.

Des femmes, nonchalamment assises dans des calèches, et dont les voiles flottaient au vent, défilaient près de lui, au pas ferme de leurs chevaux, avec un balancement insensible qui faisait craquer les cuirs vernis. Les voitures devenaient plus nombreuses, et, se ralentissant à partir du Rond-Point, elles occupaient toute la voie. Les crinières étaient près des crinières, les lanternes près des lanternes; les étriers d'acier, les gourmettes d'argent, les boucles de cuivre, jetaient çà et là des points lumineux entre les culottes courtes, les gants blancs et les fourrures qui retombaient sur le blason des portières. Il se sentait comme perdu dans un monde lointain. Ses yeux erraient sur les têtes féminines; et de vagues ressemblances amenaient à sa mémoire Mme Arnoux. Il se la figurait, au milieu des autres, dans un de ces petits coupés, pareils au coupé de Mme Dambreuse. — Mais le soleil se couchait, et le vent froid soulevait des tourbillons de poussière. Les cochers baissaient le menton dans leurs cravates, les roues se mettaient à tourner plus vite, le macadam grinçait; et tous les équipages descendaient au grand trot la longue avenue, en se frôlant, se dépassant, s'écartant les uns des autres, puis, sur la place de la Concorde, se dispersaient. Derrière les Tuileries, le ciel prenait la teinte des ardoises. Les arbres du jardin formaient deux masses énormes, violacées par le sommet. Les becs de gaz s'allumaient; et la Seine, verdâtre dans toute son étendue, se déchirait en moires d'argent contre les piles des ponts.

Il allait dîner, moyennant quarante-trois sols le cachet, dans un restaurant, rue de la Harpe.

Il regardait avec dédain le vieux comptoir d'acajou, les serviettes tachées, l'argenterie crasseuse et les chapeaux suspendus contre la muraille. Ceux qui l'entouraient étaient des étudiants comme lui. Ils causaient de leurs professeurs, de leurs maîtresses. Il s'inquiétait bien des professeurs! Est-ce qu'il avait une maîtresse? Pour éviter leurs joies, il arrivait le plus tard possible. Des restes de nourriture couvraient toutes les tables. Les deux garçons fatigués dormaient dans des coins, et une odeur de cuisine, de quinquet et de tabac emplissait la salle déserte.

Puis il remontait lentement les rues. Les réverbères se balançaient, en faisant trembler sur la boue de longs reflets jaunâtres. Des ombres glissaient au bord des trottoirs, avec des parapluies. Le pavé était gras, la brume tombait, et il lui semblait que les ténèbres humides, l'enveloppant, descendaient indéfiniment dans son cœur.

Un remords le prit. Il retourna aux cours. Mais comme il ne connaissait rien aux matières élucidées, des choses très simples l'embarrassèrent.

Il se mit à écrire un roman intitulé : Sylvio, le fils du pêcheur. La chose se passait à Venise. Le héros, c'était lui-même; l'héroïne, Mme Arnoux. Elle s'appelait Antonia; — et, pour l'avoir, il assassinait plusieurs gentilshommes, brûlait une partie de la ville et chantait sous son balcon, où palpitaient à la brise les rideaux en damas rouge du boulevard Montmartre. Les réminiscences trop nombreuses dont il s'aperçut le découragèrent; il n'alla pas plus loin, et son désœuvrement redoubla.

Alors il supplia Deslauriers de venir partager sa chambre. Ils s'arrangeraient pour vivre avec ses deux mille francs de pension; tout valait mieux que cette existence intolérable. Deslauriers ne pouvait encore quitter Troyes. Il l'engageait à se distraire, et à fréquenter Sénécal.

Sénécal était un répétiteur de mathématiques, homme de forte tête et de convictions républicaines, un futur Saint-Just, disait le clerc. Frédéric avait monté trois fois ses cinq étages, sans en recevoir aucune visite. Il n'y retourna plus.

Il voulut s'amuser. Il se rendit aux bals de l'Opéra. Ces gaietés tumultueuses le glaçaient dès la porte. D'ailleurs, il était retenu par la crainte d'un affront pécuniaire, s'imaginant qu'un souper avec un domino entraînait à des frais considérables, était une grosse aventure.

Il lui semblait, cependant, qu'on devait l'aimer. Quelquefois, il se réveillait le cœur plein d'espérance, s'habillait soigneusement comme pour un rendez-vous, et il faisait dans Paris des courses interminables. A chaque femme qui marchait devant lui, ou qui s'avançait à sa rencontre, il se disait : « La voilà! » C'était, chaque fois, une déception nouvelle. L'idée de Mme Arnoux fortifiait ces convoitises. Il la trouverait peut-être sur son chemin; et il imaginait, pour l'aborder, des complications du hasard, des périls extraordinaires dont il la sauverait.

Ainsi les jours s'écoulaient, dans la répétition des mêmes ennuis et des habitudes contractées. Il feuilletait des brochures sous les arcades de l'Odéon, allait lire *la Revue des Deux Mondes* [7] au café, entrait dans une salle du Collège de France, écoutait pendant une heure une leçon de chinois ou d'économie politique. Toutes les semaines, il écrivait longuement à Deslauriers, dînait de temps en temps avec Martinon, voyait quelquefois M. de Cisy.

Il loua un piano, et composa des valses allemandes.

Un soir, au théâtre du Palais-Royal, il aperçut, dans une loge d'avant-scène, Arnoux près d'une femme. Etait-ce elle? L'écran de taffetas vert, tiré au bord de la loge, masquait son visage. Enfin la toile se leva; l'écran s'abattit. C'était une longue personne, de trente ans environ, fanée, et dont les grosses lèvres découvraient, en riant, des dents splendides. Elle causait familièrement avec Arnoux et lui donnait des coups d'éventail sur les doigts. Puis une jeune fille blonde, les paupières un peu rouges comme si elle venait de pleurer, s'assit entre eux. Arnoux resta dès lors à demi penché sur son épaule, en lui tenant des discours qu'elle écoutait sans répondre. Frédéric s'ingéniait à découvrir la condition de ces femmes, modestement habillées de robes sombres, à cols plats rabattus.

A la fin du spectacle, il se précipita dans les couloirs. La foule les remplissait. Arnoux, devant lui, descendait l'escalier, marche à marche, donnant le bras aux deux femmes.

Tout à coup, un bec de gaz l'éclaira. Il avait un crêpe à son chapeau. Elle était morte, peut-être? Cette idée tourmenta Frédéric si fortement qu'il courut le lendemain à *l'Art industriel*, et, payant vite une des gravures étalées devant la montre, il demanda au garçon de boutique comment se portait M. Arnoux.

Le garçon répondit :

— Mais très bien!

Frédéric ajouta en pâlissant :

— Et Madame?

— Madame aussi!

Frédéric oublia d'emporter sa gravure.

L'hiver se termina. Il fut moins triste au printemps, se mit à préparer son examen, et, l'ayant subi d'une façon médiocre, partit ensuite pour Nogent.

Il n'alla point à Troyes voir son ami, afin d'éviter les observations de sa mère. Puis, à la rentrée, il abandonna son logement et prit, sur le quai Napoléon, deux pièces qu'il meubla. L'espoir d'une invitation chez les Dambreuse l'avait quitté; sa grande passion pour Mme Arnoux commençait à s'éteindre.

IV

Un matin du mois de décembre, en se rendant au cours de procédure, il crut remarquer dans la rue Saint-Jacques plus d'animation qu'à l'ordinaire. Les étudiants sortaient précipitamment des cafés, ou, par les fenêtres ouvertes, ils s'appelaient d'une maison à l'autre; les boutiquiers, au milieu du trottoir, regardaient d'un air inquiet; les volets se fermaient; et, quand il arriva dans la rue Soufflot, il aperçut un grand rassemblement autour du Panthéon.

Des jeunes gens, par bandes inégales de cinq à douze, se promenaient en se donnant le bras et abordaient les groupes plus considérables qui stationnaient çà et là; au fond de la place, contre les grilles, des hommes en blouse péroraient, tandis que, le tricorne sur l'oreille et les mains derrière le dos, des sergents de ville erraient le long des murs, en faisant sonner les dalles sous leurs fortes bottes. Tous avaient un air mystérieux, ébahi; on attendait quelque chose évidemment; chacun retenait au bord des lèvres une interrogation.

Frédéric se trouvait auprès d'un jeune homme blond, à figure avenante, et portant moustache et barbiche comme un raffiné du temps de Louis XIII. Il lui demanda la cause du désordre.

— Je n'en sais rien, reprit l'autre, ni eux non plus! C'est leur mode à présent! quelle bonne farce!

Et il éclata de rire.

Les pétitions pour la Réforme [8], que l'on faisait

---

7. Revue fondée en 1829 et qui avait pris dès 1831, sous la ferme direction de Buloz, une place de premier plan parmi les revues littéraires.

8. Projet de réforme électorale proposant d'abaisser le taux du cens de manière à augmenter le nombre des électeurs; recensement Humann : recensement, ordonné en 1841 par le ministre des Finances Humann; et tendant à un relèvement des taxes.

signer dans la garde nationale, jointes au recensement Humann, d'autres événements encore, amenaient depuis six mois, dans Paris, d'inexplicables attroupements; et même ils se renouvelaient si souvent que les journaux n'en parlaient plus.

— Cela manque de galbe et de couleur, continua le voisin de Frédéric. Ie cuyde, messire, que nous avons dégénéré! A la bonne époque de Loys onzième, voire de Benjamin Constant, il y avait plus de mutinerie parmi les escholiers. Ie les treuve pacifiques comme moutons, bêtes comme cornichons, et idoines à estre épiciers, Pasque-Dieu! Et voilà ce qu'on appelle la Jeunesse des écoles!

Il écarta les bras largement, comme Frédérick Lemaître dans *Robert Macaire*.

— Jeunesse des écoles, je te bénis!

Ensuite, apostrophant un chiffonnier, qui remuait des écailles d'huîtres contre la borne d'un marchand de vin :

— En fais-tu partie, toi, de la Jeunesse des écoles?

Le vieillard releva une face hideuse, où l'on distinguait, au milieu d'une barbe grise, un nez rouge, et deux yeux avinés stupides.

— Non! tu me parais plutôt *un de ces hommes à figure patibulaire que l'on voit, dans divers groupes, semant l'or à pleines mains...* Oh! sème, mon patriarche, sème! Corromps-moi avec les trésors d'Albion! *Are you English ?* Je ne repousse pas les présents d'Artaxerxès! Causons un peu de l'union douanière [9].

Frédéric sentit quelqu'un lui toucher l'épaule; il se retourna. C'était Martinon, prodigieusement pâle.

— Eh bien! fit-il en poussant un gros soupir, encore une émeute!

Il avait peur d'être compromis, se lamentait. Des hommes en blouse, surtout, l'inquiétaient, comme appartenant à des sociétés secrètes.

— Est-ce qu'il y a des sociétés secrètes? dit le jeune homme à moustaches. C'est une vieille blague du Gouvernement pour épouvanter les bourgeois!

Martinon l'engagea à parler plus bas, dans la crainte de la police.

— Vous croyez encore à la police, vous? Au fait, que savez-vous, monsieur, si je ne suis pas moi-même un mouchard?

Et il le regarda d'une telle manière, que Martinon, fort ému, ne comprit point d'abord la plaisanterie. La foule les poussait, et ils avaient été forcés, tous les trois, de se mettre sur le petit escalier conduisant, par un couloir, dans le nouvel amphithéâtre.

Bientôt la multitude se fendit d'elle-même; plusieurs têtes se découvrirent; on saluait l'illustre professeur Samuel Rondelot, qui, enveloppé de sa grosse redingote, levant en l'air ses lunettes d'argent, et soufflant de son asthme, s'avançait à pas tranquilles, pour faire son cours. Cet homme était une des gloires judiciaires du XIXe siècle, le rival des Zachariæ, des Ruhdorff. Sa dignité nouvelle de pair de France n'avait modifié en rien ses allures. On le savait pauvre, et un grand respect l'entourait.

Cependant, du fond de la place, quelques-uns crièrent :
— A bas Guizot!
— A bas Pritchard [10]!
— A bas les vendus!
— A bas Louis-Philippe!

La foule oscilla, et, se pressant contre la porte de la cour qui était fermée, elle empêchait le professeur d'aller plus loin. Il s'arrêta devant l'escalier. On l'aperçut bientôt sur la dernière des trois marches. Il parla; un bourdonnement couvrit sa voix. Bien qu'on l'aimât tout à l'heure, on le haïssait maintenant, car il représentait l'Autorité. Chaque fois qu'il essayait de se faire entendre, les cris recommençaient. Il fit un grand geste pour engager les étudiants à le suivre. Une vociération universelle lui répondit. Il haussa les épaules dédaigneusement et s'enfonça dans le couloir. Martinon avait profité de sa place pour disparaître en même temps.

— Quel lâche! dit Frédéric.
— Il est prudent! reprit l'autre.

La foule éclata en applaudissements. Cette retraite du professeur devenait une victoire pour elle. A toutes les fenêtres, des curieux regardaient. Quelques-uns entonnaient *la Marseillaise;* d'autres proposaient d'aller chez Béranger [11].
— Chez Laffitte!
— Chez Chateaubriand!
— Chez Voltaire! hurla le jeune homme à moustaches blondes.

Les sergents de ville tâchaient de circuler, en disant le plus doucement qu'ils pouvaient :
— Partez, messieurs, partez, retirez-vous!

Quelqu'un cria :
— A bas les assommeurs!

C'était une injure usuelle depuis les troubles du mois de septembre. Tous la répétèrent. On huait, on sifflait les gardiens de l'ordre public; ils commençaient à pâlir; un d'eux n'y résista plus, et, avisant un petit jeune homme qui s'approchait de trop près, en lui riant au nez, il le repoussa si rudement qu'il le fit tomber cinq pas plus loin, sur le dos, devant la boutique du marchand de vin. Tous s'écartèrent; mais presque aussitôt il roula lui-même, terrassé par une sorte d'Hercule dont la chevelure, telle qu'un paquet d'étoupes, débordait sous une casquette en toile cirée.

Arrêté depuis quelques minutes au coin de la rue Saint-Jacques, il avait lâché bien vite un large carton qu'il portait pour bondir vers le sergent de ville, et, le tenant renversé sous lui, il labourait sa face à grands coups de poing. Les autres sergents accoururent. Le terrible garçon était si fort, qu'il en fallut quatre, au

---

9. Ces propos reflètent d'une part l'anglophobie qui régnait à l'époque, d'autre part les discussions économiques fort animées entre protectionnistes et partisans du libre-échange.

10. Flaubert commet ici un léger anachronisme, puisque la fameuse affaire Pritchard, soulevant dans l'opinion française des passions anglophobes, est de 1844.

11. Béranger, Laffitte et Chateaubriand représentaient symboliquement — et confusément — dans l'opinion publique l'opposition libérale et l'esprit démocratique.

moins, pour le dompter. Deux le secouaient par le collet, deux autres le tiraient par les bras, un cinquième lui donnait, avec le genou, des bourrades dans les reins, et tous l'appelaient brigand, assassin, émeutier. La poitrine nue et les vêtements en lambeaux, il protestait de son innocence; il n'avait pu, de sang-froid, voir battre un enfant.

— Je m'appelle Dussardier! chez MM. Valinçart frères, dentelles et nouveautés, rue de Cléry. Où est mon carton? Je veux mon carton! il répétait : Dussardier!... rue de Cléry. Mon carton!

Il s'apaisa pourtant, et, d'un air stoïque, se laissa conduire vers le poste de la rue Descartes. Un flot de monde le suivit. Frédéric et le jeune homme à moustaches marchaient immédiatement par derrière, pleins d'admiration pour le commis et révoltés contre la violence du Pouvoir.

A mesure que l'on avançait, la foule devenait moins grosse.

Les sergents de ville, de temps à autre, se retournaient d'un air féroce; et les tapageurs n'ayant plus rien à faire, les curieux rien à voir, tous s'en allaient peu à peu. Des passants, que l'on croisait, considéraient Dussardier et se livraient tout haut à des commentaires outrageants. Une vieille femme, sur sa porte, s'écria même qu'il avait volé un pain; cette injustice augmenta l'irritation des deux amis. Enfin on arriva devant le corps de garde. Il ne restait qu'une vingtaine de personnes. La vue des soldats suffit pour les disperser.

Frédéric et son camarade réclamèrent, hardiment, celui qu'on venait de mettre en prison. Le factionnaire les menaça, s'ils insistaient, de les y fourrer eux-mêmes. Ils demandèrent le chef du poste, et déclinèrent leur nom avec leur qualité d'élèves en droit, affirmant que le prisonnier était leur condisciple.

On les fit entrer dans une pièce toute nue, où quatre bancs s'allongeaient contre les murs de plâtre, enfumés. Au fond, un guichet s'ouvrit. Alors parut le robuste visage de Dussardier, qui, dans le désordre de sa chevelure, avec ses petits yeux francs et son nez carré du bout, rappelait confusément la physionomie d'un bon chien.

— Tu ne nous reconnais pas? dit Hussonnet.

C'était le nom du jeune homme à moustaches.

— Mais... balbutia Dussardier.

— Ne fais donc plus l'imbécile, reprit l'autre; on sait que tu es, comme nous, élève en droit.

Malgré leurs clignements de paupières, Dussardier ne devinait rien. Il parut se recueillir, puis tout à coup :

— A-t-on trouvé mon carton?

Frédéric leva les yeux, découragé. Hussonnet répliqua :

— Ah! ton carton, où tu mets tes notes de cours? Oui, oui! rassure-toi!

Ils redoublaient leur pantomime. Dussardier comprit enfin qu'ils venaient pour le servir; et, il se tut, craignant de les compromettre. D'ailleurs, il éprouvait une sorte de honte en se voyant haussé au rang social d'étudiant et le pareil de ces jeunes hommes qui avaient des mains si blanches.

— Veux-tu faire dire quelque chose à quelqu'un? demanda Frédéric.

— Non, merci, à personne!

— Mais ta famille?

Il baissa la tête sans répondre; le pauvre garçon était bâtard. Les deux amis restaient étonnés de son silence.

— As-tu de quoi fumer? reprit Frédéric.

Il se palpa, puis retira du fond de sa poche les débris d'une pipe — une belle pipe en écume de mer, avec un tuyau en bois noir, un couvercle d'argent et un bout d'ambre.

Depuis trois ans, il travaillait à en faire un chef-d'œuvre. Il avait eu soin d'en tenir le fourneau constamment serré dans une gaine de chamois, de la fumer le plus lentement possible, sans jamais la poser sur le marbre, et, chaque soir, de la suspendre au chevet de son lit. A présent, il en secouait les morceaux dans sa main dont les ongles saignaient; et, le menton sur la poitrine, les prunelles fixes, béant, il contemplait ces ruines de sa joie avec un regard d'une ineffable tristesse.

— Si nous lui donnions des cigares, hein? dit tout bas Hussonnet, en faisant le geste d'en atteindre.

Frédéric avait déjà posé, au bord du guichet, un porte-cigares rempli.

— Prends donc! Adieu, bon courage!

Dussardier se jeta sur les deux mains qui s'avançaient. Il les serrait frénétiquement, la voix entrecoupée par des sanglots.

— Comment?... à moi!... à moi!...

Les deux amis se dérobèrent à sa reconnaissance, sortirent, et allèrent déjeuner ensemble au café Tabourey, devant le Luxembourg.

Tout en séparant le beefsteak, Hussonnet apprit à son compagnon qu'il travaillait dans des journaux de modes et fabriquait des réclames pour *l'Art industriel*.

— Chez Jacques Arnoux, dit Frédéric.

— Vous le connaissez?

— Oui! non!... C'est-à-dire je l'ai vu, je l'ai rencontré.

Il demanda négligemment à Hussonnet s'il voyait quelquefois sa femme.

— De temps à autre, reprit le bohème.

Frédéric n'osa poursuivre ses questions; cet homme venait de prendre une place démesurée dans sa vie; il paya la note du déjeuner sans qu'il y eût de la part de l'autre aucune protestation.

La sympathie était mutuelle; ils échangèrent leurs adresses, et Hussonnet l'invita cordialement à l'accompagner jusqu'à la rue de Fleurus.

Ils étaient au milieu du jardin quand l'employé d'Arnoux, retenant son haleine, contourna son visage dans une grimace abominable et se mit à faire le coq. Alors tous les coqs qu'il y avait aux environs lui répondirent par des cocoricos prolongés.

— C'est un signal, dit Hussonnet.

Ils s'arrêtèrent près du théâtre Bobino, devant une maison où l'on pénétrait par une allée. Dans la lucarne d'un grenier, entre des capucines et des pois de senteur, une jeune femme se montra, nu-tête, en corset, et appuyant ses deux bras contre le bord de la gouttière.

— Bonjour, mon ange, bonjour, bibiche, fit Hussonnet, en lui envoyant des baisers.

Il ouvrit la barrière d'un coup de pied, et disparut.

Frédéric l'attendit toute la semaine. Il n'osait aller chez lui, pour n'avoir point l'air impatient de se faire rendre à déjeuner; mais il le chercha par tout le quartier latin. Il le rencontra un soir, et l'emmena dans sa chambre sur le quai Napoléon.

La causerie fut longue; ils s'épanchèrent. Hussonnet ambitionnait la gloire et les profits du théâtre. Il collaborait à des vaudevilles non reçus, « avait des masses de plans », tournait le couplet; il en chanta quelques-uns. Puis, remarquant dans l'étagère un volume de Hugo et un autre de Lamartine, il se répandit en sarcasmes sur l'école romantique. Ces poètes-là n'avaient ni bon sens ni correction, et n'étaient pas français, surtout! Il se vantait de savoir sa langue et épluchait les phrases les plus belles avec cette sévérité hargneuse, ce goût académique qui distinguent les personnes d'humeur folâtre quand elles abordent l'art sérieux.

Frédéric fut blessé dans ses prédilections; il avait envie de rompre. Pourquoi ne pas hasarder, tout de suite, le mot d'où son bonheur dépendait? Il demanda au garçon de lettres s'il pouvait le présenter chez Arnoux.

La chose était facile, et ils convinrent du jour suivant.

Hussonnet manqua le rendez-vous; il en manqua trois autres. Un samedi, vers quatre heures, il apparut. Mais, profitant de la voiture, il s'arrêta d'abord au Théâtre-Français pour avoir un coupon de loge; il se fit descendre chez un tailleur, chez une couturière; il écrivait des billets chez les concierges. Enfin ils arrivèrent boulevard Montmartre. Frédéric traversa la boutique, monta l'escalier. Arnoux le reconnut dans la glace placée devant son bureau; et, tout en continuant à écrire, lui tendit la main par-dessus l'épaule.

Cinq ou six personnes, debout, emplissaient l'appartement étroit, qu'éclairait une seule fenêtre donnant sur la cour; un canapé en damas de laine brune occupait au fond l'intérieur d'une alcôve, entre deux portières d'étoffe semblable. Sur la cheminée couverte de paperasses, il y avait une Vénus en bronze; deux candélabres, garnis de bougies roses, la flanquaient parallèlement. A droite, près d'un cartonnier, un homme dans un fauteuil lisait le journal, en gardant son chapeau sur sa tête; les murailles disparaissaient sous des estampes et des tableaux, gravures précieuses ou esquisses de maîtres contemporains, ornées de dédicaces, qui témoignaient pour Jacques Arnoux de l'affection la plus sincère.

— Cela va toujours bien? fit-il en se tournant vers Frédéric.

Et, sans attendre sa réponse, il demanda bas à Hussonnet :

— Comment l'appelez-vous, votre ami?

Puis tout haut :

— Prenez donc un cigare, sur le cartonnier, dans la boîte.

L'Art industriel, posé au point central de Paris, était un lieu de rendez-vous commode, un terrain neutre où les rivalités se coudoyaient familièrement. On y voyait, ce jour-là, Anténor Braive, le portraitiste des rois; Jules Burrieu, qui commençait à populariser par ses dessins les guerres d'Algérie; le caricaturiste Sombaz, le sculpteur Vourdat, d'autres encore, et aucun ne répondait aux préjugés de l'étudiant. Leurs manières étaient simples, leurs propos libres. Le mystique Lovarias débita un conte obscène; et l'inventeur du paysage oriental, le fameux Dittmer, portait une camisole de tricot sous un gilet, et prit l'omnibus pour s'en retourner.

Il fut d'abord question d'une nommée Apollonie, un ancien modèle, que Burrieu prétendait avoir reconnue sur le boulevard, dans une daumont [12]. Hussonnet expliqua cette métamorphose par la série de ses entreteneurs.

— Comme ce gaillard-là connaît les filles de Paris! dit Arnoux.

— Après vous, s'il en reste, sire, répliqua le bohème, avec un salut militaire, pour imiter le grenadier offrant sa gourde à Napoléon.

Puis on discuta quelques toiles, où la tête d'Apollonie avait servi. Les confrères absents furent critiqués. On s'étonnait du prix de leurs œuvres; et tous se plaignaient de ne point gagner suffisamment, lorsque entra un homme de taille moyenne, l'habit fermé par un seul bouton, les yeux vifs, l'air un peu fou.

— Quel tas de bourgeois vous êtes! dit-il. Qu'est-ce que cela fait, miséricorde! Les vieux confectionnaient des chefs-d'œuvre, ne s'inquiétant pas du million. Corrège, Murillo...

— Ajoutez Pellerin, dit Sombaz.

Mais sans relever l'épigramme, il continua de discourir avec tant de véhémence, qu'Arnoux fut contraint de lui répéter deux fois :

— Ma femme a besoin de vous, jeudi. N'oubliez pas!

Cette parole ramena la pensée de Frédéric sur Mme Arnoux. Sans doute, on pénétrait chez elle par le cabinet près du divan? Arnoux, pour prendre un mouchoir, venait de l'ouvrir; Frédéric avait aperçu, dans le fond, un lavabo. Mais une sorte de grommellement sortit du coin de la cheminée; c'était le personnage qui lisait son journal, dans le fauteuil. Il avait cinq pieds neuf pouces, les paupières un peu tombantes, la chevelure grise, l'air majestueux, — et s'appelait Regimbart.

— Qu'est-ce donc, citoyen? dit Arnoux.

— Encore une nouvelle canaillerie du Gouvernement!

Il s'agissait de la destitution d'un maître d'école; Pellerin reprit son parallèle entre Michel-Ange et Shakespeare. Dittmer s'en allait. Arnoux le rattrapa pour lui mettre dans la main deux billets de banque. Alors, Hussonnet, croyant le moment favorable :

12. Calèche attelée de quatre chevaux et conduite par deux postillons.

— Vous ne pourriez pas m'avancer, mon cher patron?...

Mais Arnoux s'était rassis et gourmandait un vieillard d'aspect sordide, en lunettes bleues.

— Ah! vous êtes joli, père Isaac! Voilà trois œuvres décriées, perdues! Tout le monde se fiche de moi! On les connaît maintenant! Que voulez-vous que j'en fasse? Il faudra que je les envoie en Californie!... au diable! Taisez-vous!

La spécialité de ce bonhomme consistait à mettre au bas de ses tableaux des signatures de maîtres anciens. Arnoux refusait de le payer; il le congédia brutalement. Puis, changeant de manières, il salua un monsieur décoré, gourmé, avec favoris et cravate blanche.

Le coude sur l'espagnolette de la fenêtre, il lui parla pendant longtemps, d'un air mielleux. Enfin il éclata :

— Eh! je ne suis pas embarrassé d'avoir des courtiers, monsieur le comte!

Le gentilhomme s'étant résigné, Arnoux lui solda vingt-cinq louis, et, dès qu'il fut dehors :

— Sont-ils assommants, ces grands seigneurs!

— Tous des misérables! murmura Regimbart.

A mesure que l'heure avançait, les occupations d'Arnoux redoublaient; il classait des articles, décachetait des lettres, alignait les comptes au bruit du marteau dans le magasin, sortait pour surveiller les emballages, puis reprenait sa besogne; et, tout en faisant courir sa plume de fer sur le papier, il ripostait aux plaisanteries. Il devait dîner le soir chez son avocat, et partait le lendemain pour la Belgique.

Les autres causaient des choses du jour : le portrait de Chérubini [13], l'hémicycle des Beaux-Arts, l'Exposition prochaine. Pellerin déblatérait contre l'Institut. Les cancans, les discussions s'entre-croisaient. L'appartement, bas de plafond, était si rempli, qu'on ne pouvait remuer; et la lumière des bougies roses passait dans la fumée des cigares comme des rayons de soleil dans la brume.

La porte, près du divan, s'ouvrit, et une grande femme mince entra, avec des gestes brusques qui faisaient sonner sur sa robe en taffetas noir toutes les breloques de sa montre.

C'était la femme entrevue, l'été dernier, au Palais-Royal. Quelques-uns, l'appelant par son nom, échangèrent avec elle des poignées de main. Hussonnet avait enfin arraché une cinquantaine de francs; la pendule sonna sept heures; tous se retirèrent.

Arnoux dit à Pellerin de rester, et conduisit Mlle Vatnaz dans le cabinet.

Frédéric n'entendait pas leurs paroles; ils chuchotaient. Cependant, la voix féminine s'éleva :

— Depuis six mois que l'affaire est faite, j'attends toujours!

Il y eut un long silence. Mlle Vatnaz reparut. Arnoux lui avait encore promis quelque chose.

— Oh! oh! plus tard, nous verrons!

— Adieu, homme heureux! dit-elle, en s'en allant.

13. Le portrait de Cherubini : par Ingres; l'hémicycle des Beaux-Arts : décoré par Paul Delaroche.

Arnoux rentra vivement dans le cabinet, écrasa du cosmétique sur ses moustaches, haussa ses bretelles pour tendre ses sous-pieds; et, tout en se lavant les mains :

— Il me faudrait deux dessus de porte, à deux cent cinquante la pièce, genre Boucher, est-ce convenu?

— Soit, dit l'artiste, devenu rouge.

— Bon! et n'oubliez pas ma femme!

Frédéric accompagna Pellerin jusqu'au haut du faubourg Poissonnière, et lui demanda la permission de venir le voir quelquefois, faveur qui fut accordée gracieusement.

Pellerin lisait tous les ouvrages d'esthétique pour découvrir la véritable théorie du Beau, convaincu, quand il l'aurait trouvée, de faire des chefs-d'œuvre. Il s'entourait de tous les auxiliaires imaginables, dessins, plâtres, modèles, gravures; et il cherchait, se rongeait; il accusait le temps, ses nerfs, son atelier, sortait dans la rue pour rencontrer l'inspiration, tressaillait de l'avoir saisie, puis abandonnait son œuvre et en rêvait une autre qui devait être plus belle. Ainsi tourmenté par des convoitises de gloire et perdant ses jours en discussions, croyant à mille niaiseries, aux systèmes, aux critiques, à l'importance d'un règlement ou d'une réforme en matière d'art, il n'avait, à cinquante ans, encore produit que des ébauches. Son orgueil robuste l'empêchait de subir aucun découragement, mais il était toujours irrité, et dans cette exaltation à la fois factice et naturelle qui constitue les comédiens.

On remarquait en entrant chez lui deux grands tableaux, où les premiers tons, posés çà et là, faisaient sur la toile blanche des taches de brun, de rouge et de bleu. Un réseau de lignes à la craie s'étendait par-dessus, comme les mailles vingt fois reprises d'un filet; il était même impossible d'y rien comprendre. Pellerin expliqua le sujet de ces deux compositions en indiquant avec le pouce les parties qui manquaient. L'une devait représenter *la Démence de Nabuchodonosor*, l'autre *l'Incendie de Rome par Néron*. Frédéric les admira.

Il admira des académies de femmes échevelées, des paysages où les troncs d'arbres tordus par la tempête foisonnaient, et surtout des caprices à la plume, souvenirs de Callot, de Rembrandt ou de Goya, dont il ne connaissait pas les modèles. Pellerin n'estimait plus ces travaux de sa jeunesse; maintenant, il était pour le grand style; il dogmatisa sur Phidias et Winckelmann, éloquemment. Les choses autour de lui renforçaient la puissance de sa parole : on voyait une tête de mort sur un prie-Dieu, des yatagans, une robe de moine; Frédéric l'endossa.

Quand il arrivait de bonne heure, il le surprenait dans son mauvais lit de sangle, que cachait un lambeau de tapisserie; car Pellerin se couchait tard, fréquentant les théâtres avec assiduité. Il était servi par une vieille femme en haillons, dînait à la gargote et vivait sans maîtresse. Ses connaissances, ramassées pêle-mêle, rendaient ses paradoxes amusants. Sa haine contre le commun et le bourgeois débordait en sarcasmes d'un lyrisme superbe, et il avait pour les maîtres une telle religion, qu'elle le montait presque jusqu'à eux.

Mais pourquoi ne parlait-il jamais de Mme Arnoux? Quant à son mari, tantôt il l'appelait un bon garçon, d'autres fois un charlatan. Frédéric attendait ses confidences.

Un jour en feuilletant un de ses cartons, il trouva dans le portrait d'une bohémienne quelque chose de Mlle Vatnaz, et, comme cette personne l'intéressait, il voulut savoir sa position.

Elle avait été, croyait Pellerin, d'abord institutrice en province; maintenant, elle donnait des leçons et tâchait d'écrire dans les petites feuilles.

D'après ses manières avec Arnoux, on pouvait, selon Frédéric, la supposer sa maîtresse.

— Ah! bah! il en a d'autres!

Alors, le jeune homme, en détournant son visage qui rougissait de honte sous l'infamie de sa pensée, ajouta d'un air crâne:

— Sa femme le lui rend, sans doute?

— Pas du tout! elle est honnête!

Frédéric eut un remords, et se montra plus assidu au journal.

Les grandes lettres composant le nom d'Arnoux sur la plaque de marbre, au haut de la boutique, lui semblaient toutes particulières et grosses de significations, comme une écriture sacrée. Le large trottoir, descendant, facilitait sa marche, la porte tournait presque d'elle-même, et la poignée, lisse au toucher, avait la douceur et comme l'intelligence d'une main dans la sienne. Insensiblement, il devint aussi ponctuel que Regimbart.

Tous les jours, Regimbart s'asseyait au coin du feu, dans son fauteuil, s'emparait du *National* [14], ne le quittait plus, et exprimait sa pensée par des exclamations ou de simples haussements d'épaules. De temps à autre, il s'essuyait le front avec son mouchoir de poche roulé en boudin, et qu'il portait sur sa poitrine, entre deux boutons de sa redingote verte. Il avait un pantalon à plis, des souliers-bottes, une cravate longue; et son chapeau à bords retroussés le faisait reconnaître, de loin, dans les foules.

A huit heures du matin, il descendait des hauteurs de Montmartre, pour prendre le vin blanc dans la rue Notre-Dame-des-Victoires. Son déjeuner, que suivaient plusieurs parties de billard, le conduisait jusqu'à trois heures. Il se dirigeait alors vers le passage des Panoramas, pour prendre l'absinthe. Après la séance chez Arnoux, il entrait à l'estaminet Bordelais, pour prendre le vermout; puis, au lieu de rejoindre sa femme, souvent il préférait dîner seul, dans un petit café de la place Gaillon, où il voulait qu'on lui servît « des plats de ménage, des choses naturelles »! Enfin il se transportait dans un autre billard, et y restait jusqu'à minuit, jusqu'à une heure du matin, jusqu'au moment où, le gaz éteint et les volets fermés, le maître de l'établissement, exténué, le suppliait de sortir.

Et ce n'était pas l'amour des boissons qui attirait dans ces endroits le citoyen Regimbart, mais l'habitude ancienne d'y causer politique; avec l'âge, sa verve était tombée, il n'avait plus qu'une morosité silencieuse. On aurait dit, à voir le sérieux de son visage, qu'il roulait le monde dans sa tête. Rien n'en sortait; et personne, même de ses amis, ne lui connaissait d'occupations, bien qu'il se donnât pour tenir un cabinet d'affaires.

Arnoux paraissait l'estimer infiniment. Il dit un jour à Frédéric:

— Celui-là en sait long, allez! C'est un homme fort!

Une autre fois, Regimbart étala sur son pupitre des papiers concernant des mines de kaolin en Bretagne; Arnoux s'en rapportait à son expérience.

Frédéric se montra plus cérémonieux pour Regimbart, — jusqu'à lui offrir l'absinthe de temps à autre; et quoiqu'il le jugeât stupide, souvent il demeurait dans sa compagnie pendant une grande heure, uniquement parce que c'était l'ami de Jacques Arnoux.

Après avoir poussé dans leurs débuts des maîtres contemporains, le marchand de tableaux, homme de progrès, avait tâché, tout en conservant des allures artistiques, d'étendre ses profits pécuniaires. Il recherchait l'émancipation des arts, le sublime à bon marché. Toutes les industries du luxe parisien subirent son influence qui fut bonne pour les petites choses, et funeste pour les grandes. Avec sa rage de flatter l'opinion, il détourna de leur voie les artistes habiles, corrompit les forts, épuisa les faibles, et illustra les médiocres; il en disposait par ses relations et par sa revue. Les rapins ambitionnaient de voir leurs œuvres à sa vitrine et les tapissiers prenaient chez lui des modèles d'ameublement. Frédéric le considérait à la fois comme millionnaire, comme dilettante, comme homme d'action. Bien des choses pourtant l'étonnaient, car le sieur Arnoux était malicieux dans son commerce.

Il recevait du fond de l'Allemagne ou de l'Italie une toile achetée à Paris quinze cents francs et, exhibant une facture qui la portait à quatre mille, la revendait trois mille cinq cents, par complaisance. Un de ses tours ordinaires avec les peintres était d'exiger comme pot-de-vin une réduction de leur tableau, sous prétexte d'en publier la gravure; il vendait toujours la réduction et jamais la gravure ne paraissait. A ceux qui se plaignaient d'être exploités, il répondait par une tape sur le ventre. Excellent d'ailleurs, il prodiguait les cigares, tutoyait les inconnus, s'enthousiasmait pour une œuvre ou pour un homme, et, s'obstinant alors, ne regardant à rien, multipliait les courses, les correspondances, les réclames. Il se croyait fort honnête, et, dans son besoin d'expansion, racontait naïvement ses indélicatesses.

Une fois, pour vexer un confrère qui inaugurerait un autre journal de peinture par un grand festin, il pria Frédéric d'écrire sous ses yeux, un peu avant l'heure du rendez-vous, des billets où l'on désinvitait les convives.

---

14. Journal républicain fondé en 1830 par Thiers et Armand Carrel et dirigé depuis 1841 par Armand Marrast.

L'ÉDUCATION SENTIMENTALE

— Cela n'attaque pas l'honneur, vous comprenez?
Et le jeune homme n'osa lui refuser ce service.

Le lendemain, en entrant avec Hussonnet dans son bureau, Frédéric vit par la porte (celle qui s'ouvrait sur l'escalier) le bas d'une robe disparaître.

— Mille excuses! dit Hussonnet. Si j'avais cru qu'il y eût des femmes...

— Oh! pour celle-là, c'est la mienne, reprit Arnoux. Elle montait me faire une petite visite en passant.

— Comment? dit Frédéric.

— Mais oui! elle s'en retourne chez elle, à la maison.

Le charme des choses ambiantes se retira tout à coup. Ce qu'il y sentait confusément épandu venait de s'évanouir, ou plutôt n'y avait jamais été. Il éprouvait une surprise infinie et comme la douleur d'une trahison.

Arnoux, en fouillant dans son tiroir, souriait. Se moquait-il de lui? Le commis déposa sur la table une liasse de papiers humides.

— Ah! les affiches! s'écria le marchand. Je ne suis pas près de dîner ce soir!

Regimbart prenait son chapeau.

— Comment, vous me quittez?

— Sept heures! dit Regimbart.

Frédéric le suivit.

Au coin de la rue Montmartre, il se retourna; il regarda les fenêtres du premier étage; et il rit intérieurement de pitié sur lui-même, en se rappelant avec quel amour il les avait si souvent contemplées! Où donc vivait-elle? Comment la rencontrer maintenant? La solitude se rouvrait autour de son désir plus immense que jamais!

— Venez-vous la prendre? dit Regimbart.

— Prendre qui?

— L'absinthe!

Et, cédant à ses obsessions, Frédéric se laissa conduire à l'estaminet Bordelais. Tandis que son compagnon, posé sur le coude, considérait la carafe, il jetait les yeux de droite et de gauche. Mais il aperçut le profil de Pellerin sur le trottoir; il cogna vivement contre le carreau et le peintre n'était pas assis que Regimbart lui demanda pourquoi on ne le voyait plus à l'Art industriel.

— Que je crève, si j'y retourne! C'est une brute, un bourgeois, un misérable, un drôle!

Ces injures flattaient la colère de Frédéric. Il en était blessé cependant, car il lui semblait qu'elles atteignaient un peu Mme Arnoux.

— Qu'est-ce donc qu'il vous a fait? dit Regimbart.

Pellerin battit le sol avec son pied, et souffla fortement, au lieu de répondre.

Il se livrait à des travaux clandestins, tels que portraits aux deux crayons ou pastiches de grands maîtres pour les amateurs peu éclairés; et, comme ces travaux l'humiliaient, il préférait se taire, généralement. Mais « la crasse d'Arnoux » l'exaspérait trop. Il se soulagea.

D'après une commande, dont Frédéric avait été le témoin, il lui avait apporté deux tableaux. Le marchand, alors, s'était permis des critiques! Il avait blâmé la composition, la couleur et le dessin, le dessin surtout, bref, à aucun prix n'en avait voulu. Mais, forcé par l'échéance d'un billet, Pellerin les avait cédés au juif Isaac; et, quinze jours plus tard, Arnoux lui-même les vendait à un Espagnol, pour deux mille francs.

— Pas un sou de moins! Quelle gredinerie! et il en fait bien d'autres, parbleu! Nous le verrons, un de ces matins, en cour d'assises.

— Comme vous exagérez! dit Frédéric d'une voix timide.

— Allons! bon! j'exagère, s'écria l'artiste, en donnant sur la table un grand coup de poing.

Cette violence rendit au jeune homme tout son aplomb. Sans doute, on pouvait se conduire plus gentiment; cependant, si Arnoux trouvait ces deux toiles...

— Mauvaises! lâchez le mot! Les connaissez-vous? Est-ce votre métier? Or, vous savez, mon petit, moi, je n'admets pas cela, les amateurs!

— Eh! ce ne sont pas mes affaires! dit Frédéric.

— Quel intérêt avez-vous donc à le défendre? reprit froidement Pellerin.

Le jeune homme balbutia :

— Mais... parce que je suis son ami.

— Embrassez-le de ma part! bonsoir!

Et le peintre sortit furieux, sans parler, bien entendu, de sa consommation.

Frédéric s'était convaincu lui-même en défendant Arnoux. Dans l'échauffement de son éloquence, il fut pris de tendresse pour cet homme intelligent et bon, que ses amis calomniaient et qui maintenant travaillait tout seul, abandonné. Il ne résista pas au singulier besoin de le revoir immédiatement. Dix minutes après, il poussait la porte du magasin.

Arnoux élaborait, avec son commis, des affiches monstres, pour une exposition de tableaux.

— Tiens! qui vous ramène?

Cette question bien simple embarrassa Frédéric; et, ne sachant que répondre, il demanda si l'on n'avait point trouvé par hasard son calepin, un petit calepin en cuir bleu.

— Celui où vous mettez vos lettres de femmes? dit Arnoux

Frédéric, en rougissant, se défendit d'une telle supposition.

— Vos poésies, alors? répliqua le marchand.

Il maniait les spécimens étalés, en discutait la forme, la couleur, la bordure; et Frédéric se sentait de plus en plus irrité par son air de méditation, et surtout par ses mains qui se promenaient sur les affiches, — de grosses mains, un peu molles, à ongles plats. Enfin Arnoux se leva; et, en disant : « C'est fait!», il lui passa la main sous le menton, familièrement. Cette privauté déplut à Frédéric, il se recula; puis il franchit le seuil du bureau, pour la dernière fois de son existence, croyait-il. Mme Arnoux, elle-même, se trouvait comme diminuée par la vulgarité de son mari.

Il reçut, dans la même semaine, une lettre où Deslauriers annonçait qu'il arriverait à Paris, jeudi prochain. Alors, il se rejeta violemment sur cette affection plus solide et plus haute. Un pareil homme valait toutes les femmes. Il n'aurait plus besoin de Regimbart, de Pellerin, d'Hussonnet, de personne! Afin de mieux

23

loger son ami, il acheta une couchette de fer, un second fauteuil, dédoubla sa literie; et, le jeudi matin, il s'habillait pour aller au-devant de Deslauriers quand un coup de sonnette retentit à sa porte. Arnoux entra.

— Un mot, seulement! Hier, on m'a envoyé de Genève une belle truite; nous comptons sur vous, tantôt, à sept heures juste... C'est rue de Choiseul, 24 *bis*. N'oubliez pas!

Frédéric fut obligé de s'asseoir. Ses genoux chancelaient. Il se répétait : « Enfin! enfin! » Puis il écrivit à son tailleur, à son chapelier, à son bottier; et il fit porter ces trois billets par trois commissionnaires différents. La clef tourna dans la serrure et le concierge parut, avec une malle sur l'épaule.

Frédéric, en apercevant Deslauriers, se mit à trembler comme une femme adultère sous le regard de son époux.

— Qu'est-ce donc qui te prend? dit Deslauriers, tu dois cependant avoir reçu de moi une lettre?

Frédéric n'eut pas la force de mentir.

Il ouvrit les bras et se jeta sur sa poitrine.

Ensuite, le clerc conta son histoire. Son père n'avait pas voulu rendre ses comptes de tutelle, s'imaginant que ces comptes-là se prescrivaient par dix ans. Mais, fort en procédure, Deslauriers avait enfin arraché tout l'héritage de sa mère, sept mille francs nets, qu'il tenait là, sur lui, dans un vieux portefeuille.

— C'est une réserve, en cas de malheur. Il faut que j'avise à les placer et à me caser moi-même, dès demain matin. Pour aujourd'hui, vacance complète, et tout à toi, mon vieux!

— Oh! ne te gêne pas! dit Frédéric. Si tu avais ce soir quelque chose d'important...

— Allons donc! Je serais un fier misérable...

Cette épithète, lancée au hasard, toucha Frédéric en plein cœur, comme une allusion outrageante.

Le concierge avait disposé sur la table, auprès du feu, des côtelettes, de la galantine, une langouste, un dessert, et deux bouteilles de vin de Bordeaux. Une réception si bonne émut Deslauriers.

— Tu me traites comme un roi, ma parole!

Ils causèrent de leur passé, de l'avenir; et, de temps à autre, ils se prenaient les mains par-dessus la table, en se regardant une minute avec attendrissement. Mais un commissionnaire apporta un chapeau neuf. Deslauriers remarqua, tout haut, combien la coiffe était brillante.

Puis le tailleur, lui-même, vint remettre l'habit auquel il avait donné un coup de fer.

— On croirait que tu vas te marier, dit Deslauriers.

Une heure après, un troisième individu survint et retira d'un grand sac noir une paire de bottes vernies, splendides. Pendant que Frédéric les essayait, le bottier observait narquoisement la chaussure du provincial.

— Monsieur n'a besoin de rien?

— Merci, répliqua le clerc, en rentrant sous sa chaise ses vieux souliers à cordons.

Cette humiliation gêna Frédéric. Il reculait à faire son aveu. Enfin, il s'écria, comme saisi par une idée :

— Ah! saprelotte, j'oubliais!

— Quoi donc?

— Ce soir, je dîne en ville!

— Chez les Dambreuse? Pourquoi ne m'en parles-tu jamais dans tes lettres?

Ce n'était pas chez les Dambreuse, mais chez les Arnoux.

— Tu aurais dû m'avertir! dit Deslauriers. Je serais venu un jour plus tard.

— Impossible! répliqua brusquement Frédéric. On ne m'a invité que ce matin, tout à l'heure.

Et, pour racheter sa faute et en distraire son ami, il dénoua les cordes emmêlées de sa malle, il arrangea dans la commode toutes ses affaires, il voulait lui donner son propre lit, coucher dans le cabinet au bois. Puis, dès quatre heures, il commença les préparatifs de sa toilette.

— Tu as bien le temps! dit l'autre.

Enfin, il s'habilla, il partit.

« Voilà les riches! » pensa Deslauriers.

Et il alla dîner rue Saint-Jacques, chez un petit restaurateur qu'il connaissait.

Frédéric s'arrêta plusieurs fois dans l'escalier, tant son cœur battait fort. Un de ses gants trop juste éclata; et, tandis qu'il enfonçait la déchirure sous la manchette de sa chemise, Arnoux, qui montait par derrière, le saisit au bras et le fit entrer.

L'antichambre, décorée à la chinoise, avait une lanterne peinte, au plafond, et des bambous dans les coins. En traversant le salon, Frédéric trébucha contre une peau de tigre. On n'avait point allumé les flambeaux, mais deux lampes brûlaient dans le boudoir tout au fond.

Mlle Marthe vint dire que sa maman s'habillait. Arnoux l'enleva jusqu'à la hauteur de sa bouche pour la baiser; puis, voulant choisir lui-même dans la cave certaines bouteilles de vin, il laissa Frédéric avec l'enfant.

Elle avait grandi beaucoup depuis le voyage de Montereau. Ses cheveux bruns descendaient en longs anneaux frisés sur ses bras nus. Sa robe, plus bouffante que le jupon d'une danseuse, laissait voir ses mollets roses, et toute sa gentille personne sentait frais comme un bouquet. Elle reçut les compliments du monsieur avec des airs de coquette, fixa sur lui ses yeux profonds, puis, se coulant parmi les meubles, disparut comme un chat.

Il n'éprouvait plus aucun trouble. Les globes des lampes, recouverts d'une dentelle en papier, envoyaient un jour laiteux et qui attendrissait la couleur des murailles tendues de satin mauve. A travers les lames du garde-feu, pareil à un gros éventail, on apercevait les charbons dans la cheminée; il y avait, contre la pendule, un coffret à fermoirs d'argent. Çà et là, des choses intimes traînaient : une poupée au milieu de la causeuse, un fichu contre le dossier d'une chaise, et, sur la table à ouvrage, un tricot de laine d'où pendaient en dehors deux aiguilles d'ivoire, la pointe en bas. C'était un endroit paisible, honnête et familier tout ensemble.

Arnoux rentra; et, par l'autre portière, Mme Arnoux

parut. Comme elle se trouvait enveloppée d'ombre, il ne distingua d'abord que sa tête. Elle avait une robe de velours noir et, dans les cheveux, une longue bourse algérienne en filet de soie rouge qui, s'entortillant à son peigne, lui tombait sur l'épaule gauche.

Arnoux présenta Frédéric.

— Oh! je reconnais Monsieur parfaitement, répondit-elle.

Puis les convives arrivèrent tous, presque en même temps : Dittmer, Lovarias, Burrieu, le compositeur Rosenwald, le poète Théophile Lorris, deux critiques d'art collègues d'Hussonnet, un fabricant de papier, et enfin l'illustre Pierre-Paul Meinsius, le dernier représentant de la grande peinture, qui portait gaillardement, avec sa gloire, ses quatre-vingts années et son gros ventre.

Lorsqu'on passa dans la salle à manger, Mme Arnoux prit son bras. Une chaise était restée vide pour Pellerin. Arnoux l'aimait, tout en l'exploitant. D'ailleurs, il redoutait sa terrible langue — si bien que, pour l'attendrir, il avait publié dans l'*Art industriel* son portrait accompagné d'éloges hyperboliques; et Pellerin, plus sensible à la gloire qu'à l'argent, apparut vers huit heures, tout essoufflé. Frédéric s'imagina qu'ils étaient réconciliés depuis longtemps.

La compagnie, les mets, tout lui plaisait. La salle, telle qu'un parloir moyen âge, était tendue de cuir battu; une étagère hollandaise se dressait devant un râtelier de chibouques [15]; et, autour de la table, les verres de Bohême, diversement colorés, faisaient au milieu des fleurs et des fruits comme une illumination dans un jardin.

Il eut à choisir entre dix espèces de moutarde. Il mangea du daspachio [16], du cari, du gingembre, des merles de Corse, des lasagnes romaines; il but des vins extraordinaires, du lip-fraoli et du tokay. Arnoux se piquait effectivement de bien recevoir. Il courtisait en vue des comestibles tous les conducteurs de malles-poste, et il était lié avec des cuisiniers de grandes maisons qui lui communiquaient des sauces.

Mais la causerie surtout amusait Frédéric. Son goût pour les voyages fut caressé par Dittmer, qui parla de l'Orient; il assouvit sa curiosité des choses du théâtre en écoutant Rosenwald causer de l'Opéra; et l'existence atroce de la bohème lui parut drôle, à travers la gaieté d'Hussonnet, lequel narra, d'une manière pittoresque, comment il avait passé tout un hiver, n'ayant pour nourriture que du fromage de Hollande. Puis, une discussion entre Lovarias et Burrieu, sur l'école florentine, lui révéla des chefs-d'œuvre, lui ouvrit des horizons, et il eut du mal à contenir son enthousiasme quand Pellerin s'écria :

— Laissez-moi tranquille avec votre hideuse réalité! Qu'est-ce que cela veut dire, la réalité? Les uns voient noir, d'autres bleu, la multitude voit bête. Rien de

moins naturel que Michel-Ange, rien de plus fort! Le souci de la vérité extérieure dénote la bassesse contemporaine; et l'art deviendra, si l'on continue, je ne sais quelle rocambole au-dessous de la religion comme poésie, et de la politique comme intérêt. Vous n'arriverez pas à son but, — oui, son but! — qui est de nous causer une exaltation impersonnelle, avec de petites œuvres, malgré toutes vos finasseries d'exécution. Voilà les tableaux de Bassolier, par exemple : c'est joli, coquet, propret, et pas lourd! Ça peut se mettre dans la poche, se prendre en voyage! Les notaires achètent ça vingt mille francs; il y a pour trois sous d'idées; mais, sans l'idée, rien de grand! sans grandeur, pas de beau! L'Olympe est une montagne! Le plus crâne monument, ce sera toujours les Pyramides. Mieux vaut l'exubérance que le goût, le désert qu'un trottoir, et un sauvage qu'un coiffeur!

Frédéric, en écoutant ces choses, regardait Mme Arnoux. Elles tombaient dans son esprit comme des métaux dans une fournaise, s'ajoutaient à sa passion et faisaient de l'amour.

Il était assis trois places au-dessous d'elle, sur le même côté. De temps à autre, elle se penchait un peu, en tournant la tête pour adresser quelques mots à sa petite fille; et, comme elle souriait alors, une fossette se creusait dans sa joue, ce qui donnait à son visage un air de bonté plus délicate.

Au moment des liqueurs, elle disparut. La conversation devint très libre; M. Arnoux y brilla, et Frédéric fut étonné du cynisme de ces hommes. Cependant, leur préoccupation de la femme établissait entre eux et lui comme une égalité, qui le haussait dans sa propre estime.

Rentré au salon, il prit, par contenance, un des albums traînant sur la table. Les grands artistes de l'époque l'avaient illustré de dessins, y avaient mis de la prose, des vers, ou simplement leurs signatures; parmi les noms fameux, il s'en trouvait beaucoup d'inconnus, et les pensées curieuses n'apparaissaient que sous un débordement de sottises. Toutes contenaient un hommage plus ou moins direct à Mme Arnoux. Frédéric aurait eu peur d'écrire une ligne à côté.

Elle alla chercher dans son boudoir le coffret à fermoirs d'argent qu'il avait remarqué sur la cheminée. C'était un cadeau de son mari, un ouvrage de la Renaissance. Les amis d'Arnoux le complimentèrent, sa femme le remerciait; il fut pris d'attendrissement, et lui donna devant le monde un baiser.

Ensuite, tous causèrent çà et là, par groupes; le bonhomme Meinsius était avec Mme Arnoux, sur une bergère, près du feu; elle se penchait vers son oreille, leurs têtes se touchaient; — et Frédéric aurait accepté d'être sourd, infirme et laid pour un nom illustre et des cheveux blancs, enfin pour avoir quelque chose qui l'intronisât dans une intimité pareille. Il se rongeait le cœur, furieux contre sa jeunesse.

Mais elle vint dans l'angle du salon où il se tenait, lui demanda s'il connaissait quelques-uns des convives, s'il aimait la peinture, depuis combien de temps il étudiait à Paris. Chaque mot qui sortait de sa bouche

---

15. Pipes turques à tuyau long et rigide.
16. Il s'agit probablement du « gaspacho » andalou, sorte de soupe froide à l'huile et au vinaigre, avec concombres et tomates; lasagnes : pâtes taillées en forme de larges rubans; lip-fraoli : vin blanc du Rhin; tokay : vin de Hongrie.

semblait à Frédéric être une chose nouvelle, une dépendance exclusive de sa personne. Il regardait attentivement les effilés de sa coiffure, caressant par le bout son épaule nue; et il n'en détachait pas ses yeux, il enfonçait son âme dans la blancheur de cette chair féminine; cependant, il n'osait lever ses paupières, pour la voir plus haut, face à face.

Rosenwald les interrompit, en priant Mme Arnoux de chanter quelque chose. Il préluda, elle attendait; ses lèvres s'entr'ouvrirent et un son pur, long, filé, monta dans l'air.

Frédéric ne comprit rien aux paroles italiennes.

Cela commença sur un rythme grave, tel qu'un chant d'église, puis, s'animant crescendo, multipliait les éclats sonores, s'apaisait tout à coup; et la mélodie revenait amoureusement, avec une oscillation large et paresseuse.

Elle se tenait debout, près du clavier, les bras tombants, le regard perdu. Quelquefois, pour lire la musique, elle clignait ses paupières en avançant le front, un instant. Sa voix de contralto prenait dans les cordes basses une intonation lugubre qui glaçait, et alors sa belle tête, aux grands sourcils, s'inclinait sur son épaule; sa poitrine se gonflait, ses bras s'écartaient, son cou d'où s'échappaient des roulades se renversait mollement comme sous des baisers aériens; elle lança trois notes aiguës, redescendit, en jeta une plus haute encore, et, après un silence, termina par un point d'orgue.

Rosenwald n'abandonna pas le piano. Il continua de jouer, pour lui-même. De temps à autre, un des convives disparaissait. A onze heures, comme les derniers s'en allaient, Arnoux sortit avec Pellerin, sous prétexte de le reconduire. Il était de ces gens qui se disent malades quand ils n'ont pas *fait leur tour* après dîner.

Mme Arnoux s'était avancée dans l'antichambre, Dittmer et Hussonnet la saluaient, elle leur tendit la main; elle la tendit également à Frédéric, et il éprouva comme une pénétration à tous les atomes de sa peau.

Il quitta ses amis; il avait besoin d'être seul. Son cœur débordait. Pourquoi cette main offerte? Etait-ce un geste irréfléchi, ou un encouragement? « Allons donc! je suis fou! » Qu'importait d'ailleurs, puisqu'il pouvait maintenant la fréquenter tout à son aise, vivre dans son atmosphère.

Les rues étaient désertes. Quelquefois une charrette lourde passait, en ébranlant les pavés. Les maisons se succédaient avec leurs façades grises, leurs fenêtres closes; et il songeait dédaigneusement à tous ces êtres humains couchés derrière ces murs, qui existaient sans la voir, et dont pas un même ne se doutait qu'elle vécût! Il n'avait plus conscience du milieu, de l'espace, de rien; et, battant le sol du talon, en frappant avec sa canne les volets des boutiques, il allait toujours devant lui, au hasard, éperdu, entraîné. Un air humide l'enveloppa; il se reconnut au bord des quais.

Les réverbères brillaient en deux lignes droites, indéfiniment, et de longues flammes rouges vacillaient dans la profondeur de l'eau. Elle était de couleur ardoise, tandis que le ciel, plus clair, semblait soutenu par les grandes masses d'ombre qui se levaient de chaque côté du fleuve. Des édifices, que l'on n'apercevait pas, faisaient des redoublements d'obscurité. Un brouillard lumineux flottait au delà, sur les toits; tous les bruits se fondaient en un seul bourdonnement; un vent léger soufflait.

Il s'était arrêté au milieu du Pont-Neuf, et tête nue, poitrine ouverte, il aspirait l'air. Cependant, il sentait monter du fond de lui-même quelque chose d'intarissable, un afflux de tendresse qui l'énervait, comme le mouvement des ondes sous ses yeux. A l'horloge d'une église, une heure sonna, lentement, pareille à une voix qui l'eût appelé.

Alors il fut saisi par un de ces frissons de l'âme où il vous semble qu'on est transporté dans un monde supérieur. Une faculté extraordinaire, dont il ne savait pas l'objet, lui était venue. Il se demanda, sérieusement, s'il serait un grand peintre ou un grand poète; — et il se décida pour la peinture, car les exigences de ce métier le rapprocheraient de Mme Arnoux. Il avait donc trouvé sa vocation! Le but de son existence était clair maintenant, et l'avenir infaillible.

Quand il eut refermé sa porte, il entendit quelqu'un qui ronflait dans le cabinet noir, près de la chambre. C'était l'autre. Il n'y pensait plus.

Son visage s'offrait à lui dans la glace. Il se trouva beau; et resta une minute à se regarder.

V

Le lendemain, avant midi, il s'était acheté une boîte de couleurs, des pinceaux, un chevalet. Pellerin consentit à lui donner des leçons, et Frédéric l'emmena dans son logement pour voir si rien ne manquait parmi ses ustensiles de peinture.

Deslauriers était rentré. Un jeune homme occupait le second fauteuil. Le clerc dit en le montrant :

— C'est lui! le voilà! Sénécal!

Ce garçon déplut à Frédéric. Son front était rehaussé par la coupe de ses cheveux taillés en brosse. Quelque chose de dur et de froid perçait dans ses yeux gris; et sa longue redingote noire, tout son costume sentait le pédagogue et l'ecclésiastique.

D'abord on causa des choses du jour, entre autres du *Stabat* de Rossini [17]; Sénécal, interrogé, déclara qu'il n'allait jamais au théâtre. Pellerin ouvrit la boîte de couleurs.

— Est-ce pour toi, tout cela? dit le clerc.

— Mais sans doute!

— Tiens! quelle idée!

Et il se pencha sur la table, où le répétiteur de mathématiques feuilletait un volume de Louis Blanc [18]. Il l'avait apporté lui-même et lisait à voix basse des passages, tandis que Pellerin et Frédéric examinaient

17. *Le Stabat Mater*, œuvre musicale de Rossini dont la première exécution eut lieu à Paris, au Théâtre Italien, le 7 janvier 1842.
18. Sans doute le premier tome de l'*Histoire de dix ans* qui venait de paraître.

ensemble la palette, le couteau, les vessies; puis ils vinrent à s'entretenir du dîner chez Arnoux.

— Le marchand de tableaux? demanda Sénécal. Joli monsieur, vraiment!

— Pourquoi donc? dit Pellerin.

Sénécal répliqua :

— Un homme qui bat monnaie avec des turpitudes politiques!

Et il se mit à parler d'une lithographie célèbre, représentant toute la famille royale livrée à des occupations édifiantes : Louis-Philippe tenait un code, la reine un paroissien, les princesses brodaient, le duc de Nemours ceignait un sabre; M. de Joinville montrait une carte géographique à ses jeunes frères; on apercevait, dans le fond, un lit à deux compartiments. Cette image, intitulée *Une bonne famille*, avait fait les délices des bourgeois, mais l'affliction des patriotes. Pellerin, d'un ton vexé comme s'il en était l'auteur, répondit que toutes les opinions se valaient; Sénécal protesta. L'Art devait exclusivement viser à la moralisation des masses! Il ne fallait reproduire que des sujets poussant aux actions vertueuses; les autres étaient nuisibles.

— Mais ça dépend de l'exécution! cria Pellerin. Je peux faire des chefs-d'œuvre!

— Tant pis pour vous, alors! on n'a pas le droit...

— Comment?

— Non! monsieur, vous n'avez pas le droit de m'intéresser à des choses que je réprouve. Qu'avons-nous besoin de laborieuses bagatelles, dont il est impossible de tirer aucun profit, de ces Vénus, par exemple, avec tous vos paysages? Je ne vois pas là d'enseignement pour le peuple! Montrez-nous ses misères, plutôt! enthousiasmez-nous pour ses sacrifices! Eh! bon Dieu, les sujets ne manquent pas : la ferme, l'atelier...

Pellerin en balbutiait d'indignation, et, croyant avoir trouvé un argument :

— Molière l'acceptez-vous?

— Soit! dit Sénécal. Je l'admire comme précurseur de la Révolution française.

— Ah! la Révolution! Quel art! Jamais il n'y a eu d'époque plus pitoyable!

— Pas de plus grande, monsieur!

Pellerin se croisa les bras et, le regardant en face :

— Vous m'avez l'air d'un fameux garde national!

Son antagoniste, habitué aux discussions, répondit :

— Je n'*en* suis pas! et je la déteste autant que vous. Mais, avec des principes pareils, on corrompt les foules! Ça fait le compte du Gouvernement, du reste! il ne serait pas si fort sans la complicité d'un tas de farceurs comme celui-là.

Le peintre prit la défense du marchand, car les opinions de Sénécal l'exaspéraient. Il osa même soutenir que Jacques Arnoux était un véritable cœur d'or, dévoué à ses amis, chérissant sa femme.

— Oh! oh! si on lui offrait une bonne somme, il ne la refuserait pas pour servir de modèle.

Frédéric devint blême.

— Il vous a donc fait bien du tort, monsieur?

— A moi? non! Je l'ai vu, une fois, au café avec un ami. Voilà tout.

Sénécal disait vrai. Mais il se trouvait agacé, quotidiennement, par les réclames de *l'Art industriel*. Arnoux était, pour lui, le représentant d'un monde qu'il jugeait funeste à la démocratie. Républicain austère, il suspectait de corruption toutes les élégances, n'ayant d'ailleurs aucun besoin, et étant d'une probité inflexible.

La conversation eut peine à reprendre. Le peintre se rappela bientôt son rendez-vous, le répétiteur ses élèves; et, quand ils furent sortis, après un long silence, Deslauriers fit différentes questions sur Arnoux.

— Tu m'y présenteras plus tard, n'est-ce pas, mon vieux?

— Certainement, dit Frédéric.

Puis ils avisèrent à leur installation. Deslauriers avait obtenu, sans peine, une place de second clerc chez un avoué, pris à l'Ecole de Droit son inscription, acheté les livres indispensables, — et la vie qu'ils avaient tant rêvée commença.

Elle fut charmante, grâce à la beauté de leur jeunesse. Deslauriers n'ayant parlé d'aucune convention pécuniaire, Frédéric n'en parla pas. Il subvenait à toutes les dépenses, rangeait l'armoire, s'occupait du ménage; mais, s'il fallait donner une mercuriale au concierge, le clerc s'en chargeait, continuant, comme au collège, son rôle de protecteur et d'aîné.

Séparés tout le long du jour, ils se retrouvaient le soir. Chacun prenait sa place au coin du feu et se mettait à la besogne. Ils ne tardaient pas à s'interrompre. C'étaient des épanchements sans fin, des gaietés sans cause, et des disputes quelquefois, à propos de la lampe qui filait, ou d'un livre égaré, colères d'une minute que des rires apaisaient.

La porte du cabinet au bois restant ouverte, ils bavardaient de loin, dans leur lit.

Le matin, ils se promenaient en manches de chemise sur leur terrasse; le soleil se levait, des brumes légères passaient sur le fleuve, on entendait un glapissement dans le marché aux fleurs à côté; — et les fumées de leurs pipes tourbillonnaient dans l'air pur, qui rafraîchissait leurs yeux encore bouffis; ils sentaient, en l'aspirant, un vaste espoir épandu.

Quand il ne pleuvait pas, le dimanche, ils sortaient ensemble; et, bras dessus bras dessous, ils s'en allaient par les rues. Presque toujours la même réflexion leur survenait à la fois, ou bien ils causaient sans rien voir autour d'eux. Deslauriers ambitionnait la richesse, comme moyen de puissance sur les hommes. Il aurait voulu remuer beaucoup de monde, faire beaucoup de bruit, avoir trois secrétaires sous ses ordres, et un grand dîner politique une fois par semaine. Frédéric se meublait un palais à la moresque, pour vivre couché sur des divans de cachemire, au murmure d'un jet d'eau, servi par des pages nègres; — et ces choses rêvées devenaient à la fin tellement précises, qu'elles le désolaient comme s'il les avait perdues.

— A quoi bon causer de tout cela, disait-il, puisque jamais nous ne l'aurons!

— Qui sait? reprenait Deslauriers.

Malgré ses opinions démocratiques, il l'engageait à

s'introduire chez les Dambreuse. L'autre objectait ses tentatives.

— Bah! retournes-y! On t'invitera!

Ils reçurent, vers le milieu du mois de mars, parmi des notes assez lourdes, celle du restaurateur qui leur apportait à dîner. Frédéric, n'ayant point la somme suffisante, emprunta cent écus à Deslauriers; quinze jours plus tard, il réitéra la même demande, et le clerc le gronda pour les dépenses auxquelles il se livrait chez Arnoux.

Effectivement, il n'y mettait point de modération. Une vue de Venise, une vue de Naples et une autre de Constantinople occupant le milieu des trois murailles, des sujets équestres d'Alfred de Dreux çà et là, un groupe de Pradier sur la cheminée, des numéros de *l'Art industriel* sur le piano, et des cartonnages par terre dans les angles, encombraient le logis d'une telle façon qu'on avait peine à poser un livre, à remuer les coudes. Frédéric prétendait qu'il lui fallait tout cela pour sa peinture.

Il travaillait chez Pellerin. Mais souvent Pellerin était en courses, — ayant coutume d'assister à tous les enterrements et événements dont les journaux devaient rendre compte; — et Frédéric passait des heures entièrement seul dans l'atelier. Le calme de cette grande pièce, où l'on n'entendait que le trottinement des souris, la lumière qui tombait du plafond, et jusqu'au ronflement du poêle, tout le plongeait d'abord dans une sorte de bien-être intellectuel. Puis ses yeux, abandonnant son ouvrage, se portaient sur les écaillures de la muraille, parmi les bibelots de l'étagère, le long des torses où la poussière amassée faisait comme des lambeaux de velours; et, tel qu'un voyageur perdu au milieu d'un bois et que tous les chemins ramènent à la même place, continuellement, il retrouvait au fond de chaque idée le souvenir de Mme Arnoux.

Il se fixait des jours pour aller chez elle; arrivé au second étage, devant sa porte, il hésitait à sonner. Des pas se rapprochaient; on ouvrait, et, à ces mots : « Madame est sortie », c'était une délivrance, et comme un fardeau de moins sur son cœur.

Il la rencontra, pourtant. La première fois, il y avait trois dames avec elle; une autre après-midi, le maître d'écriture de Mlle Marthe survint. D'ailleurs, les hommes que recevait Mme Arnoux ne lui faisaient point de visites. Il n'y retourna plus, par discrétion.

Mais il ne manquait pas, pour qu'on l'invitât aux dîners du jeudi, de se présenter à *l'Art industriel*, chaque mercredi, régulièrement; et il y restait après tous les autres, plus longtemps que Regimbart, jusqu'à la dernière minute, en feignant de regarder une gravure, de parcourir un journal. Enfin Arnoux lui disait :

— Etes-vous libre, demain soir? Il acceptait avant que la phrase fût achevée. Arnoux semblait le prendre en affection. Il lui montra l'art de reconnaître les vins, à brûler le punch, à faire des salmis de bécasses; Frédéric suivait docilement ses conseils, — aimant tout ce qui dépendait de Mme Arnoux, ses meubles, ses domestiques, sa maison, sa rue.

Il ne parlait guère pendant ces dîners; il la contemplait. Elle avait à droite, contre la tempe, un petit grain de beauté; ses bandeaux étaient plus noirs que le reste de sa chevelure et toujours comme un peu humides sur les bords; elle les flattait de temps à autre, avec deux doigts seulement. Il connaissait la forme de chacun de ses ongles, il se délectait à écouter le sifflement de sa robe de soie quand elle passait auprès des portes, il humait en cachette la senteur de son mouchoir; son peigne, ses gants, ses bagues étaient pour lui des choses particulières, importantes comme des œuvres d'art, presque animées comme des personnes; toutes lui prenaient le cœur et augmentaient sa passion.

Il n'avait pas eu la force de la cacher à Deslauriers. Quand il revenait de chez Mme Arnoux, il le réveillait comme par mégarde, afin de pouvoir causer d'elle.

Deslauriers, qui couchait dans le cabinet au bois, près de la fontaine, poussait un long bâillement. Frédéric s'asseyait au pied de son lit. D'abord il parlait du dîner, puis il racontait mille détails insignifiants, où il voyait des marques de mépris ou d'affection. Une fois, par exemple, elle avait refusé son bras, pour prendre celui de Dittmer, et Frédéric se désolait.

— Ah! quelle bêtise!

Ou bien elle l'avait appelé son « ami ».

— Vas-y gaiement, alors!

— Mais je n'ose pas, disait Frédéric.

— Eh bien, n'y pense plus! Bonsoir.

Deslauriers se retournait vers la ruelle et s'endormait. Il ne comprenait rien à cet amour, qu'il regardait comme une dernière faiblesse d'adolescence; et, son intimité ne lui suffisant plus sans doute, il imagina de réunir leurs amis communs une fois par semaine.

Ils arrivaient le samedi, vers neuf heures. Les trois rideaux d'algérienne étaient soigneusement tirés; la lampe et quatre bougies brûlaient; au milieu de la table, le pot à tabac, tout plein de pipes, s'étalait entre les bouteilles de bière, la théière, un flacon de rhum et des petits fours. On discutait sur l'immortalité de l'âme, on faisait des parallèles entre les professeurs.

Hussonnet, un soir, introduisit un grand jeune homme habillé d'une redingote trop courte des poignets, et la contenance embarrassée. C'était le garçon qu'ils avaient réclamé au poste, l'année dernière.

N'ayant pu rendre à son maître le carton de dentelles perdu dans la bagarre, celui-ci l'avait accusé de vol, menacé des tribunaux; maintenant il était commis dans une maison de roulage. Hussonnet, le matin, l'avait rencontré au coin d'une rue; et il l'amenait, car Dussardier, par reconnaissance, voulait voir « l'autre ».

Il tendit à Frédéric le porte-cigares encore plein, et qu'il avait gardé religieusement avec l'espoir de le rendre. Les jeunes gens l'invitèrent à revenir. Il n'y manqua pas.

Tous sympathisaient. D'abord, leur haine du Gouvernement avait la hauteur d'un dogme indiscutable. Martinon seul tâchait de défendre Louis-Philippe. On l'accablait sous les lieux communs traînant dans les journaux : l'embastillement de Paris, les lois de septembre, Pritchard, lord Guizot [19], — si bien que Martinon se taisait, craignant d'offenser quelqu'un. En sept ans de collège, il n'avait pas mérité de pensum, et, à l'Ecole de Droit, il savait plaire aux professeurs. Il portait ordinairement une grosse redingote couleur mastic, avec des claques [20] en caoutchouc; mais il apparut un soir dans une toilette de marié : gilet de velours à châle, cravate blanche, chaîne d'or.

L'étonnement redoubla quand on sut qu'il sortait de chez M. Dambreuse. En effet, le banquier Dambreuse venait d'acheter au père Martinon une partie de bois considérable; le bonhomme lui ayant présenté son fils, il les avait invités à dîner tous les deux.

— Y avait-il beaucoup de truffes? demanda Deslauriers; et as-tu pris la taille à son épouse, entre deux portes, *sicut decet?*

Alors, la conversation s'engagea sur les femmes. Pellerin n'admettait pas qu'il y eût de belles femmes (il préférait les tigres); d'ailleurs, la femelle de l'homme était une créature inférieure dans la hiérarchie esthétique :

— Ce qui vous séduit est particulièrement ce qui la dégrade comme idée; je veux dire les seins, les cheveux...

— Cependant, objecta Frédéric, de longs cheveux noirs, avec de grands yeux noirs...

— Oh! connu! s'écria Hussonnet. Assez d'Andalouses sur la pelouse! des choses antiques? serviteur! Car enfin, voyons, pas de blagues! une lorette est plus amusante que la Vénus de Milo! Soyons gaulois, nom d'un petit bonhomme! et Régence si nous pouvons!

Coulez, bons vins; femmes, daignez sourire!

Il faut passer de la brune à la blonde! — Est-ce votre avis, père Dussardier?

Dussardier ne répondit pas. Tous le pressèrent pour connaître ses goûts.

— Eh bien, fit-il, en rougissant, moi, je voudrais aimer la même, toujours!

Cela fut dit d'une telle façon qu'il y eut un moment de silence, les uns étant surpris de cette candeur, et les autres y découvrant, peut-être, la secrète convoitise de leur âme.

Sénécal posa sur le chambranle sa chope de bière, et déclara dogmatiquement que, la prostitution étant une tyrannie et le mariage une immoralité, il valait mieux s'abstenir. Deslauriers prenait les femmes comme une distraction, rien de plus. M. de Cisy avait à leur endroit toute espèce de crainte.

Élevé sous les yeux d'une grand-mère dévote, il trouvait la compagie de ces jeunes gens alléchante comme un mauvais lieu et instructive comme une Sorbonne. On ne lui ménageait pas les leçons; et il se montrait plein

de zèle, jusqu'à vouloir fumer, en dépit des maux de cœur qui le tourmentaient chaque fois, régulièrement. Frédéric l'entourait de soins. Il admirait la nuance de ses cravates, la fourrure de son patelot et surtout ses bottes, minces comme des gants et qui semblaient insolentes de netteté et de délicatesse; sa voiture l'attendait en bas dans la rue.

Un soir qu'il venait de partir, et que la neige tombait, Sénécal se mit à plaindre son cocher. Puis il déclama contre les gants jaunes [21], le Jockey-Club. Il faisait plus de cas d'un ouvrier que de ces messieurs.

— Moi, je travaille, au moins! je suis pauvre!

— Cela se voit, dit à la fin Frédéric, impatienté.

Le répétiteur lui garda rancune pour cette parole.

Mais, Regimbart ayant dit qu'il connaissait un peu Sénécal, Frédéric, voulant faire une politesse à l'ami d'Arnoux, le pria de venir aux réunions du samedi, et la rencontre fut agréable aux deux patriotes.

Ils différaient cependant.

Sénécal — qui avait un crâne en pointe — ne considérait que les systèmes. Regimbart, au contraire, ne voyait dans les faits que les faits. Ce qui l'inquiétait principalement, c'était la frontière du Rhin. Il prétendait se connaître en artillerie, et se faisait habiller par le tailleur de l'Ecole polytechnique.

Le premier jour, quand on lui offrit des gâteaux, il leva les épaules dédaigneusement, en disant que cela convenait aux femmes; et il ne parut guère plus gracieux les fois suivantes. Du moment que les idées atteignaient une certaine hauteur, il murmurait : « Oh! pas d'utopies, pas de rêves! » En fait d'art (bien qu'il fréquentât les ateliers, où quelquefois il donnait, par complaisance, une leçon d'escrime), ses opinions n'étaient point transcendantes. Il comparait le style de M. Marrast à celui de Voltaire et Mlle Vatnaz à Mme de Staël, à cause d'une ode sur la Pologne, « où il y avait du cœur ». Enfin, Regimbart assommait tout le monde et particulièrement Deslauriers, car le Citoyen était un familier d'Arnoux. Or, le clerc ambitionnait de fréquenter cette maison, espérant y faire des connaissances profitables. « Quand donc m'y mèneras-tu? » disait-il. Arnoux se trouvait surchargé de besogne, ou bien il partait en voyage; puis, ce n'était pas la peine, les dîners allaient finir.

S'il avait fallu risquer sa vie pour son ami, Frédéric l'eût fait. Mais comme il tenait à se montrer le plus avantageusement possible, comme il surveillait son langage, ses manières et son costume jusqu'à venir au bureau de *l'Art industriel* toujours irréprochablement ganté, il avait peur que Deslauriers, avec son vieil habit noir, sa tournure de procureur et ses discours outrecuidants, ne déplût à Mme Arnoux, ce qui pouvait le compromettre, le rabaisser lui-même auprès d'elle. Il admettait bien les autres, mais celui-là, précisément, l'aurait gêné mille fois plus. Le clerc s'apercevait qu'il ne voulait pas tenir sa promesse, et le silence de Frédéric lui semblait une aggravation d'injure.

Il aurait voulu le conduire absolument, le voir se

19. Allusions au mur d'enceinte construit sous Louis-Philippe à partir du 13 septembre 1840; aux lois votées en 1835, à la suite de l'attentat de Fieschi, et qui, augmentant les pouvoirs répressifs, restreignaient la liberté de la presse; à l'affaire Pritchard; à l'anglophilie de Guizot dans l'exercice de la politique extérieure de la France.

20. Socques plats, généralement utilisés par les femmes pour protéger leurs souliers de la boue.

21. Symbole de l'aristocratie.

développer d'après l'idéal de leur jeunesse; et sa fainéantise le révoltait, comme une désobéissance et comme
une trahison. D'ailleurs Frédéric, plein de l'idée de
Mme Arnoux, parlait de son mari souvent; et Deslauriers commença une intolérable *scie*, consistant à répéter
son nom cent fois par jour, à la fin de chaque phrase,
comme un tic d'idiot. Quand on frappait à sa porte,
il répondait : « Entrez, Arnoux! » Au restaurant, il
demandait un fromage de Brie « à l'instar d'Arnoux »;
et, la nuit, feignant d'avoir un cauchemar, il réveillait
son compagnon en hurlant : « Arnoux! Arnoux! »
Enfin, un jour, Frédéric, excédé, lui dit d'une voix
lamentable :

— Mais laisse-moi tranquille avec Arnoux!

— Jamais! répondit le clerc.

Toujours lui! lui partout! ou brûlante ou glacée,
L'image de l'Arnoux...

— Tais-toi donc! s'écria Frédéric en levant le poing.
Il reprit doucement :

— C'est un sujet qui m'est pénible, tu sais bien.

— Oh! pardon, mon bonhomme, répliqua Deslauriers en s'inclinant très bas, on respectera désormais
les nerfs de Mademoiselle! Pardon encore une fois!
Mille excuses!

Ainsi fut terminée la plaisanterie.

Mais, trois semaines après, un soir, il lui dit :

— Eh bien, je l'ai vue tantôt, Mme Arnoux!

— Où donc?

— Au Palais, avec Balandard, avoué; une femme
brune, n'est-ce pas, de taille moyenne?

Frédéric fit un signe d'assentiment. Il attendait que
Deslauriers parlât. Au moindre mot d'admiration, il
se serait épanché largement, était tout prêt à le
chérir; l'autre se taisait toujours; enfin, n'y tenant plus,
il lui demanda d'un air indifférent ce qu'il pensait
d'elle.

Deslauriers la trouvait « pas mal, sans avoir pourtant rien d'extraordinaire ».

— Ah! tu trouves, dit Frédéric.

Arriva le mois d'août, époque de son deuxième examen. D'après l'opinion courante, quinze jours devaient
suffire pour en préparer les matières. Frédéric, ne doutant pas de ses forces, avala d'emblée les quatre premiers livres du Code de procédure, les trois premiers
livres du Code pénal, plusieurs morceaux d'Instruction crimi-
nelle et une partie du Code civil, avec les annotations
de M. Poncelet. La veille, Deslauriers lui fit faire une
récapitulation qui se prolongea jusqu'au matin; et,
pour mettre à profit le dernier quart d'heure, il continua
à l'interroger sur le trottoir, tout en marchant.

Comme plusieurs examens se passaient simultanément, il y avait beaucoup de monde dans la cour,
entre autres Hussonnet et Cisy; on ne manquait pas de
venir à ces épreuves quand il s'agissait des camarades.
Frédéric endossa la robe noire traditionnelle; puis il
entra suivi de la foule, avec trois autres étudiants, dans
une grande pièce, éclairée par des fenêtres sans rideaux
et garnie de banquettes, le long des murs. Au milieu,
des chaises de cuir entouraient une table, décorée d'un

tapis vert. Elle séparait les candidats de MM. les Examinateurs en robe rouge, tous portant des chausses
d'hermine sur l'épaule, avec des toques à galons d'or
sur le chef.

Frédéric se trouvait l'avant-dernier dans la série,
position mauvaise. A la première question sur la différence entre une convention et un contrat, il définit
l'une pour l'autre; et le professeur, un brave homme,
lui dit : — « Ne vous troublez pas, monsieur, remettez-
vous! » puis, ayant fait deux demandes faciles, suivies
de réponses obscures, il passa enfin au quatrième.
Frédéric fut démoralisé par ce piètre commencement.
Deslauriers, en face, dans le public, lui faisait signe que
tout n'était pas encore perdu; et à la deuxième interrogation sur le droit criminel, il se montra passable.
Mais, après la troisième, relative au testament mystique,
l'examinateur étant resté impassible tout le temps, son
angoisse redoubla; car Hussonnet joignait les mains
comme pour applaudir, tandis que Deslauriers prodiguait des haussements d'épaules. Enfin, le moment
arriva où il fallut répondre sur la Procédure! Il s'agissait
de la tierce opposition. Le professeur, choqué d'avoir
entendu des théories contraires aux siennes, lui demanda
d'un ton brutal :

— Et vous, monsieur, est-ce votre avis? Comment
conciliez-vous le principe de l'article 1351 du Code
civil avec cette voie d'attaque extraordinaire?

Frédéric se sentait un grand mal de tête, pour avoir
passé la nuit sans dormir. Un rayon de soleil, entrant
par l'intervalle d'une jalousie, le frappait au visage.
Debout derrière sa chaise, il se dandinait et tirait sa
moustache.

— J'attends toujours votre réponse! reprit l'homme
à la toque d'or.

Et, comme le geste de Frédéric l'agaçait sans doute :

— Ce n'est pas dans votre barbe que vous la trouverez!

Ce sarcasme causa un rire dans l'auditoire; le professeur, flatté, s'amadoua. Il lui fit deux questions
encore sur l'ajournement et sur l'affaire sommaire,
puis baissa la tête en signe d'approbation; l'acte public
était fini. Frédéric rentra dans le vestibule.

Pendant que l'huissier le dépouillait de sa robe,
pour la repasser à un autre immédiatement, ses amis
l'entourèrent, en achevant de l'ahurir avec leurs opinions contradictoires sur le résultat de l'examen. On
le proclama bientôt d'une voix sonore, à l'entrée de
la salle : « Le troisième était... ajourné! »

— Emballé! dit Hussonnet, allons-nous-en!

Devant la loge du concierge, ils rencontrèrent Martinon, rouge, ému, avec un sourire dans les yeux et
l'auréole du triomphe sur le front. Il venait de subir
sans encombre son dernier examen. Restait seulement
la thèse. Avant quinze jours, il serait licencié. Sa famille
connaissait un ministre, « une belle carrière » s'ouvrait
devant lui.

— Celui-là t'enfonce tout de même, dit Deslauriers.

Rien n'est humiliant comme de voir les sots réussir
dans les entreprises où l'on échoue. Frédéric, vexé,
répondit qu'il s'en moquait. Ses prétentions étaient plus

hautes ; et, comme Hussonnet faisait mine de s'en aller, il le prit à l'écart pour lui dire :

— Pas un mot de tout cela, chez eux, bien entendu !

Le secret était facile, puisque Arnoux, le lendemain, partait en voyage pour l'Allemagne.

Le soir, en rentrant, le clerc trouva son ami singulièrement changé : il pirouettait, sifflait ; et, l'autre s'étonnant de cette humeur, Frédéric déclara qu'il n'irait pas chez sa mère ; il emploierait ses vacances à travailler.

A la nouvelle du départ d'Arnoux, une joie l'avait saisi. Il pouvait se présenter là-bas, tout à son aise, sans crainte d'être interrompu dans ses visites. La conviction d'une sécurité absolue lui donnerait du courage. Enfin il ne serait pas éloigné, ne serait pas séparé d'Elle ! Quelque chose de plus fort qu'une chaîne de fer l'attachait à Paris, une voix intérieure lui criait de rester.

Des obstacles s'y opposaient. Il les franchit en écrivant à sa mère ; il confessait d'abord son échec, occasionné par des changements faits dans le programme, — un hasard, une injustice ; — d'ailleurs, tous les grands avocats (il citait leurs noms) avaient été refusés à leurs examens. Mais il comptait se présenter de nouveau au mois de novembre. Or, n'ayant pas de temps à perdre, il n'irait point à la maison cette année ; et il demandait, outre l'argent d'un trimestre, deux cent cinquante francs, pour des répétitions de droit, fort utiles ; — le tout enguirlandé de regrets, condoléances, chatteries et protestations d'amour filial.

Mme Moreau, qui l'attendait le lendemain, fut chagrinée doublement. Elle cacha la mésaventure de son fils, et lui répondit « de venir tout de même ». Frédéric ne céda pas. Une brouille s'ensuivit. A la fin de la semaine, néanmoins, il reçut l'argent du trimestre avec la somme destinée aux répétitions, et qui servit à payer un pantalon gris perle, un chapeau de feutre blanc et une badine à pomme d'or.

Quand tout cela fut en sa possession :

« C'est peut-être une idée de coiffeur que j'ai eue ? » songea-t-il.

Et une grande hésitation le prit.

Pour savoir s'il irait chez Mme Arnoux, il jeta par trois fois, dans l'air, des pièces de monnaie. Toutes les fois, le présage fut heureux. Donc, la fatalité l'ordonnait. Il se fit conduire en fiacre rue de Choiseul.

Il monta vivement l'escalier, tira le cordon de la sonnette ; elle ne sonna pas ; il se sentit près de défaillir.

Puis il ébranla, d'un coup furieux, le lourd gland de soie rouge. Un carillon retentit, s'apaisa par degrés, et l'on n'entendait plus rien. Frédéric eut peur !

Il colla son oreille contre la porte ; pas un souffle ! Il mit son œil au trou de la serrure, et n'apercevait dans l'antichambre que deux pointes de roseau, sur la muraille, parmi les fleurs du papier. Enfin, il tournait les talons quand il se ravisa. Cette fois, il donna un petit coup, léger. La porte s'ouvrit ; et, sur le seuil, les cheveux ébouriffés, la face cramoisie et l'air maussade, Arnoux lui-même parut.

— Tiens ! Qui diable vous amène ? Entrez !

Il l'introduisit, non dans le boudoir ou dans sa chambre, mais dans la salle à manger, où l'on voyait sur la table une bouteille de vin de Champagne avec deux verres ; et, d'un ton brusque :

— Vous avez quelque chose à me demander, cher ami ?

— Non ! rien ! rien ! balbutia le jeune homme, cherchant un prétexte à sa visite.

Enfin, il dit qu'il était venu savoir de ses nouvelles, car il le croyait en Allemagne, sur le rapport d'Hussonnet.

— Nullement ! reprit Arnoux. Quelle linotte que ce garçon-là, pour entendre tout de travers !

Afin de dissimuler son trouble, Frédéric marchait de droite et de gauche, dans la salle. En heurtant le pied d'une chaise, il fit tomber une ombrelle posée dessus ; le manche d'ivoire se brisa.

— Mon Dieu ! s'écria-t-il, comme je suis chagrin d'avoir brisé l'ombrelle de Mme Arnoux !

A ce mot, le marchand releva la tête, et eut un singulier sourire. Frédéric, prenant l'occasion qui s'offrait de parler d'elle, ajouta timidement :

— Est-ce que je ne pourrai pas la voir ?

Elle était dans son pays, près de sa mère malade.

Il n'osa faire de questions sur la durée de cette absence. Il demanda seulement quel était le pays de Mme Arnoux.

— Chartres ! Cela vous étonne ?

— Moi ? non ! pourquoi ? Pas le moins du monde !

Ils ne trouvèrent, ensuite, absolument rien à se dire. Arnoux, qui s'était fait une cigarette, tournait autour de la table en soufflant. Frédéric, debout contre le poêle, contemplait les murs, l'étagère, le parquet : et des images charmantes défilaient dans sa mémoire, devant ses yeux plutôt. Enfin il se retira.

Un morceau de journal, roulé en boule, traînait par terre, dans l'antichambre ; Arnoux le prit ; et, se haussant sur la pointe des pieds, il l'enfonça dans la sonnette, pour continuer, dit-il, sa sieste interrompue. Puis, en lui donnant une poignée de main :

— Avertissez le concierge, s'il vous plaît, que je n'y suis pas !

Et il referma la porte sur son dos, violemment.

Frédéric descendit l'escalier marche à marche. L'insuccès de cette première tentative le décourageait sur le hasard des autres. Alors commencèrent trois mois d'ennui. Comme il n'avait aucun travail, son désœuvrement renforçait sa tristesse.

Il passait des heures à regarder, du haut de son balcon, la rivière qui coulait entre les quais grisâtres, noircis, de place en place, par la bavure des égouts, avec un ponton de blanchisseuses amarré contre le bord, où des gamins quelquefois s'amusaient, dans la vase, à faire baigner un caniche. Ses yeux, délaissant à gauche le pont de pierre de Notre-Dame et trois ponts suspendus, se dirigeaient toujours vers le quai aux Ormes, sur un massif de vieux arbres, pareils aux tilleuls du port de Montereau. La tour Saint-Jacques, l'Hôtel de Ville, Saint-Gervais, Saint-Louis, Saint-Paul se levaient en face, parmi les toits confondus, — et le génie de la colonne de Juillet resplendissait à l'orient comme une large étoile d'or, tandis qu'à l'autre extré-mité le dôme des Tuileries arrondissait, sur le ciel, sa lourde masse bleue. C'était par derrière, de ce côté-là, que devait être la maison de Mme Arnoux.

Il rentrait dans sa chambre; puis, couché sur son divan, s'abandonnait à une méditation désordonnée : plans d'ouvrages, projets de conduite, élancements vers l'avenir. Enfin, pour se débarrasser de lui-même, il sortait.

Il remontait, au hasard, le quartier latin, si tumul-tueux d'habitude, mais désert à cette époque, car les étudiants étaient partis dans leurs familles. Les grands murs des collèges, comme allongés par le silence, avaient un aspect plus morne encore; on entendait toutes sortes de bruits paisibles, des battements d'ailes dans des cages, le ronflement d'un tour, le marteau d'un savetier; et les marchands d'habits, au milieu des rues, interrogeaient de l'œil chaque fenêtre, inutilement. Au fond des cafés solitaires, la dame du comptoir bâillait entre ses carafons remplis; les journaux demeuraient en ordre sur la table des cabinets de lecture; dans l'ate-lier des repasseuses, des linges frissonnaient sous les bouffées du vent tiède. De temps à autre, il s'arrêtait à l'étalage d'un bouquiniste; un omnibus, qui descen-dait en frôlant le trottoir, le faisait se retourner; et, parvenu devant le Luxembourg, il n'allait pas plus loin.

Quelquefois, l'espoir d'une distraction l'attirait vers les boulevards. Après de sombres ruelles exhalant des fraîcheurs humides, il arrivait sur de grandes places désertes, éblouissantes de lumière, et où les monuments dessinaient au bord du pavé des dentelures d'ombre noire. Mais les charrettes, les boutiques recommen-çaient, et la foule l'étourdissait, — le dimanche surtout, — quand, depuis la Bastille jusqu'à la Madeleine, c'était un immense flot ondulant sur l'asphalte, au milieu de la poussière, dans une rumeur continue; il se sentait tout écœuré par la bassesse des figures, la niaiserie des propos, la satisfaction imbécile transpirant sur les fronts en sueur! Cependant, la conscience de mieux valoir que ces hommes atténuait la fatigue de les regarder.

Il allait tous les jours à *l'Art industriel;* — et, pour savoir quand reviendrait Mme Arnoux, il s'informait de sa mère très longuement. La réponse d'Arnoux ne variait pas; « le mieux se continuait », sa femme, avec la petite, serait de retour la semaine prochaine. Plus elle tardait à revenir, plus Frédéric témoignait d'inquié-tude, — si bien qu'Arnoux, attendri par tant d'affec-tion, l'emmena cinq ou six fois dîner au restaurant.

Frédéric, dans ces longs tête-à-tête, reconnut que le marchand de peinture n'était pas fort spirituel. Arnoux pouvait s'apercevoir de ce refroidissement; et puis c'était l'occasion de lui rendre, un peu, ses politesses.

Voulant donc faire les choses très bien, il vendit à un brocanteur tous ses habits neufs, moyennant la somme de quatre-vingts francs; et, l'ayant grossie de cent autres qui lui restaient, il vint chez Arnoux le prendre pour dîner. Regimbart s'y trouvait. Ils s'en allèrent aux Trois-Frères-Provençaux.

Le Citoyen commença par retirer sa redingote, et,

sûr de la déférence des deux autres, écrivit la carte. Mais il eut beau se transporter dans la cuisine pour parler lui-même au chef, descendre à la cave dont il connais-sait tous les coins, et faire monter le maître de l'établis-sement, auquel il « donna un savon », il ne fut content ni des mets, ni des vins, ni du service! A chaque plat nouveau, à chaque bouteille différente, dès la première bouchée, la première gorgée, il laissait tomber sa four-chette, ou repoussait au loin son verre; puis s'accoudant sur la nappe de toute la longueur de son bras, il s'écriait qu'on ne pouvait plus dîner à Paris! Enfin, ne sachant qu'imaginer pour sa bouche, Regimbart se commanda des haricots à l'huile, « tout bonnement », lesquels, bien qu'à moitié réussis, l'apaisèrent un peu. Puis il eut, avec le garçon, un dialogue, roulant sur les anciens garçons des Provençaux : « Qu'était devenu Antoine? Et un nommé Eugène? Et Théodore, le petit, qui servait toujours en bas? Il y avait dans ce temps-là une chère autrement distinguée, et des têtes de Bour-gogne comme on n'en reverra plus! »

Ensuite, il fut question de la valeur des terrains dans la banlieue, une spéculation d'Arnoux, infaillible. En attendant, il perdait ses intérêts. Puisqu'il ne voulait vendre à aucun prix, Regimbart lui découvrirait quel-qu'un; et ces deux messieurs firent, avec un crayon, des calculs jusqu'à la fin du dessert.

On s'en alla prendre le café, passage du Saumon, dans un estaminet, à l'entresol. Frédéric assista, sur ses jambes, à d'interminables parties de billard, abreu-vées d'innombrables chopes; — et il resta là, jusqu'à minuit, sans savoir pourquoi, par lâcheté, par bêtise, dans l'espérance confuse d'un événement quelconque favorable à son amour.

Quand donc la reverrait-il? Frédéric se désespérait. Mais, un soir, vers la fin de novembre, Arnoux lui dit :
— Ma femme est revenue hier, vous savez!

Le lendemain, à cinq heures, il entrait chez elle.

Il débuta par des félicitations, à propos de sa mère, dont la maladie avait été si grave.

— Mais non! Qui vous l'a dit?
— Arnoux!

Elle fit un « ah » léger, puis ajouta qu'elle avait eu d'abord des craintes sérieuses, maintenant disparues.

Elle se tenait près du feu, dans la bergère de tapisserie. Il était sur le canapé, avec son chapeau entre ses genoux; et l'entretien fut pénible, elle l'abandonnait à chaque minute; il ne trouvait pas de joint pour y introduire ses sentiments. Mais, comme il se plaignait d'étudier la chicane, elle répliqua : — « Oui..., je conçois..., les affaires...! » en baissant la figure, absorbée tout à coup par des réflexions.

Il avait soif de les connaître, et même ne songeait pas à autre chose. Le crépuscule amassait de l'ombre autour d'eux.

Elle se leva, ayant une course à faire, puis reparut avec une capote de velours, et une mante noire, bordée de petit gris. Il osa offrir de l'accompagner.

On n'y voyait plus; le temps était froid, et un lourd brouillard, estompant la façade des maisons, puait dans l'air. Frédéric le humait avec délices; car il sentait à travers la ouate du vêtement la forme de son bras; et sa main, prise dans un gant chamois à deux boutons, sa petite main qu'il aurait voulu couvrir de baisers, s'appuyait sur sa manche. A cause du pavé glissant, ils oscillaient un peu; il lui semblait qu'ils étaient tous les deux comme bercés par le vent, au milieu d'un nuage.

L'éclat des lumières, sur le boulevard, le remit dans la réalité. L'occasion était bonne, le temps pressait. Il se donna jusqu'à la rue de Richelieu pour déclarer son amour. Mais, presque aussitôt, devant un magasin de porcelaines, elle s'arrêta net, en lui disant :

— Nous y sommes, je vous remercie! A jeudi, n'est-ce pas, comme d'habitude?

Les dîners recommencèrent; et plus il fréquentait Mme Arnoux, plus ses langueurs augmentaient.

La contemplation de cette femme l'énervait, comme l'usage d'un parfum trop fort. Cela descendit dans les profondeurs de son tempérament, et devenait presque une manière générale de sentir, un mode nouveau d'exister.

Les prostituées qu'il rencontrait aux feux du gaz, les cantatrices poussant leurs roulades, les écuyères sur leurs chevaux au galop, les bourgeoises à pied, les grisettes à leur fenêtre, toutes les femmes lui rappelaient celle-là, par des similitudes ou par des contrastes violents. Il regardait, le long des boutiques, les cachemires, les dentelles et les pendeloques de pierreries, en les imaginant drapés autour de ses reins, cousues à son corsage, faisant des feux dans sa chevelure noire. A l'éventaire des marchandes, les fleurs s'épanouissaient pour qu'elle les choisît en passant; à la montre des cordonniers, les petites pantoufles de satin à bordure de cygne semblaient attendre son pied; toutes les rues conduisaient vers sa maison; les voitures ne stationnaient sur les places que pour y mener plus vite; Paris se rapportait à sa personne, et la grande ville avec toutes ses voix bruissait, comme un immense orchestre, autour d'elle.

Quand il allait au Jardin des Plantes, la vue d'un palmier l'entraînait vers des pays lointains. Ils voyageaient ensemble, au dos des dromadaires, sous le tendelet des éléphants, dans la cabine d'un yacht parmi des archipels bleus, ou côte à côte sur deux mulets à clochettes, qui trébuchent dans les herbes contre des colonnes brisées. Quelquefois, il s'arrêtait au Louvre devant de vieux tableaux; et son amour l'embrassant jusque dans les siècles disparus, il se substituait aux personnages des peintures. Coiffée d'un hennin, elle priait à deux genoux derrière un vitrage de plomb. Seigneuresse des Castilles ou des Flandres, elle se tenait assise, avec une fraise empesée et un corps de baleines à gros bouillons. Puis elle descendait quelque grand escalier de porphyre, au milieu des sénateurs, sous un dais de plumes d'autruche, dans une robe de brocart. D'autres fois, il la rêvait en pantalon de soie jaune, sur les coussins d'un harem; — et tout ce qui était beau, le scintillement des étoiles, certains airs de musique, l'allure d'une phrase, un contour, l'amenaient à sa pensée d'une façon brusque et insensible.

Quant à essayer d'en faire sa maîtresse, il était sûr que toute tentative serait vaine.

Un soir, Dittmer, qui arrivait, la baisa sur le front; Lovarias fit de même, en disant :

— Vous permettez, n'est-ce pas, selon le privilège des amis?

Frédéric balbutia :

— Il me semble que nous sommes tous des amis?

— Pas tous des vieux! reprit-elle.

C'était le repousser d'avance, indirectement.

Que faire, d'ailleurs? Lui dire qu'il l'aimait? Elle l'éconduirait sans doute; ou bien, s'indignant, le chasserait de sa maison! Or, il préférait toutes les douleurs à l'horrible chance de ne plus la voir.

Il enviait le talent des pianistes, les balafres des soldats. Il souhaitait une maladie dangereuse, espérant de cette façon l'intéresser.

Une chose l'étonnait, c'est qu'il n'était pas jaloux d'Arnoux; et il ne pouvait se la figurer autrement que vêtue, — tant sa pudeur semblait naturelle, et reculait son sexe dans une ombre mystérieuse.

Cependant, il songeait au bonheur de vivre avec elle, de la tutoyer, de lui passer la main sur les bandeaux longuement, ou de se tenir par terre, à genoux, les deux bras autour de sa taille, à boire son âme dans ses yeux! Il aurait fallu, pour cela, subvertir la destinée; et, incapable d'action, maudissant Dieu et s'accusant d'être lâche, il tournait dans son désir, comme un prisonnier dans son cachot. Une angoisse permanente l'étouffait. Il restait pendant des heures immobile, ou bien il éclatait en larmes; et, un jour qu'il n'avait pas eu la force de se contenir, Deslauriers lui dit :

— Mais, saprelotte! qu'est-ce que tu as?

Frédéric souffrait des nerfs. Deslauriers n'en crut rien. Devant une pareille douleur, il avait senti se réveiller sa tendresse, et il le réconforta. Un homme comme lui se laisser abattre, quelle sottise! Passe encore dans la jeunesse, mais plus tard, c'est perdre son temps.

— Tu me gâtes mon Frédéric! Je redemande l'ancien. Garçon, toujours du même! Il me plaisait! Voyons, fume une pipe, animal! Secoue-toi un peu, tu me désoles!

— C'est vrai, dit Frédéric, je suis fou!

Le clerc reprit :

— Ah! vieux troubadour, je sais bien ce qui t'afflige! Le petit cœur? Avoue-le! Bah! une de perdue, quatre de trouvées! On se console des femmes vertueuses avec les autres. Veux-tu que je t'en fasse connaître, des femmes? Tu n'as qu'à venir à l'Alhambra. (C'était un bal public ouvert récemment au haut des Champs-Élysées, et qui se ruina, dès la seconde saison, par un luxe prématuré dans ce genre d'établissements.) On s'y amuse à ce qu'il paraît. Allons-y! Tu prendras tes amis, si tu veux; je te passe même Regimbart!

Frédéric n'invita pas le Citoyen. Deslauriers se priva de Sénécal. Ils emmenèrent seulement Hussonnet et Cisy avec Dussardier; et le même fiacre les descendit tous les cinq à la porte de l'Alhambra.

Deux galeries moresques s'étendaient à droite et à gauche, parallèlement. Le mur d'une maison, en face, occupait tout le fond, et le quatrième côté (celui du restaurant) figurait un cloître gothique à vitraux de couleurs. Une sorte de toiture chinoise abritait l'estrade où jouaient les musiciens; le sol autour était couvert d'asphalte, et des lanternes vénitiennes accrochées à des poteaux formaient, de loin, sur les quadrilles, une couronne de feux multicolores. Un piédestal, çà et là, supportait une cuvette de pierre, d'où s'élevait un mince filet d'eau. On apercevait dans les feuillages des statues en plâtre, Hébés ou Cupidons tout gluants de peinture à l'huile; et les allées nombreuses, garnies d'un sable très jaune soigneusement ratissé, faisaient paraître le jardin beaucoup plus vaste qu'il ne l'était.

Des étudiants promenaient leurs maîtresses; des commis en nouveautés se pavanaient, une canne entre les doigts; des collégiens fumaient des régalias; de vieux célibataires caressaient avec un peigne leur barbe teinte; il y avait des Anglais, des Russes, des gens de l'Amérique du Sud, trois Orientaux en tarbouch. Des lorettes, des grisettes et des filles étaient venues là, espérant trouver un protecteur, un amoureux, une pièce d'or, ou simplement pour le plaisir de la danse; et leurs robes à tunique vert d'eau, bleue, cerise, ou violette, passaient, s'agitaient entre les ébéniers et les lilas. Presque tous les hommes portaient des étoffes à carreaux, quelques-uns des pantalons blancs, malgré la fraîcheur du soir. On allumait les becs de gaz.

Hussonnet, par ses relations avec les journaux de modes et les petits théâtres, connaissait beaucoup de femmes; il leur envoyait des baisers par le bout des doigts, et de temps à autre, quittant ses amis, allait causer avec elles.

Deslauriers fut jaloux de ces allures. Il aborda cyniquement une grande blonde, vêtue de nankin. Après l'avoir considéré d'un air maussade, elle dit : — « Non! pas de confiance, mon bonhomme! » et tourna les talons.

Il recommença près d'une grosse brune, qui était folle sans doute, car elle bondit dès le premier mot, en le menaçant, s'il continuait, d'appeler les sergents de ville. Deslauriers s'efforça de rire; puis, découvrant une petite femme assise à l'écart sous un réverbère, il lui proposa une contredanse.

Les musiciens, juchés sur l'estrade, dans des postures de singes, raclaient et soufflaient, impétueusement. Le chef d'orchestre, debout, battait la mesure d'une façon automatique. On était tassé, on s'amusait; les brides dénouées des chapeaux effleuraient les cravates, les bottes s'enfonçaient sous les jupons; tout cela sautait en cadence; Deslauriers pressait contre lui la petite femme, et, gagné par le délire du cancan, se démenait au milieu des quadrilles comme une grande marionnette. Cisy et Dussardier continuaient leur promenade; le jeune aristocrate lorgnait les filles, et, malgré les exhortations du commis, n'osait leur parler, s'imaginant qu'il y avait toujours chez ces femmes-là « un homme caché dans l'armoire avec un pistolet, et qui en sort pour vous faire souscrire des lettres de change ».

Ils revinrent près de Frédéric. Deslauriers ne dansait plus; et tous se demandaient comment finir la soirée, quand Hussonnet s'écria :

— Tiens! la marquise d'Amaëgui!

C'était une femme pâle, à nez retroussé, avec des mitaines jusqu'aux coudes et de grandes boucles noires qui pendaient le long de ses joues, comme deux oreilles de chien. Hussonnet lui dit :

— Nous devrions organiser une petite fête chez toi, un raout oriental? Tâche d'herboriser quelques-unes de tes amies pour ces chevaliers français! Eh bien, qu'est-ce qui te gêne? Attendrais-tu ton hidalgo?

L'Andalouse baissait la tête; sachant les habitudes peu luxueuses de son ami, elle avait peur d'en être pour ses rafraîchissements. Enfin, au mot d'argent lâché par elle, Cisy proposa cinq napoléons, toute sa bourse; la chose fut décidée. Mais Frédéric n'était plus là.

Il avait cru reconnaître la voix d'Arnoux, avait aperçu un chapeau de femme, et il s'était enfoncé bien vite dans le bosquet d'à côté.

Mlle Vatnaz se trouvait seule avec Arnoux.

— Excusez-moi! je vous dérange?

— Pas le moins du monde! reprit le marchand.

Frédéric, aux derniers mots de leur conversation, comprit qu'il était accouru à l'Alhambra pour entretenir Mlle Vatnaz d'une affaire urgente; et sans doute Arnoux n'était pas complètement rassuré, car il lui dit d'un air inquiet :

— Vous êtes bien sûre?

— Très sûre! on vous aime! Ah! quel homme!

Et elle lui faisait la moue, en avançant ses grosses lèvres, presque sanguinolentes à force d'être rouges. Mais elle avait d'admirables yeux, fauves avec des points d'or dans les prunelles, tout pleins d'esprit, d'amour et de sensualité. Ils éclairaient, comme des lampes, le teint un peu jaune de sa figure maigre. Arnoux semblait jouir de ses rebuffades. Il se pencha de son côté en lui disant :

— Vous êtes gentille, embrassez-moi!

Elle le prit par les deux oreilles, et le baisa sur le front.

A ce moment les danses s'arrêtèrent; et, à la place du chef d'orchestre, parut un beau jeune homme, trop gras et d'une blancheur de cire. Il avait de longs cheveux noirs disposés à la manière du Christ, un gilet de velours azur à grandes palmes d'or, l'air orgueilleux comme un paon, bête comme un dindon; et quand il eut salué le public, il entama une chansonnette. C'était un villageois narrant lui-même son voyage dans la Capitale; l'artiste parlait bas-normand, faisait l'homme soûl; le refrain :

> Ah! j'ai t'y ri, j'ai t'y ri,
> Dans ce gueusard de Paris!

soulevait des trépignements d'enthousiasme. Delmas, « chanteur expressif », était trop malin pour le laisser refroidir. On lui passa vivement une guitare, et il gémit une romance intitulée *le Frère de l'Albanaise*.

Les paroles rappelèrent à Frédéric celles que chantait l'homme en haillons, entre les tambours du bateau. Ses yeux s'attachaient involontairement sur le bas de la robe étalée devant lui. Après chaque couplet, il y avait une longue pause, — et le souffle du vent dans les arbres ressemblait au bruit des ondes.

Mlle Vatnaz, en écartant d'une main les branches d'un troène qui lui masquait la vue de l'estrade, contemplait le chanteur, fixement, les narines ouvertes, les cils rapprochés, et comme perdue dans une joie sérieuse.

— Très bien! dit Arnoux. Je comprends pourquoi vous êtes ce soir à l'Alhambra! Delmas vous plaît, ma chère.

Elle ne voulut rien avouer.

— Ah! quelle pudeur!

Et, montrant Frédéric :

— Est-ce à cause de lui? Vous auriez tort. Pas de garçon plus discret!

Les autres, qui cherchaient leur ami, entrèrent dans la salle de verdure. Hussonnet les présenta. Arnoux fit une distribution de cigares et régala de sorbets la compagnie.

Mlle Vatnaz avait rougi en apercevant Dussardier. Elle se leva bientôt, et, lui tendant la main :

— Vous ne me remettez pas, monsieur Auguste?

— Comment la connaissez-vous? demanda Frédéric.

— Nous avons été dans la même maison! reprit-il.

Cisy le tirait par la manche, ils sortirent; et, à peine disparu, Mlle Vatnaz commença l'éloge de son caractère. Elle ajouta même qu'il avait *le génie du cœur*.

Puis on causa de Delmas, qui pourrait, comme mime, avoir des succès au théâtre; et il s'ensuivit une discussion, où l'on mêla Shakespeare, la Censure, le Style, le Peuple, les recettes de la Porte-Saint-Martin, Alexandre Dumas, Victor Hugo et Dumersan. Arnoux avait connu plusieurs actrices célèbres; les jeunes gens se penchaient pour l'écouter. Mais ses paroles étaient couvertes par le tapage de la musique; et, sitôt le quadrille ou la polka terminés, tous s'abattaient sur les tables, appelaient le garçon, riaient; les bouteilles de bière et de limonade gazeuse détonaient dans les feuillages, des femmes criaient comme des poules; quelquefois, deux messieurs voulaient se battre; un voleur fut arrêté.

Au galop, les danseurs envahirent les allées. Haletants, souriants, et la face rouge, ils défilaient dans un tourbillon qui soulevait les robes avec les basques des habits; les trombones rugissaient plus fort; le rythme s'accélérait; derrière le cloître moyen âge, on entendit des crépitations, des pétards éclatèrent; des soleils se mirent à tourner; la lueur des feux de Bengale, couleur d'émeraude, éclaira pendant une minute tout le jardin; — et, à la dernière fusée, la multitude exhala un grand soupir.

Elle s'écoula lentement. Un nuage de poudre à canon flottait dans l'air. Frédéric et Deslauriers marchaient au milieu de la foule pas à pas, quand un spectacle les arrêta : Martinon se faisait rendre de la monnaie au dépôt des parapluies; et il accompagnait une femme d'une cinquantaine d'années, laide, magnifiquement vêtue, et d'un rang social problématique.

— Ce gaillard-là, dit Deslauriers, est moins simple qu'on ne suppose. Mais où est donc Cisy?

Dussardier leur montra l'estaminet, où ils aperçurent le fils des preux, devant un bol de punch, en compagnie d'un chapeau rose.

Hussonnet, qui s'était absenté depuis cinq minutes, reparut au même moment.

Une jeune fille s'appuyait sur son bras, en l'appelant tout haut « mon petit chat ».

— Mais non! lui disait-il. Non! pas en public! Appelle-moi Vicomte, plutôt! Ça vous donne un genre cavalier, Louis XIII et bottes molles, qui me plaît! Oui, mes bons, une ancienne! N'est-ce pas qu'elle est gentille? — Il lui prenait le menton. — Salue ces messieurs! ce sont tous des fils de pairs de France! je les fréquente pour qu'ils me nomment ambassadeur!

— Comme vous êtes fou! soupira Mlle Vatnaz.

Elle pria Dussardier de la reconduire jusqu'à sa porte.

Arnoux les regarda s'éloigner, puis, se tournant vers Frédéric :

— Vous plairait-elle, la Vatnaz? Au reste, vous n'êtes pas franc là-dessus! Je crois que vous cachez vos amours?

Frédéric, devenu blême, jura qu'il ne cachait rien.

— C'est qu'on ne vous connaît pas de maîtresse, reprit Arnoux.

Frédéric eut envie de citer un nom, au hasard. Mais l'histoire pouvait *lui* être racontée. Il répondit qu'effectivement il n'avait pas de maîtresse.

Le marchand l'en blâma.

— Ce soir, l'occasion était bonne! Pourquoi n'avez-vous pas fait comme les autres, qui s'en vont tous avec une femme?

— Eh bien, et vous? dit Frédéric, impatienté d'une telle persistance.

— Ah! moi! mon petit! c'est différent! Je m'en retourne auprès de la mienne!

Il appela un cabriolet et disparut.

Les deux amis s'en allèrent à pied. Un vent d'est soufflait. Ils ne parlaient ni l'un ni l'autre. Deslauriers regrettait de n'avoir pas *brillé* devant le directeur d'un journal, et Frédéric s'enfonçait dans sa tristesse. Enfin, il dit que le bastringue lui avait paru stupide.

— A qui la faute? Si tu ne nous avais pas lâchés pour ton Arnoux!

— Bah! tout ce que j'aurais pu faire eût été complètement inutile!

Mais le clerc avait des théories. Il suffisait, pour obtenir les choses, de les désirer fortement.

— Cependant, toi-même, tout à l'heure...

— Je m'en moquais bien! fit Deslauriers, arrêtant net l'allusion. Est-ce que je vais m'empêtrer de femmes!

Et il déclama contre leurs mièvreries, leurs sottises; bref, elles lui déplaisaient.

— Ne pose donc pas! dit Frédéric.

Deslauriers se tut. Puis, tout à coup :

— Veux-tu parier cent francs que je *fais* la première qui passe?

— Oui! accepté!

La première qui passa était une mendiante hideuse; et ils désespéraient du hasard, lorsqu'au milieu de la rue de Rivoli, ils aperçurent une grande fille, portant à la main un petit carton.

Deslauriers l'accosta sous les arcades. Elle inclina brusquement du côté des Tuileries, et elle prit bientôt par la place du Carrousel; elle jetait des regards de droite et de gauche. Elle courut après un fiacre; Deslauriers la rattrapa. Il marchait près d'elle, en lui parlant avec des gestes expressifs. Enfin elle accepta son bras, et ils continuèrent le long des quais. Puis, à la hauteur du Châtelet, pendant vingt minutes au moins, ils se promenèrent sur le trottoir, comme deux marins faisant leur quart. Mais, tout à coup, ils traversèrent le pont au Change, le marché aux Fleurs, le quai Napoléon. Frédéric entra derrière eux. Deslauriers lui fit comprendre qu'il les gênerait, et n'avait qu'à suivre son exemple.

— Combien as-tu encore?

— Deux pièces de cent sous!

— C'est assez! bonsoir!

Frédéric fut saisi par l'étonnement que l'on éprouve à voir une farce réussir: « Il se moque de moi, pensa-t-il. Si je remontais? » Deslauriers croirait, peut-être, qu'il lui enviait cet amour? « Comme si je n'en avais pas un, et cent fois plus rare, plus noble, plus fort! » Une espèce de colère le poussait. Il arrivait devant la porte de Mme Arnoux.

Aucune des fenêtres extérieures ne dépendait de son logement. Cependant, il restait les yeux collés sur la façade, — comme s'il avait cru, par cette contemplation, pouvoir fendre les murs. Maintenant, sans doute, elle reposait, tranquille comme une fleur endormie, avec ses beaux cheveux noirs parmi les dentelles de l'oreiller, les lèvres entre-closes, la tête sur un bras.

Celle d'Arnoux lui apparut. Il s'éloigna, pour fuir cette vision.

Le conseil de Deslauriers vint à sa mémoire; il en eut horreur. Alors il vagabonda dans les rues.

Quand un piéton s'avançait, il tâchait de distinguer son visage. De temps à autre, un rayon de lumière lui passait entre les jambes, décrivait au ras du pavé un immense quart de cercle; et un homme surgissait, dans l'ombre, avec sa hotte et sa lanterne. Le vent, en de certains endroits, secouait le tuyau de tôle d'une cheminée; des sons lointains s'élevaient, se mêlant au bourdonnement de sa tête, et il croyait entendre, dans les airs, la vague ritournelle des contredanses. Le mouvement de sa marche entretenait cette ivresse; il se trouva sur le pont de la Concorde.

Alors, il se ressouvint de ce soir de l'autre hiver, — où, sortant de chez elle, pour la première fois, il lui avait fallu s'arrêter, tant son cœur battait vite sous l'étreinte de ses espérances. Toutes étaient mortes, maintenant!

Des nuées sombres couraient sur la face de la lune. Il la contempla, en rêvant à la grandeur des espaces, à la misère de la vie, au néant de tout. Le jour parut; ses dents claquaient; et, à moitié endormi, mouillé par le brouillard et tout plein de larmes, il se demanda pourquoi n'en pas finir? Rien qu'un mouvement à faire! Le poids de son front l'entraînait, il voyait son cadavre flottant sur l'eau; Frédéric se pencha. Le parapet était un peu large, et ce fut par lassitude qu'il n'essaya pas de le franchir.

Une épouvante le saisit. Il regagna les boulevards et s'affaissa sur un banc. Des agents de police le réveillèrent, convaincus qu'il « avait fait la noce ».

Il se remit à marcher. Mais comme il se sentait grand'faim, et que tous les restaurants étaient fermés, il alla souper dans un cabaret des Halles. Après quoi, jugeant qu'il était encore trop tôt, il flâna aux alentours de l'Hôtel de Ville, jusqu'à huit heures et un quart.

Deslauriers avait depuis longtemps congédié sa donzelle; et il écrivait sur la table, au milieu de la chambre. Vers quatre heures, M. de Cisy entra.

Grâce à Dussardier, la veille au soir, il s'était abouché avec une dame; et même il l'avait reconduite en voiture, avec son mari, jusqu'au seuil de sa maison, où elle lui avait donné rendez-vous. Il en sortait. On ne connaissait pas ce nom-là!

— Que voulez-vous que j'y fasse? dit Frédéric.

Alors le gentilhomme battit la campagne; il parla de Mlle Vatnaz, de l'Andalouse, et de toutes les autres. Enfin, avec beaucoup de périphrases, il exposa le but de sa visite: se fiant à la discrétion de son ami, il venait pour qu'il l'assistât dans une démarche, après laquelle il se regarderait définitivement comme un homme; et Frédéric ne le refusa pas. Il conta l'histoire à Deslauriers, sans dire la vérité sur ce qui le concernait personnellement.

Le clerc trouva qu' « il allait maintenant très bien ». Cette déférence à ses conseils augmenta sa bonne humeur.

C'était par elle qu'il avait séduit, dès le premier jour, Mlle Clémence Daviou, brodeuse en or pour équipements militaires, la plus douce personne qui fût, et svelte comme un roseau, avec de grands yeux bleus, continuellement ébahis. Le clerc abusait de sa candeur, jusqu'à lui faire croire qu'il était décoré; il ornait sa redingote d'un ruban rouge, dans leurs tête-à-tête, mais s'en privait en public, pour ne point humilier son patron, disait-il. Du reste, il la tenait à distance, se laissait caresser comme un pacha, et l'appelait « fille du peuple » par manière de rire. Elle lui apportait chaque fois de petits bouquets de violettes. Frédéric n'aurait pas voulu d'un tel amour.

Cependant, lorsqu'ils sortaient, bras dessus bras dessous, pour se rendre dans un cabinet chez Pinson ou chez Barillot, il éprouvait une singulière tristesse. Frédéric ne savait pas combien, depuis un an, chaque jeudi, il avait fait souffrir Deslauriers, quand il se brossait les ongles, avant d'aller dîner rue de Choiseul!

Un soir que, du haut de son balcon, il venait de les regarder partir, il vit de loin Hussonnet sur le pont d'Arcole. Le bohème se mit à l'appeler par des signaux, et, Frédéric ayant descendu ses cinq étages:

— Voici la chose: c'est samedi prochain, 24, la fête de Mme Arnoux.

— Comment, puisqu'elle s'appelle Marie?

— Angèle aussi, n'importe! On festoiera dans leur maison de campagne à Saint-Cloud; je suis chargé de vous en prévenir. Vous trouverez un véhicule à trois heures, au journal! Ainsi convenu! Pardon de vous avoir dérangé. Mais j'ai tant de courses!

Frédéric n'avait pas tourné les talons que son portier lui remit une lettre :

« M. et Mme Dambreuse prient M. F. Moreau de leur faire l'honneur de venir dîner chez eux samedi 24 courant. — R.S.V.P. »

« Trop tard », pensa-t-il.

Néanmoins, il montra la lettre à Deslauriers, lequel s'écria :

— Ah! enfin! Mais tu n'as pas l'air content. Pourquoi?

Frédéric, ayant hésité quelque peu, dit qu'il avait le même jour une autre invitation.

— Fais-moi le plaisir d'envoyer bouler la rue de Choiseul. Pas de bêtises! Je vais répondre pour toi, si ça te gêne.

Et le clerc écrivit une acceptation, à la troisième personne.

N'ayant jamais vu le monde qu'à travers la fièvre de ses convoitises, il se l'imaginait comme une création artificielle, fonctionnant en vertu de lois mathématiques. Un dîner en ville, la rencontre d'un homme en place, le sourire d'une jolie femme pouvaient, par une série d'actions se déduisant les unes des autres, avoir de gigantesques résultats. Certains salons parisiens étaient comme ces machines qui prennent la matière à l'état brut et la rendent centuplée de valeur. Il croyait aux courtisanes conseillant les diplomates, aux riches mariages obtenus par les intrigues, au génie des galériens, aux docilités du hasard sous la main des forts. Enfin, il estimait la fréquentation des Dambreuse tellement utile, et il en parla si bien, que Frédéric ne savait plus à quoi se résoudre.

Il n'en devait pas moins, puisque c'était la fête de Mme Arnoux, lui offrir un cadeau; il songea, naturellement, à une ombrelle, afin de réparer sa maladresse. Or, il découvrit une marquise en soie gorge-pigeon, à petit manche d'ivoire ciselé, et qui arrivait de la Chine. Mais cela coûtait cent soixante-quinze francs et il n'avait pas un sou, vivant même à crédit sur le trimestre prochain. Cependant, il la voulait, il y tenait, et, malgré sa répugnance, il eut recours à Deslauriers.

Deslauriers lui répondit qu'il n'avait pas d'argent.

— J'en ai besoin, dit Frédéric, grand besoin!

Et, l'autre, ayant répété la même excuse, il s'emporta.

— Tu pourrais bien, quelquefois...

— Quoi donc?

— Rien!

Le clerc avait compris. Il leva sur sa réserve la somme en question, et, quand il l'eut versée pièce à pièce :

— Je ne te réclame pas de quittance, puisque je vis à tes crochets!

Frédéric lui sauta au cou, avec mille protestations affectueuses. Deslauriers resta froid. Puis, le lendemain, apercevant l'ombrelle sur le piano :

— Ah! c'était pour cela!

— Je l'enverrai peut-être, dit lâchement Frédéric.

Le hasard le servit, car il reçut, dans la soirée, un billet bordé de noir, et où Mme Dambreuse, lui annonçant la perte d'un oncle, s'excusait de remettre à plus tard le plaisir de faire sa connaissance.

Il arriva dès deux heures au bureau du journal. Au lieu de l'attendre pour le mener dans sa voiture, Arnoux était parti la veille, ne résistant plus à son besoin de grand air.

Chaque année, aux premières feuilles, durant plusieurs jours de suite, il décampait le matin, faisait de longues courses à travers champs, buvait du lait dans les fermes, batifolait avec les villageoises, s'informait des récoltes, et rapportait des pieds de salade dans son mouchoir. Enfin, réalisant un vieux rêve, il s'était acheté une maison de campagne.

Pendant que Frédéric parlait au commis, Mlle Vatnaz survint, et fut désappointée de ne pas voir Arnoux. Il resterait là-bas encore deux jours, peut-être. Le commis lui conseilla « d'y aller »; elle ne pouvait y aller; d'écrire une lettre; elle avait peur que la lettre ne fût perdue. Frédéric s'offrit à la porter lui-même. Elle en fit une rapidement, et le conjura de la remettre sans témoins.

Quarante minutes après, il débarquait à Saint-Cloud.

La maison, cent pas plus loin que le pont, se trouvait à mi-hauteur de la colline. Les murs du jardin étaient cachés par deux rangs de tilleuls, et une large pelouse descendait jusqu'au bord de la rivière. La porte de la grille étant ouverte, Frédéric entra.

Arnoux, étendu sur l'herbe, jouait avec une portée de petits chats. Cette distraction paraissait l'absorber infiniment. La lettre de Mlle Vatnaz le tira de sa torpeur.

— Diable, diable! c'est ennuyeux! elle a raison : il faut que je parte.

Puis, ayant fourré la missive dans sa poche, il prit plaisir à montrer son domaine. Il montra tout, l'écurie, le hangar, la cuisine. Le salon était à droite, et, du côté de Paris, donnait sur une varangue en treillage, chargée d'une clématite. Mais, au-dessus de leur tête, une roulade éclata; Mme Arnoux, se croyant seule, s'amusait à chanter. Elle faisait des gammes, des trilles, des arpèges. Il y avait de longues notes qui semblaient se tenir suspendues; d'autres tombaient précipitées, comme les gouttelettes d'une cascade; et sa voix, passant par la jalousie, coupait le grand silence, et montait vers le ciel bleu.

Elle cessa tout à coup, quand M. et Mme Oudry, deux voisins, se présentèrent.

Puis elle parut elle-même au haut du perron; et, comme elle descendait les marches, il aperçut son pied. Elle avait de petites chaussures découvertes, en peau mordorée, avec trois pattes transversales, ce qui dessinait sur ses bas un grillage d'or.

Les invités arrivèrent. Sauf Me Lefaucheux, avocat, c'étaient les convives du jeudi. Chacun avait apporté quelque cadeau : Dittmer une écharpe syrienne, Rosenwald un album de romances, Burrieu une aquarelle, Sombaz sa propre caricature, et Pellerin un fusain, représentant une espèce de danse macabre, hideuse fantaisie d'une exécution médiocre. Hussonnet s'était dispensé de tout présent.

Frédéric attendit après les autres, pour offrir le sien.

Elle l'en remercia beaucoup. Alors, il dit :

— Mais... c'est presque une dette! J'ai été si fâché.

— De quoi donc? reprit-elle. Je ne comprends pas!

— A table, fit Arnoux, en le saisissant par le bras; puis, dans l'oreille : Vous n'êtes guère malin, vous!

Rien n'était plaisant comme la salle à manger, peinte d'une couleur vert d'eau. A l'un des bouts, une nymphe de pierre trempait son orteil dans un bassin en forme de coquille. Par les fenêtres ouvertes, on apercevait tout le jardin avec la longue pelouse que flanquait un vieux pin d'Ecosse, aux trois quarts dépouillé; des massifs de fleurs la bombaient inégalement; et, au delà du fleuve, se développaient, en large demi-cercle, le bois de Boulogne, Neuilly, Sèvres, Meudon. Devant la grille, en face, un canot à la voile prenait des bordées.

On causa d'abord de cette vue que l'on avait, puis du paysage en général; et les discussions commençaient quand Arnoux donna l'ordre à son domestique d'atteler l'américaine vers les neuf heures et demie. Une lettre de son caissier le rappelait.

— Veux-tu que je m'en retourne avec toi? dit Mme Arnoux.

— Mais certainement! et, en lui faisant un beau salut : Vous savez bien, Madame, qu'on ne peut vivre sans vous!

Tous la complimentèrent d'avoir un si bon mari.

— Ah! c'est que je ne suis pas seule! répliqua-t-elle doucement, en montrant sa petite fille.

Puis, la conversation ayant repris sur la peinture, on parla d'un Ruysdaël, dont Arnoux espérait des sommes considérables, et Pellerin lui demanda s'il était vrai que le fameux Saül Mathias, de Londres, fût venu, le mois passé, lui en offrir vingt-trois mille francs.

— Rien de plus vrai! et, se tournant vers Frédéric : C'est même le monsieur que je promenais l'autre jour à l'Alhambra, bien malgré moi, je vous assure, car ces Anglais ne sont pas drôles!

Frédéric, soupçonnant dans la lettre de Mlle Vatnaz quelque histoire de femme, avait admiré l'aisance du sieur Arnoux à trouver un moyen honnête de déguerpir; mais son nouveau mensonge, absolument inutile, lui fit écarquiller les yeux.

Le marchand ajouta, d'un air simple :

— Comment l'appelez-vous donc, ce grand jeune homme, votre ami?

— Deslauriers, dit vivement Frédéric.

Et, pour réparer les torts qu'il se sentait à son endroit, il le vanta comme une intelligence supérieure.

— Ah! vraiment? Mais il n'a pas l'air si brave garçon que l'autre, le commis de roulage.

Frédéric maudit Dussardier. Elle allait croire qu'il frayait avec les gens du commun.

Ensuite, il fut question des embellissements de la capitale, des quartiers nouveaux, et le bonhomme Oudry vint à citer, parmi les grands spéculateurs, M. Dambreuse.

Frédéric, saisissant l'occasion de se faire valoir, dit qu'il le connaissait. Mais Pellerin se lança dans une catilinaire contre les épiciers; vendeurs de chandelles ou d'argent, il n'y voyait pas de différence. Puis, Rosenwald et Burrieu devisèrent porcelaines; Arnoux causait

jardinage avec Mme Oudry; Sombaz, loustic de la vieille école, s'amusait à blaguer son époux; il l'appelait Odry, comme l'acteur, déclara qu'il devait descendre d'Oudry, le peintre des chiens, car la bosse des animaux était visible sur son front. Il voulut même lui tâter le crâne, l'autre s'en défendait à cause de sa perruque; et le dessert finit avec des éclats de rire.

Quand on eut pris le café, sous les tilleuls, en fumant, et fait plusieurs tours dans le jardin, on alla se promener le long de la rivière.

La compagnie s'arrêta devant un pêcheur, qui nettoyait des anguilles, dans une boutique à poisson. Mlle Marthe voulut les voir. Il vida sa boîte sur l'herbe; et la petite fille se jetait à genoux pour les rattraper, riait de plaisir, criait d'effroi. Toutes furent perdues. Arnoux les paya.

Il eut, ensuite, l'idée de faire une promenade en canot.

Un côté de l'horizon commençait à pâlir, tandis que de l'autre, une large couleur orange s'étalait dans le ciel et était plus empourprée au faîte des collines, devenues complètement noires. Mme Arnoux se tenait assise sur une grosse pierre, ayant cette lueur d'incendie derrière elle. Les autres personnes flânaient çà et là; Hussonnet, au bas de la berge, faisait des ricochets sur l'eau.

Arnoux revint, suivi par une vieille chaloupe, où malgré les représentations les plus sages il empila ses convives. Elle sombrait; il fallut débarquer.

Déjà des bougies brûlaient dans le salon, tout tendu de perse, avec des girandoles en cristal contre les murs. La mère Oudry s'endormait doucement dans un fauteuil, et les autres écoutaient Me Lefaucheux, dissertant sur les gloires du barreau. Mme Arnoux était seule près de la croisée, Frédéric l'aborda.

Ils causèrent de ce que l'on disait. Elle admirait les orateurs; lui, il préférait la gloire des écrivains. Mais on devait sentir, reprit-elle, une plus forte jouissance à remuer les foules directement, soi-même, à voir que l'on fait passer dans leur âme tous les sentiments de la sienne. Ces triomphes ne tentaient guère Frédéric, qui n'avait point d'ambition.

— Ah! pourquoi? dit-elle. Il faut en avoir un peu!

Ils étaient l'un près de l'autre, debout, dans l'embrasure de la croisée. La nuit, devant eux, s'étendait comme un immense voile sombre, piqué d'argent. C'était la première fois qu'ils ne parlaient pas de choses insignifiantes. Il vint même à savoir ses antipathies et ses goûts : certains parfums lui faisaient mal, les livres d'histoire l'intéressaient, elle croyait aux songes.

Il entama le chapitre des aventures sentimentales. Elle plaignait les désastres de la passion, mais était révoltée par les turpitudes hypocrites; et cette droiture d'esprit se rapportait si bien à la beauté régulière de son visage, qu'elle semblait en dépendre.

Elle souriait quelquefois, arrêtant sur lui ses yeux, une minute. Alors, il sentait ses regards pénétrer son âme, comme ces grands rayons de soleil qui descendent jusqu'au fond de l'eau. Il l'aimait sans arrière-pensée, sans espoir de retour, absolument; et, dans ces muets transports, pareils à des élans de reconnaissance, il aurait voulu couvrir son front d'une pluie de baisers. Cependant, un souffle intérieur l'enlevait comme hors de lui; c'était une envie de se sacrifier, un besoin de dévouement immédiat, et d'autant plus fort qu'il ne pouvait l'assouvir.

Il ne partit pas avec les autres. Hussonnet non plus. Ils devaient s'en retourner dans la voiture; et l'américaine attendait au bas du perron, quand Arnoux descendit dans le jardin pour cueillir des roses. Puis, le bouquet étant lié avec un fil, comme les tiges dépassaient inégalement, il fouilla dans sa poche, pleine de papiers, en prit un au hasard, les enveloppa, consolida son œuvre avec une forte épingle et il l'offrit à sa femme, avec une certaine émotion.

— Tiens, ma chérie, excuse-moi de t'avoir oubliée!

Mais elle poussa un petit cri; l'épingle, sottement mise, l'avait blessée, et elle remonta dans sa chambre. On l'attendit près d'un quart d'heure. Enfin elle reparut, enleva Marthe, se jeta dans la voiture.

— Et ton bouquet? dit Arnoux.

— Non! non! ce n'est pas la peine!

Frédéric courait pour l'aller prendre; elle lui cria :

— Je n'en veux pas!

Mais il l'apporta bientôt, disant qu'il venait de le remettre dans l'enveloppe, car il avait trouvé les fleurs à terre. Elle les enfonça dans le tablier de cuir, contre le siège, et l'on partit.

Frédéric, assis près d'elle, remarqua qu'elle tremblait horriblement. Puis, quand on eut passé le pont, comme Arnoux tournait à gauche :

— Mais non! tu te trompes! par là, à droite!

Elle semblait irritée; tout la gênait. Enfin, Marthe ayant fermé les yeux, elle tira le bouquet et le lança par la portière, puis saisit au bras Frédéric, en lui faisant signe, avec l'autre main, de n'en jamais parler.

Ensuite, elle appliqua son mouchoir contre ses lèvres, et ne bougea plus.

Les deux autres, sur le siège, causaient imprimerie, abonnés. Arnoux, qui conduisait sans attention, se perdit au milieu du bois de Boulogne. Alors, on s'enfonça dans de petits chemins. Le cheval marchait au pas; les branches des arbres frôlaient la capote. Frédéric n'apercevait de Mme Arnoux que ses deux yeux, dans l'ombre; Marthe s'était allongée sur elle, et il lui soutenait la tête.

— Elle vous fatigue! dit sa mère.

Il répondit :

— Non! oh non!

De lents tourbillons de poussière se levaient; on traversait Auteuil; toutes les maisons étaient closes; un réverbère çà et là, éclairait l'angle d'un mur, puis on rentrait dans les ténèbres; une fois, il s'aperçut qu'elle pleurait.

Etait-ce un remords? un désir? quoi donc? Ce chagrin, qu'il ne savait pas, l'intéressait comme une chose personnelle; maintenant, il y avait entre eux un lien nouveau, une espèce de complicité; et il lui dit, de la voix la plus caressante qu'il put :

— Vous souffrez?

— Oui, un peu, reprit-elle.

La voiture roulait, et les chèvrefeuilles et les seringas débordaient les clôtures des jardins, envoyaient dans la nuit des bouffées d'odeurs amollissantes. Les plis nombreux de sa robe couvraient ses pieds. Il lui semblait communiquer avec toute sa personne par ce corps d'enfant étendu entre eux. Il se pencha vers la petite fille, et, écartant ses jolis cheveux bruns, la baisa au front, doucement.

— Vous êtes bon! dit Mme Arnoux.

— Pourquoi?

— Parce que vous aimez les enfants.

— Pas tous!

Il n'ajouta rien, mais il étendit la main gauche de son côté et la laissa toute grande ouverte, — s'imaginant qu'elle allait faire comme lui, peut-être, et qu'il rencontrerait la sienne. Puis il eut honte et la retira.

On arriva bientôt sur le pavé. La voiture allait plus vite, les becs de gaz se multiplièrent, c'était Paris. Hussonnet, devant le Garde-Meuble, sauta du siège. Frédéric attendit pour descendre que l'on fût arrivé dans la cour; puis il s'embusqua au coin de la rue de Choiseul, et aperçut Arnoux qui remontait lentement vers les boulevards.

Dès le lendemain, il se mit à travailler de toutes ses forces.

Il se voyait dans une cour d'assises, par un soir d'hiver, à la fin des plaidoiries, quand les jurés sont pâles et que la foule haletante fait craquer les cloisons du prétoire, parlant depuis quatre heures déjà, résumant toutes ses preuves, en découvrant de nouvelles, et sentant à chaque phrase, à chaque mot, à chaque geste, le couperet de la guillotine, suspendu derrière lui, se relever; puis, à la tribune de la Chambre, orateur qui porte sur ses lèvres le salut de tout un peuple, noyant ses adversaires sous ses prosopopées, les écrasant d'une riposte, avec des foudres et des intonations musicales dans la voix, ironique, pathétique, emporté, sublime. Elle serait là, quelque part, au milieu des autres, cachant sous son voile ses pleurs d'enthousiasme; ils se retrouveraient ensuite; — et les découragements, les calomnies et les injures ne l'atteindraient pas, si elle disait : « Ah! cela est beau! » en lui passant sur le front ses mains légères.

Ces images fulguraient, comme des phares, à l'horizon de sa vie. Son esprit, excité, devint plus leste et plus fort. Jusqu'au mois d'août, il s'enferma, et fut reçu à son dernier examen.

Deslauriers, qui avait eu tant de mal à lui seriner encore une fois le deuxième à la fin de décembre et le troisième en février, s'étonnait de son ardeur. Alors, les vieux espoirs revinrent. Dans dix ans, il fallait que Frédéric fût député; dans quinze, ministre; pourquoi pas? Avec son patrimoine qu'il allait toucher bientôt, il pouvait, d'abord, fonder un journal; ce serait le début; ensuite, on verrait. Quant à lui, il ambitionnait toujours une chaire à l'Ecole de Droit; et il soutint sa thèse pour le doctorat d'une façon si remarquable qu'elle lui valut les compliments des professeurs.

Frédéric passa la sienne trois jours après. Avant de

partir en vacances, il eut l'idée d'un pique-nique, pour clore les réunions du samedi.

Il s'y montra gai. Mme Arnoux était maintenant près de sa mère, à Chartres. Mais il la retrouverait bientôt, et finirait par être son amant.

Deslauriers, admis le jour même à la parlotte d'Orsay, avait fait un discours fort applaudi. Quoiqu'il fût sobre, il se grisa, et dit au dessert à Dussardier :

— Tu es honnête, toi ! quand je serai riche, je t'instituerai mon régisseur.

Tous étaient heureux ; Cisy ne finirait pas son droit ; Martinon allait continuer son stage en province, où il serait nommé substitut ; Pellerin se disposait à un grand tableau figurant *le Génie de la Révolution;* Hussonnet, la semaine prochaine, devait lire au directeur des *Délassements* le plan d'une pièce, et ne doutait pas du succès :

— Car la charpente du drame, on me l'accorde ! Les passions, j'ai assez roulé ma bosse pour m'y connaître ; quant aux traits d'esprit, c'est mon métier !

Il fit un saut, retomba sur les deux mains, et marcha quelque temps autour de la table, les jambes en l'air.

Cette gaminerie ne dérida pas Sénécal. Il venait d'être chassé de sa pension, pour avoir battu un fils d'aristocrate. Sa misère augmentant, il s'en prenait à l'ordre social, maudissait les riches ; et il s'épancha dans le sein de Regimbart, lequel était de plus en plus désillusionné, attristé, dégoûté. Le Citoyen se tournait, maintenant, vers les questions budgétaires, et accusait la Camarilla [22] de perdre des millions en Algérie.

Comme il ne pouvait dormir sans avoir stationné à l'estaminet Alexandre, il disparut dès onze heures. Les autres se retirèrent plus tard ; et Frédéric, en faisant ses adieux à Hussonnet, apprit que Mme Arnoux avait dû revenir la veille.

Il alla donc aux Messageries changer sa place pour le lendemain, et, vers six heures du soir, se présenta chez elle. Son retour, lui dit le concierge, était différé d'une semaine. Frédéric dîna seul, puis flâna sur les boulevards.

Des nuages roses, en forme d'écharpe, s'allongeaient au delà des toits ; on commençait à relever les tentes des boutiques ; des tombereaux d'arrosage versaient une pluie sur la poussière, et une fraîcheur inattendue se mêlait aux émanations des cafés, laissant voir par leurs portes ouvertes, entre des argenteries et des dorures, des fleurs en gerbes qui se miraient dans les hautes glaces. La foule marchait lentement. Il y avait des groupes d'hommes causant au milieu du trottoir ; et des femmes passaient, avec une mollesse dans les yeux et ce teint de camélia que donne aux chairs féminines la lassitude des grandes chaleurs. Quelque chose d'énorme s'épanchait, enveloppait les maisons. Jamais Paris ne lui avait semblé si beau. Il n'apercevait, dans l'avenir, qu'une interminable série d'années toutes pleines d'amour.

Il s'arrêta devant le théâtre de la Porte-Saint-Martin

à regarder l'affiche ; et, par désœuvrement, prit un billet.

On jouait une vieille féerie. Les spectateurs étaient rares ; et, dans les lucarnes du paradis, le jour se découpait en petits carrés bleus, tandis que les quinquets de la rampe formaient une seule ligne de lumières jaunes. La scène représentait un marché d'esclaves à Pékin, avec clochettes, tam-tams, sultanes, bonnets pointus et calembours. Puis, la toile baissée, il erra dans le foyer, solitairement, et admira sur le boulevard, au bas du perron, un grand landeau vert, attelé de deux chevaux blancs, tenus par un cocher en culotte courte.

Il regagnait sa place, quand, au balcon, dans la première loge d'avant-scène, entrèrent une dame et un monsieur. Le mari avait un visage pâle, bordé d'un filet de barbe grise, la rosette d'officier, et cet aspect glacial qu'on attribue aux diplomates.

Sa femme, de vingt ans plus jeune pour le moins, ni grande ni petite, ni laide ni jolie, portait ses cheveux blonds tirebouchonnés à l'anglaise, une robe à corsage plat, et un large éventail de dentelle noire. Pour que des gens d'un pareil monde fussent venus au spectacle en cette saison, il fallait supposer un hasard, ou l'ennui de passer leur soirée en tête-à-tête. La dame mordillait son éventail, et le monsieur bâillait. Frédéric ne pouvait se rappeler où il avait vu cette figure.

À l'entr'acte suivant, comme il traversait un couloir, il les rencontra tous les deux ; sur le vague salut qu'il fit, M. Dambreuse, le reconnaissant, l'aborda et s'excusa, tout de suite, de négligences impardonnables. C'était une allusion aux cartes de visite nombreuses, envoyées d'après les conseils du clerc. Toutefois, il confondait les époques, croyant que Frédéric était à sa seconde année de droit. Puis il l'envia de partir pour la campagne. Il aurait eu besoin de se reposer, mais les affaires le retenaient à Paris.

Mme Dambreuse, appuyée sur son bras, inclinait la tête, légèrement ; et l'aménité spirituelle de son visage contrastait avec son expression chagrine de tout à l'heure.

— On y trouve pourtant de belles distractions ! dit-elle, aux derniers mots de son mari. Comme ce spectacle est bête ! n'est-ce pas, monsieur ? Et tous trois restèrent debout, à causer théâtres et pièces nouvelles.

Frédéric, habitué aux grimaces des bourgeoises provinciales, n'avait vu chez aucune femme une pareille aisance de manières, cette simplicité, qui est un raffinement, et où les naïfs aperçoivent l'expression d'une sympathie instantanée.

On comptait sur lui, dès son retour ; M. Dambreuse le chargea de ses souvenirs pour le père Roque.

Frédéric ne manqua pas, en rentrant, de conter cet accueil à Deslauriers.

— Fameux ! reprit le clerc, et ne te laisse pas entortiller par ta maman ! Reviens tout de suite !

Le lendemain de son arrivée, après leur déjeuner, Mme Moreau emmena son fils dans le jardin.

Elle se dit heureuse de lui voir un état, car ils n'étaient pas aussi riches que l'on croyait ; la terre rapportait peu ; les fermiers payaient mal ; elle avait même été

22. Nom péjoratif donné en Espagne à l'entourage du roi ; par extension, tout groupe de pression dirigeant dans l'ombre et par l'intrigue les actes d'un gouvernement.

contrainte de vendre sa voiture. Enfin, elle lui exposa leur situation.

Dans les premiers embarras de son veuvage, un homme astucieux, M. Roque, lui avait fait des prêts d'argent, renouvelés, prolongés malgré elle. Il était venu les réclamer tout à coup; et elle avait passé par ses conditions, en lui cédant à un prix dérisoire la ferme des Presles. Dix ans plus tard, son capital disparaissait dans la faillite d'un banquier, à Melun. Par horreur des hypothèques et pour conserver des apparences utiles à l'avenir de son fils, comme le père Roque se présentait de nouveau, elle l'avait écouté, encore une fois. Mais elle était quitte, maintenant. Bref, il leur restait environ dix mille francs de rente, dont deux mille trois cents à lui, tout son patrimoine!

— Ce n'est pas possible! s'écria Frédéric.

Elle eut un mouvement de tête signifiant que cela était très possible.

Mais son oncle lui laisserait quelque chose?

Rien n'était moins sûr!

Et ils firent un tour de jardin, sans parler. Enfin elle l'attira contre son cœur, et, d'une voix que les larmes étouffaient :

— Ah! mon pauvre garçon! Il m'a fallu abandonner bien des rêves!

Il s'assit sur le banc, à l'ombre du grand acacia.

Ce qu'elle lui conseillait, c'était de se mettre clerc chez Mᵉ Prouharam, avoué, lequel lui céderait son étude; s'il la faisait bien valoir, il pourrait la revendre, et trouver un bon parti.

Frédéric n'entendait plus. Il regardait machinalement, par-dessus la haie, dans l'autre jardin, en face.

Une petite fille d'environ douze ans, et qui avait les cheveux rouges, se trouvait là, toute seule. Elle s'était fait des boucles d'oreilles avec des baies de sorbier; son corset de toile grise laissait à découvert ses épaules, un peu dorées par le soleil; des taches de confitures maculaient son jupon blanc; et il y avait comme une grâce de jeune bête sauvage dans toute sa personne, à la fois nerveuse et fluette. La présence d'un inconnu l'étonnait, sans doute, car elle s'était brusquement arrêtée, avec son arrosoir à la main, en dardant sur lui ses prunelles, d'un vert-bleu limpide.

— C'est la fille de M. Roque, dit Mme Moreau. Il vient d'épouser sa servante et de légitimer son enfant.

VI

Ruiné, dépouillé, perdu!

Il était resté sur le banc, comme étourdi par une commotion. Il maudissait le sort, il aurait voulu battre quelqu'un; et, pour renforcer son désespoir, il sentait peser sur lui une sorte d'outrage, un déshonneur; — car Frédéric s'était imaginé que sa fortune paternelle monterait un jour à quinze mille livres de rente, et il l'avait fait savoir, d'une façon indirecte, aux Arnoux. Il allait donc passer pour un hâbleur, un drôle, un obscur polisson, qui s'était introduit chez eux dans

l'espérance d'un profit quelconque! Et elle, Mme Arnoux, comment la revoir, maintenant?

Cela, d'ailleurs, était complètement impossible, n'ayant que trois mille francs de rente! Il ne pouvait loger toujours au quatrième, avoir pour domestique le portier, et se présenter avec de pauvres gants noirs bleuis du bout, un chapeau gras, la même redingote pendant un an. Non, non! jamais! Cependant, l'existence était intolérable sans elle. Beaucoup vivaient bien qui n'avaient pas de fortune, Deslauriers entre autres; — et il se trouva lâche d'attacher une pareille importance à des choses médiocres. La misère, peut-être, centuplerait ses facultés. Il s'exalta, en pensant aux grands hommes qui travaillent dans les mansardes. Une âme comme celle de Mme Arnoux devait s'émouvoir à ce spectacle, et elle s'attendrirait. Ainsi, cette catastrophe était un bonheur, après tout; comme ces tremblements de terre qui découvrent des trésors, elle lui avait révélé les secrètes opulences de sa nature. Mais il n'existait au monde qu'un seul endroit pour les faire valoir : Paris! car, dans ses idées, l'art, la science et l'amour (ces trois faces de Dieu, comme eût dit Pellerin) dépendaient exclusivement de la capitale.

Il déclara le soir, à sa mère, qu'il y retournerait. Mme Moreau fut surprise et indignée. C'était une folie, une absurdité. Il ferait mieux de suivre ses conseils, c'est-à-dire de rester près d'elle, dans une étude. Frédéric haussa les épaules : « Allons donc! » se trouvant insulté par cette proposition.

Alors, la bonne dame employa une autre méthode. D'une voix tendre et avec de petits sanglots, elle se mit à lui parler de sa solitude, de sa vieillesse, des sacrifices qu'elle avait faits. Maintenant qu'elle était plus malheureuse, il l'abandonnait. Puis, faisant allusion à sa fin prochaine :

— Un peu de patience, mon Dieu! bientôt tu seras libre!

Ces lamentations se répétèrent vingt fois par jour, durant trois mois; et, en même temps, les délicatesses du foyer le corrompaient; il jouissait d'avoir un lit plus mou, des serviettes sans déchirures; si bien que, lassé, énervé, vaincu enfin par la terrible force de la douceur, Frédéric se laissa conduire chez maître Prouharam.

Il n'y montra ni science ni aptitude. On l'avait considéré jusqu'alors comme un jeune homme de grands moyens, qui devait être la gloire du département. Ce fut une déception publique.

D'abord il s'était dit : « Il faut avertir Mme Arnoux », et, pendant une semaine, il avait médité des lettres dithyrambiques, et de courts billets, en style lapidaire et sublime. La crainte d'avouer sa situation le retenait. Puis il songea qu'il valait mieux écrire au mari. Arnoux connaissait la vie et saurait le comprendre. Enfin, après quinze jours d'hésitation :

« Bah! je ne dois plus les revoir; qu'ils m'oublient! Au moins, je n'aurai pas déchu dans son souvenir! Elle me croira mort, et me regrettera... peut-être. »

Comme les résolutions excessives lui coûtaient peu, il s'était juré de ne jamais revenir à Paris, et même de ne point s'informer de Mme Arnoux.

Cependant, il regrettait jusqu'à la senteur du gaz et au tapage des omnibus. Il rêvait à toutes les paroles qu'elle lui avait dites, au timbre de sa voix, à la lumière de ses yeux, — et, se considérant comme un homme mort, il ne faisait plus rien, absolument.

Il se levait très tard, et regardait par sa fenêtre les attelages de rouliers qui passaient. Les six premiers mois, surtout, furent abominables.

En de certains jours, pourtant, une indignation le prenait contre lui-même. Alors, il sortait. Il s'en allait dans les prairies, à moitié couvertes durant l'hiver par les débordements de la Seine. Des lignes de peupliers les divisent. Çà et là, un petit pont s'élève. Il vagabondait jusqu'au soir, roulant les feuilles jaunes sous ses pas, aspirant la brume, sautant les fossés; à mesure que ses artères battaient plus fort, des désirs d'action furieuse l'emportaient; il voulait se faire trappeur en Amérique, servir un pacha en Orient, s'embarquer comme matelot; et il exhalait sa mélancolie dans de longues lettres à Deslauriers.

Celui-là se démenait pour percer. La conduite lâche de son ami et ses éternelles jérémiades lui semblaient stupides. Bientôt, leur correspondance devint presque nulle. Frédéric avait donné tous ses meubles à Deslauriers, qui gardait son logement. Sa mère lui en parlait de temps à autre; un jour enfin, il déclara son cadeau, et elle le grondait, quand il reçut une lettre.

— Qu'est-ce donc? dit-elle, tu trembles?
— Je n'ai rien! répliqua Frédéric.

Deslauriers lui apprenait qu'il avait recueilli Sénécal; et depuis quinze jours, ils vivaient ensemble. Donc Sénécal s'étalait, maintenant, au milieu des choses qui provenaient de chez Arnoux! Il pouvait les vendre, faire des remarques dessus, des plaisanteries. Frédéric se sentit blessé, jusqu'au fond de l'âme. Il monta dans sa chambre. Il avait envie de mourir.

Sa mère l'appela. C'était pour le consulter, à propos d'une plantation dans le jardin.

Ce jardin, en manière de parc anglais, était coupé à son milieu par une clôture de bâtons, et la moitié appartenait au père Roque, qui en possédait un autre, pour les légumes, sur le bord de la rivière. Les deux voisins, brouillés, s'abstenaient d'y paraître aux mêmes heures. Mais, depuis que Frédéric était revenu, le bonhomme s'y promenait plus souvent et n'épargnait pas les politesses au fils de Mme Moreau. Il le plaignait d'habiter une petite ville. Un jour, il raconta que M. Dambreuse avait demandé de ses nouvelles. Une autre fois, il s'étendit sur la coutume de Champagne, où le ventre anoblissait.

— Dans ce temps-là, vous auriez été un seigneur, puisque votre mère s'appelait de Fouvens. Et on a beau dire, allez! c'est quelque chose, un nom! Après tout, ajouta-t-il, en le regardant d'un air malin, cela dépend du garde des sceaux.

Cette prétention d'aristocratie jurait singulièrement avec sa personne. Comme il était petit, sa grande redingote marron exagérait la longueur de son buste. Quand il ôtait sa casquette, on apercevait un visage presque féminin avec un nez extrêmement pointu; ses cheveux de couleur jaune ressemblaient à une perruque; il saluait le monde très bas, en frisant les murs.

Jusqu'à cinquante ans, il s'était contenté des services de Catherine, une Lorraine du même âge que lui, et fortement marquée de petite vérole. Mais, vers 1834, il ramena de Paris une belle blonde, à figure moutonnière, à « port de reine ». On la vit bientôt se pavaner avec de grandes boucles d'oreilles, et tout fut expliqué par la naissance d'une fille, déclarée sous les noms d'Elisabeth-Olympe-Louise Roque.

Catherine, dans sa jalousie, s'attendait à exécrer cette enfant. Au contraire, elle l'aima. Elle l'entoura de soins, d'attentions et de caresses, pour supplanter sa mère et la rendre odieuse, entreprise facile, car Mme Eléonore négligeait complètement la petite, préférant bavarder chez les fournisseurs. Dès le lendemain de son mariage, elle alla faire une visite à la sous-préfecture, ne tutoya plus les servantes, et crut devoir, par bon ton, se montrer sévère pour son enfant. Elle assistait à ses leçons; le professeur, un vieux bureaucrate de la mairie, ne savait pas s'y prendre. L'élève s'insurgeait, recevait des gifles, et allait pleurer sur les genoux de Catherine, qui lui donnait invariablement raison. Alors, les deux femmes se querellaient; M. Roque les faisait taire. Il s'était marié par tendresse pour sa fille, et ne voulait pas qu'on la tourmentât.

Souvent elle portait une robe blanche en lambeaux avec un pantalon garni de dentelles; et, aux grandes fêtes, sortait vêtue comme une princesse, afin de mortifier un peu les bourgeois, qui empêchaient leurs marmots de la fréquenter, vu sa naissance illégitime.

Elle vivait seule, dans son jardin, se balançait à l'escarpolette, courait après les papillons, puis tout à coup s'arrêtait à contempler les cétoines [23] s'abattant sur les rosiers. C'étaient ces habitudes, sans doute, qui donnaient à sa figure une expression à la fois de hardiesse et de rêverie. Elle avait la taille de Marthe, d'ailleurs, si bien que Frédéric lui dit, dès leur seconde entrevue :

— Voulez-vous me permettre de vous embrasser, mademoiselle?

La petite personne leva la tête, et répondit :

— Je veux bien!

Mais la haie de bâtons les séparait l'un de l'autre.

— Il faut monter dessus, dit Frédéric.

— Non, enlève-moi!

Il se pencha par-dessus la haie et la saisit au bout de ses bras, en la baisant sur les deux joues; puis il la remit chez elle, par le même procédé, qui se renouvela les fois suivantes.

Sans plus de réserve qu'une enfant de quatre ans, sitôt qu'elle entendait venir son ami, elle s'élançait à sa rencontre, ou bien, se cachant derrière un arbre, elle poussait un jappement de chien, pour l'effrayer.

Un jour que Mme Moreau était sortie, elle le fit monter dans sa chambre. Elle ouvrit tous les flacons d'odeur et se pommada les cheveux abondamment; puis, sans la

---

23. Les cétoines : Insectes vert doré, fréquents sur les roses, dont ils se nourrissent.

moindre gêne, elle se coucha sur le lit, où elle restait tout de son long, éveillée.

— Je m'imagine que je suis ta femme, disait-elle.

Le lendemain, il l'aperçut tout en larmes. Elle avoua « qu'elle pleurait ses péchés », et, comme il cherchait à les connaître, elle répondit en baissant les yeux :

— Ne m'interroge pas davantage !

La première communion approchait ; on l'avait conduite le matin à confesse.

Le sacrement ne la rendit guère plus sage. Elle entrait parfois dans de véritables colères ; on avait recours à M. Frédéric pour la calmer.

Souvent il l'emmenait avec lui dans ses promenades. Tandis qu'il rêvassait en marchant, elle cueillait des coquelicots au bord des blés, et, quand elle le voyait plus triste qu'à l'ordinaire, elle tâchait de le consoler par de gentilles paroles. Son cœur, privé d'amour, se rejeta sur cette amitié d'enfant ; il lui dessinait des bonshommes, lui contait des histoires et il se mit à lui faire des lectures.

Il commença par les *Annales romantiques*, un recueil de vers et de prose, alors célèbre. Puis, oubliant son âge, tant son intelligence le charmait, il lut successivement *Atala, Cinq-Mars, les Feuilles d'automne*. Mais, une nuit (le soir même, elle avait entendu *Macbeth*, dans la simple traduction de Letourneur), elle se réveilla en criant : « La tache ! la tache ! » ; ses dents claquaient, elle tremblait, et, fixant des yeux épouvantés sur sa main droite, elle la frottait en disant : « Toujours une tache ! » Enfin arriva le médecin, qui prescrivit d'éviter les émotions.

Les bourgeois ne virent là-dedans qu'un pronostic défavorable pour ses mœurs. On disait que « le fils Moreau » voulait en faire plus tard une actrice.

Bientôt il fut question d'un autre événement, à savoir l'arrivée de l'oncle Barthélemy. Mme Moreau lui donna sa chambre à coucher, et poussa la condescendance jusqu'à servir du gras les jours maigres.

Le vieillard fut médiocrement aimable. C'étaient de perpétuelles comparaisons entre Le Havre et Nogent, dont il trouvait l'air lourd, le pain mauvais, les rues mal pavées, la nourriture médiocre et les habitants des paresseux. « Quel pauvre commerce chez vous ! » Il blâma les extravagances de feu son frère, tandis que, lui, il avait amassé vingt-sept mille livres de rente ! Enfin, il partit au bout de la semaine, et, sur le marche-pied de la voiture, lâcha ces mots peu rassurants :

— Je suis toujours bien aise de vous savoir dans une bonne position.

— Tu n'auras rien ! dit Mme Moreau en rentrant dans la salle.

Il n'était venu que sur ses instances ; et, huit jours durant, elle avait sollicité de sa part une ouverture, trop clairement peut-être. Elle se repentait d'avoir agi, et restait dans son fauteuil, la tête basse, les lèvres serrées. Frédéric, en face d'elle, l'observait ; et ils se taisaient tous les deux, comme il y avait cinq ans, au retour de Montereau. Cette coïncidence, s'offrant même à sa pensée, lui rappela Mme Arnoux.

A ce moment, des coups de fouet retentirent sous la fenêtre, en même temps qu'une voix l'appelait.

C'était le père Roque, seul dans sa tapissière. Il allait passer toute la journée à la Fortelle, chez M. Dambreuse, et proposa cordialement à Frédéric de l'y conduire.

— Vous n'avez pas besoin d'invitation avec moi ; soyez sans crainte !

Frédéric eut envie d'accepter. Mais comment expliquerait-il son séjour définitif à Nogent ? Il n'avait pas un costume d'été convenable ; enfin que dirait sa mère ? Il refusa.

Dès lors, le voisin se montra moins amical. Louise grandissait ; Mme Eléonore tomba malade dangereusement ; et la liaison se dénoua au grand plaisir de Mme Moreau qui redoutait pour l'établissement de son fils la fréquentation de pareilles gens.

Elle rêvait de lui racheter le greffe du tribunal ; Frédéric ne repoussait pas trop cette idée. Maintenant, il l'accompagnait à la messe, il faisait le soir sa partie d'impériale [24], il s'accoutumait à la province, s'y enfonçait ; — et même son amour avait pris comme une douceur funèbre, un charme assoupissant. A force d'avoir versé sa douleur dans ses lettres, de l'avoir mêlée à ses lectures, promenée dans la campagne et partout épandue, il l'avait presque tarie, si bien que Mme Arnoux était pour lui comme une morte dont il s'étonnait de ne pas connaître le tombeau, tant cette affection était devenue tranquille et résignée.

Un jour, le 12 décembre 1845, vers neuf heures du matin, la cuisinière monta une lettre dans sa chambre. L'adresse, en gros caractères, était d'une écriture inconnue ; et Frédéric, sommeillant, ne se pressa pas de la décacheter. Enfin il lut :

« Justice de paix du Havre, IIIᵉ arrondissement.

« Monsieur,

« M. Moreau, votre oncle, étant mort *ab intestat* [25]... »

Il héritait !

Comme si un incendie eût éclaté derrière le mur, il sauta hors de son lit, pieds nus, en chemise : il se passa la main sur le visage, doutant de ses yeux, croyant qu'il rêvait encore, et, pour se raffermir dans la réalité, il ouvrit la fenêtre toute grande.

Il était tombé de la neige ; les toits étaient blancs ; — et même il reconnut dans la cour un baquet à lessive, qui l'avait fait trébucher la veille au soir.

Il relut la lettre trois fois de suite ; rien de plus vrai ! toute la fortune de l'oncle ! Vingt-sept mille livres de rente ! — et une joie frénétique le bouleversa, à l'idée de revoir Mme Arnoux. Avec la netteté d'une hallucination, il s'aperçut auprès d'elle, chez elle, lui apportant quelque cadeau dans du papier de soie, tandis qu'à la porte stationnerait son tilbury [26], non, un coupé plutôt ! un coupé noir, avec un domestique en livrée brune ; il entendait piaffer son cheval et le bruit de la gourmette se confondant avec le murmure de leurs

24. Jeu de cartes, ancêtre du piquet.
25. Sans faire de testament.
26. Cabriolet léger et découvert à deux roues et deux places ; coupé : voiture fermée à quatre roues et deux places.

baisers. Cela se renouvellerait tous les jours, indéfiniment. Il les recevrait chez lui, dans sa maison; la salle à manger serait en cuir rouge, le boudoir en soie jaune, des divans partout! et quelles étagères! quels vases de Chine! quels tapis! Ces images arrivaient si tumultueusement, qu'il sentait la tête lui tourner. Alors, il se rappela sa mère; et il descendit, tenant toujours la lettre à sa main.

Mme Moreau tâcha de contenir son émotion et eut une défaillance. Frédéric la prit dans ses bras et la baisa au front.

— Bonne mère, tu peux racheter ta voiture maintenant; ris donc, ne pleure plus, sois heureuse!

Dix minutes après, la nouvelle circulait jusqu'aux faubourgs. Alors, Me Benoist, M. Gamblin, M. Chambion, tous les amis, accoururent. Frédéric s'échappa une minute pour écrire à Deslauriers. D'autres visites survinrent. L'après-midi se passa en félicitations. On en oubliait la femme Roque, qui était cependant « très bas ».

Le soir, quand ils furent seuls, tous les deux, Mme Moreau dit à son fils qu'elle lui conseillait de s'établir à Troyes, avocat. Etant plus connu dans son pays que dans un autre, il pourrait plus facilement y trouver des partis avantageux.

— Ah! c'est trop fort! s'écria Frédéric.

A peine avait-il son bonheur entre les mains qu'on voulait le lui prendre. Il signifia sa résolution formelle d'habiter Paris.

— Pour quoi y faire?

— Rien!

Mme Moreau, surprise de ses façons, lui demanda ce qu'il voulait devenir.

— Ministre! répliqua Frédéric.

Et il affirma qu'il ne plaisantait nullement, qu'il prétendait se lancer dans la diplomatie, que ses études et ses instincts l'y poussaient. Il entrerait d'abord au Conseil d'Etat avec la protection de M. Dambreuse.

— Tu le connais donc?

— Mais oui! par M. Roque!

— Cela est singulier, dit Mme Moreau.

Il avait réveillé dans son cœur ses vieux rêves d'ambition. Elle s'y abandonna intérieurement, et ne parla plus des autres.

S'il eût écouté son impatience, Frédéric fût parti à

l'instant même. Le lendemain, toutes les places dans les diligences étaient retenues; il se rongea jusqu'au lendemain, à sept heures du soir.

Ils s'asseyaient pour dîner, quand tintèrent à l'église trois longs coups de cloche; et la domestique, entrant, annonça que Mme Eléonore venait de mourir.

Cette mort, après tout, n'était un malheur pour personne, pas même pour son enfant. La jeune fille ne s'en trouverait que mieux, plus tard.

Comme les deux maisons se touchaient, on entendait un grand va-et-vient, un bruit de paroles; et l'idée de ce cadavre près d'eux jetait quelque chose de funèbre sur leur séparation. Mme Moreau, deux ou trois fois, s'essuya les yeux. Frédéric avait le cœur serré.

Le repas fini, Catherine l'arrêta entre deux portes. Mademoiselle voulait, absolument, le voir. Elle l'attendait dans le jardin. Il sortit, enjamba la haie, et, tout en se cognant aux arbres quelque peu, se dirigea vers la maison de M. Roque. Des lumières brillaient à une fenêtre au second étage; puis une forme apparut dans les ténèbres, et une voix chuchota:

— C'est moi.

Elle lui sembla plus grande qu'à l'ordinaire, à cause de sa robe noire, sans doute. Ne sachant par quelle phrase l'aborder, il se contenta de lui prendre les mains en soupirant:

— Ah! ma pauvre Louise!

Elle ne répondit pas. Elle le regarda profondément, pendant longtemps. Frédéric avait peur de manquer la voiture; il croyait entendre un roulement tout au loin, et, pour en finir:

— Catherine m'a prévenu que tu avais quelque chose...

— Oui, c'est vrai! je voulais vous dire...

Ce *vous* l'étonna; et, comme elle se taisait encore:

— Eh bien, quoi?

— Je ne sais plus. J'ai oublié! Est-ce vrai que vous partez?

— Oui, tout à l'heure.

Elle répéta:

— Ah! tout à l'heure?... tout à fait?... nous ne nous reverrons plus?

Des sanglots l'étouffaient.

— Adieu! adieu! embrasse-moi donc!

Et elle le serra dans ses bras avec emportement.

DEUXIÈME PARTIE

I

Quand il fut à sa place, dans le coupé, au fond, et que la diligence s'ébranla, emportée par les cinq chevaux détalant à la fois, il sentit une ivresse le submerger. Comme un architecte qui fait le plan d'un palais, il arrangea, d'avance, sa vie. Il l'emplit de délicatesses et de splendeurs; elle montait jusqu'au ciel; une prodigalité de choses y apparaissait; et cette contemplation

était si profonde, que les objets extérieurs avaient disparu.

Au bas de la côte de Sourdun, il s'aperçut de l'endroit où l'on était. On n'avait fait que cinq kilomètres, tout au plus! Il fut indigné. Il abattit le vasistas pour voir la route. Il demanda plusieurs fois au conducteur dans combien de temps, au juste, on arriverait. Il se calma cependant, et il restait dans son coin, les yeux ouverts.

La lanterne, suspendue au siège du postillon, éclairait les croupes des limoniers. Il n'apercevait au delà que les crinières des autres chevaux qui ondulaient comme des vagues blanches; leurs haleines formaient un brouillard de chaque côté de l'attelage; les chaînettes de fer sonnaient, les glaces tremblaient dans leurs châssis; et la lourde voiture, d'un train égal, roulait sur le pavé. Çà et là, on distinguait le mur d'une grange, ou bien une auberge, toute seule. Parfois, en passant dans les villages, le four d'un boulanger projetait des lueurs d'incendie, et la silhouette monstrueuse des chevaux courait sur l'autre maison en face. Aux relais, quand on avait dételé, il se faisait un grand silence, pendant une minute. Quelqu'un piétinait en haut, sous la bâche, tandis qu'au seuil d'une porte une femme, debout, abritait sa chandelle avec sa main. Puis, le conducteur sautant sur le marchepied, la diligence repartait.

A Mormans, on entendit sonner une heure et un quart.

« C'est donc aujourd'hui, pensa-t-il, aujourd'hui même, tantôt! »

Mais, peu à peu, ses espérances et ses souvenirs, Nogent, la rue de Choiseul, Mme Arnoux, sa mère, tout se confondait.

Un bruit sourd de planches le réveilla, on traversait le pont de Charenton, c'était Paris. Alors, ses deux compagnons, ôtant l'un sa casquette, l'autre son foulard, se couvrirent de leur chapeau et causèrent. Le premier, un gros homme rouge, en redingote de velours, était un négociant; le second venait dans la capitale pour consulter un médecin; — et, craignant de l'avoir incommodé pendant la nuit, Frédéric lui fit spontanément des excuses, tant il avait l'âme attendrie par le bonheur.

Le quai de la gare se trouvant inondé, sans doute, on continua tout droit, et la campagne recommença. Au loin, de hautes cheminées d'usines fumaient. Puis on tourna dans Ivry. On monta une rue; tout à coup, il aperçut le dôme du Panthéon.

La plaine, bouleversée, semblait de vagues ruines. L'enceinte des fortifications y faisait un renflement horizontal; et, sur les trottoirs en terre qui bordaient la route, de petits arbres sans branches étaient défendus par des lattes hérissées de clous. Des établissements de produits chimiques alternaient avec des chantiers de marchands de bois. De hautes portes, comme il y en a dans les fermes, laissaient voir, par les vantaux entr'ouverts, l'intérieur d'ignobles cours, pleines d'immondices, avec des flaques d'eau sale au milieu. De longs cabarets, couleur sang de bœuf, portaient à leur premier étage, entre les fenêtres, deux queues de billard en sautoir dans une couronne de fleurs peintes; çà et là, une bicoque de plâtre à moitié construite était abandonnée. Puis, la double ligne de maisons ne discontinua plus; et, sur la nudité de leurs façades, se détachait, de loin en loin, un gigantesque cigare de fer-blanc, pour indiquer un débit de tabac. Des enseignes de sage-femme représentaient une matrone en bonnet, dodelinant un poupon dans une courtepointe garnie de dentelles. Des affiches couvraient l'angle des murs, et, aux trois quarts déchirées, tremblaient au vent comme des guenilles. Des ouvriers en blouse passaient, et des haquets de brasseurs, des fourgons de blanchisseuses, des carrioles de bouchers; une pluie fine tombait, il faisait froid, le ciel était pâle, mais deux yeux qui valaient pour lui le soleil resplendissaient derrière la brume.

On s'arrêta longtemps à la barrière, car des coquetiers, des rouliers et un troupeau de moutons y faisaient de l'encombrement. Le factionnaire, la capote rabattue, allait et venait devant sa guérite pour se réchauffer. Le commis de l'octroi grimpa sur l'impériale, et une fanfare de cornet à piston éclata. On descendit le boulevard au grand trot, les palonniers battants, les traits flottants. La mèche du long fouet claquait dans l'air humide. Le conducteur lançait son cri sonore : « Allume! allume! ohé! » et les balayeurs se rangeaient, les piétons sautaient en arrière, la boue jaillissait contre les vasistas, on croisait des tombereaux, des cabriolets, des omnibus. Enfin la grille du Jardin des Plantes se déploya.

La Seine, jaunâtre, touchait presque au tablier des ponts. Une fraîcheur s'en exhalait. Frédéric l'aspira de toutes ses forces, savourant ce bon air de Paris qui semble contenir des effluves amoureux et des émanations intellectuelles; il eut un attendrissement en apercevant le premier fiacre. Et il aimait jusqu'au seuil des marchands de vin garni de paille, jusqu'aux décrotteurs avec leurs boîtes, jusqu'aux garçons épiciers secouant leur brûloir à café. Des femmes trottinaient sous des parapluies; il se penchait pour distinguer leur figure, un hasard pouvait avoir fait sortir Mme Arnoux.

Les boutiques défilaient, la foule augmentait, le bruit devenait plus fort. Après le quai Saint-Bernard, le quai de la Tournelle et le quai de Montebello, on prit le quai Napoléon; il voulut voir ses fenêtres, elles étaient loin. Puis on repassa la Seine sur le Pont-Neuf, on descendit jusqu'au Louvre; et, par les rues Saint-Honoré, Croix-des-Petits-Champs et du Bouloi, on atteignit la rue Coq-Héron, et l'on entra dans la cour de l'hôtel.

Pour faire durer son plaisir, Frédéric s'habilla le plus lentement possible, et même il se rendit à pied au boulevard Montmartre; il souriait à l'idée de revoir, tout à l'heure, sur la plaque de marbre, le nom chéri; il leva les yeux. Plus de vitrines, plus de tableaux, rien!

Il courut à la rue de Choiseul. M. et Mme Arnoux n'y habitaient pas, et une voisine gardait la loge du portier; Frédéric l'attendit; enfin, il parut, ce n'était plus le même. Il ne savait point leur adresse.

Frédéric entra dans un café, et, tout en déjeunant, consulta l'Almanach du Commerce. Il y avait trois cents Arnoux, mais pas de Jacques Arnoux! Où donc logeaient-ils? Pellerin devait le savoir.

Il se transporta tout en haut du faubourg Poissonnière, à son atelier. La porte n'ayant ni sonnette ni marteau, il donna de grands coups de poing, et il appela, cria, Le vide seul lui répondit.

Il songea ensuite à Hussonnet. Mais où découvrir un pareil homme? Une fois, il l'avait accompagné jusqu'à la maison de sa maîtresse, rue de Fleurus. Parvenu dans la rue de Fleurus, Frédéric s'aperçut qu'il ignorait le nom de la demoiselle.

Il eut recours à la Préfecture de police. Il erra d'escalier en escalier, de bureau en bureau. Celui des renseignements se fermait. On lui dit de repasser le lendemain.

Puis il entra chez tous les marchands de tableaux qu'il put découvrir, pour savoir si l'on ne connaissait point Arnoux. M. Arnoux ne faisait plus le commerce.

Enfin, découragé, harassé, malade, il s'en revint à son hôtel et se coucha. Au moment où il s'allongeait entre ses draps, une idée le fit bondir de joie :

« Regimbart! quel imbécile je suis de n'y avoir pas songé! »

Le lendemain, dès sept heures, il arriva rue Notre-Dame-des-Victoires devant la boutique d'un rogomiste [27], où Regimbart avait coutume de prendre le vin blanc. Elle n'était pas encore ouverte; il fit un tour de promenade aux environs, et, au bout d'une demi-heure, s'y présenta de nouveau. Regimbart en sortait. Frédéric s'élança dans la rue. Il crut même apercevoir au loin son chapeau; un corbillard et des voitures de deuil s'interposèrent. L'embarras passé, la vision avait disparu.

Heureusement, il se rappela que le Citoyen déjeunait tous les jours, à onze heures précises, chez un petit restaurateur de la place Gaillon. Il s'agissait de patienter; et, après une interminable flânerie de la Bourse à la Madeleine, et de la Madeleine au Gymnase, Frédéric, à onze heures précises, entra dans le restaurant de la place Gaillon, sûr d'y trouver son Regimbart.

— Connais pas! dit le gargotier d'un ton rogue.

Frédéric insistait; il reprit :

— Je ne le connais plus, monsieur! avec un haussement de sourcils majestueux et des oscillations de la tête, qui décelaient un mystère.

Mais, dans leur dernière entrevue, le Citoyen avait parlé de l'estaminet Alexandre. Frédéric avala une brioche, et, sautant dans un cabriolet, s'enquit près du cocher s'il n'y avait point quelque part, sur les hauteurs de Sainte-Geneviève, un certain café Alexandre. Le cocher le conduisit rue des Francs-Bourgeois-Saint-Michel dans un établissement de ce nom-là, et à sa question : « M. Regimbart, s'il vous plaît? » le cafetier lui répondit, avec un sourire extra-gracieux :

— Nous ne l'avons pas encore vu, monsieur, tandis qu'il jetait à son épouse, assise dans le comptoir, un regard d'intelligence.

Et aussitôt, se tournant vers l'horloge :

— Mais nous l'aurons, j'espère, d'ici à dix minutes, un quart d'heure tout au plus. Célestin, vite les feuilles! — Qu'est-ce que monsieur désire prendre?

Quoique n'ayant besoin de rien prendre, Frédéric avala un verre de rhum, puis un verre de kirsch, puis un verre de curaçao, puis différents grogs, tant froids que chauds. Il lut tout *le Siècle* du jour; et le relut; il

examina, jusque dans les grains du papier, la caricature du *Charivari;* à la fin, il savait par cœur les annonces. De temps à autre, des bottes résonnaient sur le trottoir, c'était lui! et la forme de quelqu'un se profilait sur les carreaux; mais cela passait toujours!

Afin de se désennuyer, Frédéric changeait de place; il alla se mettre dans le fond, puis à droite, ensuite à gauche; et il restait au milieu de la banquette, les deux bras étendus. Mais un chat, foulant délicatement le velours du dossier, lui faisait des peurs en bondissant tout à coup, pour lécher les taches de sirop sur le plateau; et l'enfant de la maison, un intolérable mioche de quatre ans, jouait avec une crécelle sur les marches du comptoir. Sa maman, petite femme pâlotte, à dents gâtées, souriait d'un air stupide. Que pouvait donc faire Regimbart? Frédéric l'attendait, perdu dans une détresse illimitée.

La pluie sonnait comme grêle, sur la capote du cabriolet. Par l'écartement du rideau de mousseline, il apercevait dans la rue le pauvre cheval, plus immobile qu'un cheval de bois. Le ruisseau, devenu énorme, coulait entre deux rayons des roues, et le cocher s'abritant de la couverture sommeillait; mais, craignant que son bourgeois ne s'esquivât, de temps à autre il entr'ouvrait la porte, tout ruisselant comme un fleuve; — et si les regards pouvaient user les choses, Frédéric aurait dissous l'horloge à force d'attacher dessus les yeux. Elle marchait, cependant. Le sieur Alexandre se promenait de long en large, en répétant : « Il va venir, allez! il va venir! » et, pour le distraire, lui tenait des discours, parlait politique. Il poussa même la complaisance jusqu'à lui proposer une partie de dominos.

Enfin, à quatre heures et demie, Frédéric, qui était là depuis midi, se leva d'un bond, déclarant qu'il n'attendait plus.

— Je n'y comprends rien moi-même, répondit le cafetier d'un air candide, c'est la première fois que manque M. Ledoux.

— Comment, M. Ledoux?

— Mais oui, monsieur!

— J'ai dit Regimbart! s'écria Frédéric exaspéré.

— Ah! mille excuses! vous faites erreur! — N'est-ce pas, madame Alexandre, monsieur a dit : M. Ledoux?

Et, interpellant le garçon :

— Vous l'avez entendu, vous-même, comme moi?

Pour se venger de son maître, sans doute, le garçon se contenta de sourire.

Frédéric se fit ramener vers les boulevards, indigné du temps perdu, furieux contre le Citoyen, implorant sa présence comme celle d'un dieu, et bien résolu à l'extraire du fond des caves les plus lointaines. Sa voiture l'agaçait, il la renvoya : ses idées se brouillaient; puis tous les noms des cafés qu'il avait entendu prononcer par cet imbécile jaillirent de sa mémoire, à la fois, comme les mille pièces d'un feu d'artifice : café Gascard, café Grimbert, café Halbout, estaminet Bordelais, Havanais, Havrais, Bœuf à la mode, brasserie Allemande, Mère Morel; et il se transporta dans tous successivement. Mais, dans l'un, Regimbart venait de sortir; dans un autre, il viendrait peut-être; dans un

---

27. Rogomiste (ou plutôt rogommiste), mot populaire et rare : débitant de liqueurs.

troisième, on ne l'avait pas vu depuis six mois; ailleurs, il avait commandé, hier, un gigot pour samedi. Enfin, chez Vautier, limonadier, Frédéric, ouvrant la porte, se heurta contre le garçon.

— Connaissez-vous M. Regimbart?

— Comment, monsieur, si je le connais? C'est moi qui ai l'honneur de le servir. Il est en haut; il achève de dîner!

Et, la serviette sous le bras, le maître de l'établissement, lui-même, l'aborda :

— Vous demandez M. Regimbart, monsieur? Il était ici à l'instant.

Frédéric poussa un juron, mais le limonadier affirma qu'il le trouverait chez Bouttevilain, infailliblement.

— Je vous en donne ma parole d'honneur! il est parti un peu plus tôt que de coutume, car il a un rendez-vous d'affaires avec des messieurs. Mais vous le trouverez, je vous le répète, chez Bouttevilain, rue Saint-Martin, 92, deuxième perron, à gauche, au fond de la cour, entresol, porte à droite!

Enfin, il l'aperçut à travers la fumée des pipes, seul, au fond de l'arrière-buvette après le billard, une chope devant lui, le menton baissé et dans une attitude méditative.

— Ah! il y a longtemps que je vous cherchais, vous!

Sans s'émouvoir, Regimbart lui tendit deux doigts seulement, et comme s'il l'avait vu la veille, il débita plusieurs phrases insignifiantes sur l'ouverture de la session.

Frédéric l'interrompit, en lui disant, de l'air le plus naturel qu'il put :

— Arnoux va bien?

La réponse fut longue à venir, Regimbart se gargarisait avec son liquide.

— Oui, pas mal!

— Où demeure-t-il donc, maintenant?

— Mais... rue Paradis-Poissonnière, répondit le Citoyen étonné.

— Quel numéro?

— Trente-sept, parbleu, vous êtes drôle!

Frédéric se leva :

— Comment, vous partez?

— Oui, oui, j'ai une course, une affaire que j'oubliais! Adieu!

Frédéric alla de l'estaminet chez Arnoux, comme soulevé par un vent tiède et avec l'aisance extraordinaire que l'on éprouve dans les songes.

Il se trouva bientôt à un second étage, devant une porte dont la sonnette retentissait; une servante parut; une seconde porte s'ouvrit; Mme Arnoux était assise près du feu. Arnoux fit un bond et l'embrassa. Elle avait sur ses genoux un petit garçon de trois ans, à peu près; sa fille, grande comme elle maintenant, se tenait debout, de l'autre côté de la cheminée.

— Permettez-moi de vous présenter ce monsieur-là, dit Arnoux, en prenant son fils par les aisselles.

Et il s'amusa quelques minutes à le faire sauter en l'air, très haut, pour le recevoir au bout de ses bras.

— Tu vas le tuer! ah! mon Dieu! finis donc! s'écriait Mme Arnoux.

Mais Arnoux, jurant qu'il n'y avait pas de danger, continuait, et même zézayait des caresses en patois marseillais, son langage natal. « Ah! brave pichoûn, mon poulit rossignolet! » Puis il demanda à Frédéric pourquoi il avait été si longtemps sans leur écrire, ce qu'il avait pu faire là-bas, ce qui le ramenait.

— Moi, à présent, cher ami, je suis marchand de faïences. Mais causons de vous!

Frédéric allégua un long procès, la santé de sa mère; il insista beaucoup là-dessus, afin de se rendre intéressant. Bref, il se fixait à Paris, définitivement cette fois; et il ne dit rien de l'héritage, — dans la peur de nuire à son passé.

Les rideaux, comme les meubles, étaient en damas de laine marron; deux oreillers se touchaient contre le traversin; une bouillotte chauffait dans les charbons; et l'abat-jour de la lampe, posée au bord de la commode, assombrissait l'appartement. Mme Arnoux avait une robe de chambre en mérinos gros bleu. Le regard tourné vers les cendres et une main sur l'épaule du petit garçon, elle défaisait, de l'autre, le lacet de la brassière; le mioche en chemise pleurait tout en se grattant la tête, comme M. Alexandre fils.

Frédéric s'était attendu à des spasmes de joie; — mais les passions s'étiolent quand on les dépayse, et, ne retrouvant plus Mme Arnoux dans le milieu où il l'avait connue, elle lui semblait avoir perdu quelque chose, porter confusément comme une dégradation, enfin n'être pas la même. Le calme de son cœur le stupéfiait. Il s'informa des anciens amis, de Pellerin, entre autres.

— Je ne le vois pas souvent, dit Arnoux.

Elle ajouta :

— Nous ne recevons plus, comme autrefois!

Était-ce pour l'avertir qu'on ne lui ferait aucune invitation? Mais Arnoux, poursuivant ses cordialités, lui reprocha de n'être pas venu dîner avec eux, à l'improviste; et il expliqua pourquoi il avait changé d'industrie.

— Que voulez-vous faire dans une époque de décadence comme la nôtre? La grande peinture est passée de mode! D'ailleurs, on peut mettre de l'art partout! Vous savez, moi, j'aime le Beau! il faudra un de ces jours que je vous mène à ma fabrique.

Et il voulut lui montrer, immédiatement, quelques-uns de ses produits dans son magasin à l'entresol.

Les plats, les soupières, les assiettes et les cuvettes encombraient le plancher. Contre les murs étaient dressés de larges carreaux de pavage pour salles de bain et cabinets de toilette, avec sujets mythologiques dans le style de la Renaissance, tandis qu'au milieu une double étagère, montant jusqu'au plafond, supportait des vases à contenir la glace, des pots à fleurs, des candélabres, de petites jardinières, et de grandes statuettes polychromes figurant un nègre ou une bergère pompadour. Les démonstrations d'Arnoux ennuyaient Frédéric, qui avait froid et faim.

Il courut au Café Anglais, y soupa splendidement, et, tout en mangeant, il se disait :

— J'étais bien bon là-bas avec mes douleurs! A peine si elle m'a reconnu! quelle bourgeoise!

Et, dans un brusque épanouissement de santé, il se fit des résolutions d'égoïsme. Il se sentait le cœur dur comme la table où ses coudes posaient. Donc, il pouvait, maintenant, se jeter au milieu du monde, sans peur. L'idée des Dambreuse lui vint; il les utiliserait; puis il se rappela Deslauriers. « Ah! ma foi, tant pis! » Cependant, il lui envoya, par un commissionnaire, un billet lui donnant rendez-vous le lendemain au Palais-Royal, afin de déjeuner ensemble.

La fortune n'était pas si douce pour celui-là.

Il s'était présenté au concours d'agrégation avec une thèse *sur le droit de tester*, où il soutenait qu'on devait le restreindre autant que possible; — et, son adversaire l'excitant à lui faire dire des sottises, il en avait dit beaucoup, sans que les examinateurs bronchassent. Puis le hasard avait voulu qu'il tirât au sort, pour sujet de leçon, la Prescription. Alors, Deslauriers s'était livré à des théories déplorables; les vieilles contestations devaient se produire comme les nouvelles; pourquoi le propriétaire serait-il privé de son bien parce qu'il n'en peut fournir les titres qu'après trente et un ans révolus? C'était donner la sécurité de l'honnête homme à l'héritier du voleur enrichi. Toutes les injustices étaient consacrées par une extension de ce droit, qui était la tyrannie, l'abus de la force! Il s'était même écrié :

— Abolissons-le; et les Francs ne pèseront plus sur les Gaulois, les Anglais sur les Irlandais, les Yankees sur les Peaux-Rouges, les Turcs sur les Arabes, les blancs sur les nègres, la Pologne...

Le président l'avait interrompu :

— Bien! bien! monsieur! nous n'avons que faire de vos opinions politiques, vous vous représenterez plus tard!

Deslauriers n'avait pas voulu se représenter. Mais ce malheureux titre xx du IIIe livre du Code civil était devenu pour lui une montagne d'achoppement. Il élaborait un grand ouvrage sur *la Prescription, considérée comme base du droit civil et du droit naturel des peuples*; et il était perdu dans Dunod, Rogérius, Balbus, Merlin, Vazeille, Savigny, Troplong, et autres lectures considérables. Afin de s'y livrer plus à l'aise, il s'était démis de sa place de maître-clerc. Il vivait en donnant des répétitions, en fabriquant des thèses; et, aux séances de la Parlotte [28], il effrayait par sa virulence le parti conservateur, tous les jeunes doctrinaires issus de M. Guizot, — si bien qu'il avait, dans un certain monde, une espèce de célébrité, quelque peu mêlée de défiance pour sa personne.

Il arriva au rendez-vous, portant un gros paletot doublé de flanelle rouge, comme celui de Sénécal, autrefois.

Le respect humain, à cause du public qui passait, les empêcha de s'étreindre longuement, et ils allèrent jusque chez Véfour, bras dessus bras dessous, en ricanant de plaisir, avec une larme au fond des yeux. Puis, dès qu'ils furent seuls, Deslauriers s'écria :

— Ah! saprelotte, nous allons nous la repasser douce, maintenant!

Frédéric n'aima point cette manière de s'associer, tout de suite, à sa fortune. Son ami témoignait trop de joie pour eux deux, et pas assez pour lui seul.

Ensuite, Deslauriers conta son échec, et peu à peu ses travaux, son existence, parlant de lui-même stoïquement et des autres avec aigreur. Tout lui déplaisait. Pas un homme en place qui ne fût un crétin ou une canaille. Pour un verre mal rincé, il s'emporta contre le garçon, et, sur le reproche anodin de Frédéric :

— Comme si j'allais me gêner pour de pareils cocos, qui vous gagnent jusqu'à des six et huit mille francs par an, qui sont électeurs, éligibles peut-être! Ah! non, non!

Puis, d'un air enjoué :

— Mais j'oublie que je parle à un capitaliste, à un Mondor [29], car tu es un Mondor, maintenant!

Et, revenant sur l'héritage, il exprima cette idée : que les successions collatérales (chose injuste en soi, bien qu'il se réjouît de celle-là) seraient abolies, un de ces jours, à la prochaine révolution.

— Tu crois? dit Frédéric.

— Compte dessus! répondit-il. Ça ne peut pas durer! on souffre trop! Quand je vois dans la misère des gens comme Sénécal...

« Toujours le Sénécal! » pensa Frédéric.

— Quoi de neuf, du reste? Es-tu encore amoureux de Mme Arnoux? C'est passé, hein?

Frédéric, ne sachant que répondre, ferma les yeux, en baissant la tête.

A propos d'Arnoux, Deslauriers lui apprit que son journal appartenait maintenant à Hussonnet, lequel l'avait transformé. Cela s'appelait « *L'Art*, institut littéraire, société par actions de cent francs chacune; capital social : quarante mille francs », avec la faculté pour chaque actionnaire de pousser là sa copie; car « la société a pour but de publier les œuvres des débutants, d'épargner au talent, au génie peut-être, les crises douloureuses qui abreuvent, etc. », tu vois la blague! Il y avait cependant quelque chose à faire, c'était de hausser le ton de ladite feuille, puis tout à coup, gardant les mêmes rédacteurs, et promettant la suite du feuilleton, de servir aux abonnés un journal politique; les avances ne seraient pas énormes.

— Qu'en penses-tu, voyons? veux-tu t'y mettre?

Frédéric ne repoussa pas la proposition. Mais il fallait attendre le règlement de ses affaires.

— Alors, si tu as besoin de quelque chose...

— Merci, mon petit! dit Deslauriers.

Ensuite, ils fumèrent des puros, accoudés sur la planche de velours, au bord de la fenêtre. Le soleil brillait, l'air était doux, des troupes d'oiseaux voletant s'abattaient dans le jardin; les statues de bronze et de marbre, lavées par la pluie, miroitaient; des bonnes en tablier causaient assises sur des chaises; et l'on entendait les rires des enfants, avec le murmure continu que faisait la gerbe du jet d'eau.

---

28. Parlotte (ou Parlote) : réunion de jeunes avocats, où l'on s'exerce à l'art oratoire et à la défense de ses idées.

29. Charlatan qui s'acquit au XVIIe siècle une fortune considérable en vendant des drogues sur la place publique; son nom, par jeu de mots, devint synonyme de Crésus.

Frédéric s'était senti troublé par l'amertume de Deslauriers; mais, sous l'influence du vin qui circulait dans ses veines, à moitié endormi, engourdi, et recevant la lumière en plein visage, il n'éprouvait plus qu'un immense bien-être, voluptueusement stupide, — comme une plante saturée de chaleur et d'humidité. Deslauriers, les paupières entre-closes, regardait au loin, vaguement. Sa poitrine se gonflait, et il se mit à dire :

— Ah! c'était plus beau, quand Camille Desmoulins, debout là-bas sur une table, poussait le peuple à la Bastille! On vivait dans ce temps-là, on pouvait s'affirmer, prouver sa force! De simples avocats commandaient à des généraux, des va-nu-pieds battaient les rois, tandis qu'à présent...

Il se tut, puis tout à coup :

— Bah! l'avenir est gros!

Et, tambourinant la charge sur les vitres, il déclama ces vers de Barthélemy :

Elle reparaîtra, la terrible Assemblée
Dont, après quarante ans, votre tête est troublée,
Colosse qui sans peur marche d'un pas puissant.

— Je ne sais plus le reste! Mais il est tard, si nous partions?

Et il continua, dans la rue, à exposer ses théories.

Frédéric, sans l'écouter, observait à la devanture des marchands les étoffes et les meubles convenables pour son installation; et ce fut peut-être la pensée de Mme Arnoux qui le fit s'arrêter à l'étalage d'un brocanteur, devant trois assiettes de faïence. Elles étaient décorées d'arabesques jaunes, à reflets métalliques, et valaient cent écus la pièce. Il les fit mettre de côté.

— Moi, à ta place, dit Deslauriers, je m'achèterais plutôt de l'argenterie, décelant, par cet amour du cossu, l'homme de mince origine.

Dès qu'il fut seul, Frédéric se rendit chez le célèbre Pomadère, où il se commanda trois pantalons, deux habits, une pelisse de fourrure et cinq gilets; puis chez un bottier, chez un chemisier, et chez un chapelier, ordonnant partout qu'on se hâtât le plus possible.

Trois jours après, le soir, à son retour du Havre, il trouva chez lui sa garde-robe complète; et, impatient de s'en servir, il résolut de faire à l'instant même une visite aux Dambreuse. Mais il était trop tôt, huit heures à peine.

« Si j'allais chez les autres? » se dit-il.

Arnoux, seul, devant sa glace, était en train de se raser. Il lui proposa de le conduire dans un endroit où il s'amuserait, et, au nom de M. Dambreuse :

— Ah! ça se trouve bien! Vous verrez là de ses amis; venez donc! ce sera drôle!

Frédéric s'excusait, Mme Arnoux reconnut sa voix et lui souhaita le bonjour, à travers la cloison, car sa fille était indisposée, elle-même souffrante; et l'on entendait le bruit d'une cuiller contre un verre, et tout ce frémissement de choses délicatement remuées qui se fait dans la chambre d'un malade. Puis Arnoux disparut pour dire adieu à sa femme. Il entassait les raisons :

— Tu sais bien que c'est sérieux! Il faut que j'y aille, j'y ai besoin, on m'attend.

— Va, va, mon ami. Amuse-toi!

Arnoux héla un fiacre.

— Palais-Royal! galerie Montpensier, 7.

Et, se laissant tomber sur les coussins :

— Ah! comme je suis las, mon cher! j'en crèverai. Du reste, je peux bien vous le dire, à vous.

Il se pencha vers son oreille, mystérieusement :

— Je cherche à retrouver le rouge de cuivre des Chinois.

Et il expliqua ce qu'étaient la couverte et le petit feu.

Arrivé chez Chevet, on lui remit une grande corbeille, qu'il fit porter sur le fiacre. Puis il choisit pour « sa pauvre femme » du raisin, des ananas, différentes curiosités de bouche et recommanda qu'elles fussent envoyées de bonne heure, le lendemain.

Ils allèrent ensuite chez un costumier; c'était d'un bal qu'il s'agissait. Arnoux prit une culotte de velours bleu, une veste pareille, une perruque rouge; Frédéric un domino; et ils descendirent rue de Laval, devant une maison illuminée au second étage par des lanternes de couleur.

Dès le bas de l'escalier, on entendait le bruit des violons.

— Où diable me menez-vous? dit Frédéric.

— C'est une bonne fille! n'ayez pas peur!

Un groom leur ouvrit la porte, et ils entrèrent dans l'antichambre, où des paletots, des manteaux et des châles étaient jetés en pile sur des chaises. Une jeune femme, en costume de dragon Louis XV, la traversait en ce moment-là. C'était Mlle Rose-Annette Bron, la maîtresse du lieu.

— Eh bien? dit Arnoux.

— C'est fait! répondit-elle.

— Ah! merci mon ange!

Et il voulut l'embrasser.

— Prends donc garde, imbécile! tu vas gâter mon maquillage!

Arnoux présenta Frédéric.

— Tapez là-dedans, monsieur, soyez le bienvenu!

Elle écarta une portière derrière elle, et se mit à crier emphatiquement :

— Le sieur Arnoux, marmiton, et un prince de ses amis!

Frédéric fut d'abord ébloui par les lumières; il n'aperçut que de la soie, du velours, des épaules nues, une masse de couleurs qui se balançait aux sons d'un orchestre caché par des verdures, entre des murailles tendues de soie jaune, avec des portraits au pastel, çà et là, et des torchères de cristal en style Louis XVI. De hautes lampes, dont les globes dépolis ressemblaient à des boules de neige, dominaient des corbeilles de fleurs, posées sur des consoles, dans les coins; — et, en face, après une seconde pièce plus petite, on distinguait, dans une troisième, à colonnes torses, ayant une glace de Venise à son chevet.

Les danses s'arrêtèrent, et il y eut des applaudissements, un vacarme de joie, à la vue d'Arnoux s'avançant avec son panier sur la tête; les victuailles faisaient bosse au milieu. — « Gare au lustre! » Frédéric leva les yeux : c'était le lustre en vieux saxe qui ornait la boutique de *l'Art industriel*; le souvenir des anciens jours passa dans sa mémoire; mais un fantassin de la Ligne en petite tenue, avec cet air nigaud que la tradition donne aux conscrits, se planta devant lui, en écartant les deux bras pour marquer l'étonnement; et il reconnut, malgré les effroyables moustaches noires extra-pointues qui le défiguraient, son ancien ami Hussonnet. Dans un charabia moitié alsacien, moitié nègre, le bohème l'accablait de félicitations, l'appelant son colonel. Frédéric, décontenancé par toutes ces personnes, ne savait que répondre. Un archet ayant frappé sur un pupitre, danseurs et danseuses se mirent en place.

Ils étaient une soixantaine environ, les femmes pour la plupart en villageoises ou en marquises, et les hommes, presque tous d'âge mûr, en costumes de roulier, de débardeur ou de matelot.

Frédéric, s'étant rangé contre le mur, regarda le quadrille devant lui.

Un vieux beau, vêtu, comme un doge vénitien, d'une longue simarre de soie pourpre, dansait avec Mme Rosanette, qui portait un habit vert, une culotte de tricot et des bottes molles à éperons d'or. Le couple en face se composait d'un Arnaute chargé de yatagans et d'une Suissesse aux yeux bleus, blanche comme du lait, potelée comme une caille, en manches de chemise et corset rouge. Pour faire valoir sa chevelure qui lui descendait jusqu'aux jarrets, une grande blonde, marcheuse à l'Opéra, s'était mise en femme sauvage; et, par-dessus son maillot de couleur brune, n'avait qu'un pagne de cuir, des bracelets de verroterie, et un diadème de clinquant, d'où s'élevait une haute gerbe en plumes de paon. Devant elle, un Pritchard, affublé d'un habit noir grotesquement large, battait la mesure avec son coude sur sa tabatière. Un petit berger Watteau, azur et argent comme un clair de lune, choquait sa houlette contre le thyrse d'une Bacchante, couronnée de raisins, une peau de léopard sur le flanc gauche et des cothurnes à rubans d'or. De l'autre côté une Polonaise, en spencer de velours nacarat [30], balançait son jupon de gaze sur ses bas de soie gris perle, pris dans des bottines roses cerclées de fourrure blanche. Elle souriait à un quadragénaire ventru, déguisé en enfant de chœur, et qui gambadait très haut, levant d'une main son surplis et retenant de l'autre sa calotte rouge. Mais la reine, l'étoile, c'était Mlle Loulou, célèbre danseuse des bals publics. Comme elle se trouvait riche maintenant, elle portait une large collerette de dentelle sur sa veste de velours noir uni; et son large pantalon de soie ponceau, collant sur la croupe et serré à la taille par une écharpe de cachemire, avait, tout le long de la couture, des petits camélias blancs naturels. Sa mine pâle, un peu bouffie et à nez retroussé, semblait plus insolente encore par l'ébouriffure de sa perruque où tenait un chapeau d'homme, en feutre gris, plié d'un coup de poing sur l'oreille droite; et, dans les bonds qu'elle faisait, ses escarpins à boucles

30. Rouge clair.

de diamants atteignaient presque au nez de son voisin, un grand Baron moyen âge tout empêtré dans une armure de fer. Il y avait aussi un ange, un glaive d'or à la main, deux ailes de cygne dans le dos, et qui, allant, venant, perdant à toute minute son cavalier, un Louis XIV, ne comprenait rien aux figures et embarrassait la contredanse.

Frédéric, en regardant ces personnes, éprouvait un sentiment d'abandon, un malaise. Il songeait encore à Mme Arnoux et il lui semblait participer à quelque chose d'hostile se tramant contre elle.

Quand le quadrille fut achevé, Mme Rosanette l'aborda. Elle haletait un peu, et son hausse-col, poli comme un miroir, se soulevait doucement sous son menton.

— Et vous, monsieur, dit-elle, vous ne dansez pas?

Frédéric s'excusa, il ne savait pas danser.

— Vraiment! mais avec moi? bien sûr?

Et, posée sur une seule hanche, l'autre genou un peu rentré, en caressant de la main gauche le pommeau de nacre de son épée, elle le considéra pendant une minute, d'un air moitié suppliant, moitié gouailleur. Enfin elle dit « Bonsoir! », fit une pirouette, et disparut.

Frédéric, mécontent de lui-même, et ne sachant que faire, se mit à errer dans le bal.

Il entra dans le boudoir, capitonné de soie bleu pâle, avec des bouquets de fleurs des champs, tandis qu'au plafond, dans un cercle de bois doré, des Amours, émergeant d'un ciel d'azur, batifolaient sur des nuages en forme d'édredon. Ces élégances, qui seraient aujourd'hui des misères pour les pareilles de Rosanette, l'éblouirent; et il admira tout : les volubilis artificiels ornant le contour de la glace, les rideaux de la cheminée, le divan turc, et, dans un renfoncement de la muraille, une manière de tente tapissée de soie rose, avec de la mousseline blanche par-dessus. Des meubles noirs à marqueterie de cuivre garnissaient la chambre à coucher, où se dressait, sur une estrade couverte d'une peau de cygne, le grand lit à baldaquin et à plumes d'autruche. Des épingles à tête de pierreries fichées dans des pelotes, des bagues traînant sur des plateaux, des médaillons à cercle d'or et des coffrets d'argent se distinguaient dans l'ombre, sous la lueur qu'épanchait une urne de Bohême, suspendue à trois chaînettes. Par une petite porte entre-bâillée, on apercevait une serre chaude occupant toute la largeur d'une terrasse, et que terminait une volière à l'autre bout.

C'était bien là un milieu fait pour plaire. Dans une brusque révolte de sa jeunesse, il se jura d'en jouir, s'enhardit; puis, revenu à l'entrée du salon, où il y avait plus de monde maintenant (tout s'agitait dans une sorte de pulvérulence lumineuse), il resta debout à contempler les quadrilles, clignant les yeux pour mieux voir, — et humant les molles senteurs de femmes, qui circulaient comme un immense baiser épandu.

Mais il y avait près de lui, de l'autre côté de la porte, Pellerin, — Pellerin en grande toilette, le bras gauche dans la poitrine et tenant de la droite, avec son chapeau, un gant blanc, déchiré.

— Tiens, il y a longtemps qu'on ne vous a vu! Où diable étiez-vous donc? parti en voyage, en Italie? Poncif, hein, l'Italie? pas si raide qu'on dit? N'importe! apportez-moi vos esquisses, un de ces jours.

Et, sans attendre sa réponse, l'artiste se mit à parler de lui-même.

Il avait fait beaucoup de progrès, ayant reconnu définitivement la bêtise de la Ligne. On ne devait pas tant s'enquérir de la Beauté et de l'Unité, dans une œuvre, que du caractère et de la diversité des choses.

— Car tout existe dans la nature, donc tout est légitime, tout est plastique. Il s'agit seulement d'attraper la note, voilà. J'ai découvert le secret! Et lui donnant un coup de coude, il répéta plusieurs fois : — J'ai découvert le secret, vous voyez! Ainsi regardez-moi cette petite femme à coiffure de sphinx qui danse avec un postillon russe, c'est net, sec, arrêté, tout en méplats et en tons crus : de l'indigo sous les yeux, une plaque de cinabre à la joue, du bistre sur les tempes; pif! paf! Et il jetait, avec le pouce, comme des coups de pinceau dans l'air. — Tandis que la grosse, là-bas, continua-t-il en montrant une Poissarde, en robe cerise avec une croix d'or au cou et un fichu de linon noué dans le dos, — rien que des rondeurs; les narines s'épatent comme les ailes de son bonnet, les coins de la bouche se relèvent, le menton s'abaisse, tout est gras, fondu, copieux, tranquille et soleillant, un vrai Rubens! Elles sont parfaites cependant! Où est le type alors? — Il s'échauffait. — Qu'est-ce qu'une belle femme? Qu'est-ce que le beau? Ah! le beau! me direz-vous...

Frédéric l'interrompit pour savoir ce qu'était un Pierrot à profil de bouc, en train de bénir tous les danseurs au milieu d'une pastourelle.

— Rien du tout! un veuf, père de trois garçons. Il les laisse sans culottes, passe sa vie au club, et couche avec la bonne.

— Et celui-là, costumé en bailli, qui parle dans l'embrasure de la fenêtre à une marquise Pompadour?

— La marquise, c'est Mme Vandael, l'ancienne actrice du Gymnase, la maîtresse du Doge, le comte de Palazot. Voilà vingt ans qu'ils sont ensemble; on ne sait pourquoi. Avait-elle de beaux yeux, autrefois, cette femme-là! Quant au citoyen près d'elle, on le nomme le capitaine d'Herbigny, un vieux de la vieille, qui n'a pour toute fortune que sa croix d'honneur et sa pension, sert d'oncle aux grisettes dans les solennités, arrange les duels et dîne en ville.

— Une canaille? dit Frédéric.

— Non! un honnête homme!

— Ah!

L'artiste lui en nomma d'autres encore, quand, apercevant un monsieur qui portait comme les médecins de Molière une grande robe de serge noire, mais bien ouverte de haut en bas, afin de montrer toutes ses breloques :

— Ceci vous représente le docteur Des Rogis, enragé de n'être pas célèbre, a écrit un livre de pornographie médicale, cire volontiers les bottes dans le grand monde, est discret; ces dames l'adorent. Lui et son épouse (cette maigre châtelaine en robe grise) se trimballent

ensemble dans tous les endroits publics, et autres. Malgré la gêne du ménage, on a *un jour*, — thés artistiques où il se dit des vers. — Attention!

En effet, le docteur les aborda; et bientôt ils formèrent tous les trois, à l'entrée du salon, un groupe de causeurs, où vint s'adjoindre Hussonnet, puis l'amant de la Femme-Sauvage, un jeune poète, exhibant, sous un court mantel à la François Iᵉʳ, la plus piètre des anatomies, et enfin un garçon d'esprit, déguisé en Turc de barrière. Mais sa veste à galons jaunes avait si bien voyagé sur le dos des dentistes ambulants, son large pantalon à plis était d'un rouge si déteint, son turban roulé comme une anguille à la tartare d'un aspect si pauvre, tout son costume enfin tellement déplorable et réussi, que les femmes ne dissimulaient pas leur dégoût. Le docteur l'en consola par de grands éloges sur la Débardeuse sa maîtresse. Ce Turc était fils d'un banquier.

Entre deux quadrilles, Rosanette se dirigea vers la cheminée, où était installé, dans un fauteuil, un petit vieillard replet, en habit marron à boutons d'or. Malgré ses joues flétries qui tombaient sur sa haute cravate blanche, ses cheveux encore blonds, et frisés naturellement comme les poils d'un caniche, lui donnaient quelque chose de folâtre.

Elle l'écouta, penchée vers son visage. Ensuite, elle lui accommoda un verre de sirop; et rien n'était mignon comme ses mains sous leurs manches de dentelles qui dépassaient les parements de l'habit vert. Quand le bonhomme eut bu, il les baisa.

— Mais c'est M. Oudry, le voisin d'Arnoux!

— Il l'a perdu! dit en riant Pellerin.

— Comment?

Un postillon de Longjumeau la saisit par la taille, une valse commençait. Alors, toutes les femmes, assises autour du salon sur les banquettes, se levèrent à la file, prestement; et leurs jupes, leurs écharpes, leurs coiffures se mirent à tourner.

Elles tournaient si près de lui, que Frédéric distinguait les gouttelettes de leur front; — et ce mouvement giratoire, de plus en plus vif et régulier, vertigineux, communiquait à sa pensée une sorte d'ivresse, y faisait surgir d'autres images, tandis que toutes passaient dans le même éblouissement, et chacune avec une excitation particulière selon le genre de sa beauté. La Polonaise, qui s'abandonnait d'une façon langoureuse, lui inspirait l'envie de la tenir contre son cœur, en filant tous les deux dans un traîneau sur une plaine couverte de neige. Des horizons de volupté tranquille, au bord d'un lac, dans un chalet, se déroulaient sous les pas de la Suissesse, qui valsait le torse droit et les paupières baissées. Puis, tout à coup, la Bacchante penchant en arrière sa tête brune, le faisait rêver à des caresses dévoratrices, dans les bois de lauriers-roses, par un temps d'orage, au bruit confus des tambourins. La Poissarde, que la mesure trop rapide essoufflait, poussait des rires; et il aurait voulu, buvant avec elle aux Porcherons, chiffonner à pleines mains son fichu, comme au bon vieux temps. Mais la Débardeuse, dont les orteils légers effleuraient à peine le parquet, semblait recéler dans la souplesse de ses membres et le sérieux de son visage tous les raffinements de l'amour moderne, qui a la justesse d'une science et la mobilité d'un oiseau. Rosanette tournait, le poing sur la hanche; sa perruque à marteau, sautillant sur son collet, envoyait de la poudre d'iris autour d'elle; et, à chaque tour, du bout de ses éperons d'or, elle manquait d'attraper Frédéric.

Au dernier accord de la valse, Mlle Vatnaz parut. Elle avait un mouchoir algérien sur la tête, beaucoup de piastres sur le front, de l'antimoine au bord des yeux, avec une espèce de paletot en cachemire noir tombant sur un jupon clair, lamé d'argent, et elle tenait un tambour de basque à la main.

Derrière son dos marchait un grand garçon, dans le costume classique du Dante, et qui était (elle ne s'en cachait plus, maintenant) l'ancien chanteur de l'Alhambra, — lequel, s'appelant Auguste Delamare, s'était fait appeler primitivement Anténor Dellamarre, puis Delmas, puis Belmar, et enfin Delmar, modifiant ainsi et perfectionnant son nom, d'après sa gloire croissante; car il avait quitté le bastringue pour le théâtre, et venait même de débuter bruyamment à l'Ambigu, dans *Gaspardo le Pêcheur* [31].

Hussonnet, en l'apercevant, se renfrogna. Depuis qu'on avait refusé sa pièce, il exécrait les comédiens. On n'imaginait pas la vanité de ces Messieurs, de celui-là, surtout! — « Quel poseur, voyez donc! »

Après un léger salut à Rosanette, Delmar s'était adossé à la cheminée; et il restait immobile, une main sur le cœur, le pied gauche en avant, les yeux au ciel, avec sa couronne de lauriers dorés par-dessus son capuchon, tout en s'efforçant de mettre dans son regard beaucoup de poésie, pour fasciner les dames. On faisait, de loin, un grand cercle autour de lui.

Mais la Vatnaz, quand elle eut embrassé longuement Rosanette, s'en vint prier Hussonnet de revoir, sous le point de vue du style, un ouvrage d'éducation qu'elle voulait publier : *la Guirlande des jeunes personnes*, recueil de littérature et de morale. L'homme de lettres promit son concours. Alors, elle lui demanda s'il ne pourrait pas, dans une des feuilles où il avait accès, faire mousser quelque peu son ami, et même lui confier plus tard un rôle. Hussonnet en oublia de prendre un verre de punch.

C'était Arnoux qui l'avait fabriqué; et, suivi par le groom du comte portant un plateau vide, il l'offrait aux personnes avec satisfaction.

Quand il vint à passer devant M. Oudry, Rosanette l'arrêta.

— Eh bien, et cette affaire?

Il rougit quelque peu; enfin, s'adressant au bonhomme :

— Notre amie m'a dit que vous auriez l'obligeance...

— Comment donc, mon voisin! tout à vous.

Et le nom de M. Dambreuse fut prononcé; comme ils s'entretenaient à demi-voix, Frédéric les entendait confusément; il se porta vers l'autre coin de la cheminée, où Rosanette et Delmar causaient ensemble.

Le cabotin avait une mine vulgaire, faite comme les décors de théâtre pour être contemplée à distance, des mains épaisses, de grands pieds, une mâchoire lourde; et il dénigrait les acteurs les plus illustres, traitait de haut les poètes, disait : « mon organe, mon physique, mes moyens », en émaillant son discours de mots peu intelligibles pour lui-même, et qu'il affectionnait, tels que « morbidezza, analogue et homogénéité ».

Rosanette l'écoutait avec de petits mouvements de tête approbatifs. On voyait l'admiration s'épanouir sous le fard de ses joues, et quelque chose d'humide passait comme un voile sur ses yeux clairs, d'une indéfinissable couleur. Comment un pareil homme pouvait-il la charmer? Frédéric s'excitait intérieurement à le mépriser encore plus, pour bannir, peut-être, l'espèce d'envie qu'il lui portait.

Mlle Vatnaz était maintenant avec Arnoux; et, tout en riant très haut, de temps à autre, elle jetait un coup d'œil sur son amie, que M. Oudry ne perdait pas de vue.

Puis Arnoux et la Vatnaz disparurent; le bonhomme vint parler bas à Rosanette.

— Eh bien, oui, c'est convenu! Laissez-moi tranquille.

Et elle pria Frédéric d'aller voir dans la cuisine si M. Arnoux n'y était pas.

Un bataillon de verres à moitié pleins couvrait le plancher; et les casseroles, les marmites, la turbotière, la poêle à frire sautaient. Arnoux commandait aux domestiques en les tutoyant, battait la rémolade [32], goûtait les sauces, rigolait avec la bonne.

— Bien, dit-il, avertissez-la! Je fais servir.

On ne dansait plus, les femmes venaient de se rasseoir, les hommes se promenaient. Au milieu du salon, un des rideaux tendus sur une fenêtre se bombait au vent; et la Sphinx, malgré les observations de tout le monde, exposait au courant d'air ses bras en sueur. Où donc était Rosanette? Frédéric la chercha plus loin, jusque dans le boudoir et la chambre. Quelques-uns, pour être seuls, ou deux à deux, s'y étaient réfugiés. L'ombre et les chuchotements se mêlaient. Il y avait de petits rires sous des mouchoirs, et l'on entrevoyait au bord des corsages des frémissements d'éventails, lents et doux comme des battements d'ailes d'oiseau blessé.

En entrant dans la serre, il vit, sous les larges feuilles d'un caladium, près le jet d'eau, Delmar, couché à plat ventre sur le canapé de toile; Rosanette, assise près de lui, avait la main passée dans ses cheveux; et ils se regardaient. Au même moment, Arnoux entra par l'autre côté, celui de la volière. Delmar se leva d'un bond, puis il sortit à pas tranquilles sans se retourner; et même, s'arrêta près de la porte, pour cueillir une fleur d'hibiscus dont il garnit sa boutonnière. Rosanette pencha le visage; Frédéric qui la voyait de profil, s'aperçut qu'elle pleurait.

— Tiens! qu'as-tu donc? dit Arnoux.

Elle haussa les épaules sans répondre.

— Est-ce à cause de lui? reprit-il.

---

31. Mélodrame à succès de Joseph Bouchardy (1810-1870).

32. Rémolade (ou rémoulade) : sauce piquante à base d'huile, de vinaigre, de moutarde et d'herbes aromatiques.

Elle étendit les bras autour de son cou, et, le baisant au front, lentement :

— Tu sais bien que je t'aimerai toujours, mon gros. N'y pensons plus ! Allons souper !

Un lustre de cuivre à quarante bougies éclairait la salle, dont les murailles disparaissaient sous de vieilles faïences accrochées ; et cette lumière crue, tombant d'aplomb, rendait plus blanc encore, parmi les hors-d'œuvre et les fruits, un gigantesque turbot occupant le milieu de la nappe, bordée par des assiettes pleines de potage à la bisque. Avec un froufrou d'étoffes, les femmes, tassant leurs jupes, leurs manches et leurs écharpes, s'assirent les unes près des autres ; les hommes, debout, s'établirent dans les angles. Pellerin et M. Oudry furent placés près de Rosanette ; Arnoux était en face. Palazot et son amie venaient de partir.

— Bon voyage, dit-elle, attaquons !

Et l'Enfant de chœur, homme facétieux, en faisant un grand signe de croix, commença le *Benedicite*.

Les dames furent scandalisées, et principalement la Poissarde, mère d'une fille dont elle voulait faire une femme honnête. Arnoux, non plus, « n'aimait pas ça », trouvant qu'on devait respecter la religion.

Une horloge allemande, munie d'un coq, carillonnant deux heures, provoqua sur le coucou force plaisanteries. Toutes sortes de propos s'ensuivirent : calembours, anecdotes, vantardises, gageures, mensonges tenus pour vrais, assertions improbables, un tumulte de paroles qui bientôt s'éparpilla en conversations particulières. Les vins circulaient, les plats se succédaient, le docteur découpait. On se lançait de loin une orange, un bouchon ; on quittait sa place pour causer avec quelqu'un. Souvent Rosanette se tournait vers Delmar, immobile derrière elle ; Pellerin bavardait, M. Oudry souriait. Mlle Vatnaz mangea presque à elle seule le buisson d'écrevisses, et les carapaces sonnaient sous ses longues dents. L'Ange, posée sur le tabouret du piano (seul endroit où ses ailes lui permissent de s'asseoir), mastiquait placidement sans discontinuer.

— Quelle fourchette ! répétait l'Enfant de chœur ébahi, quelle fourchette !

Et la Sphinx buvait de l'eau-de-vie, criait à plein gosier, se démenait comme un démon. Tout à coup ses joues s'enflèrent, et, ne résistant plus au sang qui l'étouffait, elle porta sa serviette contre ses lèvres, puis la jeta sous la table.

Frédéric l'avait vue.

— Ce n'est rien !

Et, à ses instances pour partir et se soigner, elle répondit lentement :

— Bah ! à quoi bon ? autant ça qu'autre chose ! la vie n'est pas si drôle.

Alors, il frissonna, pris d'une tristesse glaciale, comme s'il avait aperçu des mondes entiers de misère et de désespoir, un réchaud de charbon près d'un lit de sangle, et les cadavres de la Morgue en tablier de cuir, avec le robinet d'eau froide qui coule sur leurs cheveux.

Cependant Hussonnet, accroupi aux pieds de la Femme-Sauvage, braillait d'une voix enrouée, pour imiter l'acteur Grassot :

— Ne sois pas cruelle, ô Celuta [33] ! cette petite fête de famille est charmante ! Enivrez-moi de voluptés, mes amours ! Folichonnons ! folichonnons !

Et il se mit à baiser les femmes sur l'épaule. Elles tressaillaient, piquées par ses moustaches ; puis il imagina de casser contre sa tête une assiette, en la heurtant d'un petit coup. D'autres l'imitèrent ; les morceaux de faïence volaient comme des ardoises par un grand vent, et la Débardeuse s'écria :

— Ne vous gênez pas ! Ça ne coûte rien ! Le bourgeois qui en fabrique nous en cadote !

Tous les yeux se portèrent sur Arnoux. Il répliqua :

— Ah ! sur facture, permettez ! tenant, sans doute, à passer pour n'être pas, ou n'être plus l'amant de Rosanette.

Mais deux voix furieuses s'élevèrent :

— Imbécile !

— Polisson !

— A vos ordres !

— Aux vôtres !

C'était le Chevalier moyen âge et le Postillon russe qui se disputaient ; celui-ci ayant soutenu que des armures dispensaient d'être brave, l'autre avait pris cela pour une injure. Il voulait se battre, tous s'interposaient, et le Capitaine, au milieu du tumulte, tâchait de se faire entendre.

— Messieurs, écoutez-moi ! un mot ! J'ai de l'expérience, messieurs !

Rosanette, ayant frappé avec son couteau sur un verre, finit par obtenir du silence ; et, s'adressant au Chevalier qui gardait son casque, puis au Postillon coiffé d'un bonnet à longs poils :

— Retirez d'abord votre casserole ! ça m'échauffe !

— et vous, là-bas, votre tête de loup. — Voulez-vous bien m'obéir, saprelotte ! Regardez donc mes épaulettes ! je suis votre maréchale !

Ils s'exécutèrent, et tous applaudirent en criant :

— Vive la Maréchale ! vive la Maréchale !

Alors, elle prit sur le poêle une bouteille de vin de Champagne, et elle le versa de haut, dans les coupes qu'on lui tendait. Comme la table était trop large, les convives, les femmes surtout, se portèrent de son côté, en se dressant sur la pointe des pieds, sur les barreaux des chaises, ce qui forma pendant une minute un groupe pyramidal de coiffures, d'épaules nues, de bras tendus, de corps penchés ; et de longs jets de vin rayonnaient dans tout cela, car le Pierrot et Arnoux, aux deux angles de la salle, lâchant chacun une bouteille, éclaboussaient les visages. Les petits oiseaux de la volière, dont on avait laissé la porte ouverte, envahirent la salle, tout effarouchés, voletant autour du lustre, se cognant contre les carreaux, contre les meubles, et quelques-uns, posés sur les têtes, faisaient au milieu des chevelures comme de larges fleurs.

Les musiciens étaient partis. On tira le piano de l'antichambre dans le salon. La Vatnaz s'y mit, et,

---

33. Héroïne des *Natchez* de Chateaubriand.

accompagnée de l'Enfant de chœur qui battait du tambour de basque, elle entama une contredanse avec furie, tapant les touches comme un cheval qui piaffe, et se dandinant de la taille, pour mieux marquer la mesure. La Maréchale entraîna Frédéric, Hussonnet faisait la roue, la Débardeuse se disloquait comme un clown, le Pierrot avait des façons d'orang-outang, la Sauvagesse, les bras écartés, imitait l'oscillation d'une chaloupe. Enfin tous, n'en pouvant plus, s'arrêtèrent; et on ouvrit une fenêtre.

Le grand jour entra, avec la fraîcheur du matin. Il y eut une exclamation d'étonnement, puis un silence. Les flammes jaunes vacillaient, en faisant de temps à autre éclater leurs bobèches; des rubans, des fleurs et des perles jonchaient le parquet; des taches de punch et de sirop poissaient les consoles; les tentures étaient salies, les costumes fripés, poudreux; les nattes pendaient sur les épaules; et le maquillage, coulant avec la sueur, découvrait des faces blêmes, dont les paupières rouges clignotaient.

La Maréchale, fraîche comme au sortir d'un bain, avait les joues roses, les yeux brillants. Elle jeta au loin sa perruque; et ses cheveux tombèrent autour d'elle comme une toison, ne laissant voir de tout son vêtement que sa culotte, ce qui produisit un effet à la fois comique et gentil.

La Sphinx, dont les dents claquaient de fièvre, eut besoin d'un châle.

Rosanette courut dans sa chambre pour le chercher, et, comme l'autre la suivait, elle lui ferma la porte au nez, vivement.

Le Turc observa, tout haut, qu'on n'avait pas vu sortir M. Oudry. Aucun ne releva cette malice, tant on était fatigué.

Puis, en attendant les voitures, on s'embobelina dans les capelines et les manteaux. Sept heures sonnèrent. L'Ange était toujours dans la salle, attablée devant une compote de beurre et de sardines; et la Poissarde, près d'elle, fumait des cigarettes, tout en lui donnant des conseils sur l'existence.

Enfin, les fiacres étant survenus, les invités s'en allèrent. Hussonnet, employé dans une correspondance pour la province, devait lire avant son déjeuner cinquante-trois journaux; la Sauvagesse avait une répétition à son théâtre, Pellerin un modèle, l'Enfant de chœur trois rendez-vous. Mais l'Ange, envahie par les premiers symptômes d'une indigestion, ne put se lever. Le Baron moyen âge la porta jusqu'au fiacre.

— Prends garde à ses ailes! cria par la fenêtre la Débardeuse.

On était sur le palier quand Mlle Vatnaz dit à Rosanette :

— Adieu, chère! C'était très bien, ta soirée.

Puis, se penchant à son oreille :

— Garde-le!

— Jusqu'à des temps meilleurs, reprit la Maréchale en tournant le dos, lentement.

Arnoux et Frédéric s'en revinrent ensemble, comme ils étaient venus. Le marchand de faïence avait un air tellement sombre, que son compagnon le crut indisposé.

— Moi? pas du tout!

Il se mordait la moustache, fronçait les sourcils, et Frédéric lui demanda si ce n'était pas ses affaires qui le tourmentaient.

— Nullement!

Puis tout à coup :

— Vous le connaissiez, n'est-ce pas, le père Oudry?

Et, avec une expression de rancune :

— Il est riche, le vieux gredin!

Ensuite, Arnoux parla d'une cuisson importante que l'on devait finir aujourd'hui, à sa fabrique. Il voulait la voir. Le train partait dans une heure. « Il faut cependant que j'aille embrasser ma femme. »

« Ah! sa femme! » pensa Frédéric.

Puis il se coucha, avec une douleur intolérable à l'occiput; et il but une carafe d'eau, pour calmer sa soif.

Une autre soif lui était venue, celle des femmes, du luxe et de tout ce que comporte l'existence parisienne. Il se sentait quelque peu étourdi, comme un homme qui descend d'un vaisseau; et, dans l'hallucination du premier sommeil, il voyait passer et repasser continuellement les épaules de la Poissarde, les reins de la Débardeuse, les mollets de la Polonaise, la chevelure de la Sauvagesse. Puis deux grands yeux noirs, qui n'étaient pas dans le bal, parurent; et légers comme des papillons, ardents comme des torches, ils allaient, venaient, vibraient, montaient dans la corniche, descendaient jusqu'à sa bouche. Frédéric s'acharnait à reconnaître ces yeux sans y parvenir. Mais déjà le rêve l'avait pris; il lui semblait qu'il était attelé près d'Arnoux, au timon d'un fiacre, et que la Maréchale, à califourchon sur lui, l'éventrait avec ses éperons d'or.

II

Frédéric trouva, au coin de la rue Rumfort, un petit hôtel et il s'acheta, tout à la fois, le coupé, le cheval, les meubles et deux jardinières prises chez Arnoux, pour mettre aux deux coins de la porte dans son salon. Derrière cet appartement, étaient une chambre et un cabinet. L'idée lui vint d'y loger Deslauriers. Mais comment la recevrait-il, *elle*, sa maîtresse future? La présence d'un ami serait une gêne. Il abattit le refend [34] pour agrandir le salon, et fit du cabinet un fumoir.

Il acheta les poètes qu'il aimait, des Voyages, des Atlas, des Dictionnaires, car il avait des plans de travail sans nombre; il pressait les ouvriers, courait les magasins, et, dans son impatience de jouir, emportait tout sans marchander.

D'après les notes des fournisseurs, Frédéric s'aperçut qu'il aurait à débourser prochainement une quarantaine de mille francs, non compris les droits de succession, lesquels dépasseraient trente-sept mille; comme sa fortune était en biens territoriaux, il écrivit au notaire du Havre d'en vendre une partie, pour se libérer de ses

---

34. Mur formant séparation intérieure dans un édifice.

dettes et avoir quelque argent à sa disposition. Puis, voulant connaître enfin cette chose vague, miroitante et indéfinissable qu'on appelle *le monde*, il demanda par un billet aux Dambreuse s'ils pouvaient le recevoir. Madame répondit qu'elle espérait sa visite pour le lendemain.

C'était jour de réception. Des voitures stationnaient dans la cour. Deux valets se précipitèrent sous la marquise, et un troisième, au haut de l'escalier, se mit à marcher devant lui.

Il traversa une antichambre, une seconde pièce, puis un grand salon à hautes fenêtres, et dont la cheminée monumentale supportait une pendule en forme de sphère, avec deux vases de porcelaine monstrueux où se hérissaient, comme deux buissons d'or, deux faisceaux de bobèches. Des tableaux dans la manière de l'Espagnolet [35] étaient appendus au mur; les lourdes portières en tapisserie tombaient majestueusement; et les fauteuils, les consoles, les tables, tout le mobilier, qui était de style Empire, avait quelque chose d'imposant et de diplomatique. Frédéric souriait de plaisir, malgré lui.

Enfin il arriva dans un appartement ovale, lambrissé de bois de rose, bourré de meubles mignons, et qu'éclairait une seule glace donnant sur un jardin. Mme Dambreuse était auprès du feu, une douzaine de personnes formant cercle autour d'elle. Avec un mot aimable, elle lui fit signe de s'asseoir, mais sans paraître surprise de ne l'avoir pas vu depuis longtemps.

On vantait, quand il entra, l'éloquence de l'abbé Cœur [36]. Puis on déplora l'immoralité des domestiques, à propos d'un vol commis par un valet de chambre; et les cancans se déroulèrent. La vieille dame de Sommery avait un rhume, Mlle de Turvisot se mariait, les Montcharron ne reviendraient pas avant la fin de janvier, les Bretancourt non plus, maintenant on restait tard à la campagne; et la misère des propos se trouvait comme renforcée par le luxe des choses ambiantes; mais ce qu'on disait était moins stupide que la manière de causer, sans but, sans suite et sans animation. Il y avait là, cependant, des hommes versés dans la vie, un ancien ministre, le curé d'une grande paroisse, deux ou trois hauts fonctionnaires du gouvernement; ils s'en tenaient aux lieux communs les plus rebattus. Quelques-uns ressemblaient à des douairières fatiguées, d'autres avaient des tournures de maquignon; et des vieillards accompagnaient leurs femmes, dont ils auraient pu se faire passer pour les grands-pères.

Mme Dambreuse les recevait tous avec grâce. Dès qu'on parlait d'un malade, elle fronçait les sourcils douloureusement, et prenait un air joyeux s'il était question de bals ou de soirées. Elle serait bientôt contrainte de s'en priver, car elle allait faire sortir de pension une nièce de son mari, une orpheline. On exalta son dévouement; c'était se conduire en véritable mère de famille.

Frédéric l'observait. La peau mate de son visage paraissait tendue, et d'une fraîcheur sans éclat, comme celle d'un fruit conservé. Mais ses cheveux, tirebouchonnés à l'anglaise, étaient plus fins que de la soie, ses yeux d'un azur brillant, tous ses gestes délicats. Assise au fond, sur la causeuse, elle caressait les floches rouges d'un écran japonais, pour faire valoir ses mains, sans doute, de longues mains étroites, un peu maigres, avec des doigts retroussés par le bout. Elle portait une robe de moire grise, à corsage montant, comme une puritaine.

Frédéric lui demanda si elle ne viendrait pas cette année à la Fortelle. Mme Dambreuse n'en savait rien. Il concevait cela, du reste : Nogent devait l'ennuyer. Les visites augmentaient. C'était un bruissement continu de robes sur les tapis; les dames, posées au bord des chaises, poussaient de petits ricanements, articulaient deux ou trois mots, et, au bout de cinq minutes, partaient avec leurs jeunes filles. Bientôt, la conversation fut impossible à suivre, et Frédéric se retirait quand Mme Dambreuse lui dit :

— Tous les mercredis, n'est-ce pas, monsieur Moreau? rachetant par cette seule phrase ce qu'elle avait montré d'indifférence.

Il était content. Néanmoins, il huma dans la rue une large bouffée d'air; et, par besoin d'un milieu moins artificiel, Frédéric se ressouvint qu'il devait une visite à la Maréchale.

La porte de l'antichambre était ouverte. Deux bichons havanais accoururent. Une voix cria :

— Delphine! Delphine! — Est-ce vous, Félix?

Il se tenait sans avancer; les deux petits chiens jappaient toujours. Enfin Rosanette parut, enveloppée dans une sorte de peignoir en mousseline blanche garnie de dentelles, pieds nus dans des babouches.

— Ah! pardon, monsieur! Je vous prenais pour le coiffeur. Une minute! je reviens!

Et il resta seul dans la salle à manger.

Les persiennes en étaient closes. Frédéric la parcourait des yeux, en se rappelant le tapage de l'autre nuit, lorsqu'il remarqua au milieu, sur la table, un chapeau d'homme, un vieux feutre bossué, gras, immonde. A qui donc ce chapeau? Montrant impudemment sa coiffe décousue, il semblait dire : « Je m'en moque après tout! Je suis le maître! »

La Maréchale survint. Elle le prit, ouvrit la serre, l'y jeta, referma la porte (d'autres portes, en même temps, s'ouvraient et se refermaient), et, ayant fait passer Frédéric par la cuisine, elle l'introduisit dans son cabinet de toilette.

On voyait, tout de suite, que c'était l'endroit de la maison le plus hanté, et comme son vrai centre moral. Une perse à grands feuillages tapissait les murs, les fauteuils et un vaste divan élastique; sur une table de marbre blanc s'espaçaient deux larges cuvettes en faïence bleue; des planches de cristal formant étagères au-dessus étaient encombrées par des fioles, des brosses, des peignes, des bâtons de cosmétique, des boîtes à poudre; le feu se mirait dans une haute psyché; un drap pendait en dehors d'une baignoire, et des senteurs de pâte d'amandes et de benjoin s'exhalaient.

— Vous excuserez le désordre! Ce soir, je dîne en ville.

35. Surnom du peintre espagnol Ribera (1588-1656).
36. L'abbé Cœur s'était rendu célèbre en prêchant avec éloquence le carême à Saint-Roch en 1840.

Et, comme elle tournait sur ses talons, elle faillit écraser un des petits chiens. Frédéric les déclara charmants. Elle les souleva tous les deux, et, haussant jusqu'à lui leur museau noir :

— Voyons, faites une risette, baisez le monsieur.

Un homme, habillé d'une sale redingote à collet de fourrure, entra brusquement.

— Félix, mon brave, dit-elle, vous aurez votre affaire dimanche prochain, sans faute.

L'homme se mit à la coiffer. Il lui apprenait des nouvelles de ses amies : Mme de Rochegune, Mme de Saint-Florentin, Mme Lombard, toutes étant nobles comme à l'hôtel Dambreuse. Puis il causa théâtres; on donnait le soir à l'Ambigu une représentation extraordinaire.

— Irez-vous ?

— Ma foi, non ! Je reste chez moi.

Delphine parut. Elle la gronda pour être sortie sans sa permission. L'autre jura qu'elle « rentrait du marché ».

— Eh bien, apportez-moi votre livre ! — Vous permettez, n'est-ce pas ?

Et, lisant à demi-voix le cahier, Rosanette faisait des observations sur chaque article. L'addition était fausse.

— Rendez-moi quatre sous !

Delphine les rendit, et, quand elle l'eut congédiée :

— Ah ! Sainte Vierge ! est-on assez malheureux avec ces gens-là !

Frédéric fut choqué de cette récrimination. Elle lui rappelait trop les autres, et établissait entre les deux maisons une sorte d'égalité fâcheuse.

Delphine, étant revenue, s'approcha de la Maréchale pour chuchoter un mot à son oreille.

— Eh non ! je n'en veux pas !

Delphine se présenta de nouveau.

— Madame, elle insiste.

— Ah ! quel embêtement ! Flanque-la dehors !

Au même instant, une vieille dame habillée de noir poussa la porte. Frédéric n'entendit rien, ne vit rien; Rosanette s'était précipitée dans la chambre, à sa rencontre.

Quand elle reparut, elle avait les pommettes rouges et elle s'assit dans un des fauteuils, sans parler. Une larme tomba sur sa joue; puis se tournant vers le jeune homme, doucement :

— Quel est votre petit nom ?

— Frédéric.

— Ah ! Federico ! Ça ne vous gêne pas que je vous appelle comme ça ?

Et elle le regardait d'une façon câline, presque amoureuse. Tout à coup, elle poussa un cri de joie à la vue de Mlle Vatnaz.

La femme artiste n'avait pas de temps à perdre, devant, à six heures juste, présider sa table d'hôte; et elle haletait, n'en pouvant plus. D'abord, elle retira de son cabas une chaîne de montre avec un papier, puis différents objets, des acquisitions.

— Tu sauras qu'il y a, rue Joubert, des gants de Suède à trente-six sous, magnifiques ! Ton teinturier demande encore huit jours. Pour la guipure, j'ai dit qu'on repasserait. Bugneaux a reçu l'acompte. Voilà

tout, il me semble ? C'est cent quatre-vingt-cinq francs que tu me dois !

Rosanette alla prendre dans un tiroir dix napoléons. Aucune des deux n'avait de monnaie, Frédéric en offrit.

— Je vous les rendrai, dit la Vatnaz, en fourrant les quinze francs dans son sac. Mais vous êtes un vilain. Je ne vous aime plus, vous ne m'avez pas fait danser une seule fois, l'autre jour ! — Ah ! ma chère, j'ai découvert quai Voltaire, à une boutique, un cadre d'oiseaux-mouches empaillés qui sont des amours. A ta place, je me les donnerais. Tiens ! Comment trouves-tu ?

Et elle exhiba un vieux coupon de soie rose qu'elle avait acheté au Temple pour faire un pourpoint moyen âge à Delmar.

— Il est venu aujourd'hui, n'est-ce pas ?

— Non !

— C'est singulier !

Et, une minute après :

— Où vas-tu ce soir ?

— Chez Alphonsine, dit Rosanette; ce qui était la troisième version sur la manière dont elle devait passer la soirée.

Mlle Vatnaz reprit :

— Et le Vieux de la Montagne [37], quoi de neuf ?

Mais, d'un brusque clin d'œil, la Maréchale lui commanda de se taire; et elle reconduisit Frédéric jusque dans l'antichambre, pour savoir s'il verrait bientôt Arnoux.

— Priez-le donc de venir; pas devant son épouse, bien entendu !

Au haut des marches, un parapluie était posé contre le mur, près d'une paire de socques.

— Les caoutchoucs de la Vatnaz, dit Rosanette. Quel pied ! hein ? Elle est forte, ma petite amie !

Et d'un ton mélodramatique, en faisant rouler la dernière lettre du mot :

— Ne pas s'y fierrr !

Frédéric, enhardi par cette espèce de confidence, voulut la baiser sur le col. Elle dit froidement :

— Oh ! faites ! Ça ne coûte rien !

Il était léger en sortant de là, ne doutant pas que la Maréchale ne devînt bientôt sa maîtresse. Ce désir en éveilla un autre; et, malgré l'espèce de rancune qu'il lui gardait, il eut envie de voir Mme Arnoux.

D'ailleurs, il devait y aller pour la commission de Rosanette.

« Mais, à présent, songea-t-il (six heures sonnaient), Arnoux est chez lui, sans doute. »

Il ajourna sa visite au lendemain.

Elle se tenait dans la même attitude que le premier jour, et cousait une chemise d'enfant. Le petit garçon, à ses pieds, jouait avec une ménagerie de bois; Marthe, un peu plus loin, écrivait.

Il commença par la complimenter de ses enfants. Elle répondit sans aucune exagération de bêtise maternelle.

La chambre avait un aspect tranquille. Un beau soleil

---

37. Nom donné par les Croisés au chef de la secte islamique des haschischins (ou, par corruption, « assassins »); le surnom désigne ici le vieil Oudry, qui entretient Rosanette.

passait par les carreaux, les angles des meubles reluisaient, et, comme Mme Arnoux était assise auprès de la fenêtre, un grand rayon, frappant les accroche-cœur de sa nuque, pénétrait d'un fluide d'or sa peau ambrée. Alors, il dit :

— Voilà une jeune personne qui est devenue bien grande depuis trois ans ! — Vous rappelez-vous, mademoiselle, quand vous dormiez sur mes genoux, dans la voiture ? — Marthe ne se rappelait pas. — Un soir, en revenant de Saint-Cloud ?

Mme Arnoux eut un regard singulièrement triste. Etait-ce pour lui défendre toute allusion à leur souvenir commun ?

Ses beaux yeux noirs, dont la sclérotique brillait, se mouvaient doucement sous leurs paupières un peu lourdes, et il y avait dans la profondeur de ses prunelles une bonté infinie. Il fut ressaisi par un amour plus fort que jamais, immense : c'était une contemplation qui l'engourdissait, il la secoua pourtant. Comment se faire valoir ? par quels moyens ? Et, ayant bien cherché, Frédéric ne trouva rien de mieux que l'argent. Il se mit à parler du temps, lequel était moins froid qu'au Havre.

— Vous y avez été ?

— Oui, pour une affaire... de famille... un héritage.

— Ah ! j'en suis bien contente, reprit-elle avec un air de plaisir tellement vrai, qu'il en fut touché comme d'un grand service.

Puis elle lui demanda ce qu'il voulait faire, un homme devant s'employer à quelque chose. Il se rappela son mensonge et dit qu'il espérait parvenir au Conseil d'Etat, grâce à M. Dambreuse, le député.

— Vous le connaissez peut-être ?

— De nom, seulement.

Puis, d'une voix basse :

— *Il* vous a mené au bal, l'autre jour, n'est-ce pas ?

Frédéric se taisait.

— C'est ce que je voulais savoir, merci.

Ensuite, elle lui fit deux ou trois questions discrètes sur sa famille et sa province. C'était bien aimable d'être resté là-bas si longtemps, sans les oublier.

— Mais... le pouvais-je ? reprit-il. En doutiez-vous ?

Mme Arnoux se leva.

— Je crois que vous nous portez une bonne et solide affection. Adieu... au revoir !

Et elle tendit sa main d'une manière franche et virile. N'était-ce pas un engagement, une promesse ? Frédéric se sentait tout joyeux de vivre ; il se retenait pour ne pas chanter, il avait besoin de se répandre, de faire des générosités et des aumônes. Il regarda autour de lui s'il n'y avait personne à secourir. Aucun misérable ne passait ; et sa velléité de dévouement s'évanouit, car il n'était pas homme à en chercher au loin les occasions.

Puis il se ressouvint de ses amis. Le premier auquel il songea fut Hussonnet, le second Pellerin. La position infime de Dussardier commandait naturellement des égards ; quant à Cisy, il se réjouissait de lui faire voir un peu sa fortune. Il écrivit donc à tous les quatre de venir pendre la crémaillère le dimanche suivant, à

onze heures juste, et il chargea Deslauriers d'amener Sénécal.

Le répétiteur avait été congédié de son troisième pensionnat pour n'avoir point voulu de distribution de prix, nsage qu'il regardait comme funeste à l'égalité. Il était maintenant chez un constructeur de machines, et n'habitait plus avec Deslauriers depuis six mois.

Leur séparation n'avait eu rien de pénible. Sénécal, dans les derniers temps, recevait des hommes en blouse, tous patriotes, tous travailleurs, tous braves gens, mais dont la compagnie semblait fastidieuse à l'avocat. D'ailleurs, certaines idées de son ami, excellentes comme armes de guerre, lui déplaisaient. Il s'en taisait par ambition, tenant à le ménager pour le conduire, car il attendait avec impatience un grand bouleversement où il comptait bien faire son trou, avoir sa place.

Les convictions de Sénécal étaient plus désintéressées. Chaque soir, quand sa besogne était finie, il regagnait sa mansarde, et il cherchait dans les livres de quoi justifier ses rêves. Il avait annoté le *Contrat social*. Il se bourrait de la *Revue indépendante* [38]. Il connaissait Mably, Morelly, Fourier, Saint-Simon, Comte, Cabet, Louis Blanc, la lourde charretée des écrivains socialistes, ceux qui réclament pour l'humanité le niveau des casernes, ceux qui voudraient la divertir dans un lupanar ou la plier sur un comptoir ; et, du mélange de tout cela, il s'était fait un idéal de démocratie vertueuse, ayant le double aspect d'une métairie et d'une filature, une sorte de Lacédémone américaine où l'individu n'existerait que pour servir la Société, plus omnipotente, absolue, infaillible et divine que les Grands Lamas et les Nabuchodonosors. Il n'avait pas un doute sur l'éventualité prochaine de cette conception ; et tout ce qu'il jugeait lui être hostile, Sénécal s'acharnait dessus, avec des raisonnements de géomètre et une bonne foi d'inquisiteur. Les titres nobiliaires, les croix, les panaches, les livrées surtout, et même les réputations trop sonores le scandalisaient, — ses études comme ses souffrances avivant chaque jour sa haine essentielle de toute distinction ou supériorité quelconque.

— Qu'est-ce que je dois à ce monsieur pour lui faire des politesses ? S'il voulait de moi, il pouvait venir !

Deslauriers l'entraîna.

Ils trouvèrent leur ami dans sa chambre à coucher. Stores et doubles rideaux, glace de Venise, rien n'y manquait ; Frédéric, en veste de velours, était renversé dans une bergère, où il fumait des cigarettes de tabac turc.

Sénécal se rembrunit, comme les cagots amenés dans les réunions de plaisir. Deslauriers embrassa tout d'un seul coup d'œil ; puis, le saluant très bas :

— Monseigneur ! je vous présente mes respects !

Dussardier lui sauta au cou.

— Vous êtes donc riche, maintenant ? Ah ! tant mieux, nom d'un chien, tant mieux !

Cisy parut, avec un crêpe à son chapeau. Depuis la mort de sa grand'mère, il jouissait d'une fortune considérable, et tenait moins à s'amuser qu'à se distinguer

---

38. Revue politique et sociale qui parut de 1841 à 1848.

des autres, à n'être pas comme tout le monde, enfin à « avoir du cachet ». C'était son mot.

Il était midi cependant, et tous bâillaient; Frédéric attendait quelqu'un. Au nom d'Arnoux, Pellerin fit la grimace. Il le considérait comme un renégat depuis qu'il avait abandonné les arts.

— Si l'on se passait de lui? qu'en dites-vous?

Tous approuvèrent.

Un domestique en longues guêtres ouvrit la porte, et l'on aperçut la salle à manger avec sa haute plinthe en chêne relevé d'or et ses deux dressoirs chargés de vaisselle. Les bouteilles de vin chauffaient sur le poêle; les lames des couteaux neufs miroitaient près des huîtres; il y avait dans le ton laiteux des verres-mousseline comme une douceur engageante, et la table disparaissait sous du gibier, des fruits, des choses extraordinaires. Ces attentions furent perdues pour Sénécal.

Il commença par demander du pain de ménage (le plus ferme possible), et, à ce propos, parla des meurtres de Buzançais et de la crise des subsistances [39].

Rien de tout cela ne serait survenu si on protégeait mieux l'agriculture, si tout n'était pas livré à la concurrence, à l'anarchie, à la déplorable maxime du « laissez faire, laissez passer »! Voilà comment se constituait la féodalité de l'argent, pire que l'autre! Mais qu'on y prenne garde! le peuple, à la fin, se lassera, et pourrait faire payer ses souffrances aux détenteurs du capital, soit par de sanglantes proscriptions, ou par le pillage de leurs hôtels.

Frédéric entrevit, dans un éclair, un flot d'hommes aux bras nus envahissant le grand salon de Mme Dambreuse, cassant les glaces à coups de pique.

Sénécal continuait : l'ouvrier, vu l'insuffisance des salaires, était plus malheureux que l'ilote, le nègre et le paria, s'il a des enfants surtout.

— Doit-il s'en débarrasser par l'asphyxie, comme le lui conseille je ne sais plus quel docteur anglais, issu de Malthus?

Et se tournant vers Cisy :

— En serons-nous réduits aux conseils de l'infâme Malthus?

Cisy, qui ignorait l'infamie et même l'existence de Malthus, répondit qu'on secourait pourtant beaucoup de misères, et que les classes élevées...

— Ah! les classes élevées! dit, en ricanant, le socialiste. D'abord, il n'y a pas de classes élevées; on n'est élevé que par le cœur! Nous ne voulons pas d'aumônes, entendez-vous! mais l'égalité, la juste répartition des produits.

Ce qu'il demandait, c'est que l'ouvrier pût devenir capitaliste, comme le soldat colonel. Les jurandes [40], au moins, en limitant le nombre des apprentis, empêchaient l'encombrement des travailleurs, et le sentiment de la fraternité se trouvait entretenu par les fêtes, les bannières.

Hussonnet, comme poète, regrettait les bannières; Pellerin aussi, prédilection qui lui était venue au café Dagneaux, en écoutant causer les phalanstériens [41]. Il déclara Fourier un grand homme.

— Allons donc! dit Deslauriers. Une vieille bête! qui voit dans les bouleversements d'empires des effets de la vengeance divine! C'est comme le sieur Saint-Simon et son église, avec sa haine de la Révolution française : un tas de farceurs qui voudraient nous refaire le catholicisme!

M. de Cisy, pour s'éclairer, sans doute, ou donner de lui une bonne opinion, se mit à dire doucement :

— Ces deux savants ne sont donc pas de l'avis de Voltaire?

— Celui-là, je vous l'abandonne! reprit Sénécal.

— Comment? moi, qui croyais...

— Eh non! il n'aimait pas le peuple!

Puis la conversation descendit aux événements contemporains : les mariages espagnols [42], les dilapidations de Rochefort, le nouveau chapitre de Saint-Denis, ce qui amènerait un redoublement d'impôts. Selon Sénécal, on en payait assez, cependant!

— Et pourquoi, mon Dieu? pour élever des palais aux singes du Muséum, faire parader sur nos places de brillants états-majors, ou soutenir, parmi les valets du Château [43], une étiquette gothique!

— J'ai lu dans la Mode, dit Cisy, qu'à la Saint-Ferdinand, au bal des Tuileries, tout le monde était déguisé en chicards [44].

— Si ce n'est pas pitoyable! fit le socialiste, en haussant de dégoût les épaules.

— Et le musée de Versailles! s'écria Pellerin. Parlons-en! Ces imbéciles-là ont raccourci un Delacroix et rallongé un Gros! Au Louvre, on a si bien restauré, gratté et tripoté toutes les toiles que, dans dix ans, peut-être pas une ne restera. Quant aux erreurs du catalogue, un Allemand a écrit dessus tout un livre. Les étrangers, ma parole, se fichent de nous!

— Oui, nous sommes la risée de l'Europe, dit Sénécal.

— C'est parce que l'Art est inféodé à la Couronne.

— Tant que vous n'aurez pas le suffrage universel...

— Permettez! car l'artiste, refusé depuis vingt ans à tous les Salons, était furieux contre le Pouvoir. Eh! qu'on nous laisse tranquilles. Moi, je ne demande rien! seulement les Chambres devraient statuer sur les intérêts de l'Art. Il faudrait établir une chaire d'esthétique, et dont le professeur, un homme à la fois praticien et philosophe, parviendrait, j'espère, à grouper la multitude.

— Vous feriez bien, Hussonnet, de toucher un mot de ça dans votre journal.

— Est-ce que les journaux sont libres? est-ce que nous le sommes? dit Deslauriers avec emportement.

---

39. Allusion aux troubles qui éclatèrent durant l'hiver 1846-1847 en raison de la disette et qui prirent dans l'Indre et particulièrement à Buzançais un tour meurtrier.
40. Jurandes : sous l'Ancien Régime, ensemble de personnes élues pour diriger une communauté de métier ou corporation.
41. Partisans des théories socialistes de Fourier.
42. Allusion à la politique extérieure de Louis-Philippe qui maria le 10 octobre 1846 son fils, le duc de Montpensier, à l'une des filles de la reine d'Espagne; les dilapidations de Rochefort; scandale administratif qui éclata à l'Arsenal de Rochefort en 1847.
43. Le palais des Tuileries.
44. Déguisement de carnaval comportant bottes, culotte et casque à plumet.

Quand on pense qu'il peut y avoir jusqu'à vingt-huit formalités pour établir un batelet sur une rivière, ça me donne envie d'aller vivre chez les anthropophages! Le Gouvernement nous dévore! Tout est à lui, la philosophie, le droit, les arts, l'air du ciel; et la France râle, énervée, sous la botte du gendarme et la soutane du calotin!

Le futur Mirabeau épanchait ainsi sa bile, largement. Enfin, il prit son verre, se leva, et, le poing sur la hanche, l'œil allumé :

— Je bois à la destruction complète de l'ordre actuel, c'est-à-dire de tout ce qu'on nomme Privilège, Monopole, Direction, Hiérarchie, Autorité, Etat! et, d'une voix plus haute : « que je voudrais briser comme ceci! » en lançant sur la table le beau verre à patte, qui se fracassa en mille morceaux.

Tous applaudirent, et Dussardier principalement.

Le spectacle des injustices lui faisait bondir le cœur. Il s'inquiétait de Barbès; il était de ceux qui se jettent sous les voitures pour porter secours aux chevaux tombés. Son érudition se bornait à deux ouvrages, l'un intitulé *Crimes des rois*, l'autre *Mystère du Vatican*. Il avait écouté l'avocat bouche béante, avec délices. Enfin, n'y tenant plus :

— Moi, ce que je reproche à Louis-Philippe, c'est d'abandonner les Polonais!

— Un moment! dit Hussonnet. D'abord, la Pologne n'existe pas; c'est une invention de Lafayette! Les Polonais, règle générale, sont tous du faubourg Saint-Marceau, les véritables s'étant noyés avec Poniatowski.

Bref, « il ne donnait plus là-dedans », il était « revenu de tout ça! ». C'était comme le serpent de mer, la révocation de l'édit de Nantes et « cette vieille blague de la Saint-Barthélemy! ».

Sénécal, sans défendre les Polonais, releva les derniers mots de l'homme de lettres. On avait calomnié les papes, qui, après tout, défendaient le peuple, et il appelait la Ligue « l'aurore de la Démocratie, un grand mouvement égalitaire contre l'individualisme des protestants ».

Frédéric était un peu surpris par ces idées. Elles ennuyaient Cisy probablement, car il mit la conversation sur les tableaux vivants du Gymnase, qui attiraient alors beaucoup de monde.

Sénécal s'en affligea. De tels spectacles corrompaient les filles du prolétaire; puis on les voyait étaler un luxe insolent. Aussi approuvait-il les étudiants bavarois qui avaient outragé Lola Montès. A l'instar de Rousseau, il faisait plus de cas de la femme d'un charbonnier que de la maîtresse d'un roi.

— Vous blaguez les truffes! répliqua majestueusement Hussonnet. Et il prit la défense de ces dames, en faveur de Rosanette. Puis, comme il parlait de son bal et du costume d'Arnoux :

— On prétend qu'il branle dans le manche? dit Pellerin.

Le marchand de tableaux venait d'avoir un procès pour ses terrains de Belleville, et il était actuellement dans une compagnie de kaolin bas-breton avec d'autres farceurs de son espèce.

Dussardier en savait davantage; car son patron à lui,

M. Moussinot, ayant été aux informations sur Arnoux près du banquier Oscar Lefebvre, celui-ci avait répondu qu'il le jugeait peu solide, connaissant quelques-uns de ses renouvellements.

Le dessert était fini; on passa dans le salon, tendu, comme celui de la Maréchale, en damas jaune, et de style Louis XVI.

Pellerin blâma Frédéric de n'avoir pas choisi, plutôt, le style néo-grec; Sénécal frotta des allumettes contre les tentures; Deslauriers ne fit aucune observation. Il en fit dans la bibliothèque, qu'il appela une bibliothèque de petite fille. La plupart des littérateurs contemporains s'y trouvaient. Il fut impossible de parler de leurs ouvrages, car Hussonnet, immédiatement, contait des anecdotes sur leurs personnes, critiquait leurs figures, leurs mœurs, leur costume, exaltant les esprits de quinzième ordre, dénigrant ceux du premier, et, déplorant, bien entendu, la décadence moderne. Telle chansonnette de villageois contenait, à elle seule, plus de poésie que tous les lyriques du XIXe siècle; Balzac était surfait, Byron démoli, Hugo n'entendait rien au théâtre, etc.

— Pourquoi donc, dit Sénécal, n'avez-vous pas les volumes de nos poètes-ouvriers?

Et M. de Cisy, qui s'occupait de littérature, s'étonna de ne pas voir sur la table de Frédéric « quelques-unes de ces physiologies nouvelles, physiologie du fumeur, du pêcheur à la ligne, de l'employé de barrière ».

Ils arrivèrent à l'agacer tellement, qu'il eut envie de les pousser dehors par les épaules. « Mais, je deviens bête! » Et, prenant Dussardier à l'écart, il lui demanda s'il pouvait le servir en quelque chose.

Le brave garçon fut attendri. Avec sa place de caissier, il n'avait besoin de rien.

Ensuite, Frédéric emmena Deslauriers dans sa chambre, et, tirant de son secrétaire deux mille francs :

— Tiens, mon brave, empoche! C'est le reliquat de mes vieilles dettes.

— Mais... et le Journal? dit l'avocat. J'en ai parlé à Hussonnet, tu sais bien.

Et, Frédéric ayant répondu qu'il se trouvait « un peu gêné, maintenant », l'autre eut un mauvais sourire.

Après les liqueurs, on but de la bière; après la bière, des grogs; on refuma des pipes. Enfin, à cinq heures du soir, tous s'en allèrent; et ils marchaient les uns près des autres, sans parler, quand Dussardier se mit à dire que Frédéric les avait reçus parfaitement. Tous en convinrent.

Hussonnet déclara son déjeuner un peu trop lourd. Sénécal critiqua la futilité de son intérieur. Cisy pensait de même. Cela manquait de « cachet », absolument.

— Moi, je trouve, dit Pellerin, qu'il aurait bien pu me commander un tableau.

Deslauriers se taisait, en tenant dans la poche de son pantalon ses billets de banque.

Frédéric était resté seul. Il pensait à ses amis, et sentait entre eux et lui comme un grand fossé plein d'ombre qui les séparait. Il leur avait tendu la main cependant, et ils n'avaient pas répondu à la franchise de son cœur.

Il se rappela les mots de Pellerin et de Dussardier sur Arnoux. C'était une invention, une calomnie sans doute? Mais pourquoi? Et il aperçut Mme Arnoux, ruinée, pleurant, vendant ses meubles. Cette idée le tourmenta toute la nuit; le lendemain, il se présenta chez elle.

Ne sachant comment s'y prendre pour communiquer ce qu'il savait, il lui demanda en manière de conversation si Arnoux avait toujours ses terrains de Belleville.

— Oui, toujours.

— Il est maintenant dans une compagnie pour du kaolin de Bretagne, je crois?

— C'est vrai.

— Sa fabrique marche très bien, n'est-ce pas?

— Mais... je le suppose.

Et, comme il hésitait :

— Qu'avez-vous donc? vous me faites peur!

Il lui apprit l'histoire des renouvellements. Elle baissa la tête, et dit :

— Je m'en doutais!

En effet, Arnoux, pour faire une bonne spéculation, s'était refusé à vendre ses terrains, avait emprunté dessus largement, et, ne trouvant point d'acquéreurs, avait cru se rattraper par l'établissement d'une manufacture. Les frais avaient dépassé les devis. Elle n'en savait pas davantage; il éludait toute question et affirmait continuellement que « ça allait très bien ».

Frédéric tâcha de la rassurer. C'étaient peut-être des embarras momentanés. Du reste, s'il apprenait quelque chose, il lui en ferait part.

— Oh! oui, n'est-ce pas? dit-elle, en joignant ses deux mains, avec un air de supplication charmant.

Il pouvait donc lui être utile. Le voilà qui entrait dans son existence, dans son cœur!

Arnoux parut.

— Ah! comme c'est gentil de venir me prendre pour dîner!

Frédéric en resta muet.

Arnoux parla de choses indifférentes, puis avertit sa femme qu'il rentrerait fort tard, ayant un rendez-vous avec M. Oudry.

— Chez lui?

— Mais certainement, chez lui.

Il avoua, tout en descendant l'escalier, que, la Maréchale se trouvant libre, ils allaient faire ensemble une partie fine au Moulin-Rouge; et, comme il lui fallait toujours quelqu'un pour recevoir ses épanchements, il se fit conduire par Frédéric jusqu'à la porte.

Au lieu d'entrer, il se promena sur le trottoir, en observant les fenêtres du second étage. Tout à coup les rideaux s'écartèrent.

— Ah! bravo! le père Oudry n'y est plus. Bonsoir!

C'était donc le père Oudry qui l'entretenait? Frédéric ne savait que penser maintenant.

A partir de ce jour-là, Arnoux fut encore plus cordial qu'auparavant; il l'invitait à dîner chez sa maîtresse, et bientôt Frédéric hanta tout à la fois les deux maisons.

Celle de Rosanette l'amusait. On venait là le soir, en sortant du club ou du spectacle; on prenait une tasse de thé, on faisait une partie de loto; le dimanche, on jouait des charades; Rosanette, plus turbulente que les autres, se distinguait par des inventions drolatiques, comme de courir à quatre pattes, ou de s'affubler d'un bonnet de coton. Pour regarder les passants par la croisée, elle avait un chapeau de cuir bouilli; elle fumait des chibouques, elle chantait des tyroliennes. L'après-midi, par désœuvrement, elle découpait des fleurs dans un morceau de toile perse, les collait elle-même sur ses carreaux, barbouillait de fard ses deux petits chiens, faisait brûler des pastilles, ou se tirait la bonne aventure. Incapable de résister à une envie, elle s'engouait d'un bibelot, qu'elle avait vu, n'en dormait pas, courait l'acheter, le troquait contre un autre, et gâchait les étoffes, perdait ses bijoux, gaspillait l'argent, aurait vendu sa chemise pour une loge d'avant-scène. Souvent, elle demandait à Frédéric l'explication d'un mot qu'elle avait lu, mais n'écoutait pas sa réponse, car elle sautait vite à une autre idée, en multipliant les questions. Après des spasmes de gaieté, c'étaient des colères enfantines; ou bien elle rêvait, assise par terre, devant le feu, la tête basse et les genoux dans ses deux mains, plus inerte qu'une couleuvre engourdie. Sans y prendre garde, elle s'habillait devant lui, tirait avec lenteur ses bas de soie, puis se lavait à grande eau le visage, en se renversant la taille comme une naïade qui frissonne; et le rire de ses dents blanches, les étincelles de ses yeux, sa beauté, sa gaieté éblouissaient Frédéric, et lui fouettaient les nerfs.

Presque toujours, il trouvait Mme Arnoux montrant à lire à son bambin, ou derrière la chaise de Marthe qui faisait des gammes sur son piano; quand elle travaillait à un ouvrage de couture, c'était pour lui un grand bonheur que de ramasser, quelquefois, ses ciseaux. Tous ses mouvements étaient d'une majesté tranquille; ses petites mains semblaient faites pour épandre des aumônes, pour essuyer des pleurs, et sa voix, un peu sourde naturellement, avait des intonations caressantes et comme des légèretés de brise.

Elle ne s'exaltait point pour la littérature, mais son esprit charmait par des mots simples et pénétrants. Elle aimait les voyages, le bruit du vent dans les bois, et à se promener tête nue sous la pluie. Frédéric écoutait ces choses délicieusement, croyant voir un abandon d'elle-même qui commençait.

La fréquentation de ces deux femmes faisait dans sa vie comme deux musiques : l'une folâtre, emportée, divertissante, l'autre grave et presque religieuse; et, vibrant à la fois, elles augmentaient toujours, et peu à peu se mêlaient; — car, si Mme Arnoux venait à l'effleurer du doigt seulement, l'image de l'autre, tout de suite, se présentait à son désir, parce qu'il avait, de ce côté-là, une chance moins lointaine; — et, dans la compagnie de Rosanette, quand il lui arrivait d'avoir le cœur ému, il se rappelait immédiatement son grand amour.

Cette confusion était provoquée par des similitudes entre les deux logements. Un des bahuts que l'on voyait autrefois boulevard Montmartre ornait à présent la salle à manger de Rosanette, l'autre, le salon de Mme Arnoux. Dans les deux maisons, les services de table étaient pareils, et l'on retrouvait jusqu'à la même calotte de velours traînant sur les bergères; puis une foule de petits cadeaux, des écrans, des boîtes, des éventails allaient et venaient de chez la maîtresse chez l'épouse, car, sans la moindre gêne, Arnoux, souvent, reprenait à l'une ce qu'il avait donné, pour l'offrir à l'autre.

La Maréchale riait avec Frédéric de ses mauvaises façons. Un dimanche, après dîner, elle l'emmena derrière la porte, et lui fit voir dans son paletot un sac de gâteaux, qu'il venait d'escamoter sur la table, afin d'en régaler, sans doute, sa petite famille. M. Arnoux se livrait à des espiègleries côtoyant la turpitude. C'était pour lui un devoir que de frauder l'octroi; il n'allait jamais au spectacle en payant, avec un billet de secondes prétendait toujours se pousser aux premières, et racontait comme une farce excellente qu'il avait coutume, aux bains froids, de mettre dans le tronc du garçon un bouton de culotte pour une pièce de dix sous, ce qui n'empêchait point la Maréchale de l'aimer.

Un jour, cependant, elle dit, en parlant de lui :

— Ah! il m'embête, à la fin! J'en ai assez! Ma foi, tant pis, j'en trouverai un autre!

Frédéric croyait « l'autre » déjà trouvé et qu'il s'appelait M. Oudry.

— Eh bien, dit Rosanette, qu'est-ce que cela fait?

Puis, avec des larmes dans la voix :

— Je lui demande bien peu de chose, pourtant, et il ne veut pas, l'animal! Il ne veut pas! Quant à ses promesses, oh! c'est différent.

Il lui avait même promis un quart de ses bénéfices dans les fameuses mines de kaolin; aucun bénéfice ne se montrait, pas plus que le cachemire dont il la leurrait depuis six mois.

Frédéric pensa, immédiatement, à lui en faire cadeau. Arnoux pouvait prendre cela pour une leçon et se fâcher.

Il était bon cependant, sa femme elle-même le disait. Mais si fou! Au lieu d'amener tous les jours du monde à dîner chez lui, à présent, il traitait ses connaissances chez le restaurateur. Il achetait des choses complètement inutiles, telles que des chaînes d'or, des pendules, des articles de ménage. Mme Arnoux montra même à Frédéric, dans le couloir, une énorme provision de bouillottes, chaufferettes et samovars. Enfin, un jour, elle lui avoua ses inquiétudes : Arnoux lui avait fait signer un billet, souscrit à l'ordre de M. Dambreuse.

Cependant, Frédéric conservait ses projets littéraires, par une sorte de point d'honneur vis-à-vis de lui-même. Il voulut écrire une histoire de l'esthétique, résultat de ses conversations avec Pellerin, puis mettre en drames différentes époques de la Révolution française et composer une grande comédie, par l'influence indirecte de Deslauriers et d'Hussonnet. Au milieu de son travail, souvent le visage de l'une ou de l'autre passait devant lui; il luttait contre l'envie de la voir, ne tardait pas à y céder; et il était plus triste en revenant de chez Mme Arnoux.

Un matin qu'il ruminait sa mélancolie au coin de son feu, Deslauriers entra. Les discours incendiaires de Sénécal avaient inquiété son patron, et, une fois de plus, il se trouvait sans ressources.

— Que veux-tu que j'y fasse? dit Frédéric.

— Rien! tu n'as pas d'argent, je le sais. Mais ça ne te gênerait guère de lui découvrir une place, soit par M. Dambreuse ou bien Arnoux?

Celui-ci devait avoir besoin d'ingénieurs dans son établissement. Frédéric eut une inspiration : Sénécal pourrait l'avertir des absences du mari, porter des lettres, l'aider dans mille occasions qui se présenteraient. D'homme à homme, on se rend toujours ces services-là. D'ailleurs, il trouverait moyen de l'employer sans qu'il s'en doutât. Le hasard lui offrait un auxiliaire, c'était de bon augure, il fallait le saisir; et, affectant de l'indifférence, il répondit que la chose peut-être était faisable et qu'il s'en occuperait.

Il s'en occupa tout de suite. Arnoux se donnait beaucoup de peine dans sa fabrique. Il cherchait le rouge de cuivre des Chinois; mais ses couleurs se volatilisaient par la cuisson. Afin d'éviter les gerçures de ses faïences, il mêlait de la chaux à son argile; mais les pièces se brisaient pour la plupart, l'émail de ses peintures sur cru bouillonnait, ses grandes plaques gondolaient; et, attribuant ces mécomptes au mauvais outillage de sa fabrique, il voulait se faire faire d'autres moulins à broyer, d'autres séchoirs. Frédéric se rappela quelques-unes de ces choses; et il l'aborda en annonçant qu'il avait découvert un homme très fort, capable de trouver son fameux rouge. Arnoux en fit un bond, puis, l'ayant écouté, répondit qu'il n'avait besoin de personne.

Frédéric exalta les connaissances prodigieuses de Sénécal, tout à la fois ingénieur, chimiste et comptable, étant un mathématicien de première force.

Le faïencier consentit à le voir.

Tous deux se chamaillèrent sur les émoluments. Frédéric s'interposa et parvint, au bout de la semaine, à leur faire conclure un arrangement.

Mais l'usine étant située à Creil, Sénécal ne pouvait en rien l'aider. Cette réflexion, très simple, abattit son courage comme une mésaventure.

Il songea que plus Arnoux serait détaché de sa femme, plus il aurait de chances auprès d'elle. Alors, il se mit à faire l'apologie de Rosanette, continuellement; il lui présenta tous ses torts à son endroit, conta les vagues menaces de l'autre jour, et même parla du cachemire, sans taire qu'elle l'accusait d'avarice.

Arnoux, piqué du mot (et, d'ailleurs, concevant des inquiétudes), apporta le cachemire à Rosanette, mais la gronda de s'être plainte à Frédéric; comme elle disait lui avoir cent fois rappelé sa promesse, il prétendit qu'il ne s'en était pas souvenu, ayant trop d'occupations.

Le lendemain, Frédéric se présenta chez elle. Bien qu'il fût deux heures, la Maréchale était encore couchée; et, à son chevet, Delmar, installé devant un guéridon, finissait une tranche de foie gras. Elle cria de loin : « Je l'ai, je l'ai », puis, le prenant par les oreilles, elle l'embrassa au front, le remercia beaucoup, le tutoya, voulut même le faire asseoir sur son lit. Ses jolis yeux tendres pétillaient, sa bouche humide souriait, ses deux bras ronds sortaient de sa chemise qui n'avait pas de manches; et, de temps autre, il sentait, à travers la batiste, les fermes contours de son corps. Delmar, pendant ce temps-là, roulait ses prunelles.

— Mais, véritablement, mon amie, ma chère amie!

Il en fut de même les fois suivantes. Dès que Frédéric entrait, elle montait debout sur son coussin, pour qu'il l'embrassât mieux, l'appelait un mignon, un chéri, mettait une fleur à sa boutonnière, arrangeait sa cravate; ces gentillesses redoublaient toujours lorsque Delmar se trouvait là.

Etaient-ce des avances? Frédéric le crut. Quant à tromper un ami, Arnoux à sa place ne s'en gênerait guère! et il avait bien le droit de n'être pas vertueux avec sa maîtresse, l'ayant toujours été avec sa femme; car il croyait l'avoir été, ou plutôt il aurait voulu se le faire accroire, pour la justification de sa prodigieuse couardise. Il se trouvait stupide cependant, et résolut de s'y prendre avec la Maréchale carrément.

Donc, une après-midi, comme elle se baissait devant sa commode, il s'approcha d'elle et eut un geste d'une éloquence si peu ambiguë, qu'elle se redressa tout empourprée. Il recommença de suite; alors, elle fondit en larmes, disant qu'elle était bien malheureuse et que ce n'était pas une raison pour qu'on la méprisât.

Il réitéra ses tentatives. Elle prit un autre genre, qui fut de rire toujours. Il crut malin de riposter par le même ton, et en l'exagérant. Mais il se montrait trop gai pour qu'elle le crût sincère; et leur camaraderie faisait obstacle à l'épanchement de toute émotion sérieuse. Enfin, un jour elle répondit qu'elle n'acceptait pas les restes d'une autre.

— Quelle autre?

— Eh oui! va retrouver Mme Arnoux!

Car Frédéric en parlait souvent; Arnoux, de son côté, avait la même manie; elle s'impatientait, à la fin, d'entendre toujours vanter cette femme; et son imputation était une espèce de vengeance.

Frédéric lui en garda rancune.

Elle commençait, du reste, à l'agacer fortement. Quelquefois, se posant comme expérimentée, elle disait du mal de l'amour avec un rire sceptique qui donnait des démangeaisons de la gifler. Un quart d'heure après, c'était la seule chose qu'il y eût au monde, et, croisant ses bras sur sa poitrine, comme pour serrer quelqu'un, elle murmurait : « Oh! oui, c'est bon! c'est si bon! » les paupières entre-closes et à demi pâmée d'ivresse. Il était impossible de la connaître, de savoir, par exemple, si elle aimait Arnoux, car elle se moquait de lui et en paraissait jalouse. De même pour la Vatnaz, qu'elle appelait une misérable, d'autres fois sa meilleure amie. Elle avait, enfin, sur toute sa personne et jusque dans le retroussement de son chignon, quelque chose d'inexprimable qui ressemblait à un défi; — et il la désirait, pour le plaisir surtout de la vaincre et de la dominer.

Comment faire? car souvent elle le renvoyait sans nulle cérémonie, apparaissant une minute entre deux portes pour chuchoter : « Je suis occupée; à ce soir! » ou bien il la trouvait au milieu de douze personnes; et quand ils étaient seuls, on aurait juré une gageure, tant les empêchements se succédaient. Il l'invitait à dîner, elle refusait toujours; une fois, elle accepta, mais ne vint pas.

Une idée machiavélique surgit dans sa cervelle.

Connaissant par Dussardier les récriminations de Pellerin sur son compte, il imagina de lui commander le portrait de la Maréchale, un portrait grandeur nature, qui exigerait beaucoup de séances; il n'en manquerait pas une seule; l'inexactitude habituelle de l'artiste faciliterait les tête-à-tête. Il engagea donc Rosanette à se faire peindre, pour offrir son visage à son cher Arnoux. Elle accepta, car elle se voyait au milieu du Grand Salon, à la place d'honneur, avec une foule devant elle, et les journaux en parleraient, ce qui « la lancerait » tout à coup.

Quant à Pellerin, il saisit la proposition avidement. Ce portrait devait le poser en grand homme, être un chef-d'œuvre.

Il passa en revue dans sa mémoire tous les portraits de maîtres qu'il connaissait, et se décida finalement pour un Titien, lequel serait rehaussé d'ornements à la Véronèse. Donc il exécuterait son projet sans ombres factices, dans une lumière franche éclairant les chairs d'un seul ton, et faisant étinceler les accessoires.

« Si je lui mettais, pensa-t-il, une robe de soie rose, avec un burnous oriental? oh non! canaille le burnous! Ou plutôt si je l'habillais de velours bleu, sur un fond gris, très coloré? On pourrait lui donner également une collerette de guipure blanche, avec un éventail noir et un rideau d'écarlate par derrière? »

Et, cherchant ainsi, il élargissait chaque jour sa conception et s'en émerveillait.

Il eut un battement de cœur quand Rosanette, accompagnée de Frédéric, arriva chez lui pour la première séance. Il la plaça debout, sur une manière d'estrade, au milieu de l'appartement; et, en se plaignant du jour et regrettant son ancien atelier, il la fit d'abord s'accouder contre un piédestal, puis asseoir dans un fauteuil, et tour à tour s'éloignant d'elle et s'en rapprochant pour corriger d'une chiquenaude les plis de sa robe, il la regardait les paupières entre-closes, et consultant d'un mot Frédéric.

— Eh bien, non! s'écria-t-il. J'en reviens à mon idée! Je vous flanque en Vénitienne!

Elle aurait une robe de velours ponceau avec une ceinture d'orfèvrerie, et sa large manche doublée d'hermine laisserait voir son bras nu qui toucherait à la balustrade d'un escalier montant derrière elle. A sa gauche, une grande colonne irait jusqu'au haut de la toile rejoindre des architectures, décrivant un arc. On apercevrait en dessous, vaguement, des massifs d'orangers presque noirs, où se découperait un ciel bleu, rayé de nuages blancs. Sur le balustre couvert d'un tapis, il y aurait, dans un plat d'argent, un bouquet de fleurs, un chapelet d'ambre, un poignard et un coffret de vieil ivoire un peu jauni dégorgeant des sequins d'or; quelques-uns même, tombés par terre çà et là, formeraient une suite d'éclaboussures brillantes, de manière à conduire l'œil vers la pointe de son pied, car elle serait posée sur l'avant-dernière marche, dans un mouvement naturel (en pleine lumière.

Il alla chercher une caisse à tableaux, qu'il mit sur l'estrade pour figurer la marche ; puis il disposa comme accessoires sur un tabouret en guise de balustrade, sa vareuse, un bouclier, une boîte de sardines, un paquet de plumes, un couteau, et, quand il eut jeté devant Rosanette une douzaine de gros sous, il lui fit prendre sa pose.

— Imaginez-vous que ces choses là sont des richesses, des présents splendides. La tête un peu à droite ! Parfait ! Et ne bougez plus ! Cette attitude majestueuse va bien à votre genre de beauté.

Elle avait une robe écossaise avec un gros manchon et se retenait pour ne pas rire.

— Quant à la coiffure, nous la mêlerons à un tortis de perles : cela fait toujours bon effet dans les cheveux rouges.

La Maréchale se récria, disant qu'elle n'avait pas les cheveux rouges.

— Laissez donc ! Le Rouge des peintres n'est pas celui des bourgeois !

Il commença à esquisser la position des masses ; et il était si préoccupé des grands artistes de la Renaissance, qu'il en parlait. Pendant une heure, il rêva tout haut à ces existences magnifiques, pleines de génie, de gloire et de somptuosités, avec des entrées triomphales dans les villes, et des galas à la lueur des flambeaux, entre des femmes à moitié nues, belles comme des déesses.

— Vous étiez faite pour vivre dans ce temps-là. Une créature de votre calibre aurait mérité un monseigneur !

Rosanette trouvait ses compliments fort gentils. On fixa le jour de la séance prochaine ; Frédéric se chargeait d'apporter les accessoires.

Comme la chaleur du poêle l'avait étourdie un peu, ils s'en retournèrent à pied par la rue du Bac et arrivèrent sur le pont Royal.

Il faisait un beau temps, âpre et splendide. Le soleil s'abaissait ; quelques vitres de maisons, dans la Cité, brillaient au loin comme des plaques d'or, tandis que, par derrière, à droite, les tours de Notre-Dame se profilaient en noir sur le ciel bleu, mollement baigné à l'horizon dans des vapeurs grises. Le vent souffla ; et, Rosanette ayant déclaré qu'elle avait faim, ils entrèrent à la Pâtisserie Anglaise.

Des jeunes femmes, avec leurs enfants, mangeaient debout contre le buffet de marbre, où se pressaient, sous des cloches de verre, les assiettes de petits gâteaux. Rosanette avala deux tartes à la crème. Le sucre en poudre faisait des moustaches aux coins de sa bouche. De temps à autre, pour l'essuyer, elle tirait son mouchoir de son manchon ; et sa figure ressemblait, sous sa capote de soie verte, à une rose épanouie entre ses feuilles.

Ils se remirent en marche ; dans la rue de la Paix, elle s'arrêta, devant la boutique d'un orfèvre, à considérer un bracelet ; Frédéric voulut lui en faire cadeau.

— Non, dit-elle, garde ton argent.

Il fut blessé de cette parole.

— Qu'a donc le mimi ? On est triste ?

Et, la conversation s'étant renouée, il en vint, comme d'habitude, à des protestations d'amour.

— Tu sais bien que c'est impossible !

— Pourquoi ?

— Ah ! parce que...

Ils allaient côte à côte, elle appuyée sur son bras, et les volants de sa robe lui battaient contre les jambes. Alors, il se rappela un crépuscule d'hiver, où, sur le même trottoir, Mme Arnoux marchait ainsi à son côté ; et ce souvenir l'absorba tellement, qu'il ne s'apercevait plus de Rosanette et n'y songeait pas.

Elle regardait, au hasard, devant elle, tout en se laissant un peu traîner, comme un enfant paresseux. C'était l'heure où l'on rentrait de la promenade, et des équipages défilaient au grand trot sur le pavé sec. Les flatteries de Pellerin lui revenant sans doute à la mémoire, elle poussa un soupir.

— Ah ! il y en a qui sont heureuses ! Je suis faite pour un homme riche, décidément.

Il répliqua d'un ton brutal :

— Vous en avez un, cependant ! car M. Oudry passait pour trois fois millionnaire.

Elle ne demandait pas mieux que de s'en débarrasser.

— Qui vous en empêche ?

Et il exhala d'amères plaisanteries sur ce vieux bourgeois à perruque, lui montrant qu'une pareille liaison était indigne, et qu'elle devait la rompre !

— Oui, répondit la Maréchale, comme se parlant à elle-même. C'est ce que je finirai par faire, sans doute !

Frédéric fut charmé de ce désintéressement. Elle se ralentissait, il la crut fatiguée. Elle s'obstina à ne pas vouloir de voiture et elle le congédia devant sa porte, en lui envoyant un baiser du bout des doigts.

« Ah ! quel dommage ! et songer que des imbéciles me trouvent riche ! »

Il était sombre en arrivant chez lui.

Hussonnet et Deslauriers l'attendaient.

Le bohème, assis devant sa table, dessinait des têtes de Turcs, et l'avocat, en bottes crottées, sommeillait sur le divan.

— Ah ! enfin ! s'écria-t-il. Mais quel air farouche ! Peux-tu m'écouter ?

Sa vogue comme répétiteur diminuait, car il bourrait ses élèves de théories défavorables pour leurs examens. Il avait plaidé deux ou trois fois, avait perdu, et chaque déception nouvelle le rejetait plus fortement vers son vieux rêve : un journal où il pourrait s'étaler, se venger, cracher sa bile et ses idées. Fortune et réputation, d'ailleurs, s'ensuivraient. C'était dans cet espoir qu'il avait circonvenu le bohème, Hussonnet possédant une feuille.

A présent, il la tirait sur papier rose ; il inventait des canards, composait des rébus, tâchait d'engager des polémiques, et même (en dépit du local) voulait monter des concerts ! L'abonnement d'un an « donnait droit à une place d'orchestre dans un des principaux théâtres de Paris ; de plus, l'administration se chargeait de fournir à MM. les étrangers tous les renseignements désirables, artistiques et autres ». Mais l'imprimeur faisait des menaces, on devait trois termes au propriétaire, toutes sortes d'embarras surgissaient ; et Hussonnet aurait laissé périr *l'Art*, sans les exhortations de l'avocat, qui lui chauffait le moral quotidiennement. Il l'avait pris, afin de donner plus de poids à sa démarche.

— Nous venons pour le journal, dit-il.

— Tiens, tu y penses encore! répondit Frédéric, d'un ton distrait.

— Certainement j'y pense!

Et il exposa de nouveau son plan. Par des comptes rendus de la Bourse, ils se mettraient en relations avec des financiers, et obtiendraient ainsi les cent mille francs de cautionnement indispensables. Mais, pour que la feuille pût être transformée en journal politique, il fallait auparavant avoir une large clientèle, et, pour cela, se résoudre à quelques dépenses, tant pour les frais de papeterie, d'imprimerie, de bureau, bref, une somme de quinze mille francs.

— Je n'ai pas de fonds, dit Frédéric.

— Et nous donc! fit Deslauriers en croisant ses deux bras.

Frédéric, blessé du geste, répliqua :

— Est-ce ma faute?...

— Ah! très bien! Ils ont du bois dans leur cheminée, des truffes sur leur table, un bon lit, une bibliothèque, une voiture, toutes les douceurs! Mais qu'un autre grelotte sous les ardoises, dîne à vingt sous, travaille comme un forçat et patauge dans la misère! est-ce leur faute?

Et il répétait « Est-ce leur faute? » avec une ironie cicéronienne qui sentait le Palais. Frédéric voulait parler.

— Du reste, je comprends, on a des besoins... aristocratiques; car sans doute... quelque femme...

— Eh bien, quand cela serait? Ne suis-je pas libre?...

— Oh! très libre!

Et, après une minute de silence :

— C'est si commode, les promesses!

— Mon Dieu! je ne les nie pas! dit Frédéric.

L'avocat continuait :

— Au collège, on fait des serments, on constituera une phalange, on imitera *les Treize* de Balzac! Puis, quand on se retrouve : Bonsoir, mon vieux, va te promener! Car celui qui pourrait servir l'autre retient précieusement tout, pour lui seul.

— Comment?

— Oui, tu ne nous as pas même présentés chez les Dambreuse!

Frédéric le regarda; avec sa pauvre redingote, ses lunettes dépolies et sa figure blême, l'avocat lui parut un tel cuistre, qu'il ne put empêcher sur ses lèvres un sourire dédaigneux. Deslauriers l'aperçut, et rougit.

Il avait déjà son chapeau pour s'en aller. Hussonnet, plein d'inquiétude, tâchait de l'adoucir par des regards suppliants, et, comme Frédéric lui tournait le dos :

— Voyons, mon petit! Soyez mon Mécène! Protégez les arts!

Frédéric, dans un brusque mouvement de résignation, prit une feuille de papier, et, ayant griffonné dessus quelques lignes, la lui tendit. Le visage du bohème s'illumina. Puis, repassant la lettre à Deslauriers :

— Faites des excuses, Seigneur!

Leur ami conjurait son notaire de lui envoyer au plus vite quinze mille francs.

— Ah! je te reconnais là! dit Deslauriers.

— Foi de gentilhomme! ajouta le bohème, vous êtes un brave, on vous mettra dans la galerie des hommes utiles!

L'avocat reprit :

— Tu n'y perdras rien, la spéculation est excellente.

— Parbleu! s'écria Hussonnet, j'en fourrerais ma tête sur l'échafaud.

Et il débita tant de sottises et promit tant de merveilles (auxquelles il croyait peut-être), que Frédéric ne savait pas si c'était pour se moquer des autres ou de lui-même.

Ce soir-là, il reçut une lettre de sa mère.

Elle s'étonnait de ne pas le voir encore ministre, tout en le plaisantant quelque peu. Puis elle parlait de sa santé, et lui apprenait que M. Roque venait maintenant chez elle. « Depuis qu'il est veuf, j'ai cru sans inconvénient de le recevoir. Louise est très changée à son avantage. » Et en post-scriptum : « Tu ne me dis rien de ta belle connaissance, M. Dambreuse; à ta place, je l'utiliserais. »

Pourquoi pas? Ses ambitions intellectuelles l'avaient quitté (il s'en apercevait) et sa fortune était insuffisante; car, ses dettes payées et la somme convenue remise aux autres, son revenu serait diminué de quatre mille francs, pour le moins! D'ailleurs, il sentait le besoin de sortir de cette existence, de se raccrocher à quelque chose. Aussi, le lendemain, en dînant chez Mme Arnoux, il dit que sa mère le tourmentait pour qu'il embrassât une profession.

— Mais je croyais, reprit-elle, que M. Dambreuse devait vous faire entrer au Conseil d'État? Cela vous irait très bien.

Elle le voulait donc. Il obéit.

Le banquier, comme la première fois, était assis à son bureau, et d'un geste le pria d'attendre quelques minutes, car un monsieur tournant le dos à la porte l'entretenait de matières graves. Il s'agissait de charbons de terre et d'une fusion à opérer entre diverses compagnies.

Les portraits du général Foy et de Louis-Philippe se faisaient pendant de chaque côté de la glace; des cartonniers montaient contre le lambris jusqu'au plafond, et il y avait six chaises de paille, M. Dambreuse n'ayant pas besoin pour ses affaires d'un appartement plus beau; c'était comme ces sombres cuisines où s'élaborent de grands festins. Frédéric observa surtout deux coffres monstrueux, dressés dans les encoignures. Il se demandait combien de millions y pouvaient tenir. Le banquier en ouvrit un, et la planche de fer tourna, ne laissant voir à l'intérieur que des cahiers de papier bleu.

Enfin l'individu passa devant Frédéric. C'était le père Oudry. Tous deux se saluèrent en rougissant, ce qui parut étonner M. Dambreuse. Du reste, il se montra fort aimable. Rien n'était plus facile que de recommander son jeune ami au garde des sceaux. On serait trop heureux de l'avoir; et il termina ses politesses en l'invitant à une soirée qu'il donnait dans quelques jours.

Frédéric montait en coupé pour s'y rendre quand arriva un billet de la Maréchale. A la lueur des lanternes, il lut :

« Cher, j'ai suivi vos conseils. Je viens d'expulser mon Osage [45]. A partir de demain soir, liberté! Dites que je ne suis pas brave. »

Rien de plus! Mais c'était le convier à la place vacante. Il poussa une exclamation, serra le billet dans sa poche et partit.

Deux municipaux à cheval stationnaient dans la rue. Une file de lampions brûlaient sur les deux portes cochères; et des domestiques, dans la cour, criaient, pour faire avancer les voitures jusqu'au bas du perron sous la marquise. Puis, tout à coup, le bruit cessait dans le vestibule.

De grands arbres emplissaient la cage de l'escalier; les globes de porcelaine versaient une lumière qui ondulait comme des moires de satin blanc sur les murailles. Frédéric monta les marches allégrement. Un huissier lança son nom : M. Dambreuse lui tendit la main; presque aussitôt, Mme Dambreuse parut.

Elle avait une robe mauve garnie de dentelles, les boucles de sa coiffure plus abondantes qu'à l'ordinaire, et pas un seul bijou.

Elle se plaignit de ses rares visites, trouva moyen de dire quelque chose. Les invités arrivaient; en manière de salut, ils jetaient leur torse de côté, ou se courbaient en deux, ou baissaient la figure seulement; puis un couple conjugal, une famille passait, et tous se dispersaient dans le salon déjà plein.

Sous le lustre, au milieu, un pouf énorme supportait une jardinière, dont les fleurs, s'inclinant comme des panaches, surplombaient la tête des femmes assises en rond, tout autour, tandis que d'autres occupaient les bergères formant deux lignes droites interrompues symétriquement par les grands rideaux des fenêtres en velours nacarat et les hautes baies des portes à linteau doré.

La foule des hommes qui se tenaient debout sur le parquet, avec leur chapeau à la main, faisait de loin une seule masse noire, où les rubans des boutonnières mettaient des points rouges çà et là, et que rendait plus sombre la monotone blancheur des cravates. Sauf de petits jeunes gens à barbe naissante, tous paraissaient s'ennuyer; quelques dandies, d'un air maussade, se balançaient sur leurs talons. Les têtes grises, les perruques étaient nombreuses; de place en place, un crâne chauve luisait; et les visages, ou empourprés ou très blêmes, laissaient voir dans leur flétrissure la trace d'immenses fatigues, — les gens qu'il y avait là appartenant à la politique ou aux affaires. M. Dambreuse avait aussi invité plusieurs savants, des magistrats, deux ou trois médecins illustres, et il repoussait avec d'humbles attitudes les éloges qu'on lui faisait sur sa soirée et les allusions à sa richesse.

Partout, une valetaille à larges galons d'or circulait. Les grandes torchères, comme des bouquets de feu, s'épanouissaient sur les tentures; elles se répétaient dans les glaces; et, au fond de la salle à manger, que tapissait un treillage de jasmin, le buffet ressemblait à un maître-autel de cathédrale ou à une exposition d'orfèvrerie, — tant il y avait de plats, de cloches, de couverts et de cuillers en argent et en vermeil, au milieu des cristaux à facettes qui entre-croisaient, par-dessus les viandes, des lueurs irisées. Les trois autres salons regorgeaient d'objets d'art : paysages de maîtres contre les murs, ivoires et porcelaines au bord des tables, chinoiseries sur les consoles; des paravents de laque se développaient devant les fenêtres, des touffes de camélias montaient dans les cheminées; et une musique légère vibrait, au loin, comme un bourdonnement d'abeilles.

Les quadrilles n'étaient pas nombreux, et les danseurs, à la manière nonchalante dont ils traînaient leurs escarpins, semblaient s'acquitter d'un devoir. Frédéric entendait des phrases comme celle-ci :

— Avez-vous été à la dernière fête de charité de l'hôtel Lambert, mademoiselle?

— Non, monsieur!

— Il va faire, tout à l'heure, une chaleur!

— Oh! c'est vrai, étouffante!

— De qui donc cette polka?

— Mon Dieu! je ne sais pas, madame!

Et, derrière lui, trois roquentins [46], postés dans une embrasure, chuchotaient des remarques obscènes; d'autres causaient chemins de fer, libre-échange; un sportsman contait une histoire de chasse; un légitimiste et un orléaniste discutaient.

En errant de groupe en groupe, il arriva dans le salon des joueurs, où, dans un cercle de gens graves, il reconnut Martinon, « attaché maintenant au parquet de la capitale ».

Sa grosse face couleur de cire emplissait convenablement son collier, lequel était une merveille, tant les poils noirs se trouvaient bien égalisés; et, gardant un juste milieu entre l'élégance voulue par son âge et la dignité que réclamait sa profession, il accrochait son pouce dans son aisselle suivant l'usage des beaux, puis mettait son bras dans son gilet à la façon des doctrinaires. Bien qu'il eût des bottes extra-vernies, il portait les tempes rasées, pour se faire un front de penseur.

Après quelques mots débités froidement, il se retourna vers son conciliabule. Un propriétaire disait :

— C'est une classe d'hommes qui rêvent le bouleversement de la société!

— Ils demandent l'organisation du travail! reprit un autre. Conçoit-on cela?

— Que voulez-vous! fit un troisième, quand on voit M. de Genoude donner la main au *Siècle!*

— Et des conservateurs, eux-mêmes, s'intituler progressifs! Pour nous amener, quoi? la République! comme si elle était possible en France!

Tous déclarèrent que la République était impossible en France.

— N'importe, remarqua tout haut un monsieur.

---

45. Indien d'Amérique du Nord; terme employé ironiquement par Rosanette.

46. Vieillards ridicules qui veulent faire le jeune homme.

On s'occupe trop de la Révolution; on publie là-dessus un tas d'histoires, de livres!...

— Sans compter, dit Martinon, qu'il y a, peut-être, des sujets d'étude plus sérieux!

Un ministériel s'en prit aux scandales du théâtre :

— Ainsi, par exemple, ce nouveau drame *la Reine Margot* [47] dépasse véritablement les bornes! Où était le besoin qu'on nous parlât des Valois? Tout cela montre la royauté sous un jour défavorable! C'est comme votre Presse! Les lois de septembre, on a beau dire, sont infiniment trop douces! Moi, je voudrais des cours martiales pour bâillonner les journalistes! A la moindre insolence, traînés devant un conseil de guerre! et allez donc!

— Oh! prenez garde, monsieur, prenez garde! dit un professeur, n'attaquez pas nos précieuses conquêtes de 1830! respectons nos libertés. Il fallait décentraliser plutôt, répartir l'excédent des villes dans les campagnes.

— Mais elles sont gangrenées! s'écria un catholique. Faites qu'on raffermisse la Religion!

Martinon s'empressa de dire :

— Effectivement, c'est un frein!

Tout le mal gisait dans cette envie moderne de s'élever au-dessus de sa classe, d'avoir du luxe.

— Cependant, objecta un industriel, le luxe favorise le commerce. Aussi j'approuve le duc de Nemours d'exiger la culotte courte à ses soirées.

— M. Thiers y est venu en pantalon. Vous connaissez son mot?

— Oui, charmant! Mais il tourne au démagogue, et son discours dans la question des incompatibilités n'a pas été sans influence sur l'attentat du 12 mai [48].

— Ah bah!

— Eh! eh!

Le cercle fut contraint de s'entr'ouvrir pour livrer passage à un domestique portant un plateau, et qui tâchait d'entrer dans le salon des joueurs.

Sous l'abat-jour vert des bougies, des rangées de cartes et de pièces d'or couvraient la table. Frédéric s'arrêta devant une d'elles, perdit les quinze napoléons qu'il avait dans sa poche, fit une pirouette, et se trouva au seuil du boudoir où était alors Mme Dambreuse.

Des femmes le remplissaient, les unes près des autres, sur des chaises sans dossier. Leurs longues jupes, bouffant autour d'elles, semblaient des flots d'où leur taille émergeait, et les seins s'offraient aux regards dans l'échancrure des corsages. Presque toutes portaient un bouquet de violettes à la main. Le ton mat de leurs gants faisait ressortir la blancheur humaine de leurs bras; des effilés, des herbes, leur pendaient sur les épaules, et on croyait quelquefois, à certains frissonnements, que la robe allait tomber. Mais la décence des figures tempérait les provocations du costume; plusieurs même avaient une placidité presque bestiale, et ce rassemblement de femmes demi-nues faisait songer à un

intérieur de harem; il vint à l'esprit du jeune homme une comparaison plus grossière. En effet, toutes sortes de beautés se trouvaient là : des Anglaises à profil de keepsake, une Italienne dont les yeux noirs fulguraient comme un Vésuve, trois sœurs habillées de bleu, trois Normandes, fraîches comme des pommiers d'avril, une grande rousse avec une parure d'améthystes; et les blanches scintillations des diamants qui tremblaient en aigrettes dans les chevelures, les taches lumineuses des pierreries étalées sur les poitrines, et l'éclat doux des perles accompagnant les visages mêlaient au miroitement des anneaux d'or, aux dentelles, à la poudre, aux plumes, au vermillon des petites bouches, à la nacre des dents. Le plafond, arrondi en coupole, donnait au boudoir la forme d'une corbeille; et un courant d'air parfumé circulait sous le battement des éventails.

Frédéric, campé derrière elles avec son lorgnon dans l'œil, ne jugeait pas toutes les épaules irréprochables; il songeait à la Maréchale, ce qui refoulait ses tentations, ou l'en consolait.

Il regardait cependant Mme Dambreuse, et il la trouvait charmante, malgré sa bouche un peu longue et ses narines trop ouvertes. Mais sa grâce était particulière. Les boucles de sa chevelure avaient comme une langueur passionnée, et son front couleur d'agate semblait contenir beaucoup de choses et dénotait un maître.

Elle avait mis près d'elle la nièce de son mari, jeune personne assez laide. De temps à autre, elle se dérangeait pour recevoir celles qui entraient; et le murmure des voix féminines, augmentant, faisait comme un caquetage d'oiseaux.

Il était question des ambassadeurs tunisiens et de leurs costumes. Une dame avait assisté à la dernière réception de l'Académie; une autre parla du *Don Juan* de Molière, représenté nouvellement aux Français. Mais, désignant sa nièce d'un coup d'œil, Mme Dambreuse posa un doigt contre sa bouche, et un sourire qui lui échappa démentait cette austérité.

Tout à coup, Martinon apparut, en face, sous l'autre porte. Elle se leva. Il lui offrit son bras. Frédéric, pour le voir continuer ses galanteries, traversa les tables de jeu et les rejoignit dans le grand salon; Mme Dambreuse quitta aussitôt son cavalier, et l'entretint familièrement.

Elle comprenait qu'il ne jouât pas, ne dansât pas.

— Dans la jeunesse on est triste!

Puis, enveloppant le bal d'un seul regard :

— D'ailleurs, tout cela n'est pas drôle! pour certaines natures du moins!

Et elle s'arrêtait devant la rangée des fauteuils, distribuant çà et là des mots aimables, tandis que des vieux, qui avaient des binocles à deux branches, venaient lui faire la cour. Elle présenta Frédéric à quelques-uns. M. Dambreuse le toucha au coude légèrement, et l'emmena dehors sur la terrasse.

Il avait vu le ministre. La chose n'était pas facile. Avant d'être présenté comme auditeur au Conseil d'État, on devait subir un examen; Frédéric, pris d'une

---

47. Drame tiré du roman d'Alexandre Dumas et représenté pour la première fois le 20 février 1847 au Théâtre de la Porte Saint-Martin.

48. Insurrection fomentée le 12 mai 1839 par une société secrète dite « Société des Saisons ».

confiance inexplicable, répondit qu'il en savait les matières.

Le financier n'en était pas surpris, d'après tous les éloges que faisait de lui M. Roque.

A ce nom, Frédéric revit la petite Louise, sa maison, sa chambre; et il se rappela des nuits pareilles, où il restait à sa fenêtre, écoutant les rouliers qui passaient. Ce souvenir de ses tristesses amena la pensée de Mme Arnoux; et il se taisait tout en continuant à marcher sur la terrasse. Les croisées dressaient au milieu des ténèbres de longues plaques rouges; le bruit du bal s'affaiblissait; les voitures commençaient à s'en aller.

— Pourquoi donc, reprit M. Dambreuse, tenez-vous au Conseil d'État?

Et il affirma, d'un ton de libéral, que les fonctions publiques ne menaient à rien, il en savait quelque chose; les affaires valaient mieux. Frédéric objecta la difficulté de les apprendre.

— Ah bah! en peu de temps, je vous y mettrais.

Voulait-il l'associer à ses entreprises?

Le jeune homme aperçut, comme dans un éclair, une immense fortune, qui allait venir.

— Rentrons, dit le banquier. Vous soupez avec nous, n'est-ce pas?

Il était trois heures, on partait. Dans la salle à manger, une table servie attendait les intimes.

M. Dambreuse aperçut Martinon, et, s'approchant de sa femme, d'une voix basse :

— C'est vous qui l'avez invité?

Elle répliqua sèchement :

— Mais oui!

La nièce n'était pas là. On but très bien, on rit très haut; et des plaisanteries hasardeuses ne choquèrent point, tous éprouvant cet allégement qui suit les contraintes un peu longues. Seul, Martinon se montra sérieux; il refusa de boire du vin de Champagne par bon genre, souple d'ailleurs et fort poli, car M. Dambreuse, qui avait la poitrine étroite, se plaignant d'oppression, il s'informa de sa santé à plusieurs reprises; puis il dirigeait ses yeux bleuâtres du côté de Mme Dambreuse.

Elle interpella Frédéric, pour savoir quelles jeunes personnes lui avaient plu. Il n'en avait remarqué aucune, et préférait, d'ailleurs, les femmes de trente ans.

— Ce n'est peut-être pas bête! répondit-elle.

Puis, comme on mettait les pelisses et les paletots, M. Dambreuse lui dit :

— Venez me voir un de ces matins, nous causerons!

Martinon, au bas de l'escalier, alluma un cigare; et il offrait, en le suçant, un profil tellement lourd, que son compagnon lâcha cette phrase :

— Tu as une bonne tête, ma parole!

— Elle en a fait tourner quelques-unes! reprit le jeune magistrat, d'un air à la fois convaincu et vexé.

Frédéric, en se couchant, résuma la soirée. D'abord, sa toilette (il s'était observé dans les glaces plusieurs fois), depuis la coupe de l'habit jusqu'au nœud des escarpins, ne laissait rien à reprendre; il avait parlé à des hommes considérables, avait vu de près des femmes riches, M. Dambreuse s'était montré excellent et Mme Dambreuse presque engageante. Il pesa un à un ses moindres mots, ses regards, mille choses inanalysables et cependant expressives. Ce serait crânement beau d'avoir une pareille maîtresse! Pourquoi non, après tout? Il en valait bien un autre! Peut-être qu'elle n'était pas si difficile? Martinon ensuite revint à sa mémoire; et, en s'endormant, il souriait de pitié sur ce brave garçon.

L'idée de la Maréchale le réveilla; ces mots de son billet : « A partir de demain soir », étaient bien un rendez-vous pour le jour même. Il attendit jusqu'à neuf heures, et courut chez elle.

Quelqu'un devant lui, qui montait l'escalier, ferma la porte. Il tira la sonnette; Delphine vint ouvrir, et affirma que Madame n'y était pas.

Frédéric insista, pria. Il avait à lui communiquer quelque chose de très grave, un simple mot. Enfin l'argument de la pièce de cent sous réussit, et la bonne le laissa seul dans l'antichambre.

Rosanette parut. Elle était en chemise, les cheveux dénoués; et, tout en hochant la tête, elle fit de loin avec les deux bras un grand geste exprimant qu'elle ne pouvait le recevoir.

Frédéric descendit l'escalier, lentement. Ce caprice-là dépassait tous les autres. Il n'y comprenait rien.

Devant la loge du portier, Mlle Vatnaz l'arrêta.

— Elle vous a reçu?

— Non!

— On vous a mis à la porte?

— Comment le savez-vous?

— Ça se voit! Mais venez! sortons! j'étouffe!

Elle l'emmena dans la rue. Elle haletait. Il sentait son bras maigre trembler sur le sien. Tout à coup elle éclata :

— Ah! le misérable!

— Qui donc?

— Mais c'est lui! lui! Delmar!

Cette révélation humilia Frédéric; il reprit :

— En êtes-vous bien sûre?

— Mais quand je vous dis que je l'ai suivi! s'écria la Vatnaz; je l'ai vu entrer! Comprenez-vous maintenant? Je devais m'y attendre, d'ailleurs; c'est moi, dans ma bêtise, qui l'ai mené chez elle. Et si vous saviez, mon Dieu! Je l'ai recueilli, je l'ai nourri, je l'ai habillé; et toutes mes démarches dans les journaux! Je l'aimais comme une mère! — Puis, avec un ricanement : — Ah! c'est qu'il faut à Monsieur des robes de velours! une spéculation de sa part, vous pensez bien! Et elle! Dire que je l'ai connue confectionneuse de lingerie! Sans moi, plus de vingt fois, elle serait tombée dans la crotte. Mais je l'y plongerai! oh oui! Je veux qu'elle crève à l'hôpital! On saura tout!

Et, comme un torrent d'eau de vaisselle qui charrie des ordures, sa colère fit passer tumultueusement sous Frédéric les hontes de sa rivale.

— Elle a couché avec Jumillac, avec Flacourt, avec le petit Allard, avec Bertinaux, avec Saint-Valéry, le grêlé. Non! l'autre! Ils sont deux frères, n'importe! Et quand elle avait des embarras, j'arrangeais tout. Qu'est-ce que j'y gagnais? Elle est si avare! Et puis, vous en conviendrez, c'était une jolie complaisance que de la voir, car enfin, nous ne sommes pas du même monde! Est-ce que je suis une fille, moi! Est-ce que je me vends! Sans compter qu'elle est bête comme un chou! Elle écrit catégorie par un *th*. Au reste, ils vont bien ensemble; ça fait la paire, quoiqu'il s'intitule artiste et se croie du génie! Mais, mon Dieu! s'il avait seulement de l'intelligence, il n'aurait pas commis une infamie pareille! On ne quitte pas une femme supérieure pour une coquine! Je m'en moque, après tout. Il devient laid! Je l'exècre! Si je le rencontrais, tenez, je lui cracherais à la figure. — Elle cracha. — Oui, voilà le cas que j'en fais maintenant! Et Arnoux, hein? N'est-ce pas abominable? Il lui a tant de fois pardonné! On n'imagine pas ses sacrifices! Elle devrait baiser ses pieds! Il est si généreux, si bon!

Frédéric jouissait à entendre dénigrer Delmar. Il avait accepté Arnoux. Cette perfidie de Rosanette lui semblait une chose anormale, injuste; et, gagné par l'émotion de la vieille fille, il arrivait à sentir pour lui comme de l'attendrissement. Tout à coup, il se trouva devant sa porte; Mlle Vatnaz, sans qu'il s'en aperçût, lui avait fait descendre le faubourg Poissonnière.

— Nous y voilà, dit-elle. Moi, je ne peux pas monter. Mais vous, rien ne vous empêche?

— Pour quoi faire?

— Pour lui dire tout, parbleu!

Frédéric, comme se réveillant en sursaut, comprit l'infamie où on le poussait.

— Eh bien? reprit-elle.

Il leva les yeux vers le second étage. La lampe de Mme Arnoux brûlait. Rien effectivement ne l'empêchait de monter.

— Je vous attends ici. Allez donc!

Ce commandement acheva de le refroidir, et il dit :

— Je serai là-haut longtemps. Vous feriez mieux de vous en retourner. J'irai demain chez vous.

— Non, non! répliqua la Vatnaz, en tapant du pied. Prenez-le! emmenez-le! faites qu'il les surprenne!

— Mais Delmar n'y sera plus!

Elle baissa la tête.

— Oui, c'est peut-être vrai.

Et elle resta sans parler, au milieu de la rue, entre les voitures; puis, fixant sur lui ses yeux de chatte sauvage.

— Je peux compter sur vous, n'est-ce pas? Entre nous deux maintenant, c'est sacré! Faites donc. A demain!

Frédéric, en traversant le corridor, entendit deux voix qui se répondaient. Celle de Mme Arnoux disait :

— Ne mens pas! ne mens donc pas!

Il entra. On se tut.

Arnoux marchait de long en large, et Madame était assise sur la petite chaise près du feu, extrêmement pâle, l'œil fixe. Frédéric fit un mouvement pour se retirer. Arnoux lui saisit la main, heureux du secours qui lui arrivait.

— Mais je crains..., dit Frédéric.

— Restez donc! souffla Arnoux dans son oreille.

Madame reprit :

— Il faut être indulgent, monsieur Moreau! Ce sont de ces choses que l'on rencontre parfois dans les ménages.

— C'est qu'on les y met, dit gaillardement Arnoux. Les femmes vous ont des lubies! Ainsi, celle-là, par exemple, n'est pas mauvaise. Non, au contraire! Eh bien, elle s'amuse depuis une heure à me taquiner avec un tas d'histoires.

— Elles sont vraies! répliqua Mme Arnoux impatientée. Car, enfin, tu l'as acheté.

— Moi?

— Oui, toi-même! au Persan!

« Le cachemire! » pensa Frédéric.

Il se sentait coupable et avait peur.

Elle ajouta, de suite :

— C'était l'autre mois, un samedi, le 14.

— Ah! ce jour-là, précisément, j'étais à Creil! Ainsi, tu vois.

— Pas du tout! Car nous avons dîné chez les Bertin, le 14.

— Le 14?... fit Arnoux, en levant les yeux comme pour chercher une date.

— Et même, le commis qui t'a vendu était un blond!

— Est-ce que je peux me rappeler le commis!

— Il a cependant écrit, sous ta dictée, l'adresse : 18, rue de Laval.

— Comment sais-tu? dit Arnoux stupéfait.

Elle leva les épaules.

— Oh! c'est bien simple : j'ai été pour faire réparer mon cachemire, et un chef de rayon m'a appris qu'on venait d'en expédier un autre pareil chez Mme Arnoux.

— Est-ce ma faute, à moi, s'il y a dans la même rue une dame Arnoux?

— Oui, mais pas Jacques Arnoux, reprit-elle.

Alors, il se mit à divaguer, protestant de son innocence. C'était une méprise, un hasard, une de ces choses inexplicables comme il en arrive. On ne devait pas condamner les gens sur de simples soupçons, des indices vagues; et il cita l'exemple de l'infortuné Lesurques [49].

— Enfin, j'affirme que tu te trompes! Veux-tu que je t'en jure ma parole?

— Ce n'est pas la peine!

— Pourquoi?

Elle le regarda en face, sans rien dire; puis allongea la main, prit le coffret d'argent sur la cheminée, et tendit une facture grande ouverte.

Arnoux rougit jusqu'aux oreilles et ses traits décomposés s'enflèrent.

— Eh bien?

— Mais... répondit-il lentement, qu'est-ce que ça prouve?

— Ah! fit-elle, avec une intonation de voix singulière, où il y avait de la douleur et de l'ironie. Ah!

Arnoux gardait la note entre ses mains, et la retournait, n'en détachant pas les yeux comme s'il avait dû y découvrir la solution d'un grand problème.

— Oh! oui, oui, je me rappelle, dit-il enfin. C'est

---

49. Joseph Lesurques (1763-1796) fut accusé, sans doute à tort, de participation à l'assassinat du courrier de Lyon (27 avril 1796), condamné à mort et exécuté.

une commission. — Vous devez savoir cela, vous, Frédéric? — Frédéric se taisait. — Une commission dont j'étais chargé... par... par le père Oudry.

— Et pour qui?

— Pour sa maîtresse!

— Pour la vôtre! s'écria Mme Arnoux, se levant toute droite.

— Je te jure...

— Ne recommencez pas! Je sais tout!

— Ah! très bien! Ainsi, on m'espionne!

Elle répliqua froidement :

— Cela blesse, peut-être, votre délicatesse?

— Du moment qu'on s'emporte, reprit Arnoux, en cherchant son chapeau, et qu'il n'y a pas moyen de raisonner!

Puis, avec un grand soupir :

— Ne vous mariez pas, mon pauvre ami, non, croyez-moi!

Et il décampa, ayant besoin de prendre l'air.

Alors, il se fit un grand silence; et tout, dans l'appartement, sembla plus immobile. Un cercle lumineux, au-dessus du carcel [50], blanchissait le plafond, tandis que, dans les coins, l'ombre s'étendait comme des gazes noires superposées; on entendait le tic-tac de la pendule avec la crépitation du feu.

Mme Arnoux venait de se rasseoir, à l'autre angle de la cheminée, dans le fauteuil; elle mordait ses lèvres en grelottant; ses deux mains se levèrent, un sanglot lui échappa, elle pleurait.

Il se mit sur la petite chaise; et, d'une voix caressante, comme on fait pour une personne malade :

— Vous ne doutez pas que je ne partage...?

Elle ne répondit rien. Mais, continuant tout haut ses réflexions :

— Je le laisse bien libre! Il n'avait pas besoin de mentir!

— Certainement, dit Frédéric.

C'était la conséquence de ses habitudes sans doute, il n'y avait pas songé, et peut-être que, dans des choses plus graves...

— Que voyez-vous donc de plus grave?

— Oh! rien!

Frédéric s'inclina, avec un sourire d'obéissance. Arnoux néanmoins possédait certaines qualités; il aimait ses enfants.

— Ah! et il fait tout pour les ruiner!

Cela venait de son humeur trop facile; car, enfin, c'était un bon garçon.

Elle s'écria :

— Mais qu'est-ce que cela veut dire, un bon garçon?

Il le défendait ainsi, de la manière la plus vague qu'il pouvait trouver, et, tout en la plaignant, il se réjouissait, se délectait au fond de l'âme. Par vengeance ou besoin d'affection, elle se réfugierait vers lui. Son espoir, démesurément accru, renforçait son amour.

Jamais elle ne lui avait paru si captivante, si profondément belle. De temps à autre, une aspiration soulevait sa poitrine; ses deux yeux fixes semblaient

50. Lampe à huile inventée par l'horloger Carcel.

dilatés par une vision intérieure, et sa bouche demeurait entre-close comme pour donner son âme. Quelquefois, elle appuyait dessus fortement son mouchoir; il aurait voulu ce petit morceau de batiste tout trempé de larmes. Malgré lui, il regardait la couche, au fond de l'alcôve, en imaginant sa tête sur l'oreiller; et il voyait cela si bien, qu'il se retenait pour ne pas la saisir dans ses bras. Elle ferma les paupières, apaisée, inerte. Alors, il s'approcha de plus près, et, penché sur elle, il examinait avidement sa figure. Un bruit de bottes résonna dans le couloir, c'était l'autre. Ils l'entendirent fermer la porte de sa chambre. Frédéric demanda, d'un signe, à Mme Arnoux, s'il devait y aller.

Elle répliqua « oui » de la même façon; et ce muet échange de leurs pensées était comme un consentement, un début d'adultère.

Arnoux, près de se coucher, défaisait sa redingote.

— Eh bien, comment va-t-elle?

— Oh! mieux! dit Frédéric. Cela se passera!

Mais Arnoux était peiné.

— Vous ne la connaissez pas! Elle a maintenant des nerfs!... Imbécile de commis! Voilà ce que c'est que d'être trop bon! Si je n'avais pas donné ce maudit châle à Rosanette!

— Ne regrettez rien! Elle vous est on ne peut plus reconnaissante!

— Vous croyez?

Frédéric n'en doutait pas. La preuve, c'est qu'elle venait de congédier le père Oudry.

— Ah! pauvre biche!

Et, dans l'excès de son émotion, Arnoux voulait courir auprès d'elle.

— Ce n'est pas la peine! j'en viens. Elle est malade!

— Raison de plus!

Il repassa vivement sa redingote et avait pris son bougeoir. Frédéric se maudit pour sa sottise, et lui représenta qu'il devait, par décence, rester ce soir auprès de sa femme. Il ne pouvait l'abandonner, ce serait très mal.

— Franchement, vous auriez tort! Rien ne presse, là-bas! Vous irez demain! Voyons! faites cela pour moi.

Arnoux déposa son bougeoir, et lui dit, en l'embrassant :

— Vous êtes bon, vous!

III

Alors commença pour Frédéric une existence misérable. Il fut le parasite de la maison.

Si quelqu'un était indisposé, il venait trois fois par jour savoir de ses nouvelles, allait chez l'accordeur de piano, inventait mille prévenances; et il endurait d'un air content les bouderies de Mlle Marthe et les caresses du jeune Eugène, qui lui passait toujours ses mains sales sur la figure. Il assistait aux dîners où Monsieur et Madame, en face l'un de l'autre, n'échangeaient pas un mot; ou bien, Arnoux agaçait sa femme par des remarques saugrenues. Le repas terminé, il jouait dans la chambre avec son fils, se cachait derrière les meubles, ou le portait sur son dos, en marchant à quatre pattes, comme le Béarnais. Il s'en allait enfin; et elle abordait immédiatement l'éternel sujet de plainte : Arnoux.

Ce n'était pas son inconduite qui l'indignait. Mais elle paraissait souffrir dans son orgueil, et laissait voir sa répugnance pour cet homme sans délicatesse, sans dignité, sans honneur.

— Ou plutôt il est fou! disait-elle.

Frédéric sollicitait adroitement ses confidences. Bientôt, il connut toute sa vie.

Ses parents étaient de petits bourgeois de Chartres. Un jour, Arnoux, dessinant au bord de la rivière (il se croyait peintre dans ce temps-là), l'avait aperçue comme elle sortait de l'église et demandée en mariage; à cause de sa fortune, on n'avait pas hésité. D'ailleurs, il l'aimait éperdument. Elle ajouta :

— Mon Dieu, il m'aime encore! à sa manière!

Ils avaient, les premiers mois, voyagé en Italie.

Arnoux, malgré son enthousiasme devant les paysages et les chefs-d'œuvre, n'avait fait que gémir sur le vin, et organisait des pique-niques avec des Anglais, pour se distraire. Quelques tableaux bien revendus l'avaient poussé au commerce des arts. Puis il s'était engoué d'une manufacture de faïence. D'autres spéculations, à présent, le tentaient; et, se vulgarisant de plus en plus, il prenait des habitudes grossières et dispendieuses. Elle avait moins à lui reprocher ses vices que toutes ses actions. Aucun changement ne pouvait survenir, et son malheur à elle était irréparable.

Frédéric affirmait que son existence, de même, se trouvait manquée.

Il était bien jeune cependant. Pourquoi désespérer? Et elle lui donnait de bons conseils : « Travaillez! mariez-vous! » Il répondait par des sourires amers; car, au lieu d'exprimer le véritable motif de son chagrin, il en feignait un autre, sublime, faisait un peu l'Antony [51], le maudit, — langage, du reste, qui ne dénaturait pas complètement sa pensée.

L'action, pour certains hommes, est d'autant plus impraticable que le désir est plus fort. La méfiance d'eux-mêmes les embarrasse, la crainte de déplaire les épouvante; d'ailleurs, les affections profondes ressemblent aux honnêtes femmes; elles ont peur d'être découvertes, et passent dans la vie les yeux baissés.

Bien qu'il connût Mme Arnoux davantage (à cause de cela, peut-être), il était encore plus lâche qu'autrefois. Chaque matin, il se jurait d'être hardi. Une invincible pudeur l'en empêchait; et il ne pouvait se guider d'après aucun exemple puisque celle-là différait des autres. Par la force de ses rêves, il l'avait posée en dehors des conditions humaines. Il se sentait, à côté d'elle, moins important sur la terre que les brindilles de soie s'échappant de ses ciseaux.

Puis il pensait à des choses monstrueuses, absurdes, telles que des surprises, la nuit, avec des narcotiques et des fausses clefs, — tout lui paraissait plus facile que d'affronter son dédain.

---

51. Type de l'amant fatal, héros d'*Antony*, drame d'Alexandre Dumas, représenté pour la première fois le 3 mai 1831 à la Porte Saint-Martin.

D'ailleurs, les enfants, les deux bonnes, la disposition des pièces faisaient d'insurmontables obstacles. Donc, il résolut de la posséder à lui seul, et d'aller vivre ensemble bien loin, au fond d'une solitude; il cherchait même sur quel lac assez bleu, au bord de quelle plage assez douce, si ce serait l'Espagne, la Suisse ou l'Orient; et, choisissant exprès les jours où elle semblait plus irritée, il lui disait qu'il faudrait sortir de là, imaginer un moyen, et qu'il n'en voyait pas d'autre qu'une séparation. Mais, pour l'amour de ses enfants, jamais elle n'en viendrait à une telle extrémité. Tant de vertu augmenta son respect.

Ses après-midi se passaient à se rappeler la visite de la veille, à désirer celle du soir. Quand il ne dînait pas chez eux, vers neuf heures, il se postait au coin de la rue; et, dès qu'Arnoux avait tiré la grande porte, Frédéric montait vivement les deux étages et demandait à la bonne d'un air ingénu :

— Monsieur est là?

Puis faisait l'homme surpris de ne pas le trouver.

Arnoux, souvent, rentrait à l'improviste. Alors, il fallait le suivre dans un petit café de la rue Sainte-Anne, que fréquentait maintenant Regimbart.

Le Citoyen commençait par articuler contre la Couronne quelque nouveau grief. Puis ils causaient, en se disant amicalement des injures; car le fabricant tenait Regimbart pour un penseur de haute volée, et, chagriné de voir tant de moyens perdus, il le taquinait sur sa paresse. Le Citoyen jugeait Arnoux plein de cœur et d'imagination, mais décidément trop immoral; aussi le traitait-il sans la moindre indulgence et refusait même de dîner chez lui, parce que « la cérémonie l'embêtait ».

Quelquefois, au moment des adieux, Arnoux était pris de fringale. Il « avait besoin » de manger une omelette ou des pommes cuites; et, les comestibles ne se trouvant jamais dans l'établissement, il les envoyait chercher. On attendait. Regimbart ne s'en allait pas, et finissait, en grommelant, par accepter quelque chose.

Il était sombre néanmoins, car il restait pendant des heures, en face du même verre à moitié plein. La Providence ne gouvernant point les choses selon ses idées, il tournait à l'hypocondriaque, ne voulait même plus lire les journaux, et poussait des rugissements au seul nom de l'Angleterre. Il s'écria une fois, à propos d'un garçon qui le servait mal :

— Est-ce que nous n'avons pas assez des affronts de l'étranger!

En dehors de ces crises, il se tenait taciturne, méditant « un coup infaillible pour faire péter toute la boutique ».

Tandis qu'il était perdu dans ses réflexions, Arnoux, d'une voix monotone et avec un regard un peu vide, contait d'incroyables anecdotes où il avait toujours brillé, grâce à son aplomb; et Frédéric (cela tenait sans doute à des ressemblances profondes) éprouvait un certain entraînement pour sa personne. Il se reprochait cette faiblesse, trouvant qu'il aurait dû le haïr, au contraire.

Arnoux se lamentait devant lui sur l'humeur de sa

femme, son entêtement, ses préventions injustes. Elle n'était pas comme cela autrefois.

— A votre place, disait Frédéric, je lui ferais une pension, et je vivrais seul.

Arnoux ne répondait rien; et, un moment après, entamait son éloge. Et elle était bonne, dévouée, intelligente, vertueuse; et, passant à ses qualités corporelles, il prodiguait les révélations, avec l'étourderie de ces gens qui étalent leurs trésors dans les auberges.

Une catastrophe dérangea son équilibre.

Il était entré, comme membre du conseil de surveillance, dans une compagnie de kaolin. Mais, se fiant à tout ce qu'on lui disait, il avait signé des rapports inexacts et approuvé, sans vérification, les inventaires annuels frauduleusement dressés par le gérant. Or, la compagnie avait croulé, et Arnoux, civilement responsable, venait d'être condamné, avec les autres, à la garantie des dommages-intérêts, ce qui lui faisait une perte d'environ trente mille francs, aggravée par les motifs du jugement.

Frédéric apprit cela dans un journal, et se précipita vers la rue de Paradis.

On le reçut dans la chambre de Madame. C'était l'heure du premier déjeuner. Des bols de café au lait encombraient un guéridon auprès du feu. Des savates traînaient sur le tapis, des vêtements sur les fauteuils. Arnoux, en caleçon et en veste de tricot, avait les yeux rouges et la chevelure ébouriffée; le petit Eugène, à cause de ses oreillons, pleurait, tout en grignotant sa tartine; sa sœur mangeait tranquillement; Mme Arnoux, un peu plus pâle que d'habitude, les servait tous les trois.

— Eh bien, dit Arnoux, en poussant un gros soupir, vous savez! — Et Frédéric ayant fait un geste de compassion : — Voilà! J'ai été victime de ma confiance!

Puis il se tut; et son abattement était si fort, qu'il repoussa le déjeuner. Mme Arnoux leva les yeux, avec un haussement d'épaules. Il se passa les mains sur le front.

— Après tout, je ne suis pas coupable. Je n'ai rien à me reprocher. C'est un malheur! On s'en tirera! Ah! ma foi, tant pis!

Et il entama une brioche, obéissant, du reste, aux sollicitations de sa femme.

Le soir, il voulut dîner seul, avec elle, dans un cabinet particulier, à la Maison d'Or. Mme Arnoux ne comprit rien à ce mouvement de cœur, s'offensant même d'être traitée en lorette; ce qui, de la part d'Arnoux, au contraire, était une preuve d'affection. Puis, comme il s'ennuyait, il alla se distraire chez la Maréchale.

Jusqu'à présent, on lui avait passé beaucoup de choses, grâce à son caractère bonhomme. Son procès le classa parmi les gens tarés. Une solitude se fit autour de sa maison.

Frédéric, par point d'honneur, crut devoir les fréquenter plus que jamais. Il loua une baignoire aux Italiens et les y conduisit chaque semaine. Cependant, ils en étaient à cette période où, dans des unions disparates, une invincible lassitude ressort des concessions que l'on s'est faites et rend l'existence intolérable.

Mme Arnoux se retenait pour ne pas éclater, Arnoux s'assombrissait; et le spectacle de ces deux êtres malheureux attristait Frédéric.

Elle l'avait chargé, puisqu'il possédait sa confiance, de s'enquérir de ses affaires. Mais il avait honte, il souffrait de prendre ses dîners en ambitionnant sa femme. Il continuait, néanmoins, se donnant pour excuse qu'il devait la défendre, et qu'une occasion pouvait se présenter de lui être utile.

Huit jours après le bal, il avait fait une visite à M. Dambreuse. Le financier lui avait offert une vingtaine d'actions dans son entreprise de houilles; Frédéric n'y était pas retourné. Deslauriers lui écrivait des lettres; il les laissait sans réponse. Pellerin l'avait engagé à venir voir le portrait; il l'éconduisait toujours. Il céda cependant à Cisy, qui l'obsédait pour faire la connaissance de Rosanette.

Elle le reçut fort gentiment, mais sans lui sauter au cou, comme autrefois. Son compagnon fut heureux d'être admis chez une impure, et surtout de causer avec un acteur : Delmar se trouvait là.

Un drame, où il avait représenté un manant qui fait la leçon à Louis XIV et prophétise 89, l'avait mis en telle évidence, qu'on lui fabriquait sans cesse le même rôle; et sa fonction, maintenant, consistait à bafouer les monarques de tous les pays. Brasseur anglais, il invectivait Charles Ier; étudiant de Salamanque, maudissait Philippe II; ou, père sensible, s'indignait contre la Pompadour, c'était le plus beau! Les gamins, pour le voir, l'attendaient à la porte des coulisses; et sa biographie, vendue dans les entr'actes, le dépeignait comme soignant sa vieille mère, lisant l'Evangile, assistant les pauvres, enfin sous les couleurs d'un saint Vincent de Paul mélangé de Brutus et de Mirabeau. On disait : « Notre Delmar ». Il avait une mission, il devenait Christ.

Tout cela avait fasciné Rosanette; et elle s'était débarrassée du père Oudry, sans se soucier de rien, n'étant pas cupide.

Arnoux, qui la connaissait, en avait profité pendant longtemps pour l'entretenir à peu de frais; le bonhomme était venu, et ils avaient eu soin, tous les trois, de ne point s'expliquer franchement. Puis, s'imaginant qu'elle congédiait l'autre pour lui seul, Arnoux avait augmenté sa pension. Mais ses demandes se renouvelaient avec une fréquence inexplicable, car elle menait un train moins dispendieux; elle avait même vendu jusqu'au cachemire, tenant à s'acquitter de ses vieilles dettes, disait-elle; et il donnait toujours, elle l'ensorcelait, elle abusait de lui, sans pitié. Aussi les factures, les papiers timbrés pleuvaient dans la maison. Frédéric sentait une crise prochaine.

Un jour, il se présenta pour voir Mme Arnoux. Elle était sortie. Monsieur travaillait en bas dans le magasin.

En effet, Arnoux, au milieu de ses potiches, tâchait d'*enfoncer* de jeunes mariés, des bourgeois de la province. Il parlait du tournage et du tournassage [52], du

---

52. Façon qu'on donne aux poteries fines sur le tour; truité : procédé qui consiste à fendiller la couverte, pour que les couleurs pénètrent dans les fentes.

truité et du glacé; les autres, ne voulant pas avoir l'air de n'y rien comprendre, faisaient des signes d'approbation et achetaient.

Quand les chalands furent dehors, il conta qu'il avait eu, le matin, avec sa femme une petite altercation. Pour prévenir les observations sur la dépense, il avait affirmé que la Maréchale n'était plus sa maîtresse.

— Je lui ai même dit que c'était la vôtre.

Frédéric fut indigné; mais des reproches pouvaient le trahir; il balbutia :

— Ah! vous avez eu tort, grand tort!

— Qu'est-ce que ça fait? dit Arnoux. Où est le déshonneur de passer pour son amant? Je le suis bien, moi! Ne seriez-vous pas flatté de l'être?

Avait-elle parlé? Etait-ce une allusion? Frédéric se hâta de répondre :

— Non! pas du tout! au contraire!

— Eh bien, alors?

— Oui, c'est vrai! cela n'y fait rien.

Arnoux reprit :

— Pourquoi ne venez-vous plus là-bas?

Frédéric promit d'y retourner.

— Ah! j'oubliais! vous devriez..., en causant de Rosanette..., lâcher à ma femme quelque chose... je ne sais quoi, mais vous trouverez... quelque chose qui la persuade que vous êtes son amant. Je vous demande cela comme un service, hein?

Le jeune homme, pour toute réponse, fit une grimace ambiguë. Cette calomnie le perdait. Il alla le soir même chez elle, et jura que l'allégation d'Arnoux était fausse.

— Bien vrai?

Il paraissait sincère; et, quand elle eut respiré largement, elle lui dit : « Je vous crois », avec un beau sourire; puis elle baissa la tête, et, sans le regarder :

— Au reste, personne n'a de droit sur vous!

Elle ne devinait donc rien, et elle le méprisait, puisqu'elle ne pensait pas qu'il pût assez l'aimer pour lui être fidèle! Frédéric, oubliant ses tentatives près de l'autre, trouvait la permission outrageante.

Ensuite, elle le pria d'aller quelquefois « chez cette femme » pour voir un peu ce qui en était.

Arnoux survint, et, cinq minutes après, voulut l'entraîner chez Rosanette.

La situation devenait intolérable.

Il en fut distrait par une lettre du notaire qui devait lui envoyer le lendemain quinze mille francs; et, pour réparer sa négligence envers Deslauriers, il alla lui apprendre tout de suite cette bonne nouvelle.

L'avocat logeait rue des Trois-Maries, au cinquième étage, sur une cour. Son cabinet, petite pièce carrelée, froide, et tendue d'un papier grisâtre, avait pour principale décoration une médaille en or, son prix de doctorat, insérée dans un cadre d'ébène contre la glace. Une bibliothèque d'acajou enfermait sous vitres cent volumes, à peu près. Le bureau, couvert de basane, tenait le milieu de l'appartement. Quatre vieux fauteuils de velours vert en occupaient les coins : et des copeaux flambaient dans la cheminée, où il y avait toujours un fagot prêt à allumer au coup de sonnette.

C'était l'heure de ses consultations; l'avocat portait une cravate blanche.

L'annonce des quinze mille francs (il n'y comptait plus, sans doute) lui causa un ricanement de plaisir.

— C'est bien, mon brave, c'est bien, c'est très bien!

Il jeta du bois dans le feu, se rassit, et parla immédiatement du journal. La première chose à faire était de se débarrasser d'Hussonnet.

— Ce crétin-là me fatigue! Quant à desservir une opinion, le plus équitable, selon moi, et le plus fort, c'est de n'en avoir aucune.

Frédéric parut étonné.

— Mais sans doute! Il serait temps de traiter la Politique scientifiquement. Les vieux du XVIIIe siècle commençaient, quand Rousseau, les littérateurs, y ont introduit la philanthropie, la poésie, et autres blagues, pour la plus grande joie des catholiques; alliance naturelle, du reste, puisque les réformateurs modernes (je peux le prouver) croient tous à la Révélation. Mais, si vous chantez des messes pour la Pologne, si à la place du Dieu des dominicains, qui était un bourreau, vous prenez le Dieu des romantiques, qui est un tapissier; si, enfin, vous n'avez pas de l'Absolu une conception plus large que vos aïeux, la monarchie percera sous vos formes républicaines, et votre bonnet rouge ne sera jamais qu'une calotte sacerdotale! Seulement, le régime cellulaire aura remplacé la torture, l'outrage à la Religion le sacrilège, le concert européen la Sainte-Alliance; et, dans ce bel ordre qu'on admire, fait de débris louis-quatorziens, de ruines voltairiennes, avec du badigeon impérial par-dessus et des fragments de constitution anglaise, on verra les conseils municipaux tâchant de vexer le maire, les conseils généraux leur préfet, les chambres le roi, la presse le pouvoir, l'administration tout le monde! Mais les bonnes âmes s'extasient sur le Code civil, œuvre fabriquée, quoi qu'on dise, dans un esprit mesquin, tyrannique; car le législateur, au lieu de faire son état, qui est de régulariser la coutume, a prétendu modeler la société comme un Lycurgue! Pourquoi la loi gêne-t-elle le père de famille en matière de testament? Pourquoi entrave-t-elle la vente forcée des immeubles? Pourquoi punit-elle comme délit le vagabondage, lequel ne devrait pas être même une contravention? Et il y en a d'autres! Je les connais! aussi je vais écrire un petit roman intitulé : *Histoire de l'idée de justice*, qui sera drôle! Mais j'ai une soif abominable! et toi?

Il se pencha par la fenêtre et cria au portier d'aller chercher des grogs au cabaret.

— En résumé, je vois trois partis... non! trois groupes, — et dont aucun ne m'intéresse : ceux qui ont, ceux qui n'ont plus et ceux qui tâchent d'avoir. Mais tous s'accordent dans l'idolâtrie imbécile de l'Autorité! Exemples : Mably recommande qu'on empêche les philosophes de publier leurs doctrines; M. Wronski, géomètre, appelle en son langage la censure « répression critique de la spontanéité spéculative »; le père Enfantin bénit les Habsbourg « d'avoir passé par-dessus les Alpes une main pesante pour comprimer l'Italie »; Pierre Leroux veut qu'on vous force à entendre un orateur, et

Louis Blanc incline à une religion d'État, tant ce peuple de vassaux a la rage du gouvernement! Pas un cependant n'est légitime, malgré leurs sempiternels principes. Mais, *principe* signifiant *origine*, il faut se reporter toujours à une révolution, à un acte de violence, à un fait transitoire. Ainsi, le principe du nôtre est la souveraineté nationale, comprise dans la forme parlementaire, quoique le parlement n'en convienne pas! Mais en quoi la souveraineté du peuple serait-elle plus sacrée que le droit divin? L'un et l'autre sont deux fictions! Assez de métaphysique, plus de fantômes! Pas n'est besoin de dogmes pour faire balayer les rues! On dira que je renverse la société! Eh bien, après? où serait le mal? Elle est propre en effet, ta société!

Frédéric aurait eu beaucoup de choses à lui répondre. Mais, le voyant loin des théories de Sénécal, il était plein d'indulgence. Il se contenta d'objecter qu'un pareil système les ferait haïr généralement.

— Au contraire, comme nous aurons donné à chaque parti un gage de haine contre son voisin, tous compteront sur nous. Tu vas t'y mettre aussi, toi, et nous faire de la critique transcendante!

Il fallait attaquer les idées reçues, l'Académie, l'École Normale, le Conservatoire, la Comédie-Française, tout ce qui ressemblait à une institution. C'est par là qu'ils donneraient un ensemble de doctrine à leur Revue. Puis, quand elle serait bien posée, le journal tout à coup deviendrait quotidien; alors, ils s'en prendraient aux personnes.

— Et on nous respectera, sois-en sûr!

Deslauriers touchait à son vieux rêve : une rédaction en chef, c'est-à-dire au bonheur inexprimable de diriger les autres, de tailler en plein dans leurs articles, d'en commander, d'en refuser. Ses yeux pétillaient sous ses lunettes, il s'exaltait et buvait des petits verres, coup sur coup, machinalement.

— Il faudra que tu donnes un dîner une fois la semaine. C'est indispensable, quand même la moitié de ton revenu y passerait! On voudra y venir, ce sera un centre pour les autres, un levier pour toi; et, maniant l'opinion par les deux bouts, littérature et politique, avant six mois, tu verras, nous tiendrons le haut du pavé dans Paris.

Frédéric, en l'écoutant, éprouvait une sensation de rajeunissement, comme un homme qui, après un long séjour dans une chambre, est transporté au grand air. Cet enthousiasme le gagnait.

— Oui, j'ai été un paresseux, un imbécile, tu as raison!

— A la bonne heure! s'écria Deslauriers; je retrouve mon Frédéric!

Et, lui mettant le poing sous la mâchoire :

— Ah! tu m'as fait souffrir. N'importe! je t'aime tout de même.

Ils étaient debout et se regardaient, attendris l'un et l'autre, et près de s'embrasser.

Un bonnet de femme parut au seuil de l'antichambre.

— Qui t'amène? dit Deslauriers.

C'était Mlle Clémence, sa maîtresse.

Elle répondit que, passant devant sa maison par hasard, elle n'avait pu résister au désir de le voir; et,

pour faire une petite collation ensemble, elle lui apportait des gâteaux, qu'elle déposa sur la table.

— Prends garde à mes papiers! reprit aigrement l'avocat. D'ailleurs, c'est la troisième fois que je te défends de venir pendant mes consultations.

Elle voulut l'embrasser.

— Bien! va-t'en! file ton nœud!

Il la repoussait, elle eut un grand sanglot.

— Ah! tu m'ennuies, à la fin!

— C'est que je t'aime!

— Je ne demande pas qu'on m'aime, mais qu'on m'oblige!

Ce mot, si dur, arrêta les larmes de Clémence. Elle se planta devant la fenêtre, et y restait immobile, le front posé contre le carreau.

Son attitude et son mutisme agaçaient Deslauriers.

— Quand tu auras fini, tu commanderas ton carrosse, n'est-ce pas?

Elle se retourna en sursaut.

— Tu me renvoies!

— Parfaitement!

Elle fixa sur lui ses grands yeux bleus, pour une dernière prière sans doute, puis croisa les deux bouts de son tartan [53], attendit une minute encore et s'en alla.

— Tu devrais la rappeler, dit Frédéric.

— Allons donc!

Et, comme il avait besoin de sortir, Deslauriers passa dans sa cuisine, qui était son cabinet de toilette. Il y avait sur la dalle, près d'une paire de bottes, les débris d'un maigre déjeuner, et un matelas avec une couverture était roulé par terre dans un coin.

— Ceci te démontre, dit-il, que je reçois peu de marquises! On s'en passe aisément, va! et des autres aussi. Celles qui ne coûtent rien prennent votre temps; c'est de l'argent sous une autre forme; or, je ne suis pas riche! Et puis elles sont toutes si bêtes! si bêtes! Est-ce que tu peux causer avec une femme, toi?

Ils se séparèrent à l'angle du Pont-Neuf.

— Ainsi, c'est convenu! tu m'apporteras la chose demain, dès que tu l'auras.

— Convenu! dit Frédéric.

Le lendemain, à son réveil, il reçut par la poste un bon de quinze mille francs sur la Banque.

Ce chiffon de papier lui représenta quinze gros sacs d'argent; et il se dit qu'avec une somme pareille, il pourrait : d'abord garder sa voiture pendant trois ans, au lieu de la vendre comme il y serait forcé prochainement, ou s'acheter deux belles armures damasquinées qu'il avait vues sur le quai Voltaire, puis quantité de choses encore, des peintures, des livres et combien de bouquets de fleurs, de cadeaux pour Mme Arnoux! Tout, enfin, aurait mieux valu que de risquer, que de perdre tant d'argent dans ce journal! Deslauriers lui semblait présomptueux, son insensibilité de la veille le refroidissait à son endroit, et Frédéric s'abandonnait à ces regrets quand il fut tout surpris de voir entrer Arnoux, — lequel s'assit sur le bord de sa couche, pesamment, comme un homme accablé.

53. Châle de laine écossaise.

— Qu'y a-t-il donc?

— Je suis perdu.

Il avait à verser, le jour même, en l'étude de Me Beauminet, notaire rue Sainte-Anne, dix-huit mille francs, prêtés par un certain Vanneroy.

— C'est un désastre inexplicable! Je lui ai donné une hypothèque qui devait le tranquilliser, pourtant! Mais il me menace d'un commandement, s'il n'est pas payé cette après-midi, tantôt!

— Et alors?

— Alors, c'est bien simple! Il va faire exproprier mon immeuble. La première affiche me ruine, voilà tout! Ah! si je trouvais quelqu'un pour m'avancer cette maudite somme-là, il prendrait la place de Vanneroy et je serais sauvé! Vous ne l'auriez pas, par hasard?

Le mandat était resté sur la table de nuit, près d'un livre. Frédéric souleva le volume et le posa par-dessus, en répondant :

— Mon Dieu, non, cher ami!

Mais il lui coûtait de refuser à Arnoux.

— Comment, vous ne trouvez personne qui veuille?...

— Personne! et songer que, d'ici à huit jours, j'aurai des rentrées! On me doit peut-être... cinquante mille francs pour la fin du mois!

— Est-ce que vous ne pourriez pas prier les individus qui vous doivent d'avancer?...

— Ah bien, oui!

— Mais vous avez des valeurs quelconques, des billets?

— Rien!

— Que faire? dit Frédéric.

— C'est ce que je me demande, reprit Arnoux.

Il se tut, et il marchait dans la chambre de long en large.

— Ce n'est pas pour moi, mon Dieu! mais pour mes enfants, pour ma pauvre femme!

Puis, en détachant chaque mot :

— Enfin... je serai fort... j'emballerai tout cela... et j'irai chercher fortune... je ne sais où!

— Impossible! s'écria Frédéric.

Arnoux répliqua d'un air calme :

— Comment voulez-vous que je vive à Paris, maintenant?

Il y eut un long silence.

Frédéric se mit à dire :

— Quand le rendriez-vous, cet argent?

Non pas qu'il l'eût; au contraire! Mais rien ne l'empêchait de voir des amis, de faire des démarches. Et il sonna son domestique pour s'habiller. Arnoux le remerciait.

— C'est dix-huit mille francs qu'il vous faut, n'est-ce pas?

— Oh! je me contenterais bien de seize mille! Car j'en ferai bien deux mille cinq cents, trois mille avec mon argenterie, si Vanneroy, toutefois, m'accorde jusqu'à demain; et, je vous le répète, vous pouvez affirmer, jurer au prêteur que, dans huit jours, peut-être même dans cinq ou six, l'argent sera remboursé. D'ailleurs, l'hypothèque en répond. Ainsi, pas de danger, vous comprenez?

Frédéric assura qu'il comprenait et qu'il allait sortir immédiatement.

Il resta chez lui, maudissant Deslauriers, car il voulait tenir sa parole, et cependant obliger Arnoux.

« Si je m'adressais à M. Dambreuse? Mais sous quel prétexte demander de l'argent? C'est à moi, au contraire, d'en porter chez lui pour ses actions de houilles! Ah! qu'il aille se promener avec ses actions! Je ne les dois pas! »

Et Frédéric s'applaudissait de son indépendance, comme s'il eût refusé un service à M. Dambreuse.

« Eh bien, se dit-il ensuite, puisque je fais une perte de ce côté-là... car je pourrais, avec quinze mille francs, en gagner cent mille! A la Bourse, ça se voit quelquefois... Donc, puisque je manque à l'un, ne suis-je libre?... D'ailleurs, quand Deslauriers attendrait! — Non, non, c'est mal, allons-y! »

Il regarda sa pendule.

« Ah! rien ne presse! la Banque ne ferme qu'à cinq heures. »

Et, à quatre heures et demie, quand il eut touché son argent :

« C'est inutile, maintenant! je ne le trouverais pas; j'irai ce soir! » se donnant ainsi le moyen de revenir sur sa décision, car il reste toujours dans la conscience quelque chose des sophismes qu'on y a versés; elle en garde l'arrière-goût, comme d'une liqueur mauvaise.

Il se promena sur les boulevards, et dîna seul au restaurant. Puis il entendit un acte au Vaudeville, pour se distraire. Mais ses billets de banque le gênaient, comme s'il les eût volés. Il n'aurait pas été chagrin de les perdre.

En rentrant chez lui, il trouva une lettre contenant ces mots :

« Quoi de neuf?

« Ma femme se joint à moi, cher ami, dans l'espérance, etc.

« A vous. »

Et un parafe.

« Sa femme! elle me prie! »

Au même moment, parut Arnoux, pour savoir s'il avait trouvé la somme urgente.

— Tenez, la voilà! dit Frédéric.

Et, vingt-quatre heures après, il répondit à Deslauriers :

— Je n'ai rien reçu.

L'avocat revint trois jours de suite. Il le pressait d'écrire au notaire. Il offrit même de faire le voyage du Havre.

— Non! c'est inutile! je vais y aller!

La semaine finie, Frédéric demanda timidement au sieur Arnoux ses quinze mille francs.

Arnoux le remit au lendemain, puis au surlendemain.

Frédéric se risquait dehors à la nuit close, craignant d'être surpris par Deslauriers.

Un soir, quelqu'un le heurta au coin de la Madeleine. C'était lui.

— Je vais les chercher, dit-il.

Et Deslauriers l'accompagna jusqu'à la porte d'une maison, dans le faubourg Poissonnière.

— Attends-moi!

Il attendit. Enfin, après quarante-trois minutes, Frédéric sortit avec Arnoux, et lui fit signe de patienter encore un peu. Le marchand de faïences et son compagnon montèrent, bras dessus bras dessous, la rue d'Hauteville, prirent ensuite la rue de Chabrol.

La nuit était sombre, avec des rafales de vent tiède. Arnoux marchait doucement, tout en parlant des Galeries du Commerce : une suite de passages couverts qui auraient mené du boulevard Saint-Denis au Châtelet, spéculation merveilleuse, où il avait grande envie d'entrer; et il s'arrêtait de temps à autre, pour voir aux carreaux des boutiques la figure des grisettes, puis reprenait son discours.

Frédéric entendait les pas de Deslauriers derrière lui, comme des reproches, comme des coups frappant sur sa conscience. Mais il n'osait faire sa réclamation, par mauvaise honte, et dans la crainte qu'elle ne fût inutile. L'autre se rapprochait. Il se décida.

Arnoux, d'un ton fort dégagé, dit que, ses recouvrements n'ayant pas eu lieu, il ne pouvait rendre actuellement les quinze mille francs

— Vous n'en avez pas besoin, j'imagine?

A ce moment, Deslauriers accosta Frédéric, et, le tirant à l'écart :

— Sois franc, les as-tu, oui ou non?

— Eh bien, non! dit Frédéric, je les ai perdus!

— Ah! et à quoi?

— Au jeu!

Deslauriers ne répondit pas un mot, salua très bas, et partit. Arnoux avait profité de l'occasion pour allumer un cigare dans un débit de tabac. Il revint en demandant quel était ce jeune homme.

— Rien! un ami!

Puis, trois minutes après, devant la porte de Rosanette :

— Montez donc, dit Arnoux, elle sera contente de vous voir. Quel sauvage vous êtes maintenant!

Un réverbère, en face, l'éclairait; et avec son cigare entre ses dents blanches et son air heureux, il avait quelque chose d'intolérable.

— Ah! à propos, mon notaire a été ce matin chez le vôtre, pour cette inscription d'hypothèque. C'est ma femme qui me l'a rappelé.

— Une femme de tête! reprit machinalement Frédéric.

— Je crois bien!

Et Arnoux recommença son éloge. Elle n'avait pas sa pareille pour l'esprit, le cœur, l'économie; il ajouta d'une voix basse, en roulant des yeux :

— Et comme corps de femme!

— Adieu! dit Frédéric.

Arnoux fit un mouvement.

— Tiens! pourquoi?

Et, la main à demi tendue vers lui, il l'examinait, tout décontenancé par la colère de son visage.

Frédéric répliqua sèchement :

— Adieu!

Il descendit la rue de Bréda comme une pierre qui déroule, furieux contre Arnoux, se faisant le serment de ne jamais plus le revoir, ni elle non plus, navré, désolé. Au lieu de la rupture qu'il attendait, voilà que l'autre, au contraire, se mettait à la chérir et complètement, depuis le bout des cheveux jusqu'au fond de l'âme. La vulgarité de cet homme exaspérait Frédéric. Tout lui appartenait donc, à celui-là! Il le retrouvait sur le seuil de la lorette; et à la mortification d'une rupture s'ajoutait à la rage de son impuissance. D'ailleurs, l'honnêteté d'Arnoux offrant des garanties pour son argent l'humiliait; il aurait voulu l'étrangler; et pardessus son chagrin planait dans sa conscience, comme un brouillard, le sentiment de sa lâcheté envers son ami. Des larmes l'étouffaient.

Deslauriers dévalait la rue des Martyrs, en jurant tout haut d'indignation; car son projet, tel qu'un obélisque abattu, lui paraissait maintenant d'une hauteur extraordinaire. Il s'estimait volé, comme s'il avait subi un grand dommage. Son amitié pour Frédéric était morte, et il en éprouvait de la joie; c'était une compensation! Une haine l'envahit contre les riches. Il pencha vers les opinions de Sénécal et se promettait de les servir.

Arnoux, pendant ce temps-là, commodément assis dans une bergère, humait du feu, humait sa tasse de thé, en tenant la Maréchale sur ses genoux.

Frédéric ne retourna point chez eux; et, pour se distraire de sa passion calamiteuse, adoptant le premier sujet qui se présenta, il résolut de composer une *Histoire de la Renaissance*. Il entassa pêle-mêle sur sa table les humanistes, les philosophes et les poètes; il allait au cabinet des estampes, voir les gravures de Marc-Antoine; il tâchait d'entendre Machiavel. Peu à peu, la sérénité du travail l'apaisa. En plongeant dans la personnalité des autres, il oublia la sienne, ce qui est la seule manière peut-être de n'en pas souffrir.

Un jour qu'il prenait des notes, tranquillement, la porte s'ouvrit et le domestique annonça Mme Arnoux.

C'était bien elle! seule? Mais non! car elle tenait par la main le petit Eugène, suivi de sa bonne en tablier blanc. Elle s'assit; et, quand elle eut toussé :

— Il y a longtemps que vous n'êtes venu à la maison.

Frédéric ne trouvant pas d'excuse, elle ajouta :

— C'est une délicatesse de votre part!

Il reprit :

— Quelle délicatesse?

— Ce que vous avez fait pour Arnoux! dit-elle.

Frédéric eut un geste signifiant : « Je m'en moque bien! c'était pour vous! »

Elle envoya son enfant jouer avec la bonne, dans le salon. Ils échangèrent deux ou trois mots sur leur santé, puis l'entretien tomba.

Elle portait une robe de soie brune, de la couleur d'un vin d'Espagne, avec un paletot de velours noir, bordé de martre; cette fourrure donnait envie de passer les mains dessus, et ses longs bandeaux, bien lissés, attiraient les lèvres. Mais une émotion la troublait, et, tournant les yeux du côté de la porte :

— Il fait un peu chaud, ici!

Frédéric devina l'intention prudente de son regard.

— Pardon! les deux battants ne sont que poussés.

— Ah! c'est vrai!

Et elle sourit, comme pour dire : « Je ne crains rien. »

Il lui demanda immédiatement ce qui l'amenait.

— Mon mari, reprit-elle avec effort, m'a engagée à venir chez vous, n'osant faire cette démarche lui-même.

— Et pourquoi?

— Vous connaissez M. Dambreuse, n'est-ce pas?

— Oui, un peu!

— Ah! un peu.

Elle se taisait.

— N'importe! achevez.

Alors, elle conta que, l'avant-veille, Arnoux n'avait pu payer quatre billets de mille francs souscrits à l'ordre du banquier, et sur lesquels il lui avait fait mettre sa signature. Elle se repentait d'avoir compromis la fortune de ses enfants. Mais tout valait mieux que le déshonneur; et, si M. Dambreuse arrêtait les poursuites, on le payerait bientôt, certainement; car elle allait vendre, à Chartres, une petite maison qu'elle avait.

— Pauvre femme! murmura Frédéric. — J'irai! comptez sur moi.

— Merci!

Et elle se leva pour partir.

— Oh! rien ne vous presse encore!

Elle resta debout, examinant le trophée de flèches mongoles suspendu au plafond, la bibliothèque, les reliures, tous les ustensiles pour écrire; elle souleva la cuvette de bronze qui contenait les plumes; ses talons se posèrent à des places différentes sur le tapis. Elle était venue plusieurs fois chez Frédéric, mais toujours avec Arnoux. Ils se trouvaient seuls, maintenant, — seuls, dans sa propre maison; — c'était un événement extraordinaire, presque une bonne fortune.

Elle voulut voir son jardinet; il lui offrit le bras pour lui montrer ses domaines, trente pieds de terrain, enclos par des maisons, ornés d'arbustes dans les angles et d'une plate-bande au milieu.

On était aux premiers jours d'avril. Les feuilles des lilas verdoyaient déjà, un souffle pur se roulait dans l'air, et de petits oiseaux pépiaient, alternant leur chanson avec le bruit lointain que faisait la forge d'un carrossier.

Frédéric alla chercher une pelle à feu; et, tandis qu'ils se promenaient côte à côte, l'enfant élevait des tas de sable dans l'allée.

Mme Arnoux ne croyait pas qu'il eût plus tard une grande imagination, mais il était d'humeur caressante. Sa sœur, au contraire, avait une sécheresse naturelle qui la blessait quelquefois.

— Cela changera, dit Frédéric. Il ne faut jamais désespérer.

Elle répliqua :

— Il ne faut jamais désespérer!

Cette répétition machinale de sa phrase lui parut une sorte d'encouragement; il cueillit une rose, la seule du jardin.

— Vous rappelez-vous... un certain bouquet de roses, un soir, en voiture?

Elle rougit quelque peu; et, avec un air de compassion railleuse :

— Ah! j'étais bien jeune!

— Et celle-là, reprit à voix basse Frédéric, en sera-t-il de même?

Elle répondit, tout en faisant tourner la tige entre ses doigts, comme le fil d'un fuseau :

— Non! je la garderai!

Elle appela d'un geste la bonne, qui prit l'enfant sur son bras; puis, au seuil de la porte, dans la rue, Mme Arnoux aspira la fleur, en inclinant la tête sur son épaule, et avec un regard aussi doux qu'un baiser.

Quand il fut remonté dans son cabinet, il contempla le fauteuil où elle s'était assise et tous les objets qu'elle avait touchés. Quelque chose d'elle circulait autour de lui. La caresse de sa présence durait encore.

« Elle est donc venue là! » se disait-il.

Et les flots d'une tendresse infinie le submergeaient.

Le lendemain, à onze heures, il se présenta chez M. Dambreuse. On le reçut dans la salle à manger. Le banquier déjeunait en face de sa femme. Sa nièce était près d'elle, et de l'autre côté l'institutrice, une Anglaise, fortement marquée de petite vérole.

M. Dambreuse invita son jeune ami à prendre place au milieu d'eux, et, sur le refus :

— A quoi puis-je vous être bon? Je vous écoute.

Frédéric avoua, en affectant de l'indifférence, qu'il venait faire une requête pour un certain Arnoux.

— Ah! ah! l'ancien marchand de tableaux, dit le banquier, avec un rire muet découvrant ses gencives. Oudry le garantissait, autrefois; on s'est fâché.

Et il se mit à parcourir les lettres et les journaux posés près de son couvert.

Deux domestiques servaient, sans faire de bruit sur le parquet; et la hauteur de la salle, qui avait trois portières en tapisserie et deux fontaines de marbre blanc, le poli des réchauds, la disposition des hors-d'œuvre, et jusqu'aux plis raides des serviettes, tout ce bien-être luxueux établissait dans la pensée de Frédéric un contraste avec un autre déjeuner chez Arnoux. Il n'osait interrompre M. Dambreuse.

Madame remarqua son embarras.

— Voyez-vous quelquefois notre ami Martinon?

— Il viendra ce soir, dit vivement la jeune fille.

— Ah! tu le sais? répliqua sa tante, en arrêtant sur elle un regard froid.

Puis, un des valets s'étant penché à son oreille :

— Ta couturière, mon enfant!... Miss John!

Et l'institutrice, obéissante, disparut avec son élève.

M. Dambreuse, troublé par le dérangement des chaises, demanda ce qu'il y avait.

— C'est Mme Regimbart.

— Tiens! Regimbart! Je connais ce nom-là. J'ai rencontré sa signature.

Frédéric aborda enfin la question; Arnoux méritait de l'intérêt; il allait même, dans le seul but de remplir ses engagements, vendre une maison à sa femme.

— Elle passe pour très jolie, dit Mme Dambreuse.

Le banquier ajouta d'un air bonhomme :

— Etes-vous leur ami... intime?

Frédéric, sans répondre nettement, dit qu'il lui serait fort obligé de prendre en considération...

— Eh bien, puisque cela vous fait plaisir, soit! on attendra! J'ai du temps encore. Si nous descendions dans mon bureau, voulez-vous?

Le déjeuner était fini; Mme Dambreuse s'inclina légèrement, tout en souriant d'un rire singulier, plein à la fois de politesse et d'ironie. Frédéric n'eut pas le temps d'y réfléchir; car M. Dambreuse, dès qu'ils furent seuls:

— Vous n'êtes pas venu chercher vos actions.

Et, sans lui permettre de s'excuser:

— Bien! bien! il est juste que vous connaissiez l'affaire un peu mieux.

Il lui offrit une cigarette et commença.

L'*Union générale des Houilles françaises* était constituée; on n'attendait plus que l'ordonnance. Le fait seul de la fusion diminuait les frais de surveillance et de main-d'œuvre, augmentait les bénéfices. De plus, la Société imaginait une chose nouvelle, qui était d'intéresser les ouvriers à son entreprise. Elle leur bâtirait des maisons, des logements salubres; enfin elle se constituait le fournisseur de ses employés, leur livrait tout à prix de revient.

— Et ils gagneront, monsieur; voilà du véritable progrès; c'est répondre victorieusement à certaines criailleries républicaines! Nous avons dans notre conseil (il exhiba le prospectus) un pair de France, un savant de l'Institut, un officier supérieur du Génie en retraite, des noms connus! De pareils éléments rassurent les capitaux craintifs et appellent les capitaux intelligents! La Compagnie aurait pour elle les commandes de l'Etat, puis les chemins de fer, la marine à vapeur, les établissements métallurgiques, le gaz, les cuisines bourgeoises. Ainsi, nous chauffons, nous éclairons, nous pénétrons jusqu'au foyer des plus humbles ménages. Mais comment, me direz-vous, pourrons-nous assurer la vente? Grâce à des droits protecteurs, cher monsieur, et nous les obtiendrons; cela nous regarde! Moi, du reste, je suis franchement prohibitionniste! le pays avant tout!

On l'avait nommé directeur; mais le temps lui manquait pour s'occuper de certains détails, de la rédaction entre autres. « Je suis un peu brouillé avec mes auteurs, j'ai oublié mon grec! J'aurais besoin de quelqu'un... qui pût traduire mes idées. » Et tout à coup : « Voulez-vous être cet homme-là, avec le titre de secrétaire général? »

Frédéric ne sut que répondre.

— Eh bien, qui vous empêche?

Ses fonctions se borneraient à écrire, tous les ans, un rapport pour les actionnaires. Il se trouverait en relations quotidiennes avec les hommes les plus considérables de Paris. Représentant la Compagnie près les ouvriers, il s'en ferait adorer, naturellement, ce qui lui permettrait, plus tard, de se pousser au conseil général, à la députation.

Les oreilles de Frédéric tintaient. D'où provenait cette bienveillance? Il se confondit en remercîments.

Mais il ne fallait point, dit le banquier, qu'il fût dépendant de personne. Le meilleur moyen, c'était de prendre des actions, « placement superbe d'ailleurs, car votre capital garantit votre position, comme votre position votre capital ».

— A combien, environ, doit-il se monter? dit Frédéric.

— Mon Dieu! ce qui vous plaira, de quarante à soixante mille francs, je suppose.

Cette somme était si minime pour M. Dambreuse et son autorité si grande, que le jeune homme se décida immédiatement à vendre une ferme. Il acceptait. M. Dambreuse fixerait un de ces jours un rendez-vous pour terminer leurs arrangements.

— Ainsi, je puis dire à Jacques Arnoux...?

— Tout ce que vous voudrez! le pauvre garçon! Tout ce que vous voudrez!

Frédéric écrivit aux Arnoux de se tranquilliser, et il fit porter la lettre par son domestique auquel on répondit:

— Très bien!

Sa démarche, cependant, méritait mieux. Il s'attendait à une visite, à une lettre, tout au moins. Il ne reçut pas de visite. Aucune lettre n'arriva.

Y avait-il oubli de leur part ou intention? Puisque Mme Arnoux était venue une fois, qui l'empêchait de revenir? L'espèce de sous-entendu, d'aveu qu'elle lui avait fait, n'était donc qu'une manœuvre exécutée par intérêt? « Se sont-ils joués de moi? est-elle complice? » Une sorte de pudeur, malgré son envie, l'empêchait de retourner chez eux.

Un matin (trois semaines après leur entrevue), M. Dambreuse lui écrivit qu'il l'attendait le jour même, dans une heure.

En route, l'idée des Arnoux l'assaillit de nouveau; et, ne découvrant point de raison à leur conduite, il fut pris par une angoisse, un pressentiment funèbre. Pour s'en débarrasser, il appela un cabriolet et se fit conduire rue Paradis.

Arnoux était en voyage.

— Et Madame?

— A la campagne, à la fabrique!

— Quand revient Monsieur?

— Demain, sans faute!

Il la trouverait seule; c'était le moment. Quelque chose d'impérieux criait dans sa conscience : « Vas-y donc! »

Mais M. Dambreuse? « Eh bien, tant pis! Je dirai que j'étais malade. » Il courut à la gare; puis, dans le wagon : « J'ai eu tort, peut-être? Ah bah! qu'importe! »

A droite et à gauche des plaines vertes s'étendaient; le convoi roulait; les maisonnettes des stations glissaient comme des décors, et la fumée de la locomotive versait toujours du même côté ses gros flocons qui dansaient sur l'herbe quelque temps, puis se dispersaient.

Frédéric, seul sur sa banquette, regardait cela, par ennui, perdu dans cette langueur que donne l'excès même de l'impatience. Mais des grues, des magasins, parurent. C'était Creil.

La ville, construite au versant de deux collines basses (dont la première est nue et la seconde couronnée par un bois), avec la tour de son église, ses maisons inégales et son pont de pierre, lui semblait avoir quelque chose de gai, de discret et de bon. Un grand bateau plat descendait au fil de l'eau, qui clapotait fouettée par le vent; des poules, au pied du calvaire, picoraient dans la paille; une femme passa, portant du linge mouillé sur la tête.

Après le pont, il se trouva dans une île, où l'on voit sur la droite les ruines d'une abbaye. Un moulin tournait, barrant dans toute sa largeur le second bras de l'Oise, que surplombe la manufacture. L'importance de cette construction étonna grandement Frédéric. Il en conçut plus de respect pour Arnoux. Trois pas plus loin, il prit une ruelle, terminée au fond par une grille.

Il était entré. La concierge le rappela en lui criant :

— Avez-vous une permission?

— Pourquoi?

— Pour visiter l'établissement!

Frédéric, d'un ton brutal, dit qu'il venait voir M. Arnoux.

— Qu'est-ce que c'est que M. Arnoux?

— Mais le chef, le maître, le propriétaire, enfin!

— Non, monsieur, c'est ici la fabrique de MM. Lebœuf et Milliet!

La bonne femme plaisantait sans doute. Des ouvriers arrivaient; il en aborda deux ou trois; leur réponse fut la même.

Frédéric sortit de la cour, en chancelant comme un homme ivre; et il avait l'air tellement ahuri que, sur le pont de la Boucherie, un bourgeois en train de fumer sa pipe lui demanda s'il cherchait quelque chose. Celui-là connaissait la manufacture d'Arnoux. Elle était située à Montataire.

Frédéric s'enquit d'une voiture, on n'en trouvait qu'à la gare. Il y retourna. Une calèche disloquée, attelée d'un vieux cheval dont les harnais décousus pendaient dans les brancards, stationnait devant le bureau des bagages, solitairement.

Un gamin s'offrit à découvrir « le père Pilon ». Il revint au bout de dix minutes; le père Pilon déjeunait. Frédéric, n'y tenant plus, partit. Mais la barrière du passage était close. Il fallut attendre que deux convois eussent défilé. Enfin il se précipita dans la campagne.

La verdure monotone la faisait ressembler à un immense tapis de billard. Des scories de fer étaient rangées, sur les deux bords de la route, comme des mètres de cailloux. Un peu plus loin, des cheminées d'usine fumaient les unes près des autres. En face de lui se dressait, sur une colline ronde, un petit château à tourelles, avec le clocher quadrangulaire d'une église. De longs murs, en dessous, formaient des lignes irrégulières parmi les arbres; et, tout en bas, les maisons du village s'étendaient.

Elles sont à un seul étage, avec des escaliers de trois marches, faites de blocs sans ciment. On entendait, par intervalles, la sonnette d'un épicier. Des pas lourds s'enfonçaient dans la boue noire, et une pluie fine tombait, coupant de mille hachures le ciel pâle.

Frédéric suivit le milieu du pavé; puis il rencontra sur sa gauche, à l'entrée d'un chemin, un grand arc de bois qui portait écrit en lettres d'or : FAIENCES.

Ce n'était pas sans but que Jacques Arnoux avait choisi le voisinage de Creil; en plaçant sa manufacture le plus près possible de l'autre (accréditée depuis longtemps), il provoquait dans le public une confusion favorable à ses intérêts.

Le principal corps de bâtiment s'appuyait sur le bord même d'une rivière qui traverse la prairie. La maison de maître, entourée d'un jardin, se distinguait par son perron, orné de quatre vases où se hérissaient des cactus. Des amas de terre blanche séchaient sous les hangars; il y en avait d'autres à l'air libre; et au milieu de la cour se tenait Sénécal, avec son éternel paletot bleu, doublé de rouge.

L'ancien répétiteur tendit sa main froide.

— Vous venez pour le patron? Il n'est pas là.

Frédéric, décontenancé, répondit bêtement :

— Je le savais. Mais, se reprenant aussitôt : C'est pour une affaire qui concerne Mme Arnoux. Peut-elle me recevoir?

— Ah! je ne l'ai pas vue depuis trois jours, dit Sénécal.

Et il entama une kyrielle de plaintes. En acceptant les conditions du fabricant, il avait entendu demeurer à Paris et non s'enfouir dans cette campagne, loin de ses amis, privé de journaux. N'importe! il avait passé par là-dessus! Mais Arnoux ne paraissait faire nulle attention à son mérite. Il était borné d'ailleurs, et rétrograde, ignorant comme pas un. Au lieu de chercher des perfectionnements artistiques, mieux aurait valu introduire des chauffages à la houille et au gaz. Le bourgeois *s'enfonçait;* Sénécal appuya sur le mot. Bref, ses occupations lui déplaisaient; et il somma presque Frédéric de parler en sa faveur, afin qu'on augmentât ses émoluments.

— Soyez tranquille! dit l'autre.

Il ne rencontra personne dans l'escalier. Au premier étage, il avança la tête dans une pièce vide; c'était le salon. Il appela très haut. On ne répondit pas; sans doute, la cuisinière était sortie, la bonne aussi; enfin, parvenu au second étage, il poussa une porte. Mme Arnoux était seule, devant une armoire à glace. La ceinture de sa robe de chambre entr'ouverte pendait le long de ses hanches. Tout un côté de ses cheveux lui faisait un flot noir sur l'épaule droite; et elle avait les deux bras levés, retenant d'une main son chignon, tandis que l'autre y enfonçait une épingle. Elle jeta un cri, et disparut.

Puis elle revint correctement habillée. Sa taille, ses yeux, le bruit de sa robe, tout l'enchanta. Frédéric se retenait pour ne pas la couvrir de baisers.

— Je vous demande pardon, dit-elle, mais je ne pouvais...

Il eut la hardiesse de l'interrompre :

— Cependant..., vous étiez très bien... tout à l'heure.

Elle trouva sans doute le compliment un peu grossier, car ses pommettes se colorèrent. Il craignait de l'avoir offensée. Elle reprit :

— Par quel bon hasard êtes-vous venu?

Il ne sut que répondre; et, après un petit ricanement qui lui donna le temps de réfléchir :

— Si je vous le disais, me croiriez-vous?

— Pourquoi pas?

Frédéric conta qu'il avait eu, l'autre nuit, un songe affreux :

— J'ai rêvé que vous étiez gravement malade, près de mourir.

— Oh! ni moi, ni mon mari ne sommes jamais malades!

— Je n'ai rêvé que de vous, dit-il.

Elle le regarda d'un air calme.

— Les rêves ne se réalisent pas toujours.

Frédéric balbutia, chercha ses mots, et se lança enfin dans une longue période sur l'affinité des âmes. Une force existait qui peut, à travers les espaces, mettre en rapport deux personnes, les avertir de ce qu'elles éprouvent et les faire se rejoindre.

Elle l'écoutait, la tête basse, tout en souriant de son beau sourire. Il l'observait du coin de l'œil, avec joie, et épanchait son amour plus librement sous la facilité d'un lieu commun. Elle proposa de lui montrer la fabrique; et, comme elle insistait, il accepta.

Pour le distraire d'abord par quelque chose d'amusant, elle lui fit voir l'espèce de musée qui décorait l'escalier. Les spécimens accrochés contre les murs ou posés sur des planchettes attestaient les efforts et les engouements successifs d'Arnoux. Après avoir cherché le rouge de cuivre des Chinois, il avait voulu faire des majoliques [54], des faënza, de l'étrusque, de l'oriental, tenté enfin quelques-uns des perfectionnements réalisés plus tard. Aussi remarquait-on, dans la série, de gros vases couverts de mandarins, des écuelles d'un mordoré chatoyant, des pots rehaussés d'écritures arabes, des buires [55] dans le goût de la Renaissance, et de larges assiettes avec deux personnages, qui étaient comme dessinés à la sanguine, d'une façon mignarde et vaporeuse. Il fabriquait maintenant des lettres d'enseigne, des étiquettes à vin; mais son intelligence n'était pas assez haute pour atteindre jusqu'à l'Art, ni assez bourgeoise non plus pour viser exclusivement au profit, si bien que, sans contenter personne, il se ruinait. Tous deux considéraient ces choses, quand Mlle Marthe passa.

— Tu ne le reconnais donc pas? lui dit sa mère.

— Si fait! reprit-elle en le saluant, tandis que son regard limpide et soupçonneux, son regard de vierge semblait murmurer : « Que viens-tu faire ici, toi? » et elle montait les marches, la tête un peu tournée sur l'épaule.

Mme Arnoux emmena Frédéric dans la cour, puis elle expliqua d'un ton sérieux comment on broie les terres, on les nettoie, on les tamise.

— L'important, c'est la préparation des pâtes.

Et elle l'introduisait dans une salle que remplissaient des cuves, où virait sur lui-même un axe vertical, armé de bras horizontaux. Frédéric s'en voulait de n'avoir pas refusé nettement sa proposition tout à l'heure.

— Ce sont les patouillards, dit-elle.

Il trouva le mot grotesque, et comme inconvenant dans sa bouche.

De larges courroies filaient d'un bout à l'autre du plafond, pour s'enrouler sur des tambours, et tout s'agitait d'une façon continue, mathématique, agaçante.

Ils sortirent de là, et passèrent près d'une cabane en ruine, qui avait autrefois servi à mettre des instruments de jardinage.

— Elle n'est plus utile, dit Mme Arnoux.

Il répliqua d'une voix tremblante :

— Le bonheur peut y tenir!

Le tintamarre de la pompe à feu couvrit ses paroles, et ils entrèrent dans l'atelier des ébauchages.

Des hommes, assis à une table étroite, posaient devant eux, sur un disque tournant, une masse de pâte; leur main gauche en raclait l'intérieur, leur droite en caressait la surface, et l'on voyait s'élever des vases, comme des fleurs qui s'épanouissent.

Mme Arnoux fit exhiber les moules pour les ouvrages plus difficiles.

Dans une autre pièce, on pratiquait les filets, les gorges, les lignes saillantes. A l'étage supérieur, on enlevait les coutures, et l'on bouchait avec du plâtre les petits trous que les opérations précédentes avaient laissés.

Sur des claires-voies, dans des coins, au milieu des corridors, partout s'alignaient des poteries.

Frédéric commençait à s'ennuyer.

— Cela vous fatigue peut-être? dit-elle.

Craignant qu'il ne fallût borner là sa visite, il affecta, au contraire, beaucoup d'enthousiasme. Il regrettait même de ne s'être pas voué à cette industrie.

Elle parut surprise.

— Certainement! j'aurais pu vivre près de vous!

Et, comme il cherchait son regard, Mme Arnoux, afin de l'éviter, prit sur une console des boulettes de pâte, provenant des rajustages manqués, les aplatit en une galette, et imprima dessus sa main.

— Puis-je emporter cela? dit Frédéric.

— Etes-vous assez enfant, mon Dieu!

Il allait répondre, Sénécal entra.

M. le sous-directeur, dès le seuil, s'aperçut d'une infraction au règlement. Les ateliers devaient être balayés toutes les semaines; on était au samedi, et, comme les ouvriers n'en avaient rien fait, Sénécal leur déclara qu'ils auraient à rester une heure de plus.

— Tant pis pour vous!

Ils se penchèrent sur leurs pièces, sans murmurer; mais on devinait leur colère au souffle rauque de leur poitrine. Ils étaient, d'ailleurs, peu faciles à conduire, tous ayant été chassés de la grande fabrique. Le républicain les gouvernait durement. Homme de théories, il ne considérait que les masses et se montrait impitoyable pour les individus.

Frédéric, gêné par sa présence, demanda bas à Mme Arnoux s'il n'y avait pas moyen de voir les fours. Ils descendirent au rez-de-chaussée; et elle était en train d'expliquer l'usage des cassettes, quand Sénécal, qui les avait suivis, s'interposa entre eux.

Il continua de lui-même la démonstration, s'étendit

54. Faïences de la Renaissance italienne.
55. Vases en forme de cruche, avec anse et bec.

sur les différentes sortes de combustibles, l'enfourne-
ment, les pyroscopes [56], les alandiers, les englobes,
les lustres et les métaux, prodiguant les termes de
chimie, chlorure, sulfure, borax, carbonate. Frédéric
n'y comprenait rien, et à chaque minute se retournait
vers Mme Arnoux.

— Vous n'écoutez pas, dit-elle, M. Sénécal pourtant
est très clair. Il sait toutes ces choses beaucoup mieux
que moi.

Le mathématicien, flatté de cet éloge, proposa de
faire voir le posage des couleurs. Frédéric interrogea
d'un regard anxieux Mme Arnoux. Elle demeura impassible, ne voulant sans doute ni être seule avec lui, ni le
quitter cependant. Il lui offrit son bras.

— Non! merci bien! l'escalier est trop étroit!

Et, quand ils furent en haut, Sénécal ouvrit la porte
d'un appartement rempli de femmes.

Elles maniaient des pinceaux, des fioles, des coquilles,
des plaques de verre. Le long de la corniche, contre le
mur, s'alignaient des planches gravées; des bribes de
papier fin voltigeaient; et un poêle de fonte exhalait
une température écœurante, où se mêlait l'odeur de
la térébenthine.

Les ouvrières, presque toutes, avaient des costumes
sordides. On en remarquait une, cependant, qui portait
un madras et de longues boucles d'oreilles. Tout à la
fois mince et potelée, elle avait de gros yeux noirs et les
lèvres charnues d'une négresse. Sa poitrine abondante
saillissait sous sa chemise, tenue autour de sa taille par
le cordon de sa jupe; et, un coude sur l'établi, tandis
que l'autre pendait, elle regardait vaguement, au loin
dans la campagne. A côté d'elle traînaient une bouteille
de vin et de la charcuterie.

Le règlement interdisait de manger dans les ateliers,
mesure de propreté pour la besogne et d'hygiène pour
les travailleurs.

Sénécal, par sentiment du devoir ou besoin de despotisme, s'écria de loin, en indiquant une affiche dans un
cadre :

— Hé! là-bas, la Bordelaise! lisez-moi tout haut
l'article 9.

— Eh bien, après?

— Après, mademoiselle? C'est trois francs d'amende
que vous payerez!

Elle le regarda en face, impudemment.

— Qu'est-ce que ça me fait? Le patron, à son retour,
la lèvera votre amende! Je me fiche de vous, mon bonhomme!

Sénécal, qui se promenait les mains derrière le dos,
comme un pion dans une salle d'études, se contenta de
sourire.

— Article 13, insubordination, dix francs!

La Bordelaise se remit à la besogne. Mme Arnoux,
par convenance, ne disait rien, mais ses sourcils se fron-
cèrent. Frédéric murmura :

— Ah! pour un démocrate, vous êtes bien dur!

56. Pyroscopes : témoins en céramique indiquant le degré de
cuisson; alandiers : foyers à la base du four; engobes (et non
englobes) : pâte de matière terreuse servant à recouvrir une pièce de
céramique pour en masquer les couleurs.

L'autre répondit magistralement :

— La démocratie n'est pas le dévergondage de l'individualisme. C'est le niveau commun sous la loi, la répartition du travail, l'ordre!

— Vous oubliez l'humanité! dit Frédéric.

Mme Arnoux prit son bras; Sénécal offensé peut-être
de cette approbation silencieuse, s'en alla.

Frédéric en ressentit un immense soulagement.
Depuis le matin, il cherchait l'occasion de se déclarer;
elle était venue. D'ailleurs le mouvement spontané de
Mme Arnoux lui semblait contenir des promesses; et
il demanda, comme pour se réchauffer les pieds, à monter dans sa chambre. Mais, quand il fut assis près d'elle,
son embarras commença; le point de départ lui manquait. Sénécal, heureusement, vint à sa pensée.

— Rien de plus sot, dit-il, que cette punition!

Mme Arnoux reprit :

— Il y a des sévérités indispensables.

— Comment, vous qui êtes si bonne! Oh! je me
trompe! car vous vous plaisez quelquefois à faire
souffrir!

— Je ne comprends pas les énigmes, mon ami.

Et son regard austère, plus encore que le mot, l'arrêta.
Frédéric était déterminé à poursuivre. Un volume de
Musset se trouvait par hasard sur la commode. Il en
tourna quelques pages, puis se mit à parler de l'amour,
de ses désespoirs et de ses emportements.

Tout cela, suivant Mme Arnoux, était criminel ou
factice.

Le jeune homme se sentit blessé par cette négation;
et, pour la combattre, il cita en preuve les suicides qu'on
voit dans les journaux, exalta les grands types littéraires, Phèdre, Didon, Roméo, Des Grieux. Il s'en-
ferrait.

Le feu dans la cheminée ne brûlait plus, la pluie
fouettait contre les vitres. Mme Arnoux, sans bouger,
restait les deux mains sur les bras de son fauteuil; les
pattes de son bonnet tombaient comme les bandelettes
d'un sphinx; son profil pur se découpait en pâleur au
milieu de l'ombre.

Il avait envie de se jeter à ses genoux. Un craquement
se fit dans le couloir, il n'osa.

Il était empêché, d'ailleurs, par une sorte de crainte
religieuse. Cette robe, se confondant avec les ténèbres,
lui paraissait démesurée, infinie, insoulevable; et précisément à cause de cela son désir redoublait. Mais la
peur de faire trop et de ne pas faire assez lui ôtait tout
discernement.

« Si je lui déplais, pensait-il, qu'elle me chasse! Si
elle veut de moi, qu'elle m'encourage! »

Il dit en soupirant :

— Donc, vous n'admettez pas qu'on puisse aimer...
une femme?

Mme Arnoux répliqua :

— Quand elle est à marier, on l'épouse; lorsqu'elle
appartient à un autre, on s'éloigne.

— Ainsi le bonheur est impossible?

— Non! Mais on ne le trouve jamais dans le mensonge, les inquiétudes et le remords.

— Qu'importe! s'il est payé par des joies sublimes.

— L'expérience est trop coûteuse!

Il voulut l'attaquer par l'ironie.

— La vertu ne serait donc que de la lâcheté?

— Dites de la clairvoyance, plutôt. Pour celles même qui oublieraient le devoir ou la religion, le simple bon sens peut suffire. L'égoïsme fait une base solide à la sagesse.

— Ah! quelles maximes bourgeoises vous avez!

— Mais je ne me vante pas d'être une grande dame!

A ce moment-là, le petit garçon accourut.

— Maman, viens-tu dîner?

— Oui, tout à l'heure!

Frédéric se leva; en même temps Marthe parut.

Il ne pouvait se résoudre à s'en aller; et, avec un regard tout plein de supplications:

— Ces femmes dont vous parlez sont donc bien insensibles?

— Non! mais sourdes quand il le faut.

Et elle se tenait debout, sur le seuil de sa chambre, avec ses deux enfants à ses côtés. Il s'inclina sans dire un mot. Elle répondit silencieusement à son salut.

Ce qu'il éprouva d'abord, ce fut une stupéfaction infinie. Cette manière de lui faire comprendre l'inanité de son espoir l'écrasait. Il se sentait perdu comme un homme tombé au fond d'un abîme, qui sait qu'on ne le secourra pas et qu'il doit mourir.

Il marchait cependant, mais sans rien voir, au hasard; il se heurtait contre les pierres; il se trompa de chemin. Un bruit de sabots retentit près de son oreille; c'étaient les ouvriers qui sortaient de la fonderie. Alors il se reconnut.

A l'horizon, les lanternes du chemin de fer traçaient une ligne de feux. Il arriva comme un convoi partait, se laissa pousser dans un wagon, et s'endormit.

Une heure après, sur les boulevards, la gaieté de Paris le soir recula tout à coup son voyage dans un passé déjà loin. Il voulait être fort, et allégea son cœur en dénigrant Mme Arnoux par des épithètes injurieuses:

« C'est une imbécile, une dinde, une brute, n'y pensons plus! »

Rentré chez lui, il trouva dans son cabinet une lettre de huit pages sur papier à glaçure bleue et initiales R. A.

Cela commençait par des reproches amicaux:

« Que devenez-vous, mon ami? Je m'ennuie. »

Mais l'écriture était si abominable que Frédéric allait rejeter tout le paquet quand il aperçut, en postscriptum:

« Je compte sur vous demain pour me conduire aux courses. »

Que signifiait cette invitation? était-ce encore un tour de la Maréchale? Mais on ne se moque pas deux fois du même homme à propos de rien; et pris de curiosité, il relut la lettre attentivement:

Frédéric distingua: « Malentendu... avoir fait fausse route... désillusions... Pauvres enfants que nous sommes!... Pareils à deux fleuves qui se rejoignent! » etc.

Ce style contrastait avec le langage ordinaire de la lorette. Quel changement était donc survenu?

Il garda longtemps les feuilles entre ses doigts. Elles sentaient l'iris; et il y avait, dans la forme des caractères et l'espacement irrégulier des lignes, comme un désordre de toilette qui le troubla.

« Pourquoi n'irais-je pas? se dit-il enfin. Mais si Mme Arnoux le savait? Ah! qu'elle le sache! Tant mieux! et qu'elle en soit jalouse! ça me vengera! »

IV

La Maréchale était prête et l'attendait.

— C'est gentil, cela! dit-elle, en fixant sur lui ses jolis yeux, à la fois tendres et gais.

Quand elle eut fait le nœud de sa capote, elle s'assit sur le divan et resta silencieuse.

— Partons-nous? dit Frédéric.

Elle regarda la pendule.

— Oh! non! pas avant une heure et demie, comme si elle eût posé en elle-même cette limite à son incertitude.

Enfin l'heure ayant sonné:

— Eh bien, *andiamo, caro mio!*

Et elle donna un dernier tour à ses bandeaux, fit des recommandations à Delphine.

— Madame revient dîner?

— Pourquoi donc? Nous dînerons ensemble quelque part, au Café Anglais, où vous voudrez!

— Soit!

Ses petits chiens jappaient autour d'elle.

— On peut les emmener, n'est-ce pas?

Frédéric les porta, lui-même, jusqu'à la voiture. C'était une berline de louage avec deux chevaux de poste et un postillon; il avait mis sur le siège de derrière son domestique. La Maréchale parut satisfaite de ses prévenances; puis, dès qu'elle fut assise, lui demanda s'il avait été chez Arnoux, dernièrement.

— Pas depuis un mois, dit Frédéric.

— Moi, je l'ai rencontré avant-hier, il serait même venu aujourd'hui. Mais il a toute sorte d'embarras, encore un procès, je ne sais quoi. Quel drôle d'homme!

— Oui! très drôle!

Frédéric ajouta d'un air indifférent:

— A propos, voyez-vous toujours... comment donc l'appelez-vous?... cet ancien chanteur... Delmar?

Elle répliqua sèchement:

— Non! c'est fini.

Ainsi, leur rupture était certaine, Frédéric en conçut de l'espoir.

Ils descendirent au pas le quartier Bréda; les rues, à cause du dimanche, étaient désertes, et des figures de bourgeois apparaissaient derrière les fenêtres. La voiture prit un train plus rapide; le bruit des roues faisait se retourner les passants, le cuir de la capote rabattue brillait, le domestique se cambrait la taille, et les deux havanais l'un près de l'autre semblaient deux manchons d'hermine, posés sur les coussins. Frédéric se laissait aller au bercement des soupentes. La Maréchale tournait la tête, à droite et à gauche, en souriant.

Son chapeau de paille nacrée avait une garniture de dentelle noire. Le capuchon de son burnous flottait au vent; et elle s'abritait du soleil sous une ombrelle de satin lilas, pointue par le haut comme une pagode.

— Quels amours de petits doigts! dit Frédéric, en lui prenant doucement l'autre main, la gauche, ornée d'un bracelet d'or, en forme de gourmette. Tiens, c'est mignon; d'où cela vient-il?

— Oh! il y a longtemps que je l'ai, dit la Maréchale.

Le jeune homme n'objecta rien à cette réponse hypocrite. Il aima mieux « profiter de la circonstance ». Et, lui tenant toujours le poignet, il appuya dessus ses lèvres, entre le gant et la manchette.

— Finissez, on va nous voir!

— Bah! qu'est-ce que cela fait!

Après la place de la Concorde, ils prirent par le quai de la Conférence et le quai de Billy, où l'on remarque un cèdre dans un jardin. Rosanette croyait le Liban situé en Chine; elle rit elle-même de son ignorance et pria Frédéric de lui donner des leçons de géographie. Puis, laissant à droite le Trocadéro, ils traversèrent le pont d'Iéna et s'arrêtèrent enfin, au milieu du Champ de Mars, près des autres voitures, déjà rangées dans l'Hippodrome.

Les tertres de gazon étaient couverts de menu peuple. On apercevait des curieux sur le balcon de l'Ecole Militaire; et les deux pavillons en dehors du pesage, les deux tribunes comprises dans son enceinte, et une troisième devant celle du Roi se trouvaient remplies d'une foule en toilette qui témoignait, par son maintien, de la révérence encore vivace pour ce divertissement encore nouveau. Le public des courses, plus spécial dans ce temps-là, avait un aspect moins vulgaire; c'était l'époque des sous-pieds, des collets de velours et des gants blancs. Les femmes, vêtues de couleurs brillantes, portaient des robes à taille longue, et, assises sur les gradins des estrades, elles faisaient comme de grands massifs de fleurs, tachetés de noir, çà et là, par les sombres costumes des hommes. Mais tous les regards se tournaient vers le célèbre Algérien Bou-Maza, qui se tenait impassible, entre deux officiers d'état-major, dans une des tribunes particulières. Celle du Jockey-Club contenait exclusivement des messieurs graves.

Les plus enthousiastes s'étaient placés en bas, contre la piste, défendue par deux lignes de bâtons supportant des cordes; dans l'ovale immense que décrivait cette allée, des marchands de coco agitaient leur crécelle, d'autres vendaient le programme des courses, d'autres criaient des cigares, un vaste bourdonnement s'élevait; les gardes municipaux passaient et repassaient; une cloche, suspendue à un poteau couvert de chiffres, tinta. Cinq chevaux parurent, et on entra dans les tribunes.

Cependant, de gros nuages effleuraient de leurs volutes la cime des ormes, en face. Rosanette avait peur de la pluie.

— J'ai des riflards, dit Frédéric, et tout ce qu'il faut pour se distraire, ajouta-t-il en soulevant le coffre, où il y avait des provisions de bouche dans un panier.

— Bravo! nous nous comprenons!

— Et on se comprendra encore mieux, n'est-ce pas?

— Cela se pourrait! fit-elle en rougissant.

Les jockeys, en casaque de soie, tâchaient d'aligner

leurs chevaux et les retenaient à deux mains. Quelqu'un abaissa un drapeau rouge. Alors, tous les cinq, se penchant sur les crinières, partirent. Ils restèrent d'abord serrés en une seule masse; bientôt elle s'allongea, se coupa; celui qui portait la casaque jaune, au milieu du premier tour, faillit tomber; longtemps il y eut de l'incertitude entre Filly et Tibi; puis Tom-Pouce parut en tête; mais Clubstick, en arrière depuis le départ, les rejoignit et arriva premier, battant Sir-Charles de deux longueurs; ce fut une surprise; on criait; les baraques de planches vibraient sous les trépignements.

— Nous nous amusons! dit la Maréchale. Je t'aime, mon chéri!

Frédéric ne douta plus de son bonheur; ce dernier mot de Rosanette le confirmait.

A cent pas de lui, dans un cabriolet milord [57], une dame parut. Elle se penchait en dehors de la portière, puis se renfonçait vivement; cela recommença plusieurs fois; Frédéric ne pouvait distinguer sa figure. Un soupçon le saisit, il lui sembla que c'était Mme Arnoux. Impossible, cependant! Pourquoi serait-elle venue?

Il descendit de voiture, sous prétexte de flâner au pesage.

— Vous n'êtes guère galant! dit Rosanette.

Il n'écouta rien et s'avança. Le milord, tournant bride, se mit au trot.

Frédéric, au même moment, fut happé par Cisy.

— Bonjour, cher! comment allez-vous? Hussonnet est là-bas! Ecoutez donc!

Frédéric, tâchait de se dégager pour rejoindre le milord. La Maréchale lui faisait signe de retourner près d'elle. Cisy l'aperçut, et voulait obstinément lui dire bonjour.

Depuis que le deuil de sa grand'mère était fini, il réalisait son idéal, parvenait à *avoir du cachet*. Gilet écossais, habit court, larges bouffettes sur l'escarpin et carte d'entrée dans la ganse du chapeau, rien ne manquait effectivement à ce qu'il appelait lui-même son « chic », un chic anglomane et mousquetaire. Il commença par se plaindre du Champ de Mars, turf exécrable, parla ensuite des courses de Chantilly et des farces qu'on y faisait, jura qu'il pouvait boire douze verres de vin de Champagne pendant les douze coups de minuit, proposa à la Maréchale de parier, caressait doucement ses deux bichons; et de l'autre coude s'appuyant sur la portière, il continuait à débiter des sottises, le pommeau de son stick dans la bouche, les jambes écartées, les reins tendus. Frédéric, à côté de lui, fumait tout en cherchant à découvrir ce que le milord était devenu.

La cloche ayant tinté, Cisy s'en alla, au grand plaisir de Rosanette, qu'il ennuyait beaucoup, disait-elle.

La seconde épreuve n'eut rien de particulier, la troisième non plus, sauf un homme qu'on emporta sur un brancard. La quatrième, où huit chevaux disputèrent le prix de la Ville, fut plus intéressante.

Les spectateurs des tribunes avaient grimpé sur les

57. Voiture hippomobile à quatre roues et deux places arrière avec capote amovible.

bancs. Les autres, debout dans les voitures, suivaient avec des lorgnettes à la main l'évolution des jockeys; on les voyait filer comme des taches rouges, jaunes, blanches et bleues sur toute la longueur de la foule, qui bordait le tour de l'Hippodrome. De loin, leur vitesse n'avait pas l'air excessive; à l'autre bout du Champ de Mars, ils semblaient même se ralentir, et ne plus avancer que par une sorte de glissement, où les ventres des chevaux touchaient la terre sans que leurs jambes étendues pliassent. Mais, revenant bien vite, ils grandissaient; leur passage coupait le vent, le sol tremblait, les cailloux volaient; l'air, s'engouffrant dans les casaques des jockeys, les faisait palpiter comme des voiles; à grands coups de cravache, ils fouaillaient leurs bêtes pour atteindre le poteau, c'était le but. On enlevait les chiffres, un autre était hissé; et, au milieu des applaudissements, le cheval victorieux se traînait jusqu'au pesage, tout couvert de sueur, les genoux raidis, l'encolure basse, tandis que son cavalier, comme agonisant sur sa selle, se tenait les côtes.

Une contestation retarda le dernier départ. La foule qui s'ennuyait se répandit. Des groupes d'hommes causaient au bas des tribunes. Les propos étaient libres; des femmes du monde partirent, scandalisées par le voisinage des lorettes.

Il y avait aussi des illustrations de bals publics, des comédiennes du boulevard; — et ce n'étaient pas les plus belles qui recevaient le plus d'hommages. La vieille Georgine Aubert, celle qu'un vaudevilliste appelait le Louis XI de la prostitution, horriblement maquillée et poussant de temps à autre une espèce de rire pareil à un grognement, restait tout étendue dans sa longue calèche, sous une palatine de martre comme en plein hiver. Mme de Remoussot, mise à la mode par son procès, trônait sur le siège d'un break en compagnie d'Américains; et Thérèse Bachelu, avec son air de vierge gothique, emplissait de ses douze falbalas l'intérieur d'un escargot qui avait, à la place du tablier, une jardinière pleine de roses. La Maréchale fut jalouse de ces gloires; pour qu'on la remarquât, elle se mit à faire de grands gestes et à parler très haut.

Des gentlemen la reconnurent, lui envoyèrent des saluts. Elle y répondait en disant leurs noms à Frédéric. C'étaient tous comtes, vicomtes, ducs et marquis; et il se rengorgeait, car tous les yeux exprimaient un certain respect pour sa bonne fortune.

Cisy n'avait pas l'air moins heureux dans le cercle d'hommes mûrs qui l'entourait. Ils souriaient du haut de leurs cravates, comme se moquant de lui; enfin il tapa dans la main du plus vieux et s'avança vers la Maréchale. Elle mangeait avec une gloutonnerie affectée une tranche de foie gras; Frédéric, par obéissance, l'imitait, en tenant une bouteille de vin sur ses genoux.

Le milord reparut, c'était Mme Arnoux. Elle pâlit extraordinairement.

— Donne-moi du champagne! dit Rosanette.

Et, levant le plus haut possible son verre rempli, elle s'écria:

— Ohé là-bas! les femmes honnêtes, l'épouse de mon protecteur, ohé!

Des rires éclatèrent autour d'elle, le milord disparut. Frédéric la tirait par sa robe, il allait s'emporter. Mais Cisy était là, dans la même attitude que tout à l'heure; et, avec un surcroît d'aplomb, il invita Rosanette à dîner pour le soir même.

— Impossible! répondit-elle. Nous allons ensemble au Café Anglais.

Frédéric, comme s'il n'eût rien entendu, demeura muet; et Cisy quitta la Maréchale d'un air désappointé.

Tandis qu'il lui parlait, debout contre la portière de droite, Hussonnet était survenu du côté gauche, et, relevant ce mot de Café Anglais :

— C'est un joli établissement! si l'on y cassait une croûte, hein?

— Comme vous voudrez, dit Frédéric, qui, affaissé dans le coin de la berline, regardait à l'horizon le milord disparaître, sentant qu'une chose irréparable venait de se faire et qu'il avait perdu son grand amour. Et l'autre était là, près de lui, l'amour joyeux et facile! Mais, lassé, plein de désirs contradictoires et ne sachant même plus ce qu'il voulait, il éprouvait une tristesse démesurée, une envie de mourir.

Un grand bruit de pas et de voix lui fit relever la tête; les gamins, enjambant les cordes de la piste, venaient regarder les tribunes; on s'en allait. Quelques gouttes de pluie tombèrent. L'embarras des voitures augmenta. Hussonnet était perdu.

— Eh bien, tant mieux! dit Frédéric.

— On préfère être seul? reprit la Maréchale, en posant la main sur la sienne.

Alors passa devant eux, avec des miroitements de cuivre et d'acier, un splendide landau attelé de quatre chevaux, conduits à la Daumont par deux jockeys en veste de velours, à crépines d'or. Mme Dambreuse était près de son mari. Martinon sur l'autre banquette en face; tous les trois avaient des figures étonnées.

« Ils m'ont reconnu! » se dit Frédéric.

Rosanette voulut qu'on arrêtât, pour mieux voir le défilé. Mme Arnoux pouvait reparaître. Il cria au postillon :

— Va donc! va donc! en avant!

Et la berline se lança vers les Champs-Élysées au milieu des autres voitures, calèches, briskas [58], wurts, tandems, tilburys, dog-carts, tapissières à rideaux de cuir où chantaient des ouvriers en goguette, demi-fortune que dirigeaient avec prudence des pères de famille eux-mêmes. Dans des victorias bourrées de monde, quelque garçon, assis sur les pieds des autres, laissait pendre en dehors ses deux jambes. De grands coupés à siège de drap promenaient des douairières qui sommeillaient : ou bien un stopper [59] magnifique passait, emportant une chaise, simple et coquette comme l'habit noir d'un dandy. L'averse cependant

---

58. Briskas : calèches légères et découvertes; wurts : vastes voitures dérivées du char-à-banc; tandems : cabriolets tirés par deux chevaux en flèche; dog-carts : voitures légères à deux sièges adossés l'un à l'autre; demi-fortune : voiture à quatre roues et un seul cheval.

59. Stepper (et non stopper) : cheval de trot; chaise : voiture légère à deux roues.

redoublait. On tirait les parapluies, les parasols, les mackintosh [60]; on se criait de loin : « Bonjour! — Ça va bien? — Oui! — Non! — A tantôt! » et les figures se succédaient avec une vitesse d'ombres chinoises. Frédéric et Rosanette ne se parlaient pas, éprouvant une sorte d'hébétude à voir auprès d'eux continuellement toutes ces roues tourner.

Par moments, les files de voitures, trop pressées, s'arrêtaient toutes à la fois sur plusieurs lignes. Alors, on restait les uns près des autres, et l'on s'examinait. Du bord des panneaux armoriés, des regards indifférents tombaient sur la foule; des yeux pleins d'envie brillaient au fond des fiacres; des sourires de dénigrement répondaient aux ports de tête orgueilleux; des bouches grandes ouvertes exprimaient des admirations imbéciles; et, çà et là, quelque flâneur, au milieu de la voie, se rejetait en arrière d'un bond, pour éviter un cavalier qui galopait entre les voitures et parvenait à en sortir. Puis tout se remettait en mouvement; les cochers lâchaient les rênes, abaissaient leurs longs fouets; les chevaux, animés, secouant leur gourmette, jetaient de l'écume autour d'eux; et les croupes et les harnais humides fumaient dans la vapeur d'eau que le soleil couchant traversait. Passant sous l'Arc de Triomphe, il allongeait à hauteur d'homme une lumière roussâtre, qui faisait étinceler les moyeux des roues, les poignées des portières, le bout des timons, les anneaux des sellettes; et, sur les deux côtés de la grande avenue — pareille à un fleuve où ondulaient des crinières, des vêtements, des têtes humaines — les arbres tout reluisants de pluie se dressaient, comme deux murailles vertes. Le bleu du ciel, au-dessus, reparaissant à certaines places, avait des douceurs de satin.

Alors, Frédéric se rappela les jours déjà loin où il enviait l'inexprimable bonheur de se trouver dans une de ces voitures, à côté d'une de ces femmes. Il le possédait, ce bonheur-là, et n'en était pas plus joyeux.

La pluie avait fini de tomber. Les passants, réfugiés entre les colonnes du Garde-Meubles [61], s'en allaient. Des promeneurs, dans la rue Royale, remontaient vers le boulevard. Devant l'hôtel des Affaires Etrangères, une file de badauds stationnaient sur les marches.

A la hauteur des Bains Chinois, comme il y avait des trous dans le pavé, la berline se ralentit. Un homme en paletot noisette marchait au bord du trottoir. Une éclaboussure, jaillissant de dessous les ressorts, s'étala dans son dos. L'homme se retourna, furieux. Frédéric devint pâle; il avait reconnu Deslauriers.

A la porte du Café Anglais, il renvoya la voiture. Rosanette était montée devant lui, pendant qu'il payait le postillon.

Il la retrouva dans l'escalier, causant avec un monsieur. Frédéric prit son bras. Mais, au milieu du corridor, un deuxième seigneur l'arrêta.

— Va toujours! dit-elle, je suis à toi!

Et il entra seul dans le cabinet. Par les deux fenêtres ouvertes, on apercevait du monde aux croisées des autres maisons, vis-à-vis. De larges moires frissonnaient sur l'asphalte qui séchait, et un magnolia posé au bord du balcon embaumait l'appartement. Ce parfum et cette fraîcheur détendirent ses nerfs; il s'affaissa sur le divan rouge, au-dessous de la glace.

La Maréchale revint; et, le baisant au front :

— On a des chagrins, pauvre mimi?

— Peut-être! répliqua-t-il.

— Tu n'es pas le seul, va! ce qui voulait dire : « Oublions chacun les nôtres dans une félicité commune! »

Puis elle posa un pétale de fleur entre ses lèvres, et le lui tendit à becqueter. Ce mouvement, d'une grâce et presque d'une mansuétude lascive, attendrit Frédéric.

— Pourquoi me fais-tu de la peine? dit-il, en songeant à Mme Arnoux.

— Moi, de la peine?

Et, debout devant lui, elle le regardait, les cils rapprochés et les deux mains sur les épaules.

Toute sa vertu, toute sa rancune sombra dans une lâcheté sans fond.

Il reprit :

— Puisque tu ne veux pas m'aimer! en l'attirant sur ses genoux.

Elle se laissait faire; il lui entourait la taille à deux bras; le pétillement de sa robe de soie l'enflammait.

— Où sont-ils? dit la voix d'Hussonnet dans le corridor.

La Maréchale se leva brusquement, et alla se mettre à l'autre bout du cabinet, tournant le dos à la porte.

Elle demanda des huîtres; et ils s'attablèrent.

Hussonnet ne fut pas drôle. A force d'écrire quotidiennement sur toute sorte de sujets, de lire beaucoup de journaux, d'entendre beaucoup de discussions et d'émettre des paradoxes pour éblouir, il avait fini par perdre la notion exacte des choses, s'aveuglant lui-même avec ses faibles pétards. Les embarras d'une vie légère autrefois, mais à présent difficile, l'entretenaient dans une agitation perpétuelle; et son impuissance, qu'il ne voulait pas s'avouer, le rendait hargneux, sarcastique. A propos d'*Ozaï* [62], un ballet nouveau, il fit une sortie à fond contre la danse, et, à propos de la danse, contre l'Opéra; puis, à propos de l'Opéra, contre les Italiens, remplacés, maintenant, par une troupe d'acteurs espagnols, « comme si l'on n'était pas rassasié des Castilles! » Frédéric fut choqué dans son amour romantique de l'Espagne; et, afin de rompre la conversation, il s'informa du Collège de France, d'où l'on venait d'exclure Edgar Quinet et Mickiewicz. Mais Hussonnet, admirateur de M. de Maistre, se déclara pour l'Autorité et le Spiritualisme. Il doutait, cependant, des faits les mieux prouvés, niait l'histoire, et contestait les choses les plus positives, jusqu'à s'écrier au mot géométrie : « Quelle blague que la géométrie! » Le tout entremêlé d'imitations d'acteurs. Sainville était particulièrement son modèle.

Ces calembredaines assommaient Frédéric. Dans un

---

60. Manteau imperméable.
61. Actuellement Ministère de la Marine, place de la Concorde.
62. *Ozaï ou les Sauvages*, ballet créé à l'Opéra le 26 avril 1847.

mouvement d'impatience, il attrapa, avec sa botte, un des bichons sous la table.

Tous deux se mirent à aboyer d'une façon odieuse.

— Vous devriez les faire reconduire! dit-il brusquement.

Rosanette n'avait confiance en personne.

Alors, il se tourna vers la bohème.

— Voyons, Hussonnet, dévouez-vous!

— Oh! oui, mon petit! Ce serait bien aimable!

Hussonnet s'en alla, sans se faire prier.

De quelle manière payait-on sa complaisance? Frédéric n'y pensa pas. Il commençait même à se réjouir du tête-à-tête, lorsqu'un garçon entra.

— Madame, quelqu'un vous demande!

— Comment! encore?

— Il faut pourtant que je voie! dit Rosanette.

Il en avait soif, besoin. Cette disparition lui semblait un forfaiture, presque une grossièreté. Que voulait-elle donc? n'était-ce pas assez d'avoir outragé Mme Arnoux? Tant pis pour celle-là, du reste! Maintenant, il haïssait toutes les femmes; et des pleurs l'étouffaient, car son amour était méconnu et sa concupiscence trompée.

La Maréchale rentra, et, lui présentant Cisy :

— J'ai invité monsieur. J'ai bien fait, n'est-ce pas?

— Comment donc! certainement!

Frédéric, avec un sourire de supplicié, fit signe au gentilhomme de s'asseoir.

La Maréchale se mit à parcourir la carte, en s'arrêtant aux noms bizarres.

— Si nous mangions, je suppose, un turban de lapins à la Richelieu et un pudding à la d'Orléans?

— Oh! pas d'Orléans! s'écria Cisy, lequel était légitimiste et crut faire un mot.

— Aimez-vous mieux un turbot à la Chambord? reprit-elle.

Cette politesse choqua Frédéric.

La Maréchale se décida pour un simple tourne-dos, des écrevisses, des truffes, une salade d'ananas, des sorbets à la vanille.

— Nous verrons ensuite. Allez toujours. Ah! j'oubliais! Apportez-moi un saucisson! pas à l'ail!

Et elle appelait le garçon « jeune homme », frappait son verre avec son couteau, jetait au plafond la mie de son pain. Elle voulut boire tout de suite du vin de Bourgogne.

— On n'en prend pas dès le commencement, dit Frédéric.

Cela se faisait quelquefois, suivant le vicomte.

— Eh non! jamais!

— Si fait, je vous assure!

— Ah! tu vois!

Le regard dont elle accompagna cette phrase signifiait : « C'est un homme riche, celui-là, écoute-le! »

Cependant, la porte s'ouvrait à chaque minute, les garçons glapissaient et, sur un infernal piano, dans le cabinet à côté, quelqu'un tapait une valse. Puis les courses amenèrent à parler d'équitation et des deux systèmes rivaux. Cisy défendait Baucher, Frédéric le comte d'Aure, quand Rosanette haussa les épaules.

— Assez, mon Dieu! il s'y connaît mieux que toi, va!

Elle mordait dans une grenade, le coude posé sur la table; les bougies du candélabre devant elle tremblaient au vent; cette lumière blanche pénétrait sa peau de tons nacrés, mettait du rose à ses paupières, faisait briller les globes de ses yeux; la rougeur du fruit se confondait avec le pourpre de ses lèvres, ses narines minces battaient; et toute sa personne avait quelque chose d'insolent, d'ivre et de noyé qui exaspérait Frédéric, et pourtant lui jetait au cœur des désirs fous.

Puis elle demanda, d'une voix calme, à qui appartenait ce grand landau avec une livrée marron.

— A la comtesse Dambreuse, répliqua Cisy.

— Ils sont très riches, n'est-ce pas?

— Oh! très riches! bien que Mme Dambreuse, qui est, tout simplement, une demoiselle Boutron, la fille d'un préfet, ait une fortune médiocre.

Son mari, au contraire, devait recueillir plusieurs héritages, Cisy les énuméra; fréquentant les Dambreuse, il savait leur histoire.

Frédéric, pour lui être désagréable, s'entêta à le contredire. Il soutint que Mme Dambreuse s'appelait de Boutron, certifiait sa noblesse.

— N'importe! je voudrais bien avoir son équipage! dit la Maréchale, en se renversant sur le fauteuil.

Et la manche de sa robe, glissant un peu, découvrit, à son poignet gauche, un bracelet orné de trois opales.

Frédéric l'aperçut.

— Tiens! mais...

Ils se considérèrent tous les trois, et rougirent.

La porte s'entre-bailla discrètement, le bord d'un chapeau parut, puis le profil d'Hussonnet.

— Excusez, si je vous dérange, les amoureux!

Mais il s'arrêta, étonné de voir Cisy et de ce que Cisy avait pris sa place.

On apporta un autre couvert; et, comme il avait grand'faim, il empoignait au hasard, parmi les restes du dîner, de la viande dans un plat, un fruit dans une corbeille, buvait d'une main, se servait de l'autre, tout en racontant sa mission. Les deux toutous étaient reconduits. Rien de neuf au domicile. Il avait trouvé la cuisinière avec un soldat, histoire fausse, uniquement inventée pour produire de l'effet.

La Maréchale décrocha de la patère sa capote. Frédéric se précipita sur la sonnette en criant de loin au garçon :

— Une voiture!

— J'ai la mienne, dit le vicomte.

— Mais, monsieur!

— Cependant, monsieur!

Et ils se regardèrent dans les prunelles, pâles tous les deux et les mains tremblantes.

Enfin, la Maréchale prit le bras de Cisy, et, en montrant la bohème attablé :

— Soignez-le donc! il s'étouffe. Je ne voudrais pas que son dévouement pour mes roquets le fît mourir!

La porte retomba.

— Eh bien? dit Hussonnet.

— Eh bien, quoi?

— Je croyais...

— Qu'est-ce que vous croyiez?
— Est-ce que vous ne...?
Il compléta sa phrase par un geste.
— Eh non! jamais de la vie!
Hussonnet n'insista pas davantage.

Il avait eu un but en s'invitant à dîner. Son journal, qui ne s'appelait plus *l'Art*, mais *le Flambard*, avec cette épigraphe : « Canonniers, à vos pièces! » ne prospérant nullement, il avait envie de le transformer en une revue hebdomadaire, seul, sans le secours de Deslauriers. Il reparla de l'ancien projet, et exposa son plan nouveau.

Frédéric, ne comprenant pas sans doute, répondit par des choses vagues. Hussonnet empoigna plusieurs cigares sur la table, dit : « Adieu, mon bon », et disparut.

Frédéric demanda la note. Elle était longue; et le garçon, la serviette sous le bras, attendait son argent, quand un autre, un individu blafard qui ressemblait à Martinon, vint lui dire :

— Faites excuse, on a oublié au comptoir de porter le fiacre.

— Quel fiacre?

— Celui que ce monsieur a pris tantôt, pour les petits chiens.

Et la figure du garçon s'allongea, comme s'il eût plaint le pauvre jeune homme. Frédéric eut envie de le gifler. Il donna de pourboire les vingt francs qu'on lui rendait.

— Merci, Monseigneur! dit l'homme à la serviette, avec un grand salut.

Frédéric passa la journée du lendemain à ruminer sa colère et son humiliation. Il se reprochait de n'avoir pas souffleté Cisy. Quant à la Maréchale, il se jura de ne plus la revoir; d'autres aussi belles ne manquaient pas; et puisqu'il fallait de l'argent pour posséder ces femmes-là, il jouerait à la Bourse le prix de sa ferme, il serait riche, il écraserait de son luxe la Maréchale et tout le monde. Le soir venu, il s'étonna de n'avoir pas songé à Mme Arnoux.

« Tant mieux! à quoi bon? »

Le surlendemain, dès huit heures, Pellerin vint lui faire visite. Il commença par des admirations sur le mobilier, des cajoleries. Puis, brusquement :

— Vous étiez aux courses, dimanche?

— Oui, hélas!

Alors, le peintre déclama contre l'anatomie des chevaux anglais, vanta les chevaux de Géricault, les chevaux du Parthénon. « Rosanette était avec vous? » Et il entama son éloge, adroitement.

La froideur de Frédéric le décontenança. Il ne savait comment en venir au portrait.

Sa première intention avait été de faire un Titien. Mais, peu à peu, la coloration variée de son modèle l'avait séduit; et il avait travaillé franchement, accumulant pâte sur pâte et lumière sur lumière. Rosanette fut enchantée d'abord; ses rendez-vous avec Delmar avaient interrompu les séances et laissé à Pellerin tout le temps de s'éblouir. Puis, l'admiration s'apaisant, il s'était demandé si sa peinture ne manquait point de

grandeur. Il avait été revoir les Titien, avait compris la distance, reconnu sa faute; et il s'était mis à repasser ses contours simplement. Ensuite, il avait cherché, en les rongeant, à y perdre, à y mêler les tons de la tête et ceux des fonds; et la figure avait pris de la consistance, les ombres de la vigueur; tout paraissait plus ferme. Enfin la Maréchale était revenue. Elle s'était même permis des objections; l'artiste, naturellement, avait persévéré. Après de grandes fureurs contre sa sottise, il s'était dit qu'elle pouvait avoir raison. Alors avait commencé l'ère des doutes, tiraillements de la pensée qui provoquent les crampes d'estomac, les insomnies, la fièvre, le dégoût de soi-même; il avait eu le courage de faire des retouches, mais sans cœur et sentant que sa besogne était mauvaise.

Il se plaignit seulement d'avoir été refusé au Salon, puis reprocha à Frédéric de ne pas être venu voir le portrait de la Maréchale.

— Je me moque bien de la Maréchale!

Une déclaration pareille l'enhardit.

— Croiriez-vous que cette bête-là n'en veut plus, maintenant?

Ce qu'il ne disait point, c'est qu'il avait réclamé d'elle mille écus. Or, la Maréchale s'était peu souciée de savoir qui payerait, et, préférant tirer d'Arnoux des choses plus urgentes, ne lui en avait même pas parlé.

— Eh bien, et Arnoux? dit Frédéric.

Elle l'avait relancé vers lui. L'ancien marchand de tableaux n'avait que faire du portrait.

— Il soutient que ça appartient à Rosanette.

— En effet, c'est à elle.

— Comment! c'est elle qui m'envoie vers vous! répliqua Pellerin.

S'il eût cru à l'excellence de son œuvre, il n'eût pas songé, peut-être, à l'exploiter. Mais une somme (et une somme considérable) serait un démenti à la critique, un raffermissement pour lui-même. Frédéric, afin de s'en délivrer, s'enquit de ses conditions, courtoisement.

L'extravagance du chiffre le révolta, il répondit :

— Non, ah! non!

— Vous êtes pourtant son amant, c'est vous qui m'avez fait la commande!

— J'ai été l'intermédiaire, permettez!

— Mais je ne peux rester avec ça sur les bras!

L'artiste s'emporta.

— Ah! je ne vous croyais pas si cupide.

— Ni vous si avare! Serviteur!

Il venait de partir que Sénécal se présenta.

Frédéric, troublé, eut un mouvement d'inquiétude.

— Qu'y a-t-il?

Sénécal conta son histoire.

— Samedi, vers neuf heures, Mme Arnoux a reçu une lettre qui l'appelait à Paris; comme personne, par hasard, ne se trouvait là pour aller à Creil chercher une voiture, elle avait envie de m'y faire aller moi-même. J'ai refusé, car ça ne rentre pas dans mes fonctions. Elle est partie, et revenue dimanche soir. Hier matin, Arnoux tombe à la fabrique. La Bordelaise s'est plainte. Je ne sais pas ce qui se passe entre eux, mais il a levé son amende devant tout le monde. Nous avons échangé des paroles vives. Bref, il m'a donné mon compte, et me voilà!

Puis, détachant ses paroles :

— Au reste, je ne me repens pas, j'ai fait mon devoir. N'importe, c'est à cause de vous.

— Comment? s'écria Frédéric, ayant peur que Sénécal ne l'eût deviné.

Sénécal n'avait rien deviné, car il reprit :

— C'est-à-dire que, sans vous, j'aurais peut-être trouvé mieux.

Frédéric fut saisi d'une espèce de remords.

— En quoi puis-je vous servir, maintenant?

Sénécal demandait un emploi quelconque, une place.

— Cela vous est facile. Vous connaissez tant de monde, M. Dambreuse entre autres, à ce que m'a dit Deslauriers.

Ce rappel de Deslauriers fut désagréable à son ami. Il ne se souciait guère de retourner chez les Dambreuse, depuis la rencontre du Champ de Mars.

— Je ne suis pas suffisamment intime dans la maison pour recommander quelqu'un.

Le démocrate essuya ce refus stoïquement, et, après une minute de silence :

— Tout cela, j'en suis sûr, vient de la Bordelaise et aussi de votre Mme Arnoux.

Ce *votre* ôta du cœur de Frédéric le peu de bon vouloir qu'il gardait. Par délicatesse, cependant, il atteignit la clef de son secrétaire.

Sénécal le prévint.

— Merci!

Puis, oubliant ses misères, il parla des choses de la patrie, les croix d'honneur prodiguées à la fête du Roi, un changement de cabinet, les affaires Drouillard[63] et Bénier, scandales de l'époque, déclama contre les bourgeois et prédit une révolution.

Un crid[64] japonais suspendu contre le mur arrêta ses yeux. Il le prit, en essaya le manche, puis le rejeta sur le canapé, avec un air de dégoût.

— Allons, adieu! Il faut que j'aille à Notre-Dame-de-Lorette.

— Tiens! pourquoi?

— C'est aujourd'hui le service anniversaire de Godefroy Cavaignac. Il est mort à l'œuvre, celui-là! Mais tout n'est pas fini... Qui sait?

Et Sénécal tendit sa main, bravement.

— Nous ne nous reverrons peut-être jamais! adieu!

Cet adieu, répété deux fois, son froncement de sourcils en contemplant le poignard, sa résignation et son air solennel, surtout, firent rêver Frédéric, qui bientôt n'y pensa plus.

Dans la même semaine, son notaire du Havre lui envoya le prix de sa ferme, cent soixante-quatorze mille francs. Il en fit deux parts, plaça la première sur l'État et alla porter la seconde chez un agent de change pour la risquer à la Bourse.

63. Les affaires Drouillard et Bénier : la première est une affaire de corruption électorale; la seconde, de malversations au préjudice de l'État.
64. Crid, ou criss : poignard malais.

Il mangeait dans les cabarets à la mode, fréquentait les théâtres et tâchait de se distraire, quand Hussonnet lui adressa une lettre, où il narrait gaiement que la Maréchale, dès le lendemain des courses, avait congédié Cisy. Frédéric en fut heureux, sans chercher pourquoi le bohème lui apprenait cette aventure.

Le hasard voulut qu'il rencontrât Cisy, trois jours après. Le gentilhomme fit bonne contenance, et l'invita même à dîner pour le mercredi suivant.

Frédéric, le matin de ce jour-là, reçut une notification d'huissier, où M. Charles-Jean-Baptiste Oudry lui apprenait qu'aux termes d'un jugement du tribunal, il s'était rendu acquéreur d'une propriété sise à Belleville, appartenant au sieur Jacques Arnoux, et qu'il était prêt à payer les deux cent vingt-trois mille francs, montant du prix de la vente. Mais il résultait du même acte que, la somme des hypothèques dont l'immeuble était grevé dépassant le prix d'acquisition, la créance de Frédéric se trouvait complètement perdue.

Tout le mal venait de n'avoir pas renouvelé en temps utile une inscription hypothécaire. Arnoux s'était chargé de cette démarche, et l'avait ensuite oublié. Frédéric s'emporta contre lui, et, quand sa colère fut passée :

« Eh bien, après... quoi! si cela peut le sauver, tant mieux! je n'en mourrai pas! n'y pensons plus! »

Mais en remuant ses paperasses sur sa table, il rencontra la lettre d'Hussonnet, et aperçut le post-scriptum, qu'il n'avait point remarqué la première fois. Le bohème demandait cinq mille francs, tout juste, pour mettre l'affaire du journal en train.

« Ah! celui-là m'embête! »

Et il refusa brutalement dans un billet laconique. Après quoi, il s'habilla pour se rendre à la Maison d'Or.

Cisy présenta ses convives, en commençant par le plus respectable, un gros monsieur à cheveux blancs :

— Le marquis Gilbert des Aulnays, mon parrain. M. Anselme de Forchambeaux, dit-il ensuite (c'était un jeune homme blond et fluet, déjà chauve); puis, désignant un quadragénaire d'allures simples : « Joseph Boffreu, mon cousin; et voici mon ancien professeur, M. Vezou », personnage moitié charretier, moitié séminariste, avec de gros favoris et une longue redingote, boutonnée dans le bas par un seul bouton, de manière à faire châle sur la poitrine.

Cisy attendait encore quelqu'un, le baron de Comaing, « qui peut-être viendra, ce n'est pas sûr ». Il sortait à chaque minute, paraissait inquiet; enfin, à huit heures, on passa dans une salle éclairée magnifiquement et trop spacieuse pour le nombre des convives. Cisy l'avait choisie par pompe, tout exprès.

Un surtout de vermeil, chargé de fleurs et de fruits, occupait le milieu de la table, couverte de plats d'argent, suivant la vieille mode française; des raviers, pleins de salaisons et d'épices, formaient bordure tout autour; des cruches de vin rosat frappé de glace se dressaient de distance en distance; cinq verres de hauteur différente étaient alignés devant chaque assiette, avec des choses dont on ne savait pas l'usage, mille ustensiles de bouche ingénieux; — et il y avait, rien que pour le premier service : une hure d'esturgeon mouillée de champagne, un jambon d'York au tokay, des grives au gratin, des cailles rôties, un vol-au-vent Béchamel, un sauté de perdrix rouges, et, aux deux bouts de tout cela, des effilés de pommes de terre qui étaient mêlés à des truffes. Un lustre et des girandoles illuminaient l'appartement, tendu de damas rouge. Quatre domestiques en habit noir se tenaient derrière les fauteuils de maroquin. A ce spectacle, les convives se récrièrent, le précepteur surtout.

— Notre amphitryon, ma parole, a fait de véritables folies! C'est trop beau!

— Ça! dit le vicomte de Cisy, allons donc!

Et, dès la première cuillerée :

— Eh bien, mon vieux des Aulnays, avez-vous été au Palais-Royal, voir *Père et Portier* [65] ?

— Tu sais bien que je n'ai pas le temps! répliqua le marquis.

Ses matinées étaient prises par un cours d'arboriculture, ses soirées par le Cercle agricole, et toutes ses après-midi par des études dans les fabriques d'instruments aratoires. Habitant la Saintonge, les trois quarts de l'année, il profitait de ses voyages dans la capitale pour s'instruire; et son chapeau à larges bords, posé sur une console, était plein de brochures.

Mais Cisy, s'apercevant que M. de Forchambeaux refusait du vin :

— Buvez donc, saprelotte! Vous n'êtes pas crâne pour votre dernier repas de garçon!

A ce mot, tous s'inclinèrent, on le congratulait.

— Et la jeune personne, dit le précepteur, est charmante, j'en suis sûr?

— Parbleu! s'écria Cisy. N'importe, il a tort; c'est si bête, le mariage!

— Tu parles légèrement, mon ami, répliqua M. des Aulnays, tandis qu'une larme roulait dans ses yeux, au souvenir de sa défunte.

Et Forchambeaux répéta plusieurs fois de suite, en ricanant :

— Vous y viendrez vous-même, vous y viendrez!

Cisy protesta. Il aimait mieux se divertir, « être Régence ». Il voulait apprendre la savate [66], pour visiter les tapis-francs de la Cité, comme le prince Rodolphe des *Mystères de Paris*, tira de sa poche un brûle-gueule, rudoyait les domestiques, buvait extrêmement; et, afin de donner de lui bonne opinion, dénigrait tous les plats. Il renvoya même les truffes, et le précepteur, qui s'en délectait, dit par bassesse :

— Cela ne vaut pas les œufs à la neige de madame votre grand'mère!

Puis il se remit à causer avec son voisin l'agronome, lequel trouvait au séjour de la campagne beaucoup d'avantages, ne serait-ce que de pouvoir élever ses filles dans des goûts simples. Le précepteur applaudissait à ses idées et le flagornait, lui supposant de l'influence sur son élève, dont il désirait secrètement être l'homme d'affaires.

Frédéric était venu plein d'humeur contre Cisy; sa sottise l'avait désarmé. Mais ses gestes, sa figure, toute sa personne lui rappelant le dîner du Café Anglais, l'agaçait de plus en plus; et il écoutait les remarques désobligeantes que faisait à demi-voix le cousin Joseph, un brave garçon sans fortune, amateur de chasse et boursier. Cisy, par manière de rire, l'appela « voleur » plusieurs fois; puis, tout à coup :

— Ah! le baron!

Alors entra un gaillard de trente ans, qui avait quelque chose de rude dans la physionomie, de souple dans les membres, le chapeau sur l'oreille, et une fleur à la boutonnière. C'était l'idéal du vicomte. Il fut ravi de le posséder; et, sa présence l'excitant, il tenta même un calembour, car il dit, comme on passait un coq de bruyère :

— Voilà le meilleur des caractères de La Bruyère!

Ensuite, il adressa à M. de Comaing une foule de questions sur des personnes inconnues à la société; puis, comme saisi d'une idée :

— Dites donc! avez-vous pensé à moi?

L'autre haussa les épaules.

— Vous n'avez pas l'âge, mon petiot! Impossible!

Cisy l'avait prié de le faire admettre à son club. Mais le baron, ayant sans doute pitié de son amour-propre :

— Ah! j'oubliais! Mille félicitations pour votre pari, mon cher!

— Quel pari?

— Celui que vous avez fait, aux courses, d'aller le soir même chez cette dame.

Frédéric éprouva comme la sensation d'un coup de fouet. Il fut calmé tout de suite, par la figure déconcertée de Cisy.

En effet, la Maréchale, dès le lendemain, en était aux regrets, quand Arnoux, son premier amant, son homme, s'était présenté ce jour-là même. Tous deux avaient fait comprendre au vicomte qu'il « gênait », et on l'avait flanqué dehors, avec peu de cérémonie.

Il eut l'air de ne pas entendre. Le baron ajouta :

— Que devient-elle cette brave Rose?... A-t-elle toujours d'aussi jolies jambes? prouvant par ce mot qu'il la connaissait intimement.

Frédéric fut contrarié de la découverte.

— Il n'y a pas de quoi rougir, reprit le baron; c'est une bonne affaire!

Cisy claqua de la langue.

— Peuh! pas si bonne!

— Ah!

— Mon Dieu, oui! D'abord, moi, je ne lui trouve rien d'extraordinaire, et puis on en récolte de pareilles tant qu'on veut, car enfin... elle est à vendre!

— Pas pour tout le monde! reprit aigrement Frédéric.

— Il se croit différent des autres! répliqua Cisy, quelle farce!

Et un rire parcourut la table.

Frédéric sentait les battements de son cœur l'étouffer.

---

65. Comédie-vaudeville d'Ancelot et Bourgeois.
66. Terme populaire : lutte où l'on se sert des mains et des pieds.

Il avala deux verres d'eau, coup sur coup.

Mais le baron avait gardé bon souvenir de Rosanette.

— Est-ce qu'elle est toujours avec un certain Arnoux?

— Je n'en sais rien, dit Cisy. Je ne connais pas ce monsieur!

Il avança néanmoins, que c'était une manière d'escroc.

— Un moment! s'écria Frédéric.

— Cependant, la chose est certaine! Il a même eu un procès.

— Ce n'est pas vrai!

Frédéric se mit à défendre Arnoux. Il garantissait sa probité, finissait par y croire, inventait des chiffres, des preuves. Le vicomte, plein de rancune, et qui était gris d'ailleurs, s'entêta dans ses assertions, si bien que Frédéric lui dit gravement :

— Est-ce pour m'offenser, monsieur?

Et il le regardait, avec des prunelles ardentes comme son cigare.

— Oh! pas du tout, je vous accorde même qu'il a quelque chose de très bien : sa femme.

— Vous la connaissez?

— Parbleu! Sophie Arnoux, tout le monde connaît ça!

— Vous dites?

Cisy, qui s'était levé, répéta en balbutiant :

— Tout le monde connaît ça!

— Taisez-vous! Ce ne sont pas celles-là que vous fréquentez!

— Je m'en flatte!

Frédéric lui lança son assiette au visage.

Elle passa comme un éclair par-dessus la table, renversa deux bouteilles, démolit un compotier, et, se brisant contre le surtout en trois morceaux, frappa le ventre du vicomte.

Tous se levèrent pour le retenir. Il se débattait, en criant, pris d'une sorte de frénésie; M. des Aulnays répétait :

— Calmez-vous! voyons! cher enfant!

— Mais c'est épouvantable! vociférait le précepteur.

Forchambeaux, livide comme les prunes, tremblait; Joseph riait aux éclats; les garçons épongeaient le vin, ramassaient par terre les débris; et le baron alla fermer la fenêtre, car le tapage, malgré le bruit des voitures, aurait pu s'entendre sur le boulevard.

Comme tout le monde, au moment où l'assiette avait été lancée, parlait à la fois, il fut impossible de découvrir la raison de cette offense, si c'était à cause d'Arnoux, de Mme Arnoux, de Rosanette ou d'un autre. Ce qu'il y avait de certain, c'était la brutalité inqualifiable de Frédéric; il se refusa positivement à en témoigner le moindre regret.

M. des Aulnays tâcha de l'adoucir, le cousin Joseph, le précepteur, Forchambeaux lui-même. Le baron, pendant ce temps-là, réconfortait Cisy, qui, cédant à une faiblesse nerveuse, versait des larmes. Frédéric, au contraire, s'irritait de plus en plus; et l'on serait resté là jusqu'au jour si le baron n'avait dit pour en finir :

— Le vicomte, monsieur, enverra demain chez vous ses témoins.

— Votre heure?

— A midi, s'il vous plaît.

— Parfaitement, monsieur.

Frédéric, une fois dehors, respira à pleins poumons. Depuis trop longtemps, il contenait son cœur. Il venait de le satisfaire enfin; il éprouvait comme un orgueil de virilité, une surabondance de forces intimes qui l'enivraient. Il avait besoin de deux témoins. Le premier auquel il songea fut Regimbart; et il se dirigea tout de suite vers un estaminet de la rue Saint-Denis. La devanture était close. Mais de la lumière brillait à un carreau, au-dessus de la porte. Elle s'ouvrit, et il entra en se courbant, très bas sous l'auvent.

Une chandelle, au bord du comptoir, éclairait la salle déserte. Tous les tabourets, les pieds en l'air, étaient posés sur les tables. Le maître et la maîtresse avec leur garçon soupaient dans l'angle près de la cuisine; — et Regimbart, le chapeau sur la tête, partageait leur repas et même gênait le garçon, qui était contraint à chaque bouchée de se tourner de côté, quelque peu. Frédéric, lui ayant conté la chose brièvement, réclama son assistance. Le Citoyen commença par ne rien répondre; il roulait des yeux, avait l'air de réfléchir, fit plusieurs tours dans la salle, et dit enfin :

— Oui, volontiers!

Et un sourire homicide le dérida, en apprenant que l'adversaire était un noble.

— Nous le ferons marcher tambour battant, soyez tranquille! D'abord... avec l'épée...

— Mais peut-être, objecta Frédéric, que je n'ai pas le droit...

— Je vous dis qu'il faut prendre l'épée! répliqua brutalement le Citoyen. Savez-vous tirer?

— Un peu!

— Ah! un peu! voilà comme ils sont tous! Et ils ont la rage de faire assaut! Qu'est-ce que ça prouve, la salle d'armes? Écoutez-moi : tenez-vous bien à distance en vous enfermant toujours dans des cercles, et rompez! rompez! C'est permis. Fatiguez-le! Puis fendez-vous dessus, franchement! Et surtout pas de malice, pas de coups à la La Fougère! non! de simples une-deux, des dégagements. Tenez, voyez-vous? en tournant le poignet comme pour ouvrir une serrure. — Père Vauthier, donnez-moi votre canne! Ah! cela suffit.

Il empoigna la baguette qui servait à allumer le gaz, arrondit le bras gauche, plia le droit, et se mit à pousser des bottes contre la cloison. Il frappait du pied, s'animait, feignait même de rencontrer des difficultés, tout en criant : « Y es-tu, là? y es-tu? » et sa silhouette énorme se projetait sur la muraille, avec son chapeau qui semblait toucher au plafond. Le limonadier disait de temps en temps : « Bravo! très bien! » Son épouse également l'admirait, quoique émue; et Théodore, un ancien soldat, en restait cloué d'ébahissement, étant, du reste, fanatique de M. Regimbart.

Le lendemain de bonne heure, Frédéric courut au magasin de Dussardier. Après une suite de pièces, toutes remplies d'étoffes garnissant des rayons, ou étendues en travers sur des tables, tandis que, çà et là, des champignons de bois supportaient des châles, il l'aperçut dans une espèce de cage grillée, au milieu de registres, et écrivant debout sur un pupitre. Le brave garçon lâcha immédiatement sa besogne.

Les témoins arrivèrent avant midi. Frédéric, par bon goût, crut devoir ne pas assister à la conférence.

Le baron et M. Joseph déclarèrent qu'ils se contenteraient des excuses les plus simples. Mais Regimbart, ayant pour principe de ne céder jamais, et qui tenait à défendre l'honneur d'Arnoux (Frédéric ne lui avait point parlé d'autre chose), demanda que le vicomte fît des excuses. M. de Comaing fut révolté de l'outrecuidance. Le Citoyen n'en voulut pas démordre. Toute conciliation devenant impossible, on se battrait.

D'autres difficultés surgirent; car le choix des armes légalement appartenait à Cisy, l'offensé. Mais Regimbart soutint que, par l'envoi du cartel, il se constituait l'offenseur. Ses témoins se récrièrent qu'un soufflet, cependant, était la plus cruelle des offenses. Le Citoyen épilogua sur les mots, un coup n'étant pas un soufflet. Enfin, on décida qu'on s'en rapporterait à des militaires; et les quatre témoins sortirent, pour aller consulter des officiers dans une caserne quelconque.

Ils s'arrêtèrent à celle du quai d'Orsay. M. de Comaing, ayant abordé deux capitaines, leur exposa la contestation.

Les capitaines n'y comprirent goutte, embrouillée qu'elle fut par les phrases incidentes du Citoyen. Bref, ils conseillèrent à ces messieurs d'écrire un procès-verbal; après quoi, ils décideraient. Alors, on se transporta dans un café; et même, pour faire les choses plus discrètement, on désigna Cisy par un H et Frédéric par un K.

Puis on retourna à la caserne. Les officiers étaient sortis. Ils reparurent, et déclarèrent qu'évidemment le choix des armes appartenait à M. H. Tous s'en revinrent chez Cisy. Regimbart et Dussardier restèrent sur le trottoir.

Le vicomte, en apprenant la solution, fut pris d'un si grand trouble, qu'il se la fit répéter plusieurs fois; et, quand M. de Comaing en vint aux prétentions de Regimbart, il murmura « cependant », n'étant pas loin, en lui-même, d'y obtempérer. Puis il se laissa choir dans un fauteuil, et déclara qu'il ne se battrait pas.

— Hein? comment? dit le baron.

Alors, Cisy s'abandonna à un flux labial désordonné. Il voulait se battre au tromblon, à bout portant, avec un seul pistolet.

— Ou bien on mettra de l'arsenic dans un verre, qui sera tiré au sort. Ça se fait quelquefois; je l'ai lu!

Le baron, peu endurant naturellement, le rudoya.

— Ces messieurs attendent votre réponse. C'est indécent, à la fin! Que prenez-vous? voyons! Est-ce l'épée?

Le vicomte répliqua « oui », par un signe de tête; et le rendez-vous fut fixé pour le lendemain, à la porte Maillot, à sept heures juste.

Dussardier étant contraint de s'en retourner à ses affaires, Regimbart alla prévenir Frédéric.

On l'avait laissé toute la journée sans nouvelles; son impatience était devenue intolérable.

— Tant mieux! s'écria-t-il.

Le Citoyen fut satisfait de sa contenance.

— On réclamait de nous des excuses, croiriez-vous? Ce n'était rien, un simple mot! Mais je les ai envoyés joliment bouler! Comme je le devais, n'est-ce pas?

— Sans doute, dit Frédéric, tout en songeant qu'il eût mieux fait de choisir un autre témoin.

Puis, quand il fut seul, il se répéta tout haut, plusieurs fois :

« Je vais me battre. Tiens, je vais me battre! C'est drôle! »

Et, comme il marchait dans sa chambre, en passant devant sa glace, il s'aperçut qu'il était pâle.

« Est-ce que j'aurais peur? »

Une angoisse abominable le saisit à l'idée d'avoir peur sur le terrain.

« Si j'étais tué, cependant? Mon père est mort de la même façon. Oui, je serai tué! »

Et, tout à coup, il aperçut sa mère, en robe noire; des images incohérentes se déroulèrent dans sa tête. Sa propre lâcheté l'exaspéra. Il fut pris d'un paroxysme de bravoure, d'une soif carnassière. Un bataillon ne l'eût pas fait reculer. Cette fièvre calmée, il se sentit, avec joie, inébranlable. Pour se distraire, il se rendit à l'Opéra, où l'on donnait un ballet. Il écouta la musique, lorgna les danseuses, et but un verre de punch, pendant l'entr'acte. Mais, en rentrant chez lui, la vue de son cabinet, de ses meubles, où il se retrouvait peut-être pour la dernière fois, lui causa une faiblesse.

Il descendit dans son jardin. Les étoiles brillaient; il les contempla. L'idée de se battre pour une femme le grandissait à ses yeux, l'ennoblissait. Puis il alla se coucher tranquillement.

Il n'en fut pas de même de Cisy. Après le départ du baron, Joseph avait tâché de remonter son moral, et, comme le vicomte demeurait froid :

— Pourtant, mon brave, si tu préfères en rester là, j'irai le dire.

Cisy n'osa répondre « certainement », mais il en voulut à son cousin de ne pas lui rendre ce service sans en parler.

Il souhaita que Frédéric, pendant la nuit, mourût d'une attaque d'apoplexie, ou qu'une émeute survenant, il y eût le lendemain assez de barricades pour fermer tous les abords du bois de Boulogne, ou qu'un événement empêchât un des témoins de s'y rendre; car le duel faute de témoins manquerait. Il avait envie de se sauver par un train express n'importe où. Il regretta de ne pas savoir la médecine pour prendre quelque chose qui, sans exposer ses jours, ferait croire à sa mort. Il arriva jusqu'à désirer être malade, gravement.

Afin d'avoir un conseil, un secours, il envoya chercher M. des Aulnays. L'excellent homme était retourné en Saintonge, sur une dépêche lui apprenant l'indisposition d'une de ses filles. Cela parut de mauvais augure à Cisy. Heureusement que M. Vezou, son précepteur, vint le voir. Alors, il s'épancha.

— Comment faire, mon Dieu! comment faire?

— Moi, à votre place, monsieur le comte, je payerais un fort de la halle pour lui flanquer une raclée.

— Il saurait toujours de qui ça vient! reprit Cisy.

Et, de temps à autre, il poussait un gémissement; puis :

— Mais est-ce qu'on a le droit de se battre en duel?

— C'est un reste de barbarie! Que voulez-vous!

Par complaisance, le pédagogue s'invita lui-même à dîner. Son élève ne mangea rien, et, après le repas, sentit le besoin de faire un tour.

Il dit en passant devant une église :

— Si nous entrions un peu... pour voir?

M. Vezou ne demanda pas mieux, et même lui présenta de l'eau bénite.

C'était le mois de Marie, des fleurs couvraient l'autel, des voix chantaient, l'orgue résonnait. Mais il lui fut impossible de prier, les pompes de la religion lui inspirant des idées de funérailles; il entendait comme des bourdonnements de *De profundis*.

— Allons-nous-en! Je ne me sens pas bien!

Ils employèrent toute la nuit à jouer aux cartes. Le vicomte s'efforça de perdre, afin de conjurer la mauvaise chance, ce dont M. Vezou profita. Enfin, au petit jour, Cisy, qui n'en pouvait plus, s'affaissa sur le tapis vert et eut un sommeil plein de songes désagréables.

Si le courage, pourtant, consiste à vouloir dominer sa faiblesse, le vicomte fut courageux, car, à la vue de ses témoins qui venaient le chercher, il se roidit de toutes ses forces, la vanité lui faisant comprendre qu'une reculade le perdrait. M. de Comaing le complimenta sur sa bonne mine.

Mais, en route, le bercement du fiacre et la chaleur du soleil matinal l'énervèrent. Son énergie était retombée. Il ne distinguait même plus où l'on était.

Le baron se divertit à augmenter sa frayeur, en parlant du « cadavre » et de la manière de le rentrer en ville, clandestinement. Joseph donnait la réplique; tous deux, jugeant l'affaire ridicule, étaient persuadés qu'elle s'arrangerait.

Cisy gardait sa tête sur sa poitrine; il la releva doucement et fit observer qu'on n'avait pas pris de médecin.

— C'est inutile, dit le baron.

— Il n'y a pas de danger, alors?

Joseph répliqua d'un ton grave :

— Espérons-le!

Et personne dans la voiture ne parla plus.

A sept heures dix minutes, on arriva devant la porte Maillot. Frédéric et ses témoins s'y trouvaient, habillés de noir tous les trois. Regimbart, au lieu de cravate, avait un col de crin comme un troupier; et il portait une espèce de longue boîte à violon, spéciale pour ce genre d'aventures. On échangea froidement un salut. Puis tous s'enfoncèrent dans le bois de Boulogne, par la route de Madrid, afin d'y trouver une place convenable.

Regimbart dit à Frédéric, qui marchait entre lui et Dussardier :

— Eh bien, et cette venette, qu'en fait-on? Si vous avez besoin de quelque chose, ne vous gênez pas, je connais ça! La crainte est naturelle à l'homme.

Puis, à voix basse :

— Ne fumez plus, ça amollit!

Frédéric jeta son cigare qui le gênait, et continua d'un pied ferme. Le vicomte avançait par derrière, appuyé sur le bras de ses deux témoins.

De rares passants les croisaient. Le ciel était bleu, et on entendait, par moments, des lapins bondir. Au détour d'un sentier, une femme en madras causait avec un homme en blouse, et, dans la grande avenue sous les marronniers, des domestiques en veste de toile promenaient leurs chevaux. Cisy se rappelait les jours heureux où, monté sur son alezan et le lorgnon dans l'œil, il chevauchait à la portière des calèches; ces souvenirs renforçaient son angoisse; une soif intolérable le brûlait; la susurration des mouches se confondait avec le battement de ses artères; ses pieds enfonçaient dans le sable; il lui semblait qu'il était en train de marcher depuis un temps infini.

Les témoins, sans s'arrêter, fouillaient de l'œil les deux bords de la route. On délibéra si l'on irait à la croix Catelan ou sous les murs de Bagatelle. Enfin, on prit à droite; et on s'arrêta dans une espèce de quinconce, entre des pins.

L'endroit fut choisi de manière à répartir également le niveau du terrain. On marqua les deux places où les adversaires devaient se poser. Puis Regimbart ouvrit sa boîte. Elle contenait, sur un capitonnage de basane rouge, quatre épées charmantes, creuses au milieu, avec les poignées garnies de filigrane. Un rayon lumineux, traversant les feuilles, tomba dessus; et elles parurent à Cisy briller comme des vipères d'argent sur une mare de sang.

Le Citoyen fit voir qu'elles étaient de longueur pareille; il prit la troisième pour lui-même, afin de séparer les combattants, en cas de besoin. M. de Comaing tenait une canne. Il y eut un silence. On se regarda. Toutes les figures avaient quelque chose d'effaré ou de cruel.

Frédéric avait mis bas sa redingote et son gilet. Joseph aida Cisy à faire de même; sa cravate étant retirée, on aperçut à son cou, une médaille bénite. Cela fit sourire de pitié Regimbart.

Alors, M. de Comaing (pour laisser à Frédéric encore un moment de réflexion) tâcha d'élever des chicanes. Il réclama le droit de mettre un gant, celui de saisir l'épée de son adversaire avec la main gauche; Regimbart, qui était pressé, ne s'y refusa pas. Enfin le baron, s'adressant à Frédéric :

— Tout dépend de vous, monsieur! Il n'y a jamais de déshonneur à reconnaître ses fautes.

Dussardier l'approuvait du geste. Le Citoyen s'indigna.

— Croyez-vous que nous sommes ici pour plumer des canards, fichtre?... En garde!

Les adversaires étaient l'un devant l'autre, leurs témoins de chaque côté. Il cria le signal :

— Allons!

Cisy devint effroyablement pâle. Sa lame tremblait par le bout, comme une cravache. Sa tête se renversait, ses bras s'écartèrent, il tomba sur le dos, évanoui. Joseph le releva; et, tout en lui poussant sous les narines un flacon, il le secouait fortement. Le vicomte rouvrit les yeux, puis tout à coup bondit comme un furieux sur son épée. Frédéric avait gardé la sienne; et il l'attendait, l'œil fixe, la main haute.

— Arrêtez, arrêtez! cria une voix qui venait de la route, en même temps que le bruit d'un cheval au galop; la capote d'un cabriolet cassait les branches! Un homme penché au dehors agitait un mouchoir, et criait toujours : « Arrêtez, arrêtez! »

M. de Comaing, croyant à une intervention de la police, leva sa canne.

— Finissez donc! le vicomte saigne!

— Moi? dit Cisy.

En effet, il s'était, dans sa chute, écorché le pouce de la main gauche.

— Mais c'est en tombant, ajouta le Citoyen.

Le baron feignit de ne pas entendre.

Arnoux avait sauté du cabriolet.

— J'arrive trop tard! Non! Dieu soit loué!

Il tenait Frédéric à pleins bras, le palpait, lui couvrait le visage de baisers.

— Je sais le motif; vous avez voulu défendre votre vieil ami! C'est bien, cela, c'est bien! Jamais je ne l'oublierai! Comme vous êtes bon! Ah! cher enfant!

Il le contemplait et versait des larmes, tout en ricanant de bonheur. Le baron se tourna vers Joseph.

— Je crois que nous sommes de trop dans cette petite fête de famille. C'est fini, n'est-ce pas, messieurs?

— Vicomte, mettez votre bras en écharpe; tenez, voilà mon foulard. Puis, avec un geste impérieux : Allons! pas de rancune! Cela se doit!

Les deux combattants se serrèrent la main, mollement. Le Vicomte, M. de Comaing et Joseph disparurent d'un côté, et Frédéric s'en alla de l'autre avec ses amis.

Comme le restaurant de Madrid n'était pas loin, Arnoux proposa de s'y rendre pour boire un verre de bière.

— On pourrait même déjeuner, dit Regimbart.

Mais, Dussardier n'en ayant pas le loisir, ils se bornèrent à un rafraîchissement, dans le jardin. Tous éprouvaient cette béatitude qui suit les dénouements heureux. Le Citoyen, cependant, était fâché qu'on eût interrompu le duel au bon moment.

Arnoux en avait eu connaissance par un nommé Compain, ami de Regimbart; et dans un élan de cœur, il était accouru pour l'empêcher, croyant, du reste, en être la cause. Il pria Frédéric de lui fournir là-dessus quelques détails. Frédéric, ému par les preuves de sa tendresse, se fit scrupule d'augmenter son illusion :

— De grâce, n'en parlons plus!

Arnoux trouva cette réserve fort délicate. Puis, avec sa légèreté ordinaire, passant à une autre idée :

— Quoi de neuf, Citoyen?

Et ils se mirent à causer traites, échéances. Afin d'être plus commodément, ils allèrent même chuchoter à l'écart sur une autre table.

Frédéric distingua ces mots : « Vous allez me souscrire... — Oui! mais, vous, bien entendu... — Je l'ai négocié enfin pour trois cents! — Jolie commission, ma foi! » Bref, il était clair qu'Arnoux tripotait avec le Citoyen beaucoup de choses.

Frédéric songea à lui rappeler ses quinze mille francs. Mais sa démarche récente interdisait les reproches, même les plus doux. D'ailleurs, il se sentait fatigué. L'endroit n'était pas convenable. Il remit cela à un autre jour.

Arnoux, assis à l'ombre d'un troène, fumait d'un air hilare. Il leva les yeux vers les portes des cabinets donnant toutes sur le jardin, et dit qu'il était venu là, autrefois, bien souvent.

— Pas seul, sans doute? répliqua le Citoyen.

— Parbleu!

— Quel polisson vous faites! un homme marié!

— Eh bien, et vous donc! reprit Arnoux; et, avec un sourire indulgent : Je suis même sûr que ce gredin-là possède quelque part une chambre, où il reçoit des petites filles.

Le Citoyen confessa que c'était vrai, par un simple haussement de sourcils. Alors, ces deux messieurs exposèrent leurs goûts : Arnoux préférait maintenant la jeunesse, les ouvrières; Regimbart détestait « les mijaurées » et tenait avant tout au positif. La conclusion, fournie par le marchand de faïence, fut qu'on ne devait pas traiter les femmes sérieusement.

« Cependant, il aime la sienne! » songeait Frédéric, en s'en retournant; et il le trouvait un malhonnête homme. Il lui en voulait de ce duel, comme si c'eût été pour lui qu'il avait, tout à l'heure, risqué sa vie.

Mais il était reconnaissant à Dussardier de son dévouement; le commis, sur ses instances, arriva bientôt à lui faire une visite tous les jours.

Frédéric lui prêtait des livres : Thiers, Dulaure, Barante, *les Girondins* [67] de Lamartine. Le brave garçon l'écoutait avec recueillement et acceptait ses opinions comme celles d'un maître.

Il arriva un soir tout effaré.

Le matin, sur le boulevard, un homme qui courait à perdre haleine s'était heurté contre lui; et, l'ayant reconnu pour un ami de Sénécal, lui avait dit :

— On vient de le prendre, je me sauve!

Rien de plus vrai. Dussardier avait passé la journée aux informations. Sénécal était sous les verrous, comme prévenu d'attentat politique.

Fils d'un contremaître, né à Lyon et ayant eu pour professeur un ancien disciple de Chalier, dès son arrivée à Paris, il s'était fait recevoir de la Société des Familles [68]; ses habitudes étaient connues, la police le surveillait. Il s'était battu dans l'affaire de mai 1839 [69], et, depuis lors, se tenait à l'ombre, mais s'exaltant de plus en plus, fanatique d'Alibaud, mêlant ses griefs contre la société à ceux du peuple contre la monarchie, et s'éveillant chaque matin avec l'espoir d'une révolution qui, en quinze jours ou un mois, changerait le monde. Enfin, écœuré par la mollesse de ses frères, furieux des retards

67. L'*Histoire des Girondins* de Lamartine, parue du 20 mars au 12 juin 1847.

68. Société secrète d'inspiration socialiste, devenue en 1837 « Société des Saisons ».

69. Voir note 48, p. 66.

qu'on opposait à ses rêves et désespérant de la patrie, il était entré comme chimiste dans le complot des bombes incendiaires; et on l'avait surpris portant de la poudre qu'il allait essayer à Montmartre, tentative suprême pour établir la République.

Dussardier ne la chérissait pas moins, car elle signifiait, croyait-il, affranchissement et bonheur universel. Un jour, — à quinze ans, — dans la rue Transnonain [70], devant la boutique d'un épicier, il avait vu des soldats la baïonnette rouge de sang, avec des cheveux collés à la crosse de leur fusil; depuis ce temps-là, le Gouvernement l'exaspérait comme l'incarnation même de l'Injustice. Il confondait un peu les assassins et les gendarmes; un mouchard valait à ses yeux un parricide. Tout le mal répandu sur la terre, il l'attribuait naïvement au Pouvoir; et il le haïssait d'une haine essentielle, permanente, qui lui tenait tout le cœur et raffinait sa sensibilité. Les déclamations de Sénécal l'avaient ébloui. Qu'il fût coupable ou non, et sa tentative odieuse, peu importait! Du moment qu'il était la victime de l'Autorité, on devait le servir.

— Les Pairs le condamneront, certainement! Puis il sera emmené dans une voiture cellulaire, comme un galérien, et on l'enfermera au Mont-Saint-Michel, où le Gouvernement les fait mourir! Austen [71] est devenu fou! Steuben s'est tué! Pour transférer Barbès dans un cachot, on l'a tiré par les jambes, par les cheveux! On lui piétinait le corps, et sa tête rebondissait à chaque marche tout le long de l'escalier. Quelle abomination! les misérables!

Des sanglots de colère l'étouffaient, et il tournait dans la chambre, comme pris d'une grande angoisse.

— Il faudrait faire quelque chose, cependant! Voyons! Moi, je ne sais pas! Si nous tâchions de le délivrer, hein? Pendant qu'on le mènera au Luxembourg, on peut se jeter sur l'escorte dans le couloir! Une douzaine d'hommes déterminés, ça passe partout.

Il y avait tant de flamme dans ses yeux, que Frédéric en tressaillit.

Sénécal lui apparut plus grand qu'il ne croyait. Il se rappela ses souffrances, sa vie austère; sans avoir pour lui l'enthousiasme de Dussardier, il éprouvait néanmoins cette admiration qu'inspire tout homme se sacrifiant à une idée. Il se disait que, s'il l'eût secouru, Sénécal n'en serait pas là; et les deux amis cherchèrent laborieusement quelque combinaison pour le sauver.

Il leur fut impossible de parvenir jusqu'à lui.

Frédéric s'enquérait de son sort dans les journaux, et pendant trois semaines fréquenta les cabinets de lecture.

Un jour, plusieurs numéros du *Flambard* lui tombèrent sous la main. L'article de fond, invariablement, était consacré à démolir un homme illustre. Venaient ensuite les nouvelles du monde, les cancans. Puis, on blaguait l'Odéon, Carpentras, la pisciculture, et les condamnés à mort quand il y en avait. La disparition d'un paquebot fournit matière à plaisanteries pendant un an. Dans la troisième colonne, un courrier des arts donnait, sous forme d'anecdote ou de conseil, des réclames de tailleurs, avec des comptes rendus de soirées, des annonces de ventes, des analyses d'ouvrages, traitant de la même encre un volume de vers et une paire de bottes. La seule partie sérieuse était la critique des petits théâtres, où l'on s'acharnait sur deux ou trois directeurs; et les intérêts de l'Art étaient invoqués à propos des décors des Funambules ou d'une amoureuse des Délassements.

Frédéric allait rejeter tout cela quand ses yeux rencontrèrent un article intitulé : *Une poulette entre trois cocos*. C'était l'histoire de son duel, narrée en style sémillant, gaulois. Il se reconnut sans peine, car il était désigné par cette plaisanterie, laquelle revenait souvent : « Un jeune homme du collège de Sens et qui *en* manque. » On le représentait même comme un pauvre diable de provincial, un obscur nigaud, tâchant de frayer avec les grands seigneurs. Quant au vicomte, il avait le beau rôle, d'abord dans le souper, où il s'introduisait de force, ensuite dans le pari, puisqu'il emmenait la demoiselle, et finalement sur le terrain, où il se comportait en gentilhomme. La bravoure de Frédéric n'était pas niée précisément, mais on faisait comprendre qu'un intermédiaire, le *protecteur* lui-même, était survenu juste à temps. Le tout se terminait par cette phrase, grosse peut-être de perfidies :

« D'où vient leur tendresse? Problème! et, comme dit Basile, qui diable est-ce qu'on trompe ici? »

C'était, sans le moindre doute, une vengeance d'Hussonnet contre Frédéric, pour son refus des cinq mille francs.

Que faire? S'il lui en demandait raison, le bohème protesterait de son innocence, et il n'y gagnerait rien. Le mieux était d'avaler la chose silencieusement. Personne, après tout, ne lisait *le Flambard*.

En sortant du cabinet de lecture, il aperçut du monde devant la boutique d'un marchand de tableaux. On regardait un portrait de femme, avec cette ligne écrite au bas en lettres noires : « Mlle Rose-Annette Bron, appartenant à M. Frédéric Moreau, de Nogent ».

C'était bien elle — ou à peu près — vue de face, les seins découverts, les cheveux dénoués, et tenant dans ses mains une bourse de velours rouge, tandis que, par derrière, un paon avançait son bec sur son épaule, en couvrant la muraille de ses grandes plumes en éventail.

Pellerin avait fait cette exhibition pour contraindre Frédéric au payement, persuadé qu'il était célèbre et que tout Paris, s'animant en sa faveur, allait s'occuper de cette misère.

Etait-ce une conjuration? Le peintre et le journaliste avaient-ils monté leur coup ensemble?

Son duel n'avait rien empêché. Il devenait ridicule, tout le monde se moquait de lui.

Trois jours après, à la fin de juin, les actions du Nord ayant fait quinze francs de hausse, comme il en avait acheté deux mille l'autre mois, il se trouva gagner trente mille francs. Cette caresse de la fortune lui

---

70. Episode sanglant de la répression consécutive à une tentative de soulèvement républicain (13 avril 1834).

71. Austen et Steuben : dirigeants de la « Société des Saisons » condamnés à la détention à la suite de l'insurrection du 12 mai 1839.

redonna confiance. Il se dit qu'il n'avait besoin de personne, que tous ses embarras venaient de sa timidité, de ses hésitations. Il aurait dû commencer avec la Maréchale brutalement, refuser Hussonnet dès le premier jour, ne pas se compromettre avec Pellerin; et, pour montrer que rien ne le gênait, il se rendit chez Mme Dambreuse, à une de ses soirées ordinaires.

Au milieu de l'antichambre, Martinon, qui arrivait en même temps que lui, se retourna.

— Comment, tu viens ici, toi? avec l'air surpris et même contrarié de le voir.

— Pourquoi pas?

Et, tout en cherchant la cause d'un tel abord, Frédéric s'avança dans le salon.

La lumière était faible, malgré les lampes posées dans les coins; car les trois fenêtres, grandes ouvertes, dressaient parallèlement trois larges carrés d'ombre noire. Des jardinières, sous les tableaux, occupaient jusqu'à hauteur d'homme les intervalles de la muraille; et une théière d'argent avec un samovar se mirait au fond, dans une glace. Un murmure de voix indiscrètes s'élevait. On entendait des escarpins craquer sur le tapis.

Il distingua des habits noirs, puis une table ronde éclairée par un grand abat-jour, sept ou huit femmes en toilettes d'été, et, un peu plus loin, Mme Dambreuse dans un fauteuil à bascule. Sa robe de taffetas lilas avait des manches à crevés, d'où s'échappaient des bouillons de mousseline, le ton doux de l'étoffe se mariant à la nuance de ses cheveux; et elle se tenait quelque peu renversée en arrière, avec le bout de son pied sur un coussin, — tranquille comme une œuvre d'art pleine de délicatesse, une fleur de haute culture.

M. Dambreuse et un vieillard à chevelure blanche se promenaient dans toute la longueur du salon. Quelques-uns s'entretenaient au bord des petits divans, çà et là; les autres, debout, formaient un cercle au milieu.

Ils causaient de votes, d'amendements, de sous-amendements, du discours de M. Grandin, de la réplique de M. Benoist. Le tiers parti décidément allait trop loin! Le centre gauche aurait dû se souvenir un peu mieux de ses origines! Le ministère avait reçu de graves atteintes! Ce qui devait rassurer pourtant, c'est qu'on ne lui voyait point de successeur. Bref, la situation était complètement analogue à celle de 1834.

Comme ces choses ennuyaient Frédéric, il se rapprocha des femmes. Martinon était près d'elles, debout, le chapeau sous le bras, la figure de trois quarts, et si convenable qu'il ressemblait à de la porcelaine de Sèvres. Il prit une *Revue des Deux Mondes* traînant sur la table, entre une *Imitation* et un *Annuaire de Gotha*, et jugea de haut un poète illustre, dit qu'il allait aux conférences de Saint-François, se plaignit de son larynx, avalait de temps à autre une boule de gomme; et cependant, parlait musique, faisait le léger. Mlle Cécile, la nièce de M. Dambreuse, qui se brodait une paire de manchettes, le regardait, en dessous, avec ses prunelles d'un bleu pâle; et miss John, l'institutrice à nez camus,

en avait lâché sa tapisserie; toutes deux paraissaient s'écrier intérieurement :

« Qu'il est beau! »

Mme Dambreuse se tourna vers lui.

— Donnez-moi donc mon éventail, qui est sur cette console, là-bas. Vous vous trompez! l'autre!

Elle se leva; et, comme il revenait, ils se rencontrèrent au milieu du salon, face à face; elle lui adressa quelques mots, vivement, des reproches sans doute, à en juger par l'expression altière de sa figure; Martinon tâchait de sourire; puis il alla se mêler au conciliabule des hommes sérieux. Mme Dambreuse reprit sa place, et, se penchant sur le bras de son fauteuil, elle dit à Frédéric :

— J'ai vu quelqu'un, avant-hier, qui m'a parlé de vous, M. de Cisy; vous le connaissez, n'est-ce pas?

— Oui... un peu.

Tout à coup Mme Dambreuse s'écria :

— Duchesse, ah! quel bonheur!

Et elle s'avança jusqu'à la porte, au-devant d'une vieille petite dame, qui avait une robe de taffetas carmélite et un bonnet de guipure, à longues pattes. Fille d'un compagnon d'exil du comte d'Artois et veuve d'un maréchal de l'Empire créé pair de France en 1830, elle tenait à l'ancienne cour comme à la nouvelle et pouvait obtenir beaucoup de choses. Ceux qui causaient debout s'écartèrent, puis reprirent leur discussion.

Maintenant, elle roulait sur le paupérisme, dont toutes les peintures, d'après ces messieurs, étaient fort exagérées.

— Cependant, objecta Martinon, la misère existe, avouons-le! Mais le remède ne dépend ni de la Science ni du Pouvoir. C'est une question purement individuelle. Quand les basses classes voudront se débarrasser de leurs vices, elles s'affranchiront de leurs besoins. Que le peuple soit plus moral, et il sera moins pauvre!

Suivant M. Dambreuse, on n'arrivait à rien de bon sans une surabondance du capital. Donc, le seul moyen possible était de confier, « comme le voulaient, du reste, les saint-simoniens (mon Dieu, ils avaient du bon! soyons justes envers tout le monde), de confier, dis-je, la cause du Progrès à ceux qui peuvent accroître la fortune publique ». Insensiblement on aborda les grandes exploitations industrielles, les chemins de fer, la houille. Et M. Dambreuse, s'adressant à Frédéric, lui dit tout bas :

— Vous n'êtes pas venu pour notre affaire.

Frédéric allégua une maladie; mais sentant que l'excuse était trop bête :

— D'ailleurs, j'ai eu besoin de mes fonds.

— Pour acheter une voiture? reprit Mme Dambreuse, qui passait près de lui, une tasse de thé à la main; et elle le considéra pendant une minute, la tête un peu tournée sur son épaule.

Elle le croyait l'amant de Rosanette; l'allusion était claire. Il sembla même à Frédéric que toutes les dames le regardaient de loin, en chuchotant. Pour mieux voir ce qu'elles pensaient, il se rapprocha d'elles, encore une fois.

De l'autre côté de la table, Martinon, auprès de

Mlle Cécile, feuilletait un album. C'étaient des lithographies représentant des costumes espagnols. Il lisait tout haut les légendes : « Femme de Séville, — Jardinier de Valence, — Picador andalou »; et, descendant une fois jusqu'au bas de la page, il continua d'une haleine :

— Jacques Arnoux, éditeur. — Un de tes amis, hein?

— C'est vrai, dit Frédéric, blessé par son air.

Mme Dambreuse reprit :

— En effet, vous êtes venu, un matin... pour... une maison, je crois? oui, une maison appartenant à sa femme. (Cela signifiait : « C'est votre maîtresse. »)

Il rougit jusqu'aux oreilles; et M. Dambreuse, qui arrivait au même moment, ajouta :

— Vous paraissiez même vous intéresser beaucoup à eux.

Ces derniers mots achevèrent de décontenancer Frédéric. Son trouble, que l'on voyait, pensait-il, allait confirmer les soupçons quand M. Dambreuse lui dit de plus près, d'un ton grave :

— Vous ne faites pas d'affaires ensemble, je suppose?

Il protesta par des secousses de tête multipliées, sans comprendre l'intention du capitaliste, qui voulait lui donner un conseil.

Il avait envie de partir. La peur de sembler lâche le retint. Un domestique enlevait les tasses de thé; Mme Dambreuse causait avec un diplomate en habit bleu; deux jeunes filles, rapprochant leurs fronts, se faisaient voir une bague; les autres, assises en demi-cercle sur des fauteuils, remuaient doucement leurs blancs visages, bordés de chevelures noires ou blondes; personne enfin ne s'occupait de lui. Frédéric tourna les talons; et, par une suite de longs zigzags, il avait presque gagné la porte, quand, passant près d'une console, il remarqua dessus, entre un vase de Chine et la boiserie, un journal plié en deux. Il le tira quelque peu, et lut ces mots : *le Flambard*.

Qui l'avait apporté? Cisy! Pas un autre évidemment. Qu'importait, du reste! Ils allaient croire, tous déjà croyaient peut-être à l'article. Pourquoi cet acharnement? Une ironie silencieuse l'enveloppait. Il se sentait comme perdu dans un désert. Mais la voix de Martinon s'éleva :

— A propos d'Arnoux, j'ai lu parmi les prévenus des bombes incendiaires le nom d'un de ses employés, Sénécal. Est-ce le nôtre?

— Lui-même, dit Frédéric.

Martinon répéta, en criant très haut :

— Comment, notre Sénécal! notre Sénécal!

Alors, on le questionna sur le complot; sa place d'attaché au Parquet devait lui fournir des renseignements.

Il confessa n'en pas savoir. Du reste, il connaissait fort peu le personnage, l'ayant vu deux ou trois fois seulement; il le tenait en définitive pour un assez mauvais drôle. Frédéric, indigné, s'écria :

— Pas du tout! c'est un très honnête garçon!

— Cependant, monsieur, dit un propriétaire, on n'est pas honnête quand on conspire!

La plupart des hommes qui étaient là avaient servi, au moins, quatre gouvernements; et ils auraient vendu la France ou le genre humain pour garantir leur fortune, s'épargner un malaise, un embarras, ou même par simple bassesse, adoration instinctive de la force. Tous déclarèrent les crimes politiques inexcusables. Il fallait plutôt pardonner à ceux qui provenaient du besoin! Et on ne manqua pas de mettre en avant l'éternel exemple du père de famille, volant l'éternel morceau de pain chez l'éternel boulanger.

Un administrateur s'écria même :

— Moi, monsieur, si j'apprenais que mon frère conspire, je le dénoncerais!

Frédéric invoqua le droit de résistance; et, se rappelant quelques phrases que lui avait dites Deslauriers, il cita Desolmes, Blackstone, le bill des droits en Angleterre, et l'article 2 de la Constitution de 91. C'était même en vertu de ce droit-là qu'on avait proclamé la déchéance de Napoléon; il avait été reconnu en 1830, inscrit en tête de la Charte.

— D'ailleurs, quand le souverain manque au contrat, la justice veut qu'on le renverse!

— Mais c'est abominable! s'exclama la femme d'un préfet.

Toutes les autres se taisaient, vaguement épouvantées, comme si elles eussent entendu le bruit des balles. Mme Dambreuse se balançait dans son fauteuil, et l'écoutait parler en souriant.

Un industriel, ancien carbonaro, tâcha de lui démontrer que les d'Orléans étaient une belle famille; sans doute, il y avait des abus...

— Eh bien, alors?

— Mais on ne doit pas les dire, cher monsieur! Si vous saviez comme toutes ces criailleries de l'Opposition nuisent aux affaires!

— Je me moque des affaires! reprit Frédéric.

La pourriture de ces vieux l'exaspérait; et, emporté par la bravoure qui saisit quelquefois les plus timides, il attaqua les financiers, les députés, le Gouvernement, le Roi, prit la défense des Arabes, débita beaucoup de sottises. Quelques-uns l'encourageaient ironiquement : « Allez donc! continuez! » tandis que d'autres murmuraient : « Diable! quelle exaltation! » Enfin, il jugea convenable de se retirer; et, comme il s'en allait, M. Dambreuse lui dit, faisant allusion à la place de secrétaire :

— Rien n'est terminé encore! Mais dépêchez-vous!

Et Mme Dambreuse :

— A bientôt, n'est-ce pas?

Frédéric jugea leur adieu une dernière moquerie. Il était déterminé à ne jamais revenir dans cette maison, à ne plus fréquenter tous ces gens-là. Il croyait les avoir blessés, ne sachant pas quel large fonds d'indifférence le monde possède. Les femmes surtout l'indignaient. Pas une qui l'eût soutenu, même du regard. Il leur en voulait de ne pas les avoir émues. Quant à Mme Dambreuse, il lui trouvait quelque chose à la fois de langoureux et de sec, qui empêchait de la définir par une formule. Avait-elle un amant? Quel amant? Était-ce le diplomate ou un autre? Martinon, peut-être? Impossible! Cependant, il éprouvait une espèce de jalousie contre lui, et envers elle une malveillance inexplicable.

Dussardier, venu ce soir-là comme d'habitude, l'attendait. Frédéric avait le cœur gonflé; il le dégorgea et ses griefs, bien que vagues et difficiles à comprendre, attristèrent le brave commis; il se plaignait même de son isolement. Dussardier, en hésitant un peu, proposa de se rendre chez Deslauriers.

Frédéric, au nom de l'avocat, fut pris par un besoin extrême de le revoir. Sa solitude intellectuelle était profonde, et la compagnie de Dussardier insuffisante. Il lui répondit d'arranger les choses comme il voudrait.

Deslauriers, également, sentait depuis leur brouille une privation dans sa vie. Il céda sans peine à des avances cordiales.

Tous deux s'embrassèrent, puis se mirent à causer de choses indifférentes.

La réserve de Deslauriers attendrit Frédéric; et, pour lui faire une sorte de réparation, il lui conta le lendemain sa perte de quinze mille francs, sans dire que ces quinze mille francs lui étaient primitivement destinés. L'avocat n'en douta pas, néanmoins. Cette mésaventure, qui lui donnait raison dans ses préjugés contre Arnoux, désarma tout à fait sa rancune, et il ne parla point de l'ancienne promesse.

Frédéric, trompé par son silence, crut qu'il l'avait oubliée. Quelques jours après, il lui demanda s'il n'existait pas de moyens de rentrer dans ses fonds.

On pouvait discuter les hypothèques précédentes, attaquer Arnoux comme stellionataire [72], faire des poursuites au domicile contre la femme.

— Non! non! pas contre elle! s'écria Frédéric; et, cédant aux questions de l'ancien clerc, il avoua la vérité.

Deslauriers fut convaincu qu'il ne la disait pas complètement, par délicatesse sans doute. Ce défaut de confiance le blessa.

Ils étaient, cependant, aussi liés qu'autrefois, et même ils avaient tant de plaisir à se trouver ensemble, que la présence de Dussardier les gênait. Sous prétexte de rendez-vous, ils arrivèrent à s'en débarrasser peu à peu. Il y a des hommes n'ayant pour mission parmi les autres que de servir d'intermédiaires; on les franchit comme des ponts, et l'on va plus loin.

Frédéric ne cachait rien à son ancien ami. Il lui dit l'affaire des houilles, avec la proposition de M. Dambreuse. L'avocat devint rêveur.

— C'est drôle! il faudrait pour cette place quelqu'un d'assez fort en droit!

— Mais tu pourras m'aider, reprit Frédéric.

— Oui..., tiens..., parbleu! certainement.

Dans la même semaine, il lui montra une lettre de sa mère.

Mme Moreau s'accusait d'avoir mal jugé M. Roque, lequel avait donné de sa conduite des explications satisfaisantes. Puis elle parlait de sa fortune, et de la possibilité, pour plus tard, d'un mariage avec Louise.

72. Le stellionat est le délit de celui qui vend ou hypothèque un bien dont il n'est pas propriétaire, ou qui présente comme libres des biens hypothéqués.

— Ce ne serait peut-être pas bête! dit Deslauriers.

Frédéric s'en rejeta loin; le père Roque, d'ailleurs, était un vieux filou. Cela n'y faisait rien, selon l'avocat.

A la fin de juillet, une baisse inexplicable fit tomber les actions du Nord. Frédéric n'avait pas vendu les siennes; il perdit d'un seul coup soixante mille francs. Ses revenus se trouvaient sensiblement diminués. Il devait ou restreindre sa dépense, ou prendre un état, ou faire un beau mariage.

Alors, Deslauriers lui parla de Mlle Roque. Rien ne l'empêchait d'aller voir un peu les choses par lui-même. Frédéric était un peu fatigué; la province et la maison maternelle le délasseraient. Il partit.

L'aspect des rues de Nogent, qu'il monta sous le clair de la lune, le reporta dans de vieux souvenirs; et il éprouvait une sorte d'angoisse, comme ceux qui reviennent après de longs voyages.

Il y avait chez sa mère tous les habitués d'autrefois : MM. Gamblin, Heudras et Chambrion, la famille Lebrun, « ces demoiselles Auger »; de plus, le père Roque, et, en face de Mme Moreau, devant une table de jeu, Mlle Louise. C'était une femme, à présent. Elle se leva, en poussant un cri. Tous s'agitèrent. Elle était restée immobile, debout; et les quatre flambeaux d'argent posés sur la table augmentaient sa pâleur. Quand elle se remit à jouer, sa main tremblait. Cette émotion flatta démesurément Frédéric, dont l'orgueil était malade; il se dit : « Tu m'aimeras, toi! » et, prenant sa revanche des déboires qu'il avait essuyés là-bas, il se mit à faire le Parisien, le lion, donna des nouvelles des théâtres, rapporta des anecdotes du monde, puisées dans les petits journaux, enfin éblouit ses compatriotes.

Le lendemain, Mme Moreau s'étendit sur les qualités de Louise; puis énuméra les bois, les fermes qu'elle posséderait. La fortune de M. Roque était considérable.

Il l'avait acquise en faisant des placements pour M. Dambreuse; car il prêtait à des personnes pouvant offrir de bonnes garanties hypothécaires, ce qui lui permettait de demander des suppléments ou des commissions. Le capital, grâce à une surveillance active, ne risquait rien. D'ailleurs, le père Roque n'hésitait jamais devant une saisie; puis il rachetait à bas prix les biens hypothéqués, et M. Dambreuse, voyant ainsi rentrer ses fonds, trouvait ses affaires très bien faites.

Mais cette manipulation extra-légale le compromettait vis-à-vis de son régisseur. Il n'avait rien à lui refuser. C'était sur ses instances qu'il avait si bien accueilli Frédéric.

En effet, le père Roque couvait au fond de son âme une ambition. Il voulait que sa fille fût comtesse; et, pour y parvenir, sans mettre en jeu le bonheur de son enfant, il ne connaissait pas d'autre jeune homme que celui-là.

Par la protection de M. Dambreuse, on lui ferait avoir le titre de son aïeul, Mme Moreau étant la fille d'un comte de Fouvens, apparentée, d'ailleurs, aux plus vieilles familles champenoises, les Lavernade, les d'Etrigny. Quant aux Moreau, une inscription gothique, près des moulins de Villeneuve-l'Archevêque, parlait d'un Jacob Moreau qui les avait réédifiés en 1596; et la tombe de son fils Pierre Moreau, premier écuyer du roi sous Louis XIV, se voyait dans la chapelle Saint-Nicolas.

Tant d'honorabilité fascinait M. Roque, fils d'un ancien domestique. Si la couronne comtale ne venait pas, il s'en consolerait sur autre chose; car Frédéric pouvait parvenir à la députation quand M. Dambreuse serait élevé à la pairie, et alors l'aider dans ses affaires, lui obtenir des fournitures, des concessions. Le jeune homme lui plaisait, personnellement. Enfin, il le voulait pour gendre, parce que, depuis longtemps, il s'était féru de cette idée, qui ne faisait que s'accroître.

Maintenant, il fréquentait l'église; — et il avait séduit Mme Moreau par l'espoir du titre, surtout. Elle s'était gardée cependant de faire une réponse décisive.

Donc, huit jours après, sans qu'aucun engagement eût été pris, Frédéric passait pour « le futur » de Mlle Louise; et le père Roque, peu scrupuleux, les laissait ensemble quelquefois.

V

Deslauriers avait emporté de chez Frédéric la copie de l'acte de subrogation, avec une procuration en bonne forme lui conférant de pleins pouvoirs; mais, quand il eut remonté ses cinq étages, et qu'il fut seul, au milieu de son triste cabinet, dans son fauteuil de basane, la vue du papier timbré l'écœura.

Il était las de ces choses, et des restaurants à trente-deux sous, des voyages en omnibus, de sa misère, de ses efforts. Il reprit les paperasses; d'autres se trouvaient à côté; c'étaient les prospectus de la compagnie houillère avec la liste des mines et le détail de leur contenance, Frédéric lui ayant laissé tout cela pour avoir dessus son opinion.

Une idée lui vint : celle de se présenter chez M. Dambreuse et de demander la place de secrétaire. Cette place, bien sûr, n'allait pas sans l'achat d'un certain nombre d'actions. Il reconnut la folie de son projet et se dit :

« Oh! non! ce serait mal. »

Alors, il chercha comment s'y prendre pour recouvrer les quinze mille francs. Une pareille somme n'était rien pour Frédéric! Mais, s'il l'avait eue, lui, quel levier! Et l'ancien clerc s'indigna que la fortune de l'autre fût grande.

« Il en fait un usage pitoyable. C'est un égoïste. Eh! je me moque bien de ses quinze mille francs! »

Pourquoi les avait-il prêtés? Pour les beaux yeux de Mme Arnoux. Elle était sa maîtresse! Deslauriers n'en doutait pas. « Voilà une chose de plus à quoi sert l'argent! » Des pensées haineuses l'envahirent.

Puis, il songea à la personne même de Frédéric. Elle avait toujours exercé sur lui un charme presque féminin; et il arriva bientôt à l'admirer pour un succès dont il se reconnaissait incapable.

Cependant, est-ce que la volonté n'était pas l'élément capital des entreprises? et, puisque avec elle on triomphe de tout...

« Ah! ce serait drôle! »

Mais il eut honte de cette perfidie, et, une minute après :

« Bah! est-ce que j'ai peur? »

Mme Arnoux (à force d'en entendre parler) avait fini par se peindre dans son imagination extraordinairement. La persistance de cet amour l'irritait comme un problème. Son austérité un peu théâtrale l'ennuyait maintenant. D'ailleurs, la femme du monde (ou ce qu'il jugeait telle) éblouissait l'avocat comme le symbole et le résumé de mille plaisirs inconnus. Pauvre, il convoitait le luxe sous sa forme la plus claire.

« Après tout, quand il se fâcherait, tant pis! Il s'est trop mal comporté envers moi, pour que je me gêne! Rien ne m'assure qu'elle est sa maîtresse! Il me l'a nié. Donc, je suis libre! »

Le désir de cette démarche ne le quitta plus. C'était une épreuve de ses forces qu'il voulait faire; si bien qu'un jour, tout à coup, il vernit lui-même ses bottes, acheta des gants blancs, et se mit en route, se substituant à Frédéric et s'imaginant presque être lui, par une singulière évolution intellectuelle où il y avait à la fois de la vengeance et de la sympathie, de l'imitation et de l'audace.

Il fit annoncer « le docteur Deslauriers ».

Mme Arnoux fut surprise, n'ayant réclamé aucun médecin.

— Ah! mille excuses! c'est docteur en droit. Je viens pour les intérêts de M. Moreau.

Ce nom parut la troubler.

« Tant mieux! pensa l'ancien clerc; puisqu'elle a bien voulu de lui, elle voudra de moi! » s'encourageant par l'idée reçue qu'il est plus facile de supplanter un amant qu'un mari.

Il avait eu le plaisir de la rencontrer, une fois, au Palais; il cita même la date. Tant de mémoire étonna Mme Arnoux. Il reprit d'un ton doucereux :

— Vous aviez déjà... quelques embarras... dans vos affaires!

Elle ne répondit rien; donc, c'était vrai.

Il se mit à causer de choses et d'autres, de son logement, de la fabrique; puis, apercevant, aux bords de la glace, des médaillons :

— Ah! des portraits de famille, sans doute?

Il remarqua celui d'une vieille femme, la mère de Mme Arnoux.

— Elle a l'air d'une excellente personne, un type méridional.

Et, sur l'objection qu'elle était de Chartres :

— Chartres! jolie ville.

Il en vanta la cathédrale et les pâtés; puis, revenant au portrait, y trouva des ressemblances avec Mme Arnoux, et lui lançait des flatteries indirectement. Elle n'en fut pas choquée. Il prit confiance et dit qu'il connaissait Arnoux depuis longtemps.

— C'est un brave garçon! mais qui se compromet! Pour cette hypothèque, par exemple, on n'imagine pas une étourderie.

— Oui! je sais, dit-elle, en haussant les épaules.

Ce témoignage involontaire de mépris engagea Deslauriers à poursuivre.

— Son histoire de kaolin, vous l'ignorez peut-être, a failli tourner très mal, et même sa réputation...

Un froncement de sourcils l'arrêta.

Alors, se rabattant sur les généralités, il plaignit les pauvres femmes dont les époux gaspillent la fortune...

— Mais elle est à lui, monsieur; moi, je n'ai rien!

N'importe! On ne savait pas... Une personne d'expérience pouvait servir. Il fit des offres de dévouement, exalta ses propres mérites; et il la regardait en face, à travers ses lunettes qui miroitaient.

Une torpeur vague la prenait; mais, tout à coup :

— Voyons l'affaire, je vous prie!

Il exhiba le dossier.

— Ceci est la procuration de Frédéric. Avec un titre pareil aux mains d'un huissier qui fera un commandement, rien n'est plus simple : dans les vingt-quatre heures... (Elle restait impassible, il changea de manœuvre.) Moi, du reste, je ne comprends pas ce qui le pousse à réclamer cette somme; car enfin il n'en a aucun besoin!

— Comment! M. Moreau s'est montré assez bon...

— Oh! d'accord!

Et Deslauriers entama son éloge, puis vint à le dénigrer, tout doucement, le donnant pour oublieux, personnel, avare.

— Je le croyais votre ami, monsieur?

— Cela ne m'empêche pas de voir ses défauts. Ainsi, il reconnaît bien peu... comment dirais-je? la sympathie...

Mme Arnoux tournait les feuilles du gros cahier. Elle l'interrompit, pour avoir l'explication d'un mot.

Il se pencha sur son épaule, et si près d'elle, qu'il effleura sa joue. Elle rougit; cette rougeur enflamma Deslauriers; il lui baisa la main voracement.

— Que faites-vous, monsieur!

Et, debout contre la muraille, elle le maintenait immobile, sous ses grands yeux noirs irrités.

— Écoutez-moi! Je vous aime!

Elle partit d'un éclat de rire, un rire aigu, désespérant, atroce. Deslauriers sentit une colère à l'étrangler. Il se contint; et, avec la mine d'un vaincu demandant grâce :

— Ah! vous avez tort! Moi, je n'irais pas comme lui...

— De qui donc parlez-vous?

— De Frédéric!

— Eh! M. Moreau m'inquiète peu, je vous l'ai dit!

— Oh! pardon!... pardon!

Puis, d'une voix mordante, et faisant traîner ses phrases :

— Je croyais même que vous vous intéressiez suffisamment à sa personne pour apprendre avec plaisir...

Elle devint toute pâle. L'ancien clerc ajouta :

— Il va se marier!

— Lui!

— Dans un mois, au plus tard, avec Mlle Roque, la fille du régisseur de M. Dambreuse. Il est même parti à Nogent, rien que pour cela.

Elle porta la main sur son cœur, comme au choc d'un grand coup; mais tout de suite elle tira la sonnette.

Deslauriers n'attendit pas qu'on le mît dehors. Quand elle se retourna, il avait disparu.

Mme Arnoux suffoquait un peu. Elle s'approcha de la fenêtre pour respirer.

De l'autre côté de la rue, sur le trottoir, un emballeur en manches de chemise clouait une caisse. Des fiacres passaient. Elle ferma la croisée et vint se rasseoir. Les hautes maisons voisines interceptant le soleil, un jour froid tombait dans l'appartement. Ses enfants étaient sortis, rien ne bougeait autour d'elle. C'était comme une désertion immense.

« Il va se marier! est-ce possible! »

Et un tremblement nerveux la saisit.

« Pourquoi cela? est-ce que je l'aime? »

Puis, tout à coup :

« Mais oui, je l'aime!... je l'aime! »

Il lui semblait descendre dans quelque chose de profond, qui n'en finissait plus. La pendule sonna trois heures. Elle écouta les vibrations du timbre mourir. Et elle restait au bord de son fauteuil, les prunelles fixes, et souriant toujours.

La même après-midi, au même moment, Frédéric et Mlle Louise se promenaient dans le jardin que M. Roque possédait au bout de l'île. La vieille Catherine les surveillait de loin; ils marchaient côte à côte, et Frédéric disait :

— Vous souvenez-vous quand je vous emmenais dans la campagne?

— Comme vous étiez bon pour moi! répondit-elle. Vous m'aidiez à faire des gâteaux avec du sable, à remplir mon arrosoir, à me balancer sur l'escarpolette!

— Toutes vos poupées, qui avaient des noms de reines ou de marquises, que sont-elles devenues?

— Ma foi, je n'en sais rien!

— Et votre roquet Moricaud?

— Il s'est noyé, le pauvre chéri!

— Et le *Don Quichotte*, dont nous colorions ensemble les gravures?

— Je l'ai encore!

Il lui rappela le jour de sa première communion, et comme elle était gentille aux vêpres, avec son voile blanc et son grand cierge, pendant qu'elles défilaient toutes autour du chœur, et que la cloche tintait.

Ces souvenirs, sans doute, avaient peu de charme pour Mlle Roque; elle ne trouva rien à répondre; et une minute après :

— Méchant! qui ne m'a pas donné une seule fois de ses nouvelles!

Frédéric objecta ses nombreux travaux.

— Qu'est-ce donc que vous faites?

Il fut embarrassé de la question, puis dit qu'il étudiait la politique.

— Ah!

Et, sans en demander davantage :

— Cela vous occupe, mais moi!...

Alors, elle lui conta l'aridité de son existence, n'ayant personne à voir, pas le moindre plaisir, la moindre distraction! Elle désirait monter à cheval.

— Le vicaire prétend que c'est inconvenant pour une jeune fille; est-ce bête, les convenances! Autrefois, on me laissait faire tout ce que je voulais; à présent, rien!

— Votre père vous aime, pourtant!

— Oui; mais...

Elle poussa un soupir, qui signifiait : « Cela ne suffit pas à mon bonheur. »

Puis, il y eut un silence. Ils n'entendaient que le craquement du sable sous leurs pieds avec le murmure de la chute d'eau; car la Seine, au-dessus de Nogent, est coupée en deux bras. Celui qui fait tourner les moulins dégorge en cet endroit la surabondance de ses ondes, pour rejoindre plus bas le cours naturel du fleuve; et, lorsqu'on vient des ponts, on aperçoit, à droite sur l'autre berge, un talus de gazon que domine une maison blanche. A gauche, dans la prairie, des peupliers s'étendent, et l'horizon, en face, est borné par une courbe de la rivière; elle était plate comme un miroir; de grands insectes patinaient sur l'eau tranquille. Des touffes de roseaux et des joncs la bordent inégalement; toutes sortes de plantes venues là s'épanouissaient en boutons d'or, laissaient pendre des grappes jaunes, dressaient des quenouilles de fleurs amarantes, faisaient au hasard des fusées vertes. Dans une anse du rivage, des nymphéas s'étalaient; et un rang de vieux saules cachant des pièges à loup était, de ce côté de l'île, toute la défense du jardin.

En deçà, dans l'intérieur, quatre murs à chaperon d'ardoises enfermaient le potager, où les carrés de terre, labourés nouvellement, formaient des plaques brunes. Les cloches des melons brillaient à la file sur leur couche étroite; les artichauts, les haricots, les épinards, les carottes et les tomates alternaient jusqu'à un plan d'asperges, qui semblait un petit bois de plumes.

Tout ce terrain avait été, sous le Directoire, ce qu'on appelait *une folie*. Les arbres, depuis lors, avaient démesurément grandi. De la clématite embarrassait les charmilles, les allées étaient couvertes de mousse, partout les ronces foisonnaient. Des tronçons de statues émiettaient leur plâtre sous les herbes. On se prenait en marchant dans quelques débris d'ouvrage en fil de fer. Il ne restait plus du pavillon que deux chambres au rez-de-chaussée avec des lambeaux de papier bleu. Devant la façade s'allongeait une treille à l'italienne, où, sur des piliers en brique, un grillage de bâtons supportait une vigne.

Ils vinrent là-dessous tous les deux, et, comme la lumière tombait par les trous inégaux de la verdure, Frédéric, en parlant à Louise de côté, observait l'ombre des feuilles sur son visage.

Elle avait dans ses cheveux rouges, à son chignon, une aiguille terminée par une boule de verre imitant l'émeraude; et elle portait, malgré son deuil (tant son mauvais goût était naïf), des pantoufles en paille garnies de satin rose, curiosité vulgaire, achetées sans doute dans quelque foire.

Il s'en aperçut, et l'en complimenta ironiquement.

— Ne vous moquez pas de moi! reprit-elle.

Puis, le considérant tout entier, depuis son chapeau de feutre gris jusqu'à ses chaussettes de soie :

— Comme vous êtes coquet!

Ensuite, elle le pria de lui indiquer des ouvrages à lire. Il en nomma plusieurs; et elle dit :

— Oh! comme vous êtes savant!

Toute petite, elle s'était prise d'un de ces amours d'enfant qui ont à la fois la pureté d'une religion et la violence d'un besoin. Il avait été son camarade, son frère, son maître, avait amusé son esprit, fait battre son cœur et versé involontairement jusqu'au fond d'elle-même une ivresse latente et continue. Puis il l'avait quittée en pleine crise tragique, sa mère à peine morte, les deux désespoirs se confondant. L'absence l'avait idéalisé dans son souvenir; il revenait avec une sorte d'auréole, et elle se livrait ingénument au bonheur de le voir.

Pour la première fois de sa vie, Frédéric se sentait aimé; et ce plaisir nouveau, qui n'excédait pas l'ordre des sentiments agréables, lui causait comme un gonflement intime; si bien qu'il écarta les deux bras, en se renversant la tête.

Un gros nuage passait alors sur le ciel.

— Il va du côté de Paris, dit Louise; vous voudriez le suivre, n'est-ce pas?

— Moi! pourquoi?

— Qui sait?

Et, le fouillant d'un regard aigu :

— Peut-être que vous avez là-bas... (elle chercha le mot) quelque affection.

— Eh! je n'ai pas d'affection!

— Bien sûr?

— Mais oui, mademoiselle, bien sûr!

En moins d'un an, il s'était fait dans la jeune fille une transformation extraordinaire qui étonnait Frédéric. Après une minute de silence, il ajouta :

— Nous devrions nous tutoyer, comme autrefois : voulez-vous?

— Non.

— Pourquoi?

— Parce que!

Il insistait. Elle répondit, en baissant la tête :

— Je n'ose pas!

Ils étaient arrivés au bout du jardin, sur la grève du Livon. Frédéric, par gaminerie, se mit à faire des ricochets avec un caillou. Elle lui ordonna de s'asseoir. Il obéit; puis, en regardant la chute d'eau :

— C'est comme le Niagara!

Il vint à parler des contrées lointaines et de grands voyages. L'idée d'en faire la charmait. Elle n'aurait eu peur de rien, ni des tempêtes, ni des lions.

Assis, l'un près de l'autre, ils ramassaient devant eux des poignées de sable, puis les faisaient couler de leurs mains tout en causant; — et le vent chaud qui arrivait des plaines leur apportait par bouffées des senteurs de lavande, avec le parfum du goudron s'échappant d'une barque, derrière l'écluse. Le soleil frappait la cascade; les blocs verdâtres du petit mur où l'eau coulait apparaissaient comme sous une gaze d'argent se déroulant toujours. Une longue barre d'écume rejaillissait au pied en cadence. Cela formait ensuite des bouillonnements, des tourbillons, mille courants opposés, et qui finissaient par se confondre en une seule nappe limpide.

Louise murmura qu'elle enviait l'existence des poissons.

— Ça doit être si doux de se rouler là-dedans, à son aise, de se sentir caressé partout.

Et elle frémissait, avec des mouvements d'une câlinerie sensuelle.

Mais une voix cria :

— Où es-tu?

— Votre bonne vous appelle, dit Frédéric.

— Bien! bien!

Louise ne se dérangeait pas.

— Elle va se fâcher, reprit-il.

— Cela m'est égal! et d'ailleurs... Mlle Roque faisait comprendre, par un geste, qu'elle la tenait à sa discrétion.

Elle se leva pourtant, puis se plaignit de mal de tête. Et, comme ils passaient devant un vaste hangar qui contenait des bourrées :

— Si nous nous mettions dessous, à l'*égaud* ?

Il feignit de ne pas comprendre ce mot de patois, et même la taquina sur son accent. Peu à peu, les coins de sa bouche se pincèrent, elle mordait ses lèvres; elle s'écarta pour bouder.

Frédéric la rejoignit, jura qu'il n'avait pas voulu lui faire de mal et qu'il l'aimait beaucoup.

— Est-ce vrai? s'écria-t-elle, en le regardant avec un sourire qui éclairait tout son visage, un peu semé de taches de son.

Il ne résista pas à cette bravoure de sentiment, à la fraîcheur de sa jeunesse, et il reprit :

— Pourquoi te mentirais-je?... tu en doutes... hein? en lui passant le bras gauche autour de la taille.

Un cri, suave comme un roucoulement, jaillit de sa gorge; sa tête se renversa, elle défaillit, il la soutint. Et les scrupules de sa probité furent inutiles; devant cette vierge qui s'offrait, une peur l'avait saisi. Il l'aida ensuite à faire quelques pas, doucement. Ses caresses de langage avaient cessé, et ne voulant plus dire que des choses insignifiantes, il lui parlait des personnes de la société nogentaise.

Tout à coup elle le repoussa, et, d'un ton amer :

— Tu n'aurais pas le courage de m'emmener!

Il resta immobile avec un grand air d'ébahissement. Elle éclata en sanglots, et s'enfonçant la tête dans sa poitrine :

— Est-ce que je peux vivre sans toi!

Il tâchait de la calmer. Elle lui mit ses deux mains sur les épaules pour le mieux voir en face, et, dardant contre les siennes ses prunelles vertes, d'une humidité presque féroce :

— Veux-tu être mon mari?

— Mais..., répliqua Frédéric, cherchant quelque réponse. Sans doute... Je ne demande pas mieux.

A ce moment, la casquette de M. Roque apparut derrière un lilas.

Il emmena son « jeune ami » pendant deux jours faire un petit voyage aux environs, dans ses propriétés; et Frédéric, lorsqu'il revint, trouva chez sa mère trois lettres.

La première était un billet de M. Dambreuse l'invitant à dîner pour le mardi précédent. A propos de quoi cette politesse? On lui avait donc pardonné son incartade?

La seconde était de Rosanette. Elle le remerciait d'avoir risqué sa vie pour elle; Frédéric ne comprit pas d'abord ce qu'elle voulait dire; enfin, après beaucoup d'ambages, elle implorait de lui, en invoquant son amitié, se fiant à sa délicatesse, à deux genoux, disait-elle, vu la nécessité pressante, et comme on demande du pain, un petit secours de cinq cents francs. Il se décida tout de suite à les fournir.

La troisième lettre, venant de Deslauriers, parlait de la subrogation et était longue, obscure. L'avocat n'avait pris encore aucun parti. Il l'engageait à ne pas se déranger : « C'est inutile que tu reviennes! » appuyant même là-dessus avec une insistance bizarre.

Frédéric se perdit dans toutes sortes de conjectures, et il eut envie de s'en retourner là-bas; cette prétention au gouvernement de sa conduite le révoltait.

D'ailleurs, la nostalgie du boulevard commençait à le prendre; et puis sa mère le pressait tellement, M. Roque tournait si bien autour de lui et Mlle Louise l'aimait si fort, qu'il ne pouvait rester plus longtemps sans se déclarer. Il avait besoin de réfléchir, il jugerait mieux les choses dans l'éloignement.

Pour motiver son voyage, Frédéric inventa une histoire; et il partit, en disant à tout le monde et croyant lui-même qu'il reviendrait bientôt.

VI

Son retour à Paris ne lui causa point de plaisir; c'était le soir, à la fin du mois d'août, le boulevard semblait vide, les passants se succédaient avec des mines renfrognées, çà et là une chaudière d'asphalte fumait, beaucoup de maisons avaient leurs persiennes entièrement closes; il arriva chez lui; de la poussière couvrait les tentures; et, en dînant tout seul, Frédéric fut pris par un étrange sentiment d'abandon; alors il songea à Mlle Roque.

L'idée de se marier ne lui paraissait plus exorbitante. Ils voyageraient, ils iraient en Italie, en Orient! Et il l'apercevait debout sur un monticule, contemplant un paysage, ou bien appuyée à son bras dans une galerie florentine, s'arrêtant devant les tableaux. Quelle joie ce serait que de voir ce bon petit être s'épanouir aux splendeurs de l'Art et de la Nature! Sortie de son milieu, en peu de temps, elle ferait une compagne charmante. La fortune de M. Roque le tentait, d'ailleurs. Cependant, une pareille détermination lui répugnait comme une faiblesse, un avilissement.

Mais il était bien résolu (quoi qu'il dût faire) à changer d'existence, c'est-à-dire à ne plus perdre son cœur dans des passions infructueuses, et même il hésitait à remplir la commission dont Louise l'avait chargé. C'était d'acheter pour elle, chez Jacques Arnoux, deux grandes statuettes polychromes représentant des nègres, comme ceux qui étaient à la préfecture de Troyes. Elle connaissait le chiffre du fabricant, ne voulait pas d'un autre. Frédéric avait peur, s'il retournait *chez eux*, de tomber encore une fois dans son vieil amour.

Ces réflexions l'occupèrent toute la soirée; et il allait se coucher quand une femme entra.

— C'est moi, dit en riant Mlle Vatnaz. Je viens de la part de Rosanette.

Elles s'étaient donc réconciliées?

— Mon Dieu, oui! Je ne suis pas méchante, vous savez bien. Au surplus, la pauvre fille... Ce serait trop long à vous conter.

Bref, la Maréchale désirait le voir, elle attendait une réponse, sa lettre s'étant promenée de Paris à Nogent; Mlle Vatnaz ne savait point ce qu'elle contenait. Alors, Frédéric s'informa de la Maréchale.

Elle était, maintenant, *avec* un homme très riche, un Russe, le prince Tzernoukoff, qui l'avait vue aux courses du Champ de Mars, l'été dernier.

— On a trois voitures, cheval de selle, livrée, groom dans le chic anglais, maison de campagne, loge aux Italiens, un tas de choses encore. Voilà, mon cher.

Et la Vatnaz, comme si elle eût profité à ce changement de fortune, paraissait plus gaie, tout heureuse. Elle retira ses gants et examina dans la chambre les meubles et les bibelots. Elle les cotait à leur prix juste, comme un brocanteur. Il aurait dû la consulter pour les obtenir à meilleur compte; et elle le félicitait de son bon goût:

— Ah! c'est mignon, extrêmement bien! Il n'y a que vous pour ces idées.

Puis, apercevant au chevet de l'alcôve une porte:

— C'est par là qu'on fait sortir les petites femmes, hein?

Et, amicalement, elle lui prit le menton. Il tressaillit au contact de ses longues mains, tout à la fois maigres et douces. Elle avait autour des poignets une bordure de dentelle et, sur le corsage de sa robe verte, des passementeries, comme un hussard. Son chapeau de tulle noir, à bords descendants, lui cachait un peu le front; ses yeux brillaient là-dessous; une odeur de patchouli s'échappait de ses bandeaux; la carcel posée sur un guéridon, en l'éclairant d'en bas comme une rampe de théâtre, faisait saillir sa mâchoire; — et tout à coup, devant cette femme laide qui avait dans la taille des ondulations de panthère, Frédéric sentit une convoitise énorme, un désir de volupté bestiale.

Elle lui dit d'une voix onctueuse, en tirant de son porte-monnaie trois carrés de papier:

— Vous allez me prendre ça!

C'était trois places pour une représentation au bénéfice de Delmar.

— Comment! lui?

— Certainement!

Mlle Vatnaz, sans s'expliquer davantage, ajouta qu'elle l'adorait plus que jamais. Le comédien, à l'en croire, se classait définitivement parmi les « sommités de l'époque ». Et ce n'était pas tel ou tel personnage qu'il représentait, mais le génie même de la France, le Peuple! Il avait « l'âme humanitaire; il comprenait le sacerdoce de l'Art! » Frédéric, pour se délivrer de ces éloges, lui donna l'argent des trois places.

— Inutile que vous en parliez là-bas! — Comme il est tard, mon Dieu! Il faut que je vous quitte. Ah! j'oubliais l'adresse: c'est rue Grange-Batelière, 14.

Et, sur le seuil:

— Adieu, homme aimé!

« Aimé de qui? se demanda Frédéric. Quelle singulière personne! »

Et il se ressouvint que Dussardier lui avait dit un jour, à propos d'elle: « Oh! ce n'est pas grand'chose! » comme faisant allusion à des histoires peu honorables.

Le lendemain, il se rendit chez la Maréchale. Elle habitait une maison neuve, dont les stores avançaient sur la rue. Il y avait à chaque palier une glace contre le mur, une jardinière rustique devant les fenêtres, tout le long des marches un tapis de toile; et, quand on arrivait du dehors, la fraîcheur de l'escalier délassait.

Ce fut un domestique mâle qui vint ouvrir, un valet en gilet rouge. Dans l'antichambre, sur la banquette, une femme et deux hommes, des fournisseurs sans doute, attendaient, comme dans un vestibule de ministre. A gauche, la porte de la salle à manger, entre-bâillée, laissait apercevoir des bouteilles vides sur les buffets, des serviettes au dos des chaises; et parallèlement s'étendait une galerie, où des bâtons couleur d'or soutenaient un espalier de roses. En bas, dans la cour, deux garçons, les bras nus, frottaient un landau. Leur voix montait jusque-là, avec le bruit intermittent d'une étrille que l'on heurtait contre une pierre.

Le domestique revint. « Madame allait recevoir Monsieur »; et il lui fit traverser une deuxième antichambre, puis un grand salon, tendu de brocatelle jaune, avec des torsades dans les coins qui se rejoignaient sur le plafond et semblaient continuées par les rinceaux du lustre ayant la forme de câbles. On avait sans doute festoyé la nuit dernière. De la cendre de cigare était restée sur les consoles.

Enfin, il entra dans une espèce de boudoir qu'éclairaient confusément des vitraux de couleur. Des trèfles en bois découpé ornaient le dessus des portes; derrière une balustrade, trois matelas de pourpre formaient un divan, et le tuyau d'un narghilé de platine traînait dessus. La cheminée, au lieu de miroir, avait une étagère pyramidale, offrant sur ses gradins toute une collection de curiosités: de vieilles montres d'argent, des cornets de Bohême, des agrafes en pierreries, des boutons de jade, des émaux, des magots, une petite vierge byzantine à chape de vermeil; et tout cela se fondait, dans un crépuscule doré, avec la couleur bleuâtre du tapis, le reflet de nacre des tabourets, le ton fauve des murs couverts de cuir marron. Aux angles, sur des piédouches, des vases de bronze contenaient des touffes de fleurs qui alourdissaient l'atmosphère.

Rosanette parut, habillée d'une veste de satin rose, avec un pantalon de cachemire blanc, un collier de piastres, et une calotte rouge entourée d'une branche de jasmin.

Frédéric fit un mouvement de surprise; puis dit qu'il apportait « la chose en question », en lui présentant le billet de banque.

Elle le regarda fort ébahie; et, comme il avait toujours le billet à la main, sans savoir où le poser :

— Prenez-le donc!

Elle le saisit; puis, l'ayant jeté sur le divan :

— Vous êtes bien aimable.

C'était pour solder un terrain à Bellevue, qu'elle payait ainsi par annuités. Un tel sans façon blessa Frédéric. Du reste, tant mieux! cela le vengeait du passé.

— Asseyez-vous! dit-elle. Là, plus près. Et, d'un ton grave : D'abord, j'ai à vous remercier, mon cher, d'avoir risqué votre vie.

— Oh! ce n'est rien!

— Comment! mais c'est très beau!

Et la Maréchale lui témoigna une gratitude embarrassante; car elle devait penser qu'il s'était battu exclusivement pour Arnoux, celui-ci, qui se l'imaginait, ayant dû céder au besoin de le dire.

« Elle se moque de moi, peut-être », songeait Frédéric.

Il n'avait plus rien à faire, et, alléguant un rendez-vous, il se leva.

— Eh non! restez!

Il se rassit et la complimenta sur son costume.

Elle répondit, avec un air d'accablement :

— C'est le prince qui m'aime comme ça! Et il faut fumer des machines pareilles! ajouta Rosanette, en montrant le narghilé. Si nous en goûtions? voulez-vous?

On apporta du feu; le tombac s'allumant difficilement, elle se mit à trépigner d'impatience. Puis une langueur la saisit; et elle restait immobile sur le divan, un coussin sous l'aisselle, le corps un peu tordu, un genou plié, l'autre jambe toute droite. Le long serpent de maroquin rouge, qui formait des anneaux par terre, s'enroulait à son bras. Elle en appuyait le bec d'ambre sur ses lèvres et regardait Frédéric, en clignant les yeux, à travers la fumée dont les volutes l'enveloppaient. L'aspiration de sa poitrine faisait gargouiller l'eau, et elle murmurait de temps à autre :

— Ce pauvre mignon! ce pauvre chéri!

Il tâchait de trouver un sujet de conversation agréable; l'idée de la Vatnaz lui revint.

Il dit qu'elle lui avait semblé fort élégante.

— Parbleu! reprit la Maréchale. Elle est bien heureuse de m'avoir, celle-là! sans ajouter un mot de plus, tant il y avait de restriction dans leurs propos.

Tous les deux sentaient une contrainte, un obstacle. En effet, le duel dont Rosanette se croyait la cause avait flatté son amour-propre. Puis elle s'était fort étonnée qu'il n'accourût pas se prévaloir de son action; et, pour le contraindre à revenir, elle avait imaginé ce besoin de cinq cents francs. Comment se faisait-il que Frédéric ne demandait pas en retour un peu de tendresse? C'était un raffinement qui l'émerveillait, et, dans un élan de cœur, elle lui dit :

— Voulez-vous venir avec nous aux bains de mer?

— Qui cela, *nous* ?

— Moi et mon oiseau; je vous ferai passer pour mon cousin, comme dans les vieilles comédies.

— Mille grâces!

— Eh bien, alors, vous prendrez un logement près du nôtre.

L'idée de se cacher d'un homme riche l'humiliait.

— Non! cela est impossible.

— A votre aise!

Rosanette se détourna, ayant une larme aux paupières. Frédéric l'aperçut; et, pour lui marquer de l'intérêt, il se dit heureux de la voir, enfin, dans une excellente position.

Elle fit un haussement d'épaules. Qui donc l'affligeait? Etait-ce, par hasard, qu'on ne l'aimait pas?

— Oh! moi, on m'aime toujours!

Elle ajouta :

— Reste à savoir de quelle manière.

Se plaignant « d'étouffer de chaleur », la Maréchale défit sa veste; et, sans autre vêtement autour des reins que sa chemise de soie, elle inclinait la tête sur son épaule, avec un air d'esclave plein de provocations.

Un homme d'un égoïsme moins réfléchi n'eût pas songé que le vicomte, M. de Comaing ou un autre pouvait survenir. Mais Frédéric avait été trop de fois la dupe de ces mêmes regards pour se compromettre dans une humiliation.

Elle voulut connaître ses relations, ses amusements; elle arriva même à s'informer de ses affaires et à offrir de lui prêter de l'argent, s'il en avait besoin. Frédéric, n'y tenant plus, prit son chapeau.

— Allons, ma chère, bien du plaisir là-bas; au revoir!

Elle écarquilla les yeux; puis, d'un ton sec :

— Au revoir!

Il repassa par le salon jaune et par la seconde antichambre. Il y avait sur la table, entre un vase plein de cartes de visite et une écritoire, un coffret d'argent ciselé. C'était celui de Mme Arnoux! Alors, il éprouva un attendrissement, et en même temps comme le scandale d'une profanation. Il avait envie d'y porter les mains, de l'ouvrir. Il eut peur d'être aperçu, et s'en alla.

Frédéric fut vertueux. Il ne retourna point chez Arnoux.

Il envoya son domestique acheter les deux nègres, lui ayant fait toutes les recommandations indispensables; et la caisse partit, le soir même, pour Nogent. Le lendemain, comme il se rendait chez Deslauriers, au détour de la rue Vivienne et du boulevard, Mme Arnoux se montra devant lui, face à face.

Leur premier mouvement fut de reculer; puis, le même sourire leur vint aux lèvres, et ils s'abordèrent. Pendant une minute, aucun ne parla.

Le soleil l'entourait; — et sa figure ovale, ses longs sourcils, son châle de dentelle noire, moulant la forme de ses épaules, sa robe de soie gorge-de-pigeon, le bouquet de violettes au coin de sa capote, tout lui parut d'une splendeur extraordinaire. Une suavité infinie s'épanchait de ses beaux yeux; et, balbutiant, au hasard, les premières paroles venues :

— Comment se porte Arnoux? dit Frédéric.

— Je vous remercie!

— Et vos enfants?

— Ils vont très bien!

— Ah!... ah! — Quel beau temps nous avons, n'est-ce pas?

— Magnifique, c'est vrai!

— Vous faites des courses?
— Oui.
Et avec une lente inclinaison de tête :
— Adieu!

Elle ne lui avait pas tendu la main, n'avait pas dit un seul mot affectueux, ne l'avait même pas invité à venir chez elle, n'importe! il n'eût point donné cette rencontre pour la plus belle des aventures; et il en ruminait la douceur tout en continuant sa route.

Deslauriers, surpris de le voir, dissimula son dépit, — car il conservait par obstination quelque espérance encore du côté de Mme Arnoux; et il avait écrit à Frédéric de rester là-bas, pour être plus libre dans ses manœuvres.

Il dit cependant qu'il s'était présenté chez elle, afin de savoir si leur contrat stipulait la communauté : alors, on aurait pu recourir contre la femme; « et elle a fait une drôle de mine quand je lui ai appris ton mariage ».

— Tiens! quelle invention!
— Il le fallait, pour montrer que tu avais besoin de tes capitaux! Une personne indifférente n'aurait pas eu l'espèce de syncope qui l'a prise.
— Vraiment? s'écria Frédéric.
— Ah! mon gaillard, tu te trahis! Sois franc, voyons!

Une lâcheté immense envahit l'amoureux de Mme Arnoux.

— Mais non!... je t'assure!... ma parole d'honneur!

Ces molles dénégations achevèrent de convaincre Deslauriers. Il lui fit des compliments. Il lui demanda « des détails ». Frédéric n'en donna pas, et même résista à l'envie d'en inventer.

Quant à l'hypothèque, il lui dit de ne rien faire, d'attendre. Deslauriers trouva qu'il avait tort, et même fut brutal dans ses remontrances.

Il était d'ailleurs plus sombre, malveillant et irascible que jamais. Dans un an, si la fortune ne changeait pas, il s'embarquerait pour l'Amérique ou se ferait sauter la cervelle. Enfin il paraissait si furieux contre tout et d'un radicalisme tellement absolu que Frédéric ne put s'empêcher de lui dire :

— Te voilà comme Sénécal.

Deslauriers, à ce propos, lui apprit qu'il était sorti de Sainte-Pélagie, l'instruction n'ayant point fourni assez de preuves, sans doute, pour le mettre en jugement.

Dans la joie de cette délivrance, Dussardier voulut « offrir un punch », et pria Frédéric « d'en être », en l'avertissant toutefois qu'il se trouverait avec Hussonnet, lequel s'était montré excellent pour Sénécal.

En effet, *le Flambard* venait de s'adjoindre un cabinet d'affaires, portant sur ses prospectus : « Comptoir des vignobles. — Office de publicité. — Bureau de recouvrements et renseignements, etc. » Mais le bohème craignait que son industrie ne fît du tort à sa considération littéraire, et il avait pris le mathématicien pour tenir les comptes. Bien que la place fût médiocre, Sénécal, sans elle, serait mort de faim. Frédéric, ne voulant point affliger le brave commis, accepta son invitation.

Dussardier, trois jours d'avance, avait ciré lui-même les pavés rouges de sa mansarde, battu le fauteuil et épousseté la cheminée, où l'on voyait sous un globe une pendule d'albâtre entre une stalactite et un coco. Comme ses deux chandeliers et son bougeoir n'étaient pas suffisants, il avait emprunté au concierge deux flambeaux; et ces cinq luminaires brillaient sur la commode, que recouvraient trois serviettes, afin de supporter plus décemment des macarons, des biscuits, une brioche et douze bouteilles de bière. En face, contre la muraille tendue d'un papier jaune, une petite bibliothèque en acajou contenait les *Fables de Lachambeaudie*, *les Mystères de Paris*, le *Napoléon* de Norvins, — et, au milieu de l'alcôve, souriait, dans un cadre de palissandre, le visage de Béranger!

Les convives étaient (outre Deslauriers et Sénécal) un pharmacien nouvellement reçu, mais qui n'avait pas les fonds nécessaires pour s'établir; un jeune homme de *sa* maison, un placeur de vins, un architecte et un monsieur employé dans les assurances. Regimbart n'avait pu venir. On le regretta.

Ils accueillirent Frédéric avec de grandes marques de sympathie, tous connaissant par Dussardier son langage chez M. Dambreuse. Sénécal se contenta de lui offrir la main, d'un air digne.

Il se tenait debout contre la cheminée. Les autres, assis et la pipe aux lèvres, l'écoutaient discourir sur le suffrage universel, d'où devait résulter le triomphe de la Démocratie, l'application des principes de l'Évangile. Du reste, le moment approchait; les banquets réformistes se multipliaient dans les provinces; le Piémont, Naples, la Toscane...

— C'est vrai, dit Deslauriers, lui coupant net la parole, ça ne peut pas durer plus longtemps!

Et il se mit à faire un tableau de la situation.

Nous avions sacrifié la Hollande pour obtenir de l'Angleterre la reconnaissance de Louis-Philippe; et cette fameuse alliance anglaise, elle était perdue, grâce aux mariages espagnols! En Suisse, M. Guizot, à la remorque de l'Autrichien, soutenait les traités de 1815. La Prusse avec son Zollverein [73] nous préparait des embarras. La question d'Orient restait pendante.

— Ce n'est pas une raison parce que le grand-duc Constantin envoie des présents à M. d'Aumale pour se fier à la Russie. Quant à l'intérieur, jamais on n'a vu tant d'aveuglement, de bêtise! Leur majorité même ne se tient plus! Partout, enfin, c'est, selon le mot connu, rien! rien! rien! Et, devant tant de hontes, poursuivit l'avocat, en mettant ses poings sur ses hanches, ils se déclarent satisfaits!

Cette allusion à un vote célèbre [74] provoqua des applaudissements. Dussardier déboucha une bouteille de bière; la mousse éclaboussa les rideaux, il n'y prit garde; il chargeait les pipes, coupait la brioche, en offrait, était descendu plusieurs fois pour voir si le punch allait venir; et on ne tarda pas à s'exalter, tous ayant contre le Pouvoir la même exaspération. Elle

---

73. Union douanière entre la Prusse et les autres États de l'Allemagne (1828-1836).
74. Le vote de la Chambre le 1er mars 1844.

était violente, sans autre cause que la haine de l'injustice; et ils mêlaient aux griefs légitimes les reproches les plus bêtes.

Le pharmacien gémit sur l'état pitoyable de notre flotte. Le courtier d'assurances ne tolérait pas les deux sentinelles du maréchal Soult. Deslauriers dénonça les jésuites, qui venaient de s'installer à Lille, publiquement. Sénécal exécrait bien plus M. Cousin; car l'éclectisme, enseignant à tirer la certitude de la raison, développait l'égoïsme, détruisait la solidarité; le placeur de vins, comprenant peu ces matières, remarqua tout haut qu'il oubliait bien des infamies :

— Le wagon royal de la ligne du Nord doit coûter quatre-vingt mille francs! Qui le payera?

— Oui, qui le payera? reprit l'employé de commerce, furieux comme si on eût puisé cet argent dans sa poche.

Il s'ensuivit des récriminations contre les loups-cerviers de la Bourse et la corruption des fonctionnaires. On devait remonter plus haut, selon Sénécal, et accuser, tout d'abord, les princes, qui ressuscitaient les mœurs de la Régence.

— N'avez-vous pas vu, dernièrement, les amis du duc de Montpensier revenir de Vincennes, ivres sans doute, et troubler par leurs chansons les ouvriers du faubourg Saint-Antoine?

— On a même crié : « A bas les voleurs! » dit le pharmacien. J'y étais, j'ai crié!

— Tant mieux! le Peuple enfin se réveille depuis le procès Teste-Cubières [75].

— Moi, ce procès-là m'a fait de la peine, dit Dussardier, parce que ça déshonore un vieux soldat!

— Savez-vous, continua Sénécal, qu'on a découvert chez la duchesse de Praslin [76]...?

Mais un coup de pied ouvrit la porte. Hussonnet entra.

— Salut, messeigneurs! dit-il en s'asseyant sur le lit.

Aucune allusion ne fut faite à son article, qu'il regrettait, du reste, la Maréchale l'en ayant tancé vertement.

Il venait de voir, au théâtre de Dumas, *le Chevalier de Maison-Rouge*, et « trouvait ça embêtant ».

Un jugement pareil étonna les démocrates, — ce drame, par ses tendances, ses décors plutôt, caressant leurs passions. Ils protestèrent. Sénécal, pour en finir, demanda si la pièce servait la Démocratie.

— Oui..., peut-être; mais c'est d'un style...

— Eh bien, elle est bonne, alors; qu'est-ce que le style? c'est l'idée!

Et, sans permettre à Frédéric de parler :

— J'avançais donc que, dans l'affaire Praslin...

Hussonnet l'interrompit.

— Ah! voilà encore une rengaine, celle-là! M'embête-t-elle!

— Et d'autres que vous! répliqua Deslauriers. Elle

a fait saisir rien que cinq journaux! Ecoutez-moi cette note.

Et, ayant tiré son calepin, il lut :

« Nous avons subi, depuis l'établissement de la meilleure des républiques, douze cent vingt-neuf procès de presse, d'où il est résulté pour les écrivains : trois mille cent quarante et un ans de prison, avec la légère somme de sept millions cent dix mille cinq cents francs d'amende. » — C'est coquet, hein?

Tous ricanèrent amèrement. Frédéric, animé comme les autres, reprit :

— *La Démocratie pacifique* [77] a un procès pour son feuilleton, un roman intitulé *la Part des femmes*.

— Allons! bon! dit Hussonnet. Si on nous défend notre part des femmes!

— Mais qu'est-ce qui n'est pas défendu? s'écria Deslauriers. Il est défendu de fumer dans le Luxembourg, défendu de chanter l'hymne à Pie IX!

— Et on interdit le banquet des typographes! articula une voix sourde.

C'était celle de l'architecte, caché par l'ombre de l'alcôve, et silencieux jusqu'à présent. Il ajouta que, la semaine dernière, on avait condamné pour outrages au Roi un nommé Rouget.

— Rouget est frit, dit Hussonnet.

Cette plaisanterie parut tellement inconvenante à Sénécal, qu'il lui reprocha de défendre « le jongleur de l'Hôtel de Ville, l'ami du traître Dumouriez [78] ».

— Moi? au contraire!

Il trouvait Louis-Philippe poncif, garde national, tout ce qu'il y avait de plus épicier et bonnet de coton! Et, mettant la main sur son cœur, le bohème débita les phrases sacramentelles : « C'est toujours avec un nouveau plaisir... — La nationalité polonaise ne périra pas... — Nos grands travaux seront poursuivis... — Donnez-moi de l'argent pour ma petite famille... » Tous riaient beaucoup, le proclamant un gaillard délicieux, plein d'esprit; la joie redoubla, à la vue du bol de punch qu'un limonadier apportait.

Les flammes de l'alcool et celles des bougies échauffèrent vite l'appartement; et la lumière de la mansarde, traversant la cour, éclairait en face le bord d'un toit, avec le tuyau d'une cheminée qui se dressait en noir sur la nuit. Ils parlaient très haut, tous à la fois; ils avaient retiré leurs redingotes; ils heurtaient les meubles, ils choquaient les verres.

Hussonnet s'écria :

— Faites monter des grandes dames, pour que ce soit plus Tour de Nesle, couleur locale, et rembranesque, palsambleu!

Et le pharmacien, qui tournait le punch indéfiniment, entonna à pleine poitrine :

> J'ai deux grands bœufs dans mon étable,
> Deux grands bœufs blancs... [79]

75. Affaire de concussion à laquelle furent mêlés Teste, pair de France, et le général de Cubières, ancien ministre de la guerre.

76. La duchesse de Praslin mourut, assassinée sans doute par son mari, le duc de Choiseul-Praslin, le 18 août 1847.

77. Journal d'inspiration fouriériste, ayant pour rédacteur en chef Victor Considérant, et qui parut de 1843 à 1849.

78. Louis-Philippe.

79. Refrain d'une chanson de Pierre Dupont (1821-1870), composée en 1845.

Sénécal lui mit la main sur la bouche, il n'aimait pas le désordre; et les locataires apparaissaient à leurs carreaux, surpris du tapage insolite qui se faisait dans le logement de Dussardier.

Le brave garçon était heureux, et dit que ça lui rappelait leurs petites séances d'autrefois, au quai Napoléon; plusieurs manquaient cependant, ainsi Pellerin...

— On peut s'en passer, reprit Frédéric.

Et Deslauriers s'informa de Martinon.

— Que devient-il, cet intéressant Monsieur?

Aussitôt Frédéric, épanchant le mauvais vouloir qu'il lui portait, attaqua son esprit, son caractère, sa fausse élégance, l'homme tout entier. C'était bien un spécimen de paysan parvenu! L'aristocratie nouvelle, la bourgeoisie, ne valait pas l'ancienne, la noblesse. Il soutenait cela; et les démocrates approuvaient, — comme s'il avait fait partie de l'une et qu'ils eussent fréquenté l'autre. On fut enchanté de lui. Le pharmacien le compara même à M. d'Alton-Shée, qui, bien que pair de France, défendait la cause du Peuple.

L'heure de s'en aller était venue. Tous se séparèrent avec de grandes poignées de main; Dussardier, par tendresse, reconduisit Frédéric et Deslauriers. Dès qu'ils furent dans la rue, l'avocat eut l'air de réfléchir, et, après un moment de silence :

— Tu lui en veux donc beaucoup, à Pellerin?

Frédéric ne cacha pas sa rancune.

Le peintre, cependant, avait retiré de la montre le fameux tableau. On ne devait pas se brouiller pour des vétilles! A quoi bon se faire un ennemi?

— Il a cédé à un mouvement d'humeur, excusable dans un homme qui n'a pas le sou. Tu ne peux pas comprendre ça, toi!

Et, Deslauriers remonté chez lui, le commis ne lâcha point Frédéric; il l'engagea même à acheter le portrait. En effet, Pellerin, désespérant de l'intimider, les avait circonvenus pour que, grâce à eux, il prît la chose.

Deslauriers en reparla, insista. Les prétentions de l'artiste étaient raisonnables.

— Je suis sûr que, moyennant, peut-être, cinq cents francs..

— Ah! donne-les! tiens, les voici, dit Frédéric.

Le soir même, le tableau fut apporté. Il lui parut plus abominable encore que la première fois. Les demi-teintes et les ombres s'étaient plombées sous les retouches trop nombreuses, et elles semblaient obscurcies par rapport aux lumières, qui, demeurées brillantes çà et là, détonnaient dans l'ensemble.

Frédéric se vengea de l'avoir payé, en le dénigrant amèrement. Deslauriers le crut sur parole et approuva sa conduite, car il ambitionnait toujours de constituer une phalange dont il serait le chef; certains hommes se réjouissent de faire faire à leurs amis des choses qui leur sont désagréables.

Cependant, Frédéric n'était pas retourné chez les Dambreuse. Les capitaux lui manquaient. Ce seraient des explications à n'en plus finir; il balançait à se décider. Peut-être avait-il raison? Rien n'était sûr, maintenant, l'affaire des houilles pas plus qu'une autre; il fallait abandonner un pareil monde; enfin, Deslau-riers le détourna de l'entreprise. A force de haine, il devenait vertueux; et puis il aimait mieux Frédéric dans la médiocrité. De cette manière, il restait son égal, et en communion plus intime avec lui.

La commission de Mlle Roque avait été fort mal exécutée. Son père l'écrivit, en fournissant les explications les plus précises, et terminait sa lettre par cette badinerie : « Au risque de vous donner un mal de nègre. »

Frédéric ne pouvait faire autrement que de retourner chez Arnoux. Il monta dans le magasin, et ne vit personne. La maison de commerce croulant, les employés imitaient l'incurie de leur patron.

Il côtoya la longue étagère, chargée de faïences, qui occupait d'un bout à l'autre le milieu de l'appartement; puis, arrivé au fond, devant le comptoir, il marcha plus fort pour se faire entendre.

La portière se relevant, Mme Arnoux parut.

— Comment, vous ici! vous!

— Oui, balbutia-t-elle, un peu troublée. Je cherchais...

Il aperçut son mouchoir près du pupitre, et devina qu'elle était descendue chez son mari pour se rendre compte, éclaircir sans doute une inquiétude.

— Mais... vous avez peut-être besoin de quelque chose? dit-elle.

— Un rien, madame.

— Ces commis sont intolérables! ils s'absentent toujours.

On ne devait pas les blâmer. Au contraire, il se félicitait de la circonstance.

Elle le regarda ironiquement.

— Eh bien, et ce mariage?

— Quel mariage?

— Le vôtre!

— Moi? Jamais de la vie!

Elle fit un geste de dénégation.

— Quand cela serait, après tout? On se réfugie dans le médiocre, par désespoir du beau qu'on a rêvé!

— Tous vos rêves, pourtant, n'étaient pas si... candides!

— Que voulez-vous dire?

— Quand vous vous promenez aux courses avec... des personnes!

Il maudit la Maréchale. Un souvenir lui revint.

— Mais c'est vous-même, autrefois, qui m'avez prié de la voir, dans l'intérêt d'Arnoux!

Elle répliqua en hochant la tête :

— Et vous en profitez pour vous distraire.

— Mon Dieu! oublions toutes ces sottises!

— C'est juste, puisque vous allez vous marier!

Et elle retenait un soupir, en mordant ses lèvres.

Alors, il s'écria :

— Mais je vous répète que non! Pouvez-vous croire que, moi, avec mes besoins d'intelligence, mes habitudes, j'aille m'enfouir en province pour jouer aux cartes, surveiller des maçons et me promener en sabots! Dans quel but, alors? On vous a conté qu'elle était riche, n'est-ce pas? Ah! je me moque bien de l'argent! Est-ce qu'après avoir désiré tout ce qu'il y a de plus beau, de plus tendre, de plus enchanteur, une sorte de paradis sous forme humaine, et quand je l'ai trouvé enfin, cet idéal, quand cette vision me cache toutes les autres...

Et, lui prenant la tête à deux mains, il se mit à la baiser sur les paupières, en répétant :

— Non! non! non! jamais je ne me marierai! jamais! jamais!

Elle acceptait ces caresses, figée par la surprise et par le ravissement.

La porte du magasin sur l'escalier retomba. Elle fit un bond; et elle restait la main étendue, comme pour lui commander le silence. Des pas se rapprochèrent. Puis quelqu'un dit au dehors :

— Madame est-elle là?

— Entrez!

Mme Arnoux avait le coude sur le comptoir et roulait une plume entre ses doigts, tranquillement, quand le teneur de livres ouvrit la portière.

Frédéric se leva.

— Madame, j'ai bien l'honneur de vous saluer. Le service, n'est-ce pas, sera prêt? je puis compter dessus?

Elle ne répondit rien. Mais cette complicité silencieuse enflamma son visage de toutes les rougeurs de l'adultère.

Le lendemain, il retourna chez elle, on le reçut; et, afin de poursuivre ses avantages, immédiatement, sans préambule, Frédéric commença par se justifier de la rencontre au Champ de Mars. Le hasard seul l'avait fait se trouver avec cette femme. En admettant qu'elle fût jolie (ce qui n'était pas vrai), comment pourrait-elle arrêter sa pensée, même une minute, puisqu'il en aimait une autre!

— Vous le savez bien, je vous l'ai dit.

Mme Arnoux baissa la tête.

— Je suis fâchée que vous me l'ayez dit.

— Pourquoi?

— Les convenances les plus simples exigent maintenant que je ne vous revoie plus!

Il protesta de l'innocence de son amour. Le passé devait lui répondre de l'avenir; il s'était promis à lui-même de ne pas troubler son existence, de ne pas l'étourdir de ses plaintes.

— Mais hier, mon cœur débordait.

— Nous ne devons plus songer à ce moment-là, mon ami!

Cependant, où serait le mal quand deux pauvres êtres confondraient leur tristesse?

— Car vous n'êtes pas heureuse non plus! Oh! je vous connais, vous n'avez personne qui réponde à vos besoins d'affection, de dévouement; je ferai tout ce que vous voudrez! Je ne vous offenserai pas!... je vous le jure.

Et il se laissa tomber sur les genoux, malgré lui, s'affaissant sous un poids intérieur trop lourd.

— Levez-vous! dit-elle, je le veux!

Et elle lui déclara impérieusement que, s'il n'obéissait pas, il ne la reverrait jamais.

— Ah! je vous en défie bien! reprit Frédéric. Qu'est-ce que j'ai à faire dans le monde? Les autres s'évertuent pour la richesse, la célébrité, le pouvoir! Moi, je n'ai pas d'état, vous êtes mon occupation exclusive, toute ma fortune, le but, le centre de mon existence, de mes pensées. Je ne peux pas plus vivre sans vous que sans l'air du ciel! Est-ce que vous ne sentez pas l'aspiration de mon âme monter vers la vôtre, et qu'elles doivent se confondre, et que j'en meurs!

Mme Arnoux se mit à trembler de tous ses membres.

— Oh! allez-vous-en! je vous en prie!

L'expression bouleversée de sa figure l'arrêta. Puis il fit un pas. Mais elle se reculait, en joignant les deux mains.

— Laissez-moi! au nom du ciel! de grâce!

Et Frédéric l'aimait tellement, qu'il sortit.

Bientôt, il fut pris de colère contre lui-même, se déclara un imbécile, et, vingt-quatre heures après, il revint.

Madame n'y était pas. Il resta sur le palier, étourdi de fureur et d'indignation. Arnoux parut, et lui apprit que sa femme, le matin même, était partie s'installer dans une petite maison de campagne qu'ils louaient à Auteuil, ne possédant plus celle de Saint-Cloud.

— C'est encore une de ses lubies! Enfin, puisque ça l'arrange! et moi aussi du reste; tant mieux! Dînons-nous ensemble ce soir?

Frédéric allégua une affaire urgente, puis courut à Auteuil.

Mme Arnoux laissa échapper un cri de joie. Alors, toute sa rancune s'évanouit.

Il ne parla point de son amour. Pour lui inspirer plus de confiance, il exagéra même sa réserve; et, lorsqu'il demanda s'il pouvait revenir, elle répondit : « Mais sans doute », en offrant sa main, qu'elle retira presque aussitôt.

Frédéric, dès lors, multiplia ses visites. Il promettait au cocher de gros pourboires. Mais souvent, la lenteur du cheval l'impatientant, il descendait; puis, hors d'haleine, grimpait dans un omnibus; et comme il examinait dédaigneusement les figures des gens assis devant lui, et qui n'allaient pas chez elle!

Il reconnaissait de loin sa maison, à un chèvrefeuille énorme couvrant, d'un seul côté, les planches du toit; c'était une manière de chalet suisse peint en rouge, avec un balcon extérieur. Il y avait dans le jardin trois vieux marronniers, et au milieu, sur un tertre, un parasol en chaume que soutenait un tronc d'arbre. Sous l'ardoise des murs, une grosse vigne mal attachée pendait de place en place, comme un câble pourri. La sonnette de la grille, un peu rude à tirer, prolongeait son carillon, et on était toujours longtemps avant de venir. Chaque fois, il éprouvait une angoisse, une peur indéterminée.

Puis il entendait claquer, sur le sable, les pantoufles de la bonne; ou bien Mme Arnoux elle-même se présentait. Il arriva, un jour, derrière son dos, comme elle était accroupie, devant le gazon, à chercher de la violette.

L'humeur de sa fille l'avait forcée de la mettre au couvent. Son gamin passait l'après-midi dans une école. Arnoux faisait de longs déjeuners au Palais-

Royal, avec Regimbart et l'ami Compain. Aucun fâcheux ne pouvait les surprendre.

Il était bien entendu qu'ils ne devaient pas s'appartenir. Cette convention qui les garantissait du péril, facilitait leurs épanchements.

Elle lui dit son existence d'autrefois, à Chartres, chez sa mère; sa dévotion vers douze ans; puis sa fureur de musique, lorsqu'elle chantait jusqu'à la nuit, dans sa petite chambre, d'où l'on découvrait les remparts. Il lui conta ses mélancolies au collège, et comment, dans son ciel poétique, resplendissait un visage de femme, si bien qu'en la voyant pour la première fois, il l'avait reconnue.

Ces discours n'embrassaient, d'habitude, que les années de leur fréquentation. Il lui rappelait d'insignifiants détails, la couleur de sa robe à telle époque, quelle personne un jour était survenue, ce qu'elle avait dit une autre fois; et elle répondait tout émerveillée :

— Oui, je me rappelle!

Leurs goûts, leurs jugements étaient les mêmes. Souvent celui des deux qui écoutait l'autre s'écriait :

— Moi aussi!

Et l'autre à son tour reprenait :

— Moi aussi!

Puis c'étaient d'interminables plaintes sur la Providence :

— Pourquoi le ciel ne l'a-t-il pas voulu! Si nous nous étions rencontrés!...

— Ah! si j'avais été plus jeune! soupirait-elle.

— Non! moi, un peu plus vieux.

Et ils s'imaginaient une vie exclusivement amoureuse, assez féconde pour remplir les plus vastes solitudes, excédant toutes joies, défiant toutes les misères, où les heures auraient disparu dans un continuel épanchement d'eux-mêmes, et qui aurait fait quelque chose de resplendissant et d'élevé comme la palpitation des étoiles.

Presque toujours, ils se tenaient en plein air au haut de l'escalier; des cimes d'arbres jaunies par l'automne se mamelonnaient devant eux, inégalement, jusqu'au bord du ciel pâle; ou bien ils allaient au bout de l'avenue, dans un pavillon ayant pour tout meuble un canapé de toile grise. Des points noirs tachaient la glace; les murailles exhalaient une odeur de moisi; — et ils restaient là, causant d'eux-mêmes, des autres, de n'importe quoi, ravissement. Quelquefois, les rayons du soleil, traversant la jalousie, tendaient depuis le plafond jusque sur les dalles comme les cordes d'une lyre, des brins de poussière tourbillonnaient dans ces barres lumineuses. Elle s'amusait à les fendre, avec sa main; — Frédéric la saisissait, doucement; et il contemplait l'entrelacs de ses veines, les grains de sa peau, la forme de ses doigts. Chacun de ses doigts était, pour lui, plus qu'une chose, presque une personne.

Elle lui donna ses gants, la semaine d'après son mouchoir. Elle l'appelait « Frédéric », il l'appelait « Marie », adorant ce nom-là, fait exprès, disait-il, pour être soupiré dans l'extase, et qui semblait contenir des nuages d'encens, des jonchées de roses.

Ils arrivèrent à fixer d'avance le jour de ses visites;

et sortant comme par hasard, elle allait au-devant de lui, sur la route.

Elle ne faisait rien pour exciter son amour, perdue dans cette insouciance qui caractérise les grands bonheurs. Pendant toute la saison, elle porta une robe de chambre en soie brune, bordée de velours pareil, vêtement large convenant à la mollesse de ses attitudes et à sa physionomie sérieuse. D'ailleurs, elle touchait au mois d'août des femmes, époque tout à la fois de réflexion et de tendresse, où la maturité qui commence colore le regard d'une flamme plus profonde, quand la force du cœur se mêle à l'expérience de la vie, et que, sur la fin de ses épanouissements, l'être complet déborde de richesses dans l'harmonie de sa beauté. Jamais elle n'avait eu plus de douceur, d'indulgence. Sûre de ne pas faillir, elle s'abandonnait à un sentiment qui lui semblait un droit conquis par ses chagrins. Cela était si bon, du reste, et si nouveau! Quel abîme entre la grossièreté d'Arnoux et les adorations de Frédéric!

Il tremblait de perdre par un mot tout ce qu'il croyait avoir gagné, se disant qu'on peut ressaisir une occasion et qu'on ne rattrape jamais une sottise. Il voulait qu'elle se donnât, et non la prendre. L'assurance de son amour le délectait comme un avant-goût de la possession, et puis le charme de sa personne lui troublait le cœur plus que les sens. C'était une béatitude indéfinie, un tel enivrement, qu'il en oubliait jusqu'à la possibilité d'un bonheur absolu. Loin d'elle, des convoitises furieuses le dévoraient.

Bientôt il y eut dans leurs dialogues de grands intervalles de silence. Quelquefois, une sorte de pudeur sexuelle les faisait rougir l'un devant l'autre. Toutes les précautions pour cacher leur amour le dévoilaient; plus il devenait fort, plus leurs manières étaient contenues. Par l'exercice d'un tel mensonge, leur sensibilité s'exaspéra. Ils jouissaient délicieusement de la senteur des feuilles humides, ils souffraient du vent d'est, ils avaient des irritations sans cause, des pressentiments funèbres; un bruit de pas, le craquement d'une boiserie leur causaient des épouvantes comme s'ils avaient été coupables; ils se sentaient poussés vers un abîme; une atmosphère orageuse les enveloppait; et, quand des doléances échappaient à Frédéric, elle s'accusait elle-même.

— Oui! je fais mal! j'ai l'air d'une coquette! Ne venez donc plus!

Alors, il répétait les mêmes serments, — qu'elle écoutait chaque fois avec plaisir.

Son retour à Paris et les embarras du jour de l'an suspendirent un peu leurs entrevues. Quand il revint, il avait, dans les allures, quelque chose de plus hardi. Elle sortait à chaque minute pour donner des ordres, et recevait, malgré ses prières, tous les bourgeois qui venaient la voir. On se livrait alors à des conversations sur Léotade, M. Guizot, le Pape, l'insurrection de Palerme et le banquet du XIIe arrondissement [80], lequel inspirait des inquiétudes. Frédéric se soulageait

---

80. Banquet réformiste prévu pour le 13 janvier 1848 et interdit par le gouvernement.

en déblatérant contre le Pouvoir; car il souhaitait, comme Deslauriers, un bouleversement universel, tant il était maintenant aigri. Mme Arnoux, de son côté, devenait sombre.

Son mari, prodiguant les extravagances, entretenait une ouvrière de la manufacture, celle qu'on appelait la Bordelaise. Mme Arnoux l'apprit elle-même à Frédéric. Il voulait tirer de là un argument « puisqu'on la trahissait ».

— Oh! je ne m'en trouble guère! dit-elle.

Cette déclaration lui parut affirmer complètement leur intimité. Arnoux s'en méfiait-il?

— Non! pas maintenant!

Elle lui conta qu'un soir il les avait laissés en tête à tête, puis était revenu, avait écouté derrière la porte, et, comme tous deux parlaient de choses indifférentes, il vivait, depuis ce temps-là, dans une entière sécurité.

— Avec raison, n'est-ce pas? dit amèrement Frédéric.

— Oui, sans doute!

Elle aurait fait mieux de ne pas risquer un pareil mot.

Un jour, elle ne se trouva point chez elle, à l'heure où il avait coutume d'y venir. Ce fut, pour lui, comme une trahison.

Il se fâcha ensuite de voir les fleurs qu'il apportait toujours plantées dans un verre d'eau.

— Où voulez-vous donc qu'elles soient?

— Oh! pas là! Du reste, elles y sont moins froidement que sur votre cœur.

Quelque temps après, il lui reprocha d'avoir été la veille aux Italiens, sans le prévenir. D'autres l'avaient vue, admirée, aimée peut-être; Frédéric s'attachait à ses soupçons uniquement pour la quereller, la tourmenter; car il commençait à la haïr, et c'était bien le moins qu'elle eût une part de ses souffrances!

Une après-midi (vers le milieu de février), il la surprit fort émue. Eugène se plaignait de mal à la gorge. Le docteur avait dit pourtant que ce n'était rien, un gros rhume, la grippe. Frédéric fut étonné par l'air ivre de l'enfant. Il rassura sa mère néanmoins, cita en exemple plusieurs bambins de son âge qui venaient d'avoir des affections semblables et s'étaient vite guéris.

— Vraiment?

— Mais oui, bien sûr!

— Oh! comme vous êtes bon!

Et elle lui prit la main. Il l'étreignit dans la sienne.

— Oh! laissez-la.

— Qu'est-ce que cela fait, puisque c'est au consolateur que vous l'offrez!... Vous me croyez bien pour ces choses, et vous doutez de moi... quand je vous parle de mon amour!

— Je n'en doute pas, mon pauvre ami!

— Pourquoi cette défiance, comme si j'étais un misérable capable d'abuser!...

— Oh! non!...

— Si j'avais seulement une preuve!...

— Quelle preuve?

— Celle qu'on donnerait au premier venu, celle que vous m'avez accordée à moi-même.

Et il lui rappela qu'une fois ils étaient sortis ensemble, par un crépuscule d'hiver, un temps de brouillard. Tout cela était bien loin, maintenant! Qui donc l'empêchait de se montrer à son bras, devant tout le monde, sans crainte de sa part, sans arrière-pensée de la sienne, n'ayant personne autour d'eux pour les importuner?

— Soit! dit-elle, avec une bravoure de décision qui stupéfia d'abord Frédéric.

Mais il reprit vivement:

— Voulez-vous que je vous attende au coin de la rue Tronchet et de la rue de la Ferme?

— Mon Dieu! mon ami... balbutiait Mme Arnoux.

Sans lui donner le temps de réfléchir, il ajouta:

— Mardi prochain, je suppose?

— Mardi?

— Oui, entre deux et trois heures!

— J'y serai!

Et elle détourna son visage, par un mouvement de honte. Frédéric lui posa ses lèvres sur la nuque.

— Oh! ce n'est pas bien, dit-elle. Vous me feriez repentir.

Il s'écarta, redoutant la mobilité ordinaire des femmes. Puis, sur le seuil, murmura, doucement, comme une chose bien convenue:

— A mardi!

Elle baissa ses beaux yeux d'une façon discrète et résignée.

Frédéric avait un plan.

Il espérait que, grâce à la pluie ou au soleil, il pourrait la faire s'arrêter sous une porte, et qu'une fois sous la porte elle entrerait dans la maison. Le difficile était d'en découvrir une convenable.

Il se mit donc en recherche, et, vers le milieu de la rue Tronchet, il lut de loin, sur une enseigne: *Appartements meublés.*

Le garçon, comprenant son intention, lui montra tout de suite, à l'entresol, une chambre et un cabinet avec deux sorties. Frédéric la retint pour un mois et paya d'avance.

Puis il alla dans trois magasins acheter la parfumerie la plus rare; il se procura un morceau de fausse guipure pour remplacer l'affreux couvre-pieds de coton rouge, il choisit une paire de pantoufles en satin bleu; la crainte seule de paraître grossier le modéra dans ses emplettes; il revint avec elles; et plus dévotement que ceux qui font des reposoirs, il changea les meubles de place, drapa lui-même les rideaux, mit des bruyères sur la cheminée, des violettes sur la commode; il aurait voulu, paver la chambre tout en or. « C'est demain, se disait-il oui, demain, je ne rêve pas. » Et il sentait battre son cœur à grands coups sous le délire de son espérance; puis, quand tout fut prêt, il emporta la clef dans sa poche, comme si le bonheur, qui dormait là, avait pu s'en envoler.

Une lettre de sa mère l'attendait chez lui.

« Pourquoi une si longue absence? Ta conduite commence à paraître ridicule. Je comprends que, dans une certaine mesure, tu aies d'abord hésité devant cette union; cependant, réfléchis! »

Et elle précisait les choses : quarante-cinq mille livres de rente. Du reste, « on en causait »; et M. Roque attendait une réponse définitive. Quant à la jeune personne, sa position véritablement était embarrassante. « Elle t'aime beaucoup. »

Frédéric rejeta la lettre sans la finir, et en ouvrit une autre, un billet de Deslauriers.

« Mon vieux,

« La *poire* est mûre. Selon ta promesse, nous comptons sur toi. On se réunit demain au petit jour, place du Panthéon. Entre au café Soufflot. Il faut que je te parle avant la manifestation. »

— « Oh! je les connais, leurs manifestations. Mille grâces! j'ai un rendez-vous plus agréable. »

Et, le lendemain, dès onze heures, Frédéric était sorti. Il voulait donner un dernier coup d'œil aux préparatifs; puis, qui sait? être en avance? En débouchant de la rue Tronchet, il entendit derrière la Madeleine une grande clameur; il s'avança; et il aperçut au fond de la place, à gauche, des gens en blouse et des bourgeois.

En effet, un manifeste publié dans les journaux avait convoqué à cet endroit tous les souscripteurs du banquet réformiste. Le ministère, presque immédiatement, avait affiché une proclamation l'interdisant. La veille au soir, l'opposition parlementaire y avait renoncé; mais les patriotes, qui ignoraient cette résolution des chefs, étaient venus au rendez-vous, suivis par un grand nombre de curieux. Une députation des écoles s'était portée tout à l'heure chez Odilon Barrot. Elle était maintenant aux Affaires Étrangères; et on ne savait pas si le banquet aurait lieu, si le Gouvernement exécuterait sa menace, si les gardes nationaux se présenteraient. On en voulait aux Députés comme au Pouvoir. La foule augmentait de plus en plus, quand tout à coup vibra dans les airs le refrain de la *Marseillaise*.

C'était la colonne des étudiants qui arrivait. Ils marchaient au pas, sur deux files, en bon ordre, l'aspect irrité, les mains nues, criant par intervalles :

— Vive la Réforme! à bas Guizot!

Les amis de Frédéric étaient là, bien sûr. Ils allaient l'apercevoir et l'entraîner. Il se réfugia vivement dans la rue de l'Arcade.

Quand les étudiants eurent fait deux fois le tour de la Madeleine, ils descendirent vers la place de la Concorde. Elle était remplie de monde; et la foule tassée, semblait, de loin, un champ d'épis noirs qui oscillaient.

Au même moment, des soldats de la ligne se rangèrent en bataille, à gauche de l'église.

Les groupes stationnaient, cependant. Pour en finir, des agents de police en bourgeois saisissaient les plus mutins et les emmenaient au poste, brutalement. Frédéric, malgré son indignation, resta muet; on aurait pu le prendre avec les autres, et il aurait manqué Mme Arnoux.

Peu de temps après, parurent les casques des municipaux. Ils frappaient autour d'eux, à coups de plat de sabre. Un cheval s'abattit; on courut lui porter secours; et, dès que le cavalier fut en selle, tous s'enfuirent.

Alors, il y eut un grand silence. La pluie fine, qui avait mouillé l'asphalte, ne tombait plus. Des nuages s'en allaient, balayés mollement par le vent d'ouest.

Frédéric se mit à parcourir la rue Tronchet, en regardant devant lui et derrière lui.

Deux heures enfin sonnèrent.

« Ah! c'est maintenant! se dit-il, elle sort de sa maison, elle approche »; et, une minute après : « Elle aurait eu le temps de venir. » Jusqu'à trois heures, il tâcha de se calmer. « Non, elle n'est pas en retard; un peu de patience! »

Et, par désœuvrement, il examinait les rares boutiques : un libraire, un sellier, un magasin de deuil. Bientôt il connut tous les noms des ouvrages, tous les harnais, toutes les étoffes. Les marchands, à force de le voir passer et repasser continuellement, furent étonnés d'abord, puis effrayés, et ils fermèrent leur devanture.

Sans doute, elle avait un empêchement, et elle en souffrait aussi. Mais quelle joie tout à l'heure! — Car elle allait venir, cela était certain! « Elle me l'a bien promis! » Cependant, une angoisse intolérable le gagnait.

Par un mouvement absurde, il rentra dans l'hôtel, comme si elle avait pu s'y trouver. A l'instant même, elle arrivait peut-être dans la rue. Il s'y jeta. Personne! Et il se remit à battre le trottoir.

Il considérait les fentes des pavés, la gueule des gouttières, les candélabres, les numéros au-dessus des portes. Les objets les plus minimes devenaient pour lui des compagnons, ou plutôt des spectateurs ironiques; et les façades régulières des maisons lui semblaient impitoyables. Il souffrait du froid aux pieds. Il se sentait dissoudre d'accablement. La répercussion de ses pas lui secouait la cervelle.

Quand il vit quatre heures à sa montre, il éprouva comme un vertige, une épouvante. Il tâcha de se répéter des vers, de calculer n'importe quoi, d'inventer une histoire. Impossible! l'image de Mme Arnoux l'obsédait. Il avait envie de courir à sa rencontre. Mais quelle route prendre pour ne pas se croiser?

Il aborda un commissionnaire, lui mit dans la main cinq francs, et le chargea d'aller rue Paradis, chez Jacques Arnoux, pour s'enquérir près du portier « si « Madame était chez elle ». Puis il se planta au coin de la rue de la Ferme et de la rue Tronchet, de manière à voir simultanément dans toutes les deux. Au fond de la perspective sur le boulevard, des masses confuses glissaient. Il distinguait parfois l'aigrette d'un dragon, un chapeau de femme; et il tendait ses prunelles pour la reconnaître. Un enfant déguenillé qui montrait une marmotte, dans une boîte, lui demanda l'aumône, en souriant.

L'homme à la veste de velours reparut. « Le portier ne l'avait pas vue sortir. » Qui la retenait? Si elle était malade, on l'aurait dit! Etait-ce une visite? Rien de plus facile que de ne pas recevoir. Il se frappa le front.

« Ah! je suis bête! C'est l'émeute! » Cette explication

naturelle le soulagea. Puis, tout à coup : « Mais son quartier est tranquille. » Et un doute abominable l'assaillit. « Si elle allait ne pas venir? si sa promesse n'était qu'une parole pour m'évincer? Non! non! » Ce qui l'empêchait sans doute, c'était un hasard extraordinaire, un de ces événements qui déjouent toute prévoyance. Dans ce cas-là, elle aurait écrit. Et il envoya le garçon d'hôtel à son domicile, rue Rumfort, pour savoir s'il n'y avait point de lettre.

On n'avait apporté aucune lettre. Cette absence de nouvelles le rassura.

Du nombre des pièces de monnaie prises au hasard dans sa main, de la physionomie des passants, de la couleur des chevaux, il tirait des présages; et, quand l'augure était contraire, il s'efforçait de ne pas y croire. Dans ses accès de fureur contre Mme Arnoux, il l'injuriait à demi-voix. Puis c'étaient des faiblesses à s'évanouir, et tout à coup des rebondissements d'espérance. Elle allait paraître. Elle était là, derrière son dos. Il se retournait : rien! Une fois, il aperçut, à trente pas environ, une femme de même taille, avec la même robe. Il la rejoignit; ce n'était pas elle. Cinq heures arrivèrent! cinq heures et demie! six heures! Le gaz s'allumait. Mme Arnoux n'était pas venue.

Elle avait rêvé, la nuit précédente, qu'elle était sur le trottoir de la rue Tronchet depuis longtemps. Elle y attendait quelque chose d'indéterminé, de considérable néanmoins, et, sans savoir pourquoi, elle avait peur d'être aperçue. Mais un maudit petit chien, acharné contre elle, mordillait le bas de sa robe. Il revenait obstinément et aboyait toujours plus fort. Mme Arnoux se réveilla. L'aboiement du chien continuait. Elle tendit l'oreille. Cela partait de la chambre de son fils. Elle s'y précipita, pieds nus. C'était l'enfant lui-même qui toussait. Il avait les mains brûlantes, la face rouge et la voix singulièrement rauque. L'embarras de sa respiration augmentait de minute en minute. Elle resta jusqu'au jour, penchée sur sa couverture, à l'observer.

A huit heures, le tambour de la garde nationale vint prévenir M. Arnoux que ses camarades l'attendaient. Il s'habilla vivement et s'en alla, en promettant de passer tout de suite chez leur médecin, M. Colot. A dix heures, M. Colot n'étant pas venu, Mme Arnoux expédia sa femme de chambre. Le docteur était en voyage, à la campagne, et le jeune homme qui le remplaçait faisait des courses.

Eugène tenait sa tête de côté, sur le traversin, en fronçant toujours ses sourcils, en dilatant ses narines; sa pauvre petite figure devenait plus blême que ses draps; et il s'échappait de son larynx un sifflement produit par chaque inspiration, de plus en plus courte, sèche, et comme métallique. Sa toux ressemblait au bruit de ces mécaniques barbares qui font japper les chiens de carton.

Mme Arnoux fut saisie d'épouvante. Elle se jeta sur les sonnettes, en appelant au secours, en criant :

— Un médecin! un médecin!

Dix minutes après, arriva un vieux monsieur en cravate blanche et à favoris gris, bien taillés. Il fit beaucoup de questions sur les habitudes, l'âge et le tempérament du jeune malade, puis examina sa gorge, s'appliqua la tête dans son dos et écrivit une ordonnance. L'air tranquille de ce bonhomme était odieux. Il sentait l'embaumement. Elle aurait voulu le battre. Il dit qu'il reviendrait dans la soirée.

Bientôt les horribles quintes recommencèrent. Quelquefois, l'enfant se dressait tout à coup. Des mouvements convulsifs lui secouaient les muscles de la poitrine, et, dans ses aspirations, son ventre se creusait comme s'il eût suffoqué d'avoir couru. Puis il retombait la tête en arrière et la bouche grande ouverte. Avec des précautions infinies, Mme Arnoux tâchait de lui faire avaler le contenu des fioles, du sirop d'ipécacuana, une potion kermetisée. Mais il repoussait la cuiller, en gémissant d'une voix faible. On aurait dit qu'il soufflait ses paroles.

De temps à autre, elle relisait l'ordonnance. Les observations du formulaire l'effrayaient; peut-être que le pharmacien s'était trompé! Son impuissance la désespérait. L'élève de M. Colot arriva.

C'était un jeune homme d'allures modestes, neuf dans le métier, et qui ne cacha point son impression. Il resta d'abord indécis, par peur de se compromettre, et enfin prescrivit l'application de morceaux de glace. On fut longtemps à trouver de la glace. La vessie qui contenait les morceaux creva. Il fallut changer la chemise. Tout ce dérangement provoqua un nouvel accès plus terrible.

L'enfant se mit à arracher les linges de son cou, comme s'il avait voulu retirer l'obstacle qui l'étouffait, et il égratignait le mur, saisissait les rideaux de sa couchette, cherchant un point d'appui pour respirer. Son visage était bleuâtre maintenant, et tout son corps, trempé d'une sueur froide, paraissait maigrir. Ses yeux hagards s'attachaient sur sa mère avec terreur. Il lui jetait les bras autour du cou, s'y suspendait d'une façon désespérée; et, en repoussant ses sanglots, elle balbutiait des paroles tendres :

— Oui, mon amour, mon ange, mon trésor!

Puis, des moments de calme survenaient.

Elle alla chercher des joujoux, un polichinelle, une collection d'images, et les étala sur son lit, pour le distraire. Elle essaya même de chanter.

Elle commença une chanson qu'elle lui disait autrefois, quand elle le berçait en l'emmaillotant sur cette même petite chaise de tapisserie. Mais il frissonna dans la longueur entière de son corps, comme une onde sous un coup de vent; les globes de ses yeux saillissaient; elle crut qu'il allait mourir, et se détourna pour ne plus le voir.

Un instant après, elle eut la force de le regarder. Il vivait encore. Les heures se succédèrent, lourdes, mornes, interminables, désespérantes; et elle n'en comptait plus les minutes qu'à la progression de cette agonie. Les secousses de sa poitrine le jetaient en avant comme pour le briser; à la fin, il vomit quelque chose d'étrange, qui ressemblait à un tube de parchemin. Qu'était-ce? Elle s'imagina qu'il avait rendu un bout de ses entrailles. Mais il respirait largement, régulièrement. Cette apparence de bien-être l'effraya plus que tout le reste; elle se tenait comme pétrifiée, les bras pendants, les yeux fixes, quand M. Colot survint. L'enfant, selon lui, était sauvé.

Elle ne comprit pas d'abord, et se fit répéter la phrase. N'était-ce pas une de ces consolations propres aux médecins? Le docteur s'en alla d'un air tranquille. Alors, ce fut pour elle comme si les cordes qui serraient son cœur se fussent dénouées.

— Sauvé! Est-ce possible!

Tout à coup l'idée de Frédéric lui apparut d'une façon nette et inexorable. C'était un avertissement de la Providence. Mais le Seigneur, dans sa miséricorde, n'avait pas voulu la punir tout à fait! Quelle expiation, plus tard, si elle persévérait dans cet amour! Sans doute, on insulterait son fils à cause d'elle; et Mme Arnoux l'aperçut jeune homme, blessé dans une rencontre, rapporté sur un brancard, mourant. D'un bond, elle se précipita sur la petite chaise; et de toutes ses forces, lançant son âme dans les hauteurs, elle offrit à Dieu, comme un holocauste, le sacrifice de sa première passion, de sa seule faiblesse.

Frédéric était revenu chez lui. Il restait dans son fauteuil sans même avoir la force de la maudire. Une espèce de sommeil le gagna; et, à travers son cauchemar, il entendait la pluie tomber, en croyant toujours qu'il était là-bas, sur le trottoir.

Le lendemain, par une dernière lâcheté, il envoya encore un commissionnaire chez Mme Arnoux.

Soit que le Savoyard ne fît pas la commission, ou qu'elle eût trop de choses à dire pour s'expliquer d'un mot, la même réponse fut rapportée. L'insolence était trop forte! Une colère d'orgueil le saisit. Il se jura de n'avoir plus même un désir; et, comme un feuillage emporté par un ouragan, son amour disparut. Il en ressentit un soulagement, une joie stoïque, puis un besoin d'actions violentes; et il s'en alla au hasard, par les rues.

Des hommes des faubourgs passaient, armés de fusils, de vieux sabres, quelques-uns portant des bonnets rouges, et tous chantant *la Marseillaise* ou *les Girondins*. Çà et là, un garde national se hâtait pour rejoindre sa mairie. Des tambours, au loin, résonnaient. On se battait à la porte Saint-Martin. Il y avait dans l'air quelque chose de gaillard et de belliqueux. Frédéric marchait toujours. L'agitation de la grande ville le rendait gai.

A la hauteur de Frascati[81], il aperçut les fenêtres de la Maréchale; une idée folle lui vint, une réaction de jeunesse. Il traversa le boulevard.

On fermait la porte cochère; et Delphine, la femme de chambre, en train d'écrire dessus avec un charbon : « Armes données », lui dit vivement :

— Ah! Madame est dans un bel état! Elle a renvoyé ce matin son groom qui l'insultait. Elle croit qu'on va piller partout! Elle crève de peur! d'autant plus que Monsieur est parti!

81. Maison de jeux.

— Quel Monsieur?

— Le prince!

Frédéric entra dans le boudoir. La Maréchale parut, en jupon, les cheveux sur le dos, bouleversée.

— Ah! merci, tu viens me sauver! c'est la seconde fois! tu n'en demandes jamais le prix, toi!

— Mille pardons! dit Frédéric, en lui saisissant la taille dans les deux mains.

— Comment? que fais-tu? balbutia la Maréchale, à la fois surprise et égayée par ces manières.

Il répondit :

— Je suis la mode, je me réforme.

Elle se laissa renverser sur le divan, et continuait à rire sous ses baisers.

Ils passèrent l'après-midi à regarder, de leur fenêtre, le peuple dans la rue. Puis il l'emmena dîner aux Trois-Frères-Provençaux. Le repas fut long, délicat. Ils s'en revinrent à pied, faute de voiture.

A la nouvelle d'un changement de ministère, Paris avait changé. Tout le monde était en joie; des promeneurs circulaient, et des lampions à chaque étage faisaient une clarté comme en plein jour. Les soldats regagnaient lentement leurs casernes, harassés, l'air triste. On les saluait, en criant : « Vive la ligne! » Ils continuaient sans répondre. Dans la garde nationale, au contraire, les officiers, rouges d'enthousiasme, brandissaient leur sabre en vociférant : « Vive la réforme! » et ce mot-là, chaque fois, faisait rire les deux amants. Frédéric blaguait, était très gai.

Par la rue Duphot, ils atteignirent les boulevards. Des lanternes vénitiennes, suspendues aux maisons, formaient des guirlandes de feux. Un fourmillement confus s'agitait en dessous; au milieu de cette ombre, par endroits, brillaient des blancheurs de baïonnettes. Un grand brouhaha s'élevait. La foule était trop compacte, le retour direct impossible; et ils entraient dans la rue Caumartin, quand tout à coup, éclata derrière eux un bruit, pareil au craquement d'une immense pièce de soie que l'on déchire. C'était la fusillade du boulevard des Capucines.

— Ah! on casse quelques bourgeois, dit Frédéric tranquillement, car il y a des situations où l'homme le moins cruel est si détaché des autres, qu'il verrait périr le genre humain sans un battement de cœur.

La Maréchale, cramponnée à son bras, claquait des dents. Elle se déclara incapable de faire vingt pas de plus. Alors, par un raffinement de haine, pour mieux outrager en son âme Mme Arnoux, il l'emmena jusqu'à l'hôtel de la rue Tronchet, dans le logement préparé pour l'autre.

Les fleurs n'étaient pas flétries. La guipure s'étalait sur le lit. Il tira de l'armoire les petites pantoufles. Rosanette trouva ces prévenances fort délicates.

Vers une heure, elle fut réveillée par des roulements lointains; et elle le vit qui sanglotait, la tête enfoncée dans l'oreiller.

— Qu'as-tu donc, cher amour?

— C'est excès de bonheur, dit Frédéric. Il y avait trop longtemps que je te désirais.

TROISIÈME PARTIE

I

Le bruit d'une fusillade le tira brusquement de son sommeil; et, malgré les instances de Rosanette, Frédéric, à toute force, voulut aller voir ce qui se passait.

Il descendait les Champs-Elysées, d'où les coups de feu étaient partis. A l'angle de la rue Saint-Honoré, des hommes en blouse le croisèrent en criant :

— Non! pas par là! au Palais-Royal!

Frédéric les suivit. On avait arraché les grilles de l'Assomption [82]. Plus loin, il remarqua trois pavés au milieu de la voie, le commencement d'une barricade, sans doute, puis des tessons de bouteilles, et des paquets de fil de fer pour embarrasser la cavalerie; quand tout à coup s'élança d'une ruelle un grand jeune homme pâle, dont les cheveux noirs flottaient sur les épaules, prises dans une espèce de maillot à pois de couleur. Il tenait un long fusil de soldat, et courait sur la pointe de ses pantoufles, avec l'air d'un somnambule et leste comme un tigre. On entendait, par intervalles, une détonation.

La veille au soir, le spectacle du chariot contenant cinq cadavres recueillis parmi ceux du boulevard des Capucines avait changé les dispositions du peuple; et, pendant qu'aux Tuileries les aides de camp se succédaient, et que M. Molé, en train de faire un cabinet nouveau, ne revenait pas, et que M. Thiers tâchait d'en composer un autre, et que le Roi chicanait, hésitait, puis donnait à Bugeaud le commandement général pour l'empêcher de s'en servir, l'insurrection, comme dirigée par un seul bras, s'organisait formidablement. Des hommes d'une éloquence frénétique haranguaient la foule au coin des rues; d'autres dans les églises sonnaient le tocsin à pleine volée; on coulait du plomb, on roulait des cartouches; les arbres des boulevards, les vespasiennes, les bancs, les grilles, les becs de gaz, tout fut arraché, renversé; Paris, le matin, était couvert de barricades. La résistance ne dura pas; partout la garde nationale s'interposait; — si bien qu'à huit heures, le peuple, de bon gré ou de force, possédait cinq casernes, presque toutes les mairies, les points stratégiques les plus sûrs. D'elle-même, sans secousses, la monarchie se fondait dans une dissolution rapide; et on attaquait maintenant le poste du Château-d'Eau, pour délivrer cinquante prisonniers, qui n'y étaient pas.

Frédéric s'arrêta forcément à l'entrée de la place. Des groupes en armes l'emplissaient. Des compagnies de la ligne occupaient les rues Saint-Thomas et Fromanteau. Une barricade énorme bouchait la rue de Valois. La fumée qui se balançait à sa crête s'entr'ouvrit, des hommes couraient dessus en faisant de grands gestes, ils disparurent; puis la fusillade recommença. Le poste y répondait, sans qu'on vît personne à l'intérieur; ses

fenêtres, défendues par des volets de chêne, étaient percées de meurtrières; et le monument avec ses deux étages, ses deux ailes, sa fontaine au premier et sa petite porte au milieu, commençait à se moucheter de taches blanches sous le heurt des balles. Son perron de trois marches restait vide.

A côté de Frédéric, un homme en bonnet grec et portant une giberne par-dessus sa veste de tricot se disputait avec une femme coiffée d'un madras. Elle lui disait :

— Mais reviens donc! reviens donc!

— Laisse-moi tranquille! répondait le mari. Tu peux bien surveiller la loge toute seule. Citoyen, je vous le demande, est-ce juste? J'ai fait mon devoir partout, en 1830, en 32, en 34, en 39! Aujourd'hui, on se bat! Il faut que je me batte! — Va-t'en!

Et la portière finit par céder à ses remontrances et à celles d'un garde national près d'eux, quadragénaire dont la figure bonasse était ornée d'un collier de barbe blonde. Il chargeait son arme et tirait, tout en conversant avec Frédéric, aussi tranquille au milieu de l'émeute qu'un horticulteur dans son jardin. Un jeune garçon en serpillière le cajolait pour obtenir des capsules, afin d'utiliser son fusil, une belle carabine de chasse que lui avait donnée « un monsieur ».

— Empoigne dans mon dos, dit le bourgeois, et efface-toi! tu vas te faire tuer!

Les tambours battaient la charge. Des cris aigus, des hourras de triomphe s'élevaient. Un remous continuel faisait osciller la multitude. Frédéric, pris entre deux masses profondes, ne bougeait pas, fasciné d'ailleurs et s'amusant extrêmement. Les blessés qui tombaient, les morts étendus n'avaient pas l'air de vrais blessés, de vrais morts. Il lui semblait assister à un spectacle.

Au milieu de la houle, par-dessus des têtes, on aperçut un vieillard en habit noir sur un cheval blanc, à selle de velours. D'une main, il tenait un rameau vert, de l'autre un papier, et les secouait avec obstination. Enfin, désespérant de se faire entendre, il se retira.

La troupe de ligne avait disparu et les municipaux restaient seuls à défendre le poste. Un flot d'intrépides se rua sur le perron; ils s'abattirent, d'autres survinrent; et la porte, ébranlée sous les coups de barres de fer, retentissait; les municipaux ne cédaient pas. Mais une calèche bourrée de foin, et qui brûlait comme une torche géante, fut traînée contre les murs. On apporta vite des fagots, de la paille, un baril d'esprit-de-vin. Le feu monta le long des pierres; l'édifice se mit à fumer partout comme une solfatare; et de larges flammes, au sommet, entre les balustres de la terrasse, s'échappaient avec un bruit strident. Le premier étage du Palais-Royal s'était peuplé de gardes nationaux. De toutes les fenêtres de la place, on tirait; les balles sifflaient; l'eau de la fontaine crevée se mêlait avec le sang, faisait

---

82. Chapelle de l'ancien couvent des Dames de l'Assomption, rue Saint-Honoré.

des flaques par terre; on glissait dans la boue sur des vêtements, des shakos, des armes; Frédéric sentit sous son pied quelque chose de mou; c'était la main d'un sergent en capote grise, couché la face dans le ruisseau. Des bandes nouvelles de peuple arrivaient toujours, poussant les combattants sur le poste. La fusillade devenait plus pressée. Les marchands de vins étaient ouverts; on allait de temps à autre y fumer une pipe, boire une chope, puis on retournait se battre. Un chien perdu hurlait. Cela faisait rire.

Frédéric fut ébranlé par le choc d'un homme qui, une balle dans les reins, tomba sur son épaule, en râlant. A ce coup, dirigé peut-être contre lui, il se sentit furieux; et il se jetait en avant quand un garde national l'arrêta.

— C'est inutile! le Roi vient de partir. Ah! si vous ne me croyez pas, allez-y voir!

Une pareille assertion calma Frédéric. La place du Carrousel avait un aspect tranquille. L'hôtel de Nantes s'y dressait toujours solitairement; et les maisons par derrière, le dôme du Louvre en face, la longue galerie de bois à droite et le vague terrain qui ondulait jusqu'aux baraques des étalagistes, étaient comme noyés dans la couleur grise de l'air, où de lointains murmures semblaient se confondre avec la brume; — tandis qu'à l'autre bout de la place, un jour cru, tombant par un écartement des nuages sur la façade des Tuileries, découpait en blancheur toutes ses fenêtres. Il y avait près de l'Arc de Triomphe un cheval mort, étendu. Derrière les grilles, des groupes de cinq à six personnes causaient. Les portes du château étaient ouvertes; les domestiques sur le seuil laissaient entrer.

En bas, dans une petite salle, des bols de café au lait étaient servis. Quelques-uns des curieux s'attablèrent en plaisantant; les autres restaient debout, et, parmi ceux-là, un cocher de fiacre. Il saisit à deux mains un bocal plein de sucre en poudre, jeta un regard inquiet de droite et de gauche, puis se mit à manger voracement, son nez plongeant dans le goulot. Au bas du grand escalier, un homme écrivait son nom sur un registre. Frédéric le reconnut par derrière.

— Tiens, Hussonnet!

— Mais oui, répondit le bohème. Je m'introduis à la Cour. Voilà une bonne farce, hein?

— Si nous montions?

Et ils arrivèrent dans la salle des Maréchaux. Les portraits de ces illustres, sauf celui de Bugeaud percé au ventre, étaient tous intacts. Ils se trouvaient appuyés sur leur sabre, un affût de canon derrière eux, et dans des attitudes formidables jurant avec la circonstance. Une grosse pendule marquait une heure vingt minutes.

Tout à coup *la Marseillaise* retentit. Hussonnet et Frédéric se penchèrent sur la rampe. C'était le peuple. Il se précipita dans l'escalier, en secouant à flots vertigineux des têtes nues, des casques, des bonnets rouges, des baïonnettes et des épaules, si impétueusement que des gens disparaissaient dans cette masse grouillante qui montait toujours, comme un fleuve refoulé par une marée d'équinoxe, avec un long mugissement, sous une impulsion irrésistible. En haut, elle se répandit, et le chant tomba.

On n'entendait plus que les piétinements de tous les souliers, avec le clapotement des voix. La foule inoffensive se contentait de regarder. Mais, de temps à autre, un coude trop à l'étroit enfonçait une vitre; ou bien un vase, une statuette déroulait d'une console, par terre. Les boiseries pressées craquaient. Tous les visages étaient rouges, la sueur en coulait à larges gouttes; Hussonnet fit cette remarque :

— Les héros ne sentent pas bon!

— Ah! vous êtes agaçant, reprit Frédéric.

Et poussés malgré eux, ils entrèrent dans un appartement où s'étendait, au plafond, un dais de velours rouge. Sur le trône, en dessous, était assis un prolétaire à barbe noire, la chemise entr'ouverte, l'air hilare et stupide comme un magot. D'autres gravissaient l'estrade pour s'asseoir à sa place.

— Quel mythe! dit Hussonnet. Voilà le peuple souverain!

Le fauteuil fut enlevé à bout de bras, et traversa toute la salle en se balançant.

— Saprelotte! comme il chaloupe! Le vaisseau de l'Etat est ballotté sur une mer orageuse! Cancane-t-il! cancane-t-il!

On l'avait approché d'une fenêtre, et, au milieu des sifflets, on le lança.

— Pauvre vieux! dit Hussonnet, en le voyant tomber dans le jardin, où il fut repris vivement pour être promené ensuite jusqu'à la Bastille, et brûlé.

Alors, une joie frénétique éclata, comme si, à la place du trône, un avenir de bonheur illimité avait paru; et le peuple, moins par vengeance que pour affirmer sa possession, brisa, lacéra les glaces et les rideaux, les lustres, les flambeaux, les tables, les chaises, les tabourets, tous les meubles, jusqu'à des albums de dessins, jusqu'à des corbeilles de tapisserie. Puisqu'on était victorieux, ne fallait-il pas s'amuser! La canaille s'affubla ironiquement de dentelles et de cachemires. Des crépines d'or s'enroulèrent aux manches des blouses, des chapeaux à plumes d'autruche ornaient la tête des forgerons, des rubans de la Légion d'honneur firent des ceintures aux prostituées. Chacun satisfaisait son caprice; les uns dansaient, d'autres buvaient. Dans la chambre de la reine, une femme lustrait ses bandeaux avec de la pommade; derrière un paravent, deux amateurs jouaient aux cartes; Hussonnet montra à Frédéric un individu qui fumait son brûle-gueule accoudé sur un balcon; et le délire redoublait son tintamarre continu des porcelaines brisées et des morceaux de cristal qui sonnaient, en rebondissant, comme des lames d'harmonica.

Puis la fureur s'assombrit. Une curiosité obscène fit fouiller tous les cabinets, tous les recoins, ouvrir tous les tiroirs. Des galériens enfoncèrent leurs bras dans la couche des princesses, et se roulaient dessus par consolation de ne pouvoir les violer. D'autres, à figures plus sinistres, erraient silencieusement, cherchant à voler quelque chose; mais la multitude était trop nombreuse. Par les baies des portes, on n'apercevait dans l'enfilade des appartements que la sombre masse du peuple entre les dorures, sous un nuage de poussière. Toutes les poitrines haletaient; la chaleur de plus en plus devenait suffocante; les deux amis, craignant d'être étouffés, sortirent.

Dans l'antichambre, debout sur un tas de vêtements, se tenait une fille publique, en statue de la liberté, — immobile, les yeux grands ouverts, effrayante.

Ils avaient fait trois pas dehors, quand un peloton de gardes municipaux en capotes s'avança vers eux, et qui, retirant leurs bonnets de police, et découvrant à la fois leurs crânes un peu chauves, saluèrent le peuple très bas. A ce témoignage de respect, les vainqueurs déguenillés se rengorgèrent. Hussonnet et Frédéric ne furent pas, non plus, sans en éprouver un certain plaisir.

Une ardeur les animait. Ils s'en retournèrent au Palais-Royal. Devant la rue Fromanteau, des cadavres de soldats étaient entassés sur de la paille. Ils passèrent auprès impassiblement, étant même fiers de sentir qu'ils faisaient bonne contenance.

Le palais regorgeait de monde. Dans la cour intérieure, sept bûchers flambaient. On lançait par les fenêtres des pianos, des commodes et des pendules. Des pompes à incendie crachaient de l'eau jusqu'aux toits. Des chenapans tâchaient de couper des tuyaux avec leurs sabres. Frédéric engagea un polytechnicien à s'interposer. Le polytechnicien ne comprit pas, semblait imbécile, d'ailleurs. Tout autour, dans les deux galeries, la populace, maîtresse des caves, se livrait à une horrible godaille. Le vin coulait en ruisseaux, mouillait les pieds, les voyous buvaient dans les culs de bouteille, et vociféraient en titubant.

— Sortons de là, dit Hussonnet, ce peuple me dégoûte.

Tout le long de la galerie d'Orléans, des blessés gisaient par terre sur des matelas, ayant pour couvertures des rideaux de pourpre; et de petites bourgeoises du quartier leur apportaient des bouillons, du linge.

— N'importe! dit Frédéric, moi, je trouve le peuple sublime.

Le grand vestibule était rempli par un tourbillon de gens furieux; des hommes voulaient monter aux étages supérieurs pour achever de détruire tout; des gardes nationaux sur les marches s'efforçaient de les retenir. Le plus intrépide était un chasseur, nu-tête, la chevelure hérissée, les buffleteries en pièces. Sa chemise faisait un bourrelet entre son pantalon et son habit, et il se débattait au milieu des autres avec acharnement. Hussonnet, qui avait la vue perçante, reconnut de loin Arnoux.

Puis ils gagnèrent le jardin des Tuileries, pour respirer plus à l'aise. Ils s'assirent sur un banc; et ils restèrent pendant quelques minutes les paupières closes, tellement étourdis, qu'ils n'avaient pas la force de parler. Les passants, autour d'eux, s'abordaient. La duchesse d'Orléans était nommée régente; tout était fini; et on éprouvait cette sorte de bien-être qui suit les dénouements rapides, quand à chacune des mansardes du château parurent des domestiques déchirant leurs habits de livrée. Ils les jetaient dans le jardin, en signe d'abjuration. Le peuple les hua. Ils se retirèrent.

L'attention de Frédéric et d'Hussonnet fut distraite par un grand gaillard qui marchait vivement entre les arbres, avec un fusil sur l'épaule. Une cartouchière lui serrait à la taille sa vareuse rouge, un mouchoir s'enroulait à son front sous sa casquette. Il tourna la tête. C'était Dussardier; et, se jetant dans leurs bras :

— Ah! quel bonheur, mes pauvres vieux! sans pouvoir dire autre chose, tant il haletait de joie et de fatigue.

Depuis quarante-huit heures, il était debout. Il avait travaillé aux barricades du Quartier Latin, s'était battu rue Rambuteau, avait sauvé trois dragons, était entré aux Tuileries avec la colonne Dunoyer, s'était porté ensuite à la Chambre, puis à l'Hôtel de Ville.

— J'en arrive! tout va bien! le peuple triomphe! les ouvriers et les bourgeois s'embrassent! ah! si vous saviez ce que j'ai vu! quels braves gens! comme c'est beau!

Et, sans s'apercevoir qu'ils n'avaient pas d'armes :

— J'étais bien sûr de vous trouver là! Ça a été rude un moment, n'importe!

Une goutte de sang lui coulait sur la joue, et, aux questions des deux autres :

— Oh! rien! l'éraflure d'une baïonnette!

— Il faudrait vous soigner pourtant.

— Bah! je suis solide, qu'est-ce que ça fait? La République est proclamée! on sera heureux maintenant! Des journalistes, qui causaient tout à l'heure devant moi, disaient qu'on va affranchir la Pologne et l'Italie! Plus de rois, comprenez-vous! Toute la terre libre! toute la terre libre!

Et, embrassant l'horizon d'un seul regard, il écarta les bras dans une attitude triomphante. Mais une longue file d'hommes couraient sur la terrasse, au bord de l'eau.

— Ah! saprelotte! j'oubliais! Les forts sont occupés. Il faut que j'y aille! adieu!

Il se retourna pour leur crier, tout en brandissant son fusil :

— Vive la République!

Des cheminées du château, il s'échappait d'énormes tourbillons de fumée noire, qui emportaient des étincelles. La sonnerie des cloches faisait, au loin, comme des bêlements effarés. De droite et de gauche, partout, les vainqueurs déchargeaient leurs armes. Frédéric, bien qu'il ne fût pas guerrier, sentit bondir son sang gaulois. Le magnétisme des foules enthousiastes l'avait pris. Il humait voluptueusement l'air orageux, plein des senteurs de la poudre; et cependant il frissonnait sous les effluves d'un immense amour, d'un attendrissement suprême et universel, comme si le cœur de l'humanité tout entière avait battu dans sa poitrine.

Hussonnet dit, en bâillant :

— Il serait temps, peut-être, d'aller instruire les populations!

Frédéric le suivit à son bureau de correspondance, place de la Bourse; et il se mit à composer pour le journal de Troyes un compte rendu des événements en style lyrique, un véritable morceau, — qu'il signa. Puis ils dînèrent ensemble dans une taverne. Hussonnet était pensif; les excentricités de la Révolution dépassaient les siennes.

Après le café, quand ils se rendirent à l'Hôtel de Ville, pour savoir du nouveau, son naturel gamin avait repris le dessus. Il escaladait les barricades, comme un chamois, et répondait aux sentinelles des gaudrioles patriotiques.

Ils entendirent, à la lueur des torches, proclamer le Gouvernement provisoire. Enfin, à minuit, Frédéric, brisé de fatigue, regagna sa maison.

— Eh bien, dit-il à son domestique en train de le déshabiller, es-tu content?

— Oui, sans doute, Monsieur! Mais ce que je n'aime pas, c'est ce peuple en cadence!

Le lendemain, à son réveil, Frédéric pensa à Deslauriers. Il courut chez lui. L'avocat venait de partir, étant nommé commissaire en province. Dans la soirée de la veille, il était parvenu jusqu'à Ledru-Rollin, et, l'obsédant au nom des Écoles, en avait arraché une place, une mission. Du reste, disait le portier, il devait écrire la semaine prochaine, pour donner son adresse.

Après quoi, Frédéric s'en alla voir la Maréchale. Elle le reçut aigrement, car elle lui en voulait de son abandon. Sa rancune s'évanouit sous des assurances de paix réitérées. Tout était tranquille, maintenant, aucune raison d'avoir peur; il l'embrassait; et elle se déclara pour la République, — comme avait déjà fait Monseigneur l'Archevêque de Paris, et comme devaient faire avec une prestesse de zèle merveilleuse : la Magistrature, le Conseil d'État, l'Institut, les Maréchaux de France, Changarnier, M. de Falloux, tous les bonapartistes, tous les légitimistes, et un nombre considérable d'orléanistes.

La chute de la Monarchie avait été si prompte, que, la première stupéfaction passée, il y eut chez les bourgeois comme un étonnement de vivre encore. L'exécution sommaire de quelques voleurs, fusillés sans jugement, parut une chose très juste. On se redit, pendant un mois, la phrase de Lamartine [83] sur le drapeau rouge, « qui n'avait fait que le tour du Champ de Mars, tandis que le drapeau tricolore », etc.; et tous se rangèrent sous son ombre, chaque parti ne voyant des trois couleurs que la sienne, et se promettant bien, dès qu'il serait le plus fort, d'arracher les deux autres.

Comme les affaires étaient suspendues, l'inquiétude et la badauderie poussaient tout le monde hors de chez soi. Le négligé des costumes atténuait la différence des rangs sociaux, la haine se cachait, les espérances s'étalaient, la foule était pleine de douceur. L'orgueil d'un droit conquis éclatait sur les visages. On avait une gaieté de carnaval, des allures de bivac; rien ne fut amusant comme l'aspect de Paris, les premiers jours.

Frédéric prenait la Maréchale à son bras; et ils flânaient ensemble dans les rues. Elle se divertissait des rosettes décorant les boutonnières, des étendards suspendus à toutes les fenêtres, des affiches de toute couleur placardées contre les murailles, et jetait çà

et là quelque monnaie dans le tronc pour les blessés, établi sur une chaise, au milieu de la voie. Puis elle s'arrêtait devant des caricatures qui représentaient Louis-Philippe en pâtissier, en saltimbanque, en chien, en sangsue. Mais les hommes de Caussidière [84], avec leur sabre et leur écharpe, l'effrayaient un peu. D'autres fois, c'était un arbre de la Liberté qu'on plantait. MM. les ecclésiastiques concouraient à la cérémonie, bénissant la République, escortés par des serviteurs à galons d'or; et la multitude trouvait cela très bien. Le spectacle le plus fréquent était celui des députations de n'importe quoi, allant réclamer quelque chose à l'Hôtel de Ville, — car chaque métier, chaque industrie attendait du Gouvernement la fin radicale de sa misère. Quelques-uns, il est vrai, se rendaient près de lui pour le conseiller, ou le féliciter ou tout simplement pour lui faire une petite visite, et voir fonctionner la machine.

Vers le milieu du mois de mars, un jour qu'il traversait le pont d'Arcole, ayant à faire une commission pour Rosanette dans le Quartier Latin, Frédéric vit s'avancer une colonne d'individus à chapeaux bizarres, à longues barbes. En tête et battant du tambour marchait un nègre, un ancien modèle d'atelier, et l'homme qui portait la bannière, sur laquelle flottait au vent cette inscription : « Artistes peintres », n'était autre que Pellerin.

Il fit signe à Frédéric de l'attendre, puis reparut cinq minutes après, ayant du temps devant lui, car le Gouvernement recevait à ce moment-là les tailleurs de pierre. Il allait avec ses collègues réclamer la création d'un Forum de l'Art, une espèce de Bourse où l'on débattrait les intérêts de l'Esthétique; des œuvres sublimes se produiraient puisque les travailleurs mettraient en commun leur génie. Paris, bientôt, serait couvert de monuments gigantesques; il les décorerait; il avait même commencé une figure de la République. Un de ses camarades vint le prendre, car ils étaient talonnés par la députation du commerce de la volaille.

— Quelle bêtise! grommela une voix dans la foule. Toujours des blagues! Rien de fort!

C'était Regimbart. Il ne salua pas Frédéric, mais profita de l'occasion pour épandre son amertume.

Le Citoyen employait ses jours à vagabonder dans les rues, tirant sa moustache, roulant des yeux, acceptant et propageant des nouvelles lugubres; et il n'avait que deux phrases : « Prenez garde, nous allons être débordés! » ou bien : « Mais, sacrebleu! on escamote la République! » Il était mécontent de tout, et particulièrement de ce que nous n'avions pas repris nos frontières naturelles. Le nom seul de Lamartine lui faisait hausser les épaules. Il ne trouvait pas Ledru-Rollin « suffisant pour le problème », traita Dupont (de l'Eure) de vieille ganache; Albert, d'idiot; Louis Blanc, d'utopiste; Blanqui, d'homme extrêmement dangereux; et, quand Frédéric lui demanda ce qu'il aurait fallu faire, il répondit en lui serrant le bras à le broyer :

83. Péroraison de la harangue prononcée par Lamartine à l'Hôtel de Ville le 25 février.

84. Marc Caussidière (1808-1861) s'était arrogé les fonctions de préfet de police et avait constitué un corps spécial de police appelé les « montagnards ».

— Prendre le Rhin, je vous dis, prendre le Rhin! fichtre!

Puis il accusa la réaction.

Elle se démasquait. Le sac des châteaux de Neuilly et de Suresnes, l'incendie des Batignolles, les troubles de Lyon, tous les excès, tous les griefs, on les exagérait à présent, en y ajoutant la circulaire de Ledru-Rollin, le cours forcé des billets de banque, la rente tombée à soixante francs, enfin, comme iniquité suprême, comme dernier coup, comme surcroît d'horreur, l'impôt des quarante-cinq centimes! — Et, par-dessus tout cela, il y avait encore le Socialisme! Bien que ces théories, aussi neuves que le jeu d'oie, eussent été depuis quarante ans suffisamment débattues pour emplir des bibliothèques, elles épouvantèrent les bourgeois, comme une grêle d'aérolithes; et on fut indigné, en vertu de cette haine que provoque l'avènement de toute idée parce que c'est une idée, exécration dont elle tire plus tard sa gloire, et qui fait que ses ennemis sont toujours au-dessous d'elle, si médiocre qu'elle puisse être.

Alors, la Propriété monta dans les respects au niveau de la Religion et se confondit avec Dieu. Les attaques qu'on lui portait parurent du sacrilège, presque de l'anthropophagie. Malgré la législation la plus humaine qui fut jamais, le spectre de 93 reparut, et le couperet de la guillotine vibra dans toutes les syllabes du mot République; — ce qui n'empêchait pas qu'on la méprisait pour sa faiblesse. La France, ne sentant plus de maître, se mit à crier d'effarement, comme un aveugle sans bâton, comme un marmot qui a perdu sa bonne.

De tous les Français, celui qui tremblait le plus fort était M. Dambreuse. L'état nouveau des choses menaçait sa fortune, mais surtout dupait son expérience. Un système si bon, un roi si sage! était-ce possible! La terre allait crouler! Dès le lendemain il congédia trois domestiques, vendit ses chevaux, s'acheta, pour sortir dans les rues, un chapeau mou, pensa même à laisser croître sa barbe; et il restait chez lui, prostré, se repaissant amèrement des journaux les plus hostiles à ses idées, et devenu tellement sombre, que les plaisanteries sur la pipe de Flocon [85] n'avaient pas même la force de le faire sourire.

Comme soutien du dernier règne, il redoutait les vengeances du peuple sur ses propriétés de la Champagne, quand l'élucubration [86] de Frédéric lui tomba dans les mains. Alors il s'imagina que son jeune ami était un personnage très influent et qu'il pourrait sinon le servir, du moins le défendre; de sorte qu'un matin, M. Dambreuse se présenta chez lui, accompagné de Martinon.

Cette visite n'avait pour but, dit-il, que de le voir un peu et de causer. Somme toute, il se réjouissait des événements, et il adoptait de grand cœur « notre sublime devise : *Liberté, Egalité, Fraternité*, ayant toujours été républicain au fond ». S'il votait, sous l'autre régime,

avec le ministère, c'était simplement pour accélérer une chute inévitable. Il s'emporta même contre M. Guizot, « qui nous a mis dans un joli pétrin, convenons-en! » En revanche, il admirait beaucoup Lamartine, lequel s'était montré « magnifique, ma parole d'honneur, quand, à propos du drapeau rouge... »

— Oui! je sais, dit Frédéric.

Après quoi, il déclara sa sympathie pour les ouvriers.

« Car enfin, plus ou moins, nous sommes tous ouvriers! » Et il poussait l'impartialité jusqu'à reconnaître que Proudhon avait de la logique. « Oh! beaucoup de logique! diable! » Puis, avec le détachement d'une intelligence supérieure, il causa de l'exposition de peinture, où il avait vu le tableau de Pellerin. Il trouvait cela original, bien touché.

Martinon appuyait tous ses mots par des remarques approbatives; lui aussi pensait qu'il fallait « se rallier franchement à la République », et il parla de son père laboureur, faisait le paysan, l'homme du peuple. On arriva bientôt aux élections pour l'Assemblée nationale, et aux candidats dans l'arrondissement de la Fortelle. Celui de l'opposition n'avait pas de chances.

— Vous devriez prendre sa place! dit M. Dambreuse.

Frédéric se récria.

— Eh! pourquoi donc? car il obtiendrait les suffrages des ultras, vu ses opinions personnelles, celui des conservateurs, à cause de sa famille. Et peut-être aussi, ajouta le banquier en souriant, grâce un peu à mon influence.

Frédéric objecta qu'il ne saurait comment s'y prendre. Rien de plus facile, en se faisant recommander aux patriotes de l'Aube par un club de la capitale. Il s'agissait de lire, non une profession de foi comme on en voyait quotidiennement, mais une exposition de principes sérieuse.

— Apportez-moi cela; je sais ce qui convient dans la localité! Et vous pourriez, je vous le répète, rendre de grands services au pays, à nous tous, à moi-même.

Par des temps pareils, on devait s'entr'aider, et, si Frédéric avait besoin de quelque chose, lui, ou ses amis...

— Oh! mille grâces, cher monsieur!

— A charge de revanche, bien entendu!

Le banquier était un brave homme, décidément.

Frédéric ne put s'empêcher de réfléchir à son conseil; et bientôt, une sorte de vertige l'éblouit.

Les grandes figures de la Convention passèrent devant ses yeux. Il lui sembla qu'une aurore magnifique allait se lever. Rome, Vienne, Berlin étaient en insurrection, les Autrichiens chassés de Venise; toute l'Europe s'agitait. C'était l'heure de se précipiter dans le mouvement, de l'accélérer peut-être; et puis il était séduit par le costume que les députés, disait-on, porteraient. Déjà, il se voyait en gilet à revers avec une ceinture tricolore; et ce prurit, cette hallucination devint si forte, qu'il s'en ouvrit à Dussardier.

L'enthousiasme du brave garçon ne faiblissait pas.

— Certainement, bien sûr! Présentez-vous!

Frédéric, néanmoins, consulta Deslauriers. L'opposition idiote qui entravait le commissaire dans sa pro-

---

85. Ferdinand Flocon (1800-1866) avait été secrétaire du gouvernement provisoire avant d'être nommé ministre de l'Agriculture et du Commerce.

86. L'article sur les barricades écrit pour le *Journal de Troyes* (cf. p. 114).

vince avait augmenté son libéralisme. Il lui envoya immédiatement des exhortations violentes.

Cependant, Frédéric avait besoin d'être approuvé par un plus grand nombre; et il confia la chose à Rosanette, un jour que Mlle Vatnaz se trouvait là.

Elle était une de ces célibataires parisiennes qui, chaque soir, quand elles ont donné leurs leçons, ou tâché de vendre de petits dessins, de placer de pauvres manuscrits, rentrent chez elles avec de la crotte à leurs jupons, font leur dîner, le mangent toutes seules, puis, les pieds sur une chaufferette, à la lueur d'une lampe malpropre, rêvent un amour, une famille, un foyer, la fortune, tout ce qui leur manque. Aussi, comme beaucoup d'autres, avait-elle salué dans la Révolution l'avènement de la vengeance, — et elle se livrait à une propagande socialiste effrénée.

L'affranchissement du prolétaire, selon la Vatnaz, n'était possible que par l'affranchissement de la femme. Elle voulait son admissibilité à tous les emplois, la recherche de la paternité, un autre code, l'abolition, ou tout au moins « une réglementation du mariage plus intelligente ». Alors, chaque Française serait tenue d'épouser un Français ou d'adopter un vieillard. Il fallait que les nourrices et les accoucheuses fussent des fonctionnaires salariées par l'État; qu'il y eût un jury pour examiner les œuvres de femmes, des éditeurs spéciaux pour les femmes, une école polytechnique pour les femmes, une garde nationale pour les femmes, tout pour les femmes! Et, puisque le Gouvernement méconnaissait leurs droits, elles devaient vaincre la force par la force. Dix mille citoyennes, avec de bons fusils, pouvaient faire trembler l'Hôtel de Ville!

La candidature de Frédéric lui parut favorable à ses idées. Elle l'encouragea, en lui montrant la gloire à l'horizon. Rosanette se réjouit d'avoir un homme qui parlerait à la Chambre.

— Et puis on te donnera, peut-être, une bonne place.

Frédéric, homme de toutes les faiblesses, fut gagné par la démence universelle. Il écrivit un discours, et alla le faire voir à M. Dambreuse.

Au bruit de la grande porte qui retombait, un rideau s'entr'ouvrit derrière une croisée; une femme y parut. Il n'eut pas le temps de la reconnaître; mais, dans l'antichambre, un tableau l'arrêta, le tableau de Pellerin, posé sur une chaise, provisoirement sans doute.

Cela représentait la République, ou le Progrès, ou la Civilisation, sous la figure de Jésus-Christ conduisant une locomotive, laquelle traversait une forêt vierge. Frédéric, après une minute de contemplation, s'écria :

— Quelle turpitude!

— N'est-ce pas, hein? dit M. Dambreuse, survenu sur cette parole et s'imaginant qu'elle concernait non la peinture, mais la doctrine glorifiée par le tableau.

Martinon arriva au même moment. Ils passèrent dans le cabinet; et Frédéric tirait un papier de sa poche, quand Mlle Cécile, entrant tout à coup, articula d'un air ingénu :

— Ma tante est-elle ici?

— Tu sais bien que non, répliqua le banquier. N'importe! faites comme chez vous, mademoiselle.

— Oh! merci! je m'en vais.

A peine sortie, Martinon eut l'air de chercher son mouchoir.

— Je l'ai oublié dans mon paletot, excusez-moi!

— Bien! dit M. Dambreuse.

Evidemment, il n'était pas dupe de cette manœuvre, et même semblait la favoriser. Pourquoi? Mais bientôt Martinon reparut, et Frédéric entama son discours. Dès la seconde page, qui signalait comme une honte la prépondérance des intérêts pécuniaires, le banquier fit la grimace. Puis, abordant les réformes, Frédéric demandait la liberté du commerce.

— Comment?... mais permettez!

L'autre n'entendait pas, et continua. Il réclamait l'impôt sur la rente, l'impôt progressif, une fédération européenne, et l'instruction du peuple, des encouragements aux beaux-arts les plus larges.

— Quand le pays fournirait à des hommes comme Delacroix ou Hugo cent mille francs de rente, où serait le mal?

Le tout finissait par des conseils aux classes supérieures.

— N'épargnez rien, ô riches! donnez! donnez!

Il s'arrêta, et resta debout. Ses deux auditeurs assis ne parlaient pas; Martinon écarquillait les yeux, M. Dambreuse était tout pâle. Enfin, dissimulant son émotion sous un aigre sourire :

— C'est parfait, votre discours! Et il en vanta beaucoup la forme, pour n'avoir pas à s'exprimer sur le fond.

Cette virulence de la part d'un jeune homme inoffensif l'effrayait, surtout comme symptôme. Martinon tâcha de le rassurer. Le parti conservateur, d'ici peu, prendrait sa revanche, certainement; dans plusieurs villes on avait chassé les commissaires du Gouvernement provisoire : les élections n'étaient fixées qu'au 23 avril, on avait du temps; bref, il fallait que M. Dambreuse, lui-même, se présentât dans l'Aube; et, dès lors, Martinon ne le quitta plus, devint son secrétaire et l'entoura de soins filiaux.

Frédéric arriva fort content de sa personne chez Rosanette. Delmar y était, et lui apprit que « définitivement » il se portait comme candidat aux élections de la Seine. Dans une affiche adressée « au Peuple » et où il le tutoyait, l'acteur se vantait de le comprendre, « lui », et de s'être fait, pour son salut, « crucifier par l'Art », si bien qu'il était son incarnation, son idéal; — croyant effectivement avoir sur les masses une influence énorme, jusqu'à proposer plus tard dans un bureau de ministère de réduire une émeute à lui seul; et, quant aux moyens qu'il emploierait, il fit cette réponse :

— N'ayez pas peur! Je leur montrerai ma tête!

Frédéric, pour le mortifier, lui notifia sa propre candidature. Le cabotin, du moment que son futur collègue visait la province, se déclara son serviteur et offrit de le piloter dans les clubs.

Ils les visitèrent tous, ou presque tous, les rouges et les bleus, les furibonds et les tranquilles, les puritains, les débraillés, les mystiques et les pochards, ceux où l'on décrétait la mort des Rois, ceux où l'on dénonçait les fraudes de l'Épicerie; et, partout, les locataires maudissaient les propriétaires, la blouse s'en prenait à l'habit, et les riches conspiraient contre les pauvres. Plusieurs voulaient des indemnités comme anciens martyrs de la police, d'autres imploraient de l'argent pour mettre en jeu des inventions, ou bien c'étaient des plans de phalanstères, des projets de bazars cantonaux, des systèmes de félicité publique; — puis, çà et là, un éclair d'esprit dans ces nuages de sottise, des apostrophes, soudaines comme des éclaboussures, le droit formulé par un juron, et des fleurs d'éloquence aux lèvres d'un goujat, portant à cru le baudrier d'un sabre sur sa poitrine sans chemise. Quelquefois aussi, figurait un monsieur, aristocrate humble d'allures, disant des choses plébéiennes, et qui ne s'était pas lavé les mains pour les faire paraître calleuses. Un patriote le reconnaissait, les plus vertueux le houspillaient; et il sortait, la rage dans l'âme. On devait, par affectation de bon sens, dénigrer toujours les avocats, et servir le plus souvent possible ces locutions : « apporter sa pierre à l'édifice, — problème social, — atelier ».

Delmar ne ratait pas les occasions d'empoigner la parole; et, quand il ne trouvait plus rien à dire, sa ressource était de se camper, le poing sur la hanche, l'autre bras dans le gilet, en se tournant de profil, brusquement, de manière à bien montrer sa tête. Alors, des applaudissements éclataient, ceux de Mlle Vatnaz, au fond de la salle.

Frédéric, malgré la faiblesse des orateurs, n'osait se risquer. Tous ces gens lui semblaient trop incultes ou trop hostiles.

Mais Dussardier se mit en recherche, et lui annonça qu'il existait, rue Saint-Jacques, un club intitulé le *Club de l'Intelligence*. Un nom pareil donnait bon espoir. D'ailleurs, il amènerait des amis.

Il amena ceux qu'il avait invités à son punch : le teneur de livres, le placeur de vins, l'architecte; Pellerin même était venu, peut-être qu'Hussonnet allait venir; et sur le trottoir, devant la porte, stationnait Regimbart avec deux individus, dont le premier était son fidèle Compain, homme un peu courtaud, marqué de petite vérole, les yeux rouges, et le second, une espèce de singe-nègre, extrêmement chevelu, et qu'il connaissait seulement pour être « un patriote de Barcelone ».

Ils passèrent par une allée, puis furent introduits dans une grande pièce, à usage de menuisier sans doute, et dont les murs encore neufs sentaient le plâtre. Quatre quinquets accrochés parallèlement y faisaient une lumière désagréable. Sur une estrade, au fond, il y avait un bureau avec une sonnette, en dessous une table figurant la tribune, et de chaque côté deux autres plus basses, pour les secrétaires. L'auditoire qui garnissait les bancs était composé de vieux rapins, de pions, d'hommes de lettres inédits. Sur ces lignes de paletots à collets gras, on voyait de place en place le bonnet d'une femme ou le bourgeron d'un ouvrier. Le fond de la salle était même plein d'ouvriers, venus là sans doute par désœuvrement, ou qu'avaient introduits des orateurs pour se faire applaudir.

Frédéric eut soin de se mettre entre Dussardier et Regimbart, qui, à peine assis, posa ses deux mains sur

sa canne, son menton sur ses deux mains et ferma les paupières, tandis qu'à l'autre extrémité de la salle, Delmar, debout, dominait l'assemblée.

Au bureau du président, Sénécal parut.

Cette surprise, avait pensé le bon commis, plairait à Frédéric. Elle le contraria.

La foule témoignait à son président une grande déférence. Il était de ceux qui, le 25 février, avaient voulu l'organisation immédiate du travail; le lendemain, au Prado [87], il s'était prononcé pour qu'on attaquât l'Hôtel de Ville; et, comme chaque personnage se réglait alors sur un modèle, l'un copiant Saint-Just, l'autre Danton, l'autre Marat, lui, il tâchait de ressembler à Blanqui, lequel imitait Robespierre. Ses gants noirs et ses cheveux en brosse lui donnaient un aspect rigide, extrêmement convenable.

Il ouvrit la séance par la déclaration des Droits de l'Homme et du Citoyen, acte de foi habituel. Puis une voix vigoureuse entonna *les Souvenirs du Peuple* de Béranger.

D'autres voix s'élevèrent :

— Non! non! pas ça!

— *La Casquette!* se mirent à hurler, au fond, les patriotes.

Et ils chantèrent en chœur la poésie du jour :

Chapeau bas devant ma casquette,
A genoux devant l'ouvrier!

Sur un mot du président, l'auditoire se tut. Un des secrétaires procéda au dépouillement des lettres.

— Des jeunes gens annoncent qu'ils brûlent chaque soir devant le Panthéon un numéro de *l'Assemblée nationale* [88], et ils engagent tous les patriotes à suivre leur exemple.

— Bravo! adopté! répondit la foule.

— Le citoyen Jean-Jacques Langreneux, typographe, rue Dauphine, voudrait qu'on élevât un monument à la mémoire des martyrs de Thermidor.

— Michel-Evariste-Népomucène Vincent, ex-professeur, émet le vœu que la Démocratie européenne adopte l'unité de langage. On pourrait se servir d'une langue morte, comme par exemple du latin perfectionné.

— Non! pas de latin! s'écria l'architecte.

— Pourquoi? reprit un maître d'études.

Et ces deux messieurs engagèrent une discussion, où d'autres se mêlèrent, chacun jetant son mot pour éblouir, et qui ne tarda pas à devenir tellement fastidieuse, que beaucoup s'en allaient.

Mais un petit vieillard, portant au bas de son front prodigieusement haut des lunettes vertes, réclama la parole pour une communication urgente.

C'était un mémoire sur la répartition des impôts. Les chiffres découlaient, cela n'en finissait plus! L'impatience éclata d'abord en murmures, en conversations; rien ne le troublait. Puis on se mit à siffler, on appelait « Azor »; Sénécal gourmanda le public; l'orateur con-

87. Nom d'un bal public.
88. Journal d'inspiration orléaniste, fondé le 29 février 1848.

tinuait comme une machine. Il fallut, pour l'arrêter, le prendre par le coude. Le bonhomme eut l'air de sortir d'un songe, et, levant tranquillement ses lunettes :

— Pardon! citoyens! pardon! Je me retire! Mille excuses!

L'insuccès de cette lecture déconcerta Frédéric. Il avait son discours dans sa poche, mais une improvisation eût mieux valu.

Enfin, le président annonça qu'ils allaient passer à l'affaire importante, la question électorale. On ne discuterait pas les grandes listes républicaines. Cependant, le *Club de l'Intelligence* avait bien le droit, comme un autre, d'en former une, « n'en déplaise à MM. les pachas de l'Hôtel de Ville », et les citoyens qui briguaient le mandat populaire pouvaient exposer leurs titres.

— Allez-y donc! dit Dussardier.

Un homme en soutane, crépu et de physionomie pétulante, avait déjà levé la main. Il déclara, en bredouillant, s'appeler Ducretot, prêtre et agronome, auteur d'un ouvrage intitulé *Des engrais*. On le renvoya vers un cercle horticole.

Puis un patriote en blouse gravit la tribune. Celui-là était un plébéien, large d'épaules, une grosse figure très douce et de longs cheveux noirs. Il parcourut l'assemblée d'un regard presque voluptueux, se renversa la tête, et enfin, écartant les bras :

— Vous avez repoussé Ducretot, ô mes frères! et vous avez bien fait, mais ce n'est pas par irréligion, car nous sommes tous religieux.

Plusieurs écoutaient, la bouche ouverte, avec des airs de catéchumènes, des poses extatiques.

— Ce n'est pas, non plus, parce qu'il est prêtre, car, nous aussi, nous sommes prêtres! L'ouvrier est prêtre, comme l'était le fondateur du socialisme, notre Maître à tous, Jésus-Christ!

Le moment était venu d'inaugurer le règne de Dieu! L'Evangile conduisait tout droit à 89! Après l'abolition de l'esclavage, l'abolition du prolétariat. On avait eu l'âge de haine, allait commencer l'âge d'amour.

— Le christianisme est la clef de voûte et le fondement de l'édifice nouveau...

— Vous fichez-vous de nous? s'écria le placeur d'alcools. Qu'est-ce qui m'a donné un calotin pareil!

Cette interruption causa un grand scandale. Presque tous montèrent sur les bancs, et, le poing tendu, vociféraient : « Athée! aristocrate! canaille! » pendant que la sonnette du président tintait sans discontinuer et que les cris : « A l'ordre! à l'ordre! » redoublaient. Mais, intrépide, et soutenu d'ailleurs par « trois cafés » pris avant de venir, il se débattait au milieu des autres.

— Comment, moi! un aristocrate? allons donc!

Admis enfin à s'expliquer, il déclara qu'on ne serait jamais tranquille avec les prêtres, et, puisqu'on avait parlé tout à l'heure d'économies, c'en serait une fameuse que de supprimer les églises, les saints ciboires, et finalement tous les cultes.

Quelqu'un lui objecta qu'il allait loin.

— Oui! je vais loin! Mais, quand un vaisseau est surpris par la tempête...

Sans attendre la fin de la comparaison, un autre lui répondit :

— D'accord! mais c'est démolir d'un seul coup, comme un maçon sans discernement...

— Vous insultez les maçons! hurla un citoyen couvert de plâtre. Et, s'obstinant à croire qu'on l'avait provoqué, il vomit des injures, voulait se battre, se cramponnait à son banc. Trois hommes ne furent pas de trop pour le mettre dehors.

Cependant, l'ouvrier se tenait toujours à la tribune. Les deux secrétaires l'avertirent d'en descendre. Il protesta contre le passe-droit qu'on lui faisait.

— Vous ne m'empêcherez pas de crier : Amour éternel à notre chère France! amour éternel aussi à la République!

— Citoyens! dit alors Compain, citoyens!

Et, à force de répéter : « Citoyens », ayant obtenu un peu de silence, il appuya sur la tribune ses deux mains rouges, pareilles à des moignons, se porta le corps en avant, et, clignant des yeux :

— Je crois qu'il faudrait donner une plus large extension à la tête de veau.

Tous se taisaient, croyant avoir mal entendu.

— Oui! la tête de veau!

Trois cents rires éclatèrent d'un seul coup. Le plafond trembla. Devant toutes ces faces bouleversées par la joie, Compain se reculait. Il reprit d'un ton furieux :

— Comment! vous ne connaissez pas la tête de veau?

Ce fut un paroxysme, un délire. On se pressait les côtes. Quelques-uns même tombaient par terre, sous les bancs. Compain, n'y tenant plus, se réfugia près de Regimbart et il voulait l'entraîner.

— Non! je reste jusqu'au bout! dit le Citoyen.

Cette réponse détermina Frédéric; et, comme il cherchait de droite et de gauche ses amis pour le soutenir, il aperçut, devant lui, Pellerin à la tribune. L'artiste le prit de haut avec la foule.

— Je voudrais savoir un peu où est le candidat de l'Art, dans tout cela? Moi, j'ai fait un tableau...

— Nous n'avons que faire des tableaux! dit brutalement un homme maigre, ayant des plaques rouges aux pommettes.

Pellerin se récria qu'on l'interrompait.

Mais l'autre, d'un ton tragique :

— Est-ce que le Gouvernement n'aurait pas dû déjà abolir, par un décret, la prostitution et la misère?

Et, cette parole lui ayant livré tout de suite la faveur du peuple, il tonna contre la corruption des grandes villes.

— Honte et infamie! On devrait happer les bourgeois au sortir de la Maison d'Or et leur cracher à la figure! Au moins, si le Gouvernement ne favorisait pas la débauche! Mais les employés de l'octroi sont envers nos filles et nos sœurs d'une indécence...

Une voix proféra de loin :

— C'est rigolo!

— A la porte!

— On tire de nous des contributions pour solder le libertinage! Ainsi, les forts appointements d'acteur...

— A moi! s'écria Delmar.

Il bondit à la tribune, écarta tout le monde, prit sa pose; et, déclarant qu'il méprisait d'aussi plates accusations, s'étendit sur la mission civilisatrice du comédien. Puisque le théâtre était le foyer de l'instruction nationale, il votait pour la réforme du théâtre; et, d'abord, plus de directions, plus de privilèges!

— Oui! d'aucune sorte!

Le jeu de l'acteur échauffait la multitude, et des motions subversives se croisaient.

— Plus d'académies! plus d'Institut!

— Plus de missions!

— Plus de baccalauréat!

— A bas les grades universitaires!

— Conservons-les, dit Sénécal, mais qu'ils soient conférés par le suffrage universel, par le Peuple, seul vrai juge!

Le plus utile, d'ailleurs, n'était pas cela. Il fallait d'abord passer le niveau sur la tête des riches! Et il les représenta se gorgeant de crimes sous leurs plafonds dorés, tandis que les pauvres se tordant de faim dans leurs galetas, cultivaient toutes les vertus. Les applaudissements devinrent si forts, qu'il s'interrompit. Pendant quelques minutes, il resta les paupières closes, la tête renversée, et comme se berçant sur cette colère qu'il soulevait.

Puis, il se remit à parler d'une façon dogmatique, en phrases impérieuses comme des lois. L'Etat devait s'emparer de la Banque et des Assurances. Les héritages seraient abolis. On établirait un fonds social pour les travailleurs. Bien d'autres mesures étaient bonnes dans l'avenir. Celles-là, pour le moment, suffisaient; et, revenant aux élections :

— Il nous faut des citoyens purs, des hommes entièrement neufs! Quelqu'un se présente-t-il?

Frédéric se leva. Il y eut un bourdonnement d'approbation causé par ses amis. Mais Sénécal, prenant une figure à la Fouquier-Tinville, se mit à l'interroger sur ses noms, prénoms, antécédents, vie et mœurs.

Frédéric lui répondait sommairement, et se mordait les lèvres. Sénécal demanda si quelqu'un voyait un empêchement à cette candidature.

— Non! non!

Mais lui, il en voyait. Tous se penchèrent et tendirent les oreilles. Le citoyen postulant n'avait pas livré une certaine somme promise pour une fondation démocratique, un journal. De plus, le 22 février, bien que suffisamment averti, il avait manqué au rendez-vous, place du Panthéon.

— Je jure qu'il était aux Tuileries! s'écria Dussardier.

— Pouvez-vous jurer l'avoir vu au Panthéon?

Dussardier baissa la tête; Frédéric se taisait; ses amis scandalisés le regardaient avec inquiétude.

— Au moins, reprit Sénécal, connaissez-vous un patriote qui nous réponde de vos principes?

— Moi! dit Dussardier.

— Oh! cela ne suffit pas! un autre!

Frédéric se tourna vers Pellerin. L'artiste lui répondit par une abondance de gestes qui signifiait :

« Ah! mon cher, ils m'ont repoussé! Diable! que voulez-vous! »

Alors, Frédéric poussa du coude Regimbart.

— Oui! c'est vrai! il est temps, j'y vais!

Et Regimbart enjamba l'estrade, puis, montrant l'Espagnol qui l'avait suivi :

— Permettez-moi, citoyens, de vous présenter un patriote de Barcelone!

Le patriote fit un grand salut, roula comme un automate ses yeux d'argent, et, la main sur le cœur :

— Ciudadanos! mucho aprecio el honor que me dispensais, y si grande es vuestra bondad mayor es vuestro atencion.

— Je réclame la parole! cria Frédéric.

— Desde que se proclamo la constitucion de Cadiz, ese pacto fundamental de las libertades espanolas, hasta la ultima revolucion, nuestra patria cuenta numerosos y heroicos martires.

Frédéric encore une fois voulut se faire entendre :

— Mais, citoyens...

L'Espagnol continuait :

— El martes proximo tendra lugar en la iglesia de la Magdelena un servicio funebre.

— C'est absurde à la fin! personne ne comprend!

Cette observation exaspéra la foule.

— A la porte! à la porte!

— Qui? moi? demanda Frédéric.

— Vous-même! dit majestueusement Sénécal, sortez!

Il se leva pour sortir; et la voix de l'Ibérien le poursuivait :

— Y todos los Espanoles descarian ver alli reunidas las deputaciones de los clubs y de la milicia nacional. Une oracion funebre en honor de la libertad espanola y del mundo entero, sera prononciado por un miembro del clero de Paris en la sala Bonne-Nouvelle. Honor al pueblo frances, que llamaria yo el primero pueblo del mundo, sino fuese ciudadano de otra nacion!

— Aristo! glapit un voyou, en montrant le poing à Frédéric, qui s'élançait dans la cour, indigné.

Il se reprocha son dévouement, sans réfléchir que les accusations portées contre lui étaient justes, après tout. Quelle fatale idée que cette candidature! Mais quels ânes, quels crétins! Il se comparait à ces hommes, et soulageait avec leur sottise la blessure de son orgueil.

Puis il éprouva le besoin de voir Rosanette. Après tant de laideurs et d'emphase, sa gentille personne serait un délassement. Elle savait qu'il avait dû, le soir, se présenter dans un Club. Cependant, lorsqu'il entra, elle ne lui fit pas même une question.

Elle se tenait près du feu, décousant la doublure d'une robe. Un pareil ouvrage le surprit.

— Tiens! qu'est-ce que tu fais?

— Tu le vois, dit-elle sèchement. Je raccommode mes hardes! C'est ta République.

— Pourquoi ma République?

— C'est la mienne, peut-être?

Et elle se mit à lui reprocher tout ce qui se passait en France depuis deux mois, l'accusant d'avoir fait la Révolution, d'être cause qu'on était ruiné, que les gens riches abandonnaient Paris et qu'elle mourrait plus tard à l'hôpital.

— Tu en parles à ton aise, toi, avec tes rentes! Du reste, au train dont ça va, tu ne les auras pas longtemps, tes rentes.

— Cela se peut, dit Frédéric, les plus dévoués sont toujours méconnus; et, si l'on n'avait pour soi sa conscience, les brutes avec qui l'on se compromet vous dégoûteraient de l'abnégation!

Rosanette le regarda, les cils rapprochés.

— Hein? Quoi?. Quelle abnégation? Monsieur n'a pas réussi, à ce qu'il paraît? Tant mieux! ça t'apprendra à faire des dons patriotiques. Oh! ne mens pas! Je sais que tu leur as donné trois cents francs, car elle se fait entretenir, *ta* République! Eh bien, amuse-toi avec elle, mon bonhomme!

Sous cette avalanche de sottises, Frédéric passait de son autre désappointement à une déception plus lourde.

Il s'était retiré au fond de la chambre. Elle vint à lui.

— Voyons! raisonne un peu! Dans un pays comme dans une maison, il faut un maître; autrement, chacun fait danser l'anse du panier. D'abord, tout le monde sait que Ledru-Rollin est couvert de dettes! Quant à Lamartine, comment veux-tu qu'un poète s'entende à la politique? Ah! tu as beau hocher la tête et te croire plus d'esprit que les autres, c'est pourtant vrai! Mais tu ergotes toujours; on ne peut pas placer un mot avec toi! Voilà par exemple Fournier-Fontaine, des magasins de Saint-Roch : sais-tu de combien il manque? De huit cent mille francs! Et Gomer, l'emballeur d'en face, un autre républicain celui-là, il cassait les pincettes sur la tête de sa femme, et il a bu tant d'absinthe, qu'on va le mettre dans une maison de santé. C'est comme ça qu'ils sont tous, les républicains! Une République à vingt-cinq pour cent! Ah oui! vante-toi!

Frédéric s'en alla. L'ineptie de cette fille, se dévoilant tout à coup dans un langage populacier, le dégoûtait. Il se sentit même un peu redevenu patriote.

La mauvaise humeur de Rosanette ne fit que s'accroître. Mlle Vatnaz l'irritait par son enthousiasme. Se croyant une mission, elle avait la rage de pérorer, de catéchiser, et, plus forte que son amie dans ces matières, l'accablait d'arguments.

Un jour, elle arriva tout indignée contre Hussonnet, qui venait de se permettre des polissonneries, au club des femmes. Rosanette approuva cette conduite, déclarant même qu'elle prendrait des habits d'homme pour aller « leur dire leur fait, à toutes, et les fouetter ». Frédéric entrait au même moment.

— Tu m'accompagneras, n'est-ce pas?

Et, malgré sa présence, elles se chamaillèrent, l'une faisant la bourgeoise, l'autre la philosophe.

Les femmes, selon Rosanette, étaient nées exclusivement pour l'amour ou pour élever des enfants, pour tenir un ménage.

D'après Mlle Vatnaz, la femme devait avoir sa place dans l'État. Autrefois, les Gauloises légiféraient, les Anglo-Saxonnes aussi, les épouses des Hurons faisaient partie du Conseil. L'œuvre civilisatrice était commune.

Il fallait toutes y concourir, et substituer enfin à l'égoïsme la fraternité, à l'individualisme l'association, au morcellement la grande culture.

— Allons, bon! tu te connais en culture, à présent!

— Pourquoi pas? D'ailleurs, il s'agit de l'humanité, de son avenir!

— Mêle-toi du tien!

— Ça me regarde!

Elles se fâchaient. Frédéric s'interposa. La Vatnaz s'échauffait, et arriva même à soutenir le Communisme.

— Quelle bêtise! dit Rosanette. Est-ce que jamais ça pourra se faire?

L'autre cita en preuve les Esséniens, les frères Moraves, les Jésuites du Paraguay, la famille des Pingons, près de Thiers en Auvergne; et, comme elle gesticulait beaucoup, sa chaîne de montre se prit dans son paquet de breloques, à un petit mouton d'or suspendu.

Tout à coup, Rosanette pâlit extraordinairement.

Mlle Vatnaz continuait à dégager son bibelot.

— Ne te donne pas tant de mal, dit Rosanette; maintenant, je connais tes opinions politiques.

— Quoi? reprit la Vatnaz, devenue rouge comme une vierge.

— Oh! oh! tu me comprends!

Frédéric ne comprenait pas. Entre elles, évidemment, il était survenu quelque chose de plus capital et de plus intime que le socialisme.

— Et quand cela serait? répliqua la Vatnaz, se redressant intrépidement. C'est un emprunt, ma chère, dette pour dette!

— Parbleu, je ne nie pas les miennes! Pour quelques mille francs, belle histoire! J'emprunte au moins; je ne vole personne!

Mlle Vatnaz s'efforça de rire.

— Oh! j'en mettrais ma main au feu.

— Prends garde! Elle est assez sèche pour brûler.

La vieille fille lui présenta sa main droite, et, la gardant levée juste en face d'elle :

— Mais il y a de tes amis qui la trouvent à leur convenance!

— Des Andalous, alors? comme castagnettes!

— Gueuse!

La Maréchale fit un grand salut :

— On n'est pas plus ravissante!

Mlle Vatnaz ne répondit rien. Des gouttes de sueur parurent à ses tempes. Ses yeux se fixaient sur le tapis. Elle haletait. Enfin, elle gagna la porte, et, la faisant claquer vigoureusement :

— Bonsoir! Vous aurez de mes nouvelles!

— A l'avantage! dit Rosanette!

Sa contrainte l'avait brisée. Elle tomba sur le divan, toute tremblante, balbutiant des injures, versant des larmes. Etait-ce cette menace de la Vatnaz qui la tourmentait? Eh non! elle s'en moquait bien! A tout compter, l'autre lui devait de l'argent, peut-être! C'était le mouton d'or, un cadeau; et, au milieu de ses pleurs, le nom de Delmar lui échappa. Donc, elle aimait le cabotin!

« Alors, pourquoi m'a-t-elle pris? se demanda Frédéric. D'où vient qu'il est revenu? Qui la force à me garder? Quel est le sens de tout cela? »

Les petits sanglots de Rosanette continuaient. Elle était toujours au bord du divan, étendue de côté, la joue droite sur ses deux mains, — et semblait un être si délicat, inconscient et endolori, qu'il se rapprocha d'elle, et la baisa au front, doucement.

Alors, elle lui fit des assurances de tendresse; le Prince venait de partir, ils seraient libres. Mais elle se trouvait gênée pour le moment... gênée. « Tu l'as vu toi-même l'autre jour, quand j'utilisais mes vieilles doublures. » Plus d'équipages à présent! Et ce n'était pas tout : le tapissier menaçait de reprendre les meubles de la chambre et du grand salon. Elle ne savait que faire.

Frédéric eut envie de répondre : « Ne t'inquiète pas! je payerai! » Mais la dame pouvait mentir. L'expérience l'avait instruit. Il se borna simplement à des consolations.

Les craintes de Rosanette n'étaient pas vaines; il fallut rendre les meubles et quitter le bel appartement de la rue Drouot. Elle en prit un autre, le boulevard Poissonnière, au quatrième. Les curiosités de son ancien boudoir furent suffisantes pour donner aux trois pièces un air coquet. On eut des stores chinois, une tente sur la terrasse, dans le salon un tapis de hasard encore tout neuf, avec des poufs de soie rose. Frédéric avait contribué largement à ces acquisitions; il éprouvait la joie d'un nouveau marié qui possède enfin une maison à lui, une femme à lui; et, se plaisant là beaucoup, il venait y coucher presque tous les soirs.

Un matin, comme il sortait de l'antichambre, il aperçut au troisième étage, dans l'escalier, le shako d'un garde national qui montait. Où allait-il donc? Frédéric attendit. L'homme montait toujours, la tête un peu baissée. Il leva les yeux. C'était le sieur Arnoux. La situation était claire. Ils rougirent en même temps, saisis par le même embarras.

Arnoux, le premier, trouva moyen d'en sortir.

— Elle va mieux, n'est-il pas vrai? comme si, Rosanette étant malade, il se fût présenté pour avoir de ses nouvelles.

Frédéric profita de cette ouverture.

— Oui, certainement! Sa bonne me l'a dit, du moins, voulant faire entendre qu'on ne l'avait pas reçu.

Puis ils restèrent face à face, irrésolus l'un et l'autre, et s'observant. C'était à qui des deux ne s'en irait pas. Arnoux, encore une fois, trancha la question.

— Ah! bah! je reviendrai plus tard! Où vouliez-vous aller? Je vous accompagne!

Et, quand ils furent dans la rue, il causa aussi naturellement que d'habitude. Sans doute, il n'avait point le caractère jaloux, ou bien il était trop bonhomme pour se fâcher.

D'ailleurs, la patrie le préoccupait. Maintenant il ne quittait plus l'uniforme. Le 29 mars, il avait défendu les bureaux de *la Presse*[89]. Quand on envahit la Chambre, il se signala par son courage, et il fut du banquet offert à la garde nationale d'Amiens.

Hussonnet, toujours de service avec lui, profitait, plus que personne, de sa gourde et de ses cigares; mais, irrévérencieux par nature, il se plaisait à le contredire, dénigrant le style peu correct des décrets, les conférences du Luxembourg[90], les vésuviennes, les tyroliens, tout, jusqu'au char de l'Agriculture, traîné par des chevaux à la place de bœufs et escorté de jeunes filles laides. Arnoux, au contraire, défendait le Pouvoir et rêvait la fusion des partis. Cependant, ses affaires prenaient une tournure mauvaise. Il s'en inquiétait médiocrement.

Les relations de Frédéric et de la Maréchale ne l'avaient point attristé; car cette découverte l'autorisa (dans sa conscience) à supprimer la pension qu'il lui refaisait depuis le départ du prince. Il allégua l'embarras des circonstances, gémit beaucoup, et Rosanette fut généreuse. Alors M. Arnoux se considéra comme l'amant de cœur, — ce qui le rehaussait dans son estime, et le rajeunit. Ne doutant pas que Frédéric ne payât la Maréchale, il s'imaginait « faire une bonne farce », arriva même à s'en cacher, et lui laissait le champ libre quand ils se rencontraient.

Ce partage blessait Frédéric; et les politesses de son rival lui semblaient une gouaillerie trop prolongée. Mais, en se fâchant, il se fût ôté toute chance d'un retour vers l'autre, et puis c'était le seul moyen d'en entendre parler. Le marchand de faïence, suivant son usage, ou par malice peut-être, la rappelait volontiers dans sa conversation, et lui demandait même pourquoi il ne venait plus la voir.

Frédéric, ayant épuisé tous les prétextes, assura qu'il avait été chez Mme Arnoux plusieurs fois, inutilement. Arnoux en demeura convaincu, car souvent il s'extasiait devant elle sur l'absence de leur ami; et toujours elle répondait avoir manqué sa visite; de sorte que ces deux mensonges, au lieu de se couper, se corroboraient.

La douceur du jeune homme et la joie de l'avoir pour dupe faisaient qu'Arnoux le chérissait davantage. Il poussait la familiarité jusqu'aux dernières bornes, non par dédain, mais par confiance. Un jour, il lui écrivit qu'une affaire urgente l'attirait pour vingt-quatre heures en province; il le priait de monter la garde à sa place. Frédéric n'osa le refuser, et se rendit au poste du Carrousel.

Il eut à subir la société des gardes nationaux! et, sauf un épurateur, homme facétieux qui buvait d'une manière exorbitante, tous lui parurent plus bêtes que leur giberne. L'entretien capital fut sur le remplacement des buffleteries par le ceinturon. D'autres s'emportaient contre les ateliers nationaux[91]. On disait : « Où allons-nous? » Celui qui avait reçu l'apostrophe répondait en ouvrant les yeux, comme au bord d'un abîme : « Où allons-nous? » Alors un plus hardi s'écriait : « Ça ne peut pas durer! il faut en finir! » Et, les mêmes

---

89. Journal créé (en 1836) et dirigé par Emile de Girardin.

90. Séances d'une commission chargée de l'organisation du travail; les vésuviennes : femmes de mœurs légères qui se réunissaient en club féministe.

91. Les ateliers nationaux avaient été organisés par un décret du 27 février 1848 en vue d'occuper les ouvriers sans travail.

discours se répétant jusqu'au soir, Frédéric s'ennuya mortellement.

Sa surprise fut grande, quand, à onze heures, il vit paraître Arnoux, lequel, tout de suite, dit qu'il accourait pour le libérer, son affaire étant finie.

Il n'avait pas eu d'affaire. C'était une invention pour passer vingt-quatre heures, seul, avec Rosanette. Mais le brave Arnoux avait trop présumé de lui-même, si bien que, dans sa lassitude, un remords l'avait pris. Il venait faire des remerciements à Frédéric et lui offrir à souper.

— Mille grâces! je n'ai pas faim! je ne demande que mon lit!

— Raison de plus pour déjeuner ensemble, tantôt! Quel mollasse vous êtes! On ne rentre pas chez soi maintenant! Il est trop tard! Ce serait dangereux!

Frédéric, encore une fois, céda. Arnoux, qu'on ne s'attendait pas à voir, fut choyé de ses frères d'armes, principalement de l'épurateur. Tous l'aimaient; et il était si bon garçon, qu'il regretta la présence d'Hussonnet. Mais il avait besoin de fermer l'œil une minute, pas davantage.

— Mettez-vous près de moi, dit-il à Frédéric, tout en s'allongeant sur le lit de camp, sans ôter ses buffleteries. Par peur d'une alerte, en dépit du règlement, il garda même son fusil; puis balbutia quelques mots : « Ma chérie! mon petit ange! » et ne tarda pas à s'endormir.

Ceux qui parlaient se turent, et peu à peu il se fit dans le poste un grand silence. Frédéric, tourmenté par les puces, regardait autour de lui. La muraille, peinte en jaune, avait à moitié de sa hauteur une longue planche où les sacs formaient une suite de petites bosses, tandis qu'au-dessous, les fusils couleur de plomb étaient dressés les uns près des autres; et il s'élevait des ronflements, produits par les gardes nationaux, dont les ventres se dessinaient d'une manière confuse, dans l'ombre. Une bouteille vide et des assiettes couvraient le poêle. Trois chaises de paille entouraient la table, où s'étalait un jeu de cartes. Un tambour, au milieu du banc, laissait pendre sa bricole. Le vent chaud arrivant par la porte faisait fumer le quinquet. Arnoux dormait, les deux bras ouverts; et comme son fusil était posé la crosse en bas un peu obliquement, la gueule du canon lui arrivait sous l'aisselle. Frédéric le remarqua et fut effrayé.

« Mais non! j'ai tort! il n'y a rien à craindre! S'il mourait cependant... »

Et, tout de suite, des tableaux à n'en plus finir se déroulèrent. Il s'aperçut avec Elle, la nuit, dans une chaise de poste; puis, au bord d'un fleuve par un soir d'été, et sous le reflet d'une lampe, chez eux, dans leur maison. Il s'arrêtait même à des calculs de ménage, des dispositions domestiques, contemplant, palpant déjà son bonheur; — et, pour le réaliser, il aurait fallu seulement que le chien du fusil se levât! On pouvait le pousser du bout de l'orteil; le coup partirait, ce serait un hasard, rien de plus!

Frédéric s'étendit sur cette idée, comme un dramaturge qui compose. Tout à coup, il lui sembla qu'elle n'était pas loin de se résoudre en action, et qu'il allait

y contribuer, qu'il en avait envie; alors, une grande peur le saisit. Au milieu de cette angoisse, il éprouvait un plaisir, et s'y enfonçait de plus en plus, sentant avec effroi ses scrupules disparaître; dans la fureur de sa rêverie, le reste du monde s'effaçait; et il n'avait conscience de lui-même que par un intolérable serrement à la poitrine.

— Prenons-nous le vin blanc? dit l'épurateur qui s'éveillait.

Arnoux sauta par terre; et, le vin blanc étant pris, voulut monter la faction de Frédéric.

Puis il l'emmena déjeuner rue de Chartres, chez Parly; et, comme il avait besoin de se refaire, il se commanda deux plats de viande, un homard, une omelette au rhum, une salade, etc., le tout arrosé d'un sauternes 1819, avec un romanée 42, sans compter le champagne au dessert, et les liqueurs.

Frédéric ne le contraria nullement. Il était gêné, comme si l'autre avait pu découvrir, sur son visage, les traces de sa pensée.

Les deux coudes au bord de la table, et penché très bas, Arnoux, en le fatiguant de son regard, lui confiait ses imaginations.

Il avait envie de prendre à ferme tous les remblais de la ligne du Nord pour y semer des pommes de terre, ou bien d'organiser sur les boulevards une cavalcade monstre, où les « célébrités de l'époque » figureraient. Il louerait toutes les fenêtres, ce qui, à raison de trois francs, en moyenne, produirait un joli bénéfice. Bref, il rêvait un grand coup de fortune par un accaparement. Il était moral, cependant, blâmait les excès, l'inconduite, parlait de son « pauvre père », et, tous les soirs, disait-il, faisait son examen de conscience, avant d'offrir son âme à Dieu.

— Un peu de curaçao, hein?

— Comme vous voudrez.

— Quant à la République, les choses s'arrangeraient; enfin, il se trouvait l'homme le plus heureux de la terre; et, s'oubliant, il vanta les qualités de Rosanette, la compara même à sa femme. C'était bien autre chose! On n'imaginait pas d'aussi belles cuisses!

— A votre santé!

Frédéric trinqua. Il avait, par complaisance, un peu trop bu; d'ailleurs, le grand soleil l'éblouissait; et, quand ils remontèrent ensemble la rue Vivienne, leurs épaulettes se touchaient fraternellement.

Rentré chez lui, Frédéric dormit jusqu'à sept heures. Ensuite, il s'en alla chez la Maréchale. Elle était sortie avec quelqu'un. Avec Arnoux, peut-être? Ne sachant que faire, il continua sa promenade sur le boulevard, mais ne put dépasser la porte Saint-Martin, tant il y avait de monde.

La misère abandonnait à eux-mêmes un nombre considérable d'ouvriers; et ils venaient là, tous les soirs, se passer en revue sans doute, et attendre un signal. Malgré la loi contre les attroupements, ces *clubs du désespoir* augmentaient d'une manière effrayante; et beaucoup de bourgeois s'y rendaient quotidiennement, par bravade, par mode.

Tout à coup, Frédéric aperçut, à trois pas de distance,

M. Dambreuse avec Martinon; il tourna la tête, car, M. Dambreuse s'étant fait nommer représentant, il lui gardait rancune. Mais le capitaliste l'arrêta.

— Un mot, cher monsieur! J'ai des explications à vous fournir.

— Je n'en demande pas.

— De grâce! écoutez-moi.

Ce n'était nullement sa faute. On l'avait prié, contraint en quelque sorte. Martinon, tout de suite, appuya ses paroles : des Nogentais en députation s'étaient présentés chez lui.

— D'ailleurs, j'ai cru être libre, du moment...

Une poussée de monde sur le trottoir força M. Dambreuse à s'écarter. Une minute après, il reparut, en disant à Martinon :

— C'est un vrai service, cela! Vous n'aurez pas à vous repentir...

Tous les trois s'adossèrent contre une boutique, afin de causer plus à l'aise.

On criait de temps en temps : « Vive Napoléon! vive Barbès! à bas Marie! » La foule innombrable parlait très haut; — et toutes ces voix, répercutées par les maisons, faisaient comme le bruit continuel des vagues dans un port. A de certains moments, elles se taisaient; alors, la Marseillaise s'élevait. Sous les portes cochères, des hommes d'allures mystérieuses proposaient des cannes à dard. Quelquefois, deux individus, passant l'un devant l'autre, clignaient de l'œil, et s'éloignaient prestement. Des groupes de badauds occupaient les trottoirs; une multitude compacte s'agitait sur le pavé. Des bandes entières d'agents de police, sortant des ruelles, y disparaissaient à peine entrés. De petits drapeaux rouges, çà et là, semblaient des flammes; les cochers, du haut de leur siège, faisaient de grands gestes, puis s'en retournaient. C'était un mouvement, un spectacle des plus drôles.

— Comme tout cela, dit Martinon, aurait amusé Mlle Cécile!

— Ma femme, vous savez bien, n'aime pas que ma nièce vienne avec nous, reprit en souriant M. Dambreuse.

On ne l'aurait pas reconnu. Depuis trois mois il criait : « Vive la République! » et même il avait voté le bannissement des d'Orléans. Mais les concessions devaient finir. Il se montrait furieux jusqu'à porter un casse-tête dans sa poche.

Martinon, aussi, en avait un. La magistrature n'étant plus inamovible, il s'était retiré du Parquet, si bien qu'il dépassait en violences M. Dambreuse.

Le banquier haïssait particulièrement Lamartine (pour avoir soutenu Ledru-Rollin), et avec lui Pierre Leroux, Proudhon, Considérant, Lamennais, tous les cerveaux brûlés, tous les socialistes.

— Car enfin, que veulent-ils? On a supprimé l'octroi sur la viande et la contrainte par corps; maintenant, on étudie le projet d'une banque hypothécaire; l'autre jour, c'était une banque nationale! et voilà cinq millions au budget pour les ouvriers! Mais heureusement c'est fini, grâce à M. de Falloux! Bon voyage! qu'ils s'en aillent!

En effet, ne sachant comment nourrir les cent trente mille hommes des ateliers nationaux, le ministre des Travaux publics avait, ce jour-là même, signé un arrêté qui invitait tous les citoyens entre dix-huit et vingt ans à prendre du service comme soldats, ou bien à partir vers les provinces, pour y remuer la terre.

Cette alternative les indigna, persuadés qu'on voulait détruire la République. L'existence loin de la Capitale les affligeait comme un exil; ils se voyaient mourant par les fièvres, dans des régions farouches. Pour beaucoup, d'ailleurs, accoutumés à des travaux délicats, l'agriculture semblait un avilissement; c'était un leurre enfin, une dérision, le déni formel de toutes les promesses. S'ils résistaient, on emploierait la force; ils n'en doutaient pas et se disposaient à la prévenir.

Vers neuf heures, les attroupements formés à la Bastille et au Châtelet refluèrent sur le boulevard. De la porte Saint-Denis à la porte Saint-Martin, cela ne faisait plus qu'un grouillement énorme, une seule masse d'un bleu sombre, presque noir. Les hommes que l'on entrevoyait avaient tous les prunelles ardentes, le teint pâle, des figures amaigries par la faim, exaltées par l'injustice. Cependant des nuages s'amoncelaient; le ciel orageux chauffant l'électricité de la multitude, elle tourbillonnait sur elle-même, indécise, avec un large balancement de houle; et l'on sentait dans ses profondeurs une force incalculable; et comme l'énergie d'un élément. Puis tous se mirent à chanter : « Des lampions! des lampions! » Plusieurs fenêtres ne s'éclairaient pas; des cailloux furent lancés dans leurs carreaux. M. Dambreuse jugea prudent de s'en aller. Les deux jeunes gens le reconduisirent.

Il prévoyait de grands désastres. Le peuple, encore une fois, pouvait envahir la Chambre; et, à ce propos, il raconta comment il serait mort le 15 mai, sans le dévouement d'un garde national.

— Mais c'est votre ami, j'oubliais! votre ami, le fabricant de faïences, Jacques Arnoux! — Les gens de l'émeute l'étouffaient; ce brave citoyen l'avait pris dans ses bras et déposé à l'écart. Aussi, depuis lors, une sorte de liaison s'était faite. — Il faudra un de ces jours dîner ensemble, et, puisque vous le voyez souvent, assurez-le que je l'aime beaucoup. C'est un excellent homme, calomnié, selon moi; et il a de l'esprit, le mâtin! Mes compliments encore une fois! bien le bonsoir!...

Frédéric, après avoir quitté M. Dambreuse, retourna chez la Maréchale; et, d'un air très sombre, dit qu'elle devait opter entre lui et Arnoux. Elle répondit avec douceur qu'elle ne comprenait goutte à des « ragots pareils », n'aimait pas Arnoux, n'y tenait aucunement. Frédéric avait soif d'abandonner Paris. Elle ne repoussa pas cette fantaisie, et ils partirent pour Fontainebleau dès le lendemain.

L'hôtel où ils logèrent se distinguait des autres par un jet d'eau clapotant au milieu de sa cour. Les portes des chambres s'ouvraient sur un corridor, comme dans les monastères. Celle qu'on leur donna était grande, fournie de bons meubles, tendue d'indienne, et silencieuse, vu la rareté des voyageurs. Le long des maisons, des bourgeois inoccupés passaient; puis, sous leurs fenêtres, quand le jour tomba, des enfants dans la rue firent une partie de barres; — et cette tranquillité, succédant pour eux au tumulte de Paris, leur causait une surprise, un apaisement.

Le matin de bonne heure, ils allèrent visiter le château. Comme ils entraient par la grille, ils aperçurent sa façade tout entière, avec les cinq pavillons à toits aigus et son escalier en fer à cheval se déployant au fond de la cour, que bordent de droite et de gauche deux corps de bâtiments plus bas. Des lichens sur les pavés se mêlent de loin au ton fauve des briques; et l'ensemble du palais, couleur de rouille comme une vieille armure, avait quelque chose de royalement impassible, une sorte de grandeur militaire et triste.

Enfin, un domestique, portant un trousseau de clefs, parut. Il leur montra d'abord les appartements des reines, l'oratoire du Pape, la galerie de François Ier, la petite table d'acajou sur laquelle l'Empereur signa son abdication, et, dans une des pièces qui divisaient l'ancienne galerie des Cerfs, l'endroit où Christine fit assassiner Monaldeschi. Rosanette écouta cette histoire attentivement; puis, se tournant vers Frédéric :

— C'était par jalousie, sans doute? Prends garde à toi!

Ensuite, ils traversèrent la salle du Conseil, la salle des Gardes, la salle du Trône, le salon de Louis XIII. Les hautes croisées, sans rideaux, épanchaient une lumière blanche; de la poussière ternissait légèrement les poignées des espagnolettes, le pied de cuivre des consoles; des nappes de grosse toile cachaient partout les fauteuils; on voyait au-dessus des portes des chasses de Louis XV, et çà et là des tapisseries représentant les dieux de l'Olympe, Psyché ou les batailles d'Alexandre.

Quand elle passait devant les glaces, Rosanette s'arrêtait une minute pour lisser ses bandeaux.

Après la cour du donjon et la chapelle Saint-Saturnin, ils arrivèrent dans la salle des Fêtes.

Ils furent éblouis par la splendeur du plafond, divisé en compartiments octogones, rehaussé d'or et d'argent, plus ciselé qu'un bijou, et par l'abondance des peintures qui couvrent les murailles depuis la gigantesque cheminée, où des croissants et des carquois entourent les armes de France, jusqu'à la tribune pour les musiciens, construite à l'autre bout, dans la largeur de la salle. Les dix fenêtres en arcades étaient grandes ouvertes; le soleil faisait briller les peintures, le ciel bleu continuait indéfiniment l'outremer des cintres; et, du fond des bois, dont les cimes vaporeuses emplissaient l'horizon, il semblait venir un écho des hallalis poussés dans les trompes d'ivoire, et des ballets mythologiques, assemblant sous le feuillage des princesses et des seigneurs travestis en nymphes et en sylvains, — époque de science ingénue, de passions violentes et d'art somptueux, quand l'idéal était d'emporter le monde dans un rêve des Hespérides, et que les maîtresses des rois se confondaient avec les astres. La plus belle de ces fameuses s'était fait peindre, à droite, sous la figure de Diane Chasseresse, et même en Diane Infernale, sans doute pour marquer sa puissance jusque par delà le tombeau.

Tous ces symboles confirment sa gloire; et il reste là quelque chose d'elle, une voix indistincte, un rayonnement qui se prolonge.

Frédéric fut pris par une concupiscence rétrospective et inexprimable. Afin de distraire son désir, il se mit à considérer tendrement Rosanette, en lui demandant si elle n'aurait pas voulu être cette femme.

— Quelle femme?

— Diane de Poitiers!

Il répéta :

— Diane de Poitiers, la maîtresse d'Henri II.

Elle fit un petit : « Ah! » Ce fut tout.

Son mutisme prouvait clairement qu'elle ne savait rien, ne comprenait pas, si bien que par complaisance il lui dit :

— Tu t'ennuies peut-être?

— Non, non, au contraire!

Et, le menton levé, tout en promenant à l'entour un regard des plus vagues, Rosanette lâcha ce mot :

— Ça rappelle des souvenirs!

Cependant, on apercevait sur sa mine un effort, une intention de respect; et, comme cet air sérieux la rendait plus jolie, Frédéric l'excusa.

L'étang des carpes la divertit davantage. Pendant un quart d'heure, elle jeta des morceaux de pain dans l'eau, pour voir les poissons bondir.

Frédéric s'était assis près d'elle, sous les tilleuls. Il songeait à tous les personnages qui avaient hanté ces murs, Charles-Quint, les Valois, Henri IV, Pierre le Grand, Jean-Jacques Rousseau et « les belles pleureuses des premières loges », Voltaire, Napoléon, Pie VII, Louis-Philippe; il se sentait environné, coudoyé par ces morts tumultueux; une telle confusion d'images l'étourdissait, bien qu'il y trouvât du charme pourtant.

Enfin ils descendirent dans le parterre.

C'est un vaste rectangle, laissant voir d'un seul coup d'œil ses larges allées jaunes, ses carrés de gazon, ses rubans de buis, ses ifs en pyramide, ses verdures basses et ses étroites plates-bandes, où des fleurs clairsemées font des taches sur la terre grise. Au bout du jardin, un parc se déploie, traversé dans toute son étendue par un long canal.

Les résidences royales ont en elles une mélancolie particulière, qui tient sans doute à leurs dimensions trop considérables pour le petit nombre de leurs hôtes, au silence qu'on est surpris d'y trouver après tant de fanfares, à leur luxe immobile prouvant par sa vieillesse la fugacité des dynasties, l'éternelle misère de tout; — et cette exhalaison des siècles, engourdissante et funèbre comme un parfum de momie, se fait sentir même aux têtes naïves. Rosanette bâillait démesurément. Ils s'en retournèrent à l'hôtel.

Après leur déjeuner, on leur amena une voiture découverte. Ils sortirent de Fontainebleau par un large rond-point, puis montèrent au pas une route sablonneuse dans un bois de petits pins. Les arbres devinrent plus grands; et le cocher de temps à autre disait : « Voici les Frères-Siamois, le Pharamond, le Bouquet-du-Roi... », n'oubliant aucun des sites célèbres, parfois même s'arrêtant pour les faire admirer.

Ils entrèrent dans la futaie de Franchard. La voiture glissait comme un traîneau sur le gazon; des pigeons qu'on ne voyait pas roucoulaient; tout à coup, un garçon de café parut; et ils descendirent devant la barrière d'un jardin où il y avait des tables rondes. Puis, laissant à gauche les murailles d'une abbaye en ruine, ils marchèrent sur de grosses roches, et atteignirent bientôt le fond de la gorge.

Elle est couverte, d'un côté, par un entremêlement de grès et de genévriers, tandis que, de l'autre, le terrain presque nu s'incline vers le creux du vallon, où, dans la couleur des bruyères, un sentier fait une ligne pâle; et on aperçoit tout au loin un sommet en cône aplati, avec la tour d'un télégraphe par derrière.

Une demi-heure après, ils mirent pied à terre encore une fois pour gravir les hauteurs d'Aspremont.

Le chemin fait des zigzags entre les pins trapus, sous des rochers à profil anguleux; tout ce coin de la forêt a quelque chose d'étouffé, d'un peu sauvage et de recueilli. On pense aux ermites, compagnons des grands cerfs portant une croix de feu entre leurs cornes, et qui recevaient avec de paternels sourires les bons rois de France, agenouillés devant leur grotte. Une odeur résineuse emplissait l'air chaud, des racines à ras du sol s'entre-croisaient comme des veines. Rosanette trébuchait dessus, était désespérée, avait envie de pleurer.

Mais, tout au haut, la joie lui revint, en trouvant sous un toit de branchages une manière de cabaret, où l'on vend des bois sculptés. Elle but une bouteille de limonade, s'acheta un bâton de houx; et, sans donner un coup d'œil au paysage que l'on découvre du plateau, elle entra dans la Caverne-des-Brigands, précédée d'un gamin portant une torche.

Leur voiture les attendait dans le Bas-Bréau.

Un peintre en blouse bleue travaillait au pied d'un chêne, avec sa boîte à couleurs sur les genoux. Il leva la tête et les regarda passer.

Au milieu de la côte de Chailly, un nuage, crevant tout à coup, leur fit rabattre la capote. Presque aussitôt la pluie s'arrêta; et les pavés des rues brillaient sous le soleil quand ils rentrèrent dans la ville.

Des voyageurs, arrivés nouvellement, leur apprirent qu'une bataille épouvantable ensanglantait Paris. Rosanette et son amant n'en furent pas surpris. Puis tout le monde s'en alla, l'hôtel redevint paisible, le gaz s'éteignit, et ils s'endormirent au murmure du jet d'eau dans la cour.

Le lendemain, ils allèrent voir la Gorge-au-Loup, la Mare-aux-Fées, le Long-Rocher, la Marlotte; le surlendemain, ils recommencèrent au hasard, comme leur cocher voulait, sans demander où ils étaient, et souvent même négligeant les sites fameux.

Ils se trouvaient si bien dans leur vieux landau, bas comme un sofa et couvert d'une toile à raies déteintes! Les fossés pleins de broussailles filaient sous leurs yeux, avec un mouvement doux et continu. Des rayons blancs traversaient comme des flèches les hautes fougères; quelquefois, un chemin, qui ne servait plus, se présentait devant eux, en ligne droite; et des herbes s'y dressaient çà et là, mollement. Au centre des carrefours, une croix étendait ses quatre bras; ailleurs, des poteaux se penchaient comme des arbres morts, et de petits sentiers courbes, en se perdant sous les feuilles, donnaient envie de les suivre; au même moment, le cheval tournait, ils y entraient, on enfonçait dans la boue; plus loin, de la mousse avait poussé au bord des ornières profondes.

Ils se croyaient loin des autres, bien seuls. Mais tout à coup passait un garde-chasse avec son fusil, ou une bande de femmes en haillons, traînant sur leur dos de longues bourrées.

Quand la voiture s'arrêtait, il se faisait un silence universel; seulement, on entendait le souffle du cheval dans les brancards, avec un cri d'oiseau très faible, répété.

La lumière, à de certaines places éclairant la lisière du bois, laissait les fonds dans l'ombre; ou bien, atténuée sur les premiers plans par une sorte de crépuscule, elle étalait dans les lointains des vapeurs violettes, une clarté blanche. Au milieu du jour, le soleil, tombant d'aplomb sur les larges verdures, les éclaboussait, suspendait des gouttes argentines à la pointe des branches, rayait le gazon de traînées d'émeraudes, jetait des taches d'or sur les couches de feuilles mortes; en se renversant la tête, on apercevait le ciel, entre les cimes des arbres. Quelques-uns, d'une altitude démesurée, avaient des airs de patriarches et d'empereurs, ou, se touchant par le bout, formaient avec leurs longs fûts comme des arcs de triomphe; d'autres, poussés dès le bas obliquement, semblaient des colonnes près de tomber.

Cette foule de grosses lignes verticales s'entr'ouvrait. Alors, d'énormes flots verts se déroulaient en bosselages inégaux jusqu'à la surface des vallées où s'avançait la croupe d'autres collines dominant des plaines blondes, qui finissaient par se perdre dans une pâleur indécise.

Debout, l'un près de l'autre, sur quelque éminence du terrain, ils sentaient, tout en humant le vent, leur entrer dans l'âme comme l'orgueil d'une vie plus libre, avec une surabondance de forces, une joie sans cause.

La diversité des arbres faisait un spectacle changeant. Les hêtres, à l'écorce blanche et lisse, entremêlaient leurs couronnes; des frênes courbaient mollement leurs glauques ramures; dans les cépées de charmes, des houx pareils à du bronze se hérissaient; puis venait une file de minces bouleaux, inclinés dans des attitudes élégiaques; et les pins, symétriques comme des tuyaux d'orgue, en se balançant continuellement, semblaient chanter. Il y avait des chênes rugueux, énormes, qui se convulsaient, s'étiraient du sol, s'étreignaient les uns les autres, et, fermes sur leurs troncs, pareils à des torses, se lançaient avec leurs bras nus des appels de désespoir, des menaces furibondes, comme un groupe de Titans immobilisés dans leur colère. Quelque chose de plus lourd, une langueur fiévreuse planait au-dessus des mares, découpant la nappe de leurs eaux entre des buissons d'épines; les lichens, de leur berge, où les loups viennent boire, sont couleur de soufre, brûlés comme par le pas des sorcières, et le coassement ininterrompu des grenouilles répond au cri des corneilles qui tournoient. Ensuite, ils traversaient des clairières monotones, plantées d'un baliveau çà et là. Un bruit de fer, des coups drus et nombreux sonnaient : c'était, au flanc d'une colline, une compagnie de carriers battant les roches. Elles se multipliaient de plus en plus, et finissaient par emplir tout le paysage, cubiques comme des maisons, plates comme des dalles, s'étayant, se surplombant, se confondant, telles que les ruines méconnaissables et monstrueuses de quelque cité disparue. Mais la furie même de leur chaos fait plutôt rêver à des volcans, à des déluges, aux grands cataclysmes ignorés. Frédéric disait qu'ils étaient là depuis le commencement du monde et resteraient ainsi jusqu'à la fin ; Rosanette détournait la tête, en affirmant que « ça la rendrait folle », et s'en allait cueillir des bruyères. Leurs petites fleurs violettes, tassées les unes près des autres, formaient des plaques inégales, et la terre qui s'écroulait de dessous mettait comme des franges noires au bord des sables pailletés de mica.

Ils arrivèrent un jour à mi-hauteur d'une colline tout en sable. Sa surface, vierge de pas, était rayée en ondulations symétriques ; çà et là, telles que des promontoires sur le lit desséché d'un océan, se levaient des roches ayant de vagues formes d'animaux, tortues avançant la tête, phoques qui rampent, hippopotames et ours. Personne. Aucun bruit. Les sables, frappés par le soleil, éblouissaient ; — et tout à coup, dans cette vibration de la lumière, les bêtes parurent remuer. Ils s'en retournèrent vite, fuyant le vertige, presque effrayés.

Le sérieux de la forêt les gagnait ; et ils avaient des heures de silence où, se laissant aller au bercement des ressorts, ils demeuraient comme engourdis dans une ivresse tranquille. Le bras sous la taille, il l'écoutait parler pendant que les oiseaux gazouillaient, observait presque du même coup d'œil les raisins noirs de sa capote et les baies des genévriers, les draperies de son voile, les volutes des nuages ; et, quand il se penchait vers elle, la fraîcheur de sa peau se mêlait au grand parfum des bois. Ils s'amusaient de tout ; ils se montraient, comme une curiosité, des fils de la Vierge suspendus aux buissons, des trous pleins d'eau au milieu des pierres, un écureuil sur les branches, le vol de deux papillons qui les suivaient ; ou bien, à vingt pas d'eux, sous les arbres, une biche marchait, tranquillement, d'un air noble et doux, avec son faon côte à côte. Rosanette aurait voulu courir après, pour l'embrasser.

Elle eut bien peur une fois, quand un homme, se présentant tout à coup, lui montra dans une boîte trois vipères. Elle se jeta vivement contre Frédéric ; — il fut heureux de ce qu'elle était faible et de se sentir assez fort pour la défendre.

Ce soir-là, ils dînèrent dans une auberge, au bord de la Seine. La table était près de la fenêtre. Rosanette en face de lui ; et il contemplait son petit nez fin et blanc, ses lèvres retroussées, ses yeux clairs, ses bandeaux châtains qui bouffaient, sa jolie figure ovale. Sa robe de foulard écru collait à ses épaules un peu tombantes ; et, sortant de leurs manchettes tout unies, ses deux mains découpaient, versaient à boire, s'avançaient sur la nappe. On leur servit un poulet avec les quatre membres étendus, une matelote d'anguilles dans un compotier en terre

de pipe, du vin râpeux, du pain trop dur, des couteaux ébréchés. Tout cela augmentait le plaisir, l'illusion. Ils se croyaient presque au milieu d'un voyage, en Italie, dans leur lune de miel.

Avant de repartir, ils allèrent se promener le long de la berge.

Le ciel d'un bleu tendre, arrondi comme un dôme, s'appuyait à l'horizon sur la dentelure des bois. En face, au bout de la prairie, il y avait un clocher dans un village ; et, plus loin, à gauche, le toit d'une maison faisait une tache rouge sur la rivière, qui semblait immobile dans toute la longueur de sa sinuosité. Des joncs se penchaient pourtant, et l'eau secouait légèrement des perches plantées au bord pour tenir des filets ; une nasse d'osier, deux ou trois vieilles chaloupes étaient là. Près de l'auberge, une fille en chapeau de paille tirait des seaux d'un puits ; — chaque fois qu'ils remontaient, Frédéric écoutait avec une jouissance inexprimable le grincement de la chaîne.

Il ne doutait pas qu'il ne fût heureux pour jusqu'à la fin de ses jours, tant son bonheur lui paraissait naturel, inhérent à sa vie et à la personne de cette femme. Un besoin le poussait à lui dire des tendresses. Elle y répondait par de gentilles paroles, de petites tapes sur l'épaule, des douceurs dont la surprise le charmait. Il lui découvrait enfin une beauté toute nouvelle, qui n'était peut-être que le reflet des choses ambiantes, à moins que leurs virtualités secrètes ne l'eussent fait s'épanouir.

Quand ils se reposaient au milieu de la campagne, il s'étendait la tête sur ses genoux, à l'abri de son ombrelle ; — ou bien couchés sur le ventre au milieu de l'herbe, ils restaient l'un en face de l'autre, à se regarder, plongeant dans leurs prunelles, altérés d'eux-mêmes, s'en assouvissant toujours, puis les paupières entre-fermées, ne parlant plus.

Quelquefois, ils entendaient tout au loin des roulements de tambour. C'était la générale que l'on battait dans les villages, pour aller défendre Paris.

— Ah ! tiens ! l'émeute ! disait Frédéric avec une pitié dédaigneuse, toute cette agitation lui apparaissait misérable à côté de leur amour et de la nature éternelle.

Et ils causaient de n'importe quoi, de choses qu'ils savaient parfaitement, de personnes qui ne les intéressaient pas, de mille niaiseries. Elle l'entretenait de sa femme de chambre et de son coiffeur. Un jour, elle s'oublia à dire son âge : vingt-neuf ans, elle devenait vieille.

En plusieurs fois, sans le vouloir, elle lui apprit des détails sur elle-même. Elle avait été « demoiselle dans un magasin », avait fait un voyage en Angleterre, commencé des études pour être actrice ; tout cela sans transitions, et il ne pouvait reconstruire un ensemble. Elle en conta plus long, un jour qu'ils étaient assis sous un platane, au revers d'un pré. En bas, sur le bord de la route, une petite fille, nu-pieds dans la poussière, faisait paître sa vache. Dès qu'elle les aperçut, elle vint leur demander l'aumône ; et, tenant d'une main son jupon en lambeaux, elle grattait de l'autre ses cheveux noirs qui entouraient, comme une perruque à la Louis XIV, toute sa tête brune, illuminée par des yeux splendides.

— Elle sera bien jolie plus tard, dit Frédéric.

— Quelle chance pour elle si elle n'a pas de mère! reprit Rosanette.

— Hein? comment?

— Mais oui; moi, sans la mienne...

Elle soupira, et se mit à parler de son enfance. Ses parents étaient des canuts de la Croix-Rousse. Elle servait son père comme apprentie. Le pauvre bonhomme avait beau s'exténuer, sa femme l'invectivait et vendait tout pour aller boire. Rosanette voyait leur chambre, avec les métiers rangés en longueur contre les fenêtres, le pot-bouille sur le poêle, le lit peint en acajou, une armoire en face, et la soupente obscure où elle avait couché jusqu'à quinze ans. Enfin un monsieur était venu, un homme gras, la figure couleur de buis, des façons de dévot, habillé de noir. Sa mère et lui eurent ensemble une conversation, si bien que, trois jours après... Rosanette s'arrêta, et avec un regard plein d'impudeur et d'amertume :

— C'était fait!

Puis, répondant au geste de Frédéric :

— Comme il était marié (il aurait craint de se compromettre dans sa maison), on m'emmena dans un cabinet de restaurateur, et on m'avait dit que je serais heureuse, que je recevrais un beau cadeau.

« Dès la porte, la première chose qui m'a frappée, c'était un candélabre de vermeil, sur une table où il y avait deux couverts. Une glace au plafond les reflétait, et les tentures des murailles en soie bleue faisaient ressembler tout l'appartement à une alcôve. Une surprise m'a saisie. Tu comprends, un pauvre être qui n'a jamais rien vu! Malgré mon éblouissement, j'avais peur. Je désirais m'en aller. Je suis restée pourtant.

« Le seul siège qu'il y eût était un divan contre la table. Il a cédé sous moi avec mollesse; la bouche du calorifère dans le tapis m'envoyait une haleine chaude, et je restai là sans rien prendre. Le garçon qui se tenait debout m'a engagée à manger. Il m'a versé tout de suite un grand verre de vin; la tête me tournait, j'ai voulu ouvrir la fenêtre, il m'a dit : « Non, mademoiselle, c'est défendu. » Et il m'a quittée. La table était couverte d'un tas de choses que je ne connaissais pas. Rien ne m'a semblé bon. Alors je me suis rabattue sur un pot de confitures, et j'attendais toujours. Je ne sais quoi l'empêchait de venir. Il était très tard, minuit au moins, je n'en pouvais plus de fatigue; en repoussant un des oreillers pour mieux m'étendre, je rencontre sous ma main une sorte d'album, un cahier; c'étaient des images obscènes... Je dormais dessus, quand il est entré. »

Elle baissa la tête, et demeura pensive.

Les feuilles autour d'eux susurraient, dans un fouillis d'herbes une grande digitale se balançait, la lumière coulait comme une onde sur le gazon; et le silence était coupé à intervalles rapides par le broutement de la vache qu'on ne voyait plus.

Rosanette considérait un point par terre, à trois pas d'elle, fixement, les narines battantes, absorbée. Frédéric lui prit la main.

— Comme tu as souffert, pauvre chérie!

— Oui, dit-elle, plus que tu ne crois!... Jusqu'à vouloir en finir; on m'a repêchée.

— Comment?

— Ah! n'y pensons plus!... Je t'aime, je suis heureuse! embrasse-moi. Et elle ôta, une à une, les brindilles de chardons accrochées dans le bas de sa robe.

Frédéric songeait surtout à ce qu'elle n'avait pas dit. Par quels degrés avait-elle pu sortir de la misère? A quel amant devait-elle son éducation? Que s'était-il passé dans sa vie jusqu'au jour où il était venu chez elle pour la première fois? Son dernier aveu interdisait les questions. Il lui demanda, seulement, comment elle avait fait la connaissance d'Arnoux.

— Par la Vatnaz.

— N'était-ce pas toi que j'ai vue, une fois, au Palais-Royal, avec eux deux?

Il cita la date précise. Rosanette fit un effort.

— Oui, c'est vrai!... Je n'étais pas gaie dans ce temps-là!

Mais Arnoux s'était montré excellent. Frédéric n'en doutait pas; cependant, leur ami était un drôle d'homme, plein de défauts; il eut soin de les rappeler. Elle en convenait.

— N'importe!... On l'aime tout de même, ce chameau-là!

— Encore, maintenant? dit Frédéric.

Elle se mit à rougir, moitié riante, moitié fâchée.

— Eh non! C'est de l'histoire ancienne. Je ne te cache rien. Quand même cela serait, lui, c'est différent! D'ailleurs, je ne te trouve pas gentil pour ta victime.

— Ma victime?

Rosanette lui prit le menton.

— Sans doute!

Et, zézayant à la manière des nourrices :

— Avons pas toujours été bien sage! Avons fait dodo avec sa femme!

— Moi! jamais de la vie!

Rosanette sourit. Il fut blessé de son sourire, preuve d'indifférence, crut-il. Mais elle reprit doucement, et avec un de ces regards qui implorent le mensonge :

— Bien sûr?

— Certainement!

Frédéric jura sa parole d'honneur qu'il n'avait jamais pensé à Mme Arnoux, étant trop amoureux d'une autre.

— De qui donc?

— Mais de vous, ma toute belle!

— Ah! ne te moque pas de moi! Tu m'agaces!

Il jugea prudent d'inventer une histoire, une passion. Il trouva des détails circonstanciés. Cette personne, du reste, l'avait rendu fort malheureux.

— Décidément, tu n'as pas de chance! dit Rosanette.

— Oh! oh! peut-être! voulant faire entendre par là plusieurs bonnes fortunes, afin de donner de lui meilleure opinion, de même que Rosanette n'avouait pas tous ses amants pour qu'il l'estimât davantage; — car, au milieu des confidences les plus intimes, il y a toujours des restrictions, par fausse honte, délicatesse, pitié. On découvre chez l'autre ou dans soi-même des précipices ou des fanges qui empêchent de poursuivre; on sent, d'ailleurs, que l'on ne serait pas compris; il est difficile d'exprimer exactement quoi que ce soit; aussi les unions complètes sont rares.

La pauvre Maréchale n'en avait jamais connu de meilleure. Souvent, quand elle considérait Frédéric, des larmes lui arrivaient aux paupières, puis elle levait les yeux, ou les projetait vers l'horizon, comme si elle avait aperçu quelque grande aurore, des perspectives de félicité sans bornes. Enfin, un jour, elle avoua qu'elle souhaitait faire dire une messe, « pour que ça porte bonheur à notre amour ».

D'où venait donc qu'elle lui avait résisté pendant si longtemps? Elle n'en savait rien elle-même. Il renouvela plusieurs fois sa question; et elle répondait en le serrant dans ses bras :

— C'est que j'avais peur de t'aimer trop, mon chéri!

Le dimanche matin, Frédéric lut dans un journal, sur une liste de blessés, le nom de Dussardier. Il jeta un cri, et, montrant le papier à Rosanette, déclara qu'il allait partir immédiatement.

— Pour quoi faire?

— Mais pour le voir, le soigner!

— Tu ne vas pas me laisser seule, j'imagine?

— Viens avec moi.

— Ah! que j'aille me fourrer dans une bagarre pareille! Merci bien!

— Cependant je ne peux pas...

— Ta ta ta! Comme si on manquait d'infirmiers dans les hôpitaux! Et puis, qu'est-ce que ça le regardait encore, celui-là? Chacun pour soi!

Il fut indigné de cet égoïsme; et il se reprocha de n'être pas là-bas avec les autres. Tant d'indifférence aux malheurs de la patrie avait quelque chose de mesquin et de bourgeois. Son amour lui pesa tout à coup comme un crime. Ils se boudèrent pendant une heure.

Puis elle le supplia d'attendre, de ne pas s'exposer.

— Si par hasard on te tue!

— Eh! je n'aurai fait que mon devoir!

Rosanette bondit. D'abord, son devoir était de l'aimer. C'est qu'il ne voulait plus d'elle, sans doute! Ça n'avait pas le sens commun! Quelle idée, mon Dieu!

Frédéric sonna pour avoir la note. Mais il n'était pas facile de s'en retourner à Paris. La voiture des messageries Leloir venait de partir, les berlines Lecomte ne partiraient pas, la diligence du Bourbonnais ne passerait que tard dans la nuit, et serait peut-être pleine; on n'en savait rien. Quand il eut perdu beaucoup de temps à ces informations, l'idée lui vint de prendre la poste. Le maître de poste refusa de fournir des chevaux, Frédéric n'ayant point de passeport. Enfin, il loua une calèche (la même qui les avait promenés) et ils arrivèrent devant l'hôtel du Commerce, à Melun, vers cinq heures.

La place du Marché était couverte de faisceaux d'armes. Le préfet avait défendu aux gardes nationaux de se porter sur Paris. Ceux qui n'étaient pas de son département voulaient continuer leur route. On criait. L'auberge était pleine de tumulte.

Rosanette, prise de peur, déclara qu'elle n'irait pas plus loin, et le supplia encore de rester. L'aubergiste et sa femme se joignirent à elle. Un brave homme qui dînait s'en mêla, affirmant que la bataille serait terminée d'ici à peu; d'ailleurs, il fallait faire son devoir. Alors, la Maréchale redoubla de sanglots. Frédéric était exaspéré. Il lui donna sa bourse, l'embrassa vivement, et disparut.

Arrivé à Corbeil, dans la gare, on lui apprit que les insurgés avaient de distance en distance coupé les rails, et le cocher refusa de le conduire plus loin; ses chevaux, disait-il, étaient « rendus ».

Par sa protection cependant, Frédéric obtint un mauvais cabriolet qui, pour la somme de soixante francs, sans compter le pourboire, consentit à le mener jusqu'à la barrière d'Italie. Mais, à cent pas de la barrière, son conducteur le fit descendre et s'en retourna. Frédéric marchait sur la route, quand tout à coup une sentinelle croisa la baïonnette. Quatre hommes l'empoignèrent en vociférant :

— C'en est un! Prenez garde! Fouillez-le! Brigand! Canaille!

Et sa stupéfaction fut si profonde, qu'il se laissa entraîner au poste de la barrière, dans le rond-point même où convergent les boulevards des Gobelins et de l'Hôpital et les rues Godefroy et Mouffetard.

Quatre barricades formaient, au bout des quatre voies, d'énormes talus de pavés; des torches çà et là grésillaient; malgré la poussière qui s'élevait, il distingua des fantassins de la ligne et des gardes nationaux, tous le visage noir, débraillés, hagards. Ils venaient de prendre la place, avaient fusillé plusieurs hommes; leur colère durait encore. Frédéric dit qu'il arrivait de Fontainebleau au secours d'un camarade blessé logeant rue Bellefond; personne d'abord ne voulut le croire; on examina ses mains, on flaira même son oreille pour s'assurer qu'il ne sentait pas la poudre.

Cependant, à force de répéter la même chose, il finit par convaincre un capitaine, qui ordonna à deux fusiliers de le conduire au poste du Jardin des Plantes.

Ils descendirent le boulevard de l'Hôpital. Une forte brise soufflait. Elle le ranima.

Ils tournèrent ensuite par la rue du Marché-aux-Chevaux. Le Jardin des Plantes, à droite, faisait une grande masse noire; tandis qu'à gauche, la façade entière de la Pitié, éclairée à toutes ses fenêtres, flambait comme un incendie, et des ombres passaient rapidement sur les carreaux.

Les deux hommes de Frédéric s'en allèrent. Un autre l'accompagna jusqu'à l'Ecole Polytechnique.

La rue Saint-Victor était toute sombre, sans un bec de gaz ni une lumière aux maisons. De dix minutes en dix minutes, on entendait :

— Sentinelles! prenez garde à vous! Et ce cri, jeté au milieu du silence, se prolongeait comme la répercussion d'une pierre tombant dans un abîme.

Quelquefois, un battement de pas lourds s'approchait. C'était une patrouille de cent hommes au moins; des chuchotements, de vagues cliquetis de fer s'échappaient de cette masse confuse; et, s'éloignant avec un balancement rythmique, elle se fondait dans l'obscurité.

Il y avait au centre des carrefours un dragon à cheval, immobile. De temps en temps, une estafette passait au grand galop, puis le silence recommençait. Des canons en marche faisaient au loin sur le pavé un roulement sourd et formidable; le cœur se serrait à ces bruits différents de tous les bruits ordinaires. Ils semblaient même élargir le silence, qui était profond, absolu, — un silence noir. Des hommes en blouse blanche abordaient les soldats, leur disaient un mot, et s'évanouissaient comme des fantômes.

Le poste de l'Ecole Polytechnique regorgeait de monde. Des femmes encombraient le seuil, demandant à voir leur fils ou leur mari. On les renvoyait au Panthéon transformé en dépôt de cadavres, et on n'écoutait pas Frédéric. Il s'obstina, jurant que son ami Dussardier l'attendait, allait mourir. On lui donna enfin un caporal pour le mener au haut de la rue Saint-Jacques, à la mairie du XIIᵉ arrondissement.

La place du Panthéon était pleine de soldats couchés sur de la paille. Le jour se levait. Les feux de bivac s'éteignaient.

L'insurrection avait laissé dans ce quartier-là des traces formidables. Le sol des rues se trouvait, d'un bout à l'autre, inégalement bosselé. Sur les barricades en ruine, il restait des omnibus, des tuyaux de gaz, des roues de charrettes; de petites flaques noires, en de certains endroits, devaient être du sang. Les maisons étaient criblées de projectiles, et leur charpente se montrait sous les écaillures du plâtre. Des jalousies, tenant par un clou, pendaient comme des haillons. Les escaliers ayant croulé, des portes s'ouvraient sur le vide. On apercevait l'intérieur des chambres avec leurs papiers en lambeaux; des choses délicates s'y étaient conservées, quelquefois. Frédéric observa une pendule, un bâton de perroquet, des gravures.

Quand il entra dans la mairie, les gardes nationaux bavardaient intarissablement sur les morts de Bréa et de Négrier, du représentant Charbonnel et de l'archevêque de Paris [92]. On disait que le duc d'Aumale était débarqué à Boulogne, Barbès, enfui de Vincennes, que l'artillerie arrivait de Bourges et que les secours de la province affluaient. Vers trois heures, quelqu'un apporta de bonnes nouvelles; des parlementaires de l'émeute étaient chez le président de l'Assemblée.

Alors, on se réjouit; et, comme il avait encore douze francs, Frédéric fit venir douze bouteilles de vin, espérant par là hâter sa délivrance. Tout à coup, on crut entendre une fusillade. Les libations s'arrêtèrent; on regarda l'inconnu avec des yeux méfiants; ce pouvait être Henri V.

Pour n'avoir aucune responsabilité, ils le transportèrent à la mairie du XIᵉ arrondissement, d'où on ne lui permit pas de sortir avant neuf heures du matin.

Il alla en courant jusqu'au quai Voltaire. A une fenêtre ouverte, un vieillard en manches de chemise pleurait, les yeux levés. La Seine coulait paisiblement.

Le ciel était tout bleu; dans les arbres des Tuileries, des oiseaux chantaient.

Frédéric traversait le Carrousel quand une civière vint à passer. Le poste, tout de suite, présenta les armes, et l'officier en dit en mettant la main à son shako: « Honneur au courage malheureux! » Cette parole était devenue presque obligatoire; celui qui la prononçait paraissait toujours solennellement ému. Un groupe de gens furieux escortait la civière, en criant:

— Nous vous vengerons! nous vous vengerons!

Les voitures circulaient sur le boulevard, et des femmes devant les portes faisaient de la charpie. Cependant, l'émeute était vaincue ou à peu près; une proclamation de Cavaignac, affichée tout à l'heure, l'annonçait. Au haut de la rue Vivienne, un peloton de mobiles parut. Alors, les bourgeois poussèrent des cris d'enthousiasme; ils levaient leurs chapeaux, applaudissaient, dansaient, voulaient les embrasser, leur offrir à boire, — et des fleurs jetées par des dames tombaient des balcons.

Enfin, à dix heures, au moment où le canon grondait pour prendre le faubourg Saint-Antoine, Frédéric arriva chez Dussardier. Il le trouva dans sa mansarde, étendu sur le dos et dormant. De la pièce voisine une femme sortit à pas muets, Mlle Vatnaz.

Elle emmena Frédéric à l'écart, et lui apprit comment Dussardier avait reçu sa blessure.

Le samedi, au haut d'une barricade, dans la rue Lafayette, un gamin enveloppé d'un drapeau tricolore criait aux gardes nationaux: « Allez-vous tirer contre vos frères? » Comme ils s'avançaient, Dussardier avait jeté bas son fusil, écarté les autres, bondi sur la barricade, et, d'un coup de savate, abattu l'insurgé en lui arrachant le drapeau. On l'avait retrouvé sous les décombres, la cuisse percée d'un lingot de cuivre. Il avait fallu débrider la plaie, extraire le projectile. Mlle Vatnaz était arrivée le soir même et, depuis ce temps-là, ne le quittait plus.

Elle préparait avec intelligence tout ce qu'il fallait pour les pansements, l'aidait à boire, épiait ses moindres désirs, allait et venait, plus légère qu'une mouche, et le contemplait avec des yeux tendres.

Frédéric, pendant deux semaines, ne manqua pas de revenir tous les matins; un jour qu'il parlait du dévouement de la Vatnaz, Dussardier haussa les épaules.

— Eh non! C'est par intérêt!

— Tu crois?

Il reprit: « J'en suis sûr! » sans vouloir s'expliquer davantage.

Elle le comblait de prévenances, jusqu'à lui apporter les journaux où l'on exaltait sa belle action. Ces hommages paraissaient l'importuner. Il avoua même à Frédéric l'embarras de sa conscience.

Peut-être qu'il aurait dû se mettre de l'autre bord, avec les blouses; car enfin on leur avait promis un tas de choses qu'on n'avait pas tenues. Leurs vainqueurs détestaient la République; et puis, on s'était montré bien dur pour eux! Ils avaient tort, sans doute, pas tout à fait, cependant; et le brave garçon était torturé par cette idée qu'il pouvait avoir combattu la justice.

---

92. Mgr Denis-Auguste Affre (1793-1848), mortellement atteint par une balle perdue à la barricade du faubourg Saint-Antoine.

Sénécal, enfermé aux Tuileries sous la terrasse du bord de l'eau, n'avait rien de ces angoisses.

Ils étaient là, neuf cents hommes, entassés dans l'ordure, pêle-mêle, noirs de poudre et de sang caillé, grelottant la fièvre, criant de rage; et on ne retirait pas ceux qui venaient à mourir parmi les autres. Quelquefois, au bruit soudain d'une détonation, ils croyaient qu'on allait tous les fusiller; alors, ils se précipitaient contre les murs, puis retombaient à leur place, tellement hébétés par la douleur, qu'il leur semblait vivre dans un cauchemar, une hallucination funèbre. La lampe suspendue à la voûte avait l'air d'une tache de sang; et de petites flammes vertes et jaunes voltigeaient, produites par les émanations du caveau. Dans la crainte des épidémies, une commission fut nommée. Dès les premières marches, le président se rejeta en arrière, épouvanté par l'odeur des excréments et des cadavres. Quand les prisonniers s'approchaient d'un soupirail, les gardes nationaux qui étaient de faction pour les empêcher d'ébranler les grilles, fourraient des coups de baïonnette, au hasard, dans le tas.

Ils furent, généralement, impitoyables. Ceux qui ne s'étaient pas battus voulaient se signaler. C'était un débordement de peur. On se vengeait à la fois des journaux, des clubs, des attroupements, des doctrines, de tout ce qui exaspérait depuis trois mois; et, en dépit de la victoire, l'égalité (comme pour le châtiment de ses défenseurs et la dérision de ses ennemis) se manifestait triomphalement, une égalité de bêtes brutes, un même niveau de turpitudes sanglantes; car le fanatisme des intérêts équilibra les délires du besoin, l'aristocratie eut les fureurs de la crapule, et le bonnet de coton ne se montra pas moins hideux que le bonnet rouge. La raison publique était troublée comme après les grands bouleversements de la nature. Des gens d'esprit en restèrent idiots pour toute leur vie.

Le père Roque était devenu très brave, presque téméraire. Arrivé le 26 à Paris avec les Nogentais, au lieu de s'en retourner en même temps qu'eux, il avait été s'adjoindre à la garde nationale qui campait aux Tuileries; et il fut très content d'être placé en sentinelle devant la terrasse du bord de l'eau. Au moins, là, il les avait sous lui, ces brigands! Il jouissait de leur défaite, de leur abjection, et ne pouvait se retenir de les invectiver.

Un d'eux, un adolescent à longs cheveux blonds, mit sa face aux barreaux en demandant du pain. M. Roque lui ordonna de se taire. Mais le jeune homme répétait d'une voix lamentable:

— Du pain!

— Est-ce que j'en ai, moi!

D'autres prisonniers apparurent dans le soupirail, avec leurs barbes hérissées, leurs prunelles flamboyantes, tous se poussant et hurlant:

— Du pain!

Le père Roque fut indigné de voir son autorité méconnue. Pour leur faire peur, il les mit en joue; et, porté jusqu'à la voûte par le flot qui l'étouffait, le jeune homme, la tête en arrière, cria encore une fois:

— Du pain!

— Tiens! en voilà! dit le père Roque, en lâchant son coup de fusil.

Il y eut un énorme hurlement, puis, rien. Au bord du baquet, quelque chose de blanc était resté.

Après quoi, M. Roque s'en retourna chez lui; car il possédait, rue Saint-Martin, une maison où il s'était réservé un pied-à-terre; et les dommages causés par l'émeute à la devanture de son immeuble n'avaient pas contribué médiocrement à le rendre furieux. Il lui sembla, en la revoyant, qu'il s'était exagéré le mal. Son action de tout à l'heure l'apaisait, comme une indemnité.

Ce fut sa fille elle-même qui lui ouvrit la porte. Elle lui dit, tout de suite, que son absence trop longue l'avait inquiétée; elle avait craint un malheur, une blessure.

Cette preuve d'amour filial attendrit le père Roque. Il s'étonna qu'elle se fût mise en route sans Catherine.

— Je l'ai envoyée faire une commission, répondit Louise.

Et elle s'informa de sa santé, de choses et d'autres; puis, d'un air indifférent, lui demanda si par hasard il n'avait pas rencontré Frédéric.

— Non! pas le moins du monde!

C'était pour lui seul qu'elle avait fait le voyage.

Quelqu'un marcha dans le corridor.

— Ah! pardon...

Et elle disparut.

Catherine n'avait point trouvé Frédéric. Il était absent depuis plusieurs jours, et son ami intime, M. Deslauriers, habitait maintenant la province.

Louise reparut toute tremblante, sans pouvoir parler. Elle s'appuyait contre les meubles.

— Qu'as-tu? qu'as-tu donc? s'écria son père.

Elle fit signe que ce n'était rien, et par un grand effort de volonté se remit.

Le traiteur d'en face apporta la soupe. Mais le père Roque avait subi une trop violente émotion. « Ça ne pouvait pas passer », et il eut au dessert une espèce de défaillance. On envoya chercher vivement un médecin, qui prescrivit une potion. Puis, quand il fut dans son lit, M. Roque exigea le plus de couvertures possible, pour se faire suer. Il soupirait, il geignait.

— Merci, ma bonne Catherine! — Baise ton pauvre père, ma poulette! Ah! ces révolutions!

Et, comme sa fille le grondait de s'être rendu malade en se tourmentant pour elle, il répliqua:

— Oui! tu as raison! Mais c'est plus fort que moi! Je suis trop sensible!

II

Madame Dambreuse, dans son boudoir, entre sa nièce et miss John, écoutait parler M. Roque, contant ses fatigues militaires.

Elle se mordait les lèvres, semblait souffrir.

— Oh! ce n'est rien! ça se passera!

Et, d'un air gracieux:

— Nous aurons à dîner une de vos connaissances, M. Moreau.

Louise tressaillit.

— Puis seulement quelques intimes, Alfred de Cisy, entre autres.

Et elle vanta ses manières, sa figure, et principalement ses mœurs.

Mme Dambreuse mentait moins qu'elle ne croyait; le vicomte rêvait le mariage. Il l'avait dit à Martinon, ajoutant qu'il était sûr de plaire à Mlle Cécile et que ses parents l'accepteraient.

Pour risquer une telle confidence, il devait avoir sur la dot des renseignements avantageux. Or, Martinon soupçonnait Cécile d'être la fille naturelle de M. Dambreuse; et il eût été, probablement, très fort de demander sa main à tout hasard. Cette audace offrait des dangers; aussi Martinon, jusqu'à présent, s'était conduit de manière à ne pas se compromettre; d'ailleurs, il ne savait comment se débarrasser de la tante. Le mot de Cisy le détermina; et il avait fait sa requête au banquier, lequel, n'y voyant pas d'obstacle, venait d'en prévenir Mme Dambreuse.

Cisy parut. Elle se leva, dit :

— Vous nous oubliez... Cécile, shake hands!

Au même moment, Frédéric entrait.

— Ah! enfin! on vous retrouve! s'écria le père Roque. J'ai été trois fois chez vous, avec Louise, cette semaine!

Frédéric les avait soigneusement évités. Il allégua qu'il passait tous ses jours près d'un camarade blessé. Depuis longtemps, du reste, un tas de choses l'avaient pris; et il cherchait des histoires. Heureusement, les convives arrivèrent : d'abord M. Paul de Grémonville, le diplomate entrevu au bal; puis Fumichon, cet industriel dont le dévouement conservateur l'avait un soir scandalisé; la vieille duchesse de Montreuil-Nantua les suivit.

Mais deux voix s'élevèrent dans l'antichambre.

— J'en suis certaine, disait l'une.

— Chère belle dame! chère belle dame! répondit l'autre, de grâce, calmez-vous!

C'était M. de Nonancourt, un vieux beau, l'air momifié dans du cold-cream, et Mme de Larsillois, l'épouse d'un préfet de Louis-Philippe. Elle tremblait extrêmement, car elle avait entendu, tout à l'heure, sur un orgue, une polka qui était un signal entre les insurgés. Beaucoup de bourgeois avaient des imaginations pareilles; on croyait que des hommes, dans les catacombes, allaient faire sauter le faubourg Saint-Germain; des rumeurs s'échappaient des caves; il se passait aux fenêtres des choses suspectes.

Tout le monde s'évertua cependant à tranquilliser Mme de Larsillois. L'ordre était rétabli. Plus rien à craindre. « Cavaignac nous a sauvés! » Comme si les horreurs de l'insurrection n'eussent pas été suffisamment nombreuses, on les exagérait. Il y avait eu vingt-trois mille forçats du côté des socialistes, — pas moins!

On ne doutait nullement des vivres empoisonnés, des mobiles sciés entre deux planches, et des inscriptions des drapeaux qui réclamaient le pillage, l'incendie.

— Et quelque chose de plus! ajouta l'ex-préfète.

— Ah! chère! dit par pudeur Mme Dambreuse, en désignant d'un coup d'œil les trois jeunes filles.

M. Dambreuse sortit de son cabinet avec Martinon. Elle détourna la tête, et répondit aux saluts de Pellerin qui s'avançait. L'artiste considérait les murailles d'une façon inquiète. Le banquier le prit à part, et lui fit comprendre qu'il avait dû, pour le moment, cacher sa toile révolutionnaire.

— Sans doute! dit Pellerin, son échec au *Club de l'Intelligence* ayant modifié ses opinions.

M. Dambreuse glissa fort poliment qu'il lui commanderait d'autres travaux.

— Mais pardon!... — Ah! cher ami! quel bonheur!

Arnoux et Mme Arnoux étaient devant Frédéric.

Il eut comme un vertige. Rosanette, avec son admiration pour les soldats, l'avait agacé toute l'après-midi; et le vieil amour se réveilla.

Le maître d'hôtel vint annoncer que Madame était servie. D'un regard, elle ordonna au vicomte de prendre le bras de Cécile, dit tout bas à Martinon : « Misérable! » et on passa dans la salle à manger.

Sous les feuilles vertes d'un ananas, au milieu de la nappe, une dorade s'allongeait, le museau tendu vers un quartier de chevreuil et touchant de sa queue un buisson d'écrevisses. Des figues, des cerises énormes, des poires et des raisins (primeurs de la culture parisienne) montaient en pyramides dans des corbeilles de vieux saxe; une touffe de fleurs, par intervalles, se mêlait aux claires argenteries; les stores de soie blanche, abaissés devant les fenêtres, emplissaient l'appartement d'une lumière douce; il était rafraîchi par deux fontaines où il y avait des morceaux de glace; et de grands domestiques en culotte courte servaient. Tout cela semblait meilleur après l'émotion des jours passés. On rentrait dans la jouissance des choses que l'on avait eu peur de perdre; et Nonancourt exprima le sentiment général en disant :

— Ah! espérons que MM. les républicains vont nous permettre de dîner!

— Malgré leur fraternité! ajouta spirituellement le père Roque.

Ces deux honorables étaient à la droite et à la gauche de Mme Dambreuse, ayant devant elle son mari, entre Mme de Larsillois, flanquée du diplomate, et la vieille duchesse, que Fumichon coudoyait. Puis venaient le peintre, le marchand de faïences, Mlle Louise; et grâce à Martinon, qui lui avait enlevé sa place pour se mettre auprès de Cécile, Frédéric se trouvait à côté de Mme Arnoux.

Elle portait une robe de barège noir, un cercle d'or au poignet, et, comme le premier jour où il avait dîné chez elle, quelque chose de rouge dans les cheveux, une branche de fuchsia entortillée à son chignon. Il ne put s'empêcher de lui dire :

— Voilà longtemps que nous ne nous sommes vus!

— Ah! répliqua-t-elle froidement.

Il reprit, avec une douceur dans la voix qui atténuait l'impertinence de sa question :

— Avez-vous quelquefois pensé à moi?

— Pourquoi y penserais-je?

Frédéric fut blessé par ce mot.

— Vous avez peut-être raison, après tout.

Mais, se repentant vite, il jura qu'il n'avait pas vécu un seul jour sans être ravagé par son souvenir.

— Je n'en crois absolument rien, monsieur.

— Cependant, vous savez que je vous aime!

Mme Arnoux ne répondit pas.

— Vous savez que je vous aime.

Elle se taisait toujours.

« Eh bien, va te promener! » se dit Frédéric.

Et, levant les yeux, il aperçut, à l'autre bout de la table, Mlle Roque.

Elle avait cru coquet de s'habiller tout en vert, couleur qui jurait grossièrement avec le ton de ses cheveux rouges. Sa boucle de ceinture était trop haute, sa collerette l'engonçait; ce peu d'élégance avait contribué sans doute au froid abord de Frédéric. Elle l'observait de loin, curieusement; et Arnoux, près d'elle, avait beau prodiguer les galanteries, il n'en pouvait tirer trois paroles, si bien que, renonçant à plaire, il écouta la conversation. Elle roulait maintenant sur les purées d'ananas du Luxembourg.

Louis Blanc, d'après Fumichon, possédait un hôtel rue Saint-Dominique et refusait de louer aux ouvriers.

— Moi, ce que je trouve drôle, dit Nonancourt, c'est Ledru-Rollin chassant dans les domaines de la Couronne.

— Il doit vingt mille francs à un orfèvre! ajouta Cisy; et même on prétend...

Mme Dambreuse l'arrêta.

— Ah! que c'est vilain de s'échauffer pour la politique! Un jeune homme, fi donc! Occupez-vous plutôt de votre voisine!

Ensuite, les gens sérieux attaquèrent les journaux.

Arnoux prit leur défense; Frédéric s'en mêla, les appelant des maisons de commerce pareilles aux autres. Leurs écrivains, généralement, étaient des imbéciles, ou des blagueurs; il se donna pour les connaître, et combattait par des sarcasmes les sentiments généreux de son ami. Mme Arnoux ne voyait pas que c'était une vengeance contre elle.

Cependant, le vicomte se torturait l'intellect afin de conquérir Mlle Cécile. D'abord, il étala des goûts d'artiste, en blâmant la forme des carafons et la gravure des couteaux. Puis il parla de son écurie, de son tailleur et de son chemisier; enfin, il aborda le chapitre de la religion et trouva moyen de faire entendre qu'il accomplissait tous ses devoirs.

Martinon s'y prenait mieux. D'un train monotone, et en la regardant continuellement, il vantait son profil d'oiseau, sa fade chevelure blonde, ses mains trop courtes. La laide jeune fille se délectait sous cette averse de douceurs.

On ne pouvait rien entendre, tous parlant très haut. M. Roque voulait pour gouverner la France « un bras de fer ». Nonancourt regretta même que l'échafaud politique fût aboli. On aurait dû tuer en masse tous ces gredins-là!

— Ce sont même des lâches, dit Fumichon. Je ne vois pas de bravoure à se mettre derrière les barricades!

— A propos, parlons-nous donc de Dussardier! dit M. Dambreuse en se tournant vers Frédéric.

Le brave commis était maintenant un héros, comme Sallesse, les frères Jeanson, la femme Péquillet, etc.

Frédéric, sans se faire prier, débita l'histoire de son ami; il lui en revint une espèce d'auréole.

On arriva, tout naturellement, à relater différents traits de courage. Suivant le diplomate, il n'était pas difficile d'affronter la mort, témoin ceux qui se battent en duel.

— On peut s'en rapporter au vicomte, dit Martinon.

Le vicomte devint très rouge.

Les convives le regardaient; et Louise, plus étonnée que les autres, murmura :

— Qu'est-ce donc?

— Il a *calé* devant Frédéric, reprit tout bas Arnoux.

— Vous savez quelque chose, mademoiselle? demanda aussitôt Nonancourt; et il dit sa réponse à Mme Dambreuse, qui, se penchant un peu, se mit à regarder Frédéric.

Martinon n'attendit pas les questions de Cécile. Il lui apprit que cette affaire concernait une personne inqualifiable. La jeune fille se recula légèrement sur sa chaise, comme pour fuir le contact de ce libertin.

La conversation avait recommencé. Les grands vins de Bordeaux circulaient, on s'animait; Pellerin en voulait à la Révolution à cause du musée espagnol, définitivement perdu. C'était ce qui l'affligeait le plus, comme peintre. A ce mot, M. Roque l'interpella.

— Ne seriez-vous pas l'auteur d'un tableau très remarquable?

— Peut-être! Lequel?

— Cela représente une dame dans un costume... ma foi!... un peu... léger, avec une bourse et un paon derrière.

Frédéric à son tour s'empourpra. Pellerin faisait semblant de ne pas entendre.

— Cependant c'est bien de vous! Car il y a votre nom écrit au bas, et une ligne sur le cadre constatant que c'est la propriété de M. Moreau.

Un jour que le père Roque et sa fille l'attendaient chez lui, ils avaient vu le portrait de la Maréchale. Le bonhomme l'avait même pris pour « un tableau gothique ».

— Non! dit Pellerin brutalement; c'est un portrait de femme.

Martinon ajouta :

— D'une femme très vivante! N'est-ce pas, Cisy?

— Eh! je n'en sais rien.

— Je croyais que vous la connaissiez. Mais du moment que ça vous fait de la peine, mille excuses!

Cisy baissa les yeux, prouvant par son embarras qu'il avait dû jouer un rôle pitoyable à l'occasion de ce portrait. Quant à Frédéric, le modèle ne pouvait être que sa maîtresse. Ce fut une de ces convictions qui se forment tout de suite, et les figures de l'assemblée la manifestaient clairement.

« Comme il me mentait! » se dit Mme Arnoux.

« C'est donc pour cela qu'il m'a quittée! » pensa Louise.

Frédéric s'imaginait que ces deux histoires pouvaient

le compromettre; et quand on fut dans le jardin, il en fit des reproches à Martinon.

L'amoureux de Mlle Cécile lui éclata de rire au nez.

— Eh! pas du tout! ça te servira! Va de l'avant!

Que voulait-il dire? D'ailleurs pourquoi cette bienveillance si contraire à ses habitudes? Sans rien expliquer, il s'en alla vers le fond, où les dames étaient assises. Les hommes se tenaient debout, et Pellerin, au milieu d'eux, émettait des idées. Ce qu'il y avait de plus favorable pour les arts, c'était une monarchie bien entendue. Les temps modernes le dégoûtaient, « quand ce ne serait qu'à cause de la garde nationale », il regrettait le moyen âge, Louis XIV; M. Roque le félicita de ses opinions, avouant même qu'elles renversaient tous ses préjugés sur les artistes. Mais il s'éloigna presque aussitôt, attiré par la voix de Fumichon. Arnoux tâchait d'établir qu'il y a deux socialismes, un bon et un mauvais. L'industriel n'y voyait pas de différence, la tête lui tournant de colère au mot propriété.

— C'est un droit écrit dans la nature! Les enfants tiennent à leurs joujoux; tous les peuples sont de mon avis, tous les animaux; le lion même, s'il pouvait parler, se déclarerait propriétaire! Ainsi, moi, messieurs, j'ai commencé avec quinze mille francs de capital! Pendant trente ans, savez-vous, je me levais régulièrement à quatre heures du matin! J'ai eu un mal des cinq cents diables à faire ma fortune! Et on viendra me soutenir que je n'en suis pas le maître, que mon argent n'est pas mon argent, enfin, que la propriété, c'est le vol!

— Mais Proudhon...

— Laissez-moi tranquille, avec votre Proudhon! S'il était là, je crois que je l'étranglerais!

Il l'aurait étranglé. Après les liqueurs surtout, Fumichon ne se connaissait plus; et son visage apoplectique était près d'éclater comme un obus.

— Bonjour, Arnoux, dit Hussonnet, qui passa lestement sur le gazon.

Il apportait à M. Dambreuse la première feuille d'une brochure intitulée l'Hydre, le bohème défendant les intérêts d'un cercle réactionnaire, et le banquier le présenta comme tel à ses hôtes.

Hussonnet les divertit, en soutenant d'abord que les marchands de suif payaient trois cent quatre-vingt-douze gamins pour crier chaque soir : « Des lampions! » puis en blaguant les principes de 89, l'affranchissement des nègres, les orateurs de la gauche; il se lança même jusqu'à faire Prudhomme sur une barricade, peut-être par l'effet d'une jalousie naïve contre ces bourgeois qui avaient bien dîné. La charge plut médiocrement. Leurs figures s'allongèrent.

Ce n'était pas le moment de plaisanter, du reste; Nonancourt le dit, en rappelant la mort de Monseigneur Affre et celle du général de Bréa. Elles étaient toujours rappelées; on en faisait des arguments. M. Roque déclara le trépas de l'Archevêque « tout ce qu'il y avait de plus sublime »; Fumichon donnait la palme au militaire; et, au lieu de déplorer simplement ces deux meurtres, on discuta pour savoir lequel devait exciter la plus forte indignation. Un second parallèle vint après, celui de Lamoricière et de Cavaignac, M. Dambreuse exaltant Cavaignac et Nonancourt Lamoricière. Personne de la compagnie, sauf Arnoux, n'avait pu les voir à l'œuvre. Tous n'en formulèrent pas moins sur leurs opérations un jugement irrévocable. Frédéric s'était récusé, confessant qu'il n'avait pas pris les armes. Le diplomate et M. Dambreuse lui firent un signe de tête approbatif. En effet, avoir combattu l'émeute, c'était avoir défendu la République. Le résultat, bien que favorable, la consolidait; et, maintenant qu'on était débarrassé des vaincus, on souhaitait l'être des vainqueurs.

A peine dans le jardin, Mme Dambreuse, prenant Cisy, l'avait gourmandé de sa maladresse; à la vue de Martinon, elle le congédia, puis voulut savoir de son futur neveu la cause de ses plaisanteries sur le vicomte.

— Il n'y en a pas.

— Et tout cela comme pour la gloire de M. Moreau! Dans quel but?

— Dans aucun. Frédéric est un charmant garçon. Je l'aime beaucoup.

— Et moi aussi! Qu'il vienne! Allez le chercher!

Après deux ou trois phrases banales, elle commença par déprécier légèrement ses convives, ce qui était le mettre au-dessus d'eux. Il ne manqua pas de dénigrer un peu les autres femmes, manière habile de lui adresser des compliments. Mais elle le quittait de temps en temps, c'était soir de réception, des dames arrivaient; puis elle revenait à sa place, et la disposition toute fortuite des sièges leur permettait de n'être pas entendus.

Elle se montra enjouée, sérieuse, mélancolique et raisonnable. Les préoccupations du jour l'intéressaient médiocrement; il y avait tout un ordre de sentiments moins transitoires. Elle se plaignit des poètes qui dénaturent la vérité, puis elle leva les yeux vers le ciel, en lui demandant le nom d'une étoile.

On avait mis dans les arbres deux ou trois lanternes chinoises; le vent les agitait, des rayons colorés tremblaient sur sa robe blanche. Elle se tenait, comme d'habitude, un peu en arrière dans son fauteuil, avec un tabouret devant elle; on apercevait la pointe d'un soulier de satin noir; et Mme Dambreuse, par intervalles, lançait une parole plus haute, quelquefois même un rire.

Ces coquetteries n'atteignaient pas Martinon, occupé de Cécile; mais elles allaient frapper la petite Roque, qui causait avec Mme Arnoux. C'était la seule, parmi ces femmes, dont les manières ne lui semblaient pas dédaigneuses. Elle était venue s'asseoir à côté d'elle; puis, cédant à un besoin d'épanchement :

— N'est-ce pas qu'il parle bien, Frédéric Moreau?

— Vous le connaissez?

— Oh! beaucoup! Nous sommes voisins, il m'a fait jouer toute petite.

Mme Arnoux lui jeta un long regard qui signifiait : « Vous ne l'aimez pas, j'imagine? »

Celui de la jeune fille répliqua sans trouble : « Si! »

— Vous le voyez souvent, alors?

— Oh! non! seulement quand il vient chez sa mère. Voilà dix mois qu'il n'est venu! Il avait promis cependant d'être plus exact.

— Il ne faut pas trop croire aux promesses des hommes, mon enfant.

— Mais il ne m'a pas trompée, moi!

— Comme d'autres!

Louise frissonna : « Est-ce que, par hasard, il lui aurait aussi promis quelque chose, à elle? » et sa figure était crispée de défiance et de haine.

Mme Arnoux en eut presque peur; elle aurait voulu rattraper son mot. Puis, toutes deux se turent.

Comme Frédéric se trouvait en face, sur un pliant, elles le considéraient, l'une avec décence, du coin des paupières, l'autre franchement, la bouche ouverte, si bien que Mme Dambreuse lui dit :

— Tournez-vous donc, pour qu'elle vous voie!

— Qui cela?

— Mais la fille de M. Roque!

Et elle le plaisanta sur l'amour de cette jeune provinciale. Il s'en défendait, en tâchant de rire.

— Est-ce croyable! je vous le demande! Une laideron pareille!

Cependant, il éprouvait un plaisir de vanité immense. Il se rappelait l'autre soirée, celle dont il était sorti, le cœur plein d'humiliations; et il respirait largement; il se sentait dans son vrai milieu, presque dans son domaine, comme si tout cela, y compris l'hôtel Dambreuse, lui avait appartenu. Les dames formaient un demi-cercle en l'écoutant; et, afin de briller, il se prononça pour le rétablissement du divorce, qui devait être facile jusqu'à pouvoir se quitter et se reprendre indéfiniment, tant qu'on voudrait. Elles se récrièrent; d'autres chuchotaient; il y avait de petits éclats de voix dans l'ombre, au pied du mur couvert d'aristoloches. C'était comme un caquetage de poules en gaieté; et il développait sa théorie, avec cet aplomb que la conscience du succès procure. Un domestique apporta dans la tonnelle un plateau chargé de glaces. Les messieurs s'en rapprochèrent. Ils causaient des arrestations.

Alors, Frédéric se vengea du vicomte en lui faisant accroire qu'on allait peut-être le poursuivre comme légitimiste. L'autre objectait qu'il n'avait pas bougé de sa chambre; son adversaire accumula les chances mauvaises; MM. Dambreuse et de Grémonville eux-mêmes s'amusaient. Puis ils complimentèrent Frédéric, tout en regrettant qu'il n'employât pas ses facultés à la défense de l'ordre; et leur poignée de main fut cordiale; il pouvait désormais compter sur eux. Enfin, comme tout le monde s'en allait, le vicomte s'inclina très bas devant Cécile.

— Mademoiselle, j'ai bien l'honneur de vous souhaiter le bonsoir.

Elle répondit d'un ton sec :

— Bonsoir! Mais elle envoya un sourire à Martinon.

Le père Roque, pour continuer sa discussion avec Arnoux, lui proposa de le reconduire « ainsi que madame », leur route étant la même. Louise et Frédéric marchaient devant. Elle avait saisi son bras; et, quand elle fut un peu loin des autres :

— Ah! enfin! enfin! Ai-je assez souffert toute la soirée! Comme ces femmes sont méchantes! Quels airs de hauteur!

Il voulait les défendre.

— D'abord, tu pouvais bien me parler en entrant, depuis un an que tu n'es venu!

— Il n'y a pas un an, dit Frédéric, heureux de la reprendre sur ce détail pour esquiver les autres.

— Soit! Le temps m'a paru long, voilà tout! Mais, pendant cet abominable dîner, c'était à croire que tu avais honte de moi! Ah! je comprends, je n'ai pas ce qu'il faut pour plaire, comme elles.

— Tu te trompes, dit Frédéric.

— Vraiment! Jure-moi que tu n'en aimes aucune!

Il jura.

— Et c'est moi seule que tu aimes?

— Parbleu!

Cette assurance la rendit gaie. Elle aurait voulu se perdre dans les rues, pour se promener ensemble toute la nuit.

— J'ai été si tourmentée là-bas! On ne parlait que de barricades! Je te voyais tombant sur le dos, couvert de sang! Ta mère était dans son lit avec ses rhumatismes. Elle ne savait rien. Il fallait me taire! Je n'y tenais plus! Alors, j'ai pris Catherine.

Et elle lui conta son départ, toute sa route, et le mensonge fait à son père.

— Il me ramène dans deux jours. Viens demain soir, comme par hasard, et profites-en pour me demander en mariage.

Jamais Frédéric n'avait été plus loin du mariage. D'ailleurs, Mlle Roque lui semblait une petite personne assez ridicule. Quelle différence avec une femme comme Mme Dambreuse! Un bien autre avenir lui était réservé! Il en avait la certitude aujourd'hui; aussi n'était-ce pas le moment de s'engager, par un coup de cœur, dans une détermination de cette importance. Il fallait maintenant être positif; — et puis il avait revu Mme Arnoux. Cependant la franchise de Louise l'embarrassait. Il répliqua :

— As-tu bien réfléchi à cette démarche?

— Comment! s'écria-t-elle, glacée de surprise et d'indignation.

Il dit que se marier actuellement serait une folie.

— Ainsi tu ne veux pas de moi?

— Mais tu ne me comprends pas!

Et il se lança dans un verbiage très embrouillé, pour lui faire entendre qu'il était retenu par des considérations majeures, qu'il avait des affaires à n'en plus finir, que même sa fortune était compromise (Louise tranchait tout, d'un mot net), enfin, que les circonstances politiques s'y opposaient. Donc, le plus raisonnable était de patienter quelque temps. Les choses s'arrangeraient, sans doute; du moins, il l'espérait; et, comme il ne trouvait plus de raisons, il feignit de se rappeler brusquement qu'il aurait dû être depuis deux heures chez Dussardier.

Puis, ayant salué les autres, il s'enfonça dans la rue Hauteville, fit le tour du Gymnase, revint sur le boulevard, et monta en courant les quatre étages de Rosanette.

M. et Mme Arnoux quittèrent le père Roque et sa fille à l'entrée de la rue Saint-Denis. Ils s'en retournèrent sans rien dire; lui, n'en pouvant plus d'avoir bavardé, et elle, éprouvant une grande lassitude; elle s'appuyait même sur son épaule. C'était le seul homme qui eût montré pendant la soirée des sentiments honnêtes. Elle se sentit pour lui pleine d'indulgence. Cependant, il gardait un peu de rancune contre Frédéric.

— As-tu vu sa mine, lorsqu'il a été question du portrait? Quand je te disais qu'il est son amant? Tu ne voulais pas me croire!

— Oh! oui, j'avais tort!

Arnoux, content de son triomphe, insista.

— Je parie même qu'il nous a lâchés, tout à l'heure, pour aller la rejoindre! Il est maintenant chez elle, va! Il passe la nuit.

Mme Arnoux avait rabattu sa capeline très bas.

— Mais tu trembles!

— C'est que j'ai froid, reprit-elle.

Dès que son père fut endormi, Louise entra dans la chambre de Catherine, et, la secouant par l'épaule :

— Lève-toi!... vite! plus vite! et va me chercher un fiacre.

Catherine lui répondit qu'il n'y en avait plus à cette heure.

— Tu vas m'y conduire toi-même, alors!

— Où donc?

— Chez Frédéric!

— Pas possible! A cause?

C'était pour lui parler. Elle ne pouvait attendre. Elle voulait le voir tout de suite.

— Y pensez-vous? Se présenter comme ça dans une maison au milieu de la nuit! D'ailleurs, à présent, il dort!

— Je le réveillerai!

— Mais ce n'est pas convenable pour une demoiselle!

— Je ne suis pas une demoiselle! Je suis sa femme! Je l'aime! Allons, mets ton châle.

Catherine, debout au bord de son lit, réfléchissait.

Elle finit par dire :

— Non! je ne veux pas!

— Eh bien, reste! Moi, j'y vais!

Louise glissa comme une couleuvre dans l'escalier. Catherine s'élança par derrière, la rejoignit sur le trottoir. Ses représentations furent inutiles; et elle la suivit, tout en achevant de nouer sa camisole. Le chemin lui parut extrêmement long. Elle se plaignait de ses vieilles jambes.

— Après ça, moi, je n'ai pas ce qui vous pousse, dame!

Puis elle s'attendrissait.

— Pauvre cœur! Il n'y a encore que ta Catau, vois-tu!

Des scrupules, de temps en temps, la reprenaient.

— Ah! vous me faites faire quelque chose de joli! Si votre père se réveillait! Seigneur Dieu! Pourvu qu'un malheur n'arrive pas!

Devant le théâtre des Variétés, une patrouille de gardes nationaux les arrêta. Louise dit tout de suite qu'elle allait avec sa bonne dans la rue Rumfort chercher un médecin. On les laissa passer.

Au coin de la Madeleine, elles rencontrèrent une seconde patrouille, et, Louise ayant donné la même explication, un des citoyens reprit :

— Est-ce pour une maladie de neuf mois, ma petite chatte?

— Gougibaud! s'écria le capitaine, pas de polissonneries dans les rangs! — Mesdames, circulez!

Malgré l'injonction, les traits d'esprit continuèrent :

— Bien du plaisir!

— Mes respects au docteur!

— Prenez garde au loup!

— Ils aiment à rire, remarqua tout haut Catherine. C'est jeune!

Enfin, elles arrivèrent chez Frédéric. Louise tira la sonnette avec vigueur, plusieurs fois. La porte s'entrebâilla et le concierge répondit à sa demande :

— Non!

— Mais il doit être couché?

— Je vous dis que non! Voilà près de trois mois qu'il ne couche pas chez lui!

Et le petit carreau de la loge retomba nettement, comme une guillotine. Elles restaient dans l'obscurité sous la voûte. Une voix furieuse leur cria :

— Sortez donc!

La porte se rouvrit; elles sortirent.

Louise fut obligée de s'asseoir sur une borne; et elle pleura, la tête dans ses mains, abondamment, de tout son cœur. Le jour se levait, des charrettes passaient.

Catherine la ramena en la soutenant, en la baisant, en lui disant toutes sortes de bonnes choses tirées de son expérience. Il ne fallait pas se faire tant de mal pour les amoureux. Si celui-là manquait, elle en trouverait d'autres!

III

Quand l'enthousiasme de Rosanette pour les gardes mobiles se fut calmé, elle redevint plus charmante que jamais, et Frédéric prit l'habitude insensiblement de vivre chez elle.

Le meilleur de la journée, c'était le matin sur leur terrasse. En caraco de batiste et pieds nus dans ses pantoufles, elle allait et venait autour de lui, nettoyait la cage de ses serins, donnait de l'eau à ses poissons rouges, et jardinait avec une pelle à feu dans la caisse remplie de terre, d'où s'élevait un treillage de capucines garnissant le mur. Puis, accoudés sur leur balcon, ils regardaient ensemble les voitures, les passants; et on se chauffait au soleil, on faisait des projets pour la soirée. Il s'absentait pendant deux heures tout au plus; ensuite, ils allaient dans un théâtre quelconque, aux avant-scènes; et Rosanette, un gros bouquet de fleurs à la main, écoutait les instruments, tandis que Frédéric, penché à son oreille, lui contait des choses joviales ou galantes. D'autres fois, ils prenaient une calèche pour les conduire au bois de Boulogne; ils se promenaient tard, jusqu'au milieu de la nuit. Enfin, ils s'en revenaient par l'Arc de Triomphe et la grande avenue, en humant l'air, avec les étoiles sur leur tête, et, jusqu'au fond de la perspective, tous les becs de gaz alignés comme un double cordon de perles lumineuses.

Frédéric l'attendait toujours quand ils devaient sortir; elle était fort longue à disposer autour de son menton les deux rubans de sa capote; et elle se souriait à elle-même, devant son armoire à glace. Puis elle passait son bras sur le sien et le forçant à se mirer près d'elle :

— Nous faisons bien comme cela, tous les deux côte à côte! Ah! pauvre amour, je te mangerais!

Il était maintenant sa chose, sa propriété. Elle en avait sur le visage un rayonnement continu, en même temps qu'elle paraissait plus langoureuse de manières, plus ronde dans ses formes; et, sans pouvoir dire de quelle façon, il la trouvait changée, cependant.

Un jour, elle lui apprit comme une nouvelle très importante que le sieur Arnoux venait de monter un magasin de blanc à une ancienne ouvrière de sa fabrique; il y venait tous les soirs, « dépensait beaucoup, pas plus tard que l'autre semaine, il lui avait même donné un ameublement de palissandre ».

— Comment le sais-tu? dit Frédéric.

— Oh! j'en suis sûre!

Delphine, exécutant ses ordres, avait pris des informations. Elle aimait donc bien Arnoux, pour s'en occuper si fortement! Il se contenta de lui répondre :

— Qu'est-ce que cela te fait?

Rosanette eut l'air surprise de cette demande.

— Mais la canaille me doit de l'argent! N'est-ce pas abominable de le voir entretenir des gueuses!

Puis, avec une expression de haine triomphante :

— Au reste, elle se moque de lui joliment! Elle a trois autres particuliers. Tant mieux! et qu'elle le mange jusqu'au dernier liard, j'en serai contente!

Arnoux, en effet, se laissait exploiter par la Bordelaise, avec l'indulgence des amours séniles.

Sa fabrique ne marchait plus; l'ensemble de ses affaires était pitoyable; si bien que, pour les remettre à flot, il pensa d'abord à établir un café chantant, où l'on n'aurait chanté rien que des œuvres patriotiques; le ministre lui accordant une subvention, cet établissement serait devenu tout à la fois un foyer de propagande et une source de bénéfices. La direction du Pouvoir ayant changé, c'était une chose impossible. Maintenant, il rêvait une grande chapellerie militaire. Les fonds lui manquaient pour commencer.

Il n'était pas plus heureux dans son intérieur domestique. Mme Arnoux se montrait moins douce pour lui, parfois même un peu rude. Marthe se rangeait toujours du côté de son père. Cela augmentait le désaccord, et la maison devenait intolérable. Souvent, il partait dès le matin, passait sa journée à faire de longues courses, pour s'étourdir, puis dînait dans un cabaret de campagne, en s'abandonnant à ses réflexions.

L'absence prolongée de Frédéric troublait ses habitudes. Donc, il parut, une après-midi, le supplia de venir le voir comme autrefois, et en obtint la promesse.

Frédéric n'osait retourner chez Mme Arnoux. Il lui semblait l'avoir trahie. Mais cette conduite était bien lâche. Les excuses manquaient. Il faudrait en finir par là! et, un soir, il se mit en marche.

Comme la pluie tombait, il venait d'entrer dans le passage Jouffroy quand, sous la lumière des devantures, un gros petit homme en casquette l'aborda. Frédéric n'eut pas de peine à reconnaître Compain, cet orateur dont la motion avait causé tant de rires au club. Il s'appuyait sur le bras d'un individu affublé d'un bonnet rouge de zouave, la lèvre supérieure très longue, le teint jaune comme une orange, la mâchoire couverte d'une barbiche, et qui le contemplait avec de gros yeux, lubrifiés d'admiration.

Compain, sans doute, en était fier, car il dit :

— Je vous présente ce gaillard-là! C'est un bottier de mes amis, un patriote! Prenons-nous quelque chose?

Frédéric l'ayant remercié, il tonna immédiatement contre la proposition Rateau [93], une manœuvre des aristocrates. Pour en finir, il fallait recommencer 93! Puis, il s'informa de Regimbart et de quelques autres, aussi fameux, tels que Masselin, Sanson, Lecornu, Maréchal, et un certain Deslauriers, compromis dans l'affaire des carabines interceptées dernièrement à Troyes.

Tout cela était nouveau pour Frédéric. Compain n'en savait pas davantage. Il le quitta, en disant :

— A bientôt, n'est-ce pas, car vous en êtes?

— De quoi?

— De la tête de veau!

— Quelle tête de veau?

— Ah! farceur! reprit Compain, en lui donnant une tape sur le ventre.

Et les deux terroristes s'enfoncèrent dans un café.

Dix minutes après, Frédéric ne songeait plus à Deslauriers. Il était sur le trottoir de la rue Paradis, devant une maison; et il regardait au second étage, derrière des rideaux, la lueur d'une lampe.

Enfin, il monta l'escalier.

— Arnoux y est-il?

La femme de chambre répondit :

— Non! mais entrez tout de même.

Et, ouvrant brusquement une porte :

— Madame, c'est M. Moreau!

Elle se leva plus pâle que sa collerette. Elle tremblait.

— Qui me vaut l'honneur... d'une visite... aussi imprévue?

— Rien! Le plaisir de revoir d'anciens amis!

Et, tout en s'asseyant :

— Comment va ce bon Arnoux?

— Parfaitement! Il est sorti.

— Ah! je comprends! toujours ses vieilles habitudes du soir; un peu de distraction!

— Pourquoi pas? Après une journée de calculs, la tête a besoin de se reposer!

Elle vanta même son mari, comme travailleur. Cet éloge irritait Frédéric; et, désignant sur ses genoux un morceau de drap noir, avec des soutaches bleues :

— Qu'est-ce que vous faites là?

— Une veste que j'arrange pour ma fille.

— A propos, je ne l'aperçois pas, où est-elle donc?

— Dans une pension, reprit Mme Arnoux.

Des larmes lui vinrent aux yeux; elle les retenait, en poussant son aiguille rapidement. Il avait pris par contenance un numéro de *l'Illustration*, sur la table près d'elle.

---

93. Proposition, adoptée le 29 janvier 1849, qui avait pour objet de prononcer la dissolution de l'Assemblée constituante et l'élection d'une assemblée législative.

— Ces caricatures de Cham sont très drôles, n'est-ce pas?

— Oui.

Puis ils retombèrent dans leur silence.

Une rafale ébranla tout à coup les carreaux.

— Quel temps! dit Frédéric.

— En effet, c'est bien aimable d'être venu par cette horrible pluie!

— Oh! moi, je m'en moque! Je ne suis pas comme ceux qu'elle empêche, sans doute, d'aller à leurs rendez-vous!

— Quels rendez-vous? demanda-t-elle naïvement.

— Vous ne vous rappelez pas?

Un frisson la saisit, et elle baissa la tête.

Il lui posa doucement la main sur le bras.

— Je vous assure que vous m'avez fait bien souffrir!

Elle reprit, avec une sorte de lamentation dans la voix :

— Mais j'avais peur pour mon enfant!

Elle lui conta la maladie du petit Eugène et toutes les angoisses de cette journée.

— Merci! merci! Je ne doute plus! Je vous aime comme toujours!

— Eh non! ce n'est pas vrai!

— Pourquoi?

Elle le regarda froidement.

— Vous oubliez l'autre! Celle que vous promenez aux courses! La femme dont vous avez le portrait, votre maîtresse!

— Eh bien, oui! s'écria Frédéric. Je ne nie rien! Je suis un misérable! écoutez-moi!

S'il l'avait eue, c'était par désespoir, comme on se suicide. Du reste, il l'avait rendue fort malheureuse, pour se venger sur elle de sa propre honte. « Quel supplice! Vous ne comprenez pas? »

Mme Arnoux tourna son beau visage, en lui tendant la main; et ils fermèrent les yeux, absorbés dans une ivresse qui était comme un bercement doux et infini. Puis ils restèrent à se contempler, face à face, l'un près de l'autre.

— Est-ce que vous pouviez croire que je ne vous aimais plus?

Elle répondit, d'une voix basse, pleine de caresses :

— Non! en dépit de tout, je sentais au fond de mon cœur que cela était impossible et qu'un jour l'obstacle entre nous deux s'évanouirait!

— Moi aussi! et j'avais des besoins de vous revoir, à en mourir!

— Une fois, reprit-elle, dans le Palais-Royal, j'ai passé à côté de vous!

— Vraiment?

Et il lui dit le bonheur qu'il avait eu en la retrouvant chez les Dambreuse.

— Mais comme je vous détestais le soir, en sortant de là!

— Pauvre garçon!

— Ma vie est si triste!

— Et la mienne!... S'il n'y avait que les chagrins, les inquiétudes, les humiliations, tout ce que j'endure comme épouse et comme mère, puisqu'on doit mourir,

je ne me plaindrais pas; ce qu'il y a d'affreux, c'est ma solitude, sans personne...

— Mais je suis là, moi!

— Oh! oui!

Un sanglot de tendresse l'avait soulevée. Ses bras s'écartèrent; et ils s'étreignirent debout, dans un long baiser.

Un craquement se fit sur le parquet. Une femme était près d'eux, Rosanette. Mme Arnoux l'avait reconnue; ses yeux, ouverts démesurément, l'examinaient, tout pleins de surprise et d'indignation. Enfin Rosanette lui dit :

— Je viens parler à M. Arnoux, pour affaires.

— Il n'y est pas, vous le voyez.

— Ah! c'est vrai! reprit la Maréchale, votre bonne avait raison! Mille excuses!

Et, se tournant vers Frédéric :

— Te voilà ici, toi!

Ce tutoiement, donné devant elle, fit rougir Mme Arnoux, comme un soufflet en plein visage.

— Il n'y est pas, je vous le répète!

Alors, la Maréchale, qui regardait çà et là, dit tranquillement :

— Rentrons-nous? J'ai un fiacre, en bas.

Il faisait semblant de ne pas entendre.

— Allons, viens!

— Ah! oui! c'est une occasion! Partez! partez! dit Mme Arnoux.

Ils sortirent. Elle se pencha sur la rampe pour les voir encore; et un rire aigu, déchirant, tomba sur eux, du haut de l'escalier. Frédéric poussa Rosanette dans le fiacre, se mit en face d'elle, et, pendant toute la route, ne prononça pas un mot.

L'infamie dont le rejaillissement l'outrageait, c'était lui-même qui en était la cause. Il éprouvait tout à la fois la honte d'une humiliation écrasante et le regret de sa félicité; quand il allait enfin la saisir, elle était devenue irrévocablement impossible! — et par la faute de celle-là, de cette fille, de cette catin! Il aurait voulu l'étrangler; il étouffait. Rentrés chez eux, il jeta son chapeau sur un meuble, arracha sa cravate.

— Ah! tu viens de faire quelque chose de propre, avoue-le!

Elle se campa fièrement devant lui.

— Eh bien, après? Où est le mal?

— Comment! Tu m'espionnes?

— Est-ce ma faute? Pourquoi vas-tu te divertir chez les femmes honnêtes?

— N'importe! Je ne veux pas que tu les insultes.

— En quoi l'ai-je insultée?

Il n'eut rien à répondre; et, d'un accent plus haineux :

— Mais, l'autre fois, au champ de Mars...

— Ah! tu nous ennuies avec tes anciennes!

— Misérable!

Il leva le poing.

— Ne me tue pas! Je suis enceinte!

Frédéric se recula.

— Tu mens!

— Mais regarde-moi!

Elle prit un flambeau, et, montrant son visage :

— T'y connais-tu?

De petites taches jaunes maculaient sa peau, qui était singulièrement bouffie. Frédéric ne nia pas l'évidence. Il alla ouvrir la fenêtre, fit quelques pas de long en large, puis s'affaissa dans un fauteuil.

Cet événement était une calamité, qui d'abord ajournait leur rupture, — et puis bouleversait tous ses projets. L'idée d'être père, d'ailleurs, lui paraissait grotesque, inadmissible. Mais pourquoi? Si, au lieu de la Maréchale...? Et sa rêverie devint tellement profonde, qu'il eut une sorte d'hallucination. Il voyait là, sur le tapis, devant la cheminée, une petite fille. Elle ressemblait à Mme Arnoux et à lui-même, un peu; — brune et blanche, avec des yeux noirs, de très grands sourcils, un ruban rose dans ses cheveux bouclants! (Oh! comme il l'aurait aimée!) Et il lui semblait entendre sa voix : « Papa! papa! »

Rosanette, qui venait de se déshabiller, s'approcha de lui, aperçut une larme à ses paupières, et le baisa sur le front, gravement. Il se leva, en disant :

— Parbleu! On ne le tuera pas, ce marmot!

Alors, elle bavarda beaucoup. Ce serait un garçon, bien sûr! On l'appellerait Frédéric. Il fallait commencer son trousseau; — et, en la voyant si heureuse, une pitié le prit. Comme il ne ressentait, maintenant, aucune colère, il voulut savoir la raison de sa démarche, tout à l'heure.

C'est que Mlle Vatnaz lui avait envoyé, ce jour-là même, un billet protesté depuis longtemps; et elle avait couru chez Arnoux pour avoir de l'argent.

— Je t'en aurais donné! dit Frédéric.

— C'était plus simple de prendre là-bas ce qui m'appartient, et de rendre à l'autre ses mille francs.

— Est-ce au moins tout ce que tu lui dois?

Elle répondit :

— Certainement!

Le lendemain à neuf heures du soir (heure indiquée par le portier), Frédéric se rendit chez Mlle Vatnaz.

Il se cogna dans l'antichambre contre les meubles entassés. Mais un bruit de voix et de musique le guidait. Il ouvrit une porte et tomba au milieu d'un *raout*. Debout, devant le piano que touchait une demoiselle en lunettes, Delmar, sérieux comme un pontife, déclamait une poésie humanitaire sur la prostitution; et sa voix caverneuse roulait, soutenue par les accords plaqués. Un rang de femmes occupait la muraille, vêtues généralement de couleurs sombres, sans col de chemises ni manchettes. Cinq ou six hommes, tous des penseurs, étaient çà et là, sur des chaises. Il y avait dans un fauteuil un ancien fabuliste, une ruine; — et l'odeur âcre de deux lampes se mêlait à l'arôme du chocolat, qui emplissait des bols encombrant la table à jeu.

Mlle Vatnaz, une écharpe orientale autour des reins, se tenait à un coin de la cheminée. Dussardier était à l'autre bout, en face; il avait l'air un peu embarrassé de sa position. D'ailleurs, ce milieu artistique l'intimidait.

La Vatnaz en avait-elle fini avec Delmar? non, peut-être. Cependant, elle semblait jalouse du brave commis; et, Frédéric ayant réclamé d'elle un mot d'entretien,

elle lui fit signe de passer avec eux dans sa chambre. Quand les mille francs furent alignés, elle demanda, en plus, les intérêts.

— Ça n'en vaut pas la peine, dit Dussardier.

— Tais-toi donc!

Cette lâcheté d'un homme si courageux fut agréable à Frédéric comme une justification de la sienne. Il rapporta le billet, et ne reparla jamais de l'esclandre chez Mme Arnoux. Mais, dès lors, toutes les défectuosités de la Maréchale lui apparurent.

Elle avait un mauvais goût irrémédiable, une incompréhensible paresse, une ignorance de sauvage, jusqu'à considérer comme très célèbre le docteur Desrogis; et elle était fière de le recevoir, lui et son épouse, parce que c'étaient « des gens mariés ». Elle régentait d'un air pédantesque sur les choses de la vie Mlle Irma, pauvre petite créature douée d'une petite voix, ayant pour protecteur un monsieur « très bien », ex-employé dans les douanes, et fort aux tours de cartes; Rosanette l'appelait « mon gros loulou ». Frédéric ne pouvait souffrir, non plus, la répétition de ses mots bêtes, tels que : « Du flan! A Chaillot! On n'a jamais pu savoir, etc. » et elle s'obstinait à épousseter le matin ses bibelots avec une paire de vieux gants blancs! Il était révolté surtout par ses façons envers sa bonne, — dont les gages étaient sans cesse arriérés, et qui même lui prêtait de l'argent. Les jours qu'elles réglaient leurs comptes, elles se chamaillaient comme deux poissardes, puis on se réconciliait en s'embrassant. Le tête-à-tête devenait triste. Ce fut un soulagement pour lui, quand les soirées de Mme Dambreuse recommencèrent.

Celle-là, au moins, l'amusait! Elle savait les intrigues du monde, les mutations d'ambassadeurs, le personnel des couturières; et, s'il lui échappait des lieux communs, c'était dans une formule tellement convenue, que sa phrase pouvait passer pour une déférence ou pour une ironie. Il fallait la voir au milieu de vingt personnes qui causaient, n'en oubliant aucune, amenant les réponses qu'elle voulait, évitant les périlleuses! Des choses très simples, racontées par elle, semblaient des confidences; le moindre de ses sourires faisait rêver; son charme enfin, comme l'exquise odeur qu'elle portait ordinairement, était complexe et indéfinissable. Frédéric, dans sa compagnie, éprouvait chaque fois le plaisir d'une découverte; et cependant, il la retrouvait toujours avec sa même sérénité, pareille au miroitement des eaux limpides. Mais pourquoi ses manières envers sa nièce avaient-elles tant de froideur? Elle lui lançait même, par moments, de singuliers coups d'œil.

Dès qu'il fut question de mariage, elle avait objecté à M. Dambreuse la santé de « la chère enfant », et l'avait emmenée tout de suite aux bains de Balaruc [94]. A son retour, des prétextes nouveaux avaient surgi : le jeune homme manquait de position, ce grand amour ne paraissait pas sérieux, on ne risquait rien d'attendre. Martinon avait répondu qu'il attendrait. Sa conduite fut sublime. Il prôna Frédéric. Il fit plus : il le renseigna sur les moyens de plaire à Mme Dambreuse, laissant

94. Station thermale de l'Hérault.

même entrevoir qu'il connaissait, par la nièce, les sentiments de la tante.

Quant à M. Dambreuse, loin de montrer de la jalousie, il entourait d'égards son jeune ami, le consultait sur différentes choses, s'inquiétait même de son avenir, si bien qu'un jour, comme on parlait du père Roque, il lui dit à l'oreille, d'un air finaud :

— Vous avez bien fait.

Et Cécile, miss John, les domestiques, le portier, pas un qui ne fût charmant pour lui, dans cette maison. Il y venait tous les soirs, abandonnant Rosanette. Sa maternité future la rendait plus sérieuse, même un peu triste, comme si des inquiétudes l'eussent tourmentée. A toutes les questions, elle répondait :

— Tu te trompes! Je me porte bien!

C'étaient cinq billets qu'elle avait souscrits autrefois; et, n'osant le dire à Frédéric après le payement du premier, elle était retournée chez Arnoux, lequel lui avait promis, par écrit, le tiers de ses bénéfices dans l'éclairage au gaz des villes du Languedoc (une entreprise merveilleuse!), en lui recommandant de ne pas se servir de cette lettre avant l'assemblée des actionnaires; l'assemblée était remise de semaine en semaine.

Cependant, la Maréchale avait besoin d'argent. Elle serait morte plutôt que d'en demander à Frédéric. Elle n'en voulait pas de lui. Cela aurait gâté leur amour. Il subvenait bien aux frais du ménage; mais une petite voiture louée au mois, et d'autres sacrifices indispensables depuis qu'il fréquentait chez les Dambreuse, l'empêchaient d'en faire plus pour sa maîtresse. Deux ou trois fois, en rentrant à des heures inaccoutumées, il crut voir des dos masculins disparaître entre les portes; et elle sortait souvent sans vouloir dire où elle allait. Frédéric n'essaya pas de creuser les choses. Un de ces jours, il prendrait un parti définitif. Il rêvait une autre vie, qui serait plus amusante et plus noble. Un pareil idéal le rendait indulgent pour l'hôtel Dambreuse.

C'était une succursale intime de la rue de Poitiers [95]. Il y rencontra le grand M. A., l'illustre B., le profond C., l'éloquent Z., l'immense Y., les vieux ténors du centre gauche, les paladins de la droite, les burgraves du juste milieu, les éternels bonshommes de la comédie. Il fut stupéfait par leur exécrable langage, leurs petitesses, leurs rancunes, leur mauvaise foi, — tous ces gens qui avaient voté la Constitution s'évertuant à la démolir; — et ils s'agitaient beaucoup, lançaient des manifestes, des pamphlets, des biographies; celle de Fumichon par Hussonnet fut un chef-d'œuvre. Nonancourt s'occupait de la propagande dans les campagnes, M. de Grémonville travaillait le clergé, Martinon ralliait de jeunes bourgeois. Chacun, selon ses moyens, s'employa, jusqu'à Cisy lui-même. Pensant maintenant aux choses sérieuses, tout le long de la journée, il faisait des courses en cabriolet, pour le parti.

M. Dambreuse, tel qu'un baromètre, en exprimait constamment la dernière variation. On ne parlait pas de Lamartine sans qu'il citât ce mot d'un homme du peuple : « Assez de lyre! » Cavaignac n'était plus, à ses yeux, qu'un traître. Le Président, qu'il avait admiré pendant trois mois, commençait à déchoir dans son estime (ne lui trouvant pas « l'énergie nécessaire »); et, comme il lui fallait toujours un sauveur, sa reconnaissance, depuis l'affaire du Conservatoire [96], appartenait à Changarnier : « Dieu merci, Changarnier... Espérons que Changarnier... Oh! rien à craindre tant que Changarnier... »

On exaltait avant tout M. Thiers pour son volume contre le Socialisme, où il s'était montré aussi penseur qu'écrivain. On riait énormément de Pierre Leroux, qui citait à la Chambre des passages des philosophes. On faisait des plaisanteries sur la queue phalanstérienne. On allait applaudir la *Foire aux Idées* [97]; et on comparait les auteurs à Aristophane. Frédéric y alla, comme les autres.

Le verbiage politique et la bonne chère engourdissaient sa moralité. Si médiocres que lui parussent ces personnages, il était fier de les connaître et intérieurement souhaitait la considération bourgeoise. Une maîtresse comme Mme Dambreuse le poserait.

Il se mit à faire tout ce qu'il faut.

Il se trouvait sur son passage à la promenade, ne manquait pas d'aller la saluer dans sa loge au théâtre; et, sachant les heures où elle se rendait à l'église, il se campait derrière un pilier dans une pose mélancolique. Pour des indications de curiosités, des renseignements sur un concert, des emprunts de livres ou de revues, c'était un échange continuel de petits billets. Outre sa visite du soir, il lui en faisait quelquefois une vers la fin du jour; et il avait une gradation de joies à passer successivement par la grande porte, par la cour, par l'antichambre, par les deux salons; enfin, il arrivait dans son boudoir, discret comme un tombeau, tiède comme une alcôve, où l'on se heurtait aux capitons des meubles parmi toute sorte d'objets çà et là : chiffonnières, écrans, coupes et plateaux en laque, en écaille, en ivoire, en malachite, bagatelles dispendieuses, souvent renouvelées. Il y en avait de simples : trois galets d'Etretat pour servir de presse-papier, un bonnet de Frisonne suspendu à un paravent chinois; toutes ces choses s'harmonisaient cependant; on était même saisi par la noblesse de l'ensemble, ce qui tenait peut-être à la hauteur du plafond, à l'opulence des portières et aux longues crépines de soie, flottant sur les bâtons dorés des tabourets.

Elle était presque toujours sur une petite causeuse, près de la jardinière garnissant l'embrasure de la fenêtre. Assis au bord d'un gros pouf à roulettes, il lui adressait les compliments les plus justes possible; et elle le regardait, la tête un peu de côté, la bouche souriante.

Il lui lisait des pages de poésie, en y mettant toute son âme, afin de l'émouvoir, et pour se faire admirer. Elle l'arrêtait par une remarque dénigrante ou une

---

95. Allusion au « comité de la rue de Poitiers » de tendance conservatrice.

96. Emeute qui eut lieu le 13 juin 1849 dans le quartier du conservatoire des Arts et Métiers et qui fut réprimée par Changarnier.

97. Journal-vaudeville en quatre numéros, composé par Brunswick et de Leuven, et joué au Vaudeville du 16 janvier au 13 octobre 1849.

observation pratique; et leur causerie retombait sans cesse dans l'éternelle question de l'Amour! Ils se demandaient ce qui l'occasionnait, si les femmes le sentaient mieux que les hommes, quelles étaient là-dessus leurs différences. Frédéric tâchait d'émettre son opinion, en évitant à la fois la grossièreté et la fadeur. Cela devenait une espèce de lutte, agréable par moments, fastidieuse en d'autres.

Il n'éprouvait pas à ses côtés ce ravissement de tout son être qui l'emportait vers Mme Arnoux, ni de désordre gai où l'avait mis d'abord Rosanette. Mais il la convoitait comme une chose anormale et difficile, parce qu'elle était noble, parce qu'elle était riche, parce qu'elle était dévote, se figurant qu'elle avait des délicatesses de sentiment, rares comme ses dentelles, avec des amulettes sur la peau et des pudeurs dans la dépravation.

Il se servit du vieil amour. Il lui conta, comme inspiré par elle, tout ce que Mme Arnoux autrefois lui avait fait ressentir, ses langueurs, ses appréhensions, ses rêves. Elle recevait cela comme une personne accoutumée à ces choses, sans le repousser formellement ne cédait rien; et il n'arrivait pas plus à la séduire que Martinon à se marier. Pour en finir avec l'amoureux de sa nièce, elle l'accusa de viser à l'argent, et pria même son mari d'en faire l'épreuve. M. Dambreuse déclara donc au jeune homme que Cécile, étant l'orpheline de parents pauvres, n'avait aucune « espérance » ni dot.

Martinon, ne croyant pas que cela fût vrai, ou trop avancé pour se dédire, ou par un de ces entêtements d'idiot qui sont des actes de génie, répondit que son patrimoine, quinze mille livres de rentes, leur suffirait. Ce désintéressement imprévu toucha le banquier. Il lui promit un cautionnement de receveur, en s'engageant à obtenir la place; et, au mois de mai 1850, Martinon épousa Mlle Cécile. Il n'y eut point de bal. Les jeunes gens partirent le soir même pour l'Italie. Frédéric, le lendemain, vint faire une visite à Mme Dambreuse. Elle lui parut plus pâle que d'habitude. Elle le contredit avec aigreur sur deux ou trois sujets sans importance. Du reste, tous les hommes étaient des égoïstes.

Il y en avait pourtant de dévoués, quand ce ne serait que lui.

— Ah bah! comme les autres!

Ses paupières étaient rouges; elle pleurait. Puis, en s'efforçant de sourire:

— Excusez-moi! J'ai tort! C'est une idée triste qui m'est venue!

Il n'y comprenait rien.

« N'importe! elle est moins forte que je ne croyais », pensa-t-il.

Elle sonna pour avoir un verre d'eau, en but une gorgée, le renvoya, puis se plaignit de ce qu'on la servait horriblement. Afin de l'amuser, il s'offrit comme domestique, se prétendant capable de donner des assiettes, d'épousseter les meubles, d'annoncer le monde, d'être enfin un valet de chambre ou plutôt un chasseur, bien que la mode en fût passée. Il aurait voulu se tenir derrière sa voiture avec un chapeau de plumes de coq.

— Et comme je vous suivrais à pied majestueusement, en portant sur le bras un petit chien!

— Vous êtes gai, dit Mme Dambreuse.

— N'était-ce pas une folie, reprit-il, de considérer tout sérieusement? Il y avait bien assez de misère, sans s'en forger. Rien ne méritait la peine d'une douleur. Mme Dambreuse leva les sourcils, d'une manière de vague approbation.

Cette parité de sentiments poussa Frédéric à plus de hardiesse. Ses mécomptes d'autrefois lui faisaient, maintenant, une clairvoyance. Il poursuivit:

— Nos grands-pères vivaient mieux. Pourquoi ne pas obéir à l'impulsion qui nous pousse? L'amour, après tout, n'était pas en soi une chose si importante.

— Mais c'est immoral, ce que vous dites là!

Elle s'était remise sur la causeuse. Il s'assit au bord, contre ses pieds.

— Ne voyez-vous pas que je mens! Car, pour plaire aux femmes, il faut étaler une insouciance de bouffon ou des fureurs de tragédie! Elles se moquent de nous quand on leur dit qu'on les aime, simplement! Moi, je trouve ces hyperboles où elles s'amusent une profanation de l'amour vrai; si bien qu'on ne sait plus comment l'exprimer, surtout devant celles... qui ont... beaucoup d'esprit.

Elle le considérait, les cils entre-clos. Il baissait la voix, en se penchant vers son visage.

— Oui! vous me faites peur! Je vous offense, peut-être?... Pardon!... Je ne voulais pas dire tout cela! Ce n'est pas ma faute! Vous êtes si belle!

Mme Dambreuse ferma les yeux, et il fut surpris par la facilité de sa victoire. Les grands arbres du jardin qui frissonnaient mollement s'arrêtèrent. Des nuages immobiles rayaient le ciel de longues bandes rouges, et il y eut comme une suspension universelle des choses. Alors, des soirs semblables, avec des silences pareils, revinrent dans son esprit, confusément. Où était-ce?...

Il se mit à genoux, prit sa main, et lui jura un amour éternel. Puis, comme il partait, elle le rappela d'un signe et lui dit tout bas:

— Revenez dîner! Nous serons seuls!

Il semblait à Frédéric, en descendant l'escalier, qu'il était devenu un autre homme, que la température embaumante des serres chaudes l'entourait, qu'il entrait définitivement dans le monde supérieur des adultères patriciens et des hautes intrigues. Pour y tenir la première place, il suffisait d'une femme comme celle-là. Avide, sans doute, de pouvoir et d'action, et mariée à un homme médiocre qu'elle avait prodigieusement servi, elle désirait quelqu'un de fort pour la conduire? Rien d'impossible maintenant! Il se sentait capable de faire deux cents lieues à cheval, de travailler pendant plusieurs nuits de suite, sans fatigue; son cœur débordait d'orgueil.

Sur le trottoir, devant lui, un homme couvert d'un vieux paletot marchait la tête basse, et avec un tel air d'accablement, que Frédéric se retourna pour le voir. L'autre releva sa figure. C'était Deslauriers. Il hésitait. Frédéric lui sauta au cou.

— Ah! mon pauvre vieux! Comment! c'est toi!

Et il l'entraîna dans sa maison, en lui faisant beaucoup de questions à la fois.

L'ex-commissaire de Ledru-Rollin conta, d'abord, les tourments qu'il avait eus. Comme il prêchait la fraternité aux conservateurs et le respect des lois aux socialistes, les uns lui avaient tiré des coups de fusil, les autres apporté une corde pour le pendre. Après Juin, on l'avait destitué brutalement. Il s'était jeté dans un complot, celui des armes saisies à Troyes. On l'avait relâché, faute de preuves. Puis, le comité d'action l'avait envoyé à Londres, où il s'était flanqué des gifles avec ses frères, au milieu d'un banquet. De retour à Paris...

— Pourquoi n'es-tu pas venu chez moi ?

— Tu étais toujours absent ! Ton suisse avait des allures mystérieuses, je ne savais que penser ; et puis je ne voulais pas reparaître en vaincu.

Il avait frappé aux portes de la Démocratie, s'offrant à la servir de sa plume, de sa parole, de ses démarches ; partout on l'avait repoussé ; on se méfiait de lui ; et il avait vendu sa montre, sa bibliothèque, son linge.

— Mieux vaudrait crever sur les pontons de Belle-Isle, avec Sénécal !

Frédéric, qui arrangeait alors sa cravate, n'eut pas l'air très ému par cette nouvelle.

— Ah ! il est déporté, ce bon Sénécal ?

Deslauriers répliqua, en parcourant les murailles d'un air envieux :

— Tout le monde n'a pas ta chance !

— Excuse-moi, dit Frédéric, sans remarquer l'allusion, mais je dîne en ville. On va te faire à manger ; commande ce que tu voudras ! Prends même mon lit.

Devant une cordialité si complète, l'amertume de Deslauriers disparut.

— Ton lit ? Mais... ça te gênerait !

— Eh non ! J'en ai d'autres !

— Ah ! très bien, reprit l'avocat en riant. Où dînes-tu donc ?

— Chez Mme Dambreuse.

— Est-ce que... par hasard... ce serait... ?

— Tu es trop curieux, dit Frédéric avec un sourire qui confirmait cette supposition.

Puis, ayant regardé la pendule, il se rassit.

— C'est comme ça ! et il ne faut pas désespérer, vieux défenseur du peuple !

— Miséricorde ! que d'autres s'en mêlent !

L'avocat détestait les ouvriers, pour en avoir souffert dans sa province, un pays de houille. Chaque puits d'extraction avait nommé un gouvernement provisoire lui intimant des ordres.

— D'ailleurs, leur conduite a été charmante partout : à Lyon, à Lille, au Havre, à Paris ! Car, à l'exemple des fabricants qui voudraient exclure les produits de l'étranger, ces messieurs réclament pour qu'on bannisse les travailleurs anglais, allemands, belges et savoyards ! Quant à leur intelligence, à quoi a servi, sous la Restauration, leur fameux compagnonnage ? En 1830, ils sont entrés dans la garde nationale, sans même avoir le bon sens de la dominer ! Est-ce que, dès le lendemain de 48, les corps de métiers n'ont pas reparu, avec des étendards à eux ! Ils demandaient même des représentants du peuple à eux, lesquels n'auraient parlé que pour eux ! Tout comme les députés de la betterave ne s'inquiètent que de la betterave ! — Ah ! j'en ai assez de ces cocos-là, se prosternant tour à tour devant l'échafaud de Robespierre, les bottes de l'Empereur, le parapluie de Louis-Philippe, racaille éternellement dévouée à qui lui jette du pain dans la gueule ! On crie toujours contre la vénalité de Talleyrand et de Mirabeau ; mais le commissionnaire d'en bas vendrait la patrie pour cinquante centimes, si on lui promettait de tarifer sa course à trois francs ! Ah ! quelle faute ! Nous aurions dû mettre le feu aux quatre coins de l'Europe !

Frédéric lui répondit :

— L'étincelle manquait ! Vous étiez simplement de petits bourgeois, et les meilleurs d'entre vous, des cuistres ! Quant aux ouvriers, ils peuvent se plaindre ; car, si l'on excepte un million soustrait à la liste civile, et que vous leur avez octroyé avec la plus basse flagornerie, vous n'avez rien fait pour eux que des phrases ! Le livret demeure aux mains du patron, et le salarié (même devant la justice) reste l'inférieur de son maître, puisque sa parole n'est pas crue. Enfin, la République me paraît vieille. Qui sait ? Le Progrès, peut-être, n'est réalisable que par une aristocratie ou par un homme ? L'initiative vient toujours d'en haut ! Le peuple est mineur, quoi qu'on prétende !

— C'est peut-être vrai, dit Deslauriers.

Selon Frédéric, la grande masse des citoyens n'aspirait qu'au repos (il avait profité à l'hôtel Dambreuse), et toutes les chances étaient pour les conservateurs. Ce parti-là, cependant, manquait d'hommes neufs.

— Si tu te présentais, je suis sûr...

Il n'acheva pas. Deslauriers comprit, se passa les deux mains sur le front ; puis, tout à coup :

— Mais toi ? Rien ne t'empêche ? Pourquoi ne serais-tu pas député ? Par suite d'une double élection, il y avait dans l'Aube une candidature vacante. M. Dambreuse, réélu à la Législative, appartenait à un autre arrondissement. « Veux-tu que je m'en occupe ? » Il connaissait beaucoup de cabaretiers, d'instituteurs, de médecins, de clercs d'étude et leurs patrons. « D'ailleurs, on fait accroire aux paysans tout ce qu'on veut ! »

Frédéric sentait se rallumer son ambition.

Deslauriers ajouta :

— Tu devrais bien me trouver une place à Paris.

— Oh ! ce ne sera pas difficile, par M. Dambreuse.

— Puisque nous parlons de houilles, reprit l'avocat, que devient sa grande société ? C'est une occupation de ce genre qu'il me faudrait ! — et je leur serais utile, tout en gardant mon indépendance.

Frédéric promit de le conduire chez le banquier avant trois jours.

Son repas en tête à tête avec Mme Dambreuse fut une chose exquise. Elle souriait en face de lui, de l'autre côté de la table, par-dessus des fleurs dans une corbeille, à la lumière de la lampe suspendue ; et, comme la fenêtre était ouverte, on apercevait des étoiles. Ils causèrent fort peu, se méfiant d'eux-mêmes, sans doute ; mais, dès que les domestiques tournaient le dos, ils s'envoyaient un baiser, du bout des lèvres. Il dit son idée de candidature. Elle l'approuva, s'engageant même à y faire travailler M. Dambreuse.

Le soir, quelques amis se présentèrent pour la féliciter et pour la plaindre : elle devait être si chagrine de n'avoir plus sa nièce ? C'était fort bien, d'ailleurs, aux jeunes mariés de s'être mis en voyage ; plus tard, les embarras, les enfants surviennent ! Mais l'Italie ne répondait pas à l'idée qu'on s'en faisait. Après cela, ils étaient dans l'âge des illusions ! et puis la lune de miel embellissait tout ! Les deux derniers qui restèrent furent M. de Grémonville et Frédéric. Le diplomate ne voulait pas s'en aller. Enfin, à minuit, il se leva. Mme Dambreuse fit signe à Frédéric de partir avec lui, et le remercia de cette obéissance par une pression de main, plus suave que tout le reste.

La Maréchale poussa un cri de joie en le revoyant. Elle l'attendait depuis cinq heures. Il donna pour excuse une démarche indispensable dans l'intérêt de Deslauriers. Sa figure avait un air de triomphe, une auréole, dont Rosanette fut éblouie.

— C'est peut-être à cause de ton habit noir qui te va bien ; mais je ne t'ai jamais trouvé aussi beau ! Comme tu es beau !

Dans un transport de sa tendresse, elle se jura intérieurement de ne plus appartenir à d'autres, quoi qu'il advînt, quand elle devrait crever de misère !

Ses jolis yeux humides pétillaient d'une passion tellement puissante, que Frédéric l'attira sur ses genoux, et il se dit : « Quelle canaille je fais ! » en s'applaudissant de sa perversité.

IV

Monsieur Dambreuse, quand Deslauriers se présenta chez lui, songeait à raviver sa grande affaire de houilles. Mais cette fusion de toutes les compagnies en une seule était mal vue ; on criait au monopole, comme s'il ne fallait pas, pour de telles exploitations, d'immenses capitaux !

Deslauriers, qui venait de lire exprès l'ouvrage de Gobet et les articles de M. Chappe dans le *Journal des Mines*, connaissait la question parfaitement. Il démontra que la loi de 1810 établissait au profit du concessionnaire un droit impermutable. D'ailleurs, on pouvait donner à l'entreprise une couleur démocratique : empêcher les réunions houillères était un attentat contre le principe même d'association.

M. Dambreuse lui confia des notes pour rédiger un mémoire. Quant à la manière dont il payerait son travail, il fit des promesses d'autant meilleures qu'elles n'étaient pas précises.

Deslauriers s'en revint chez Frédéric et lui rapporta la conférence. De plus, il avait vu Mme Dambreuse au bas de l'escalier, comme il sortait.

— Je t'en fais mes compliments, saprelotte !

Puis ils causèrent de l'élection. Il y avait quelque chose à inventer.

Trois jours après, Deslauriers reparut avec une feuille d'écriture destinée aux journaux et qui était une lettre familière, où M. Dambreuse approuvait la candidature de leur ami. Soutenue par un conservateur et prônée par un rouge, elle devait réussir. Comment le capitaliste signait-il une pareille élucubration ? L'avocat, sans le moindre embarras, de lui-même, avait été la montrer à Mme Dambreuse, qui, la trouvant fort bien, s'était chargée du reste.

Cette démarche surprit Frédéric. Il l'approuva cependant ; puis, comme Deslauriers s'abouchait avec M. Roque, il lui conta sa position vis-à-vis de Louise.

— Dis-leur tout ce que tu voudras, que mes affaires sont troubles ; je les arrangerai ; elle est assez jeune pour attendre !

Deslauriers partit ; et Frédéric se considéra comme un homme très fort. Il éprouvait, d'ailleurs, un assouvissement, une satisfaction profonde. Sa joie de posséder une femme riche n'était gâtée par aucun contraste ; le sentiment s'harmonisait avec le milieu. Sa vie, maintenant, avait des douceurs partout.

La plus exquise, peut-être, était de contempler Mme Dambreuse, entre plusieurs personnes, dans son salon. La convenance de ses manières le faisait rêver à d'autres attitudes ; pendant qu'elle causait d'un ton froid, il se rappelait ses mots d'amour balbutiés ; tous les respects pour sa vertu le délectaient comme un hommage retournant vers lui ; et il avait parfois des envies de s'écrier : « Mais je la connais mieux que vous ! Elle est à moi ! »

Leur liaison ne tarda pas à être une chose convenue, acceptée. Mme Dambreuse, durant tout l'hiver, traîna Frédéric dans le monde.

Il arrivait presque toujours avant elle ; et il la voyait entrer, les bras nus, l'éventail à la main, des perles dans les cheveux. Elle s'arrêtait sur le seuil (le linteau de la porte l'entourait comme un cadre), et elle avait un léger mouvement d'indécision, en clignant les paupières, pour découvrir s'il était là. Elle le ramenait dans sa voiture ; la pluie fouettait les vasistas ; les passants, tels que des ombres, s'agitaient dans la boue ; et, serrés l'un contre l'autre, ils apercevaient tout cela confusément, avec un dédain tranquille. Sous les prétextes différents, il restait encore une bonne heure dans sa chambre.

C'était par ennui, surtout, que Mme Dambreuse avait cédé. Mais cette dernière épreuve ne devait pas être perdue. Elle voulait un grand amour, elle se mit à le combler d'adulations et de caresses.

Elle lui envoyait des fleurs ; elle lui fit une chaise en tapisserie ; elle lui donna un porte-cigares, une écritoire, mille petites choses d'un usage quotidien, pour qu'il n'eût pas une action indépendante de son souvenir. Ces prévenances le charmèrent d'abord, et bientôt lui parurent toutes simples.

Elle montait dans un fiacre, le renvoyait à l'entrée d'un passage, sortait par l'autre bout ; puis, se glissant le long des murs, avec un double voile sur le visage, elle atteignait la rue où Frédéric en sentinelle lui prenait le bras, vivement, pour la conduire dans sa maison. Ses deux domestiques se promenaient, le portier faisait des courses ; elle jetait les yeux tout à l'entour ; rien à craindre ! et elle poussait comme un soupir d'exilé qui revoit sa patrie. La chance les enhardit. Leurs rendez-vous se multiplièrent. Un soir même, elle se présenta tout à coup en grande toilette de bal. Ces surprises pouvaient être dangereuses; il la blâma de son imprudence; elle lui déplut, du reste. Son corsage ouvert découvrait trop sa poitrine maigre.

Il reconnut alors ce qu'il s'était caché, la désillusion de ses sens. Il n'en feignait pas moins de grandes ardeurs; mais pour les ressentir, il lui fallait évoquer l'image de Rosanette ou de Mme Arnoux.

Cette atrophie sentimentale lui laissait la tête entièrement libre, et plus que jamais il ambitionnait une haute position dans le monde. Puisqu'il avait un marchepied pareil, c'était bien le moins qu'il s'en servît.

Vers le milieu de janvier, un matin, Sénécal entra dans son cabinet; et, à son exclamation d'étonnement, répondit qu'il était secrétaire de Deslauriers. Il lui apportait même une lettre. Elle contenait de bonnes nouvelles, et le blâmait cependant de sa négligence; il fallait venir là-bas.

Le futur député dit qu'il se mettrait en route le surlendemain.

Sénécal n'exprima pas d'opinion sur cette candidature. Il parla de sa personne et des affaires du pays.

Si lamentables qu'elles fussent, elles le réjouissaient; car on marchait au communisme. D'abord, l'Administration y menait d'elle-même, puisque, chaque jour, il y avait plus de choses régies par le Gouvernement. Quant à la Propriété, la Constitution de 48, malgré ses faiblesses, ne l'avait pas ménagée; au nom de l'utilité publique, l'Etat pouvait prendre désormais ce qu'il jugeait lui convenir. Sénécal se déclara pour l'Autorité; et Frédéric aperçut dans ses discours l'exagération de ses propres paroles à Deslauriers. Le républicain tonna même contre l'insuffisance des masses.

— Robespierre, en défendant le droit du petit nombre, amena Louis XVI devant la Convention nationale, et sauva le peuple. La fin des choses les rend légitimes. La dictature est quelquefois indispensable. Vive la tyrannie, pourvu que le tyran fasse le bien!

Leur discussion dura longtemps, et, comme il s'en allait, Sénécal avoua (c'était le but de sa visite, peut-être) que Deslauriers s'impatientait beaucoup du silence de M. Dambreuse.

Mais M. Dambreuse était malade. Frédéric le voyait tous les jours, sa qualité d'intime le faisait admettre près de lui.

La révocation [98] du général Changarnier avait ému extrêmement le capitaliste. Le soir même, il fut pris d'une grande chaleur dans la poitrine, avec une oppression à ne pouvoir se tenir couché. Des sangsues amenèrent un soulagement immédiat. La toux sèche disparut, la respiration devint plus calme; et, huit jours après, il dit en avalant un bouillon :

— Ah! ça va mieux! Mais j'ai manqué faire le grand voyage!

— Pas sans moi! s'écria Mme Dambreuse, notifiant par ce mot qu'elle n'aurait pu lui survivre.

Au lieu de répondre, il étala sur elle et sur son amant un singulier sourire, où il y avait à la fois de la résigna-

tion, de l'indulgence, de l'ironie, et même comme une pointe, un sous-entendu presque gai.

Frédéric voulut partir pour Nogent, Mme Dambreuse s'y opposa; et il défaisait et refaisait tour à tour ses paquets, selon les alternatives de la maladie.

Tout à coup, M. Dambreuse cracha le sang abondamment. « Les princes de la science », consultés, n'avisèrent à rien de nouveau. Ses jambes enflaient, et la faiblesse augmentait. Il avait témoigné plusieurs fois le désir de voir Cécile, qui était à l'autre bout de la France, avec son mari, nommé receveur depuis un mois. Il ordonna expressément qu'on la fît venir. Mme Dambreuse écrivit trois lettres, et les lui montra.

Sans se fier même à la religieuse, elle ne le quittait pas d'une seconde, ne se couchait plus. Les personnes qui se faisaient inscrire chez le concierge s'informaient d'elle avec admiration; et les passants étaient saisis de respect devant la quantité de paille qu'il y avait dans la rue, sous les fenêtres.

Le 12 février, à cinq heures, une hémoptysie effrayante se déclara. Le médecin de garde dit le danger. On courut vite chez un prêtre.

Pendant la confession de M. Dambreuse, Madame le regardait de loin, curieusement. Après quoi, le jeune docteur posa un vésicatoire, et attendit.

La lumière des lampes, masquée par des meubles, éclairait la chambre inégalement. Frédéric et Mme Dambreuse, au pied de la couche, observaient le moribond. Dans l'embrasure d'une croisée, le prêtre et le médecin causaient à demi-voix; la bonne sœur, à genoux, marmottait des prières.

Enfin, un râle s'éleva. Les mains se refroidissaient, la face commençait à pâlir. Quelquefois, il tirait tout à coup une respiration énorme; elles devinrent de plus en plus rares; deux ou trois paroles confuses lui échappèrent; il exhala un petit souffle en même temps qu'il tournait ses yeux, et la tête retomba de côté sur l'oreiller.

Tous, pendant une minute, restèrent immobiles.

Mme Dambreuse s'approcha; et, sans effort, avec la simplicité du devoir, elle lui ferma les paupières.

Puis elle écarta les deux bras, en se tordant la taille comme dans le spasme d'un désespoir contenu, et sortit de l'appartement, appuyée sur le médecin et la religieuse. Un quart d'heure après, Frédéric monta dans sa chambre.

On y sentait une odeur indéfinissable, émanation des choses délicates qui l'emplissaient. Au milieu du lit, une robe noire s'étalait, tranchant sur le couvre-pied rose.

Mme Dambreuse était au coin de la cheminée, debout. Sans lui supposer de violents regrets, il la croyait un peu triste; et, d'une voix dolente :

— Tu souffres?

— Moi? Non, pas du tout.

Comme elle se retournait, elle aperçut la robe, l'examina; puis elle lui dit de ne pas se gêner.

— Fume si tu veux! Tu es chez moi!

Et, avec un grand soupir :

— Ah! sainte Vierge! quel débarras!

98. En janvier 1851.

Frédéric fut étonné de l'exclamation. Il reprit en lui baisant la main :

— On était libre, pourtant!

Cette allusion à l'aisance de leurs amours parut blesser Mme Dambreuse.

— Eh! tu ne sais pas les services que je lui rendais, ni dans quelles angoisses j'ai vécu!

— Comment?

— Mais oui! Etait-ce une sécurité que d'avoir toujours près de soi cette bâtarde, une enfant introduite dans la maison au bout de cinq ans de ménage, et qui, sans moi, bien sûr, l'aurait amené à quelque sottise?

Alors, elle expliqua ses affaires. Ils s'étaient mariés sous le régime de la séparation. Son patrimoine était de trois cent mille francs. M. Dambreuse, par leur contrat, lui avait assuré, en cas de survivance, quinze mille livres de rente avec la propriété de l'hôtel. Mais, peu de temps après, il avait fait un testament où il lui donnait toute sa fortune; et elle l'évaluait, autant qu'il était possible de le savoir maintenant, à plus de trois millions.

Frédéric ouvrit de grands yeux.

— Ça en valait la peine, n'est-ce pas? J'y ai contribué, du reste! C'est mon bien que je défendais; Cécile m'aurait dépouillée, injustement.

— Pourquoi n'est-elle pas venue voir son père? dit Frédéric.

A cette question, Mme Dambreuse le considéra; puis, d'un ton sec :

— Je n'en sais rien! Faute de cœur, sans doute! Oh! je la connais! Aussi elle n'aura pas de moi une obole!

Elle n'était guère gênante, du moins depuis son mariage.

— Ah! son mariage! fit en ricanant Mme Dambreuse.

Et elle s'en voulait d'avoir trop bien traité cette pécore-là, qui était jalouse, intéressée, hypocrite. « Tous les défauts de son père! » Elle le dénigrait de plus en plus. Personne d'une fausseté aussi profonde, impitoyable d'ailleurs, dur comme un caillou, « un mauvais homme, un mauvais homme! »

Il échappe des fautes, même aux plus sages. Mme Dambreuse venait d'en faire une, par ce débordement de haine. Frédéric, en face d'elle, dans une bergère, réfléchissait, scandalisé.

Elle se leva, se mit doucement sur ses genoux.

— Toi seul es bon! Il n'y a que toi que j'aime!

En le regardant, son cœur s'amollit, une réaction nerveuse lui amena des larmes aux paupières, et elle murmura :

— Veux-tu m'épouser?

Il crut d'abord n'avoir pas compris. Cette richesse l'étourdissait. Elle répéta plus haut :

— Veux-tu m'épouser?

Enfin, il dit, en souriant :

— Tu en doutes?

Puis une pudeur le prit et, pour faire au défunt une sorte de réparation, il s'offrit à le veiller lui-même. Mais comme il avait honte de ce pieux sentiment, il ajouta d'un ton dégagé :

— Ce serait peut-être plus convenable.

— Oui, peut-être bien, dit-elle, à cause des domestiques!

On avait tiré le lit complètement hors de l'alcôve. La religieuse était au pied; et au chevet se tenait un prêtre, un autre, un grand homme maigre, l'air espagnol et fanatique. Sur la table de nuit, couverte d'une serviette blanche, trois flambeaux brûlaient.

Frédéric prit une chaise, et regarda le mort.

Son visage était jaune comme de la paille; un peu d'écume sanguinolente marquait les coins de sa bouche. Il avait un foulard autour du crâne, un gilet de tricot, et un crucifix d'argent sur la poitrine, entre ses bras croisés.

Elle était finie, cette existence pleine d'agitations! Combien n'avait-il pas fait de courses dans les bureaux, aligné de chiffres, tripoté d'affaires, entendu de rapports! Que de boniments, de sourires, de courbettes! Car il avait acclamé Napoléon, les Cosaques, Louis XVIII, 1830, les ouvriers, tous les régimes, chérissant le Pouvoir d'un tel amour, qu'il aurait payé pour se vendre.

Mais il laissait le domaine de la Fortelle, trois manufactures en Picardie, le bois de Crancé dans l'Yonne, une ferme près d'Orléans, des valeurs mobilières considérables.

Frédéric fit ainsi la récapitulation de sa fortune; et, elle allait, pourtant, lui appartenir! Il songea d'abord à « ce qu'on dirait », à un cadeau pour sa mère, à ses futurs attelages, à un vieux cocher de sa famille dont il voulait faire le concierge. La livrée ne serait plus la même, naturellement. Il prendrait le grand salon comme cabinet de travail. Rien n'empêchait, en abattant trois murs, d'avoir, au second étage, une galerie de tableaux. Il y avait moyen, peut-être, d'organiser en bas une salle de bains turcs. Quant au bureau de M. Dambreuse, pièce déplaisante, à quoi pouvait-elle servir?

Le prêtre qui venait à se moucher, ou la bonne sœur arrangeant le feu, interrompait brutalement ces imaginations. Mais la réalité les confirmait; le cadavre était toujours là. Ses paupières s'étaient rouvertes; et les pupilles, bien que noyées dans des ténèbres visqueuses, avaient une expression énigmatique, intolérable. Frédéric croyait y voir comme un jugement porté sur lui, et il sentait presque un remords, car il n'avait jamais eu à se plaindre de cet homme, qui, au contraire... « Allons donc! un vieux misérable! » et il le considérait de plus près, pour se raffermir, en lui criant mentalement :

« Eh bien, quoi! Est-ce que j'ai tué? »

Cependant, le prêtre lisait son bréviaire; la religieuse, immobile, sommeillait; les mèches des trois flambeaux s'allongeaient.

On entendit, pendant deux heures, le roulement sourd des charrettes défilant vers les Halles. Les carreaux blanchirent, un fiacre passa, puis une compagnie d'ânesses qui trottinaient sur le pavé, et des coups de marteau, des cris de vendeurs ambulants, des éclats de trompette; tout déjà se confondait dans la grande voix de Paris qui s'éveille.

Frédéric se mit en courses. Il se transporta premièrement à la mairie pour faire la déclaration; puis, quand le médecin des morts eut donné un certificat, il revint à la mairie dire quel cimetière la famille choisissait, et pour s'entendre avec le bureau des pompes funèbres.

L'employé exhiba un dessin et un programme, l'un indiquant les diverses classes d'enterrement, l'autre le détail complet du décor. Voulait-on un char avec galerie ou un char avec panaches, des tresses aux chevaux, des aigrettes aux valets, des initiales ou un blason, des lampes funèbres, un homme pour porter les honneurs, et combien de voitures? Frédéric fut large; Mme Dambreuse tenait à ne rien ménager.

Puis, il se rendit à l'église.

Le vicaire des convois commença par blâmer l'exploitation des pompes funèbres; ainsi l'officier pour les pièces d'honneur était vraiment inutile; beaucoup de cierges valait mieux! On convint d'une messe basse, relevée de musique. Frédéric signa ce qui était convenu, avec obligation solidaire de payer tous les frais.

Il alla ensuite à l'Hôtel de Ville, pour l'achat du terrain. Une concession de deux mètres en longueur sur un de largeur coûtait cinq cents francs. Était-ce une concession mi-séculaire ou perpétuelle?

— Oh! perpétuelle! dit Frédéric.

Il prenait la chose au sérieux, se donnait du mal. Dans la cour de l'hôtel, un marbrier l'attendait pour lui montrer des devis et plans de tombeaux grecs, égyptiens, mauresques; mais l'architecte de la maison en avait déjà conféré avec Madame; et, sur la table, dans le vestibule, il y avait toutes sortes de prospectus relatifs au nettoyage des matelas, à la désinfection des chambres, à divers procédés d'embaumement.

Après son dîner, il retourna chez le tailleur pour le deuil des domestiques; et il dut faire une dernière course, car il avait commandé des gants de castor, et c'étaient des gants de filoselle qui convenaient.

Quand il arriva le lendemain, à dix heures, le grand salon s'emplissait de monde, et presque tous, en s'abordant d'un air mélancolique, disaient:

— Moi qui l'ai encore vu il y a un mois! Mon Dieu! c'est notre sort à tous!

— Oui; mais tâchons que ce soit le plus tard possible!

Alors, on poussait un petit rire de satisfaction, et même on engageait des dialogues parfaitement étrangers à la circonstance. Enfin, le maître des cérémonies, en habit noir à la française et culotte courte, avec manteau, pleureuses, brette au côté et tricorne sous le bras, articula, en saluant, les mots d'usage : « Messieurs, quand il vous fera plaisir. » On partit.

C'était jour de marché aux fleurs sur la place de la Madeleine. Il faisait un temps clair et doux; et la brise, qui secouait un peu les baraques de toile, gonflait, par les bords, l'immense drap noir accroché sur le portail. L'écusson de M. Dambreuse, occupant un carré de velours, s'y répétait trois fois. Il était *de sable au senestrochère* [99] *d'or, à poing fermé, ganté d'argent,* avec la couronne de comte, et cette devise : *Par toutes voies.*

Les porteurs montèrent jusqu'au haut de l'escalier le lourd cercueil, et l'on entra.

Les six chapelles, l'hémicycle et les chaises étaient tendus de noir. Le catafalque au bas du chœur formait, avec ses grands cierges, un seul foyer de lumières jaunes. Aux deux angles, sur des candélabres, des flammes d'esprit-de-vin brûlaient.

Les plus considérables prirent place dans le sanctuaire, les autres dans la nef; et l'office commença.

A part quelques-uns, l'ignorance religieuse de tous était si profonde, que le maître des cérémonies, de temps à autre, leur faisait signe de se lever, de s'agenouiller, de se rasseoir. L'orgue et deux contrebasses alternaient avec les voix; dans les intervalles de silence, on entendait le marmottement du prêtre à l'autel; puis la musique et les chants reprenaient.

Un jour mat tombait des trois coupoles; mais la porte ouverte envoyait horizontalement comme un fleuve de clarté blanche qui frappait toutes les têtes nues; et dans l'air, à mi-hauteur du vaisseau, flottait une ombre, pénétrée par le reflet des ors décorant la nervure des pendentifs et le feuillage des chapiteaux.

Frédéric, pour se distraire, écouta le *Dies iræ;* il considérait les assistants, tâchait de voir les peintures trop élevées qui représentaient la vie de Madeleine. Heureusement, Pellerin vint se mettre près de lui, et commença tout de suite, à propos de fresques, une longue dissertation. La cloche tinta. On sortit de l'église.

Le corbillard, orné de draperies pendantes et de hauts plumets, s'achemina vers le Père-Lachaise, tiré par quatre chevaux noirs ayant des tresses dans la crinière, des panaches sur la tête, et qu'enveloppaient jusqu'aux sabots de larges caparaçons brodés d'argent. Leur cocher, en bottes à l'écuyère, portait un chapeau à trois cornes avec un long crêpe retombant. Les cordons étaient tenus par quatre personnages : un questeur de la Chambre des députés, un membre du Conseil général de l'Aube, un délégué des houilles, — et Fumichon, comme ami. La calèche du défunt et douze voitures de deuil suivaient. Les conviés, par derrière, emplissaient le milieu du boulevard.

Pour voir tout cela, les passants s'arrêtaient; des femmes, leur marmot entre les bras, montaient sur les chaises; et des gens qui prenaient des chopes dans les cafés apparaissaient aux fenêtres, une queue de billard à la main.

La route était longue; et, — comme dans les repas de cérémonie, où l'on est réservé d'abord, puis expansif, — la tenue générale se relâcha bientôt. On ne causait que du refus d'allocation [100] fait par la Chambre au Président. M. Piscatory s'était montré trop acerbe, Montalembert, « magnifique, comme d'habitude », et MM. Chambolle, Pidoux, Creton, enfin toute la commission aurait dû suivre, peut-être, l'avis de MM. Quentin-Beauchart et Dufour.

---

99. Terme de blason; bras gauche représenté sur un écu.

100. L'Assemblée avait repoussé le 3 février 1851 une demande gouvernementale de supplément pour frais de représentation du Prince-Président.

Ces entretiens continuèrent dans la rue de la Roquette, bordée par des boutiques, où l'on ne voit que des chaînes en verre de couleur et des rondelles noires couvertes de dessins et de lettres d'or, — ce qui les fait ressembler à des grottes pleines de stalactites et à des magasins de faïence. Mais, devant la grille du cimetière, tout le monde, instantanément, se tut.

Les tombes se levaient au milieu des arbres, colonnes brisées, pyramides, temples, dolmens, obélisques, caveaux étrusques à porte de bronze. On apercevait, dans quelques-uns, des espèces de boudoirs funèbres, avec des fauteuils rustiques et des pliants. Des toiles d'araignée pendaient comme des haillons aux chaînettes des urnes ; et de la poussière couvrait les bouquets à rubans de satin et les crucifix. Partout, entre les balustres, sur les tombeaux, des couronnes d'immortelles et des chandeliers, des vases, des fleurs, des disques noirs rehaussés de lettres d'or, des statuettes de plâtre : petits garçons et petites demoiselles ou petits anges tenus en l'air par un fil de laiton : Plusieurs même ont un toit de zinc sur la tête. D'énormes câbles en verre filé, noir, blanc et azur, descendent du haut des stèles jusqu'au pied des dalles, avec de longs replis, comme des boas. Le soleil, frappant dessus, les faisait scintiller entre les croix de bois noir ; — et le corbillard s'avançait dans les grands chemins, qui sont pavés comme les rues d'une ville. De temps à autre, les essieux claquaient. Des femmes à genoux, la robe traînant dans l'herbe, parlaient doucement aux morts. Des fumignons blanchâtres sortaient de la verdure des ifs. C'étaient des offrandes abandonnées, des débris que l'on brûlait.

La fosse de M. Dambreuse était dans le voisinage de Manuel et de Benjamin Constant. Le terrain dévale, en cet endroit, par une pente abrupte. On a sous les pieds des sommets d'arbres verts ; plus loin, des cheminées de pompes à feu, puis toute la grande ville.

Frédéric put admirer le paysage pendant qu'on prononçait les discours.

Le premier fut au nom de la Chambre des députés, le deuxième, au nom du Conseil général de l'Aube, le troisième, au nom de la Société houillère de Saône-et-Loire, le quatrième, au nom de la Société d'agriculture de l'Yonne ; et il y en eut un autre, au nom d'une Société philanthropique. Enfin, on s'en allait, lorsqu'un inconnu se mit à lire un sixième discours, au nom de la Société des antiquaires d'Amiens.

Et tous profitèrent de l'occasion pour tonner contre le Socialisme, dont M. Dambreuse était mort victime. C'était le spectacle de l'anarchie et son dévouement à l'ordre qui avaient abrégé ses jours. On exalta ses lumières, sa probité, sa générosité, et même son mutisme comme représentant du peuple, car, s'il n'était pas orateur, il possédait en revanche ces qualités solides, mille fois préférables, etc... avec tous les mots qu'il faut dire : « Fin prématurée, — regrets éternels, — l'autre patrie, — adieu, ou plutôt non, au revoir ! »

La terre, mêlée de cailloux, retomba ; et il ne devait plus en être question dans le monde.

On en parla encore un peu en descendant le cimetière ; et on ne se gênait pas pour l'apprécier. Husson-net, qui devait rendre compte de l'enterrement dans les journaux, reprit même, en blague, tous les discours ; — car enfin le bonhomme Dambreuse avait été un des *potdevinistes* les plus distingués du dernier règne. Puis les voitures de deuil reconduisirent les bourgeois à leurs affaires ; la cérémonie n'avait pas duré trop longtemps ; on s'en félicitait.

Frédéric, fatigué, rentra chez lui.

Quand il se présenta le lendemain à l'hôtel Dambreuse, on l'avertit que Madame travaillait en bas, dans le bureau. Les cartons, les tiroirs étaient ouverts pêle-mêle, les livres de comptes jetés de droite et de gauche ; un rouleau de paperasses ayant pour titre : « Recouvrements désespérés » traînait par terre ; il manqua tomber dessus et le ramassa. Mme Dambreuse disparaissait, ensevelie dans le grand fauteuil.

— Eh bien ? où êtes-vous donc ? qu'y a-t-il ?

Elle se leva d'un bond.

— Ce qu'il y a ? Je suis ruinée, ruinée ! entends-tu ?

M. Adolphe Langlois, le notaire, l'avait fait venir en son étude, et lui avait communiqué un testament, écrit par son mari, avant leur mariage. Il léguait tout à Cécile ; et l'autre testament était perdu. Frédéric devint très pâle. Sans doute elle avait mal cherché ?

— Mais regarde donc ! dit Mme Dambreuse, en lui montrant l'appartement.

Les deux coffres-forts bâillaient, défoncés à coups de merlin, et elle avait retourné le pupitre, fouillé les placards, secoué les paillassons, quand tout à coup, poussant un cri aigu, elle se précipita dans un angle où elle venait d'apercevoir une petite boîte à serrure de cuivre ; elle l'ouvrit, rien !

— Ah ! le misérable ! Moi qui l'ai soigné avec tant de dévouement !

Puis elle éclata en sanglots.

— Il est peut-être ailleurs ? dit Frédéric.

— Eh non ! il était là ! dans ce coffre-fort. Je l'ai vu dernièrement. Il est brûlé ! j'en suis certaine !

Un jour, au commencement de sa maladie, M. Dambreuse était descendu pour donner des signatures.

— C'est alors qu'il aura fait le coup !

Et elle retomba sur une chaise, anéantie. Une mère en deuil n'est pas plus lamentable près d'un berceau vide que ne l'était Mme Dambreuse devant les coffres-forts béants. Enfin, sa douleur, — malgré la bassesse du motif — semblait tellement profonde, qu'il tâcha de la consoler en lui disant qu'après tout, elle n'était pas réduite à la misère.

— C'est la misère, puisque je ne peux pas t'offrir une grande fortune !

Elle n'avait plus que trente mille livres de rente, sans compter l'hôtel, qui en valait de dix-huit à vingt, peut-être.

Bien que ce fût de l'opulence pour Frédéric, il n'en ressentait pas moins une déception. Adieu ses rêves et toute la grande vie qu'il aurait menée. L'honneur le forçait à épouser Mme Dambreuse. Il réfléchit une minute ; puis, d'un air tendre :

— J'aurai toujours ta personne !

Elle se jeta dans ses bras ; et il la serra contre sa

poitrine avec un attendrissement où il y avait un peu d'admiration pour lui-même. Mme Dambreuse, dont les larmes ne coulaient plus, releva sa figure, toute rayonnante de bonheur, et, lui prenant la main :

— Ah! je n'ai jamais douté de toi! J'y comptais!

Cette certitude anticipée de ce qu'il regardait comme une belle action déplut au jeune homme.

Puis elle l'emmena dans sa chambre, et ils firent des projets. Frédéric devait songer maintenant à se pousser. Elle lui donna même sur sa candidature d'admirables conseils.

Le premier point était de savoir deux ou trois phrases d'économie politique. Il fallait prendre une spécialité, comme les haras, par exemple, écrire plusieurs mémoires sur une question d'intérêt local, avoir toujours à sa disposition des bureaux de poste ou de tabac, rendre une foule de petits services. M. Dambreuse s'était montré là-dessus un vrai modèle. Ainsi, une fois, à la campagne, il avait fait arrêter son char à bancs, plein d'amis, devant l'échoppe d'un savetier, avait pris pour ses hôtes douze paires de chaussures, et, pour lui, des bottes épouvantables — qu'il eut même l'héroïsme de porter durant quinze jours. Cette anecdote les rendit gais. Elle en conta d'autres, et avec un revif de grâce, de jeunesse et d'esprit.

Elle approuva son idée d'un voyage immédiat à Nogent. Leurs adieux furent tendres; puis, sur le seuil, elle murmura encore une fois :

— Tu m'aimes, n'est-ce pas?

— Eternellement! répondit-il.

Un commissionnaire l'attendait chez lui avec un mot au crayon, le prévenant que Rosanette allait accoucher. Il avait eu tant d'occupation, depuis quelques jours, qu'il n'y pensait plus. Elle s'était mise dans un établissement spécial, à Chaillot.

Frédéric prit un fiacre et partit.

Au coin de la rue de Marbeuf, il lut sur une planche en grosses lettres : — « Maison de santé et d'accouchement tenue par Mme Alessandri, sage-femme de première classe, ex-élève de la Maternité, auteur de divers ouvrages, etc. » Puis, au milieu de la rue, sur la porte, une petite porte bâtarde, l'enseigne répétait (sans le mot accouchement): « Maison de santé de Mme Alessandri », avec tous ses titres.

Frédéric donna un coup de marteau.

Une femme de chambre, à tournure de soubrette, l'introduisit dans le salon, orné d'une table en acajou, de fauteuils en velours grenat, et d'une pendule sous globe.

Presque aussitôt, Madame parut. C'était une grande brune de quarante ans, la taille mince, de beaux yeux, l'usage du monde. Elle apprit à Frédéric l'heureuse délivrance de la mère, et le fit monter dans sa chambre.

Rosanette se mit à sourire ineffablement; et, comme submergée sous les flots d'amour qui l'étouffaient, elle dit d'une voix basse :

— Un garçon, là, là! en désignant près de son lit une barcelonnette.

Il écarta les rideaux, et aperçut, au milieu des linges, quelque chose d'un rouge jaunâtre, extrêmement ridé, qui sentait mauvais et vagissait.

— Embrasse-le!

Il répondit, pour cacher sa répugnance :

— Mais j'ai peur de lui faire mal!

— Non! non!

Alors, il baisa, du bout des lèvres, son enfant.

— Comme il te ressemble!

Et, de ses deux bras faibles, elle se suspendit à son cou, avec une effusion de sentiment qu'il n'avait jamais vue.

Le souvenir de Mme Dambreuse lui revint. Il se reprocha comme une monstruosité de trahir ce pauvre être, qui aimait et souffrait dans toute la franchise de sa nature. Pendant plusieurs jours, il lui tint compagnie jusqu'au soir.

Elle se trouvait heureuse dans cette maison discrète; les volets de la façade restaient même constamment fermés; sa chambre, tendue en perse claire, donnait sur un grand jardin; Mme Alessandri, dont le seul défaut était de citer comme intimes les médecins illustres, l'entourait d'attentions; ses compagnes, presque toutes des demoiselles de la province, s'ennuyaient beaucoup, n'ayant personne qui vînt les voir; Rosanette s'aperçut qu'on l'enviait, et le dit à Frédéric avec fierté. Il fallait parler bas, cependant; les cloisons étaient minces, et tout le monde se tenait aux écoutes, malgré le bruit continuel des pianos.

Il allait enfin partir pour Nogent, quand il reçut une lettre de Deslauriers.

Deux candidats nouveaux se présentaient, l'un conservateur, l'autre rouge; un troisième, quel qu'il fût, n'avait pas de chances. C'était la faute de Frédéric; il avait laissé passer le bon moment, il aurait dû venir plus tôt, se remuer. « On ne t'a même pas vu aux comices agricoles! » L'avocat le blâmait de n'avoir aucune attache dans les journaux. « Ah! si tu avais suivi autrefois mes conseils! Si nous avions une feuille publique à nous! » Il insistait là-dessus. Du reste, beaucoup de personnes qui auraient voté en sa faveur, par considération pour M. Dambreuse, l'abandonneraient maintenant. Deslauriers était de ceux-là. N'ayant plus rien à attendre du capitaliste, il lâchait son protégé.

Frédéric porta sa lettre à Mme Dambreuse.

— Tu n'as donc pas été à Nogent? dit-elle.

— Pourquoi?

— C'est que j'ai vu Deslauriers, il y a trois jours.

Sachant la mort de son mari, l'avocat était venu rapporter des notes sur les houilles et lui offrir ses services comme homme d'affaires. Cela parut étrange à Frédéric; et que faisait son ami, là-bas?

Mme Dambreuse voulut savoir l'emploi de son temps depuis leur séparation.

— J'ai été malade, répondit-il.

— Tu aurais dû me prévenir, au moins.

— Oh! cela n'en valait pas la peine; d'ailleurs, il avait eu une foule de dérangements, des rendez-vous, des visites.

Il mena dès lors une existence double, couchant religieusement chez la Maréchale et passant l'après-midi chez Mme Dambreuse, si bien qu'il lui restait à peine, au milieu de la journée, une heure de liberté.

L'enfant était à la campagne, à Andilly. On allait le voir toutes les semaines.

La maison de la nourrice se trouvait sur la hauteur du village, au fond d'une petite cour sombre comme un puits, avec de la paille par terre, des poules çà et là, une charrette à légumes sous le hangar. Rosanette commençait par baiser frénétiquement son poupon; et, prise d'une sorte de délire, allait et venait, essayait de traire la chèvre, mangeait du gros pain, aspirait l'odeur du fumier, voulait en mettre un peu dans son mouchoir.

Puis ils faisaient de grandes promenades; elle entrait chez les pépiniéristes, arrachait les branches de lilas qui pendaient en dehors des murs, criait : « Hue, bourriquet! » aux ânes traînant une carriole, s'arrêtait à contempler par la grille l'intérieur des beaux jardins; ou bien la nourrice prenait l'enfant, on le posait à l'ombre sous un noyer; et les deux femmes débitaient, pendant des heures, d'assommantes niaiseries.

Frédéric, près d'elles, contemplait les carrés de vignes sur les pentes du terrain, avec la touffe d'un arbre de place en place, les sentiers poudreux pareils à des rubans grisâtres, les maisons étalant dans la verdure des taches blanches et rouges; et, quelquefois, la fumée d'une locomotive allongeait horizontalement, au pied des collines couvertes de feuillages, comme une gigantesque plume d'autruche dont le bout léger s'envolait.

Puis ses yeux retombaient sur son fils. Il se le figurait jeune homme, il en ferait son compagnon; mais ce serait peut-être un sot, un malheureux à coup sûr. L'illégalité de sa naissance l'opprimerait toujours; mieux aurait valu pour lui ne pas naître, et Frédéric murmurait : « Pauvre enfant! » le cœur gonflé d'une incompréhensible tristesse.

Souvent, ils manquaient le dernier départ. Alors, Mme Dambreuse le grondait de son inexactitude. Il lui faisait une histoire.

Il fallait en inventer aussi pour Rosanette. Elle ne comprenait pas à quoi il employait toutes ses soirées; et, quand on envoyait chez lui, il n'y était jamais! Un jour, qu'il s'y trouvait, elles apparurent presque à la fois. Il fit sortir la Maréchale et cacha Mme Dambreuse, en disant que sa mère allait arriver.

Bientôt ces mensonges le divertirent; il répétait à l'une le serment qu'il venait de faire à l'autre, leur envoyait deux bouquets semblables, leur écrivait en même temps, puis établissait entre elles des comparaisons; — il y en avait une troisième toujours présente à sa pensée. L'impossibilité de l'avoir le justifiait de ses perfidies, qui avivaient le plaisir, en y mettant de l'alternance; et plus il avait trompé n'importe laquelle des deux, plus il l'aimait, comme si leurs amours se fussent échauffées réciproquement et que, dans une sorte d'émulation, chacune eût voulu lui faire oublier l'autre.

— Admire ma confiance! lui dit un jour Mme Dambreuse, en dépliant un papier où on la prévenait que M. Moreau vivait conjugalement avec une certaine Rose Bron.

— Est-ce la demoiselle des courses, par hasard?

— Quelle absurdité! reprit-il. Laisse-moi voir.

La lettre, écrite en caractères romains, n'était pas signée. Mme Dambreuse, au début, avait toléré cette maîtresse qui couvrait leur adultère. Mais, sa passion devenant plus forte, elle avait exigé une rupture, chose faite depuis longtemps, selon Frédéric; et, quand il eut fini ses protestations, elle répliqua, tout en clignant ses paupières où brillait un regard pareil à la pointe d'un stylet sous de la mousseline :

— Eh bien, et l'autre?

— Quelle autre?

— La femme du faïencier!

Il leva les épaules dédaigneusement. Elle n'insista pas.

Mais, un mois plus tard, comme ils parlaient d'honnêteté et de loyauté, et qu'il vantait la sienne (d'une manière incidente, par précaution), elle lui dit :

— C'est vrai, tu es honnête, tu n'y retournes plus.

Frédéric, qui pensait à la Maréchale, balbutia :

— Où donc?

— Chez Mme Arnoux.

Il la supplia de lui avouer d'où elle tenait ce renseignement. C'était par sa couturière en second, Mme Regimbart.

Ainsi, elle connaissait sa vie, et lui ne savait rien de la sienne!

Cependant, il avait découvert dans son cabinet de toilette la miniature d'un monsieur à longues moustaches : était-ce le même sur lequel on lui avait conté autrefois une vague histoire de suicide? Mais il n'existait aucun moyen d'en savoir davantage! A quoi bon, du reste? Les cœurs des femmes sont comme de petits meubles à secret, pleins de tiroirs emboîtés les uns dans les autres; on se donne du mal, on se casse les ongles, et on trouve au fond quelque fleur desséchée, des brins de poussière — ou le vide! Et puis il craignait peut-être d'en trop apprendre.

Elle lui faisait refuser les invitations où elle ne pouvait se rendre avec lui, le tenait à ses côtés, avait peur de le perdre; et, malgré cette union chaque jour plus grande, tout à coup des abîmes se découvraient entre eux, à propos de choses insignifiantes, l'appréciation d'une personne, d'une œuvre d'art.

Elle avait une façon de jouer du piano, correcte et dure. Son spiritualisme (Mme Dambreuse croyait à la transmigration des âmes dans les étoiles) ne l'empêchait pas de tenir sa caisse admirablement. Elle était hautaine avec ses gens; ses yeux restaient secs devant les haillons des pauvres. Un égoïsme ingénu éclatait dans ses locutions ordinaires : « Qu'est-ce que cela me fait? je serais bien bonne! est-ce que j'ai besoin? » et mille petites actions inanalysables, odieuses. Elle aurait écouté derrière les portes; elle devait mentir à son confesseur. Par esprit de domination, elle voulut que Frédéric l'accompagnât le dimanche à l'église. Il obéit, et porta le livre.

La perte de son héritage l'avait considérablement changée. Ces marques d'un chagrin qu'on attribuait à la mort de M. Dambreuse la rendaient intéressante; et, comme autrefois, elle recevait beaucoup de monde. Depuis l'insuccès électoral de Frédéric, elle ambitionnait pour eux deux une légation en Allemagne; aussi la première chose à faire était de se soumettre aux idées régnantes.

Les uns désiraient l'Empire, d'autres les Orléans, d'autres le comte de Chambord; mais tous s'accordaient sur l'urgence de la décentralisation, et plusieurs moyens étaient proposés, tels que ceux-ci : couper Paris en une foule de grandes rues afin d'y établir des villages, transférer à Versailles le siège du Gouvernement, mettre à Bourges les écoles, supprimer les bibliothèques, confier tout aux généraux de division; — et on exaltait les campagnes, l'homme illettré ayant naturellement plus de sens que les autres! Les haines foisonnaient : haine contre les instituteurs primaires et contre les marchands de vin, contre les classes de philosophie, contre les cours d'histoire, contre les romans, les gilets rouges, les barbes longues, contre toute indépendance, toute manifestation individuelle; car il fallait « relever le principe d'autorité »; qu'elle s'exerçât au nom de n'importe qui, qu'elle vînt de n'importe où, pourvu que ce fût la Force, l'Autorité! Les conservateurs parlaient maintenant comme Sénécal. Frédéric ne comprenait plus; et il retrouvait chez son ancienne maîtresse les mêmes propos, débités par les mêmes hommes!

Les salons des filles (c'est de ce temps-là que date leur importance) étaient un terrain neutre, où les réactionnaires de bords différents se rencontraient. Hussonnet, qui se livrait au dénigrement des gloires contemporaines (bonne chose pour la restauration de l'Ordre), inspira l'envie à Rosanette d'avoir, comme une autre, ses soirées; il en ferait des comptes rendus; et il amena d'abord un homme sérieux, Fumichon; puis parurent Nonancourt, M. de Grémonville, le sieur de Larsillois, ex-préfet, et Cisy, qui était maintenant agronome, bas-breton et plus que jamais chrétien.

Il venait, en outre, d'anciens amants de la Maréchale, tels que le baron de Comaing, le comte de Jumillac et quelques autres; la liberté de leurs allures blessait Frédéric.

Afin de se poser comme le maître, il augmenta le train de la maison. Alors, on prit un groom, on changea de logement, et on eut un mobilier nouveau. Ces dépenses étaient utiles pour faire paraître son mariage moins disproportionné à sa fortune. Aussi diminuait-elle effroyablement; — et Rosanette ne comprenait rien à tout cela!

Bourgeoise déclassée, elle adorait la vie de ménage, un petit intérieur paisible. Cependant, elle était contente d'avoir « un jour »; disait : « Ces femmes-là! » en parlant de ses pareilles; voulait être « une dame du monde », s'en croyait une. Elle le pria de ne plus fumer dans le salon, essaya de lui faire faire maigre, par bon genre.

Elle mentait à son rôle enfin, car elle devenait sérieuse, et même, avant de se coucher, montrait toujours un peu de mélancolie, comme il y a des cyprès à la porte d'un cabaret.

Il en découvrit la cause : elle rêvait mariage, — elle aussi! Frédéric en fut exaspéré. D'ailleurs, il se rappelait son apparition chez Mme Arnoux, et puis il lui gardait rancune pour sa longue résistance.

Il n'en cherchait pas moins quels avaient été ses amants. Elle les niait tous. Une sorte de jalousie l'envahit. Il s'irrita des cadeaux qu'elle avait reçus, qu'elle recevait; — et, à mesure que le fond même de sa personne l'agaçait davantage, un goût des sens âpre et bestial l'entraînait vers elle, illusions d'une minute qui se résolvaient en haine.

Ses paroles, sa voix, son sourire, tout vint à lui déplaire, ses regards surtout, cet œil de femme éternellement limpide et inepte. Il s'en trouvait tellement excédé quelquefois, qu'il l'aurait vue mourir sans émotion. Mais comment se fâcher? Elle était d'une douceur désespérante.

Deslauriers reparut, et expliqua son séjour à Nogent en disant qu'il y marchandait une étude d'avoué. Frédéric fut heureux de le revoir; c'était quelqu'un! Il le mit en tiers dans la compagnie.

L'avocat dînait chez eux de temps à autre, et, quand il s'élevait de petites contestations, se déclarait toujours pour Rosanette, si bien qu'une fois Frédéric lui dit :

— Eh! couche avec elle si ça t'amuse! tant il souhaitait un hasard qui l'en débarrassât.

Vers le milieu du mois de juin, elle reçut un commandement où Mᵉ Athanase Gautherot, huissier, lui enjoignait de solder quatre mille francs dus à la demoiselle Clémence Vatnaz; sinon, qu'il viendrait le lendemain la saisir.

En effet, des quatre billets autrefois souscrits, un seul était payé; — l'argent qu'elle avait pu avoir depuis lors ayant passé à d'autres besoins.

Elle courut chez Arnoux. Il habitait le faubourg Saint-Germain, et le portier ignorait la rue. Elle se transporta chez plusieurs amis, ne trouva personne, et rentra désespérée. Elle ne voulait rien dire à Frédéric, tremblant que cette nouvelle histoire ne fît du tort à son mariage.

Le lendemain matin, Mᵉ Athanase Gautherot se présenta, flanqué de deux acolytes, l'un blême, à figure chafouine, l'air dévoré d'envie, l'autre portant un faux col et des sous-pieds très tendus, avec un délot de taffetas noir à l'index; — et tous deux, ignoblement sales, avec des cols gras, des manches de redingote trop courtes.

Leur patron, un fort bel homme, au contraire, commença par s'excuser de sa mission pénible, tout en regardant l'appartement, « plein de jolies choses, ma parole d'honneur! » Il ajouta « outre celles qu'on ne peut saisir ». Sur un geste, les deux recors partirent.

Alors, ses compliments redoublèrent. Pouvait-on croire qu'une personne aussi... charmante n'eût pas d'ami sérieux! Une vente par autorité de justice était un véritable malheur! On ne s'en relève jamais. Il tâcha de l'effrayer; puis, la voyant émue, prit subitement un ton paterne. Il connaissait le monde, il avait eu affaire à toutes ces dames; et, en les nommant, il examinait les cadres sur les murs. C'étaient d'anciens tableaux du brave Arnoux, des esquisses de Sombaz, des aquarelles de Burrieu, trois paysages de Dittmer. Rosanette n'en savait pas le prix, évidemment. Mᵉ Gautherot se tourna vers elle :

— Tenez! Pour vous montrer que je suis un bon

garçon, faisons une chose : cédez-moi ces Dittmer-là! et je paye tout. Est-ce convenu?

A ce moment, Frédéric, que Delphine avait instruit dans l'antichambre et qui venait de voir les deux praticiens, entra, le chapeau sur la tête, d'un air brutal. Me Gautherot reprit sa dignité; et, comme la porte était restée ouverte :

— Allons, messieurs, écrivez! Dans la seconde pièce, nous disons : une table de chêne, avec ses deux rallonges, deux buffets...

Frédéric l'arrêta, demandant s'il n'y avait pas quelque moyen d'empêcher la saisie.

— Oh! parfaitement! Qui a payé les meubles?

— Moi.

— Eh bien, formulez une revendication; c'est toujours du temps que vous aurez devant vous.

Me Gautherot acheva vivement ses écritures, et, dans le procès-verbal, assigna en référé Mlle Bron, puis se retira.

Frédéric ne fit pas un reproche. Il contemplait, sur le tapis, les traces de boue laissées par les chaussures des praticiens; et, se parlant à lui-même :

« Il va falloir chercher de l'argent! »

— Ah! mon Dieu, que je suis bête! dit la Maréchale.

Elle fouilla dans un tiroir, prit une lettre, et s'en alla vivement à la Société d'éclairage du Languedoc, afin d'obtenir le transfert de ses actions.

Elle revint une heure après. Les titres étaient vendus à un autre! Le commis lui avait répondu en examinant son papier, la promesse écrite par Arnoux : « Cet acte ne vous constitue nullement propriétaire. La Compagnie ne connaît pas cela. » Bref, il l'avait congédiée, elle en suffoquait; et Frédéric devait se rendre à l'instant même chez Arnoux, pour éclaircir la chose.

Mais, Arnoux croirait, peut-être, qu'il venait pour recouvrer indirectement les quinze mille francs de son hypothèque perdue; et puis cette réclamation à un homme qui avait été l'amant de sa maîtresse lui semblait une turpitude. Choisissant un moyen terme, il alla prendre à l'hôtel Dambreuse l'adresse de Mme Regimbart, envoya chez elle un commissionnaire, et connut ainsi le café que hantait maintenant le Citoyen.

C'était un petit café sur la place de la Bastille, où il se tenait toute la journée, dans le coin de droite, au fond, ne bougeant pas plus que s'il avait fait partie de l'immeuble.

Après avoir passé successivement par la demi-tasse, le grog, le bischof, le vin chaud, et même l'eau rougie, il était revenu à la bière; et, de demi-heure en demi-heure, laissait tomber ce mot : « Bock! » ayant réduit son langage à l'indispensable. Frédéric lui demanda s'il voyait quelquefois Arnoux.

— Non!

— Tiens, pourquoi?

— Un imbécile!

La politique, peut-être, les séparait, et Frédéric crut bien faire de s'informer de Compain.

— Quelle brute! dit Regimbart.

— Comment cela?

— Sa tête de veau!

— Ah! apprenez-moi ce que c'est que la tête de veau! Regimbart eut un sourire de pitié.

— Des bêtises!

Frédéric, après un long silence, reprit :

— Il a donc changé de logement?

— Qui?

— Arnoux!

— Oui : rue de Fleurus!

— Quel numéro?

— Est-ce que je fréquente les jésuites!

— Comment, jésuites?

Le Citoyen répondit, furieux :

— Avec l'argent d'un patriote que je lui ai fait connaître, ce cochon-là s'est établi marchand de chapelets!

— Pas possible!

— Allez-y voir!

Rien de plus vrai; Arnoux, affaibli par une attaque, avait tourné à la religion; d'ailleurs, « il avait toujours eu un fonds de religion », et (avec l'alliage de mercantilisme et d'ingénuité qui lui était naturel), pour faire son salut et sa fortune, il s'était mis dans le commerce des objets religieux.

Frédéric n'eut pas de mal à découvrir son établissement, dont l'enseigne portait : « *Aux arts gothiques.* — Restauration du culte. — Ornements d'église. — Sculpture polychrome. — Encens des rois mages, etc., etc. »

Aux deux coins de la vitrine s'élevaient deux statues en bois, bariolées d'or, de cinabre et d'azur; un saint Jean-Baptiste avec sa peau de mouton, une sainte Geneviève, des roses dans son tablier et une quenouille sous son bras; puis des groupes en plâtre : une bonne sœur instruisant une petite fille, une mère à genoux près d'une couchette, trois collégiens devant la sainte table. Le plus joli était une manière de chalet figurant l'intérieur de la crèche avec l'âne, le bœuf et l'Enfant Jésus étalé sur de la paille, de la vraie paille. Du haut en bas des étagères, on voyait des médailles à la douzaine, des chapelets de toute espèce, des bénitiers en forme de coquille et les portraits des gloires ecclésiastiques, parmi lesquelles brillaient Mgr Affre et Notre Saint-Père, tous deux souriant.

Arnoux, à son comptoir, sommeillait la tête basse. Il était prodigieusement vieilli, avait même autour des tempes une couronne de boutons roses, et le reflet des croix d'or frappées par le soleil tombait dessus.

Frédéric, devant cette décadence, fut pris de tristesse. Par dévouement pour la Maréchale, il se résigna cependant, et il s'avançait; au fond de la boutique, Mme Arnoux parut; alors, il tourna les talons.

— Je ne l'ai pas trouvé, dit-il en rentrant.

Et il eut beau reprendre qu'il allait écrire, tout de suite, à son notaire du Havre pour avoir de l'argent, Rosanette s'emporta. On n'avait jamais vu un homme si faible, si mollasse; pendant qu'elle endurait mille privations, les autres se gobergeaient.

Frédéric songeait à la pauvre Mme Arnoux, se figurant la médiocrité navrante de son intérieur. Il s'était mis au secrétaire; et, comme la voix aigre de Rosanette continuait :

— Ah! au nom du ciel, tais-toi!

— Vas-tu les défendre, par hasard?

— Eh bien oui! s'écria-t-il, car d'où vient cet acharnement?

— Mais toi, pourquoi ne veux-tu pas qu'ils payent? C'est dans la peur d'affliger ton ancienne, avoue-le!

Il eut envie de l'assommer avec la pendule; les paroles lui manquèrent. Il se tut. Rosanette, tout en marchant dans la chambre, ajouta :

— Je vais lui flanquer un procès, à ton Arnoux. Oh! je n'ai plus besoin de toi! — Et, pinçant les lèvres : — Je consulterai.

Trois jours après, Delphine entra brusquement.

— Madame, madame, il y a là un homme avec un pot de colle qui me fait peur.

Rosanette passa dans la cuisine, et vit un chenapan, la face criblée de petite vérole, paralytique d'un bras, aux trois quarts ivre et bredouillant.

C'était l'afficheur de Mᵉ Gautherot. L'opposition à la saisie ayant été repoussée, la vente naturellement s'ensuivait.

Pour sa peine d'avoir monté l'escalier, il réclama d'abord un petit verre; — puis il implora une autre faveur, à savoir des billets de spectacle, croyant que Madame était une actrice. Il fut ensuite plusieurs minutes à faire des clignements d'yeux incompréhensibles; enfin, il déclara que, moyennant quarante sous, il déchirerait les coins de l'affiche déjà posée en bas, contre la porte. Rosanette s'y trouvait désignée par son nom, rigueur exceptionnelle qui marquait toute la haine de la Vatnaz.

Elle avait été sensible autrefois, et même, dans une peine de cœur, avait écrit à Béranger pour en obtenir un conseil. Mais elle s'était aigrie sous les bourrasques de l'existence, ayant, tour à tour, donné des leçons de piano, présidé une table d'hôte, collaboré à des journaux de modes, sous-loué des appartements, fait le trafic des dentelles dans le monde des femmes légères, — où ses relations lui permirent d'obliger beaucoup de personnes, Arnoux entre autres. Elle avait travaillé auparavant dans une maison de commerce.

Elle y soldait les ouvrières; et il y avait pour chacune d'elles deux livres, dont l'un restait toujours entre ses mains. Dussardier, qui tenait par obligeance celui d'une nommée Hortense Baslin, se présenta un jour à la caisse au moment où Mlle Vatnaz apportait le compte de cette fille, 1 682 francs, que le caissier lui paya. Or, la veille même, Dussardier n'en avait inscrit que 1 082 sur le livre de la Baslin. Il le redemanda sous un prétexte; puis, voulant ensevelir cette histoire de vol, lui conta qu'il l'avait perdu. L'ouvrière redit naïvement son mensonge à Mlle Vatnaz; celle-ci, pour en avoir le cœur net, d'un air indifférent, vint en parler au brave commis. Il se contenta de répondre : « Je l'ai brûlé »; ce fut tout. Elle quitta la maison peu de temps après, sans croire à l'anéantissement du livre et s'imaginant que Dussardier le gardait.

A la nouvelle de sa blessure, elle était accourue chez lui dans l'intention de le reprendre. Puis, n'ayant rien découvert, malgré les perquisitions les plus fines, elle avait été saisie de respect, et bientôt d'amour, pour ce garçon, si loyal, si doux, si héroïque et si fort! Une pareille bonne fortune à son âge était inespérée. Elle se jeta dessus avec un appétit d'ogresse; — et elle en avait abandonné la littérature, le socialisme, « les doctrines consolantes et les utopies généreuses », le cours qu'elle professait sur la *Désubalternisation de la femme*, tout, Delmar lui-même; enfin, elle offrit à Dussardier de s'unir par un mariage.

Bien qu'elle fût sa maîtresse, il n'en était nullement amoureux. D'ailleurs, il n'avait pas oublié son vol. Puis elle était trop riche. Il la refusa. Alors elle lui dit, en pleurant, les rêves qu'elle avait faits : c'était d'avoir à eux deux un magasin de confection. Elle possédait les premiers fonds indispensables, qui s'augmenteraient de quatre mille francs la semaine prochaine; et elle narra ses poursuites contre la Maréchale.

Dussardier en fut chagrin, à cause de son ami. Il se rappelait le porte-cigares offert au corps de garde, les soirs du quai Napoléon, tant de bonnes causeries, de livres prêtés, les mille complaisances de Frédéric. Il pria la Vatnaz de se désister.

Elle le railla de sa bonhomie, en manifestant contre Rosanette une exécration incompréhensible; elle ne souhaitait même la fortune que pour l'écraser plus tard avec son carrosse.

Ces abîmes de noirceur effrayèrent Dussardier; et, quand il sut positivement le jour de la vente, il sortit. Dès le lendemain matin, il entrait chez Frédéric avec une contenance embarrassée.

— J'ai des excuses à vous faire.

— De quoi donc?

— Vous devez me prendre pour un ingrat, moi dont elle est... Il balbutiait. « Oh! je ne la verrai plus, je ne serai pas son complice! » Et, l'autre le regardant tout surpris : « Est-ce qu'on ne va pas, dans trois jours, vendre les meubles de votre maîtresse? »

— Qui vous a dit cela?

— Elle-même, la Vatnaz! Mais j'ai peur de vous offenser...

— Impossible, cher ami!

— Ah! c'est vrai, vous êtes si bon!

Et il lui tendit, d'une main discrète, un petit portefeuille de basane.

C'était quatre mille francs, toutes ses économies.

— Comment! Ah! non!... — non!...

— Je savais bien que je vous blesserais, répliqua Dussardier, avec une larme au bord des yeux.

Frédéric lui serra la main; et le brave garçon reprit d'une voix dolente :

— Acceptez-les! Faites-moi ce plaisir-là! Je suis tellement désespéré! Est-ce que tout n'est pas fini, d'ailleurs? — J'avais cru, quand la Révolution est arrivée, qu'on serait heureux. Vous rappelez-vous comme c'était beau! comme on respirait bien! Mais nous voilà retombés pire que jamais.

Et, fixant ses yeux à terre :

— Maintenant, ils tuent notre République, comme ils ont tué l'autre, la romaine! et la pauvre Venise, la pauvre Pologne, la pauvre Hongrie! Quelles abominations! D'abord, on a abattu les arbres de la Liberté, puis restreint le droit de suffrage, fermé les clubs, rétabli la censure et livré l'enseignement aux prêtres, en attendant l'Inquisition. Pourquoi pas? Des conservateurs nous souhaitent bien les Cosaques! On condamne les journaux quand ils parlent contre la peine de mort, Paris regorge de baïonnettes, seize départements sont en état de siège; — et l'amnistie qui est encore une fois repoussée!

Il se prit le front à deux mains; puis, écartant les bras comme dans une grande détresse :

— Si on tâchait, cependant! Si on était de bonne foi, on pourrait s'entendre! Mais non! Les ouvriers ne valent pas mieux que les bourgeois, voyez-vous! A Elbeuf, dernièrement, ils ont refusé leur secours dans un incendie. Des misérables traitent Barbès d'aristocrate! Pour qu'on se moque du peuple, ils veulent nommer à la présidence Nadaud, un maçon, je vous demande un peu! Et il n'y a pas de moyen! pas de remède! Tout le monde est contre nous! — Moi, je n'ai jamais fait de mal; et, pourtant, c'est comme un poids qui me pèse sur l'estomac. J'en deviendrai fou, si ça continue. J'ai envie de me faire tuer. Je vous dis que je n'ai pas besoin de mon argent! Vous me le rendrez, parbleu! je vous le prête.

Frédéric, que la nécessité contraignait, finit par prendre les quatre mille francs. Ainsi, du côté de la Vatnaz, ils n'avaient plus d'inquiétude.

Mais Rosanette perdit bientôt son procès contre Arnoux, et, par entêtement, voulait en appeler.

Deslauriers s'exténuait à lui faire comprendre que la promesse d'Arnoux ne constituait ni une donation, ni une cession régulière; elle n'écoutait même pas, trouvant la loi injuste; c'est parce qu'elle était une femme, les hommes se soutenaient entre eux! A la fin, cependant, elle suivit ses conseils.

Il se gênait si peu dans la maison, que, plusieurs fois, il amena Sénécal y dîner. Ce sans-façon déplut à Frédéric, qui lui avançait de l'argent, le faisait même habiller par son tailleur; et l'avocat donnait ses vieilles redingotes au socialiste, dont les moyens d'existence étaient inconnus.

Il aurait voulu servir Rosanette, cependant. Un jour qu'elle lui montrait douze actions de la Compagnie du Kaolin (cette entreprise qui avait fait condamner Arnoux à trente mille francs), il lui dit :

— Mais c'est véreux! c'est superbe!

Elle avait le droit de l'assigner pour le remboursement de ses créances. Elle prouverait d'abord qu'il était tenu solidairement à payer tout le passif de la Compagnie, puisqu'il avait déclaré comme dettes collectives des dettes personnelles, enfin, qu'il avait diverti plusieurs effets à la Société.

— Tout cela le rend coupable de banqueroute frauduleuse, articles 586 et 587 du Code de commerce; et nous l'emballerons, soyez-en sûre, ma mignonne.

Rosanette lui sauta au cou. Il la recommanda le lendemain à son ancien patron, ne pouvant s'occuper lui-même du procès, car il avait à faire à Nogent; Sénécal lui écrirait, en cas d'urgence.

Ses négociations pour l'achat d'une étude étaient un prétexte. Il passait son temps chez M. Roque, où il avait commencé, non seulement par faire l'éloge de leur ami, mais par l'imiter d'allures et de langage autant que possible; — ce qui lui avait obtenu la confiance de Louise, tandis qu'il gagnait celle de son père en se déchaînant contre Ledru-Rollin.

Si Frédéric ne revenait pas, c'est qu'il fréquentait le grand monde; et peu à peu Deslauriers leur apprit qu'il aimait quelqu'un, qu'il avait un enfant, qu'il entretenait une créature.

Le désespoir de Louise fut immense, l'indignation de Mme Moreau non moins forte. Elle voyait son fils tourbillonnant vers le fond d'un gouffre vague, était blessée dans sa religion des convenances et en éprouvait comme un déshonneur personnel, quand tout à coup sa physionomie changea. Aux questions qu'on lui faisait sur Frédéric, elle répondait d'un air narquois :

— Il va bien, très bien.

Elle savait son mariage avec Mme Dambreuse.

L'époque en était fixée; et même il cherchait comment faire avaler la chose à Rosanette.

Vers le milieu de l'automne, elle gagna son procès relatif aux actions du Kaolin. Frédéric l'apprit en rencontrant à sa porte Sénécal, qui sortait de l'audience.

On avait reconnu M. Arnoux complice de toutes les fraudes; et l'ex-répétiteur avait un tel air de s'en réjouir, que Frédéric l'empêcha d'aller plus loin, en assurant qu'il se chargeait de sa commission près de Rosanette. Il entra chez elle la figure irritée.

— Eh bien, te voilà contente!

Mais, sans remarquer ces paroles :

— Regarde donc!

Et elle lui montra son enfant couché dans un berceau, près du feu. Elle l'avait trouvé si mal le matin chez sa nourrice, qu'elle l'avait ramené à Paris.

Tous ses membres étaient maigris extraordinairement et ses lèvres, couvertes de points blancs, lui faisaient dans l'intérieur de la bouche comme des caillots de lait.

— Qu'a dit le médecin?

— Ah! le médecin! Il prétend que le voyage a augmenté son... je ne sais plus, un nom en *ite*... enfin qu'il a le muguet. Connais-tu cela?

Frédéric n'hésita pas à répondre : « Certainement », ajoutant que ce n'était rien.

Mais dans la soirée, il fut effrayé par l'aspect débile de l'enfant et le progrès de ces taches blanchâtres, pareilles à de la moisissure, comme si la vie, abandonnant déjà ce pauvre petit corps, n'eût laissé qu'une matière où la végétation poussait. Ses mains étaient froides; il ne pouvait plus boire, maintenant; et la nourrice, une autre que le portier avait été prendre au hasard dans un bureau, répétait :

— Il me paraît bien bas, bien bas!

Rosanette fut debout toute la nuit.

Le matin, elle alla trouver Frédéric.

— Viens donc voir. Il ne remue plus.

En effet, il était mort. Elle le prit, le secoua, l'étreignait en l'appelant des noms les plus doux, le couvrait de baisers et de sanglots, tournait sur elle-même, éperdue, s'arrachait les cheveux, poussait des cris; — et se laissa tomber au bord du divan, où elle restait la bouche ouverte, avec un flot de larmes tombant de ses yeux fixes. Puis une torpeur la gagna, et tout devint tranquille dans l'appartement. Les meubles étaient renversés. Deux ou trois serviettes traînaient. Six heures sonnèrent. La veilleuse s'éteignit.

Frédéric, en regardant tout cela, croyait presque rêver. Son cœur se serrait d'angoisse. Il lui semblait que cette mort n'était qu'un commencement, et qu'il y avait par derrière un malheur plus considérable près de survenir.

Tout à coup Rosanette dit d'une voix tendre :

— Nous le conserverons, n'est-ce pas ?

Elle désirait le faire embaumer. Bien des raisons s'y opposaient. La meilleure, selon Frédéric, c'est que la chose était impraticable sur des enfants si jeunes. Un portrait valait mieux. Elle adopta cette idée. Il écrivit un mot à Pellerin, et Delphine courut le porter.

Pellerin arriva promptement, voulant effacer par ce zèle tout souvenir de sa conduite. Il dit d'abord :

— Pauvre petit ange ! Ah ! mon Dieu, quel malheur !

Mais, peu à peu (l'artiste en lui l'emportant), il déclara qu'on ne pouvait rien faire avec ces yeux bistrés, cette face livide, que c'était une véritable nature morte, qu'il faudrait beaucoup de talent ; et il murmurait :

— Oh ! pas commode, pas commode !

— Pourvu que ce soit ressemblant, objecta Rosanette.

— Eh ! je me moque de la ressemblance ! A bas le Réalisme ! C'est l'esprit qu'on peint ! Laissez-moi ! Je vais tâcher de me figurer ce que ça devait être.

Il réfléchit, le front dans la main gauche, le coude dans la droite ; puis, tout à coup :

— Ah ! une idée ! un pastel ! Avec des demi-teintes colorées, passées presque à plat, on peut obtenir un beau modelé, sur les bords seulement.

Il envoya la femme de chambre chercher sa boîte ; puis, ayant une chaise sous les pieds et une autre près de lui, commença à jeter de grands traits, aussi calme que s'il eût travaillé d'après la bosse. Il vantait les petits saints Jean de Corrège, l'infante Rose de Velasquez, les chairs lactées de Reynolds, la distinction de Lawrence, et surtout l'enfant aux longs cheveux qui est sur les genoux de lady Glower.

— D'ailleurs, peut-on trouver rien de plus charmant que ces crapauds-là ! Le type du sublime (Raphaël l'a prouvé par ses madones), c'est peut-être une mère avec son enfant !

Rosanette, qui suffoquait, sortit ; et Pellerin dit aussitôt :

— Eh bien, Arnoux !... vous savez ce qui arrive ?

— Non. Quoi ?

— Ça devait finir comme ça, du reste !

— Qu'est-ce donc ?

— Il est peut-être maintenant... Pardon !

L'artiste se leva pour exhausser la tête du petit cadavre.

— Vous disiez...? reprit Frédéric.

Et Pellerin, tout en clignant pour mieux prendre ses mesures :

— Je disais que notre ami Arnoux est peut-être, maintenant, coffré !

Puis, d'un ton satisfait :

— Regardez un peu ! Est-ce ça ?

— Oui, très bien ! Mais Arnoux ?

Pellerin déposa son crayon.

— D'après ce que j'ai pu comprendre, il se trouve poursuivi par un certain Mignot, un intime de Regimbart, une bonne tête, celui-là, hein ? Quel idiot ! Figurez-vous qu'un jour...

— Eh ! il ne s'agit pas de Regimbart !

— C'est vrai. Eh bien, Arnoux, hier au soir, devait trouver douze mille francs, sinon, il était perdu.

— Oh ! c'est peut-être exagéré, dit Frédéric.

— Pas le moins du monde ! Ça m'avait l'air grave, très grave !

Rosanette, à ce moment, reparut avec des rougeurs sous les paupières, ardentes comme des plaques de fard. Elle se mit près du carton et regarda. Pellerin fit signe qu'il se taisait à cause d'elle. Mais Frédéric, sans y prendre garde :

— Cependant, je ne peux pas croire...

— Je vous répète que je l'ai rencontré hier, dit l'artiste, à sept heures du soir, rue Jacob. Il avait même son passeport, par précaution ; et il parlait de s'embarquer au Havre, lui et toute sa smala.

— Comment ! Avec sa femme !

— Sans doute ! Il est trop bon père de famille pour vivre tout seul.

— Et vous en êtes sûr ?...

— Parbleu ! Où voulez-vous qu'il ait trouvé douze mille francs ?

Frédéric fit deux ou trois tours dans la chambre. Il haletait, se mordait les lèvres, puis saisit son chapeau.

— Où vas-tu donc ? dit Rosanette.

Il ne répondit pas, et disparut.

V

Il fallait douze mille francs, ou bien il ne reverrait plus Mme Arnoux ; et, jusqu'à présent, un espoir invincible lui était resté. Est-ce qu'elle ne faisait pas comme la substance de son cœur, le fond même de sa vie ? Il fut pendant quelques minutes à chanceler sur le trottoir, se rongeant d'angoisses, heureux néanmoins de n'être plus chez l'autre.

Où avoir de l'argent ? Frédéric savait par lui-même combien il est difficile d'en obtenir tout de suite, à n'importe quel prix. Une seule personne pouvait l'aider, Mme Dambreuse. Elle gardait toujours dans son secrétaire plusieurs billets de banque. Il alla chez elle ; et, d'un ton hardi :

— As-tu douze mille francs à me prêter ?

— Pourquoi ?

C'était le secret d'un autre. Elle voulait le connaître. Il ne céda pas. Tous deux s'obstinaient. Enfin, elle déclara ne rien donner, avant de savoir dans quel but. Frédéric devint très rouge. Un de ses camarades avait

commis un vol. La somme devait être restituée aujour-
d'hui même.

— Tu l'appelles? Son nom? Voyons, son nom?

— Dussardier!

Et il se jeta à ses genoux, en la suppliant de n'en rien
dire.

— Quelle idée as-tu de moi? reprit Mme Dambreuse.
On croirait que tu es le coupable. Finis donc tes airs
tragiques! Tiens, les voilà, et grand bien lui fasse!

Il courut chez Arnoux. Le marchand n'était pas dans
sa boutique. Mais il logeait toujours rue Paradis, car il
possédait deux domiciles.

Rue Paradis, le portier jura que M. Arnoux était
absent depuis la veille; quant à Madame, il n'osait rien
dire; et Frédéric, ayant monté l'escalier comme une
flèche, colla son oreille contre la serrure. Enfin, on
ouvrit. Madame était partie avec Monsieur. La bonne
ignorait quand ils reviendraient; ses gages étaient payés;
elle-même s'en allait.

Tout à coup un craquement de porte se fit entendre.

— Mais il y a quelqu'un?

— Oh! non, monsieur! C'est le vent!

Alors, il se retira. N'importe, une disparition si
prompte avait quelque chose d'inexplicable.

Regimbart, étant l'intime de Mignot, pouvait peut-
être l'éclairer? Et Frédéric se fit conduire chez lui, à
Montmartre, rue de l'Empereur.

Sa maison était flanquée d'un jardinet, clos par une
grille que bouchaient des plaques de fer. Un perron de
trois marches relevait la façade blanche; et en passant
sur le trottoir, on apercevait les deux pièces du rez-de-
chaussée, dont la première était un salon avec des robes
partout sur les meubles, et la seconde l'atelier où se
tenaient les ouvrières de Mme Regimbart.

Toutes étaient convaincues que Monsieur avait de
grandes occupations, de grandes relations, que c'était
un homme complètement hors ligne. Quand il traversait
le couloir, avec son chapeau à bords retroussés, sa
longue figure sérieuse et sa redingote verte, elles en
interrompaient leur besogne. D'ailleurs, il ne manquait
pas de leur adresser toujours quelque mot d'encouragement, une politesse sous forme de sentence; — et plus
tard, dans leur ménage, elles se trouvaient malheureuses, parce qu'elles l'avaient gardé pour idéal.

Aucune cependant ne l'aimait comme Mme Regimbart, petite personne intelligente, qui le faisait vivre
avec son métier.

Dès que M. Moreau eut dit son nom, elle vint prestement le recevoir, sachant par les domestiques ce qu'il
était à Mme Dambreuse. Son mari « rentrait à l'instant
même »; et Frédéric, tout en le suivant, admira la tenue
du logis et la profusion de toile cirée qu'il y avait. Puis
il attendit quelques minutes, dans une manière de
bureau, où le Citoyen se retirait pour penser.

Son accueil fut moins rébarbatif que d'habitude.

Il conta l'histoire d'Arnoux. L'ex-fabricant de
faïences avait enguirlandé Mignot, un patriote, possesseur de cent actions du *Siècle*, en lui démontrant qu'il
fallait, au point de vue démocratique, changer la gérance
et la rédaction du journal; et, sous prétexte de faire

triompher son avis dans la prochaine assemblée des
actionnaires, il lui avait demandé cinquante actions, en
disant qu'il les repasserait à des amis sûrs, lesquels
appuieraient son vote; Mignot n'aurait aucune responsabilité, ne se fâcherait avec personne; puis, le succès
obtenu, il lui ferait avoir dans l'administration une
bonne place, de cinq à six mille francs pour le moins.
Les actions avaient été livrées. Mais Arnoux, tout de
suite, les avait vendues; et, avec l'argent, s'était associé
à un marchand d'objets religieux. Là-dessus, réclamations de Mignot, lanternements d'Arnoux; enfin, le
patriote l'avait menacé d'une plainte en escroquerie, s'il
ne restituait ses titres ou la somme équivalente : cinquante mille francs.

Frédéric eut l'air désespéré.

— Ce n'est pas tout, dit le Citoyen. Mignot, qui est
un brave homme, s'est rabattu sur le quart. Nouvelles
promesses de l'autre, nouvelles farces naturellement.
Bref, avant-hier matin, Mignot l'a sommé d'avoir à lui
rendre, dans les vingt-quatre heures, sans préjudice du
reste, douze mille francs.

— Mais je les ai! dit Frédéric.

Le Citoyen se retourna lentement :

— Blagueur!

— Pardon! Ils sont dans ma poche. Je les apportais.

— Comme vous y allez, vous! Nom d'un petit bonhomme! Du reste, il n'est plus temps; la plainte est
déposée, et Arnoux parti.

— Seul?

— Non! avec sa femme. On les a rencontrés à la gare
du Havre.

Frédéric pâlit extraordinairement. Mme Regimbart
crut qu'il allait s'évanouir. Il se contint, et même il eut
la force d'adresser deux ou trois questions sur l'aventure. Regimbart s'en attristait, tout cela en somme nuisant à la Démocratie. Arnoux avait toujours été sans
conduite et sans ordre.

— Une vraie tête de linotte! Il brûlait la chandelle
par les deux bouts! Le cotillon l'a perdu! Ce n'est pas
lui que je plains, mais sa pauvre femme! car le Citoyen
admirait les femmes vertueuses, et faisait grand cas de
Mme Arnoux. « Elle a dû joliment souffrir! »

Frédéric lui sut gré de cette sympathie; et, comme
s'il en avait reçu un service, il serra sa main avec
effusion.

— As-tu fait toutes les courses nécessaires? dit Rosanette en le revoyant.

Il n'en avait pas eu le courage, répondit-il, et avait
marché au hasard, dans les rues, pour s'étourdir.

A huit heures, ils passèrent dans la salle à manger;
mais ils restèrent silencieux l'un devant l'autre, poussaient par intervalle un long soupir et renvoyaient leur
assiette. Frédéric but de l'eau-de-vie. Il se sentait tout
délabré, écrasé, anéanti, n'ayant plus conscience de rien
que d'une extrême fatigue.

Elle alla chercher le portrait. Le rouge, le jaune, le
vert et l'indigo s'y heurtaient par taches violentes, en
faisaient une chose hideuse, presque dérisoire.

D'ailleurs, le petit mort était méconnaissable maintenant. Le ton violacé de ses lèvres augmentait la blan-

cheur de sa peau; les narines étaient encore plus minces, les yeux plus caves; et sa tête reposait sur un oreiller de taffetas bleu, entre des pétales de camélias, des roses d'automne et des violettes; c'était une idée de la femme de chambre; elles l'avaient ainsi arrangé toutes les deux, dévotement. La cheminée, couverte d'une housse en guipure, supportait des flambeaux de vermeil espacés par des bouquets de buis bénit; aux coins, dans les deux vases, des pastilles du sérail brûlaient; tout cela formait avec le berceau une manière de reposoir; et Frédéric se rappela sa veillée près de M. Dambreuse.

Tous les quarts d'heure, à peu près, Rosanette ouvrait les rideaux pour contempler son enfant. Elle l'apercevait, dans quelques mois d'ici, commençant à marcher, puis au collège, au milieu de la cour, jouant aux barres; puis à vingt ans, jeune homme; et toutes ces images, qu'elle se créait, lui faisaient comme autant de fils qu'elle aurait perdus, — l'excès de la douleur multipliant sa maternité.

Frédéric, immobile dans l'autre fauteuil, pensait à Mme Arnoux.

Elle était en chemin de fer, sans doute, le visage au carreau du wagon, et regardant la campagne s'enfuir derrière elle du côté de Paris, ou bien sur le pont d'un bateau à vapeur, comme la première fois qu'il l'avait rencontrée; mais celui-là s'en allait indéfiniment vers des pays d'où elle ne sortirait plus. Puis il la voyait dans une chambre d'auberge, avec des malles par terre, un papier de tenture en lambeaux, la porte qui tremblait au vent. Et après? que deviendrait-elle? Institutrice, dame de compagnie, femme de chambre, peut-être? Elle était livrée à tous les hasards de la misère. Cette ignorance de son sort le torturait. Il aurait dû s'opposer à sa fuite ou partir derrière elle. N'était-il pas son véritable époux? Et, en songeant qu'il ne la retrouverait jamais, que c'était bien fini, qu'elle était irrévocablement perdue, il sentait comme un déchirement de tout son être; ses larmes accumulées depuis le matin débordèrent.

Rosanette s'en aperçut.

— Ah! tu pleures comme moi! Tu as du chagrin?

— Oui! oui! j'en ai!...

Il la serra contre son cœur, et tous deux sanglotaient en se tenant embrassés.

Mme Dambreuse aussi pleurait, couchée sur son lit, à plat ventre, la tête dans ses mains.

Olympe Regimbart, étant venue le soir lui essayer sa première robe de couleur, avait conté la visite de Frédéric, et même qu'il tenait tout prêts douze mille francs destinés à M. Arnoux.

Ainsi cet argent, son argent à elle, était pour empêcher le départ de l'autre, pour se conserver une maîtresse!

Elle eut d'abord un accès de rage; et elle avait résolu de le chasser comme un laquais. Des larmes abondantes la calmèrent. Il valait mieux tout enfermer, ne rien dire.

Frédéric, le lendemain, rapporta les douze mille francs.

Elle le pria de les garder, en cas de besoin, pour son ami, et elle l'interrogea beaucoup sur ce monsieur. Qui donc l'avait poussé à un tel abus de confiance?

Une femme, sans doute! Les femmes vous entraînent à tous les crimes.

Ce ton de persiflage décontenança Frédéric. Il éprouvait un grand remords de sa calomnie. Ce qui le rassurait, c'est que Mme Dambreuse ne pouvait connaître la vérité.

Elle y mit de l'entêtement, cependant; car, le surlendemain, elle s'informa encore de son petit camarade, puis d'un autre, de Deslauriers.

— Est-ce un homme sûr et intelligent?

Frédéric le vanta.

— Priez-le de passer à la maison un de ces matins: je désirerais le consulter pour une affaire.

Elle avait trouvé un rouleau de paperasses contenant des billets d'Arnoux parfaitement protestés, et sur lesquels Mme Arnoux avait mis sa signature. C'était pour ceux-là que Frédéric était venu une fois chez M. Dambreuse pendant son déjeuner; et, bien que le capitaliste n'eût pas voulu en poursuivre le recouvrement, il avait fait prononcer par le Tribunal de commerce, non seulement la condamnation d'Arnoux, mais celle de sa femme, qui l'ignorait, son mari n'ayant pas jugé convenable de l'en avertir.

C'était une arme, cela! Mme Dambreuse n'en doutait pas. Mais son notaire lui conseillerait peut-être l'abstention; elle eût préféré quelqu'un d'obscur; et elle s'était rappelé ce grand diable, à mine impudente, qui lui avait offert ses services.

Frédéric fit naïvement sa commission.

L'avocat fut enchanté d'être mis en rapport avec une si grande dame.

Il accourut.

Elle le prévint que la succession appartenait à sa nièce, motif de plus pour liquider ces créances qu'elle rembourserait, tenant à accabler les époux Martinon des meilleurs procédés.

Deslauriers comprit qu'il y avait là-dessous un mystère; il rêvait en considérant les billets. Le nom de Mme Arnoux, tracé par elle-même, lui remit devant les yeux toute sa personne et l'outrage qu'il en avait reçu. Puisque la vengeance s'offrait, pourquoi ne pas la saisir?

Il conseilla donc à Mme Dambreuse de faire vendre aux enchères les créances désespérées qui dépendaient de la succession. Un homme de paille les rachèterait en sous-main et exercerait les poursuites. Il se chargeait de fournir cet homme-là.

Vers la fin du mois de novembre, Frédéric, en passant dans la rue de Mme Arnoux, leva les yeux vers ses fenêtres, et aperçut contre la porte une affiche, où il y avait en grosses lettres:

« Vente d'un riche mobilier, consistant en batterie de cuisine, linge de corps et de table, chemises, dentelles, jupons, pantalons, cachemires français et de l'Inde, piano d'Erard, deux bahuts de chêne Renaissance, miroirs de Venise, poteries de Chine et du Japon. »

« C'est leur mobilier! » se dit Frédéric; et le portier confirma ses soupçons.

Quant à la personne qui faisait vendre, il l'ignorait. Mais le commissaire-priseur, Me Berthelmot, donnerait peut-être des éclaircissements.

L'officier ministériel ne voulut point, tout d'abord, dire quel créancier poursuivait la vente. Frédéric insista. C'était un sieur Sénécal, agent d'affaires; et Me Berthelmot poussa même la complaisance jusqu'à prêter son journal des *Petites Affiches*.

Frédéric, en arrivant chez Rosanette, le jeta sur la table tout ouvert.

— Lis donc!

— Eh bien, quoi? dit-elle, avec une figure tellement placide qu'il en fut révolté.

— Ah! garde ton innocence!

— Je ne comprends pas.

— C'est toi qui fais vendre Mme Arnoux?

Elle relut l'annonce.

— Où est son nom?

— Eh! c'est son mobilier! Tu le sais mieux que moi!

— Qu'est-ce que ça me fait? dit Rosanette en haussant les épaules.

— Ce que ça te fait? Mais tu te venges, voilà tout! C'est la suite de tes persécutions! Est-ce que tu ne l'as pas outragée jusqu'à venir chez elle! Toi, une fille de rien. La femme la plus sainte, la plus charmante et la meilleure! Pourquoi t'acharnes-tu à la ruiner?

— Tu te trompes, je t'assure!

— Allons donc! Comme si tu n'avais pas mis Sénécal en avant!

— Quelle bêtise!

Alors, une fureur l'emporta.

— Tu mens! tu mens, misérable! Tu es jalouse d'elle! Tu possèdes une condamnation contre son mari! Sénécal s'est déjà mêlé de tes affaires! Il déteste Arnoux, vos deux haines s'entendent. J'ai vu sa joie quand tu as gagné ton procès pour le kaolin. Le nieras-tu, celui-là?

— Je te donne ma parole...

— Oh! je la connais, ta parole!

Et Frédéric lui rappela ses amants par leurs noms, avec des détails circonstanciés. Rosanette, toute pâlissante, se reculait.

— Cela t'étonne! Tu me croyais aveugle parce que je fermais les yeux. J'en ai assez, aujourd'hui! On ne meurt pas pour les trahisons d'une femme de ton espèce. Quand elles deviennent trop monstrueuses on s'en écarte; ce serait se dégrader que de les punir!

Elle se tordait les bras.

— Mon Dieu, qu'est-ce qui t'a changé?

— Pas d'autres que toi-même!

— Et tout cela pour Mme Arnoux!... s'écria Rosanette en pleurant.

Il reprit froidement:

— Je n'ai jamais aimé qu'elle!

A cette insulte, ses larmes s'arrêtèrent.

— Ça prouve ton bon goût! Une personne d'un âge mûr, le teint couleur de réglisse, la taille épaisse, des yeux grands comme des soupiraux de cave, et vides comme eux! Puisque ça te plaît, va la rejoindre!

— C'est ce que j'attendais! Merci!

Rosanette demeura immobile, stupéfiée par ces façons extraordinaires. Elle laissa même la porte se refermer; puis, d'un bond, elle le rattrapa dans l'antichambre, et, l'entourant de ses bras:

— Mais tu es fou! tu es fou! c'est absurde! je t'aime! Elle le suppliait: Mon Dieu, au nom de notre petit enfant!

— Avoue que c'est toi qui as fait le coup! dit Frédéric.

Elle protesta encore de son innocence.

— Tu ne veux pas avouer?

— Non!

— Eh bien, adieu! et pour toujours!

— Ecoute-moi!

Frédéric se retourna.

— Si tu me connaissais mieux, tu saurais que ma décision est irrévocable.

— Oh! oh! tu me reviendras!

— Jamais de la vie!

Et il fit claquer la porte violemment.

Rosanette écrivit à Deslauriers qu'elle avait besoin de lui tout de suite.

Il arriva cinq jours après, un soir; et, quand elle eut conté sa rupture:

— Ce n'est que ça! Beau malheur!

Elle avait cru d'abord qu'il pourrait lui ramener Frédéric; mais, à présent, tout était perdu. Elle avait appris, par son portier, son prochain mariage avec Mme Dambreuse.

Deslauriers lui fit de la morale, se montra même singulièrement gai, farceur; et, comme il était fort tard, demanda la permission de passer la nuit sur un fauteuil. Puis, le lendemain matin, il repartit pour Nogent, en la prévenant qu'il ne savait pas quand ils se reverraient; d'ici à peu, il y aurait peut-être un grand changement dans sa vie.

Deux heures après son retour, la ville était en révolution. On disait que M. Frédéric allait épouser Mme Dambreuse. Enfin, les trois demoiselles Auger, n'y tenant plus, se transportèrent chez Mme Moreau, qui confirma cette nouvelle avec orgueil. Le père Roque en fut malade. Louise s'enferma. Le bruit courut même qu'elle était folle.

Cependant, Frédéric ne pouvait cacher sa tristesse. Mme Dambreuse, pour l'en distraire sans doute, redoublait d'attentions. Toutes les après-midi, elle le promenait dans sa voiture; et, une fois qu'ils passaient sur la place de la Bourse, elle eut l'idée d'entrer dans l'hôtel des commissaires-priseurs, par amusement.

C'était le 1er décembre, jour même où devait se faire la vente de Mme Arnoux. Il se rappela la date et manifesta sa répugnance, en déclarant ce lieu intolérable, à cause de la foule et du bruit. Elle désirait y jeter un coup d'œil seulement. Le coupé s'arrêta. Il fallait bien la suivre.

On voyait, dans la cour, des lavabos sans cuvettes, des bois de fauteuils, de vieux paniers, des tessons de porcelaine, des bouteilles vides, des matelas; et des hommes en blouse ou en sale redingote, tous gris de poussière, la figure ignoble, quelques-uns avec des sacs de toile sur l'épaule, causaient par groupes distincts ou se hélaient tumultueusement.

Frédéric objecta les inconvénients d'aller plus loin.

— Ah bah!

Et ils montèrent l'escalier.

Dans la première salle, à droite, des messieurs, un catalogue à la main, examinaient des tableaux; dans une autre, on vendait une collection d'armes chinoises. Mme Dambreuse voulut descendre. Elle regardait les numéros au-dessus des portes, et elle le mena jusqu'à l'extrémité du corridor, vers une pièce encombrée de monde.

Il reconnut immédiatement les deux étagères de *l'Art industriel*, sa table à ouvrage, tous ses meubles! Entassés au fond, par rang de taille, ils formaient un large talus depuis le plancher jusqu'aux fenêtres; et, sur les autres côtés de l'appartement, les tapis et les rideaux pendaient droit le long des murs. Il y avait, en dessous, des gradins occupés par de vieux bonshommes qui sommeillaient. A gauche, s'élevait une espèce de comptoir, où le commissaire-priseur, en cravate blanche, brandissait légèrement un petit marteau. Un jeune homme, près de lui, écrivait; et, plus bas, debout, un robuste vieillard, tenant du commis-voyageur et du marchand de contremarques, criait les meubles à vendre. Trois garçons les apportaient sur une table, que bordaient, assis en ligne, des brocanteurs et des revendeuses. La foule circulait derrière eux.

Quand Frédéric entra, les jupons, les fichus, les mouchoirs et jusqu'aux chemises étaient passés de main en main, retournés; quelquefois, on les jetait de loin, et des blancheurs traversaient l'air tout à coup. Ensuite, on vendit ses robes, puis un de ses chapeaux dont la plume cassée retombait, puis ses fourrures, puis trois paires de bottines; — et le partage de ces reliques, où il retrouvait confusément les formes de ses membres, lui semblait une atrocité, comme s'il avait vu des corbeaux déchiquetant son cadavre. L'atmosphère de la salle, toute chargée d'haleines, l'écœurait. Mme Dambreuse lui offrit son flacon; elle se divertissait beaucoup, disait-elle.

On exhiba les meubles de la chambre à coucher.

Me Berthelmot annonçait un prix. Le crieur, tout de suite, le répétait plus fort; et les trois commissaires attendaient tranquillement le coup de marteau, puis emportaient l'objet dans une pièce contiguë. Ainsi disparurent, les uns après les autres, le grand tapis bleu semé de camélias, que ses pieds mignons frôlaient en venant vers lui, la petite bergère de tapisserie où il s'asseyait toujours en face d'elle quand ils étaient seuls; les deux écrans de la cheminée, dont l'ivoire était rendu plus doux par le contact de ses mains; une pelote de velours, encore hérissée d'épingles. C'était comme des parties de son cœur qui s'en allaient avec ces choses; et la monotonie des mêmes voix, des mêmes gestes, l'engourdissait de fatigue, lui causait une torpeur funèbre, une dissolution.

Un craquement de soie se fit à son oreille; Rosanette le touchait.

Elle avait eu connaissance de cette vente par Frédéric lui-même. Son chagrin passé, l'idée d'en tirer profit lui était venue. Elle arrivait pour la voir, en gilet de satin blanc à boutons de perles, avec une robe à falbalas, étroitement gantée, l'air vainqueur.

Il pâlit de colère. Elle regarda la femme qui l'accompagnait.

Mme Dambreuse l'avait reconnue; et, pendant une minute, elles se considérèrent de haut en bas, scrupuleusement, afin de découvrir le défaut, la tare, — l'une enviant peut-être la jeunesse de l'autre, et celle-ci dépitée par l'extrême bon ton, la simplicité aristocratique de sa rivale.

Enfin, Mme Dambreuse détourna la tête, avec un sourire d'une insolence inexprimable.

Le crieur avait ouvert un piano, — son piano! Tout en restant debout, il fit une gamme de la main droite, et annonça l'instrument pour douze cents francs, puis se rabattit à mille, à huit cents, à sept cents.

Mme Dambreuse, d'un ton folâtre, se moquait du sabot.

On posa devant les brocanteurs un petit coffret avec des médaillons, des angles et des fermoirs d'argent, le même qu'il avait vu au premier dîner dans la rue de Choiseul, qui ensuite avait été chez Rosanette, était revenu chez Mme Arnoux; souvent, pendant leurs conversations, ses yeux le rencontraient; il était lié à ses souvenirs les plus chers, et son âme se fondait d'attendrissement, quand Mme Dambreuse dit tout à coup:

— Tiens! je vais l'acheter.

— Mais ce n'est pas curieux, reprit-il.

Elle le trouvait, au contraire, fort joli; et le crieur en prônait la délicatesse:

— Un bijou de la Renaissance! Huit cents francs, messieurs! En argent presque tout entier! Avec un peu de blanc d'Espagne, ça brillera!

Et, comme elle se poussait dans la foule:

— Quelle singulière idée! dit Frédéric.

— Cela vous fâche?

— Non! Mais que peut-on faire de ce bibelot?

— Qui sait? y mettre des lettres d'amour, peut-être!

Elle eut un regard qui rendait l'allusion fort claire.

— Raison de plus pour ne pas dépouiller les morts de leurs secrets.

— Je ne la croyais pas si morte.

Elle ajouta distinctement: « Huit cent quatre-vingts francs! »

— Ce que vous faites n'est pas bien, murmura Frédéric.

Elle riait.

— Mais, chère amie, c'est la première grâce que je vous demande.

— Mais vous ne serez pas un mari aimable, savez-vous?

Quelqu'un venait de lancer une surenchère; elle leva la main.

— Neuf cents francs!

— Neuf cents francs! répéta Me Berthelmot.

— Neuf cent dix... quinze... vingt... trente! glapissait le crieur, tout en parcourant du regard l'assistance, avec des hochements de tête saccadés.

— Prouvez-moi que ma femme est raisonnable, dit Frédéric.

Il l'entraîna doucement vers la porte.

Le commissaire-priseur continuait.

— Allons, allons, messieurs, neuf cent trente! Y a-t-il marchand à neuf cent trente?

Mme Dambreuse, qui était arrivée sur le seuil, s'arrêta; et, d'une voix haute :

— Mille francs!

Il y eut un frisson dans le public, un silence.

— Mille francs, messieurs, mille francs! Personne ne dit rien? bien vu? mille francs! — Adjugé!

Le marteau d'ivoire s'abattit.

Elle fit passer sa carte, on lui envoya le coffret. Elle le plongea dans son manchon.

Frédéric sentit un grand froid lui traverser le cœur.

Mme Dambreuse n'avait pas quitté son bras; et elle n'osa le regarder en face jusque dans la rue, où l'attendait sa voiture.

Elle s'y jeta comme un voleur qui s'échappe, et, quand elle fut assise, se retourna vers Frédéric. Il avait son chapeau à la main.

— Vous ne montez pas?

— Non, madame!

Et, la saluant froidement, il ferma la portière, puis fit signe au cocher de partir.

Il éprouva d'abord un sentiment de joie et d'indépendance reconquise. Il était fier d'avoir vengé Mme Arnoux en lui sacrifiant une fortune, puis il fut étonné de son action, et une courbature infinie l'accabla.

Le lendemain matin, son domestique lui apprit les nouvelles. L'état de siège était décrété, l'Assemblée dissoute et une partie des représentants du peuple à Mazas [101]. Les affaires publiques le laissèrent indifférent, tant il était préoccupé des siennes.

Il écrivit à des fournisseurs pour décommander plusieurs emplettes relatives à son mariage, qui lui apparaissait, maintenant, comme une spéculation un peu ignoble; et il exécrait Mme Dambreuse parce qu'il avait manqué, à cause d'elle, commettre une bassesse. Il en oubliait la Maréchale, ne s'inquiétait même pas de Mme Arnoux, — ne songeant qu'à lui, à lui seul, — perdu dans les décombres de ses rêves, malade, plein de douleur et de découragement; et, en haine du milieu factice où il avait tant souffert, il souhaita la fraîcheur de l'herbe, le repos de la province, une vie somnolente passée à l'ombre du toit natal, avec des cœurs ingénus. Le mercredi soir enfin, il sortit.

Des groupes nombreux stationnaient sur le boulevard. De temps à autre, une patrouille les dissipait, ils se reformaient derrière elle. On parlait librement, on vociférait contre la troupe des plaisanteries et des injures, sans rien de plus.

— Comment! est-ce qu'on ne va pas se battre? dit Frédéric à un ouvrier.

L'homme en blouse lui répondit :

— Pas si bêtes de nous faire tuer pour les bourgeois! Qu'ils s'arrangent!

Et un monsieur grommela, tout en regardant de travers le faubourien :

— Canailles de socialistes! Si on pouvait, cette fois, les exterminer!

Frédéric ne comprenait rien à tant de rancune et de sottise. Son dégoût de Paris en augmenta; et, le surlendemain, il partit pour Nogent par le premier convoi.

Les maisons bientôt disparurent, la campagne s'élargit. Seul dans son wagon et les pieds sur la banquette, il ruminait les événements des derniers jours, tout son passé. Le souvenir de Louise lui revint.

« Elle m'aimait, celle-là! J'ai eu tort de ne pas saisir ce bonheur... Bah! n'y pensons plus! »

Puis, cinq minutes après :

« Qui sait, cependant?... plus tard, pourquoi pas? »

Sa rêverie, comme ses yeux, s'enfonçait dans de vagues horizons.

« Elle était naïve, une paysanne, presque une sauvage, mais si bonne! »

A mesure qu'il avançait vers Nogent, elle se rapprochait de lui. Quand on traversa les prairies de Sourdun, il l'aperçut sous les peupliers comme autrefois, coupant des joncs au bord des flaques d'eau; on arrivait; il descendit.

Puis il s'accouda sur le pont, pour revoir l'île et le jardin où ils s'étaient promenés un jour de soleil; — et l'étourdissement du voyage et du grand air, la faiblesse qu'il gardait de ses émotions récentes, lui causant une sorte d'exaltation, il se dit :

« Elle est peut-être sortie; si j'allais la rencontrer! »

La cloche de Saint-Laurent tintait; et il y avait sur la place, devant l'église, un rassemblement de pauvres, avec une calèche, la seule du pays (celle qui servait pour les noces), quand sous le portail tout à coup, dans un flot de bourgeois en cravate blanche, deux nouveaux mariés parurent.

Il se crut halluciné. Mais non! C'était bien elle, Louise! — couverte d'un voile blanc qui tombait de ses cheveux rouges à ses talons; et c'était bien lui, Deslauriers! — portant un habit bleu brodé d'argent, un costume de préfet. Pourquoi donc?

Frédéric se cacha dans l'angle d'une maison, pour laisser passer le cortège.

Honteux, vaincu, écrasé, il retourna vers le chemin de fer, et s'en revint à Paris.

Son cocher de fiacre assura que les barricades étaient dressées depuis le Château d'Eau jusqu'au Gymnase, et prit par le faubourg Saint-Martin. Au coin de la rue de Provence, Frédéric mit pied à terre pour gagner les boulevards.

Il était cinq heures, une pluie fine tombait. Des bourgeois occupaient le trottoir du côté de l'Opéra. Les maisons d'en face étaient closes. Personne aux fenêtres. Dans toute la largeur du boulevard, des dragons galopaient, à fond de train, penchés sur leurs chevaux, le sabre nu; et les crinières de leurs casques, et leurs grands manteaux blancs soulevés derrière eux passaient sur la lumière des becs de gaz, qui se tordaient au vent dans la brume. La foule les regardait, muette, terrifiée.

Entre les charges de cavalerie, des escouades de

---

101. Nom de la prison, construite en 1845 et démolie en 1900, où furent réunies les personnes arrêtées le 2 décembre 1851.

sergents de ville survenaient, pour faire refluer le monde
dans les rues.

Mais, sur les marches de Tortoni, un homme, —
Dussardier, — remarquable de loin à sa haute taille,
restait sans plus bouger qu'une cariatide.

Un des agents, qui marchait en tête, le tricorne sur
les yeux, le menaça de son épée.

L'autre alors, s'avançant d'un pas, se mit à crier :
— Vive la République !

Il tomba sur le dos, les bras en croix.

Un hurlement d'horreur s'éleva de la foule. L'agent
fit un cercle autour de lui avec son regard ; et Frédéric,
béant, reconnut Sénécal.

VI

Il voyagea.

Il connut la mélancolie des paquebots, les froids
réveils sous la tente, l'étourdissement des paysages et
des ruines, l'amertume des sympathies interrompues.

Il revint.

Il fréquenta le monde, et il eut d'autres amours encore.
Mais le souvenir continuel du premier les lui rendait
insipides ; et puis la véhémence du désir, la fleur même
de la sensation était perdue. Ses ambitions d'esprit
avaient également diminué. Des années passèrent ; et
il supportait le désœuvrement de son intelligence et
l'inertie de son cœur.

Vers la fin de mars 1867, à la nuit tombante, comme
il était seul dans son cabinet, une femme entra.

— Madame Arnoux !

— Frédéric !

Elle le saisit par les mains, l'attira doucement vers la
fenêtre, et elle le considérait tout en répétant :

— C'est lui ! C'est donc lui !

Dans la pénombre du crépuscule, il n'apercevait que
ses yeux sous la voilette de dentelle noire qui masquait
sa figure.

Quand elle eut déposé au bord de la cheminée un
petit portefeuille de velours grenat, elle s'assit. Tous
deux restèrent sans pouvoir parler, se souriant l'un à
l'autre.

Enfin, il lui adressa quantité de questions sur elle et
son mari.

Ils habitaient le fond de la Bretagne, pour vivre
économiquement et payer leurs dettes. Arnoux, presque
toujours malade, semblait un vieillard maintenant. Sa
fille était mariée à Bordeaux et son fils en garnison à
Mostaganem. Puis elle releva la tête :

— Mais je vous revois ! Je suis heureuse !

Il ne manqua pas de lui dire qu'à la nouvelle de leur
catastrophe, il était accouru chez eux.

— Je le savais !

— Comment ?

Elle l'avait aperçu dans la cour, et s'était cachée.

— Pourquoi ?

Alors, d'une voix tremblante, et avec de longs intervalles entre ses mots :

— J'avais peur ! Oui... peur de vous... de moi !

Cette révélation lui donna comme un saisissement de
volupté. Son cœur battit à grands coups. Elle reprit :

— Excusez-moi de n'être pas venue plus tôt.

Et désignant le petit portefeuille grenat couvert de
palmes d'or :

— Je l'ai brodé à votre intention, tout exprès. Il
contient cette somme, dont les terrains de Belleville
devaient répondre.

Frédéric la remercia du cadeau, tout en la blâmant de
s'être dérangée.

— Non ! Ce n'est pas pour cela que je suis venue !
Je tenais à cette visite, puis je m'en retournerai... là-bas.

Et elle lui parla de l'endroit qu'elle habitait.

C'était une maison basse, à un seul étage, avec un
jardin rempli de buis énormes et une double avenue de
châtaigniers montant jusqu'au haut de la colline, d'où
l'on découvre la mer.

— Je vais m'asseoir là, sur un banc, que j'ai appelé :
le banc Frédéric.

Puis elle se mit à regarder les meubles, les bibelots,
les cadres, avidement, pour les emporter dans sa
mémoire. Le portrait de la Maréchale était à demi caché
par un rideau. Mais les ors et les blancs, qui se détachaient au milieu des ténèbres, l'attirèrent.

— Je connais cette femme, il me semble ?

— Impossible ! dit Frédéric. C'est une vieille peinture
italienne.

Elle avoua qu'elle désirait faire un tour à son bras,
dans les rues.

Ils sortirent.

La lueur des boutiques éclairait, par intervalles, son
profil pâle ; puis l'ombre l'enveloppait de nouveau ; et,
au milieu des voitures, de la foule et du bruit, ils allaient
sans se distraire d'eux-mêmes, sans rien entendre,
comme ceux qui marchent ensemble dans la campagne,
sur un lit de feuilles mortes.

Ils se racontèrent leurs anciens jours, les dîners du
temps de *l'Art industriel*, les manies d'Arnoux, sa façon
de tirer les pointes de son faux col, d'écraser du cosmétique sur ses moustaches, d'autres choses plus intimes
et plus profondes. Quel ravissement il avait eu la première fois, en l'entendant chanter ! Comme elle était
belle, le jour de sa fête, à Saint-Cloud ! Il lui rappela le
petit jardin d'Auteuil, des soirs au théâtre, une rencontre
sur le boulevard, d'anciens domestiques, sa négresse.

Elle s'étonnait de sa mémoire. Cependant, elle lui dit :

— Quelquefois, vos paroles me reviennent comme
un écho lointain, comme le son d'une cloche apporté
par le vent ; et il me semble que vous êtes là, quand je
lis des passages d'amour dans les livres.

— Tout ce qu'on y blâme d'exagéré, vous me l'avez
fait ressentir, dit Frédéric. Je comprends les Werther
que ne dégoûtent pas les tartines de Charlotte.

— Pauvre cher ami !

Elle soupira ; et, après un long silence :

— N'importe, nous nous serons bien aimés.

— Sans nous appartenir, pourtant !

— Cela vaut peut-être mieux, reprit-elle.

— Non ! non ! Quel bonheur nous aurions eu !

— Oh ! je le crois, avec un amour comme le vôtre !

Et il devait être bien fort pour durer après une séparation si longue!

Frédéric lui demanda comment elle l'avait découvert.

— C'est un soir que vous m'avez baisé le poignet entre le gant et la manchette. Je me suis dit : « Mais il m'aime... il m'aime! » J'avais peur de m'en assurer, cependant. Votre réserve était si charmante, que j'en jouissais comme d'un hommage involontaire et continu.

Il ne regretta rien. Ses souffrances d'autrefois étaient payées.

Quand ils rentrèrent, Mme Arnoux ôta son chapeau. La lampe, posée sur une console, éclaira ses cheveux blancs. Ce fut comme un heurt en pleine poitrine.

Pour lui cacher cette déception, il se posa par terre à ses genoux, et, prenant ses mains, se mit à lui dire des tendresses.

— Votre personne, vos moindres mouvements me semblaient avoir dans le monde une importance extra-humaine. Mon cœur, comme de la poussière, se soulevait derrière vos pas. Vous me faisiez l'effet d'un clair de lune par une nuit d'été, quand tout est parfums, ombres douces, blancheurs, infini; et les délices de la chair et de l'âme étaient contenues pour moi dans votre nom que je me répétais, en tâchant de le baiser sur mes lèvres. Je n'imaginais rien au delà. C'était Mme Arnoux telle que vous étiez, avec ses deux enfants, tendre, sérieuse, belle à éblouir, et si bonne! Cette image-là effaçait toutes les autres. Est-ce que j'y pensais, seulement! puisque j'avais toujours au fond de moi-même la musique de votre voix et la splendeur de vos yeux!

Elle acceptait avec ravissement ces adorations pour la femme qu'elle n'était plus. Frédéric, se grisant par ses paroles, arrivait à croire ce qu'il disait. Mme Arnoux, le dos tourné à la lumière, se penchait vers lui. Il sentait sur son front la caresse de son haleine, à travers ses vêtements le contact indécis de tout son corps. Leurs mains se serrèrent; la pointe de sa bottine s'avançait un peu sous sa robe, et il lui dit, presque défaillant :

— La vue de votre pied me trouble.

Un mouvement de pudeur la fit se lever. Puis, immobile, et avec l'intonation singulière des somnambules :

— A mon âge! lui! Frédéric!... Aucune n'a jamais été aimée comme moi! Non, non, à quoi sert d'être jeune? Je m'en moque bien! je les méprise, toutes celles qui viennent ici!

— Oh! il n'en vient guère! reprit-il complaisamment.

Son visage s'épanouit, et elle voulut savoir s'il se marierait.

Il jura que non.

— Bien sûr? pourquoi?

— A cause de vous, dit Frédéric en la serrant dans ses bras.

Elle y restait, la taille en arrière, la bouche entr'ouverte, les yeux levés. Tout à coup, elle le repoussa avec un air de désespoir; et, comme il la suppliait de lui répondre, elle dit en baissant la tête :

— J'aurais voulu vous rendre heureux.

Frédéric soupçonna Mme Arnoux d'être venue pour s'offrir; et il était repris par une convoitise plus forte que jamais, furieuse, enragée. Cependant, il sentait

quelque chose d'inexprimable, une répulsion, et comme l'effroi d'un inceste. Une autre crainte l'arrêta, celle d'en avoir dégoût plus tard. D'ailleurs, quel embarras ce serait! — et tout à la fois par prudence et pour ne pas dégrader son idéal, il tourna sur ses talons et se mit à faire une cigarette.

Elle le contemplait, tout émerveillée.

— Comme vous êtes délicat! Il n'y a que vous! Il n'y a que vous!

Onze heures sonnèrent.

— Déjà! dit-elle; au quart, je m'en irai.

Elle se rassit; mais elle observait la pendule, et il continuait à marcher en fumant. Tous les deux ne trouvaient plus rien à se dire. Il y a un moment dans les séparations, où la personne aimée n'est déjà plus avec nous.

Enfin, l'aiguille ayant dépassé les vingt-cinq minutes, elle prit son chapeau par les brides, lentement.

— Adieu, mon ami, mon cher ami. Je ne vous reverrai jamais! C'était ma dernière démarche de femme. Mon âme ne vous quittera pas. Que toutes les bénédictions du ciel soient sur vous!

Et elle le baisa au front comme une mère.

Mais elle parut chercher quelque chose, et lui demanda des ciseaux.

Elle défit son peigne; tous ses cheveux blancs tombèrent.

Elle s'en coupa, brutalement, à la racine, une longue mèche.

— Gardez-les! adieu!

Quand elle fut sortie, Frédéric ouvrit sa fenêtre. Mme Arnoux, sur le trottoir, fit signe d'avancer à un fiacre qui passait. Elle monta dedans. La voiture disparut.

Et ce fut tout.

VII

Vers le commencement de cet hiver, Frédéric et Deslauriers causaient au coin du feu, réconciliés encore une fois, par la fatalité de leur nature qui les faisait toujours se rejoindre et s'aimer.

L'un expliqua sommairement sa brouille avec Mme Dambreuse, laquelle s'était remariée à un Anglais.

L'autre, sans dire comment il avait épousé Mlle Roque, conta que sa femme, un beau jour, s'était enfuie avec un chanteur. Pour se laver un peu du ridicule, il s'était compromis dans sa préfecture par des excès de zèle gouvernemental. On l'avait destitué. Il avait été, ensuite, chef de colonisation en Algérie, secrétaire d'un pacha, gérant d'un journal, courtier d'annonces, pour finalement employé au contentieux dans une compagnie industrielle.

Quant à Frédéric, ayant mangé les deux tiers de sa fortune, il vivait en petit bourgeois.

Puis, ils s'informèrent mutuellement de leurs amis.

Martinon était maintenant sénateur.

Hussonnet occupait une haute place, où il se trouvait avoir sous sa main tous les théâtres et toute la presse.

Cisy, enfoncé dans la religion et père de huit enfants, habitait le château de ses aïeux.

Pellerin, après avoir donné dans le fouriérisme, l'homéopathie, les tables tournantes, l'art gothique et la peinture humanitaire, était devenu photographe; et sur toutes les murailles de Paris, on le voyait représenté en habit noir, avec un corps minuscule et une grosse tête.

— Et ton intime Sénécal? demanda Frédéric.

— Disparu! Je ne sais! Et toi, ta grande passion, Mme Arnoux!

— Elle doit être à Rome avec son fils, lieutenant de chasseurs.

— Et son mari?

— Mort l'année dernière.

— Tiens! dit l'avocat.

Puis, se frappant le front :

— A propos, l'autre jour, dans une boutique, j'ai rencontré cette bonne Maréchale, tenant par la main un petit garçon qu'elle a adopté. Elle est veuve d'un certain M. Oudry, et très grosse maintenant, énorme. Quelle décadence! Elle qui avait autrefois la taille si mince.

Deslauriers ne cacha pas qu'il avait profité de son désespoir pour s'en assurer par lui-même.

— Comme tu me l'avais permis, du reste.

Cet aveu était une compensation au silence qu'il gardait touchant sa tentative près de Mme Arnoux. Frédéric l'eût pardonné, puisqu'elle n'avait pas réussi.

Bien que vexé un peu de la découverte, il fit semblant d'en rire; et l'idée de la Maréchale lui amena celle de la Vatnaz.

Deslauriers ne l'avait jamais vue, non plus que bien d'autres qui venaient chez Arnoux; mais il se souvenait parfaitement de Regimbart.

— Vit-il encore?

— A peine! Tous les soirs, régulièrement, depuis la rue de Grammont, jusqu'à la rue Montmartre, il se traîne devant les cafés, affaibli, courbé en deux, vidé, un spectre!

— Eh bien, et Compain?

Frédéric poussa un cri de joie, et pria l'ex-délégué du Gouvernement provisoire de lui apprendre le mystère de la tête de veau.

— C'est une importation anglaise. Pour parodier la cérémonie que les royalistes célébraient le 30 janvier, des Indépendants fondèrent un banquet annuel où l'on mangeait des têtes de veau, et où l'on buvait du vin rouge dans des crânes de veau en portant des toasts à l'extermination des Stuarts. Après Thermidor, des terroristes organisèrent une confrérie toute pareille, ce qui prouve que la bêtise est féconde.

— Tu me parais bien calmé sur la politique?

— Effet de l'âge, dit l'avocat.

Et ils résumèrent leur vie.

Ils l'avaient manquée tous les deux, celui qui avait rêvé l'amour, celui qui avait rêvé le pouvoir. Quelle en était la raison?

— C'est peut-être le défaut de ligne droite, dit Frédéric.

— Pour toi, cela se peut. Moi, au contraire, j'ai péché par excès de rectitude, sans tenir compte de mille choses secondaires, plus fortes que tout. J'avais trop de logique, et toi de sentiment.

Puis, ils accusèrent le hasard, les circonstances, l'époque où ils étaient nés.

Frédéric reprit :

— Ce n'est pas là ce que nous croyions devenir autrefois, à Sens, quand tu voulais faire une histoire critique de la Philosophie, et moi, un grand roman moyen âge sur Nogent, dont j'avais trouvé le sujet dans Froissart : *Comment messire Brokars de Fénestranges et l'évêque de Troyes assaillirent messire Eustache d'Ambrecicourt*. Te rappelles-tu?

Et, exhumant leur jeunesse, à chaque phrase, ils disaient :

— Te rappelles-tu?

Ils revoyaient la cour au collège, la chapelle, le parloir, la salle d'armes au bas de l'escalier, des figures de pions et d'élèves, un nommé Angelmarre, de Versailles, qui se taillait des sous-pieds dans de vieilles bottes, M. Mirbal et ses favoris rouges, les deux professeurs de dessin linéaire et de grand dessin, Varaud et Suriret, toujours en dispute, et le Polonais, le compatriote de Copernic, avec son système planétaire en carton, astronome ambulant dont on avait payé la séance par un repas au réfectoire, — puis une terrible ribote en promenade, leurs premières pipes fumées, les distributions des prix, la joie des vacances.

C'était pendant celles de 1837 qu'ils avaient été chez la Turque.

On appelait ainsi une femme qui se nommait de son vrai nom Zoraïde Turc; et beaucoup de personnes la croyaient une musulmane, une Turque, ce qui ajoutait à la poésie de son établissement, situé au bord de l'eau, derrière le rempart; même en plein été, il y avait de l'ombre autour de sa maison, reconnaissable à un bocal de poissons rouges, près d'un pot de réséda, sur une fenêtre. Des demoiselles, en camisole blanche, avec du fard aux pommettes et de longues boucles d'oreilles, frappaient aux carreaux quand on passait, et, le soir, sur le pas de la porte, chantonnaient doucement d'une voix rauque.

Ce lieu de perdition projetait dans tout l'arrondissement un éclat fantastique. On le désignait par des périphrases : « L'endroit que vous savez, — une certaine rue, — au bas des Ponts. » Les fermières des alentours en tremblaient pour leurs maris, les bourgeoises le redoutaient pour leurs bonnes, parce que la cuisinière de M. le sous-préfet y avait été surprise; et c'était, bien entendu, l'obsession secrète de tous les adolescents.

Or, un dimanche, pendant qu'on était aux vêpres, Frédéric et Deslauriers, s'étant fait préalablement friser, cueillirent des fleurs dans le jardin de Mme Moreau, puis sortirent par la porte des champs, et, après un grand détour dans les vignes, revinrent par la Pêcherie et se glissèrent chez la Turque, en tenant toujours leurs gros bouquets.

Frédéric présenta le sien, comme un amoureux à sa

fiancée. Mais la chaleur qu'il faisait, l'appréhension de l'inconnu, une espèce de remords, et jusqu'au plaisir de voir, d'un seul coup d'œil, tant de femmes à sa disposition, l'émurent tellement, qu'il devint très pâle, et restait sans avancer, sans rien dire. Toutes riaient, joyeuses de son embarras; croyant qu'on s'en moquait, il s'enfuit; et, comme Frédéric avait l'argent, Deslauriers fut bien obligé de le suivre.

On les vit sortir. Cela fit une histoire qui n'était pas oubliée trois ans après.

Ils se la contèrent prolixement, chacun complétant les souvenirs de l'autre; et, quand ils eurent fini :

— C'est là ce que nous avons eu de meilleur! dit Frédéric.

— Oui, peut-être bien? C'est là ce que nous avons eu de meilleur! dit Deslauriers.

TROIS CONTES

Les Trois Contes *tranchent sur les autres écrits narratifs de Flaubert en ce qu'ils ont été rédigés avec une relative aisance. Entre les premières lignes de* Saint Julien l'Hospitalier *(fin septembre 1875) et le point final d'*Hérodias *(début février 1877), l'espace est court pour un écrivain dont le rythme de travail a généralement la puissante lenteur du bœuf de labour. Il est vrai que la nécessité de faire face à de graves difficultés d'argent et l'envie d'une diversion dans l'harassante préparation de* Bouvard et Pécuchet *suffiraient éventuellement à expliquer cette démarche toujours acharnée, mais plus alerte et plus heureuse qu'à l'ordinaire.*

La Légende de Saint Julien l'Hospitalier *a été commencée à Concarneau, où Flaubert avait rejoint, pour se changer les idées, son ami le naturaliste Pouchet vers le 15 septembre 1875. Le projet de ce conte lui trottait par la tête depuis longtemps déjà, — sans doute depuis 1845 ou 1846. Des lectures préparatoires avaient été entreprises par Flaubert au cours de l'année 1856. (« Je lis des bouquins sur la vie domestique au moyen âge et sur la vénerie », écrit-il à Louis Bouilhet le 1er juin 1856.) Quant à la source première du récit, elle est évidente et Flaubert n'en fait pas mystère, comptant même y trouver un surcroît de gloire : il s'agit d'un célèbre vitrail de la cathédrale de Rouen, dont il voulait qu'une reproduction illustrât l'édition de luxe des* Trois Contes *prévue par Charpentier. Comme pour tous ses autres ouvrages, une documentation érudite et la consultation d'amis compétents lui ont permis de compléter le canevas visuel, avant de l'habiller de ses vêtements de fête. Revenu à Paris, Flaubert poursuit le travail commencé au bord de la mer et achève son récit vers le 20 février 1876.*

Il commence aussitôt Un cœur simple, *dont le ton, inhabituel chez Flaubert, lui a été suggéré par sa vieille amie George Sand. « Tu rends plus tristes les gens qui te lisent, lui avait-elle écrit après la publication de l'*Education sentimentale. Moi, je voudrais les rendre moins malheureux. » Toute la tendresse rentrée de Flaubert va dès lors se donner libre carrière : « Je veux apitoyer, écrira-t-il, faire pleurer les âmes sensibles, en étant une moi-même. » Tout le conte se développera ainsi en communion de pensée et de cœur avec George Sand, qui meurt le 8 juin 1876, et qui demeure l'inspiratrice privilégiée d'une œuvre écrite, au dire de Flaubert lui-même, « à son intention exclusive, uniquement pour lui plaire ». La rédaction d'*Un Cœur simple *dure cinq mois (mi-mars-*

16 août 1876) et exige de Flaubert un rude travail (« mon ardeur à la besogne frise l'aliénation mentale. Avant-hier, j'ai fait une journée de dix-huit heures! » 10 août 1876.) Et pourtant il travaille, le cœur battant, penché sur son passé. En un sens, Un cœur simple *est un livre de souvenirs :* Honfleur, Pont-L'Evêque, l'unique passion, les « fantômes de Trouville », toute l'enfance normande de Flaubert est convoquée au rendez-vous. Mais peut-être est-ce pour cela que le labeur est si dur, la « distance » et le ton si difficiles à trouver. Au demeurant, Flaubert reste fidèle à sa méthode documentaire; et l'on connaît la phrase célèbre, qui est comme l'aveu, à peine teinté d'humour, d'une esthétique : « Depuis un mois, j'ai sur ma table un perroquet empaillé, afin de « peindre » d'après la nature. Sa présence commence à me fatiguer. N'importe! je le garde afin de m'emplir l'âme de perroquet. » C'est enfin le bout du tunnel : « hier, à une heure de nuit, écrit Flaubert à sa nièce Caroline, le jeudi 17 août 1876, j'ai terminé mon* Cœur simple, *et je le recopie. Maintenant je m'aperçois de ma fatigue, je souffle, oppressé comme un gros bœuf qui a trop labouré. »*

Le repos toutefois ne dure guère; car, dans la même lettre, on peut lire : « Maintenant que j'en ai fini avec Félicité, Hérodias *se présente et je vois (nettement, comme je vois* la Seine) la surface de la mer Morte scintiller au soleil. » L'idée d'un conte oriental et biblique lui était venue, comme par antithèse, en rédigeant laborieusement l'histoire normande et provinciale du* Cœur simple : « Savez-vous, écrit-il en avril 1876 à madame Roger des Genettes, ce que j'ai envie d'écrire après cela? L'histoire de saint Jean-Baptiste... ». Il est vrai que la perspective est fascinante et que « cette histoire d'Hérodias, à mesure que le moment de l'écrire approche, [lui] inspire une venette biblique ». Il s'y met enfin, sans doute dans les derniers jours d'octobre 1876. La rédaction va bon train, puisque, le 15 février 1877, Flaubert annonce à sa correspondante qu'il a fini de recopier* Hérodias. « Hier, à trois heures du matin. » *On sent bien percer, çà et là, quelque inquiétude : peur de « retomber dans les effets produits par* Salammbô »; *incertitude sur la tonalité et l'allure générale de l'œuvre (« Que sera-ce? je l'ignore, écrit-il à Tourguenieff le 14 décembre 1876. En tout cas, ça se présente sous les apparences d'un fort gueuloir, car en somme, il n'y a que ça : la gueulade, l'emphase, l'hyperbole. Soyons échevelés! ») Du moins, dans* Hérodias, *Flaubert a-t-il pu lâcher la bride à toutes ses vieilles* toquades : *l'Orient, qu'il reconstitue autant par l'imagination qu'à l'aide de ses souvenirs du voyage de 1850; un vieux fond mystique, qui l'entraîne sans cesse, malgré qu'il en ait, vers les hautes figures de la foi chrétienne* (« *Je trouve que si je continue, j'aurai place parmi les lumières de l'Eglise, je serai une des colonnes du Temple : après saint Antoine, saint Julien et ensuite saint Jean-Baptiste; je ne sors pas des saints.* ») *Il n'est pas jusqu'à sa chère Normandie qui ne soit présente en quelque façon au moment décisif de l'intrigue, puisque la danse de Salomé, si elle doit beaucoup à ses souvenirs d'Egypte, n'en évoque pas moins le tympan de la porte nord à la façade de la cathédrale de Rouen; peut-être même était-ce là l'étincelle initiale qui avait embrasé le génie flamboyant de l'auteur d'*Hérodias.

Publiés en avril 1877 dans la presse — Un Cœur simple *et* Hérodias *au* Moniteur universel, Saint Julien *dans le* Bien public —, *les* Trois Contes *furent mis en vente par Charpentier le 24 avril et, dans l'ensemble, bien accueillis par la critique. Banville se payait même le luxe d'anticiper sur le jugement de la postérité en parlant des* Trois Contes *comme de* « *trois chefs-d'œuvre absolus et parfaits, créés avec la puissance d'un poète sûr de son art, et dont il ne faut parler qu'avec la respectueuse admiration due au génie.* »

UN CŒUR SIMPLE

I

Pendant un demi-siècle, les bourgeoises de Pont-l'Evêque envièrent à Mme Aubain sa servante Félicité.

Pour cent francs par an, elle faisait la cuisine et le ménage, cousait, lavait, repassait, savait brider un cheval, engraisser les volailles, battre le beurre, et resta fidèle à sa maîtresse, — qui cependant n'était pas une personne agréable.

Elle avait épousé un beau garçon, sans fortune, mort au commencement de 1809, en lui laissant deux enfants très jeunes avec une quantité de dettes. Alors elle vendit ses immeubles, sauf la ferme de Toucques et la ferme de Geffosses, dont les rentes montaient à 5 000 francs tout au plus, et elle quitta sa maison de Saint-Melaine pour en habiter une autre moins dispendieuse, ayant appartenu à ses ancêtres et placée derrière les halles.

Cette maison, revêtue d'ardoises, se trouvait entre un passage et une ruelle aboutissant à la rivière. Elle avait intérieurement des différences de niveau qui faisaient trébucher. Un vestibule étroit séparait la cuisine de la *salle* où Mme Aubain se tenait tout le long du jour, assise près de la croisée dans un fauteuil de paille. Contre le lambris, peint en blanc, s'alignaient huit chaises d'acajou. Un vieux piano supportait, sous un baromètre, un tas pyramidal de boîtes et de cartons. Deux bergères de tapisserie flanquaient la cheminée en marbre jaune et de style Louis XV. La pendule, au milieu, représentait un temple de Vesta, — et tout l'appartement sentait un peu le moisi, car le plancher était plus bas que le jardin.

Au premier étage, il y avait d'abord la chambre de « Madame », très grande, tendue d'un papier à fleurs pâles, et contenant le portrait de « Monsieur » en costume de muscadin. Elle communiquait avec une chambre plus petite, où l'on voyait deux couchettes d'enfants, sans matelas. Puis venait le salon, toujours fermé, et rempli de meubles recouverts d'un drap. Ensuite un corridor menait à un cabinet d'étude; des livres et des paperasses garnissaient les rayons d'une bibliothèque entourant de ses trois côtés un large bureau de bois noir. Les deux panneaux en retour disparaissaient sous des dessins à la plume, des paysages à la gouache et des gravures d'Audran, souvenirs d'un temps meilleur et d'un luxe évanoui. Une lucarne au second étage éclairait la chambre de Félicité, ayant vue sur les prairies.

Elle se levait dès l'aube, pour ne pas manquer la messe, et travaillait jusqu'au soir sans interruption; puis, le dîner étant fini, la vaisselle en ordre et la porte bien close, elle enfouissait la bûche sous les cendres et s'endormait devant l'âtre, son rosaire à la main. Personne, dans les marchandages, ne montrait plus d'entêtement. Quant à la propreté, le poli de ses casseroles faisait le désespoir des autres servantes. Econome, elle mangeait avec lenteur, et recueillait du doigt sur la table les miettes de son pain, — un pain de douze livres, cuit exprès pour elle, et qui durait vingt jours.

En toute saison elle portait un mouchoir d'indienne fixé dans le dos par une épingle, un bonnet lui cachant les cheveux, des bas gris, un jupon rouge, et par-dessus sa camisole un tablier à bavette, comme les infirmières d'hôpital.

Son visage était maigre et sa voix aiguë. A vingt-cinq ans, on lui en donnait quarante. Dès la cinquantaine, elle ne marqua plus aucun âge; — et, toujours silencieuse, la taille droite et les gestes mesurés, semblait une femme en bois, fonctionnant d'une manière automatique.

II

Elle avait eu, comme une autre, son histoire d'amour. Son père, un maçon, s'était tué en tombant d'un échafaudage. Puis sa mère mourut, ses sœurs se dispersèrent, un fermier la recueillit, et l'employa toute petite à garder les vaches dans la campagne. Elle grelottait sous des haillons, buvait à plat ventre l'eau des mares, à propos de rien était battue, et finalement fut chassée pour un vol de trente sols, qu'elle n'avait pas commis. Elle entra dans une autre ferme, y devint fille de basse-cour, et, comme elle plaisait aux patrons, ses camarades la jalousaient.

Un soir du mois d'août (elle avait alors dix-huit ans), ils l'entraînèrent à l'assemblée de Colleville. Tout de suite elle fut étourdie, stupéfaite par le tapage des ménétriers, les lumières dans les arbres, la bigarrure des costumes, les dentelles, les croix d'or, cette masse de monde sautant à la fois. Elle se tenait à l'écart modestement, quand un jeune homme d'apparence cossue, et qui fumait sa pipe, les deux coudes sur le timon d'un banneau [1], vint l'inviter à la danse. Il lui paya du cidre, du café, de la galette, un foulard, et, s'imaginant qu'elle le devinait, offrit de la reconduire. Au bord du champ d'avoine, il la renversa brutalement. Elle eut peur et se mit à crier. Il s'éloigna.

Un autre soir, sur la route de Beaumont, elle voulut dépasser un grand chariot de foin qui avançait lentement, et en frôlant les roues elle reconnut Théodore.

Il l'aborda d'un air tranquille, disant qu'il fallait tout pardonner, puisque c'était « la faute de la boisson ».

Elle ne sut que répondre et avait envie de s'enfuir.

Aussitôt il parla des récoltes et des notables de la commune, car son père avait abandonné Colleville pour la ferme des Ecots, de sorte que maintenant ils se trouvaient voisins. « Ah! » dit-elle. Il ajouta qu'on désirait l'établir. Du reste, il n'était pas pressé, et attendrait une femme à son goût. Elle baissa la tête. Alors il lui demanda si elle pensait au mariage. Elle reprit, en souriant, que c'était mal de se moquer.

« Mais non, je vous jure! » et du bras gauche il lui entoura la taille; ils se ralentirent. Le vent était mou, les étoiles brillaient, l'énorme charretée de foin oscillait devant eux; et les quatre chevaux, en traînant leurs pas, soulevaient de la poussière. Puis, sans commandement, ils tournèrent à droite. Il l'embrassa encore une fois. Elle disparut dans l'ombre.

Théodore, la semaine suivante, en obtint des rendez-vous.

Ils se rencontraient au fond des cours, derrière un mur, sous un arbre isolé. Elle n'était pas innocente à la manière des demoiselles, — les animaux l'avaient instruite; — mais la raison et l'instinct de l'honneur l'empêchèrent de faillir. Cette résistance exaspéra l'amour de Théodore, si bien que pour le satisfaire (ou naïvement peut-être) il proposa de l'épouser. Elle hésitait à le croire. Il fit de grands serments.

Bientôt il avoua quelque chose de fâcheux : ses parents, l'année dernière, lui avaient acheté un homme [2]; mais d'un jour à l'autre on pourrait le reprendre; l'idée de servir l'effrayait. Cette couardise fut pour Félicité une preuve de tendresse; la sienne en redoubla. Elle s'échappait la nuit, et, parvenue au rendez-vous, Théodore la torturait avec ses inquiétudes et ses instances.

Enfin, il annonça qu'il irait lui-même à la Préfecture prendre des informations, et les apporterait dimanche prochain, entre onze heures et minuit.

Le moment arrivé, elle courut vers l'amoureux.

A sa place, elle trouva un de ses amis.

Il lui apprit qu'elle ne devait plus le revoir. Pour se garantir de la conscription, Théodore avait épousé une vieille femme très riche, Mme Lehoussais, de Toucques.

Ce fut un chagrin désordonné. Elle se jeta par terre, poussa des cris, appela le bon Dieu, et gémit toute seule dans la campagne jusqu'au soleil levant. Puis elle revint à la ferme, déclara son intention d'en partir; et, au bout du mois, ayant reçu ses comptes, elle enferma tout son petit bagage dans un mouchoir, et se rendit à Pont-l'Evêque.

Devant l'auberge, elle questionna une bourgeoise en capeline de veuve, et qui précisément cherchait une cuisinière. La jeune fille ne savait pas grand'chose, mais paraissait avoir tant de bonne volonté et si peu d'exigences, que Mme Aubain finit par dire :

— Soit, je vous accepte!

Félicité, un quart d'heure après, était installée chez elle.

D'abord elle y vécut dans une sorte de tremblement que lui causaient « le genre de la maison » et le souvenir de « Monsieur », planant sur tout! Paul et Virginie, l'un âgé de sept ans, l'autre de quatre à peine, lui semblaient formés d'une matière précieuse; elle les portait sur son dos comme un cheval, et Mme Aubain lui défendit de les baiser à chaque minute, ce qui la mortifia. Cependant elle se trouvait heureuse. La douceur du milieu avait fondu sa tristesse.

Tous les jeudis, des habitués venaient faire une partie de boston [3]. Félicité préparait d'avance les cartes et les chaufferettes. Ils arrivaient à huit heures bien juste, et se retiraient avant le coup de onze.

Chaque lundi matin, le brocanteur qui logeait sous l'allée étalait par terre ses ferrailles. Puis la ville se remplissait d'un bourdonnement de voix, où se mêlaient des hennissements de chevaux, des bêlements d'agneaux, des grognements de cochons, avec le bruit sec des carrioles dans la rue. Vers midi, au plus fort du marché, on voyait paraître sur le seuil un vieux paysan de haute taille, la casquette en arrière, le nez crochu, et qui était Robelin, le fermier de Geffosses. Peu de temps après, — c'était Liébard, le fermier de Toucques, petit, rouge, obèse, portant une veste grise et des houseaux armés d'éperons.

Tous deux offraient à leur propriétaire des poules ou des fromages. Félicité invariablement déjouait leurs astuces; et ils s'en allaient pleins de considération pour elle.

A des époques indéterminées, Mme Aubain recevait la visite du marquis de Gremanville, un de ses oncles, ruiné par la crapule et qui vivait à Falaise sur le dernier lopin de ses terres. Il se présentait toujours à l'heure du déjeuner, avec un affreux caniche dont les pattes salissaient tous les meubles. Malgré ses efforts pour paraître gentilhomme jusqu'à soulever son chapeau chaque fois qu'il disait : « Feu mon père », l'habitude l'entraînant, il se versait à boire coup sur coup, et

---

1. Sorte de tombereau.
2. Acheter un homme : payer un remplaçant pour le service militaire.

3. Jeu de cartes.

lâchait des gaillardises. Félicité le poussait dehors poliment : « Vous en avez assez, monsieur de Gremanville! A une autre fois! » Et elle refermait la porte.

Elle l'ouvrait avec plaisir devant M. Bourais, ancien avoué. Sa cravate blanche et sa calvitie, le jabot de sa chemise, son ample redingote brune, sa façon de priser en arrondissant le bras, tout son individu lui produisait ce trouble où nous jette le spectacle des hommes extraordinaires.

Comme il gérait les propriétés de « Madame », il s'enfermait avec elle pendant des heures dans le cabinet de « Monsieur », et craignait toujours de se compromettre, respectait infiniment la magistrature, avait des prétentions au latin.

Pour instruire les enfants d'une manière agréable, il leur fit cadeau d'une géographie en estampes. Elles représentaient différentes scènes du monde, des anthropophages coiffés de plumes, un singe enlevant une demoiselle, des Bédouins dans le désert, une baleine qu'on harponnait, etc.

Paul donna l'explication de ces gravures à Félicité. Ce fut même toute son éducation littéraire.

Celle des enfants était faite par Guyot, un pauvre diable employé à la Mairie, fameux pour sa belle main, et qui repassait son canif sur sa botte.

Quand le temps était clair, on s'en allait de bonne heure à la ferme de Geffosses.

La cour est en pente, la maison dans le milieu; et la mer, au loin, apparaît comme une tache grise.

Félicité retirait de son cabas des tranches de viande froide, et on déjeunait dans un appartement faisant suite à la laiterie. Il était le seul reste d'une habitation de plaisance, maintenant disparue. Le papier de la muraille en lambeaux tremblait aux courants d'air. Mme Aubain penchait son front, accablée de souvenirs, les enfants n'osaient plus parler. « Mais jouez donc! » disait-elle; ils décampaient.

Paul montait dans la grange, attrapait des oiseaux, faisait des ricochets sur la mare, ou tapait avec un bâton les grosses futailles qui résonnaient comme des tambours.

Virginie donnait à manger aux lapins, se précipitait pour cueillir des bluets, et la rapidité de ses jambes découvrait ses petits pantalons brodés.

Un soir d'automne, on s'en retourna par les herbages.

La lune à son premier quartier éclairait une partie du ciel, et un brouillard flottait comme une écharpe sur les sinuosités de la Toucques[4]. Des bœufs, étendus au milieu du gazon, regardaient tranquillement ces quatre personnes passer. Dans la troisième pâture quelques-uns se levèrent, puis se mirent en rond devant elles. « Ne craignez rien! » dit Félicité; et, murmurant une sorte de complainte, elle flatta sur l'échine celui qui se trouvait le plus près; il fit volte-face, les autres l'imitèrent. Mais, quand l'herbage suivant fut traversé, un beuglement formidable s'éleva. C'était un taureau, que cachait le brouillard. Il avança vers les deux femmes. Mme Aubain allait courir. « Non! non! moins vite! » Elles pres-

saient le pas cependant, et entendaient par derrière un souffle sonore qui se rapprochait. Ses sabots, comme des marteaux, battaient l'herbe de la prairie; voilà qu'il galopait maintenant! Félicité se retourna, et elle arrachait à deux mains des plaques de terre qu'elle lui jetait dans les yeux. Il baissait le mufle, secouait les cornes et tremblait de fureur en beuglant horriblement. Mme Aubain, au bout de l'herbage avec ses deux petits, cherchait éperdue comment franchir le haut bord. Félicité reculait toujours devant le taureau, et continuellement lançait des mottes de gazon qui l'aveuglaient, tandis qu'elle criait : « Dépêchez-vous! dépêchez-vous! »

Mme Aubain descendit le fossé, poussa Virginie, Paul ensuite, tomba plusieurs fois en tâchant de gravir le talus, et à force de courage y parvint.

Le taureau avait acculé Félicité contre une claire-voie; sa bave lui rejaillissait à la figure, une seconde de plus il l'éventrait. Elle eut le temps de se couler entre deux barreaux, et la grosse bête, toute surprise, s'arrêta.

Cet événement, pendant bien des années, fut un sujet de conversation à Pont-l'Evêque. Félicité n'en tira aucun orgueil, ne se doutant même pas qu'elle eût rien fait d'héroïque.

Virginie l'occupait exclusivement; — car elle eut, à la suite de son effroi, une affection nerveuse, et M. Poupart, le docteur, conseilla les bains de mer de Trouville.

Dans ce temps-là, ils n'étaient pas fréquentés. Mme Aubain prit des renseignements, consulta Bourais, fit des préparatifs comme pour un long voyage.

Ses colis partirent la veille, dans la charrette de Liébard. Le lendemain, il amena deux chevaux dont l'un avait une selle de femme, munie d'un dossier de velours; et sur la croupe du second un manteau roulé formait une manière de siège. Mme Aubain y monta, derrière lui. Félicité se chargea de Virginie, et Paul enfourcha l'âne de M. Lechaptois, prêté sous la condition d'en avoir grand soin.

La route était si mauvaise que ses huit kilomètres exigèrent deux heures. Les chevaux enfonçaient jusqu'aux paturons dans la boue, et faisaient pour en sortir de brusques mouvements des hanches; ou bien ils buttaient contre les ornières; d'autres fois, il leur fallait sauter. La jument de Liébard, à de certains endroits, s'arrêtait tout à coup. Il attendait patiemment qu'elle se remît en marche; et il parlait des personnes dont les propriétés bordaient la route, ajoutant à leur histoire des réflexions morales. Ainsi, au milieu de Toucques, comme on passait sous les fenêtres entourées de capucines, il dit, avec un haussement d'épaules : « En voilà une, Mme Lehoussais, qui au lieu de prendre un jeune homme... » Félicité n'entendit pas le reste; les chevaux trottaient, l'âne galopait; tous enfilèrent un sentier, une barrière tourna, deux garçons parurent, et l'on descendit devant le purin, sur le seuil même de la porte.

La mère Liébard, en apercevant sa maîtresse, prodigua les démonstrations de joie. Elle lui servit un déjeuner où il y avait un aloyau, des tripes, du boudin, une fricassée de poulet, du cidre mousseux, une tarte aux compotes et des prunes à l'eau-de-vie, accompagnant le tout de politesses à Madame qui paraissait en meilleure

4. Fleuve côtier qui traverse la vallée d'Auge.

santé, à Mademoiselle devenue « magnifique », à M. Paul singulièrement « forci », sans oublier leurs grands-parents défunts que les Liébard avaient connus, étant au service de la famille depuis plusieurs générations. La ferme avait, comme eux, un caractère d'ancienneté. Les poutrelles du plafond étaient vermoulues, les murailles noires de fumée, les carreaux gris de poussière. Un dressoir en chêne supportait toutes sortes d'ustensiles, des brocs, des assiettes, des écuelles d'étain, des pièges à loup, des forces [5] pour les moutons; une seringue énorme fit rire les enfants. Pas un arbre des trois cours qui n'eût des champignons à sa base, ou dans ses rameaux une touffe de gui. Le vent en avait jeté bas plusieurs. Il avaient repris par le milieu; et tous fléchissaient sous la quantité de leurs pommes. Les toits de paille, pareils à du velours brun et inégaux d'épaisseur, résistaient aux plus fortes bourrasques. Cependant la charretterie tombait en ruines. Mme Aubain dit qu'elle aviserait, et commanda de reharnacher les bêtes.

On fut encore une demi-heure avant d'atteindre Trouville. La petite caravane mit pied à terre pour passer les *Écores;* c'était une falaise surplombant des bateaux; et trois minutes plus tard, au bout du quai, on entra dans la cour de *l'Agneau d'or,* chez la mère David.

Virginie, dès les premiers jours, se sentit moins faible, résultat du changement d'air et de l'action des bains. Elle les prenait en chemise, à défaut d'un costume; et sa bonne la rhabillait dans une cabane de douanier qui servait aux baigneurs.

L'après-midi, on s'en allait avec l'âne au delà des Roches-Noires, du côté d'Hennequeville. Le sentier, d'abord, montait entre des terrains vallonnés comme la pelouse d'un parc, puis arrivait sur un plateau où alternaient des pâturages et des champs en labour. A la lisière du chemin, dans le fouillis des ronces, des houx se dressaient; çà et là, un grand arbre mort faisait sur l'air bleu des zigzags avec ses branches.

Presque toujours on se reposait dans un pré, ayant Deauville à gauche, Le Havre à droite et en face la pleine mer. Elle était brillante de soleil, lisse comme un miroir, tellement douce qu'on entendait à peine son murmure; des moineaux cachés pépiaient et la voûte immense du ciel recouvrait tout cela. Mme Aubain, assise, travaillait à son ouvrage de couture; Virginie près d'elle tressait des joncs; Félicité sarclait des fleurs de lavande; Paul, qui s'ennuyait, voulait partir.

D'autres fois, ayant passé la Toucques en bateau, ils cherchaient des coquilles. La marée basse laissait à découvert des oursins, des godefiches, des méduses; et les enfants couraient, pour saisir des flocons d'écume que le vent emportait. Les flots endormis, en tombant sur le sable, se déroulaient le long de la grève; elle s'étendait à perte de vue, mais du côté de la terre avait pour limite les dunes la séparant du *Marais,* large prairie en forme d'hippodrome. Quand ils revenaient par là, Trouville, au fond sur la pente du coteau, à chaque pas grandissait, et avec toutes ses maisons inégales semblait s'épanouir dans un désordre gai.

5. Grands ciseaux à tondre les moutons.

Les jours qu'il faisait trop chaud, ils ne sortaient pas de leur chambre. L'éblouissante clarté du dehors plaquait des barres de lumière entre les lames des jalousies. Aucun bruit dans le village. En bas, sur le trottoir, personne. Ce silence épandu augmentait la tranquillité des choses. Au loin, les marteaux des calfats tamponnaient des carènes, et une brise lourde apportait la senteur du goudron.

Le principal divertissement était le retour des barques. Dès qu'elles avaient dépassé les balises, elles commençaient à louvoyer. Leurs voiles descendaient aux deux tiers des mâts; et, la misaine gonflée comme un ballon, elles avançaient, glissaient dans le clapotement des vagues, jusqu'au milieu du port, où l'ancre tout à coup tombait. Ensuite le bateau se plaçait contre le quai. Les matelots jetaient par-dessus le bordage des poissons palpitants; une file de charrettes les attendait, et des femmes en bonnet de coton s'élançaient pour prendre les corbeilles et embrasser leurs hommes.

Une d'elles, un jour, aborda Félicité, qui peu de temps après entra dans la chambre toute joyeuse. Elle avait retrouvé une sœur; et Nastasie Barette, femme Leroux, apparut, tenant un nourrisson à sa poitrine, de la main droite un autre enfant, et à sa gauche un petit mousse, les poings sur les hanches et le béret sur l'oreille.

Au bout d'un quart d'heure, Mme Aubain la congédia.

On les rencontrait toujours aux abords de la cuisine, ou dans les promenades que l'on faisait. Le mari ne se montrait pas.

Félicité se prit d'affection pour eux. Elle leur acheta une couverture, des chemises, un fourneau; évidemment ils l'exploitaient. Cette faiblesse agaçait Mme Aubain, qui d'ailleurs n'aimait pas les familiarités du neveu, — car il tutoyait son fils; — et, comme Virginie toussait et que la saison n'était plus bonne, elle revint à Pont-l'Évêque.

M. Bourais l'éclaira sur le choix d'un collège. Celui de Caen passait pour le meilleur. Paul y fut envoyé, et fit bravement ses adieux, satisfait d'aller vivre dans une maison où il aurait des camarades.

Mme Aubain se résigna à l'éloignement de son fils, parce qu'il était indispensable. Virginie y songea de moins en moins. Félicité regrettait son tapage. Mais une occupation vint la distraire; à partir de Noël, elle mena tous les jours la petite fille au catéchisme.

III

Quand elle avait fait à la porte une génuflexion, elle s'avançait sous la haute nef, entre la double ligne des chaises, ouvrait le banc de Mme Aubain, s'asseyait, et promenait ses yeux autour d'elle.

Les garçons à droite, les filles à gauche, emplissaient les stalles du chœur; le curé se tenait debout près du lutrin; sur un vitrail de l'abside, le Saint-Esprit dominait la Vierge; un autre le montrait à genoux devant l'Enfant-Jésus, et, derrière le tabernacle, un groupe en bois représentait saint Michel terrassant le dragon.

Le prêtre fit d'abord un abrégé de l'Histoire sainte. Elle croyait voir le paradis, le déluge, la tour de Babel, des villes tout en flammes, des peuples qui mouraient, des idoles renversées; et elle garda de cet éblouissement le respect du Très-Haut et la crainte de sa colère. Puis, elle pleura en écoutant la Passion. Pourquoi l'avaient-ils crucifié, lui qui chérissait les enfants, nourrissait les foules, guérissait les aveugles, et avait voulu, par douceur, naître au milieu des pauvres, sur le fumier d'une étable? Les semailles, les moissons, les pressoirs, toutes ces choses familières dont parle l'Evangile, se trouvaient dans sa vie; le passage de Dieu les avait sanctifiées; et elle aima plus tendrement les agneaux par amour de l'Agneau, les colombes à cause du Saint-Esprit.

Elle avait peine à imaginer sa personne; car il n'était pas seulement oiseau, mais encore un feu, et d'autres fois un souffle. C'est peut-être sa lumière qui voltige la nuit aux bords des marécages, son haleine qui pousse les nuées, sa voix qui rend les cloches harmonieuses; et elle demeurait dans une adoration, jouissant de la fraîcheur des murs et de la tranquillité de l'église.

Quant aux dogmes, elle n'y comprenait rien, ne tâcha même pas de comprendre. Le curé discourait, les enfants récitaient, elle finissait par s'endormir; et se réveillait tout à coup, quand ils faisaient en s'en allant claquer leurs sabots sur les dalles.

Ce fut de cette manière, à force de l'entendre, qu'elle apprit le catéchisme, son éducation religieuse ayant été négligée dans sa jeunesse; et dès lors elle imita toutes les pratiques de Virginie, jeûnait comme elle, se confessait avec elle. A la Fête-Dieu, elles firent ensemble un reposoir.

La première communion la tourmentait d'avance. Elle s'agita pour les souliers, pour le chapelet, pour le livre, pour les gants. Avec quel tremblement elle aida sa mère à l'habiller!

Pendant toute la messe, elle éprouva une angoisse. M. Bourais lui cachait un côté du chœur; mais juste en face, le troupeau des vierges portant des couronnes blanches par-dessus leurs voiles abaissés formait comme un champ de neige; et elle reconnaissait de loin la chère petite à son cou plus mignon et son attitude recueillie. La cloche tinta. Les têtes se courbèrent; il y eut un silence. Aux éclats de l'orgue, les chantres et la foule entonnèrent l'*Agnus Dei;* puis le défilé des garçons commença; et, après eux, les filles se levèrent. Pas à pas, et les mains jointes, elles allaient vers l'autel tout illuminé, s'agenouillaient sur la première marche, recevaient l'hostie successivement, et dans le même ordre revenaient à leurs prie-Dieu. Quand ce fut le tour de Virginie, Félicité se pencha pour la voir; et, avec l'imagination que donnent les vraies tendresses, il lui sembla qu'elle était elle-même cette enfant; sa figure devenait la sienne, sa robe l'habillait, son cœur lui battait dans la poitrine; au moment d'ouvrir la bouche, en fermant les paupières, elle manqua s'évanouir.

Le lendemain, de bonne heure, elle se présenta dans la sacristie, pour que M. le curé lui donnât la communion. Elle la reçut dévotement, mais n'y goûta pas les mêmes délices.

Mme Aubain voulait faire de sa fille une personne accomplie; et, comme Guyot ne pouvait lui montrer ni l'anglais ni la musique, elle résolut de la mettre en pension chez les Ursulines d'Honfleur.

L'enfant n'objecta rien. Félicité soupirait, trouvant Madame insensible. Puis elle songea que sa maîtresse, peut-être, avait raison. Ces choses dépassaient sa compétence.

Enfin, un jour, une vieille tapissière s'arrêta devant la porte; et il en descendit une religieuse qui venait chercher Mademoiselle. Félicité monta les bagages sur l'impériale, fit des recommandations au cocher, et plaça dans le coffre six pots de confiture et une douzaine de poires, avec un bouquet de violettes.

Virginie, au dernier moment, fut prise d'un grand sanglot; elle embrassait sa mère qui la baisait au front en répétant : « Allons! du courage! du courage! » Le marchepied se releva, la voiture partit.

Alors Mme Aubain eut une défaillance; et le soir tous ses amis, le ménage Lormeau, Mme Lechaptois, *ces* demoiselles Rochefeuille, M. de Houppeville et Bourais se présentèrent pour la consoler.

La privation de sa fille lui fut d'abord très douloureuse. Mais trois fois la semaine elle en recevait une lettre, les autres jours lui écrivait, se promenait dans son jardin, lisait un peu et de cette façon comblait le vide des heures.

Le matin, par habitude, Félicité entrait dans la chambre de Virginie, et regardait les murailles. Elle s'ennuyait de n'avoir plus à peigner ses cheveux, à lui lacer ses bottines, à la border dans son lit, — et de ne plus voir continuellement sa gentille figure, de ne plus la tenir par la main quand elles sortaient ensemble. Dans son désœuvrement, elle essaya de faire de la dentelle. Ses doigts trop lourds cassaient les fils; elle n'entendait à rien, avait perdu le sommeil, suivant son mot, était « minée ».

Pour « se dissiper », elle demanda la permission de recevoir son neveu Victor.

Il arrivait le dimanche après la messe, les joues roses, la poitrine nue, et sentant l'odeur de la campagne qu'il avait traversée. Tout de suite, elle dressait son couvert. Ils déjeunaient l'un en face de l'autre; et, mangeant elle-même le moins possible pour épargner la dépense, elle le bourrait tellement de nourriture qu'il finissait par s'endormir. Au premier coup des vêpres, elle le réveillait, brossait son pantalon, nouait sa cravate, et se rendait à l'église, appuyée sur son bras dans un orgueil maternel.

Ses parents le chargeaient toujours d'en tirer quelque chose, soit un paquet de cassonade, du savon, de l'eau-de-vie, parfois même de l'argent. Il apportait ses nippes à raccommoder; et elle acceptait cette besogne, heureuse d'une occasion qui le forçait à revenir.

Au mois d'août, son père l'emmena au cabotage.

C'était l'époque des vacances. L'arrivée des enfants la consola. Mais Paul devenait capricieux, et Virginie n'avait plus l'âge d'être tutoyée, ce qui mettait une gêne, une barrière entre elles.

Victor alla successivement à Morlaix, à Dunkerque et

à Brighton; au retour de chaque voyage, il lui offrait un cadeau. La première fois, ce fut une boîte en coquilles; la seconde, une tasse à café; la troisième, un grand bonhomme en pain d'épices. Il embellissait, avait la taille bien prise, un peu de moustache, de bons yeux francs, et un petit chapeau de cuir, placé en arrière comme un pilote. Il l'amusait en lui racontant des histoires mêlées de termes marins.

Un lundi, 14 juillet 1819 (elle n'oublia pas la date), Victor annonça qu'il était engagé au long cours, et, dans la nuit du surlendemain, par le paquebot de Honfleur, irait rejoindre sa goélette, qui devait démarrer du Havre prochainement. Il serait, peut-être, deux ans parti.

La perspective d'une telle absence désola Félicité; et pour lui dire encore adieu, le mercredi soir, après le dîner de Madame, elle chaussa des galoches, et avala les quatre lieues qui séparent Pont-l'Évêque de Honfleur.

Quand elle fut devant le Calvaire, au lieu de prendre à gauche, elle prit à droite, se perdit dans des chantiers, revint sur ses pas; des gens qu'elle accosta l'engagèrent à se hâter. Elle fit le tour du bassin rempli de navires, se heurtait contre des amarres; puis le terrain s'abaissa, des lumières s'entre-croisèrent, et elle se crut folle, en apercevant des chevaux dans le ciel.

Au bord du quai, d'autres hennissaient, effrayés par la mer. Un palan qui les enlevait les descendait dans un bateau, où des voyageurs se bousculaient entre les barriques de cidre, les paniers de fromage, les sacs de grain; on entendait chanter des poules, le capitaine jurait; et un mousse restait accoudé sur le bossoir[6], indifférent à tout cela. Félicité, qui ne l'avait pas reconnu, criait : « Victor! » Il leva la tête; elle s'élançait, quand on retira l'échelle tout à coup.

Le paquebot, que des femmes halaient en chantant, sortit du port. Sa membrure craquait, les vagues pesantes fouettaient sa proue. La voile avait tourné, on ne vit plus personne; — et, sur la mer argentée par la lune, il faisait une tache noire qui pâlissait toujours, s'enfonça, disparut.

Félicité, en passant près du Calvaire, voulut recommander à Dieu ce qu'elle chérissait le plus; et elle pria pendant longtemps, debout, la face baignée de pleurs, les yeux vers les nuages. La ville dormait, des douaniers se promenaient; et de l'eau tombait sans discontinuer par les trous de l'écluse, avec un bruit de torrent. Deux heures sonnèrent.

Le parloir n'ouvrirait pas avant le jour. Un retard, bien sûr, contrarierait Madame; et, malgré son désir d'embrasser l'autre enfant, elle s'en retourna. Les filles de l'auberge s'éveillaient, comme elle entrait dans Pont-l'Évêque.

Le pauvre gamin durant des mois allait donc rouler sur les flots! Ses précédents voyages ne l'avaient pas effrayée. De l'Angleterre et de la Bretagne, on revenait; mais l'Amérique, les Colonies, les Îles, cela était perdu dans une région incertaine, à l'autre bout du monde.

Dès lors, Félicité pensa exclusivement à son neveu.

---

6. Pièce de bois ou de fer, formant saillie à l'avant du navire et servant à la manœuvre de l'ancre.

Les jours de soleil, elle se tourmentait de la soif; quand il faisait de l'orage, craignait pour lui la foudre. En écoutant le vent qui grondait dans la cheminée et emportait les ardoises, elle le voyait battu par cette même tempête, au sommet d'un mât fracassé, tout le corps en arrière, sous une nappe d'écume; ou bien, — souvenirs de la géographie en estampes, — il était mangé par les sauvages, pris dans un bois par des singes, se mourait le long d'une plage déserte. Et jamais elle ne parlait de ses inquiétudes.

Mme Aubain en avait d'autres sur sa fille.

Les bonnes sœurs trouvaient qu'elle était affectueuse, mais délicate. La moindre émotion l'énervait. Il fallut abandonner le piano.

Sa mère exigeait du couvent une correspondance réglée. Un matin que le facteur n'était pas venu, elle s'impatienta; et elle marchait dans la salle, de son fauteuil à la fenêtre. C'était vraiment extraordinaire! depuis quatre jours, pas de nouvelles!

Pour qu'elle se consolât par son exemple, Félicité lui dit :

— Moi, Madame, voilà six mois que je n'en ai reçu!...

— De qui donc?

La servante répliqua doucement :

— Mais... de mon neveu!

— Ah! votre neveu!

Et, haussant les épaules, Mme Aubain reprit sa promenade, ce qui voulait dire : « Je n'y pensais pas!... Au surplus, je m'en moque! un mousse, un gueux, belle affaire!... tandis que ma fille... Songez donc!... »

Félicité, bien que nourrie dans la rudesse, fut indignée contre Madame, puis oublia.

Il lui paraissait tout simple de perdre la tête à l'occasion de la petite.

Les deux enfants avaient une importance égale; un lien de son cœur les unissait, et leur destinée devait être la même.

Le pharmacien lui apprit que le bateau de Victor était arrivé à La Havane. Il avait lu ce renseignement dans une gazette.

A cause des cigares, elle imaginait La Havane un pays où l'on ne fait pas autre chose que de fumer, et Victor circulait parmi les nègres dans un nuage de tabac. Pouvait-on « en cas de besoin » s'en retourner par terre? A quelle distance était-ce de Pont-l'Évêque? Pour le savoir, elle interrogea M. Bourais.

Il atteignit son atlas, puis commença des explications sur les longitudes; et il avait un beau sourire de cuistre devant l'ahurissement de Félicité. Enfin, avec son porte-crayon, il indiqua dans les découpures d'une tache ovale un point noir, imperceptible, en ajoutant : « Voici ». Elle se pencha sur la carte; ce réseau de lignes coloriées fatiguait sa vue, sans lui rien apprendre; et, Bourais l'invitant à dire ce qui l'embarrassait, elle le pria de lui montrer la maison où demeurait Victor. Bourais leva les bras, il éternua, rit énormément; une candeur pareille excitait sa joie; et Félicité n'en comprenait pas le motif, elle qui s'attendait peut-être à voir jusqu'au portrait de son neveu, tant son intelligence était bornée!

Ce fut quinze jours après que Liébard, à l'heure du

marché comme d'habitude, entra dans la cuisine, et lui remit une lettre qu'envoyait son beau-frère. Ne sachant lire aucun des deux, elle eut recours à sa maîtresse.

Mme Aubain, qui comptait les mailles d'un tricot, le posa près d'elle, décacheta la lettre, tressaillit, et, d'une voix basse, avec un regard profond :

— C'est un malheur... qu'on vous annonce. Votre neveu...

Il était mort. On n'en disait pas davantage.

Félicité tomba sur une chaise, en s'appuyant la tête à la cloison, et ferma ses paupières, qui devinrent roses tout à coup. Puis, le front baissé, les mains pendantes, l'œil fixe, elle répétait par intervalles :

— Pauvre petit gars! pauvre petit gars!

Liébard la considérait en exhalant des soupirs. Mme Aubain tremblait un peu.

Elle lui proposa d'aller voir sa sœur, à Trouville.

Félicité répondit, par un geste, qu'elle n'en avait pas besoin.

Il y eut un silence. Le bonhomme Liébard jugea convenable de se retirer.

Alors elle dit :

— Ça ne leur fait rien, à eux!

Sa tête retomba; et machinalement elle soulevait, de temps à autre, les longues aiguilles sur la table à ouvrage.

Des femmes passèrent dans la cour avec un bard [7] d'où dégouttait du linge.

En les apercevant par les carreaux, elle se rappela sa lessive; l'ayant coulée la veille, il fallait aujourd'hui la rincer; et elle sortit de l'appartement.

Sa planche et son tonneau étaient au bord de la Toucques. Elle jeta sur la berge un tas de chemises, retroussa ses manches, prit son battoir; et les coups forts qu'elle donnait s'entendaient dans les autres jardins à côté. Les prairies étaient vides, le vent agitait la rivière; au fond, de grandes herbes s'y penchaient, comme des chevelures de cadavres flottant dans l'eau. Elle retenait sa douleur, jusqu'au soir fut très brave; mais, dans sa chambre, elle s'y abandonna, à plat ventre sur son matelas, le visage dans l'oreiller, et les deux poings contre les tempes.

Beaucoup plus tard, par le capitaine de Victor lui-même, elle connut les circonstances de sa fin. On l'avait trop saigné à l'hôpital, pour la fièvre jaune. Quatre médecins le tenaient à la fois. Il était mort immédiatement, et le chef avait dit :

— Bon! encore un!

Ses parents l'avaient toujours traité avec barbarie. Elle aima mieux ne pas les revoir; et ils ne firent aucune avance, par oubli, ou endurcissement de misérables.

Virginie s'affaiblissait.

Des oppressions, de la toux, une fièvre continuelle et des marbrures aux pommettes décelaient quelque affection profonde. M. Poupart avait conseillé un séjour en Provence. Mme Aubain s'y décida, et eût tout de suite repris sa fille à la maison, sans le climat de Pont-l'Évêque.

Elle fit un arrangement avec un loueur de voitures,

qui la menait au couvent chaque mardi. Il y a dans le jardin une terrasse d'où l'on découvre la Seine. Virginie s'y promenait à son bras, sur les feuilles de pampre tombées. Quelquefois le soleil traversant les nuages la forçait à cligner ses paupières, pendant qu'elle regardait les voiles au loin et tout l'horizon, depuis le château de Tancarville jusqu'aux phares du Havre. Ensuite on se reposait sous la tonnelle. Sa mère s'était procuré un petit fût d'excellent vin de Malaga; et, riant à l'idée d'être grise, elle en buvait deux doigts, pas davantage.

Ses forces reparurent. L'automne s'écoula doucement. Félicité rassurait Mme Aubain. Mais, un soir qu'elle avait été aux environs faire une course, elle rencontra devant la porte le cabriolet de M. Poupart; et il était dans le vestibule. Mme Aubain nouait son chapeau.

— Donnez-moi ma chaufferette, ma bourse, mes gants; plus vite donc!

Virginie avait une fluxion de poitrine; c'était peut-être désespéré.

— Pas encore! dit le médecin; et tous deux montèrent dans la voiture, sous des flocons de neige qui tourbillonnaient. La nuit allait venir. Il faisait très froid.

Félicité se précipita dans l'église, pour allumer un cierge. Puis elle courut après le cabriolet, qu'elle rejoignit une heure plus tard, sauta légèrement par derrière, où elle se tenait aux torsades, quand une réflexion lui vint : « La cour n'était pas fermée! si des voleurs s'introduisaient? » Et elle descendit.

Le lendemain, dès l'aube, elle se présenta chez le docteur. Il était rentré, et reparti à la campagne. Puis elle resta dans l'auberge, croyant que des inconnus apporteraient une lettre. Enfin, au petit jour, elle prit la diligence de Lisieux.

Le couvent se trouvait au fond d'une ruelle escarpée. Vers le milieu, elle entendit des sons étranges, un glas de mort. « C'est pour d'autres », pensa-t-elle; et Félicité tira violemment le marteau.

Au bout de plusieurs minutes, des savates se traînèrent, la porte s'entre-bâilla, et une religieuse parut.

La bonne sœur avec un air de componction dit qu' « elle venait de passer ». En même temps, le glas de Saint-Léonard redoublait.

Félicité parvint au second étage.

Dès le seuil de la chambre, elle aperçut Virginie étalée sur le dos, les mains jointes, la bouche ouverte, et la tête en arrière sous une croix noire s'inclinant vers elle, entre les rideaux immobiles, moins pâles que sa figure. Mme Aubain, au pied de la couche qu'elle tenait dans ses bras, poussait des hoquets d'agonie. La supérieure était debout, à droite. Trois chandeliers sur la commode faisaient des taches rouges, et le brouillard blanchissait les fenêtres. Des religieuses emportèrent Mme Aubain.

Pendant deux nuits, Félicité ne quitta pas la morte. Elle répétait les mêmes prières, jetait de l'eau bénite sur les draps, revenait s'asseoir, et la contemplait. A la fin de la première veille, elle remarqua que la figure avait jauni, les lèvres bleuirent, le nez se pinçait, les yeux s'enfonçaient. Elle les baisa plusieurs fois; et n'eût pas éprouvé un immense étonnement si Virginie les eût rouverts; pour de pareilles âmes le surnaturel est tout

7. Grande civière servant aux transports des lourds fardeaux.

172

simple. Elle fit sa toilette, l'enveloppa de son linceul, la descendit dans sa bière, lui posa une couronne, étala ses cheveux. Ils étaient blonds, et extraordinaires de longueur à son âge. Félicité en coupa une grosse mèche, dont elle glissa la moitié dans sa poitrine, résolue à ne jamais s'en dessaisir.

Le corps fut ramené à Pont-l'Evêque, suivant les intentions de Mme Aubain, qui suivait le corbillard, dans une voiture fermée.

Après la messe, il fallut encore trois quarts d'heure pour atteindre le cimetière. Paul marchait en tête et sanglotait. M. Bourais était derrière, ensuite les principaux habitants, les femmes, couvertes de mantes noires, et Félicité. Elle songeait à son neveu, et n'ayant pu lui rendre ces honneurs, avait un surcroît de tristesse, comme si on l'eût enterré avec l'autre.

Le désespoir de Mme Aubain fut illimité.

D'abord elle se révolta contre Dieu, le trouvant injuste de lui avoir pris sa fille — elle qui n'avait jamais fait de mal, et dont la conscience était si pure! Mais non! elle aurait dû l'emporter dans le Midi. D'autres docteurs l'auraient sauvée! Elle s'accusait, voulait la rejoindre, criait en détresse au milieu de ses rêves. Un, surtout, l'obsédait. Son mari, costumé comme un matelot, revenait d'un long voyage, et lui disait en pleurant qu'il avait reçu l'ordre d'emmener Virginie. Alors ils se concertaient pour découvrir une cachette quelque part.

Une fois, elle rentra du jardin, bouleversée. Tout à l'heure (elle montrait l'endroit) le père et la fille lui étaient apparus l'un auprès de l'autre, et ils ne faisaient rien; ils la regardaient.

Pendant plusieurs mois, elle resta dans sa chambre, inerte. Félicité la sermonnait doucement; il fallait se conserver pour son fils, et pour l'autre, en souvenir « d'elle ».

« Elle? » reprenait Mme Aubain, comme se réveillant. « Ah! oui!... oui!... Vous ne l'oubliez pas! » Allusion au cimetière, qu'on lui avait scrupuleusement défendu.

Félicité tous les jours s'y rendait.

A quatre heures précises, elle passait au bord des maisons, montait la côte, ouvrait la barrière, et arrivait devant la tombe de Virginie. C'était une petite colonne de marbre rose, avec une dalle dans le bas, et des chaînes autour enfermant un jardinet. Les plates-bandes disparaissaient sous une couverture de fleurs. Elle arrosait leurs feuilles, renouvelait le sable, se mettait à genoux pour mieux labourer la terre. Mme Aubain, quand elle put y venir, en éprouva un soulagement, une espèce de consolation.

Puis des années s'écoulèrent, toutes pareilles et sans autres épisodes que le retour des grandes fêtes : Pâques, l'Assomption, la Toussaint. Des événements intérieurs faisaient une date, où l'on se reportait plus tard. Ainsi, en 1825, deux vitriers badigeonnèrent le vestibule; en 1827, une portion du toit, tombant dans la cour, faillit tuer un homme. L'été de 1828, ce fut à Madame d'offrir le pain bénit; Bourais, vers cette époque, s'absenta mystérieusement; et les anciennes connaissances peu à peu s'en allèrent : Guyot, Liébard,

Mme Lechaptois, Robelin, l'oncle Gremanville, paralysé depuis longtemps.

Une nuit, le conducteur de la malle-poste annonça dans Pont-l'Evêque la Révolution de Juillet. Un sous-préfet nouveau, peu de jours après, fut nommé : le baron de Larsonnière, ex-consul en Amérique, et qui avait chez lui, outre sa femme, sa belle-sœur avec trois demoiselles, assez grandes déjà. On les apercevait sur leur gazon, habillées de blouses flottantes; elles possédaient un nègre et un perroquet. Mme Aubain eut leur visite, et ne manqua pas de la rendre. Du plus loin qu'elles paraissaient, Félicité accourait pour la prévenir. Mais une chose était seule capable de l'émouvoir, les lettres de son fils.

Il ne pouvait suivre aucune carrière, étant absorbé dans les estaminets. Elle lui payait ses dettes; il en refaisait d'autres; et les soupirs que poussait Mme Aubain, en tricotant près de la fenêtre, arrivaient à Félicité, qui tournait son rouet dans la cuisine.

Elles se promenaient ensemble le long de l'espalier, et causaient toujours de Virginie, se demandant si telle chose lui aurait plu, en telle occasion ce qu'elle eût dit probablement.

Toutes ses petites affaires occupaient un placard dans la chambre à deux lits. Mme Aubain les inspectait le moins souvent possible. Un jour d'été, elle s'y résigna; et des papillons s'envolèrent de l'armoire.

Ses robes étaient en ligne sous une planche où il y avait trois poupées, des cerceaux, un ménage, la cuvette qui lui servait. Elles retirèrent également les jupons, les bas, les mouchoirs, et les étendirent sur les deux couches, avant de les replier. Le soleil éclairait ces pauvres objets, en faisait voir les taches, et des plis formés par les mouvements du corps. L'air était chaud et bleu, un merle gazouillait, tout semblait vivre dans une douceur profonde. Elles retrouvèrent un petit chapeau de peluche, à longs poils, couleur marron; mais il était tout mangé de vermine. Félicité le réclama pour elle-même. Leurs yeux se fixèrent l'une sur l'autre, s'emplirent de larmes; enfin la maîtresse ouvrit ses bras, la servante s'y jeta; et elles s'étreignirent, satisfaisant leur douleur dans un baiser qui les égalisait.

C'était la première fois de leur vie, Mme Aubain n'étant pas d'une nature expansive. Félicité lui en fut reconnaissante comme d'un bienfait, et désormais la chérit avec un dévouement bestial et une vénération religieuse.

La bonté de son cœur se développa.

Quand elle entendait dans la rue les tambours d'un régiment en marche, elle se mettait devant la porte avec une cruche de cidre, et offrait à boire aux soldats. Elle soigna des cholériques. Elle protégeait les Polonais [8]; et même il y en eut un qui déclarait la vouloir épouser. Mais ils se fâchèrent; car un matin, en rentrant de l'angélus, elle le trouva dans sa cuisine, où il s'était introduit, et accommodé une vinaigrette qu'il mangeait tranquillement.

8. Les Polonais émigrés en France à la suite des soulèvements malheureux de la Pologne contre la Russie (1830-1831).

Après les Polonais, ce fut le père Colmiche, un vieillard passant pour avoir fait des horreurs en 93. Il vivait au bord de la rivière, dans les décombres d'une porcherie. Les gamins le regardaient par les fentes du mur, et lui jetaient des cailloux qui tombaient sur son grabat, où il gisait, continuellement secoué par un catarrhe, avec des cheveux très longs, les paupières enflammées, et au bras une tumeur plus grosse que sa tête. Elle lui procura du linge, tâcha de nettoyer son bouge, rêvait à l'établir dans le fournil, sans qu'il gênât Madame. Quand le cancer eut crevé, elle le pansa tous les jours, quelquefois lui apportait de la galette, le plaçait au soleil sur une botte de paille; et le pauvre vieux, en bavant et en tremblant, la remerciait de sa voix éteinte, craignait de la perdre, allongeait les mains dès qu'il la voyait s'éloigner. Il mourut; elle fit dire une messe pour le repos de son âme.

Ce jour-là, il lui advint un grand bonheur : au moment du dîner, le nègre de Mme de Larsonnière se présenta, tenant le perroquet dans sa cage, avec le bâton, la chaîne et le cadenas. Un billet de la baronne annonçait à Mme Aubain que, son mari étant élevé à une préfecture, ils partaient le soir; et elle la priait d'accepter cet oiseau, comme un souvenir, et en témoignage de ses respects.

Il occupait depuis longtemps l'imagination de Félicité, car il venait d'Amérique, et ce mot lui rappelait Victor, si bien qu'elle s'en informait auprès du nègre. Une fois même elle avait dit : « C'est Madame qui serait heureuse de l'avoir! »

Le nègre avait redit le propos à sa maîtresse, qui, ne pouvant l'emmener, s'en débarrassait de cette façon.

IV

Il s'appelait Loulou. Son corps était vert, le bout de ses ailes rose, son front bleu, et sa gorge dorée.

Mais il avait la fatigante manie de mordre son bâton, s'arrachait les plumes, éparpillait ses ordures, répandait l'eau de sa baignoire; Mme Aubain, qu'il ennuyait, le donna pour toujours à Félicité.

Elle entreprit de l'instruire; bientôt il répéta : « Charmant garçon! Serviteur, monsieur! Je vous salue, Marie! » Il était placé auprès de la porte, et plusieurs s'étonnaient qu'il ne répondît pas au nom de Jacquot, puisque tous les perroquets s'appellent Jacquot. On le comparait à une dinde, à une bûche : autant de coups de poignard pour Félicité! Etrange obstination de Loulou, ne parlant plus du moment qu'on le regardait!

Néanmoins il recherchait la compagnie; car le dimanche, pendant que *ces* demoiselles Rochefeuille, M. de Houppeville et de nouveaux habitués : Onfroy l'apothicaire, M. Varin et le capitaine Mathieu, faisaient leur partie de cartes, il cognait les vitres avec ses ailes, et se démenait si furieusement qu'il était impossible de s'entendre.

La figure de Bourais, sans doute, lui paraissait très drôle. Dès qu'il l'apercevait, il commençait à rire, à rire de toutes ses forces. Les éclats de sa voix bondissaient dans la cour, l'écho les répétait, les voisins se mettaient à leurs fenêtres, riaient aussi; et, pour n'être pas vu du perroquet, M. Bourais se coulait le long du mur, en dissimulant son profil avec son chapeau, atteignait la rivière, puis entrait par la porte du jardin; et les regards qu'il envoyait à l'oiseau manquaient de tendresse.

Loulou avait reçu du garçon boucher une chiquenaude, s'étant permis d'enfoncer la tête dans sa corbeille; et depuis lors il tâchait toujours de le pincer à travers sa chemise. Fabu menaçait de lui tordre le cou, bien qu'il ne fût pas cruel, malgré le tatouage de ses bras et ses gros favoris. Au contraire! il avait plutôt du penchant pour le perroquet, jusqu'à vouloir, par humeur joviale, lui apprendre des jurons. Félicité, que ces manières effrayaient, le plaça dans la cuisine. Sa chaînette fut retirée, et il circulait par la maison.

Quand il descendait l'escalier, il appuyait sur les marches la courbe de son bec, levait la patte droite, puis la gauche; et elle avait peur qu'une telle gymnastique ne lui causât des étourdissements. Il devint malade, ne pouvait plus parler ni manger. C'était sous sa langue une épaisseur, comme en ont les poules quelquefois. Elle le guérit en arrachant cette pellicule avec ses ongles. M. Paul, un jour, eut l'imprudence de lui souffler aux narines la fumée d'un cigare; une autre fois que Mme Lormeau l'agaçait du bout de son ombrelle, il en happa la virole [9]; enfin, il se perdit.

Elle l'avait posé sur l'herbe pour le rafraîchir, s'absenta une minute; et, quand elle revint, plus de perroquet! D'abord elle le chercha dans les buissons, au bord de l'eau et sur les toits, sans écouter sa maîtresse qui lui criait : « Prenez donc garde! vous êtes folle! » Ensuite elle inspecta tous les jardins de Pont-l'Evêque; et elle arrêtait les passants : « Vous n'auriez pas vu, quelquefois, par hasard, mon perroquet? » A ceux qui ne connaissaient pas le perroquet, elle en faisait la description. Tout à coup, elle crut distinguer derrière les moulins, au bas de la côte, une chose verte qui voltigeait. Mais au haut de la côte, rien! Un porteballe [10] lui affirma qu'il l'avait rencontré tout à l'heure, à Saint-Melaine, dans la boutique de la mère Simon. Elle y courut. On ne savait pas ce qu'elle voulait dire. Enfin elle rentra, épuisée, les savates en lambeaux, la mort dans l'âme; et, assise au milieu du banc, près de Madame, elle racontait toutes ses démarches, quand un poids léger lui tomba sur l'épaule : Loulou! Que diable avait-il fait? Peut-être qu'il s'était promené aux environs!

Elle eut du mal à s'en remettre, ou plutôt ne s'en remit jamais.

Par suite d'un refroidissement, il lui vint une angine; peu de temps après, un mal d'oreilles. Trois ans plus tard, elle était sourde; et elle parlait très haut, même à l'église. Bien que ses péchés auraient pu sans déshonneur pour elle, ni inconvénient pour le monde, se répandre à tous les coins du diocèse, M. le curé jugea

---

9. Petit anneau qui entoure le manche de l'ombrelle.
10. Un mercier ambulant.

convenable de ne plus recevoir sa confession que dans la sacristie.

Des bourdonnements illusoires achevaient de la troubler. Souvent sa maîtresse lui disait : « Mon Dieu! comme vous êtes bête! » elle répliquait : « Oui, Madame, » en cherchant quelque chose autour d'elle.

Le petit cercle de ses idées se rétrécit encore, et le carillon des cloches, le mugissement des bœufs, n'existaient plus. Tous les êtres fonctionnaient avec le silence des fantômes. Un seul bruit arrivait maintenant à ses oreilles, la voix du perroquet.

Comme pour la distraire, il reproduisait le tic tac du tournebroche, l'appel aigu d'un vendeur de poisson, la scie du menuisier qui logeait en face; et, aux coups de la sonnette, imitait Mme Aubain : « Félicité! la porte! la porte! »

Ils avaient des dialogues, lui, débitant à satiété les trois phrases de son répertoire, et elle, y répondant par des mots sans plus de suite, mais où son cœur s'épanchait. Loulou, dans son isolement, était presque un fils, un amoureux. Il escaladait ses doigts, mordillait ses lèvres, se cramponnait à son fichu; et, comme elle penchait son front en branlant la tête à la manière des nourrices, les grandes ailes du bonnet et les ailes de l'oiseau frémissaient ensemble.

Quand des nuages s'amoncelaient et que le tonnerre grondait, il poussait des cris, se rappelant peut-être les ondées de ses forêts natales. Le ruissellement de l'eau excitait son délire; il voletait éperdu, montait au plafond, renversait tout, et par la fenêtre allait barboter dans le jardin; mais revenait vite sur un des chenets, et, sautillant pour sécher ses plumes, montrait tantôt sa queue tantôt son bec.

Un matin du terrible hiver de 1837, qu'elle l'avait mis devant la cheminée, à cause du froid, elle le trouva mort, au milieu de sa cage, la tête en bas, et les ongles dans les fils de fer. Une congestion l'avait tué, sans doute? Elle crut à un empoisonnement par le persil; et, malgré l'absence de toutes preuves, ses soupçons portèrent sur Fabu.

Elle pleura tellement que sa maîtresse lui dit : « Eh bien! faites-le empailler! »

Elle demanda conseil au pharmacien, qui avait toujours été bon pour le perroquet.

Il écrivit au Havre. Un certain Fellacher se chargea de cette besogne. Mais, comme la diligence égarait parfois les colis, elle résolut de le porter elle-même jusqu'à Honfleur.

Les pommiers sans feuilles se succédaient aux bords de la route. De la glace couvrait les fossés. Des chiens aboyaient autour des fermes et les mains sous son mantelet, avec ses petits sabots noirs et son cabas, elle marchait prestement, sur le milieu du pavé.

Elle traversa la forêt, dépassa le Haut-Chêne, atteignit Saint-Gatien.

Derrière elle, dans un nuage de poussière et emportée par la descente, une malle-poste au grand galop se précipitait comme une trombe. En voyant cette femme qui ne se dérangeait pas, le conducteur se dressa par-dessus la capote, et le postillon criait aussi, pendant que ses quatre chevaux qu'il ne pouvait retenir accéléraient leur train; les deux premiers la frôlaient; d'une secousse de ses guides, il les jeta dans le débord [11], mais furieux releva le bras, et à pleine volée, avec son grand fouet, lui cingla du ventre au chignon un tel coup qu'elle tomba sur le dos.

Son premier geste, quand elle reprit connaissance, fut d'ouvrir son panier. Loulou n'avait rien, heureusement. Elle sentit une brûlure à la joue droite; ses mains qu'elle y porta étaient rouges. Le sang coulait.

Elle s'assit sur un mètre de cailloux, se tamponna le visage avec son mouchoir, puis elle mangea une croûte de pain, mise dans son panier par précaution, et se consolait de sa blessure en regardant l'oiseau.

Arrivée au sommet d'Ecquemauville, elle aperçut les lumières d'Honfleur qui scintillaient dans la nuit comme une quantité d'étoiles; la mer, plus loin, s'étalait confusément. Alors une faiblesse l'arrêta; et la misère de son enfance, la déception du premier amour, le départ de son neveu, la mort de Virginie, comme les flots d'une marée, revinrent à la fois, et, lui montant à la gorge, l'étouffaient.

Puis elle voulut parler au capitaine du bateau; et, sans dire ce qu'elle envoyait, lui fit des recommandations.

Fellacher garda longtemps le perroquet. Il le promettait toujours pour la semaine prochaine; au bout de six mois, il annonça le départ d'une caisse; et il n'en fut plus question. C'était à croire que jamais Loulou ne reviendrait. « Ils me l'auront volé! » pensait-elle.

Enfin il arriva, — et splendide, droit sur une branche d'arbre, qui se vissait dans un socle d'acajou, une patte en l'air, la tête oblique, et mordant une noix, que l'empailleur, par amour du grandiose, avait dorée.

Elle l'enferma dans sa chambre.

Cet endroit, où elle admettait peu de monde, avait l'air tout à la fois d'une chapelle et d'un bazar tant il contenait d'objets religieux et de choses hétéroclites.

Une grande armoire gênait pour ouvrir la porte. En face de la fenêtre surplombant le jardin, un œil-de-bœuf regardait la cour; une table, près du lit de sangle, supportait un pot à l'eau, deux peignes, et un cube de savon bleu dans une assiette ébréchée. On voyait contre les murs : des chapelets, des médailles, plusieurs bonnes Vierges, un bénitier en noix de coco; sur la commode, couverte d'un drap comme un autel, la boîte en coquillages que lui avait donnée Victor; puis un arrosoir et un ballon, des cahiers d'écriture, la géographie en estampes, une paire de bottines; et au clou du miroir, accroché par ses rubans, le petit chapeau de peluche! Félicité poussait même ce genre de respect si loin, qu'elle conservait une des redingotes de Monsieur. Toutes les vieilleries dont ne voulait plus Mme Aubain, elle les prenait pour sa chambre. C'est ainsi qu'il y avait des fleurs artificielles au bord de la commode, et le portrait du comte d'Artois dans l'enfoncement de la lucarne.

Au moyen d'une planchette, Loulou fut établi sur

---

11. Partie de la route longée par le pavage.

un corps de cheminée qui avançait dans l'appartement. Chaque matin, en s'éveillant, elle l'apercevait à la clarté de l'aube, et se rappelait alors les jours disparus, et d'insignifiantes actions jusqu'en leurs moindres détails, sans douleur, pleine de tranquillité.

Ne communiquant avec personne, elle vivait dans une torpeur de somnambule. Les processions de la Fête-Dieu la ranimaient. Elle allait quêter chez les voisines des flambeaux et des paillassons, afin d'embellir le reposoir que l'on dressait dans la rue.

A l'église, elle contemplait toujours le Saint-Esprit, et observa qu'il avait quelque chose du perroquet. Sa ressemblance lui parut encore plus manifeste sur une image d'Epinal, représentant le baptême de Notre-Seigneur. Avec ses ailes de pourpre et son corps d'émeraude, c'était vraiment le portrait de Loulou.

L'ayant acheté, elle le suspendit à la place du comte d'Artois, — de sorte que, du même coup d'œil, elle les voyait ensemble. Ils s'associèrent dans sa pensée, le perroquet se trouvant sanctifié par ce rapport avec le Saint-Esprit, qui devenait plus vivant à ses yeux et intelligible. Le Père, pour s'énoncer, n'avait pu choisir une colombe, puisque ces bêtes-là n'ont pas de voix, mais plutôt un des ancêtres de Loulou. Et Félicité priait en regardant l'image, mais de temps à autre se tournait un peu vers l'oiseau.

Elle eut envie de se mettre dans les demoiselles de la Vierge. Mme Aubain l'en dissuada.

Un événement considérable surgit : le mariage de Paul.

Après avoir été d'abord clerc de notaire, puis dans le commerce, dans la douane, dans les contributions, et même avoir commencé des démarches pour les eaux et forêts, à trente-six ans, tout à coup, par une inspiration du ciel, il avait découvert sa voie : l'enregistrement! et y montrait de si hautes facultés qu'un vérificateur lui avait offert sa fille, en lui promettant sa protection.

Paul, devenu sérieux, l'amena chez sa mère.

Elle dénigra les usages de Pont-l'Evêque, fit la princesse, blessa Félicité. Mme Aubain, à son départ, sentit un allégement.

La semaine suivante, on apprit la mort de M. Bourais, en basse Bretagne, dans une auberge. La rumeur d'un suicide se confirma; des doutes s'élevèrent sur sa probité. Mme Aubain étudia ses comptes, et ne tarda pas à connaître la kyrielle de ses noirceurs : détournements d'arrérages, ventes de bois dissimulées, fausses quittances, etc. De plus, il avait un enfant naturel, et « des relations avec une personne de Dozulé ».

Ces turpitudes l'affligèrent beaucoup. Au mois de mars 1853, elle fut prise d'une douleur dans la poitrine; sa langue paraissait couverte de fumée; les sangsues ne calmèrent pas l'oppression; et le neuvième soir elle expira, ayant juste soixante-douze ans.

On la croyait moins vieille, à cause de ses cheveux bruns, dont les bandeaux entouraient sa figure blême, marquée de la petite vérole. Peu d'amis la regrettèrent, ses façons étant d'une hauteur qui éloignait.

Félicité la pleura, comme on ne pleure pas les maîtres. Que Madame mourût avant elle, cela troublait ses idées, lui semblait contraire à l'ordre des choses, inadmissible et monstrueux.

Dix jours après (le temps d'accourir de Besançon), les héritiers survinrent. La bru fouilla les tiroirs, choisit des meubles, vendit les autres, puis ils regagnèrent l'enregistrement.

Le fauteuil de Madame, son guéridon, sa chaufferette, les huit chaises, étaient partis! La place des gravures se dessinait en carrés jaunes au milieu des cloisons. Ils avaient emporté les deux couchettes, avec leurs matelas, et dans le placard on ne voyait plus rien de toutes les affaires de Virginie! Félicité remonta les étages, ivre de tristesse.

Le lendemain il y avait sur la porte une affiche; l'apothicaire lui cria dans l'oreille que la maison était à vendre.

Elle chancela, et fut obligée de s'asseoir.

Ce qui la désolait principalement, c'était d'abandonner sa chambre, — si commode pour le pauvre Loulou. En l'enveloppant d'un regard d'angoisse, elle implorait le Saint-Esprit, et contracta l'habitude idolâtre de dire ses oraisons agenouillée devant le perroquet. Quelquefois, le soleil entrant par la lucarne frappait son œil de verre, et en faisait jaillir un grand rayon lumineux qui la mettait en extase.

Elle avait une rente de trois cent quatre-vingts francs, léguée par sa maîtresse. Le jardin lui fournissait des légumes. Quant aux habits, elle possédait de quoi se vêtir jusqu'à la fin de ses jours, et épargnait l'éclairage en se couchant dès le crépuscule.

Elle ne sortait guère, afin d'éviter la boutique du brocanteur, où s'étalaient quelques-uns des anciens meubles. Depuis son étourdissement, elle traînait une jambe; et, ses forces diminuant, la mère Simon, ruinée dans l'épicerie, venait tous les matins fendre son bois et pomper de l'eau.

Ses yeux s'affaiblirent. Les persiennes n'ouvraient plus. Bien des années se passèrent. Et la maison ne se louait pas, et ne se vendait pas.

Dans la crainte qu'on ne la renvoyât, Félicité ne demandait aucune réparation. Les lattes du toit pourrissaient; pendant tout un hiver son traversin fut mouillé. Après Pâques, elle cracha du sang.

Alors la mère Simon eut recours à un docteur. Félicité voulut savoir ce qu'elle avait. Mais, trop sourde pour entendre, un seul mot lui parvint : « Pneumonie ». Il lui était connu, et elle répliqua doucement :

« Ah! comme Madame », trouvant naturel de suivre sa maîtresse.

Le moment des reposoirs approchait.

Le premier était toujours au bas de la côte, le second devant la poste, le troisième vers le milieu de la rue. Il y eut des rivalités à propos de celui-là; et les paroissiennes choisirent finalement la cour de Mme Aubain.

Les oppressions et la fièvre augmentaient. Félicité se chagrinait de ne rien faire pour le reposoir. Au moins, si elle avait pu y mettre quelque chose! Alors elle songea au perroquet. Ce n'était pas convenable, objectèrent les voisines. Mais le curé accorda cette permission; elle en fut tellement heureuse qu'elle le pria d'accepter, quand elle serait morte, Loulou, sa seule richesse.

Du mardi au samedi, veille de la Fête-Dieu, elle toussa plus fréquemment. Le soir son visage était grippé, ses lèvres se collaient à ses gencives, des vomissements parurent; et le lendemain, au petit jour, se sentant très bas, elle fit appeler un prêtre.

Trois bonnes femmes l'entouraient pendant l'extrême-onction. Puis elle déclara qu'elle avait besoin de parler à Fabu.

Il arriva en toilette des dimanches, mal à son aise dans cette atmosphère lugubre.

— Pardonnez-moi, dit-elle avec un effort pour étendre le bras; je croyais que c'était vous qui l'aviez tué!

Que signifiaient des potins pareils? L'avoir soupçonné d'un meurtre, un homme comme lui! et il s'indignait, allait faire du tapage.

— Elle n'a plus sa tête, vous voyez bien!

Félicité de temps à autre parlait à des ombres. Les bonnes femmes s'éloignèrent. La Simonne déjeuna.

Un peu plus tard, elle prit Loulou, et, l'approchant de Félicité :

— Allons! dites-lui adieu!

Bien qu'il ne fût pas un cadavre, les vers le dévoraient; une de ses ailes était cassée, l'étoupe lui sortait du ventre. Mais, aveugle à présent, elle le baisa au front, et le gardait contre sa joue. La Simonne le reprit, pour le mettre sur le reposoir.

V

Les herbages envoyaient l'odeur de l'été; des mouches bourdonnaient; le soleil faisait luire la rivière, chauffait les ardoises. La mère Simon, revenue dans la chambre, s'endormait doucement.

Des coups de cloche la réveillèrent; on sortait des vêpres. Le délire de Félicité tomba. En songeant à la procession, elle la voyait, comme si elle l'eût suivie.

Tous les enfants des écoles, les chantres et les pompiers marchaient sur les trottoirs, tandis qu'au milieu de la rue, s'avançaient : premièrement le suisse armé de sa hallebarde, le bedeau avec une grande croix, l'instituteur surveillant les gamins, la religieuse inquiète de ses petites filles; trois des plus mignonnes, frisées comme des anges, jetaient dans l'air des pétales de roses; le diacre, les bras écartés, modérait la musique; et deux encenseurs se retournaient à chaque pas vers le Saint-Sacrement, que portait, sous un dais de velours ponceau [12] tenu par quatre fabriciens [13], M. le curé, dans sa belle chasuble. Un flot de monde se poussait derrière,

12. Rouge coquelicot.
13. Les fabriciens : membres laïques de la fabrique, c'est-à-dire du conseil d'Administration de la paroisse.

entre les nappes blanches couvrant le mur des maisons; et l'on arriva au bas de la côte.

Une sueur froide mouillait les tempes de Félicité. La Simonne l'épongeait avec un linge, en se disant qu'un jour il lui faudrait passer par là.

Le murmure de la foule grossit, fut un moment très fort, s'éloignait.

Une fusillade ébranla les carreaux. C'étaient les postillons saluant l'ostensoir. Félicité roula ses prunelles, et elle dit, le moins bas qu'elle put :

— Est-il bien? tourmentée du perroquet.

Son agonie commença. Un râle, de plus en plus précipité, lui soulevait les côtes. Des bouillons d'écume venaient aux coins de sa bouche, et tout son corps tremblait.

Bientôt, on distingua le ronflement des ophicléides, les voix claires des enfants, la voix profonde des hommes. Tout se taisait par intervalles, et le battement des pas, que des fleurs amortissaient, faisait le bruit d'un troupeau sur du gazon.

Le clergé parut dans la cour. La Simonne grimpa sur une chaise pour atteindre à l'œil-de-bœuf, et de cette manière dominait le reposoir.

Des guirlandes vertes pendaient sur l'autel, orné d'un falbala en point d'Angleterre. Il y avait au milieu un petit cadre enfermant des reliques, deux orangers dans les angles, et, tout le long, des flambeaux d'argent et des vases en porcelaine, d'où s'élançaient des tournesols, des lis, des pivoines, des digitales, des touffes d'hortensias. Ce monceau de couleurs éclatantes descendait obliquement, du premier étage jusqu'au tapis se prolongeant sur les pavés; et des choses rares tiraient les yeux. Un sucrier de vermeil avait une couronne de violettes, des pendeloques en pierres d'Alençon brillaient sur la mousse, deux écrans chinois montraient leurs paysages. Loulou, caché sous des roses, ne laissait voir que son front bleu, pareil à une plaque de lapis [14].

Les fabriciens, les chantres, les enfants se rangèrent sur les trois côtés de la cour. Le prêtre gravit lentement les marches, et posa sur la dentelle son grand soleil d'or qui rayonnait. Tous s'agenouillèrent. Il se fit un grand silence. Et les encensoirs, allant à pleine volée, glissaient sur leurs chaînettes.

Une vapeur d'azur monta dans la chambre de Félicité. Elle avança les narines, en la humant avec une sensualité mystique; puis ferma les paupières. Ses lèvres souriaient. Les mouvements de son cœur se ralentirent un à un, plus vagues chaque fois, plus doux, comme une fontaine s'épuise, comme un écho disparaît; et, quand elle exhala son dernier souffle, elle crut voir, dans les cieux entr'ouverts, un perroquet gigantesque, planant au-dessus de sa tête.

14. Lapis ou lapis lazuli : pierre bleu azur.

LA LÉGENDE DE
SAINT JULIEN L'HOSPITALIER

I

Le père et la mère de Julien habitaient un château, au milieu des bois, sur la pente d'une colline.

Les quatre tours aux angles avaient des toits pointus recouverts d'écailles de plomb, et la base des murs s'appuyait sur les quartiers de rocs, qui dévalaient abruptement jusqu'au fond des douves.

Les pavés de la cour étaient nets comme le dallage d'une église. De longues gouttières, figurant des dragons la gueule en bas, crachaient l'eau des pluies vers la citerne; et sur le bord des fenêtres, à tous les étages, dans un pot d'argile peinte, un basilic ou un héliotrope s'épanouissait.

Une seconde enceinte, faite de pieux, comprenait d'abord un verger d'arbres à fruits, ensuite un parterre où des combinaisons de fleurs dessinaient des chiffres, puis une treille avec des berceaux pour prendre le frais, et un jeu de mail qui servait au divertissement des pages. De l'autre côté se trouvaient le chenil, les écuries, la boulangerie, le pressoir et les granges. Un pâturage de gazon se développait tout autour, enclos lui-même d'une forte haie d'épines.

On vivait en paix depuis si longtemps que la herse ne s'abaissait plus; les fossés étaient pleins d'eau; des hirondelles faisaient leur nid dans la fente des créneaux; et l'archer qui tout le long du jour se promenait sur la courtine, dès que le soleil brillait trop fort, rentrait dans l'échauguette, et s'endormait comme un moine.

A l'intérieur, les ferrures partout reluisaient; des tapisseries dans les chambres protégeaient du froid; et les armoires regorgeaient de linge, les tonnes de vin s'empilaient dans les celliers, les coffres de chêne craquaient sous le poids des sacs d'argent.

On voyait dans la salle d'armes, entre des étendards et des mufles de bêtes fauves, des armes de tous les temps et de toutes les nations, depuis les frondes des Amalécites [15] et les javelots des Garamantes jusqu'aux braquemarts [16] des Sarrasins et aux cottes de mailles des Normands.

La maîtresse broche de la cuisine pouvait faire tourner un bœuf; la chapelle était somptueuse comme l'oratoire d'un roi. Il y avait même, dans un endroit écarté, une étuve à la romaine; mais le bon seigneur s'en privait, estimant que c'est un usage des idolâtres.

Toujours enveloppé d'une pelisse de renard, il se promenait dans sa maison, rendait la justice à ses vassaux, apaisait les querelles de ses voisins. Pendant l'hiver, il regardait les flocons de neige tomber, ou se faisait lire des histoires. Dès les premiers beaux jours, il s'en allait sur sa mule le long des petits chemins, au bord des blés qui verdoyaient, et causait avec les manants, auxquels il donnait des conseils. Après beaucoup d'aventures, il avait pris pour femme une demoiselle de haut lignage.

Elle était très blanche, un peu fière et sérieuse. Les cornes de son hennin frôlaient le linteau des portes; la queue de sa robe de drap traînait de trois pas derrière elle. Son domestique [17] était réglé comme l'intérieur d'un monastère; chaque matin elle distribuait la besogne à ses servantes, surveillait les confitures et les onguents, filait à la quenouille ou brodait des nappes d'autel. A force de prier Dieu, il lui vint un fils.

Alors il y eut de grandes réjouissances, et un repas qui dura trois jours et quatre nuits, dans l'illumination des flambeaux, au son des harpes, sur des jonchées de feuillages. On y mangea les plus rares épices, avec des poules grosses comme des moutons; par divertissement, un nain sortit d'un pâté; et, les écuelles ne suffisant plus, car la foule augmentait toujours, on fut obligé de boire dans les oliphants et dans les casques.

Le nouvelle accouchée n'assista pas à ces fêtes. Elle se tenait dans son lit, tranquillement. Un soir, elle se réveilla, et elle aperçut, sous un rayon de la lune qui entrait par la fenêtre, comme une ombre mouvante. C'était un vieillard en froc de bure, avec un chapelet au côté, une besace sur l'épaule, toute l'apparence d'un ermite. Il s'approcha de son chevet et lui dit, sans desserrer les lèvres:

— Réjouis-toi, ô mère! ton fils sera un saint!

Elle allait crier; mais, glissant sur le rais de la lune, il s'éleva dans l'air doucement, puis disparut. Les chants du banquet éclatèrent plus fort. Elle entendit les voix des anges; et sa tête retomba sur l'oreiller, que dominait un os de martyr dans un cadre d'escarboucles.

Le lendemain, tous les serviteurs interrogés déclarèrent qu'ils n'avaient pas vu d'ermite. Songe ou réalité, cela devait être une communication du ciel; mais elle eut soin de n'en rien dire, ayant peur qu'on ne l'accusât d'orgueil.

Les convives s'en allèrent au petit jour; et le père de Julien se trouvait en dehors de la poterne, où il venait de reconduire le dernier, quand tout à coup un mendiant se dressa devant lui, dans le brouillard. C'était un Bohême à barbe tressée, avec des anneaux d'argent aux deux bras et les prunelles flamboyantes. Il bégaya d'un air inspiré ces mots sans suite:

— Ah! ah! ton fils!... beaucoup de sang!... beaucoup de gloire!... toujours heureux! la famille d'un empereur.

Et, se baissant pour ramasser son aumône, il se perdit dans l'herbe, s'évanouit.

---

15. Les Amalécites : ancien peuple de l'Arabie; les Garamantes : tribus sahariennes au sud de la Numidie.

16. Epées à lame large et courte.

17. Son ménage.

Le bon châtelain regarda de droite et de gauche, appela tant qu'il put. Personne! Le vent sifflait, les brumes du matin s'envolaient.

Il attribua cette vision à la fatigue de sa tête pour avoir trop peu dormi. « Si j'en parle, on se moquera de moi », se dit-il. Cependant les splendeurs destinées à son fils l'éblouissaient, bien que la promesse n'en fût pas claire et qu'il doutât même de l'avoir entendue.

Les époux se cachèrent leur secret. Mais tous deux chérissaient l'enfant d'un pareil amour; et le respectant comme marqué de Dieu, ils eurent pour sa personne des égards infinis. Sa couchette était rembourrée du plus fin duvet; une lampe en forme de colombe brûlait dessus, continuellement; trois nourrices le berçaient; et, bien serré dans ses langes, la mine rose et les yeux bleus, avec son manteau de brocart et son béguin chargé de perles, il ressemblait à un petit Jésus. Les dents lui poussèrent sans qu'il pleurât une seule fois.

Quand il eut sept ans, sa mère lui apprit à chanter. Pour le rendre courageux, son père le hissa sur un gros cheval. L'enfant souriait d'aise, et ne tarda pas à savoir tout ce qui concerne les destriers.

Un vieux moine très savant lui enseigna l'Ecriture sainte, la numération des Arabes, les lettres latines, et à faire sur le vélin des peintures mignonnes. Ils travaillaient ensemble, tout en haut d'une tourelle, à l'écart du bruit.

La leçon terminée, ils descendaient dans le jardin, où, se promenant pas à pas, ils étudiaient les fleurs.

Quelquefois on apercevait, cheminant au fond de la vallée, une file de bêtes de somme, conduites par un piéton, accoutré à l'orientale. Le châtelain, qui l'avait reconnu pour un marchand, expédiait vers lui un valet. L'étranger, prenant confiance, se détournait de sa route; et, introduit dans le parloir, il retirait de ses coffres des pièces de velours et de soie, des orfèvreries, des aromates, des choses singulières d'un usage inconnu; à la fin le bonhomme s'en allait, avec un gros profit, sans avoir enduré aucune violence. D'autres fois, une troupe de pèlerins frappait à la porte. Leurs habits mouillés fumaient devant l'âtre; et, quand ils étaient repus, ils racontaient leurs voyages: les erreurs [18] des nefs sur la mer écumeuse, les marches à pied dans les sables brûlants, la férocité des païens, les cavernes de la Syrie, la Crèche et le Sépulcre. Puis ils donnaient au jeune seigneur des coquilles de leur manteau.

Souvent le châtelain festoyait ses vieux compagnons d'armes. Tout en buvant, ils se rappelaient leurs guerres, les assauts des forteresses avec le battement des machines et les prodigieuses blessures. Julien, qui les écoutait, en poussait des cris; alors son père ne doutait pas qu'il ne fût plus tard un conquérant. Mais le soir, au sortir de l'angélus, quand il passait entre les pauvres inclinés, il puisait dans son escarcelle avec tant de modestie et d'un air si noble, que sa mère comptait bien le voir par la suite archevêque.

Sa place dans la chapelle était aux côtés de ses parents; et, si longs que fussent les offices, il restait à genoux sur son prie-Dieu, la toque par terre et les mains jointes.

Un jour, pendant la messe, il aperçut, en relevant la tête, une petite souris blanche qui sortait d'un trou, dans la muraille. Elle trottina sur la première marche de l'autel, et, après deux ou trois tours de droite et de gauche, s'enfuit du même côté. Le dimanche suivant, l'idée qu'il pourrait la revoir le troubla. Elle revint; et chaque dimanche il l'attendait, en était importuné, fut pris de haine contre elle, et résolut de s'en défaire.

Ayant donc fermé la porte, et semé sur les marches les miettes d'un gâteau, il se posta devant le trou, une baguette à la main.

Au bout de très longtemps un museau rose parut, puis la souris tout entière. Il frappa un coup léger, et demeura stupéfait devant ce petit corps qui ne bougeait plus. Une goutte de sang tachait la dalle. Il l'essuya bien vite avec sa manche, jeta la souris dehors, et n'en dit rien à personne.

Toutes sortes d'oisillons picoraient les graines du jardin. Il imagina de mettre des pois dans un roseau creux. Quand il entendait gazouiller dans un arbre, il en approchait avec douceur, puis levait son tube, enflait ses joues; et les bestioles lui pleuvaient sur les épaules si abondamment qu'il ne pouvait s'empêcher de rire, heureux de sa malice.

Un matin, comme il s'en retournait par la courtine, il vit sur la crête du rempart un gros pigeon qui se rengorgeait au soleil. Julien s'arrêta pour le regarder; le mur en cet endroit ayant une brèche, un éclat de pierre se rencontra sous ses doigts. Il tourna son bras, et la pierre abattit l'oiseau qui tomba d'un bloc dans le fossé.

Il se précipita vers le fond, se déchirant aux broussailles, furetant partout, plus leste qu'un jeune chien.

Le pigeon, les ailes cassées, palpitait, suspendu dans les branches d'un troène.

La persistance de sa vie irrita l'enfant. Il se mit à l'étrangler; et les convulsions de l'oiseau faisaient battre son cœur, l'emplissaient d'une volupté sauvage et tumultueuse. Au dernier raidissement, il se sentit défaillir.

Le soir, pendant le souper, son père déclara que l'on devait à son âge apprendre la vénerie; et il alla chercher un vieux cahier d'écriture contenant, par demandes et réponses, tout le déduit [19] des chasses. Un maître y démontrait à son élève l'art de dresser les chiens et d'affaîter [20] les faucons, de tendre les pièges, comment reconnaître le cerf à ses fumées, le renard à ses empreintes, le loup à ses déchaussures [21], le bon moyen de discerner leurs voies, de quelle manière on les lance, où se trouvent ordinairement leurs refuges, quels sont

---

18. Les courses vagabondes.

19. Déduit (arch.) : divertissement.
20. Dresser à la chasse.
21. Fumées : fientes; déchaussures : traces du loup; voies : directions.

les vents les plus propices, avec l'énumération des cris et les règles de la curée.

Quand Julien put réciter par cœur toutes ces choses, son père lui composa une meute.

D'abord on y distinguait vingt-quatre lévriers barbaresques, plus véloces que des gazelles, mais sujets à s'emporter; puis dix-sept couples de chiens bretons, tiquetés de blanc sur fond rouge, inébranlables dans leur créance, forts de poitrine et grands hurleurs. Pour l'attaque du sanglier et les refuites [22] périlleuses, il y avait quarante griffons, poilus comme des ours. Des mâtins de Tartarie, presque aussi hauts que des ânes, couleur de feu, l'échine large et le jarret droit, étaient destinés à poursuivre les aurochs. La robe noire des épagneuls luisait comme du satin; le jappement des talbots valait celui des bigles chanteurs. Dans une cour à part, grondaient, en secouant leur chaîne et roulant leurs prunelles, huit dogues alains, bêtes formidables qui sautent au ventre des cavaliers et n'ont pas peur des lions.

Tous mangeaient du pain de froment, buvaient dans des auges de pierre, et portaient un nom sonore.

La fauconnerie, peut-être, dépassait la meute; le bon seigneur, à force d'argent, s'était procuré des tiercelets du Caucase, des sacres de Babylone, des gerfauts d'Allemagne, et des faucons-pèlerins, capturés sur les falaises, au bord des mers froides, en de lointains pays. Ils logeaient dans un hangar couvert de chaume, et, attachés par rang de taille sur le perchoir, avaient devant eux une motte de gazon, où de temps à autre on les posait afin de les dégourdir.

Des bourses [23], des hameçons, des chausse-trapes, toute sorte d'engins, furent confectionnés.

Souvent on menait dans la campagne des chiens d'oysel [24], qui tombaient bien vite en arrêt. Alors des piqueurs, s'avançant pas à pas, étendaient avec précaution sur leurs corps impassibles un immense filet. Un commandement les faisait aboyer; des cailles s'envolaient; et les dames des alentours, conviées avec leurs maris, les enfants, les camérières, tout le monde se jetait dessus, et les prenait facilement.

D'autres fois, pour débûcher les lièvres, on battait du tambour; des renards tombaient dans des fosses, ou bien un ressort, se débandant, attrapait un loup par le pied.

Mais Julien méprisa ces commodes artifices; il préférait chasser loin du monde, avec son cheval et son faucon. C'était presque toujours son grand tartaret de Scythie [25], blanc comme la neige. Son capuchon de cuir était surmonté d'un panache, des grelots d'or tremblaient à ses pieds bleus; et il se tenait ferme sur le bras de son maître pendant que le cheval galopait, et que les plaines se déroulaient. Julien, dénouant ses longes, le lâchait tout à coup; la bête hardie montait droit dans l'air

comme une flèche; et l'on voyait deux taches inégales tourner, se joindre, puis disparaître dans les hauteurs de l'azur. Le faucon ne tardait pas à descendre en déchirant quelque oiseau, et revenait se poser sur le gantelet, les deux ailes frémissantes.

Julien vola de cette manière le héron, le milan, la corneille et le vautour.

Il aimait, en sonnant de la trompe, à suivre ses chiens qui couraient sur le versant des collines, sautaient les ruisseaux, remontaient vers le bois; et, quand le cerf commençait à gémir sous les morsures, il l'abattait prestement, puis se délectait à la furie des mâtins qui le dévoraient, coupé en pièces sur sa peau fumante.

Les jours de brume, il s'enfonçait dans un marais pour guetter les oies, les loutres et les halbrans [26].

Trois écuyers, dès l'aube, l'attendaient au bas du perron; et le vieux moine, se penchant à sa lucarne, avait beau faire des signes pour le rappeler, Julien ne se retournait pas. Il allait à l'ardeur du soleil, sous la pluie, par la tempête, buvait l'eau des sources dans sa main, mangeait en trottant des pommes sauvages, s'il était fatigué se reposait sous un chêne; et il rentrait au milieu de la nuit, couvert de sang et de boue, avec des épines dans les cheveux et sentant l'odeur des bêtes farouches. Il devint comme elles. Quand sa mère l'embrassait, il acceptait froidement son étreinte, paraissant rêver à des choses profondes.

Il tua des ours à coup de couteau, des taureaux avec la hache, des sangliers avec l'épieu; et, même une fois, n'ayant plus qu'un bâton, se défendit contre des loups qui rongeaient des cadavres au pied d'un gibet.

Un matin d'hiver, il partit avant le jour, bien équipé, une arbalète sur l'épaule et un trousseau de flèches à l'arçon de sa selle.

Son genet danois, suivi de deux bassets, en marchant d'un pas égal faisait résonner la terre. Des gouttes de verglas se collaient à son manteau, une brise violente soufflait. Un côté de l'horizon s'éclaircit; et, dans la blancheur du crépuscule, il aperçut des lapins sautillant au bord de leurs terriers. Les deux bassets, tout de suite, se précipitèrent sur eux; et, çà et là, vivement, leur brisaient l'échine.

Bientôt, il entra dans un bois. Au bout d'une branche, un coq de bruyère engourdi par le froid dormait la tête sous l'aile. Julien, d'un revers d'épée, lui faucha les deux pattes, et sans le ramasser continua sa route.

Trois heures après, il se trouva sur la pointe d'une montagne tellement haute que le ciel semblait presque noir. Devant lui, un rocher pareil à un long mur s'abaissait, en surplombant un précipice; et, à l'extrémité, deux boucs sauvages regardaient l'abîme. Comme il n'avait pas ses flèches (car son cheval était resté en arrière), il imagina de descendre jusqu'à eux; à demi courbé, pieds nus, il arriva enfin au premier des boucs, et lui enfonça un poignard sous les côtes. Le second, pris de terreur, sauta dans le vide. Julien s'élança pour le frapper, et, glissant du pied droit, tomba sur le cadavre

---

22. Les endroits où une bête sauvage a coutume de passer quand on la poursuit à la chasse.
23. Poches en filets servant dans la chasse au lapin.
24. Chiens d'oysel (arch.) : chiens dressés pour la chasse aux oiseaux.
25. Variété de faucon.

26. Les halbrans : jeunes canards sauvages.

de l'autre, la face au-dessus de l'abîme et les deux bras écartés.

Redescendu dans la plaine, il suivit des saules qui bordaient une rivière. Des grues, volant très bas, de temps à autre passaient au-dessus de sa tête. Julien les assommait avec son fouet, et n'en manqua pas une.

Cependant l'air plus tiède avait fondu le givre, de larges vapeurs flottaient, et le soleil se montra. Il vit reluire tout au loin un lac figé, qui ressemblait à du plomb. Au milieu du lac, il y avait une bête que Julien ne connaissait pas, un castor à museau noir. Malgré la distance, une flèche l'abattit; et il fut chagrin de ne pouvoir emporter la peau.

Puis il s'avança dans une avenue de grands arbres, formant avec leurs cimes comme un arc de triomphe, à l'entrée d'une forêt. Un chevreuil bondit hors d'un fourré, un daim parut dans un carrefour, un blaireau sortit d'un trou, un paon sur le gazon déploya sa queue; et quand il les eut tous occis, d'autres chevreuils se présentèrent, d'autres daims, d'autres blaireaux, d'autres paons, et des merles, des geais, des putois, des renards, des hérissons, des lynx, une infinité de bêtes, à chaque pas plus nombreuses. Elles tournaient autour de lui, tremblantes, avec un regard plein de douceur et de supplication. Mais Julien ne se fatiguait pas de tuer, tour à tour bandant son arbalète, dégainant l'épée, pointant du coutelas, et ne pensait à rien, n'avait souvenir de quoi que ce fût. Il était en chasse dans un pays quelconque, depuis un temps indéterminé, et par le fait seul de sa propre existence, tout s'accomplissant avec la facilité que l'on éprouve dans les rêves. Un spectacle extraordinaire l'arrêta. Des cerfs emplissaient un vallon ayant la forme d'un cirque; et, tassés les uns près des autres, ils se réchauffaient avec leurs haleines que l'on voyait fumer dans le brouillard.

L'espoir d'un pareil carnage, pendant quelques minutes, le suffoqua de plaisir. Puis il descendit de cheval, retroussa ses manches, et se mit à tirer.

Au sifflement de la première flèche, tous les cerfs à la fois tournèrent la tête. Il se fit des enfonçures dans leur masse; des voix plaintives s'élevaient, et un grand mouvement agita le troupeau.

Le rebord du vallon était trop haut pour le franchir. Ils bondissaient dans l'enceinte, cherchant à s'échapper. Julien visait, tirait; et les flèches tombaient comme les rayons d'une pluie d'orage. Les cerfs rendus furieux se battaient, se cabraient, montaient les uns par-dessus les autres; et leurs corps avec leurs ramures emmêlées faisaient un large monticule, qui s'écroulait, en se déplaçant.

Enfin ils moururent, couchés sur le sable, la bave aux naseaux, les entrailles sorties, et l'ondulation de leurs ventres s'abaissant par degrés. Puis tout fut immobile.

La nuit allait venir; et derrière le bois, dans les intervalles des branches, le ciel était rouge comme une nappe de sang.

Julien s'adossa contre un arbre. Il contemplait d'un œil béant l'énormité du massacre, ne comprenant pas comment il avait pu le faire.

De l'autre côté du vallon, sur le bord de la forêt, il aperçut un cerf, une biche et son faon.

Le cerf, qui était noir et monstrueux de taille, portait seize andouillers [27] avec une barbe blanche. La biche, blonde comme les feuilles mortes, broutait le gazon; et le faon tacheté, sans l'interrompre dans sa marche, lui tétait la mamelle.

L'arbalète encore une fois ronfla. Le faon, tout de suite, fut tué. Alors sa mère, en regardant le ciel, brama d'une voix profonde, déchirante, humaine. Julien exaspéré, d'un coup en plein poitrail, l'étendit par terre.

Le grand cerf l'avait vu, fit un bond. Julien lui envoya sa dernière flèche. Elle l'atteignit au front et y resta plantée.

Le grand cerf n'eut pas l'air de la sentir; en enjambant par-dessus les morts, il avançait toujours, allait fondre sur lui, l'éventrer; et Julien reculait dans une épouvante indicible. Le prodigieux animal s'arrêta; et, les yeux flamboyants, solennel comme un patriarche et comme un justicier, pendant qu'une cloche au loin tintait, il répéta trois fois:

— Maudit! maudit! maudit! Un jour, cœur féroce, tu assassineras ton père et ta mère!

Il plia les genoux, ferma doucement ses paupières, et mourut.

Julien fut stupéfait, puis accablé d'une fatigue soudaine; et un dégoût, une tristesse immense l'envahit. Le front dans les deux mains, il pleura pendant longtemps.

Son cheval était perdu; ses chiens l'avaient abandonné; la solitude qui l'enveloppait lui sembla toute menaçante de périls indéfinis. Alors, poussé par un effroi, il prit sa course à travers la campagne, choisit au hasard un sentier, et se trouva presque immédiatement à la porte du château.

La nuit, il ne dormit pas. Sous le vacillement de la lampe suspendue, il revoyait toujours le grand cerf noir. Sa prédiction l'obsédait; il se débattait contre elle. « Non! non! non! je ne peux pas les tuer! » puis, il songeait: « Si je le voulais, pourtant? ...» et il avait peur que le Diable ne lui en inspirât l'envie.

Durant trois mois, sa mère en angoisse pria au chevet de son lit, et son père, en gémissant, marchait continuellement dans les couloirs. Il manda les maîtres mires [28] les plus fameux, lesquels ordonnèrent des quantités de drogues. Le mal de Julien, disaient-ils, avait pour cause un vent funeste, ou un désir d'amour. Mais le jeune homme, à toutes les questions, secouait la tête.

Les forces lui revinrent; et on le promenait dans la cour, le vieux moine et le bon seigneur le soutenant chacun par un bras.

Quand il fut rétabli complètement, il s'obstina à ne point chasser.

Son père, le voulant réjouir, lui fit cadeau d'une grande épée sarrasine.

Elle était au haut d'un pilier, dans une panoplie. Pour l'atteindre, il fallut une échelle. Julien y monta. L'épée trop lourde lui échappa des doigts, et en tombant

---

27. Les andouillers sont les ramifications des bois du cerf.
28. Maîtres mires (arch.) : médecins.

frôla le bon seigneur de si près que sa houppelande en fut coupée; Julien crut avoir tué son père, et s'évanouit.

Dès lors, il redouta les armes. L'aspect d'un fer nu le faisait pâlir. Cette faiblesse était une désolation pour sa famille.

Enfin le vieux moine, au nom de Dieu, de l'honneur et des ancêtres, lui commanda de reprendre ses exercices de gentilhomme.

Les écuyers, tous les jours, s'amusaient au maniement de la javeline. Julien y excella bien vite. Il envoyait la sienne dans le goulot des bouteilles, cassait les dents des girouettes, frappait à cent pas les clous des portes.

Un soir d'été, à l'heure où la brume rend les choses indistinctes, étant sous la treille du jardin, il aperçut tout au fond deux ailes blanches qui voletaient à la hauteur de l'espalier. Il ne douta pas que ce fût une cigogne; et il lança son javelot.

Un cri déchirant partit.

C'était sa mère, dont le bonnet à longues barbes restait cloué contre le mur.

Julien s'enfuit du château, et ne reparut plus.

II

Il s'engagea dans une troupe d'aventuriers qui passaient.

Il connut la faim, la soif, les fièvres et la vermine. Il s'accoutuma au fracas des mêlées, à l'aspect des moribonds. Le vent tanna sa peau. Ses membres se durcirent par le contact des armures; et comme il était très fort, courageux, tempérant, avisé, il obtint sans peine le commandement d'une compagnie.

Au début des batailles, il enlevait ses soldats d'un grand geste de son épée. Avec une corde à nœuds, il grimpait aux murs des citadelles, la nuit, balancé par l'ouragan, pendant que les flammèches du feu grégeois [29] se collaient à sa cuirasse, et que la résine bouillante et le plomb fondu ruisselaient des créneaux. Souvent le heurt d'une pierre fracassa son bouclier. Des ponts trop chargés d'hommes croulèrent sous lui. En tournant sa masse d'armes, il se débarrassa de quatorze cavaliers. Il défit, en champ clos, tous ceux qui se proposèrent. Plus de vingt fois, on le crut mort.

Grâce à la faveur divine, il en réchappa toujours; car il protégeait les gens d'église, les orphelins, les veuves, et principalement les vieillards. Quand il en voyait un marchant devant lui, il criait pour connaître sa figure, comme s'il avait eu peur de le tuer par méprise.

Des esclaves en fuite, des manants révoltés, des bâtards sans fortune, toutes sortes d'intrépides affluèrent sous son drapeau, et il se composa une armée.

Elle grossit. Il devint fameux. On le recherchait.

Tour à tour, il secourut le Dauphin de France et le roi d'Angleterre, les Templiers de Jérusalem, le suréna des Parthes, le négus d'Abyssinie, et l'empereur de Calicut [30]. Il combattit des Scandinaves recouverts d'écailles de poisson, des Nègres munis de rondaches en cuir d'hippopotame et montés sur des ânes rouges, des Indiens couleur d'or et brandissant par-dessus leurs diadèmes de larges sabres, plus clairs que des miroirs. Il vainquit les Troglodytes et les Anthropophages. Il traversa des régions si torrides que sous l'ardeur du soleil les chevelures s'allumaient d'elles-mêmes, comme des flambeaux; et d'autres qui étaient si glaciales, que les bras, se détachant du corps, tombaient par terre; et des pays où il y avait tant de brouillard que l'on marchait environné de fantômes.

Des républiques en embarras le consultèrent. Aux entrevues d'ambassadeurs, il obtenait des conditions inespérées. Si un monarque se conduisait trop mal, il arrivait tout à coup, et lui faisait des remontrances. Il affranchit des peuples. Il délivra des reines enfermées dans des tours. C'est lui, et pas un autre, qui assomma la guivre [31] de Milan et le dragon d'Oberbirbach.

Or l'empereur d'Occitanie [32], ayant triomphé des Musulmans espagnols, s'était joint par concubinage à la sœur du calife de Cordoue; et il en conservait une fille, qu'il avait élevée chrétiennement. Mais le calife, faisant mine de vouloir se convertir, vint lui rendre visite, accompagné d'une escorte nombreuse, massacra toute sa garnison, et le plongea dans un cul de basse-fosse, où il le traitait durement, afin d'en extirper des trésors.

Julien accourut à son aide, détruisit l'armée des infidèles, assiégea la ville, tua le calife, coupa sa tête, et la jeta comme une boule par-dessus les remparts. Puis il tira l'empereur de sa prison, et le fit remonter sur son trône, en présence de toute sa cour.

L'empereur, pour prix d'un tel srivce, lui présenta dans des corbeilles beaucoup d'argent; Julien n'en voulut pas. Croyant qu'il en désirait davantage, il offrit les trois quarts de ses richesses; nouveau refus; puis de partager son royaume; Julien le remercia; et l'empereur en pleurait de dépit, ne sachant de quelle manière témoigner sa reconnaissance, quand il se frappa le front, dit un mot à l'oreille d'un courtisan; les rideaux d'une tapisserie se relevèrent, et une jeune fille parut.

Ses grands yeux noirs brillaient comme deux lampes très douces. Un sourire charmant écartait ses lèvres. Les anneaux de sa chevelure s'accrochaient aux pierreries de sa robe entr'ouverte; et, sous la transparence de sa tunique, on devinait la jeunesse de son corps. Elle était toute mignonne et potelée, avec la taille fine.

Julien fut ébloui d'amour, d'autant plus qu'il avait mené jusqu'alors une vie très chaste.

Donc il reçut en mariage la fille de l'empereur, avec un château qu'elle tenait de sa mère; et, les noces étant terminées, on se quitta, après des politesses infinies de part et d'autre.

C'était un palais de marbre blanc, bâti à la moresque, sur un promontoire, dans un bois d'orangers. Des terrasses de fleurs descendaient jusqu'au bord d'un golfe, où des coquilles roses craquaient sous les pas.

29. Fusée incendiaire utilisée au Moyen Age.
30. Ville et port de l'Inde.

31. Serpent fantastique.
32. L'Occitanie : nom du Languedoc en ancien français.

Derrière le château, s'étendait une forêt ayant le dessin d'un éventail. Le ciel continuellement était bleu, et les arbres se penchaient tour à tour sous la brise de la mer et le vent des montagnes, qui fermaient au loin l'horizon.

Les chambres, pleines de crépuscule, se trouvaient éclairées par les incrustations des murailles. De hautes colonnettes, minces comme des roseaux, supportaient la voûte des coupoles, décorées de reliefs imitant les stalactites des grottes.

Il y avait des jets d'eau dans les salles, des mosaïques dans les cours, des cloisons festonnées, mille délicatesses d'architecture, et partout un tel silence que l'on entendait le frôlement d'une écharpe ou l'écho d'un soupir.

Julien ne faisait plus la guerre. Il se reposait, entouré d'un peuple tranquille; et chaque jour, une foule passait devant lui, avec des génuflexions et des baisemains à l'orientale.

Vêtu de pourpre, il restait accoudé dans l'embrasure d'une fenêtre, en se rappelant ses chasses d'autrefois; et il aurait voulu courir sur le désert après les gazelles et les autruches, être caché dans les bambous à l'affût des léopards, traverser des forêts pleines de rhinocéros, atteindre au sommet des monts les plus inaccessibles pour viser mieux les aigles, et sur les glaçons de la mer combattre les ours blancs.

Quelquefois, dans un rêve, il se voyait comme notre père Adam au milieu du Paradis, entre toutes les bêtes; en allongeant le bras, il les faisait mourir; ou bien, elles défilaient, deux à deux, par rang de taille, depuis les éléphants et les lions jusqu'aux hermines et aux canards, comme le jour qu'elles entrèrent dans l'arche de Noé. A l'ombre d'une caverne, il dardait sur elles des javelots infaillibles; il en survenait d'autres; cela n'en finissait pas; et il se réveillait en roulant des yeux farouches.

Des princes de ses amis l'invitèrent à chasser. Il s'y refusa toujours, croyant, par cette sorte de pénitence, détourner son malheur; car il lui semblait que du meurtre des animaux dépendait le sort de ses parents. Mais il souffrait de ne pas les voir, et son autre envie devenait insupportable.

Sa femme, pour le récréer, fit venir des jongleurs et des danseuses.

Elle se promenait avec lui, en litière ouverte, dans la campagne; d'autres fois, étendus sur le bord d'une chaloupe, ils regardaient les poissons vagabonder dans l'eau, claire comme le ciel. Souvent elle lui jetait des fleurs au visage; accroupie devant ses pieds, elle tirait des airs d'une mandoline à trois cordes; puis, lui posant sur l'épaule ses deux mains jointes, disait d'une voix timide : « Qu'avez-vous donc, cher seigneur? »

Il ne répondait pas, ou éclatait en sanglots; enfin, un jour, il avoua son horrible pensée.

Elle la combattit, en raisonnant très bien : son père et sa mère, probablement, étaient morts; si jamais il les revoyait, par quel hasard, dans quel but, arriverait-il à cette abomination? Donc, sa crainte n'avait pas de cause, et il devait se remettre à chasser.

Julien souriait en l'écoutant, mais ne se décidait pas à satisfaire son désir.

Un soir du mois d'août qu'ils étaient dans leur chambre, elle venait de se coucher et il s'agenouillait pour sa prière, quand il entendit le jappement d'un renard, puis des pas légers sous la fenêtre; et il entrevit dans l'ombre comme des apparences d'animaux. La tentation était trop forte. Il décrocha son carquois.

Elle parut surprise.

— C'est pour t'obéir! dit-il; au lever du soleil, je serai revenu.

Cependant elle redoutait une aventure funeste.

Il la rassura, puis sortit, étonné de l'inconséquence de son humeur.

Peu de temps après, un page vint annoncer que deux inconnus, à défaut du seigneur absent, réclamaient tout de suite la seigneuresse.

Et bientôt entrèrent dans la chambre un vieil homme et une vieille femme, courbés, poudreux, en habits de toile, et s'appuyant chacun sur un bâton.

Ils s'enhardirent et déclarèrent qu'ils apportaient à Julien des nouvelles de ses parents.

Elle se pencha pour les entendre.

Mais, s'étant concertés du regard, ils lui demandèrent s'il les aimait toujours, s'il parlait d'eux quelquefois.

— Oh oui! dit-elle.

Alors, ils s'écrièrent :

— Eh bien! c'est nous! et ils s'assirent, étant fort las et recrus de fatigue.

Rien n'assurait à la jeune femme que son époux fût leur fils.

Ils en donnèrent la preuve en décrivant des signes particuliers qu'il avait sur la peau.

Elle sauta hors de sa couche, appela son page, et on leur servit un repas.

Bien qu'ils eussent grand'faim, ils ne pouvaient guère manger; et elle observait à l'écart le tremblement de leurs mains osseuses, en prenant les gobelets.

Ils firent mille questions sur Julien. Elle répondait à chacune, mais eut soin de taire l'idée funèbre qui les concernait.

Ne le voyant pas revenir, ils étaient partis de leur château; et ils marchaient depuis plusieurs années, sur de vagues indications, sans perdre l'espoir. Il avait fallu tant d'argent au péage des fleuves et dans les hôtelleries, pour les droits des princes et les exigences des voleurs, que le fond de leur bourse était vide, et qu'ils mendiaient maintenant. Qu'importe, puisque bientôt ils embrasseraient leur fils? Ils exaltaient son bonheur d'avoir une femme aussi gentille, et ne se lassaient point de la contempler et de la baiser.

La richesse de l'appartement les étonnait beaucoup; et le vieux, ayant examiné les murs, demanda pourquoi s'y trouvait le blason de l'empereur d'Occitanie.

Elle répliqua :

— C'est mon père!

Alors il tressaillit, se rappelant la prédiction du Bohême; et la vieille songeait à la parole de l'Ermite. Sans doute la gloire de son fils n'était que l'aurore des splendeurs éternelles; et tous les deux restaient béants, sous la lumière du candélabre qui éclairait la table.

Ils avaient dû être très beaux dans leur jeunesse. La

mère avait encore tous ses cheveux, dont les bandeaux fins, pareils à des plaques de neige, pendaient jusqu'au bas de ses joues; et le père, avec sa taille haute et sa grande barbe, ressemblait à une statue d'église.

La femme de Julien les engagea à ne pas l'attendre. Elle les coucha elle-même dans son lit, puis ferma la croisée; ils s'endormirent. Le jour allait paraître, et, derrière le vitrail, les petits oiseaux commençaient à chanter.

Julien avait traversé le parc; et il marchait dans la forêt d'un pas nerveux, jouissant de la mollesse du gazon et de la douceur de l'air.

Les ombres des arbres s'étendaient sur la mousse. Quelquefois la lune faisait des taches blanches dans les clairières, et il hésitait à s'avancer, croyant apercevoir une flaque d'eau, ou bien la surface des mares tranquilles se confondait avec la couleur de l'herbe. C'était partout un grand silence; et il ne découvrit aucune des bêtes qui, peu de minutes auparavant, erraient à l'entour de son château.

Le bois s'épaissit, l'obscurité devint profonde. Des bouffées de vent chaud passaient, pleines de senteurs amollissantes. Il enfonçait dans des tas de feuilles mortes, et il s'appuya contre un chêne pour haleter un peu.

Tout à coup, derrière son dos, bondit une masse plus noire, un sanglier. Julien n'eut pas le temps de saisir son arc, et il s'en affligea comme d'un malheur.

Puis, étant sorti du bois, il aperçut un loup qui filait le long d'une haie.

Julien lui envoya une flèche. Le loup s'arrêta, tourna la tête pour le voir et reprit sa course. Il trottait en gardant toujours la même distance, s'arrêtait de temps à autre, et, sitôt qu'il était visé, recommençait à fuir.

Julien parcourut de cette manière une plaine interminable, puis des monticules de sable, et enfin il se trouva sur un plateau dominant un grand espace de pays. Des pierres plates étaient clairsemées entre des caveaux en ruines. On trébuchait sur des ossements de morts; de place en place, des croix vermoulues se penchaient d'un air lamentable. Mais des formes remuèrent dans l'ombre indécise des tombeaux; et il en surgit des hyènes, tout effarées, pantelantes. En faisant claquer leurs ongles sur les dalles, elles vinrent à lui et le flairaient avec un bâillement qui découvrait leurs gencives. Il dégaina son sabre. Elles partirent à la fois dans toutes les directions, et, continuant leur galop boiteux et précipité, se perdirent au loin sous un flot de poussière.

Une heure après, il rencontra dans un ravin un taureau furieux, les cornes en avant, et qui grattait le sable avec son pied. Julien lui pointa sa lance sous les fanons. Elle éclata, comme si l'animal eût été de bronze; il ferma les yeux, attendant sa mort. Quand il les rouvrit, le taureau avait disparu.

Alors son âme s'affaissa de honte. Un pouvoir supérieur détruisait sa force; et, pour s'en retourner chez lui, il rentra dans la forêt.

Elle était embarrassée de lianes; et il les coupait avec son sabre, quand une fouine glissa brusquement entre

ses jambes, une panthère fit un bond par-dessus son épaule, un serpent monta en spirale autour d'un frêne.

Il y avait dans son feuillage un choucas [33] monstrueux, qui regardait Julien; et çà et là, parurent entre les branches quantité de larges étincelles, comme si le firmament eût fait pleuvoir dans la forêt toutes ses étoiles. C'étaient des yeux d'animaux, des chats sauvages, des écureuils, des hiboux, des perroquets, des singes.

Julien darda contre eux ses flèches; les flèches, avec leurs plumes, se posaient sur les feuilles comme des papillons blancs. Il leur jeta des pierres; les pierres, sans rien toucher, retombaient. Il se maudit, aurait voulu se battre, hurla des imprécations, étouffait de rage.

Et tous les animaux qu'il avait poursuivis se représentèrent, faisant autour de lui un cercle étroit. Les uns étaient assis sur leur croupe, les autres dressés de toute leur taille. Il restait au milieu, glacé de terreur, incapable du moindre mouvement. Par un effort suprême de sa volonté, il fit un pas; ceux qui perchaient sur les arbres ouvrirent leurs ailes, ceux qui foulaient le sol déplacèrent leurs membres; et tous l'accompagnaient.

Les hyènes marchaient devant lui, le loup et le sanglier par derrière. Le taureau, à sa droite, balançait la tête; et, à sa gauche, le serpent ondulait dans les herbes, tandis que la panthère, bombant son dos, avançait à pas de velours et à grandes enjambées. Il allait le plus lentement possible pour ne pas les irriter; et il voyait sortir de la profondeur des buissons des porcs-épics, des renards, des vipères, des chacals et des ours.

Julien se mit à courir; ils coururent. Le serpent sifflait, les bêtes puantes bavaient. Le sanglier lui frottait les talons avec ses défenses, le loup l'intérieur des mains avec les poils de son museau. Les singes le pinçaient en grimaçant, la fouine se roulait sur ses pieds. Un ours, d'un revers de patte, lui enleva son chapeau; et la panthère, dédaigneusement, laissa tomber une flèche qu'elle portait à sa gueule.

Une ironie perçait dans leurs allures sournoises. Tout en l'observant du coin de leurs prunelles, ils semblaient méditer un plan de vengeance; et, assourdi par le bourdonnement des insectes, battu par des queues d'oiseaux, suffoqué par des haleines, il marchait les bras tendus et les paupières closes comme un aveugle, sans même avoir la force de crier « grâce! »

Le chant d'un coq vibra dans l'air. D'autres y répondirent; c'était le jour; et il reconnut, au delà des orangers, le faîte de son palais.

Puis, au bord d'un champ, il vit, à trois pas d'intervalle, des perdrix rouges qui voletaient dans les chaumes. Il dégrafa son manteau, et l'abattit sur elles comme un filet. Quand il les eut découvertes, il n'en trouva qu'une seule, et morte depuis longtemps, pourrie.

Cette déception l'exaspéra plus que toutes les autres. Sa soif de carnage le reprenait; les bêtes manquant, il aurait voulu massacrer des hommes.

Il gravit les trois terrasses, enfonça la porte d'un coup de poing; mais, au bas de l'escalier, le souvenir de sa

33. Oiseau voisin de la corneille.

chère femme détendit son cœur. Elle dormait sans doute, et il allait la surprendre.

Ayant retiré ses sandales, il tourna doucement la serrure, et entra.

Les vitraux garnis de plomb obscurcissaient la pâleur de l'aube. Julien se prit les pieds dans des vêtements, par terre; un peu plus loin, il heurta une crédence encore chargée de vaisselle. « Sans doute, elle aura mangé », se dit-il; et il avançait vers le lit, perdu dans les ténèbres au fond de la chambre. Quand il fut au bord, afin d'embrasser sa femme, il se pencha sur l'oreiller où les deux têtes reposaient l'une près de l'autre. Alors, il sentit contre sa bouche l'impression d'une barbe.

Il se recula, croyant devenir fou; mais il revint près du lit, et ses doigts, en palpant, rencontrèrent des cheveux qui étaient très longs. Pour se convaincre de son erreur, il repassa lentement sa main sur l'oreiller. C'était bien une barbe, cette fois, et un homme! un homme couché avec sa femme!

Éclatant d'une colère démesurée, il bondit sur eux à coups de poignard; et il trépignait, écumait, avec des hurlements de bête fauve. Puis il s'arrêta. Les morts, percés au cœur, n'avaient pas même bougé. Il écoutait attentivement leurs deux râles presque égaux, et, à mesure qu'ils s'affaiblissaient, un autre, tout au loin, les continuait. Incertaine d'abord, cette voix plaintive longuement poussée, se rapprochait, s'enfla, devint cruelle; et il reconnut, terrifié, le bramement du grand cerf noir.

Et comme il se retournait, il crut voir dans l'encadrure de la porte, le fantôme de sa femme, une lumière à la main.

Le tapage du meurtre l'avait attirée. D'un large coup d'œil, elle comprit tout, et s'enfuyant d'horreur laissa tomber son flambeau.

Il le ramassa.

Son père et sa mère étaient devant lui, étendus sur le dos avec un trou dans la poitrine; et leurs visages, d'une majestueuse douceur, avaient l'air de garder comme un secret éternel. Des éclaboussures et des flaques de sang s'étalaient au milieu de leur peau blanche, sur les draps du lit, par terre, le long d'un Christ d'ivoire suspendu dans l'alcôve. Le reflet écarlate du vitrail, alors frappé par le soleil, éclairait ces taches rouges, et en jetait de plus nombreuses dans tout l'appartement. Julien marcha vers les deux morts en se disant, en voulant croire que cela n'était pas possible, qu'il s'était trompé, qu'il y a parfois des ressemblances inexplicables. Enfin, il se baissa légèrement pour voir de tout près le vieillard; et il aperçut, entre ses paupières mal fermées, une prunelle éteinte qui le brûla comme du feu. Puis il se porta de l'autre côté de la couche, occupé par l'autre corps, dont les cheveux blancs masquaient une partie de la figure. Julien lui passa les doigts sous ses bandeaux, leva sa tête; et il la regardait, en la tenant au bout de son bras roidi, pendant que de l'autre main il s'éclairait avec le flambeau. Des gouttes, suintant du matelas, tombaient une à une sur le plancher.

A la fin du jour, il se présenta devant sa femme; et, d'une voix différente de la sienne, il lui commanda premièrement de ne pas lui répondre, de ne pas l'approcher, de ne plus même le regarder, et qu'elle eût à suivre, sous peine de damnation, tous ses ordres qui étaient irrévocables.

Les funérailles seraient faites selon les instructions qu'il avait laissées par écrit, sur un prie-Dieu, dans la chambre des morts. Il lui abandonnait son palais, ses vassaux, tous ses biens, sans même retenir les vêtements de son corps, et ses sandales, que l'on trouverait au haut de l'escalier.

Elle avait obéi à la volonté de Dieu, en occasionnant son crime, et devait prier pour son âme, puisque désormais il n'existait plus.

On enterra les morts avec magnificence, dans l'église d'un monastère à trois journées du château. Un moine en cagoule rabattue suivit le cortège, loin de tous les autres, sans que personne osât lui parler.

Il resta, pendant la messe, à plat ventre au milieu du portail, les bras en croix, et le front dans la poussière.

Après l'ensevelissement, on le vit prendre le chemin qui menait aux montagnes. Il se retourna plusieurs fois, et finit par disparaître.

III

Il s'en alla, mendiant sa vie par le monde.

Il tendait sa main aux cavaliers sur les routes, avec des génuflexions s'approchait des moissonneurs, ou restait immobile devant la barrière des cours; et son visage était si triste que jamais on ne lui refusait l'aumône.

Par esprit d'humilité, il racontait son histoire; alors tous s'enfuyaient, en faisant des signes de croix. Dans les villages où il avait déjà passé, sitôt qu'il était reconnu, on fermait les portes, on lui criait des menaces, on lui jetait des pierres. Les plus charitables posaient une écuelle sur le bord de leur fenêtre, puis fermaient l'auvent pour ne pas l'apercevoir.

Repoussé de partout, il évita les hommes; et il se nourrit de racines, de plantes, de fruits perdus, et de coquillages qu'il cherchait le long des grèves.

Quelquefois, au tournant d'une côte, il voyait sous ses yeux une confusion de toits pressés, avec des flèches de pierre, des ponts, des tours, des rues noires s'entrecroisant, et d'où montait jusqu'à lui un bourdonnement continuel.

Le besoin de se mêler à l'existence des autres le faisait descendre dans la ville. Mais l'air bestial des figures, le tapage des métiers, l'indifférence des propos glaçaient son cœur. Les jours de fête, quand le bourdon des cathédrales mettait en joie dès l'aurore le peuple entier, il regardait les habitants sortir de leurs maisons, puis les danses sur les places, les fontaines de cervoise[34] dans les carrefours, les tentures de damas devant le logis des princes, et le soir venu, par le vitrage des rez-de-chaussée, les longues tables de famille où des aïeux tenaient des

---

34. Sorte de bière consommée dans l'Antiquité et au Moyen Age.

petits enfants sur leurs genoux; des sanglots l'étouffaient, et il s'en retournait vers la campagne.

Il contemplait avec des élancements d'amour les poulains dans les herbages, les oiseaux dans leurs nids, les insectes sur les fleurs; tous, à son approche, couraient plus loin, se cachaient effarés, s'envolaient bien vite.

Il rechercha les solitudes. Mais le vent apportait à son oreille comme des râles d'agonie; les larmes de la rosée tombant par terre lui rappelaient d'autres gouttes d'un poids plus lourd. Le soleil, tous les soirs, étalait du sang dans les nuages; et chaque nuit, en rêve, son parricide recommençait.

Il se fit un cilice avec des pointes de fer. Il monta sur les deux genoux toutes les collines ayant une chapelle à leur sommet. Mais l'impitoyable pensée obscurcissait la splendeur des tabernacles, le torturait à travers les macérations de la pénitence.

Il ne se révoltait pas contre Dieu qui lui avait infligé cette action, et pourtant se désespérait de l'avoir pu commettre.

Sa propre personne lui faisait tellement horreur qu'espérant s'en délivrer il l'aventura dans des périls. Il sauva des paralytiques des incendies, des enfants du fond des gouffres. L'abîme le rejetait, les flammes l'épargnaient.

Le temps n'apaisa pas sa souffrance. Elle devenait intolérable. Il résolut de mourir.

Et un jour qu'il se trouvait au bord d'une fontaine, comme il se penchait dessus pour juger de la profondeur de l'eau, il vit paraître en face de lui un vieillard tout décharné, à barbe blanche et d'un aspect si lamentable qu'il lui fut impossible de retenir ses pleurs. L'autre, aussi, pleurait. Sans reconnaître son image, Julien se rappelait confusément une figure ressemblant à celle-là. Il poussa un cri; c'était son père; et il ne pensa plus à se tuer.

Ainsi, portant le poids de son souvenir, il parcourut beaucoup de pays; et il arriva près d'un fleuve dont la traversée était dangereuse, à cause de sa violence et parce qu'il y avait sur les rives une grande étendue de vase. Personne depuis longtemps n'osait plus le passer.

Une vieille barque, enfouie à l'arrière, dressait sa proue dans les roseaux. Julien en l'examinant découvrit une paire d'avirons; et l'idée lui vint d'employer son existence au service des autres.

Il commença par établir sur la berge une manière de chaussée qui permettrait de descendre jusqu'au chenal; et il se brisait les ongles à remuer les pierres énormes, les appuyait contre son ventre pour les transporter, glissait dans la vase, y enfonçait, manqua périr plusieurs fois.

Ensuite, il répara le bateau avec des épaves de navires, et il se fit une cahute avec de la terre glaise et des troncs d'arbres.

Le passage étant connu, les voyageurs se présentèrent. Ils l'appelaient de l'autre bord, en agitant des drapeaux; Julien bien vite sautait dans sa barque. Elle était très lourde; et on la surchargeait par toutes sortes de bagages et de fardeaux, sans compter les bêtes de somme, qui, ruant de peur, augmentaient l'encombrement. Il ne demandait rien pour sa peine; quelques-uns lui donnaient des restes de victuailles qu'ils tiraient de leur bissac ou les habits trop usés dont ils ne voulaient plus. Des brutaux vociféraient des blasphèmes. Julien les reprenait avec douceur; et ils ripostaient par des injures. Il se contentait de les bénir.

Une petite table, un escabeau, un lit de feuilles mortes et trois coupes d'argile, voilà tout ce qu'était son mobilier. Deux trous dans la muraille servaient de fenêtres. D'un côté, s'étendaient à perte de vue des plaines stériles ayant sur leur surface de pâles étangs, çà et là; et le grand fleuve, devant lui, roulait ses flots verdâtres. Au printemps, la terre humide avait une odeur de pourriture. Puis, un vent désordonné soulevait la poussière en tourbillons. Elle entrait partout, embourbait l'eau, craquait sous les gencives. Un peu plus tard, c'étaient des nuages de moustiques, dont la susurration et les piqûres ne s'arrêtaient ni jour ni nuit. Ensuite, survenaient d'atroces gelées qui donnaient aux choses la rigidité de la pierre, et inspiraient un besoin fou de manger de la viande.

Des mois s'écoulaient sans que Julien vît personne. Souvent il fermait les yeux, tâchant, par la mémoire, de revenir dans sa jeunesse; — et la cour d'un château apparaissait avec des lévriers sur un perron, des valets dans la salle d'armes, et, sous un berceau de pampres, un adolescent à cheveux blonds entre un vieillard couvert de fourrures et une dame à grand hennin; tout à coup, les deux cadavres étaient là. Il se jetait à plat ventre sur son lit, et répétait en pleurant : « Ah! pauvre père! pauvre mère! pauvre mère! » et tombait dans un assoupissement où les visions funèbres continuaient.

Une nuit qu'il dormait, il crut entendre quelqu'un l'appeler. Il tendit l'oreille et ne distingua que le mugissement des flots.

Mais la même voix reprit :

— Julien!

Elle venait de l'autre bord, ce qui lui parut extraordinaire, vu la largeur du fleuve.

Une troisième fois on appela :

— Julien!

Et cette voix haute avait l'intonation d'une cloche d'église.

Ayant allumé sa lanterne, il sortit de la cahute. Un ouragan furieux emplissait la nuit. Les ténèbres étaient profondes, et çà et là déchirées par la blancheur des vagues qui bondissaient.

Après une minute d'hésitation, Julien dénoua l'amarre. L'eau, tout de suite, devint tranquille, la barque glissa dessus et toucha l'autre berge, où un homme attendait.

Il était enveloppé d'une toile en lambeaux, la figure pareille à un masque de plâtre et les deux yeux plus rouges que des charbons. En approchant de lui la lanterne, Julien s'aperçut qu'une lèpre hideuse le recouvrait; cependant, il avait dans son attitude comme une majesté de roi.

Dès qu'il entra dans la barque, elle enfonça prodigieusement, écrasée par son poids; une secousse la remonta; et Julien se mit à ramer.

A chaque coup d'aviron, le ressac des flots la soulevait par l'avant. L'eau, plus noire que de l'encre, courait avec furie des deux côtés du bordage. Elle creusait des abîmes, elle faisait des montagnes, et la chaloupe sautait dessus, puis redescendait dans des profondeurs où elle tournoyait, ballottée par le vent.

Julien penchait son corps, dépliait les bras, et, s'arc-boutant des pieds, se renversait avec une torsion de la taille, pour avoir plus de force. La grêle cinglait ses mains, la pluie coulait dans son dos, la violence de l'air l'étouffait, il s'arrêta. Alors le bateau fut emporté à la dérive. Mais, comprenant qu'il s'agissait d'une chose considérable, d'un ordre auquel il ne fallait pas désobéir, il reprit ses avirons; et le claquement des tolets [35] coupait la clameur de la tempête.

La petite lanterne brûlait devant lui. Des oiseaux, en voletant, la cachaient par intervalles. Mais toujours il apercevait les prunelles du Lépreux qui se tenait debout à l'arrière, immobile comme une colonne.

Et cela dura longtemps, très longtemps!

Quand ils furent arrivés dans la cahute, Julien ferma la porte; et il le vit siégeant sur l'escabeau. L'espèce de linceul qui le recouvrait était tombé jusqu'à ses hanches; et ses épaules, sa poitrine, ses bras maigres disparaissaient sous des plaques de pustules écailleuses. Des rides énormes labouraient son front. Tel qu'un squelette, il avait un trou à la place du nez; et ses lèvres bleuâtres dégageaient une haleine épaisse comme du brouillard, et nauséabonde.

— J'ai faim! dit-il.

Julien lui donna ce qu'il possédait, un vieux quartier de lard et les croûtes d'un pain noir.

Quand il les eut dévorés, la table, l'écuelle et le manche du couteau portaient les mêmes taches que l'on voyait sur son corps.

Ensuite, il dit : « J'ai soif! »

Julien alla chercher sa cruche; et, comme il la prenait, il en sortit un arome qui dilata son cœur et ses narines. C'était du vin; quelle trouvaille! mais le Lépreux avança le bras, et d'un trait vida toute la cruche.

Puis il dit : « J'ai froid! »

Julien, avec sa chandelle, enflamma un paquet de fougères, au milieu de la cabane.

35. Chevilles de bois servant à maintenir les avirons.

Le Lépreux vint s'y chauffer; et, accroupi sur les talons, il tremblait de tous ses membres, s'affaiblissait; ses yeux ne brillaient plus, ses ulcères coulaient, et, d'une voix presque éteinte, il murmura : « Ton lit! »

Julien l'aida doucement à s'y traîner, et même étendit sur lui, pour le couvrir, la toile de son bateau.

Le Lépreux gémissait. Les coins de sa bouche découvraient ses dents, un râle accéléré lui secouait la poitrine, et son ventre, à chacune de ses aspirations, se creusait jusqu'aux vertèbres.

Puis il ferma les paupières.

— C'est comme de la glace dans mes os! Viens près de moi!

Et Julien, écartant la toile, se coucha sur les feuilles mortes, près de lui, côte à côte.

Le Lépreux tourna la tête.

— Déshabille-toi, pour que j'aie la chaleur de ton corps!

Julien ôta ses vêtements; puis, nu comme au jour de sa naissance, se replaça dans le lit; et il sentait contre sa cuisse la peau du Lépreux, plus froide qu'un serpent et rude comme une lime.

Il tâchait de l'encourager; et l'autre répondait, en haletant :

— Ah! je vais mourir!... Rapproche-toi, réchauffe-moi! Pas avec les mains! non! toute ta personne.

Julien s'étala dessus complètement, bouche contre bouche, poitrine sur poitrine.

Alors le Lépreux l'étreignit; et ses yeux tout à coup prirent une clarté d'étoiles; ses cheveux s'allongèrent comme les rais du soleil; le souffle de ses narines avait la douceur des roses; un nuage d'encens s'éleva du foyer; les flots chantaient. Cependant une abondance de délices, une joie surhumaine descendait comme une inondation dans l'âme de Julien pâmé; et celui dont les bras le serraient toujours grandissait, grandissait, touchant de sa tête et de ses pieds les deux murs de la cabane. Le toit s'envola, le firmament se déployait; — et Julien monta vers les espaces bleus, face à face avec Notre-Seigneur Jésus, qui l'emportait dans le ciel.

Et voilà l'histoire de saint Julien l'Hospitalier, telle à peu près qu'on la trouve, sur un vitrail d'église, dans mon pays.

HÉRODIAS

I

La citadelle de Machærous se dressait à l'orient de la mer Morte, sur un pic de basalte ayant la forme d'un cône. Quatre vallées profondes l'entouraient, deux vers les flancs, une en face, la quatrième au delà. Des maisons se tassaient contre sa base, dans le cercle d'un mur qui ondulait suivant les inégalités du terrain; et, par un chemin en zigzag tailladant le rocher, la ville se reliait à la forteresse, dont les murailles étaient hautes de cent vingt coudées, avec des angles nombreux, des créneaux sur le bord, et, çà et là, des tours qui faisaient comme des fleurons à cette couronne de pierres, suspendue au-dessus de l'abîme.

Il y avait dans l'intérieur un palais orné de portiques, et couvert d'une terrasse que fermait une balustrade en bois de sycomore, où des mâts étaient disposés pour tendre un vélarium.

Un matin, avant le jour, le Tétrarque [36] Hérode-Antipas vint s'y accouder, et regarda.

Les montagnes, immédiatement sous lui, commençaient à découvrir leurs crêtes, pendant que leur masse, jusqu'au fond des abîmes, était encore dans l'ombre. Un brouillard flottait, il se déchira, et les contours de la mer Morte apparurent. L'aube, qui se levait derrière Machærous, épandait une rougeur. Elle illumina bientôt les sables de la grève, les collines, le désert, et, plus loin, tous les monts de la Judée, inclinant leurs surfaces raboteuses et grises. Engaddi, au milieu, traçait une barre noire; Hébron, dans l'enfoncement, s'arrondissait en dôme; Esquol avait des grenadiers, Sorek des vignes, Karmel des champs de sésame; et la tour Antonia, de son cube monstrueux, dominait Jérusalem. Le Tétrarque en détourna la vue pour contempler, à droite, les palmiers de Jéricho; et il songea aux autres villes de sa Galilée : Capharnaüm, Endor, Nazareth, Tibérias où peut-être il ne reviendrait plus. Cependant le Jourdain coulait sur la plaine aride. Toute blanche, elle éblouissait comme une nappe de neige. Le lac, maintenant, semblait en lapis-lazuli; et à sa pointe méridionale, du côté de l'Yémen, Antipas reconnut ce qu'il craignait d'apercevoir. Des tentes brunes étaient dispersées; des hommes avec des lances circulaient entre les chevaux, et des feux s'éteignant brillaient comme des étincelles à ras du sol.

C'étaient les troupes du roi des Arabes, dont il avait répudié la fille pour prendre Hérodias, mariée à l'un de ses frères qui vivait en Italie, sans prétentions au pouvoir.

Antipas attendait le secours des Romains; et Vitellius, gouverneur de la Syrie, tardant à paraître, il se rongeait d'inquiétudes.

Agrippa, sans doute, l'avait ruiné chez l'Empereur? Philippe, son troisième frère, souverain de la Batanée, s'armait clandestinement. Les Juifs ne voulaient plus de ses mœurs idolâtres, tous les autres de sa domination; si bien qu'il hésitait entre deux projets : adoucir les Arabes ou conclure une alliance avec les Parthes; et sous le prétexte de fêter son anniversaire, il avait convié, pour ce jour même, à un grand festin, les chefs de ses troupes, les régisseurs de ses campagnes et les principaux de la Galilée.

Il fouilla d'un regard aigu toutes les routes. Elles étaient vides. Des aigles volaient au-dessus de sa tête; les soldats, le long du rempart, dormaient contre les murs; rien ne bougeait dans le château.

Tout à coup, une voix lointaine, comme échappée des profondeurs de la terre, fit pâlir le Tétrarque. Il se pencha pour écouter; elle avait disparu. Elle reprit; et en claquant dans ses mains, il cria : « Mannaeï! Mannaeï! »

Un homme se présenta, nu jusqu'à la ceinture, comme les masseurs des bains. Il était très grand, vieux, décharné, et portait sur la cuisse un coutelas dans une gaine de bronze. Sa chevelure, relevée par un peigne, exagérait la longueur de son front. Une somnolence décolorait ses yeux, mais ses dents brillaient, et ses orteils posaient légèrement sur les dalles, tout son corps ayant la souplesse d'un singe, et sa figure l'impassibilité d'une momie.

— Où est-il? demanda le Tétrarque.

Mannaeï répondit, en indiquant avec son pouce un objet derrière eux :

— Là! toujours!

— J'avais cru l'entendre!

Et Antipas, quand il eut respiré largement, s'informa de Iaokanann, le même que les Latins appellent saint Jean-Baptiste. Avait-on revu ces deux hommes, admis par indulgence, l'autre mois, dans son cachot, et savait-on depuis lors ce qu'ils étaient venus faire?

Mannaeï répliqua :

— Ils ont échangé avec lui des paroles mystérieuses, comme les voleurs, le soir, aux carrefours des routes. Ensuite ils sont partis vers la Haute-Galilée, en annonçant qu'ils apporteraient une grande nouvelle.

Antipas baissa la tête, puis, d'un air d'épouvante :

— Garde-le! garde-le! Et ne laisse entrer personne! Ferme bien la porte! Couvre la fosse! On ne doit pas même soupçonner qu'il vit!

Sans avoir reçu ces ordres, Mannaeï les accomplissait; car Iaokanann était Juif, et il exécrait les Juifs comme tous les Samaritains.

Leur temple de Garizim, désigné par Moïse pour être le centre d'Israël, n'existait plus depuis le roi d'Hyrcan; et celui de Jérusalem les mettait dans la fureur d'un outrage et d'une injustice permanente. Mannaeï s'y était introduit, afin d'en souiller l'autel avec des os de morts. Ses compagnons, moins rapides, avaient été décapités.

Il l'aperçut dans l'écartement de deux collines. Le soleil faisait resplendir les mailles de marbre blanc et les lames d'or de sa toiture. C'était comme une montagne lumineuse, quelque chose de surhumain, écrasant tout de son opulence et de son orgueil.

Alors il étendit les bras du côté de Sion; et la taille droite, le visage en arrière, les poings fermés, lui jeta un anathème effectif, croyant que les mots avaient un pouvoir effectif.

Antipas écoutait, sans paraître scandalisé.

Le Samaritain dit encore :

— Par moments il s'agite, il voudrait fuir, il espère une délivrance. D'autres fois, il a l'air tranquille d'une bête malade; ou bien je le vois qui marche dans les ténèbres, en répétant : « Qu'importe? Pour qu'il grandisse, il faut que je diminue! »

Antipas et Mannaeï se regardèrent. Mais le Tétrarque était las de réfléchir.

Tous ces monts autour de lui, comme des étages de grands flots pétrifiés, les gouffres noirs sur le flanc des falaises, l'immensité du ciel bleu, l'éclat violent du jour, la profondeur des abîmes le troublaient; et une désolation l'envahissait au spectacle du désert, qui figure, dans le bouleversement de ses terrains, des amphithéâtres et des palais abattus. Le vent chaud apportait, avec l'odeur du soufre, comme l'exhalaison des villes maudites, ense-

---

36. Le Tétrarque était le gouverneur d'une des quatre provinces de la Judée, démembrée par Rome à la mort d'Hérode le Grand.

velies plus bas que le rivage, sous les eaux pesantes. Ces marques d'une colère immortelle effrayaient sa pensée; et il restait les deux coudes sur la balustrade, les yeux fixes et les tempes dans ses mains. Quelqu'un l'avait touché. Il se retourna. Hérodias était devant lui.

Une simarre [37] de pourpre légère l'enveloppait jusqu'aux sandales. Sortie précipitamment de sa chambre, elle n'avait ni colliers ni pendants d'oreilles; une tresse de ses cheveux noirs lui tombait sur un bras, et s'enfonçait, par le bout, dans l'intervalle de ses deux seins. Ses narines, trop remontées, palpitaient; la joie d'un triomphe éclairait sa figure; et, d'une voix forte, secouant le Tétrarque:

— César [38] nous aime! Agrippa est en prison!

— Qui te l'a dit?

— Je le sais!

Elle ajouta:

— C'est pour avoir souhaité l'empire à Caïus [39]!

Tout en vivant de leurs aumônes, il avait brigué le titre de roi, qu'ils ambitionnaient comme lui. Mais dans l'avenir plus de craintes! « Les cachots de Tibère s'ouvrent difficilement, et quelquefois l'existence n'y est pas sûre! »

Antipas la comprit; et, bien qu'elle fût la sœur d'Agrippa, son intention atroce lui sembla justifiée. Ces meurtres étaient une conséquence des choses, une fatalité des maisons royales. Dans celle d'Hérode, on ne les comptait plus.

Puis elle étala son entreprise: les clients achetés, les lettres découvertes, des espions à toutes les portes, et comment elle était parvenue à séduire Eutychès [40], le dénonciateur.

— Rien ne me coûtait! Pour toi, n'ai-je pas fait plus?... J'ai abandonné ma fille!

Après son divorce, elle avait laissé dans Rome cette enfant, espérant bien en avoir d'autres du Tétrarque. Jamais elle n'en parlait. Il se demanda pourquoi son accès de tendresse.

On avait déplié le vélarium et apporté vivement de larges coussins auprès d'eux. Hérodias s'y affaissa, et pleurait, en tournant le dos. Puis elle se passa la main sur les paupières, dit qu'elle n'y voulait plus songer, qu'elle se trouvait heureuse; et elle lui rappela leurs causeries là-bas, dans l'atrium, les rencontres aux étuves, leurs promenades le long de la voie Sacrée, et les soirs, dans les grandes villas, au murmure des jets d'eau, sous des arcs de fleurs, devant la campagne romaine. Elle le regardait comme autrefois, en se frôlant contre sa poitrine, avec des gestes câlins. — Il la repoussa. L'amour qu'elle tâchait de ranimer était si loin, maintenant! Et tous ses malheurs en découlaient; car, depuis douze ans bientôt, la guerre continuait. Elle avait vieilli le Tétrarque. Ses épaules se voûtaient dans une toge sombre, à bordure violette; ses cheveux blancs se mêlaient à sa barbe, et le soleil, qui traversait le voile, baignait de

lumière son front chagrin. Celui d'Hérodias également avait des plis; et, l'un en face de l'autre, ils se considéraient d'une manière farouche.

Les chemins dans la montagne commencèrent à se peupler. Des pasteurs piquaient des bœufs, des enfants tiraient des ânes, des palefreniers conduisaient des chevaux. Ceux qui descendaient les hauteurs au delà de Machærous disparaissaient derrière le château; d'autres montaient le ravin en face, et, parvenus à la ville, déchargeaient leurs bagages dans les cours. C'étaient les pourvoyeurs du Tétrarque, et des valets, précédant ses convives.

Mais au fond de la terrasse, à gauche, un Essénien [41] parut, en robe blanche, nu-pieds, l'air stoïque. Mannaeï, du côté droit, se précipitait en levant son coutelas.

Hérodias lui cria:

— Tue-le!

— Arrête! dit le Tétrarque.

Il devint immobile; l'autre aussi.

Puis ils se retirèrent, chacun par un escalier différent, à reculons, sans se perdre des yeux.

— Je le connais! dit Hérodias; il se nomme Phanuel, et cherche à voir Iaokanann, puisque tu as l'aveuglement de le conserver!

Antipas objecta qu'il pourrait un jour servir. Ses attaques contre Jérusalem gagnaient à eux le reste des Juifs.

— Non! reprit-elle, ils acceptent tous les maîtres, et ne sont pas capables de faire une patrie!

Quant à celui qui remuait le peuple avec des espérances conservées depuis Néhémias, la meilleure politique était de le supprimer.

Rien ne pressait, selon le Tétrarque. Iaokanann dangereux? Allons donc! Il affectait d'en rire!

— Tais-toi!

Et elle redit son humiliation, un jour qu'elle allait vers Galaad, pour la récolte du baume.

— Des gens, au bord du fleuve, remettaient leurs habits. Sur un monticule, à côté, un homme parlait. Il avait une peau de chameau autour des reins, et sa tête ressemblait à celle d'un lion. Dès qu'il m'aperçut, il cracha sur moi toutes les malédictions des prophètes. Ses prunelles flamboyaient; sa voix rugissait; il levait les bras, comme pour arracher le tonnerre. Impossible de fuir! les roues de mon char avaient du sable jusqu'aux essieux; et je m'éloignais lentement, m'abritant sous mon manteau, glacée par ces injures qui tombaient comme une pluie d'orage.

Iaokanann l'empêchait de vivre. Quand on l'avait pris et lié avec des cordes, les soldats devaient le poignarder s'il résistait; il s'était montré doux. On avait mis des serpents dans sa prison; ils étaient morts.

L'inanité de ces embûches exaspérait Hérodias. D'ailleurs, pourquoi sa guerre contre elle? Quel intérêt le poussait? Ses discours, criés à des foules, s'étaient répandus, circulaient; elle les entendait partout, ils emplissaient l'air. Contre des légions elle aurait eu de

---

37. Longue robe.
38. César : ici l'empereur Tibère.
39. Caïus : c'est-à-dire le futur Caligula.
40. Eutychès était l'affranchi d'Agrippa.

41. Membre d'une secte juive établie sur la rive occidentale de la mer Morte; Jean-Baptiste appartenait sans doute à cette secte de haute spiritualité et de mœurs exemplaires.

la bravoure. Mais cette force plus pernicieuse que les glaives, et qu'on ne pouvait saisir, était stupéfiante; et elle parcourait la terrasse, blême par sa colère, manquant de mots pour exprimer ce qui l'étouffait.

Elle songeait aussi que le Tétrarque, cédant à l'opinion, s'aviserait peut-être de la répudier. Alors tout serait perdu! Depuis son enfance, elle nourrissait le rêve d'un grand empire. C'était pour y atteindre que, délaissant son premier époux, elle s'était jointe à celui-là, qui l'avait dupée, pensait-elle.

— J'ai pris un bon soutien, en entrant dans ta famille!

— Elle vaut la tienne! dit simplement le Tétrarque.

Hérodias sentit bouillonner dans ses veines le sang des prêtres et des rois ses aïeux.

— Mais ton grand-père balayait le temple d'Ascalon! Les autres étaient bergers, bandits, conducteurs de caravanes, une horde, tributaire de Juda depuis le roi David! Tous mes ancêtres ont battu les tiens! Le premier des Makkabi [42] vous a chassés d'Hébron, Hyrcan forcés à vous circoncire!

Et, exhalant le mépris de la patricienne pour le plébéien, la haine de Jacob contre Edom [43], elle lui reprocha son indifférence aux outrages, sa mollesse envers les Pharisiens qui la trahissaient, sa lâcheté pour le peuple qui la détestait.

— Tu es comme lui, avoue-le! et tu regrettes la fille arabe qui danse autour des pierres. Reprends-la! Va-t'en vivre avec elle, dans sa maison de toile! dévore son pain cuit sous la cendre! avale le lait caillé de ses brebis! baise ses joues bleues! et oublie-moi!

Le Tétrarque n'écoutait plus. Il regardait la plateforme d'une maison, où il y avait une jeune fille, et une vieille femme tenant un parasol à manche de roseau, long comme la ligne d'un pêcheur. Au milieu du tapis, un grand panier de voyage restait ouvert. Des ceintures, des voiles, des pendeloques d'orfèvrerie en débordaient confusément. La jeune fille, par intervalles, se penchait vers ces choses, et les secouait à l'air. Elle était vêtue comme les Romaines, d'une tunique calamistrée [44] avec un péplum [45] à glands d'émeraude; et des lanières bleues enfermaient sa chevelure, trop lourde, sans doute, car, de temps à autre, elle y portait la main. L'ombre du parasol se promenait au-dessus d'elle, en la cachant à demi. Antipas aperçut deux ou trois fois son col délicat, l'angle d'un œil, le coin d'une petite bouche. Mais il voyait, des hanches à la nuque, toute sa taille qui s'inclinait pour se redresser d'une manière élastique. Il épiait le retour de ce mouvement, et sa respiration devenait plus forte; des flammes s'allumaient dans ses yeux. Hérodias l'observait.

Il demanda : « Qui est-ce? »

Elle répondit n'en rien savoir, et s'en alla soudainement apaisée.

42. Makkabi ou Maccabées ou Machabées : noms donné aux fils du prêtre Mattatias Maccabée, qui prirent à tour de rôle le commandement des Juifs révoltés contre la domination syrienne.

43. Edom, en hébreu : le « roux »; surnom d'Esaü, frère jumeau de Jacob.

44. Plissée au fer chaud.

45. Manteau de femme, sans manches, agrafé sur l'épaule.

Le Tétrarque était attendu sous les portiques par des Galiléens, le maître des écritures, le chef des pâturages, l'administrateur des salines et un Juif de Babylone, commandant ses cavaliers. Tous le saluèrent d'une acclamation. Puis, il disparut vers les chambres intérieures.

Phanuel surgit à l'angle d'un couloir.

— Ah! encore? Tu viens pour Iaokanann, sans doute?

— Et pour toi! j'ai à t'apprendre une chose considérable.

Et, sans quitter Antipas, il pénétra, derrière lui, dans un appartement obscur.

Le jour tombait par un grillage, se développant tout du long sous la corniche. Les murailles étaient peintes d'une couleur grenat, presque noire. Dans le fond s'étalait un lit d'ébène, avec des sangles en peau de bœuf. Un bouclier d'or, au-dessus, luisait comme un soleil.

Antipas traversa toute la salle, se coucha sur le lit.

Phanuel était debout. Il leva son bras, et, dans une attitude inspirée :

— Le Très-Haut envoie par moments un de ses fils. Iaokanann en est un. Si tu l'opprimes, tu seras châtié.

— C'est lui qui me persécute! s'écria Antipas. Il a voulu de moi une action impossible. Depuis ce temps-là il me déchire. Et je n'étais pas dur, au commencement! Il a même dépêché de Machærous des hommes qui bouleversent mes provinces. Malheur à sa vie! Puisqu'il m'attaque, je me défends!

— Ses colères ont trop de violence, répliqua Phanuel. N'importe! Il faut le délivrer.

— On ne relâche pas les bêtes furieuses! dit le Tétrarque.

L'Essénien répondit :

— Ne t'inquiète plus! Il ira chez les Arabes, les Gaulois, les Scythes. Son œuvre doit s'étendre jusqu'au bout de la terre.

Antipas semblait perdu dans une vision.

— Sa puissance est forte!... Malgré moi, je l'aime!

— Alors qu'il soit libre?

Le Tétrarque hocha la tête. Il craignait Hérodias, Mannaeï, et l'inconnu.

Phanuel tâcha de le persuader, en alléguant, pour garantie de ses projets, la soumission des Esséniens aux rois. On respectait ces hommes pauvres, indomptables par les supplices, vêtus de lin, et qui lisaient l'avenir dans les étoiles.

Antipas se rappela un mot de lui, tout à l'heure.

— Quelle est cette chose, que tu m'annonçais comme importante?

Un nègre survint. Son corps était blanc de poussière. Il râlait et ne put que dire :

— Vitellius!

— Comment? Il arrive?

— Je l'ai vu. Avant trois heures, il est ici!

Les portières des corridors furent agitées comme par le vent. Une rumeur emplit le château, un vacarme de gens qui couraient, de meubles qu'on traînait, d'argenteries s'écroulant; et, du haut des tours, des buccins sonnaient, pour avertir les esclaves dispersés.

II

Les remparts étaient couverts de monde quand Vitellius entra dans la cour. Il s'appuyait sur le bras de son interprète, suivi d'une grande litière rouge ornée de panaches et de miroirs, ayant la toge, le laticlave [46], les brodequins d'un consul et des licteurs autour de sa personne.

Ils plantèrent contre la porte leurs douze faisceaux, des baguettes reliées par une courroie avec une hache dans le milieu. Alors tous frémirent devant la majesté du peuple romain.

La litière, que huit hommes manœuvraient, s'arrêta. Il en sortit un adolescent [47], le ventre gros, la face bourgeonnée, des perles le long des doigts. On lui offrit une coupe pleine de vin et d'aromates. Il la but, et en réclama une seconde.

Le Tétrarque était tombé aux genoux du Proconsul, chagrin, disait-il, de n'avoir pas connu plus tôt la faveur de sa présence. Autrement, il eût ordonné sur les routes tout ce qu'il fallait pour les Vitellius. Ils descendaient de la déesse Vitellia. Une voie, menant du Janicule à la mer, portait encore leur nom. Les questures, les consulats étaient innombrables dans la famille; et quant à Lucius, maintenant son hôte, on devait le remercier comme vainqueur des Clites et père de ce jeune Aulus, qui semblait revenir dans son domaine, puisque l'Orient était la patrie des dieux. Ces hyperboles furent exprimées en latin. Vitellius les accepta impassiblement.

Il répondit que le grand Hérode suffisait à la gloire d'une nation. Les Athéniens lui avaient donné la surintendance des jeux Olympiques. Il avait bâti des temples en l'honneur d'Auguste, été patient, ingénieux, terrible, et fidèle toujours aux Césars.

Entre les colonnes à chapiteaux d'airain, on aperçut Hérodias qui s'avançait d'un air d'impératrice, au milieu de femmes et d'eunuques tenant sur des plateaux de vermeil des parfums allumés.

Le Proconsul fit trois pas à sa rencontre; et, l'ayant saluée d'une inclinaison de tête :

— Quel bonheur! s'écria-t-elle, que désormais Agrippa, l'ennemi de Tibère, fût dans l'impossibilité de nuire!

Il ignorait l'événement, elle lui parut dangereuse; et comme Antipas jurait qu'il ferait tout pour l'Empereur, Vitellius ajouta :

— Même au détriment des autres?

Il avait tiré des otages du roi des Parthes, et l'Empereur n'y songeait plus; car Antipas, présent à la conférence, pour se faire valoir, en avait tout de suite expédié

la nouvelle. De là, une haine profonde, et les retards à fournir des secours.

Le Tétrarque balbutia. Mais Aulus dit en riant :

— Calme-toi, je te protège!

Le Proconsul feignit de n'avoir pas entendu. La fortune du père dépendait de la souillure du fils; et cette fleur des fanges de Caprée lui procurait des bénéfices tellement considérables, qu'il l'entourait d'égards, tout en se méfiant, parce qu'elle était vénéneuse.

Un tumulte s'éleva sous la porte. On introduisait une file de mules blanches, montées par des personnages en costume de prêtres. C'étaient des Sadducéens [48] et des Pharisiens, que la même ambition poussait à Machærous, les premiers voulant obtenir la sacrificature, et les autres la conserver. Leurs visages étaient sombres, ceux des Pharisiens surtout, ennemis de Rome et du Tétrarque. Les pans de leur tunique les embarrassaient dans la cohue; et leur tiare chancelait à leur front pardessus les bandelettes de parchemin, où des écritures étaient tracées.

Presque en même temps, arrivèrent des soldats de l'avant-garde. Ils avaient mis leurs boucliers dans des sacs, par précaution contre la poussière; et derrière eux était Marcellus, lieutenant du Proconsul, avec des publicains, serrant sous leurs aisselles des tablettes de bois.

Antipas nomma les principaux de son entourage : Tolmaï, Kanthera, Séhon, Ammonius d'Alexandrie, qui lui achetait de l'asphalte, Naâmann, capitaine de ses vélites, Iaçim le Babylonien.

Vitellius avait remarqué Mannaeï.

— Celui-là, qu'est-ce donc?

Le Tétrarque fit comprendre, d'un geste, que c'était le bourreau.

Puis, il présenta les Sadducéens.

Jonathas, un petit homme libre d'allures et parlant grec, supplia le maître de les honorer d'une visite à Jérusalem. Il s'y rendrait probablement.

Eléazar, le nez crochu et la barbe longue, réclama pour les Pharisiens le manteau du grand prêtre détenu dans le tour Antonia [49] par l'autorité civile.

Ensuite, les Galiléens dénoncèrent Ponce-Pilate. A l'occasion d'un fou qui cherchait les vases d'or de David dans une caverne, près de Samarie, il avait tué des habitants; et tous parlaient à la fois, Mannaeï plus violemment que les autres. Vitellius affirma que les criminels seraient punis.

Des vociférations éclatèrent en face d'un portique, où les soldats avaient suspendu leurs boucliers. Les housses étant défaites, on voyait sur les *umbo* [50] la figure de César. C'était pour les Juifs une idolâtrie. Antipas les harangua, pendant que Vitellius, dans la colonnade, sur un siège élevé, s'étonnait de leur fureur.

---

46. Bande de pourpre cousue à la tunique, insigne de la dignité sénatoriale chez les Romains.

47. Aulus Vitellius, le futur empereur.

48. Sadducéens : titre dérivé du nom du Grand-Prêtre Sadoq; une des sectes juives répandue surtout dans l'aristocratie et le haut sacerdoce. Pharisiens : une des sectes juives, celle des « séparés », comme l'indique leur nom, observant scrupuleusement la loi mosaïque.

49. La tour Antonia, élevée à Jérusalem par Hérode le Grand en l'honneur de Marc-Antoine.

50. Terme latin, désignant la bosse du bouclier.

Tibère avait eu raison d'en exiler quatre cents en Sardaigne. Mais chez eux ils étaient forts; et il commanda de retirer les boucliers.

Alors, ils entourèrent le Proconsul, en implorant des réparations d'injustice, des privilèges, des aumônes. Les vêtements étaient déchirés, on s'écrasait; et, pour faire de la place, des esclaves avec des bâtons frappaient de droite et de gauche. Les plus voisins de la porte descendirent sur le sentier, d'autres le montaient; ils refluèrent; deux courants se croisaient dans cette masse d'hommes qui oscillait, comprimée par l'enceinte des murs.

Vitellius demanda pourquoi tant de monde. Antipas en dit la cause : le festin de son anniversaire; et il montra plusieurs de ses gens, qui, penchés sur les créneaux, halaient d'immenses corbeilles de viandes, de fruits, de légumes, des antilopes et des cigognes, de larges poissons couleur d'azur, des raisins, des pastèques, des grenades élevées en pyramides. Aulus n'y tint pas. Il se précipita vers les cuisines, emporté par cette goinfrerie qui devait surprendre l'univers.

En passant près d'un caveau, il aperçut des marmites pareilles à des cuirasses. Vitellius vint les regarder; et exigea qu'on lui ouvrît les chambres souterraines de la forteresse.

Elles étaient taillées dans le roc en hautes voûtes, avec des piliers de distance en distance. La première contenait de vieilles armures; mais la seconde regorgeait de piques, et qui allongeaient toutes leurs pointes, émergeant d'un bouquet de plumes. La troisième semblait tapissée en nattes de roseaux, tant les flèches minces étaient perpendiculairement les unes à côté des autres. Des lames de cimeterres couvraient les parois de la quatrième. Au milieu de la cinquième, des rangs de casques faisaient, avec leurs crêtes, comme un bataillon de serpents rouges. On ne voyait dans la sixième que des carquois; dans la septième, que des cnémides [51]; dans la huitième, que des brassards; dans les suivantes, des fourches, des grappins, des échelles, des cordages, jusqu'à des mâts pour les catapultes, jusqu'à des grelots pour le poitrail des dromadaires! et comme la montagne allait en s'élargissant vers sa base, évidée à l'intérieur telle qu'une ruche d'abeilles, au-dessous de ces chambres il y en avait de plus nombreuses, et d'encore plus profondes.

Vitellius, Phinées son interprète, et Sisenna le chef des publicains [52], les parcouraient à la lumière des flambeaux, que portaient trois eunuques.

On distinguait dans l'ombre des choses hideuses inventées par les barbares : casse-têtes garnis de clous, javelots empoisonnant les blessures, tenailles qui ressemblaient à des mâchoires de crocodiles; enfin le Tétrarque possédait dans Machærous des munitions de guerre pour quarante mille hommes.

Il les avait rassemblées en prévision d'une alliance de ses ennemis. Mais le Proconsul pouvait croire, ou dire, que c'était pour combattre les Romains, et il cherchait des explications.

Elles n'étaient pas à lui; beaucoup servaient à se défendre des brigands; d'ailleurs il en fallait contre les Arabes; ou bien, tout cela avait appartenu à son père. Et, au lieu de marcher derrière le Proconsul, il allait devant, à pas rapides. Puis il se rangea le long du mur, qu'il masquait de sa toge, avec ses deux coudes écartés; mais le haut d'une porte dépassait sa tête. Vitellius la remarqua, et voulut savoir ce qu'elle enfermait.

Le Babylonien pouvait seul l'ouvrir.

— Appelle le Babylonien!

On l'attendit.

Son père était venu des bords de l'Euphrate s'offrir au grand Hérode, avec cinq cents cavaliers, pour défendre les frontières orientales. Après le partage du royaume, Iaçim était demeuré chez Philippe, et maintenant servait Antipas.

Il se présenta, un arc sur l'épaule, un fouet à la main. Des cordons multicolores serraient étroitement ses jambes torses. Ses gros bras sortaient d'une tunique sans manches, et un bonnet de fourrure ombrageait sa mine, dont la barbe était frisée en anneaux.

D'abord, il eut l'air de ne pas comprendre l'interprète. Mais Vitellius lança un coup d'œil à Antipas, qui répéta tout de suite son commandement. Alors Iaçim appliqua ses deux mains contre la porte. Elle glissa dans le mur.

Un souffle d'air chaud s'exhala des ténèbres. Une allée descendait en tournant; ils la prirent et arrivèrent au seuil d'une grotte, plus étendue que les autres souterrains.

Une arcade s'ouvrait au fond sur le précipice, qui, de ce côté-là, défendait la citadelle. Un chèvrefeuille, se cramponnant à la voûte, laissait retomber ses fleurs en pleine lumière. A ras du sol, un filet d'eau murmurait.

Des chevaux blancs étaient là, une centaine peut-être, et qui mangeaient de l'orge sur une planche au niveau de leur bouche. Ils avaient tous la crinière peinte en bleu, les sabots dans des mitaines de sparterie, et les poils d'entre les oreilles bouffant sur le frontal, comme une perruque. Avec leur queue très longue, ils se battaient mollement les jarrets. Le Proconsul en resta muet d'admiration.

C'étaient de merveilleuses bêtes, souples comme des serpents, légères comme des oiseaux. Elles partaient avec la flèche du cavalier, renversaient les hommes en les mordant au ventre, se tiraient de l'embarras des rochers, sautaient par-dessus les abîmes, et pendant tout un jour continuaient dans les plaines leur galop frénétique; un mot les arrêtait. Dès que Iaçim entra, elles vinrent à lui, comme des moutons quand paraît le berger; et, avançant leur encolure, elles le regardaient, inquiètes, avec leurs yeux d'enfant. Par habitude, il lança du fond de sa gorge un cri rauque qui les mit en gaieté; et elles se cabraient, affamées d'espace, demandant à courir.

Antipas, de peur que Vitellius ne les enlevât, les avait emprisonnées dans cet endroit, spécial pour les animaux, en cas de siège.

---

51. Jambières en cuir ou en métal.

52. Fermiers de l'impôt public chez les Romains.

— L'écurie est mauvaise, dit le Proconsul, et tu risques de les perdre! Fais l'inventaire, Sisenna!

Le publicain retira une tablette de sa ceinture, compta les chevaux et les inscrivit.

Les agents des compagnies fiscales corrompaient les gouverneurs, pour piller les provinces. Celui-là flairait partout, avec sa mâchoire de fouine et ses paupières clignotantes.

Enfin, on remonta dans la cour.

Des rondelles de bronze au milieu des pavés, çà et là, couvraient les citernes. Il en observa une, plus grande que les autres, et qui n'avait pas sous les talons leur sonorité. Il les frappa toutes alternativement, puis hurla, en piétinant :

— Je l'ai! je l'ai! C'est ici le trésor d'Hérode!

La recherche de ses trésors était une folie des Romains.

Ils n'existaient pas, jura le Tétrarque.

Cependant, qu'y avait-il là-dessous?

— Rien! un homme, un prisonnier.

— Montre-le! dit Vitellius.

Le Tétrarque n'obéit pas; les Juifs auraient connu son secret. Sa répugnance à ouvrir la rondelle impatientait Vitellius.

— Enfoncez-la! cria-t-il aux licteurs.

Mannaeï avait deviné ce qui les occupait. Il crut, en voyant une hache, qu'on allait décapiter Iaokanann; et il arrêta le licteur au premier coup sur la plaque, insinua entre elle et les pavés une manière de crochet, puis, raidissant ses longs bras maigres, la souleva doucement; elle s'abattit; tous admirèrent la force de ce vieillard. Sous le couvercle doublé de bois, s'étendait une trappe de même dimension. D'un coup de poing, elle se replia en deux panneaux; on vit alors un trou, une fosse énorme que contournait un escalier sans rampe; et ceux qui se penchèrent sur le bord aperçurent au fond quelque chose de vague et d'effrayant.

Un être humain était couché par terre sous de longs cheveux se confondant avec les poils de bête qui garnissaient son dos. Il se leva. Son front touchait à une grille horizontalement scellée; et, de temps à autre, il disparaissait dans les profondeurs de son antre.

Le soleil faisait briller la pointe des tiares, le pommeau des glaives, chauffait à outrance les dalles; et des colombes, s'envolant des frises, tournoyaient au-dessus de la cour. C'était l'heure où Mannaeï, ordinairement, jetait du grain. Il se tenait accroupi devant le Tétrarque, qui était debout près de Vitellius. Les Galiléens, les prêtres, les soldats, formaient un cercle par derrière; tous se taisaient, dans l'angoisse de ce qui allait arriver.

Ce fut d'abord un grand soupir, poussé d'une voix caverneuse.

Hérodias l'entendit à l'autre bout du palais. Vaincue par une fascination, elle traversa la foule; et elle écoutait, une main sur l'épaule de Mannaeï, le corps incliné.

La voix s'éleva :

« Malheur à vous, Pharisiens et Sadducéens, race de vipères, outres gonflées, cymbales retentissantes! »

On avait reconnu Iaokanann. Son nom circulait. D'autres accoururent.

« Malheur à toi, ô peuple! et aux traîtres de Juda, aux ivrognes d'Ephraïm, à ceux qui habitent la vallée grasse, et que les vapeurs du vin font chanceler!

« Qu'ils se dissipent comme l'eau qui s'écoule, comme la limace qui se fond en marchant, comme l'avorton d'une femme qui ne voit pas le soleil!

« Il faudra, Moab [53], te réfugier dans les cyprès comme les passereaux, dans les cavernes comme les gerboises [54]. Les portes des forteresses seront plus vite brisées que des écailles de noix, les murs crouleront, les villes brûleront; et le fléau de l'Eternel ne s'arrêtera pas. Il retournera vos membres dans votre sang, comme de la laine dans la cuve d'un teinturier. Il vous déchirera comme une herse neuve; il répandra sur les montagnes tous les morceaux de votre chair! »

De quel conquérant parlait-il? Etait-ce de Vitellius? Les Romains seuls pouvaient produire cette extermination. Des plaintes s'échappaient : « Assez! assez! qu'il finisse! »

Il continua, plus haut :

« Auprès du cadavre de leurs mères, les petits enfants se traîneront sur les cendres. On ira, la nuit, chercher son pain à travers les décombres, au hasard des épées. Les chacals s'arracheront des ossements sur les places publiques, où le soir les vieillards causaient. Tes vierges, en avalant leurs pleurs, joueront de la cithare dans les festins de l'étranger, et tes fils les plus braves baisseront leur échine, écorchée par des fardeaux trop lourds! »

Le peuple revoyait les jours de son exil, toutes les catastrophes de son histoire. C'étaient les paroles des anciens prophètes. Iaokanann les envoyait, comme de grands coups, l'une après l'autre.

Mais la voix se fit douce, harmonieuse, chantante. Il annonçait un affranchissement, des splendeurs au ciel, le nouveau-né un bras dans la caverne du dragon, l'or à la place de l'argile, le désert s'épanouissant comme une rose :

« Ce qui maintenant vaut soixante kiccars ne coûtera pas une obole. Des fontaines de lait jailliront des rochers; on s'endormira dans les pressoirs le ventre plein! Quand viendras-tu, toi que j'espère? D'avance, tous les peuples s'agenouillent, et ta domination sera éternelle, Fils de David! [55] »

Le Tétrarque se rejeta en arrière, l'existence d'un Fils de David l'outrageant comme une menace.

Iaokanann l'invectiva pour sa royauté :

— Il n'y a pas d'autre roi que l'Eternel! et pour ses jardins, pour ses statues, pour ses meubles d'ivoire, comme l'impie Achab!

Antipas brisa la cordelette du cachet suspendu à sa poitrine, et le lança dans la fosse, en lui commandant de se taire.

La voix répondit :

---

53. Peuple arabe à l'est de la mer Morte, dont l'origine remontait à Moab, fils de Loth.
54. Mammifères rongeurs.
55. Jésus-Christ.

« Je crierai comme un ours, comme un âne sauvage, comme une femme qui enfante!

« Le châtiment est déjà dans ton inceste. Dieu t'afflige de la stérilité du mulet! »

Et des rires s'élevèrent, pareils au clapotement des flots.

Vitellius s'obstinait à rester. L'interprète, d'un ton impassible, redisait, dans la langue des Romains, toutes les injures que Iaokanann rugissait dans la sienne. Le Tétrarque et Hérodias étaient forcés de les subir deux fois. Il haletait, pendant qu'elle observait béante le fond du puits.

L'homme effroyable se renversa la tête; et, empoignant les barreaux, y colla son visage, qui avait l'air d'une broussaille, où étincelaient deux charbons :

« Ah! c'est toi, Iézabel!

« Tu as pris son cœur avec le craquement de ta chaussure. Tu hennissais comme une cavale. Tu as dressé ta couche sur les monts, pour accomplir tes sacrifices!

« Le Seigneur arrachera tes pendants d'oreilles, tes robes de pourpre, tes voiles de lin, les anneaux de tes bras, les bagues de tes pieds, et les petits croissants d'or qui tremblent sur ton front, tes miroirs d'argent, tes éventails en plumes d'autruche, les patins de nacre qui haussent ta taille, l'orgueil de tes diamants, les senteurs de tes cheveux, la peinture de tes ongles, tous les artifices de ta mollesse; et les cailloux manqueront pour lapider l'adultère! »

Elle chercha du regard une défense autour d'elle. Les Pharisiens baissaient hypocritement leurs yeux. Les Sadducéens tournaient la tête, craignant d'offenser le Proconsul. Antipas paraissait mourir.

La voix grossissait, se développait, roulait avec des déchirements de tonnerre, et, l'écho dans la montagne la répétant, elle foudroyait Machærous d'éclats multipliés.

« Etale-toi dans la poussière, fille de Babylone! Fais moudre la farine! Ote ta ceinture, détache ton soulier, trousse-toi, passe les fleuves! ta honte sera découverte, ton opprobre sera vu! tes sanglots te briseront les dents! l'Eternel exècre la puanteur de tes crimes! Maudite! maudite! Crève comme une chienne! »

La trappe se ferma, le couvercle se rabattit. Mannaeï voulait étrangler Iaokanann.

Hérodias disparut. Les Pharisiens étaient scandalisés. Antipas, au milieu d'eux, se justifiait.

— Sans doute, reprit Eléazar, il faut épouser la femme de son frère, mais Hérodias n'était pas veuve, et de plus elle avait un enfant, ce qui constituait l'abomination.

— Erreur! erreur! objecta le Sadducéen Jonathas. La Loi condamne ces mariages, sans les proscrire absolument.

— N'importe! On est pour moi bien injuste! disait Antipas, car, enfin, Absalon a couché avec les femmes de son père, Juda avec sa bru, Ammon avec sa sœur, Loth avec ses filles.

Aulus, qui venait de dormir, reparut à ce moment-là. Quand il fut instruit de l'affaire, il approuva le Tétrarque.

On ne devait point se gêner pour de pareilles sottises; et il riait beaucoup du blâme des prêtres, et de la fureur de Iaokanann.

Hérodias, au milieu du perron, se retourna vers lui.

— Tu as tort, mon maître! Il ordonne au peuple de refuser l'impôt.

— Est-ce vrai? demanda tout de suite le publicain.

Les réponses furent généralement affirmatives. Le Tétrarque les renforçait.

Vitellius songea que le prisonnier pouvait s'enfuir; et comme la conduite d'Antipas lui semblait douteuse, il établit des sentinelles aux portes, le long des murs et dans la cour.

Ensuite, il alla vers son appartement. Les députations des prêtres l'accompagnèrent.

Sans aborder la question de la sacrificature, chacune émettait ses griefs.

Tous l'obsédaient. Il les congédia.

Jonathas le quittait, quand il aperçut, dans un créneau, Antipas causant avec un homme à longs cheveux et en robe blanche, un Essénien; et il regretta de l'avoir soutenu.

Une réflexion avait consolé le Tétrarque. Iaokanann ne dépendait plus de lui; les Romains s'en chargeaient. Quel soulagement! Phanuel se promenait alors sur le chemin de ronde.

Il l'appela, et, désignant les soldats :

— Ils sont les plus forts! je ne peux le délivrer! ce n'est pas ma faute!

La cour était vide. Les esclaves se reposaient. Sur la rougeur du ciel, qui enflammait l'horizon, les moindres objets perpendiculaires se détachaient en noir. Antipas distingua les salines à l'autre bout de la mer Morte, et ne voyait plus les tentes des Arabes. Sans doute ils étaient partis? La lune se levait; un apaisement descendait dans son cœur.

Phanuel, accablé, restait le menton sur la poitrine. Enfin, il révéla ce qu'il avait à dire.

Depuis le commencement du mois, il étudiait le ciel avant l'aube, la constellation de Persée se trouvant au zénith. Agalah [56] se montrait à peine, Algol brillait moins, Mira-Cœti avait disparu; d'où il augurait la mort d'un homme considérable, cette nuit même, dans Machærous.

Lequel? Vitellius était trop bien entouré. On n'exécuterait pas Iaokanann. « C'est donc moi! » pensa le Tétrarque.

Peut-être que les Arabes allaient revenir? Le Proconsul découvrirait ses relations avec les Parthes! Des sicaires [57] de Jérusalem escortaient les prêtres; ils avaient sous leurs vêtements des poignards; et le Tétrarque ne doutait pas de la science de Phanuel.

Il eut l'idée de recourir à Hérodias. Il la haïssait pourtant. Mais elle lui donnerait du courage; et tous les liens n'étaient pas rompus de l'ensorcellement qu'il avait autrefois subi.

Quand il entra dans sa chambre, du cinnamome

---

56. Agalah : la Grande-Ourse; Algol : étoile de la constellation de Persée; Mira-Cœti : étoile de la constellation de la Baleine.

57. Tueurs à gages.

fumait sur une vasque de porphyre; et des poudres, des onguents, des étoffes pareilles à des nuages, des broderies plus légères que des plumes, étaient dispersés.

Il ne dit pas la prédiction de Phanuel, ni sa peur des Juifs et des Arabes; elle l'eût accusé d'être lâche. Il parla seulement des Romains; Vitellius ne lui avait rien confié de ses projets militaires. Il le supposait ami de Caïus, que fréquentait Agrippa; et il serait envoyé en exil, ou peut-être on l'égorgerait.

Hérodias, avec une indulgence dédaigneuse, tâcha de le rassurer. Enfin, elle tira d'un petit coffre une médaille bizarre, ornée du profil de Tibère. Cela suffisait à faire pâlir les licteurs et fondre les accusations.

Antipas, ému de reconnaissance, lui demanda comment elle l'avait.

— On me l'a donnée, reprit-elle.

Sous une portière en face, un bras nu s'avança, un bras jeune, charmant et comme tourné dans l'ivoire par Polyclète. D'une façon un peu gauche, et cependant gracieuse, il ramait dans l'air, pour saisir une tunique oubliée sur une escabelle près de la muraille.

Une vieille femme la passa doucement, en écartant le rideau.

Le Tétrarque eut un souvenir, qu'il ne pouvait préciser.

— Cette esclave est-elle à toi?

— Que t'importe? répondit Hérodias.

III

Les convives emplissaient la salle du festin.

Elle avait trois nefs, comme une basilique [58], et que séparaient des colonnes en bois d'algumim, avec des chapiteaux de bronze couverts de sculptures. Deux galeries à claire-voie s'appuyaient dessus; et une troisième en filigrane d'or se bombait au fond, vis-à-vis d'un cintre énorme, qui s'ouvrait à l'autre bout.

Des candélabres, brûlant sur les tables alignées dans toute la longueur du vaisseau, faisaient des buissons de feux, entre les coupes de terre peinte et les plats de cuivre, les cubes de neige, les monceaux de raisin; mais ces clartés rouges se perdaient progressivement, à cause de la hauteur du plafond, et des points lumineux brillaient, comme des étoiles, la nuit, à travers des branches. Par l'ouverture de la grande baie, on apercevait des flambeaux sur les terrasses des maisons; car Antipas fêtait ses amis, son peuple, et tous ceux qui s'étaient présentés.

Des esclaves, alertes comme des chiens et les orteils dans des sandales de feutre, circulaient, en portant des plateaux.

La table proconsulaire occupait, sous la tribune dorée, une estrade en planches de sycomore. Des tapis de Babylone l'enfermaient dans une espèce de pavillon.

Trois lits d'ivoire, un en face et deux sur les flancs, contenaient Vitellius, son fils et Antipas; le Proconsul étant près de la porte, à gauche, Aulus à droite, le Tétrarque au milieu.

Il avait un lourd manteau noir, dont la trame disparaissait sous des applications de couleur, du fard aux pommettes, la barbe en éventail, et de la poudre d'azur dans ses cheveux, serrés par un diadème de pierreries. Vitellius gardait son baudrier de pourpre, qui descendait en diagonale sur une toge de lin. Aulus s'était fait nouer dans le dos les manches de sa robe en soie violette, lamée d'argent. Les boudins de sa chevelure formaient des étages, et un collier de saphirs étincelait à sa poitrine, grasse et blanche comme celle d'une femme. Près de lui, sur une natte et jambes croisées, se tenait un enfant très beau, qui souriait toujours. Il l'avait vu dans les cuisines, ne pouvait plus s'en passer, et, ayant peine à retenir son nom chaldéen, l'appelait simplement : « l'Asiatique ». De temps à autre, il s'étalait sur le triclinium [59]. Alors, ses pieds nus dominaient l'assemblée.

De ce côté-là, il y avait les prêtres et les officiers d'Antipas, des habitants de Jérusalem, les principaux des villes grecques; et, sous le Proconsul : Marcellus avec les publicains, des amis du Tétrarque, les personnages de Kana, Ptolémaïde, Jéricho; puis, pêle-mêle, des montagnards du Liban, et les vieux soldats d'Hérode : douze Thraces, un Gaulois, deux Germains, des chasseurs de gazelles, des pâtres de l'Idumée, le sultan de Palmyre, les marins d'Eziongaber. Chacun avait devant soi une galette de pâte molle, pour s'essuyer les doigts; et les bras, s'allongeant comme des cous de vautour, prenaient des olives, des pistaches, des amandes. Toutes les figures étaient joyeuses, sous des couronnes de fleurs.

Les Pharisiens les avaient repoussées comme indécence romaine. Ils frissonnèrent quand on les aspergea de galbanum et d'encens, composition réservée aux usages de Temple.

Aulus en frotta son aisselle; et Antipas lui en promit tout un chargement, avec trois couffes de ce véritable baume, qui avait fait convoiter la Palestine à Cléopâtre.

Un capitaine de sa garnison de Tibériade, survenu tout à l'heure, s'était placé derrière lui, pour l'entretenir d'événements extraordinaires. Mais son attention était partagée entre le Proconsul et ce qu'on disait aux tables voisines.

On y causait de Iaokanann et des gens de son espèce; Simon de Gittoï lavait les péchés avec du feu. Un certain Jésus...

— Le pire de tous! s'écria Eléazar. Quel infâme bateleur!

Derrière le Tétrarque, un homme se leva, pâle comme la bordure de sa chlamyde [60]. Il descendit l'estrade, et, interpellant les Pharisiens :

— Mensonge! Jésus fait des miracles!

Antipas désirait en voir.

— Tu aurais dû l'amener! Renseigne-nous!

Alors, il conta que lui, Jacob, ayant une fille malade,

---

58. Edifice à trois nefs servant de tribunal et de bourse du commerce chez les Romains.

59. Chez les Romains, lit de table pour trois personnes.
60. Manteau grec, court et ample, tenu par une agrafe.

s'était rendu à Capharnaüm, pour supplier le Maître de vouloir la guérir. Le Maître avait répondu : « Retourne chez toi, elle est guérie! » Et il l'avait trouvée sur le seuil, étant sortie de sa couche quand le gnomon [61] du palais marquait la troisième heure, l'instant même où il abordait Jésus.

Certainement, objectèrent les Pharisiens, il existait des pratiques, des herbes puissantes! Ici même, à Machærous, quelquefois on trouvait le baaras [62] qui rend invulnérable; mais guérir sans voir ni toucher était une chose impossible, à moins que Jésus n'employât les démons.

Et les amis d'Antipas, les principaux de la Galilée, reprirent, en hochant la tête :

— Les démons, évidemment.

Jacob, debout entre leur table et celle des prêtres, se taisait d'une manière hautaine et douce.

Ils le sommaient de parler :

— Justifie son pouvoir!

Il courba les épaules, et à voix basse, lentement, comme effrayé de lui-même :

— Vous ne savez donc pas que c'est le Messie?

Tous les prêtres se regardèrent; et Vitellius demanda l'explication du mot. Son interprète fut une minute avant de répondre.

Ils appelaient ainsi un libérateur qui leur apporterait la jouissance de tous les biens et la domination de tous les peuples. Quelques-uns même soutenaient qu'il fallait compter sur deux. Le premier serait vaincu par Gog et Magog [63], des démons du Nord; mais l'autre exterminerait le Prince du Mal; et, depuis des siècles, ils l'attendaient à chaque minute.

Les prêtres s'étant concertés, Éléazar prit la parole.

D'abord le Messie serait enfant de David, et non d'un charpentier; il confirmerait la Loi. Ce Nazaréen l'attaquait; et, argument plus fort, il devait être précédé de la venue d'Elie.

Jacob répliqua :

— Mais il est venu, Elie!

— Elie! Elie! répéta la foule, jusqu'à l'autre bout de la salle.

Tous, par l'imagination, apercevaient un vieillard sous un vol de corbeaux, la foudre allumant un autel, des pontifes idolâtres jetés aux torrents; et les femmes, dans les tribunes, songeaient à la veuve de Sarepta [64].

Jacob s'épuisait à redire qu'il le connaissait! Il l'avait vu! et le peuple aussi!

— Son nom?

Alors, il cria de toutes ses forces :

— Iaokanann!

Antipas se renversa comme frappé en pleine poitrine. Les Sadducéens avaient bondi sur Jacob. Éléazar pérorait, pour se faire écouter.

Quand le silence fut établi, il drapa son manteau, et comme un juge posa des questions.

— Puisque le prophète est mort...

Des murmures l'interrompirent. On croyait Elie disparu seulement.

Il s'emporta contre la foule, et, continuant son enquête :

— Tu penses qu'il est ressuscité?

— Pourquoi pas? dit Jacob.

Les Sadducéens haussèrent les épaules; Jonathas, écarquillant ses petits yeux, s'efforçait de rire comme un bouffon. Rien de plus sot que la prétention du corps à la vie éternelle; et il déclama, pour le Proconsul, ce vers d'un poète contemporain :

Nec crescit, nec post mortem durare videtur [65].

Mais Aulus était penché au bord du triclinium, le front en sueur, le visage vert, les poings sur l'estomac.

Les Sadducéens feignirent un grand émoi; — le lendemain, la sacrificature leur fut rendue; — Antipas étalait du désespoir; Vitellius demeurait impassible. Ses angoisses étaient pourtant violentes; avec son fils il perdait sa fortune.

Aulus n'avait pas fini de se faire vomir, qu'il voulut remanger.

— Qu'on me donne de la râpure de marbre, du schiste de Naxos, de l'eau de mer, n'importe quoi! Si je prenais un bain?

Il croqua de la neige, puis, ayant balancé entre une terrine de Commagène et des merles roses, se décida pour des courges au miel. L'Asiatique le contemplait, cette faculté d'engloutissement dénotant un être prodigieux et d'une race supérieure.

On servit des rognons de taureau, des loirs, des rossignols, des hachis dans les feuilles de pampre; et les prêtres discutaient sur la résurrection. Ammonius, élève de Philon le Platonicien, les jugeait stupides, et le disait à des Grecs qui se moquaient des oracles. Marcellus et Jacob s'étaient joints. Le premier narrait au second le bonheur qu'il avait ressenti sous le baptême de Mithra, et Jacob l'engageait à suivre Jésus. Les vins de palme et de tamaris, ceux de Safet et de Byblos, coulaient des amphores dans les cratères, des cratères dans les coupes, des coupes dans les gosiers; on bavardait, les cœurs s'épanchaient. Iaçim, bien que Juif, ne cachait plus son adoration des planètes. Un marchand d'Aphaka ébahissait les nomades, en détaillant les merveilles du temple d'Hiérapolis; et ils demandaient combien coûterait le pèlerinage. D'autres tenaient à leur religion natale. Un Germain presque aveugle chantait un hymne célébrant ce promontoire de la Scandinavie, où les dieux apparaissent avec les rayons de leurs figures; et des gens de Sichem ne mangèrent pas de tourterelles, par déférence pour la colombe Azima [66].

Plusieurs causaient debout, au milieu de la salle;

---

61. Pointe dont l'ombre marque l'heure sur le cadran solaire.
62. Plante miraculeuse du Liban, qui passait pour détruire les sortilèges.
63. Gog et Magog : expression traditionnelle du langage biblique pour désigner les ennemis de Dieu.
64. Veuve qui accueillit charitablement Elie et dont celui-ci, par gratitude, ressuscite le fils, après avoir multiplié miraculeusement l'huile et la farine (I, Rois, XVII, 10-24).

65. « [Le corps] ne grandit pas [sans l'âme] et ne peut lui survivre » (Lucrèce, *de Natura Rerum*, III, 338).
66. Les Juifs accusaient les Samaritains de rendre un culte divin à une colombe nommée Azima ou Achima.

et la vapeur des haleines avec les fumées des candélabres faisait un brouillard dans l'air. Phanuel passa le long des murs. Il venait encore d'étudier le firmament, mais n'avançait pas jusqu'au Tétrarque, redoutant les taches d'huile qui, pour les Esséniens, étaient une grande souillure.

Des coups retentirent contre la porte du château. On savait maintenant que Iaokanann s'y trouvait détenu. Des hommes avec des torches grimpaient le sentier; une masse noire fourmillait dans le ravin; et ils hurlaient de temps à autre : « Iaokanann! Iaokanann! »

— Il dérange tout! dit Jonathas.

— On n'aura plus d'argent, s'il continue! ajoutèrent les Pharisiens.

Et des récriminations partaient :

— Protège-nous!

— Qu'on en finisse!

— Tu abandonnes la religion!

— Impie comme les Hérode!

— Moins que vous! répliqua Antipas. C'est mon père qui a édifié votre temple!

Alors, les Pharisiens, les fils des proscrits, les partisans des Matathias, accusèrent le Tétrarque des crimes de sa famille.

Ils avaient des crânes pointus, la barbe hérissée, des mains faibles et méchantes, ou la face camuse, de gros yeux ronds, l'air de bouledogues. Une douzaine, scribes [67] et valets des prêtres, nourris par le rebut des holocaustes, s'élancèrent jusqu'au bas de l'estrade; et avec des couteaux ils menaçaient Antipas, qui haranguait, pendant que les Sadducéens le défendaient mollement. Il aperçut Mannaeï, et lui fit signe de s'en aller, Vitellius indiquant par sa contenance que ces choses ne le regardaient pas.

Les Pharisiens, restés sur leur triclinium, se mirent dans une fureur démoniaque. Ils brisèrent les plats devant eux. On leur avait servi le ragoût chéri de Mécène, de l'âne sauvage, une viande immonde.

Aulus les railla à propos de la tête d'âne, qu'ils honoraient, disait-on, et débita d'autres sarcasmes sur leur antipathie du pourceau. C'était sans doute parce que cette grosse bête avait tué leur Bacchus; et ils aimaient trop le vin, puisqu'on avait découvert dans le Temple une vigne d'or.

Les prêtres ne comprenaient pas ses paroles. Phinées, Galiléen d'origine, refusa de les traduire. Alors sa colère fut démesurée, d'autant plus que l'Asiatique, pris de peur, avait disparu; et le repas lui déplaisait, les mets étant vulgaires, point déguisés suffisamment! Il se calma, en voyant des queues de brebis syriennes, qui sont des paquets de graisse.

Le caractère des Juifs semblait hideux à Vitellius. Leur dieu pouvait bien être Moloch, dont il avait rencontré des autels sur la route; et les sacrifices d'enfants lui revinrent à l'esprit, avec l'histoire de l'homme qu'ils engraissaient mystérieusement. Son cœur de Latin était soulevé de dégoût par leur intolérance, leur rage iconoclaste, leur achoppement de brute [68]. Le Proconsul voulait partir. Aulus s'y refusa.

La robe abaissée jusqu'aux hanches, il gisait derrière un monceau de victuailles, trop repu pour en prendre, mais s'obstinant à ne point les quitter.

L'exaltation du peuple grandit. Ils s'abandonnèrent à des projets d'indépendance. On rappelait la gloire d'Israël. Tous les conquérants avaient été châtiés : Antigone, Crassus, Varus...

« Misérables! » dit le Proconsul; car il entendait le syriaque; son interprète ne servait qu'à lui donner du loisir pour répondre.

Antipas, bien vite, tira la médaille de l'Empereur, et, l'observant avec tremblement, il la présentait du côté de l'image.

Les panneaux de la tribune d'or se déployèrent tout à coup; et à la splendeur des cierges, entre ses esclaves et des festons d'anémone, Hérodias apparut, — coiffée d'une mitre assyrienne qu'une mentonnière attachait à son front; ses cheveux en spirales s'épandaient sur un péplos d'écarlate, fendu dans la longueur des manches. Deux monstres en pierre, pareils à ceux du trésor des Atrides [69], se dressant contre la porte, elle ressemblait à Cybèle accotée de ses lions; et du haut de la balustrade qui dominait Antipas, avec une patère à la main, elle cria :

— Longue vie à César!

Cet hommage fut répété par Vitellius, Antipas et les prêtres.

Mais il arriva du fond de la salle un bourdonnement de surprise et d'admiration. Une jeune fille venait d'entrer.

Sous un voile bleuâtre lui cachant la poitrine et la tête, on distinguait les arcs de ses yeux, les calcédoines de ses oreilles, la blancheur de sa peau. Un carré de soie gorge-pigeon, en couvrant les épaules, tenait aux reins par une ceinture d'orfèvrerie. Ses caleçons noirs étaient semés de mandragores, et d'une manière indolente elle faisait claquer de petites pantoufles en duvet de colibri.

Sur le haut de l'estrade, elle retira son voile. C'était Hérodias, comme autrefois dans sa jeunesse. Puis, elle se mit à danser.

Ses pieds passaient l'un devant l'autre, au rythme de la flûte et d'une paire de crotales [70]. Ses bras arrondis appelaient quelqu'un, qui s'enfuyait toujours. Elle le poursuivait, plus légère qu'un papillon, comme une Psyché curieuse, comme une âme vagabonde, et semblait prête à s'envoler.

Les sons funèbres de la gingras [71] remplacèrent les crotales. L'accablement avait suivi l'espoir. Ses attitudes exprimaient des soupirs, et toute sa personne une telle langueur qu'on ne savait pas si elle pleurait un dieu, ou se mourait dans sa caresse. Les paupières entre-closes, elle se tordait la taille, balançait son

---

67. Greffiers, copistes.

68. Caractère buté jusqu'à la stupidité.
69. Allusion aux sculptures d'une tombe de Mycènes, appelée « Trésor d'Atrée », mise à jour en 1876.
70. Sortes de castagnettes.
71. Flûte phénicienne.

197

ventre avec des ondulations de houle, faisait trembler ses deux seins, et son visage demeurait immobile, et ses pieds n'arrêtaient pas.

Vitellius la compara à Mnester, le pantomime. Aulus vomissait encore. Le Tétrarque se perdait dans un rêve, et ne songeait plus à Hérodias. Il crut la voir près des Sadducéens. La vision s'éloigna.

Ce n'était pas une vision. Elle avait fait instruire, loin de Machærous, Salomé sa fille, que le Tétrarque aimerait; et l'idée était bonne. Elle en était sûre, maintenant!

Puis, ce fut l'emportement de l'amour qui veut être assouvi. Elle dansa comme les prêtresses des Indes, comme les Nubiennes des cataractes, comme les bacchantes de Lydie. Elle se renversait de tous les côtés, pareille à une fleur que la tempête agite. Les brillants de ses oreilles sautaient, l'étoffe de son dos chatoyait; de ses bras, de ses pieds, de ses vêtements jaillissaient d'invisibles étincelles qui enflammaient les hommes. Une harpe chanta; la multitude y répondit par des acclamations. Sans fléchir ses genoux, en écartant les jambes, elle se courba si bien que son menton frôlait le plancher; et les nomades habitués à l'abstinence, les soldats de Rome experts en débauches, les avares publicains, les vieux prêtres aigris dans les disputes, tous, dilatant leurs narines, palpitaient de convoitise.

Ensuite elle tourna autour de la table d'Antipas, frénétiquement, comme le rhombe [72] des sorcières; et, d'une voix que des sanglots de volupté entrecoupaient, il lui disait : « Viens! viens! » Elle tournait toujours; les tympanons [73] sonnaient à éclater, la foule hurlait. Mais le Tétrarque criait plus fort : « Viens! viens! Tu auras Capharnaüm! la plaine de Tibérias! mes citadelles! la moitié de mon royaume! »

Elle se jeta sur les mains, les talons en l'air, parcourut ainsi l'estrade comme un grand scarabée; et s'arrêta, brusquement.

Sa nuque et ses vertèbres faisaient un angle droit. Les fourreaux de couleur qui enveloppaient ses jambes, lui passant par-dessus l'épaule, comme des arcs-en-ciel, accompagnaient sa figure, à une coudée du sol. Ses lèvres étaient peintes, ses sourcils très noirs, ses yeux presque terribles, et des gouttelettes à son front semblaient une vapeur sur du marbre blanc.

Elle ne parlait pas. Ils se regardaient.

Un claquement de doigts se fit dans la tribune. Elle y monta, reparut; et, en zézayant un peu, prononça ces mots, d'un air enfantin :

— Je veux que tu me donnes, dans un plat, la tête...

Elle avait oublié le nom, mais reprit en souriant :

— La tête de Iaokanann!

Le Tétrarque s'affaissa sur lui-même, écrasé.

Il était contraint par sa parole, et le peuple attendait. Mais la mort qu'on lui avait prédite, en s'appliquant à un autre, peut-être détournerait la sienne? Si Iaokanann était véritablement Elie, il pourrait s'y soustraire; s'il ne l'était pas, le meurtre n'avait plus d'importance.

Mannaeï était à ses côtés, et comprit son intention.

Vitellius le rappela pour lui confier le mot d'ordre, des sentinelles gardant la fosse.

Ce fut un soulagement. Dans une minute, tout serait fini!

Cependant, Mannaeï n'était guère prompt en besogne. Il rentra, mais bouleversé.

Depuis quarante ans il exerçait la fonction de bourreau. C'était lui qui avait noyé Aristobule [74], étranglé Alexandre, brûlé vif Matathias, décapité Zosime, Pappus, Joseph et Antipater; et il n'osait tuer Iaokanann! Ses dents claquaient, tout son corps tremblait.

Il avait aperçu devant la fosse le Grand Ange des Samaritains [75], tout couvert d'yeux et brandissant un immense glaive, rouge et dentelé comme une flamme. Deux soldats amenés en témoignage pouvaient le dire.

Ils n'avaient rien vu, sauf un capitaine juif, qui s'était précipité sur eux, et qui n'existait plus.

La fureur d'Hérodias dégorgea en un torrent d'injures populacières et sanglantes. Elle se cassa les ongles au grillage de la tribune, et les deux lions sculptés semblaient mordre ses épaules et rugir comme elle.

Antipas l'imita, les prêtres, les soldats, les Pharisiens, tous réclamant une vengeance, et les autres, indignés qu'on retardât leur plaisir.

Mannaeï sortit, en se cachant la face.

Les convives trouvèrent le temps encore plus long que la première fois. On s'ennuyait.

Tout à coup, un bruit de pas se répercuta dans les couloirs. Le malaise devenait intolérable.

La tête entra; — et Mannaeï la tenait par les cheveux, au bout de son bras, fier des applaudissements.

Quand il l'eut mise sur un plat, il l'offrit à Salomé.

Elle monta lestement dans la tribune; plusieurs minutes après, la tête fut rapportée par cette vieille femme que le Tétrarque avait distinguée le matin sur la plateforme d'une maison, et tantôt dans la chambre d'Hérodias.

Il se reculait pour ne pas la voir. Vitellius y jeta un regard indifférent.

Mannaeï descendit l'estrade, et l'exhiba aux capitaines romains; puis à tous ceux qui mangeaient de ce côté-là.

Ils l'examinèrent.

La lame aiguë de l'instrument, glissant du haut en bas, avait entamé la mâchoire. Une convulsion tirait les coins de la bouche. Du sang, caillé déjà, parsemait la barbe. Les paupières closes étaient blêmes comme des coquilles; et les candélabres à l'entour envoyaient des rayons.

Elle arriva à la table des prêtres. Un pharisien la retourna curieusement; et Mannaeï, l'ayant remise d'aplomb, la posa devant Aulus, qui en fut réveillé.

---

72. Fuseau ou rouet d'airain utilisé dans les enchantements.
73. Tympanons : sortes de tambourins.

74. Aristobule etc. : personnages de la famille ou de l'entourage d'Hérode le Grand, assassinés par ses soins ou sur ordre; Aristobule peut être soit le beau-frère soit le fils d'Hérode; Joseph est un autre beau-frère d'Hérode; Alexandre et Antipater sont ses fils; les autres personnages sont plus difficiles à identifier.
75. Peut être Azraël, l'ange de la Mort.

Par l'ouverture de leurs cils, les prunelles mortes et les prunelles éteintes semblaient se dire quelque chose.

Ensuite Mannaeï la présenta à Antipas. Des pleurs coulèrent sur les joues du Tétrarque.

Les flambeaux s'éteignaient. Les convives partirent; et il ne resta plus dans la salle qu'Antipas, les mains contre ses tempes, et regardant toujours la tête coupée, tandis que Phanuel, debout au milieu de la grande nef, murmurait des prières, les bras étendus.

A l'instant où se levait le soleil, deux hommes, expédiés autrefois par Iaokanann, survinrent, avec la réponse si longtemps espérée.

Ils la confièrent à Phanuel, qui en eut un ravissement.

Puis il leur montra l'objet lugubre, sur le plateau, entre les débris du festin. Un des hommes lui dit :

— Console-toi! Il est descendu chez les morts annoncer le Christ!

L'Essénien comprenait maintenant ces paroles : « Pour qu'il croisse, il faut que je diminue. »

Et tous les trois, ayant pris la tête de Iaokanann, s'en allèrent du côté de la Galilée.

Comme elle était très lourde, ils la portèrent alternativement.

BOUVARD ET PÉCUCHET

Ecrire la genèse de Bouvard et Pécuchet, *c'est à la fois remonter haut dans l'existence de Flaubert et suivre pas à pas une route ingrate et semée d'obstacles, seulement jalonnée des gémissements — et des rugissements — qu'arrache à Flaubert, plus qu'aucune de ses œuvres antérieures, ce roman nécessaire et impossible.*

Qu'il faille voir dans la première œuvre imprimée de Flaubert, Une Leçon d'histoire naturelle, *genre commis (1837), une sorte de premier crayon, juvénile et quelque peu hésitant, de* Bouvard et Pécuchet, *c'est certain; que Flaubert ait pu d'autre part s'inspirer, pour concevoir son roman, d'une nouvelle intitulée* les Deux greffiers, *publiée, sous la signature d'un certain B. Maurice, dans la* Gazette des Tribunaux *du 14 avril 1841, puis reproduite dans l'*Audience *du 7 février 1858, c'est probable, après la démonstration qu'en ont faite R. Descharmes et R. Dumesnil. Mais l'idée de Bouvard mûrit surtout dans les marges du* Dictionnaire des idées reçues, *autre « vieille toquade » de Flaubert. En 1852, par exemple, — au témoignage d'une lettre à Louise Colet où il est question du* Dictionnaire *—, Flaubert remet à dix ans la composition d'un « long roman à cadre large », où il satisferait, dit-il, ses « prurits atroces d'engueuler les humains ». En fait, il attendra plus de dix ans; mais l'idée ne l'abandonne point, puisqu'on le voit hésiter, en 1863, entre deux « plans », dont l'un est probablement* Bouvard *et l'autre* l'Education sentimentale. *Il faudra attendre 1872 pour voir l'idée prendre corps ou plutôt pour voir Flaubert saisir enfin à plein corps le projet qui le taquinait depuis vingt ans.*

C'est le 18 août 1872 que Flaubert confie à Mme Roger des Genettes sa résolution : « Je vais commencer un livre qui va m'occuper pendant plusieurs années (...) C'est l'histoire de ces deux bonshommes qui copient, une espèce d'encyclopédie critique en farce (...) Mais il faut être fou et triplement frénétique pour entreprendre un pareil bouquin ». Le calvaire est désormais commencé : lectures (« Savez-vous à combien se montent les volumes qu'il m'a fallu absorber pour mes deux bonshommes? A plus de 1 500. Mon dossier de notes a huit pouces d'épaisseur »); voyages (deux voyages en Basse-Normandie, pour recon-

naître les lieux et situer les épisodes, le premier en juin 1874, le second en septembre 1877); documentation minutieuse et indigeste (« ... il me faut apprendre un tas de choses que j'ignore. Dans un mois, j'espère en avoir fini avec l'agriculture et le jardinage, et je ne serai qu'aux deux tiers de mon premier chapitre »); obsession et dégoût (« Bouvard et Pécuchet m'emplissent à tel point, que je suis devenu eux! leur bêtise est mienne, et j'en crève! »). Le travail avance lentement : la première phrase est écrite le 1er août 1874; en décembre 1877, les quatre premiers chapitres seulement sont rédigés (il est vrai que Flaubert a dû s'interrompre pour rédiger et publier les Trois Contes); *le mouvement s'accélère un peu en 1878, grâce à un regain de ferveur, et les chapitres IV à VII s'alignent, non sans peine; l'année suivante, c'est au tour des chapitres VIII et IX; en janvier 1880, Flaubert attaque le chapitre X, mais conçoit que six mois lui seront nécessaires pour achever ce qui n'est à ses yeux que le premier volume de cet « infernal bouquin »; le deuxième volume (« fait aux trois quarts », note Flaubert, puisque « presque entièrement composé de citations ») devait demander au moins autant. Déjà pourtant Flaubert se préoccupe d'un éditeur. Au moment où il s'apprête à partir pour Paris, une hémorragie cérébrale le terrasse et il meurt le 8 mai 1880.*

Bouvard et Pécuchet *paraît d'abord dans la* Nouvelle Revue *du 15 décembre 1880 au 1er mars 1881, avec des coupures; puis, dans son texte intégral, mais sous sa forme inachevée, en mars chez Lemerre.*

Sur les sources et la signification de ce roman discuté que Flaubert ne pouvait pas ne pas faire (« je n'étais pas libre de choisir », dira-t-il pour sa défense; ou encore : « comme j'espère cracher là-dedans le fiel qui m'étouffe, c'est-à-dire émettre quelques vérités, j'espère par ce moyen me purger, et être ensuite plus olympien, qualité qui me manque absolument »), on pourra se reporter utilement aux trois volumes suivants : R. Descharmes, Autour de Bouvard et Pécuchet, *Paris, 1921; D. L. Demorest,* A travers les plans, manuscrits et dossiers de Bouvard et Pécuchet, *Paris, 1931; M. J. Durry,* Flaubert et ses projets inédits, *Paris, 1950 (p. 201-234).*

201

I

Comme il faisait une chaleur de 33 degrés, le boulevard Bourdon se trouvait absolument désert.

Plus bas, le canal Saint-Martin, fermé par les deux écluses, étalait en ligne droite son eau couleur d'encre. Il y avait au milieu un bateau plein de bois, et sur la berge deux rangs de barriques.

Au delà du canal, entre les maisons que séparent des chantiers, le grand ciel pur se découpait en plaques d'outremer, et, sous la réverbération du soleil, les façades blanches, les toits d'ardoises, les quais de granit éblouissaient. Une rumeur confuse montait au loin dans l'atmosphère tiède; et tout semblait engourdi par le désœuvrement du dimanche et la tristesse des jours d'été.

Deux hommes parurent.

L'un venait de la Bastille, l'autre du Jardin des Plantes. Le plus grand, vêtu de toile, marchait le chapeau en arrière, le gilet déboutonné et sa cravate à la main. Le plus petit, dont le corps disparaissait dans une redingote marron, baissait la tête sous une casquette à visière pointue.

Quand ils furent arrivés au milieu du boulevard, ils s'assirent, à la même minute, sur le même banc.

Pour s'essuyer le front, ils retirèrent leurs coiffures, que chacun posa près de soi; et le petit homme aperçut, écrit dans le chapeau de son voisin : Bouvard; pendant que celui-ci distinguait aisément dans la casquette du particulier en redingote le mot : Pécuchet.

— Tiens, dit-il, nous avons eu la même idée, celle d'inscrire notre nom dans nos couvre-chefs.

— Mon Dieu, oui, on pourrait prendre le mien à mon bureau!

— C'est comme moi, je suis employé.

Alors ils se considérèrent.

L'aspect aimable de Bouvard charma de suite Pécuchet.

Ses yeux bleuâtres, toujours entre-clos, souriaient dans son visage coloré. Un pantalon à grand-pont, qui godait par le bas sur des souliers de castor, moulait son ventre, faisait bouffer sa chemise à la ceinture; et ses cheveux blonds, frisés d'eux-mêmes en boucles légères, lui donnaient quelque chose d'enfantin.

Il poussait du bout des lèvres une espèce de sifflement continu.

L'air sérieux de Pécuchet frappa Bouvard.

On aurait dit qu'il portait une perruque, tant les mèches garnissant son crâne élevé étaient plates et noires. Sa figure semblait toute en profil, à cause du nez qui descendait très bas. Ses jambes, prises dans des tuyaux de lasting, manquaient de proportion avec la longueur du buste, et il avait une voix forte, caverneuse.

Cette exclamation lui échappa :

— Comme on serait bien à la campagne!

Mais la banlieue, selon Bouvard, était assommante par le tapage des guinguettes. Pécuchet pensait de même. Il commençait néanmoins à se sentir fatigué de la capitale. Bouvard aussi.

Et leurs yeux erraient sur des tas de pierres à bâtir, sur l'eau hideuse où une botte de paille flottait, sur la cheminée d'une usine se dressant à l'horizon; des miasmes d'égout s'exhalaient. Ils se tournèrent de l'autre côté. Alors ils eurent devant eux les murs du Grenier d'abondance.

Décidément (et Pécuchet en était surpris) on avait encore plus chaud dans la rue que chez soi!

Bouvard l'engagea à mettre bas sa redingote. Lui, il se moquait du qu'en-dira-t-on!

Tout à coup un ivrogne traversa en zigzag le trottoir; et, à propos des ouvriers, ils entamèrent une conversation politique. Leurs opinions étaient les mêmes, bien que Bouvard fût peut-être plus libéral.

Un bruit de ferrailles sonna sur le pavé dans un tourbillon de poussière : c'étaient trois calèches de remise qui s'en allaient vers Bercy, promenant une mariée avec son bouquet, des bourgeois en cravate blanche, des dames enfouies jusqu'aux aisselles dans leur jupon, deux ou trois petites filles, un collégien. La vue de cette noce amena Bouvard et Pécuchet à parler des femmes, qu'ils déclarèrent frivoles, acariâtres, têtues. Malgré cela, elles étaient souvent meilleures que les hommes; d'autres fois elles étaient pires. Bref, il valait mieux vivre sans elles; aussi Pécuchet était resté célibataire.

— Moi, je suis veuf, dit Bouvard, et sans enfants!

— C'est peut-être un bonheur pour vous? Mais la solitude à la longue était bien triste.

Puis, au bord du quai, parut une fille de joie avec un soldat. Blême, les cheveux noirs et marquée de petite vérole, elle s'appuyait sur le bras du militaire, en traînant des savates et balançant les hanches.

Quand elle fut plus loin, Bouvard se permit une réflexion obscène. Pécuchet devint très rouge, et, sans doute pour s'éviter de répondre, lui désigna du regard un prêtre qui s'avançait.

L'ecclésiastique descendit avec lenteur l'avenue des maigres ormeaux jalonnant le trottoir, et Bouvard, dès qu'il n'aperçut plus le tricorne, se déclara soulagé, car il exécrait les jésuites. Pécuchet, sans les absoudre, montra quelque déférence pour la religion.

Cependant le crépuscule tombait, et des persiennes en face s'étaient relevées. Les passants devinrent plus nombreux. Sept heures sonnèrent.

Leurs paroles coulaient intarissablement, les remarques succédant aux anecdotes, les aperçus philosophiques aux considérations individuelles. Ils dénigrèrent le corps des ponts et chaussées, la régie des tabacs, le commerce, les théâtres, notre marine et tout le genre humain, comme des gens qui ont subi de grands déboires. Chacun en écoutant l'autre retrouvait des parties de lui-même oubliées. Et bien qu'ils eussent passé l'âge des émotions naïves, ils éprouvaient un plaisir nouveau, une sorte d'épanouissement, le charme des tendresses à leur début.

Vingt fois ils s'étaient levés, s'étaient rassis et avaient fait la longueur du boulevard, depuis l'écluse d'amont jusqu'à l'écluse d'aval, chaque fois voulant s'en aller, n'en ayant pas la force, retenus par une fascination.

Ils se quittaient pourtant, et leurs mains étaient jointes, quand Bouvard dit tout à coup :

— Ma foi! Si nous dînions ensemble?

— J'en avais l'idée! reprit Pécuchet, mais je n'osais pas vous le proposer!

Et il se laissa conduire en face de l'Hôtel de Ville, dans un petit restaurant où l'on serait bien.

Bouvard commanda le menu.

Pécuchet avait peur des épices comme pouvant lui incendier le corps. Ce fut l'objet d'une discussion médicale. Ensuite, ils glorifièrent les avantages des sciences : que de choses à connaître, que de recherches... si on avait le temps! Hélas! le gagne-pain l'absorbait; et ils levèrent les bras d'étonnement, ils faillirent s'embrasser par-dessus la table en découvrant qu'ils étaient tous les deux copistes, Bouvard dans une maison de commerce, Pécuchet au ministère de la Marine; ce qui ne l'empêchait pas de consacrer, chaque soir, quelques moments à l'étude. Il avait noté des fautes dans l'ouvrage de M. Thiers [1], et il parla avec le plus grand respect d'un certain Dumouchel, professeur.

Bouvard l'emportait par d'autres côtés. Sa chaîne de montre en cheveux et la manière dont il battait la rémolade décelaient le roquentin plein d'expérience, et il mangeait, le coin de la serviette dans l'aisselle, en débitant des choses qui faisaient rire Pécuchet. C'était un rire particulier, une seule note très basse, toujours la même, poussée à de longs intervalles. Celui de Bouvard était contenu, sonore, découvrait ses dents, lui secouait les épaules, et les consommateurs à la porte s'en retournaient.

Le repas fini, ils allèrent prendre le café dans un autre établissement. Pécuchet, en contemplant les becs de gaz, gémit sur le débordement du luxe, puis, d'un geste dédaigneux, écarta les journaux. Bouvard était plus indulgent à leur endroit. Il aimait tous les écrivains en général et avait eu dans sa jeunesse des dispositions pour être acteur.

Il voulut faire des tours d'équilibre avec une queue de billard et deux boules d'ivoire, comme en exécutait Barberou, un de ses amis. Invariablement elles tombaient, et, roulant sur le plancher entre les jambes des personnes, allaient se perdre au loin. Le garçon, qui se levait toutes les fois pour les chercher à quatre pattes sous les banquettes, finit par se plaindre. Pécuchet eut une querelle avec lui; le limonadier survint, il n'écouta pas ses excuses et même chicana sur la consommation.

Il proposa ensuite de terminer la soirée paisiblement dans son domicile, qui était tout près, rue Saint-Martin.

A peine entré, il endossa une manière de camisole en indienne et fit les honneurs de son appartement.

Un bureau de sapin, placé juste dans le milieu, incommodait par ses angles; et tout autour, sur des planchettes, sur les trois chaises, sur le vieux fauteuil et dans les coins se trouvaient pêle-mêle plusieurs volumes de l'*Encyclopédie Roret*, le *Manuel du magnétiseur*, un Fénelon, d'autres bouquins, avec des tas de paperasses, deux noix de coco, diverses médailles, un bonnet turc et des coquilles rapportées du Havre par Dumouchel. Une couche de poussière veloutait les murailles, autre-

---

1. Sans doute l'*Histoire de la Révolution française*.

fois peintes en jaune. La brosse pour les souliers traînait au bord du lit, dont les draps pendaient. On voyait au plafond une grande tache noire produite par la fumée de la lampe.

Bouvard, à cause de l'odeur sans doute, demanda la permission d'ouvrir la fenêtre.

— Les papiers s'envoleraient! s'écria Pécuchet, qui redoutait, en plus, les courants d'air.

Cependant il haletait dans cette petite chambre, chauffée depuis le matin par les ardoises de la toiture.

Bouvard lui dit :

— A votre place, j'ôterais ma flanelle!

— Comment!

Et Pécuchet baissa la tête, s'effrayant à l'hypothèse de ne plus avoir son gilet de santé.

— Faites-moi la conduite, reprit Bouvard, l'air extérieur vous rafraîchira.

Enfin Pécuchet repassa ses bottes en grommelant :

— Vous m'ensorcelez, ma parole d'honneur!

Et malgré la distance, il l'accompagna jusque chez lui, au coin de la rue de Béthune, en face le pont de la Tournelle.

La chambre de Bouvard, bien cirée, avec des rideaux de percale et des meubles en acajou, jouissait d'un balcon ayant vue sur la rivière. Les deux ornements principaux étaient un porte-liqueurs au milieu de la commode, et, le long de la glace, des daguerréotypes représentant des amis; une peinture à l'huile occupait l'alcôve.

— Mon oncle! dit Bouvard.

Et le flambeau qu'il tenait éclaira un monsieur.

Des favoris rouges élargissaient son visage surmonté d'un toupet frisant par la pointe. Sa haute cravate, avec le triple col de la chemise, du gilet de velours et de l'habit noir, l'engonçaient. On avait figuré des diamants sur le jabot. Ses yeux étaient bridés aux pommettes, et il souriait d'un petit air narquois.

Pécuchet ne put s'empêcher de dire :

— On le prendrait plutôt pour votre père!

— C'est mon parrain, répliqua Bouvard négligemment, ajoutant qu'il s'appelait de ses noms de baptême François-Denys-Bartholomée. Ceux de Pécuchet étaient Juste-Romain-Cyrille, — et ils avaient le même âge : quarante-sept ans. Cette coïncidence leur fit plaisir, mais les surprit, chacun ayant cru l'autre beaucoup moins jeune. Ensuite, ils admirèrent la Providence, dont les combinaisons parfois sont merveilleuses.

— Car, enfin, si nous n'étions pas sortis tantôt pour nous promener, nous aurions pu mourir avant de nous connaître!

Et s'étant donné l'adresse de leurs patrons, ils se souhaitèrent une bonne nuit.

— N'allez pas voir les dames! cria Bouvard dans l'escalier.

Pécuchet descendit les marches sans répondre à la gaudriole.

Le lendemain, dans la cour de MM. Descambos frères, tissus d'Alsace, rue Hautefeuille, 92, une voix appela :

— Bouvard! Monsieur Bouvard!

Celui-ci passa la tête par les carreaux et reconnut Pécuchet, qui articula plus fort :

— Je ne suis pas malade! je l'ai retirée!

— Quoi donc?

— Elle! dit Pécuchet, en désignant sa poitrine.

Tous les propos de la journée, avec la température de l'appartement et les labeurs de la digestion, l'avaient empêché de dormir, si bien que, n'y tenant plus, il avait rejeté loin de lui sa flanelle. Le matin, il s'était rappelé son action, heureusement sans conséquence, et il venait en instruire Bouvard, qui, par là, fut placé dans son estime à une prodigieuse hauteur.

Il était le fils d'un petit marchand et n'avait pas connu sa mère, morte très jeune. On l'avait, à quinze ans, retiré de pension pour le mettre chez un huissier. Les gendarmes y survinrent, et le patron fut envoyé aux galères; histoire farouche qui lui causait encore de l'épouvante. Ensuite, il avait essayé de plusieurs états : élève en pharmacie, maître d'études, comptable sur un des paquebots de la haute Seine. Enfin, un chef de division, séduit par son écriture, l'avait engagé comme expéditionnaire; mais la conscience d'une instruction défectueuse, avec les besoins d'esprit qu'elle lui donnait, irritait son humeur; et il vivait complètement seul, sans parents, sans maîtresse. Sa distraction était, le dimanche, d'inspecter les travaux publics.

Les plus vieux souvenirs de Bouvard le reportaient sur les bords de la Loire, dans une cour de ferme. Un homme, qui était son oncle, l'avait emmené à Paris pour lui apprendre le commerce. A sa majorité, on lui versa quelques mille francs. Alors il avait pris femme et ouvert une boutique de confiseur. Six mois plus tard, son épouse disparaissait en emportant la caisse. Les amis, la bonne chère, et surtout la paresse, avaient promptement achevé sa ruine. Mais il eut l'inspiration d'utiliser sa belle main; et, depuis douze ans, il se tenait dans la même place, chez MM. Descambos frères, tissus, rue Hautefeuille, 92. Quant à son oncle, qui autrefois lui avait expédié comme souvenir le fameux portrait, Bouvard ignorait même sa résidence et n'en attendait plus rien. Quinze cents livres de revenu et ses gages de copiste lui permettaient d'aller, tous les soirs, faire un somme dans un estaminet.

Ainsi leur rencontre avait eu l'importance d'une aventure. Ils s'étaient, tout de suite, accrochés par des fibres secrètes. D'ailleurs, comment expliquer les sympathies? Pourquoi telle particularité, telle imperfection, indifférente ou odieuse dans celui-ci, enchante-t-elle dans celui-là? Ce qu'on appelle le coup de foudre est vrai pour toutes les passions. Avant la fin de la semaine, ils se tutoyèrent.

Souvent, ils venaient se chercher à leur comptoir. Dès que l'un paraissait, l'autre fermait son pupitre, et ils s'en allaient ensemble dans les rues. Bouvard marchait à grandes enjambées, tandis que Pécuchet, multipliant les pas, avec sa redingote qui lui battait les talons, semblait glisser sur des roulettes. De même leurs goûts particuliers s'harmonisaient. Bouvard fumait la pipe, aimait le fromage, prenait régulièrement sa demi-tasse. Pécuchet prisait, ne mangeait au dessert que des confitures et trempait un morceau de sucre dans le café.

L'un était confiant, étourdi, généreux; l'autre discret, méditatif, économe.

Pour lui être agréable, Bouvard voulut faire faire à Pécuchet la connaissance de Barberou. C'était un ancien commis voyageur, actuellement boursier, très bon enfant, patriote, ami des dames, et qui affectait le langage faubourien. Pécuchet le trouva déplaisant et il conduisit Bouvard chez Dumouchel. Cet auteur (car il avait publié une petite mnémotechnie) donnait des leçons de littérature dans un pensionnat de jeunes personnes, avait des opinions orthodoxes et la tenue sérieuse. Il ennuya Bouvard.

Aucun des deux n'avait caché à l'autre son opinion. Chacun en reconnut la justesse. Leurs habitudes changèrent, et, quittant leur pension bourgeoise, ils finirent par dîner ensemble tous les jours.

Ils faisaient des réflexions sur les pièces de théâtre dont on parlait, sur le gouvernement, la cherté des vivres, les fraudes du commerce. De temps à autre, l'histoire du Collier ou le procès de Fualdès [2] revenaient dans leurs discours; et puis, ils cherchaient les causes de la Révolution.

Ils flânaient le long des boutiques de bric-à-brac. Ils visitèrent le Conservatoire des arts et métiers, Saint-Denis, les Gobelins, les Invalides et toutes les collections publiques.

Quand on demandait leur passeport, ils faisaient mine de l'avoir perdu, se donnant pour deux étrangers, deux Anglais.

Dans les galeries du Muséum, ils passèrent avec ébahissement devant les quadrupèdes empaillés, avec plaisir devant les papillons, avec indifférence devant les métaux; les fossiles les firent rêver, la conchyliologie [3] les ennuya. Ils examinèrent les serres chaudes par les vitres, et frémirent en songeant que tous ces feuillages distillaient des poisons. Ce qu'ils admirèrent du cèdre, c'est qu'on l'eût rapporté dans un chapeau.

Ils s'efforcèrent au Louvre de s'enthousiasmer pour Raphaël. A la grande bibliothèque, ils auraient voulu connaître le nombre exact des volumes.

Une fois, ils entrèrent au cours d'arabe du Collège de France, et le professeur fut étonné de voir ces deux inconnus qui tâchaient de prendre des notes. Grâce à Barberou, ils pénétrèrent dans les coulisses d'un petit théâtre. Dumouchel leur procura des billets pour une séance de l'Académie. Ils s'informaient des découvertes, lisaient les prospectus, et, par cette curiosité, leur intelligence se développa. Au fond d'un horizon plus lointain chaque jour, ils apercevaient des choses à la fois confuses et merveilleuses.

En admirant un vieux meuble, ils regrettaient de n'avoir pas vécu à l'époque où il servait, bien qu'ils ignorassent absolument cette époque-là. D'après de certains noms, ils imaginaient des pays d'autant plus beaux qu'ils n'en pouvaient rien préciser. Les ouvrages dont

2. Fualdès, ancien magistrat de l'Empire, fut égorgé dans une maison malfamée de Rodez. Le procès criminel se déroula en 1817 devant la Cour d'assises de l'Aveyron et eut un énorme retentissement.

3. Science des coquillages.

les titres étaient pour eux inintelligibles leur semblaient contenir un mystère.

Et ayant plus d'idées, ils eurent plus de souffrances. Quand une malle-poste les croisait dans les rues, ils sentaient le besoin de partir avec elle. Le quai aux Fleurs les faisait soupirer pour la campagne.

Un dimanche, ils se mirent en marche dès le matin, et, passant par Meudon, Bellevue, Suresnes, Auteuil, tout le long du jour ils vagabondèrent entre les vignes, arrachèrent des coquelicots au bord des champs, dormirent sur l'herbe, burent du lait, mangèrent sous les acacias des guinguettes, et rentrèrent fort tard, poudreux, exténués, ravis. Ils renouvelèrent souvent ces promenades. Les lendemains étaient si tristes qu'ils finirent par s'en priver.

La monotonie du bureau leur devenait odieuse. Continuellement le grattoir et la sandaraque, le même encrier, les mêmes plumes et les mêmes compagnons! Les jugeant stupides, ils leur parlaient de moins en moins. Cela leur valut des taquineries. Ils arrivaient tous les jours après l'heure, et reçurent des semonces.

Autrefois, ils se trouvaient presque heureux; mais leur métier les humiliait depuis qu'ils s'estimaient davantage, et ils se renforçaient dans ce dégoût, s'exaltaient mutuellement, se gâtaient, Pécuchet contracta la brusquerie de Bouvard, Bouvard prit quelque chose de la morosité de Pécuchet.

— J'ai envie de me faire saltimbanque sur les places publiques! disait l'un.

— Autant être chiffonnier! s'écriait l'autre.

Quelle situation abominable! Et nul moyen d'en sortir! Pas même d'espérance!

Une après-midi (c'était le 20 janvier 1839), Bouvard étant à son comptoir reçut une lettre, apportée par le facteur.

Ses bras se levèrent, sa tête peu à peu se renversait et il tomba évanoui sur le carreau.

Les commis se précipitèrent, on lui ôta sa cravate. On envoya chercher un médecin. Il rouvrit les yeux; puis aux questions qu'on lui faisait :

— Ah!... c'est que... c'est que... un peu d'air me soulagera. Non! laissez-moi! permettez!

Et malgré sa corpulence, il courut tout d'une haleine jusqu'au ministère de la Marine, se passant la main sur le front, croyant devenir fou, tâchant de se calmer.

Il fit demander Pécuchet.

Pécuchet parut.

— Mon oncle est mort! J'hérite!

— Pas possible!

Bouvard montra les lignes suivantes :

Etude
de   Savigny-en-Septaine, 14 janvier 1839.
ME TARDIVEL
notaire

« Monsieur,

« Je vous prie de vous rendre en mon étude, pour y prendre connaissance du testament de votre père naturel, M. François-Denys-Bartholomée Bouvard, ex-négociant dans la ville de Nantes, décédé en cette commune le 10 du présent mois. Ce testament contient en votre faveur une disposition très importante.

« Agréez, Monsieur, l'assurance de mes respects.

« TARDIVEL, notaire. »

Pécuchet fut obligé de s'asseoir sur une borne dans la cour. Puis il rendit le papier en disant lentement :

— Pourvu... que ce ne soit pas... quelque farce!

— Tu crois que c'est une farce? reprit Bouvard d'une voix étranglée, pareille à un râle de moribond.

Mais le timbre de la poste, le nom de l'étude en caractères d'imprimerie, la signature du notaire, tout prouvait l'authenticité de la nouvelle; — et ils se regardèrent avec un tremblement du coin de la bouche et une larme qui roulait dans leurs yeux fixes.

L'espace leur manquait. Ils allèrent jusqu'à l'Arc de Triomphe, revinrent par le bord de l'eau, dépassèrent Notre-Dame. Bouvard était très rouge. Il donna à Pécuchet des coups de poing dans le dos, et pendant cinq minutes déraisonna complètement.

Ils ricanaient malgré eux. Cet héritage, bien sûr, devait se monter...

— Ah! ce serait trop beau! n'en parlons plus.

Ils en reparlaient. Rien n'empêchait de demander tout de suite des explications. Bouvard écrivit au notaire pour en avoir.

Le notaire envoya la copie du testament, lequel se terminait ainsi :

« En conséquence, je donne à François-Denys-Bartholomée Bouvard, mon fils naturel reconnu, la portion de mes biens disponibles par la loi. »

Le bonhomme avait eu ce fils dans sa jeunesse, mais il l'avait tenu à l'écart soigneusement, le faisant passer pour un neveu; et le neveu l'avait toujours appelé mon oncle, bien que sachant à quoi s'en tenir. Vers la quarantaine, M. Bouvard s'était marié, puis était devenu veuf. Ses deux fils légitimes ayant tourné contrairement à ses vues, un remords l'avait pris sur l'abandon où il laissait depuis tant d'années son autre enfant. Il l'eût même fait venir chez lui, sans l'influence de sa cuisinière. Elle le quitta, grâce aux manœuvres de la famille, et, dans son isolement, près de mourir, il voulut réparer ses torts en léguant au fruit de ses premières amours tout ce qu'il pouvait de sa fortune. Elle s'élevait à la moitié d'un million, ce qui faisait pour le copiste deux cent cinquante mille francs. L'aîné des frères, M. Etienne, avait annoncé qu'il respecterait le testament.

Bouvard tomba dans une sorte d'hébétude. Il répétait à voix basse, en souriant du sourire paisible des ivrognes :

— Quinze mille livres de rente!

Et Pécuchet, dont la tête pourtant était plus forte, n'en revenait pas.

Ils furent secoués brusquement par une lettre de Tardivel. L'autre fils, M. Alexandre, déclarait son intention de régler tout devant la justice, et même d'attaquer le legs s'il le pouvait, exigeant au préalable scellés, inventaire, nomination d'un séquestre, etc.! Bouvard en eut une maladie bilieuse. A peine convalescent, il s'embarqua pour Savigny, d'où il revint, sans conclusion d'aucune sorte et déplorant ses frais de voyage.

Puis ce furent des insomnies, des alternatives de colère et d'espoir, d'exaltation et d'abattement. Enfin, au bout de six mois, le sieur Alexandre s'apaisant, Bouvard entra en possession de l'héritage.

Son premier cri avait été :

— Nous nous retirerons à la campagne !

Et ce mot qui liait son ami à son bonheur, Pécuchet l'avait trouvé tout simple. Car l'union de ces deux hommes était absolue et profonde.

Mais comme il ne voulait point vivre aux crochets de Bouvard, il ne partirait pas avant sa retraite. Encore deux ans; n'importe! Il demeura inflexible et la chose fut décidée.

Pour savoir où s'établir, ils passèrent en revue toutes les provinces. Le Nord était fertile, mais trop froid; le Midi enchanteur par son climat, mais incommode vu les moustiques, et le Centre, franchement, n'avait rien de curieux. La Bretagne leur aurait convenu, sans l'esprit cagot des habitants. Quant aux régions de l'Est, à cause du patois germanique, il n'y fallait pas songer. Mais il y avait d'autres pays. Qu'était-ce, par exemple, que le Forez, le Bugey, le Roumois [4]? Les cartes de géographie n'en disaient rien. Du reste, que leur maison fût dans tel endroit ou dans tel autre, l'important c'est qu'ils en auraient une.

Déjà ils se voyaient en manches de chemise, au bord d'une plate-bande, émondant des rosiers, et bêchant, binant, maniant la terre, dépotant des tulipes. Ils se réveilleraient au chant de l'alouette pour suivre les charrues, iraient avec un panier cueillir des pommes, regarderaient faire le beurre, battre le grain, tondre les moutons, soigner les ruches, et se délecteraient au mugissement des vaches et à la senteur des foins coupés. Plus d'écritures! plus de chefs! plus même de terme à payer! Car ils posséderaient un domicile à eux! Et ils mangeraient les poules de leur basse-cour, les légumes de leur jardin, et dîneraient en gardant leurs sabots!

— Nous ferons tout ce qui nous plaira! nous laisserons pousser notre barbe!

Ils s'achetèrent des instruments horticoles, puis un tas de choses « qui pourraient peut-être servir », telles qu'une boîte à outils (il en faut toujours dans une maison), ensuite des balances, une chaîne d'arpenteur, une baignoire en cas qu'ils ne fussent malades, un thermomètre et même un baromètre « système Gay-Lussac » pour des expériences de physique, si la fantaisie leur en prenait. Il ne serait pas mal, non plus (car on ne peut pas toujours travailler dehors), d'avoir quelques bons ouvrages de littérature, et ils cherchèrent, fort embarrassés parfois de savoir si tel livre était vraiment « un livre de bibliothèque ». Bouvard tranchait la question :

— Eh! nous n'aurons pas besoin de bibliothèque.

— D'ailleurs j'ai la mienne, disait Pécuchet.

D'avance, ils s'organisaient. Bouvard emporterait ses meubles, Pécuchet sa grande table noire; on tirerait

parti des rideaux et avec un peu de batterie de cuisine ce serait bien suffisant.

Ils s'étaient juré de taire tout cela, mais leur figure rayonnait. Aussi leurs collègues les trouvaient drôles. Bouvard, qui écrivait étalé sur son pupitre et les coudes en dehors pour mieux arrondir sa bâtarde, poussait son espèce de sifflement tout en clignant d'un air malin ses lourdes paupières. Pécuchet, juché sur un grand tabouret de paille, soignait toujours les jambages de sa longue écriture, mais en gonflant les narines, pinçait les lèvres, comme s'il avait peur de lâcher son secret.

Après dix-huit mois de recherches, ils n'avaient rien trouvé. Ils firent des voyages dans tous les environs de Paris, et depuis Amiens jusqu'à Evreux, et de Fontainebleau jusqu'au Havre. Ils voulaient une campagne qui fût bien la campagne, sans tenir précisément à un site pittoresque, mais un horizon borné les attristait.

Ils fuyaient le voisinage des habitations et redoutaient pourtant la solitude.

Quelquefois ils se décidaient, puis craignant de se repentir plus tard, ils changeaient d'avis, l'endroit leur ayant paru malsain, ou exposé au vent de mer, ou trop près d'une manufacture, ou d'un abord difficile.

Barberou les sauva.

Il connaissait leur rêve, et un beau jour vint leur dire qu'on lui avait parlé d'un domaine, à Chavignolles, entre Caen et Falaise. Cela consistait en une ferme de trente-huit hectares, avec une manière de château et un jardin en plein rapport.

Ils se transportèrent dans le Calvados et ils furent enthousiasmés. Seulement, tant de la ferme que de la maison (l'une ne serait pas vendue sans l'autre), on exigeait cent quarante-trois mille francs, Bouvard n'en donnait que cent vingt mille.

Pécuchet combattit son entêtement, le pria de céder, enfin déclara qu'il compléterait le surplus. C'était toute sa fortune, provenant du patrimoine de sa mère et de ses économies. Jamais il n'en avait soufflé mot, réservant ce capital pour une grande occasion.

Tout fut payé vers la fin de 1840, six mois avant sa retraite.

Bouvard n'était plus copiste. D'abord, il avait continué ses fonctions par défiance de l'avenir, mais s'en était démis une fois certain de l'héritage. Cependant, il retournait volontiers chez les MM. Descambos, et la veille de son départ il offrit un punch à tout le comptoir.

Pécuchet, au contraire, fut maussade pour ses collègues, et sortit, le dernier jour, en claquant la porte brutalement.

Il avait à surveiller les emballages, faire un tas de commissions, d'emplettes encore, et prendre congé de Dumouchel!

Le professeur lui proposa un commerce épistolaire, où il le tiendrait au courant de la littérature; et après des félicitations nouvelles, lui souhaita une bonne santé.

Barberou se montra plus sensible en recevant l'adieu de Bouvard. Il abandonna exprès une partie de dominos, promit d'aller le voir là-bas, commanda deux anisettes et l'embrassa.

Bouvard, rentré chez lui, aspira sur son balcon une

---

4. Pays de Normandie qui s'étend entre la vallée de la Seine et celle de la Risle, et dont l'ancienne capitale est Quillebeuf.

large bouffée d'air en se disant : « Enfin! » Les lumières des quais tremblaient dans l'eau, le roulement des omnibus au loin s'apaisait. Il se rappela des jours heureux passés dans cette grande ville, des pique-niques au restaurant, des soirs au théâtre, les commérages de sa portière, toutes ses habitudes; et il sentit une défaillance de cœur, une tristesse qu'il n'osait pas s'avouer.

Pécuchet, jusqu'à deux heures du matin, se promena dans sa chambre. Il ne reviendrait plus là; tant mieux! et cependant, pour laisser quelque chose de lui, il grava son nom sur le plâtre de la cheminée.

Le plus gros du bagage était parti dès la veille. Les instruments de jardin, les couchettes, les matelas, les tables, les chaises, un caléfacteur, la baignoire et trois fûts de Bourgogne iraient par la Seine, jusqu'au Havre, et de là seraient expédiés sur Caen, où Bouvard qui les attendrait les ferait parvenir à Chavignolles.

Mais le portrait de son père, les fauteuils, la cave à liqueurs, les bouquins, la pendule, tous les objets précieux furent mis dans une voiture de déménagement qui s'acheminerait par Nonancourt, Verneuil et Falaise. Pécuchet voulut l'accompagner.

Il s'installa auprès du conducteur, sur la banquette, et, couvert de sa plus vieille redingote, avec un cachenez, ses mitaines et sa chancelière de bureau, le dimanche 20 mars, au petit jour, il sortit de la capitale.

Le mouvement et la nouveauté du voyage l'occupèrent les premières heures. Puis les chevaux se ralentirent, ce qui amena des disputes avec le conducteur et le charretier. Ils choisissaient d'exécrables auberges, bien qu'ils répondissent de tout, Pécuchet, par excès de prudence, couchait dans les mêmes gîtes.

Le lendemain, on repartait dès l'aube; et la route, toujours la même, s'allongeait en montant jusqu'au bord de l'horizon. Les mètres de cailloux se succédaient, les fossés étaient pleins d'eau, la campagne s'étalait par grandes surfaces d'un vert monotone et froid, des nuages couraient dans le ciel, de temps à autre la pluie tombait. Le troisième jour, des bourrasques s'élevèrent. La bâche du chariot, mal attachée, claquait au vent comme la voile d'un navire. Pécuchet baissait la figure sous sa casquette, et, chaque fois qu'il ouvrait sa tabatière, il lui fallait, pour garantir ses yeux, se retourner complètement. Pendant les cahots, il entendait osciller derrière lui tout son bagage et prodiguait les recommandations. Voyant qu'elles ne servaient à rien, il changea de tactique; il fit le bon enfant, eut des complaisances; dans les montées pénibles, il poussait à la roue avec les hommes; il en vint jusqu'à leur payer le gloria après les repas. Dès lors, ils filèrent plus lestement, si bien qu'aux environs de Gauburge l'essieu se rompit et le chariot resta penché. Pécuchet visita tout de suite l'intérieur; les tasses de porcelaine gisaient en morceaux. Il leva les bras, en grinçant des dents, maudit ces deux imbéciles; et la journée suivante fut perdue à cause du charretier qui se grisa; mais il n'eut pas la force de se plaindre, la coupe d'amertume étant remplie.

Bouvard n'avait quitté Paris que le surlendemain, pour dîner encore une fois avec Barberou. Il arriva dans la cour des Messageries à la dernière minute, puis se réveilla devant la cathédrale de Rouen; il s'était trompé de diligence.

Le soir, toutes les places pour Caen étaient retenues; ne sachant que faire, il alla au théâtre des Arts, et il souriait à ses voisins, disant qu'il était retiré du négoce et nouvellement acquéreur d'un domaine aux alentours. Quand il débarqua le vendredi à Caen, ses ballots n'y étaient pas. Il les reçut le dimanche et les expédia sur une charrette, ayant prévenu le fermier qu'il les suivrait de quelques heures.

A Falaise, le neuvième jour de son voyage, Pécuchet prit un cheval de renfort, et jusqu'au coucher du soleil on marcha bien. Au delà de Bretteville, ayant quitté la grand'route, il s'engagea dans un chemin de traverse, croyant voir à chaque minute le pignon de Chavignolles. Cependant les ornières s'effaçaient; elles disparurent, et ils se trouvèrent au milieu des champs labourés. La nuit tombait. Que devenir? Enfin Pécuchet abandonna le chariot, et, pataugeant dans la boue, s'avança devant lui à la découverte. Quand il approchait des fermes, les chiens aboyaient. Il criait de toutes ses forces pour demander sa route. On ne répondait pas. Il avait peur et regagnait le large. Tout à coup deux lanternes brillèrent. Il aperçut un cabriolet, s'élança pour le rejoindre. Bouvard était dedans.

Mais où pouvait être la voiture de déménagement? Pendant une heure ils la hélèrent dans les ténèbres. Enfin elle se retrouva, et ils arrivèrent à Chavignolles.

Un grand feu de broussailles et de pommes de pin flambait dans la salle. Deux couverts y étaient mis. Les meubles arrivés sur la charrette encombraient le vestibule. Rien ne manquait. Ils s'attablèrent.

On leur avait préparé une soupe à l'oignon, un poulet, du lard et des œufs durs. La vieille femme qui faisait la cuisine venait de temps à autre s'informer de leurs goûts. Ils répondaient : « Oh! très bon! très bon! » et le gros pain difficile à couper, la crème, les noix, tout les délecta. Le carrelage avait des trous, les murs suintaient. Cependant ils promenaient autour d'eux un regard de satisfaction, en mangeant sur la petite table où brûlait une chandelle. Leurs figures étaient rougies par le grand air. Ils tendaient leur ventre; ils s'appuyaient sur le dossier de leur chaise, qui en craquait, et ils se répétaient :

— Nous y voilà donc! quel bonheur! il me semble que c'est un rêve.

Bien qu'il fût minuit, Pécuchet eut l'idée de faire un tour dans le jardin. Bouvard ne s'y refusa pas. Ils prirent la chandelle et, l'abritant avec un vieux journal, se promenèrent le long des plates-bandes. Ils avaient plaisir à nommer tout haut les légumes :

— Tiens, des carottes! Ah! des choux!

Ensuite ils inspectèrent les espaliers. Pécuchet tâcha de découvrir des bourgeons. Quelquefois, une araignée fuyait tout à coup sur le mur, et les deux ombres de leurs corps s'y dessinaient agrandies, en répétant leurs gestes. Les pointes des herbes dégouttelaient de rosée. La nuit était complètement noire, et tout se tenait immobile dans un grand silence, une grande douceur. Au loin un coq chanta.

Leurs deux chambres avaient entre elles une petite porte que le papier de la tenture masquait. En la heurtant avec une commode, on venait d'en faire sauter les clous. Ils la trouvèrent béante. Ce fut une surprise.

Déshabillés et dans leur lit, ils bavardèrent quelque temps, puis s'endormirent, Bouvard sur le dos, la bouche ouverte, tête nue; Pécuchet sur le flanc droit, les genoux au ventre, affublé d'un bonnet de coton, et tous les deux ronflaient sous le clair de la lune, qui entrait par les fenêtres.

II

Quelle joie, le lendemain en se réveillant! Bouvard fuma une pipe et Pécuchet huma une prise, qu'ils déclarèrent la meilleure de leur existence. Puis ils se mirent à la croisée, pour voir le paysage.

On avait en face de soi les champs, à droite une grange, avec le clocher de l'église; et à gauche un rideau de peupliers.

Deux allées principales, formant la croix, divisaient le jardin en quatre morceaux. Les légumes étaient compris dans les plates-bandes, où se dressaient, de place en place, des cyprès nains et des quenouilles. D'un côté une tonnelle aboutissait à un vigneau [5]; de l'autre un mur soutenait les espaliers; et une claire-voie, dans le fond, donnait sur la campagne. Il y avait au delà du mur un verger, après la charmille, un bosquet; derrière la claire-voie, un petit chemin.

Ils contemplaient cet ensemble, quand un homme à chevelure grisonnante et vêtu d'un paletot noir longea le sentier, en raclant avec sa canne tous les barreaux de la claire-voie. La vieille servante leur apprit que c'était M. Vaucorbeil, un docteur fameux dans l'arrondissement.

Les autres notables étaient : le comte de Faverges, autrefois député, et dont on citait les vacheries; le maire, M. Foureau, qui vendait du bois, du plâtre, toute espèce de choses; M. Marescot le notaire; l'abbé Jeufroy, et Mme veuve Bordin, vivant de son revenu. Quant à elle, on l'appelait la Germaine, à cause de feu Germain son mari. Elle faisait des journées, mais aurait voulu passer au service de ces messieurs. Ils l'acceptèrent, et partirent pour leur ferme, située à un kilomètre de distance.

Quand ils entrèrent dans la cour, le fermier, maître Gouy, vociférait contre un garçon et la fermière, sur un escabeau, serrait entre ses jambes une dinde qu'elle empâtait avec des gobes de farine. L'homme avait le front bas, le nez fin, le regard en dessous, et les épaules robustes. La femme était très blonde, avec les pommettes tachetées de son, et cet air de simplicité que l'on voit aux manants sur le vitrail des églises.

Dans la cuisine, des bottes de chanvre étaient suspendues au plafond. Trois vieux fusils s'échelonnaient sur la haute cheminée. Un dressoir chargé de faïence à fleurs occupait le milieu de la muraille; et les carreaux

en verre de bouteille jetaient sur les ustensiles de ferblanc et de cuivre rouge une lumière blafarde.

Les deux Parisiens désiraient faire leur inspection, n'ayant vu la propriété qu'une fois, sommairement. Maître Gouy et son épouse les escortèrent et la kyrielle des plaintes commença.

Tous les bâtiments, depuis la charretterie jusqu'à la bouillerie, avaient besoin de réparations. Il aurait fallu construire une succursale pour les fromages, mettre aux barrières des ferrements neufs, relever les hautsbords, creuser la mare et replanter considérablement de pommiers dans les trois cours.

Ensuite on visita les cultures : maître Gouy les déprécia. Elles mangeaient trop de fumier, les charrois étaient dispendieux; impossible d'extraire les cailloux, la mauvaise herbe empoisonnait les prairies; et ce dénigrement de sa terre atténua le plaisir que Bouvard sentait à marcher dessus.

Ils s'en revinrent par la cavée, sous une avenue de hêtres. La maison montrait, de ce côté-là, sa cour d'honneur et sa façade.

Elle était peinte en blanc, avec des réchampis de couleur jaune. Le hangar et le cellier, le fournil et le bûcher faisaient en retour deux ailes plus basses. La cuisine communiquait avec une petite salle. On rencontrait ensuite le vestibule, une deuxième salle plus grande, et le salon. Les quatre chambres au premier s'ouvraient sur le corridor qui regardait la cour. Pécuchet en prit une pour ses collections; la dernière fut destinée à la bibliothèque; et comme ils ouvraient les armoires ils trouvèrent d'autres bouquins, mais n'eurent pas la fantaisie d'en lire les titres. Le plus pressé, c'était le jardin.

Bouvard, en passant près de la charmille, découvrit sous les branches une dame en plâtre. Avec deux doigts, elle écartait sa jupe, les genoux pliés, la tête sur l'épaule, comme craignant d'être surprise.

— Ah! pardon! ne vous gênez pas!

Et cette plaisanterie les amusa tellement que, vingt fois par jour, pendant plus de trois semaines, ils la répétèrent.

Cependant les bourgeois de Chavignolles désiraient les connaître; on venait les observer par la claire-voie. Ils en bouchèrent les ouvertures avec les planches. La population fut contrariée.

Pour se garantir du soleil, Bouvard portait sur la tête un mouchoir noué en turban, Pécuchet sa casquette; et il avait un grand tablier avec une poche par devant, dans laquelle ballotaient un sécateur, son foulard et sa tabatière. Les bras nus, et côte à côte, ils labouraient, sarclaient, émondaient, s'imposaient des tâches, mangeaient le plus vite possible; mais allaient prendre le café sur le vigneau, pour jouir du point de vue.

S'ils rencontraient un limaçon, ils s'approchaient de lui, et l'écrasaient en faisant une grimace du coin de la bouche, comme pour casser une noix. Ils ne sortaient pas sans leur louchet, et coupaient en deux les vers blancs, d'une telle force que le fer de l'outil s'en enfonçait de trois pouces.

Pour se délivrer des chenilles, ils battaient les arbres, à grands coups de gaule, furieusement.

5. Terme normand, qui désigne un tertre artificiel, couronné de treilles, formant cabinet de verdure.

Bouvard planta une pivoine au milieu du gazon et des pommes d'amour qui devaient retomber comme des lustres, sous l'arceau de la tonnelle.

Pécuchet fit creuser devant la cuisine un large trou, et le disposa en trois compartiments, où il fabriquerait des composts qui feraient pousser un tas de choses dont les détritus amèneraient d'autres récoltes procurant d'autres engrais, tout cela indéfiniment, et il rêvait au bord de la fosse, apercevant dans l'avenir des montagnes de fruits, des débordements de fleurs, des avalanches de légumes. Mais le fumier de cheval si utile pour les couches lui manquait. Les cultivateurs n'en vendaient pas : les aubergistes en refusèrent. Enfin, après beaucoup de recherches, malgré les instances de Bouvard et abjurant toute pudeur, il prit le parti « d'aller lui-même au crottin! »

C'est au milieu de cette occupation que Mme Bordin, un jour, l'accosta sur la grand'route. Quand elle l'eut complimenté, elle s'informa de son ami. Les yeux noirs de cette personne, très brillants bien que petits, ses hautes couleurs, son aplomb (elle avait même un peu de moustache), intimidèrent Pécuchet. Il répondit brièvement et tourna le dos. Impolitesse que blâma Bouvard.

Puis les mauvais jours survinrent, la neige, les grands froids. Ils s'installèrent dans la cuisine, et faisaient du treillage; ou bien parcouraient les chambres, causaient au coin du feu, regardaient la pluie tomber.

Dès la mi-carême, ils guettèrent le printemps, et répétaient chaque matin : « Tout part! » Mais la saison fut tardive, et ils consolaient leur impatience, en disant : « Tout va partir. »

Ils virent enfin lever les petits pois. Les asperges donnèrent beaucoup. La vigne promettait.

Puisqu'ils s'entendaient au jardinage, ils devaient réussir dans l'agriculture; et l'ambition les prit de cultiver leur ferme. Avec du bon sens et de l'étude, ils s'en tireraient, sans aucun doute.

D'abord, il fallait voir comment on opérait chez les autres; et ils rédigèrent une lettre, où ils demandaient à M. de Faverges l'honneur de visiter son exploitation. Le comte leur donna tout de suite un rendez-vous.

Après une heure de marche, ils arrivèrent sur le versant d'un coteau qui domine la vallée de l'Orne. La rivière coulait au fond, avec des sinuosités. Des blocs de grès rouge s'y dressaient de place en place, et des roches plus grandes formaient au loin comme une falaise surplombant la campagne, couverte de blés mûrs. En face, sur l'autre colline, la verdure était si abondante qu'elle cachait les maisons. Des arbres la divisaient en carrés inégaux, se marquant au milieu de l'herbe par des lignes plus sombres.

L'ensemble du domaine apparut tout à coup. Des toits de tuile indiquaient la ferme. Le château à façade blanche se trouvait sur la droite, avec un bois au delà, et une pelouse descendait jusqu'à la rivière, où des platanes alignés reflétaient leur ombre.

Les deux amis entrèrent dans une luzerne qu'on fanait. Des femmes portant des chapeaux de paille, des marmottes d'indienne ou des visières de papier, soulevaient avec des râteaux le foin laissé par terre; et à l'autre bout

de la plaine, auprès des meules, on jetait des bottes vivement dans une longue charrette, attelée de trois chevaux. M. le comte s'avança, suivi de son régisseur.

Il avait un costume de basin, la taille raide et les favoris en côtelette, l'air à la fois d'un magistrat et d'un dandy. Les traits de sa figure, même quand il parlait, ne remuaient pas.

Les premières politesses échangées, il exposa son système relativement aux fourrages; on retournait les andains sans les éparpiller; les meules devaient être coniques et les bottes faites immédiatement sur place, puis entassées par dizaines. Quant au râteleur anglais, la prairie était trop inégale pour un pareil instrument.

Une petite fille, les pieds nus dans des savates, et dont le corps se montrait par les déchirures de sa robe, donnait à boire aux femmes, en versant du cidre d'un broc qu'elle appuyait contre sa hanche. Le comte demanda d'où venait cette enfant; on n'en savait rien. Les faneuses l'avaient recueillie pour les servir pendant la moisson. Il haussa les épaules et, tout en s'éloignant, proféra quelques plaintes sur l'immoralité de nos campagnes.

Bouvard fit l'éloge de sa luzerne. Elle était assez bonne, en effet, malgré les ravages de la cuscute [6]; les futurs agronomes ouvrirent les yeux au mot cuscute. Vu le nombre de ses bestiaux, il s'appliquait aux prairies artificielles; c'était d'ailleurs un bon précédent pour les autres récoltes, ce qui n'a pas toujours lieu avec les racines fourragères.

— Cela du moins me paraît incontestable.

Bouvard et Pécuchet reprirent ensemble :

— Oh! incontestable.

Ils étaient sur la limite d'un champ soigneusement ameubli : un cheval que l'on conduisait à la main traînait un large coffre monté sur trois roues. Sept coutres, disposés en bas, ouvraient parallèlement des raies fines, dans lesquelles le grain tombait par des tuyaux descendant jusqu'au sol.

— Ici, dit le comte, je sème des turneps [7]. Le turnep est la base de ma culture quadriennale.

Et il entamait la démonstration du semoir. Mais un domestique vint le chercher. On avait besoin de lui au château.

Son régisseur le remplaça, homme à figure chafouine et de façons obséquieuses.

Il conduisit « ces messieurs » vers un autre champ, où quatorze moissonneurs, la poitrine nue et les jambes écartées, fauchaient des seigles. Les fers sifflaient dans la paille qui se versait à droite. Chacun décrivait devant soi un large demi-cercle, et tous sur la même ligne, ils avançaient en même temps. Les deux Parisiens admirèrent leurs bras et se sentaient pris d'une vénération presque religieuse pour l'opulence de la terre.

Ils longèrent ensuite plusieurs pièces en labour. Le crépuscule tombait, des corneilles s'abattaient dans les sillons.

Puis ils rencontrèrent le troupeau. Les moutons, çà et là, pâturaient et on entendait leur continuel broute-

6. Plante parasite du trèfle, de la luzerne et des céréales.
7. Variété de chou-rave.

ment. Le berger, assis sur un tronc d'arbre, tricotait un bas de laine, ayant son chien près de lui.

Le régisseur aida Bouvard et Pécuchet à franchir un échalier, et ils traversèrent deux masures, où des vaches ruminaient sous les pommiers.

Tous les bâtiments de la ferme étaient contigus et occupaient les trois côtés de la cour. Le travail s'y faisait à la mécanique, au moyen d'une turbine, utilisant un ruisseau qu'on avait exprès détourné. Des bandelettes de cuir allaient d'un toit dans l'autre, et au milieu du fumier une pompe de fer manœuvrait.

Le régisseur fit observer dans les bergeries de petites ouvertures à ras du sol, et dans les cases aux cochons, des portes ingénieuses, pouvant d'elles-mêmes se fermer.

La grange était voûtée comme une cathédrale avec des arceaux de briques reposant sur des murs de pierre.

Pour divertir les messieurs, une servante jeta devant les poules des poignées d'avoine. L'arbre du pressoir leur parut gigantesque, et ils montèrent dans le pigeonnier. La laiterie spécialement les émerveilla. Des robinets dans les coins fournissaient assez d'eau pour inonder les dalles; et en entrant une fraîcheur vous surprenait. Des jarres brunes, alignées sur des claires-voies, étaient pleines de lait jusqu'aux bords. Des terrines moins profondes contenaient de la crème. Les pains de beurre se suivaient, pareils aux tronçons d'une colonne de cuivre, et de la mousse débordait des seaux de ferblanc, qu'on venait de poser par terre. Mais le bijou de la ferme, c'était la bouverie. Des barreaux de bois scellés perpendiculairement dans toute sa longueur la divisaient en deux sections : la première pour le bétail, la seconde pour le service. On y voyait à peine, toutes les meurtrières étant closes. Les bœufs mangeaient, attachés à des chaînettes, et leurs corps exhalaient une chaleur que le plafond bas rabattait. Mais quelqu'un donna du jour, un filet d'eau tout à coup se répandit dans la rigole qui bordait les râteliers. Des mugissements s'élevèrent; les cornes faisaient comme un cliquetis de bâtons. Tous les bœufs avancèrent leurs mufles entre les barreaux et buvaient lentement.

Les grands attelages entrèrent dans la cour et des poulains hennirent. Au rez-de-chaussée, deux ou trois lanternes s'allumèrent, puis disparurent. Les gens de travail passaient en traînant leurs sabots sur les cailloux, et la cloche pour le souper tinta.

Les deux visiteurs s'en allèrent.

Tout ce qu'ils avaient vu les enchantait; leur décision fut prise. Dès le soir, ils tirèrent de leur bibliothèque les quatre volumes de la *Maison rustique*, se firent expédier le cours de Gasparin et s'abonnèrent à un journal d'agriculture.

Pour se rendre aux foires plus commodément, ils achetèrent une carriole que Bouvard conduisait.

Habillés d'une blouse bleue, avec un chapeau à larges bords, des guêtres jusqu'aux genoux et un bâton de maquignon à la main, ils rôdaient autour des bestiaux, questionnaient les laboureurs et ne manquaient pas d'assister à tous les comices agricoles.

Bientôt ils fatiguèrent maître Gouy de leurs conseils, déplorant principalement son système de jachères. Mais le fermier tenait à sa routine. Il demanda la remise d'un terme sous prétexte de la grêle. Quant aux redevances, il n'en fournit aucune. Devant les réclamations les plus justes, sa femme poussait des cris. Enfin, Bouvard déclara son intention de ne pas renouveler le bail.

Dès lors maître Gouy épargna les fumiers, laissa pousser les mauvaises herbes, ruina le fonds, et il s'en alla d'un air farouche qui indiquait des plans de vengeance.

Bouvard avait pensé que 20 000 francs, c'est-à-dire plus de quatre fois le prix du fermage, suffiraient au début. Son notaire de Paris les envoya.

Leur exploitation comprenait quinze hectares en cours et prairies, vingt-trois en terres arables et cinq en friche situées sur un monticule couvert de cailloux et qu'on appelait la Butte.

Ils se procurèrent tous les instruments indispensables, quatre chevaux, douze vaches, six porcs, cent soixante moutons et, comme personnel, deux charretiers, deux femmes, un berger; de plus, un gros chien.

Pour avoir tout de suite de l'argent, ils vendirent leurs fourrages : on les paya chez eux; l'or des napoléons comptés sur le coffre à l'avoine leur parut plus reluisant qu'un autre, extraordinaire et meilleur.

Au mois de novembre ils brassèrent du cidre. C'était Bouvard qui fouettait le cheval et Pécuchet, monté dans l'auge, retournait le marc avec une pelle.

Ils haletaient en serrant la vis, puchaient [8] dans la cuve, surveillaient les bondes, portaient de lourds sabots, s'amusaient énormément.

Partant de ce principe qu'on ne saurait avoir trop de blé, ils supprimèrent la moitié environ de leurs prairies artificielles; et, comme ils n'avaient pas d'engrais, ils se servirent de tourteaux qu'ils enterrèrent sans les concasser, si bien que le rendement fut pitoyable.

L'année suivante, ils firent les semailles très dru. Des orages survinrent. Les épis versèrent.

Néanmoins, ils s'acharnaient au froment et ils entreprirent d'épierrer la Butte. Un banneau emportait les cailloux. Tout le long de l'année, du matin jusqu'au soir, par la pluie, par le soleil, on voyait l'éternel banneau, avec le même homme et le même cheval, gravir, descendre et remonter la petite colline. Quelquefois Bouvard marchait derrière, faisant des haltes à mi-côte pour s'éponger le front.

Ne se fiant à personne, ils traitaient eux-mêmes les animaux, leur administraient des purgations, des clystères.

De graves désordres eurent lieu. La fille de basse-cour devint enceinte. Ils prirent des gens mariés; les enfants pullulèrent, les cousins, les cousines, les oncles, les belles-sœurs; une horde vivait à leurs dépens, et ils résolurent de coucher dans la ferme à tour de rôle.

Mais le soir ils étaient tristes. La malpropreté de la chambre les offusquait, et Germaine, qui apportait les repas, grommelait à chaque voyage. On les dupait de toutes les façons. Les batteurs en grange fourraient du blé dans leur cruche à boire. Pécuchet en surprit un, et s'écria, en le poussant dehors par les épaules :

— Misérable! tu es la honte du village qui t'a vu naître!

---

8. Expression normande : puisaient.

Sa personne n'inspirait aucun respect. D'ailleurs, il avait des remords à l'encontre du jardin. Tout son temps ne serait pas de trop pour le tenir en bon état. Bouvard s'occuperait de la ferme. Ils en délibérèrent, et cet arrangement fut décidé.

Le premier point était d'avoir de bonnes couches. Pécuchet en fit construire une en briques. Il peignit lui-même les châssis, et redoutant les coups de soleil, barbouilla de craie toutes les cloches.

Il eut la précaution pour les boutures d'enlever les têtes avec les feuilles. Ensuite, il s'appliqua aux marcottages. Il essaya plusieurs sortes de greffes, greffes en flûte, en couronne, en écusson, greffe herbacée, greffe anglaise. Avec quel soin il ajustait les deux libers! comme il serrait les ligatures! Quel amas d'onguent pour les recouvrir!

Deux fois par jour, il prenait son arrosoir et le balançait sur les plantes, comme s'il les eût encensées. A mesure qu'elles verdissaient sous l'eau qui tombait en pluie fine, il lui semblait se désaltérer et renaître avec elles. Puis, cédant à une ivresse, il arrachait la pomme de l'arrosoir et versait à plein goulot, copieusement.

Au bout de la charmille, près de la dame en plâtre, s'élevait une manière de cahute faite en rondins. Pécuchet y enfermait ses instruments, et il passait de heures délicieuses à éplucher les graines, à écrire des étiquettes, à mettre en ordre ses petits pots. Pour se reposer, il s'asseyait devant la porte, sur une caisse, et alors projetait des embellissements.

Il avait créé au bas du perron deux corbeilles de géraniums; entre les cyprès et les quenouilles, il planta des tournesols; et comme les plates-bandes étaient couvertes de boutons d'or, et toutes les allées de sable neuf, le jardin éblouissait par une abondance de couleurs jaunes.

Mais la couche fourmilla de larves; malgré les réchauds de feuilles mortes, sous les châssis peints et sous les cloches barbouillées, il ne poussa que des végétations rachitiques. Les boutures ne reprirent pas, les greffes se décollèrent, la sève des marcottes s'arrêta, les arbres avaient le blanc dans leurs racines; les semis furent une désolation. Le vent s'amusait à jeter bas les rames des haricots. L'abondance de la gadoue nuisit aux fraisiers, le défaut de pinçage aux tomates.

Il manqua les brocolis, les aubergines, les navets, et du cresson de fontaine, qu'il avait voulu élever dans un baquet. Après le dégel, tous les artichauts étaient perdus. Les choux le consolèrent. Un, surtout, lui donna des espérances. Il s'épanouissait, montait, finit par être prodigieux et absolument incomestible. N'importe, Pécuchet fut content de posséder un monstre.

Alors il tenta ce qui lui semblait être le summum de l'art : l'élève du melon.

Il sema les graines de plusieurs variétés dans des assiettes remplies de terreau, qu'il enfouit dans sa couche. Puis il dressa une autre couche; et quand elle eut jeté son feu, repiqua les plants les plus beaux, avec des cloches par-dessus. Il fit toutes les tailles suivant les préceptes du bon jardinier, respecta les fleurs, laissa se nouer les fruits, en choisit un sur chaque bras, supprima les autres, et dès qu'ils eurent la grosseur d'une noix,

il glissa sous leur écorce une planchette pour les empêcher de pourrir au contact du crottin. Il les bassinait, les aérait, enlevait avec son mouchoir la brume des cloches, et si des nuages paraissaient, il apportait vivement des paillassons.

La nuit, il n'en dormait pas. Plusieurs fois même il se releva; et pieds nus dans ses bottes, en chemise, grelottant, il traversait tout le jardin pour aller mettre sur les bâches la couverture de son lit.

Les cantaloups mûrirent. Au premier, Bouvard fit la grimace. Le second ne fut pas meilleur, le troisième non plus; Pécuchet trouvait pour chacun une excuse nouvelle jusqu'au dernier qu'il jeta par la fenêtre, déclarant n'y rien comprendre.

En effet, comme il avait cultivé les unes près des autres des espèces différentes, les sucrins s'étaient confondus avec les maraîchers, le gros Portugal avec le grand Mogol, et, le voisinage des pommes d'amour complétant l'anarchie, il en était résulté d'abominables mulets qui avaient le goût de citrouille.

Alors Pécuchet se tourna vers les fleurs. Il écrivit à Dumouchel pour avoir des arbustes avec des graines, acheta une provision de terre de bruyère, et se mit à l'œuvre résolument.

Mais il planta des passiflores à l'ombre, des pensées au soleil, couvrit de fumier les jacinthes, arrosa les lis après leur floraison, détruisit les rhododendrons par des excès de rabattage, stimula les fuchsias avec de la colle forte, et rôtit un grenadier, en l'exposant au feu dans la cuisine.

Aux approches du froid, il abrita les églantiers sous des dômes de papiers forts enduits de chandelle : cela faisait comme des pains de sucre tenus en l'air par des bâtons.

Les tuteurs des dahlias étaient gigantesques; et on apercevait, entre ces lignes droites, les rameaux tortueux d'un sophora japonica qui demeurait immuable, sans dépérir, ni sans pousser.

Cependant, puisque les arbres les plus rares prospèrent dans les jardins de la capitale, ils devaient réussir à Chavignolles; et Pécuchet se procura le lilas des Indes, la rose de Chine et l'eucalyptus, alors dans la primeur de sa réputation. Toutes ses expériences ratèrent. Il était chaque fois fort étonné.

Bouvard, comme lui, rencontrait des obstacles. Ils se consultaient mutuellement, ouvraient un livre, passaient à un autre, puis ne savaient que résoudre devant la divergence des opinions.

Ainsi pour la marne, Puvis la recommande; le manuel Roret la combat.

Quant au plâtre, malgré l'exemple de Franklin, Riéfel et M. Rigaud n'en paraissent pas enthousiasmés.

Les jachères, selon Bouvard, étaient un préjugé gothique. Cependant Leclerc note les cas où elles sont presque indispensables. Gasparin cite un Lyonnais qui, pendant un demi-siècle, a cultivé des céréales sur le même champ : cela renverse la théorie des assolements. Tull exalte les labours au préjudice des engrais; et voilà le major Beetson qui supprime les engrais avec les labours!

Pour se connaître aux signes du temps, ils étudièrent les nuages d'après la classification de Luke-Howard. Ils contemplaient ceux qui s'allongent comme des crinières, ceux qui ressemblent à des îles, ceux qu'on prendrait pour des montagnes de neige, tâchant de distinguer les nimbus des cirrus, les stratus des cumulus; les formes changeaient avant qu'ils eussent trouvé les noms.

Le baromètre les trompa, le thermomètre n'apprenait rien; et ils recoururent à l'expédient imaginé sous Louis XV par un prêtre de Touraine. Une sangsue dans un bocal devait monter en cas de pluie, se tenir au fond par beau fixe, s'agiter aux menaces de la tempête. Mais l'atmosphère, presque toujours, contredit la sangsue. Ils en mirent trois autres avec celle-là. Toutes les quatre se comportèrent différemment.

Après force méditations, Bouvard reconnut qu'il s'était trompé. Son domaine exigeait la grande culture, le système intensif, et il aventura ce qui lui restait de capitaux disponibles, trente mille francs.

Excité par Pécuchet, il eut le délire de l'engrais. Dans la fosse aux composts furent entassés des branchages, du sang, des boyaux, des plumes, tout ce qu'il pouvait découvrir. Il employa la liqueur belge, le lizier suisse, la lessive, des harengs saurs, du varech, des chiffons, fit venir du guano, tâcha d'en fabriquer, et, poussant jusqu'au bout ses principes, ne tolérait pas qu'on perdît l'urine; il supprima les lieux d'aisances. On apportait dans sa cour des cadavres d'animaux, dont il fumait ses terres. Leurs charognes dépecées parsemaient la campagne. Bouvard souriait au milieu de cette infection. Une pompe installée dans un tombereau crachait du purin dans les récoltes. A ceux qui avaient l'air dégoûté, il disait :

— Mais c'est de l'or! c'est de l'or!

Et il regrettait de n'avoir pas encore plus de fumier. Heureux les pays où l'on trouve des grottes naturelles pleines d'excréments d'oiseaux!

Le colza fut chétif, l'avoine médiocre, et le blé se vendit fort mal, à cause de son odeur. Une chose étrange, c'est que la Butte, enfin épierrée, donnait moins qu'autrefois.

Il crut bon de renouveler son matériel. Il acheta un scarificateur Guillaume, un extirpateur Valcourt, un semoir anglais et la grande araire de Mathieu de Dombasle, mais le charretier la dénigra.

— Apprends à t'en servir!

— Eh bien! montrez-moi.

Il essayait de montrer, se trompait, et les paysans ricanaient.

Jamais il ne put les astreindre au commandement de la cloche. Sans cesse il criait derrière eux, courait d'un endroit à l'autre, notait ses observations sur un calepin, donnait des rendez-vous, n'y pensait plus, et sa tête bouillonnait d'idées industrielles. Il se promettait de cultiver le pavot, en vue de l'opium, et surtout l'astragale, qu'il vendrait sous le nom de « café des familles ».

Afin d'engraisser plus vite ses bœufs, ils les saignaient tous les quinze jours.

Il ne tua aucun de ses cochons et les gorgeait d'avoine salée. Bientôt la porcherie fut trop étroite. Ils embarrassaient la cour, défonçaient les clôtures, mordaient le monde.

Durant les grandes chaleurs, vingt-cinq moutons se mirent à tourner, et, peu de temps après, crevèrent.

La même semaine, trois bœufs expiraient, conséquence des phlébotomies de Bouvard.

Il imagina, pour détruire les mans [9], d'enfermer des poules dans une cage à roulettes, que deux hommes poussaient derrière la charrue; ce qui ne manqua point de leur briser les pattes.

Il fabriqua de la bière avec des feuilles de petit-chêne et la donna aux moissonneurs en guise de cidre. Des maux d'entrailles se déclarèrent. Les enfants pleuraient, les femmes geignaient, les hommes étaient furieux. Ils menaçaient tous de partir, et Bouvard leur céda.

Cependant, pour les convaincre de l'innocuité de son breuvage, il en absorba devant eux plusieurs bouteilles, se sentit gêné, mais cacha ses douleurs sous un air d'enjouement. Il fit même transporter la mixture chez lui. Il en buvait le soir avec Pécuchet, et tous deux s'efforçaient de la trouver bonne. D'ailleurs, il ne fallait pas qu'elle fût perdue.

Les coliques de Bouvard devenant trop fortes, Germaine alla chercher le docteur.

C'était un homme sérieux, à front convexe, et qui commença par effrayer son malade. La chlorémie de Monsieur devait tenir à cette bière dont on parlait dans le pays. Il voulut en savoir la composition, et la blâma en termes scientifiques, avec des haussements d'épaules. Pécuchet, qui avait fourni la recette, fut mortifié.

En dépit des chaulages pernicieux, des binages épargnés et des échardonnages intempestifs, Bouvard, l'année suivante, avait devant lui une belle récolte de froment. Il imagina de la dessécher par la fermentation, genre hollandais, système Clap-Mayer; c'est-à-dire qu'il la fit abattre d'un seul coup et tasser en meules, qui seraient démolies dès que le gaz s'en échapperait, puis exposées au grand air; après quoi, Bouvard se retira, sans la moindre inquiétude.

Le lendemain, pendant qu'ils dînaient, ils entendirent sous la hêtrée le battement d'un tambour. Germaine sortit pour voir ce qu'il y avait; mais l'homme était déjà loin. Presque aussitôt, la cloche de l'église tinta violemment.

Une angoisse saisit Bouvard et Pécuchet. Ils se levèrent et, impatients d'être renseignés, s'avancèrent tête nue du côté de Chavignolles.

Une vieille femme passa. Elle ne savait rien. Ils arrêtèrent un petit garçon, qui répondit :

— Je crois que c'est le feu!

Et le tambour continuait à battre, la cloche tintait plus fort. Enfin ils atteignirent les premières maisons du village. L'épicier leur cria de loin :

— Le feu est chez vous!

Pécuchet prit le pas gymnastique; et il disait à Bouvard, courant du même train à son côté :

— Une, deux! une, deux! en mesure, comme les chasseurs de Vincennes.

9. Nom vulgaire de la larve du hanneton.

La route qu'ils suivaient montait toujours; le terrain, en pente, leur cachait l'horizon. Ils arrivèrent en haut, près de la Butte; et, d'un seul coup d'œil, le désastre leur apparut.

Toutes les meules, çà et là, flambaient comme des volcans, au milieu de la plaine dénudée, dans le calme du soir.

Il y avait, autour de la plus grande, trois cents personnes, peut-être; et sous les ordres de M. Foureau, le maire, en écharpe tricolore, des gars avec des perches et des crocs tiraient la paille du sommet, afin de préserver le reste.

Bouvard, dans son empressement, faillit renverser Mme Bordin, qui se trouvait là. Puis, apercevant un de ses valets, il l'accabla d'injures pour ne l'avoir pas averti. Le valet, au contraire, par excès de zèle, avait d'abord couru à la mairie, à l'église, puis chez Monsieur, et était revenu par l'autre route.

Bouvard perdait la tête. Ses domestiques l'entouraient, parlant à la fois, et il défendait d'abattre les meules, suppliait qu'on le secourût, exigeait de l'eau, réclamait les pompiers.

— Est-ce que nous en avons! s'écria le maire.

— C'est de votre faute! reprit Bouvard.

Il s'emportait, proféra des choses inconvenantes, et tous admirèrent la patience de M. Foureau, qui était brutal cependant, comme l'indiquaient ses grosses lèvres et sa mâchoire de bouledogue.

La chaleur des meules devint si forte, qu'on ne pouvait plus en approcher. Sous les flammes dévorantes la paille se tordait avec des crépitations, les grains de blé vous cinglaient la figure comme des grains de plomb. Puis la meule s'écroulait par terre en un large brasier, d'où s'envolaient des étincelles; et des moires ondulaient sur cette masse rouge, qui offrait dans les alternances de sa couleur des parties roses comme du vermillon, ou d'autres brunes comme du sang caillé. La nuit était venue, le vent soufflait; des tourbillons de fumée enveloppaient la foule. Une flammèche, de temps à autre, passait sur le ciel noir.

Bouvard contemplait l'incendie en pleurant doucement. Ses yeux disparaissaient sous leurs paupières gonflées, et il avait tout le visage comme élargi par la douleur. Mme Bordin, en jouant avec les franges de son châle vert, l'appelait : « Pauvre Monsieur », tâchait de le consoler. Puisqu'on n'y pouvait rien, il devait se faire une raison.

Pécuchet ne pleurait pas. Très pâle, ou plutôt livide, la bouche ouverte et les cheveux collés par la sueur froide, il se tenait à l'écart, dans ses réflexions. Mais le curé, survenu tout à coup, murmura d'une voix câline :

— Ah! quel malheur, véritablement! c'est bien fâcheux! Soyez sûr que je participe!...

Les autres n'affectaient aucune tristesse. Ils causaient en souriant, la main étendue devant les flammes. Un vieux ramassa des brins qui brûlaient pour allumer sa pipe. Des enfants se mirent à danser. Un polisson s'écria même que c'était bien amusant.

— Oui, il est beau, l'amusement! reprit Pécuchet, qui venait de l'entendre.

Le feu diminua, les tas s'abaissèrent, et une heure après, il ne restait plus que des cendres, faisant sur la plaine des marques rondes et noires. Alors on se retira.

Mme Bordin et l'abbé Jeufroy reconduisirent MM. Bouvard et Pécuchet jusqu'à leur domicile.

Pendant la route, la veuve adressa à son voisin des reproches fort aimables sur sa sauvagerie, et l'ecclésiastique exprima toute sa surprise de n'avoir pu connaître jusqu'à présent un de ses paroissiens aussi distingué.

Seul à seul, ils cherchèrent la cause de l'incendie, et, au lieu de reconnaître avec tout le monde que la paille humide s'était enflammée spontanément, ils soupçonnèrent une vengeance. Elle venait sans doute de maître Gouy, ou peut-être du taupier. Six mois auparavant, Bouvard avait refusé ses services et même soutenu, dans un cercle d'auditeurs que, son industrie étant funeste, le gouvernement la devrait interdire. L'homme, depuis ce temps-là, rôdait aux environs. Il portait sa barbe entière, et leur semblait effrayant, surtout le soir, quand il apparaissait au bord des cours en secouant sa longue perche garnie de taupes suspendues.

Le dommage était considérable, et, pour se reconnaître dans leur situation, Pécuchet, pendant huit jours, travailla les registres de Bouvard qui lui parurent « un véritable labyrinthe ». Après avoir collationné le journal, la correspondance et le grand livre couvert de notes au crayon et de renvois, il reconnut la vérité : pas de marchandises à vendre, aucun effet à recevoir, et en caisse, zéro. Le capital se marquait par un déficit de trente-trois mille francs.

Bouvard n'en voulut rien croire, et plus de vingt fois ils recommencèrent les calculs. Ils arrivaient toujours à la même conclusion. Encore deux ans d'une agronomie pareille, leur fortune y passait! Le seul remède était de vendre.

Au moins fallait-il consulter un notaire. La démarche était trop pénible; Pécuchet s'en chargea.

D'après l'opinion de M. Marescot, mieux valait ne point faire d'affiches. Il parlerait de la ferme à des clients sérieux et laisserait venir leurs propositions.

— Très bien, dit Bouvard, on a le temps devant soi.

Il allait prendre un fermier, ensuite on verrait.

— Nous ne serons pas plus malheureux qu'autrefois; seulement nous voilà forcés à des économies.

Elles contrariaient Pécuchet à cause du jardinage, et quelques jours après, il dit :

— Nous devrions nous livrer exclusivement à l'arboriculture, non pour le plaisir, mais comme spéculation. Une poire qui revient à trois sols est quelquefois vendue dans la capitale jusqu'à des cinq ou six francs! Des jardiniers se font avec des abricots vingt-cinq mille livres de rentes! A Saint-Pétersbourg, pendant l'hiver, on paye le raisin un napoléon la grappe! C'est une belle industrie, tu en conviendras! Et qu'est-ce que ça coûte? des soins, du fumier, et le repassage d'une serpette!

Il monta tellement l'imagination de Bouvard que, tout de suite, ils cherchèrent dans leurs livres une nomenclature de plants à acheter, et ayant choisi des noms qui leur paraissaient merveilleux, ils s'adressèrent à un pépiniériste de Falaise, lequel s'empressa de leur fournir trois cents tiges dont il ne trouvait pas le placement.

Ils avaient fait venir un serrurier pour les tuteurs, un quincaillier pour les raidisseurs, un charpentier pour les supports. Les formes des arbres étaient d'avance dessinées. Des morceaux de latte sur le mur figuraient des candélabres. Deux poteaux à chaque bout des plates-bandes guindaient horizontalement des fils de fer; et, dans le verger, des cerceaux indiquaient la structure des vases, des baguettes en cône, celle des pyramides, si bien qu'en arrivant chez eux on croyait voir les pièces de quelque machine inconnue ou la carcasse d'un feu d'artifice.

Les trous étant creusés, ils coupèrent l'extrémité de toutes les racines, bonnes ou mauvaises, et les enfouirent dans un compost. Six mois après les plants étaient morts. Nouvelles commandes au pépiniériste, et plantations nouvelles dans des trous encore plus profonds. Mais la pluie détrempant le sol, les greffes d'elles-mêmes s'enterrèrent et les arbres s'affranchirent.

Le printemps venu, Pécuchet se mit à la taille des poiriers. Il n'abattit par les flèches, respecta les lambourdes, et, s'obstinant à vouloir coucher d'équerre les duchesses qui devaient former les cordons unilatéraux, il les cassait ou les arrachait invariablement. Quant aux pêchers, il s'embrouilla sur les sur-mères, les sous-mères et les deuxièmes sous-mères. Des vides et des pleins se présentaient toujours où il n'en fallait pas, et impossible d'obtenir sur l'espalier un rectangle parfait, avec six branches à droite et six à gauche, non compris les deux principales, le tout formant une belle arête de poisson.

Bouvard tâcha de conduire les abricotiers; ils se révoltèrent. Il rabattit leurs troncs à ras du sol; aucun ne repoussa. Les cerisiers, auxquels il avait fait des entailles, produisirent de la gomme.

D'abord ils taillèrent très long, ce qui éteignait les yeux de la base; puis trop court, ce qui amenait des gourmands; et souvent ils hésitaient, ne sachant pas distinguer les boutons à bois des boutons à fleurs. Ils s'étaient réjouis d'avoir des fleurs; mais ayant reconnu leur faute, ils en arrachaient les trois quarts pour fortifier le reste.

Incessamment ils parlaient de la sève et du cambium [10], du palissage, du cassage, de l'éborgnage. Ils avaient, au milieu de leur salle à manger, dans un cadre, la liste de leurs élèves, avec un numéro qui se répétait dans le jardin, sur un petit morceau de bois, au pied de l'arbre.

Levés dès l'aube, ils travaillaient jusqu'à la nuit, le porte-jonc à la ceinture. Par les froides matinées de printemps, Bouvard gardait sa veste de tricot sous sa blouse, Pécuchet sa vieille redingote sous sa serpillière, et les gens qui passaient le long de la claire-voie les entendaient tousser dans le brouillard.

Quelquefois Pécuchet tirait de sa poche son manuel; et il en étudiait un paragraphe, debout, avec sa bêche

10. Assise génératrice chez les plantes, située entre le bois et le liber.

auprès de lui, dans la pose du jardinier qui décorait le frontispice du livre. Cette ressemblance le flatta même beaucoup. Il en conçut plus d'estime pour l'auteur.

Bouvard était continuellement juché sur une haute échelle devant les pyramides. Un jour, il fut pris d'un étourdissement et, n'osant plus descendre, cria pour que Pécuchet vînt à son secours.

Enfin des poires parurent; et le verger avait des prunes. Alors ils employèrent contre les oiseaux tous les artifices recommandés. Mais les fragments de glace miroitaient à éblouir, la cliquette du moulin à vent les réveillait pendant la nuit, et les moineaux perchaient sur le mannequin. Ils en firent un second, et même un troisième, dont ils varièrent le costume inutilement.

Cependant ils pouvaient espérer quelques fruits. Pécuchet venait d'en remettre la note à Bouvard, quand tout à coup le tonnerre retentit et la pluie tomba, une pluie lourde et violente. Le vent, par intervalles, secouait toute la surface de l'espalier, les tuteurs s'abattaient l'un après l'autre, et les malheureuses quenouilles en se balançant entre-choquaient leurs poires.

Pécuchet, surpris par l'averse, s'était réfugié dans la cahute. Bouvard se tenait dans la cuisine. Ils voyaient tourbillonner devant eux des éclats de bois, des branches, des ardoises; et les femmes de marins, qui, sur la côte, à dix lieues de là, regardaient la mer, n'avaient pas l'œil plus tendre et le cœur plus serré. Puis, tout à coup, les supports et les barres des contre-espaliers, avec le treillage, s'abattirent sur les plates-bandes.

Quel tableau quand ils firent leur inspection! Les cerises et les prunes couvraient l'herbe entre les grêlons qui fondaient. Les passe-colmars étaient perdus, comme le bési-des-vétérans et les triomphes-de-jordoigne. A peine s'il restait parmi les pommes quelques bons-papas; et douze tétons-de-Vénus, toute la récolte des pêches, roulait dans les flaques d'eau, au bord des buis déracinés.

Après le dîner, où ils mangèrent fort peu, Pécuchet dit avec douceur :

— Nous ferions bien de voir à la ferme s'il n'est pas arrivé quelque chose?

— Bah! pour découvrir encore des sujets de tristesse!

— Peut-être! car nous ne sommes guère favorisés. Et ils se plaignirent de la Providence et de la nature.

Bouvard, le coude sur la table, poussait sa petite susurration et, comme toutes les douleurs se tiennent, les anciens projets agricoles lui revinrent à la mémoire, particulièrement la féculerie et un nouveau genre de fromages.

Pécuchet respirait bruyamment; et tout en se fourrant dans les narines des prises de tabac, il songeait que si le sort l'avait voulu il ferait maintenant partie d'une société d'agriculture, brillerait aux expositions, serait cité dans les journaux.

Bouvard promena autour de lui des yeux chagrins.

— Ma foi! j'ai envie de me débarrasser de tout cela pour nous établir autre part!

— Comme tu voudras, dit Pécuchet.

Et un instant après :

— Les auteurs nous recommandent de supprimer tout

canal direct. La sève, par là, se trouve contrariée, et l'arbre forcément en souffre. Pour se bien porter, il faudrait qu'il n'eût pas de fruits. Cependant ceux qu'on ne taille et qu'on ne fume jamais en produisent, de moins gros, c'est vrai, mais de plus savoureux. J'exige qu'on m'en donne la raison! Et non seulement chaque espèce réclame des soins particuliers, mais encore chaque individu, suivant le climat, la température, un tas de choses! Où est la règle? et quel espoir avons-nous d'aucun succès ou bénéfice?

Bouvard lui répondit :

— Tu verras dans Gasparin que le bénéfice ne peut dépasser le dixième du capital. Donc, on ferait mieux de placer ce capital dans une maison de banque. Au bout de quinze ans, par l'accumulation des intérêts, on aurait le double sans s'être foulé le tempérament.

Pécuchet baissa la tête.

— L'arboriculture pourrait être une blague!

— Comme l'agronomie! répliqua Bouvard.

Ensuite, ils s'accusèrent d'avoir été trop ambitieux, et ils résolurent de ménager désormais leur peine et leur argent. Un émondage de temps à autre suffirait au verger. Les contre-espaliers furent proscrits et ils ne remplaceraient pas les arbres morts ou abattus; mais il allait se présenter des intervalles fort vilains, à moins de détruire tous les autres qui restaient debout. Comment s'y prendre?

Pécuchet fit plusieurs épures, en se servant de sa boîte de mathématiques. Bouvard lui donnait des conseils. Ils n'arrivaient à rien de satisfaisant. Heureusement qu'ils trouvèrent dans leur bibliothèque l'ouvrage de Boitard, intitulé *l'Architecte des Jardins*.

L'auteur les divise en une infinité de genres. Il y a, d'abord, le genre mélancolique et romantique, qui se signale par des immortelles, des ruines, des tombeaux, et un « ex-voto à la Vierge, indiquant la place où un seigneur est tombé sous le fer d'un assassin ». On compose le genre terrible avec des rocs suspendus, des arbres fracassés, des cabanes incendiées; le genre exotique, en plantant des cierges du Pérou « pour faire naître des souvenirs à un colon ou à un voyageur ». Le genre grave doit offrir, comme Ermenonville, un temple à la philosophie. Les obélisques et les arcs de triomphe caractérisent le genre majestueux; de la mousse et des grottes, le genre mystérieux; un lac, le genre rêveur. Il y a même le genre fantastique, dont le plus beau spécimen se voyait naguère dans un jardin wurtembergeois — car on y rencontrait successivement un sanglier, un ermite, plusieurs sépulcres, et une barque se détachant d'elle-même du rivage, pour vous conduire dans un boudoir où des jets d'eau vous inondaient quand on se posait sur le sofa.

Devant cet horizon de merveilles, Bouvard et Pécuchet eurent comme un éblouissement. Le genre fantastique leur parut réservé aux princes. Le temple à la philosophie serait encombrant. L'ex-voto à la madone n'aurait pas de signification, vu le manque d'assassins; et, tant pis pour les colons et les voyageurs, les plantes américaines coûtaient trop cher. Mais les rocs étaient possibles, comme les arbres fracassés, les immortelles

et la mousse, et dans un enthousiasme progressif, après beaucoup de tâtonnements, avec l'aide d'un seul valet et pour une somme minime, ils se fabriquèrent une résidence qui n'avait pas d'analogue dans tout le département.

La charmille ouverte çà et là donnait jour sur le bosquet, rempli d'allées sinueuses en façon de labyrinthe. Dans le mur de l'espalier, ils avaient voulu faire un arceau sous lequel on découvrirait la perspective. Comme le chaperon ne pouvait se tenir suspendu, il en était résulté une brèche énorme, avec des ruines par terre.

Ils avaient sacrifié les asperges pour bâtir à la place un tombeau étrusque, c'est-à-dire un quadrilatère en plâtre noir, ayant six pieds de hauteur, et l'apparence d'une niche à chien. Quatre sapinettes aux angles flanquaient ce monument, qui serait surmonté par une urne et enrichi d'une inscription.

Dans l'autre partie du potager, une espèce de Rialto [11] enjambait un bassin offrant sur ses bords des coquilles de moules incrustées. La terre buvait l'eau, n'importe! Il se formerait un fond de glaise qui la retiendrait.

La cahute avait été transformée en cabane rustique, grâce à des verres de couleur.

Au sommet du vigneau, six arbres équarris supportaient un chapeau de fer-blanc à pointes retroussées, et le tout signifiait une pagode chinoise.

Ils avaient été sur les rives de l'Orne choisir des granits, les avaient cassés, numérotés, rapportés eux-mêmes dans une charrette, puis avaient joint les morceaux avec du ciment, en les accumulant les uns par-dessus les autres; et au milieu du gazon se dressait un rocher, pareil à une gigantesque pomme de terre.

Quelque chose manquait au delà pour compléter l'harmonie. Ils abattirent le plus gros tilleul de la charmille (aux trois quarts mort, du reste), et le couchèrent dans toute la longueur du jardin, de telle sorte qu'on pouvait le croire apporté par un torrent ou renversé par la foudre.

La besogne finie, Bouvard, qui était sur le perron, cria de loin :

— Ici! on voit mieux!

— Voit mieux, fut répété dans l'air.

Pécuchet répondit :

— J'y vais!

— Y vais!

— Tiens, un écho!

— Echo!

Le tilleul, jusqu'alors, l'avait empêché de se produire, et il était favorisé par la pagode, faisant face à la grange, dont le pignon surmontait la charmille.

Pour essayer l'écho, ils s'amusaient à lancer des mots plaisants; Bouvard en hurla de polissons, d'obscènes.

Il avait été plusieurs fois à Falaise, sous prétexte d'argent à recevoir, et il en revenait toujours avec de petits paquets qu'il enfermait dans sa commode. Pécuchet partit un matin pour se rendre à Bretteville, il

11. Célèbre pont de Venise, sur le Grand Canal.

rentra fort tard, avec un panier qu'il cacha sous son lit.

Le lendemain, à son réveil, Bouvard fut surpris. Les deux premiers ifs de la grande allée, qui, la veille encore, étaient sphériques, avaient la forme de paons, et un cornet avec deux boutons de porcelaine figuraient le bec et les yeux. Pécuchet s'était levé dès l'aube, et, tremblant d'être découvert, il avait taillé les deux arbres à la mesure des appendices expédiés par Dumouchel.

Depuis six mois, les autres derrière ceux-là imitaient plus ou moins des pyramides, des cubes, des cylindres, des cerfs ou des fauteuils, mais rien n'égalait les paons. Bouvard le reconnut avec de grands éloges.

Sous prétexte d'avoir oublié sa bêche, il entraîna son compagnon dans le labyrinthe, car il avait profité de l'absence de Pécuchet, pour faire, lui aussi, quelque chose de sublime.

La porte des champs était recouverte d'une couche de plâtre, sur laquelle s'alignaient en bel ordre cinq cents fourneaux de pipes, représentant des Abd-el-Kader, des nègres, des femmes nues, des pieds de cheval et des têtes de mort.

— Comprends-tu mon impatience?

— Je crois bien!

Et, dans leur émotion, ils s'embrassèrent.

Comme tous les artistes, ils eurent le besoin d'être applaudis, et Bouvard songea à offrir un grand dîner.

— Prends garde! dit Pécuchet, tu vas te lancer dans les réceptions. C'est un gouffre!

La chose pourtant fut décidée.

Depuis qu'ils habitaient le pays, ils se tenaient à l'écart. Tout le monde, par désir de les connaître, accepta leur invitation, sauf le comte de Faverges, appelé dans la capitale pour affaires. Ils se rabattirent sur M. Hurel, son factotum.

Beljambe, l'aubergiste, ancien chef à Lisieux, devait cuisiner certains plats. Il fournissait un garçon. Germaine avait requis la fille de basse-cour. Marianne, la servante de Mme Bordin, viendrait aussi. Dès quatre heures, la grille était grande ouverte, et les deux propriétaires, pleins d'impatience, attendaient leurs convives.

Hurel s'arrêta sous la hêtrée pour remettre sa redingote. Puis le curé s'avança, revêtu d'une soutane neuve, et, un moment après, M. Foureau, avec un gilet de velours. Le docteur donnait le bras à sa femme, qui marchait péniblement en s'abritant sous son ombrelle. Un flot de rubans roses s'agita derrière eux : c'était le bonnet de Mme Bordin, habillée d'une belle robe de soie gorge-de-pigeon. La chaîne d'or de sa montre lui battait sur la poitrine, et les bagues brillaient à ses deux mains couvertes de mitaines noires. Enfin parut le notaire, un panama sur la tête, un lorgnon dans l'œil, car l'officier ministériel n'étouffait pas en lui l'homme du monde.

Le salon était ciré à ne pouvoir s'y tenir debout. Les huit fauteuils d'Utrecht s'adossaient le long de la muraille. Une table ronde, dans le milieu, supportait la cave à liqueurs, et on voyait au-dessus de la cheminée le portrait du père Bouvard. Les embus reparaissaient à contre-jour, faisaient grimacer la bouche, loucher les yeux, et un peu de moisissure aux pommettes ajoutait à l'illusion des favoris. Les invités lui trouvaient une ressemblance avec son fils, et Mme Bordin ajouta, en regardant Bouvard, qu'il avait dû être un fort bel homme.

Après une heure d'attente, Pécuchet annonça qu'on pouvait passer dans la salle.

Les rideaux de calicot blanc à bordure rouge étaient, comme ceux du salon, complètement tirés devant les fenêtres, et le soleil, traversant la toile, jetait une lumière blonde sur le lambris, qui avait pour tout ornement un baromètre.

Bouvard plaça les deux dames auprès de lui; Pécuchet, le maire à sa gauche, le curé à sa droite; et l'on entama les huîtres. Elles sentaient la vase. Bouvard fut désolé, prodigua les excuses, et Pécuchet se leva pour aller dans la cuisine faire une scène à Beljambe.

Pendant tout le premier service, composé d'une barbue entre un vol-au-vent et des pigeons en compote, la conversation roula sur la manière de fabriquer le cidre.

Après quoi on en vint aux mets digestes ou indigestes. Le docteur, naturellement, fut consulté. Il jugeait les choses avec scepticisme, comme un homme qui a vu le fond de la science, et cependant ne tolérait pas la moindre contradiction.

En même temps que l'aloyau, on servit du bourgogne. Il était trouble. Bouvard, attribuant cet accident au rinçage de la bouteille, en fit goûter trois autres sans plus de succès, puis versa du Saint-Julien, trop jeune évidemment, et tous les convives se turent. Hurel souriait sans discontinuer; les pas lourds du garçon résonnaient sur les dalles.

Mme Vaucorbeil, courtaude et l'air bougon (elle était d'ailleurs vers la fin de sa grossesse), avait gardé un mutisme absolu. Bouvard, ne sachant de quoi l'entretenir, lui parla du théâtre de Caen.

— Ma femme ne va jamais au spectacle, reprit le docteur.

M. Marescot, quand il habitait Paris, ne fréquentait que les Italiens.

— Moi, dit Bouvard, je me payais quelquefois un parterre au Vaudeville pour entendre des farces!

Foureau demanda à Mme Bordin si elle aimait les farces.

— Ça dépend de quelle espèce, dit-elle.

Le maire la lutinait. Elle ripostait aux plaisanteries. Ensuite elle indiqua une recette pour les cornichons. Du reste, ses talents de ménagère étaient connus, et elle avait une petite ferme admirablement soignée.

Foureau interpella Bouvard :

— Est-ce que vous êtes dans l'intention de vendre la vôtre?

— Mon Dieu, jusqu'à présent, je ne sais trop...

— Comment! pas même la pièce des Écalles? reprit le notaire; ce serait à votre convenance, madame Bordin.

La veuve répliqua en minaudant :

— Les prétentions de M. Bouvard seraient trop fortes.

— On pourrait peut-être l'attendrir?

— Je n'essayerai pas!

— Bah! si vous l'embrassiez?

— Essayons tout de même, dit Bouvard.

Et il la baisa sur les deux joues, aux applaudissements de la société .

Presque aussitôt on déboucha le champagne, dont les détonations amenèrent un redoublement de joie. Pécuchet fit un signe, les rideaux s'ouvrirent et le jardin apparut.

C'était, dans le crépuscule, quelque chose d'effrayant. Le rocher, comme une montagne, occupait le gazon, le tombeau faisait un cube au milieu des épinards, le pont vénitien un accent circonflexe par-dessus les haricots, et la cabane, au delà, une grande tache noire, car ils avaient incendié son toit de paille pour la rendre plus poétique. Les ifs, en forme de cerfs ou de fauteuils, se suivaient jusqu'à l'arbre foudroyé, qui s'étendait transversalement de la charmille à la tonnelle, où des pommes d'amour pendaient comme des stalactites. Un tournesol, çà et là, étalait son disque jaune. La pagode chinoise, peinte en rouge, semblait un phare sur le vigneau. Les becs des paons, frappés par le soleil, se renvoyaient des feux, et derrière la claire-voie, débarrassée de ses planches, la campagne toute plate terminait l'horizon.

Devant l'étonnement de leurs convives, Bouvard et Pécuchet ressentirent une véritable jouissance.

Mme Bordin surtout admira les paons; mais le tombeau ne fut pas compris, ni la cabane incendiée, ni le mur en ruines. Puis chacun, à tour de rôle, passa sur le pont. Pour emplir le bassin, Bouvard et Pécuchet avaient charrié de l'eau pendant toute la matinée. Elle avait fui entre les pierres du fond, mal jointes, et de la vase les recouvrait.

Tout en se promenant, on se permit des critiques :

— A votre place j'aurais fait cela. Les petits pois sont en retard. Ce coin, franchement, n'est pas propre. Avec une taille pareille, jamais vous n'obtiendrez de fruits.

Bouvard fut obligé de répondre qu'il se moquait des fruits.

Comme on longeait la charmille, il dit d'un air finaud :

— Ah! voilà une personne que nous dérangeons; mille excuses!

La plaisanterie ne fut pas relevée. Tout le monde connaissait la dame en plâtre.

Enfin, après plusieurs détours dans le labyrinthe, on arriva devant la porte aux pipes. Des regards de stupéfaction s'échangèrent. Bouvard observait le visage de ses hôtes, et, impatient de connaître leur opinion :

— Qu'en dites-vous?

Mme Bordin éclata de rire. Tous firent comme elle. M. le curé poussait une sorte de gloussement. Hurel toussait, le docteur en pleurait, sa femme fut prise d'un spasme nerveux, et Foureau, homme sans gêne, cassa un Abd-el-Kader qu'il mit dans sa poche, comme souvenir.

Quand on fut sorti de la charmille, Bouvard, pour étonner son monde avec l'écho, cria de toutes ses forces :

— Serviteur! Mesdames!

Rien! pas d'écho. Cela tenait à des réparations faites à la grange, le pignon et la toiture étant démolis.

Le café fut servi sur le vigneau, et les messieurs allaient commencer une partie de boules, quand ils virent en face, derrière la claire-voie, un homme qui les regardait.

Il était maigre et hâlé, avec un pantalon rouge en lambeaux, une veste bleue, sans chemise, la barbe noire taillée en brosse; et il articula d'une voix rauque :

— Donnez-moi un verre de vin!

Le maire et l'abbé Jeufroy l'avaient tout de suite reconnu. C'était un ancien menuisier de Chavignolles.

— Allons, Gorju, éloignez-vous, dit M. Foureau, on ne demande pas l'aumône.

— Moi! l'aumône! s'écria l'homme exaspéré. J'ai fait sept ans la guerre en Afrique. Je relève de l'hôpital. Pas d'ouvrage! Faut-il que j'assassine? non d'un nom!

Sa colère d'elle-même tomba, les deux poings sur les hanches, il considérait les bourgeois d'un air mélancolique et gouailleur. La fatigue des bivouacs, l'absinthe et les fièvres, toute une existence de misère et de crapule se révélait dans ses yeux troubles. Ses lèvres pâles tremblaient en lui découvrant les gencives. Le grand ciel empourpré l'enveloppait d'une lueur sanglante, et son obstination à rester là causait une sorte d'effroi.

Bouvard, pour en finir, alla chercher le fond d'une bouteille. Le vagabond l'absorba gloutonnement, puis disparut dans les avoines, en gesticulant.

Ensuite on blâma M. Bouvard. De telles complaisances favorisaient le désordre. Mais Bouvard, irrité par l'insuccès de son jardin, prit la défense du peuple; tous parlèrent à la fois.

Foureau exaltait le gouvernement, Hurel ne voyait dans le monde que la propriété foncière. L'abbé Jeufroy se plaignit de ce qu'on ne protégeait pas la religion. Pécuchet attaqua les impôts.

Mme Bordin criait par intervalles :

— Moi, d'abord, je déteste la République!

Et le docteur se déclara pour le progrès :

— Car enfin, monsieur, nous avons besoin de réformes.

— Possible! répondit Foureau, mais toutes ces idées-là nuisent aux affaires.

— Je me fiche des affaires! s'écria Pécuchet.

Vaucorbeil poursuivit :

— Au moins, donnez-nous l'adjonction des capacités.

Bouvard n'allait pas jusque-là.

— C'est votre opinion? reprit le docteur, vous êtes toisé! Bonsoir! et je vous souhaite un déluge pour naviguer dans votre bassin!

— Moi aussi, je m'en vais, dit un moment après M. Foureau.

Et désignant sa poche où était l'Abd-el-Kader :

— Si j'ai besoin d'un autre, je reviendrai.

Le curé, avant de partir, confia timidement à Pécuchet qu'il ne trouvait pas convenable ce simulacre de tombeau au milieu des légumes. Hurel, en se retirant, salua très bas la compagnie, M. Marescot avait disparu après le dessert.

Mme Bordin recommença le détail de ses cornichons, promit une seconde recette pour les prunes à l'eau-de-vie, et fit encore trois tours dans la grande allée; mais, en passant près du tilleul, le bas de sa robe s'accrocha, et ils l'entendirent qui murmurait :

— Mon Dieu! quelle bêtise que cet arbre!

Jusqu'à minuit, les deux amphitryons, sous la tonnelle, exhalèrent leur ressentiment.

Sans doute, on pouvait reprendre dans le dîner deux ou trois petites choses par-ci par-là; et cependant les convives s'étaient gorgés comme des ogres, preuve qu'il n'était pas si mauvais. Mais pour le jardin, tant de dénigrement provenait de la plus noire jalousie; et s'échauffant tous les deux :

— Ah! l'eau manque dans le bassin! Patience, on y verra jusqu'à un cygne et des poissons!

— A peine s'ils ont remarqué la pagode!

— Prétendre que les ruines ne sont pas propres est une opinion d'imbécile!

— Et le tombeau une inconvenance! Pourquoi inconvenance? Est-ce qu'on n'a pas le droit d'en construire un dans son domaine? Je veux même m'y faire enterrer!

— Ne parle pas de ça! dit Pécuchet.

Puis ils passèrent en revue les convives.

— Le médecin m'a l'air d'un joli poseur!

— As-tu observé le ricanement de Marescot devant le portrait?

— Quel goujat que M. le maire! Quand on dîne dans une maison, que diable! on respecte les curiosités.

— Mme Bordin? dit Bouvard.

— Eh! c'est une intrigante! Laisse-moi tranquille.

Dégoûtés du monde, ils résolurent de ne plus voir personne, de vivre exclusivement chez eux, pour eux seuls.

Et ils passaient des jours dans la cave à enlever le tartre des bouteilles, revernirent tous les meubles, encaustiquèrent les chambres; chaque soir, en regardant le bois brûler, ils dissertaient sur le meilleur système de chauffage.

Ils tâchèrent par économie de fumer des jambons, de couler eux-mêmes la lessive. Germaine, qu'ils incommodaient, haussait les épaules. A l'époque des confitures, elle se fâcha, et ils s'établirent dans le fournil.

C'était une ancienne buanderie, où il y avait, sous les fagots, une grande cuve maçonnée excellente pour leurs projets, l'ambition leur étant venue de fabriquer des conserves.

Quatorze bocaux furent emplis de tomates et de petits pois; ils en lutèrent les bouchons avec de la chaux vive et du fromage, appliquèrent sur les bords des bandelettes de toile, puis les plongèrent dans l'eau bouillante. Elle s'évaporait; ils en versèrent de la froide; la différence de température fit éclater les bocaux. Trois seulement furent sauvés.

Ensuite ils se procurèrent de vieilles boîtes à sardines, y mirent des côtelettes de veau et les enfoncèrent dans le bain-marie. Elles sortirent rondes comme des ballons; le refroidissement les aplatirait. Pour continuer l'expérience, ils enfermèrent dans d'autres boîtes des œufs, de la chicorée, du homard, une matelote, un potage! et ils s'applaudissaient, comme M. Appert, « d'avoir fixé les saisons » : de pareilles découvertes, selon Pécuchet, l'emportaient sur les exploits des conquérants.

Ils perfectionnèrent les achars [12] de Mme Bordin, en

épiçant le vinaigre avec du poivre; et leurs prunes à l'eau-de-vie étaient bien supérieures! Ils obtinrent par la macération des ratafias [13] de framboise et d'absinthe. Avec du miel et de l'angélique dans un tonneau de Bagnols, ils voulurent faire du vin de Malaga; et ils entreprirent également la confection d'un champagne! Les bouteilles de chablis, coupées de moût, éclatèrent d'elles-mêmes. Alors ils ne doutèrent plus de la réussite.

Leurs études se développant, ils en vinrent à soupçonner des fraudes dans toutes les denrées alimentaires.

Ils chicanaient le boulanger sur la couleur de son pain. Ils se firent un ennemi de l'épicier, en lui soutenant qu'il adultérait ses chocolats. Ils se transportèrent à Falaise, pour demander du jujube, et sous les yeux mêmes du pharmacien, soumirent sa pâte à l'épreuve de l'eau. Elle prit l'apparence d'une couenne de lard, ce qui dénotait de la gélatine.

Après ce triomphe, leur orgueil s'exalta. Ils achetèrent le matériel d'un distillateur en faillite, et bientôt arrivèrent dans la maison des tamis, des barils, des entonnoirs, des écumoires, des chausses et des balances, sans compter une sébile à boulet et un alambic tête-de-maure, lequel exigea un fourneau réflecteur, avec une hotte de cheminée.

Ils apprirent comment on clarifie le sucre, et les différentes sortes de cuites, le grand et le petit perlé, le soufflé, le boulé, le morve et le caramel. Mais il leur tardait d'employer l'alambic; et ils abordèrent les liqueurs fines, en commençant par l'anisette. Le liquide presque toujours entraînait avec lui des substances, ou bien elles se collaient dans le fond; d'autres fois, ils s'étaient trompés sur le dosage. Autour d'eux les grandes bassines de cuivre reluisaient, les matras avançaient leur bec pointu, les poêlons pendaient au mur. Souvent l'un triait des herbes sur la table, tandis que l'autre faisait osciller le boulet de canon dans la sébile suspendue; ils mouvaient des cuillers, ils dégustaient les mélanges.

Bouvard, toujours en sueur, n'avait pour vêtement que sa chemise et son pantalon tiré jusqu'au creux de l'estomac par ses courtes bretelles; mais, étourdi comme un oiseau, il oubliait le diaphragme de la cucurbite, ou exagérait le feu.

Pécuchet marmottait des calculs, immobile dans sa longue blouse, une espèce de sarrau d'enfant avec des manches; et ils se considéraient comme des gens très sérieux, occupés de choses utiles.

Enfin ils rêvèrent *une crème* qui devait enfoncer toutes les autres. Ils y mettraient de la coriandre comme dans le kummel, du kirsch comme dans le maraquin, de l'hysope comme dans la chartreuse, de l'ambrette comme dans le vespetro [14], du *calamus aromaticus* comme dans le krambambuly; et elle serait colorée en rouge avec du bois de santal. Mais sous quel nom l'offrir au commerce? car il fallait un nom facile à retenir et

---

12. L'achard, ou achar, est un condiment à base de fruits et de légumes confits dans du vinaigre.

13. Liqueur faite d'eau-de-vie, de sucre et de fruits.

14. Ambrette : graine d'un arbrisseau des Antilles, à odeur de musc. Vespetro : liqueur digestive obtenue par macération dans de l'eau-de-vie de graines diverses (anis, fenouil, angélique, coriandre, etc.).

pourtant bizarre. Ayant longtemps cherché, ils décidèrent qu'elle se nommerait la « Bouvarine ».

Vers là fin de l'automne, des taches parurent dans les trois bocaux de conserves. Les tomates et les petits pois étaient pourris. Cela devait dépendre du bouchage. Alors le problème du bouchage les tourmenta. Pour essayer les méthodes nouvelles, ils manquaient d'argent. Leur ferme les rongeait.

Plusieurs fois, des tenanciers s'étaient offerts. Bouvard n'en avait pas voulu. Mais son premier garçon cultivait d'après ses ordres, avec une épargne dangereuse, si bien que les récoltes diminuaient, tout périclitait ; et ils causaient de leurs embarras, quand maître Gouy entra dans le laboratoire, escorté de sa femme qui se tenait en arrière, timidement.

Grâce à toutes les façons qu'elles avaient reçues, les terres s'étaient améliorées, et il venait pour reprendre la ferme. Il la déprécia. Malgré tous leurs travaux, les bénéfices étaient chanceux ; bref, s'il la désirait, c'était par amour du pays et regret d'aussi bons maîtres. On le congédia d'une manière froide. Il revint le soir même.

Pécuchet avait sermonné Bouvard ; ils allaient fléchir. Gouy demanda une diminution de fermage ; et comme les autres se récriaient, il se mit à beugler plutôt qu'à parler, attestant le bon Dieu, énumérant ses peines, vantant ses mérites. Quand on le sommait de dire son prix, il baissait la tête au lieu de répondre. Alors, sa femme, assise près de la porte, avec un grand panier sur les genoux, recommençait les mêmes protestations, en piaillant d'une voix aiguë comme une poule blessée.

Enfin le bail fut arrêté aux conditions de trois mille francs par an, un tiers de moins qu'autrefois.

Séance tenante, maître Gouy proposa d'acheter le matériel, et les dialogues recommencèrent.

L'estimation des objets dura quinze jours. Bouvard s'en mourait de fatigue. Il lâcha tout pour une somme tellement dérisoire, que Gouy, d'abord, écarquilla les yeux, et s'écriant : « Convenu », lui frappa dans la main.

Après quoi, les propriétaires, suivant l'usage, offrirent de casser une croûte à la maison, et Pécuchet ouvrit une bouteille de son malaga, moins par générosité que dans l'espoir d'en obtenir des éloges.

Mais le laboureur dit en rechignant :

— C'est comme du sirop de réglisse.

Et sa femme, « pour se faire passer le goût », réclama un verre d'eau-de-vie.

Une chose plus grave les occupait ! Tous les éléments de la « Bouvarine » étaient enfin rassemblés.

Ils les entassèrent dans la cucurbite, avec de l'alcool, allumèrent le feu et attendirent. Cependant, Pécuchet, tourmenté par la mésaventure du malaga, prit dans l'armoire les boîtes de fer-blanc, fit sauter le couvercle de la première, puis de la seconde, de la troisième. Il les rejetait avec fureur et appela Bouvard.

Bouvard ferma le robinet du serpentin pour se précipiter vers les conserves. La désillusion fut complète. Les tranches de veau ressemblaient à des semelles bouillies. Un liquide fangeux remplaçait le homard. On ne reconnaissait plus la matelote. Des champignons avaient poussé sur le potage, et une intolérable odeur empestait le laboratoire.

Tout à coup, avec un bruit d'obus, l'alambic éclata en vingt morceaux qui bondirent jusqu'au plafond, crevant les marmites, aplatissant les écumoires, fracassant les verres ; le charbon s'éparpilla, le fourneau fut démoli, et, le lendemain, Germaine retrouva une spatule dans la cour.

La force de la vapeur avait rompu l'instrument, d'autant que la cucurbite se trouvait boulonnée au chapiteau.

Pécuchet, tout de suite, s'était accroupi derrière la cuve, et Bouvard, comme écroulé sur un tabouret. Pendant dix minutes ils demeurèrent dans cette posture, n'osant se permettre un seul mouvement, pâles de terreur, au milieu des tessons. Quand ils purent recouvrer la parole, ils se demandèrent quelle était la cause de tant d'infortunes, de la dernière surtout ? et ils n'y compreniaient rien, sinon qu'ils avaient manqué périr. Pécuchet termina par ces mots :

— C'est que, peut-être, nous ne savons pas la chimie !

III

Pour savoir la chimie, ils se procurèrent le cours de Regnault et apprirent d'abord que « les corps simples sont peut-être composés ».

On les distingue en métalloïdes et en métaux, différence qui n'a « rien d'absolu », dit l'auteur. De même, pour les acides et les bases, « un corps pouvant se comporter à la manière des acides ou des bases, suivant les circonstances ».

La notation leur parut baroque. Les proportions multiples troublèrent Pécuchet.

— Puisqu'une molécule de A, je suppose, se combine avec plusieurs parties de B, il me semble que cette molécule doit se diviser en autant de parties ; mais, si elle se divise, elle cesse d'être l'unité, la molécule primordiale. Enfin, je ne comprends pas.

— Moi non plus ! disait Bouvard.

Et ils recoururent à un ouvrage moins difficile, celui de Girardin, où ils acquièrent la certitude que dix litres d'air pèsent cent grammes, qu'il n'entre pas de plomb dans les crayons, que le diamant n'est que du carbone.

Ce qui les ébahit par-dessus tout, c'est que la terre, comme élément, n'existe pas.

Ils saisirent la manœuvre du chalumeau, l'or, l'argent, la lessive du linge, l'étamage des casseroles ; puis, sans le moindre scrupule, Bouvard et Pécuchet se lancèrent dans la chimie organique.

Quelle merveille que de retrouver chez les êtres vivants les mêmes substances qui composent les minéraux ! Néanmoins, ils éprouvaient une sorte d'humiliation à l'idée que leur individu contenait du phosphore comme les allumettes, de l'albumine comme les blancs d'œufs, du gaz hydrogène comme les réverbères.

Après les couleurs et les corps gras, ce fut le tour de la fermentation.

Elle les conduisit aux acides, et la loi des équivalents

les embarrassa encore une fois. Ils tâchèrent de l'élucider avec la théorie des atomes; ce qui acheva de les perdre.

Pour entendre tout cela, selon Bouvard, il aurait fallu des instruments.

La dépense était considérable et ils en avaient trop fait.

Mais le docteur Vaucorbeil pouvait, sans doute, les éclairer.

Ils se présentèrent au moment de ses consultations.

— Messieurs, je vous écoute! quel est votre mal?

Pécuchet répliqua qu'ils n'étaient pas malades, et ayant exposé le but de leur visite :

— Nous désirons connaître premièrement l'atomicité supérieure.

Le médecin rougit beaucoup, puis les blâma de vouloir apprendre la chimie.

— Je ne nie pas son importance, soyez-en sûrs! mais actuellement, on la fourre partout! Elle exerce sur la médecine une action déplorable.

Et l'autorité de sa parole se renforçait au spectacle des choses environnantes.

Du diachylum et des bandes traînaient sur la cheminée. La boîte chirurgicale posait au milieu du bureau, des sondes emplissaient une cuvette dans un coin, et il y avait contre le mur la représentation d'un écorché.

Pécuchet en fit compliment au docteur.

— Ce doit être une belle étude que l'anatomie?

M. Vaucorbeil s'étendit sur le charme qu'il éprouvait autrefois dans les dissections; et Bouvard demanda quels sont les rapports entre l'intérieur de la femme et celui de l'homme.

Afin de le satisfaire, le médecin tira de sa bibliothèque un recueil de planches anatomiques.

— Emportez-les! Vous les regarderez chez vous plus à votre aise.

Le squelette les étonna par la proéminence de sa mâchoire, les trous de ses yeux, la longueur effrayante de ses mains. Un ouvrage explicatif leur manquait; ils retournèrent chez M. Vaucorbeil, et, grâce au manuel d'Alexandre Lauth, ils apprirent les divisions de la charpente, en s'ébahissant de l'épine dorsale, seize fois plus forte, dit-on, que si le Créateur l'eût faite droite.

— Pourquoi seize fois, précisément?

Les métacarpiens désolèrent Bouvard; et Pécuchet, acharné sur le crâne, perdit courage devant le sphénoïde, bien qu'il ressemble à une «selle turque ou turquesque».

Quant aux articulations, trop de ligaments les cachaient, et ils attaquèrent les muscles.

Mais les insertions n'étaient pas commodes à découvrir, et, parvenus aux gouttières vertébrales, ils y renoncèrent complètement.

Pécuchet dit alors :

— Si nous reprenions la chimie, ne serait-ce que pour utiliser le laboratoire?

Bouvard protesta, et il crut se rappeler que l'on fabriquait à l'usage des pays chauds des cadavres postiches.

Barberou, auquel il écrivit, lui donna là-dessus des renseignements. Pour dix francs par mois, on pouvait avoir un des bonshommes de M. Auzoux, et, la semaine suivante, le messager de Falaise déposa devant leur grille une caisse oblongue.

Ils la transportèrent dans le fournil, pleins d'émotions. Quand les planches furent déclouées, la paille tomba, les papiers de soie glissèrent, le mannequin apparut.

Il était couleur brique, sans chevelure, sans peau, avec d'innombrables filets bleus, rouges et blancs le bariolant. Cela ne ressemblait point à un cadavre, mais à une espèce de joujou, fort vilain, très propre, et qui sentait le vernis.

Puis ils enlevèrent le thorax, et ils aperçurent les deux poumons, pareils à deux éponges, le cœur tel qu'un gros œuf, un peu de côté par derrière, le diaphragme, les reins, tout le paquet des entrailles.

— A la besogne! dit Pécuchet.

La journée et le soir y passèrent.

Ils avaient mis des blouses, comme font les carabins dans les amphithéâtres, et, à la lueur de trois chandelles, ils travaillaient leurs morceaux de carton, quand un coup de poing heurta la porte : « Ouvrez »!

C'était M. Foureau, suivi du garde champêtre.

Les maîtres de Germaine s'étaient plu à lui montrer le bonhomme. Elle avait couru de suite chez l'épicier pour conter la chose, et tout le village croyait maintenant qu'ils recélaient dans leur maison un véritable mort. Foureau, cédant à la rumeur publique, venait s'assurer du fait; des curieux se tenaient dans la cour.

Le mannequin, quand il entra, reposait sur le flanc, et les muscles de la face étant décrochés, l'œil faisait une saillie monstrueuse, avait quelque chose d'effrayant.

— Qui vous amène? dit Pécuchet.

Foureau balbutia :

— Rien, rien du tout.

Et, prenant une des pièces sur la table :

— Qu'est-ce que c'est?

— Le buccinateur, répondit Bouvard.

Foureau se tut, mais souriait d'une façon narquoise, jaloux de ce qu'ils avaient un divertissement au-dessus de sa compétence.

Les deux anatomistes feignaient de poursuivre leurs investigations. Les gens, qui s'ennuyaient sur le seuil, avaient pénétré dans le fournil, et comme on se poussait un peu, la table trembla.

— Ah! c'est trop fort! s'écria Pécuchet; débarrassez-nous du public.

Le garde champêtre fit partir les curieux.

— Très bien! dit Bouvard, nous n'avons besoin de personne.

Foureau comprit l'allusion, et lui demanda s'ils avaient le droit, n'étant pas médecins, de détenir un objet pareil. Il allait, du reste, écrire au préfet.

Quel pays! on n'était pas plus inepte, sauvage et rétrograde! La comparaison qu'ils firent d'eux-mêmes avec les autres les consola; ils ambitionnaient de souffrir pour la science.

Le docteur aussi vint les voir. Il dénigra le mannequin, comme trop éloigné de la nature, mais profita de la circonstance pour faire une leçon.

Bouvard et Pécuchet furent charmés, et, sur leur désir, M. Vaucorbeil leur prêta plusieurs volumes de sa bibliothèque, affirmant toutefois qu'ils n'iraient pas jusqu'au bout.

Ils prirent en note, dans le *Dictionnaire des sciences médicales*, les exemples d'accouchement, de longévité, d'obésité et de constipation extraordinaires. Que n'avaient-ils connu le fameux Canadien de Beaumont, les polyphages Tarare et Bijou, la femme hydropique du département de l'Eure, le Piémontais qui allait à la garde-robe tous les vingt jours, Simon de Mirepoix, mort ossifié, et cet ancien maire d'Angoulême, dont le nez pesait trois livres !

Le cerveau leur inspira des réflexions philosophiques.

Ils distinguaient fort bien dans l'intérieur le *septum lucidum*, composé de deux lamelles, et la glande pinéale, qui ressemble à un petit pois rouge ; mais il y avait des pédoncules et des ventricules, des arcs, des piliers, des étages, des ganglions et des fibres de toutes sortes, et le foramen de Pacchioni, et le corps de Paccini, bref, un amas inextricable, de quoi user leur existence.

Quelquefois, dans un vertige, ils démontaient complètement le cadavre, puis se trouvaient embarrassés pour remettre en place les morceaux.

Cette besogne était rude, après le déjeuner surtout, et ils ne tardaient pas à s'endormir. Bouvard, le menton baissé, l'abdomen en avant, Pécuchet, la tête dans ses mains, avec ses deux coudes sur la table.

Souvent, à ce moment-là, M. Vaucorbeil, qui terminait ses premières visites, entr'ouvrait la porte.

— Eh bien, les confrères, comment va l'anatomie ?

— Parfaitement, répondaient-ils.

Alors il posait des questions pour le plaisir de les confondre.

Quand ils étaient las d'un organe, ils passaient à un autre, abordant ainsi et délaissant tour à tour le cœur, l'estomac, l'oreille, les intestins, car le bonhomme en carton les assommait, malgré leurs efforts pour s'y intéresser. Enfin le docteur les surprit comme ils le reclouaient dans sa boîte.

— Bravo ! je m'y attendais.

On ne pouvait à leur âge entreprendre ces études ; et le sourire accompagnant ces paroles les blessa profondément.

De quel droit les juger incapables ? Est-ce que la science appartenait à monsieur ? comme s'il était lui-même un personnage bien supérieur !

Donc, acceptant son défi, ils allèrent jusqu'à Bayeux pour y acheter des livres.

Ce qui leur manquait, c'était la physiologie, et un bouquiniste leur procura les traités de Richerand et d'Adelon, célèbres à l'époque.

Tous les lieux communs sur les âges, les sexes et les tempéraments leur semblèrent de la plus haute importance ; ils furent bien aises de savoir qu'il y a dans le tartre des dents trois espèces d'animalcules, que le siège du goût est sur la langue, et la sensation de la faim dans l'estomac.

Pour en saisir mieux les fonctions, ils regrettaient de n'avoir pas la faculté de ruminer, comme l'avaient eue Montègre, M. Gosse et le frère de Bérard, et ils mâchaient avec lenteur, trituraient, insalivaient, accompagnant de la pensée le bol alimentaire dans leurs entrailles, le suivaient même jusqu'à ses dernières conséquences, pleins d'un scrupule méthodique, d'une attention presque religieuse.

Afin de produire artificiellement des digestions, ils tassèrent de la viande dans une fiole, où était le suc gastrique d'un canard, et ils la portèrent sous leurs aisselles durant quinze jours, sans autre résultat que d'infecter leurs personnes.

On les vit courir le long de la grande route, revêtus d'habits mouillés et à l'ardeur du soleil. C'était pour vérifier si la soif s'apaise par l'application de l'eau sur l'épiderme. Ils rentrèrent haletants et tous les deux avec un rhume.

L'audition, la phonation, la vision furent expédiées lestement ; mais Bouvard s'étala sur la génération.

Les réserves de Pécuchet, en cette matière, l'avaient toujours surpris. Son ignorance lui parut si complète, qu'il le pressa de s'expliquer, et Pécuchet, en rougissant, finit par faire un aveu.

Des farceurs, autrefois, l'avaient entraîné dans une mauvaise maison, d'où il s'était enfui, se gardant pour la femme qu'il aimerait plus tard. Une circonstance heureuse n'était jamais venue, si bien que, par fausse honte, gêne pécuniaire, crainte des maladies, entêtement, habitude, à cinquante-deux ans, et malgré le séjour de la capitale, il possédait encore sa virginité.

Bouvard eut peine à le croire, puis il rit énormément, mais s'arrêta en apercevant des larmes dans les yeux de Pécuchet ; car les passions ne lui avaient pas manqué, s'étant tour à tour épris d'une danseuse de corde, de la belle-sœur d'un architecte, d'une demoiselle de comptoir, enfin d'une petite blanchisseuse, et le mariage allait même se conclure, quand il avait découvert qu'elle était enceinte d'un autre.

Bouvard lui dit :

— Il y a moyen toujours de réparer le temps perdu. Pas de tristesse, voyons ! Je me charge... si tu veux...

Pécuchet répliqua, en soupirant, qu'il ne fallait plus y penser ; et ils continuèrent leur physiologie.

Est-il vrai que la surface de notre corps dégage perpétuellement une vapeur subtile ? La preuve, c'est que le poids d'un homme décroît à chaque minute. Si chaque jour s'opère l'addition de ce qui manque et la soustraction de ce qui excède, la santé se maintiendra en parfait équilibre. Sanctorius, l'inventeur de cette loi, employa un demi-siècle à peser quotidiennement sa nourriture avec toutes ses excrétions, et se pesait lui-même, ne prenant de relâche que pour écrire ses calculs.

Ils essayèrent d'imiter Sanctorius. Mais comme leur balance ne pouvait les supporter tous les deux, ce fut Pécuchet qui commença.

Il retira ses habits, afin de ne pas gêner la respiration, et il se tenait sur le plateau, complètement nu, laissant voir, malgré la pudeur, son torse très long, pareil à un cylindre, avec des jambes courtes, les pieds plats et la peau brune. À ses côtés, sur une chaise, son ami lui faisait la lecture.

Des savants prétendent que la chaleur animale se développe par les contractions musculaires, et qu'il est possible en agitant le thorax et les membres pelviens de hausser la température d'un bain tiède.

Bouvard alla chercher leur baignoire, et quand tout fut prêt, il s'y plongea, muni d'un thermomètre.

Les ruines de la distillerie, balayées vers le fond de l'appartement, dessinaient dans l'ombre un vague monticule. On entendait par intervalles le grignotement des souris ; une vieille odeur de plantes aromatiques s'exhalait, et se trouvant là fort bien, ils causaient avec sérénité.

Cependant Bouvard sentait un peu de fraîcheur.

— Agite tes membres ! dit Pécuchet.

Il les agita, sans rien changer au thermomètre.

— C'est froid, décidément.

— Je n'ai pas chaud non plus, reprit Pécuchet saisi lui-même par un frisson. Mais agite tes membres pelviens, agite-les !

Bouvard ouvrait les cuisses, se tordait les flancs, balançait son ventre, soufflait comme un cachalot, puis regardait le thermomètre, qui baissait toujours :

— Je n'y comprends rien ! je me remue pourtant !

— Pas assez !

Et il reprenait sa gymnastique.

Elle avait duré trois heures, quand une fois encore il empoigna le tube.

— Comment ! douze degrés ! Ah ! bonsoir ! je me retire !

Un chien entra, moitié dogue, moitié braque, le poil jaune, galeux, la langue pendante.

Que faire ? pas de sonnette ! et leur domestique était sourde. Ils grelottaient, mais n'osaient bouger, dans la peur d'être mordus.

Pécuchet crut habile de lancer des menaces, en roulant des yeux.

Alors le chien aboya ; et il sautait autour de la balance, où Pécuchet, se cramponnant aux cordes et pliant les genoux, tâchait de s'élever le plus haut possible.

— Tu t'y prends mal, dit Bouvard.

Et il se mit à faire des risettes au chien en proférant des douceurs.

Le chien, sans doute, les comprit. Il s'efforçait de le caresser, lui collait ses pattes sur les épaules, les éraflait avec ses ongles.

— Allons ! maintenant ! voilà qu'il a emporté ma culotte !

Il se coucha dessus et demeura tranquille.

Enfin, avec les plus grandes précautions, ils se hasardèrent, l'un à descendre du plateau, l'autre à sortir de la baignoire ; et quand Pécuchet fut rhabillé, cette exclamation lui échappa :

— Toi, mon bonhomme, tu serviras à nos expériences.

Quelles expériences ?

On pouvait lui injecter du phosphore, puis l'enfermer dans une cave pour voir s'il rendrait du feu par les naseaux. Mais comment injecter ? et du reste, on ne leur vendrait pas du phosphore.

Ils songèrent à l'enfermer sous une cloche pneumatique, à lui faire respirer des gaz, à lui donner pour breuvage des poisons. Tout cela peut-être ne serait pas drôle. Enfin, ils choisirent l'aimantation de l'acier par le contact de la moelle épinière.

Bouvard, refoulant son émotion, tendait sur une assiette des aiguilles à Pécuchet, qui les plantait contre les vertèbres. Elles se cassaient, glissaient, tombaient par terre ; il en prenait d'autres, et les enfonçait vivement, au hasard. Le chien rompit ses attaches, passa comme un boulet de canon par les carreaux, traversa la cour, le vestibule et se présenta dans la cuisine.

Germaine poussa des cris en le voyant tout ensanglanté, avec des ficelles autour des pattes.

Ses maîtres, qui le poursuivaient, entrèrent au même moment. Il fit un bond et disparut.

La vieille servante les apostropha.

— C'est encore une de vos bêtises, j'en suis sûre ! — Et ma cuisine, elle est propre ! — Ça le rendra peut-être enragé ! On en fourre en prison qui ne vous valent pas !

Ils regagnèrent le laboratoire, pour éprouver les aiguilles.

Pas une n'attira la moindre limaille.

Puis, l'hypothèse de Germaine les inquiéta. Il pouvait avoir la rage, revenir à l'improviste, se précipiter sur eux. Le lendemain, ils allèrent partout aux informations, et pendant plusieurs années, ils se détournaient dans la campagne, sitôt qu'apparaissait un chien ressemblant à celui-là.

Les autres expériences échouèrent. Contrairement aux auteurs, les pigeons qu'ils saignèrent, l'estomac plein ou vide, moururent dans le même espace de temps. Des petits chats enfoncés sous l'eau périrent au bout de cinq minutes ; et une oie, qu'ils avaient bourrée de garance, offrit des périostes d'une entière blancheur.

La nutrition les tourmentait.

Comment se fait-il que le même suc produise des os, du sang, de la lymphe et des matières excrémentielles ? Mais on ne peut suivre les métamorphoses d'un aliment. L'homme qui n'use que d'un seul est chimiquement pareil à celui qui en absorbe plusieurs. Vauquelin, ayant calculé toute la chaux contenue dans l'avoine d'une poule, en retrouva davantage dans les coquilles de ses œufs.

Donc, il se fait une création de substance. De quelle manière ? on n'en sait rien.

On ne sait même pas quelle est la force du cœur. Borelli admet celle qu'il faut pour soulever un poids de cent quatre-vingt mille livres, et Kiell l'évalue à huit onces environ, d'où ils concluent que la physiologie est (suivant un vieux mot) le roman de la médecine. N'ayant pu la comprendre, ils n'y croyaient pas.

Un mois se passa dans le désœuvrement. Puis ils songèrent à leur jardin.

L'arbre mort, étalé dans le milieu, était gênant ; ils l'équarrirent. Cet exercice les fatigua. Bouvard avait, très souvent, besoin de faire arranger ses outils chez le forgeron.

Un jour qu'il s'y rendait, il fut accosté par un homme portant sur le dos un sac de toile, et qui lui proposa des almanachs, des livres pieux, des médailles bénites, enfin le *Manuel de la Santé*, par François Raspail.

Cette brochure lui plut tellement qu'il écrivit à Barberou de lui envoyer le grand ouvrage. Barberou l'expédia, et indiquait, dans sa lettre, une pharmacie pour les médicaments.

La clarté de la doctrine les séduisit. Toutes les affections proviennent des vers. Ils gâtent les dents, creusent les poumons, dilatent le foie, ravagent les intestins, et y causent des bruits. Ce qu'il y a de mieux pour s'en délivrer, c'est le camphre. Bouvard et Pécuchet l'adoptèrent. Ils en prisaient, ils en croquaient et distribuaient des cigarettes, des flacons d'eau sédative et des pilules d'aloès. Ils entreprirent même la cure d'un bossu.

C'était un enfant qu'ils avaient rencontré un jour de foire. Sa mère, une mendiante, l'amenait chez eux tous les matins. Ils frictionnaient sa bosse avec de la graisse camphrée, y mettaient pendant vingt minutes un cataplasme de moutarde, puis la recouvraient de diachylum, et, pour être sûrs qu'il reviendrait, lui donnaient à déjeuner.

Ayant l'esprit tendu vers les helminthes [15], Pécuchet observa sur la joue de Mme Bordin une tache bizarre. Le docteur, depuis longtemps, la traitait par les amers; ronde au début comme une pièce de vingt sols, cette tache avait grandi, et formait un cercle rose. Ils voulurent l'en guérir. Elle accepta, mais exigeait que ce fût Bouvard qui lui fît les onctions. Elle se posait devant la fenêtre, dégrafait le haut de son corsage et restait la joue tendue, en le regardant avec un œil qui aurait été dangereux sans la présence de Pécuchet. Dans les doses permises et malgré l'effroi du mercure, ils administrèrent du calomel. Un mois plus tard, Mme Bordin était sauvée.

Elle leur fit de la propagande, et le percepteur des contributions, le secrétaire de la mairie, le maire lui-même, tout le monde dans Chavignolles suçait des tuyaux de plume.

Cependant le bossu ne se redressait pas. Le percepteur lâcha la cigarette, elle redoublait ses étouffements. Foureau se plaignit des pilules d'aloès qui lui occasionnaient des hémorroïdes. Bouvard eut des maux d'estomac et Pécuchet d'atroces migraines. Ils perdirent confiance dans Raspail, mais eurent soin de n'en rien dire, craignant de diminuer leur considération.

Et ils montrèrent beaucoup de zèle pour la vaccine, apprirent à saigner sur des feuilles de chou, firent même l'acquisition d'une paire de lancettes.

Ils accompagnaient le médecin chez les pauvres, puis consultaient leurs livres.

Les symptômes notés par les auteurs n'étaient pas ceux qu'ils venaient de voir. Quant aux noms des maladies, du latin, du grec, du français, une bigarrure de toutes les langues.

On les compte par milliers, et la classification linnéenne est bien commode, avec ses genres et ses espèces; mais comment établir les espèces? Alors ils s'égarèrent dans la philosophie de la médecine.

Ils rêvaient sur l'archée [16] de Van Helmont, le vitalisme, le Brownisme, l'organicisme; demandaient au docteur d'où vient le germe de la scrofule, vers quel endroit se porte le miasme contagieux, et le moyen, dans tous les cas morbides, de distinguer la cause de ses effets.

— La cause et l'effet s'embrouillent, répondait Vaucorbeil.

Son manque de logique les dégoûta, et ils visitèrent les malades tout seuls, pénétrant dans les maisons, sous prétexte de philanthropie.

Au fond des chambres, sur des sales matelas, reposaient des gens dont la figure pendait d'un côté; d'autres l'avaient bouffie et d'un rouge écarlate, ou couleur de citron, ou bien violette, avec les narines pincées, la bouche tremblante, et des râles, des hoquets, des sueurs, des exhalaisons de cuir et de vieux fromage.

Ils lisaient les ordonnances de leurs médecins, et étaient fort surpris que les calmants soient parfois des excitants, les vomitifs des purgatifs, qu'un même remède convienne à des affections diverses, et qu'une maladie s'en aille sous des traitements opposés.

Néanmoins, ils donnaient des conseils, remontaient le moral, avaient l'audace d'ausculter.

Leur imagination travaillait. Ils écrivirent au Roi, pour qu'on établît dans le Calvados un institut de garde-malades, dont ils seraient les professeurs.

Ils se transportèrent chez le pharmacien de Bayeux (celui de Falaise leur en voulait toujours à cause de son jujube), et ils s'engagèrent à fabriquer comme les Anciens des *pila purgatoria*, c'est-à-dire des boulettes de médicaments, qui, à force d'être maniées, s'absorbent dans l'individu.

D'après ce raisonnement qu'en diminuant la chaleur on entrave les phlegmasies, ils suspendirent dans son fauteuil, aux poutrelles du plafond, une femme affectée de méningite, et ils la balançaient à tour de bras, quand le mari survenant les flanqua dehors.

Enfin, au grand scandale de M. le Curé, ils avaient pris la mode nouvelle d'introduire des thermomètres dans les derrières.

Une fièvre typhoïde se répandit aux environs : Bouvard déclara qu'il ne s'en mêlerait pas. Mais la femme de Gouy, leur fermier, vint gémir chez eux. Son homme était malade depuis quinze jours, et M. Vaucorbeil le négligeait.

Pécuchet se dévoua.

Taches lenticulaires sur la poitrine, douleurs aux articulations, ventre ballonné, langue rouge, c'étaient tous les symptômes de la dothiénentérie. Se rappelant le mot de Raspail qu'en ôtant la diète on supprime la fièvre, il ordonna des bouillons, un peu de viande. Tout à coup le docteur parut.

Son malade était en train de manger, deux oreillers derrière le dos, entre la fermière et Pécuchet qui le renforçaient.

Il s'approcha du lit, et jeta l'assiette par la fenêtre, en s'écriant :

— C'est un véritable meurtre !

— Pourquoi?

— Vous perforez l'intestin, puisque la fièvre typhoïde est une altération de sa membrane folliculaire.

---

15. Nom générique des vers parasites de l'intestin.
16. L'archée, dans les doctrines alchimistes, est le principe immatériel de la vie. Brownisme : doctrine du médecin écossais John Brown (1735-1788).

— Pas toujours!

Et une dispute s'engagea sur la nature des fièvres. Pécuchet croyait à leur essence. Vaucorbeil les faisait dépendre des organes :

— Aussi j'éloigne tout ce qui peut surexciter!

— Mais la diète affaiblit le principe vital!

— Qu'est-ce que vous me chantez avec votre principe vital? Comment est-il? qui l'a vu?

Pécuchet s'embrouilla.

— D'ailleurs, disait le médecin, Gouy ne veut pas de nourriture.

Le malade fit un geste d'assentiment sous son bonnet de coton.

— N'importe! il en a besoin!

— Jamais! son pouls donne quatre-vingt-dix-huit pulsations.

— Qu'importent les pulsations?

Et Pécuchet nomma ses autorités.

— Laissons les systèmes! dit le docteur.

Pécuchet croisa les bras.

— Vous êtes un empirique, alors?

— Nullement! mais en observant...

— Et si on observe mal?

Vaucorbeil prit cette parole pour une allusion à l'herpès de Mme Bordin, histoire clabaudée par la veuve, et dont le souvenir l'agaçait.

— D'abord, il faut avoir de la pratique.

— Ceux qui ont révolutionné la science n'en faisaient pas! Van Helmont, Boerhave, Broussais lui-même.

Vaucorbeil, sans répondre, se pencha vers Gouy, et haussant la voix :

— Lequel de nous deux choisissez-vous pour médecin?

Le malade, somnolent, aperçut des visages en colère, et se mit à pleurer.

Sa femme non plus ne savait que répondre; car l'un était habile, mais l'autre avait peut-être un secret?

— Très bien! dit Vaucorbeil, puisque vous balancez entre un homme nanti d'un diplôme...

Pécuchet ricana.

— Pourquoi riez-vous?

— C'est qu'un diplôme n'est pas toujours un argument!

Le docteur était attaqué dans son gagne-pain, dans sa prérogative, dans son importance sociale. Sa colère éclata :

— Nous le verrons quand vous irez devant les tribunaux pour exercice illégal de la médecine!

Puis, se tournant vers la fermière :

— Faites-le tuer par monsieur tout à votre aise, et que je sois pendu si je reviens jamais dans votre maison!

Et il s'enfonça sous la hêtrée, en gesticulant avec sa canne.

Bouvard, quand Pécuchet rentra, était lui-même dans une grande agitation.

Il venait de recevoir Foureau, exaspéré par ses hémorroïdes. Vainement avait-il soutenu qu'elles préservent de toutes les maladies. Foureau, n'écoutant rien, l'avait menacé de dommages et intérêts. Il en perdait la tête.

Pécuchet lui conta l'autre histoire, qu'il jugeait plus sérieuse, et fut un peu choqué de son indifférence.

Gouy, le lendemain, eut une douleur dans l'abdomen. Cela pouvait tenir à l'ingestion de la nourriture. Peut-être que Vaucorbeil ne s'était pas trompé? Un médecin, après tout, doit s'y connaître! Et des remords assaillirent Pécuchet. Il avait peur d'être homicide.

Par prudence, ils congédièrent le bossu. Mais, à cause du déjeuner lui échappant, sa mère cria beaucoup. Ce n'était pas la peine de les avoir fait venir tous les jours de Barneval à Chavignolles!

Foureau se calma et Gouy reprenait des forces. A présent, la guérison était certaine : un tel succès enhardit Pécuchet.

— Si nous travaillions les accouchements, avec un de ces mannequins...

— Assez de mannequins!

— Ce sont des demi-corps en peau, inventé pour les élèves sages-femmes. Il me semble que je retournerais le fœtus!

Mais Bouvard était las de la médecine.

— Les ressorts de la vie nous sont cachés, les affections trop nombreuses, les remèdes problématiques, et on ne découvre dans les auteurs aucune définition raisonnable de la santé, de la maladie, de la diathèse, ni même du pus!

Cependant toutes ces lectures avaient ébranlé leur cervelle.

Bouvard, à l'occasion d'un rhume, se figura qu'il commençait une fluxion de poitrine. Des sangsues n'ayant pas affaibli le point de côté, il eut recours à un vésicatoire, dont l'action se porta sur les reins. Alors, il se crut attaqué de la pierre.

Pécuchet prit une courbature à l'étalage de la charmille, et vomit après son dîner, ce qui l'effraya beaucoup; puis, observant qu'il avait le teint un peu jaune, suspectant une maladie de foie, se demandait :

« Ai-je des douleurs? »

Et finit par en avoir.

S'attristant mutuellement, ils regardaient leur langue, se tâtaient le pouls, changeaient d'eau minérale, se purgeaient et redoutaient le froid, la chaleur, le vent, la pluie, les mouches, principalement les courants d'air.

Pécuchet imagina que l'usage de la prise était funeste. D'ailleurs, un éternûment occasionne parfois la rupture d'un anévrisme, et il abandonna la tabatière. Par habitude, il y plongeait les doigts; puis, tout à coup, se rappelait son imprudence.

Comme le café noir secoue les nerfs, Bouvard voulut renoncer à la demi-tasse; mais il dormait après ses repas et avait peur de ne se réveiller, car le sommeil prolongé est une menace d'apoplexie.

Leur idéal était Cornaro, ce gentilhomme vénitien, qui, à force de régime, atteignit une extrême vieillesse. Sans l'imiter absolument, on peut avoir les mêmes précautions, et Pécuchet tira de sa bibliothèque un manuel d'hygiène par le docteur Morin.

Comment avaient-ils fait pour vivre jusque-là? Les plats qu'ils aimaient s'y trouvent défendus. Germaine, embarrassée, ne savait plus que leur servir.

Toutes les viandes ont des inconvénients. Le boudin et la charcuterie, le hareng saur, le homard et le gibier sont « réfractaires ». Plus un poisson est gros, plus il contient de gélatine, et, par conséquent, est lourd. Les légumes causent les aigreurs, le macaroni donne des rêves, les fromages « considérés généralement sont d'une digestion difficile ». Un verre d'eau le matin est « dangereux ». Chaque boisson ou comestible était suivi d'un avertissement pareil, ou bien de ces mots : « mauvais! — gardez-vous de l'abus! — ne convient pas à tout le monde! » Pourquoi mauvais? où est l'abus? comment savoir si telle chose vous convient?

Quel problème que celui du déjeuner! Ils quittèrent le café au lait, sur sa détestable réputation, et ensuite le chocolat; — car c'est « un amas de substances indigestes ». Restait donc le thé. Mais « les personnes nerveuses doivent se l'interdire complètement ». Cependant Decker, au XVIIᵉ siècle, en prescrivait vingt décalitres par jour, afin de nettoyer les marais du pancréas.

Ce renseignement ébranla Morin dans leur estime, d'autant plus qu'il condamne toutes les coiffures, chapeaux, bonnets et casquettes, exigence qui révolta Pécuchet.

Alors ils achetèrent le traité de Becquerel [17], où ils virent que le porc est en soi-même « un bon aliment », le tabac d'une innocence parfaite, et le café « indispensable aux militaires ».

Jusqu'alors ils avaient cru à l'insalubrité des endroits humides. Pas du tout! Casper les déclare moins mortels que les autres. On ne se baigne pas dans la mer sans avoir rafraîchi sa peau; Bégin veut qu'on s'y jette en pleine transpiration. Le vin après la soupe passe pour excellent à l'estomac; Lévy l'accuse d'altérer les dents. Enfin, le gilet de flanelle, cette sauvegarde, ce tuteur de la santé, ce palladium chéri de Bouvard et inhérent à Pécuchet, sans ambages ni crainte de l'opinion, des auteurs le déconseillent aux hommes pléthoriques et sanguins.

Qu'est-ce donc que l'hygiène?

« Vérité en deçà des Pyrénées, erreur au delà », affirme M. Lévy, et Becquerel ajoute qu'elle n'est pas une science.

Alors ils se commandèrent pour leur dîner des huîtres, un canard, du porc aux choux, de la crème, un pont l'évêque et une bouteille de bourgogne. Ce fut un affranchissement, presque une revanche, et ils se moquaient de Cornaro! Fallait-il être imbécile pour se tyranniser comme lui! Quelle bassesse que de penser toujours au prolongement de son existence! La vie n'est bonne qu'à la condition d'en jouir.

— Encore un morceau?

— Je veux bien.

— Moi de même!

— A ta santé!

— A la tienne!

— Et fichons-nous du reste!

Ils s'exaltaient.

17. Il s'agit du *Traité élémentaire d'hygiène privée et publique* du docteur Louis Becquerel (1814-1862), paru en 1854.

Bouvard annonça qu'il voulait trois tasses de café, bien qu'il ne fût pas un militaire. Pécuchet, la casquette sur les oreilles, prisait coup sur coup, éternuait sans peur; et, sentant le besoin d'un peu de champagne, ils ordonnèrent à Germaine d'aller de suite au cabaret leur en acheter une bouteille. Le village était trop loin. Elle refusa. Pécuchet fut indigné.

— Je vous somme, entendez-vous! je vous somme d'y courir.

Elle obéit, mais en bougonnant, résolue à lâcher bientôt ses maîtres, tant ils étaient incompréhensibles et fantasques.

Puis, comme autrefois, ils allèrent prendre le gloria sur le vigneau.

La moisson venait de finir, et des meules, au milieu des champs, dressaient leurs masses noires à la couleur de la nuit bleuâtre et douce. Les fermes étaient tranquilles. On n'entendait même plus les grillons. Toute la campagne dormait. Ils digéraient en humant la brise, qui rafraîchissait leurs pommettes.

Le ciel, très haut, était couvert d'étoiles, les unes brillant par groupes, d'autres à la file, ou bien seules à des intervalles éloignés. Une zone de poussière lumineuse, allant du septentrion au midi, se bifurquait au-dessus de leurs têtes. Il y avait entre ces clartés de grands espaces vides, et le firmament semblait une mer d'azur, avec des archipels et des îlots.

— Quelle quantité! s'écria Bouvard.

— Nous ne voyons pas tout! reprit Pécuchet. Derrière la voie lactée, ce sont les nébuleuses; au delà des nébuleuses, des étoiles encore : la plus voisine est séparée de nous par trois cents billions de myriamètres.

Il avait regardé souvent dans le télescope de la place Vendôme et se rappelait les chiffres.

— Le Soleil est un million de fois plus gros que la Terre, Sirius à douze fois la grandeur du Soleil, des comètes mesurent trente-quatre millions de lieues!

— C'est à rendre fou, dit Bouvard.

Il déplora son ignorance, et même regrettait de n'avoir pas été, dans sa jeunesse, à l'Ecole polytechnique.

Alors Pécuchet, le tournant vers la Grande-Ourse, lui montra l'étoile polaire, puis Cassiopée, dont la constellation forme un Y, Véga de la Lyre, toute scintillante, et, au bas de l'horizon, le rouge Aldebaran.

Bouvard, la tête renversée, suivit péniblement les triangles, quadrilatères et pentagones qu'il faut imaginer pour se reconnaître dans le ciel.

Pécuchet continua :

— La vitesse de la lumière est de quatre-vingt mille lieues dans une seconde. Un rayon de la voie lactée met six siècles à nous parvenir. Si bien qu'une étoile, quand on l'observe, peut avoir disparu. Plusieurs sont intermittentes, d'autres ne reviennent jamais; et elles changent de position; tout s'agite, tout passe.

— Cependant le Soleil est immobile!

— On le croyait autrefois. Mais les savants, aujourd'hui, annoncent qu'il se précipite vers la constellation d'Hercule!

Cela dérangeait les idées de Bouvard, et, après une minute de réflexion :

— La science est faite suivant les données fournies par un coin de l'étendue. Peut-être ne convient-elle pas à tout le reste qu'on ignore, qui est beaucoup plus grand, et qu'on ne peut découvrir.

Ils parlaient ainsi, debout sur le vigneau, à la lueur des astres, et leurs discours étaient coupés par de longs silences.

Enfin ils se demandèrent s'il y avait des hommes dans les étoiles. Pourquoi pas? Et comme la création est harmonique, les habitants de Sirius devaient être démesurés, ceux de Mars d'une taille moyenne, ceux de Vénus très petits. A moins que ce ne soit partout la même chose. Il existe là-haut des commerçants, des gendarmes; on y trafique, on s'y bat, on y détrône des rois.

Quelques étoiles filantes glissèrent tout à coup, décrivant sur le ciel comme la parabole d'une monstrueuse fusée.

— Tiens, dit Bouvard, voilà des mondes qui disparaissent.

Pécuchet reprit :

— Si le nôtre, à son tour, faisait la cabriole, les citoyens des étoiles ne seraient pas plus émus que nous ne le sommes maintenant. De pareilles idées vous renfoncent l'orgueil.

— Quel est le but de tout cela?

— Peut-être qu'il n'y a pas de but.

— Cependant...

Et Pécuchet répéta deux ou trois fois « cependant », sans trouver rien de plus à dire.

— N'importe, je voudrais bien savoir comment l'univers s'est fait.

— Cela doit être dans Buffon, répondit Bouvard, dont les yeux se fermaient. Je n'en peux plus, je vais me coucher.

Les *Epoques de la Nature* leur apprirent qu'une comète, en heurtant le Soleil, en avait détaché une portion, qui devint la Terre. D'abord les pôles s'étaient refroidis. Toutes les eaux avaient enveloppé le globe; elles s'étaient retirées dans les cavernes; puis les continents se divisèrent, les animaux et l'homme parurent.

La majesté de la création leur causa un ébahissement infini comme elle.

Leur tête s'élargissait. Ils étaient fiers de réfléchir sur de si grands objets.

Les minéraux ne tardèrent pas à les fatiguer, et ils recoururent, comme distraction, aux *Harmonies* de Bernardin de Saint-Pierre.

Harmonies végétales et terrestres, aériennes, aquatiques, humaines, fraternelles et même conjugales, tout y passa, sans omettre les invocations à Vénus, aux Zéphirs et aux Amours. Ils s'étonnaient que les poissons eussent des nageoires, les oiseaux des ailes, les semences une enveloppe, pleins de cette philosophie qui découvre dans la nature des intentions vertueuses et la considère comme une espèce de saint Vincent de Paul, toujours occupé à répandre des bienfaits!

Ils admirèrent ensuite ses prodiges, les trombes, les volcans, les forêts vierges, et ils achetèrent l'ouvrage de M. Depping [18] sur les *Merveilles et beautés de la nature en France*. Le Cantal en possède trois, l'Hérault cinq, la Bourgogne deux, pas davantage, tandis que le Dauphiné compte à lui seul jusqu'à quinze merveilles. Mais bientôt on n'en trouvera plus. Les grottes à stalactites se bouchent, les montagnes ardentes s'éteignent, les glacières naturelles s'échauffent, et les vieux arbres dans lesquels on disait la messe tombent sous la cognée des niveleurs ou sont en train de mourir.

Puis leur curiosité se tourna vers les bêtes.

Ils rouvrirent leur Buffon et s'extasièrent devant les goûts bizarres de certains animaux.

Mais tous les livres ne valant pas une observation personnelle, ils entraient dans les cours et demandaient aux laboureurs s'ils avaient vu les taureaux se joindre à des juments, les cochons rechercher les vaches, et les mâles des perdrix commettre entre eux des turpitudes.

— Jamais de la vie.

On trouvait même ces questions un peu drôles pour des messieurs de leur âge.

Ils voulurent tenter des alliances anormales.

La moins difficile est celle du bouc et de la brebis. Leur fermier ne possédait pas de bouc, une voisine prêta le sien, et l'époque du rut étant venue, ils enfermèrent les deux bêtes dans le pressoir, en se cachant derrière les futailles, pour que l'événement pût s'accomplir en paix.

Chacune d'abord mangea son petit tas de foin, puis elles ruminèrent; la brebis se coucha, et elle bêlait sans discontinuer, pendant que le bouc, d'aplomb sur ses jambes torses, avec sa grande barbe et ses oreilles pendantes, fixait sur eux ses prunelles, qui luisaient dans l'ombre.

Enfin, le soir du troisième jour, ils jugèrent convenable de faciliter la nature; mais le bouc, se retournant contre Pécuchet, lui flanqua un coup de cornes au bas du ventre. La brebis, saisie de peur, se mit à tourner dans le pressoir comme dans un manège. Bouvard courut après, se jeta dessus pour la retenir, et tomba par terre avec des poignées de laine dans les deux mains.

Ils renouvelèrent leurs tentatives sur des poules et un canard, sur un dogue et une truie, avec l'espoir qu'il en sortirait des monstres, ne comprenant rien à la question de l'espèce.

Ce mot désigne un groupe d'individus dont les descendants se reproduisent; mais des animaux classés comme d'espèces différentes peuvent se reproduire, et d'autres, compris dans la même, en ont perdu la faculté.

Ils se flattèrent d'obtenir là-dessus des idées nettes en étudiant le développement des germes, et Pécuchet écrivit à Dumouchel pour avoir un microscope.

Tour à tour ils mirent sur la plaque de verre des cheveux, du tabac, des ongles, une patte de mouche; mais ils avaient oublié la goutte d'eau indispensable; c'était, d'autres fois, la petite lamelle, et ils se poussaient, dérangeaient l'instrument; puis, n'apercevant que du brouillard, accusaient l'opticien. Ils en arrivèrent à dou-

18. Livre de vulgarisation publié en 1811 par Georges Depping (1784-1853), érudit français d'origine allemande.

ter du microscope. Les découvertes qu'on lui attribue ne sont peut-être pas si positives?

Dumouchel, en leur adressant la facture, les pria de recueillir à son intention des ammonites et des oursins, curiosités dont il était toujours amateur, et fréquentes dans leur pays. Pour les exciter à la géologie, il leur envoyait les *Lettres* de Bertrand avec le *Discours* de Cuvier sur les révolutions du globe.

Après ces deux lectures, ils se figurèrent les choses suivantes:

D'abord une immense nappe d'eau, d'où émergeaient des promontoires tachetés par des lichens, et pas un être vivant, pas un cri. C'était un monde silencieux, immobile et nu; puis de longues plantes se balançaient dans un brouillard qui ressemblait à la vapeur d'une étuve. Un soleil tout rouge surchauffait l'atmosphère humide. Alors des volcans éclatèrent, les roches ignées jaillissaient des montagnes, et la pâte des porphyres et des basaltes, qui coulait, se figea. Troisième tableau : dans des mers peu profondes, des îles de madrépores ont surgi; un bouquet de palmiers, de place en place, les domine. Il y a des coquilles pareilles à des roues de chariot, des tortues qui ont trois mètres, des lézards de soixante pieds; des amphibies allongent entre les roseaux leur col d'autruche à mâchoire de crocodile; des serpents ailés s'envolent. Enfin, sur les grands continents, de grands mammifères parurent, les membres difformes comme des pièces de bois mal équarries, le cuir plus épais que des plaques de bronze, ou bien velus, lippus, avec des crinières et des défenses contournées. Des troupeaux de mammouths broutaient les plaines où fut depuis l'Atlantique; le paléothérium, moitié cheval, moitié tapir, bouleversait de son groin les fourmilières de Montmartre, et le *cervus giganteus* tremblait sous les châtaigniers à la voix de l'ours des cavernes, qui faisait japper dans sa tanière le chien de Beaugency, trois fois haut comme un loup.

Toutes ces époques avaient été séparées les unes des autres par des cataclysmes, dont le dernier est notre déluge. C'était comme une féerie en plusieurs actes, ayant l'homme pour apothéose.

Ils furent stupéfaits d'apprendre qu'il existait sur des pierres des empreintes de libellules, de pattes d'oiseaux; et, ayant feuilleté un des manuels Roret, ils cherchèrent des fossiles.

Une après-midi, comme ils retournaient des silex au milieu de la grand'route, M. le curé passa, et, les abordant d'une voix pateline :

— Ces messieurs s'occupent de géologie? Fort bien.

Car il estimait cette science. Elle confirme l'autorité des Écritures en prouvant le déluge.

Bouvard parla des coprolithes, lesquels sont des excréments de bêtes, pétrifiés.

L'abbé Jeufroy parut surpris du fait; après tout, s'il avait lieu, c'était une raison de plus d'admirer la Providence.

Pécuchet avoua que leurs enquêtes jusqu'alors n'avaient pas été fructueuses; et cependant les environs de Falaise, comme tous les terrains jurassiques, devaient abonder en débris d'animaux.

— J'ai entendu dire, répliqua l'abbé Jeufroy, qu'autrefois on avait trouvé à Villers la mâchoire d'un éléphant.

Du reste, un de ses amis, M. Larsoneur, avocat, membre du barreau de Lisieux et archéologue, leur fournirait peut-être des renseignements! Il avait fait une histoire de Port-en-Bessin, où était notée la découverte d'un crocodile.

Bouvard et Pécuchet échangèrent un coup d'œil; le même espoir leur était venu; et malgré la chaleur, ils restèrent debout pendant longtemps, à interroger l'ecclésiastique, qui s'abritait sous un parapluie de coton bleu. Il avait le bas du visage un peu lourd, avec le nez pointu, souriait continuellement, ou penchait la tête en fermant les paupières.

La cloche de l'église tinta l'angélus.

— Bien le bonsoir, messieurs! Vous permettez, n'est-ce pas?

Recommandés par lui, ils attendirent durant trois semaines la réponse de Larsoneur. Enfin elle arriva.

L'homme de Villers qui avait déterré la dent de mastodonte s'appelait Louis Bloche; les détails manquaient. Quant à son histoire, elle occupait un des volumes de l'Académie Lexovienne, et il ne prêtait point son exemplaire, dans la peur de dépareiller sa collection. Pour ce qui était de l'alligator, on l'avait découvert au mois de novembre 1825, sous la falaise des Hachettes, à Sainte-Honorine, près de Port-en-Bessin, arrondissement de Bayeux.

Suivaient des compliments.

L'obscurité enveloppant le mastodonte irrita le désir de Pécuchet. Il aurait voulu se rendre tout de suite à Villers.

Bouvard objecta que, pour s'épargner un déplacement peut-être inutile, et à coup sûr dispendieux, il convenait de prendre des informations, et ils écrivirent au maire de l'endroit une lettre, où ils lui demandaient ce qu'était devenu un certain Louis Bloche. Dans l'hypothèse de sa mort, ses descendants ou collatéraux pouvaient-ils les instruire sur sa précieuse découverte? Quand il la fit, à quelle place de la commune gisait ce document des âges primitifs? Avait-on des chances d'en trouver d'analogues? Quel était, par jour, le prix d'un homme et d'une charrette?

Et ils eurent beau s'adresser à l'adjoint, puis au premier conseiller municipal, ils ne reçurent de Villers aucune nouvelle. Sans doute les habitants étaient jaloux de leurs fossiles? A moins qu'ils ne les vendissent aux Anglais. Le voyage des Hachettes fut résolu.

Bouvard et Pécuchet prirent la diligence de Falaise pour Caen. Ensuite une carriole les transporta de Caen à Bayeux; de Bayeux ils allèrent à pied jusqu'à Port-en-Bessin.

On ne les avait pas trompés. La côte des Hachettes offrait des cailloux bizarres, et, sur les indications de l'aubergiste, ils atteignirent la grève.

La marée étant basse, elle découvrait tous ses galets, avec une prairie de goémons jusqu'aux bords des flots.

Des vallonnements herbeux découpaient la falaise, composée d'une terre molle et brune et qui, se durcissant, devenait, dans ses strates inférieures, une muraille de pierre grise. Des filets d'eau en tombaient sans discontinuer, pendant que la mer, au loin, grondait. Elle semblait parfois suspendre son battement; et on n'entendait plus que le petit bruit des sources.

Ils titubaient sur des herbes gluantes, ou bien ils avaient à sauter des trous. Bouvard s'assit près du rivage, et contempla les vagues, ne pensant à rien, fasciné, inerte. Pécuchet le ramena vers la côte pour lui faire voir un ammonite incrusté dans la roche, comme un diamant dans sa gangue. Leurs ongles s'y brisèrent, il aurait fallu des instruments, la nuit venait d'ailleurs. Le ciel était empourpré à l'occident et toute la plage couverte d'une ombre. Au milieu des varechs presque noirs, les flaques d'eau s'élargissaient. La mer montait vers eux; il était temps de rentrer.

Le lendemain dès l'aube, avec une pioche et un pic, ils attaquèrent leur fossile dont l'enveloppe éclata. C'était un *ammonites nodosus*, rongé par les bouts, mais pesant bien seize livres, et Pécuchet, dans l'enthousiasme, s'écria :

— Nous ne pouvons faire moins que de l'offrir à Dumouchel!

Puis ils rencontrèrent des éponges, des térébratules, des orques, et pas de crocodile! A son défaut, ils espéraient une vertèbre d'hippopotame ou d'ichthyosaure, n'importe quel ossement contemporain du déluge, quand ils distinguèrent à hauteur d'homme, contre la falaise, des contours qui figuraient le galbe d'un poisson gigantesque.

Ils délibérèrent sur les moyens de l'obtenir.

Bouvard le dégagerait par le haut, tandis que Pécuchet, en dessous, démolirait la roche pour le faire descendre doucement, sans l'abîmer.

Comme ils reprenaient haleine, ils virent au-dessus de leur tête, dans la campagne, un douanier en manteau, qui gesticulait d'un air de commandement.

— Eh bien! quoi? fiche-nous la paix!

Et ils continuèrent leur besogne; Bouvard, sur la pointe des orteils, tapant avec sa pioche; Pécuchet, les reins pliés, creusant avec son pic.

Mais le douanier reparut plus bas, dans un vallon, en multipliant les signaux; ils s'en moquaient bien! Un corps ovale se bombait sous la terre amincie, et penchait, allait glisser.

Un autre individu, avec un sabre, se montra tout à coup.

— Vos passeports?

C'était le garde champêtre en tournée, et au même moment survint l'homme de la douane, accouru par une ravine.

— Empoignez-les, père Morin! ou la falaise va s'écrouler!

— C'est dans un but scientifique, répondit Pécuchet.

Alors une masse tomba, en les frôlant de si près, tous les quatre, qu'un peu plus ils étaient morts.

Quand la poussière fut dissipée, ils reconnurent un mât de navire, qui s'émietta sous la botte du douanier.

Bouvard dit en soupirant :

— Nous ne faisions pas grand mal!

— On ne doit rien faire dans les limites du Génie! reprit le garde champêtre. D'abord qui êtes-vous, pour que je vous dresse procès?

Pécuchet se rebiffa, criant à l'injustice.

— Pas de raisons! suivez-moi!

Dès qu'ils arrivèrent sur le port, une foule de gamins les escorta. Bouvard, rouge comme un coquelicot, affectait un air digne; Pécuchet, très pâle, lançait des regards furieux; et ces deux étrangers, portant des cailloux dans leurs mouchoirs, n'avaient pas bonne figure. Provisoirement, on les colloqua dans l'auberge, dont le maître, sur le seuil, barrait l'entrée. Puis le maçon réclama ses outils. Ils les payèrent, encore des frais! et le garde champêtre ne revenait pas! pourquoi? Enfin un monsieur, qui avait la croix d'honneur, les délivra; et ils s'en allèrent, ayant donné leurs noms, prénoms et domicile, avec l'engagement d'être à l'avenir plus circonspects.

Outre un passeport, il leur manquait bien des choses, et avant d'entreprendre des explorations nouvelles, ils consultèrent le *Guide du voyageur géologue*, par Boué. Il faut avoir, premièrement, un bon havresac de soldat, puis une chaîne d'arpenteur, une lime, des pinces, une boussole et trois marteaux, passés dans une ceinture qui se dissimule sous la redingote et « vous préserve ainsi de cette apparence originale, que l'on doit éviter en voyage ». Comme bâton, Pécuchet adopta franchement le bâton de touriste, haut de six pieds, à la longue pointe de fer. Bouvard préférait une canne-parapluie ou parapluie-polybranches, dont le pommeau se retire pour agrafer la soie, contenue à part dans un petit sac. Ils n'oublièrent pas de forts souliers avec des guêtres, chacun « deux paires de bretelles, à cause de la transpiration », et, bien qu'on ne puisse « se présenter partout en casquette », ils reculèrent devant la dépense « d'un de ces chapeaux qui se plient, et qui portent le nom du chapelier Gibus, leur inventeur ».

Le même ouvrage donne des préceptes de conduite : « Savoir la langue du pays que l'on visitera »; ils la savaient. « Garder une tenue modeste »; c'était leur usage. « Ne pas avoir trop d'argent sur soi »; rien de plus simple. Enfin, pour s'épargner toutes sortes d'embarras, il est bon de prendre « la qualité d'ingénieur »!

— Eh bien! nous la prendrons!

Ainsi préparés, ils commencèrent leurs courses, étaient absents quelquefois pendant huit jours, passaient leur vie au grand air.

Tantôt, sur les bords de l'Orne, ils apercevaient, dans une déchirure, des pans de rocs dressant leurs lames obliques entre des peupliers et des bruyères, ou bien ils s'attristaient de ne rencontrer le long du chemin que des couches d'argile. Devant un paysage, ils n'admiraient ni la série des plans, ni la profondeur des lointains, ni les ondulations de la verdure, mais ce qu'on ne voyait pas, le dessous, la terre; et toutes les collines étaient pour eux encore une preuve du déluge. A la manie du déluge succéda celle des blocs erratiques. Les grosses pierres, seules dans les champs, devaient provenir de glaciers disparus, et ils cherchaient des moraines et des faluns.

Plusieurs fois on les prit pour des porteballes, vu leur accoutrement; et quand ils avaient répondu qu'ils étaient « des ingénieurs », une crainte leur venait : l'usurpation d'un titre pareil pouvait leur attirer des désagréments.

A la fin du jour, ils haletaient sous le poids de leurs échantillons, mais, intrépides, les rapportaient chez eux. Il y en avait le long des marches, dans l'escalier, dans la chambre, dans la salle, dans la cuisine, et Germaine se lamentait sur la quantité de poussière.

Ce n'était pas une mince besogne, avant de coller des étiquettes, que de savoir le nom des roches; la variété des couleurs et du grenu leur faisait confondre l'argile avec la marne, le granit et le gneiss, le quartz et le calcaire.

Et puis la nomenclature les irritait. Pourquoi devonien, cambrien, jurassique, comme si les terres désignées par ces mots n'étaient pas ailleurs qu'en Devonshire, près de Cambridge, et dans le Jura? Impossible de s'y reconnaître; ce qui est système pour l'un est pour l'autre un étage, pour un troisième une simple assise. Les feuillets des couches s'entremêlent, s'embrouillent; mais Omalius d'Halloy vous prévient qu'il ne faut pas croire aux divisions géologiques.

Cette déclaration les soulagea, et quand ils eurent vu des calcaires à polypiers dans la plaine de Caen, des phyllades à Balleroy, du kaolin à Saint-Blaise, de l'oolithe partout, et cherché de la houille à Cartigny et du mercure à la Chapelle-en-Juger, près Saint-Lô, ils décidèrent une excursion plus lointaine, un voyage au Havre, pour étudier le quartz pyromaque et l'argile de Kimmeridge.

A peine descendus du paquebot, ils demandèrent le chemin qui conduit sous les phares; des éboulements l'obstruaient, il était dangereux de s'y hasarder.

Un loueur de voitures les accosta et leur offrit des promenades aux environs : Ingouville, Octeville, Fécamp, Lillebonne, « Rome s'il le fallait ».

Ses prix étaient déraisonnables, mais le nom de Fécamp les avait frappés; en se détournant un peu sur la route, on pouvait voir Etretat, et ils prirent la gondole de Fécamp pour se rendre au plus loin d'abord.

Dans la gondole, Bouvard et Pécuchet firent la conversation avec trois paysans, deux bonnes femmes, un séminariste, et n'hésitèrent pas à se qualifier d'ingénieurs.

On s'arrêta devant le bassin. Ils gagnèrent la falaise, et cinq minutes après la frôlèrent pour éviter une grande flaque d'eau avançant comme un golfe au milieu du rivage. Ensuite, ils virent une arcade qui s'ouvrait sur une grotte profonde; elle était sonore, très claire, pareille à une église, avec des colonnes de haut en bas et un tapis de varech tout le long de ses dalles.

Cet ouvrage de la nature les étonna, et, continuant leur chemin en ramassant des coquilles, ils s'élevèrent à des considérations sur l'origine du monde.

Bouvard penchait vers le neptunisme; Pécuchet, au contraire, était plutonien.

Le feu central avait brisé la croûte du globe, soulevé les terrains, fait des crevasses. C'est comme une mer intérieure ayant son flux et reflux, ses tempêtes; une mince pellicule nous en sépare. On ne dormirait pas si l'on songeait à tout ce qu'il y a sous nos talons. Cependant le feu central diminue et le soleil s'affaiblit, si bien que la Terre un jour périra de refroidissement. Elle deviendra stérile; tout le bois et toute la houille se seront convertis en acide carbonique, et aucun être ne pourra subsister.

— Nous n'y sommes pas encore, dit Bouvard.

— Espérons-le, reprit Pécuchet.

N'importe, cette fin du monde, si lointaine qu'elle fût, les assombrit, et, côte à côte, ils marchaient silencieusement sur des galets.

La falaise, perpendiculaire, toute blanche et rayée en noir, çà et là, par des lignes de silex, s'en allait vers l'horizon, telle que la courbe d'un rempart ayant cinq lieues d'étendue. Un vent d'est, âpre et froid, soufflait. Le ciel était gris, la mer verdâtre et comme enflée. Du sommet des roches, des oiseaux s'envolaient, tournoyaient, rentraient vite dans leurs trous. Quelquefois une pierre, se détachant, rebondissait de place en place avant de descendre jusqu'à eux.

Pécuchet poursuivait à haute voix ses pensées :

— A moins que la Terre ne soit anéantie par un cataclysme! On ignore la longueur de notre période. Le feu central n'a qu'à déborder.

— Pourtant il diminue.

— Cela n'empêche pas ses explosions d'avoir produit l'île Julia, le Monte-Nuovo, bien d'autres encore.

Bouvard se rappelait avoir lu ces détails dans Bertrand.

— Mais de pareils bouleversements n'arrivent pas en Europe.

— Mille excuses, témoin celui de Lisbonne. Quant à nos pays, les mines de houille et de pyrite martiale sont nombreuses et peuvent très bien, en se décomposant, former des bouches volcaniques. Les volcans, d'ailleurs, éclatent toujours près de la mer.

Bouvard promena sa vue sur les flots, et crut distinguer au loin une fumée qui montait vers le ciel.

— Puisque l'île Julia, reprit Pécuchet, a disparu, des terrains produits par la même cause auront peut-être le même sort. Un îlot de l'Archipel est aussi important que la Normandie, et même que l'Europe.

Bouvard se figura l'Europe engloutie dans un abîme.

— Admets, dit Pécuchet, qu'un tremblement de terre ait lieu sous la Manche; les eaux se ruent dans l'Atlantique; les côtes de la France et de l'Angleterre, en chancelant sur leur base, s'inclinent, se rejoignent, et v'lan! tout l'entre-deux est écrasé.

Au lieu de répondre, Bouvard se mit à marcher tellement vite qu'il fut bientôt à cent pas de Pécuchet. Etant seul, l'idée d'un cataclysme le troubla. Il n'avait pas mangé depuis le matin : ses tempes bourdonnaient. Tout à coup le sol lui parut tressaillir et la falaise, au-dessus de sa tête, pencher par le sommet. A ce moment, une pluie de graviers déroula d'en haut.

Pécuchet l'aperçut qui détalait avec violence, comprit sa terreur, cria de loin :

— Arrête! arrête! la période n'est pas accomplie!

Et, pour le rattraper, il faisait des sauts énormes, avec son bâton de touriste, tout en vociférant :

— La période n'est pas accomplie! la période n'est pas accomplie!

Bouvard, en démence, courait toujours. Le parapluie-polybranches tomba, les pans de sa redingote s'envolaient, le havresac ballottait à son dos. C'était comme une tortue avec des ailes qui aurait galopé parmi les roches; une plus grosse le cacha.

Pécuchet y parvint hors d'haleine, ne vit personne, puis retourna en arrière pour gagner les champs par une « valleuse » que Bouvard avait prise, sans doute.

Ce raidillon étroit était taillé à grandes marches dans la falaise, de la largeur de deux hommes, et luisant comme de l'albâtre poli.

A cinquante pieds d'élévation, Pécuchet voulut descendre. La mer battant son plein, il se remit à grimper.

Au second tournant, quand il aperçut le vide, la peur le glaça. A mesure qu'il approchait du troisième, ses jambes devenaient molles. Les couches de l'air vibraient autour de lui, une crampe le pinçait à l'épigastre; il s'assit par terre, les yeux fermés, n'ayant plus conscience que des battements de son cœur qui l'étouffaient; puis il jeta son bâton de touriste, et avec les genoux et les mains reprit son ascension. Mais les trois marteaux tenus à la ceinture lui entraient dans le ventre; les cailloux dont ses poches étaient bourrées tapaient ses flancs; la visière de sa casquette l'aveuglait; le vent redoublait de force. Enfin il atteignit le plateau et y trouva Bouvard, qui était monté plus loin par une valleuse moins difficile.

Une charrette les recueillit. Ils oublièrent Etretat.

Le lendemain soir, au Havre, en attendant le paquebot, ils virent au bas d'un journal, un feuilleton intitulé : *De l'enseignement de la géologie.*

Cet article, plein de faits, exposait la question comme elle était comprise à l'époque.

Jamais il n'y eut un cataclysme complet du globe, mais la même espèce n'a pas toujours la même durée, et s'éteint plus vite dans tel endroit que dans tel autre. Des terrains de même âge contiennent des fossiles différents, comme des dépôts très éloignés en renferment de pareils. Les fougères d'autrefois sont identiques aux fougères d'à présent. Beaucoup de zoophytes contemporains se retrouvent dans les couches les plus anciennes. En résumé, les modifications actuelles expliquent les bouleversements antérieurs. Les mêmes causes agissent toujours, la Nature ne fait pas de sauts, et les périodes, affirme Brongniart, ne sont après tout que des abstractions.

Cuvier, jusqu'à présent, leur avait apparu dans l'éclat d'une auréole, au sommet d'une science indiscutable. Elle était sapée. La Création n'avait plus la même discipline, et leur respect pour ce grand homme diminua.

Par des biographies et des extraits, ils apprirent quelque chose des doctrines de Lamarck et de Geoffroy Saint-Hilaire.

Tout cela contrariait les idées reçues, l'autorité de l'Église.

Bouvard en éprouva comme l'allégement d'un joug brisé.

— Je voudrais voir, maintenant, ce que le citoyen Jeufroy me répondrait sur le déluge!

Ils le trouvèrent dans son petit jardin, où il attendait les membres du conseil de fabrique, qui devaient se réunir tout à l'heure pour l'acquisition d'une chasuble.

— Ces messieurs souhaitent?...

— Un éclaircissement, s'il vous plaît.

Et Bouvard commença :

— Que signifiaient, dans la *Genèse*, « l'abîme qui rompit » et « les cataractes du ciel »? Car un abîme ne se rompt pas, et le ciel n'a point de cataractes!

L'abbé ferma les paupières, puis répondit : qu'il fallait distinguer toujours entre le sens et la lettre. Des choses, qui d'abord vous choquent, deviennent légitimes en les approfondissant.

— Très bien! mais comment expliquer la pluie qui dépassait les plus hautes montagnes, lesquelles mesurent deux lieues! Y pensez-vous? deux lieues! une épaisseur d'eau ayant deux lieues!

Et le maire, survenant, ajouta :

— Saprelotte, quel bain!

— Convenez, dit Bouvard, que Moïse exagère diablement.

Le curé avait lu Bonald, et répliqua :

— J'ignore ses motifs; c'était, sans doute, pour inspirer un effroi salutaire aux peuples qu'il dirigeait!

— Enfin cette masse d'eau, d'où venait-elle?

— Que sais-je? L'air s'était changé en pluie, comme il arrive tous les jours.

Par la porte du jardin, on vit entrer M. Girbal, directeur des contributions, avec le capitaine Heurteaux, propriétaire; et Beljambe l'aubergiste donnait le bras à Langlois l'épicier, qui marchait péniblement à cause de son catarrhe.

Pécuchet, sans souci d'eux, prit la parole :

— Pardon, monsieur Jeufroy. Le poids de l'atmosphère, la science nous le démontre, est égal à celui d'une masse d'eau qui ferait autour du globe une enveloppe de dix mètres. Par conséquent, si tout l'air condensé tombait dessus à l'état liquide, il augmenterait bien peu la masse des eaux existantes.

Et les fabriciens ouvraient de grands yeux, écoutaient.

Le curé s'impatienta.

— Nierez-vous qu'on ait trouvé des coquilles sur les montagnes? Qui les y a mises, sinon le déluge? Elles n'ont pas coutume, je crois, de pousser toutes seules dans la terre comme des carottes!

Et ce mot ayant fait rire l'assemblée, il ajouta en pinçant les lèvres :

— A moins que ce ne soit encore une des découvertes de la science?

Bouvard voulut répondre par le soulèvement des montagnes, la théorie d'Elie de Beaumont.

— Connais pas, répondit l'abbé.

Foureau s'empressa de dire :

— Il est de Caen! Je l'ai vu une fois à la Préfecture

— Mais si votre déluge, repartit Bouvard, avait charrié des coquilles, on les trouverait brisées à la surface, et non à des profondeurs de trois cents mètres quelquefois.

Le prêtre se rejeta sur la véracité des Ecritures, la tradition du genre humain, et les animaux découverts dans la glace, en Sibérie.

Cela ne prouve pas que l'homme ait vécu en même temps qu'eux! La Terre, selon Pécuchet, était considérablement plus vieille.

— Le delta du Mississipi remonte à des dizaines de milliers d'années. L'époque actuelle en a cent mille, pour le moins. Les listes de Manéthon...

Le comte de Faverges s'avança.

Tous firent silence à son approche.

— Continuez, je vous prie! Que disiez-vous?

— Ces messieurs me querellaient, répondit l'abbé.

— A propos de quoi?

— Sur la sainte Ecriture, monsieur le comte!

Bouvard, de suite, allégua qu'ils avaient droit, comme géologues, à discuter religion.

— Prenez garde, dit le comte; vous savez le mot, cher monsieur : un peu de science en éloigne, beaucoup y ramène.

Et d'un ton à la fois hautain et paternel :

— Croyez-moi! vous y reviendrez! vous y reviendrez!

— Peut-être! mais que penser d'un livre où l'on prétend que la lumière a été créée avant le soleil, comme si le soleil n'était pas la seule cause de la lumière!

— Vous oubliez celle qu'on appelle boréale, dit l'ecclésiastique.

Bouvard, sans répondre à l'objection, nia fortement qu'elle ait pu être d'un côté et les ténèbres de l'autre; qu'il y ait eu un soir et un matin, quand les astres n'existaient pas, et que les animaux aient apparu tout à coup, au lieu de se former par cristallisation.

Comme les allées étaient trop petites, en gesticulant, on marchait dans les plates-bandes. Langlois fut pris d'une quinte de toux. Le capitaine criait :

— Vous êtes des révolutionnaires!

Girbal :

— La paix! la paix!

Le prêtre :

— Quel matérialisme!

Foureau :

— Occupons-nous plutôt de notre chasuble!

— Non! Laissez-moi parler!

Et Bouvard, s'échauffant, alla jusqu'à dire que l'homme descendait du singe!

Tous les fabriciens se regardèrent, fort ébahis et comme pour s'assurer qu'ils n'étaient pas des singes.

Bouvard reprit :

— En comparant le fœtus d'une femme, d'une chienne, d'un oiseau, d'une grenouille...

— Assez!

— Moi je vais plus loin! s'écria Pécuchet; l'homme descend des poissons!

Des rires éclatèrent. Mais sans se troubler :

— Le Telliamed! un livre arabe!...

— Allons, messieurs, en séance!

Et on entra dans la sacristie.

Les deux compagnons n'avaient pas roulé l'abbé Jeufroy comme ils l'auraient cru; aussi Pécuchet lui trouva-t-il « le cachet du jésuitisme ».

Sa lumière boréale les inquiétait cependant; ils la cherchèrent dans le manuel de d'Orbigny.

C'est une hypothèse pour expliquer comment les végétaux fossiles de la baie de Baffin ressemblent aux plantes équatoriales. On suppose, à la place du soleil, un grand foyer lumineux, maintenant disparu, et dont les aurores boréales ne sont peut-être que les vestiges.

Puis un doute leur vint sur la provenance de l'Homme, et, embarrassés, ils songèrent à Vaucorbeil.

Ses menaces n'avaient pas eu de suites. Comme autrefois, il passait le matin devant leur grille, en raclant avec sa canne tous les barreaux l'un après l'autre.

Bouvard l'épia, et l'ayant arrêté, dit qu'il voulait lui soumettre un point curieux d'anthropologie.

— Croyez-vous que le genre humain descende des poissons?

— Quelle bêtise!

— Plutôt des singes, n'est-ce pas?

— Directement, c'est impossible!

A qui se fier? Car enfin, le docteur n'était pas un catholique!

Ils continuèrent leurs études, mais sans passion, étant las de l'éocène et du miocène, du Mont-Jurillo, de l'île Julia, des mammouths de Sibérie et des fossiles invariablement comparés, dans tous les auteurs, à « des médailles qui sont des témoignages authentiques », si bien qu'un jour Bouvard jeta son havresac par terre, en déclarant qu'il n'irait pas plus loin.

La géologie est trop défectueuse! A peine connaissons-nous quelques endroits de l'Europe. Quant au reste, avec le fond des océans, on l'ignorera toujours.

Enfin Pécuchet ayant prononcé le mot de règne minéral :

— Je n'y crois pas, au règne minéral! puisque des matières organiques ont pris part à la formation du silex, de la craie, de l'or peut-être! Le diamant n'a-t-il pas été du charbon? la houille un assemblage de végétaux? En la chauffant à je ne sais plus combien de degrés, on obtient de la sciure de bois, tellement que tout passe, tout croule, tout se transforme. La création est faite d'une matière ondoyante et fugace; mieux vaudrait nous occuper d'autres choses!

Il se coucha sur le dos et se mit à sommeiller, pendant que Pécuchet, la tête basse et un genou dans les mains, se livrait à ses réflexions.

Une lisière de mousse bordait un chemin creux, ombragé par des frênes, dont les cimes légères tremblaient; des angéliques, des menthes, des lavandes exhalaient des senteurs chaudes, épicées; l'atmosphère était lourde; et Pécuchet, dans une sorte d'abrutissement, rêvait aux existences innombrables éparses autour de lui, aux insectes qui bourdonnaient, aux sources cachées sous le gazon, à la sève des plantes, aux oiseaux dans leurs nids, au vent, aux nuages, à toute la nature, sans chercher à découvrir ses mystères, séduit par sa force, perdu dans sa grandeur.

— J'ai soif! dit Bouvard en se réveillant.

— Moi de même! Je boirais volontiers quelque chose!

— C'est facile, reprit un homme qui passait en manches de chemise, avec une planche sur l'épaule.

Et ils reconnurent ce vagabond à qui Bouvard autrefois avait donné un verre de vin. Il semblait de dix ans plus jeune, portait les cheveux en accroche-cœur, la moustache bien cirée, et dandinait sa taille d'une façon parisienne.

Après cent pas environ, il ouvrit la barrière d'une cour, jeta sa planche contre un mur, et les fit entrer dans une haute cuisine.

— Mélie! es-tu là, Mélie?

Une jeune fille parut, sur son commandement alla « tirer de la boisson », et revint près de la table servir ces messieurs.

Ses bandeaux, de la couleur des blés, dépassaient un béguin de toile grise. Tous ses pauvres vêtements descendaient le long de son corps sans un pli et, le nez droit, les yeux bleus, elle avait quelque chose de délicat, de champêtre et d'ingénu.

— Elle est gentille, hein! dit le menuisier, pendant qu'elle apportait des verres. Si on ne jurerait pas une demoiselle costumée en paysanne! et rude à l'ouvrage, pourtant! Pauvre petit cœur, va! quand je serai riche, je t'épouserai!

— Vous dites toujours des bêtises, monsieur Gorju, répondit-elle d'une voix douce, sur un accent traînant.

Un valet d'écurie vint prendre de l'avoine dans un vieux coffre, et laissa retomber le couvercle si brutalement qu'un éclat de bois en jaillit.

Gorju s'emporta contre la lourdeur de tous « ces gars de la campagne », puis, à genoux devant le meuble, il cherchait la place du morceau. Pécuchet, en voulant l'aider, distingua sous la poussière des figures de personnages.

C'était un bahut de la Renaissance, avec une torsade en bas, des pampres dans les coins; et des colonnettes divisaient sa devanture en cinq compartiments. On voyait au milieu Vénus-Anadyomène debout sur une coquille, puis Hercule et Omphale, Samson et Dalila, Circé et ses pourceaux, les filles de Loth enivrant leur père; tout cela délabré, rongé de mites, et même le panneau de droite manquait. Gorju prit une chandelle pour mieux faire voir à Pécuchet celui de gauche, qui présentait, sous l'arbre du Paradis, Adam et Eve dans une posture fort indécente.

Bouvard également admira le bahut.

— Si vous y tenez, on vous le céderait à bon compte.

Ils hésitaient, vu les réparations.

Gorju pouvait le faire, étant de son métier ébéniste.

— Allons! Venez!

Et il entraîna Pécuchet vers la masure, où Mme Castillon, la maîtresse, étendait du linge.

Mélie, quand elle eut lavé ses mains, prit sur le bord de la fenêtre son métier à dentelles, s'assit en pleine lumière et travailla.

Le linteau de la porte l'encadrait. Les fuseaux se débrouillaient sous ses doigts avec un claquement de castagnettes. Son profil restait penché.

Bouvard la questionna sur ses parents, sur son pays, les gages qu'on lui donnait.

Elle était de Ouistreham, n'avait plus de famille, gagnait une pistole par mois; enfin, elle lui plut tellement, qu'il désira la prendre à son service pour aider la vieille Germaine.

Pécuchet reparut avec la fermière, et pendant qu'ils continuaient leur marchandage, Bouvard demanda tout bas à Gorju si sa petite bonne consentirait à devenir servante.

— Parbleu!

— Toutefois, dit Bouvard, il faut que je consulte mon ami.

— Eh bien, je ferai en sorte; mais n'en parlez pas! à cause de la bourgeoise.

Le marché venait de se conclure, moyennant trente-cinq francs. Pour le raccommodage on s'entendrait.

A peine dans la cour, Bouvard dit son intention relativement à Mélie.

Pécuchet s'arrêta (afin de mieux réfléchir), ouvrit sa tabatière, huma une prise, et, s'étant mouché :

— Au fait, c'est une idée! mon Dieu, oui! pourquoi pas? D'ailleurs, tu es le maître!

Dix minutes après, Gorju se montra sur le haut-bord d'un fossé, et les interpellant :

— Quand faut-il que je vous apporte le meuble?

— Demain!

— Et pour l'autre question, êtes-vous décidés?

— Convenu! répondit Pécuchet.

IV

Six mois plus tard, ils étaient devenus des archéologues; et leur maison ressemblait à un musée.

Une vieille poutre de bois se dressait dans le vestibule. Les spécimens de géologie encombraient l'escalier; et une chaîne énorme s'étendait par terre tout le long du corridor.

Ils avaient décroché la porte entre les deux chambres où ils ne couchaient pas et condamné l'entrée extérieure de la seconde, pour ne faire de ces deux pièces qu'un même appartement.

Quand on avait franchi le seuil, on se heurtait à une auge de pierre (un sarcophage gallo-romain), puis les yeux étaient frappés par de la quincaillerie.

Contre le mur en face, une bassinoire dominait deux chenets et une plaque de foyer qui représentait un moine caressant une bergère. Sur des planchettes tout autour, on voyait des flambeaux, des serrures, des boulons, des écrous. Le sol disparaissait sous des tessons de tuiles rouges. Une table au milieu exhibait les curiosités les plus rares : la carcasse d'un bonnet de Cauchoise, deux urnes d'argile, des médailles, une fiole de verre opalin. Un fauteuil en tapisserie avait sur son dossier un triangle de guipure. Un morceau de cotte de mailles ornait la cloison à droite; et en dessous, des pointes maintenaient horizontalement une hallebarde, pièce unique.

La seconde chambre, où l'on descendait par deux marches, renfermait les anciens livres apportés de Paris, et ceux qu'en arrivant ils avaient découverts dans une armoire. Les vantaux en étaient retirés. Ils l'appelaient la bibliothèque.

L'arbre généalogique de la famille Croixmare occupait seul tout le revers de la porte. Sur le lambris en retour, la figure au pastel d'une dame en costume Louis XV faisait pendant au portrait du père Bouvard. Le chambranle de la glace avait pour décoration un sombrero de feutre noir et une monstrueuse galoche, pleine de feuilles, les restes d'un nid.

Deux noix de coco (appartenant à Pécuchet depuis sa jeunesse) flanquaient sur la cheminée un tonneau de faïence, que chevauchait un paysan. Auprès, dans une corbeille de paille, il y avait un décime rendu par un canard.

Devant la bibliothèque se carrait une commode en coquillages, avec des ornements de peluche. Son couvercle supportait un chat tenant une souris dans sa gueule, pétrification de Saint-Allyre, une boîte à ouvrage en coquilles mêmement, et, sur cette boîte, une carafe d'eau-de-vie contenait une poire de bon-chrétien.

Mais le plus beau, c'était, dans l'embrasure de la fenêtre, une statue de saint Pierre! Sa main droite couverte d'un gant serrait la clef du Paradis, de couleur vert-pomme. Sa chasuble, que des fleurs de lis agrémentaient, était bleu ciel, et sa tiare, très jaune, pointue comme une pagode. Il avait les joues fardées, de gros yeux ronds, la bouche béante, le nez de travers et en trompette. Au-dessus pendait un baldaquin fait d'un vieux tapis où l'on distinguait deux Amours dans un cercle de roses, et à ses pieds, comme une colonne, se levait un pot à beurre, portant ces mots en lettres blanches sur un fond chocolat : « Exécuté devant S. A. R. Monseigneur le duc d'Angoulême, à Noron, le 3 octobre 1817. »

Pécuchet, de son lit, apercevait tout cela en enfilade, et parfois même il allait jusque dans la chambre de Bouvard, pour allonger la perspective.

Une place demeurait vide en face de la cotte de mailles, celle du bahut Renaissance.

Il n'était pas achevé, Gorju y travaillait encore, varlopant les panneaux dans le fournil, et les ajustant, les démontant.

A onze heures, il déjeunait, causait ensuite avec Mélie, et souvent ne reparaissait plus de toute la journée.

Pour avoir des morceaux dans le genre du meuble, Bouvard et Pécuchet s'étaient mis en campagne. Ce qu'ils rapportaient ne convenait pas. Mais ils avaient rencontré une foule de choses curieuses. Le goût des bibelots leur était venu, puis l'amour du moyen âge.

D'abord ils visitèrent les cathédrales; et les hautes nefs se mirant dans l'eau des bénitiers, les verreries éblouissantes comme des tentures de pierreries, les tombeaux au fond des chapelles, le jour incertain des cryptes, tout, jusqu'à la fraîcheur des murailles, leur causa un frémissement de plaisir, une émotion religieuse.

Bientôt ils furent capables de distinguer les époques, et, dédaigneux des sacristains, ils disaient :

— Ah! une abside romane!... Cela est du XIIᵉ siècle! voilà que nous retombons dans le flamboyant!

Ils tâchaient de comprendre les symboles sculptés sur les chapiteaux, comme les deux griffons de Marigny, becquetant un arbre en fleurs. Pécuchet vit une satire dans les chantres à mâchoire grotesque qui terminent les ceintures de Feugerolles; et pour l'exubérance de l'homme obscène couvrant un des meneaux d'Hérouville, cela prouvait, suivant Bouvard, que nos aïeux avaient chéri la gaudriole.

Ils arrivèrent à ne plus tolérer la moindre marque de décadence. Tout était de la décadence et ils déploraient le vandalisme, tonnaient contre le badigeon.

Mais le style d'un monument ne s'accorde pas toujours avec la date qu'on lui suppose. Le plein cintre, au XIIIᵉ siècle, domine encore dans la Provence. L'ogive est peut-être fort ancienne, et des auteurs contestent l'antériorité du roman sur le gothique. Ce défaut de certitude les contrariait.

Après les églises ils étudièrent les châteaux forts, ceux de Domfront et de Falaise. Ils admiraient sous la porte les rainures de la herse, et, parvenus au sommet, ils voyaient d'abord toute la campagne, puis les toits de la ville, les rues s'entrecroisant, des charrettes sur la place, des femmes au lavoir. Le mur dévalait à pic jusqu'aux broussailles des douves, et ils pâlissaient en songeant que des hommes avaient monté là, suspendus à des échelles. Ils se seraient risqués dans les souterrains; mais Bouvard avait pour obstacle son ventre, et Pécuchet la crainte des vipères.

Ils voulurent connaître les vieux manoirs, Curcy, Bully, Fontenay, Lemarmion, Argouge. Parfois à l'angle des bâtiments, derrière le fumier, se dresse une tour carlovingienne. La cuisine, garnie de bancs en pierre, fait songer à des ripailles féodales. D'autres ont un aspect exclusivement farouche, avec leurs trois enceintes encore visibles, des meurtrières sous l'escalier, de longues tourelles à pans aigus. Puis on arrive dans un appartement, où une fenêtre du temps des Valois, ciselée comme un ivoire, laisse entrer le soleil qui chauffe sur le parquet des grains de colza répandus. Des abbayes servent de granges. Les inscriptions des pierres tombales sont effacées. Au milieu des champs, un pignon reste debout, et du haut en bas est revêtu d'un lierre que le vent fait trembler.

Quantité de choses excitaient leurs convoitises, un pot d'étain, une boucle de strass, des indiennes à grands ramages. Le manque d'argent les retenait.

Par un hasard providentiel, ils déterrèrent à Balleroy, chez un étameur, un vitrail gothique, et il fut assez grand pour couvrir, près du fauteuil, la partie droite de la croisée jusqu'au deuxième carreau. Le clocher de Chavignolles se montrait dans le lointain, produisant un effet splendide.

Avec un bas d'armoire, Gorju fabriqua un prie-Dieu, pour mettre sous le vitrail, car il flattait leur manie. Elle était si forte qu'ils regrettaient des monuments sur lesquels on ne sait rien du tout, comme la maison de plaisance des évêques de Séez.

Bayeux, dit M. de Caumont, devait avoir un théâtre. Ils en cherchèrent la place inutilement.

Le village de Montrecy contient un pré célèbre par des trouvailles de médailles qu'on y a découvertes autrefois. Ils comptaient y faire une belle récolte. Le gardien leur en refusa l'entrée.

Ils ne furent pas plus heureux sur la communication qui existait entre une citerne de Falaise et le faubourg de Caen. Des canards qu'on y avait introduits reparurent à Vaucelles, en grognant : « Can, can, can », d'où est venu le nom de la ville.

Aucune démarche ne leur coûtait, aucun sacrifice.

A l'auberge de Mesnil-Villement, en 1816, M. Galeron eut un déjeuner pour la somme de quatre sols. Ils y firent le même repas, et constatèrent avec surprise que les choses ne se passaient plus comme ça !

Quel est le fondateur de l'abbaye de Sainte-Anne ? Existe-t-il une parenté entre Marin Onfroy, qui importa, au xii⁰ siècle, une nouvelle sorte de pomme de terre, et Onfroy, gouverneur d'Hastings, à l'époque de la conquête ? Comment se procurer *l'Astucieuse Pythonisse*, comédie en vers d'un certain Dutrezor, faite à Bayeux, et actuellement des plus rares ? Sous Louis XIV, Hérambert Dupaty, ou Dupastis Hérambert, composa un ouvrage, qui n'a jamais paru, plein d'anecdotes sur Argentan : il s'agissait de retrouver ces anecdotes. Que sont devenus les mémoires autographes de Mme Dubois de La Pierre, consultés pour l'histoire inédite de Laigle, par Louis Dasprès, desservant de Saint-Martin ? Autant de problèmes, de points curieux à éclaircir.

Mais souvent un faible indice met sur la voie d'une découverte inappréciable.

Donc, ils revêtirent leurs blouses, afin de ne pas donner l'éveil, et, sous l'apparence de colporteurs, ils se présentaient dans les maisons, demandant à acheter de vieux papiers. On leur en vendit des tas. C'étaient des cahiers d'école, des factures, d'anciens journaux, rien d'utile.

Enfin, Bouvard et Pécuchet s'adressèrent à Larsoneur.

Il était perdu dans le celticisme, et, répondant sommairement à leurs questions, en fit d'autres.

Avaient-ils observé autour d'eux des traces de la religion du chien, comme on en voit à Montargis ? et des détails spéciaux, sur les feux de la Saint-Jean, les mariages, les dictons populaires, etc.? Il les priait même de recueillir pour lui quelques-unes de ces haches en silex, appelées alors des *celtæ* et que les druides employaient dans « leurs criminels holocaustes ».

Par Gorju, ils s'en procurèrent une douzaine, lui expédièrent la moins grande, les autres enrichirent le muséum.

Ils s'y promenaient avec amour, le balayaient eux-mêmes, en avaient parlé à toutes leurs connaissances.

Une après-midi, Mme Bordin et M. Marescot se présentèrent pour le voir.

Bouvard les reçut, et commença la démonstration par le vestibule.

La poutre n'était rien moins que l'ancien gibet de Falaise, d'après le menuisier qui l'avait vendue, lequel tenait ce renseignement de son grand-père.

La grosse chaîne, dans le corridor, provenait des oubliettes du donjon de Torteval. Elle ressemblait, suivant le notaire, aux chaînes des bornes devant les cours d'honneur. Bouvard était convaincu qu'elle servait autrefois à lier les captifs, et il ouvrit la porte de la première chambre.

— Pourquoi toutes ces tuiles ? s'écria Mme Bordin.

— Pour chauffer les étuves ; mais un peu d'ordre, s'il vous plaît. Ceci est un tombeau découvert dans une auberge où on l'employait comme abreuvoir.

Ensuite Bouvard prit les deux urnes pleines d'une terre qui était de la cendre humaine, et il approcha de ses yeux la fiole, afin de montrer par quelle méthode les Romains y versaient des pleurs.

— Mais on ne voit chez vous que des choses lugubres !

Effectivement, c'était un peu sérieux pour une dame, et alors il tira d'un carton plusieurs monnaies de cuivre, avec un denier d'argent.

Mme Bordin demanda au notaire quelle somme aujourd'hui cela pourrait valoir.

La cotte de mailles qu'il examinait lui échappa des doigts, des anneaux se rompirent. Bouvard dissimula son mécontentement.

Il eut même l'obligeance de décrocher la hallebarde, et, se courbant, levant les bras, battant du talon, il faisait mine de faucher les jarrets d'un cheval, de pointer comme à la baïonnette, d'assommer un ennemi. La veuve, intérieurement, le trouvait un rude gaillard.

Elle fut enthousiasmée par la commode en coquillages. Le chat de Saint-Allyre l'étonna beaucoup, la poire dans la carafe un peu moins ; puis, arrivant à la cheminée :

— Ah ! voilà un chapeau qui aurait besoin de raccommodages.

Trois trous, des marques de balles, en perçaient les bords.

C'était celui d'un chef de voleurs sous le Directoire, David de La Bazoque, pris en trahison et tué immédiatement.

— Tant mieux, on a bien fait, dit Mme Bordin.

Marescot souriait devant les objets d'une façon dédaigneuse. Il ne comprenait pas cette galoche qui avait été l'enseigne d'un marchand de chaussures, ni pourquoi le tonneau de faïence, un vulgaire pichet de cidre, et le saint Pierre, franchement, était lamentable avec sa physionomie d'ivrogne.

Mme Bordin fit cette remarque :

— Il a dû vous coûter bon, tout de même.

— Oh ! pas trop, pas trop.

Un couvreur d'ardoises l'avait donné pour quinze francs.

Ensuite elle blâma, vu l'inconvenance, le décolletage de la dame en perruque poudrée.

— Où est le mal ? reprit Bouvard, quand on possède quelque chose de beau.

Et il ajouta plus bas :

— Comme vous, je suis sûr.

Le notaire leur tournait le dos, étudiant les branches

de la famille Croixmare. Elle ne répondit rien, mais se mit à jouer avec sa longue chaîne de montre. Ses seins bombaient le taffetas noir de son corsage, et, les cils un peu rapprochés, elle baissait le menton, comme une tourterelle qui se rengorge; puis, d'un air ingénu :

— Comment s'appelait cette dame?

— On l'ignore; c'est une maîtresse du Régent, vous savez, celui qui a fait tant de farces.

— Je crois bien! les mémoires du temps...

Et le notaire, sans finir sa phrase, déplora cet exemple d'un prince entraîné par ses passions.

— Mais vous êtes tous comme ça!

Les deux hommes se récrièrent, et un dialogue s'ensuivit sur les femmes, sur l'amour. Marescot affirma qu'il existe beaucoup d'unions heureuses; parfois même, sans qu'on s'en doute, on a près de soi ce qu'il faudrait pour son bonheur. L'allusion était directe. Les joues de la veuve s'empourprèrent; mais, se remettant presque aussitôt :

— Nous n'avons plus l'âge des folies, n'est-ce pas, monsieur Bouvard?

— Eh! eh! moi, je ne dis pas ça.

Et il offrit son bras pour revenir dans l'autre chambre.

— Faites attention aux marches. Très bien. Maintenant, observez le vitrail.

On y distinguait un manteau d'écarlate et les deux ailes d'un ange. Tout le reste se perdait sous les plombs qui tenaient en équilibre les nombreuses cassures du verre. Le jour diminuait, des ombres s'allongeaient, Mme Bordin était devenue sérieuse.

Bouvard s'éloigna et reparut affublé d'une couverture de laine, puis s'agenouilla devant le prie-Dieu, les coudes en dehors, la face dans les mains, la lueur du soleil tombant sur sa calvitie; et il avait conscience de cet effet, car il dit :

— Est-ce que je n'ai pas l'air d'un moine du moyen âge?

Ensuite il leva le front obliquement, les yeux noyés, faisant prendre à sa figure une expression mystique. On entendit dans le corridor la voix grave de Pécuchet :

— N'aie pas peur, c'est moi.

Et il entra, la tête couverte d'un casque : un pot de fer à oreillons pointus.

Bouvard ne quitta pas le prie-Dieu. Les deux autres restaient debout. Une minute se passa dans l'ébahissement.

Mme Bordin parut un peu froide à Pécuchet. Cependant il voulut savoir si on lui avait tout montré.

— Il me semble.

Et désignant la muraille :

— Ah! pardon, nous aurons ici un objet que l'on restaure en ce moment.

La veuve et Marescot se retirèrent.

Les deux amis avaient imaginé de feindre une concurrence. Ils allaient en courses l'un sans l'autre, le second faisant des offres supérieures à celles du premier. Pécuchet venait d'obtenir le casque.

Bouvard l'en félicita et reçut des éloges à propos de la couverture.

Mélie, avec des cordons, l'arrangea en manière de froc. Ils le mettaient à tour de rôle pour recevoir les visites.

Ils eurent celles de Girbal, de Foureau, du capitaine Heurteaux, puis de personnes inférieures : Langlois, Beljambe, leurs fermiers, jusqu'aux servantes des voisins; et chaque fois ils recommençaient leurs explications, montraient la place où serait le bahut, affectaient de la modestie, réclamaient de l'indulgence pour l'encombrement.

Pécuchet, ces jours-là, portait le bonnet de zouave qu'il avait autrefois à Paris, l'estimant plus en rapport avec le milieu artistique. A un certain moment, il se coiffait du casque et le penchait sur la nuque, afin de dégager son visage. Bouvard n'oubliait pas la manœuvre de la hallebarde; enfin, d'un coup d'œil, ils se demandaient si le visiteur méritait que l'on fît « le moine du moyen âge ».

Quelle émotion quand s'arrêta devant leur grille la voiture de M. de Faverges! Il n'avait qu'un mot à dire. Voici la chose :

Hurel, son homme d'affaires, lui avait appris que, cherchant partout des documents, ils avaient acheté de vieux papiers à la ferme de la Aubrye.

Rien de plus vrai.

N'y avaient-ils pas découvert des lettres du baron de Gonneval, ancien aide de camp du duc d'Angoulême, et qui avait séjourné à la Aubrye? On désirait cette correspondance pour des intérêts de famille.

Elle n'était pas chez eux, mais ils détenaient une chose qui l'intéressait, s'il daignait les suivre jusqu'à leur bibliothèque.

Jamais pareilles bottes vernies n'avaient craqué dans le corridor. Elles se heurtèrent contre le sarcophage. Il faillit même écraser plusieurs tuiles, tourna le fauteuil, descendit deux marches, — et parvenus dans la seconde chambre, ils lui firent voir sous le baldaquin, devant le saint Pierre, le pot de beurre exécuté à Noron.

Bouvard et Pécuchet avaient cru que la date, quelquefois, pouvait servir.

Le gentilhomme, par politesse, inspecta leur musée.

Il répétait : « Charmant! très bien! » tout en se donnant sur la bouche de petits coups avec le pommeau de sa badine, et, pour sa part, il les remerciait d'avoir sauvé ces débris du moyen âge, époque de foi religieuse et de dévouements chevaleresques. Il aimait le progrès, et se fût livré, comme eux, à ces études intéressantes; mais la politique, le conseil général, l'agriculture, un véritable tourbillon l'en détournait.

— Après vous, toutefois, on n'aurait que des glanes, car bientôt vous aurez pris toutes les curiosités du département.

— Sans amour-propre, nous le pensons, dit Pécuchet.

Cependant, on pouvait en découvrir encore à Chavignolles, par exemple; il y avait contre le mur du cimetière, dans la ruelle, un bénitier enfoui sous les herbes depuis un temps immémorial.

Ils furent heureux du renseignement, puis échangèrent un regard signifiant « est-ce la peine? » mais déjà le comte ouvrait la porte.

Mélie, qui se trouvait derrière, s'enfuit brusquement.

Comme il passait dans la cour, il remarqua Gorju en train de fumer sa pipe, les bras croisés.

— Vous employez ce garçon? Hum! un jour d'émeute je ne m'y fierais pas.

Et M. de Faverges remonta dans son tilbury.

Pourquoi leur bonne semblait-elle en avoir peur?

Ils la questionnèrent, et elle conta qu'elle avait servi dans sa ferme. C'était cette petite fille qui versait à boire aux moissonneurs quand ils étaient venus, deux ans plus tôt. On l'avait prise comme aide au château et renvoyée « par suite de faux rapports ».

Pour Gorju, que lui reprocher? Il était fort habile et leur marquait infiniment de considération.

Le lendemain, dès l'aube, ils se rendirent au cimetière.

Bouvard, avec sa canne, tâta à la place indiquée. Un corps dur sonna. Ils arrachèrent quelques orties et découvrirent une cuvette en grès, un font baptismal où des plantes poussaient.

On n'a pas coutume cependant d'enfouir les fonts baptismaux hors des églises.

Pécuchet en fit un dessin, Bouvard la description, et ils envoyèrent le tout à Larsoneur.

La réponse fut immédiate.

— Victoire, mes chers confrères! Incontestablement, c'est une cuve druidique.

Toutefois qu'ils y prissent garde! La hache était douteuse, et autant pour lui que pour eux-mêmes il leur indiquait une série d'ouvrages à consulter.

Larsoneur confessait en post-scriptum son envie de connaître cette cuve, ce qui aurait lieu, à quelques jours, quand il ferait le voyage de la Bretagne.

Alors Bouvard et Pécuchet se plongèrent dans l'archéologie celtique.

D'après cette science, les anciens Gaulois, nos aïeux, adoraient Kirk et Kron, Taranis Esus, Nétalemnia, le Ciel et la Terre, le Vent, les Eaux, et, par-dessus tout, le grand Teutatès, qui est le Saturne des païens. Car Saturne, quand il régnait en Phénicie, épousa une nymphe nommée Anobret, dont il eut un enfant appelé Jeüd, et Anobret a les traits de Sara, Jeüd fut sacrifié (ou près de l'être) comme Isaac; donc Saturne est Abraham, d'où il faut conclure que la religion des Gaulois avait les mêmes principes que celle des Juifs.

Leur société était fort bien organisée. La première classe de personnes comprenait le peuple, la noblesse et le roi; la deuxième les jurisconsultes, et dans la troisième, la plus haute, se rangeaient, suivant Taillepied, « les diverses manières de philosophes », c'est-à-dire les Druides ou Saronides, eux-mêmes divisés en Eubages, Bardes et Vates.

Les uns prophétisaient, les autres chantaient, d'autres enseignaient la Botanique, la Médecine, l'Histoire et la Littérature, bref « tous les arts de leur époque ». Pythagore et Platon furent leurs élèves. Ils apprirent la métaphysique aux Grecs, la sorcellerie aux Persans, l'aruspicine aux Etrusques, et, aux Romains, l'étamage du cuivre et le commerce des jambons.

Mais de ce peuple, qui dominait l'ancien monde, il ne reste que des pierres, soit toutes seules, ou par groupes de trois, ou disposées en galeries, ou formant des enceintes.

Bouvard et Pécuchet, pleins d'ardeur, étudièrent successivement la Pierre du Post à Ussy, la Pierre-Couplée au Guest, la Pierre du Darier, près de Laigle, d'autres encore!

Tous ces blocs, d'une égale insignifiance, les ennuyèrent promptement; et un jour qu'ils venaient de voir le menhir du Passais, ils allaient s'en retourner, quand leur guide les mena dans un bois de hêtres, encombré par des masses de granit pareilles à des piédestaux ou à de monstrueuses tortues.

La plus considérable est creusée comme un bassin. Un des bords se relève, et du fond partent deux entailles qui descendent jusqu'à terre; c'était pour l'écoulement du sang, impossible d'en douter! Le hasard ne fait pas de ces choses.

Les racines des arbres s'entremêlaient à ces socles abrupts. Un peu de pluie tombait; au loin, les flocons de brume montaient, comme de grands fantômes. Il était facile d'imaginer sous les feuillages les prêtres en tiare d'or et en robe blanche, avec leurs victimes humaines, les bras attachés dans le dos, et, sur le bord de la cuve, la druidesse observant le ruisseau rouge, pendant qu'autour d'elle la foule hurlait, au tapage des cymbales et des buccins faits d'une corne d'auroch.

Tout de suite, leur plan fut arrêté.

Et une nuit, par un clair de lune, ils prirent le chemin du cimetière, marchant comme des voleurs, dans l'ombre des maisons. Les persiennes étaient closes et les masures tranquilles; pas un chien n'aboya.

Gorju les accompagnait; ils se mirent à l'ouvrage. On n'entendait que le bruit des cailloux heurtés par la bêche qui creusait le gazon.

Le voisinage des morts leur était désagréable; l'horloge de l'église poussait un râle continu, et la rosace de son tympan avait l'air d'un œil épiant les sacrilèges. Enfin, ils emportèrent la cuve.

Le lendemain, ils revinrent au cimetière pour voir les traces de l'opération.

L'abbé, qui prenait le frais sur sa porte, les pria de lui faire l'honneur d'une visite; et les ayant introduits dans sa petite salle, il les regarda singulièrement.

Au milieu du dressoir, entre les assiettes, il y avait une soupière décorée de bouquets jaunes.

Pécuchet la vanta, ne sachant que dire.

— C'est un vieux Rouen, reprit le curé, un meuble de famille. Les amateurs le considèrent, M. Marescot surtout.

Pour lui, grâce à Dieu, il n'avait pas l'amour des curiosités; et, comme ils semblaient ne pas comprendre, il déclara les avoir aperçus lui-même dérobant le font baptismal.

Les deux archéologues furent très penauds, balbutièrent. L'objet en question n'était plus d'usage.

N'importe! ils devaient le rendre.

Sans doute! Mais, au moins qu'on leur permît de faire venir un peintre pour le dessiner.

— Soit, messieurs.

— Entre nous, n'est-ce pas? dit Bouvard, sous le sceau de la confession!

L'ecclésiastique, en souriant, les rassura d'un geste. Ce n'était pas lui qu'ils craignaient, mais plutôt Larsoneur. Quand il passerait par Chavignolles, il aurait envie de la cuve, et ses bavardages iraient jusqu'aux oreilles du Gouvernement. Par prudence, ils la cachèrent dans le fournil, puis dans la tonnelle, dans la cahute, dans une armoire. Gorju était las de la trimbaler.

La possession d'un tel morceau les attachait au celticisme de la Normandie.

Ses origines sont égyptiennes. Séez, dans le département de l'Orne, s'écrit parfois Saïs, comme la ville du Delta. Les Gaulois juraient par le taureau, importation du bœuf Apis. Le nom latin de Bellocastes, qui était celui des gens de Bayeux, vient de Beli Casa, demeure, sanctuaire de Bélus. Bélus et Osiris, même divinité. « Rien ne s'oppose », dit Mangou de La Londe, « à ce qu'il y ait eu, près de Bayeux, des monuments druidiques. » « Ce pays, ajoute M. Roussel, ressemble au pays où les Egyptiens bâtirent le temple de Jupiter-Ammon ». Donc, il y avait un temple, et qui enfermait des richesses. Tous les monuments celtiques en renferment.

En 1715, relate dom Martin, le sieur Héribel exhuma, aux environs de Bayeux, plusieurs vases d'argile pleins d'ossements, et conclut (d'après la tradition et les autorités évanouies) que cet endroit, une nécropole, était le mont Faunus, où l'on a enterré le Veau d'or.

Cependant le Veau d'or fut brûlé et avalé, à moins que la Bible ne se trompe.

Premièrement, où est le mont Faunus? Les auteurs ne l'indiquent pas. Les indigènes n'en savent rien. Il aurait fallu se livrer à des fouilles, et, dans ce but, ils envoyèrent à M. le Préfet une pétition qui n'eut pas de réponse.

Peut-être que le mont Faunus a disparu, et que ce n'était pas une colline, mais un tumulus? Que signifiaient les tumulus?

Plusieurs contiennent des squelettes ayant la position du fœtus dans le sein de sa mère. Cela veut dire que le tombeau était pour eux comme une seconde gestation, les préparant à une autre vie. Donc le tumulus symbolise l'organe femelle, comme la pierre levée est l'organe mâle.

En effet, où il y a des menhirs, un culte obscène a persisté. Témoin ce qui se faisait à Guérande, à Chichebouche, au Croisic, à Livarot. Anciennement, les tours, les pyramides, les cierges, les bornes des routes et même les arbres avaient la signification de phallus, et pour Bouvard et Pécuchet, tout devint phallus. Ils recueillirent des palonniers de voiture, des jambes de fauteuil, des verrous de cave, des pilons de pharmacien. Quand on venait les voir, ils demandaient :

— A quoi trouvez-vous que cela ressemble?

Puis confiaient le mystère, et, si l'on se récriait, ils levaient de pitié les épaules.

Un soir qu'ils rêvaient aux dogmes des Druides, l'abbé se présenta discrètement.

Tout de suite ils montrèrent le musée, en commençant par le vitrail; mais il leur tardait d'arriver à un compartiment nouveau, celui des phallus. L'ecclésiastique les arrêta, jugeant l'exhibition indécente. Il venait réclamer ses fonts baptismaux.

Bouvard et Pécuchet implorèrent quinze jours encore, le temps d'en prendre un moulage.

— Le plus tôt sera le mieux, dit l'abbé.

Puis il causa de choses indifférentes.

Pécuchet, qui s'était absenté une minute, lui glissa dans la main un napoléon.

Le prêtre fit un mouvement en arrière.

— Ah! pour vos pauvres!

Et M. Jeufroy, en rougissant, fourra la pièce d'or dans sa soutane.

Rendre la cuve, la cuve aux sacrifices! jamais de la vie! Ils voulaient même apprendre l'hébreu, qui est la langue mère du celtique, à moins qu'elle n'en dérive! et ils allaient faire le voyage de la Bretagne, en commençant par Rennes, où ils avaient un rendez-vous avec Larsoneur, pour étudier cette urne mentionnée dans les mémoires de l'Académie celtique et qui paraît avoir contenu les cendres de la reine Artémise, quand le maire entra, le chapeau sur la tête, sans façon, en homme grossier qu'il était.

— Ce n'est pas tout ça, mes petits pères! Il faut le rendre!

— Quoi donc?

— Farceurs! je sais bien que vous le cachez!

On les avait trahis.

Ils répliquèrent qu'ils le détenaient avec la permission de Monsieur le curé.

— Nous allons voir.

Et Foureau s'éloigna.

Il revint, une heure après.

— Le curé dit que non! Venez vous expliquer.

Ils s'obstinèrent.

D'abord, on n'avait pas besoin de ce bénitier, qui n'était pas un bénitier. Ils le prouveraient par une foule de raisons scientifiques. Puis, ils offrirent de reconnaître, dans leur testament, qu'il appartenait à la commune.

Ils proposèrent même de l'acheter.

— Et d'ailleurs, c'est mon bien! répétait Pécuchet.

Les vingt francs acceptés par M. Jeufroy étaient une preuve de contrat; et s'il fallait comparaître devant le juge de paix, tant pis, il ferait un faux serment!

Pendant ces débats, il avait revu la soupière, plusieurs fois; et dans son âme s'était développé le désir, la soif de posséder cette faïence. Si on voulait la lui donner, il remettrait la cuve. Autrement, non.

Par fatigue ou peur du scandale, M. Jeufroy la céda. Elle fut mise dans leur collection, près du bonnet de Cauchoise. La cuve décora le porche de l'église; et ils se consolèrent de ne plus l'avoir par cette idée que les gens de Chavignolles en ignoraient la valeur.

Mais la soupière leur inspira le goût des faïences : nouveau sujet d'études et d'explorations dans la campagne.

C'était l'époque où les gens distingués recherchaient les vieux plats de Rouen. Le notaire en possédait quelques-uns, et tirait de là comme une réputation d'artiste, préjudiciable à son métier, mais qu'il rachetait par des côtés sérieux.

Quand il sut que Bouvard et Pécuchet avaient acquis la soupière, il vint leur proposer un échange.

Pécuchet s'y refusa.

— N'en parlons plus!

Et Marescot examina leur céramique.

Toutes les pièces accrochées le long des murs étaient bleues sur un fond d'une blancheur malpropre, et quelques-unes étalaient leur corne d'abondance aux tons verts et rougeâtres, plats à barbe, assiettes et soucoupes, objets longtemps poursuivis et rapportés sur le cœur, dans le sinus de la redingote.

Marescot en fit l'éloge, parla des autres faïences, de l'hispano-arabe, de la hollandaise, de l'anglaise, de l'italienne; et les ayant éblouis par son érudition:

— Si je revoyais votre soupière?

Il la fit sonner d'un coup de doigt, puis contempla les deux S peints sur le couvercle.

— La marque de Rouen! dit Pécuchet.

— Oh! oh! Rouen, à proprement parler, n'avait pas de marque. Quand on ignorait Moutiers, toutes les faïences françaises étaient de Nevers. De même pour Rouen, aujourd'hui! D'ailleurs, on l'imite dans la perfection à Elbœuf.

— Pas possible!

— On imite bien les majoliques! Votre pièce n'a aucune valeur, et j'allais faire, moi, une belle sottise!

Quand le notaire eut disparu, Pécuchet s'affaissa dans le fauteuil, prostré!

— Il ne fallait pas rendre la cuve, dit Bouvard, mais tu t'exaltes! tu t'emportes toujours.

— Oui, je m'emporte!

Et Pécuchet, empoignant la soupière, la jeta loin de lui, contre le sarcophage.

Bouvard, plus calme, ramassa les morceaux un à un; et, quelque temps après, eut cette idée:

— Marescot, par jalousie, pourrait bien s'être moqué de nous!

— Comment?

— Rien ne m'assure que la soupière ne soit pas authentique! tandis que les autres pièces, qu'il a fait semblant d'admirer, sont fausses peut-être?

Et la fin du jour se passa dans les incertitudes, les regrets.

Ce n'était pas une raison pour abandonner le voyage de la Bretagne. Ils comptaient même emmener Gorju, qui les aiderait dans leurs fouilles.

Depuis quelque temps, il couchait à la maison, afin de terminer plus vite le raccommodage du meuble. La perspective d'un déplacement le contraria, et comme ils parlaient des menhirs et des tumulus qu'ils comptaient voir:

— Je connais mieux, leur dit-il; en Algérie, dans le Sud, près des sources de Bou-Mursoug, on en rencontre des quantités.

Il fit même la description d'un tombeau, ouvert devant lui, par hasard, et qui contenait un squelette, accroupi comme un singe, les deux bras autour des jambes.

Larsoneur, qu'ils instruisirent du fait, n'en voulut rien croire.

Bouvard approfondit la matière, et le relança.

Comment se fait-il que les monuments des Gaulois soient informes, tandis que ces mêmes Gaulois étaient civilisés au temps de Jules César? Sans doute ils proviennent d'un peuple plus ancien.

Une telle hypothèse, selon Larsoneur, manquait de patriotisme.

— N'importe! rien ne dit que ces monuments soient l'œuvre des Gaulois. Montrez-nous un texte!

L'académicien se fâcha, ne répondit plus; et ils en furent bien aises, tant les Druides les ennuyaient.

S'ils ne savaient à quoi s'en tenir sur la céramique et sur le celticisme, c'est qu'ils ignoraient l'histoire, particulièrement l'histoire de France.

L'ouvrage d'Anquetil se trouvait dans leur bibliothèque; mais la suite des rois fainéants les amusa fort peu. La scélératesse des maires du palais ne les indigna point; et ils lâchèrent Anquetil, rebutés par l'ineptie de ses réflexions.

Alors ils demandèrent à Dumouchel « quelle est la meilleure *Histoire de France* ».

Dumouchel prit, en leur nom, un abonnement à un cabinet de lecture et leur expédia les lettres d'Augustin Thierry, avec deux volumes de M. de Genoude.

D'après cet écrivain, la royauté, la religion et les assemblées nationales, voilà « les principes » de la nation française, lesquels remontent aux Mérovingiens. Les Carlovingiens y ont dérogé. Les Capétiens, d'accord avec le peuple, s'efforcèrent de les maintenir. Sous Louis XIII, le pouvoir absolu fut établi, pour vaincre le protestantisme, dernier effort de la féodalité, et 89 est un retour vers la constitution de nos aïeux.

Pécuchet admira ces idées.

Elles faisaient pitié à Bouvard, qui avait lu Augustin Thierry d'abord:

— Qu'est-ce que tu me chantes, avec ta nation française! puisqu'il n'existait pas de France, ni d'assemblées nationales! et les Carlovingiens n'ont rien usurpé du tout! et les rois n'ont pas affranchi les communes! Lis toi-même.

Pécuchet se soumit à l'évidence, et bientôt le dépassa en rigueur scientifique! Il se serait cru déshonoré s'il avait dit Charlemagne et non Karl le Grand, Clovis au lieu de Clodowig.

Néanmoins, il était séduit par Genoude, trouvant habile de faire se rejoindre les deux bouts de l'histoire de France, si bien que le milieu est du remplissage; et, pour en avoir le cœur net, ils prirent la collection de Buchez et Roux [19].

Mais le pathos des préfaces, cet amalgame de socialisme et de catholicisme les écœura; les détails trop nombreux empêchaient de voir l'ensemble.

Ils recoururent à M. Thiers.

C'était pendant l'été de 1845, dans le jardin, sous la tonnelle. Pécuchet, un petit banc sous les pieds, lisait

19. L'*Histoire parlementaire de la Révolution française* (1834-1838).

tout haut de sa voix caverneuse, sans fatigue, ne s'arrêtant que pour plonger les doigts dans sa tabatière. Bouvard l'écoutait, la pipe à la bouche, les jambes ouvertes, le haut du pantalon déboutonné.

Des vieillards leur avaient parlé de 93; et des souvenirs presque personnels animaient les plates descriptions de l'auteur. Dans ce temps-là, les grandes routes étaient couvertes de soldats qui chantaient *la Marseillaise*. Sur le seuil des portes, des femmes assises cousaient de la toile pour faire des tentes. Quelquefois arrivait un flot d'hommes en bonnet rouge, inclinant au bout d'une pique une tête décolorée, dont les cheveux pendaient. La haute tribune de la Convention dominait un nuage de poussière, où des visages furieux hurlaient des cris de mort. Quand on passait, au milieu du jour, près du bassin des Tuileries, on entendait le heurt de la guillotine, pareil à des coups de mouton.

Et la brise remuait les pampres de la tonnelle, les orges mûres se balançaient par intervalles, un merle sifflait. En portant des regards autour d'eux, ils savouraient cette tranquillité.

Quel dommage que dès le commencement on n'ait pu s'entendre! Car si les royalistes avaient pensé comme les patriotes, si la Cour y avait mis plus de franchise, et les adversaires moins de violence, bien des malheurs ne seraient pas arrivés!

A force de bavarder là-dessus, ils se passionnèrent. Bouvard, esprit libéral et cœur sensible, fut constitutionnel, girondin, thermidorien. Pécuchet, bilieux et de tendances autoritaires, se déclara sans-culotte et même robespierriste.

Il approuvait la condamnation du Roi, les décrets les plus violents, le culte de l'Etre Suprême. Bouvard préférait celui de la Nature. Il aurait salué avec plaisir l'image d'une grosse femme, versant de ses mamelles à ses adorateurs, non pas de l'eau, mais du chambertin.

Pour avoir plus de faits à l'appui de leurs arguments, ils se procurèrent d'autres ouvrages, Montgaillard, Prudhomme, Gallois, Lacretelle, etc.; et les contradictions de ces livres ne les embarrassaient nullement. Chacun y prenait ce qui pouvait défendre sa cause.

Ainsi Bouvard ne doutait pas que Danton eût accepté cent mille écus pour faire des motions qui perdraient la République, et, selon Pécuchet, Vergniaud aurait demandé six mille francs par mois.

— Jamais de la vie! Explique-moi plutôt pourquoi la sœur de Robespierre avait une pension de Louis XVIII?

— Pas du tout! c'était de Bonaparte, et puisque tu le prends comme ça, quel est le personnage qui, peu de temps avant la mort d'Egalité, eut avec lui une conférence secrète? Je veux qu'on réimprime, dans les mémoires de la Campan, les paragraphes supprimés! Le décès du Dauphin me paraît louche. La poudrière de Grenelle en sautant tua deux mille personnes! Cause inconnue, dit-on, quelle bêtise!

Car Pécuchet n'était pas loin de la connaître, et rejetait tous les crimes sur les manœuvres des aristocrates, l'or de l'étranger.

Dans l'esprit de Bouvard, « Montez au ciel, fils de saint Louis », les vierges de Verdun et les culottes en

peau humaine étaient indiscutables. Il acceptait les listes de Prudhomme, un million de victimes tout juste.

Mais la Loire, rouge de sang depuis Saumur jusqu'à Nantes, dans une longueur de dix-huit lieues, le fit songer. Pécuchet également conçut des doutes, et ils prirent en méfiance les historiens.

La Révolution est, pour les uns, un événement satanique. D'autres la proclament une exception sublime. Les vaincus de chaque côté, naturellement, sont des martyrs.

Thierry démontre, à propos des Barbares, combien il est sot de rechercher si tel prince fut bon ou fut mauvais. Pourquoi ne pas suivre cette méthode dans l'examen des époques plus récentes? Mais l'histoire doit venger la morale; on est reconnaissant à Tacite d'avoir déchiré Tibère. Après tout, que la reine ait eu des amants; que Dumouriez, dès Valmy, se proposât de trahir; en prairial, que ce soit la Montagne ou la Gironde qui ait commencé, et en thermidor les Jacobins ou la Plaine, qu'importe au développement de la Révolution, dont les origines sont profondes et les résultats incalculables?

Donc, elle devait s'accomplir, être ce qu'elle fut, mais supposez la fuite du Roi sans entrave, Robespierre s'échappant ou Bonaparte assassiné, hasards qui dépendaient d'un aubergiste moins scrupuleux, d'une porte ouverte, d'une sentinelle endormie, et le train du monde changeait.

Ils n'avaient plus sur les hommes et les faits de cette époque une seule idée d'aplomb.

Pour la juger impartialement, il faudrait avoir lu toutes les histoires, tous les mémoires, tous les journaux et toutes les pièces manuscrites, car de la moindre omission une erreur peut dépendre qui en amènera d'autres à l'infini. Ils y renoncèrent.

Mais le goût de l'histoire leur était venu, le besoin de la vérité pour elle-même.

Peut-être est-elle plus facile à découvrir dans les époques anciennes? les auteurs, étant loin des choses, doivent en parler sans passion. Et ils commencèrent le bon Rollin.

— Quel tas de balivernes! s'écria Bouvard, dès le premier chapitre.

— Attends un peu, dit Pécuchet, en fouillant dans le bas de leur bibliothèque, où s'entassaient les livres du dernier propriétaire, un vieux jurisconsulte, maniaque et bel esprit.

Et ayant déplacé beaucoup de romans et de pièces de théâtre, avec un Montesquieu et des traductions d'Horace, il atteignit ce qu'il cherchait : l'ouvrage de Beaufort sur l'histoire romaine.

Tite Live attribue la fondation de Rome à Romulus. Salluste en fait honneur aux Troyens d'Enée. Coriolan mourut en exil selon Fabius Pictor, par les stratagèmes d'Attius Tullus si l'on en croit Denys. Sénèque affirme qu'Horatius Coclès s'en retourna victorieux, et Dion, qu'il fut blessé à la jambe. Et La Mothe le Vayer émet des doutes pareils, relativement aux autres peuples.

On n'est pas d'accord sur l'antiquité des Chaldéens, le siècle d'Homère, l'existence de Zoroastre, les deux empires d'Assyrie. Quinte-Curce a fait des contes. Plutarque dément Hérodote. Nous aurions de César une autre idée, si Vercingétorix avait écrit ses commentaires.

L'histoire ancienne est obscure par le défaut de documents, ils abondent dans la moderne; et Bouvard et Pécuchet revinrent à la France, entamèrent Sismondi.

La succession de tant d'hommes leur donnait envie de les connaître plus profondément, de s'y mêler. Ils voulaient parcourir les originaux, Grégoire de Tours, Monstrelet, Commines, tous ceux dont les noms étaient bizarres ou agréables.

Mais les événements s'embrouillèrent, faute de savoir les dates.

Heureusement qu'ils possédaient la mnémotechnie de Dumouchel, un in-12 cartonné, avec cette épigraphe : « Instruire en amusant ».

Elle combinait les trois systèmes d'Allevy, de Pâris et de Fenaigle.

Allevy transforme les chiffres en figures, le nombre 1 s'exprimant par une tour, 2 par un oiseau, 3 par un chameau, ainsi du reste. Pâris frappe l'imagination au moyen de rébus; un fauteuil de clous à vis donnera : Clou, vis — Clovis; et comme le bruit de la friture fait « ric, ric », des merlans dans une poêle rappelleront Chilpéric. Fenaigle divise l'univers en maisons, qui contiennent des chambres, ayant chacune quatre parois à neuf panneaux, chaque panneau portant un emblème. Donc, le premier roi de la première dynastie occupera dans la première chambre le premier panneau. Un phare sur un mont dira comment il s'appelait « Phar a mond », système Pâris, et d'après le conseil d'Allevy, en plaçant au-dessus un miroir qui signifie 4, un oiseau 2, et un cerceau 0, on obtiendra 420, date de l'avènement de ce prince.

Pour plus de clarté, ils prirent comme base mnémotechnique leur propre maison, leur domicile, attachant à chacune de ses parties un fait distinct, et la cour, le jardin, les environs, tout le pays n'avaient plus d'autre sens que de faciliter la mémoire. Les bornages dans la campagne limitaient certaines époques, les pommiers étaient des arbres généalogiques, les buissons des batailles, le monde devenait symbole. Ils cherchaient sur les murs des quantités de choses absentes, finissaient par les voir, mais ne savaient plus les dates qu'elles représentaient.

D'ailleurs, les dates ne sont pas toujours authentiques. Ils apprirent dans un manuel pour les collèges que la naissance de Jésus doit être reportée cinq ans plus tôt qu'on ne le met ordinairement; qu'il y avait chez les Grecs trois manières de compter les Olympiades, et huit chez les Latins de faire commencer l'année. Autant d'occasions pour les méprises, outre celles qui résultent des zodiaques, des ères et des calendriers différents.

Et, de l'insouciance des dates, ils passèrent au dédain des faits.

Ce qu'il y a d'important, c'est la philosophie de l'Histoire !

Bouvard ne put achever le célèbre discours de Bossuet.

— L'aigle de Meaux est un farceur ! Il oublie la Chine, les Indes et l'Amérique ! mais il a soin de nous apprendre

que Théodose était « la joie de l'univers », qu'Abraham « traitait d'égal à égal avec les rois », et que la philosophie des Grecs descend des Hébreux. Sa préoccupation des Hébreux m'agace.

Pécuchet partagea cette opinion, et voulut lui faire lire Vico.

— Comment admettre, objectait Bouvard, que des fables soient plus vraies que les vérités des historiens ?

Pécuchet tâcha d'expliquer les mythes, se perdant dans la *Scienza Nuova*.

— Nieras-tu le plan de la Providence ?

— Je ne le connais pas ! dit Bouvard.

Et ils décidèrent de s'en rapporter à Dumouchel.

Le professeur avoua qu'il était maintenant dérouté en fait d'histoire.

— Elle change tous les jours. On conteste les rois de Rome et les voyages de Pythagore. On attaque Bélisaire, Guillaume Tell et jusqu'au Cid, devenu, grâce aux dernières découvertes, un simple bandit. C'est à souhaiter qu'on ne fasse plus de découvertes, et même l'Institut devrait établir une sorte de canon prescrivant ce qu'il faut croire !

Il envoyait en post-scriptum des règles de critique prises dans le cours de Daunou :

« Citer comme preuve le témoignage des foules, mauvaises preuves; elles ne sont pas là pour répondre.

« Rejeter les choses impossibles. On fit voir à Pausanias la pierre avalée par Saturne.

« L'architecture peut mentir, exemple : l'arc du Forum, où Titus est appelé le premier vainqueur de Jérusalem, conquise avant lui par Pompée.

« Les médailles trompent quelquefois. Sous Charles IX, on battit des monnaies avec le coin de Henri II.

« Tenez en compte l'intérêt des faussaires, l'intérêt des apologistes et des calomniateurs. »

Peu d'historiens ont travaillé d'après ces règles, mais tous en vue d'une cause spéciale, d'une religion, d'une nation, d'un parti, d'un système, ou pour gourmander les rois, conseiller le peuple, offrir des exemples moraux.

Les autres, qui prétendaient narrer seulement, ne valent pas mieux; car on ne peut tout dire, il faut un choix. Mais dans le choix des documents, un certain esprit dominera, et comme il varie suivant les conditions de l'écrivain, jamais l'histoire ne sera fixée :

« C'est triste », pensaient-ils.

Cependant, on pourrait prendre un sujet, épuiser les sources, en faire bien l'analyse, puis le condenser dans une narration, qui serait comme un raccourci des choses, reflétant la vérité tout entière. Une telle œuvre semblait exécutable à Pécuchet.

— Veux-tu que nous essayions de composer une histoire ?

— Je ne demande pas mieux ! Mais laquelle ?

— Effectivement, laquelle ?

Bouvard s'était assis. Pécuchet marchait de long en large dans le musée, quand le pot à beurre frappa ses yeux, et s'arrêtant tout à coup :

— Si nous écrivions la vie du duc d'Angoulême ?

— Mais c'était un imbécile ! répliqua Bouvard.

— Qu'importe! les personnages du second plan ont parfois une influence énorme, et celui-là peut-être tenait le rouage des affaires.

Les livres leur donneraient des renseignements, et M. de Faverges en possédait sans doute par lui-même ou par de vieux gentilshommes de ses amis.

Ils méditèrent ce projet, le débattirent, et résolurent enfin de passer quinze jours à la bibliothèque municipale de Caen pour y faire des recherches.

Le bibliothécaire mit à leur disposition des histoires générales et des brochures, une avec une lithographie coloriée représentant de trois quarts Mgr le duc d'Angoulême.

Le drap bleu de son habit d'uniforme disparaissait sous les épaulettes, les crachats et le grand cordon rouge de la Légion d'honneur. Un collet extrêmement haut enfermait son long cou. Sa tête piriforme était encadrée par les frisons de sa chevelure et de ses minces favoris, et de lourdes paupières, un nez très fort et de grosses lèvres donnaient à sa figure une expression de bonté insignifiante.

Quand ils eurent pris des notes, ils rédigèrent un programme.

Naissance et enfance peu curieuses. Un de ses gouverneurs est l'abbé Guénée, l'ennemi de Voltaire. A Turin, on lui fait fondre un canon, et il étudie les campagnes de Charles VIII. Aussi est-il nommé, malgré sa jeunesse, colonel d'un régiment de gardes-nobles.

1797. Son mariage.

1814. Les Anglais s'emparent de Bordeaux. Il accourt derrière eux et montre sa personne aux habitants. Description de la personne du prince.

1815. Bonaparte le surprend. Tout de suite il appelle le roi d'Espagne, et Toulon, sans Masséna, était livré à l'Angleterre.

Opérations dans le Midi. — Il est battu, mais relâché sous la promesse de rendre les diamants de la Couronne, emportés au grand galop par le roi, son oncle.

Après les Cent-Jours, il revient avec ses parents et vit tranquille. Plusieurs années s'écoulent.

Guerre d'Espagne. — Dès qu'il a franchi les Pyrénées, la Victoire suit partout le petit-fils de Henri IV. Il enlève le Trocadéro, atteint les colonnes d'Hercule, écrase les factions, embrasse Ferdinand et s'en retourne.

Arcs de triomphe, fleurs que présentent les jeunes filles, dîners dans les préfectures, *Te Deum* dans les cathédrales. Les Parisiens sont au comble de l'ivresse. La ville lui offre un banquet. On chante sur les théâtres des allusions au héros.

L'enthousiasme diminue. Car en 1827, à Cherbourg, un bal organisé par souscription rate.

Comme il est grand-amiral de France, il inspecte la flotte qui va partir pour Alger.

Juillet 1830. Marmont lui apprend l'état des affaires. Alors il entre dans une telle fureur qu'il se blesse la main à l'épée du général.

Le roi lui confie le commandement de toutes les forces.

Il rencontre au bois de Boulogne des détachements de la ligne et ne trouve pas un seul mot à leur dire.

De Saint-Cloud, il vole au pont de Sèvres. Froideur des troupes. Ça ne l'ébranle pas. La famille royale quitte Trianon. Il s'assoit au pied d'un chêne, déploie une carte, médite, remonte à cheval, passe devant Saint-Cyr et envoie aux élèves des paroles d'espérance.

A Rambouillet, les gardes du corps font leurs adieux.

Il s'embarque, et pendant toute la traversée est malade. Fin de sa carrière.

On doit y relever l'importance qu'eurent les ponts. D'abord, il s'expose inutilement sur le pont de l'Inn; il enlève le pont Saint-Esprit et le pont de Lauriol; à Lyon, les deux ponts lui sont funestes, et sa fortune expire devant le pont de Sèvres.

Tableau de ses vertus. Inutile de vanter son courage, auquel il joignait une grande politique. Car il offrit à chaque soldat soixante francs pour abandonner l'empereur, et en Espagne il tâcha de corrompre à prix d'argent les constitutionnels.

Sa réserve était si profonde qu'il consentit au mariage projeté entre son père et la reine d'Etrurie; à la formation d'un cabinet nouveau après les ordonnances; à l'abdication en faveur de Chambord, à tout ce que l'on voulait.

La fermeté pourtant ne lui manquait pas. A Angers, il cassa l'infanterie de la garde nationale, qui, jalouse de la cavalerie et au moyen d'une manœuvre, était parvenue à lui faire escorte, tellement que Son Altesse se trouva prise dans les fantassins à en avoir les genoux comprimés. Mais il blâma la cavalerie, cause du désordre, et pardonna à l'infanterie; véritable jugement de Salomon.

Sa piété se signala par de nombreuses dévotions, et sa clémence en obtenant la grâce du général Debelle, qui avait porté les armes contre lui.

Détails intimes, traits du prince :

Au château de Beauregard, dans son enfance, il prit plaisir, avec son frère, à creuser une pièce d'eau que l'on voit encore. Une fois, il visita la caserne des chasseurs, demanda un verre de vin et le but à la santé du roi.

Tout en se promenant pour marquer le pas, il se répétait à lui-même : « Une, deux, une, deux, une deux! »

On a conservé quelques-uns de ses mots :

A une députation de Bordelais : « Ce qui me console de n'être pas à Bordeaux, c'est de me trouver au milieu de vous! »

Aux protestants de Nîmes : « Je suis bon catholique, mais je n'oublierai jamais que le plus illustre de mes ancêtres fut protestant. »

Aux élèves de Saint-Cyr, quand tout est perdu : « Bien, mes amis! Les nouvelles sont bonnes! Ça va bien! très bien! »

Après l'abdication de Charles X : « Puisqu'ils ne veulent pas de moi, qu'ils s'arrangent! »

Et en 1814, à tout propos, dans le moindre village : « Plus de guerre, plus de conscription, plus de droits réunis. »

Son style valait sa parole. Ses proclamations dépassent tout.

La première du comte d'Artois débutait ainsi : « Français, le frère de votre roi est arrivé! »

Celle du prince : « J'arrive. Je suis le fils de vos rois ! Vous êtes Français ! »

Ordre du jour daté de Bayonne : « Soldats, j'arrive ! »

Une autre, en pleine défection : « Continuez à soutenir, avec la vigueur qui convient au soldat français, la lutte que vous avez commencée. La France l'attend de vous ! »

Dernière, à Rambouillet : « Le Roi est entré en arrangement avec le gouvernement établi à Paris, et tout porte à croire que cet arrangement est sur le point d'être conclu. »

« Tout porte à croire » était sublime.

— Une chose me chiffonne, dit Bouvard; c'est qu'on ne mentionne pas ses affaires de cœur.

Et ils notèrent en marge : « Chercher les amours du prince ! »

Au moment de partir, le bibliothécaire, se ravisant, leur fit voir un autre portrait du duc d'Angoulême.

Sur celui-là, il était en colonel de cuirassiers, de profil, l'œil encore plus petit, la bouche ouverte, avec des cheveux plats, voltigeant.

Comment concilier les deux portraits? Avait-il les cheveux plats, ou bien crépus, à moins qu'il ne poussât la coquetterie jusqu'à se faire friser?

Question grave, suivant Pécuchet, car la chevelure donne le tempérament, le tempérament l'individu.

Bouvard pensait qu'on ne sait rien d'un homme tant qu'on ignore ses passions; et pour éclaircir ces deux points, ils se présentèrent au château de Faverges. Le comte n'y était pas, cela retardait leur ouvrage. Ils rentrèrent chez eux, vexés.

La porte de la maison était grande ouverte, personne dans la cuisine. Ils montèrent l'escalier; et que virent-ils au milieu de la chambre de Bouvard? Mme Bordin qui regardait de droite et de gauche.

— Excusez-moi, dit-elle, en s'efforçant de rire. Depuis une heure, je cherche votre cuisinière, dont j'aurais besoin, pour mes confitures.

Ils la trouvèrent dans le bûcher, sur une chaise, et dormant profondément. On la secoua. Elle ouvrit les yeux.

— Qu'est-ce encore? Vous êtes toujours à me diguer[20] avec vos questions !

Il était clair qu'en leur absence Mme Bordin lui en faisait.

Germaine sortit de sa torpeur et déclara une indigestion.

— Je reste pour vous soigner, dit la veuve.

Alors ils aperçurent dans la cour un grand bonnet, dont les barbes s'agitaient. C'était Mme Castillon, la fermière. Elle cria :

— Gorju ! Gorju !

Et du grenier, la voix de leur petite bonne répondit hautement :

— Il n'est pas là !

Elle descendit au bout de cinq minutes, les pommettes rouges, en émoi. Bouvard et Pécuchet lui reprochèrent sa lenteur. Elle déboucla leurs guêtres sans murmurer.

20. Taquiner, asticoter.

Ensuite, ils allèrent voir le bahut.

Ses morceaux épars jonchaient le fournil; les sculptures étaient endommagées, les battants rompus.

A ce spectacle, devant cette déception nouvelle, Bouvard retint ses pleurs et Pécuchet en avait un tremblement.

Gorju, se montrant presque aussitôt, exposa le fait : il venait de mettre le bahut dehors pour le vernir, quand une vache errante l'avait jeté par terre.

— A qui la vache? dit Pécuchet.

— Je ne sais pas.

— Eh ! vous aviez laissé la porte ouverte comme tout à l'heure ! C'est de votre faute !

Ils y renonçaient, du reste : depuis trop longtemps il les lanternait, et ne voulaient plus de sa personne ni de son travail.

Ces messieurs avaient tort. Le dommage n'était pas si grand. Avant trois semaines tout serait fini. Et Gorju les accompagna jusque dans la cuisine, où Germaine arrivait, en se traînant pour faire le dîner.

Ils remarquèrent sur la table une bouteille de calvados, aux trois quarts vidée.

— Sans doute par vous ! dit Pécuchet à Gorju.

— Moi ! jamais !

Bouvard objecta :

— Vous étiez le seul homme dans la maison.

— Eh bien ! et les femmes? reprit l'ouvrier, avec un clin d'œil oblique.

Germaine le surprit :

— Dites plutôt que c'est moi !

— Certainement, c'est vous !

— Et c'est moi peut-être qui ai démoli l'armoire !

Gorju fit une pirouette.

— Vous ne voyez donc pas qu'elle est soûle !

Alors ils se chamaillèrent violemment, lui pâle, gouailleur, elle empourprée, et arrachant ses touffes de cheveux gris sous son bonnet de coton. Mme Bordin parlait pour Germaine, Mélie pour Gorju.

La vieille éclata :

— Si ce n'est pas une abomination ! que vous passiez des journées ensemble dans le bosquet, sans compter la nuit ! espèce de Parisien, mangeur de bourgeoises ! qui vient chez nos maîtres pour leur faire accroire des farces !

Les prunelles de Bouvard s'écarquillèrent.

— Quelles farces?

— Je dis qu'on se fiche de vous !

— On ne se fiche pas de moi ! s'écria Pécuchet.

Et, indigné de son insolence, exaspéré par les déboires, il la chassa; qu'elle eût à déguerpir ! Bouvard ne s'opposa point à cette décision et ils se retirèrent, laissant Germaine pousser des sanglots sur son malheur, tandis que Mme Bordin tâchait de la consoler.

Le soir, quand ils furent calmes, ils reprirent ces événements, se demandèrent qui avait bu le calvados, comment le meuble s'était brisé, que réclamait Mme Castillon en appelant Gorju, et s'il avait déshonoré Mélie !

— Nous ne savons pas, dit Bouvard, ce qui se passe dans notre ménage, et nous prétendons découvrir quels étaient les cheveux et les amours du duc d'Angoulême !

Pécuchet ajouta :

— Combien de questions autrement considérables, et encore plus difficiles!

D'où ils conclurent que les faits extérieurs ne sont pas tout. Il faut les compléter par la psychologie. Sans l'imagination, l'histoire est défectueuse.

— Faisons venir quelques romans historiques!

V

Ils lurent d'abord Walter Scott.

Ce fut comme la surprise d'un monde nouveau.

Les hommes du passé, qui n'étaient pour eux que des fantômes ou des noms, devinrent des êtres vivants, rois, princes, sorciers, valets, gardes-chasse, moines, bohémiens, marchands et soldats, qui délibèrent, combattent, voyagent, trafiquent, mangent et boivent, chantent et prient, dans la salle d'armes des châteaux, sur le banc noir des auberges, par les rues tortueuses des villes, sous l'auvent des échoppes, dans le cloître des monastères. Des paysages artistement composés entourent les scènes comme un décor de théâtre. On suit des yeux un cavalier qui galope le long des grèves. On aspire au milieu des genêts la fraîcheur du vent, la lune éclaire des lacs où glisse un bateau, le soleil fait reluire les cuirasses, la pluie tombe sur les huttes de feuillages. Sans connaître les modèles, ils trouvaient ces peintures ressemblantes, et l'illusion était complète. L'hiver s'y passa.

Leur déjeuner fini, ils s'installaient dans la petite salle, aux deux bouts de la cheminée; et en face l'un de l'autre, avec un livre à la main, ils lisaient silencieusement. Quand le jour baissait, ils allaient se promener sur la grande route, dînaient en hâte et continuaient leur lecture dans la nuit. Pour se garantir de la lampe, Bouvard avait des conserves bleues; Pécuchet portait la visière de sa casquette inclinée sur le front.

Germaine n'était pas partie, et Gorju, de temps à autre, venait fouir au jardin, car ils avaient cédé, par indifférence, oubli des choses matérielles.

Après Walter Scott, Alexandre Dumas les divertit à la manière d'une lanterne magique. Ses personnages, alertes comme des singes, forts comme des bœufs, gais comme des pinsons, entrent et parlent brusquement, sautent des toits sur le pavé, reçoivent d'affreuses blessures dont ils guérissent, sont crus morts et reparaissent. Il y a des trappes sous les planchers, des antidotes, des déguisements, et tout se mêle, court et se débrouille, sans une minute pour la réflexion. L'amour conserve de la décence, le fanatisme est gai, les massacres font sourire.

Rendus difficiles par ces deux maîtres, ils ne purent tolérer le fatras de *Bélisaire* [21], la niaiserie de *Numa Pompilius*, de Marchangy, du vicomte d'Arlincourt.

La couleur de Frédéric Soulié (comme celle du Bibliophile Jacob) leur parut insuffisante, et M. Villemain les scandalisa en montrant, page 85 de son *Lascaris*, une

Espagnole qui fume une pipe, « une longue pipe arabe », au milieu du XVe siècle.

Pécuchet consultait la Biographie universelle et entreprit de reviser Dumas au point de vue de la science.

L'auteur, dans *les Deux Diane*, se trompe de dates. Le mariage du Dauphin François eut lieu le 15 octobre 1548, et non le 22 mars 1549. Comment sait-il (voir *le Page du Duc de Savoie*) que Catherine de Médicis, après la mort de son époux, voulait recommencer la guerre? Il est peu probable qu'on ait couronné le duc d'Anjou, la nuit, dans une église, épisode qui agrémente *la Dame de Montsoreau*. *La Reine Margot*, principalement, fourmille d'erreurs. Le duc de Nevers n'était pas absent. Il opina au Conseil avant la Saint-Barthélemy, et Henri de Navarre ne suivit pas la procession quatre jours après. Henri III ne revint pas de Pologne aussi vite. D'ailleurs, combien de rengaines! Le miracle de l'aubépine, le balcon de Charles IX, les gants empoisonnés de Jeanne d'Albret; Pécuchet n'eut plus confiance en Dumas.

Il perdit même tout respect pour Walter Scott, à cause des bévues de son *Quentin Durward*. Le meurtre de l'évêque de Liège est avancé de quinze ans. La femme de Robert de Lamarck était Jeanne d'Arschel et non Hameline de Croy. Loin d'être tué par un soldat, il fut mis à mort par Maximilien, et la figure du Téméraire, quand on trouva son cadavre, n'exprimait aucune menace, puisque les loups l'avaient à demi dévorée.

Bouvard n'en continua pas moins Walter Scott, mais finit par s'ennuyer de la répétition des mêmes effets. L'héroïne, ordinairement, vit à la campagne avec son père, et l'amoureux, un enfant volé, est rétabli dans ses droits et triomphe de ses rivaux. Il y a toujours un mendiant philosophe, un châtelain bourru, des jeunes filles pures, des valets facétieux et d'interminables dialogues, une pruderie bête, manque complet de profondeur.

En haine du bric-à-brac, Bouvard prit George Sand.

Il s'enthousiasma pour les belles adultères et les nobles amants, aurait voulu être Jacques, Simon, Bénédict, Lélio, et habiter Venise! Il poussait des soupirs, ne savait pas ce qu'il avait, se trouvait lui-même changé.

Pécuchet, travaillant la littérature historique, étudiait les pièces de théâtre.

Il avala deux Pharamond, trois Clovis, quatre Charlemagne, plusieurs Philippe-Auguste, une foule de Jeanne d'Arc, et bien des marquises de Pompadour, et des conspirations de Cellamare.

Presque toutes lui parurent encore plus bêtes que les romans. Car il existe pour le théâtre une histoire convenue, que rien ne peut détruire. Louis XI ne manquera pas de s'agenouiller devant les figurines de son chapeau, Henri IV sera constamment jovial, Marie Stuart pleureuse, Richelieu cruel; enfin, tous les caractères se montrent d'un seul bloc, par amour des idées simples et respect de l'ignorance, si bien que le dramaturge, loin d'élever, abaisse; au lieu d'instruire, abrutit.

Comme Bouvard lui avait vanté George Sand, Pécuchet se mit à lire *Consuelo*, *Horace*, *Mauprat*, fut séduit par la défense des opprimés, le côté social et républicain, les thèses.

---

21. Tragédie de Jouy (1825).

Suivant Bouvard, elles gâtaient la fiction, et il demanda au cabinet de lecture des romans d'amour.

A haute voix et l'un après l'autre, ils parcoururent la *Nouvelle Héloïse, Delphine, Adolphe, Ourika* [22]. Mais les bâillements de celui qui écoutait gagnaient son compagnon, dont les mains bientôt laissaient tomber le livre par terre.

Ils reprochaient à tous ceux-là de ne rien dire sur le milieu, l'époque, le costume des personnages. Le cœur seul est traité, toujours du sentiment! Comme si le monde ne contenait pas autre chose!

Ensuite, ils tâtèrent des romans humoristiques, tels que *le Voyage autour de ma chambre*, par Xavier de Maistre; *Sous les Tilleuls*, d'Alphonse Karr. Dans ce genre de livres, on doit interrompre la narration pour parler de son chien, de ses pantoufles ou de sa maîtresse. Un tel sans-gêne d'abord les charma, puis leur parut stupide, car l'auteur efface son œuvre en y étalant sa personne.

Par besoin de dramatique, ils se plongèrent dans les romans d'aventures; l'intrigue les intéressait d'autant plus qu'elle était enchevêtrée, extraordinaire et impossible. Ils s'évertuaient à prévoir les dénouements, devinrent là-dessus très forts, et se lassèrent d'une amusette indigne d'esprits sérieux.

L'œuvre de Balzac les émerveilla, tout à la fois comme une Babylone et comme des grains de poussière sous le microscope. Dans les choses les plus banales, des aspects nouveaux surgirent. Ils n'avaient pas soupçonné la vie moderne aussi profonde.

— Quel observateur! s'écriait Bouvard.

— Moi je le trouve chimérique, finit par dire Pécuchet. Il croit aux sciences occultes, à la monarchie, à la noblesse, est ébloui par les coquins, vous remue des millions comme des centimes, et ses bourgeois ne sont pas des bourgeois, mais des colosses. Pourquoi gonfler ce qui est plat, et décrire tant de sottises! Il a fait un roman sur la chimie, un autre sur la Banque, un autre sur les machines à imprimer, comme un certain Ricard avait fait « le cocher de fiacre », « le porteur d'eau », « le marchand de coco ». Nous en aurions sur tous les métiers et sur toutes les provinces, puis sur toutes les villes et les étages de chaque maison et chaque individu, ce qui ne sera plus de la littérature, mais de la statistique ou de l'ethnographie.

Peu importait à Bouvard le procédé. Il voulait s'instruire, descendre plus avant dans la connaissance des mœurs. Il relut Paul de Kock, feuilleta de vieux Ermites de la Chaussée d'Antin [23].

— Comment perdre son temps à des inepties pareilles! disait Pécuchet.

— Mais par la suite ce sera fort curieux, comme documents.

— Va te promener avec tes documents! Je demande

quelque chose qui m'exalte, qui m'enlève aux misères de ce monde!

Et Pécuchet, porté à l'idéal, tourna Bouvard, insensiblement, vers la tragédie.

Le lointain où elle se passe, les intérêts qu'on y débat et la condition de ses personnages leur imposaient comme un sentiment de grandeur.

Un jour, Bouvard prit *Athalie*, et débita le songe tellement bien que Pécuchet voulut à son tour l'essayer. Dès la première phrase, sa voix se perdit dans une espèce de bourdonnement. Elle était monotone, et bien forte, indistincte.

Bouvard, plein d'expérience, lui conseilla, pour l'assouplir, de la déployer depuis le ton le plus bas jusqu'au plus haut, et de la replier, en émettant deux gammes, l'une montante, l'autre descendante; et lui-même se livrait à cet exercice, le matin, dans son lit, couché sur le dos, selon le précepte des Grecs. Pécuchet, pendant ce temps-là, travaillait de la même façon : leur porte était close et ils braillaient séparément.

Ce qui leur plaisait de la tragédie, c'était l'emphase, les discours sur la politique, les maximes de perversité.

Ils apprirent par cœur les dialogues les plus fameux de Racine et de Voltaire, et ils les déclamaient dans le corridor. Bouvard, comme au Théâtre-Français, marchait la main sur l'épaule de Pécuchet en s'arrêtant par intervalles, et, roulant ses yeux, ouvrait les bras, accusait les destins. Il avait de beaux cris de douleur dans le *Philoctète* de La Harpe, un joli hoquet dans *Gabrielle de Vergy* [24], et quand il faisait Denys, tyran de Syracuse, une manière de considérer son fils en l'appelant « Monstre, digne de moi! » qui était vraiment terrible. Pécuchet en oubliait son rôle. Les moyens lui manquaient, non la bonne volonté.

Une fois, dans la *Cléopâtre* de Marmontel, il imagina de reproduire le sifflement de l'aspic, tel qu'avait dû le faire l'automate inventé exprès par Vaucanson. Cet effet manqué les fit rire jusqu'au soir. La tragédie tomba dans leur estime.

Bouvard en fut las le premier et, y mettant de la franchise, démontra combien elle est artificielle et podagre, la niaiserie de ses moyens, l'absurdité des confidents.

Ils abordèrent la comédie, qui est l'école des nuances. Il faut disloquer la phrase, souligner les mots, peser les syllabes. Pécuchet n'en put venir à bout et échoua complètement dans Célimène.

Du reste, il trouvait les amoureux bien froids, les raisonneurs assommants, les valets intolérables, Clitandre et Sganarelle aussi faux qu'Egisthe et qu'Agamemnon.

Restait la comédie sérieuse, ou tragédie bourgeoise, celle où l'on voit des pères de famille désolés, des domestiques sauvant leurs maîtres, des richards offrant leur fortune, des couturières innocentes et d'infâmes suborneurs, genre qui se prolonge de Diderot jusqu'à Pixérécourt. Toutes ces pièces prêchant la vertu les choquèrent comme triviales.

---

22. *La Nouvelle Héloïse*, etc. : il s'agit des œuvres de J.-J. Rousseau, Mme de Staël, Benjamin Constant et Mme de Duras.

23. Série de chroniques signées de Jouy et parues dans *La Gazette de France* sous le titre : *L'Ermite de la Chaussée d'Antin ou observations sur les mœurs et les usages parisiens au commencement du XIXe siècle*.

24. *Gabrielle de Vergy* : tragédie de De Belloy (1777), *Denys de Syracuse* : tragédie de Marmontel (1748).

Le drame de 1830 les enchanta par son mouvement, sa couleur, sa jeunesse.

Ils ne faisaient guère de différence entre Victor Hugo, Dumas ou Bouchardy, et la diction ne devait plus être pompeuse ou fine, mais lyrique, désordonnée.

Un jour que Bouvard tâchait de faire comprendre à Pécuchet le jeu de Frédérick Lemaître, Mme Bordin se montra tout à coup avec son châle vert et un volume de Pigault-Lebrun qu'elle rapportait, ces messieurs ayant l'obligeance de lui prêter des romans quelquefois.

— Mais continuez!

Car elle était là depuis une minute, et avait plaisir à les entendre.

Ils s'excusèrent. Elle insistait.

— Mon Dieu! dit Bouvard, rien ne nous empêche!...

Pécuchet allégua, par fausse honte, qu'ils ne pouvaient jouer à l'improviste, sans costume.

— Effectivement nous aurions besoin de nous déguiser!

Et Bouvard chercha un objet quelconque, ne trouva que le bonnet grec et le prit.

Comme le corridor manquait de largeur, ils descendirent dans le salon.

Des araignées couraient le long des murs et les spécimens géologiques encombrant le sol avaient blanchi de leur poussière le velours des fauteuils. On étala sur le moins malpropre un torchon pour que Mme Bordin pût s'asseoir.

Il fallait lui servir quelque chose de bien. Bouvard était partisan de *la Tour de Nesle* [25]. Mais Pécuchet avait peur des rôles qui demandent trop d'action.

— Elle aimera mieux du classique! *Phèdre*, par exemple?

— Soit.

Bouvard conta le sujet.

— C'est une reine, dont le mari a, d'une autre femme, un fils. Elle est devenue folle du jeune homme. Y sommes-nous? En route!

> Oui, prince, je languis, je brûle pour Thésée,
> Je l'aime!

Et parlant du profil de Pécuchet, il admirait son port, son visage, « cette tête charmante », se désolait de ne pas l'avoir rencontré sur la flotte des Grecs, aurait voulu se perdre avec lui dans le labyrinthe.

La mèche du bonnet rouge s'inclinait amoureusement, et sa voix tremblante, et sa bonne figure conjuraient le cruel de prendre en pitié sa flamme. Pécuchet, en se détournant, haletait pour marquer de l'émotion.

Mme Bordin, immobile, écarquillait les yeux, comme devant les faiseurs de tours; Mélie écoutait derrière la porte. Gorju, en manches de chemise, les regardait par la fenêtre.

Bouvard entama la seconde tirade. Son jeu exprimait le délire des sens, le remords, le désespoir, et il se précipita sur le glaive idéal de Pécuchet avec tant de violence que, trébuchant dans les cailloux, il faillit tomber par terre.

25. Mélodrame d'Alexandre Dumas et Gaillardet (1832).

— Ne faites pas attention! Puis Thésée arrive, et elle s'empoisonne!

— Pauvre femme! dit Mme Bordin.

Ensuite ils la prièrent de leur désigner un morceau.

Le choix l'embarrassait. Elle n'avait vu que trois pièces : *Robert le Diable* [26] dans la capitale, *le Jeune Mari* à Rouen, et une autre à Falaise, qui était bien amusante et qu'on appelait *la Brouette du vinaigrier.*

Enfin Bouvard lui proposa la grande scène de Tartufe, au troisième acte.

Pécuchet crut une explication nécessaire :

— Il faut savoir que Tartufe...

Mme Bordin l'interrompit :

— On sait ce que c'est qu'un Tartufe!

Bouvard eût désiré, pour un certain passage, une robe.

— Je ne vois que la robe de moine, dit Pécuchet.

— N'importe! mets-la!

Il reparut avec elle et un Molière.

Le commencement fut médiocre. Mais Tartufe venant à caresser les genoux d'Elmire, Pécuchet prit un ton de gendarme :

— *Que fait là votre main?*

Bouvard, bien vite, répliqua d'une voix sucrée :

— *Je tâte votre habit, l'étoffe en est moelleuse.*

Et il dardait ses prunelles, tendait la bouche, reniflait, avec un air extrêmement lubrique, finit même par s'adresser à Mme Bordin.

Les regards de cet homme la gênaient, et quand il s'arrêta, humble et palpitant, elle cherchait presque une réponse.

Pécuchet eut recours au livre :

— *La déclaration est tout à fait galante.*

— Ah! oui! s'écria-t-elle, c'est un fier enjôleur!

— N'est-ce pas? reprit fièrement Bouvard. Mais en voilà une autre, d'un chic plus moderne.

Et, ayant défait sa redingote, il s'accroupit sur un moellon, et déclama, la tête renversée :

> Des flammes de tes yeux inonde ma paupière.
> Chante-moi quelque chant, comme parfois, le soir,
> Tu m'en chantais, avec des pleurs dans ton œil noir.

« Ça me ressemble », pensa-t-elle.

> Soyons heureux! buvons! car la coupe est remplie,
> Car cette heure est à nous et le reste est folie!

— Comme vous êtes drôle!

Et elle riait d'un petit rire, qui lui remontait la gorge et découvrait ses dents.

> ... N'est-ce pas qu'il est doux
> D'aimer, et de savoir qu'on vous aime à genoux?

Il s'agenouilla.

— Finissez donc!

> Oh! laisse-moi dormir et rêver sur ton sein,
> Dona Sol, ma beauté, mon amour! [27]

26. *Robert le Diable* : opéra de Meyerbeer (1831). *Le Jeune mari* : comédie d'A. Duval (1821). *La Brouette du vinaigrier* : drame de Sébastien Mercier (1776).

27. Tous ces vers sont empruntés à *Hernani* de Victor Hugo (v. 686-688; 689-690; 691-692; 695-696).

— Ici on entend les cloches, un montagnard les dérange.

— Heureusement! car sans cela!...

Et Mme Bordin sourit, au lieu de terminer sa phrase. Le jour baissait. Elle se leva.

Il avait plu tout à l'heure, et le chemin par la hêtrée n'étant pas facile, mieux valait s'en retourner par les champs. Bouvard l'accompagna dans le jardin, pour lui ouvrir la porte.

D'abord ils marchèrent le long des quenouilles, sans parler. Il était encore ému de sa déclamation, et elle éprouvait au fond de l'âme comme une surprise, un charme qui venait de la littérature. L'art, en de certaines occasions, ébranle les esprits médiocres, et des mondes peuvent être révélés par ses interprètes les plus lourds.

Le soleil avait reparu, faisait luire les feuilles, jetait des taches lumineuses dans les fourrés, çà et là. Trois moineaux avec de petits cris sautillaient sur le tronc d'un vieux tilleul abattu. Une épine en fleurs étalait sa gerbe rose, les lilas alourdis se penchaient.

— Ah! cela fait du bien! dit Bouvard, en humant l'air à pleins poumons.

— Aussi, vous vous donnez un mal!

— Ce n'est pas que j'aie du talent, mais pour du feu, j'en possède.

— On voit..., reprit-elle en mettant un espace entre les mots, que vous avez... aimé... autrefois.

— Autrefois, seulement, vous croyez?

Elle s'arrêta.

— Je n'en sais rien!

« Que veut-elle dire? »

Et Bouvard sentait battre son cœur.

Une flaque au milieu du sable, obligeant à un détour, les fit monter sous la charmille.

Alors ils causèrent de la représentation.

— Comment s'appelle votre dernier morceau?

— C'est tiré de *Hernani*, un drame.

— Ah!

Puis, lentement, et se parlant à elle-même :

— Ce doit être bien agréable, un monsieur qui vous dit des choses pareilles, pour tout de bon.

— Je suis à vos ordres, répondit Bouvard.

— Vous?

— Oui! moi!

— Quelle plaisanterie!

— Pas le moins du monde!

Et, ayant jeté un regard autour d'eux, il la prit à la ceinture, par derrière, et la baisa sur la nuque, fortement.

Elle devint très pâle comme si elle allait s'évanouir, et s'appuya d'une main contre un arbre; puis ouvrit les paupières, et secoua la tête.

— C'est passé.

Il la regardait, avec ébahissement.

La grille ouverte, elle monta sur le seuil de la petite porte. Une rigole coulait de l'autre côté. Elle ramassa tous les plis de sa jupe, et se tenait au bord, indécise :

— Voulez-vous mon aide?

— Inutile.

— Pourquoi pas?

— Ah! vous êtes trop dangereux!

Et, dans le saut qu'elle fit, son bas blanc parut.

Bouvard se blâma d'avoir raté l'occasion. Bah! elle se retrouverait, et puis les femmes ne sont pas toutes les mêmes. Il faut brusquer les unes, l'audace vous perd avec les autres. En somme, il était content de lui, et s'il ne confia pas son espoir à Pécuchet, ce fut dans la peur des observations, et nullement par délicatesse.

A partir de ce jour-là, ils déclamèrent devant Mélie et Gorju, tout en regrettant de n'avoir pas un théâtre de société.

La petite bonne s'amusait sans y rien comprendre, ébahie du langage, fascinée par le ronron des vers. Gorju applaudissait les tirades philosophiques des tragédies et tout ce qui était pour le peuple dans les mélodrames; si bien que, charmés de son goût, ils pensèrent à lui donner des leçons, pour en faire plus tard un acteur. Cette perspective éblouissait l'ouvrier.

Le bruit de leurs travaux s'était répandu. Vaucorbeil leur en parla d'une façon narquoise. Généralement on les méprisait.

Ils s'en estimaient davantage. Ils se sacrèrent artistes. Pécuchet porta des moustaches, et Bouvard ne trouva rien de mieux, avec sa mine ronde et sa calvitie, que de se faire « une tête à la Béranger »!

Enfin, ils résolurent de composer une pièce.

Le difficile, c'était le sujet.

Ils le cherchaient en déjeunant, et buvaient du café, liqueur indispensable au cerveau, puis deux ou trois petits verres. Ils allaient dormir sur leur lit; après quoi, ils descendaient dans le verger, s'y promenaient, enfin sortaient pour trouver dehors de l'inspiration, cheminaient côte à côte, et rentraient exténués.

Ou bien, ils s'enfermaient à double tour. Bouvard nettoyait la table, mettait du papier devant lui, trempait sa plume et restait les yeux au plafond, pendant que Pécuchet, dans le fauteuil, méditait, les jambes droites et la tête basse.

Parfois ils sentaient un frisson et comme le vent d'une idée; au moment de la saisir, elle avait disparu.

Mais il existe des méthodes pour découvrir des sujets. On prend un titre au hasard et un fait en découle; on développe un proverbe, on combine des aventures en une seule. Pas un de ces moyens n'aboutit. Ils feuilletèrent vainement des recueils d'anecdotes, plusieurs volumes des *Causes célèbres*, un tas d'histoires.

Et ils rêvaient d'être joués à l'Odéon, pensaient aux spectacles, regrettaient Paris.

— J'étais fait pour être auteur, et ne pas m'enterrer à la campagne! disait Bouvard.

— Moi de même, répondait Pécuchet.

Une illumination lui vint : s'ils avaient tant de mal, c'est qu'ils ne savaient pas les règles.

Ils les étudièrent, dans *la Pratique du Théâtre* par d'Aubignac, et dans quelques ouvrages moins démodés.

On y débat des questions importantes : si la comédie peut s'écrire en vers; si la tragédie n'excède point les bornes, en tirant sa fable de l'histoire moderne; si les héros doivent être vertueux; quel genre de scélérats elle comporte; jusqu'à quel point les horreurs y sont permises; que les détails concourent à un seul but, que l'intérêt grandisse, que la fin réponde au commencement, sans doute!

Inventez des ressorts qui puissent m'attacher,

dit Boileau.

Par quel moyen inventer des ressorts?

Que dans tous vos discours la passion émue
Aille chercher le cœur, l'échauffe et le remue.

Comment échauffer le cœur?

Donc les règles ne suffisent pas; il faut, de plus, le génie.

Et le génie ne suffit pas. Corneille, suivant l'Académie française, n'entend rien au théâtre. Geoffroy dénigra Voltaire. Racine fut bafoué par Subligny. La Harpe rugissait au nom de Shakespeare.

La vieille critique les dégoûtant, ils voulurent connaître la nouvelle, et firent venir les comptes rendus de pièces dans les journaux.

Quel aplomb! Quel entêtement! Quelle improbité! Des outrages à des chefs-d'œuvre, des révérences faites à des platitudes; et les âneries de ceux qui passent pour savants, et la bêtise des autres que l'on proclame spirituels!

C'est peut-être au public qu'il faut s'en rapporter.

Mais des œuvres applaudies parfois leur déplaisaient, et, dans les sifflées, quelque chose leur agréait.

Ainsi, l'opinion des gens de goût est trompeuse et le jugement de la foule inconcevable.

Bouvard posa le dilemme à Barberou; Pécuchet, de son côté, écrivit à Dumouchel.

L'ancien commis-voyageur s'étonna du ramollissement causé par la province, son vieux Bouvard tournait à la bedolle, bref, « n'y était plus du tout ».

Le théâtre est un objet de consommation comme un autre. Cela entre dans l'article de Paris. On va au spectacle pour se divertir. Ce qui est bien, c'est ce qui amuse.

— Mais, imbécile! s'écria Pécuchet, ce qui t'amuse n'est pas ce qui m'amuse, et les autres et toi-même s'en fatigueront plus tard. Si les pièces sont absolument écrites pour être jouées, comment se fait-il que les meilleures soient toujours lues? Et il attendit la réponse de Dumouchel.

Suivant le professeur, le sort immédiat d'une pièce ne prouvait rien. *Le Misanthrope* et *Athalie* tombèrent. *Zaïre* n'est plus comprise. Qui parle aujourd'hui de Ducange et de Picard? Et il rappelait tous les grands succès contemporains, depuis *Fanchon la Vieilleuse* [28] jusqu'à *Gaspardo le Pêcheur*, déplorait la décadence de notre scène. Elle a pour cause le mépris de la littérature, ou plutôt du style.

Alors ils se demandèrent en quoi consiste précisément le style, et, grâce à des auteurs indiqués par Dumouchel, ils apprirent le secret de tous ses genres.

Comment on obtient le majestueux, le tempéré, le naïf, les tournures qui sont nobles, les mots qui sont

bas. *Chiens* se relève par *dévorants*. *Vomir* ne s'emploie qu'au figuré. *Fièvre* s'applique aux passions. *Vaillance* est beau en vers.

— Si nous faisions des vers? dit Pécuchet.

— Plus tard! Occupons-nous de la prose d'abord.

On recommande formellement de choisir un classique pour se mouler sur lui, mais tous ont leurs dangers, et non seulement ils ont péché par le style, mais encore par la langue.

Une telle assertion déconcerta Bouvard et Pécuchet, et ils se mirent à étudier la grammaire.

Avons-nous dans notre idiome des articles définis et indéfinis comme en latin? Les uns pensent que oui, les autres que non. Ils n'osèrent se décider.

Le sujet s'accorde toujours avec le verbe, sauf les occasions où le sujet ne s'accorde pas.

Nulle distinction, autrefois, entre l'adjectif verbal et le participe présent; mais l'Académie en pose une peu commode à saisir.

Ils furent bien aises d'apprendre que *leur*, pronom, s'emploie pour les personnes, mais aussi pour les choses, tandis que *où* et *en* s'emploient pour les choses et quelquefois pour les personnes.

Doit-on dire : « Cette femme a l'air bon » ou « l'air bonne »? une « bûche de bois sec » ou « de bois sèche »? « ne pas laisser *de* » ou « *que de* »? « une troupe de voleurs survint » ou « survinrent »?

Autres difficultés : « autour » et « à l'entour » dont Racine et Boileau ne voyaient pas la différence; « imposer » ou « en imposer », synonymes chez Massillon et chez Voltaire; « croasser » et « coasser », confondus par La Fontaine, qui pourtant savait reconnaître un corbeau d'une grenouille.

Les grammairiens, il est vrai, sont en désaccord. Ceux-ci voient une beauté où ceux-là découvrent une faute. Ils admettent des principes dont ils repoussent les conséquences, proclament les conséquences dont ils refusent les principes, s'appuient sur la tradition, rejettent les maîtres, et ont des raffinements bizarres. Ménage, au lieu de *lentilles* et *cassonade*, préconise *nentilles* et *castonade*. Bouhours, *jérarchie* et non pas *hiérarchie*, et M. Chapsal, *les œils de la soupe*.

Pécuchet surtout fut ébahi par Génin [29]. Comment! des *z'hannetons* vaudrait mieux que des *hannetons*? des *z'aricots* que des *haricots*? et, sous Louis XIV, on prononçait *Roume* et Monsieur de *Lioune* pour *Rome* et Monsieur de *Lionne*?

Littré leur porta le coup de grâce en affirmant que jamais il n'y eut d'orthographe positive, et qu'il ne saurait y en avoir.

Ils en conclurent que la syntaxe est une fantaisie et la grammaire une illusion.

En ce temps-là d'ailleurs, une rhétorique nouvelle annonçait qu'il faut écrire comme on parle et que tout sera bien, pourvu qu'on ait senti, observé.

Comme ils avaient senti et croyaient avoir observé, ils se jugèrent capables d'écrire : une pièce est gênante par l'étroitesse du cadre, mais le roman a plus de libertés.

---

28. *Fanchon la vielleuse* : comédie-vaudeville de Bouilly et Pain (1800). *Gaspardo le pêcheur* : mélodrame de Bouchardy (1837).

29. Génin, l'auteur de *Récréations philologiques* (1856).

Pour en faire un, ils cherchèrent dans leurs souvenirs.

Pécuchet se rappela un de ses chefs de bureau, un très vilain monsieur, et ils ambitionnaient de s'en venger par un livre.

Bouvard avait connu, à l'estaminet, un vieux maître d'écriture ivrogne et misérable. Rien ne serait drôle comme ce personnage.

Au bout de la semaine, ils imaginèrent de fondre ces deux sujets en un seul, en demeurèrent là, passèrent aux suivants : une femme qui cause le malheur d'une famille; une femme, son mari et son amant; une femme qui serait vertueuse par défaut de conformation; un ambitieux, un mauvais prêtre.

Ils tâchaient de relier à ces conceptions incertaines des choses fournies par leur mémoire, retranchaient, ajoutaient.

Pécuchet était pour le sentiment et l'idée, Bouvard pour l'image et la couleur; et ils commençaient à ne plus s'entendre, chacun s'étonnant que l'autre fût si borné.

La science qu'on nomme esthétique trancherait peut-être leurs différends. Un ami de Dumouchel, professeur de philosophie, leur envoya une liste d'ouvrages sur la matière. Ils travaillaient à part, et se communiquaient leurs réflexions.

D'abord, qu'est-ce que le Beau?

Pour Schelling, c'est l'infini s'exprimant par le fini; pour Reid, une qualité occulte; pour Jouffroy, un fait indécomposable; pour De Maistre, ce qui plaît à la vertu; pour le P. André, ce qui convient à la raison.

Et il existe plusieurs sortes de Beau : un beau dans les sciences, la géométrie est belle; un beau dans les mœurs, on ne peut nier que la mort de Socrate ne soit belle; un beau dans le règne animal : la beauté du chien consiste dans son odorat. Un cochon ne saurait être beau, vu ses habitudes immondes; un serpent non plus, car il éveille en nous des idées de bassesse.

Les fleurs, les papillons, le oiseaux peuvent être beaux. Enfin la condition première du Beau, c'est l'unité dans la variété, voilà le principe.

— Cependant, dit Bouvard, deux yeux louches sont plus variés que deux yeux droits et produisent moins bon effet, ordinairement.

Ils abordèrent la question du Sublime.

Certains objets sont d'eux-mêmes sublimes : le fracas d'un torrent, des ténèbres profondes, un arbre abattu par la tempête. Un caractère est beau quand il triomphe, et sublime quand il lutte.

— Je comprends, dit Bouvard, le Beau est le Beau, et le Sublime le très Beau. Comment les distinguer?

— Au moyen du tact, répondit Pécuchet.

— Et le tact, d'où vient-il?

— Du goût!

— Qu'est-ce que le goût?

On le définit : un discernement spécial, un jugement rapide, l'avantage de distinguer certains rapports.

— Enfin, le goût, c'est le goût, et tout cela ne dit pas la manière d'en avoir.

Il faut observer les bienséances, mais les bienséances varient; et, si parfaite que soit une œuvre, elle ne sera pas toujours irréprochable. Il y a pourtant un Beau indestructible, et dont nous ignorons les lois, car sa genèse est mystérieuse.

Puisqu'une idée ne peut se traduire par toutes les formes, nous devons reconnaître des limites entre les arts, et, dans chacun des arts, plusieurs genres; mais des combinaisons surgissent où le style de l'un entrera dans l'autre, sous peine de dévier du but, de ne pas être vrai.

L'application trop exacte du Vrai nuit à la Beauté, et la préoccupation de la Beauté empêche le Vrai; cependant sans idéal pas de Vrai; c'est pourquoi les types sont d'une réalité plus continue que les portraits. L'art d'ailleurs ne traite que la vraisemblance, mais la vraisemblance dépend de qui l'observe, est une chose relative, passagère.

Ils se perdaient ainsi dans les raisonnements. Bouvard, de moins en moins, croyait à l'esthétique.

— Si elle n'est pas une blague, sa rigueur se démontrera par des exemples. Or, écoute!

Et il lut une note qui lui avait demandé bien des recherches.

« Bouhours accuse Tacite de n'avoir pas la simplicité que réclame l'Histoire.

« M. Droz, un professeur, blâme Shakespeare pour son mélange du sérieux et du bouffon. Nisard, autre professeur, trouve qu'André Chénier est, comme poète, au-dessous du XVIIe siècle. Blair, Anglais, déplore dans Virgile le tableau des Harpies. Marmontel gémit sur les licences d'Homère. Lamotte n'admet point l'immortalité de ses héros. Vida s'indigne de ses comparaisons. Enfin, tous les faiseurs de rhétoriques, de poétiques et d'esthétiques me paraissent des imbéciles! »

— Tu exagères! dit Pécuchet.

Des doutes l'agitaient, car si les esprits médiocres (comme observe Longin) sont incapables de fautes, les fautes appartiennent aux maîtres, et on devra les admirer? C'est trop fort! Cependant les maîtres sont les maîtres! il aurait fallu faire s'accorder les doctrines avec les œuvres, les critiques et les poètes, saisir l'essence du Beau; et ces questions le travaillèrent tellement que sa bile en fut remuée. Il y gagna une jaunisse.

Elle était à son plus haut période, quand Marianne, la cuisinière de Mme Bordin, vint demander à Bouvard un rendez-vous pour sa maîtresse.

La veuve n'avait pas reparu depuis la séance dramatique. Etait-ce une avance? Mais pourquoi l'intermédiaire de Marianne? Et pendant toute la nuit, l'imagination de Bouvard s'égara.

Le lendemain, vers deux heures, il se promenait dans le corridor et regardait de temps à autre par la fenêtre; un coup de sonnette retentit. C'était le notaire.

Il traversa la cour, monta l'escalier, se mit dans le fauteuil, et, les premières politesses échangées, dit que, las d'attendre Mme Bordin, il avait pris les devants. Elle désirait lui acheter les Ecalles.

Bouvard sentit comme un refroidissement et passa dans la chambre de Pécuchet.

Pécuchet ne sut que répondre. Il était soucieux, M. Vaucorbeil devant venir tout à l'heure.

Enfin elle arriva. Son retard s'expliquait par l'importance de sa toilette : un cachemire, un chapeau, des gants glacés, la tenue qui sied aux occasions sérieuses.

Après beaucoup d'ambages, elle demanda si mille écus ne seraient pas suffisants.

— Un acre! mille écus? jamais!

Elle cligna ses paupières :

— Ah! pour moi!...

Et tous les trois restaient silencieux. M. de Faverges entra.

Il tenait sous le bras, comme un avoué, une serviette de maroquin, et en la posant sur la table :

— Ce sont des brochures! Elles ont trait à la Réforme, question brûlante; mais voici une chose qui vous appartient sans doute!

Et il tendit à Bouvard le second volume des *Mémoires du Diable* *.

Mélie, tout à l'heure, le lisait dans la cuisine; et comme on doit surveiller les mœurs de ces gens-là, il avait cru bien faire en confisquant le livre.

Bouvard l'avait prêté à sa servante. On causa de romans.

Mme Bordin les aimait quand ils n'étaient pas lugubres.

— Les écrivains, dit M. de Faverges, nous peignent la vie sous des couleurs flatteuses!

— Il faut peindre, objecta Bouvard.

— Alors, on n'a plus qu'à suivre l'exemple!...

— Il ne s'agit pas d'exemple!

— Au moins, conviendrez-vous qu'ils peuvent tomber entre les mains d'une jeune fille. Moi j'en ai une...

— Charmante! dit le notaire, en prenant la figure qu'il avait les jours de contrat de mariage.

— Eh bien! à cause d'elle, ou plutôt des personnes qui l'entourent, je les prohibe dans ma maison, car le Peuple, cher monsieur!...

— Qu'a-t-il fait le Peuple? dit Vaucorbeil, paraissant tout à coup sur le seuil.

Pécuchet, qui avait reconnu sa voix, vint se mêler à la compagnie.

— Je soutiens, reprit le comte, qu'il faut écarter de lui certaines lectures.

Vaucorbeil répliqua :

— Vous n'êtes donc pas pour l'instruction?

— Si fait! Permettez!

— Quand tous les jours, dit Marescot, on attaque le gouvernement!

— Où est le mal?

Et le gentilhomme et le médecin se mirent à dénigrer Louis-Philippe, rappelant l'affaire Pritchard, les lois de septembre contre la liberté de la presse.

— Et celle du théâtre! ajouta Pécuchet.

Marescot n'y tenait plus.

— Il va trop loin, votre théâtre!

— Pour cela je vous l'accorde! dit le comte, des pièces qui exaltent le suicide!

— Le suicide est beau! témoin Caton, objecta Pécuchet.

---

* *Mémoires du Diable* : roman de Frédéric Soulié (1838).

Sans répondre à l'argument, M. de Faverges stigmatisa ces œuvres où l'on bafoue les choses les plus saintes, la famille, la propriété, le mariage!

— Eh bien, et Molière? dit Bouvard.

Marescot, homme de goût, riposta que Molière ne passerait plus, et d'ailleurs était un peu surfait.

— Enfin, dit le comte, Victor Hugo a été sans pitié, oui, sans pitié, pour Marie-Antoinette, en traînant sur la claie le type de la reine dans le personnage de Marie Tudor.

— Comment! s'écria Bouvard, moi, auteur, je n'ai pas le droit...

— Non, monsieur, vous n'avez pas le droit de nous montrer le crime sans mettre à côté un correctif, sans nous offrir une leçon.

Vaucorbeil trouvait aussi que l'art devait avoir un but : viser à l'amélioration des masses!

— Chantez-nous la science, nos découvertes, le patriotisme.

Et il admirait Casimir Delavigne.

Mme Bordin vanta le marquis de Foudras. Le notaire reprit :

— Mais la langue, y pensez-vous?

— La langue? comment?

— On vous parle du style! cria Pécuchet. Trouvez-vous ses ouvrages bien écrits?

— Sans doute, fort intéressants!

Il leva les épaules, et elle rougit sous l'impertinence.

Plusieurs fois, Mme Bordin avait tâché de revenir à son affaire. Il était trop tard pour la conclure. Elle sortit au bras de Marescot.

Le comte distribua ses pamphlets, en recommandant de les propager.

Vaucorbeil allait partir, quand Pécuchet l'arrêta.

— Vous m'oubliez, docteur.

Sa mine jaune était lamentable, avec ses moustaches et ses cheveux noirs qui pendaient sous un foulard mal attaché.

— Purgez-vous, dit le médecin.

Et lui donnant deux petites claques comme à un enfant :

— Trop de nerfs, trop artiste!

Cette familiarité lui fit plaisir. Elle le rassurait, et dès qu'ils furent seuls :

— Tu crois que ce n'est pas sérieux?

— Non! bien sûr!

Ils résumèrent ce qu'ils venaient d'entendre. La moralité de l'art se renferme, pour chacun, dans le côté qui flatte ses intérêts. On n'aime pas la littérature.

Ensuite ils feuilletèrent les imprimés du comte. Tous réclamaient le suffrage universel!

— Il me semble, dit Pécuchet, que nous aurons bientôt du grabuge.

Car il voyait tout en noir, peut-être à cause de sa jaunisse.

VI

Dans la matinée du 25 février 1848, on apprit à Chavignolles, par un individu venant de Falaise, que Paris était couvert de barricades, et, le lendemain, la proclamation de la République fut affichée sur la mairie.

Ce grand événement stupéfia les bourgeois.

Mais quand on sut que la Cour de cassation, la Cour d'appel, la Cour des comptes, le Tribunal de commerce, la Chambre des notaires, l'Ordre des avocats, le Conseil d'Etat, l'Université, les généraux et M. de La Roche-jacquelein lui-même donnaient leur adhésion au Gouvernement provisoire, les poitrines se desserrèrent; et, comme à Paris on plantait des arbres de la Liberté, le conseil municipal décida qu'il en fallait à Chavignolles.

Bouvard en offrit un, réjoui dans son patriotisme par le triomphe du peuple; quant à Pécuchet, la chute de la royauté confirmait trop ses prévisions pour qu'il ne fût pas content.

Gorju, leur obéissant avec zèle, déplanta un des peupliers qui bordaient la prairie au-dessous de la Butte, et le transporta jusqu'au « Pas de la Vaque », à l'entrée du bourg, endroit désigné.

Avant l'heure de la cérémonie, tous les trois attendaient le cortège.

Un tambour retentit, une croix d'argent se montra; ensuite, parurent deux flambeaux que tenaient les chantres, et M. le curé avec l'étole, le surplis, la chape et la barrette. Quatre enfants de chœur l'escortaient, un cinquième portait le seau pour l'eau bénite, et le sacristain le suivait.

Il monta sur le rebord de la fosse où se dressait le peuplier, garni de bandelettes tricolores. On voyait, en face, le maire et ses deux adjoints, Beljambe et Marescot, puis les notables, M. de Faverges, Vaucorbeil, Coulon, le juge de paix, bonhomme à figure somnolente; Heurtaux s'était coiffé d'un bonnet de police, et Alexandre Petit, le nouvel instituteur, avait mis sa redingote, une pauvre redingote verte, celle des dimanches. Les pompiers, que commandait Girbal, sabre au point, formaient un seul rang; de l'autre côté brillaient les plaques blanches de quelques vieux shakos du temps de Lafayette, cinq ou six, pas plus, la garde nationale étant tombée en désuétude à Chavignolles. Des paysans et leurs femmes, des ouvriers des fabriques voisines, des gamins se tassaient par derrière; et Placquevent, le garde champêtre, haut de cinq pieds huit pouces, les contenait du regard, en se promenant les bras croisés.

L'allocution du curé fut comme celle des autres prêtres dans la même circonstance.

Après avoir tonné contre les rois, il glorifia la République. Ne dit-on pas la république des lettres, la république chrétienne? Quoi de plus innocent que l'une, de plus beau que l'autre? Jésus-Christ formula notre sublime devise; l'arbre du peuple, c'était l'arbre de la croix. Pour que la religion donne ses fruits, elle a besoin de la charité et, au nom de la charité, l'ecclésiastique conjura ses frères de ne commettre aucun désordre, de rentrer chez eux paisiblement.

Puis il aspergea l'arbuste, en implorant la bénédiction de Dieu.

— Qu'il se développe et qu'il nous rappelle l'affranchissement de toute servitude, et cette fraternité plus bienfaisante que l'ombrage de ses rameaux! *Amen!*

Des voix répétèrent *Amen!* et, après un battement de tambour, le clergé, poussant un *Te Deum*, reprit le chemin de l'église.

Son intervention avait produit un excellent effet. Les simples y voyaient une promesse de bonheur, les patriotes une déférence, un hommage rendu à leurs principes.

Bouvard et Pécuchet trouvaient qu'on aurait dû les remercier pour leur cadeau, y faire une allusion, tout au moins; et ils s'en ouvrirent à Faverges et au docteur.

Qu'importaient de pareilles misères! Vaucorbeil était charmé de la Révolution, le comte aussi. Il exécrait les d'Orléans. On ne les reverrait plus; bon voyage! Tout pour le Peuple, désormais! et, suivi de Hurel, son factotum, il alla rejoindre M. le curé.

Foureau marchait la tête basse, entre le notaire et l'aubergiste, vexé par la cérémonie, ayant peur d'une émeute; et instinctivement il se retournait vers le garde champêtre, qui déplorait avec le capitaine l'insuffisance de Girbal et la mauvaise tenue de ses hommes.

Des ouvriers passèrent sur la route, en chantant *la Marseillaise*. Gorju, au milieu d'eux, brandissait une canne; Petit les escortait, l'œil animé.

— Je n'aime pas cela! dit Marescot, on vocifère; on s'exalte!

— Eh! bon Dieu! reprit Coulon, il faut que jeunesse s'amuse!

Foureau soupira :

— Drôle d'amusement! et puis la guillotine au bout.

Il avait des visions d'échafaud, s'attendait à des horreurs.

Chavignolles reçut le contre-coup des agitations de Paris. Les bourgeois s'abonnèrent à des journaux. Le matin, on s'encombrait au bureau de la poste, et la directrice ne s'en fût pas tirée sans le capitaine, qui l'aidait quelquefois. Ensuite, on restait sur la place, à causer.

La première discussion violente eut pour objet la Pologne.

Heurtaux et Bouvard demandaient qu'on la délivrât.

M. de Faverges pensait autrement :

— De quel droit irions-nous là-bas? C'était déchaîner l'Europe contre nous! Pas d'imprudence!

Et tout le monde l'approuvant, les deux Polonais se turent.

Une autre fois, Vaucorbeil défendit les circulaires de Ledru-Rollin.

Foureau riposta par les 45 centimes.

— Mais le gouvernement, dit Pécuchet, avait supprimé l'esclavage.

— Qu'est-ce que ça me fait, l'esclavage!

— Eh bien, et l'abolition de la peine de mort, en matière politique?

— Parbleu! reprit Foureau, on voudrait tout abolir. Cependant, qui sait? Les locataires déjà se montrent d'une exigence!

— Tant mieux! les propriétaires, selon Pécuchet, étaient favorisés. Celui qui possède un immeuble...

Foureau et Marescot l'interrompirent, criant qu'il était un communiste.

— Moi! communiste!

Et tous parlaient à la fois. Quand Pécuchet proposa

de fonder un club, Foureau eut la hardiesse de répondre que jamais on n'en verrait à Chavignolles.

Ensuite Gorju réclama des fusils pour la garde nationale, l'opinion l'ayant désigné comme instructeur.

Les seuls fusils qu'il y eût étaient ceux des pompiers. Girbal y tenait. Foureau ne se souciait pas d'en délivrer.

Gorju le regarda :

— On trouve pourtant que je sais m'en servir.

Car il joignait à toutes ses industries celle du braconnage et souvent M. le Maire et l'aubergiste lui achetaient un lièvre ou un lapin.

— Ma foi! prenez-les, dit Foureau.

Le soir même, on commença les exercices.

C'était sur la pelouse, devant l'église. Gorju, en bourgeron bleu, une cravate autour des reins, exécutait les mouvements d'une façon automatique. Sa voix, quand il commandait, était brutale.

— Rentrez les ventres!

Et tout de suite, Bouvard, s'empêchant de respirer, creusait son abdomen, tendait la croupe.

— On ne vous dit pas de faire un arc, nom de Dieu!

Pécuchet confondait les files et les rangs, demi-tour à droite, demi-tour à gauche; mais le plus lamentable était l'instituteur : débile et de taille exiguë, avec un collier de barbe blonde, il chancelait sous le poids de son fusil, dont la baïonnette incommodait ses voisins.

On portait des pantalons de toutes les couleurs, des baudriers crasseux, de vieux habits d'uniforme trop courts, laissant voir la chemise sur les flancs; et chacun prétendait « n'avoir pas le moyen de faire autrement ». Une souscription fut ouverte pour habiller les plus pauvres. Foureau lésina, tandis que les femmes se signalèrent. Mme Bordin offrit 5 francs, malgré sa haine de la République. M. de Faverges équipa douze hommes et ne manquait pas à la manœuvre. Puis il s'installa chez l'épicier et payait de petits verres au premier venu.

Les puissants alors flagornaient la basse classe. Tout passait après les ouvriers. On briguait l'avantage de leur appartenir. Ils devenaient des nobles.

Ceux du canton, pour la plupart, étaient tisserands; d'autres travaillaient dans les manufactures d'indiennes ou à une fabrique de papiers, nouvellement établie.

Gorju les fascinait par son bagout, leur apprenait la savate, menait boire les intimes chez Mme Castillon.

Mais les paysans étaient plus nombreux, et les jours de marché, M. de Faverges, se promenant sur la place, s'informait de leurs besoins, tâchait de les convertir à ses idées. Ils écoutaient sans répondre, comme le Père Gouy, prêt à accepter tout gouvernement, pourvu qu'on diminuât les impôts.

A force de bavarder, Gorju se fit un nom. Peut-être qu'on le porterait à l'Assemblée.

M. de Faverges y pensait comme lui, tout en cherchant à ne pas se compromettre. Les conservateurs balançaient entre Foureau et Marescot. Mais le notaire tenant à son étude, Foureau fut choisi; un rustre, un crétin. Le docteur s'en indigna.

Fruit sec des concours, il regrettait Paris, et c'était la conscience de sa vie manquée qui lui donnait un air morose. Une carrière plus vaste allait se développer;

quelle revanche! Il rédigea une profession de foi et vint la lire à MM. Bouvard et Pécuchet.

Ils l'en félicitèrent; leurs doctrines étaient les mêmes. Cependant, ils écrivaient mieux, connaissaient l'histoire, pouvaient aussi bien que lui figurer à la Chambre. Pourquoi pas? Mais lequel devait se présenter? Et une lutte de délicatesse s'engagea.

Pécuchet préférait à lui-même son ami.

— Non, ça te revient! tu as plus de prestance!

— Peut-être, répondait Bouvard, mais toi plus de toupet!

Et, sans résoudre la difficulté, ils dressèrent des plans de conduite.

Ce vertige de la députation en avait gagné d'autres. Le capitaine y rêvait sous son bonnet de police, tout en fumant sa bouffarde, et l'instituteur aussi, dans son école, et le curé aussi, entre deux prières, tellement que parfois il se surprenait les yeux au ciel, en train de dire :

— Faites, ô mon Dieu! que je sois député!

Le docteur, ayant reçu des encouragements, se rendit chez Heurtaux, et lui exposa les chances qu'il avait.

Le capitaine n'y mit pas de façon. Vaucorbeil était connu sans doute, mais peu chéri de ses confrères et spécialement des pharmaciens. Tous clabauderaient contre lui; le peuple ne voulait pas d'un Monsieur; ses meilleurs malades le quitteraient; et, ayant pesé ces arguments, le médecin regretta sa faiblesse.

Dès qu'il fut parti, Heurtaux alla voir Placquevent. Entre vieux militaires, on s'oblige. Mais le garde champêtre, tout dévoué à Foureau, refusa net de le servir.

Le curé démontra à M. de Faverges que l'heure n'était pas venue. Il fallait donner à la République le temps de s'user.

Bouvard et Pécuchet représentèrent à Gorju qu'il ne serait jamais assez fort pour vaincre la coalition des paysans et des bourgeois, l'emplirent d'incertitudes, lui ôtèrent toute confiance.

Petit, par orgueil, avait laissé voir son désir. Beljambe le prévint que, s'il échouait, sa destitution était certaine.

Enfin Monseigneur ordonna au curé de se tenir tranquille.

Donc il ne restait que Foureau.

Bouvard et Pécuchet le combattirent, rappelant sa mauvaise volonté pour les fusils, son opposition au club, ses idées rétrogrades, son avarice, et même persuadèrent à Gouy qu'il voulait rétablir l'ancien régime.

Si vague que fût cette chose-là pour le paysan, il l'exécrait d'une haine accumulée dans l'âme de ses aïeux pendant dix siècles, et il tourna contre Foureau tous ses parents et ceux de sa femme, beaux-frères, cousins, arrière-neveux, une horde.

Gorju, Vaucorbeil et Petit continuaient la démolition de M. le Maire; et, le terrain ainsi déblayé, Bouvard et Pécuchet, sans que personne s'en doutât, pouvaient réussir.

Ils tirèrent au sort pour savoir qui se présenterait. Le sort ne trancha rien, et ils allèrent consulter là-dessus le docteur.

Il leur apprit une nouvelle : Flacardoux, rédacteur du

Calvados, avait déclaré sa candidature. La déception des deux amis fut grande : chacun, outre la sienne, ressentait celle de l'autre. Mais la politique les échauffait. Le jour des élections, ils surveillèrent les urnes. Flacardoux l'emporta.

M. le comte s'était rejeté sur la garde nationale, sans obtenir l'épaulette de commandant. Les Chavignollais imaginèrent de nommer Beljambe.

Cette faveur du public, bizarre et imprévue, consterna Heurtaux. Il avait négligé ses devoirs, se bornant à inspecter parfois les manœuvres, et émettre des observations. N'importe ! il trouvait monstrueux qu'on préférât un aubergiste à un ancien capitaine de l'Empire, et il dit, après l'envahissement de la Chambre au 15 mai :

— Si les grades militaires se donnent comme ça dans la capitale, je ne m'étonne plus de ce qui arrive !

La réaction commençait.

On croyait aux purées d'ananas de Louis Blanc, au lit d'or de Flocon, aux orgies de Ledru-Rollin, et, comme la province prétend connaître tout ce qui se passe à Paris, les bourgeois de Chavignolles ne doutaient pas de ses intentions, et admettaient les rumeurs les plus absurdes.

M. de Faverges, un soir, vint trouver le curé pour lui apprendre l'arrivée en Normandie du comte de Chambord.

Joinville, d'après Foureau, se disposait, avec ses marins, à vous réduire les socialistes. Heurtaux affirmait que prochainement Louis Bonaparte serait consul.

Les fabriques chômaient. Des pauvres, par bandes nombreuses, erraient dans la campagne.

Un dimanche (c'était dans les premiers jours de juin), un gendarme, tout à coup, partit vers Falaise. Les ouvriers d'Acqueville, Liffard, Pierre-Pont et Saint-Rémy marchaient sur Chavignolles.

Les auvents se fermèrent, le conseil municipal s'assembla, et résolut, pour prévenir des malheurs, qu'on ne ferait aucune résistance. La gendarmerie fut même consignée, avec l'injonction de ne pas se montrer.

Bientôt on entendit comme un grondement d'orage. Puis le chant des Girondins ébranla les carreaux ; et des hommes, bras dessus bras dessous, débouchèrent par la route de Caen, poudreux, en sueur, dépenaillés. Ils emplissaient la place. Un grand brouhaha s'élevait.

Gorju et deux de ses compagnons entrèrent dans la salle. L'un était maigre et à figure chafouine, avec un gilet de tricot, dont les rosettes pendaient. L'autre, noir de charbon, un mécanicien sans doute, avait les cheveux en brosse, de gros sourcils, et des savates de lisière. Gorju, comme un hussard, portait sa veste sur l'épaule.

Tous les trois restaient debout, et les conseillers, siégeant autour de la table couverte d'un tapis bleu, les regardaient, blêmes d'angoisse.

— Citoyens ! dit Gorju, il nous faut de l'ouvrage !

Le maire tremblait ; la voix lui manqua.

Marescot répondit à sa place que le conseil aviserait immédiatement ; et, les compagnons étant sortis, on discuta plusieurs idées.

La première fut de tirer du caillou.

Pour utiliser les cailloux, Girbal proposa un chemin d'Angleville à Tournebu.

Celui de Bayeux rendait absolument le même service.

On pouvait curer la mare ! ce n'était pas un travail suffisant ; ou bien creuser une seconde mare ! mais à quelle place ?

Langlois était d'avis de faire un remblai le long des Mortins, en cas d'inondation ; mieux valait, selon Beljambe, défricher les bruyères. Impossible de rien conclure !... Pour calmer la foule, Coulon descendit sur le péristyle, et annonça qu'ils préparaient des ateliers de charité.

— La charité ? Merci ! s'écria Gorju. A bas les aristos ! Nous voulons le droit au travail !

C'était la question de l'époque, il s'en faisait un moyen de gloire, on applaudit.

En se retournant, il coudoya Bouvard, que Pécuchet avait entraîné jusque-là, et ils engagèrent une conversation. Rien ne pressait ; la mairie était cernée ; le conseil n'échapperait pas.

— Où trouver de l'argent ? disait Bouvard.

— Chez les riches ! D'ailleurs, le gouvernement ordonnera des travaux.

— Et si on n'a pas besoin de travaux ?

— On en fera par avance !

— Mais les salaires baisseront ! riposta Pécuchet. Quand l'ouvrage vient à manquer, c'est qu'il y a trop de produits ! et vous réclamez qu'on les augmente !

Gorju se mordait la moustache.

— Cependant... avec l'organisation du travail...

— Alors le gouvernement sera le maître !

Quelques-uns, autour d'eux, murmurèrent :

— Non ! non ! plus de maîtres !

Gorju s'irrita.

— N'importe ! on doit fournir aux travailleurs un capital, ou bien instituer le crédit !

— De quelle manière ?

— Ah ! je ne sais pas ! mais on doit instituer le crédit !

— En voilà assez, dit le mécanicien, ils nous embêtent, ces farceurs-là !

Et il gravit le perron, déclarant qu'il enfoncerait la porte.

Placquevent l'y reçut, le jarret droit fléchi, les poings serrés :

— Avance un peu !

Le mécanicien recula.

Une huée de la foule parvint dans la salle ; tous se levèrent, ayant envie de s'enfuir. Le secours de Falaise n'arrivait pas ! On déplorait l'absence de M. le comte. Marescot tortillait une plume, le père Coulon gémissait. Heurtaux s'emporta pour qu'on fît donner les gendarmes.

— Commandez-les ! dit Foureau.

— Je n'ai pas d'ordres !

Le bruit redoublait, cependant. La place était couverte de monde ; et tous observaient le premier étage de la mairie, quand, à la croisée du milieu, sous l'horloge, on vit paraître Pécuchet.

Il avait pris adroitement l'escalier de service, et, voulant faire comme Lamartine, il se mit à haranguer le peuple :

— Citoyens!

Mais sa casquette, son nez, sa redingote, tout son individu manquait de prestige.

L'homme au tricot l'interpella :

— Est-ce que vous êtes ouvrier?

— Non.

— Patron, alors?

— Pas davantage.

— Eh bien, retirez-vous!

— Pourquoi? reprit fièrement Pécuchet.

Et aussitôt, il disparut dans l'embrasure, empoigné par le mécanicien. Gorju vint à son aide.

— Laisse-le! c'est un brave!

Ils se colletaient.

La porte s'ouvrit, et Marescot, sur le seuil, proclama la décision municipale. Hurel l'avait suggérée.

Le chemin de Tournebu aurait un embranchement sur Angleville, et qui mènerait au château de Faverges.

C'est un sacrifice que s'imposait la commune dans l'intérêt des travailleurs.

Ils se dispersèrent.

En rentrant chez eux, Bouvard et Pécuchet eurent les oreilles frappées par des voix de femmes. Les servantes et Mme Bordin poussaient des exclamations, la veuve criait plus fort, et à leur aspect :

— Ah! c'est bien heureux! depuis trois heures que je vous attends! Mon pauvre jardin, plus une seule tulipe! des cochonneries partout sur le gazon! Pas moyen de le faire démarrer!

— Qui cela?

— Le père Gouy!

Il était venu avec une charrette de fumier, et l'avait jetée tout à vrac au milieu de l'herbe. « Il laboure maintenant! dépêchez-vous pour qu'il finisse! »

— Je vous accompagne! dit Bouvard.

Au bas des marches, en dehors, un cheval, dans les brancards d'un tombereau, mordait une touffe de lauriers-roses. Les roues, en frôlant les plates-bandes, avaient pilé les buis, cassé un rhododendron, abattu les dahlias, et des mottes de fumier noir, comme des taupinières, bosselaient le gazon. Gouy le bêchait avec ardeur.

Un jour, Mme Bordin avait dit négligemment qu'elle voulait le retourner. Il s'était mis à la besogne, et malgré sa défense continuait. C'est de cette manière qu'il entendait le droit au travail, les discours de Gorju lui ayant tourné la cervelle.

Il ne partit que sur les menaces violentes de Bouvard.

Mme Bordin, comme dédommagement, ne paya pas sa main-d'œuvre et garda le fumier. Elle était judicieuse : l'épouse du médecin et même celle du notaire, bien que d'un rang supérieur, la considéraient.

Les ateliers de charité durèrent une semaine. Aucun trouble n'advint. Gorju avait quitté le pays.

Cependant, la garde nationale était toujours sur pied : le dimanche, une revue, promenades militaires quelquefois, et, chaque nuit, des rondes. Elles inquiétaient le village.

On tirait les sonnettes des maisons, par facétie; on pénétrait dans les chambres où des époux ronflaient sur le même traversin; alors on disait des gaudrioles, et le mari, se levant, allait vous chercher des petits verres. Puis on revenait au corps de garde jouer un cent de dominos, on y buvait du cidre, on y mangeait du fromage, et le factionnaire, qui s'ennuyait à la porte, l'entrebâillait à chaque minute. L'indiscipline régnait, grâce à la mollesse de Beljambe.

Quand éclatèrent les journées de Juin, tout le monde fut d'accord pour « voler au secours de Paris »; mais Foureau ne pouvait quitter la mairie, Marescot son étude, le docteur sa clientèle, Girbal ses pompiers; M. de Faverges était à Cherbourg. Beljambe s'alita. Le capitaine grommelait :

— On n'a pas voulu de moi, tant pis!

Et Bouvard eut la sagesse de retenir Pécuchet.

Les rondes dans la campagne furent étendues plus loin.

Des paniques survenaient, causées par l'ombre d'une meule, ou les formes des branches : une fois, tous les gardes nationaux s'enfuirent. Sous le clair de la lune, ils avaient aperçu dans un pommier, un homme avec un fusil, et qui les tenait en joue.

Une autre fois, par une nuit obscure, la patrouille, faisant halte sous la hêtrée, entendit quelqu'un devant elle.

— Qui vive?

Pas de réponse.

On laissa l'individu continuer sa route, en le suivant à distance, car il pouvait avoir un pistolet ou un casse-tête; mais quand on fut dans le village, à portée des secours, les douze hommes du peloton, tous à la fois, se précipitèrent sur lui, en criant :

— Vos papiers!

Ils le houspillaient, l'accablaient d'injures. Ceux du corps de garde étaient sortis. On l'y traîna, et, à la lueur de la chandelle brûlant sur le poêle, on reconnut enfin Gorju.

Un méchant paletot de lasting craquait à ses épaules. Ses orteils se montraient par les trous de ses bottes. Des éraflures et des contusions faisaient saigner son visage. Il était amaigri prodigieusement, et roulait des yeux, comme un loup.

Foureau, accouru bien vite, lui demanda comment il se trouvait sous la hêtrée, ce qu'il revenait faire à Chavignolles, l'emploi de son temps depuis six semaines.

Ça ne les regardait pas. Il était libre.

Placquevent le fouilla pour découvrir des cartouches. On allait provisoirement le coffrer.

Bouvard s'interposa.

— Inutile! reprit le maire. On connaît vos opinions.

— Cependant?

— Ah! prenez garde, je vous en avertis! Prenez garde.

Bouvard n'insista plus.

Gorju alors se tourna vers Pécuchet :

— Et vous, patron, vous ne dites rien?

Pécuchet baissa la tête, comme s'il eût douté de son innocence.

Le pauvre diable eut un sourire d'amertume.

— Je vous ai défendu pourtant!

Au petit jour, deux gendarmes l'emmenèrent à Falaise.

Il ne fut pas traduit devant un conseil de guerre, mais condamné par la correctionnelle à trois mois de prison, pour délit de paroles tendant au bouleversement de la société.

De Falaise, il écrivit à ses anciens maîtres de lui envoyer prochainement un certificat de bonne vie et mœurs, et, leur signature devant être légalisée par le maire ou par l'adjoint, ils préférèrent demander ce petit service à Marescot.

On les introduisit dans une salle à manger, que décoraient des plats de vieille faïence; une horloge de Boule occupait le panneau le plus étroit. Sur la table d'acajou, sans nappe, il y avait deux serviettes, une théière, des bols. Mme Marescot traversa l'appartement dans un peignoir de cachemire bleu. C'était une Parisienne qui s'ennuyait à la campagne. Puis le notaire entra, une toque à la main, un journal de l'autre; et tout de suite, d'un air aimable, il apposa son cachet, bien que leur protégé fût un homme dangereux.

— Vraiment, dit Bouvard, pour quelques paroles!...

— Quand la parole amène des crimes, cher monsieur, permettez!

— Cependant, reprit Pécuchet, quelle démarcation établir entre les phrases innocentes et les coupables? Telle chose défendue maintenant sera, par la suite, applaudie.

Et il blâma la manière féroce dont on traitait les insurgés.

Marescot allégua naturellement la défense de la société, le salut public, loi suprême.

— Pardon, dit Pécuchet, le droit d'un seul est aussi respectable que celui de tous et vous n'avez rien à lui objecter que la force, s'il retourne contre vous l'axiome.

Marescot, au lieu de répondre, leva les sourcils dédaigneusement. Pourvu qu'il continuât à faire des actes, et à vivre au milieu de ses assiettes, dans son petit intérieur confortable, toutes les injustices pouvaient se présenter sans l'émouvoir. Les affaires le réclamaient. Il s'excusa.

Sa doctrine du salut public les avait indignés. Les conservateurs parlaient maintenant comme Robespierre.

Autre sujet d'étonnement : Cavaignac baissait. La garde mobile devint suspecte. Ledru-Rollin s'était perdu, même dans l'esprit de Vaucorbeil. Les débats sur la constitution n'intéressèrent personne et, au 10 décembre, tous les Chavignollais votèrent pour Bonaparte.

Les six millions de voix refroidirent Pécuchet à l'encontre du Peuple, et Bouvard et lui étudièrent la question du suffrage universel.

Appartenant à tout le monde, il ne peut avoir d'intelligence. Un ambitieux le mènera toujours, les autres obéiront comme un troupeau, les électeurs n'étant pas même contraints de savoir lire : c'est pourquoi suivant Pécuchet, il y avait eu tant de fraudes dans l'élection présidentielle.

— Aucune, reprit Bouvard; je crois plutôt à la sottise du Peuple. Pense à tous ceux qui achètent la Revalescière, la pommade Dupuytren, l'eau des châtelaines, etc. Ces nigauds forment la masse électorale, et nous subissons leur volonté. Pourquoi ne peut-on se faire, avec des lapins, trois mille livres de rente? C'est qu'une agglomération trop nombreuse est une cause de mort. De même, par le fait seul de la foule, les germes de bêtise qu'elle contient se développent et il en résulte des effets incalculables.

— Ton scepticisme m'épouvante! dit Pécuchet.

Plus tard, au printemps, ils rencontrèrent M. de Faverges, qui leur apprit l'expédition de Rome. On n'attaquerait pas les Italiens, mais il nous fallait des garanties. Autrement notre influence était ruinée. Rien de plus légitime que cette intervention.

Bouvard écarquilla les yeux.

— A propos de la Pologne, vous souteniez le contraire!

— Ce n'est plus la même chose!

Maintenant il s'agissait du Pape.

Et M. de Faverges, en disant : « Nous voulons, nous ferons, nous comptons bien », représentait un groupe.

Bouvard et Pécuchet furent dégoûtés du petit nombre comme du grand. La plèbe, en somme, valait l'aristocratie.

Le droit d'intervention leur semblait louche. Ils en cherchèrent les principes dans Calvo, Martens, Vattel; et Bouvard conclut :

— On intervient pour remettre un prince sur le trône, pour affranchir un peuple, ou, par précaution, en vue d'un danger. Dans les deux cas, c'est un attentat au droit d'autrui, un abus de la force, une violence hypocrite!

— Cependant, dit Pécuchet, les peuples, comme les hommes, sont solidaires.

— Peut-être!

Et Bouvard se mit à rêver.

Bientôt commença l'expédition de Rome.

A l'intérieur, en haine des idées subversives, l'élite des bourgeois parisiens saccagea deux imprimeries. Le grand parti de l'ordre se formait.

Il avait pour chefs dans l'arrondissement M. le comte, Foureau, Marescot, le curé. Tous les jours, vers quatre heures, ils se promenaient d'un bout à l'autre de la place, et causaient des événements. L'affaire principale était la distribution des brochures. Les titres ne manquaient pas de saveur : *Dieu le voudra; le Partageux; Sortons du gâchis; Où allons-nous?* Ce qu'il y avait de plus beau, c'étaient des dialogues en style villageois, avec des jurons et des fautes de français, pour élever le moral des paysans. Par une loi nouvelle, le colportage se trouvait aux mains des préfets, et on venait de fourrer Proudhon à Sainte-Pélagie : immense victoire.

Les arbres de la Liberté furent abattus généralement. Chavignolles obéit à la consigne. Bouvard vit de ses yeux les morceaux de son peuplier sur une brouette. Ils servirent à chauffer les gendarmes, et on offrit la souche à M. le curé, qui l'avait béni pourtant! quelle dérision!

L'instituteur ne cacha pas sa manière de penser.

Bouvard et Pécuchet l'en félicitèrent, un jour qu'ils passaient devant sa porte.

Le lendemain, il se présenta chez eux. A la fin de la semaine, ils lui rendirent sa visite.

Le jour tombait, les gamins venaient de partir, et le maître d'école, en bouts de manche, balayait la cour. Sa femme, coiffée d'un madras, allaitait un enfant. Une petite fille se cacha derrière sa jupe; un mioche hideux jouait par terre, à ses pieds; l'eau du savonnage qu'elle faisait dans la cuisine coulait au bas de la maison.

— Vous voyez, dit l'instituteur, comme le gouvernement nous traite.

Et, tout de suite, il s'en prit à l'infâme capital. Il fallait le démocratiser, affranchir la matière!

— Je ne demande pas mieux! dit Pécuchet.

Au moins, on aurait dû reconnaître le droit à l'assistance.

— Encore un droit! dit Bouvard.

N'importe! le provisoire avait été mollasse, en n'ordonnant pas la fraternité.

— Tâchez donc de l'établir!

Comme il ne faisait plus clair, Petit commanda brutalement à sa femme de monter un flambeau dans son cabinet.

Des épingles fixaient aux murs de plâtre les portraits lithographiés des orateurs de la Gauche. Un casier avec des livres dominait un bureau de sapin. On avait, pour s'asseoir, une chaise, un tabouret et une vieille caisse à savon; il affectait d'en rire. Mais la misère plaquait ses joues, et ses tempes étroites dénotaient un entêtement de bélier, un intraitable orgueil. Jamais il ne calerait.

— Voilà, d'ailleurs, ce qui me soutient!

C'était un amas de journaux, sur une planche, et il exposa, en paroles fiévreuses, les articles de sa foi : désarmement des troupes, abolition de la magistrature, égalité des salaires, niveau moyen par lequel on obtiendrait l'âge d'or, sous la forme de la République, avec un dictateur à la tête, un gaillard, pour vous mener ça rondement!

Puis il atteignit une bouteille d'anisette et trois verres, afin de porter un toast au héros, à l'immortelle victime, au grand Maximilien!

Sur le seuil, la robe noire du curé parut.

Ayant salué vivement la compagnie, il aborda l'instituteur et lui dit presque à voix basse :

— Notre affaire de Saint-Joseph, où en est-elle?

— Ils n'ont rien donné, reprit le maître d'école.

— C'est de votre faute!

— J'ai fait ce que j'ai pu!

— Ah! vraiment?

Bouvard et Pécuchet se levèrent par discrétion. Petit les fit se rasseoir, et s'adressant au curé :

— Est-ce tout?

L'abbé Jeufroy hésita; puis, avec un sourire qui tempérait sa réprimande :

— On trouve que vous négligez un peu l'histoire sainte.

— Oh! l'histoire sainte! reprit Bouvard.

— Que lui reprochez-vous, monsieur?

— Moi, rien. Seulement il y a peut-être des choses plus utiles que l'anecdote de Jonas et les rois d'Israël!

— Libre à vous! répliqua sèchement le prêtre.

Et, sans souci des étrangers, ou à cause d'eux :

— L'heure du catéchisme est trop courte!

Petit leva les épaules.

— Faites attention. Vous perdrez vos pensionnaires!

Les dix francs par mois de ces élèves étaient le meilleur de sa place. Mais la soutane l'exaspérait :

— Tant pis, vengez-vous!

— Un homme de mon caractère ne se venge pas, dit le prêtre, sans s'émouvoir. Seulement, je vous rappelle que la loi du 15 mars nous attribue la surveillance de l'instruction primaire.

— Eh! je le sais bien! s'écria l'instituteur. Elle appartient même aux colonels de gendarmerie! Pourquoi pas au garde champêtre! ce serait complet!

Et il s'affaissa sur l'escabeau, mordant son poing, retenant sa colère, suffoqué par le sentiment de son impuissance.

L'ecclésiastique le toucha légèrement sur l'épaule.

— Je n'ai pas voulu vous affliger, mon ami! Calmez-vous! Un peu de raison!... Voilà Pâques bientôt : j'espère que vous donnerez l'exemple en communiant avec les autres!

— Ah! c'est trop fort! moi! moi! me soumettre à de pareilles bêtises!

Devant ce blasphème, le curé pâlit. Ses prunelles fulguraient. Sa mâchoire tremblait :

— Taisez-vous, malheureux! taisez-vous!... Et c'est sa femme qui soigne les linges de l'église!

— Eh bien! quoi? Qu'a-t-elle fait?

— Elle manque toujours la messe! Comme vous, d'ailleurs!

— Eh! on ne renvoie pas un maître d'école pour ça!

— On peut le déplacer!

Le prêtre ne parla plus. Il était au fond de la pièce, dans l'ombre. Petit, la tête sur la poitrine, songeait.

Ils arriveraient à l'autre bout de la France, leur dernier sou mangé par le voyage, et ils retrouveraient là-bas, sous des noms différents, le même curé, le même recteur, le même préfet; tous, jusqu'au ministre, étaient comme les anneaux de sa chaîne accablante! Il avait reçu déjà un avertissement, d'autres viendraient. Ensuite? et dans une sorte d'hallucination, il se vit marchant sur une grande route, un sac au dos, ceux qu'il aimait près de lui, la main tendue vers une chaise de poste!

A ce moment-là, sa femme dans la cuisine fut prise d'une quinte de toux; le nouveau-né se mit à vagir et le marmot pleurait.

— Pauvres enfants! dit le prêtre d'une voix douce.

Le père alors éclata en sanglots :

— Oui! oui! tout ce que l'on voudra!

— J'y compte, reprit le curé.

Et, ayant fait la révérence :

— Messieurs, bien le bonsoir!

Le maître d'école restait la figure dans les mains. Il repoussa Bouvard.

— Non! laissez-moi! j'ai envie de crever! je suis un misérable!

Les deux amis regagnèrent leur domicile, en se félicitant de leur indépendance. Le pouvoir du clergé les effrayait.

On l'appliquait maintenant à raffermir l'ordre social. La République allait bientôt disparaître.

Trois millions d'électeurs se trouvèrent exclus du suffrage universel. Le cautionnement des journaux fut élevé, la censure rétablie. On en voulait aux romans-feuilletons. La philosophie classique était réputée dangereuse. Les bourgeois prêchaient le dogme des intérêts matériels et le peuple semblait content.

Celui des campagnes revenait à ses anciens maîtres. M. de Faverges, qui avait des propriétés dans l'Eure, fut porté à la Législative, et sa réélection au conseil général du Calvados était d'avance certaine.

Il jugea bon d'offrir un déjeuner aux notables du pays.

Le vestibule, où trois domestiques les attendaient pour prendre leurs paletots, le billard et les deux salons en enfilade, les plantes dans des vases de la Chine, les bronzes sur les cheminées, les baguettes d'or aux lambris, les rideaux épais, les larges fauteuils, ce luxe immédiatement les frappa comme une politesse qu'on leur faisait; et en entrant dans la salle à manger, au spectacle de la table couverte de viandes sur des plats d'argent, avec la rangée des verres devant chaque assiette, les hors-d'œuvre çà et là, et un saumon au milieu, tous les visages s'épanouirent.

Ils étaient dix-sept, y compris deux forts cultivateurs, le sous-préfet de Bayeux et un individu de Cherbourg. M. de Faverges pria ses hôtes d'excuser la comtesse, empêchée par une migraine; et, après des compliments sur les poires et les raisins qui emplissaient quatre corbeilles aux angles, il fut question de la grande nouvelle : le projet d'une descente en Angleterre par Changarnier.

Heurtaux la désirait comme soldat, le curé en haine des protestants, Foureau dans l'intérêt du commerce.

— Vous exprimez, dit Pécuchet, des sentiments du moyen âge!

— Le moyen âge avait du bon! reprit Marescot. Ainsi nos cathédrales!...

— Cependant, monsieur, les abus!...

— N'importe, la Révolution ne serait pas arrivée!...

— Ah! la Révolution, voilà le malheur! dit l'ecclésiastique, en soupirant.

— Mais tout le monde y a contribué! et (excusez-moi, monsieur le comte) les nobles eux-mêmes, par leur alliance avec les philosophes!

— Que voulez-vous! Louis XVIII a légalisé la spoliation! Depuis ce temps-là, le régime parlementaire vous sape les bases!...

Un roastbeef parut, et durant quelques minutes on n'entendit que le bruit des fourchettes et des mâchoires, avec le pas des servants sur le parquet et ces deux mots répétés : « Madère! Sauterne! »

La conversation fut reprise par le monsieur de Cherbourg. Comment s'arrêter sur le penchant de l'abîme?

— Chez les Athéniens, dit Marescot, chez les Athéniens, avec lesquels nous avons des rapports, Solon mata les démocrates, en élevant le cens électoral.

— Mieux vaudrait, dit Hurel, supprimer la Chambre; tout le désordre vient de Paris.

— Décentralisons! dit le notaire.

— Largement! reprit le comte.

D'après Foureau, la commune devait être maîtresse absolue, jusqu'à interdire ses routes aux voyageurs, si elle le juge convenable.

Et pendant que les plats se succédaient, poule au jus, écrevisses, champignons, légumes en salade, rôtis d'alouettes, bien des sujets furent traités : le meilleur système d'impôts, les avantages de la grande culture, l'abolition de la peine de mort; le sous-préfet n'oublia pas de citer ce mot charmant d'un homme d'esprit : « Que messieurs les assassins commencent! »

Bouvard était surpris par le contraste des choses qui l'entouraient avec celles que l'on disait, car il semble toujours que les paroles doivent correspondre aux milieux, et que les hauts plafonds soient faits pour les grandes pensées. Néanmoins, il était rouge au dessert, et entrevoyait les compotiers dans un brouillard.

On avait pris des vins de Bordeaux, de Bourgogne et de Malaga... M. de Faverges, qui connaissait son monde, fit déboucher du champagne. Les convives, en trinquant, burent au succès de l'élection et il était plus de trois heures quand ils passèrent dans le fumoir, pour prendre le café.

Une caricature du *Charivari* traînait sur une console, entre des numéros de *l'Univers*, cela représentait un citoyen, dont les basques de la redingote laissaient voir une queue se terminant par un œil. Marescot en donna l'explication. On rit beaucoup.

Ils absorbaient des liqueurs, et la cendre des cigares tombait dans les capitons des meubles. L'abbé, voulant convaincre Girbal, attaqua Voltaire. Coulon s'endormit. M. de Faverges déclara son dévouement pour Chambord.

— Les abeilles prouvent la monarchie.

— Mais les fourmilières, la République!

Du reste, le médecin n'y tenait plus.

— Vous avez raison! dit le sous-préfet. La forme du gouvernement importe peu!

— Avec la liberté! objecta Pécuchet.

— Un honnête homme n'en a pas besoin, répliqua Foureau. Je ne fais pas de discours, moi! je ne suis pas journaliste! et je vous soutiens que la France veut être gouvernée par un bras de fer!

Tous réclamaient un sauveur.

Et en sortant, Bouvard et Pécuchet entendirent M. de Faverges qui disait à l'abbé Jeufroy :

— Il faut rétablir l'obéissance. L'autorité se meurt si on la discute. Le droit divin, il n'y a que ça!

— Parfaitement, monsieur le comte!

Les pâles rayons d'un soleil d'octobre s'allongeaient derrière les bois, un vent humide soufflait; et, en marchant sur les feuilles mortes, ils respiraient comme délivrés.

Tout ce qu'ils n'avaient pu dire s'échappa en exclamations.

— Quels idiots! quelle bassesse! Comment imaginer tant d'entêtement! D'abord, que signifie le droit divin?

L'ami de Dumouchel, ce professeur qui les avait éclairés sur l'esthétique, répondit à leur question dans une lettre savante.

La théorie du droit divin a été formulée sous Charles II par l'Anglais Filmer.

La voici :

« Le Créateur donna au premier homme la souveraineté du monde. Elle fut transmise à ses descendants, et la puissance du roi émane de Dieu : « Il est son image », écrit Bossuet. L'empire paternel accoutume à la domination d'un seul. On a fait les rois d'après le modèle des pères.

« Locke réfuta cette doctrine. Le pouvoir paternel se distingue du monarchique, tout sujet ayant le même droit sur ses enfants que le monarque sur les siens. La royauté n'existe que par le choix populaire, et même l'élection était rappelée dans la cérémonie du sacre, où deux évêques, en montrant le roi, demandaient aux nobles et aux manants s'ils l'acceptaient pour tel.

« Donc le pouvoir vient du peuple. Il a le droit « de faire tout ce qu'il veut », dit Helvétius, « de changer sa constitution », dit Vattel, « de se révolter contre l'injustice », prétendent Glafey, Hotman, Mably, etc.! et saint Thomas d'Aquin l'autorise à se délivrer d'un tyran. Il est même, dit Jurieu, « dispensé d'avoir raison ».

Etonnés de l'axiome, ils prirent le *Contrat social*, de Rousseau.

Pécuchet alla jusqu'au bout ; puis, fermant les yeux et se renversant la tête, il en fit l'analyse :

On suppose une convention par laquelle l'individu aliéna sa liberté.

Le Peuple, en même temps, s'engageait à le défendre contre les inégalités de la Nature, et le rendait propriétaire des choses qu'il détient.

Où est la preuve du contrat?

Nulle part! et la communauté n'offre pas de garantie. Les citoyens s'occuperont exclusivement de politique. Mais comme il faut des métiers, Rousseau conseille l'esclavage. Les sciences ont perdu le genre humain. Le théâtre est corrupteur, l'argent funeste, et l'Etat doit imposer une religion, sous peine de mort.

« Comment! se dirent-ils, voilà le pontife de la démocratie! »

Tous les réformateurs l'ont copié ; et ils se procurèrent l'*Examen du socialisme*, par Morant.

Le chapitre premier expose la doctrine saint-simonienne.

Au sommet, le *Père*, à la fois pape et empereur. Abolition des héritages, tous les biens, meubles et immeubles, composant un fonds social, qui sera exploité hiérarchiquement. Les industriels gouverneront la fortune publique. Mais rien à craindre ; on aura pour chef « celui qui aime le plus ».

Il manque une chose, la femme. De l'arrivée de la femme dépend le salut du monde.

— Je ne comprends pas.

— Ni moi!

Et ils abordèrent le fouriérisme.

Tous les malheurs viennent de la contrainte. Que l'attraction soit libre, et l'harmonie s'établira.

Notre âme enferme douze passions principales : cinq égoïstes, quatre animiques, trois distributives. Elles tendent, les premières à l'individu, les suivantes aux groupes, les dernières aux groupes de groupes, ou séries, dont l'ensemble est la phalange, société de dix-huit cents personnes, habitant un palais. Chaque matin, les voitures emmènent les travailleurs dans la campagne, et les ramènent le soir. On porte des étendards, on se donne des fêtes, on mange des gâteaux. Toute femme, si elle y tient, possède trois hommes : le mari, l'amant et le géniteur. Pour les célibataires, le bayadérisme est institué.

— Ça me va! dit Bouvard.

Et il se perdit dans les rêves du monde harmonien.

Par la restauration des climatures, la terre deviendra plus belle ; par le croisement des races, la vie humaine plus longue. On dirigera les nuages comme on fait maintenant de la foudre, il pleuvra la nuit sur les villes pour les nettoyer. Des navires traverseront les mers polaires, dégelées sous les aurores boréales. Car tout se produit par la conjonction des deux fluides, mâle et femelle, jaillissant des pôles, et les aurores boréales sont un symptôme du rut de la planète, une émission prolifique.

— Cela me passe, dit Pécuchet.

Après Saint-Simon et Fourier, le problème se réduit à des questions de salaire.

Louis Blanc, dans l'intérêt des ouvriers, veut qu'on abolisse le commerce extérieur ; Lafarelle, qu'on impose les machines ; un autre, qu'on dégrève les boissons, ou qu'on refasse les jurandes, ou qu'on distribue des soupes. Proudhon imagine un tarif uniforme, et réclame pour l'Etat le monopole du sucre.

— Ces socialistes, disait Bouvard, demandent toujours la tyrannie.

— Mais non!

— Si fait!

— Tu es absurde!

— Toi, tu me révoltes!

Ils firent venir les ouvrages dont ils ne connaissaient que les résumés. Bouvard nota plusieurs endroits, et les montrant :

— Lis toi-même. Ils nous proposent comme exemple les Esséniens, les Frères Moraves, les jésuites du Paraguay, et jusqu'au régime des prisons. Chez les Icariens, le déjeuner se fait en vingt minutes, les femmes accouchent à l'hôpital ; quant aux livres, défense d'en imprimer sans l'autorisation de la République.

— Mais Cabet est un idiot.

— Maintenant, voilà du Saint-Simon : les publicistes soumettront leurs travaux à un comité d'industriels ; et du Pierre Leroux : la loi forcera les citoyens à entendre un orateur ; et de l'Auguste Comte : les prêtres éduqueront la jeunesse, dirigeront toutes les œuvres de l'esprit, et engageront le pouvoir à régler la procréation.

Ces documents affligèrent Pécuchet. Le soir, au dîner, il répliqua :

— Qu'il y ait, chez les utopistes, des choses ridicules, j'en conviens ; cependant ils méritent notre amour. La hideur du monde les désolait ; et, pour le rendre plus beau, ils ont tout souffert. Rappelle-toi Morus décapité, Campanella mis sept fois à la torture, Buonarroti avec une chaîne autour du cou, Saint-Simon crevant de misère, bien d'autres. Ils auraient pu vivre tranquilles ;

mais non! ils ont marché dans leur voie, la tête au ciel, comme des héros.

— Crois-tu que le monde, reprit Bouvard, changera, grâce aux théories d'un monsieur?

— Qu'importe! dit Pécuchet, il est temps de ne plus croupir dans l'égoïsme! Cherchons le meilleur système!

— Alors, tu comptes le trouver?

— Certainement!

— Toi?

Et, dans le rire dont Bouvard fut pris, ses épaules et son ventre sautaient d'accord. Plus rouge que les confitures, avec sa serviette sous l'aisselle, il répétait:

— Ah! ah! ah! d'une façon irritante.

Pécuchet sortit de l'appartement, en faisant claquer la porte.

Germaine le héla par toute la maison, et on le découvrit au fond de sa chambre, dans une bergère, sans feu ni chandelle et la casquette sur les sourcils. Il n'était pas malade, mais se livrait à ses réflexions.

La brouille étant passée, ils reconnurent qu'une base manquait à leurs études: l'économie politique.

Ils s'enquirent de l'offre et de la demande, du capital et du loyer, de l'importation, de la prohibition.

Une nuit, Pécuchet fut réveillé par le craquement d'une botte dans le corridor. La veille, comme d'habitude, il avait tiré lui-même tous les verrous, et il appela Bouvard qui dormait profondément.

Ils restèrent immobiles sous leurs couvertures. Le bruit ne recommença pas.

Les servantes, interrogées, n'avaient rien entendu.

Mais en se promenant dans leur jardin, ils remarquèrent au milieu d'une plate-bande, près de la claire-voie, l'empreinte d'une semelle, et deux bâtons du treillage étaient rompus. On l'avait escaladé, évidemment.

Il fallait prévenir le garde champêtre.

Comme il n'était pas à la mairie, Pécuchet se rendit chez l'épicier.

Que vit-il dans l'arrière-boutique, à côté de Placquevent, parmi les buveurs? Gorju! Gorju nippé comme un bourgeois, et régalant la compagnie.

Cette rencontre était insignifiante.

Bientôt ils arrivèrent à la question du Progrès.

Bouvard n'en doutait pas dans le domaine scientifique. Mais, en littérature, il est moins clair; et si le bien-être augmente, la splendeur de la vie a disparu.

Pécuchet, pour le convaincre, prit un morceau de papier:

— Je trace obliquement une ligne ondulée. Ceux qui pourraient la parcourir, toutes les fois qu'elle s'abaisse, ne verraient plus l'horizon. Elle se relève pourtant, et malgré ses détours, ils atteindront le sommet. Telle est l'image du progrès.

Mme Bordin entra.

C'était le 3 décembre 1851. Elle apportait le journal.

Ils lurent bien vite, et côte à côte, l'appel au peuple, la dissolution de la Chambre, l'emprisonnement des députés.

Pécuchet devint blême. Bouvard considérait la veuve.

— Comment? vous ne dites rien!

— Que voulez-vous que j'y fasse?

Ils oubliaient de lui offrir un siège.

— Moi qui suis venue, croyant vous faire plaisir! Ah! vous n'êtes guère aimables aujourd'hui!

Et elle sortit, choquée de leur impolitesse.

La surprise les avait rendus muets. Puis ils allèrent dans le village épandre leur indignation.

Marescot, qui les reçut au milieu des contrats, pensait différemment. Le bavardage de la Chambre était fini, grâce au ciel. On aurait désormais une politique d'affaires.

Beljambe ignorait les événements, et s'en moquait d'ailleurs.

Sous les halles, ils arrêtèrent Vaucorbeil.

Le médecin était revenu de tout ça.

— Vous avez bien tort de vous tourmenter!

Foureau passa près d'eux, en disant d'un air narquois:

— Enfoncés, les démocrates!

Et le capitaine, au bras de Girbal, cria de loin:

— Vive l'Empereur!

Mais Petit devait les comprendre, et, Bouvard ayant frappé au carreau, le maître d'école quitta sa classe.

Il trouvait extrêmement drôle que Thiers fût en prison. Cela vengeait le peuple.

— Ah! ah! messieurs les députés, à votre tour!

La fusillade, sur les boulevards, eut l'approbation de Chavignolles. Pas de grâce aux vaincus, pas de pitié pour les victimes! Dès qu'on se révolte, on est un scélérat.

— Remercions la Providence! disait le curé, et après Elle, Louis Bonaparte. Il s'entoure des hommes les plus distingués! Le comte de Faverges deviendra sénateur.

Le lendemain, ils eurent la visite de Placquevent.

Ces messieurs avaient beaucoup parlé. Il les engageait à se taire.

— Veux-tu savoir mon opinion? dit Pécuchet. Puisque les bourgeois sont féroces, les ouvriers jaloux, les prêtres serviles, et que le Peuple enfin accepte tous les tyrans, pourvu qu'on lui laisse le museau dans sa gamelle, Napoléon a bien fait! qu'il le bâillonne, le foule et l'extermine! ce ne sera jamais trop pour sa haine du droit, sa lâcheté, son ineptie, son aveuglement!

Bouvard songeait:

— Hein, le Progrès, quelle blague!

Il ajouta:

— Et la Politique, une belle saleté!

— Ce n'est pas une science, reprit Pécuchet. L'art militaire vaut mieux, on prévoit ce qui arrive; nous devrions nous y mettre?

— Ah! merci! répliqua Bouvard. Tout me dégoûte. Vendons plutôt notre baraque et allons « au tonnerre de Dieu, chez les sauvages! »

— Comme tu voudras!

Mélie, dans la cour, tirait de l'eau.

La pompe en bois avait un long levier. Pour le faire descendre, elle courbait les reins, et on voyait alors ses bas bleus jusqu'à la hauteur de son mollet. Puis, d'un geste rapide, elle levait son bras droit, tandis qu'elle tournait un peu la tête, et Pécuchet, en la regardant, sentait quelque chose de tout nouveau, un charme, un plaisir infini.

VII

Des jours tristes commencèrent.

Ils n'étudiaient plus, dans la peur des déceptions; les habitants de Chavignolles s'écartaient d'eux, les journaux tolérés n'apprenaient rien, et leur solitude était profonde, leur désœuvrement complet.

Quelquefois ils ouvraient un livre, et le refermaient; à quoi bon? En d'autres jours, ils avaient l'idée de nettoyer le jardin, au bout d'un quart d'heure une fatigue les prenait; ou de voir leur ferme, ils en revenaient écœurés; ou de s'occuper de leur ménage, Germaine poussait des lamentations; ils y renoncèrent.

Bouvard voulut dresser le catalogue du muséum, et déclara ces bibelots stupides.

Pécuchet emprunta la canardière de Langlois pour tirer les alouettes; l'arme, éclatant du premier coup, faillit le tuer.

Donc, ils vivaient dans cet ennui de la campagne, si lourd quand le ciel blanc caresse de sa monotonie un cœur sans espoir. On écoute le pas d'un homme en sabots qui longe le mur, ou les gouttes de la pluie tomber du toit par terre. De temps à autre, une feuille morte vient frôler la vitre, puis tournoie et s'en va. Des glas indistincts sont apportés par le vent. Au fond de l'étable, une vache mugit.

Ils bâillaient l'un devant l'autre, consultaient le calendrier, regardaient la pendule, attendaient les repas; et l'horizon était toujours le même : des champs en face, à droite l'église, à gauche un rideau de peupliers; leurs cimes se balançaient dans la brume, perpétuellement, d'un air lamentable.

Des habitudes, qu'ils avaient tolérées, les faisaient souffrir. Pécuchet devenait incommode avec sa manie de poser sur la nappe son mouchoir, Bouvard ne quittait plus la pipe, et causait en se dandinant. Des contestations s'élevaient, à propos des plats ou de la qualité du beurre. Dans leur tête-à-tête, ils pensaient à des choses différentes.

Un événement avait bouleversé Pécuchet.

Deux jours après l'émeute de Chavignolles, comme il promenait son déboire politique, il arriva dans un chemin, couvert par des ormes touffus, et il entendit derrière son dos une voix crier :

— Arrête!

C'était Mme Castillon. Elle courait de l'autre côté, sans l'apercevoir. Un homme qui marchait devant elle se retourna. C'était Gorju; et ils s'abordèrent à une toise de Pécuchet, la rangée des arbres les séparant de lui.

— Est-ce vrai? dit-elle, tu vas te battre?

Pécuchet se coula dans le fossé, pour entendre :

— Eh bien! oui, répliqua Gorju, je vais me battre! Qu'est-ce que ça te fait?

— Il le demande! s'écria-t-elle en se tordant les bras. Mais si tu es tué, mon amour! Oh! reste!

Et ses yeux bleus, plus encore que ses paroles, le suppliaient.

— Laisse-moi tranquille! je dois partir!

Elle eut un ricanement de colère.

— L'autre l'a permis, hein?

— N'en parle pas!

Il leva son poing fermé.

— Non! mon ami, non! je me tais, je ne dis rien.

Et de grosses larmes descendaient le long de ses joues, dans les ruches de sa collerette.

Il était midi. Le soleil brillait sur la campagne, couverte de blés jaunes. Tout au loin, la bâche d'une voiture glissait lentement. Une torpeur s'étalait dans l'air; pas un cri d'oiseau, pas un bourdonnement d'insecte. Gorju s'était coupé une badine, et en râclait l'écorce. Mme Castillon ne relevait pas la tête.

Elle songeait, la pauvre femme, à la vanité de ses sacrifices, les dettes qu'elle avait soldées, ses engagements d'avenir, sa réputation perdue. Au lieu de se plaindre, elle lui rappela les premiers temps de leur amour, quand elle allait, toutes les nuits, le rejoindre dans la grange; si bien qu'une fois son mari, croyant à un voleur, avait lâché, par la fenêtre, un coup de pistolet. La balle était encore dans le mur.

— Du moment que je t'ai connu, tu m'as semblé beau comme un prince. J'aime tes yeux, ta voix, ta démarche, ton odeur!

Elle ajouta plus bas :

— Je suis en folie de ta personne!

Il souriait, flatté dans son orgueil.

Elle le prit à deux mains par les flancs, et la tête renversée, comme en adoration :

— Mon cher cœur! mon cher amour! mon âme! ma vie! Voyons, parle, que veux-tu? Est-ce de l'argent? On en trouvera. J'ai eu tort! je t'ennuyais! pardon! et commande-toi des habits chez le tailleur, bois du champagne, fais la noce, je te permets tout, tout!

Elle murmura dans un effort suprême :

— Jusqu'à elle!... pourvu que tu reviennes à moi.

Il se pencha sur sa bouche, un bras autour de ses reins, pour l'empêcher de tomber et elle balbutiait :

— Cher cœur! cher amour! comme tu es beau! mon Dieu, que tu es beau!

Pécuchet, immobile, et la terre du fossé à la hauteur de son menton, les regardait, en haletant.

— Pas de faiblesse! dit Gorju, je n'aurais qu'à manquer la diligence! on prépare un fameux coup de chien; j'en suis! Donne-moi dix sous, pour que je paye un gloria au conducteur.

Elle tira cinq francs de sa bourse.

— Tu me les rendras bientôt. Aie un peu de patience! Depuis le temps qu'il est paralysé! songe donc! Et si tu voulais, nous irions à la chapelle de la Croix-Janval, et là, mon amour, je jurerais, devant la sainte Vierge, de t'épouser, dès qu'il sera mort!

— Eh! il ne meurt jamais, ton mari!

Gorju avait tourné les talons. Elle le rattrapa; et se cramponnant à ses épaules :

— Laisse-moi partir avec toi! je serai ta domestique!

Tu as besoin de quelqu'un. Mais ne t'en vas pas! ne me quitte pas! La mort plutôt! Tue-moi!

Elle se traînait à ses genoux, tâchant de saisir ses mains pour le baiser; son bonnet tomba, son peigne ensuite, et ses cheveux courts s'éparpillèrent. Ils étaient blancs sous les oreilles, et comme elle le regardait de bas en haut, toute sanglotante, avec ses paupières rouges et ses lèvres tuméfiées, une exaspération le prit, il la repoussa.

— Arrière, la vieille! Bonsoir!

Quand elle se fut relevée, elle arracha la croix d'or qui pendait à son cou, et la jetant vers lui :

— Tiens! canaille!

Gorju s'éloignait, en tapant avec sa badine les feuilles des arbres.

Mme Castillon ne pleurait pas. La mâchoire ouverte et les prunelles éteintes, elle resta sans faire un mouvement, pétrifiée dans son désespoir; n'étant plus un être, mais une chose en ruines.

Ce qu'il venait de surprendre fut, pour Pécuchet, comme la découverte d'un monde, tout un monde! qui avait des lueurs éblouissantes, des floraisons désordonnées, des océans, des tempêtes, des trésors, et des abîmes d'une profondeur infinie; un effroi s'en dégageait, qu'importe! Il rêva l'amour, ambitionnait de le sentir comme elle, de l'inspirer comme lui.

Pourtant il exécrait Gorju, et, au corps de garde, avait eu peine à ne pas le trahir.

L'amant de Mme Castillon l'humiliait par sa taille mince, ses accroche-cœur égaux, sa barbe floconneuse, un air de conquérant; tandis que sa chevelure à lui..., se collait sur son crâne comme une perruque mouillée; son torse, dans sa houppelande, ressemblait à un traversin, deux canines manquaient et sa physionomie était sévère. Il trouvait le ciel injuste, se sentait comme déshérité, et son ami ne l'aimait plus.

Bouvard l'abandonnait tous les soirs. Après la mort de sa femme, rien ne l'eût empêché d'en prendre une autre, et qui maintenant le dorloterait, soignerait sa maison. Il était trop vieux pour y songer.

Mais Bouvard se considéra dans la glace. Ses pommettes gardaient leurs couleurs, ses cheveux frisaient comme autrefois, pas une dent n'avait bougé, et, à l'idée qu'il pouvait plaire, il eut un retour de jeunesse. Mme Bordin surgit dans sa mémoire. Elle lui avait fait des avances : la première fois, lors de l'incendie des meules; la seconde, à leur dîner; puis dans le muséum, pendant la déclamation, et dernièrement elle était venue sans rancune, trois dimanches de suite. Il alla donc chez elle, et y retourna, se promettant de la séduire.

Depuis le jour où Pécuchet avait observé la petite bonne tirant de l'eau, il lui parlait plus souvent; et soit qu'elle balayât le corridor, ou qu'elle étendît le linge, ou qu'elle tournât les casseroles, il ne pouvait se rassasier du bonheur de la voir, surpris lui-même de ses émotions, comme dans l'adolescence. Il en avait les fièvres et les langueurs, et était persécuté par le souvenir de Mme Castillon étreignant Gorju.

Il questionna Bouvard sur la manière dont les libertins s'y prennent pour avoir des femmes.

— On leur fait des cadeaux, on les régale au restaurant.

— Très bien! Mais ensuite?

— Il y en a qui feignent de s'évanouir, pour qu'on les porte sur un canapé; d'autres laissent tomber par terre leur mouchoir. Les meilleures vous donnent un rendez-vous, franchement.

Et Bouvard se répandit en descriptions, qui incendièrent l'imagination de Pécuchet comme des gravures obscènes.

— La première règle, c'est de ne pas croire à ce qu'elles disent. J'en ai connu qui, sous l'apparence de saintes, étaient de véritables Messalines! Avant tout, il faut être hardi!

Mais la hardiesse ne se commande pas, Pécuchet, quotidiennement, ajournait sa décision, était d'ailleurs intimidé par la présence de Germaine.

Espérant qu'elle demanderait son compte, il en exigea un surcroît de besogne, notait les fois qu'elle était grise, remarquait tout haut sa malpropreté, sa paresse, et fit si bien qu'on la renvoya.

Alors Pécuchet fut libre!

Avec quelle impatience il attendait la sortie de Bouvard! Quel battement de cœur, dès que la porte était refermée!

Mélie travaillait sur un guéridon, près de la fenêtre, à la clarté d'une chandelle; de temps à autre, elle cassait son fil avec ses dents, puis clignait les yeux, pour l'ajuster dans la fente de l'aiguille.

D'abord, il voulut savoir quels hommes lui plaisaient. Était-ce, par exemple, ceux du genre de Bouvard? Pas du tout; elle préférait les maigres. Il osa lui demander si elle avait eu des amoureux!

— Jamais!

Puis, se rapprochant, il contemplait son nez fin, sa bouche étroite, le tour de sa figure. Il lui adressa des compliments et l'exhortait à la sagesse.

En se penchant sur elle, il apercevait dans son corsage des formes blanches, d'où émanait une tiède senteur, qui lui chauffait la joue. Un soir, il toucha des lèvres les cheveux follets de sa nuque, et il en ressentit un ébranlement jusqu'à la moelle des os. Une autre fois, il la baisa sur le menton, en se retenant de ne pas mordre sa chair, tant elle était savoureuse. Elle lui rendit son baiser. L'appartement tourna. Il n'y voyait plus.

Il lui fit cadeau d'une paire de bottines, et la régalait souvent d'un verre d'anisette...

Pour lui éviter du mal, il se levait de bonne heure, cassait le bois, allumait le feu, poussait l'attention jusqu'à nettoyer les chaussures de Bouvard.

Mélie ne s'évanouit pas, ne laissa pas tomber son mouchoir, et Pécuchet ne savait à quoi se résoudre, son désir augmentant par la peur de le satisfaire.

Bouvard faisait assidûment la cour à Mme Bordin.

Elle le recevait, un peu sanglée dans sa robe de soie gorge-de-pigeon, qui craquait comme le harnais d'un cheval, tout en maniant par contenance sa longue chaîne d'or.

Leurs dialogues roulaient sur les gens de Chavignolles ou « défunt son mari », autrefois huissier à Livarot.

Puis elle s'informa du passé de Bouvard, curieuse de connaître « ses farces de jeune homme », sa fortune incidemment, par quels intérêts il était lié à Pécuchet.

Il admirait la tenue de sa maison, et, quand il dînait chez elle, la netteté du service, l'excellence de la table. Une suite de plats d'une saveur profonde, que coupait par intervalles égaux un vieux pommard, les menait jusqu'au dessert, où ils étaient fort longtemps à prendre le café; et Mme Bordin, en dilatant les narines, trempait dans la soucoupe sa lèvre charnue, ombrée légèrement d'un duvet noir.

Un jour, elle apparut décolletée. Ses épaules fascinèrent Bouvard. Comme il était sur une petite chaise devant elle, il se mit à lui passer les deux mains le long des bras. La veuve se fâcha. Il ne recommença plus, mais il se figurait des rondeurs d'une amplitude et d'une consistance merveilleuses.

Un soir que la cuisine de Mélie l'avait dégoûté, il eut une joie en entrant dans le salon de Mme Bordin. C'est là qu'il aurait fallu vivre.

Le globe de la lampe, couvert d'un papier rose, épandait une lumière tranquille. Elle était assise auprès du feu; et son pied passait le bord de sa robe. Dès les premiers mots, l'entretien tomba.

Cependant elle le regardait, les cils à demi fermés, d'une manière langoureuse, avec obstination.

Bouvard n'y tint plus! et s'agenouillant sur le parquet, il bredouilla :

— Je vous aime! Marions-nous!

Mme Bordin respira fortement, puis, d'un air ingénu, dit qu'il plaisantait; sans doute, on allait se moquer, ce n'était pas raisonnable. Cette déclaration l'étourdissait.

Bouvard objecta qu'ils n'avaient besoin du consentement de personne.

— Qui vous arrête? Est-ce le trousseau? Notre linge a une marque pareille, un B! nous unirons nos majuscules.

L'argument lui plut. Mais une affaire majeure l'empêchait de se décider avant la fin du mois. Et Bouvard gémit.

Elle eut la délicatesse de le reconduire, escortée de Marianne, qui portait un falot.

Les deux amis s'étaient caché leur passion.

Pécuchet comptait voiler toujours son intrigue avec la bonne. Si Bouvard s'y opposait, il l'emmènerait vers d'autres lieux, fût-ce en Algérie, où l'existence n'est pas chère! Mais rarement il formait de ces hypothèses, plein de son amour, sans penser aux conséquences.

Bouvard projetait de faire du muséum la chambre conjugale, à moins que Pécuchet ne s'y refusât; alors il habiterait le domicile de son épouse.

Une après-midi de la semaine suivante, c'était chez elle, dans son jardin, les bourgeons commençaient à s'ouvrir, et il y avait, entre les nuées, de grands espaces bleus; elle se baissa pour cueillir des violettes, et dit, en les présentant :

— Saluez Mme Bouvard!

— Comment! Est-ce vrai?

— Parfaitement vrai.

Il voulut la saisir dans ses bras, elle le repoussa.

— Quel homme!

Puis, devenue sérieuse, l'avertit que bientôt elle lui demanderait une faveur.

— Je vous l'accorde!

Ils fixèrent la signature de leur contrat à jeudi prochain.

Personne, jusqu'au dernier moment, n'en devait rien savoir.

— Convenu!

Et il sortit les yeux au ciel, léger comme un chevreuil.

Pécuchet, le matin du même jour, s'était promis de mourir s'il n'obtenait pas les faveurs de sa bonne, et il l'avait accompagnée dans la cave, espérant que les ténèbres lui donneraient de l'audace.

Plusieurs fois, elle avait voulu s'en aller; mais il la retenait pour compter les bouteilles, choisir des lattes, ou voir le fond des tonneaux; cela durait depuis longtemps.

Elle se trouvait, en face de lui, sous la lumière du soupirail, droite, les paupières basses, le coin de la bouche un peu relevé.

— M'aimes-tu? dit brusquement Pécuchet.

— Oui! je vous aime!

— Eh bien, alors, prouve-le-moi!

Et l'enveloppant du bras gauche, il commença de l'autre main à dégrafer son corsage.

— Vous allez me faire du mal!

— Non! mon petit ange! N'aie pas peur!

— Si M. Bouvard...

— Je ne lui dirai rien! Sois tranquille!

Un tas de fagots se trouvait derrière. Elle s'y laissa tomber, les seins hors de la chemise, la tête renversée; puis se cacha la figure sous un bras; et un autre eût compris qu'elle ne manquait pas d'expérience.

Bouvard, bientôt, arriva pour dîner.

Le repas se fit en silence, chacun ayant peur de se trahir; Mélie les servait, impassible comme d'habitude; Pécuchet tournait les yeux, pour éviter les siens, tandis que Bouvard, considérant les murs, songeait à des améliorations.

Huit jours après, le jeudi, il rentra furieux.

— La sacrée garce!

— Qui donc?

— Mme Bordin.

Et il conta qu'il avait poussé la démence jusqu'à vouloir en faire sa femme; mais tout était fini, depuis un quart d'heure, chez Marescot.

Elle avait prétendu recevoir en dot les Ecalles, dont il ne pouvait disposer, l'ayant, comme la ferme, soldée en partie avec l'argent d'un autre.

— Effectivement! dit Pécuchet.

— Et moi qui ai eu la bêtise de lui promettre une faveur à son choix! C'était celle-là! j'y ai mis de l'entêtement; car si elle m'aimait elle m'eût cédé!

La veuve, au contraire, s'était emportée en injures, avait dénigré son physique, sa bedaine.

— Ma bedaine! je te demande un peu!

Pécuchet cependant était sorti plusieurs fois, marchait les jambes écartées.

— Tu souffres? dit Bouvard.

— Oh oui! je souffre!

Et ayant fermé la porte, Pécuchet, après beaucoup d'hésitations, confessa qu'il venait de se découvrir une maladie secrète.

— Toi?

— Moi-même!

— Ah! mon pauvre garçon! qui te l'a donnée?

Il devint encore plus rouge, et dit d'une voix encore plus basse :

— Ce ne peut être que Mélie.

Bouvard en demeura stupéfait.

La première chose était de renvoyer la jeune personne.

Elle protesta d'un air candide.

Le cas de Pécuchet était grave, pourtant; mais, honteux de sa turpitude, il n'osait voir le médecin.

Bouvard imagina de recourir à Barberou.

Ils lui adressèrent le détail de la maladie, pour le montrer à un docteur qui la soignerait par correspondance. Barberou y mit du zèle, persuadé qu'elle concernait Bouvard, et l'appela vieux roquentin, tout en le félicitant.

— A mon âge! disait Pécuchet, n'est-ce pas lugubre! Mais pourquoi m'a-t-elle fait ça?

— Tu lui plaisais.

— Elle aurait dû me prévenir.

— Est-ce que la passion raisonne!

Et Bouvard se plaignait de Mme Bordin.

Souvent, il l'avait surprise arrêtée devant les Ecalles, dans la compagnie de Marescot, en conférence avec Germaine, tant de manœuvres pour un peu de terre!

— Elle est avare! Voilà l'explication!

Ils ruminaient ainsi leurs mécomptes, dans la petite salle, au coin du feu, Pécuchet, tout en avalant ses remèdes, Bouvard, en fumant des pipes, et ils dissertaient sur les femmes.

— Etrange besoin! est-ce un besoin? Elles poussent au crime, à l'héroïsme et à l'abrutissement. L'enfer sous un jupon, le paradis dans un baiser; ramage de tourterelle, ondulations de serpent, griffe de chat; perfidie de la mer, variété de la lune.

Ils dirent tous les lieux communs qu'elles ont fait répandre.

C'était le désir d'en avoir qui avait suspendu leur amitié. Un remords les prit.

— Plus de femmes, n'est-ce pas? Vivons sans elles!

Et ils s'embrassèrent avec attendrissement.

Il fallait réagir; et Bouvard, après la guérison de Pécuchet, estima que l'hydrothérapie leur serait avantageuse.

Germaine, revenue dès le départ de l'autre, charriait, tous les matin, la baignoire dans le corridor.

Les deux bonshommes, nus comme des sauvages, se lançaient de grands seaux d'eau, puis ils couraient pour rejoindre leurs chambres. On les vit par la claire-voie; et des personnes furent scandalisées.

Satisfaits de leur régime, ils voulurent s'améliorer le tempérament par la gymnastique.

Et ayant pris le manuel d'Amoros, ils en parcoururent l'atlas.

Tous ces jeunes garçons, accroupis, renversés, debout, pliant les jambes, écartant les bras, montrant le poing, soulevant des fardeaux, chevauchant des poutres, grimpant à des échelles, cabriolant sur des trapèzes, un tel déploiement de force et d'agilité excita leur envie.

Cependant, ils étaient contristés par les splendeurs du gymnase, décrites dans la préface. Car jamais ils ne pourraient se procurer un vestibule pour les équipages, un hippodrome pour les courses, un bassin pour la natation, ni une « montagne de gloire », colline artificielle, ayant trente-deux mètres de hauteur.

Un cheval de voltige en bois avec le rembourrage eût été dispendieux, ils y renoncèrent; le tilleul abattu dans le jardin leur servit de mât horizontal; et quand ils furent habiles à le parcourir d'un bout à l'autre, pour en avoir un vertical, ils replantèrent une poutrelle des contre-espaliers. Pécuchet gravit jusqu'au haut. Bouvard glissait, retombait toujours, finalement y renonça.

Les « bâtons orthosométriques » lui plurent davantage, c'est-à-dire deux manches à balai reliés par deux cordes, dont la première se passe sous les aisselles, la seconde sur les poignets; et pendant des heures, il gardait cet appareil, le menton levé, la poitrine en avant, les coudes le long du corps.

A défaut d'haltères, le charron tourna quatre morceaux de frêne, qui ressemblaient à des pains de sucre se terminant en goulot de bouteille. On doit porter ces massues à droite, à gauche, par devant, par derrière : mais trop lourdes, elles échappaient de leurs doigts, au risque de leur broyer les jambes. N'importe, ils s'acharnèrent aux « mils persanes » et même, craignant qu'elles n'éclatassent, tous les soirs ils les frottaient avec de la cire et un morceau de drap.

Ensuite, ils recherchèrent des fossés. Quand ils en avaient trouvé un à leur convenance, ils appuyaient au milieu une longue perche, s'élançaient du pied gauche, atteignaient l'autre bord, puis recommençaient. La campagne étant plate, on les apercevait au loin; et les villageois se demandaient quelles étaient ces deux choses extraordinaires, bondissant à l'horizon.

L'automne venu, ils se mirent à la gymnastique de chambre; elle les ennuya. Que n'avaient-ils le trémoussoir ou fauteuil de poste, imaginé sous Louis XIV par l'abbé de Saint-Pierre! Comment était-ce construit, où se renseigner? Dumouchel ne daigna pas même leur répondre.

Alors, ils établirent dans le fournil une bascule brachiale. Sur deux poulies vissées au plafond, passait une corde, tenant une traverse à chaque bout. Sitôt qu'ils l'avaient prise, l'un poussait la terre de ses orteils, l'autre baissait les bras jusqu'au niveau du sol; le premier, par sa pesanteur, attirait le second qui, lâchant un peu la cordelette, montait à son tour; en moins de cinq minutes, leurs membres dégouttelaient de sueur.

Pour suivre les prescriptions du manuel, ils tâchèrent de devenir ambidextres, jusqu'à se priver de la main droite, temporairement. Ils firent plus : Amoros indique les pièces de vers qu'il faut chanter dans les manœuvres, et Bouvard et Pécuchet, en marchant, répétaient l'hymne n° 9 :

Un roi, un roi juste est un bien sur la terre.

Quand ils se battaient les pectoraux :

Amis, la couronne et la gloire, etc.

Au pas de course :

A nous l'animal timide!
Atteignons le cerf rapide!
Oui! nous vaincrons!
Courons! courons! courons!

Et plus haletants que des chiens, ils s'animaient au bruit de leurs voix.

Un côté de la gymnastique les exaltait : son emploi comme moyen de sauvetage.

Mais il aurait fallu des enfants, pour apprendre à les porter dans des sacs, et ils prièrent le maître d'école de leur en fournir quelques-uns. Petit objecta que les familles se fâcheraient. Ils se rabattirent sur les secours aux blessés. L'un feignait d'être évanoui, et l'autre le charriait dans une brouette, avec toutes sortes de précautions.

Quant aux escalades militaires, l'auteur préconise l'échelle de Bois-Rosé, ainsi nommée du capitaine qui surprit Fécamp autrefois, en montant par la falaise.

D'après la gravure du livre, ils garnirent de bâtonnets un câble, et l'attachèrent sous le hangar.

Dès qu'on a enfourché le premier bâton, et saisi le troisième, on jette ses jambes en dehors, pour que le deuxième, qui était tout à l'heure contre la poitrine, se trouve juste sous les cuisses. On se redresse, on empoigne le quatrième et l'on continue. Malgré de prodigieux déhanchements, il leur fut impossible d'atteindre le deuxième échelon.

Peut-être a-t-on moins de mal en s'accrochant aux pierres avec les mains, comme firent les soldats de Bonaparte à l'attaque du Fort Chambray? et pour vous rendre capable d'une telle action, Amoros possède une tour dans son établissement.

Le mur en ruines pouvait la remplacer. Ils en tentèrent l'assaut.

Mais Bouvard, ayant retiré trop vite son pied d'un trou, eut peur et fut pris d'étourdissement.

Pécuchet en accusa leur méthode : ils avaient négligé ce qui concerne les phalanges, si bien qu'ils devaient se remettre aux principes.

Ses exhortations furent vaines; et, dans son orgueil et sa présomption, il aborda les échasses.

La nature semblait l'y avoir destiné, car il employa tout de suite le plus grand modèle, ayant des palettes à quatre pieds du sol, et, en équilibre là-dessus, il arpentait le jardin, pareil à une gigantesque cigogne qui se fût promenée.

Bouvard, à la fenêtre, le vit tituber, puis s'abattre d'un bloc sur les haricots, dont les rames, en se fracas-sant, amortirent sa chute. On le ramassa couvert de terreau, les narines saignantes, livide, et il croyait s'être donné un effort.

Décidément la gymnastique ne convenait pas à des hommes de leur âge; ils l'abandonnèrent, n'osant plus se mouvoir par crainte des accidents, et ils restaient tout le long du jour assis dans le muséum, à rêver d'autres occupations.

Ce changement d'habitudes influa sur la santé de Bouvard. Il devint très lourd, soufflait après ses repas comme un cachalot, voulut se faire maigrir, mangea moins, et s'affaiblit.

Pécuchet, également, se sentait « miné », avait des démangeaisons à la peau et des plaques dans la gorge.

— Ça ne va pas, disait-il, ça ne va pas.

Bouvard imagina d'aller choisir à l'auberge quelques bouteilles de vin d'Espagne, afin de se remonter la machine.

Comme il en sortait, le clerc de Marescot et trois hommes apportaient à Beljambe une grande table de noyer; « Monsieur » l'en remerciait beaucoup. Elle s'était parfaitement conduite.

Bouvard connut ainsi la mode nouvelle des tables tournantes. Il en plaisanta le clerc.

Cependant, par toute l'Europe, en Amérique, en Australie et dans les Indes, des millions de mortels passaient leur vie à faire tourner des tables, et on découvrait la manière de rendre les serins prophètes, de donner des concerts sans instruments, de correspondre au moyen des escargots. La Presse, offrant avec sérieux ces bourdes au public, le renforçait dans sa crédulité.

Les esprits frappeurs avaient débarqué au château de Faverges, de là s'étaient répandus dans le village, et le notaire principalement les questionnait.

Choqué du scepticisme de Bouvard, il convia les deux amis à une soirée de tables tournantes.

Etait-ce un piège? Mme Bordin se trouverait là. Pécuchet, seul, s'y rendit.

Il y avait comme assistants le maire, le percepteur, le capitaine, d'autres bourgeois et leurs épouses, Mme Vaucorbeil, Mme Bordin effectivement; de plus, une ancienne sous-maîtresse de Mme Marescot, Mlle Laverrière, personne un peu louche, avec des cheveux gris tombant en spirales sur les épaules, à la façon 1830. Dans un fauteuil se tenait un cousin de Paris, costumé d'un habit bleu et l'air impertinent.

Les deux lampes de bronze, l'étagère de curiosités, des romances à vignette sur le piano, et des aquarelles minuscules dans des cadres exorbitants faisaient toujours l'étonnement de Chavignolles. Mais ce soir-là les yeux se portaient vers la table d'acajou. On l'éprouverait tout à l'heure, et elle avait l'importance des choses qui contiennent un mystère.

Douze invités prirent place autour d'elle, les mains étendues, les petits doigts se touchant. On n'entendait que le battement de la pendule. Les visages dénotaient une attention profonde.

Au bout de dix minutes, plusieurs se plaignirent de fourmillements dans les bras. Pécuchet était incommodé.

— Vous poussez! dit le capitaine à Foureau.

— Pas du tout!

— Si fait!

— Ah! Monsieur!

Le notaire les calma.

A force de tendre l'oreille, on crut distinguer des craquements de bois. Illusion! Rien ne bougeait.

L'autre jour, quand les familles Aubert et Lormeau étaient venues de Lisieux et qu'on avait emprunté exprès la table de Beljambe, tout avait si bien marché! Mais celle-là aujourd'hui montrait un entêtement... Pourquoi?

Le tapis sans doute la contrariait, et on passa dans la salle à manger.

Le meuble choisi fut un large guéridon où s'installèrent Pécuchet, Girbal, Mme Marescot, et son cousin, M. Alfred.

Le guéridon, qui avait des roulettes, glissa vers la droite, les opérateurs, sans déranger leurs doigts, suivirent son mouvement, et de lui-même il fit encore deux tours. On fut stupéfait.

Alors M. Alfred articula d'une voix haute :

— Esprit, comment trouves-tu ma cousine?

Le guéridon, en oscillant avec lenteur, frappa neuf coups.

D'après une pancarte, où le nombre des coups se traduisait par des lettres, cela signifiait « charmante ». Des bravos éclatèrent.

Puis Marescot, taquinant Mme Bordin, somma l'esprit de déclarer l'âge exact qu'elle avait.

Le pied du guéridon retomba cinq fois.

— Comment? cinq ans! s'écria Girbal.

— Les dizaines ne comptent pas, reprit Foureau.

La veuve sourit, intérieurement vexée.

Les réponses aux autres questions manquèrent, tant l'alphabet était compliqué. Mieux valait la planchette, moyen expéditif et dont Mlle Laverrière s'était même servie pour noter sur son album les communications directes de Louis XII, Clémence Isaure, Franklin, Jean-Jacques Rousseau, etc. Ces mécaniques se vendaient rue d'Aumale; M. Alfred en promit une, puis s'adressant à la sous-maîtresse :

— Mais pour le quart d'heure, un peu de piano, n'est-ce pas? Une mazurke!

Deux accords plaqués vibrèrent. Il prit sa cousine à la taille, disparut avec elle, revint. On était rafraîchi par le vent de la robe qui frôlait les portes en passant. Elle se renversait la tête, il arrondissait son bras. On admirait la grâce de l'une, l'air fringant de l'autre; et, sans attendre les petits fours, Pécuchet se retira, ébahi de la soirée.

Il eut beau répéter :

— Mais j'ai vu! j'ai vu!

Bouvard niait les faits et néanmoins consentit à expérimenter lui-même.

Pendant quinze jours, ils passèrent leurs après-midi en face l'un de l'autre, les mains sur une table, puis sur un chapeau, sur une corbeille, sur des assiettes. Tous ces objets demeurèrent immobiles.

Le phénomène des tables tournantes n'en est pas moins certain. Le vulgaire l'attribue à des esprits, Faraday au prolongement de l'action nerveuse, Chevreul à

l'inconscience des efforts, ou peut-être, comme l'admet Séguoin, se dégage-t-il de l'assemblage des personnes une impulsion, un courant magnétique?

Cette hypothèse fit rêver Pécuchet. Il prit dans sa bibliothèque le *Guide du magnétiseur* par Montacabère, le relut attentivement, et initia Bouvard à la théorie.

Tous les corps animés reçoivent et communiquent l'influence des astres. Propriété analogue à la vertu de l'aimant. En dirigeant cette force on peut guérir les malades, voilà le principe. La science, depuis Mesmer, s'est développée, mais il importe toujours de verser le fluide et de faire des passes qui, premièrement, doivent endormir.

— Eh bien, endors-moi! dit Bouvard.

— Impossible, répliqua Pécuchet, pour subir l'action magnétique et pour la transmettre, la foi est indispensable.

Puis, considérant Bouvard :

— Ah! quel dommage!

— Comment?

— Oui, si tu voulais, avec un peu de pratique, il n'y aurait pas de magnétiseur comme toi!

Car il possédait tout ce qu'il faut : l'abord prévenant, une constitution robuste et un moral solide.

Cette faculté qu'on venait de lui découvrir flatta Bouvard. Il se plongea sournoisement dans Montacabère.

Puis, comme Germaine avait des bourdonnements d'oreilles qui l'assourdissaient, il dit un soir d'un ton négligé :

— Si on essayait du magnétisme?

Elle ne s'y refusa pas. Il s'assit devant elle, lui prit les deux pouces dans ses mains et la regarda fixement, comme s'il n'eût fait autre chose de toute sa vie.

La bonne femme, une chaufferette sous les talons, commença par fléchir le cou; ses yeux se fermèrent et, tout doucement, elle se mit à ronfler. Au bout d'une heure qu'ils la contemplaient, Pécuchet dit à voix basse :

— Que sentez-vous?

Elle se réveilla.

Plus tard sans doute la lucidité viendrait.

Ce succès les enhardit, et, reprenant avec aplomb l'exercice de la médecine, ils soignèrent Chamberlan, le bedeau, pour des douleurs intercostales; Migraine, le maçon, affecté d'une névrose de l'estomac; la mère Varin, dont l'encéphaloïde sous la clavicule exigeait, pour se nourrir, des emplâtres de viande; un goutteux, le père Lemoine, qui se traînait au bord du cabaret; un phtisique, un hémiplégique, bien d'autres. Ils traitèrent aussi des coryzas et des engelures.

Après l'exploration de la maladie, ils s'interrogeaient du regard pour savoir quelles passes employer, si elles devaient être à grands ou à petits courants, ascendantes ou descendantes, longitudinales, transversales, bidigites, tridigites ou même quindigites. Quand l'un en avait trop, l'autre le remplaçait. Puis, revenus chez eux, ils notaient les observations sur le journal du traitement.

Leurs manières onctueuses captèrent le monde. Cependant on préférait Bouvard, et sa réputation parvint jusqu'à Falaise, quand il eut guéri la Barbée, la fille du père Barbey, un ancien capitaine au long cours.

Elle sentait comme un clou à l'occiput, parlait d'une voix rauque, restait souvent plusieurs jours sans manger, puis dévorait du plâtre ou du charbon. Ses crises nerveuses, débutant par des sanglots, se terminaient dans un flux de larmes; et on avait pratiqué tous les remèdes, depuis les tisanes jusqu'aux moxas, si bien que, par lassitude, elle accepta les offres de Bouvard.

Quand il eut congédié la servante et poussé les verrous, il se mit à frictionner son abdomen en appuyant sur la place des ovaires. Un bien-être se manifesta par des soupirs et des bâillements. Il lui posa un doigt entre les sourcils au haut du nez; tout à coup elle devint inerte. Si on levait ses bras, ils retombaient; sa tête garda les attitudes qu'il voulut, et les paupières à demi closes, en vibrant d'un mouvement spasmodique, laissaient apercevoir les globes des yeux, qui roulaient avec lenteur; ils se fixèrent dans les angles, convulsés.

Bouvard lui demanda si elle souffrait, elle répondit que non; ce qu'elle éprouvait maintenant, elle distinguait l'intérieur de son corps.

— Qu'y voyez-vous?
— Un ver.
— Que faut-il pour le tuer?

Son front se plissa :
— Je cherche...; je ne peux pas, je ne peux pas.

A la deuxième séance, elle lui prescrivit un bouillon d'orties; à la troisième, de l'herbe au chat. Les crises s'atténuèrent, disparurent. C'était vraiment comme un miracle.

L'addigitation nasale ne réussit point avec les autres, et, pour amener le somnambulisme, ils projetèrent de construire un baquet mesmérien. Déjà même Pécuchet avait recueilli de la limaille et nettoyé une vingtaine de bouteilles, quand un scrupule l'arrêta. Parmi les malades, il viendrait des personnes du sexe.

— Et que ferons-nous s'il leur prend des accès d'érotisme furieux?

Cela n'eût pas arrêté Bouvard; mais à cause des potins et du chantage peut-être, mieux valait s'abstenir. Ils se contentèrent d'un harmonica et le portaient avec eux dans les maisons, ce qui réjouissait les enfants.

Un jour que Migraine était plus mal, ils y recoururent. Les sons cristallins l'exaspérèrent; mais Deleuze ordonne de ne pas s'effrayer des plaintes; la musique continua.

— Assez! assez! criait-il.
— Un peu de patience, répétait Bouvard.

Pécuchet tapotait plus vite sur les lames de verre, et l'instrument vibrait, et le pauvre homme hurlait, quand le médecin parut, attiré par le vacarme :

— Comment! encore vous? s'écria-t-il, furieux de les retrouver toujours chez ses clients.

Ils expliquèrent leur moyen magnétique. Alors il tonna contre le magnétisme, un tas de jongleries! et dont les effets proviennent de l'imagination.

Cependant on magnétise des animaux. Montacabère l'affirme, et M. Fontaine est parvenu à magnétiser une lionne. Ils n'avaient pas de lionne, mais le hasard leur offrit une autre bête.

Car le lendemain à six heures un valet de charrue vint leur dire qu'on les réclamait à la ferme, pour une vache désespérée.

Ils y coururent.

Les pommiers étaient en fleurs et l'herbe, dans la cour, fumait sous le soleil levant. Au bord de la mare, à demi couverte d'un drap, une vache beuglait, grelottante des seaux d'eau qu'on lui jetait sur le corps, et, démesurément gonflée, elle ressemblait à un hippopotame.

Sans doute, elle avait pris du « venin » en pâturant dans les trèfles. Le père et la mère Gouy se désolaient, car le vétérinaire ne pouvait venir, et un charron qui savait des mots contre l'enflure ne voulait pas se déranger; mais ces messieurs, dont la bibliothèque était célèbre, devaient connaître un secret.

Ayant retroussé leurs manches, ils se placèrent l'un devant les cornes, l'autre à la croupe, et, avec de grands efforts intérieurs et une gesticulation frénétique, ils écartaient les doigts pour répandre sur l'animal des ruisseaux de fluide, tandis que le fermier, son épouse, leur garçon et des voisins les regardaient presque effrayés.

Les gargouillements que l'on entendait dans le ventre de la vache provoquèrent des borborygmes au fond de ses entrailles. Elle émit un vent. Pécuchet dit alors :

— C'est une porte ouverte à l'espérance, un débouché, peut-être.

Le débouché s'opéra, l'espérance jaillit dans un paquet de matières jaunes éclatant avec la force d'un obus. Les cuirs se desserrèrent, la vache dégonfla; une heure après, il n'y paraissait plus.

Ce n'était pas l'effet de l'imagination, certainement. Donc le fluide contient une vertu particulière. Elle se laisse enfermer dans des objets où on ira la prendre sans qu'elle se trouve affaiblie. Un tel moyen épargne des déplacements. Ils l'adoptèrent, et ils envoyaient à leurs pratiques des jetons magnétisés, des mouchoirs magnétisés, de l'eau magnétisée, du pain magnétisé.

Puis, continuant leurs études, ils abandonnèrent les passes pour le système de Puységur, qui remplace le magnétiseur par un vieil arbre, au tronc duquel une corde s'enroule.

Un poirier dans leur masure semblait fait tout exprès. Ils le préparèrent en l'embrassant fortement à plusieurs reprises. Un banc fut établi en dessous. Leurs habitués s'y rangeaient et ils obtinrent des résultats si merveilleux que, pour enfoncer Vaucorbeil, ils le convièrent à une séance, avec les notables du pays.

Pas un n'y manqua.

Germaine les reçut dans la petite salle, en priant « de faire excuse », ses maîtres allaient venir.

De temps à autre, on entendait un coup de sonnette. C'étaient des malades qu'elle introduisait ailleurs. Les invités se montraient du coude les fenêtres poussiéreuses, les taches sur le lambris, la peinture s'éraillant; et le jardin était lamentable. Du bois mort partout! Deux bâtons, devant la brèche du mur, barraient le verger.

Pécuchet se présenta.

— A vos ordres, messieurs!

Et l'on vit au fond, sous le poirier d'Edouïn, plusieurs personnes assises.

Chamberlan, sans barbe, comme un prêtre, et en soutanelle de lasting avec une calotte de cuir, s'abandonnait à des frissons occasionnés par sa douleur intercostale; Migraine, souffrant toujours de l'estomac, grimaçait près de lui; la mère Varin, pour cacher sa tumeur, portait un châle à plusieurs tours; le père Lemoine, pieds nus dans des savates, avait ses béquilles sous les jarrets, et la Barbée, en costume des dimanches, était pâle extraordinairement.

De l'autre côté de l'arbre, on trouva d'autres personnes : une femme à figure d'albinos épongeait les glandes suppurantes de son cou; le visage d'une petite fille disparaissait à moitié sous les lunettes bleues; un vieillard, dont une contracture déformait l'échine, heurtait de ses mouvements involontaires Marcel, une espèce d'idiot, couvert d'une blouse en loques et d'un pantalon rapiécé. Son bec-de-lièvre, mal recousu, laissait voir ses incisives, et des linges embobelinaient sa joue, tuméfiée par une énorme fluxion.

Tous tenaient à la main une ficelle descendant de l'arbre, et des oiseaux chantaient; l'odeur du gazon attiédi se roulait dans l'air. Le soleil passait entre les branches. On marchait sur de la mousse.

Cependant les sujets, au lieu de dormir, écarquillaient leurs paupières.

— Jusqu'à présent, ce n'est pas drôle, dit Foureau. Commencez, je m'éloigne une minute.

Et il revint, en fumant dans un Abd-el-Kader, reste dernier de la porte aux pipes.

Pécuchet se rappela un excellent moyen de magnétisation. Il mit dans sa bouche tous les nez des malades et aspira leur haleine pour tirer à lui l'électricité, et en même temps Bouvard étreignait l'arbre, dans le but d'accroître le fluide.

Le maçon interrompit ses hoquets, le bedeau fut moins agité, l'homme à la contracture ne bougea plus. On pouvait maintenant s'approcher d'eux, leur faire subir toutes les épreuves.

Le médecin, avec sa lancette, piqua sous l'oreille Chamberlan, qui tressaillit un peu. La sensibilité chez les autres fut évidente; le goutteux poussa un cri. Quant à la Barbée, elle souriait comme dans un rêve, et un filet de sang lui coulait sous la mâchoire. Foureau, pour l'éprouver lui-même, voulut saisir la lancette, et, le docteur l'ayant refusée, il pinça la malade fortement. Le capitaine lui chatouilla les narines avec une plume, le percepteur allait lui enfoncer une épingle sous la peau.

— Laissez-la donc, dit Vaucorbeil; rien d'étonnant, après tout! une hystérique! le diable y perdrait son latin!

— Celle-là, dit Pécuchet, en désignant Victoire, la femme scrofuleuse, est un médecin! elle reconnaît les affections et indique les remèdes.

Langlois brûlait de la consulter sur son catarrhe; il n'osa; mais Coulon, plus brave, demanda quelque chose pour ses rhumatismes.

Pécuchet lui mit la main droite dans la main gauche de Victoire et, les cils toujours clos, les pommettes un peu rouges, les lèvres frémissantes, la somnambule, après avoir divagué, ordonna du *valum becum*.

Elle avait servi à Bayeux chez un apothicaire. Vau-

corbeil en inféra qu'elle voulait dire de l'*album græcum*, mot entrevu, peut-être, dans la pharmacie.

Puis il aborda le père Lemoine qui, selon Bouvard, percevait les objets à travers les corps opaques.

C'était un ancien maître d'école tombé dans la crapule. Des cheveux blancs s'éparpillaient autour de sa figure, et, adossé contre l'arbre, les paumes ouvertes, il dormait en plein soleil d'une façon majestueuse.

Le médecin attacha sur ses paupières une double cravate, et Bouvard, lui présentant un journal, dit impérieusement :

— Lisez!

Il baissa le front, remua les muscles de sa face, puis se renversa la tête et finit par épeler :

— Cons-ti-tu-tion-nel.

— Mais avec de l'adresse on fait glisser tous les bandeaux!

Ces dénégations du médecin révoltaient Pécuchet. Il s'aventura jusqu'à prétendre que la Barbée pouvait décrire ce qui se passait actuellement dans sa propre maison.

— Soit, répondit le docteur.

Et ayant tiré sa montre :

— A quoi ma femme s'occupe-t-elle?

La Barbée hésita longtemps, puis, d'un air maussade :

— Hein! quoi? Ah! j'y suis! Elle coud des rubans à un chapeau de paille.

Vaucorbeil arracha une feuille de son calepin et écrivit un billet, que le clerc de Marescot s'empressa de porter.

La séance était finie. Les malades s'en allèrent.

Bouvard et Pécuchet, en somme, n'avaient pas réussi. Cela tenait-il à la température, ou à l'odeur du tabac, ou au parapluie de l'abbé Jeufroy, qui avait une garniture de cuivre, métal contraire à l'émission fluidique?

Vaucorbeil haussa les épaules.

Cependant il ne pouvait contester la bonne foi de MM. Deleuze, Bertrand, Morin, Jules Cloquet. Or ces maîtres affirment que des somnambules ont prédit des événements, subi, sans douleur, des opérations cruelles.

L'abbé rapporta des histoires plus étonnantes. Un missionnaire a vu des brahmanes parcourir une route la tête en bas; le Grand-Lama au Thibet se fend les boyaux pour rendre des oracles.

— Plaisantez-vous? dit le médecin.

— Nullement!

— Allons donc! Quelle farce!

Et la question se détournant, chacun produisit des anecdotes.

— Moi, dit l'épicier, j'ai eu un chien qui était toujours malade quand le mois commençait par un vendredi.

— Nous étions quatorze enfants, reprit le juge de paix. Je suis né un 14, mon mariage eut lieu un 14 et le jour de ma fête tombe un 14! Expliquez-moi ça.

Beljambe avait rêvé, bien des fois, le nombre des voyageurs qu'il aurait le lendemain dans son auberge, et Petit conta le souper de Cazotte [30].

---

30. En 1788, Jacques Cazotte, lors d'un dîner en compagnie de quelques amis, notamment Chamfort et Condorcet, aurait prédit la révolution prochaine et le sort réservé à la plupart des convives. L'authenticité de l'anecdote est fort douteuse.

Le curé alors fit cette réflexion :

— Pourquoi ne pas voir là-dedans, tout simplement...

— Les démons, n'est-ce pas? dit Vaucorbeil.

L'abbé, au lieu de répondre, eut un signe de tête.

Marescot parla de la Pythie de Delphes.

— Sans aucun doute, des miasmes.

— Ah! les miasmes, maintenant!

— Moi, j'admets un fluide, reprit Bouvard.

— Nervoso-sidéral, ajouta Pécuchet.

— Mais prouvez-le, montrez-le, votre fluide! D'ailleurs les fluides sont démodés, écoutez-moi.

Vaucorbeil alla plus loin se mettre à l'ombre. Les bourgeois le suivirent.

— Si vous dites à un enfant : « Je suis un loup, je vais te manger », il se figure que vous êtes un loup et il a peur; c'est donc un rêve commandé par des paroles. De même le somnambule accepte les fantaisies que l'on voudra. Il se souvient et n'imagine pas, obéit toujours, n'a que des sensations quand il croit penser. De cette manière, des crimes sont suggérés et des gens vertueux pourront se voir bêtes féroces et devenir anthropophages involontairement.

On regarda Bouvard et Pécuchet. Leur science avait des périls pour la société.

Le clerc de Marescot reparut dans le jardin, en brandissant une lettre de Mme Vaucorbeil.

Le docteur la décacheta, pâlit et enfin lut ces mots : « Je couds des rubans à un chapeau de paille. »

La stupéfaction empêcha de rire.

— Une coïncidence, parbleu! Ça ne prouve rien.

Et comme les deux magnétiseurs avaient un air de triomphe, il se retourna sous la porte pour leur dire :

— Ne continuez plus! ce sont des amusements dangereux!

Le curé, en emmenant son bedeau, le tança vertement.

— Etes-vous fou! sans ma permission! Des manœuvres défendues par l'Eglise!

Tout le monde venait de partir; Bouvard et Pécuchet causaient sur le vigneau avec l'instituteur, quand Marcel débusqua du verger, la mentonnière défaite, et il bredouillait :

— Guéri! guéri! Bons messieurs!

— Bien! assez! laisse-nous tranquilles!

— Ah! bons messieurs, je vous aime! serviteur!

Petit, homme de progrès, avait trouvé l'explication du médecin terre à terre, bourgeoise. La science est un monopole aux mains des riches. Elle exclut le peuple : à la vieille analyse du moyen âge, il est temps que succède une synthèse large et primesautière. La vérité doit s'obtenir par le cœur, et, se déclarant spiritiste, il indiqua plusieurs ouvrages, défectueux sans doute, mais qui étaient le signe d'une aurore.

Ils se les firent envoyer.

Le spiritisme pose en dogme l'amélioration fatale de notre espèce. La terre un jour deviendra le ciel, et c'est pourquoi cette doctrine charmait l'instituteur. Sans être catholique, elle se réclame de saint Augustin et de saint Louis. Allan-Kardec publie même des fragments dictés par eux et qui sont au niveau des opinions contempo-

raines. Elle est pratique, bienfaisante, et nous révèle, comme le télescope, les mondes supérieurs.

Les esprits, après la mort et dans l'extase, y sont transportés. Mais quelquefois ils descendent sur notre globe, où ils font craquer les meubles, se mêlent à nos divertissements, goûtent les beautés de la nature et les plaisirs des arts.

Cependant, plusieurs d'entre nous possèdent une trompe aromale, c'est-à-dire derrière le crâne un long tuyau qui monte depuis les cheveux jusqu'aux planètes et nous permet de converser avec les esprits de Saturne; les choses intangibles n'en sont pas moins réelles, et de la terre aux astres, des astres à la terre, c'est un va-et-vient, une transmission, un échange continu.

Alors le cœur de Pécuchet se gonfla d'aspirations désordonnées, et, quand la nuit était venue, Bouvard le surprenait à sa fenêtre contemplant ces espaces lumineux qui sont peuplés d'esprits.

Swedenborg y a fait de grands voyages. Car, en moins d'un an, il a exploré Vénus, Mars, Saturne et vingt-trois fois Jupiter. De plus, il a vu à Londres Jésus-Christ, il a vu saint Paul, il a vu saint Jean, il a vu Moïse, et, en 1736, il a même vu le jugement dernier.

Aussi nous donne-t-il des descriptions du ciel.

On y trouve des fleurs, des palais, des marchés et des églises absolument comme chez nous.

Les anges, hommes autrefois, couchent leurs pensées sur des feuillets, devisent des choses du ménage ou bien de matières spirituelles, et les emplois ecclésiastiques appartiennent à ceux qui, dans leur vie terrestre, ont cultivé l'Ecriture sainte.

Quant à l'enfer, il est plein d'une odeur nauséabonde, avec des cahutes, des tas d'immondices, des fondrières, des personnes mal habillées.

Et Pécuchet s'abîmait l'intellect pour comprendre ce qu'il y a de beau dans ces révélations. Elles parurent à Bouvard le délire d'un imbécile. Tout cela dépasse les bornes de la nature! Qui les connaît cependant? Et ils se livrèrent aux réflexions suivantes :

Des hateleurs peuvent illusionner une foule; un homme ayant des passions violentes en remuera d'autres; mais comment la seule volonté agirait-elle sur de la matière inerte? Un Bavarois, dit-on, mûrit les raisins; M. Gervais a ranimé un héliotrope; un plus fort, à Toulouse, écarte les nuages.

Faut-il admettre une substance intermédiaire entre le monde et nous? L'od, un nouvel impondérable, une sorte d'électricité, n'est pas autre chose, peut-être? Ses émissions expliquent la lueur que les magnétisés croient voir, les feux errants des cimetières, la forme des fantômes.

Ces images ne seraient donc pas une illusion, et les dons extraordinaires des possédés, pareils à ceux des somnambules, auraient une cause physique?

Quelle qu'en soit l'origine, il y a une essence, un agent secret et universel. Si nous pouvions le tenir, on n'aurait pas besoin de la force, de la durée. Ce qui demande des siècles se développerait en une minute; tout miracle serait praticable et l'univers à notre disposition.

La magie provenait de cette convoitise éternelle de l'esprit humain. On a, sans doute, exagéré sa valeur, mais elle n'est pas un mensonge. Des Orientaux qui la connaissent exécutent des prodiges. Tous les voyageurs le déclarent, et, au Palais-Royal, M. Dupotet trouble avec son doigt l'aiguille aimantée.

Comment devenir magicien? Cette idée leur parut folle d'abord, mais elle revint, les tourmenta, et ils y cédèrent, tout en affectant d'en rire.

Un régime préparatoire est indispensable.

Afin de mieux s'exalter, ils vivaient la nuit, jeûnaient, et, voulant faire de Germaine un médium plus délicat, rationnèrent sa nourriture. Elle se dédommageait sur la boisson, et but tant d'eau-de-vie qu'elle acheva promptement de s'alcooliser. Leurs promenades dans le corridor la réveillaient. Elle confondait le bruit de leurs pas avec ses bourdonnements d'oreilles et les voix imaginaires qu'elle entendait sortir des murs. Un jour qu'elle avait mis, le matin, un carrelet dans la cave, elle eut peur en le voyant tout couvert de feu, se trouva désormais plus mal et finit par croire qu'ils lui avaient jeté un sort.

Espérant gagner des visions, ils se comprimèrent la nuque réciproquement, ils se firent des sachets de belladone, enfin ils adoptèrent la boîte magique: une petite boîte d'où s'élève un champignon hérissé de clous et que l'on garde sur le cœur par le moyen d'un ruban attaché à la poitrine. Tout rata; mais ils pouvaient employer le cercle de Dupotet.

Pécuchet, avec du charbon, barbouilla sur le sol une rondelle noire afin d'y enclore les esprits animaux que devaient aider les esprits ambiants, et, heureux de dominer Bouvard, il lui dit d'un air pontifical:

— Je te défie de le franchir!

Bouvard considéra cette place ronde. Bientôt son cœur battit, ses yeux se troublaient.

— Ah! finissons!

Et il sauta par-dessus pour fuir un malaise inexplicable.

Pécuchet, dont l'exaltation allait croissant, voulut faire apparaître un mort.

Sous le Directoire, un homme, rue de l'Echiquier, montrait les victimes de la Terreur. Les exemples de revenants sont innombrables. Que ce soit une apparence, qu'importe! il s'agit de la produire.

Plus le défunt nous touche de près, mieux il accourt à notre appel; mais il n'avait aucune relique de sa famille, ni bague, ni miniature, pas un cheveu, tandis que Bouvard était dans les conditions à évoquer son père; et comme il témoignait de la répugnance, Pécuchet lui demanda:

— Que crains-tu?

— Moi? Oh! rien du tout! Fais ce que tu voudras!

Ils soudoyèrent Chamberlan, qui leur fournit en cachette une vieille tête de mort. Un couturier leur tailla deux houppelandes noires, avec un capuchon comme à la robe de moine. La voiture de Falaise leur apporta un long rouleau dans une enveloppe. Puis ils se mirent à l'œuvre, l'un curieux de l'exécuter, l'autre ayant peur d'y croire.

Le muséum était tendu comme un catafalque. Trois flambeaux brûlaient au bord de la table poussée contre le mur, sous le portrait du père Bouvard que dominait la tête de mort. Ils avaient même fourré une chandelle dans l'intérieur du crâne, et des rayons se projetaient par les deux orbites.

Au milieu, sur une chaufferette, de l'encens fumait; Bouvard se tenait derrière; et Pécuchet, lui tournant le dos, jetait dans l'âtre des poignées de soufre.

Avant d'appeler un mort, il faut le consentement des démons. Or ce jour-là était un vendredi, jour qui appartient à Béchet: on devait s'occuper de Béchet premièrement. Bouvard ayant salué de droite et de gauche, fléchi le menton et levé les bras, commença:

— Par Ethaniel, Anazin, Ischyros...

Il avait oublié le reste.

Pécuchet, bien vite, souffla les mots, notés sur un carton.

— Ischyros, Athanatos, Adonaï, Sadaï, Eloy, Messias (la kyrielle était longue), je te conjure, je t'observe, je t'ordonne, ô Béchet!

Puis, baissant la voix:

— Où es-tu, Béchet? Béchet! Béchet! Béchet!

Bouvard s'affaissa dans le fauteuil, et il était bien aise de ne pas voir Béchet, un instinct lui reprochant sa tentative comme un sacrilège. Où était l'âme de son père? Pouvait-elle l'entendre? Si tout à coup elle allait venir?

Les rideaux se remuaient avec lenteur, sous le vent qui entrait par un carreau fêlé, et les cierges balançaient des ombres sur le crâne de mort et sur la figure peinte. Une couleur terreuse les brunissait également. De la moisissure dévorait les pommettes, les yeux n'avaient plus de lumière, mais une flamme brillait au-dessus, dans les trous de la tête vide. Elle semblait quelquefois prendre la place de l'autre, poser sur le collet de la redingote, avoir ses favoris; et la toile, à demi déclouée, oscillait, palpitait.

Peu à peu, ils sentirent comme l'effleurement d'une haleine, l'approche d'un être impalpable. Des gouttes de sueur mouillaient le front de Pécuchet, et voilà que Bouvard se mit à claquer des dents, une crampe lui serrait l'épigastre; le plancher, comme une onde, fuyait sous ses talons; le soufre qui brûlait dans la cheminée se rabattit à grosses volutes; des chauves-souris en même temps tournoyaient; un cri s'éleva; qui était-ce?

Et ils avaient sous leurs capuchons des figures tellement décomposées que leur effroi en redoublait, n'osant faire un geste ni même parler; quand derrière la porte ils entendirent des gémissements comme ceux d'une âme en peine.

Enfin ils se hasardèrent.

C'était leur vieille bonne qui, les espionnant par une fente de la cloison, avait cru voir le diable, et, à genoux dans le corridor, elle multipliait les signes de croix.

Tout raisonnement fut inutile. Elle les quitta le soir même, ne voulant plus servir des gens pareils.

Germaine bavarda. Chamberlan perdit sa place, et il se forma contre eux une sourde coalition entretenue par l'abbé Jeufroy, Mme Bordin et Foureau.

Leur manière de vivre, qui n'était pas celle des autres, déplaisait. Ils devinrent suspects et même inspiraient une vague terreur.

Ce qui les ruina surtout dans l'opinion, ce fut le choix de leur domestique. A défaut d'un autre, ils avaient pris Marcel.

Son bec-de-lièvre, sa hideur et son baragouin écartaient de sa personne. Enfant abandonné, il avait grandi au hasard dans les champs et conservait de sa longue misère une faim irrassasiable. Les bêtes mortes de maladie, du lard en pourriture, un chien écrasé, tout lui convenait, pourvu que le morceau fût gros; il était doux comme un mouton, mais entièrement stupide.

La reconnaissance l'avait poussé à s'offrir comme serviteur chez MM. Bouvard et Pécuchet; et puis, les croyant sorciers, il espérait des gains extraordinaires.

Dès les premiers jours, il leur confia un secret. Sur la bruyère de Poligny, autrefois, un homme avait trouvé un lingot d'or. L'anecdote est rapportée dans les historiens de Falaise; ils ignoraient la suite : douze frères, avant de partir pour un voyage, avaient caché douze lingots pareils, tout le long de la route depuis Chavignolles jusqu'à Bretteville, et Marcel supplia ses maîtres de recommencer les recherches. Ces lingots, se dirent-ils, avaient peut-être été enfouis au moment de l'émigration.

C'était le cas d'employer la baguette divinatoire. Les vertus en sont douteuses. Ils étudièrent la question cependant, et apprirent qu'un certain Pierre Garnier donne, pour les défendre, des raisons scientifiques : les sources et les métaux projetteraient des corpuscules en affinité avec le bois.

Cela n'est guère probable. Qui sait pourtant? Essayons!

Ils se taillèrent une fourchette de coudrier, et un matin partirent à la découverte du trésor.

— Il faudra le rendre, dit Bouvard.

— Ah! non! par exemple!

Après trois heures de marche, une réflexion les arrêta : la route de Chavignolles à Bretteville! était-ce l'ancienne, ou la nouvelle? Ce devait être l'ancienne!

Ils rebroussèrent chemin, et parcoururent les alentours, au hasard, le tracé de la vieille route n'étant pas facile à reconnaître.

Marcel courait de droite et de gauche, comme un épagneul en chasse. Toutes les cinq minutes, Bouvard était contraint de le rappeler; Pécuchet avançait pas à pas, tenant la baguette par les deux branches, la pointe en haut. Souvent il lui semblait qu'une force, et comme un crampon, la tirait vers le sol, et Marcel bien vite faisait une entaille aux arbres voisins pour retrouver la place plus tard.

Pécuchet cependant se ralentissait. Sa bouche s'ouvrit, ses prunelles se convulsèrent. Bouvard l'interpella, le secoua par les épaules; il ne remua pas et demeurait inerte, absolument, comme la Barbée.

Puis il conta qu'il avait senti autour du cœur une sorte de déchirement, état bizarre, provenant de la baguette, sans doute; et il ne voulait plus y toucher.

Le lendemain, ils revinrent devant les marques faites aux arbres. Marcel avec une bêche creusait des trous;

jamais la fouille n'amenait rien, et ils étaient chaque fois extrêmement penauds. Pécuchet s'assit au bord d'un fossé; et comme il rêvait, la tête levée, s'efforçant d'entendre la voix des esprits par sa trompe aromale, se demandant même s'il en avait une, il fixa ses regards sur la visière de sa casquette; l'extase de la veille le reprit. Elle dura longtemps, devenait effrayante.

Au-dessus des avoines, dans un sentier, un chapeau de feutre parut : c'était M. Vaucorbeil trottinant sur sa jument. Bouvard et Marcel le hélèrent.

La crise allait finir quand arriva le médecin. Pour mieux examiner Pécuchet, il lui souleva sa casquette, et apercevant un front couvert de plaques cuivrées :

— Ah! ah! *fructus belli!* ce sont des syphilides, mon bonhomme! soignez-vous! diable! ne badinons pas avec l'amour.

Pécuchet, honteux, remit sa casquette, une sorte de béret bouffant sur une visière en forme de demi-lune, et dont il avait pris le modèle dans l'atlas d'Amoros.

Les paroles du docteur le stupéfièrent. Il y songeait, les yeux en l'air, et tout à coup fut ressaisi.

Vaucorbeil l'observait, puis d'une chiquenaude il fit tomber sa casquette.

Pécuchet recouvra ses facultés.

— Je m'en doutais, dit le médecin, la visière vernie vous hypnotise comme un miroir, et ce phénomène n'est pas rare chez les personnes qui considèrent un corps brillant avec trop d'attention.

Il indiqua comment pratiquer l'expérience sur des poules, enfourcha son bidet et disparut lentement.

Une demi-lieue plus loin, ils remarquèrent un objet pyramidal dressé à l'horizon, dans une cour de ferme. On aurait dit une grappe de raisin noir, monstrueuse, piquée de points rouges çà et là. C'était, suivant l'usage normand, un long mât garni de traverses, où juchaient les dindes se rengorgeant au soleil.

— Entrons.

Et Pécuchet aborda le fermier, qui consentit à leur demande.

Avec du blanc d'Espagne, ils tracèrent une ligne au milieu du pressoir, lièrent les pattes d'un dindon, puis l'étendirent à plat ventre, le bec posé sur la raie. La bête ferma les yeux, et bientôt sembla morte. Il en fut de même des autres. Bouvard les repassait vivement à Pécuchet, qui les rangeait de côté dès qu'elles étaient engourdies. Les gens de la ferme témoignèrent des inquiétudes. La maîtresse cria, une petite fille pleurait.

Bouvard détacha toutes les volailles. Elles se ranimaient, progressivement, mais on ne savait pas les conséquences. A une objection un peu rêche de Pécuchet, le fermier empoigna sa fourche.

— Filez, nom de Dieu! ou je vous crève la paillasse!

Ils détalèrent.

N'importe! le problème était résolu; l'extase dépend d'une cause matérielle.

Qu'est donc la matière? Qu'est-ce que l'esprit? D'où vient l'influence de l'une sur l'autre, et réciproquement?

Pour s'en rendre compte, ils firent des recherches dans Voltaire, dans Bossuet, dans Fénelon, et même ils reprirent un abonnement à un cabinet de lecture.

Les maîtres anciens étaient inaccessibles par la longueur des œuvres ou la difficulté de l'idiome, mais Jouffroy et Damiron les initièrent à la philosophie moderne, et ils avaient des auteurs touchant celle du siècle passé.

Bouvard tirait ses arguments de La Mettrie, de Locke, d'Helvétius; Pécuchet de M. Cousin, Thomas Reid et Gérando. Le premier s'attachait à l'expérience, l'idéal était tout pour le second. Il y avait de l'Aristote dans celui-ci, du Platon dans celui-là, et ils discutaient.

— L'âme est immatérielle! disait l'un.

— Nullement! disait l'autre; la folie, le chloroforme, une saignée la bouleversent et puisqu'elle ne pense pas toujours, elle n'est point une substance ne faisant que penser.

— Cependant, objecta Pécuchet, j'ai en moi-même quelque chose de supérieur à mon corps, et qui parfois le contredit.

— Un être dans l'être? l'*homo duplex*! allons donc! des tendances différentes révèlent des motifs opposés. Voilà tout.

— Mais ce quelque chose, cette âme, demeure identique sous les changements du dehors! Donc elle est simple, indivisible et partant spirituelle!

— Si l'âme était simple, répliqua Bouvard, le nouveau-né se rappellerait, imaginerait comme l'adulte. La pensée, au contraire, suit le développement du cerveau. Quant à être indivisible, le parfum d'une rose ou l'appétit d'un loup, pas plus qu'une volition ou une affirmation, ne se coupent en deux.

— Ça n'y fait rien! dit Pécuchet, l'âme est exempte des qualités de la matière!

— Admets-tu la pesanteur? reprit Bouvard. Or, si la matière peut tomber, elle peut de même penser. Ayant eu un commencement, notre âme doit finir, et dépendante des organes, disparaître avec eux.

— Moi, je la prétends immortelle! Dieu ne peut vouloir...

— Mais si Dieu n'existe pas?

— Comment?

Et Pécuchet débita les trois preuves cartésiennes:

— Primo, Dieu est compris dans l'idée que nous en avons; secundo, l'existence lui est possible; tertio, être fini, comment aurais-je une idée de l'infini? et puisque nous avons cette idée, elle nous vient de Dieu, donc Dieu existe!

Il passa au témoignage de la conscience, à la tradition des peuples, au besoin d'un créateur.

— Quand je vois une horloge...

— Oui! oui! connu! mais où est le père de l'horloger?

— Il faut une cause pourtant!

Bouvard doutait des causes.

— De ce qu'un phénomène succède à un phénomène, on conclut qu'il en dérive. Prouvez-le.

— Mais le spectacle de l'Univers dénote une intention, un plan!

— Pourquoi? Le mal est organisé aussi parfaitement que le bien. Le ver qui pousse dans la tête du mouton et le fait mourir équivaut, comme anatomie, au mouton lui-même. Les monstruosités surpassent les fonctions normales. Le corps humain pouvait être mieux bâti. Les trois quarts du globe sont stériles. La Lune, ce lampadaire, ne se montre pas toujours! Crois-tu l'Océan destiné aux navires, et le bois des arbres au chauffage de nos maisons?

Pécuchet répondit:

— Cependant l'estomac est fait pour digérer, la jambe pour marcher, l'œil pour voir, bien qu'on ait des dyspepsies, des fractures et des cataractes. Pas d'arrangements sans but! Les effets surviennent actuellement, ou plus tard. Tout dépend des lois. Donc il y a des causes finales.

Bouvard imagina que Spinoza peut-être lui fournirait des arguments, et il écrivit à Dumouchel pour avoir la traduction de Saisset.

Dumouchel lui envoya un exemplaire, appartenant à son ami le professeur Varelot, exilé au 2 décembre.

L'*Ethique* [31] les effraya avec ses axiomes, ses corollaires. Ils lurent seulement les endroits marqués d'un coup de crayon et comprirent ceci:

« La substance est ce qui est de soi, par soi, sans cause, sans origine. Cette substance est Dieu.

« Il est seul l'étendue, et l'étendue n'a pas de bornes. Avec quoi la borner?

« Mais, bien qu'elle soit infinie, elle n'est pas l'infini absolu, car elle ne contient qu'un genre de perfection, et l'absolu les contient tous. »

Souvent ils s'arrêtaient, pour mieux réfléchir. Pécuchet absorbait des prises de tabac et Bouvard était rouge d'attention.

— Est-ce que cela t'amuse?

— Oui! sans doute! va toujours!

« Dieu se développe en une infinité d'attributs, qui expriment, chacun à sa manière, l'infinité de son être. Nous n'en connaissons que deux: l'étendue et la pensée.

« De la pensée et de l'étendue découlent des modes innombrables, lesquels en contiennent d'autres.

« Celui qui embrasserait, à la fois, toute l'étendue et toute la pensée n'y verrait aucune contingence, rien d'accidentel, mais une suite géométrique de termes, liés entre eux par des lois nécessaires. »

— Ah! ce serait beau! dit Pécuchet.

« Donc il n'y a pas de liberté chez l'homme, ni chez Dieu. »

— Tu entends! s'écria Bouvard.

« Si Dieu avait une volonté, un but, s'il agissait pour une cause, c'est qu'il aurait un besoin, c'est qu'il manquerait d'une perfection. Il ne serait pas Dieu.

« Ainsi notre monde n'est qu'un point dans l'ensemble des choses, et l'univers, impénétrable à notre connaissance, une portion d'une infinité d'univers émettant près du nôtre des modifications infinies. L'étendue enveloppe notre univers, mais est enveloppée par Dieu, qui contient dans sa pensée tous les univers possibles, et sa pensée elle-même est enveloppée dans sa substance. »

Il leur semblait être en ballon, la nuit, par un froid glacial, emportés d'une course sans fin, vers un abîme

31. Œuvre capitale de Spinoza (1677).

sans fond, et sans rien autour d'eux que l'insaisissable, l'immobile, l'éternel. C'était trop fort. Ils y renoncèrent.

Et désirant quelque chose de moins rude, ils achetèrent le *Cours de philosophie à l'usage des classes*, de M. Guesnier.

L'auteur se demande quelle sera la bonne méthode, l'ontologique ou la psychologique?

La première convenait à l'enfance des sociétés, quand l'homme portait son attention vers le monde extérieur. Mais à présent qu'il la replie sur lui-même, « nous croyons la seconde plus scientifique », et Bouvard et Pécuchet se décidèrent pour elle.

Le but de la psychologie est d'étudier les faits qui se passent « au sein du moi »; on les découvre en observant.

— Observons!

Et pendant quinze jours, après le déjeuner habituellement, ils cherchaient dans leur conscience, au hasard, espérant y faire de grandes découvertes, et n'en firent aucune, ce qui les étonna beaucoup.

Un phénomène occupe le *moi*, à savoir l'idée. De quelle nature est-elle? On a supposé que les objets se mirent dans le cerveau et le cerveau envoie ces images à notre esprit, qui nous en donne la connaissance.

Mais si l'idée est spirituelle, comment représenter la matière? De là, scepticisme quant aux perceptions externes. Si elle est matérielle, les objets spirituels ne seraient pas représentés? De là, scepticisme en fait de notions internes.

D'ailleurs qu'on y prenne garde! cette hypothèse nous mènerait à l'athéisme.

Car une image étant une chose finie, il lui est impossible de représenter l'infini.

— Cependant, observa Bouvard, quand je songe à une forêt, à une personne, à un chien, je vois cette forêt, cette personne, ce chien. Donc les idées les représentent.

Et ils abordèrent l'origine des idées.

D'après Locke, il y en a deux, la sensation, la réflexion, et Condillac réduit tout à la sensation.

Mais alors, la réflexion manquera de base. Elle a besoin d'un sujet, d'un être sentant, et elle est impuissante à nous fournir les grandes vérités fondamentales : Dieu, le mérite et le démérite, le juste, le beau, etc., notions qu'on nomme *innées*, c'est-à-dire antérieures aux faits, à l'expérience, et universelles.

— Si elles étaient universelles, nous les aurions dès notre naissance.

— On veut dire, par ce mot, des dispositions à les avoir, et Descartes...

— Ton Descartes patauge! car il soutient que le fœtus les possède, et il avoue dans un autre endroit que c'est d'une façon implicite.

Pécuchet fut étonné.

— Où cela se trouve-t-il?

— Dans Gérando!

Et Bouvard lui frappa légèrement sur le ventre.

— Finis donc! dit Pécuchet.

Puis, venant à Condillac :

— Nos pensées ne sont pas des métamorphoses de la sensation! Elle les occasionne, les met en jeu. Pour les mettre en jeu, il faut un moteur. Car la matière, de soi-même, ne peut produire du mouvement... Et j'ai trouvé cela dans ton Voltaire, ajouta Pécuchet, en lui faisant une salutation profonde.

Ils rabâchaient ainsi les mêmes arguments, chacun méprisant l'opinion de l'autre, sans le convaincre de la sienne.

Mais la philosophie les grandissait dans leur estime. Ils se rappelaient avec pitié leurs préoccupations d'agriculture, de politique.

A présent le muséum les dégoûtait. Ils n'auraient pas mieux demandé que d'en vendre les bibelots, et ils passèrent au chapitre deuxième : des facultés de l'âme.

On en compte trois, pas davantage! celle de sentir, celle de connaître, celle de vouloir.

Dans la faculté de sentir, distinguons la sensibilité physique de la sensibilité morale.

Les sensations physiques se classent naturellement en cinq espèces, étant amenées par les organes des sens.

Les faits de la sensibilité morale, au contraire, ne doivent rien au corps. « Qu'y a-t-il de commun entre le plaisir d'Archimède trouvant les lois de la pesanteur et la volupté immonde d'Apicius dévorant une hure de sanglier! »

Cette sensibilité morale a quatre genres, et son deuxième genre, « désirs moraux », se divise en cinq espèces, et les phénomènes du quatrième genre, « affection », se subdivisent en deux autres espèces, parmi lesquelles l'amour de soi, « penchant légitime, sans doute, mais qui, devenu exagéré, prend le nom d'égoïsme ».

Dans la faculté de connaître, se trouve la perception rationnelle, où l'on trouve deux mouvements principaux et quatre degrés.

L'abstraction peut offrir des écueils aux intelligences bizarres.

La mémoire fait correspondre avec le passé comme la prévoyance avec l'avenir.

L'imagination est plutôt une faculté particulière, *sui generis*.

Tant d'embarras pour démontrer des platitudes, le ton pédantesque de l'auteur, la monotonie des tournures : « Nous sommes prêts à le reconnaître, — Loin de nous la pensée, — Interrogeons notre conscience », l'éloge sempiternel de Dugald-Stewart, enfin tout ce verbiage les écœura tellement que, sautant par-dessus la faculté de vouloir, ils entrèrent dans la Logique.

Elle leur apprit ce qu'est l'analyse, la synthèse, l'induction, la déduction et les causes principales de nos erreurs.

Presque toutes viennent du mauvais emploi des mots.

« Le soleil se couche, — le temps se rembrunit, — l'hiver approche », locutions vicieuses et qui feraient croire à des entités personnelles, quand il ne s'agit que d'événements bien simples! « Je me souviens de tel objet, de tel axiome, de telle vérité », illusion! ce sont les idées, et pas du tout les choses, qui restent dans le moi, et la rigueur du langage exige : « Je me souviens de tel acte de mon esprit, par lequel j'ai perçu cet objet, par lequel j'ai déduit cet axiome, par lequel j'ai admis cette vérité. »

Comme le terme qui désigne un accident ne l'embrasse pas dans tous ses modes, ils tâchèrent de n'employer que des mots abstraits, si bien qu'au lieu de dire : « Faisons un tour, — il est temps de dîner, — j'ai la colique », ils émettaient ces phrases : « Une promenade serait salutaire, — voici l'heure d'absorber des aliments, — j'éprouve un besoin d'exonération. »

Une fois maîtres de la logique, ils passèrent en revue les différents critériums, d'abord celui du sens commun.

Si l'individu ne peut rien savoir, pourquoi tous les individus en sauraient-ils davantage? Une erreur, fût-elle vieille de cent mille ans, par cela même qu'elle est vieille, ne constitue pas la vérité! La foule invariablement suit la routine. C'est, au contraire, le petit nombre qui mène le progrès.

Vaut-il mieux se fier au témoignage des sens? Ils trompent parfois, et ne renseignent jamais que sur l'apparence. Le fond leur échappe.

La raison offre plus de garanties, étant immuable et impersonnelle; mais pour se manifester il lui faut s'incarner. Alors la raison devient ma raison, une règle importe peu si elle est fausse. Rien ne prouve que celle-là soit juste.

On recommande de la contrôler avec les sens; mais ils peuvent épaissir les ténèbres. D'une sensation confuse, une loi défectueuse sera induite, et qui, plus tard, empêchera la vue nette des choses.

Reste la morale. C'est faire descendre Dieu au niveau de l'utile, comme si nos besoins étaient la mesure de l'absolu!

Quant à l'évidence, niée par l'un, affirmée par l'autre, elle est à elle-même son critérium. M. Cousin l'a démontré.

— Je ne vois plus que la révélation, dit Bouvard.

Mais, pour y croire, il faut admettre deux connaissances préalables : celle du corps qui a senti, celle de l'intelligence qui a perçu; admettre les sens et la raison, témoignages humains et par conséquent suspects.

Pécuchet réfléchit, se croisa les bras.

— Mais nous allons tomber dans l'abîme effrayant du scepticisme.

Il n'effrayait, selon Bouvard, que les pauvres cervelles.

— Merci du compliment, répliqua Pécuchet. Cependant il y a des faits indiscutables. On peut atteindre la vérité dans une certaine limite.

— Laquelle? Deux et deux font-ils quatre toujours? Le contenu est-il, en quelque sorte, moindre que le contenant? Que veut dire un à peu près du vrai, une fraction de Dieu, la partie d'une chose indivisible?

— Ah! tu n'es qu'un sophiste!

Et Pécuchet, vexé, bouda pendant trois jours.

Ils les employèrent à parcourir les tables de plusieurs volumes. Bouvard souriait de temps à autre, et renouant la conversation :

— C'est qu'il est difficile de ne pas douter. Ainsi, pour Dieu, les preuves de Descartes, de Kant et de Leibnitz ne sont pas les mêmes, et mutuellement se ruinent. La création du monde par les atomes, ou par un esprit, demeure inconcevable.

« Je me sens à la fois matière et pensée, tout en ignorant ce qu'est l'une et l'autre.

« L'impénétrabilité, la solidité, la pesanteur me paraissent des mystères aussi bien que mon âme, à plus forte raison l'union de l'âme et du corps.

« Pour en rendre compte, Leibnitz a imaginé son harmonie, Malebranche la prémonition, Cudworth un médiateur, et Bossuet y voit un miracle perpétuel, ce qui est une bêtise : un miracle perpétuel ne serait plus un miracle. »

— Effectivement! dit Pécuchet.

Et tous deux s'avouèrent qu'ils étaient las des philosophes. Tant de systèmes vous embrouillent. La métaphysique ne sert à rien. On peut vivre sans elle.

D'ailleurs leur gêne pécuniaire augmentait. Ils devaient trois barriques de vin à Beljambe, douze kilogrammes de sucre à Langlois, cent vingt francs au tailleur, soixante au cordonnier. La dépense allait toujours et maître Gouy ne payait pas.

Ils se rendirent chez Marescot, pour qu'il leur trouvât de l'argent, soit par la vente des Ecalles, ou par une hypothèque sur leur ferme, ou en aliénant leur maison, qui serait payée en rentes viagères et dont ils garderaient l'usufruit. Moyen impraticable, dit Marescot, mais une affaire meilleure se combinait et ils seraient prévenus.

Ensuite, ils pensèrent à leur pauvre jardin. Bouvard entreprit l'émondage de la charmille, Pécuchet la taille de l'espalier. Marcel devait fouir les plates-bandes.

Au bout d'un quart d'heure, ils s'arrêtaient, l'un fermait sa serpette, l'autre déposait ses ciseaux, et ils commençaient doucement à se promener : Bouvard, à l'ombre des tilleuls, sans gilet, la poitrine en avant, les bras nus; Pécuchet, tout le long du mur, la tête basse, les mains dans le dos, la visière de sa casquette tournée sur le cou par précaution; et ils marchaient ainsi parallèlement, sans même voir Marcel, qui, se reposant au bord de la cahute, mangeait une chiffe de pain.

Dans cette méditation, des pensées avaient surgi; ils s'abordaient, craignant de les perdre; et la métaphysique revenait.

Elle revenait à propos de la pluie et du soleil, d'un gravier dans leur soulier, d'une fleur sur le gazon, à propos de tout.

En regardant brûler la chandelle, ils se demandaient si la lumière est dans l'objet ou dans notre œil. Puisque des étoiles peuvent avoir disparu quand leur éclat nous arrive, nous admirons, peut-être, des choses qui n'existent pas.

Ayant retrouvé au fond d'un gilet une cigarette Raspail, ils l'émiettèrent sur de l'eau et le camphre tourna.

Voilà donc le mouvement dans la matière! un degré supérieur du mouvement amènerait la vie.

Mais si la matière en mouvement suffisait à créer des êtres, ils ne seraient pas si variés. Car il n'existait, à l'origine, ni terres, ni eaux, ni hommes, ni plantes. Qu'est-ce donc cette matière primordiale, qu'on n'a jamais vue, qui n'est rien des choses du monde et qui les a toutes produites?

Quelquefois, ils avaient besoin d'un livre. Dumouchel, fatigué de les servir, ne leur répondait plus, et ils s'acharnaient à la question, principalement Pécuchet.

Son besoin de vérité devenait une soif ardente.

Emu des discours de Bouvard, il lâchait le spiritualisme, le reprenant bientôt pour le quitter, et s'écriait, la tête dans les mains :

— Oh! le doute! le doute! j'aimerais mieux le néant!

Bouvard apercevait l'insuffisance du matérialisme et tâchait de s'y retenir, déclarant, du reste, qu'il en perdait la boule.

Ils commençaient des raisonnements sur une base solide; elle croulait; et tout à coup plus d'idée; comme une mouche s'envole, dès qu'on veut la saisir.

Pendant les soirs d'hiver, ils causaient dans le muséum, au coin du feu, en regardant les charbons. Le vent qui sifflait dans le corridor faisait trembler les carreaux, les masses noires des arbres se balançaient, et la tristesse de la nuit augmentait le sérieux de leurs pensées.

Bouvard, de temps à autre, allait jusqu'au bout de l'appartement, puis revenait. Les flambeaux et les bassines contre les murs posaient sur le sol des ombres obliques; et le saint Pierre, vu de profil, étalait, au plafond, la silhouette de son nez, pareil à un monstrueux cor de chasse.

On avait peine à circuler entre les objets, et souvent Bouvard, n'y prenant garde, se cognait à la statue. Avec ses gros yeux, sa lippe tombante, et son air d'ivrogne, elle gênait aussi Pécuchet. Depuis longtemps, ils voulaient s'en défaire, mais, par négligence, remettaient cela de jour en jour.

Un soir, au milieu d'une dispute sur la monade, Bouvard se frappa l'oreille au pouce de saint Pierre, et tournant contre lui son irritation :

— Il m'embête, ce coco-là : flanquons-le dehors!

C'était difficile par l'escalier. Ils ouvrirent la fenêtre, et l'inclinèrent sur le bord, doucement. Pécuchet à genoux tâcha de soulever ses talons, pendant que Bouvard pesait sur ses épaules. Le bonhomme de pierre ne branlait pas; ils durent recourir à la hallebarde, comme levier, et arrivèrent enfin à l'étendre tout droit. Alors, ayant basculé, il piqua dans le vide, la tiare en avant, un bruit mat retentit, et, le lendemain, ils le trouvèrent, cassé en douze morceaux, dans l'ancien trou aux composts.

Une heure après, le notaire entra, leur apportant une bonne nouvelle. Une personne de la localité avancerait mille écus, moyennant une hypothèque sur leur ferme; et comme ils se réjouissaient :

— Pardon! elle y met une clause; c'est que vous lui vendrez les Ecalles pour 1 500 francs. Le prêt sera soldé aujourd'hui même. L'argent est chez moi, dans mon étude.

Ils avaient envie de céder l'un et l'autre. Bouvard finit par répondre :

— Mon Dieu... soit!

— Convenu! dit Marescot.

Et il leur apprit le nom de la personne, qui était Mme Bordin.

— Je m'en doutais! s'écria Pécuchet.

Bouvard, humilié, se tut.

Elle ou un autre, qu'importait! le principal étant de sortir d'embarras.

L'argent touché (celui des Ecalles le serait plus tard), ils payèrent immédiatement toutes les notes, et regagnaient leur domicile quand, au détour des halles, le père Gouy les arrêta.

Il allait chez eux, pour leur faire part d'un malheur. Le vent, la nuit dernière, avait jeté vingt pommiers dans les cours, abattu la bouillerie, enlevé le toit de la grange. Ils passèrent le reste de l'après-midi à constater les dégâts, et le lendemain, avec le charpentier, le maçon et le couvreur. Les réparations monteraient à 1 800 francs pour le moins.

Puis, le soir, Gouy se présenta. Marianne, elle-même, lui avait conté tout à l'heure la vente des Ecalles. Une pièce d'un rendement magnifique, à sa convenance, qui n'avait presque pas besoin de culture, le meilleur morceau de toute la ferme! et il demandait une diminution.

Ces messieurs la refusèrent. On soumit le cas au juge de paix, et il conclut pour le fermier. La perte des Ecalles, l'acre estimé 2 000 francs, lui faisait un tort annuel de 70, et devant les tribunaux il gagnerait certainement.

Leur fortune se trouvait diminuée. Que faire? Et bientôt comment vivre?

Ils se mirent tous les deux à table, pleins de découragement. Marcel n'entendait rien à la cuisine; son dîner, cette fois, dépassa les autres. La soupe ressemblait à de l'eau de vaisselle, le lapin sentait mauvais, les haricots étaient incuits, les assiettes crasseuses, et, au dessert, Bouvard éclata, menaçant de lui casser tout sur la tête.

— Soyons philosophes, dit Pécuchet; un peu moins d'argent, les intrigues d'une femme, la maladresse d'un domestique, qu'est-ce que tout cela? Tu es trop plongé dans la matière!

— Mais quand elle me gêne, dit Bouvard.

— Moi, je ne l'admets pas! reprit Pécuchet.

Il avait lu dernièrement une analyse de Berkeley, et ajouta :

— Je nie l'étendue, le temps, l'espace, voire la substance! car la vraie substance, c'est l'esprit percevant les qualités.

— Parfait, dit Bouvard; mais le monde supprimé, les preuves manqueront pour l'existence de Dieu.

Pécuchet se récria, et longuement, bien qu'il eût un rhume de cerveau, causé par l'iodure de potassium, et une fièvre permanente contribuait à son exaltation. Bouvard, s'en inquiétant, fit venir le médecin.

Vaucorbeil ordonna du sirop d'orange avec l'iodure, et pour plus tard des bains de cinabre.

— A quoi bon? reprit Pécuchet! Un jour ou l'autre la forme s'en ira. L'essence ne périt pas!

— Sans doute, dit le médecin, la matière est indestructible! Cependant...

— Mais non! mais non! L'indestructible, c'est l'être. Ce corps qui est là devant moi, le vôtre, docteur, m'empêche de connaître votre personne, n'est pour ainsi dire qu'un vêtement, ou plutôt un masque.

Vaucorbeil le crut fou :

— Bonsoir! Soignez votre masque!

Pécuchet n'enraya pas. Il se procura une introduction à la philosophie hégélienne, et voulut l'expliquer à Bouvard.

— Tout ce qui est rationnel est réel. Il n'y a même de réel que l'idée. Les lois de l'esprit sont les lois de l'univers, la raison de l'homme est identique à celle de Dieu.

Bouvard feignait de comprendre.

— Donc, l'absolu, c'est à la fois le sujet et l'objet, l'unité où viennent se rejoindre toutes les différences. Ainsi les contradictoires sont résolus. L'ombre permet la lumière, le froid mêlé au chaud produit la température, l'organisme ne se maintient que par la destruction de l'organisme, partout un principe qui divise, un principe qui enchaîne.

Ils étaient sur le vigneau et le curé passa le long de la claire-voie, son bréviaire à la main.

Pécuchet le pria d'entrer, pour finir devant lui l'exposition d'Hegel et voir un peu ce qu'il en dirait.

L'homme à la soutane s'assit près d'eux, et Pécuchet aborda le christianisme.

— Aucune religion n'a établi aussi bien cette vérité : « La nature n'est qu'un moment de l'idée! »

— Un moment de l'idée! murmura le prêtre, stupéfait.

— Mais oui! Dieu, en prenant une enveloppe visible a montré son union consubstantielle avec elle.

— Avec la nature? oh! oh!

— Par son décès, il a rendu témoignage à l'essence de la mort; donc, la mort était en lui, faisait, fait partie de Dieu.

L'ecclésiastique se renfrogna.

— Pas de blasphèmes! c'était pour le salut du genre humain qu'il a enduré les souffrances.

— Erreur! On considère la mort dans l'individu, où elle est un mal sans doute, mais relativement aux choses, c'est différent. Ne séparez pas l'esprit de la matière!

— Cependant, monsieur, avant la création...

— Il n'y a pas eu de création. Elle a toujours existé. Autrement ce serait un être nouveau s'ajoutant à la pensée divine, ce qui est absurde.

Le prêtre se leva, des affaires l'appelaient ailleurs.

— Je me flatte de l'avoir crossé! dit Pécuchet. Encore un mot! Puisque l'existence du monde n'est qu'un passage continuel de la vie à la mort, et de la mort à la vie, loin que tout soit, rien n'est. Mais tout devient, comprends-tu?

— Oui! je comprends, ou plutôt non!

L'idéalisme, à la fin, exaspérait Bouvard.

— Je n'en veux plus; le fameux *cogito* m'embête. On prend les idées des choses pour les choses elles-mêmes. On explique ce qu'on entend fort peu au moyen de mots qu'on n'entend pas du tout! Substance, étendue, force, matière et âme. Autant d'abstractions, d'imaginations. Quant à Dieu, impossible de savoir comment il est, si même il est! Autrefois, il causait le vent, la foudre, les révolutions. À présent, il diminue. D'ailleurs, je n'en vois pas l'utilité.

— Et la morale, dans tout cela?

— Ah! tant pis!

— Elle manque de base, « effectivement », se dit Pécuchet.

Et il demeura silencieux, acculé dans une impasse, conséquence des prémisses qu'il avait lui-même posées. Ce fut une surprise, un écrasement.

Bouvard ne croyait même plus à la matière.

La certitude que rien n'existe (si déplorable qu'elle soit) n'en est pas moins une certitude. Peu de gens sont capables de l'avoir. Cette transcendance leur inspira de l'orgueil, et ils auraient voulu l'étaler; une occasion s'offrit.

Un matin, en allant acheter du tabac, ils virent un attroupement devant la porte de Langlois. On entourait la gondole de Falaise, et il était question de Touache, un galérien qui vagabondait dans le pays. Le conducteur l'avait rencontré à la Croix-Verte entre deux gendarmes et les Chavignollais exhalèrent un soupir de délivrance.

Girbal et le capitaine restèrent sur la place; puis arriva le juge de paix, curieux d'avoir des renseignements, et M. Marescot en toque de velours et pantoufles de basane.

Langlois les invita à honorer sa boutique de leur présence. Ils seraient plus à leur aise, et, malgré les chalands et le bruit de la sonnette, ces messieurs continuèrent à discuter les forfaits de Touache.

— Mon Dieu! dit Bouvard, il avait de mauvais instincts, voilà tout!

— On en triomphe par la vertu, répliqua le notaire.

— Mais si on n'a pas de vertu?

Et Bouvard nia positivement le libre arbitre.

— Cependant, dit le capitaine, je peux faire ce que je veux! je suis libre, par exemple, de remuer la jambe.

— Non, monsieur, car vous avez un motif pour la remuer!

Le capitaine chercha une réponse, n'en trouva pas. Mais Girbal décocha ce trait :

— Un républicain qui parle contre la liberté! c'est drôle!

— Histoire de rire! dit Langlois.

Bouvard l'interpella :

— D'où vient que vous ne donnez pas votre fortune aux pauvres?

L'épicier, d'un regard inquiet, parcourut toute sa boutique.

— Tiens! pas si bête! je la garde pour moi!

— Si vous étiez saint Vincent de Paul, vous agiriez différemment, puisque vous auriez son caractère. Vous obéissez au vôtre. Donc vous n'êtes pas libre!

— C'est une chicane, répondit en chœur l'assemblée.

Bouvard ne broncha pas, et désignant la balance sur le comptoir :

— Elle se tiendra inerte, tant qu'un des plateaux sera vide. De même, la volonté; et l'oscillation de la balance entre deux poids qui semblent égaux figure le travail de notre esprit, quand il délibère sur les motifs, jusqu'au moment où le plus fort l'emporte, le détermine.

— Tout cela, dit Girbal, ne fait rien pour Touache et ne l'empêche pas d'être un gaillard joliment vicieux.

Pécuchet prit la parole :

— Les vices sont des propriétés de la nature, comme les inondations, les tempêtes.

Le notaire l'arrêta, et se haussant à chaque mot sur la pointe des orteils :

— Je trouve votre système d'une immoralité complète. Il donne carrière à tous les débordements, excuse les crimes, innocente les coupables.

— Parfaitement, dit Bouvard. Le malheureux qui suit ses appétits est dans son droit, comme l'honnête homme qui écoute la raison.

— Ne défendez pas les monstres !

— Pourquoi monstres ? Quand il naît un aveugle, un idiot, un homicide, cela nous paraît du désordre, comme si l'ordre nous était connu, comme si la nature agissait pour une fin !

— Alors vous contestez la Providence ?

— Oui, je la conteste !

— Voyez plutôt l'histoire ! s'écria Pécuchet. Rappelez-vous les assassinats de rois, les massacres de peuples, les dissensions dans les familles, le chagrin des particuliers.

— Et en même temps, ajouta Bouvard, car ils s'excitaient l'un l'autre, cette Providence soigne les petits oiseaux et fait repousser les pattes des écrevisses. Ah ! si vous entendez par Providence une loi qui règle tout, je veux bien, et encore !

— Cependant, monsieur, dit le notaire, il y a des principes !

— Qu'est-ce que vous me chantez ! Une science, d'après Condillac, est d'autant meilleure qu'elle n'en a pas besoin ! Ils ne font que résumer des connaissances acquises et nous reportent vers ces notions qui, précisément, sont discutables.

— Avez-vous comme nous, poursuivit Pécuchet, scruté, fouillé les arcanes de la métaphysique ?

— Il est vrai, messieurs, il est vrai !

Et la société se dispersa.

Mais Coulon, le tirant à l'écart, leur dit d'un ton paterne qu'il n'était pas dévot, certainement, et même il détestait les Jésuites. Cependant il n'allait pas si loin qu'eux ! Oh non ! bien sûr ! et, au coin de la place, ils passèrent devant le capitaine, qui rallumait sa pipe en grommelant :

— Je fais pourtant ce que je veux, nom de Dieu !

Bouvard et Pécuchet proférèrent en d'autres occasions leurs abominables paradoxes. Ils mettaient en doute la probité des hommes, la chasteté des femmes, l'intelligence du gouvernement, le bon sens du peuple, enfin sapaient les bases.

Foureau s'en émut et les menaça de la prison, s'ils continuaient de tels discours.

L'évidence de leur supériorité blessait. Comme ils soutenaient des thèses immorales, ils devaient être immoraux ; des calomnies furent inventées.

Alors une faculté pitoyable se développa dans leur esprit, celle de voir la bêtise et de ne plus la tolérer.

Des choses insignifiantes les attristaient : les réclames des journaux, le profil d'un bourgeois, une sotte réflexion entendue par hasard.

En songeant à ce qu'on disait dans leur village, et qu'il y avait jusqu'aux antipodes d'autres Coulon, d'autres Marescot, d'autres Foureau, ils sentaient peser sur eux comme la lourdeur de toute la Terre.

Ils ne sortaient plus, ne recevaient personne.

Une après-midi, un dialogue s'éleva dans la cour, entre Marcel et un monsieur ayant un chapeau à larges bords avec des conserves noires. C'était l'académicien Larsoneur. Il ne fut pas sans observer un rideau entr'ouvert, des portes qu'on fermait. Sa démarche était une tentative de raccommodement, et il s'en alla furieux, chargeant le domestique de dire à ses maîtres qu'il les regardait comme des goujats.

Bouvard et Pécuchet ne s'en soucièrent. Le monde diminuait d'importance ; ils l'apercevaient comme dans un nuage, descendu de leurs cerveaux sur leurs prunelles.

N'est-ce pas, d'ailleurs, une illusion, un mauvais rêve ? Peut-être qu'en somme les prospérités et les malheurs s'équilibrent. Mais le bien de l'espèce ne console pas l'individu.

— Et que m'importent les autres ! disait Pécuchet.

Son désespoir affligeait Bouvard. C'était lui qui l'avait poussé jusque-là, et le délabrement de leur domicile avivait leur chagrin par des irritations quotidiennes.

Pour se remonter, ils se faisaient des raisonnements, se prescrivaient des travaux, et retombaient vite dans une paresse plus forte, dans un découragement profond.

A la fin des repas, ils restaient les coudes sur la table, à gémir d'un air lugubre. Marcel en écarquillait les yeux, puis retournait dans sa cuisine, où il s'empiffrait solitairement.

Au milieu de l'été, ils reçurent un billet de faire part annonçant le mariage de Dumouchel avec Mme Veuve Olympe-Zulma Poulet.

— Que Dieu le bénisse !

Et ils se rappelèrent le temps où ils étaient heureux.

Pourquoi ne suivaient-ils plus les moissonneurs ? Où étaient les jours qu'ils entraient dans les fermes, cherchant partout des antiquités ? Rien, maintenant, n'occasionnerait ces heures si douces que remplissait la distillerie ou la littérature. Un abîme les en séparait. Quelque chose d'irrévocable était venu.

Ils voulurent faire, comme autrefois, une promenade dans les champs, allèrent très loin, se perdirent. De petits nuages moutonnaient dans le ciel, le vent balançait les clochettes des avoines, le long d'un pré un ruisseau murmurait, quand tout à coup une odeur infecte les arrêta, et ils virent sur des cailloux, entre des ronces, la charogne d'un chien.

Les quatre membres étaient desséchés. Le rictus de la gueule découvrait sous des babines bleuâtres des crocs d'ivoire ; à la place du ventre, c'était un amas de couleur terreuse, et qui semblait palpiter, tant grouillait dessus la vermine. Elle s'agitait, frappée par le soleil, sous le bourdonnement des mouches, dans cette intolérable odeur, odeur féroce et comme dévorante.

Cependant Bouvard plissait le front et des larmes mouillèrent ses yeux.

Pécuchet dit stoïquement :

— Nous serons un jour comme ça !

L'idée de la mort les avait saisis. Ils en causèrent, en revenant.

Après tout, elle n'existe pas. On s'en va dans la rosée, dans la brise, dans les étoiles. On devient quelque chose de la sève des arbres, de l'éclat des pierres fines, du plumage des oiseaux. On redonne à la Nature ce qu'elle vous a prêté et le Néant qui est devant nous n'a rien de plus affreux que le Néant qui se trouve derrière.

Ils tâchaient de l'imaginer sous la forme d'une nuit intense, d'un trou sans fond, d'un évanouissement continu ; n'importe quoi valait mieux que cette existence monotone, absurde et sans espoir.

Ils récapitulèrent leurs besoins inassouvis. Bouvard avait toujours désiré des chevaux, des équipages, les grands crus de Bourgogne, et de belles femmes complaisantes dans une habitation splendide. L'ambition de Pécuchet était le savoir philosophique. Or le plus vaste des problèmes, celui qui contient les autres, peut se résoudre en une minute. Quand donc arriverait-elle ?

— Autant tout de suite en finir.

— Comme tu voudras, dit Bouvard.

Et ils examinèrent la question du suicide.

Où est le mal de rejeter un fardeau qui vous écrase ? et de commettre une action ne nuisant à personne ? Si elle offensait Dieu, aurions-nous ce pouvoir ? Ce n'est point une lâcheté, bien qu'on dise, et l'insolence est belle de bafouer, même à son détriment, ce que les hommes estiment le plus.

Ils délibérèrent sur le genre de mort.

Le poison fait souffrir. Pour s'égorger, il faut trop de courage. Avec l'asphyxie, on se rate souvent.

Enfin, Pécuchet monta dans le grenier deux câbles de gymnastique. Puis, les ayant liés à la même traverse du toit, laissa pendre un nœud coulant et avança dessous deux chaises pour atteindre aux cordes.

Ce moyen fut résolu.

Ils se demandaient quelle impression cela causerait dans l'arrondissement, où iraient ensuite leur bibliothèque, leurs paperasses, leurs collections. La pensée de la mort les faisait s'attendrir sur eux-mêmes. Cependant ils ne lâchaient point leur projet, et, à force d'en parler, s'y accoutumèrent.

Le soir du 24 décembre, entre dix et onze heures, ils réfléchissaient dans le muséum, habillés différemment. Bouvard portait une blouse sur son gilet de tricot ; et Pécuchet, depuis trois mois, ne quittait plus la robe de moine, par économie.

Comme ils avaient grand'faim (car Marcel, sorti dès l'aube, n'avait pas reparu), Bouvard crut hygiénique de boire un carafon d'eau-de-vie, et Pécuchet de prendre du thé.

En soulevant la bouilloire, il répandit de l'eau sur le parquet.

— Maladroit ! s'écria Bouvard.

Puis, trouvant l'infusion médiocre, il voulut la renforcer par deux cuillerées de plus.

— Ce sera exécrable, dit Pécuchet.

— Pas du tout !

Et chacun tirant à soi la boîte, le plateau tomba ; une des tasses fut brisée, la dernière du beau service en porcelaine.

Bouvard pâlit.

— Continue ! saccage ! ne te gêne pas !

— Grand malheur, vraiment !

— Oui ! un malheur ! Je la tenais de mon père !

— Naturel, ajouta Pécuchet en ricanant.

— Ah ! tu m'insultes !

— Non, mais je suis fatigue ! je le vois bien ! avoue-le !

Et Pécuchet fut pris de colère, ou plutôt de démence. Bouvard aussi. Ils criaient à la fois tous les deux, l'un irrité par la faim, l'autre par l'alcool. La gorge de Pécuchet n'émettait plus qu'un râle.

— C'est infernal, une vie pareille ! j'aime mieux la mort. Adieu !

Il prit le flambeau, tourna les talons, claqua la porte.

Bouvard, au milieu des ténèbres, eut peine à l'ouvrir, courut derrière lui, arriva dans le grenier.

La chandelle était par terre, et Pécuchet debout sur une des chaises, avec le câble dans sa main.

L'esprit d'imitation emporta Bouvard :

— Attends-moi !

Et il montait sur l'autre chaise, quand, s'arrêtant tout à coup :

— Mais... nous n'avons pas fait notre testament.

— Tiens ! c'est juste.

Des sanglots gonflaient leur poitrine. Ils se mirent à la lucarne pour respirer.

L'air était froid, et des astres nombreux brillaient dans le ciel noir comme de l'encre.

La blancheur de la neige qui couvrait la terre se perdait dans les brumes de l'horizon.

Ils aperçurent de petites lumières à ras du sol, et, grandissant, se rapprochant, toutes allaient du côté de l'église.

Une curiosité les y poussa.

C'était la messe de minuit. Ces lumières provenaient des lanternes des bergers. Quelques-uns, sous le porche, secouaient leurs manteaux.

Le serpent ronflait, l'encens fumait. Des verres, suspendus dans la longueur de la nef, dessinaient trois couronnes de feux multicolores, et, au bout de la perspective, des deux côtés du tabernacle, des cierges géants dressaient des flammes rouges. Par-dessus les têtes de la foule et les capelines des femmes, au delà des chantres, on distinguait le prêtre, dans sa chasuble d'or ; à sa voix aiguë répondaient les voix fortes des hommes emplissant le jubé, et la voûte de bois tremblait sur ses arceaux de pierre. Des images, représentant le chemin de la croix, décoraient les murs. Au milieu du chœur, devant l'autel, un agneau était couché, les pattes sous le ventre, les oreilles toutes droites.

La tiède température leur procura un singulier bien-être, et leurs pensées, orageuses tout à l'heure, se faisaient douces, comme des vagues qui s'apaisent.

Ils écoutèrent l'Évangile et le Credo, observaient les mouvements du prêtre. Cependant les vieux, les jeunes, les pauvresses en guenilles, les fermières en haut bonnet, les robustes gars à blonds favoris, tous priaient, absorbés dans la même joie profonde, et voyaient sur la paille d'une étable rayonner comme un soleil le corps de l'Enfant-Dieu. Cette foi des autres touchait Bouvard en dépit de sa raison, et Pécuchet malgré la dureté de son cœur.

Il y eut un silence; tous les dos se courbèrent, et, au tintement d'une clochette, le petit agneau bêla.

L'hostie fut montrée par le prêtre, au bout de ses deux bras, le plus haut possible. Alors éclata un chant d'allégresse qui conviait le monde aux pieds du Roi des Anges. Bouvard et Pécuchet, involontairement, s'y mêlèrent, et ils sentaient comme une aurore se lever dans leur âme.

IX

Marcel reparut le lendemain à trois heures, la face verte, les yeux rouges, une bigne au front, le pantalon déchiré, empestant l'eau-de-vie, immonde.

Il avait été, selon sa coutume annuelle, à six lieues de là, près d'Iqueville, faire le réveillon chez un ami; et bégayant plus que jamais, pleurant, voulant se battre, il implorait sa grâce, comme s'il eût commis un crime. Ses maîtres l'octroyèrent. Un calme singulier les portait à l'indulgence.

La neige avait fondu tout à coup, et ils se promenaient dans leur jardin, humant l'air tiède, heureux de vivre.

Etait-ce le hasard seulement qui les avait détournés de la mort? Bouvard se sentait attendri. Pécuchet se rappela sa première communion; et, pleins de reconnaissance pour la Force, la Cause dont ils dépendaient, l'idée leur vint de faire des lectures pieuses.

L'Evangile dilata leur âme, les éblouit comme un soleil. Ils apercevaient Jésus, debout sur la montagne, un bras levé, la foule en dessous l'écoutant; ou bien au bord du lac, parmi les Apôtres qui tirent des filets; puis sur l'ânesse, dans la clameur des *alleluia*, la chevelure éventée par les palmes frémissantes; enfin, au haut de la croix, inclinant sa tête, d'où tombe éternellement une rosée sur le monde. Ce qui les gagna, ce qui les délectait, c'est la tendresse pour les humbles, la défense des pauvres, l'exaltation des opprimés. Et dans ce livre où le ciel se déploie, rien que le théologal au milieu de tant de préceptes; pas un dogme, nulle exigence que la pureté du cœur.

Quant aux miracles, leur raison n'en fut pas surprise; dès l'enfance, ils les connaissaient. La hauteur de saint Jean ravit Pécuchet et le disposa à mieux comprendre l'*Imitation*.

Ici plus de paraboles, de fleurs, d'oiseaux; mais des plaintes, un resserrement de l'âme sur elle-même. Bouvard s'attrista en feuilletant ces pages, qui semblent écrites par un temps de brume, au fond d'un cloître, entre un rocher et un tombeau. Notre vie mortelle y apparaît si lamentable qu'il faut, l'oubliant, se retourner vers Dieu; et les deux bonshommes, après toutes leurs déceptions, éprouvaient le besoin d'être simples, d'aimer quelque chose, de se reposer l'esprit.

Ils abordèrent l'*Ecclésiaste, Isaïe, Jérémie*.

Mais la Bible les effrayait avec ses prophètes à voix de lion, le fracas du tonnerre dans les nues, tous les sanglots de la Géhenne, et son Dieu dispersant les empires, comme le vent fait des nuages.

Ils lisaient cela le dimanche, à l'heure des vêpres, pendant que la cloche tintait.

Un jour, ils se rendirent à la messe, puis y retournèrent. C'était une distraction au bout de la semaine. Le comte et la comtesse de Faverges les saluèrent de loin, ce qui fut remarqué. Le juge de paix leur dit, en clignant de l'œil :

— Parfait! je vous approuve.

Toutes les bourgeoises, maintenant, leur envoyaient le pain bénit.

L'abbé Jeufroy leur fit une visite; ils la rendirent, on se fréquenta; et le prêtre ne parlait pas de religion.

Ils furent étonnés de cette réserve, si bien que Pécuchet, d'un air indifférent, lui demanda comment s'y prendre pour obtenir la foi.

— Pratiquez d'abord.

Ils se mirent à pratiquer, l'un avec l'espoir, l'autre par défi, Bouvard étant convaincu qu'il ne serait jamais un dévot. Un mois durant, il suivit régulièrement tous les offices; mais, à l'encontre de Pécuchet, ne voulut pas s'astreindre au maigre.

Etait-ce une mesure d'hygiène? On sait ce que vaut l'hygiène! Une affaire de convenances? A bas les convenances! Une marque de soumission envers l'Eglise? Il s'en fichait également! bref, déclarait cette règle absurde, pharisaïque, et contraire à l'esprit de l'Evangile.

Le vendredi saint des autres années, ils mangeaient ce que Germaine leur servait.

Mais Bouvard, cette fois, s'était commandé un beef-steak. Il s'assit, coupa la viande; et Marcel le regardait scandalisé, tandis que Pécuchet dépiautait gravement sa tranche de morue.

Bouvard restait la fourchette d'une main, le couteau de l'autre. Enfin, se décidant, il monta une bouchée à ses lèvres. Tout à coup ses mains tremblèrent, sa grosse mine pâlit, sa tête se renversait.

— Tu te trouves mal?

— Non! Mais!...

Et il fit un aveu. Par suite de son éducation (c'était plus fort que lui), il ne pouvait manger du gras ce jour-là, dans la crainte de mourir.

Pécuchet, sans abuser de sa victoire, en profita pour vivre à sa guise.

Un soir, il rentra la figure empreinte d'une joie sérieuse, et, lâchant le mot, dit qu'il venait de se confesser.

Alors ils discutèrent l'importance de la confession.

Bouvard admettait celle des premiers chrétiens, qui se faisait en public : la moderne est trop facile. Cependant il ne niait pas que cette enquête sur nous-mêmes ne fût un élément de progrès, un levain de moralité.

Pécuchet, désireux de la perfection, chercha ses vices; les bouffées d'orgueil, depuis longtemps étaient parties. Son goût du travail l'exemptait de la paresse; quant à la gourmandise, personne de plus sobre. Quelquefois des colères l'emportaient.

Il se jura de n'en plus avoir.

Ensuite, il faudrait acquérir les vertus, premièrement l'humilité; c'est-à-dire se croire incapable de tout mérite, indigne de la moindre récompense, immoler son esprit, et se mettre tellement bas que l'on vous foule aux pieds comme la boue des chemins. Il était loin encore de ces dispositions.

Une autre vertu lui manquait : la chasteté. Car, intérieurement, il regrettait Mélie, et le pastel de la dame en robe Louis XV le gênait avec son décolletage.

Il l'enferma dans une armoire, redoubla de pudeur, jusques à craindre de porter ses regards sur lui-même, et couchait avec un caleçon.

Tant de soins autour de la luxure la développèrent. Le matin principalement il avait à subir de grands combats, comme en eurent saint Paul, saint Benoist et saint Jérôme, dans un âge fort avancé ; de suite, ils recouraient à des pénitences furieuses. La douleur est une expiation, un remède et un moyen, un hommage à Jésus-Christ. Tout amour veut des sacrifices, et quel plus pénible que celui de notre corps !

Afin de se mortifier, Pécuchet supprima le petit verre après le repas, se réduisit à quatre prises dans la journée, par les froids extrêmes ne mettait plus de casquette.

Un jour, Bouvard, qui rattachait la vigne, posa une échelle contre le mur de la terrasse près de la maison et, sans le vouloir, se trouva plonger dans la chambre de Pécuchet.

Son ami, nu jusqu'au ventre, avec le martinet aux habits se frappait les épaules doucement ; puis s'animant, retira sa culotte, cingla ses fesses et tomba sur une chaise, hors d'haleine.

Bouvard fut troublé comme à la découverte d'un mystère qu'on ne doit pas surprendre.

Depuis quelque temps, il remarquait plus de netteté sur les carreaux, moins de trous aux serviettes, une nourriture meilleure ; changements qui étaient dus à l'intervention de Reine, la servante de M. le curé.

Mêlant les choses de l'église à celle de sa cuisine, forte comme un valet de charrue et dévouée bien qu'irrespectueuse, elle s'introduisait dans les ménages, donnait des conseils, y devenait maîtresse. Pécuchet se fiait absolument à son expérience.

Une fois, elle lui amena un individu replet, ayant de petits yeux à la chinoise, un nez en bec de vautour. C'était M. Gouttman, négociant en articles de piété ; il en déballa quelques-uns, enfermés dans des boîtes, sous le hangar : croix, médailles et chapelets de toutes dimensions, candélabres pour oratoires, autels portatifs, bouquets de clinquant, des sacrés-cœurs en carton bleu, des saint Joseph à barbe rouge, des calvaires de porcelaine. Pécuchet les convoita. Le prix seul l'arrêtait.

Gouttman ne demandait pas d'argent. Il préférait les échanges, et, monté dans le muséum, il offrit, contre les vieux fers et tous les plombs, un stock de ses marchandises.

Elles parurent hideuses à Bouvard. Mais l'œil de Pécuchet, les instances de Reine et le bagout du brocanteur finirent par le convaincre. Quand il le vit si coulant, Gouttman voulut, en outre, la hallebarde ; Bouvard, las d'en avoir démontré la manœuvre, l'abandonna. L'estimation totale étant faite, ces messieurs devaient encore cent francs. On s'arrangea, moyennant quatre

billets à trois mois d'échéance, et ils s'applaudirent du bon marché.

Leurs acquisitions furent distribuées dans tous les appartements. Une crèche remplie de foin et une cathédrale de liège décorèrent le muséum.

Il y eut sur la cheminée de Pécuchet un saint Jean-Baptiste en cire ; le long du corridor, les portraits des gloires épiscopales, et, au bas de l'escalier, sous une lampe à chaînettes, une sainte Vierge en manteau d'azur et couronnée d'étoiles. Marcel nettoyait ces splendeurs, n'imaginant au paradis rien de plus beau.

Quel dommage que le saint Pierre fût brisé, et comme il aurait fait bien dans le vestibule ! Pécuchet s'arrêtait parfois devant l'ancienne fosse aux composts, où l'on reconnaissait la tiare, une sandale, un bout d'oreille ; lâchait des soupirs, puis continuait à jardiner, car maintenant il joignait les travaux manuels aux exercices religieux et bêchait la terre, vêtu de la robe de moine, en se comparant à saint Bruno. Ce déguisement pouvait être un sacrilège ; il y renonça.

Mais il prenait le genre ecclésiastique, sans doute par la fréquentation du curé. Il en avait le sourire, la voix, et, d'un air frileux, glissait comme lui dans ses manches ses deux mains jusqu'aux poignets. Un jour vint où le chant du coq l'importuna, les roses l'écœuraient ; il ne sortait plus ou jetait sur la campagne des regards farouches.

Bouvard se laissa conduire au mois de Marie. Les enfants qui chantaient les hymnes, les gerbes de lilas, les festons de verdure lui avaient donné comme le sentiment d'une jeunesse impérissable. Dieu se manifestait à son cœur par la forme des nids, la clarté des sources, la bienfaisance du soleil, et la dévotion de son ami lui semblait extravagante, fastidieuse.

— Pourquoi gémis-tu pendant le repas ?

— Nous devons manger en gémissant, répondit Pécuchet, car l'homme, par cette voie, a perdu son innocence, phrase qu'il avait lue dans le *Manuel du séminariste*, deux volumes in-12 empruntés à M. Jeufroy, et il buvait de l'eau de la Salette, se livrait, portes closes, à des oraisons jaculatoires [32], espérait entrer dans la confrérie de Saint-François.

Pour obtenir le don de persévérance, il résolut de faire un pèlerinage à la sainte Vierge.

Le choix des localités l'embarrassa. Serait-ce à Notre-Dame de Fourvières, de Chartres, d'Embrun, de Marseille ou d'Auray ? Celle de la Délivrande, plus proche, convenait aussi bien.

— Tu m'accompagneras ?

— J'aurais l'air d'un cornichon ! dit Bouvard.

Après tout, il pouvait en revenir croyant, ne refusait pas de l'être, et céda par complaisance.

Les pèlerinages doivent s'accomplir à pied. Mais quarante-trois kilomètres seraient durs ; et les gondoles n'étant pas congruentes à la méditation, ils louèrent un vieux cabriolet, qui, après douze heures de route, les déposa devant l'auberge.

Ils eurent une pièce à deux lits, avec deux commodes supportant deux pots à l'eau dans des petites cuvettes

---

32. Prières très courtes et ferventes.

ovales, et l'hôtelier leur apprit que c'était « la chambre des capucins » sous la Terreur. On y avait caché la Dame de la Délivrande avec tant de précaution que les bons Pères y disaient la messe clandestinement.

Cela fit plaisir à Pécuchet, et il lut tout haut une notice sur la chapelle, prise en bas dans la cuisine.

Elle a été fondée au commencement du IIe siècle par saint Régnobert, premier évêque de Lisieux, ou par saint Ragnebert, qui vivait au VIIe, ou par Robert le Magnifique, au milieu du XIe.

Les Danois, les Normands et surtout les protestants l'ont incendiée et ravagée à différentes époques.

Vers 1112, la statue primitive fut découverte par un mouton, qui, en frappant du pied, dans un herbage, indiqua l'endroit où elle était, et sur cette place le comte Baudouin érigea un sanctuaire.

Ses miracles sont innombrables. Un marchand de Bayeux, captif chez les Sarrasins, l'invoqua : ses fers tombent et il s'échappe. Un avare découvre dans son grenier un troupeau de rats, l'appelle à son secours et les rats s'éloignent. Le contact d'une médaille ayant effleuré son effigie fit se repentir au lit de mort un vieux matérialiste de Versailles. Elle rendit la parole au sieur Adeline, qui l'avait perdue pour avoir blasphémé; et, par sa protection, M. et Mme de Becqueville eurent assez de force pour vivre chastement en état de mariage.

On cite, parmi ceux qu'elle a guéris d'affections irrémédiables, Mlle de Palfresne, Anne Lirieux, Marie Duchemin, François Dufai, et Mme de Jumillac, née d'Osseville.

Des personnages considérables l'ont visitée : Louis XI, Louis XIII, deux filles de Gaston d'Orléans, le cardinal Wiseman, Samirrhi, patriarche d'Antioche; Mgr Véroles, vicaire apostolique de la Mandchourie; et l'archevêque de Quélen vint lui rendre grâces, pour la conversion du prince de Talleyrand.

— Elle pourra, dit Pécuchet, te convertir aussi !

Bouvard, déjà couché, eut une sorte de grognement et s'endormit tout à fait.

Le lendemain, à six heures, ils entraient dans la chapelle.

On en construisait une autre; des toiles et des planches embarrassaient la nef, et le monument, de style rococo, déplut à Bouvard, surtout l'autel de marbre rouge, avec ses pilastres corinthiens.

La statue miraculeuse, dans une niche à gauche du chœur, est enveloppée d'une robe à paillettes; le bedeau survint, ayant pour chacun d'eux un cierge. Il le planta sur une manière de herse dominant la balustrade, demanda trois francs, fit une révérence et disparut.

Ensuite, ils regardèrent les ex-voto.

Des inscriptions sur plaques témoignent de la reconnaissance des fidèles. On admire deux épées en sautoir, offertes par un ancien élève de l'École polytechnique, des bouquets de mariée, des médailles militaires, des cœurs d'argent, et, dans l'angle, au niveau du sol, une forêt de béquilles.

De la sacristie déboucha un prêtre portant le saint-ciboire.

Quand il fut resté quelques minutes au bas de l'autel,

il monta les trois marches, dit l'*Oremus*, l'*Introït* et le *Kyrie*, que l'enfant de chœur, à genoux, récita tout d'une haleine.

Les assistants étaient rares, douze ou quinze vieilles femmes. On entendait le froissement de leurs chapelets et le bruit d'un marteau cognant des pierres. Pécuchet, incliné sur son prie-Dieu, répondait aux *Amen*. Pendant l'élévation il supplia Notre-Dame de lui envoyer une foi constante et indestructible.

Bouvard, dans un fauteuil à ses côtés, lui prit son Eucologe et s'arrêta aux litanies de la Vierge.

« Très pure, très chaste, vénérable, aimable, puissante, clémente, tour d'ivoire, maison d'or, porte du ciel, étoile du matin... »

Ces mots d'adoration, ces hyperboles l'emportèrent vers celle qui est célébrée par tant d'hommages.

Il la rêva comme on la figure dans les tableaux d'église, sur un amoncellement de nuages, des chérubins à ses pieds, l'Enfant-Dieu à sa poitrine; mère des tendresses que réclament toutes les afflictions de la terre; idéal de la femme transportée dans le ciel; car, sorti de ses entrailles l'homme exalte son amour et n'aspire qu'à se reposer sur son cœur.

La messe étant finie, ils longèrent les boutiques qui s'adossent contre le mur du côté de la place. On y voit des images, des bénitiers, des urnes à filets d'or, des Jésus-Christ en noix de coco, des chapelets d'ivoire; et le soleil, frappant les verres des cadres, éblouissait les yeux, faisait ressortir la brutalité des peintures, la hideur des dessins. Bouvard, qui, chez lui, trouvait ces choses abominables, fut indulgent pour elles. Il acheta une petite Vierge en pâte bleue. Pécuchet, comme souvenir, se contenta d'un rosaire.

Les marchands criaient :

— Allons! allons! pour cinq francs, pour trois francs, pour soixante centimes, pour deux sols, ne refusez pas Notre-Dame!

Les deux pèlerins flânaient sans rien choisir. Des remarques désobligeantes s'élevèrent.

— Qu'est-ce qu'ils veulent, ces oiseaux-là?

— Ils sont peut-être des Turcs!

— Des protestants plutôt!

Une grande fille tira Pécuchet par la redingote; un vieux en lunettes lui posa la main sur l'épaule; tous braillaient à la fois; puis, quittant leurs baraques, ils vinrent les entourer, redoublaient de sollicitations et d'injures.

Bouvard n'y tint plus.

— Laissez-nous tranquilles, nom de Dieu!

La tourbe s'écarta.

Mais une grosse femme les suivit quelque temps sur la place et cria qu'ils s'en repentiraient.

En rentrant à l'auberge, ils trouvèrent, dans le café, Gouttman. Son négoce l'appelait en ces parages, et il causait avec un individu examinant des bordereaux sur la table devant eux.

Cet individu avait une casquette de cuir, un pantalon très large, le teint rouge et la taille fine malgré ses cheveux blancs, l'air à la fois d'un officier en retraite et d'un vieux cabotin.

De temps à autre, il lâchait un juron, puis, sur un mot

de Gouttman dit plus bas, se calmait de suite, et passait à un autre papier.

Bouvard, qui l'observait, au bout d'un quart d'heure, s'approcha de lui.

— Barberou, je crois?

— Bouvard! s'écria l'homme à la casquette.

Et ils s'embrassèrent.

Barberou, depuis vingt ans, avait enduré toutes sortes de fortunes.

Gérant d'un journal, commis d'assurances, directeur d'un parc aux huîtres.

— Je vous conterai cela.

Enfin, revenu à son premier métier, il voyageait pour une maison de Bordeaux, et Gouttman, qui « faisait le diocèse », lui plaçait des vins chez les ecclésiastiques.

— Mais permettez; dans une minute, je suis à vous!

Il avait repris ses comptes, quand, bondissant sur la banquette :

— Comment! deux mille?

— Sans doute!

— Ah! elle est forte, celle-là!

— Vous dites?

— Je dis que j'ai vu Hérambert, moi-même, répliqua Barberou furieux. La facture porte quatre mille; pas de blagues!

Le brocanteur ne perdit point contenance.

— Eh bien, elle vous libère! après?

Barberou se leva, et, à sa figure blême d'abord, puis violette, Bouvard et Pécuchet croyaient qu'il allait étrangler Gouttman.

Il se rassit, croisa les bras.

— Vous êtes une rude canaille, convenez-en!

— Pas d'injures, monsieur Barberou, il y a des témoins; prenez garde!

— Je vous flanquerai un procès!

— Ta! ta! ta!

Puis, ayant bouclé son portefeuille, Gouttman souleva le bord de son chapeau :

— A l'avantage!

Et il sortit.

Barberou exposa les faits : pour une créance de mille francs doublée par suite de manœuvres usuraires, il avait livré à Gouttman trois mille francs de vins, ce qui payait sa dette avec mille francs de bénéfices; mais, au contraire, il en devait trois mille. Ses patrons le renverraient, on le poursuivrait!

— Crapule! brigand! sale juif! Et ça dîne dans les presbytères! D'ailleurs, tout ce qui touche à la calotte!...

Il déblatéra contre les prêtres, et tapait sur la table avec tant de violence que la statuette faillit tomber.

— Doucement! dit Bouvard.

— Tiens! Qu'est-ce que ça?

Et Barberou, ayant défait l'enveloppe de la petite Vierge :

— Un bibelot du pèlerinage! A vous?

Bouvard, au lieu de répondre, sourit d'une manière ambiguë.

— C'est à moi! dit Pécuchet.

— Vous m'affligez, reprit Barberou, mais je vous éduquerai là-dessus, n'ayez pas peur!

Et comme on doit être philosophe, et que la tristesse ne sert à rien, il leur offrit à déjeuner.

Tous les trois s'attablèrent.

Barberou fut aimable, rappela le vieux temps, prit la taille de la bonne, voulut toiser le ventre de Bouvard. Il irait chez eux bientôt, et leur apporterait un livre farce.

L'idée de sa visite les réjouissait médiocrement. Ils en causèrent dans la voiture pendant une heure, au trot du cheval. Ensuite Pécuchet ferma les paupières. Bouvard se taisait aussi. Intérieurement, il penchait vers la religion.

M. Marescot s'était présenté la veille pour leur faire une communication importante. Marcel n'en savait pas davantage.

Le notaire ne put les recevoir que trois jours après, et de suite exposa la chose. Pour une rente de sept mille cinq cents francs, Mme Bordin proposait à M. Bouvard de lui acheter leur ferme.

Elle la reluquait depuis sa jeunesse, en connaissait les tenants et aboutissants, défauts et avantages; et ce désir était comme un cancer qui la minait. Car la bonne dame, en vraie Normande, chérissait, par-dessus tout, le bien, moins pour la sécurité du capital que pour le bonheur de fouler le sol vous appartenant. Dans l'espoir de celui-là, elle avait pratiqué des enquêtes, une surveillance journalière, de longues économies, et elle attendait, avec impatience, la réponse de Bouvard.

Il fut embarrassé, ne voulant pas que Pécuchet, un jour, se trouvât sans fortune; mais il fallait saisir l'occasion, qui était l'effet du pèlerinage : la Providence, pour la seconde fois, se manifestait en leur faveur.

Ils offrirent les conditions suivantes : la rente, non pas de sept mille cinq cents francs, mais de six mille, serait dévolue au dernier survivant. Marescot fit valoir que l'un était faible de santé. Le tempérament de l'autre le disposait à l'apoplexie, et Mme Bordin signa le contrat, emportée par la passion.

Bouvard en resta mélancolique. Quelqu'un désirait sa mort, et cette réflexion lui inspira des pensées graves, des idées de Dieu et d'éternité.

Trois jours après, M. Jeufroy les invita au repas de cérémonie qu'il donnait une fois par an à des collègues.

Le dîner commença vers deux heures de l'après-midi, pour finir à onze heures du soir.

On y but du poiré, on y débita des calembours. L'abbé Pruneau composa, séance tenante, un acrostiche, M. Bougon fit des tours de cartes, et Acrpet, jeune vicaire, chanta une petite romance qui frisait la galanterie. Un pareil milieu divertit Bouvard. Il fut moins sombre le lendemain.

Le curé vint le voir fréquemment. Il présentait la Religion sous des couleurs gracieuses. Que risque-t-on, du reste? et Bouvard consentit bientôt à s'approcher de la sainte table. Pécuchet, en même temps que lui, participerait au sacrement.

Le grand jour arriva.

L'église, à cause des premières communions, était pleine de monde. Les bourgeois et les bourgeoises encombraient leurs bancs, et le menu peuple se tenait debout par derrière, ou dans le jubé, au-dessus de la porte.

Ce qui allait se passer tout à l'heure était inexplicable, songeait Bouvard, mais la raison ne suffit pas à comprendre certaines choses. De très grands hommes ont admis celle-là. Autant faire comme eux, et, dans une sorte d'engourdissement, il contemplait l'autel, l'encensoir, les flambeaux, la tête un peu vide, car il n'avait rien mangé, et éprouvait une singulière faiblesse.

Pécuchet, en méditant la Passion de Jésus-Christ, s'excitait à des élans d'amour. Il aurait voulu lui offrir son âme, celle des autres, et les ravissements, les transports, les illuminations des saints, tous les êtres, l'univers entier. Bien qu'il priât avec ferveur, les différentes parties de la messe lui semblèrent un peu longues.

Enfin, les petits garçons s'agenouillèrent sur la première marche de l'autel, formant avec leurs habits une bande noire, que surmontaient inégalement des chevelures blondes ou brunes. Les petites filles les remplacèrent, ayant, sous leurs couronnes, des voiles qui tombaient; de loin, on aurait dit un alignement de nuées blanches au fond du chœur.

Puis ce fut le tour des grandes personnes.

La première du côté de l'Evangile était Pécuchet, mais trop ému, sans doute, il oscillait la tête de droite et de gauche. Le curé eut peine à lui mettre l'hostie dans la bouche, et il la reçut en tournant les prunelles.

Bouvard, au contraire, ouvrit si largement les mâchoires, que sa langue lui pendait sur la lèvre comme un drapeau. En se relevant, il coudoya Mme Bordin. Leurs yeux se rencontrèrent. Elle souriait; sans savoir pourquoi, il rougit.

Après Mme Bordin, communièrent ensemble Mlle de Faverges, la comtesse, leur dame de compagnie, et un monsieur que l'on ne connaissait pas à Chavignolles.

Les deux derniers furent Placquevent et Petit, l'instituteur, quand, tout à coup, on vit paraître Gorju.

Il n'avait plus de barbiche; et il regagna sa place, les bras en croix sur la poitrine, d'une manière fort édifiante.

Le curé harangua les petits garçons. Qu'ils aient soin plus tard de ne point faire comme Judas qui trahit son Dieu, et de conserver toujours leur robe d'innocence. Pécuchet regretta la sienne. Mais on remuait des chaises, les mères avaient hâte d'embrasser leurs enfants.

Les paroissiens, à la sortie, échangèrent des félicitations. Quelques-uns pleuraient. Mme de Faverges, en attendant sa voiture, se tourna vers Bouvard et Pécuchet et présenta son futur gendre :

— M. le baron de Mahurot, ingénieur!

Le comte se plaignait de ne pas les voir. Il serait revenu la semaine prochaine.

— Notez-le! je vous prie.

La calèche étant arrivée, les dames du château partirent, et la foule se dispersa.

Ils trouvèrent dans leur cour un paquet au milieu de l'herbe. Le facteur, comme la maison était close, l'avait jeté par-dessus le mur. C'était l'ouvrage que Barberou avait promis : *Examen du Christianisme*, par Louis Her-

vieu, ancien élève de l'Ecole normale. Pécuchet le repoussa. Bouvard ne désirait pas le connaître.

On lui avait répété que le sacrement le transformerait : durant plusieurs jours, il guetta des floraisons dans sa conscience. Il était toujours le même, et un étonnement douloureux le saisit.

Comment! la chair de Dieu se mêle à notre chair et elle n'y cause rien! La pensée qui gouverne les mondes n'éclaire pas notre esprit! Le suprême pouvoir nous abandonne à l'impuissance!

M. Jeufroy, en le rassurant, lui ordonna le *Catéchisme* de l'abbé Gaume.

Au contraire, la dévotion de Pécuchet s'était développée. Il aurait voulu communier sous les deux espèces, chantait des psaumes en se promenant dans le corridor, arrêtait les Chavignollais pour discuter et les convertir. Vaucorbeil lui rit au nez, Girbal haussa les épaules et le capitaine l'appela Tartufe. On trouvait maintenant qu'ils allaient trop loin.

Une excellente habitude, c'est d'envisager les choses comme autant de symboles. Si le tonnerre gronde, figurez-vous le jugement dernier; devant un ciel sans nuages, pensez au séjour des bienheureux; dites-vous dans vos promenades que chaque pas vous rapproche de la mort. Pécuchet observa cette méthode. Quand il prenait ses habits, il songeait à l'enveloppe charnelle dont la seconde personne de la Trinité s'est revêtue, le tic-tac de l'horloge lui rappelait les battements de son cœur, une piqûre d'épingle les clous de la croix; mais il eut beau se tenir à genoux, pendant des heures, et multiplier les jeûnes, et se pressurer l'imagination, le détachement de soi-même ne se faisait pas; impossible d'atteindre à la contemplation parfaite.

Il recourut à des auteurs mystiques : sainte Thérèse, Jean de la Croix, Louis de Grenade, Simpoli, et de plus modernes, Mgr Chaillot. Au lieu des sublimités qu'il attendait, il ne rencontra que des platitudes, un style très lâche, de froides images et force comparaisons tirées de la boutique des lapidaires.

Il apprit cependant qu'il y a une purgation active et une purgation passive, une vision interne et une vision externe, quatre espèces d'oraisons, neuf excellences dans l'amour, six degrés dans l'humilité, et que la blessure de l'âme ne diffère pas beaucoup du vol spirituel.

Des points l'embarrassaient :

Puisque la chair est maudite, comment se fait-il que l'on doive remercier Dieu pour le bienfait de l'existence? Quelle mesure garder entre la crainte indispensable au salut, et l'espérance qui ne l'est pas moins? Où est le signe de la grâce? etc.

Les réponses de M. Jeufroy étaient simples :

— Ne vous tourmentez pas. A vouloir tout approfondir, on court sur une pente dangereuse.

Le *Catéchisme de persévérance*, par Gaume, avait tellement dégoûté Bouvard qu'il prit le volume de Louis Hervieu. C'était un sommaire de l'exégèse moderne, défendu par le gouvernement. Barberou, comme républicain, l'avait acheté.

Il éveilla des doutes dans l'esprit de Bouvard, et d'abord sur le péché originel.

— Si Dieu a créé l'homme peccable, il ne devait pas le punir, et le mal est antérieur à la chute puisqu'il y avait déjà des volcans, des bêtes féroces. Enfin ce dogme bouleverse mes notions de justice.

— Que voulez-vous? disait le curé, c'est une de ces vérités dont tout le monde est d'accord, sans qu'on puisse en fournir de preuves; et nous-mêmes, nous faisons rejaillir sur les enfants les crimes de leurs pères. Ainsi les mœurs et les lois justifient ce décret de la Providence, que l'on retrouve dans la nature.

Bouvard hocha la tête. Il doutait aussi de l'enfer.

— Car tout châtiment doit viser à l'amélioration du coupable, ce qui devient impossible avec une peine éternelle; et combien l'endurent! Songez donc! tous les anciens, les juifs, les musulmans, les idolâtres, les hérétiques et les enfants morts sans baptême, ces enfants créés par Dieu, et dans quel but? pour les punir d'une faute qu'ils n'ont pas commise!

— Telle est l'opinion de saint Augustin, ajouta le curé, et saint Fulgence enveloppe dans la damnation jusqu'aux fœtus. L'Eglise, il est vrai, n'a rien décidé à cet égard. Une remarque pourtant : ce n'est pas Dieu, mais le pécheur qui se damne lui-même, et l'offense étant infinie, puisque Dieu est infini, la punition doit être infinie. Est-ce tout, monsieur?

— Expliquez-moi la Trinité, dit Bouvard.

— Avec plaisir. Prenons une comparaison : les trois côtés du triangle, ou plutôt notre âme, qui contient : être, connaître et vouloir; ce qu'on appelle faculté chez l'homme, est personne en Dieu. Voilà le mystère.

— Mais les trois côtés du triangle ne sont pas chacun le triangle; ces trois facultés de l'âme ne font pas trois âmes, et vos personnes de la Trinité sont trois Dieux.

— Blasphème!

— Alors il n'y a qu'une personne, un Dieu, une substance affectée de trois manières!

— Adorons sans comprendre, dit le curé.

— Soit, dit Bouvard.

Il avait peur de passer pour un impie, d'être mal vu au château.

Maintenant, ils y venaient trois fois la semaine, vers cinq heures, en hiver, et la tasse de thé les réchauffait. M. le comte, par ses allures, « rappelait le chic de l'ancienne cour »; la comtesse, placide et grasse, montrait sur toutes choses un grand discernement. Mlle Yolande, leur fille « le type de la jeune personne », l'ange des keepsakes, et Mme de Noares, leur dame de compagnie, ressemblait à Pécuchet, ayant son nez pointu.

La première fois qu'ils entrèrent dans le salon, elle défendait quelqu'un.

— Je vous assure qu'il est changé! Son cadeau le prouve.

Ce quelqu'un était Gorju. Il venait d'offrir aux futurs époux un prie-Dieu gothique. On l'apporta. Les armes des deux maisons s'y étalaient en relief de couleur. M. de Mahurot en parut content, et Mme de Noares lui dit :

— Vous vous souviendrez de mon protégé?

Ensuite, elle amena deux enfants, un gamin d'une douzaine d'années, et sa sœur, qui en avait peut-être dix. Par les trous de leurs guenilles, on voyait leurs membres rouges de froid. L'un était chaussé de vieilles pantoufles, l'autre n'avait plus qu'un sabot. Leurs fronts disparaissaient sous leurs chevelures, et ils regardaient autour d'eux avec des prunelles ardentes, comme de jeunes loups effarés.

Mme de Noares conta qu'elle les avait rencontrés le matin sur la grand'route. Placquevent ne pouvait fournir aucun détail.

On leur demanda leur nom.

— Victor, Victorine.

— Où était leur père?

— En prison.

— Et avant, que faisait-il?

— Rien.

— Leur pays?

— Saint-Pierre.

— Mais quel Saint-Pierre?

Les deux petits, pour toute réponse, disaient, en reniflant :

— Sais pas, sais pas.

Leur mère était morte, et ils mendiaient.

Mme de Noares exposa combien il serait dangereux de les abandonner; elle attendrit la comtesse, piqua d'honneur le comte, fut soutenue par Mademoiselle, s'obstina, réussit. La femme du garde-chasse en prendrait soin. On leur trouverait de l'ouvrage plus tard, et, comme ils ne savaient ni lire ni écrire, Mme de Noares leur donnerait elle-même des leçons, afin de les préparer au catéchisme.

Quand M. Jeufroy venait au château, on allait quérir les deux mioches; il les interrogeait, puis faisait une conférence où il mettait de la prétention, à cause de l'auditoire.

Une fois qu'il avait discouru sur les patriarches, Bouvard, en s'en retournant avec lui et Pécuchet, les dénigra fortement.

Jacob s'est distingué par des filouteries, David par des meurtres, Salomon par des débauches.

L'abbé lui répondit qu'il fallait voir au delà. Le sacrifice d'Abraham est la figure de la Passion; Jacob une autre figure du Messie, comme Joseph, comme le serpent d'airain, comme Moïse.

— Croyez-vous, dit Bouvard, qu'il ait composé le Pentateuque?

— Oui, sans doute!

— Cependant, on y raconte sa mort; même observation pour Josué, et, quant aux Juges, l'auteur nous prévient qu'à l'époque dont il fait l'histoire Israël n'avait pas encore de rois. L'ouvrage fut donc écrit sous les Rois. Les prophètes aussi m'étonnent.

— Il va nier les prophètes, maintenant!

— Pas du tout! mais leur esprit échauffé percevait Jéhovah sous des formes diverses, celle d'un feu, d'une broussaille, d'un vieillard, d'une colombe, et ils n'étaient pas certains de la révélation, puisqu'ils demandent toujours un signe.

— Ah! et vous avez découvert ces belles choses?...

— Dans Spinoza.

A ce mot, le curé bondit.

— L'avez-vous lu?

— Dieu m'en garde!

— Pourtant, monsieur, la science...

— Monsieur, on n'est pas savant si l'on n'est chrétien.

La science lui inspirait des sarcasmes :

— Fera-t-elle pousser un épi de grain, votre science? Que savons-nous? disait-il.

Mais il savait que le monde a été créé pour nous; il savait que les archanges sont au-dessus des anges; il savait que le corps humain ressuscitera tel qu'il était vers la trentaine.

Son aplomb sacerdotal agaçait Bouvard, qui, par méfiance de Louis Hervieu, écrivit à Varlot, et Pécuchet, mieux informé, demanda à M. Jeufroy des explications sur l'Ecriture.

Les six jours de la Genèse veulent dire six grandes époques. Le rapt des vases précieux fait par les Juifs aux Egyptiens doit s'entendre des richesses intellectuelles, les arts dont ils avaient dérobé le secret. Isaïe ne se dépouilla pas complètement, *nudus*, en latin, signifiant nu jusqu'aux hanches; ainsi Virgile conseille de se mettre nu pour labourer, et cet écrivain n'eût pas donné un précepte contraire à la pudeur; Ezéchiel dévorant un livre n'a rien d'extraordinaire; ne dit-on pas dévorer une brochure, un journal?

Mais si l'on voit partout des métaphores, que deviendront les faits? L'abbé soutenait, cependant, qu'ils étaient réels.

Cette manière de les entendre parut déloyale à Pécuchet. Il poussa plus loin ses recherches et apporta une note sur les contradictions de la Bible.

L'Exode nous apprend que pendant quarante ans on fit des sacrifices dans le désert, on n'en fit aucun suivant Amos et Jérémie. Les Paralipomènes [33] et le livre d'Esdras ne sont point d'accord sur le dénombrement du peuple. Dans le Deutéronome, Moïse voit le Seigneur face à face; d'après l'Exode, jamais il ne put le voir. Où est alors l'inspiration?

— Motif de plus pour l'admettre, répliquait en souriant M. Jeufroy. Les imposteurs ont besoin de connivence, les sincères n'y prennent garde! Dans l'embarras, recourons à l'Eglise. Elle est toujours infaillible.

De qui relève l'infaillibilité?

Les conciles de Bâle et de Constance l'attribuent aux conciles. Mais souvent les conciles diffèrent, témoin ce qui se passa pour Athanase et pour Arius; ceux de Florence et de Latran la décernent au pape. Mais Adrien VI déclare que le pape, comme un autre, peut se tromper.

Chicanes! Tout cela ne fait rien à la permanence du dogme.

L'ouvrage de Louis Hervieu en signale les variations : le baptême, autrefois, était réservé pour les adultes. L'extrême-onction ne fut un sacrement qu'au IXᵉ siècle;

la Présence réelle a été décrétée au VIIIᵉ, le purgatoire reconnu au XVᵉ, l'Immaculée Conception est d'hier.

Et Pécuchet en arriva à ne plus savoir que penser de Jésus. Trois Evangiles en font un homme. Dans un passage de saint Jean, il paraît s'égaler à Dieu; dans un autre, du même, se reconnaître son inférieur.

L'abbé ripostait par la lettre du roi Abgar, les actes de Pilate et le témoignage des Sibylles « dont le fond est véritable ». Il retrouvait la Vierge dans les Gaules, l'annonce d'un rédempteur en Chine, la Trinité partout, la croix sur le bonnet du grand-lama, en Egypte au poing des dieux; et, même, il fit voir une gravure, représentant un nilomètre [34], lequel était un phallus, suivant Pécuchet.

M. Jeufroy consultait secrètement son ami Pruneau, qui lui cherchait des preuves dans les auteurs. Une lutte d'érudition s'engagea; et, fouetté par l'amour-propre, Pécuchet devint transcendant, mythologue.

Il comparait la Vierge à Isis, l'Eucharistie au *homa* [35] des Perses, Bacchus à Moïse, l'arche de Noé au vaisseau de Xithuros; ces ressemblances pour lui démontraient l'identité des religions.

Mais il ne peut y avoir plusieurs religions, puisqu'il n'y a qu'un Dieu; et quand il était à bout d'arguments, l'homme à la soutane s'écriait :

— C'est un mystère!

Que signifie ce mot? Défaut de savoir, très bien. Mais s'il désigne une chose dont le seul énoncé implique contradiction, c'est une sottise; et Pécuchet ne quittait plus M. Jeufroy. Il le surprenait dans son jardin, l'attendait au confessionnal, le relançait dans la sacristie.

Le prêtre imaginait des ruses pour le fuir.

Un jour qu'il était parti à Sassetot administrer quelqu'un, Pécuchet se porta au-devant de lui sur la route, manière de rendre la conversation inévitable.

C'était le soir, vers la fin d'août. Le ciel écarlate se rembrunit, et un gros nuage s'y forma, régulier dans le bas, avec des volutes au sommet.

Pécuchet, d'abord, parla de choses indifférentes; puis, ayant glissé le mot martyr :

— Combien pensez-vous qu'il y en ait eu?

— Une vingtaine de millions pour le moins.

— Leur nombre n'est pas si grand, dit Origène.

— Origène, vous savez, est suspect!

Un large coup de vent passa, inclinant l'herbe des fossés et les deux rangs d'ormeaux jusqu'au bout de l'horizon.

Pécuchet reprit :

— On classe, dans les martyrs, beaucoup d'évêques gaulois, tués en résistant aux Barbares, ce qui n'est plus la question.

— Allez-vous défendre les empereurs?

Suivant Pécuchet, on les avait calomniés.

L'histoire de la légion thébaine est une fable. Je conteste également Symphorose et ses sept fils, Félicité et ses sept filles, et les sept vierges d'Ancyre, condamnées au viol, bien que septuagénaires, et les onze mille vierges

---

33. C'est le nom donné dans la *Vulgate* aux *Chroniques*, deux livres historiques qui complètent les *Livres des Rois*.

34. Colonne graduée destinée à mesurer les crues du Nil.
35. Génie, dans la religion de Zoroastre.

de sainte Ursule, dont une compagne s'appelait *Undece-milla*, un nom pris pour un chiffre ; encore plus, les dix martyrs d'Alexandrie !

— Cependant... cependant, ils se trouvent dans des auteurs dignes de créance.

Des gouttes d'eau tombèrent. Le curé déploya son parapluie ; et Pécuchet, quand il fut dessous, osa prétendre que les catholiques avaient fait plus de martyrs chez les juifs, les musulmans, les protestants et les libres penseurs que tous les Romains autrefois.

L'ecclésiastique se récria :

— Mais on compte dix persécutions depuis Néron jusqu'au César Galba !

— Eh bien ! et les massacres des Albigeois ? et la Saint-Barthélemy ? et la révocation de l'édit de Nantes ?

— Excès déplorables sans doute, mais vous n'allez pas comparer ces gens-là à saint Etienne, saint Laurent, Cyprien, Polycarpe, une foule de missionnaires !

— Pardon ! je vous rappellerai Hypathie, Jérôme de Prague, Jean Huss, Bruno, Vanini, Anne Du Bourg !

La pluie augmentait, et ses rayons dardaient si fort, qu'ils rebondissaient du sol, comme de petites fusées blanches. Pécuchet et M. Jeufroy marchaient avec lenteur serrés l'un contre l'autre, et le curé disait :

— Après les supplices abominables, on les jetait dans les chaudières !

— L'Inquisition employait de même la torture, et elle vous brûlait très bien.

— On exposait les dames illustres dans les *lupanars !*

— Croyez-vous que les dragons de Louis XIV fussent décents ?

— Et notez que les chrétiens n'avaient rien fait contre l'Etat !

— Les Huguenots pas davantage !

Le vent chassait, balayait la pluie dans l'air. Elle claquait sur les feuilles, ruisselait au bord du chemin, et le ciel, couleur de boue, se confondait avec les champs dénudés, la moisson étant finie. Pas un toit. Au loin seulement, la cabane d'un berger.

Le maigre paletot de Pécuchet n'avait plus un fil de sec. L'eau coulait le long de son échine, entrait dans ses bottes, dans ses oreilles, dans ses yeux, malgré la visière de la casquette Amoros ; le curé, en relevant d'un bras la queue de sa soutane, se découvrait les jambes, et les pointes de son tricorne crachaient l'eau sur ses épaules comme les gargouilles de cathédrale.

Il fallut s'arrêter, et tournant le dos à la tempête, ils restèrent face à face, ventre contre ventre, en tenant à quatre mains le parapluie qui oscillait.

M. Jeufroy n'avait pas interrompu la défense des catholiques.

— Ont-ils crucifié vos protestants, comme le fut saint Siméon, ou fait dévorer un homme par deux tigres, comme il advint à saint Ignace ?

— Mais comptez-vous pour quelque chose tant de femmes séparées de leurs maris, d'enfants arrachés à leurs mères ! Et les exils des pauvres, à travers la neige, au milieu des précipices ! On les entassait dans les prisons ; à peine morts, on les traînait sur la claie.

L'abbé ricana :

— Vous me permettrez de n'en rien croire ! Et nos martyrs à nous sont moins douteux. Sainte Blandine a été livrée nue dans un filet à une vache furieuse. Sainte Julie périt assommée de coups. Saint Taraque, saint Probus et saint Andronic, on leur a brisé les dents avec un marteau, déchiré les côtes avec des peignes en fer, traversé les mains avec des clous rougis, enlevé la peau du crâne.

— Vous exagérez, dit Pécuchet. La mort des martyrs était, en ce temps-là, une amplification de rhétorique.

— Comment ! de la rhétorique ?

— Mais oui ! tandis que moi, monsieur, je vous raconte de l'histoire. Les catholiques, en Irlande, éventrèrent des femmes enceintes pour prendre leurs enfants !

— Jamais !

— Et les donner aux pourceaux !

— Allons donc !

— En Belgique, ils les enterraient toutes vives !

— Quelle plaisanterie !

— On a leurs noms !

— Et quand même ! objecta le prêtre, en secouant de colère son parapluie. On ne peut les appeler des martyrs. Il n'y en a pas en dehors de l'Eglise.

— Un mot. Si la valeur du martyr dépend de la doctrine, comment servirait-il à en démontrer l'excellence ?

La pluie se calmait ; jusqu'au village ils ne parlèrent plus.

Mais, sur le seuil du presbytère, l'abbé dit :

— Je vous plains ! véritablement, je vous plains !

Pécuchet conta de suite à Bouvard son altercation. Elle lui avait causé une malveillance antireligieuse, et une heure après, assis devant un feu de broussailles, il lisait le *Curé Meslier* [36]. Ces négations lourdes le choquèrent ; puis, se reprochant d'avoir méconnu peut-être des héros, il feuilleta, dans la *Bibliographie*, l'histoire des martyrs les plus illustres.

Quelles clameurs du peuple, quand ils entraient dans l'arène ! et si les lions et les jaguars étaient trop doux, du geste et de la voix ils les excitaient à s'avancer. On les voyait tout couverts de sang, sourire debout, le regard au ciel ; sainte Perpétue renoua ses cheveux pour ne point paraître affligée. Pécuchet se mit à réfléchir. La fenêtre étant ouverte, la nuit tranquille, beaucoup d'étoiles brillaient. Il devait se passer dans leur âme des choses dont nous n'avons plus l'idée, une joie, un spasme divin ! Et Pécuchet, à force d'y rêver, dit qu'il comprenait cela, aurait fait comme eux.

— Toi ?

— Certainement.

— Pas de blague ! Crois-tu, oui ou non ?

— Je ne sais.

Il alluma une chandelle ; puis, ses yeux tombant sur le crucifix dans l'alcôve :

— Combien de misérables ont recouru à celui-là !

36. Jean Meslier, curé de campagne (1664-1729), en rupture avec l'Eglise et les croyances catholiques. Voltaire publia, sous la signature posthume du curé Meslier, un *Testament de Jean Meslier* (1762) et des *Extraits des sentiments de Jean Meslier* (1768).

Et après un silence :

— On l'a dénaturé! c'est la faute de Rome : la politique du Vatican!

Mais Bouvard admirait l'Eglise pour sa magnificence, et aurait souhaité au moyen âge être un cardinal.

— J'aurais eu bonne mine sous la pourpre, conviens-en!

La casquette de Pécuchet posée devant les charbons n'était pas sèche encore. Tout en l'étirant, il sentit quelque chose dans la doublure et une médaille de saint Joseph tomba. Ils furent troublés, le fait leur paraissant inexplicable!

Mme de Noares voulut savoir de Pécuchet s'il n'avait pas éprouvé comme un changement, un bonheur, et se trahit par ses questions. Une fois, pendant qu'il jouait au billard, elle lui avait cousu la médaille dans sa casquette.

Evidemment, elle l'aimait; ils auraient pu se marier : elle était veuve et il ne soupçonna pas cet amour, qui peut-être eût fait le bonheur de sa vie.

Bien qu'il se montrât plus religieux que M. Bouvard, elle l'avait dédié à saint Joseph, dont le secours est excellent pour les conversions.

Personne, comme elle, ne connaissait tous les chapelets et les indulgences qu'ils procurent, l'effet des reliques, les privilèges des eaux saintes. Sa montre était retenue par une chaînette qui avait touché aux liens de saint Pierre.

Parmi ses breloques luisait une perle d'or, à l'imitation de celle qui contient, dans l'église d'Allouagne, une larme de Notre-Seigneur; un anneau à son petit doigt enfermait des cheveux du curé d'Ars et, comme elle cueillait des simples pour les malades, sa chambre ressemblait à une sacristie et à une officine d'apothicaire.

Son temps se passait à écrire des lettres, à visiter les pauvres, à dissoudre des concubinages, à répandre des photographies du Sacré-Cœur. Un monsieur devait lui envoyer de la « pâte des martyrs », mélange de cire pascale et de poussière humaine prise aux catacombes, et qui s'emploie dans les cas désespérés, en mouches ou en pilules. Elle en promit à Pécuchet.

Il parut choqué d'un tel matérialisme.

Le soir, un valet de chambre lui apporta une hottée d'opuscules, relatant des paroles pieuses du grand Napoléon, des bons mots de curé dans les auberges, des morts effrayantes advenues à des impies. Mme de Noares savait tout cela par cœur, avec une infinité de miracles.

Elle en contait de stupides, des miracles sans but, comme si Dieu les eût faits pour ébahir le monde. Sa grand'mère à elle-même avait serré dans une armoire douze pruneaux couverts d'un linge, et quand on ouvrit l'armoire un an plus tard, on en vit treize sur la nappe, formant la croix.

— Expliquez-moi cela.

C'était son mot après ses histoires, qu'elle soutenait avec un entêtement de bourrique, bonne femme, d'ailleurs, et d'humeur enjouée.

Une fois pourtant « elle sortit de son caractère ». Bouvard lui contestait le miracle de Pezilla : un compo-

tier, où l'on avait caché des hosties pendant la révolution, se dora de lui-même, tout seul.

— Peut-être y avait-il au fond un peu de couleur jaune provenant de l'humidité?

— Mais non! je vous répète que non! La dorure a pour cause le contact de l'Eucharistie.

Et elle donna en preuve l'attestation des évêques.

— C'est, disent-ils, comme un bouclier, un... un palladium sur le diocèse de Perpignan. Demandez plutôt à M. Jeufroy!

Bouvard n'y tint plus, et, ayant repassé son Louis Hervieu, emmena Pécuchet.

L'ecclésiastique finissait de dîner. Reine offrit des sièges, et, sur un geste, alla prendre deux petits verres qu'elle emplit de *Rosolio*.

Après quoi, Bouvard exposa ce qui l'amenait.

L'abbé ne répondit pas franchement.

— Tout est possible à Dieu, et les miracles sont une preuve de la religion.

— Cependant il y a des lois.

— Cela n'y fait rien. Il les dérange pour instruire, corriger.

— Que savez-vous s'il les dérange? répliqua Bouvard. Tant que la nature suit sa routine, on n'y pense pas; mais dans un phénomène extraordinaire nous voyons la main de Dieu.

— Elle peut y être, dit l'ecclésiastique, et quand un événement se trouve certifié par des témoins...

— Les témoins gobent tout, car il y a de faux miracles!

Le prêtre devint rouge.

— Sans doute... quelquefois.

— Comment les distinguer des vrais? Et si les vrais, donnés en preuve, ont eux-mêmes besoin de preuves, pourquoi en faire?

Reine intervint, et, prêchant comme son maître, dit qu'il fallait obéir.

— La vie est un passage, mais la mort est éternelle!

— Bref, ajouta Bouvard en lampant le *Rosolio*, les miracles d'autrefois ne sont pas mieux démontrés que les miracles d'aujourd'hui; des raisons analogues défendent ceux des chrétiens et des païens.

Le curé jeta sa fourchette sur la table.

— Ceux-là étaient faux, encore un coup! Pas de miracles en dehors de l'Eglise!

— Tiens! se dit Pécuchet, même argument que pour les martyrs : la doctrine s'appuie sur les faits et les faits sur la doctrine.

M. Jeufroy ayant bu un verre d'eau, reprit :

— Tout en les niant, vous y croyez. Le monde que convertirent douze pêcheurs, voilà, il me semble, un beau miracle!

— Pas du tout!

Pécuchet en rendait compte d'une autre manière.

— Le monothéisme vient des Hébreux, la Trinité des Indiens, le Logos est à Platon, la Vierge-mère à l'Asie.

N'importe! M. Jeufroy tenait au surnaturel, ne voulait pas que le christianisme pût avoir humainement la moindre raison d'être, bien qu'il en vît chez tous les peuples des prodromes ou des déformations. L'impiété railleuse du xviiie siècle, il l'eût tolérée; mais la critique moderne, avec sa politesse, l'exaspérait.

— J'aime mieux l'athée qui blasphème, que le sceptique qui ergote!

Puis il les regarda d'un air de bravade, comme pour les congédier.

Pécuchet s'en retourna mélancolique. Il avait espéré l'accord de la foi et de la raison.

Bouvard lui fit lire ce passage de Louis Hervieu:

« Pour connaître l'abîme qui les sépare, opposez leurs axiomes:

« La raison vous dit: Le tout enferme la partie, et la foi vous répond: Par la substantiation, Jésus, communiant avec ses apôtres, avait son corps dans sa main, et sa tête dans sa bouche.

« La raison vous dit: On n'est pas responsable du crime des autres, et la foi vous répond: Par le péché originel.

« La raison vous dit: Trois c'est trois, et la foi déclare que: Trois c'est un. »

Ils ne fréquentèrent plus l'abbé.

C'était l'époque de la guerre d'Italie.

Les honnêtes gens tremblaient pour le pape. On tonnait contre Emmanuel. Mme de Noares allait jusqu'à lui souhaiter la mort.

Bouvard et Pécuchet ne protestaient que timidement. Quand la porte du salon tournait devant eux et qu'ils se miraient en passant dans les hautes glaces, tandis que par les fenêtres on apercevait les allées, où tranchait sur la verdure le gilet rouge d'un domestique, ils éprouvaient un plaisir; et le luxe du milieu les faisait indulgents aux paroles qui s'y débitaient.

Le comte leur prêta tous les ouvrages de M. de Maistre. Il en développait les principes devant un cercle d'intimes: Hurel, le curé, le juge de paix, le notaire et le baron, son futur gendre, qui venait de temps à autre pour vingt-quatre heures au château.

— Ce qu'il y a d'abominable, disait le comte, c'est l'esprit de 89! D'abord, on conteste Dieu; ensuite, on discute le gouvernement; puis arrive la liberté. Liberté d'injures, de révolte, de jouissances, ou plutôt de pillage, si bien que la religion et le pouvoir doivent proscrire les indépendants, les hérétiques. On criera sans doute à la persécution, comme si les bourreaux persécutaient les criminels. Je me résume: Point d'Etat sans Dieu! la loi ne pouvant être respectée que si elle vient d'en haut, et, actuellement, il ne s'agit pas des Italiens, mais de savoir qui l'emportera de la Révolution ou du pape, de Satan ou de Jésus-Christ.

M. Jeufroy approuvait par des monosyllabes, Hurel avec un sourire, le juge de paix en dodelinant la tête. Bouvard et Pécuchet regardaient le plafond; Mme de Noares, la comtesse et Yolande travaillaient pour les pauvres, et M. de Mahurot, près de sa fiancée, parcourait les feuilles.

Puis, il y avait des silences, où chacun semblait plongé dans la recherche d'un problème. Napoléon III n'était plus un sauveur, et même il donnait un exemple déplorable en laissant aux Tuileries les maçons travailler le dimanche.

« On ne devrait pas permettre », était la phrase ordinaire de M. le comte.

Economie sociale, beaux-arts, littérature, histoire, doctrines scientifiques, il décidait de tout, en sa qualité de chrétien et de père de famille; et plût à Dieu que le gouvernement, à cet égard, eût la même rigueur qu'il déployait dans sa maison! Le pouvoir seul est juge des dangers de la science; répandue trop largement, elle inspire au peuple des ambitions funestes. Il était plus heureux, ce pauvre peuple, quand les seigneurs et les évêques tempéraient l'absolutisme du roi. Les industriels maintenant l'exploitent. Il va tomber en esclavage.

Et tous regrettaient l'ancien régime: Hurel par bassesse, Coulon par ignorance, Marescot comme artiste.

Bouvard, une fois chez lui, se retrempait avec La Mettrie, d'Holbach, etc.; et Pécuchet s'éloigna d'une religion devenue un moyen de gouvernement. M. de Mahurot avait communié pour séduire mieux « ces dames », et s'il pratiquait, c'était à cause des domestiques.

Mathématicien et dilettante, jouant des valses sur le piano et admirateur de Topffer, il se distinguait par un scepticisme de bon goût. Ce qu'on rapporte des abus féodaux, de l'Inquisition et des Jésuites, préjugés; et il vantait le progrès bien qu'il méprisât tout ce qui n'est pas gentilhomme ou sorti de l'Ecole polytechnique!

M. Jeufroy, de même, leur déplaisait. Il croyait aux sortilèges, faisait des plaisanteries sur les idoles, affirmait que tous les idiomes sont dérivés de l'hébreu; sa rhétorique manquait d'imprévu; invariablement, c'était le cerf aux abois, le miel et l'absinthe, l'or et le plomb, des parfums, des urnes, et l'âme chrétienne comparée au soldat qui doit dire en face du péché: « Tu ne passes pas! »

Pour éviter ses conférences, ils arrivaient au château le plus tard possible.

Un jour, pourtant, ils l'y trouvèrent.

Depuis une heure, il attendait ses deux élèves. Tout à coup, Mme de Noares entra.

— La petite a disparu. J'amène Victor. Ah! le malheureux!

Elle avait saisi dans sa poche un dé d'argent perdu depuis trois jours, puis, suffoquée par les sanglots:

— Ce n'est pas tout! ce n'est pas tout! Pendant que je le grondais, il m'a montré son derrière!

Et avant que le comte et la comtesse aient rien dit:

— Du reste, c'est de ma faute; pardonnez-moi!

Elle leur avait caché que les deux orphelins étaient les enfants de Touache, maintenant au bagne.

Que faire?

Si le comte les renvoyait, ils étaient perdus, et son acte de charité passerait pour un caprice.

M. Jeufroy ne fut pas surpris. L'homme étant corrompu naturellement, on doit le châtier pour l'améliorer.

Bouvard protesta. La douceur valait mieux.

Mais le comte, encore une fois, s'étendit sur le bras de fer indispensable aux enfants, comme pour les peuples. Ces deux-là étaient pleins de vices: la petite menteuse, le gamin brutal. Ce vol, après tout, on l'excuserait; l'insolence, jamais, l'éducation devant être l'école du respect.

Donc, Sorel, le garde-chasse, administrerait au jeune homme une bonne fessée immédiatement.

M. de Mahurot, qui avait à lui dire quelque chose, se chargea de la commission. Il prit un fusil dans l'antichambre et appela Victor, resté au milieu de la cour, la tête basse :

— Suis-moi! dit le baron.

Comme la route pour aller chez le garde détournait peu de Chavignolles, M. Jeufroy, Bouvard et Pécuchet l'accompagnèrent.

A cent pas du château, il les pria de ne plus parler, tant qu'il longerait le bois.

Le terrain dévalait jusqu'au bord de la rivière, où se dressaient de grands quartiers de roches. Elle faisait des plaques d'or sous le soleil couchant. En face, les verdures des collines se couvraient d'ombre. Un air vif soufflait.

Des lapins sortirent de leurs terriers et broutaient le gazon.

Un coup de feu partit, un deuxième, un autre, et les lapins sautaient, déboulaient. Victor se jetait dessus pour les saisir et haletait, trempé de sueur.

— Tu arranges tes nippes! dit le baron.

Sa blouse, en loques, avait du sang.

La vue du sang répugnait à Bouvard. Il n'admettait pas qu'on en pût verser.

M. Jeufroy reprit :

— Les circonstances quelquefois l'exigent! Si ce n'est pas le coupable qui donne le sien, il faut celui d'un autre, vérité que nous enseigne la Rédemption.

Suivant Bouvard, elle n'avait guère servi, presque tous les hommes étant damnés, malgré le sacrifice de Notre-Seigneur.

— Mais quotidiennement il le renouvelle dans l'Eucharistie.

— Et le miracle, dit Pécuchet, se fait avec des mots, quelle que soit l'indignité du prêtre.

— Là est le mystère, monsieur.

Cependant Victor clouait ses yeux sur le fusil, tâchait même d'y toucher.

— A bas les pattes!

Et M. de Mahurot prit un sentier sous bois.

L'ecclésiastique avait Pécuchet d'un côté, Bouvard de l'autre, et il lui dit :

— Attention, vous savez : *Debetur pueris...*

Bouvard l'assura qu'il s'humiliait devant le Créateur, mais était indigné qu'on en fît un homme. On redoute sa vengeance, on travaille pour sa gloire, il a toutes les vertus, un bras, un œil, une politique, une habitation. « Notre Père, qui êtes aux cieux », qu'est-ce que cela veut dire?

Et Pécuchet ajouta :

— Le monde s'est élargi, la Terre n'en fait plus le centre. Elle roule dans la multitude infinie de ses pareils. Beaucoup la dépassent en grandeur, et ce rapetissement de notre globe prouve de Dieu un idéal plus sublime.

Donc, la religion devait changer. Le paradis est quelque chose d'enfantin, avec ses bienheureux toujours contemplant, toujours chantant et qui regardent d'en haut les tortures des damnés. Quand on songe que le christianisme a pour base une pomme!

Le curé se fâcha.

— Niez la révélation, ce sera plus simple.

— Comment voulez-vous que Dieu ait parlé? dit Bouvard.

— Prouvez qu'il n'a pas parlé! disait Jeufroy.

— Encore une fois, qui vous l'affirme?

— L'Eglise!

— Beau témoignage!

Cette discussion ennuyait M. de Mahurot, et tout en marchant :

— Ecoutez donc le curé, il en sait plus que vous!

Bouvard et Pécuchet se firent des signes pour prendre un autre chemin, puis, à la Croix-Verte :

— Bien le bonsoir!

— Serviteur! dit le baron.

Tout cela serait conté à M. de Faverges, et peut-être qu'une rupture s'ensuivrait. Tant pis. Ils se sentaient méprisés par ces nobles. On ne les invitait jamais à dîner, et ils étaient las de Mme de Noares, avec ses continuelles remontrances.

Ils ne pouvaient cependant garder le *De Maistre*, et, une quinzaine après, ils retournèrent au château, croyant n'être pas reçus.

Ils le furent.

Toute la famille se trouvait dans le boudoir, Hurel y compris, et, par extraordinaire, Foureau.

La correction n'avait point corrigé Victor. Il refusait d'apprendre son catéchisme, et Victorine proférait des mots sales. Bref, le garçon irait aux Jeunes Détenus, la petite fille dans un couvent.

Foureau s'était chargé des démarches, et il s'en allait quand la comtesse le rappela.

On attendait M. Jeufroy pour fixer ensemble la date du mariage, qui aurait lieu à la mairie bien avant de se faire à l'église, afin de montrer que l'on honnissait le mariage civil.

Foureau tâcha de le défendre. Le comte et Hurel l'attaquèrent. Qu'était une fonction municipale près d'un sacerdoce! et le baron ne se fût pas cru marié s'il l'eût été seulement devant une écharpe tricolore.

— Bravo! dit M. Jeufroy, qui entrait. Le mariage étant établi par Jésus...

Pécuchet l'arrêta.

— Dans quel évangile? Aux temps apostoliques, on le considérait si peu que Tertullien le compare à l'adultère.

— Ah! par exemple!

— Mais oui! et ce n'est pas un sacrement! Il faut au sacrement un signe. Montrez-moi le signe dans le mariage!

Le curé eut beau répondre qu'il figurait l'alliance de Dieu avec l'Eglise.

— Vous ne comprenez plus le christianisme! et la loi...

— Elle en garde l'empreinte, dit M. de Faverges; sans lui, elle autoriserait la polygamie!

Une voix répliqua :

— Où serait le mal?

C'était Bouvard, à demi caché par un rideau.

— On peut avoir plusieurs épouses, comme les patriarches, les mormons, les musulmans, et néanmoins être honnête homme!

— Jamais! s'écria le prêtre, l'honnêteté consiste à rendre ce qui est dû. Nous devons hommage à Dieu. Or, qui n'est pas chrétien n'est pas honnête!

— Autant que d'autres, dit Bouvard.

Le comte, croyant voir dans cette repartie une atteinte à la religion, l'exalta. Elle avait affranchi les esclaves.

Bouvard fit des citations prouvant le contraire.

— Saint Paul leur recommande d'obéir aux maîtres comme à Jésus. Saint Ambroise nomme la servitude un don de Dieu.

— Le Lévitique, l'Exode et les conciles l'ont sanctionnée. Bossuet la classe parmi le droit des gens. Et Mgr Bouvier l'approuve.

Le comte objecta que le christianisme, pas moins, avait développé la civilisation.

— Et la paresse, en faisant de la pauvreté une vertu.

— Cependant, monsieur, la morale de l'Evangile?

— Eh! eh! pas si morale! Les ouvriers de la dernière heure sont autant payés que ceux de la première. On donne à celui qui possède et on retire à celui qui n'a pas. Quant au précepte de recevoir des soufflets sans les rendre et de se laisser voler, il encourage les audacieux, les lâches et les coquins.

Le scandale redoubla, quand Pécuchet eut déclaré qu'il aimait autant le Bouddhisme.

Le prêtre éclata de rire :

— Ah! ah! ah! le Bouddhisme!

Mme de Noares leva les bras :

— Le Bouddhisme!

— Comment... le Bouddhisme! répétait le comte.

— Le connaissez-vous? dit Pécuchet à M. Jeufroy, qui s'embrouilla.

— Eh bien, sachez-le! mieux que le christianisme, et avant lui, il a reconnu le néant des choses terrestres. Ses pratiques sont austères, ses fidèles plus nombreux que tous les chrétiens, et pour l'incarnation, Vichnou n'en a pas une, mais neuf! Ainsi, jugez!

— Des mensonges de voyageurs, dit Mme de Noares.

— Soutenus par les francs-maçons, ajouta le curé.

Et tous parlant à la fois :

— Allez donc, continuez!

— Fort joli!

— Moi, je le trouve drôle!

— Pas possible.

Si bien que Pécuchet, exaspéré, déclara qu'il se ferait bouddhiste!

— Vous insultez des chrétiennes! dit le baron.

Mme de Noares s'affaissa dans un fauteuil. La comtesse et Yolande se taisaient. Le comte roulait des yeux. Hurel attendait des ordres. L'abbé, pour se contenir, lisait son bréviaire.

Cette vue apaisa M. de Faverges, et, considérant les deux bonshommes :

— Avant de blâmer l'Evangile, et quand on a des taches dans sa vie, il est certaines réparations...

— Des réparations?

— Des taches?

— Assez, messieurs! vous devez me comprendre!

Puis, s'adressant à Foureau :

— Sorel est prévenu! Allez-y!

Et Bouvard et Pécuchet se retirèrent sans saluer.

Au bout de l'avenue, ils exhalèrent, tous les trois, leur ressentiment :

— On me traite en domestique, grommelait Foureau.

Et les autres l'approuvant, malgré le souvenir des hémorroïdes, il avait pour eux comme de la sympathie.

Des cantonniers travaillaient dans la campagne. L'homme qui les commandait se rapprocha, c'était Gorju. On se mit à causer. Il surveillait le cailloutage de la route, votée en 1848, et devait cette place à M. de Mahurot, l'ingénieur.

— Celui qui doit épouser Mlle de Faverges! Vous sortez de là-bas, sans doute?

— Pour la dernière fois! dit brutalement Pécuchet.

Gorju prit un air naïf.

— Une brouille? Tiens! tiens!

Et s'ils avaient pu voir sa mine, quand ils eurent tourné les talons, ils auraient compris qu'il en flairait la cause.

Un peu plus loin, ils s'arrêtèrent devant un enclos de treillage, qui contenait des loges à chien, et une maisonnette en tuiles rouges.

Victorine était sur le seuil. Des aboiements retentirent. La femme du garde parut.

Sachant pourquoi le maire venait, elle héla Victor.

Tout d'avance était prêt, et leur trousseau dans deux mouchoirs que fermaient des épingles.

— Bon voyage, leur dit-elle, trop heureuse de n'avoir plus cette vermine!

Etait-ce leur faute, s'ils étaient nés d'un père forçat? Au contraire, ils semblaient très doux, ne s'inquiétaient même pas de l'endroit où on les menait.

Bouvard et Pécuchet les regardaient marcher devant eux.

Victorine chantonnait des paroles indistinctes, son foulard au bras, comme une modiste qui porte un carton. Elle se retournait quelquefois, et Pécuchet, devant ses frisettes blondes et sa gentille tournure, regrettait de n'avoir pas une enfant pareille. Elevée en d'autres conditions, elle serait charmante plus tard. Quel bonheur que de la voir grandir, d'entendre tous les jours son ramage d'oiseau, quand il le voudrait de l'embrasser; et un attendrissement, lui montant du cœur aux lèvres, humecta ses paupières, l'oppressait un peu.

Victor, comme un soldat, s'était mis son bagage sur le dos. Il sifflait, jetait des pierres aux corneilles dans les sillons, allait sous les arbres pour se couper des badines. Foureau le rappela; et Bouvard, en le retenant par la main, jouissait de sentir dans la sienne ces doigts d'enfant robustes et vigoureux. Le pauvre petit diable ne demandait qu'à se développer librement, comme une fleur en plein air! et il pourrirait entre des murs, avec des leçons, des punitions, un tas de bêtises! Bouvard fut saisi par une révolte de la pitié, une indignation contre le sort, une de ces rages où l'on veut détruire le gouvernement.

— Galope! dit-il, amuse-toi! jouis de ton reste!

Le gamin s'échappa.

Sa sœur et lui coucheraient à l'auberge, et, dès l'aube, le messager de Falaise prendrait Victor pour le descendre au pénitencier de Beaubourg; une religieuse de l'orphelinat de Grand-Camp emmènerait Victorine.

Foureau, ayant donné ces détails, se replongea dans ses pensées. Mais Bouvard voulut savoir combien pouvait coûter l'entretien des deux mioches.

— Bah... L'affaire, peut-être, de trois cents francs! Le comte m'en a remis vingt-cinq pour les premiers débours! Quel pingre!

Et gardant sur le cœur le mépris de son écharpe, Foureau hâtait le pas silencieusement.

Bouvard murmura :

— Ils me font de la peine. Je m'en chargerais bien!

— Moi aussi, dit Pécuchet, la même idée leur étant venue.

Il existait sans doute des empêchements?

— Aucun! répliqua Foureau.

D'ailleurs il avait le droit, comme maire, de confier à qui bon lui semblait les enfants abandonnés. Et après une longue hésitation :

— Eh bien, oui! prenez-les! ça le fera bisquer.

Bouvard et Pécuchet les emmenèrent.

En rentrant chez eux, ils trouvèrent au bas de l'escalier, sous la Madone, Marcel à genoux, et qui priait avec ferveur. La tête renversée, les yeux mi-clos, et dilatant son bec-de-lièvre, il avait l'air d'un fakir en extase.

— Quelle brute! dit Bouvard.

— Pourquoi? il assiste peut-être à des choses que tu lui jalouserais, si tu pouvais les voir. N'y a-t-il pas deux mondes tout à fait distincts? L'objet d'un raisonnement a moins de valeur que la manière de raisonner. Qu'importe la croyance! Le principal est de croire.

Telles furent, à la remarque de Bouvard, les objections de Pécuchet.

X

Ils se procurèrent plusieurs ouvrages touchant l'éducation, et leur système fut résolu. Il fallait bannir toute idée métaphysique, et, d'après la méthode expérimentale, suivre le développement de la nature. Rien ne pressait, les deux élèves devant oublier ce qu'ils avaient appris.

Bien qu'ils eussent un tempérament solide, Pécuchet voulait comme un Spartiate les endurcir encore, les accoutumer à la faim, à la soif, aux intempéries, et même qu'ils portassent des chaussures trouées afin de prévenir les rhumes. Bouvard s'y opposa.

Le cabinet noir au fond du corridor devint leur chambre à coucher. Elle avait pour meubles deux lits de sangle, deux couchettes, un broc; l'œil-de-bœuf s'ouvrait au-dessus de leur tête, et des araignées couraient le long du plâtre.

Souvent, ils se rappelaient l'intérieur d'une cabane où l'on se disputait.

Leur père était rentré une nuit, avec du sang aux mains. Quelque temps après, les gendarmes étaient venus. Ensuite ils avaient logé dans un bois. Des hommes qui faisaient des sabots embrassaient leur mère. Elle était morte, une charrette les avait emmenés. On les battait beaucoup, ils s'étaient perdus. Puis ils revoyaient le garde champêtre, Mme de Noares, Sorel, et, sans se demander pourquoi cette autre maison, ils s'y trouvaient heureux. Aussi leur étonnement fut pénible, quand, au bout de huit mois, les leçons recommencèrent. Bouvard se chargea de la petite, Pécuchet du gamin.

Victor distinguait ses lettres, mais n'arrivait pas à former les syllabes. Il en bredouillait, s'arrêtait tout à coup et avait l'air idiot. Victorine posait des questions. D'où vient que *ch* dans orchestre a le son d'un *q* et celui d'un *k* dans archéologique? On doit par moments joindre deux voyelles, d'autres fois les détacher. Tout cela n'est pas juste. Elle s'indignait.

Les maîtres professaient à la même heure, dans leurs chambres respectives, et, la cloison étant mince, ces quatre voix, une flûtée, une profonde et deux aiguës, composaient un charivari abominable. Pour en finir et stimuler les mioches par l'émulation, ils eurent l'idée de les faire travailler ensemble dans le muséum, et on aborda l'écriture.

Les deux élèves à chaque bout de la table copiaient un exemple; mais la position du corps était mauvaise. Il les fallait redresser, leurs pages tombaient, leurs plumes se fendaient, l'encre se renversait.

Victorine, en de certains jours, allait bien pendant trois minutes, puis traçait des griffonnages et, prise de découragement, restait les yeux au plafond. Victor ne tardait pas à s'endormir, vautré au milieu du bureau.

Peut-être souffraient-ils? Une tension trop forte nuit aux jeunes cervelles.

— Arrêtons-nous, dit Bouvard.

Rien n'est stupide comme de faire apprendre par cœur; cependant si on n'exerce pas la mémoire, elle s'atrophiera, et ils leur serinèrent les premières fables de La Fontaine. Les enfants approuvaient le fourmi qui thésaurise, le loup qui mange l'agneau, le lion qui prend toutes les parts.

Devenus plus hardis, ils dévastaient le jardin. Mais quel amusement leur donner?

Jean-Jacques, dans *Emile*, conseille au gouverneur de faire faire à l'élève ses joujoux lui-même en l'aidant un peu, sans qu'il s'en doute. Bouvard ne put réussir à fabriquer un cerceau, Pécuchet à coudre une balle. Ils passèrent aux jeux instructifs, tels que les découpures; Pécuchet leur montra son microscope. La chandelle étant allumée, Bouvard dessinait, avec l'ombre de ses doigts sur la muraille, le profil d'un lièvre ou d'un cochon. Le public s'en fatigua.

Des auteurs exaltent, comme plaisir, un déjeuner champêtre, une partie de bateau; était-ce praticable, franchement? Et Fénelon recommande de temps à autre « une conversation innocente ». Impossible d'en imaginer une seule!

Ils revinrent aux leçons et les boules à facettes, les

rayures, le bureau typographique, tout avait échoué, quand ils avisèrent un stratagème.

Comme Victor était enclin à la gourmandise, on lui présentait le nom d'un plat; bientôt il lut couramment dans *le Cuisinier français*. Victorine étant coquette, une robe lui serait donnée, si, pour l'avoir, elle écrivait à la couturière. En moins de trois semaines, elle accomplit ce prodige. C'était courtiser leurs défauts, moyen pernicieux, mais qui avait réussi.

Maintenant qu'ils savaient écrire et lire, que leur apprendre? Autre embarras.

Les filles n'ont pas besoin d'être savantes comme les garçons. N'importe, on les élève ordinairement en véritables brutes, tout leur bagage intellectuel se bornant à des sottises mystiques.

Convient-il de leur enseigner les langues? « L'espagnol et l'italien, prétend le Cygne de Cambrai, ne servent guère qu'à lire des ouvrages dangereux. » Un tel motif leur parut bête. Cependant Victorine n'aurait que faire de ces idiomes, tandis que l'anglais est d'un usage plus commun. Pécuchet en étudia les règles; il démontrait, avec sérieux, la façon d'émettre le *th*.

— Tiens, comme cela : *the, the, the!*

Mais avant d'instruire un enfant, il faudrait connaître ses aptitudes. On les devine par la phrénologie [37]. Ils s'y plongèrent; puis voulurent en vérifier les assertions sur leurs personnes. Bouvard présentait la bosse de la bienveillance, de l'imagination, de la vénération et celle de l'énergie amoureuse : *vulgo* érotisme.

On sentait sur les temporaux de Pécuchet la philosophie et l'enthousiasme joints à l'esprit de ruse.

Effectivement, tels étaient leurs caractères. Ce qui les surprit davantage, ce fut de reconnaître chez l'un comme chez l'autre le penchant à l'amitié, et, charmés de la découverte, ils s'embrassèrent avec attendrissement.

Leur examen ensuite porta sur Marcel. Son plus grand défaut, et qu'ils n'ignoraient pas, était un extrême appétit. Néanmoins Bouvard et Pécuchet furent effrayés en constatant au-dessus du pavillon de l'oreille, à la hauteur de l'œil, l'organe de l'alimentivité. Avec l'âge leur domestique deviendrait peut-être comme cette femme de la Salpêtrière qui mangeait quotidiennement huit livres de pain, engloutit une fois quatorze potages et une autre soixante bols de café. Ils ne pourraient y suffire.

Les têtes de leurs élèves n'avaient rien de curieux; ils s'y prenaient mal sans doute. Un moyen très simple développa leur expérience.

Les jours de marché, ils se faufilaient au milieu des paysans sur la place entre les sacs d'avoine, les paniers de fromage, les veaux, les chevaux, insensibles aux bousculades; et quand ils trouvaient un jeune garçon avec son père, ils demandaient à lui palper le crâne dans un but scientifique.

Le plus grand nombre ne répondait même pas; d'autres, croyant qu'il s'agissait d'une pommade pour la teigne, refusaient, vexés; quelques-uns, par indifférence,

se laissaient emmener sous le porche de l'église, où l'on serait tranquille.

Un matin que Bouvard et Pécuchet y commençaient leur manœuvre, le curé tout à coup parut et, voyant ce qu'ils faisaient, accusa la phrénologie de pousser au matérialisme et au fatalisme.

Le voleur, l'assassin, l'adultère, n'ont plus qu'à rejeter leurs crimes sur la faute de leurs bosses.

Bouvard objecta que l'organe prédispose à l'action sans pourtant y contraindre. De ce qu'un homme a le germe d'un vice, rien ne prouve qu'il sera vicieux.

— Du reste, j'admire les orthodoxes : ils soutiennent les idées innées et repoussent les penchants. Quelle contradiction!

Mais la phrénologie, suivant M. Jeufroy, niait l'omnipotence divine, et il était malséant de la pratiquer à l'ombre du saint lieu, en face même de l'autel.

— Retirez-vous, non! retirez-vous!

Ils s'établirent chez Ganot, le coiffeur. Pour vaincre toute hésitation, Bouvard et Pécuchet allaient jusqu'à régaler les parents d'une barbe ou d'une frisure.

Le docteur, une après-midi, vint s'y faire couper les cheveux. En s'asseyant dans le fauteuil, il aperçut, reflétés par la glace, les deux phrénologues qui promenaient leurs doigts sur des caboches d'enfants.

— Vous en êtes à ces bêtises-là? dit-il.

— Pourquoi bêtises?

Vaucorbeil eut un sourire méprisant; puis affirma qu'il n'y avait point dans le cerveau plusieurs organes.

Ainsi, tel homme digère un aliment que ne digère pas tel autre! Faut-il supposer dans l'estomac autant d'estomacs qu'il s'y trouve de goûts? — Cependant un travail délasse d'un autre, un effort intellectuel ne tend pas à la fois toutes les facultés, chacune a un siège distinct.

— Les anatomistes ne l'ont pas rencontré, dit Vaucorbeil.

— C'est qu'ils ont mal disséqué, reprit Pécuchet.

— Comment?

— Eh oui! Ils coupent des tranches, sans égard à la connexion des parties, phrase d'un livre qu'il se rappelait.

— Voilà une balourdise, s'écria le médecin. Le crâne ne se moule pas sur le cerveau, l'extérieur sur l'intérieur. Gall se trompe, et je vous défie de légitimer sa doctrine en prenant, au hasard, trois personnes dans la boutique.

La première était une paysanne avec de gros yeux bleus.

Pécuchet dit, en l'observant.

— Elle a beaucoup de mémoire.

Son mari attesta le fait et s'offrit lui-même à l'exploration.

— Oh! vous, mon brave, on vous conduit difficilement.

D'après les autres, il n'y avait point dans le monde un pareil têtu.

La troisième épreuve se fit sur un gamin escorté de sa grand-mère.

Pécuchet déclara qu'il devait chérir la musique.

— Je crois bien! dit la bonne femme; montre à ces messieurs pour voir.

---

37. Science du caractère, fondée sur la forme du crâne.

Il tira de sa blouse une guimbarde [38] et se mit à souffler dedans.

Un fracas s'éleva, c'était la porte, claquée violemment par le docteur, qui s'en allait.

Ils ne doutèrent plus d'eux-mêmes, et, appelant les deux élèves, recommencèrent l'analyse de leur boîte osseuse.

Celle de Victorine était généralement unie, marque de pondération ; mais son frère avait un crâne déplorable : une éminence très forte dans l'angle mastoïdien des pariétaux indiquait l'organe de la destruction, du meurtre, et plus bas un renflement était le signe de la convoitise, du vol. Bouvard et Pécuchet en furent attristés pendant huit jours.

Mais il faudrait comprendre le sens exact des mots ; ce qu'on appelle la combativité implique le dédain de la mort. S'il fait des homicides, il peut de même produire des sauvetages. L'acquisivité englobe le tact des filous et l'ardeur des commerçants. L'irrévérence est parallèle à l'esprit de critique, la ruse à la circonspection. Toujours un instinct se dédouble en deux parties : une mauvaise, une bonne. On détruira la seconde en cultivant la première, et par cette méthode, un enfant audacieux, loin d'être un bandit, deviendra un général. Le lâche n'aura seulement que de la prudence, l'avare de l'économie, le prodigue de la générosité.

Un rêve magnifique les occupa : s'ils menaient à bien l'éducation de leurs élèves, ils fonderaient plus tard un établissement ayant pour but de redresser l'intelligence, dompter les caractères, ennoblir le cœur. Déjà ils parlaient des souscriptions et de la bâtisse.

Leur triomphe chez Ganot les avait rendus célèbres, et des gens les venaient consulter, afin qu'on leur dise leurs chances de fortune.

Il en défila de toutes espèces : crânes en boule, en poire, en pain de sucre, des carrés, d'élevés, de resserrés, d'aplatis, avec des mâchoires de bœuf, des figures d'oiseau, des yeux de cochon ; mais tant de monde gênait le perruquier dans son travail. Les coudes frôlaient l'armoire à vitres contenant la parfumerie ; on plaçait mal les peignes, le lavabo fut brisé, et il flanqua dehors tous les amateurs, en priant Bouvard et Pécuchet de les suivre, *ultimatum* qu'ils acceptèrent sans murmurer, étant un peu fatigués de la cranioscopie.

Le lendemain, comme ils passaient devant le jardinet du capitaine, ils aperçurent, causant avec lui, Girbal, Coulon, le garde champêtre et son fils cadet, Zéphyrin, habillé en enfant de chœur. Sa robe était toute neuve ; il se promenait dessous avant de la remettre à la sacristie, et on le complimentait.

Curieux de savoir ce qu'ils en pensaient, Placquevent pria ces messieurs de palper son jeune homme.

La peau du front avait l'air comme tendue ; un nez mince, très cartilagineux du bout, tombait obliquement sur des lèvres pincées ; le menton était pointu, le regard fuyant, l'épaule droite trop haute.

— Retire ta calotte, lui dit son père.

Bouvard glissa ses mains dans sa chevelure couleur de paille, puis ce fut le tour de Pécuchet, et ils communiquaient à voix basse leurs observations :

— *Biophilie* manifeste. Ah ! ah ! l'*approbativité ! conscienciosité* absente ! *amativité* nulle !

— Eh bien ? dit le garde champêtre.

Pécuchet ouvrit sa tabatière et huma une prise.

— Ma foi, répliqua Bouvard, ce n'est guère fameux.

Placquevent rougit d'humiliation.

— Il fera tout de même ma volonté.

— Oh ! oh !

— Mais je suis son père, nom de Dieu ! et j'ai bien le droit...

— Dans une certaine mesure, reprit Pécuchet.

Girbal s'en mêla :

— L'autorité paternelle est incontestable.

— Mais si le père est un idiot ?

— N'importe, dit le capitaine, son pouvoir n'en est pas moins absolu.

— Dans l'intérêt des enfants, ajouta Coulon.

D'après Bouvard et Pécuchet, ils ne devaient rien aux auteurs de leurs jours, et les parents, au contraire, leur doivent la nourriture, l'instruction, des prévenances, enfin tout.

Les bourgeois se récrièrent devant cette opinion immorale. Placquevent en était blessé comme d'une injure.

— Avec cela, ils sont jolis ceux que vous ramassez sur les grandes routes ; ils iront loin ! Prenez garde !

— Garde à quoi ? dit aigrement Pécuchet.

— Oh ! je n'ai pas peur de vous !

— Ni moi non plus !

Coulon intervint, modéra le garde champêtre et le fit s'éloigner.

Pendant quelques minutes, on resta silencieux. Puis il fut question des dahlias du capitaine, qui ne lâcha point son monde sans les avoir exhibés l'un après l'autre.

Bouvard et Pécuchet rejoignaient leur domicile, quand à cent pas devant eux, ils distinguèrent Placquevent ; et Zéphyrin, près de lui, levait le coude en manière de bouclier pour se garantir des gifles.

Ce qu'ils venaient d'entendre exprimait, sous d'autres formes, les idées de M. le comte ; mais l'exemple de leurs élèves témoignerait combien la liberté l'emporte sur la contrainte. Un peu de discipline était cependant nécessaire.

Pécuchet cloua dans le muséum un tableau pour les démonstrations ; on tiendrait un journal où les actions de l'enfant, notées le soir, seraient relues le lendemain. Tout s'accomplirait au son de la cloche. Comme Dupont de Nemours, ils useraient de l'injonction paternelle d'abord, puis de l'injonction militaire, et le tutoiement fut interdit.

Bouvard tâcha d'apprendre le calcul à Victorine. Quelquefois, ils se trompaient ; ils en riaient l'un et l'autre, puis le baisant sur le cou, à la place qui n'a pas de barbe, elle demandait à s'en aller ; il la laissait partir.

Pécuchet, aux heures des leçons, avait beau tirer la cloche et crier par la fenêtre l'injonction militaire, le gamin n'arrivait pas. Ses chaussettes lui pendaient toujours sur les chevilles; à table même, il se fourrait les doigts dans le nez et ne retenait point ses gaz. Broussais, là-dessus, défend les réprimandes, car « il faut obéir aux sollicitations d'un instinct conservateur ».

Victorine et lui employaient un affreux langage, disant : *mé itou* pour « moi aussi », *bère* pour « boire », *al* pour « elle », un *deventiau*, de l'*iau;* mais comme la grammaire ne peut être comprise des enfants, et qu'ils la sauront s'ils entendent parler correctement, les deux bonshommes surveillaient leurs discours jusqu'à en être incommodés.

Ils différaient d'opinions quant à la géographie. Bouvard pensait qu'il est plus logique de débuter par la commune, Pécuchet, par l'ensemble du monde.

Avec un arrosoir et du sable, il voulut démontrer ce qu'était un fleuve, une île, un golfe, et même sacrifia trois plates-bandes pour les trois continents; mais les points cardinaux n'entraient pas dans la tête de Victor.

Par une nuit de janvier, Pécuchet, l'emmena en rase campagne. Tout en marchant, il préconisait l'astronomie : les marins l'utilisent dans leurs voyages; Christophe Colomb, sans elle, n'eût pas fait sa découverte. Nous devons de la reconnaissance à Copernic, à Galilée et à Newton.

Il gelait très fort, et sur le bleu noir du ciel une infinité de lumières scintillaient. Pécuchet leva les yeux.

— Comment, pas de Grande Ourse!

La dernière fois qu'il l'avait vue, elle était tournée d'un autre côté; enfin, il la reconnut, puis montra l'étoile polaire, toujours au Nord, et sur laquelle on s'oriente.

Le lendemain, il posa au milieu du salon un fauteuil et se mit à valser autour.

— Imagine que ce fauteuil est le soleil, et que moi je suis la terre; elle se meut ainsi.

Victor le considérait, plein d'étonnement.

Il prit ensuite une orange, y passa une baguette signifiant les pôles, puis l'encercla d'un trait au charbon pour marquer l'équateur. Après quoi, il promena l'orange à l'entour d'une bougie, en faisant observer que tous les points de la surface n'étaient pas éclairés simultanément, ce qui produit la différence des climats; et pour celle des saisons, il pencha l'orange, car la terre ne se tient pas droite, ce qui amène les équinoxes et les solstices.

Victor n'y avait rien compris. Il croyait que la terre pivote sur une longue aiguille et que l'équateur est un anneau, étreignant sa circonférence.

Au moyen d'un atlas, Pécuchet lui exposa l'Europe; mais, ébloui par tant de lignes et de couleurs, il ne retrouvait plus les noms. Les bassins et les montagnes ne s'accordaient pas avec les royaumes, l'ordre politique embrouillait l'ordre physique. Tout cela, peut-être, s'éclaircirait en étudiant l'histoire.

Il eût été plus pratique de commencer par le village, ensuite l'arrondissement, le département, la province; mais Chavignolles n'ayant point d'annales, il fallait bien s'en tenir à l'histoire universelle. Tant de matières l'embarrassent qu'on doit seulement en prendre les beautés.

Il y a pour la grecque : « Nous combattrons à l'ombre »; l'envieux qui bannit Aristide, et la confiance d'Alexandre en son médecin. Pour la romaine : les oies du Capitole, le trépied de Scévola, le tonneau de Régulus. Le lit de roses de Guatimozin est considérable pour l'Amérique. Quant à la France, elle comporte le vase de Soissons, le chêne de saint Louis, la mort de Jeanne d'Arc, la poule au pot du Béarnais : on n'a que l'embarras du choix, sans compter *A moi d'Auvergne!* et le naufrage du *Vengeur.*

Victor confondait les hommes, les siècles et les pays. Cependant, Pécuchet n'allait pas le jeter dans des considérations subtiles, et la masse des faits est un vrai labyrinthe.

Il se rabattit sur la nomenclature des rois de France. Victor les oubliait, faute de connaître les dates. Mais si la mnémotechnie de Dumouchel avait été insuffisante pour eux, que serait-ce pour lui! Conclusion : l'histoire ne peut s'apprendre que par beaucoup de lectures. Il les ferait.

Le dessin est utile dans une foule de circonstances; or Pécuchet eut l'audace de l'enseigner lui-même, d'après nature, en abordant tout de suite le paysage.

Un libraire de Bayeux lui envoya du papier, du caoutchouc, deux cartons, des crayons et du fixatif pour leurs œuvres qui, sous verre et dans des cadres, orneraient le muséum.

Levés dès l'aurore, ils se mettaient en route avec un morceau de pain dans la poche; et beaucoup de temps était perdu à chercher un site. Pécuchet voulait à la fois reproduire ce qui se trouvait sous ses pieds, l'extrême horizon et les nuages; mais les lointains dominaient toujours les premiers plans; la rivière dégringolait du ciel, le berger marchait sur le troupeau, un chien endormi avait l'air de courir. Pour sa part il y renonça, se rappelant avoir lu cette définition : « Le dessin se compose de trois choses : la ligne, le grain, le grainé fin, de plus le trait de force. Mais le trait de force, il n'y a que le maître seul qui le donne. » Il rectifiait la ligne, collaborait au grain, surveillait le grainé fin, et attendait l'occasion de donner le trait de force. Elle ne venait jamais, tant le paysage de l'élève était incompréhensible.

Sa sœur, paresseuse comme lui, bâillait devant la table de Pythagore. Mlle Reine lui montrait à coudre, et quand elle marquait du linge, elle levait les doigts si gentiment, que Bouvard, ensuite, n'avait pas le cœur de la tourmenter avec sa leçon de calcul. Un de ces jours, ils s'y remettraient. Sans doute, l'arithmétique et la couture sont nécessaires dans le ménage, mais il est cruel, objecta Pécuchet, d'élever des filles en vue seulement du mari qu'elles auront. Toutes ne sont pas destinées à l'hymen; si on veut que plus tard elles se passent des hommes, il faut leur apprendre bien des choses.

On peut inculquer les sciences, à propos des objets les plus vulgaires : dire, par exemple, en quoi consiste le vin; et l'explication fournie, Victor et Victorine devaient la répéter. Il en fut de même des épices, des meubles, de l'éclairage; mais la lumière c'était pour eux la lampe, et elle n'avait rien de commun avec l'étincelle d'un caillou, la flamme d'une bougie, la clarté de la lune.

Un jour, Victorine demanda :

— D'où vient que le bois brûle?

Ses maîtres se regardèrent embarrassés, la théorie de la combustion les dépassant.

Une autre fois, Bouvard, depuis le potage jusqu'au fromage, parla des éléments nourriciers et ahurit les deux petits sous la fibrine, la caséine, la graisse et le gluten.

Ensuite Pécuchet voulut leur expliquer comment le sang se renouvelle, et il pataugea dans la circulation.

Le dilemme n'est point commode : si l'on part des faits, le plus simple exige des raisons trop compliquées, et, en posant d'abord les principes, on commence par l'absolu, la foi.

Que résoudre? Combiner les deux enseignements, le rationnel et l'empirique; mais un double moyen vers un seul but est l'inverse de la méthode. Ah! tant pis.

Pour les initier à l'histoire naturelle, ils tentèrent quelques promenades scientifiques.

— Tu vois, disaient-ils en montrant un âne, un cheval, un bœuf, les bêtes à quatre pieds, on les nomme des quadrupèdes. Généralement, les oiseaux présentent des plumes, les reptiles des écailles et les papillons appartiennent à la classe des insectes.

Ils avaient un filet pour en prendre, et Pécuchet, tenant la bestiole avec délicatesse, leur faisait observer les quatre ailes, les six pattes, les deux antennes et sa trompe osseuse qui aspire le nectar des fleurs.

Il cueillait des simples au revers des fossés, disait leurs noms, et quand il ne les savait pas, en inventait, afin de garder son prestige. D'ailleurs, la nomenclature est le moins important de la botanique.

Il écrivit cet axiome sur le tableau : Toute plante a des feuilles, un calice et une corolle enfermant un ovaire ou péricarpe qui contient la graine. Puis il ordonna à ses élèves d'herboriser dans la campagne et de cueillir les premières venues.

Victor lui apporta des boutons d'or, Victorine une touffe de fraisiers; il y chercha vainement un péricarpe.

Bouvard, qui se méfiait de son savoir, fouilla toute la bibliothèque, et découvrit, dans le *Redouté des Dames*, le dessin d'un iris où les ovaires n'étaient pas situés dans la corolle, mais au-dessous des pétales, sur la tige.

Il y avait dans leur jardin des graterons et des muguets en fleurs, ces rubiacées étaient sans calice; ainsi le principe posé sur le tableau se trouvait faux.

— C'est une exception, dit Pécuchet.

Mais un hasard fit qu'ils aperçurent dans l'herbe une shérarde et elle avait un calice.

— Allons bon! si les exceptions elles-mêmes ne sont pas vraies, à qui se fier?

Un jour, dans une de ces promenades, ils entendirent crier des paons, jetèrent les yeux par-dessus le mur, et, au premier moment, ils ne reconnaissaient pas leur ferme. La grange avait un toit d'ardoises, les barrières étaient neuves, les chemins empierrés. Le père Gouy parut :

— Pas possible! est-ce vous?

Que d'histoires depuis trois ans, la mort de sa femme entre autres! Quant à lui, il se portait toujours comme un chêne.

— Entrez donc une minute.

On était au commencement d'avril, et les pommiers en fleurs alignaient dans les trois masures leurs touffes blanches et roses; le ciel, couleur de satin bleu, n'avait pas un nuage, des nappes, des draps et des serviettes pendaient, verticalement attachés par des fiches de bois à des cordes tendues. Le père Gouy les soulevait pour passer, quand tout à coup ils rencontrèrent Mme Bordin, nu-tête, en camisole, et Marianne lui offrant à pleins bras des paquets de linge.

— Votre servante, messieurs! Faites comme chez vous! moi je vais m'asseoir, je suis rompue.

Le fermier proposa à toute la compagnie un verre de boisson.

— Pas maintenant, dit-elle, j'ai trop chaud.

Pécuchet accepta et disparut vers le cellier avec le père Gouy, Marianne et Victor.

Bouvard s'assit par terre, à côté de Mme Bordin.

Il recevait ponctuellement sa rente, n'avait pas à s'en plaindre, ne lui en voulait plus.

La grande lumière éclairait son profil; un de ses bandeaux noirs descendait trop bas, et les petits frisons de sa nuque se collaient à sa peau ambrée, moite de sueur. Chaque fois qu'elle respirait, ses deux seins montaient. Le parfum du gazon se mêlait à la bonne odeur de sa chair solide, et Bouvard eut un revif de tempérament qui le combla de joie. Alors il lui fit des compliments sur sa propriété.

Elle en fut ravie et parla de ses projets.

Pour agrandir les cours, elle abattrait le haut-bord.

Victorine, en ce moment-là, en grimpait le talus et cueillait des primevères, des hyacinthes, et des violettes, sans avoir peur d'un vieux cheval qui broutait l'herbe au pied.

— N'est-ce pas qu'elle est gentille? dit Bouvard.

— Oui! c'est gentil, une petite fille!

Et la veuve poussa un soupir qui semblait exprimer le long chagrin de toute une vie.

— Vous auriez pu en avoir.

Elle baissa la tête.

— Il n'a tenu qu'à vous.

— Comment?

Il eut un tel regard qu'elle s'empourpra, comme à la sensation d'une caresse brutale; mais de suite, en s'éventant avec son mouchoir :

— Vous avez manqué le coche, mon cher.

— Je ne comprends pas.

Et, sans se lever, il se rapprochait.

Elle le considéra de haut en bas longtemps; puis, souriant, et les prunelles humides :

— C'est de votre faute.

Les draps, autour d'eux, les enfermaient comme les rideaux d'un lit.

Il se pencha sur le coude, lui frôlant les genoux de sa figure.

— Pourquoi? hein? pourquoi?

Et comme elle se taisait et qu'il était dans un état où les serments ne coûtent rien, il tâcha de se justifier, s'accusa de folie, d'orgueil.

— Pardon! ce sera comme autrefois! voulez-vous?

Et il avait pris sa main, qu'elle laissait dans la sienne.

Un coup de vent brusque fit se relever les draps, et ils virent deux paons, un mâle et une femelle. La femelle se tenait immobile, les jarrets pliés, la croupe en l'air. Le mâle se promenait autour d'elle, arrondissait sa queue en éventail, se rengorgeait, gloussait, puis sauta dessus en rabattant ses plumes, qui la couvrirent comme un berceau, et les deux grands oiseaux tremblèrent d'un seul frémissement.

Bouvard le sentit dans la paume de Mme Bordin. Elle se dégagea bien vite. Il y avait devant eux, béant et comme pétrifié, le jeune Victor qui regardait; un peu plus loin, Victorine, étalée sur le dos en plein soleil, aspirait toutes les fleurs qu'elle s'était cueillies.

Le vieux cheval, effrayé par les paons, cassa sous une ruade une des cordes, s'y empêtra les jambes, et, galopant dans les trois cours, traînait la lessive après lui.

Aux cris furieux de Mme Bordin, Marianne accourut. Le père Gouy injuriait son cheval : « Bougre de rosse! carcan! voleur! » lui donnait des coups de pied dans le ventre, des coups sur les oreilles avec le manche d'un fouet.

Bouvard fut indigné de voir battre un animal.

Le paysan répondit :

— J'en ai le droit : il m'appartient!

Ce n'était pas une raison.

Et Pécuchet, survenant, ajouta que les animaux avaient aussi leurs droits, car ils ont une âme, comme nous, si toutefois la nôtre existe!

— Vous êtes un impie! s'écria Mme Bordin.

Trois choses l'exaspéraient : la lessive à recommencer, ses croyances qu'on outrageait et la crainte d'avoir été entrevue tout à l'heure dans une pose suspecte.

— Je vous croyais plus forte, dit Bouvard.

Elle répliqua magistralement :

— Je n'aime pas les polissons!

Et Gouy s'en prit à eux d'avoir abîmé son cheval, dont les naseaux saignaient. Il grommelait tout bas :

— Sacrés gens de malheur! j'allais l'entiérer quand ils sont venus.

Les deux bonshommes se retirèrent en haussant les épaules.

Victor leur demanda pourquoi ils s'étaient fâchés contre Gouy.

— Il abuse de sa force, ce qui est mal.

— Pourquoi est-ce mal?

Les enfants n'auraient-ils aucune notion du juste? Peut-être!

Et le soir même, Pécuchet, ayant Bouvard à sa droite, sous la main quelques notes et en face de lui les deux élèves, commença un cours de morale.

Cette science nous apprend à diriger nos actions.

Elles ont deux motifs : le plaisir, l'intérêt; et un troisième plus impérieux : le devoir.

Les devoirs se divisent en deux classes :

1º Devoirs envers nous-mêmes, lesquels consistent à soigner notre corps, nous garantir de toute injure. Ils entendaient cela parfaitement.

2º Devoirs envers les autres, c'est-à-dire être toujours loyal, débonnaire et même fraternel, le genre humain n'étant qu'une seule famille. Souvent une chose nous agrée qui nuit à nos semblables; l'intérêt diffère du bien, car le bien est de soi-même irréductible. Les enfants ne comprenaient pas. Il remit à la fois prochaine la sanction des devoirs.

Dans tout cela, suivant Bouvard, il n'avait pas défini le bien.

— Comment veux-tu le définir? On le sent.

Alors les leçons de morale ne conviendraient qu'aux gens moraux, et le cours de Pécuchet n'alla pas plus loin.

Ils firent lire à leurs élèves des historiettes tendant à inspirer l'amour de la vertu. Elles assommèrent Victor.

Pour frapper son imagination, Pécuchet suspendit aux murs de sa chambre des images exposant la vie du bon sujet et du mauvais sujet.

Le premier, Adolphe, embrassait sa mère, étudiait l'allemand, secourait un aveugle et était reçu à l'Ecole polytechnique.

Le mauvais, Eugène, commençait par désobéir à son père, avait une querelle dans un café, battait son épouse, tombait ivre-mort, fracturait une armoire, et un dernier tableau le représentait au bagne, où un monsieur, accompagné d'un jeune garçon, disait en le montrant :

« Tu vois, mon fils, les dangers de l'inconduite. »

Mais pour les enfants l'avenir n'existe pas. On avait beau les saturer de cette maxime : « Que le travail est honorable et que les riches parfois sont malheureux », ils avaient connu des travailleurs nullement honorés et se rappelaient le château où la vie semblait bonne.

Les supplices du remords leur étaient dépeints avec tant d'exagération qu'ils flairaient la blague et se méfiaient du reste.

On essaya de les conduire par le point d'honneur, l'idée de l'opinion publique et le sentiment de la gloire, en leur vantant les grands hommes, surtout les hommes utiles, tels que Belsunce, Franklin, Jacquard! Victor ne témoignait aucune envie de leur ressembler.

Un jour qu'il avait fait une addition sans faute, Bouvard cousit à sa veste un ruban qui signifiait la croix. Il se pavana dessous; mais ayant oublié la mort de Henri IV, Pécuchet le coiffa d'un bonnet d'âne. Victor se mit à braire avec tant de violence et pendant si longtemps qu'il fallut enlever ses oreilles de carton.

Sa sœur, comme lui, se montrait fière des éloges et indifférente aux blâmes.

Afin de les rendre plus sensibles, on leur donna un chat noir qu'ils devaient soigner, et on leur comptait deux ou trois sols pour qu'ils fissent l'aumône. Ils trouvèrent la prétention injuste, cet argent leur appartenait.

Se conformant à un désir des pédagogues, ils appelaient Bouvard « mon oncle » et Pécuchet « bon ami »; mais ils les tutoyaient et la moitié des leçons ordinairement se passait en disputes.

Victorine abusait de Marcel, montait sur son dos, le tirait par les cheveux; pour se moquer de son bec-de-lièvre, parlait du nez comme lui; et le pauvre homme n'osait se plaindre, tant il aimait la petite fille. Un soir, sa voix rauque s'éleva extraordinairement. Bouvard et Pécuchet descendirent dans la cuisine. Les deux élèves observaient la cheminée, et Marcel, joignant les mains, s'écriait :

— Retirez-le! c'est trop! c'est trop!

Le couvercle de la marmite sauta comme un obus éclate. Une masse grisâtre bondit jusqu'au plafond, puis tourna sur elle-même frénétiquement en poussant d'abominables cris.

On reconnut le chat, tout efflanqué, sans poil, la queue pareille à un cordon; les yeux énormes lui sortaient de la tête; ils étaient couleur de lait, comme vidés, et pourtant regardaient.

La bête hideuse hurlait toujours, se jeta dans l'âtre, disparut, puis retomba au milieu des cendres, inerte.

C'était Victor qui avait commis cette atrocité, et les deux bonshommes se reculèrent, pâles de stupéfaction et d'horreur. Aux reproches qu'on lui adressa, il répondit comme le garde champêtre pour son fils et comme le fermier pour son cheval :

— Eh bien! puisqu'il est à moi...

sans gêne, naïvement, dans la placidité d'un instinct assouvi.

L'eau bouillante de la marmite était répandue par terre; des casseroles, les pincettes et des flambeaux jonchaient les dalles.

Marcel fut quelque temps à nettoyer la cuisine, et ses maîtres et lui enterrèrent le pauvre chat dans le jardin, sous la pagode.

Ensuite Bouvard et Pécuchet causèrent longuement de Victor. Le sang paternel se manifestait. Que faire? Le rendre à M. de Faverges ou le confier à d'autres serait un aveu d'impuissance. Il s'amenderait peut-être.

N'importe! l'espoir était douteux, la tendresse n'existait plus. Quel plaisir pourtant que d'avoir près de soi un adolescent curieux de vos idées, dont on observe les progrès, qui plus tard devient un frère; mais Victor manquait d'esprit, de cœur encore plus! et Pécuchet soupira, le genou plié dans ses mains jointes.

— La sœur ne vaut pas mieux, dit Bouvard.

Il imaginait une fille de quinze ans à peu près, l'âme délicate, l'humeur enjouée, ornant la maison des élégances de sa jeunesse; et comme s'il eût été son père et qu'elle vînt de mourir, le bonhomme pleura.

Puis, cherchant à excuser Victor, il allégua l'opinion de Rousseau : « L'enfant n'a pas de responsabilité, ne peut être moral ou immoral. »

Ceux-là, suivant Pécuchet, avaient l'âge du discernement, et ils étudièrent les moyens de les corriger. Pour qu'une punition soit bonne, dit Bentham, elle doit être proportionnée à la faute, sa conséquence naturelle. L'enfant a brisé un carreau, on n'en remettra pas : qu'il souffre du froid; si, n'ayant plus faim, il demande d'un plat, cédez-lui : une indigestion le fera vite se repentir. Il est paresseux, qu'il reste sans travail : l'ennui de soi-même l'y ramènera.

Mais Victor ne souffrirait pas du froid, son tempérament pouvait endurer l'excès et la fainéantise lui conviendrait.

Ils adoptèrent le système inverse, la punition médicinale; des pensums lui furent donnés, il devint plus paresseux; on le privait de confitures, sa gourmandise en redoubla. L'ironie aurait peut-être du succès? Une fois, étant venu déjeuner les mains sales, Bouvard le

railla, l'appelant joli cavalier, muscadin, gants jaunes. Victor écoutait le front bas, blêmit tout à coup, et jeta son assiette à la tête de Bouvard, puis, furieux de l'avoir manqué, se précipita sur lui. Ce n'était pas trop que trois hommes pour le contenir. Il se roulait par terre, tâchant de mordre. Pécuchet l'arrosa de loin avec une carafe d'eau; de suite il fut calmé, mais enroué pendant deux jours. Le moyen n'était pas bon.

Ils en prirent un autre : au moindre symptôme de colère, le traitant comme un malade, ils le couchaient dans un lit; Victor s'y trouvait bien, et chantait. Un jour, il dénicha dans la bibliothèque une vieille noix de coco et commençait à la fendre, quand Pécuchet survint :

— Mon coco!

C'était un souvenir de Dumouchel! Il l'avait apporté de Paris à Chavignolles, en leva les bras d'indignation. Victor se mit à rire. « Bon ami » n'y tint plus, et d'une large calotte, l'envoya bouler au fond de l'appartement, puis, tremblant d'émotion, alla se plaindre à Bouvard.

Bouvard lui fit des reproches.

— Es-tu bête avec ton coco! Les coups abrutissent, la terreur énerve. Tu te dégrades toi-même!

Pécuchet objecta que les châtiments corporels sont quelquefois indispensables. Pestalozzi les employait, et le célèbre Mélanchton avoue que, sans eux, il n'eût rien appris. Mais des punitions cruelles ont poussé des enfants au suicide, on en lit des exemples. Victor s'était barricadé dans sa chambre. Bouvard parlementa derrière la porte, et, pour la faire ouvrir, lui promit une tarte aux prunes.

Dès lors il empira.

Restait un moyen préconisé par Mgr Dupanloup : « le regard sévère ». Ils tâchèrent d'imprimer à leurs visages un aspect effrayant, et ne produisirent aucun effet.

— Nous n'avons plus qu'à essayer de la religion, dit Bouvard.

Pécuchet se récria. Ils l'avaient bannie de leur programme.

Mais le raisonnement ne satisfait pas tous les besoins. Le cœur et l'imagination veulent autre chose. Le surnaturel pour bien des âmes est indispensable, et ils résolurent d'envoyer les enfants au catéchisme.

Reine proposa de les y conduire. Elle revenait dans la maison et savait se faire aimer par des manières caressantes.

Victorine changea tout à coup, fut réservée, mielleuse, s'agenouillait devant la Madone, admirait le sacrifice d'Abraham, ricanait avec dédain au nom de protestant.

Elle déclara qu'on lui avait prescrit le jeûne; ils s'en informèrent, ce n'était pas vrai. Le jour de la Fête-Dieu, des juliennes disparurent d'une plate-bande pour décorer le reposoir; elle nia effrontément les avoir coupées. Une autre fois, elle prit à Bouvard vingt sols qu'elle mit, aux vêpres, dans le plat du sacristain.

Ils en conclurent que la morale se distingue de la religion; quand elle n'a point d'autre base, son importance est secondaire.

Un soir, pendant qu'ils dînaient, M. Marescot entra. Victor s'enfuit immédiatement.

Le notaire, ayant refusé de s'asseoir, conta ce qui l'amenait : le jeune Touache avait battu, presque tué son fils.

Comme on savait les origines de Victor, et qu'il était désagréable, les autres gamins l'appelaient forçat, et, tout à l'heure, il avait flanqué à M. Arnold Marescot une insolente raclée. Le cher Arnold en portait des traces sur le corps :

— Sa mère est au désespoir, son costume en lambeaux, sa santé compromise! Où allons-nous?

Le notaire exigeait un châtiment rigoureux, et que Victor, entre autres, ne fréquentât plus le catéchisme, afin de prévenir des collisions nouvelles.

Bouvard et Pécuchet, bien que blessés par son ton rogue, promirent tout ce qu'il voulut, calèrent.

Victor avait-il obéi au sentiment de l'honneur ou de la vengeance? En tout cas, ce n'était point un lâche.

Mais sa brutalité les effrayait; la musique adoucissait les mœurs, Pécuchet imagina de lui apprendre le solfège.

Victor eut beaucoup de peine à lire couramment les notes et à ne pas confondre les termes *adagio*, *presto* et *sforzando*.

Son maître s'évertua à lui expliquer la gamme, l'accord parfait, la diatonique, la chromatique, et les deux espèces d'intervalles, appelés majeur et mineur.

Il le fit se mettre tout droit, la poitrine en avant, les épaules bien effacées, la bouche grande ouverte, et, pour l'instruire par l'exemple, poussa des intonations d'une voix fausse; celle de Victor lui sortait péniblement du larynx, tant il le contractait; quand un soupir commençait la mesure, il partait tout de suite ou trop tard.

Pécuchet néanmoins aborda le chant en partie double. Il prit une baguette pour tenir lieu d'archet, et faisait aller son bras magistralement, comme s'il avait eu un orchestre derrière lui; mais occupé par deux besognes, il se trompait de temps, son erreur en amenait d'autres chez l'élève, et, fronçant les sourcils, tendant les muscles de leur cou, ils continuaient au hasard, jusqu'au bas de la page.

Enfin Pécuchet dit à Victor :

— Tu n'es pas près de briller aux orphéons.

Et il abandonna l'enseignement de la musique.

Locke, d'ailleurs, a peut-être raison : « Elle engage dans des compagnies tellement dissolues qu'il vaut mieux s'occuper à autre chose. »

Sans vouloir en faire un écrivain, il serait commode pour Victor de savoir trousser une lettre. Une réflexion les arrêta : le style épistolaire ne peut s'apprendre, car il appartient exclusivement aux femmes.

Ils songèrent ensuite à fourrer dans sa mémoire quelques morceaux de littérature, et, embarrassés du choix, consultèrent l'ouvrage de Mme Campan. Elle recommande la scène d'Eliacin, les chœurs d'*Esther*, Jean-Baptiste Rousseau tout entier.

C'est un peu vieux. Quant aux romans, elle les prohibe, comme peignant le monde sous des couleurs trop favorables.

Cependant elle permet *Clarisse Harlowe* et *le Père de famille*, par miss Opy. Qui est-ce, miss Opy?

Ils ne découvrirent pas son nom dans la *Biographie Michaud*. Restait les contes de fées.

— Ils vont espérer des palais de diamants, dit Pécuchet. La littérature développe l'esprit, mais exalte les passions.

Victorine fut renvoyée du catéchisme à cause des siennes. On l'avait surprise embrassant le fils du notaire, et Reine ne plaisantait pas : sa figure était sérieuse sous son bonnet à gros tuyaux.

Après un scandale pareil, comment garder une jeune fille si corrompue?

Bouvard et Pécuchet qualifièrent le curé de vieille bête. Sa bonne le défendit en grommelant :

— On vous connaît! on vous connaît!

Ils ripostèrent, et elle s'en alla, en roulant des yeux terribles.

Victorine effectivement s'était prise de tendresse pour Arnold, tant elle le trouvait joli avec son col brodé, sa veste de velours, ses cheveux sentant bon, et elle lui apportait des bouquets, jusqu'au moment où elle fut dénoncée par Zéphyrin.

Quelle niaiserie que cette aventure, les deux enfants étant d'une innocence parfaite!

Fallait-il leur apprendre le mystère de la génération?

— Je n'y verrais pas de mal, dit Bouvard. Le philosophe Basedow l'exposait à ses élèves, ne détaillant toutefois que la grossesse et la naissance.

Pécuchet pensa différemment. Victor commençait à l'inquiéter.

Il le soupçonnait d'avoir une mauvaise habitude. Pourquoi pas? des hommes graves la conservent toute leur vie, et on prétend que le duc d'Angoulême s'y livrait.

Il interrogea son disciple d'une telle façon qu'il ouvrit les idées, et peu de temps après n'eut aucun doute.

Alors, il l'appela criminel et voulait, comme traitement, lui faire lire Tissot. Ce chef-d'œuvre, selon Bouvard, était plus pernicieux qu'utile. Mieux vaudrait lui inspirer un sentiment poétique; Aimé Martin rapporte qu'une mère, en pareil cas, prêta *la Nouvelle Héloïse* à son fils, et, pour se rendre digne de l'amour, le jeune homme se précipita dans le chemin de la vertu.

Mais Victor n'était pas capable de rêver une Sophie.

— Si plutôt nous le menions chez les dames?

Pécuchet exprima son horreur des filles publiques.

Bouvard la jugeait idiote et même parla de faire exprès un voyage au Havre.

— Y penses-tu? on nous verrait entrer!

— Eh bien! achète-lui un appareil!

— Mais un bandagiste croirait peut-être que c'est pour moi, dit Pécuchet.

Il lui aurait fallu un plaisir émouvant comme la chasse; elle amènerait la dépense d'un fusil, d'un chien; ils préférèrent le fatiguer, et entreprirent des courses dans la campagne.

Le gamin leur échappait, bien qu'ils se relayassent : ils n'en pouvaient plus, et, le soir, n'avaient pas la force de tenir le causer.

Pendant qu'ils attendaient Victor, ils causaient avec les passants, et, par besoin de pédagogie, tâchaient de leur apprendre l'hygiène, déploraient la perte des eaux, le gaspillage des fumiers, tonnaient contre les superstitions, le squelette d'un merle dans une grange, le buis bénit au fond de l'étable, un sac de vers sur les orteils des fiévreux.

Ils en vinrent à inspecter les nourrices et s'indignaient contre le régime de leurs poupons; les unes les abreuvent de gruau, ce qui les fait périr de faiblesse; d'autres les bourrent de viande avant six mois, et ils crèvent d'indigestion; plusieurs les nettoient de leur propre salive, toutes les manient brutalement.

Quand ils apercevaient sur une porte un hibou crucifié, ils entraient dans la ferme et disaient :

— Vous avez tort, ces animaux vivent de rats, de campagnols; on a trouvé dans l'estomac d'une chouette une quantité de larves de chenilles.

Les villageois les connaissaient pour les avoir vus, premièrement comme médecins, puis en quête de vieux meubles, puis à la recherche des cailloux, et ils répondaient :

— Allez donc, farceurs! n'essayez pas de nous en remontrer.

Leur conviction s'ébranla; car les moineaux purgent les potagers, mais gobent les cerises. Les hiboux dévorent les insectes, et en même temps les chauves-souris qui sont utiles, et si les taupes mangent les limaces, elles bouleversent la terre. Une chose dont ils étaient certains, c'est qu'il faut détruire tout le gibier, comme funeste à l'agriculture.

Un soir qu'ils passaient dans le bois de Faverges, ils arrivèrent devant la maison où Sorel, au bord de la route, gesticulait entre trois individus.

Le premier était un certain Dauphin, savetier, petit, maigre, et la figure sournoise. Le second, le père Aubain, commissionnaire dans les villages, portait une vieille redingote jaune avec un pantalon de coutil bleu. Le troisième, Eugène, domestique chez M. Marescot, se distinguait par sa barbe, taillée comme celle des magistrats.

Sorel leur montrait un nœud coulant, en fil de cuivre, qui s'attachait à un fil de soie retenu par une brique, ce qu'on nomme un collet, et il avait découvert le savetier en train de l'établir.

— Vous êtes témoins, n'est-ce pas?

Eugène baissa le menton d'une manière approbative, et le père Aubain répliqua :

— Du moment que vous le dites.

Ce qui enrageait Sorel, c'était le toupet d'avoir dressé un piège aux abords de son logement, le gredin se figurant qu'on n'aurait pas idée d'en soupçonner dans cet endroit.

Dauphin prit le genre pleurard :

— Je marchais dessus, je tâchais même de le casser. On l'accusait toujours, on lui en voulait, il était bien malheureux!

Sorel, sans lui répondre, avait tiré de sa poche un calepin, une plume et de l'encre pour écrire un procès-verbal.

— Oh! non! dit Pécuchet.

Bouvard ajouta :

— Relâchez-le, c'est un brave homme!

— Lui, un braconnier!

— Eh bien, quand cela serait?

Et ils se mirent à défendre le braconnage : on sait d'abord que les lapins rongent les jeunes pousses, lièvres abîment les céréales, sauf la bécasse peut-être...

— Laissez-moi donc tranquille!

Et le garde écrivait, les dents serrées.

— Quel entêtement! quel entêtement! murmura Bouvard.

— Un mot de plus et je fais venir les gendarmes!

— Vous êtes un grossier personnage! dit Pécuchet.

— Vous, des pas grand'chose, reprit Sorel.

Bouvard, s'oubliant, le traita de butor, d'estafier! et Eugène répétait :

— La paix! la paix! respectons la loi! tandis que le père Aubain gémissait, à trois pas d'eux, sur un mètre de cailloux.

Troublés par ces voix, tous les chiens de la meute sortirent de leurs cabanes, on voyait à travers le grillage leurs prunelles ardentes, leurs mufles noirs, et courant çà et là, ils aboyaient effroyablement.

— Ne m'embêtez plus, s'écria leur maître, ou bien je les lance sur vos culottes!

Les deux amis s'éloignèrent, contents, néanmoins, d'avoir soutenu le progrès, la civilisation.

Dès le lendemain, on leur envoya une citation à comparaître devant le tribunal de simple police, pour injures envers le garde, et s'y entendre condamner à 100 francs de dommages et intérêts « sauf le recours du ministère public, vu les contraventions par eux commises : coût 6 fr. 75 c. Tiercelin, huissier ».

Pourquoi un ministère public? La tête leur en tourna, puis, se calmant, ils préparèrent leur défense.

Le jour désigné, Bouvard et Pécuchet se rendirent à la mairie une heure trop tôt. Personne; des chaises et trois fauteuils entouraient une table ovale couverte d'un tapis, une niche était creusée dans le mur pour recevoir un poêle, et le buste de l'empereur, occupant un piédouche, dominait l'ensemble.

Ils flânèrent jusqu'au grenier, où il y avait une pompe à incendie, plusieurs drapeaux, et dans un coin, par terre, d'autres bustes en plâtre : le grand Napoléon sans diadème, Louis XVIII avec des épaulettes sur un frac, Charles X, reconnaissable à sa lèvre tombante, Louis-Philippe, les sourcils arqués et la chevelure en pyramide; l'inclinaison du toit frôlait sa nuque et tous étaient salis par les mouches et la poussière. Ce spectacle démoralisa Bouvard et Pécuchet. Les gouvernements leur faisaient pitié quand ils revinrent dans la grande salle.

Ils y trouvèrent Sorel et le garde champêtre, l'un ayant sa plaque au bras, et l'autre un képi. Une douzaine de personnes causaient, incriminées, pour défaut de balayage, chiens errants, manque de lanternes à des carrioles, ou avoir tenu, pendant la messe, un cabaret ouvert.

Enfin Coulon se présenta affublé d'une robe en serge noire et d'une toque ronde, avec du velours dans le bas. Son greffier se mit à gauche, le maire en écharpe à droite, et on appela, peu de temps après, l'affaire Sorel contre Bouvard et Pécuchet.

Louis-Martial-Eugène Lenepveur, valet de chambre à Chavignolles (Calvados), profita de sa position de témoin pour épandre tout ce qu'il savait sur une foule de choses étrangères au débat.

Nicolas-Juste Aubain, manouvrier, craignait de déplaire à Sorel et de nuire à ces messieurs; il avait entendu de gros mots, en doutait cependant; allégua sa surdité.

Le juge de paix le fit rasseoir, puis, s'adressant au garde :

— Persistez-vous dans vos déclarations?

— Certainement.

Coulon ensuite demanda aux deux prévenus ce qu'ils avaient à dire.

Bouvard soutenait n'avoir pas injurié Sorel, mais, en prenant le parti du braconnier, avoir défendu l'intérêt de nos campagnes; il rappela les abus féodaux, les chasses ruineuses des grands seigneurs.

— N'importe! la contravention...

— Je vous arrête! s'écria Pécuchet. Les mots contravention, crime et délit ne valent rien. Vouloir ainsi classer les faits punissables, c'est prendre une base arbitraire. Autant dire aux citoyens : « Ne vous inquiétez pas de la valeur de vos actions, elle n'est déterminée que par le châtiment du pouvoir »; le Code pénal, du reste, me paraît une œuvre absurde, sans principes.

— Cela se peut! répondit Coulon.

Et il allait prononcer son jugement; mais Foureau, qui était ministère public, se leva. On avait outragé le garde dans l'exercice de ses fonctions. Si on ne respecte pas les propriétés, tout est perdu.

— Bref, plaise à M. le juge de paix d'appliquer le maximum de la peine.

Elle fut de dix francs, sous forme de dommages et intérêts envers Sorel.

— Bravo! s'écria Bouvard.

Coulon n'avait pas fini :

— Les condamne, en outre, à cinq francs d'amende, comme coupables de la contravention relevée par le ministère public.

Pécuchet se tourna vers l'auditoire :

— L'amende est une bagatelle pour le riche, mais un désastre pour le pauvre. Moi, ça ne me fait rien.

Et il avait l'air de narguer le tribunal.

— Vraiment, dit Coulon, je m'étonne que des gens d'esprit...

— La loi vous dispense d'en avoir! répliqua Pécuchet. Le juge de paix siège indéfiniment, tandis que le juge de la cour suprême est réputé capable jusqu'à soixante-quinze ans, et celui de première instance ne l'est plus à soixante-dix.

Mais sur un geste de Foureau, Placquevent s'avança. Ils protestèrent.

— Ah! si vous étiez nommés au concours!

— Ou par le conseil général.

— Ou un comité de prud'hommes, d'après une liste sérieuse!

Placquevent les poussait; et ils sortirent, hués des autres prévenus, croyant se faire bien voir au moyen de cette bassesse.

Pour épancher leur indignation, ils allèrent le soir chez Beljambe; son café était vide, les notables ayant coutume d'en partir vers dix heures. On avait baissé le quinquet, les murs et le comptoir apparaissaient dans un brouillard; une femme survint. C'était Mélie.

Elle ne parut pas troublée, et, en souriant, leur versa deux bocks. Pécuchet, mal à son aise, quitta vite l'établissement.

Bouvard y retourna seul, divertit quelques bourgeois par des sarcasmes contre le maire, et dès lors fréquenta l'estaminet.

Dauphin, six semaines après, fut acquitté faute de preuves. Quelle honte! On suspectait ces mêmes témoins, que l'on avait crus déposant contre eux.

Et leur colère n'eut pas de bornes quand l'enregistrement les avertit d'avoir à payer l'amende. Bouvard attaqua l'enregistrement comme nuisible à la propriété.

— Vous vous trompez! dit le percepteur.

— Allons donc! elle endure le tiers de la charge publique! Je voudrais des procédés d'impôts moins vexatoires, un cadastre meilleur, des changements au régime hypothécaire et qu'on supprimât la Banque de France, qui a le privilège de l'usure.

Girbal n'était pas de force, dégringola dans l'opinion et ne reparut plus.

Cependant Bouvard plaisait à l'aubergiste; il attirait du monde, et en attendant les habitués, causait familièrement avec la bonne.

Il émit des idées drôles sur l'instruction primaire. On devrait, en sortant de l'école, pouvoir soigner les malades, comprendre les découvertes scientifiques, s'intéresser aux arts. Les exigences de son programme le fâchèrent avec Petit; et il blessa le capitaine en prétendant que les soldats, au lieu de perdre leur temps à la manœuvre, feraient mieux de cultiver des légumes.

Quand vint la question du libre échange, il amena Pécuchet; et pendant tout l'hiver, il y eut dans le café des regards furieux, des attitudes méprisantes, des injures et des vociférations, avec des coups de poings sur les tables qui faisaient sauter les canettes.

Langlois et les autres marchands défendaient le commerce national; Oudot, filateur, et Mathieu, orfèvre, l'industrie nationale; les propriétaires et les fermiers, l'agriculture nationale; chacun réclamant pour soi des privilèges au détriment du plus grand nombre. Les discours de Bouvard et Pécuchet alarmaient.

Comme on les accusait de méconnaître la *pratique*, de tendre au nivellement et à l'immoralité, ils développèrent ces trois conceptions : remplacer le nom de famille par un numéro matricule; hiérarchiser les Français, et, pour conserver son grade, il faudrait de temps à autre subir un examen, plus de châtiments, plus de récompenses, mais, dans tous les villages, une chronique individuelle qui passerait à la postérité.

On dédaigna leur système. Ils en firent un article pour le journal de Bayeux, rédigèrent une note au préfet, une pétition aux Chambres, un mémoire à l'empereur.

Le journal n'inséra pas leur article.

Le préfet ne daigna répondre.

Les Chambres furent muettes, et ils attendirent longtemps un pli des Tuileries.

De quoi donc s'occupait l'empereur, de femmes sans doute?

Foureau, de la part du sous-préfet, leur conseilla plus de réserve.

Ils se moquaient du sous-préfet, du préfet, des conseillers de préfecture, voire du Conseil d'Etat. La justice administrative était une monstruosité, car l'administration, par des faveurs et des menaces, gouverne injustement ses fonctionnaires. Bref, ils devenaient incommodes, et les notables enjoignirent à Beljambe de ne plus recevoir ces deux particuliers.

Alors Bouvard et Pécuchet brûlèrent de se signaler par une œuvre qui éblouirait leurs concitoyens, et ils ne trouvèrent pas autre chose que des projets d'embellissement pour Chavignolles.

Les trois quarts des maisons seraient démolies, on ferait au milieu du bourg une place monumentale, un hospice du côté de Falaise, des abattoirs sur la route de Caen et au « Pas de la Vaque » une église romane et polychrome.

Pécuchet composa un lavis à l'encre de Chine, n'oubliant pas de teinter les bois en jaune, les bâtiments en rouge, et les prés en vert, car les tableaux d'un Chavignolles idéal le poursuivaient dans ses rêves; il se retournait sur son matelas.

Bouvard, une nuit, en fut réveillé.

— Souffres-tu?

Pécuchet balbutia :

— Haussmann m'empêche de dormir.

Vers cette époque, il reçut une lettre de Dumouchel, pour savoir le prix des bains de mer sur la côte normande.

— Qu'il aille se promener avec ses bains! Est-ce que nous avons le temps d'écrire?

Et quand ils se furent procuré une chaîne d'arpenteur, un graphomètre, un niveau d'eau et une boussole, d'autres études commencèrent.

Ils envahissaient les propriétés; souvent les bourgeois étaient surpris de voir ces deux hommes plantant des jalons.

Bouvard et Pécuchet annonçaient d'un air tranquille leurs projets et ce qui en adviendrait.

Les habitants s'inquiétèrent, car enfin l'autorité se rangerait peut-être à leur avis?

Quelquefois, on les renvoyait brutalement.

Victor escaladait les murs et montait dans les combles pour y appendre un signal, témoignait de la bonne volonté et même une certaine ardeur.

Ils étaient aussi plus contents de Victorine.

Quand elle repassait le linge, elle poussait son fer sur la planche en chantonnant d'une voix douce, s'intéressait au ménage, fit une calotte pour Bouvard, et ses points de piqué lui valurent les compliments de Romiche.

C'était un de ces tailleurs qui vont dans les fermes raccommoder les habits. On l'eut quinze jours à la maison.

Bossu avec des yeux rouges, il rachetait ses défauts corporels par une humeur bouffonne. Pendant que les maîtres étaient dehors, il amusait Marcel et Victorine en leur contant des farces, tirait sa langue jusqu'au menton, imitait le coucou, faisait le ventriloque, et, le soir, s'épargnant les frais d'auberge, allait coucher dans le fournil.

Or, un matin, de très bonne heure, Bouvard, ayant froid, vint y prendre des copeaux pour allumer son feu.

Un spectacle le pétrifia.

Derrière les débris du bahut, sur une paillasse, Romiche et Victorine dormaient ensemble.

Il lui avait passé le bras autour de la taille, et son autre main, longue comme celle d'un singe, la tenait par un genou, les paupières entre-closes, le visage encore convulsé dans un spasme de plaisir. Elle souriait, étendue sur le dos. Le bâillement de sa camisole laissait à découvert sa gorge enfantine, marbrée de plaques rouges par les caresses du bossu; ses cheveux blonds traînaient, et la clarté de l'aube jetait sur tous les deux une lumière blafarde.

Bouvard, au premier moment, avait ressenti comme un heurt en pleine poitrine. Puis une pudeur l'empêcha de faire un seul geste; des réflexions douloureuses l'assaillaient.

— Si jeune! perdue! perdue!

Ensuite il alla réveiller Pécuchet, et, d'un mot, lui apprit tout.

— Ah! le misérable!

— Nous n'y pouvons rien! Calme-toi.

Et ils furent longtemps à soupirer l'un devant l'autre : Bouvard, sans redingote et les bras croisés; Pécuchet, au bord de sa couche, pieds nus et en bonnet de coton.

Romiche devait partir ce jour-là, ayant terminé son ouvrage. Ils le payèrent d'une façon hautaine, silencieusement.

Mais la Providence leur en voulait.

Marcel les conduisit peu de temps après dans la chambre de Victor et leur montra au fond de sa commode une pièce de vingt francs. Le gamin l'avait chargé de lui en fournir la monnaie.

D'où provenait-elle? D'un vol, bien sûr! et commis durant leurs tournées d'ingénieurs. Mais, pour la rendre, il eût fallu connaître la personne, et si on la réclamait, ils auraient l'air complices.

Enfin, ayant appelé Victor, ils lui commandèrent d'ouvrir son tiroir; le napoléon n'y était plus. Il feignit de ne pas comprendre.

Tantôt, pourtant, ils l'avaient vue, cette pièce, et Marcel était incapable de mentir. Cette histoire le révolutionnait tellement que, depuis le matin, il gardait dans sa poche une lettre pour Bouvard :

« Monsieur,

« Craignant que M. Pécuchet ne soit malade, j'ai recours à votre obligeance... »

— De qui donc la signature?

« Olympe DUMOUCHEL, née CHARPEAU. »

Elle et son époux demandaient dans quelle localité balnéaire, Courseulles, Langrune ou Luc, se trouvait la meilleure compagnie, la moins bruyante, et tous les moyens de transport, le prix du blanchissage, etc., etc.

Cette importunité les mit en colère contre Dumouchel; puis la fatigue les plongea dans un découragement plus lourd.

Ils récapitulèrent tout le mal qu'ils s'étaient donné; tant de leçons, de précautions, de tourments!

— Et songer, disaient-ils, que nous voulions autrefois faire d'elle une sous-maîtresse! et de lui, dernièrement, un piqueur de travaux!

— Ah! quelle déception!

— Si elle est vicieuse, ce n'est pas la faute de ses lectures.

— Moi, pour le rendre honnête, je lui avais appris la biographie de Cartouche.

— Peut-être ont-ils manqué d'une famille, des soins d'une mère.

— J'en étais une! objecta Bouvard.

— Hélas! reprit Pécuchet. Mais il y a des natures dénuées de sens moral, et l'éducation n'y peut rien.

— Ah! oui, c'est beau, l'éducation!

Comme les orphelins ne savaient aucun métier, on leur chercherait deux places de domestiques; et puis, à la grâce de Dieu! ils ne s'en mêleraient plus.

Et désormais, *Mon oncle* et *Bon ami* les firent manger à la cuisine.

Mais bientôt ils s'ennuyèrent, leur esprit ayant besoin d'un travail, leur existence d'un but.

D'ailleurs, que prouve un insuccès? Ce qui avait échoué sur des enfants pouvait être moins difficile avec des hommes. Et ils imaginèrent d'établir un cours d'adultes.

Il aurait fallu une conférence pour exposer leurs idées. La grande salle de l'auberge conviendrait à cela parfaitement.

Beljambe, comme adjoint, eut peur de se compromettre, refusa d'abord, puis, songeant qu'il pouvait y gagner, changea d'opinion et le fit dire par sa servante.

Bouvard, dans l'excès de sa joie, la baisa sur les deux joues.

Le maire était absent; l'autre adjoint, M. Marescot, pris tout entier par son étude, s'occuperait peu de la conférence; ainsi elle aurait lieu, et le tambour l'annonça pour le dimanche suivant, à trois heures.

La veille, seulement, ils pensèrent à leur costume.

Pécuchet, grâce au ciel, avait conservé un vieil habit de cérémonie à collet de velours, deux cravates blanches et des gants noirs. Bouvard mit sa redingote bleue, un gilet de nankin, des souliers de castor; et ils étaient fort émus quand ils traversèrent le village et arrivèrent à l'Hôtel de la Croix d'or . . . .

Ici s'arrête le manuscrit de Flaubert.
Nous publions un extrait du plan, trouvé dans ses papiers, et qui indique la conclusion de l'ouvrage.

CONFÉRENCE.

L'auberge de la Croix d'or, — deux galeries de bois latérales au premier avec balcon saillant, — corps de logis au fond, — café au rez-de-chaussée, salle à manger, billard, les portes et les fenêtres sont ouvertes.

Foule : notables, gens du peuple.

Bouvard : « Il s'agit d'abord de démontrer l'utilité de notre projet, nos études nous donnent le droit de parler. »

Discours de Pécuchet, pédantesque.

Sottises du gouvernement et de l'administration, — trop d'impôts, deux économies à faire : suppression du budget des cultes et de celui de l'armée.

On l'accuse d'impiété.

« Au contraire, mais il faut une rénovation religieuse. »

Foureau survient et veut dissoudre l'assemblée.

Bouvard fait rire aux dépens du maire en rappelant ses primes imbéciles pour les hiboux. — Objection.

« S'il faut détruire les animaux nuisibles aux plantes, il faudrait aussi détruire le bétail, qui mange de l'herbe. »

Foureau se retire.

Discours de Bouvard, familier.

Préjugés : célibat des prêtres, futilité de l'adultère, — émancipation de la femme :

« Ses boucles d'oreille sont le signe de son ancienne servitude. »

Haras d'hommes.

On reproche à Bouvard et à Pécuchet l'inconduite de leurs élèves. — Aussi pourquoi avoir adopté les enfants d'un forçat?

Théorie de la réhabilitation. Ils dîneraient avec Touache.

Foureau, revenu, lit, pour se venger de Bouvard, une pétition de lui au conseil municipal, où il demande l'établissement d'un bordel à Chavignolles. — (Raisons de Robin.)

La séance est levée dans le plus grand tumulte.

En s'en retournant chez eux, Bouvard et Pécuchet aperçoivent le domestique de Foureau, galopant sur la route de Falaise à franc étrier.

Ils se couchent très fatigués, sans se douter de toutes les trames qui fermentent contre eux, — expliquer les motifs qu'ont de leur en vouloir le curé, le médecin, le maire, Marescot, le peuple, tout le monde.

Le lendemain, au déjeuner, ils reparlent de la conférence.

Pécuchet voit l'avenir de l'Humanité en noir :

L'homme moderne est amoindri et devenu une machine.

Anarchie finale du genre humain (Buchner, t. II).

Impossibilité de la Paix (id.).

Barbarie par l'excès de l'individualisme et le délire de la science.

Trois hypothèses : 1° le radicalisme panthéiste rompra tout lien avec le passé, et un despotisme inhumain s'ensuivra; 2° si l'absolutisme théiste triomphe, le libéralisme dont l'humanité s'est pénétrée depuis la Réforme succombe, tout est renversé; 3° si les convulsions qui existent depuis 89 continuent, sans fin entre deux issues, ces oscillations nous emporteront par leurs propres forces. Il n'y aura plus d'idéal, de religion, de moralité.

L'Amérique aura conquis la terre.

Avenir de la littérature.

Pignouflisme universel. Tout ne sera plus qu'une vaste ribote d'ouvriers.

Fin du monde par la cessation du calorique.

Bouvard voit l'avenir de l'Humanité en beau. L'Homme moderne est en progrès.

L'Europe sera régénérée par l'Asie. La loi historique étant que la civilisation aille d'Orient en Occident, — le rôle de la Chine, — les deux humanités enfin seront fondues.

Inventions futures : manières de voyager. Ballons. — Bateaux sous-marins avec vitres, par un calme constant, l'agitation de la mer n'étant qu'à la surface. — On verra passer les poissons et les paysages au fond de l'océan. — Animaux domptés. — Toutes les cultures.

Avenir de la littérature (contre-partie de littérature industrielle). Sciences futures. — Régler la force magnétique.

Paris deviendra un jardin d'hiver; — espaliers à fruits sur le boulevard. La Seine filtrée et chaude, — abondance de pierres précieuses factices, — prodigalité de la dorure, — éclairage des maisons — on emmagasinera la lumière, car il y a des corps qui ont cette propriété, comme le sucre, la chair de certains mollusques et le phosphore de Bologne. On sera tenu de faire badigeonner les façades des maisons avec la substance phosphorescente, et leur radiation éclairera les rues.

Disparition du mal par la disparition du besoin. La philosophie sera une religion.

Communion de tous les peuples. Fêtes publiques.

On ira dans les astres, — et quand la terre sera usée, l'Humanité déménagera vers les étoiles.

A peine a-t-il fini que les gendarmes apparaissent. — Entrée des gendarmes.

A leur vue, effroi des enfants, par l'effet de leurs vagues souvenirs.

Désolation de Marcel.

Emoi de Bouvard et Pécuchet. — Veut-on arrêter Victor?

Les gendarmes exhibent un mandat d'amener.

C'est la conférence qui est en cause. On les accuse d'avoir attenté à la religion, à l'ordre, excité à la révolte, etc.

Arrivée soudaine de M. et Mme Dumouchel, avec leurs bagages; ils viennent prendre les bains de mer. Dumouchel n'est pas changé, Madame porte des lunettes et compose des fables. — Leur ahurissement.

Le maire, sachant que les gendarmes sont chez Bouvard et Pécuchet, arrive, encouragé par leur présence.

Gorju, voyant que l'autorité et l'opinion publique sont contre eux, a voulu en profiter et escorte Foureau. Supposant Bouvard le plus riche des deux, il l'accuse d'avoir autrefois débauché Mélie.

« Moi, jamais! »

Et Pécuchet tremble.

« Et même de lui avoir donné du mal. »

Bouvard se récrie.

« Au moins qu'il lui fasse une pension pour l'enfant qui va naître, car elle est enceinte. »

Cette seconde accusation est basée sur la privauté de Bouvard au café.

Le public envahit peu à peu la maison.

Barberou, appelé dans le pays par une affaire de son commerce, tout à l'heure a appris à l'auberge ce qui se passe et survient.

Il croit Bouvard coupable, le prend à l'écart, et l'engage à céder, à faire une pension.

Arrivent le médecin, le comte, Reine, Mme Bordin, Mme Marescot sous son ombrelle, et d'autres notables. Les gamins du village, en dehors de la grille, crient, jettent des pierres dans le jardin. (Il est maintenant bien tenu et la population en est jalouse.)

Foureau veut traîner Bouvard et Pécuchet en prison.

Barberou s'interpose, et, comme lui, s'interposent Marescot, le médecin et le comte avec une pitié insultante.

Expliquer le mandat d'amener. Le sous-préfet, au reçu de la lettre de Foureau, leur a expédié un mandat d'amener pour leur faire peur, avec une lettre à Marescot et à Faverges, disant de les laisser tranquilles s'ils témoignaient du repentir.

Vaucorbeil cherche également à les défendre.

« C'est plutôt dans une maison de fous qu'il faudrait les mener; ce sont des maniaques. — J'en écrirai au préfet. »

Tout s'apaise.

Bouvard fera une pension à Mélie.

On ne peut leur laisser la direction des enfants. — Ils se rebiffent; mais comme ils n'ont pas adopté légalement les orphelins, le maire les reprend.

Ils montrent une insensibilité révoltante. — Bouvard et Pécuchet en pleurent.

M. et Mme Dumouchel s'en vont.

Ainsi tout leur a craqué dans la main.

Ils n'ont plus aucun intérêt dans la vie.

Bonne idée nourrie en secret par chacun d'eux. Ils se la dissimulent. — De temps à autre, ils sourient quand elle leur vient. — puis, enfin, se la communiquent simultanément.

Copier comme autrefois.

Confection du bureau à double pupitre. — (Ils s'adressent pour cela à un menuisier. Gorju, qui a entendu parler de leur intention, leur propose de le faire. — Rappeler le bahut.)

Achat de livres et d'ustensiles, sandaraque, grattoirs, etc.

Ils s'y mettent.

LE DICTIONNAIRE DES IDÉES REÇUES

Le Dictionnaire des idées reçues *est un objet de controverse entre flaubertistes. Il est en tout cas plus facile d'en discerner la nature que d'en fixer la destination. L'idée en remonte à la jeunesse de Flaubert. Mais c'est probablement vers 1850 que le projet prend une forme et une orientation nettement dessinées : « Tu fais bien de songer au* Dictionnaire des idées reçues, *écrit Flaubert à son ami Bouilhet, le 4 septembre 1850. Ce livre, complètement fait, et précédé d'une bonne préface où l'on indiquerait comme quoi l'ouvrage a été fait dans le but de rattacher le public à la tradition, à l'ordre, à la convention générale, et arrangé de telle manière que le lecteur ne sache pas si on se fout de lui, oui ou non, ce serait peut-être une œuvre étrange et capable de réussir... » Il s'agirait en somme de constituer le répertoire systématique des sottises, des poncifs et des vulgarités qui sont comme la substance même de l'esprit humain, quand il est médiocre, — médiocrité dont l'esprit bourgeois est, aux yeux de Flaubert, l'expression la plus actuelle et la plus choquante. Il faudrait qu'après avoir lu ce sottisier « on n'osât plus parler de peur de dire naturellement une des phrases qui s'y trouvent ».*

Que l'intérêt de ce recueil soit par lui-même un peu mince, fût-il enrichi d'une préface dont la seule idée a le don d' « exciter fort » son auteur, on en conviendra volontiers. Mais le Dictionnaire *allait constituer pour l'auteur de* Madame Bovary, *de l'*Education sentimentale *et de* Bouvard et Pécuchet *un précieux fichier où s'approvisionner en traits de mœurs et propos bourgeois de tout calibre. On admettra toutefois qu'il est gênant de ramener à une fonction aussi subalterne un livre dont l'élaboration a occupé une place importante dans la carrière de l'écrivain. Aussi bien lui a-t-on trouvé une autre et plus brillante destination : à en croire E. L. Ferrère, par exemple, le* Dictionnaire *eût été incorporé à* Bouvard et Pécuchet,*

dont il eût occupé la dernière partie. L'énigme de ce roman inachevé trouve ainsi une élégante solution : ce que les deux compères se proposaient de copier sur le bureau à double pupitre ne serait rien d'autre que le Dictionnaire des idées reçues, *promu à la dignité d'une conclusion de roman. René Descharmes a pu montrer, avec des arguments souvent décisifs, que ce dont* Bouvard et Pécuchet *comptaient se faire les copistes n'était pas le* Dictionnaire, *mais un sottisier brut, nommé par Descharmes l'*Album, *et qu'on a retrouvé dans les papiers de Flaubert après sa mort. Cet* Album, *distinct du* Dictionnaire, *mais composé dans un esprit analogue, — et que nous n'avions pas à reproduire ici —, est un recueil, sommairement organisé, de « perles », de citations cocasses ou absurdes, glanées par Flaubert et quelques collaborateurs au cours de lectures étendues et variées. Cette anthologie de la sottise humaine,* Bouvard et Pécuchet *l'eussent copiée par vengeance, étant désormais doués d'une faculté dont Flaubert était surabondamment pourvu, celle « de voir la bêtise et de ne plus la tolérer ».*

En publiant le Dictionnaire des idées reçues *immédiatement après* Bouvard et Pécuchet, *nous avons moins cherché à respecter une tradition qu'à mettre en lumière la parenté profonde qui unit les deux œuvres dans leur esprit et leur intention commune; car il ne fait pas de doute que si l'idée du* Dictionnaire *est antérieure à celle de* Bouvard, *ce roman est, de tous ceux de Flaubert, celui qui puise le plus hardiment dans cet ample et dérisoire trésor de la sottise humaine amassé par Flaubert depuis sa jeunesse.*

On pourra consulter : E. L. Ferrère, le Dictionnaire des idées reçues *(...) avec une introduction et un commentaire, Paris, 1913; R. Descharmes,* Autour de Bouvard et Pécuchet, *chap. VIII, Paris, 1921.*

Vox populi, vox Dei, (Sagesse des nations.)

Il y a à parier que toute idée publique, toute convention reçue est une sottise, car elle a convenu au plus grand nombre. (CHAMFORT, *Maximes*.)

LE CATALOGUE DES OPINIONS CHIC

A

ABÉLARD. Inutile d'avoir la moindre idée de sa philosophie, ni même de connaître le titre de ses ouvrages. — Faire une allusion discrète à la mutilation opérée sur lui par Fulbert. — Tombeau d'Héloïse et d'Abélard; si l'on vous prouve qu'il est faux, s'écrier : « Vous m'ôtez mes illusions. »

ABRICOTS. Nous n'en aurons pas encore cette année.

ABSINTHE. Poison extra-violent. — A tué plus de soldats que les Bédouins.

ACADÉMIE FRANÇAISE. La dénigrer, mais tâcher d'en faire partie si on peut.

ACTRICES. La perte des fils de famille. — Sont d'une lubricité effrayante, se livrent à des orgies, avalent des millions (finissent à l'hôpital). — Pardon! il y en a qui sont bonnes mères de famille!

AFFAIRES (LES). Passent avant tout. — Une femme doit éviter de parler des siennes. — Sont dans la vie ce qu'il y a de plus important. — Tout est là.

AGRICULTURE. Manque de bras.

AIRAIN. Métal de l'antiquité.

AIR. Toujours se méfier des courants d'air. — Invariablement le fond de l'air est en contradiction avec la température : si elle est chaude, il est froid, et l'inverse.

ALBATRE. Sert à décrire les plus belles parties du corps de la femme.

ALCOOLISME. Cause de toutes les maladies modernes.

ALLEMANDS. Peuple de rêveurs (vieux).

AMÉRIQUE. Bel exemple d'injustice : c'est Colomb qui la découvrit et elle tient son nom d'Améric Vespucci. — Faire une tirade sur le self-government.

ANGE. Fait bien en amour et en littérature.

ANGLAIS. Tous riches.

ANGLAISES. S'étonner de ce qu'elles ont de jolis enfants.

ANTIQUITÉ. Et tout ce qui se *(sic)* rapporte, poncif, embêtant.

ANTIQUITÉS (LES). Sont toujours de fabrication moderne.

APPARTEMENT DE GARÇON. Toujours en désordre. — Avec des colifichets de femme traînant çà et là. — Odeur de cigarette. — On doit y trouver des choses extraordinaires.

ARCHIMÈDE. Dire à son nom : « Eurêka ». — « Donnez-moi un point d'appui et je soulèverai le monde. » — Il y a encore la vis d'Archimède; mais on n'est pas tenu de savoir en quoi elle consiste.

ARCHITECTES. Tous imbéciles. — Oublient toujours l'escalier des maisons.

ARCHITECTURE. Il n'y a que quatre ordres d'architecture. — Bien entendu qu'on ne compte pas l'égyptien, le cyclopéen, l'assyrien, l'indien, le chinois, gothique, roman, etc.

ARGENT. Cause de tout le mal. — Dire : *Auri sacra fames.*

ARSENIC. Se trouve partout. Rappeler Mme Lafarge (?). — Cependant, il y a des peuples qui en mangent.

ARTISTES. Tous farceurs. — Vanter leur désintéressement (vieux). — S'étonner de ce qu'ils sont habillés comme tout le monde (vieux). — Gagnent des sommes folles, mais les jettent par les fenêtres. — Souvent invités à dîner en ville. — Femme artiste ne peut être qu'une catin.

ARTS. Sont bien inutiles, puisqu'on les remplace par des machines, qui fabriquent même plus promptement.

ASPIC. Animal connu par le panier de figues de Cléopâtre.

ASTRONOMIE. Belle science. — Très utile pour (n'est utile que pour) la marine. — Et, à ce propos, rire de l'astrologie.

ATHÉE. Un peuple d'athées ne saurait subsister.

AUTEUR. On doit « connaître les auteurs »; inutile de savoir leurs noms.

AUTRUCHE. Digère les pierres.

AVOCATS. Trop d'avocats à la Chambre. — Ont le jugement faussé. — Dire d'un avocat qui parle mal : Oui, mais il est fort en droit.

B

BACCALAURÉAT. Tonner contre.

BADIGEON. Dans les églises. Tonner contre. Cette colère artistique est extrêmement bien portée.

BAGNOLET. Pays célèbre par ses aveugles.

BAILLEMENT. Il faut dire : Excusez-moi, ça ne vient pas d'ennui, mais de l'estomac.

BALLONS. Avec les ballons, on finira par aller dans la lune. — On n'est pas près de les diriger.

BANQUET. La plus franche cordialité ne cesse d'y régner. — On en emporte le meilleur souvenir, et on ne se sépare jamais sans s'être donné rendez-vous à l'année prochaine. — Un farceur doit dire : Au banquet de la vie, infortuné convive...

BANQUIERS. Tous riches, Arabes, loups-cerviers.

BARAGOUIN. Manière de parler aux *(sic)* étrangers. Toujours rire de l'étranger qui parle mal français.

BARBE. Signe de force. — Trop de barbe fait tomber les cheveux. — Utile pour protéger les cravates.

BAS-BLEU. Terme de mépris pour désigner toute femme qui s'intéresse aux choses intellectuelles. — Citer Molière à l'appui : « Quand la capacité de son esprit se hausse... », etc.

BASES. De la société, sont *(id est)* la propriété, la famille, la religion, le respect des autorités. — En parler avec colère si on les attaque.

BASQUES. Le peuple qui court le mieux.

BASILIQUE. Synonyme pompeux d'église; est toujours imposante.

BATON. Plus redoutable que l'épée.

BAUDRUCHE. Ne sert qu'à faire des ballons.

BAYADÈRES. Toutes les femmes de l'Orient sont des bayadères. — Ce mot entraîne l'imagination fort loin.

BIBLE. Le plus ancien livre du monde.

BIBLIOTHÈQUE. Toujours en avoir une chez soi, principalement quand on habite la campagne.

BILLARD. Noble jeu. — Indispensable à la campagne.

BLONDES. Plus chaudes que les brunes (voy. BRUNES).

BOIS. Les bois font rêver. — Sont propres à composer des vers. — A l'automne, quand on se promène, on doit dire : De la dépouille de nos bois, etc.

BONNET GREC. Indispensable à l'homme de cabinet. — Donne de la majesté au visage.

BOSSUS. Ont beaucoup d'esprit. — Sont très recherchés des femmes lascives.

BOUCHERS. Sont terribles en temps de révolution.

BOUDDHISME. « Fausse religion de l'Inde » (définition du dictionnaire Bouillet, 1re édition).

BOUDIN. Signe de gaîté dans les maisons. — Indispensable la nuit de Noël.

BOUILLI (LE). C'est sain. — Inséparable du mot soupe : la soupe et le bouilli.

BOULET. Le vent des boulets rend aveugle (asphyxie).

BOURSE (LA). Thermomètre de l'opinion publique.

BOURSIERS. Tous voleurs.

BOUTONS. Au visage ou ailleurs, signe de santé et de force du sang. — Ne point les faire passer.

BRACONNIERS. Tous forçats libérés. — Auteurs de tous les crimes commis dans les campagnes. — Doivent exciter une colère frénétique : « Pas de pitié, monsieur, pas de pitié ! »

BRAS. Pour gouverner la France, il faut un bras de fer.

BRETELLES...

BRETONS. Tous braves gens, mais entêtés.

BRUNES. Sont plus chaudes que les blondes (voy. BLONDES).

BUDGET. Jamais en équilibre.

BUFFON. Mettait des manchettes pour écrire.

BUREAU...

C

CAFÉ. Donne de l'esprit. — N'est bon qu'en venant du Havre. — Dans un grand dîner, doit se prendre debout. — L'avaler sans sucre, très chic, donne l'air d'avoir vécu en Orient.

CALVITIE. Toujours précoce, et causée par des excès de jeunesse, ou la conception de grandes pensées.

CAMPAGNE. Les gens de la campagne, meilleurs que ceux des villes ; envier leur sort. — A la campagne, tout est permis : habits bas, farces, etc.

CANARDS. Viennent tous de Rouen.

CANONNADE. Change le temps.

CARABINS. Dorment près des cadavres. — Il y a (sic) qui en mangent.

CARÊME. Au fond n'est qu'une mesure hygiénique.

CATAPLASME. Doit toujours être mis en attendant l'arrivée du médecin.

CATHOLICISME. A eu une influence très favorable sur les arts.

CAVALERIE. Plus noble que l'infanterie.

CAVERNES. Habitation ordinaire des voleurs. — Sont toujours remplies de serpents.

CAUCHEMAR. Vient de l'estomac.

CÈDRE. Celui du Jardin des Plantes a été rapporté dans un chapeau.

CÉLÉBRITÉ. Les célébrités : s'inquiéter du moindre détail de leur vie privée, afin de pouvoir les dénigrer.

CÉLIBATAIRES. Tous égoïstes et débauchés. — On devrait les imposer. — Se préparent une triste vieillesse.

CENSURE. Utile ! on a beau dire.

CERCLE. On doit toujours faire partie d'un.

CERTIFICAT. Garantie pour les familles et pour les parents. — Est toujours favorable.

CHALEUR. Toujours insupportable. — Ne pas boire quand il fait chaud.

CHAMBRE A COUCHER. Dans un vieux château : Henri IV y a toujours passé une nuit.

CHAMEAU. A deux bosses et le dromadaire une seule. — Ou bien : le chameau a une bosse et le dromadaire

une seule (sic) (on ne sait pas au juste ; on s'y embrouille).

CHAMPAGNE. Caractérise le dîner de cérémonie. — Faire semblant de le détester en disant que « ce n'est pas un vin ». — Provoque l'enthousiasme chez les petites gens. — La Russie en consomme plus que la France. — C'est par lui que les idées françaises se sont répandues en Europe. — Sous la Régence, on ne faisait pas autre chose que d'en boire. — (Mais on ne le boit pas, on le « sable ».)

CHAMPIGNONS. Ne doivent être achetés qu'au marché (ne manger que ceux qui viennent du marché).

CHAPEAUX. Protester contre la forme des.

CHARCUTIER (sic). Anecdote des pâtés faits avec de la chair humaine. — Toutes les charcutières sont jolies.

CHARTREUX. Passent leur temps à faire de la chartreuse, à creuser leur tombe et à dire : Frère, il faut mourir.

CHASSE. Excellent exercice que l'on doit feindre d'adorer. — Fait partie de la pompe des souverains. — Sujet de délire pour la magistrature.

CHAT. Les chats sont traîtres. — Les appeler tigres de salon (sic). — Leur couper la queue pour empêcher le vertigo.

CHATAIGNE. Femelle du marron.

CHATEAU FORT. A toujours subi un siège sous Philippe-Auguste.

CHEMINÉE. Fume toujours. — Sujet de discussion à propos du chauffage.

CHEMINS DE FER. Si Napoléon les avait eus à sa disposition, il aurait été invincible. — S'extasier sur l'invention et dire : « Moi, monsieur, qui vous parle, j'étais ce matin à X ; je suis parti par le train de X ; là-bas, j'ai fait mes affaires, etc., et à X heures, j'étais revenu ! »

CHEVAL. S'il connaissait sa force, ne se laisserait pas conduire. — Viande de cheval. — Beau sujet de brochure pour un homme qui désire se poser en personnage sérieux. — De course : le mépriser. A quoi sert-il ?

CHIEN. Spécialement créé pour sauver la vie à son maître. — (Le chien est l'idéal de) L'ami de l'homme (parce qu'il est son esclave dévoué).

CHIRURGIENS. Ont le cœur dur : appeler bouchers.

CHOLÉRA. Le melon donne le choléra. — On s'en guérit en prenant beaucoup de thé avec du rhum.

CHRISTIANISME. A affranchi les esclaves.

CIDRE. Gâte les dents.

CIGARES. Ceux de la régie, « tous infects ! » — Les seuls bons viennent par contrebande.

CIRAGE. N'est bon que si on le fait soi-même.

CLAIR-OBSCUR. On ne sait pas ce que c'est.

CLASSIQUES (LES). On est censé les connaître.

CLOCHER. De village : fait battre le cœur.

CLOWN. A été disloqué dès l'enfance.

CLUB. — Sujet d'exaspération pour les conservateurs. — Embarras et discussion sur la prononciation du mot.

COCHON. L'intérieur de son corps étant « tout pareil à celui d'un homme », on devrait s'en servir dans les hôpitaux pour apprendre l'anatomie.

COCU. Toute femme doit faire son mari cocu.

COFFRES-FORTS. Leurs complications sont très faciles à déjouer.

COGNAC. Très funeste. — Excellent dans plusieurs maladies. — Un bon verre de cognac ne fait jamais de mal. — Pris à jeun, tue le ver de l'estomac.

COLLÈGE. Lycée. Plus noble qu'une pension.

COLONIES (Nos). S'attrister quand on en parle.

COMÉDIE. En vers, ne convient plus à notre époque. — On doit cependant respecter la haute comédie.

COMÈTES. Rire des gens qui en avaient peur.

COMMERCE. Discuter pour savoir lequel est le plus noble du commerce ou de l'industrie.

COMMUNION. La première communion : le plus beau jour de la vie.

CONFISEURS. Tous les Rouennais sont confiseurs.

CONFORTABLE. Précieuse découverte moderne.

CONSERVATOIRE. Il est indispensable d'être abonné au Conservatoire.

CONSTIPATION. Tous les gens de lettres sont constipés. — Influe sur les convictions politiques.

CONSERVATIONS. La politique et la religion doivent en être exclues.

COPAHU. Feindre d'en ignorer l'usage.

COR (AUX PIEDS). Indique le changement de temps mieux qu'un baromètre. — Très dangereux quand il est mal coupé; citer des exemples d'accidents terribles.

CORDE. On ne connaît pas la force d'une corde. — Est plus solide que le fer.

COR DE CHASSE. Dans les bois, fait bon effet (et le soir sur l'eau).

CORPS. Si nous savions comment notre corps est fait, nous n'oserions pas faire un mouvement.

CORSET. Empêche d'avoir des enfants.

COSAQUES. Mangent de la chandelle.

COTON. Est surtout utile pour les oreilles. — Une des bases de la société dans la Seine-Inférieure.

COURTISANNE (sic). Est un mal nécessaire. — Sauvegarde de nos filles et de nos sœurs (tant qu'il y aura des célibataires). — Ou bien : devraient être chassées impitoyablement. — On ne peut plus sortir avec sa femme, à cause de leur présence sur le boulevard. — Sont toujours des filles du peuple débauchées par des bourgeois riches.

CRAPAUD. Mâle de la grenouille. — Possède un venin fort dangereux. Habite l'intérieur des pierres.

CRÉOLE. Vit dans un hamac.

CRITIQUE. Toujours éminent. — Est censé tout connaître, tout savoir, avoir tout lu, tout vu. — Quand il vous déplaît, l'appeler un Aristarque (ou eunuque).

CROCODILE. Imite le cri des enfants pour attirer l'homme.

CROISADES. Ont été bienfaisantes (utiles seulement) pour le commerce de Venise.

CRUCIFIX. Fait bien dans une alcôve et à la guillotine.

CUISINE. De restaurant : toujours échauffante. — Bourgeoise : toujours saine. — Du Midi : trop épicée ou toute à l'huile.

CUJAS. Inséparable de Bartholde; on ne sait pas ce qu'ils ont écrit, n'importe. — Dire à tout homme étudiant le droit : Vous êtes enfermé dans Cujas et Bartholde.

CYGNE. Chante avant de mourir. — Avec son aile, peut casser la cuisse d'un homme. — Le cygne de Cambrai n'était pas un oiseau, mais un homme (évêque) nommé Fénelon. — Le cygne de Mantoue, c'est Virgile. — Le cygne de Pesaro, c'est Rossini.

CYPRÈS. Ne pousse que dans les cimetières.

D

DAGUERRÉOTYPE. Remplacera la peinture.

DAMAS. Seul endroit où l'on sache faire les sabres. — Toute bonne lame est de Damas.

DAUPHIN. Porte les enfants sur son dos.

DÉBAUCHE. Cause de toutes les maladies des célibataires.

DÉCORATION. De la Légion d'honneur. — La blaguer, mais la convoiter. — Quand on l'obtient, toujours dire qu'on ne l'a pas demandée.

DÉCOR DE THÉATRE. N'est pas de la peinture : il suffit de jeter à vrac sur la toile un seau de couleurs; puis on l'étend avec un balai; et l'éloignement avec la lumière fait l'illusion.

DÉCORUM. Donne du prestige. — Frappe l'imagination des masses. — « Il en faut! Il en faut! »

DÉFAITE. S'essuie, et est tellement complète qu'il ne reste personne pour en porter la nouvelle.

DÉICIDE. S'indigner contre, bien que le crime ne soit pas fréquent.

DÉJEUNER DE GARÇONS. Exige des huîtres, du vin blanc et des gaudrioles.

DÉMÊLOIR. Fait tomber les cheveux.

DÉMOSTHÈNE. Ne prononçait pas de discours sans avoir un galet dans la bouche.

DENTS. Sont gâtées par le cidre, le tabac, les dragées, la glace, dormir la bouche ouverte, et boire de suite après le potage.

DENT ŒILLÈRE. Dangereux de l'arracher parce qu'elle correspond à l'œil. — L'arrachement d'une dent « ne fait pas jouir ».

DÉPURATIF. Se prend en cachette.

DÉPUTÉ. L'être, comble de la gloire. — Tonner contre la Chambre des députés. — Trop de bavards à la Chambre. — Ne font rien.

DESCARTES. « Cogito, ergo sum. »

DÉSERT. Produit des dattes.

DESSERT. Regretter qu'on n'y chante plus. — Les gens vertueux le méprisent : « Non! non! pas de pâtisseries! Jamais de dessert! »

DESSIN (L'ART DU). Se compose de trois choses : la ligne, le grain et le grainé fin; de plus le trait de force. Mais le trait de force, il n'y a que le maître seul qui le donne (Christophe).

DEVOIRS. Les exiger de la part des autres, s'en affranchir. — Les autres en ont envers nous, mais on n'en a pas envers eux.

DÉVOUEMENT. Se plaindre de ce que les autres en manquent. — « Nous sommes bien inférieurs au chien, sous ce rapport! »

DIAMANT. On finira par en faire! — Et dire que ce

n'est que du charbon! — Si nous en trouvons un dans son état naturel, nous ne le ramasserions pas!

DICTIONNAIRE. En dire : N'est fait que pour les ignorants.

DICTIONNAIRE DE RIMES. S'en servir? honteux!

DIDEROT. Toujours suivi de d'Alembert.

DIEU. Voltaire lui-même l'a dit : « Si Dieu n'existait pas, il faudrait l'inventer. »

DILETTANTE. Homme riche, abonné à l'Opéra.

DILIGENCES. Regretter le temps des diligences.

DINER. Autrefois, on dînait à midi, maintenant, on dîne à des heures impossibles. — Le dîner de nos pères était notre déjeuner, et notre déjeuner, c'était leur dîner. — Dîner si tard que ça ne s'appelle pas dîner, mais souper.

DIOGÈNE. « Je cherche un homme. » — « Retire-toi de mon soleil. »

DIPLOMATIE. Belle carrière (mais hérissée de difficultés, pleine de mystères). — Ne convient qu'aux gens nobles. — Métier d'une vague signification, mais au-dessus du commun. — Un diplomate est toujours fin et pénétrant.

DIPLOME. Signe de science. — Ne prouve rien.

DIRECTOIRE (LE). Les hontes du. — « Dans ce temps-là, l'honneur s'était réfugié aux armées. » — Les femmes, à Paris, se promenaient toutes nues.

DISSECTION. Outrage à la majesté de la mort.

DIVORCE. Si Napoléon n'avait pas divorcé, il serait encore sur le trône.

DIX (LE CONSEIL DES). C'était formidable! — Délibéraient masqués. — En trembler encore.

DJIN. Nom d'une danse orientale.

DOCTEUR. Toujours précéder de « bon », et, entre hommes, dans la conversation familière, de « foutre » : Ah! foutre, docteur! — Tous matérialistes.

DOCTRINAIRES. Les mépriser. Pourquoi? On n'en sait rien.

DOGE. Epousait la mer. — On n'en connaît qu'un : Marino Faliero.

DOLMEN. A rapport aux anciens Français. — Pierre qui servait aux sacrifices des druides. — On n'en sait pas davantage. — Il n'y a qu'en Bretagne.

DOME. Tour de forme architecturale. — Comment se tient-il? (S'étonner de ce que cela puisse tenir seul). — En citer deux : celui des Invalides et celui de Saint-Pierre de Rome.

DOMINOS. On y joue d'autant mieux qu'on est gris.

DOMPTEURS DE BÊTES FÉROCES. Emploient des pratiques obscènes.

DONJON. Eveille des idées lugubres.

DORMIR (TROP). Epaissit le sang.

DORTOIRS. Toujours spacieux et bien aérés. — Préférables aux chambres, pour la moralité des élèves.

DOS. Une tape dans le dos peut rendre poitrinaire.

DOUANE. On doit se révolter contre, et la frauder.

DOULEUR. A toujours un résultat favorable. — La véritable est toujours contenue.

DOUTE. Pire que la négation.

DRAPEAU (NATIONAL). Sa vue fait battre le cœur.

DROIT (LE). On ne sait pas ce que c'est.

DUEL. Tonner contre. — N'est pas une preuve de courage. — Prestige de l'homme qui a eu un duel.

DUPE. Mieux vaut être fripon que dupe.

E

EAU. L'eau de Paris donne des coliques. — L'eau de mer soutient pour nager. — L'eau de Cologne sent bon.

ECHAFAUD. S'arranger quand on y monte pour prononcer quelques mots éloquents avant de mourir.

ECHARPE. Poétique.

ECHECS (JEU DES). Image de la tactique militaire. — Tous les grands capitaines y étaient forts. — Trop sérieux pour un jeu, trop futile pour une science.

ECHO. Citer ceux du Panthéon et du pont de Neuilly.

ECLECTISME. Tonner contre, comme étant une philosophie immorale.

ECOLES. Polytechnique, rêve de toutes les mères (vieux). — Terreur du bourgeois dans les émeutes quand il apprend que l'Ecole polytechnique sympathise avec les ouvriers (vieux). — Dire simplement « l'Ecole » fait accroire qu'on y a été. — A Saint-Cyr : jeunes gens nobles. — A l'Ecole de médecine : tous exaltés. — A l'Ecole de droit : jeunes gens de bonne famille.

ECONOMIE. Toujours précédée de « Ordre », mène à la fortune. — Citer l'anecdote de Laffitte ramassant une épingle dans la cour du banquier Perregaut.

ECONOMIE POLITIQUE. Science sans entrailles.

ECRIT, BIEN ÉCRIT. Mot de portiers pour désigner les romans-feuilletons qui les amusent.

ECRITURE. Une belle écriture mène à tout. — Indéchiffrable : signe de science; exemple : les ordonnances des médecins.

EGOÏSME. Se plaindre de celui des autres et ne pas s'apercevoir du sien.

ELECTIONS...

ELÉPHANTS. Se distinguent par leur mémoire et adorent le soleil.

EMAIL. Le secret en est perdu.

EMBONPOINT. Signe de richesse et de fainéantise.

EMIGRÉS. Gagnaient leur vie à donner des leçons de guitare et à faire la salade.

EMIR. Ne se dit qu'en parlant d'Abd-el-Kader.

ENCEINTE. Le faire entrer dans les discours officiels : Messieurs, dans cette enceinte. — Fait bien dans un discours.

ENCRIER. Se donne en cadeau à un médecin.

ENCYCLOPÉDIE. En rire de pitié, comme étant un ouvrage rococo, et même tonner contre...

ENFANTS. Affecter pour eux une tendresse lyrique, quand il y a du monde.

ENGELURE. Signe de santé; vient de s'être chauffé quand on avait froid.

ENIGME...

ENTERREMENT. A propos du défunt : Et dire que je dînais avec lui il y a huit jours!

ENTHOUSIASME. Ne peut être provoqué que par le retour des cendres de l'Empereur.

ENTR'ACTE. Toujours trop long.

ENVERGURE. Se disputer sur la prononciation du mot.

EPACTE, NOMBRE D'OR, LETTRE DOMINICALE. Sur les calendriers, on ne sait pas ce que c'est.

EPARGNE (CAISSE D'). Occasion de vol pour les domestiques.

EPÉE. Regretter le temps où l'on en portait.

EPERONS. Font bien à une paire de bottes.

EPICIERS...

EPICURE. Le mépriser.

EPOQUE (LA NÔTRE). Tonner contre elle. — Se plaindre de ce qu'elle n'est pas poétique. — L'appeler époque de transition, de décadence.

EPUISEMENT. Toujours prématuré.

EQUITATION. Bon exercice pour faire maigrir. Exemple : tous les soldats de cavalerie sont maigres. — Pour engraisser. Exemple : tous les officiers de cavalerie ont un gros ventre.

ERECTION. Ne se dit qu'en parlant des monuments.

ERUDITION. La mépriser comme étant la marque d'un esprit étroit.

ESCRIME. Les maîtres d'escrime savent des bottes secrètes.

ESCROC. Est toujours du grand monde.

ESPLANADE. Ne se voit qu'aux Invalides.

ESTOMAC. Toutes les maladies viennent de l'estomac.

ETAGÈRE. Indispensable chez une jolie femme.

ETALON. Pour les petites filles, cheval plus gros qu'un autre.

ETÉ. Toujours exceptionnel.

ETERNUEMENT. Après qu'on a dit : Dieu vous bénisse, engager une discussion sur l'origine de cet usage.

ETOILE. Chacun a la sienne.

ETRANGER. Engouement pour tout ce qui vient de l'étranger, preuve de l'esprit libéral. — Dénigrement de tout ce qui n'est pas français, preuve de patriotisme.

ETRENNES. S'indigner contre.

ETRUSQUE. Tous les vases anciens sont étrusques.

ETYMOLOGIE. Rien de plus facile à trouver avec le latin et un peu de réflexion.

EUNUQUE. Fulminer contre les castrats de la chapelle Sixtine.

EXÉCUTIONS CAPITALES. Se plaindre des femmes qui vont les voir.

EXERCICE. Préserve de toutes les maladies : toujours conseiller d'en faire.

EXPOSITION. Sujet de délire du XIXᵉ siècle.

EXTIRPER. Ce verbe ne s'emploie que pour les hérésies et les cors aux pieds.

F

FABRIQUE. Voisinage dangereux.

FACTURE. Toujours trop élevée.

FAISAN. Très chic dans un dîner.

FAISCEAUX. A former, est le comble de la difficulté dans la garde nationale.

FARD. Abîme la peau.

FAUBOURGS. Terribles dans les révolutions.

FAUTE. « C'est pire qu'un crime, c'est une faute » (Talleyrand). « Il ne vous reste plus de fautes à commettre » (Thiers). — Ces deux phrases doivent être articulées avec profondeur.

FAUX MONNAYEURS. Travaillent toujours dans les souterrains.

FAUX RATELIER. Troisième dentition. — Prendre garde de l'avaler en dormant.

FEMME...

FEMMES DE CHAMBRE. Plus jolies que leurs maîtresses. — Connaissent tous leurs secrets et les trahissent. — Toujours déshonorées par le fils de la maison.

FÉODALITÉ. N'en avoir aucune idée précise, mais tonner contre.

FERMIERS. Tous à leur aise.

FEU. Purifie tout. — Quand on entend crier « au feu », on doit commencer par perdre la tête.

FEUILLETONS. Cause de démoralisation. — Se disputer sur le dénouement probable. — Ecrire à l'auteur pour lui donner (fournir) des idées.

FIÈVRE. Preuve de la force du sang. — Est causée par les prunes.

FIGARO (LE MARIAGE DE). Encore une des causes de la Révolution.

FILLES. Les jeunes filles : Eviter pour elles toute espèce de livres. — Articuler ce mot timidement.

FLAMANT. Oiseau ainsi nommé parce qu'il vient des Flandres.

FORNARINA. C'était une belle femme; inutile d'en savoir plus long.

FONCTIONNAIRE. Inspire le respect, quelque *(sic)* soit la fonction qu'il remplisse.

FONDS SECRETS. Sommes incalculables avec lesquelles les ministres achètent les consciences. S'indigner contre.

FONDEMENT. Toutes les nouvelles en manquent.

FORÇATS. Ont toujours une figure patibulaire. — Tous très adroits de leurs mains. — Au bagne, il y a des hommes de génie.

FORTUNE. Quand on vous parle d'une grande fortune, ne pas manquer de dire : Oui, mais est-elle bien sûre?

FOSSILES. Preuve de déluge. — Plaisanterie de bon goût en parlant d'un académicien.

FOUDRES DU VATICAN. En rire.

FOULARD. Il est « comme il faut » de se moucher dedans (dans un foulard).

FOULE. A toujours de bons instincts.

FOURMIS. Bel exemple à citer devant un dissipateur. — Ont donné l'idée des caisses d'épargne.

FOURRURE. Signe de richesse.

FRANÇAIS. Le premier peuple de l'Univers.

FRANC-MAÇONNERIE. Encore une des causes de la Révolution! — Les épreuves d'initiation sont terribles : quelques-uns en sont morts! — Cause de dispute dans les ménages. — Mal vue des ecclésiastiques. — Quel peut bien être leur secret?

FRANCS-TIREURS. Plus terribles que l'ennemi.

FRESQUE. On n'en fait plus.

FRICASSÉE. Ne se fait bien qu'à la campagne.

FRISER, FRISURE. Ne convient pas à un homme.

FROID. Plus sain que la chaleur.

FROMAGE. Citer l'aphorisme de Brillat-Savarin :

« Un dîner sans fromage est une belle à qui il manque un œil. »

FRONT. Large et chauve, signe de génie.

FRONTISPICE. Les grands hommes font bien dessus.

FRUSTE. Tout ce qui est antique est fruste et tout ce qui est fruste est antique. — A bien se rappeler quand on achète des curiosités.

FUGUE. On ignore en quoi cela consiste, mais il faut affirmer que c'est difficile et très ennuyeux.

FULMINER. Joli verbe.

FUSIL. Toujours en avoir un à la campagne.

FUSILLER. Plus noble que guillotiner. — Joie de l'individu à qui on accorde cette faveur.

FUSION DES BRANCHES ROYALES. L'espérer toujours!

FŒTUS. Toute pièce anatomique conservée dans de l'esprit-de-vin.

G

GAGNE-PETIT. Belle enseigne pour une boutique, comme inspirant la confiance.

GALBE. Dire devant toute statue qu'on examine : Ça ne manque pas de galbe.

GALETS. Il [faut] en rapporter de la mer.

GAMIN. Toujours suivi « de Paris ». — A invariablement beaucoup d'esprit.

GARES DE CHEMIN DE FER. S'extasier devant elles et les donner comme modèles d'architecture.

GARNISON DE JEUNE HOMME. *Id est culex pubensis.*

GAUCHERS. Terribles à l'escrime. — Plus adroits que ceux qui se servent de la main droite.

GENDARMES. Rempart de la société.

GÉNÉRATION SPONTANÉE. Idée de socialiste.

GÉNIE (LE). Inutile de l'admirer, c'est une névrose.

GÉNOVÉFAIN. On ne sait pas ce que c'est.

GENRE ÉPISTOLAIRE. Genre de style exclusivement réservé aux femmes.

GENTILHOMME. Il n'y [en] a plus.

GIAOUR. Expression farouche, d'une signification inconnue, mais on sait que ça a rapport à l'Orient.

GIBELOTTE. Toujours faite avec du chat.

GIBERNE. Etui pour bâton de maréchal de France.

GIBIER. N'est bon que faisandé.

GIRONDINS. Plus à plaindre qu'à blâmer.

GLACES. Il est dangereux d'en prendre.

GLÈBE (LA). S'apitoyer sur la...

GLOIRE. N'est qu'un peu de fumée.

GOBELINS (TAPISSERIES DES). Est une œuvre inouïe et qui demande cinquante ans à finir. — S'écrier devant : C'est plus beau que la peinture! — L'ouvrier ne sait pas ce qu'il fait.

GOD SAVE THE KING. Chez Béranger se prononce : God savé te King, et rime avec Sauvé (Préservé).

GOMME ÉLASTIQUE. Est faite avec le scrotum du cheval.

GOTHIQUE. Style d'architecture portant plus à la religion que les autres.

GRAMMAIRE. L'apprendre aux enfants dès le plus bas âge, comme étant une chose claire et facile.

GRAS. Les personnes grasses n'ont pas besoin d'apprendre à nager. — Font le désespoir des bourreaux parce qu'elles offrent des difficultés d'exécution. Exemple : la Dubarry.

GRÊLÉ. Les femmes grêlées sont toutes lascives.

GRENIER. On y est bien à vingt ans.

GRENOUILLE. La femelle du crapaud.

GROG. Pas comme il faut.

GROTTES A STALACTITES. Il y a eu dedans une fête célèbre, bal ou souper, donnée par un grand personnage. — On y voit « comme des tuyaux d'orgue ». — On y a dit la messe pendant la Révolution.

GROUPE. Convient sur une cheminée et en politique.

GUÉRILLA. Fait plus de mal à l'ennemi que l'armée régulière.

GULF-STREAM. Ville célèbre de Norvège nouvellement découverte.

GYMNASE (LE). Succursale de la Comédie-Française.

GYMNASTIQUE. On ne saurait trop en faire. — Exténue les enfants.

H

HABIT NOIR. En province est le dernier terme de la cérémonie et du dérangement.

HALEINE. L'avoir « forte » donne l'air « distingué ».

HAMAC. Propre aux créoles. — Indispensable dans un jardin. — Se persuader qu'on y est mieux que dans un lit.

HAMEAU. Substantif attendrissant. — Fait bien en poésie.

HANNETONS. Beau sujet d'opuscule. — Leur destruction radicale est le rêve de tout préfet.

HAQUENÉE. Animal blanc du moyen âge dont la race est disparue.

HARAS (LA QUESTION DES). Beau sujet de discussion parlementaire.

HARENG. Fortune de la Hollande.

HARPE. Produit des harmonies célestes. — Ne se joue, en gravure, que sur des ruines ou au bord d'un torrent. — Fait valoir le bras et la main.

HÉBREU. Est hébreu tout ce qu'on ne comprend pas.

HEIDUQUE. Le confondre avec Eunuque.

HÉLICE. Avenir de la mécanique.

HÉMICYCLE. Ne connaître que celui des Beaux-Arts.

HÉMORROÏDES. Vient de s'asseoir sur les poêles et sur les bancs de pierre.

HENRI III ET HENRI IV. A propos de ces rois, ne pas manquer de dire : « Tous les Henri ont été malheureux. »

HERMAPHRODITE. Excite la curiosité malsaine.— Chercher à en voir.

HERNIE. Tout le monde en a sans le savoir.

HIATUS. Ne pas le tolérer.

HIÉROGLYPHES. Ancienne langue des Egyptiens, inventée par les prêtres pour cacher leurs secrets criminels. — Et dire qu'il y a des gens qui les comprennent! — Après tout, c'est peut-être une blague!

HIPPOCRATE. On doit toujours le citer en latin, parce qu'il écrivait en grec.

HIVER. Toujours exceptionnel (voy. ETÉ). — Est plus sain que les autres saisons.

HOBEREAUX DE CAMPAGNE. Avoir pour eux le plus souverain mépris.

HOMÈRE. N'a jamais existé. — Célèbre par sa façon de rire : un rire homérique.

HORIZONS. Trouver beaux ceux de la nature, et sombres ceux de la politique.

HOSPODAR. Fait bien dans une phrase, à propos de « la question d'Orient ».

HOTELS. Ne sont bons qu'en Suisse.

HUGO (VICTOR). A eu bien tort vraiment de s'occuper de politique.

HUILE D'OLIVE. N'est jamais bonne. — Il faut avoir un ami de Marseille qui vous en fait venir un petit tonneau.

HUITRES. On n'en mange plus ! elles sont trop chères !

HUMEUR. Se réjouir quand elle sort, et s'étonner que le corps humain puisse en contenir de si grandes quantités.

HUMIDITÉ. Cause de toutes les maladies.

HYDRE (DE L'ANARCHIE). Tâcher de la vaincre.

HYDROTHÉRAPIE. Enlève toutes les maladies et les procure.

HYPOTHÈQUE. Demander la «réforme du régime hypothécaire », très chic.

HYSTÉRIE. La confondre avec la nymphomanie.

I

IDÉAL. Tout à fait inutile.

IDÉOLOGUE. Tous les journalistes le sont.

IDOLATRES. Sont cannibales.

ILLISIBLE. Une ordonnance de médecin doit l'être ; toute signature, *id.*

ILOTES. Exemple à donner à son fils, mais on ne sait où les trouver.

ILLUSIONS. Affecter d'en avoir eu beaucoup, se plaindre de ce qu'on les a perdues.

IMAGES. Il y en a toujours trop dans la poésie.

IMAGINATION. Toujours vive. — S'en défier. — Et la dénigrer chez les autres.

IMBÉCILLES *(sic)*. Ceux qui ne pensent pas comme nous.

IMBROGLIO. Le fond de toutes les pièces de théâtre.

IMMORALITÉ. Ce mot bien prononcé rehausse celui qui l'emploie.

IMPÉRATRICES. Toutes belles.

IMPÉRIALISTES. Tous gens honnêtes, paisibles, polis, distingués.

IMPERMÉABLE (UN). Très avantageux comme vêtement. — Meurtrier (dangereux), (nuisible), à cause de la transpiration empêchée.

IMPIE. Tonner contre.

IMPORTATION. Ver rongeur du commerce.

IMPRIMERIE. Découverte merveilleuse. — A fait plus de mal que de bien.

INAUGURATION. Sujet de joie.

INCENDIE. Un spectacle à voir.

INCOGNITO. Costume des princes en voyage.

INDOLENCE. Résultat des pays chauds.

INDUSTRIE. (Voy. COMMERCE).

INFANTICIDE. Ne se commet que dans le peuple.

INFINITÉSIMAL. On ne sait pas ce que c'est, mais a rapport à l'homéopathie.

INGÉNIEUR. La première carrière pour un jeune homme. — Connaît toutes les sciences.

INHUMATION. Trop souvent précipitée : raconter des histoires de cadavres qui s'étaient dévoré le bras pour apaiser leur faim.

INNÉES (IDÉES). Les blaguer.

INNOCENCE. L'impossibilité la prouve.

INNOVATION. Toujours dangereuse.

INONDÉS. Toujours de la Loire.

INQUISITION. On a bien exagéré ses crimes.

INSCRIPTION. Toujours cunéiforme.

INSPIRATION (POÉTIQUE). Choses qui la provoquent : la vue de la mer, l'amour, la femme, etc.

INSTITUT (L'). Les membres de l'Institut sont tous des vieillards, et portent des abat-jour en taffetas vert.

INSTITUTRICES. Sont toujours d'une excellente famille qui a éprouvé des malheurs. — Dangereuses dans les maisons : corrompent le mari.

INSTRUCTION. Laisser croire qu'on en a reçu beaucoup. — Le peuple n'en a pas besoin pour gagner sa vie.

INTÉGRITÉ. Appartient surtout à la magistrature.

INTRIGUE. Mène à tout.

INTRODUCTION. Mot obscène.

INVENTEURS. Meurent tous à l'hôpital. — Un autre profite de leur découverte, ce n'est pas juste.

ITALIE. Doit se voir immédiatement après le mariage. — Donne bien des déceptions, n'est pas si belle qu'on dit.

ITALIENS. Tous musiciens, traîtres.

IVOIRE. Ne s'emploie qu'en parlant des dents.

J

JALOUSIE. Passion terrible.

JAMBAGE (DROIT DE). Ne pas y croire.

JAMBON. Toujours de Mayence. — S'en méfier à cause des trichines.

JANSÉNISME. On ne sait pas ce que c'est, mais il est très chic d'en parler.

JARDINS ANGLAIS. Plus naturels que les jardins à la française.

JARNAC (COUP DE). S'indigner contre ce coup, qui, du reste, était fort loyal.

JAVELOT. Vaut bien un fusil, quand on sait s'en servir.

JEU. S'indigner contre cette fatale passion.

JEUNE HOMME. Toujours farceur. — Il doit l'être. — S'étonner quand il ne l'est pas.

JÉSUITES. Ont la main dans toutes les révolutions. — On ne se doute pas du nombre qu'il y en a. — Ne point parler de « la bataille des Jésuites ».

JOCKEY. Déplorer la race des.

JOCKEY-CLUB. Les membres sont tous des jeunes gens farceurs et très riches. Dire simplement « le Jockey », très chic, donne à croire qu'on en fait partie.

JOUETS. Devraient toujours être scientifiques.

JOUISSANCE. Mot obscène.

JOURNAUX. Ne pouvoir s'en passer. — Mais tonner contre.

JUJUBE. On ne sait pas avec quoi c'est fait.

JUSTICE. Ne jamais s'en inquiéter.

K

KEEPSAKE. Doit se trouver sur la table d'un salon.

KIOSQUE. Lieu de délices dans un jardin.

KNOUT. Mot qui vexe les Russes.

KORAN. Livre de Mahomet, où il n'est question que de femmes.

L

LABORATOIRE. On doit en avoir un à la campagne.

LABOUREURS. Que serions-nous sans eux?

LAC. Avoir une femme près de soi, quand on se promène dessus.

LACONISME. Langue qu'on ne parle plus.

LACUSTRES (LES VILLES). Nier leur existence, parce qu'on ne peut pas vivre sous l'eau.

LAGUNE. Ville de l'Adriatique.

LAIT. Dissout les huîtres. — Attire les serpents. — Blanchit la peau; les femmes, à Paris, prennent un bain de lait tous les matins.

LANCETTE. En avoir toujours une dans sa poche, mais craindre de s'en servir.

LANGOUSTE. Femelle du homard.

LANGUES VIVANTES. Les malheurs de la France viennent de ce qu'on n'en sait pas assez.

LATIN. Langue naturelle à l'homme. — Gâte l'écriture. — Est seulement utile pour lire les inscriptions des fontaines publiques. — Se méfier des citations en latin; elles cachent toujours quelque chose de leste.

LÉTHARGIE. On en a vu qui duraient des années.

LIBELLE. On n'en fait plus.

LIBERTÉ. O Liberté! que de crimes on commet en ton nom! — Nous avons toutes celles qui sont nécessaires.

LIBERTINAGE. Ne se voit que dans les grandes villes.

LIBRE-ÉCHANGE. Cause de tous les maux, des souffrances du commerce.

LIÈVRE. Dort les yeux ouverts.

LIGUEURS. Précurseurs du libéralisme en France.

LILAS. Fait plaisir parce qu'il annonce l'été.

LINGE. On n'en montre jamais trop (assez).

LION. Est généreux. — Joue toujours avec une boule.

LITTÉRATURE. Occupation des oisifs.

LITTRÉ. Ricaner quand on entend son nom : « Ce monsieur qui dit que nous descendons des singes! »

LIVRE. Quel qu'il soit, toujours trop long.

LORD. Anglais riche.

LORGNON. Insolent et distingué.

LUNE. Inspire la mélancolie. — Est peut-être habitée?

LUXE. Perd les Etats.

LYNX. Animal célèbre par son œil.

M

MACADAM. A supprimé les révolutions : plus moyen de faire des barricades. — Est néanmoins bien incommode.

MACHIAVEL. Ne pas l'avoir lu, mais le regarder comme un scélérat.

MACHIAVÉLISME. Mot qu'on ne doit prononcer qu'en frémissant.

MAGIE. S'en moquer.

MAGISTRATURE. Belle carrière pour un jeune homme (voy. INGÉNIEUR).

MAGNÉTISME. Joli sujet de conversation, et qui sert à « faire des femmes ».

MAIRE DE VILLAGE. Toujours ridicule.

MAJOR. Ne se trouve plus que dans les tables d'hôte.

MALADE. Pour remonter le moral d'un malade, rire de son affection et nier ses souffrances.

MAL DE MER. Pour ne pas l'éprouver, il suffit de penser à autre chose.

MALADIE DE NERFS. Toujours des grimaces.

MALÉDICTION. Toujours donnée par un père.

MALTHUS. « L'infâme Malthus ».

MAMELUKS. Ancien peuple de l'Orient (Egypte).

MANDOLINE. Indispensable pour séduire les Espagnoles.

MARSEILLAIS. Tous gens d'esprit.

MARTYRS. Tous les premiers chrétiens l'ont été.

MASQUE. Donne de l'esprit.

MATELAS. Plus il est dur, plus il est hygiénique.

MATHÉMATIQUES. Dessèchent le cœur.

MATINAL. L'être, preuve de moralité. — Si l'on se couche à 4 heures du matin et qu'on se lève à 8, on est paresseux, mais si on se met au lit à 9 heures du soir, pour en sortir le lendemain à 5, on est actif.

MAZARINADES. Les mépriser, inutile d'en connaître une seule.

MÉCANIQUE. Partie inférieure des mathématiques.

MÉDAILLE. On n'en faisait que dans l'antiquité.

MÉDECINE. S'en moquer quand on se porte bien.

MÉLANCOLIE. Signe de distinction du cœur et d'élévation de l'esprit.

MÉLODRAMES. Moins immoraux que les drames.

MELON. Joli sujet de conversation à table. Est-ce un légume? est-ce un fruit? — Les Anglais le mangent au dessert, ce qui étonne.

MÉMOIRE. Se plaindre de la sienne, et même se vanter de n'en pas avoir. — Mais rugir si on vous dit que vous n'avez pas de jugement.

MÉNAGE. En parler toujours avec respect.

MENDICITÉ. Devrait être interdite et ne l'est jamais.

MER. N'a pas de fond. — Image de l'infini. — Donne de grandes pensées.

MERCURE. Tue la maladie et le malade.

MÉRIDIONAUX (LES). Tous poètes.

MESSAGE. Plus noble que lettre.

MÉTALLURGIE. Très chic.

MÉTAMORPHOSES. Rire du temps où on y croyait. — Ovide en est l'inventeur.

MÉTAPHORES. Il y en a toujours trop dans le style.

MÉTAPHYSIQUE. En rire : donne l'air (c'est une preuve) d'esprit supérieur.

MÉTHODE. Ne sert à rien.

MIDI (CUISINE DU). Toujours à l'ail. Tonner contre.

MINISTRE. Dernier terme de la gloire humaine.

MINUIT. Limite du bonheur et des plaisirs honnêtes; tout ce qu'on fait au delà est immoral.

MISSIONNAIRES. Sont tous mangés ou crucifiés.

MOBILIER. Tout craindre pour son.

MONSTRES. On n'en voit plus.

MONTRE. N'est bonne que si elle vient de Genève. — Dans les féeries, quand un personnage tire la sienne, ce doit être un oignon : cette plaisanterie est infaillible.

MOSAÏQUES. Le secret en est perdu.

MOUCHARDS. Tous de la police.

MOULIN. Fait bien dans un paysage.

MOUSTIQUE. Plus dangereux que n'importe quelle bête féroce.

MOUTARDE. Ruine l'estomac.

MUSÉE. De Versailles : retrace les hauts faits de la gloire nationale. — Belle idée du roi Louis-Philippe. — Du Louvre : à éviter pour les jeunes filles. — Dupuytren : très utile à montrer aux jeunes gens.

MUSICIEN. Le propre du véritable musicien, c'est de ne composer aucune musique, de ne jouer d'aucun instrument, et de mépriser les virtuoses.

MUSIQUE. Fait penser à un tas de choses. — Adoucit les mœurs. Ex. : *la Marseillaise.*

MYTHE...

N

NATIONS. Réunir ici tous les peuples (?).

NAVIRE. On ne les construit bien qu'à Bayonne.

NECTAR. Le confondre avec l'ambroisie.

NÈGRES. S'étonner que leur salive soit blanche, et de ce qu'ils parlent français.

NÉGRESSES. Plus chaudes que les blanches (voy. BRUNES et BLONDES).

NÉOLOGISME. La peste de la langue française.

NERVEUX. Se dit chaque fois qu'on ne comprend rien à une maladie, cette explication satisfait l'auditeur.

NOBLESSE. La mépriser et l'envier.

NŒUD GORDIEN. A rapport à l'antiquité.

NORMANDS. Croire qu'ils prononcent des hâvresâcs, et les blaguer sur le bonnet de coton.

NOTAIRES. Maintenant ne pas s'y fier.

NUMISMATIQUE. A rapport aux hautes sciences, inspire un immense respect.

O

OASIS. Auberge dans le désert.

OBUS. Sert à faire des pendules et des encriers.

OCTROI. On doit le frauder.

ODALISQUE. (Voy. BAYADÈRE).

ODÉON. Plaisanteries sur son éloignement.

ODEUR (DES PIEDS). Signe de santé.

ŒUF. Point de départ pour une dissertation philosophique sur la genèse des êtres.

OFFENBACH. Dès qu'on entend son nom, il faut fermer deux doigts de la main droite pour se préserver du mauvais œil. Très parisien, bien porté.

OISEAU. Désirer en être un, et dire en soupirant : « Des ailes! des ailes! », marque une âme poétique.

OMÉGA. Deuxième lettre de l'alphabet grec, puisqu'on dit toujours l'alpha et l'oméga.

OMNIBUS. On n'y trouve jamais de place. — Ont été inventés par Louis XIV. — « Moi, Monsieur, j'ai connu les tricycles qui n'avaient que trois roues! »

OPÉRA (COULISSES DE L'). Est le paradis de Mahomet sur la terre.

OPTIMISTE. Equivalent d'imbécile *(sic).*

ORAISON. Tout discours de Bossuet.

ORCHESTRE. Image de la société; chacun fait sa partie, et il y a un chef.

ORCHITE. Maladie de Monsieur.

ORDRE (L'). Que de crimes on commet en ton nom!

OREILLER. Ne jamais s'en servir, ça rend bossu.

ORGUE. Elève l'âme vers Dieu.

ORIENTALISTE. Homme qui a beaucoup voyagé.

ORIGINAL. Rire de tout ce qui est original, le haïr, le bafouer, et l'exterminer si l'on peut.

ORTHOGRAPHE. Y croire comme aux mathématiques (à la géométrie).

OURS. S'appelle généralement Martin. — Citer l'anecdote de l'invalide qui, voyant une montre tombée dans sa fosse, y est descendu, et a été dévoré.

OUVRIER. Toujours honnête, quand il ne fait pas d'émeutes.

P

PAGANINI. N'accordait jamais son violon. — Célèbre par la longueur de ses doigts.

PAIN. On ne sait pas toutes les saletés qu'il y a dans le pain.

PALLADIUM. Forteresse de l'antiquité.

PALMIER. Donne de la couleur locale.

PALMYRE. Une reine d'Egypte? des ruines? on ne sait pas.

PARADOXE. Se dit toujours sur le boulevard des Italiens, entre deux bouffées de cigarette.

PARAPHE. Plus il est compliqué, plus il est beau.

PARENTS. Toujours désagréables. — Cacher ceux qui ne sont pas riches.

PAUVRES. S'en occuper tient lieu de toutes les vertus.

PAYSAGES (DE PEINTRES). Toujours des plats d'épinards.

PÉDANTISME. Doit être bafoué, si ce n'est quand il s'applique à des choses légères.

PÉDÉRASTIE. Maladie dont tous les hommes sont affectés à un certain âge.

PEIGNE (?) POLONAISE. Si on coupe les cheveux, ils saignent (?).

PEINTURE SUR VERRE. Le secret en est perdu.

PENSER. Pénible; les choses qui nous y forcent généralement sont délaissées.

PÉROU. Pays où tout est en or.

PEUR. Donne des ailes.

PHAÉTON. Inventeur des voitures de ce nom.

PHÉNIX. Beau nom pour une compagnie d'assurances contre l'incendie.

PHILIPPE D'ORLÉANS-EGALITÉ. Tonner contre.— Encore une des causes de la Révolution. — A commis tous les crimes de cette époque néfaste.

PHILOSOPHIE. On doit toujours en ricaner.

PIANO. Indispensable dans un salon.

PIPE. Pas comme il faut, sauf aux bains de mer.

PITIÉ. Toujours s'en garder.

PLACE. Toujours en demander une.

POÉSIE (LA). Est tout à fait inutile : passée de mode.

POÈTE. Synonyme noble de nigaud (rêveur).

POLICE. A toujours tort.

PONSARD. Seul poète qui ait eu du bon sens.

POPILIUS. Inventeur d'une espèce de cercle.

PORTEFEUILLE. En avoir un sous le bras donne l'air d'un ministre.

PORTRAIT. Le difficile est de rendre le sourire.

POURPRE. Mot plus noble que rouge. — Citer l'anecdote du chien qui découvrit la pourpre en mordant un coquillage.

PRADON. Ne pas lui pardonner d'avoir été l'émule de Racine.

PRATIQUE. Supérieure à la théorie.

PRÊTRES. Couchent avec leurs bonnes et ont des enfants qu'ils appellent leurs neveux. — C'est égal, il y en a de bons, tout de même!

PRIAPISME. Culte de l'antiquité.

PRINCIPES. Toujours indiscutables; on ne peut en dire ni la nature, ni le nombre, n'importe, sont sacrés.

PRISE DE TABAC. Convient à l'homme de cabinet.

PROGRÈS. Toujours mal entendu et trop hâtif.

PROSE. Plus facile à faire que les vers.

PUCELLE. Ne s'emploie que pour Jeanne d'Arc, et avec « d'Orléans ».

PUDEUR. Le plus bel ornement de la femme.

PUNCH. Convient à une soirée de garçons. — Source de délire. — Eteindre les lumières quand on l'allume. — Et ça produit des flammes fantastiques!

PYRAMIDE. Ouvrage inutile.

Q

QUADRATURE DU CERCLE. On ne sait pas ce que c'est, mais il faut lever les épaules quand on en parle.

R

RACINE. Polisson!

RADICALISME. D'autant plus dangereux qu'il est latent.

RATE. Autrefois on l'enlevait aux coureurs.

RECONNAISSANCE. N'a pas besoin d'être exprimée.

RELIGION (LA). Fait partie des bases de la Société. — Est nécessaire pour les peuples, cependant pas trop n'en faut. — « La religion de nos pères » doit se dire avec onction.

RÉPUBLICAINS. Les républicains ne sont pas tous voleurs, mais les voleurs sont tous républicains.

RICHESSE. Tient lieu de tout et même de considération.

RIME. Ne s'accorde jamais avec la raison.

RINCE-BOUCHE. Signe de richesse dans une maison.

ROBE. Inspire le respect.

ROMANCES. Le chanteur de — plaît aux dames.

ROMANS. Pervertissent les masses. — Sont moins immoraux en feuilletons qu'en volume. — Seuls les romans historiques peuvent être tolérés parce qu'ils enseignent l'histoire. — Il y a des romans écrits avec la pointe d'un scalpel, d'autres qui reposent sur la pointe d'une aiguille.

RONSARD. Ridicule avec ses mots grecs et latins.

ROUSSEAU. Croire que J.-J. Rousseau et J.-B. Rousseau sont les deux frères comme l'étaient les deux Corneille.

ROUSSES. (Voy. BLONDES, BRUNES, BLANCHES et NÉGRESSES.)

RUINES. Font rêver, et donnent de la poésie à un paysage.

S

SABOTS. Un homme riche qui a eu des commencements difficiles est toujours venu à Paris en sabots.

SABRE. Les Français veulent être gouvernés par un sabre.

SAIGNER. Se faire saigner au printemps.

SAINT-BARTHÉLEMY. Vieille blague.

SAINTE-BEUVE. Le Vendredi Saint, dînait exclusivement de charcuterie.

SAINTE-HÉLÈNE. Ile connue par son rocher.

SALON (FAIRE LE). Début littéraire qui pose très bien son homme.

SANTÉ. Trop de —, cause de maladies.

SAPHIQUE ET ADONIQUE (VERS). Produit un excellent effet dans un article de littérature.

SATRAPE. Homme riche et débauché.

SATURNALES. Fêtes du Directoire.

SAVANTS. Les blaguer. — Pour être savant, il ne faut pas que de la mémoire et du travail.

SCUDÉRY. On doit le blaguer, sans savoir si c'était un homme ou une femme.

SÉNÈQUE. Ecrivait sur un pupitre d'or.

SERPENT. Tous venimeux.

SERVICE. C'est rendre service aux enfants que de les calotter; aux animaux, que de les battre; aux domestiques, que de les chasser; aux malfaiteurs, que de les punir.

SÉVILLE. Célèbre par son barbier (voy. NAPLES).

SITE. Endroit pour faire des vers.

SOCIÉTÉ. Ses ennemis. — Ce qui cause sa perte.

SOMNAMBULE. Se promène la nuit sur la crête des toits.

SOUPERS DE LA RÉGENCE. On y dépensait encore plus d'esprit que de champagne.

SOUPIR. Doit s'exhaler près d'une femme.

SPIRITUALISME. Le meilleur système de philosophie.

STOÏCISME. Est impossible.

STUART (MARIE). S'apitoyer sur son sort.

SUFFRAGE UNIVERSEL. Dernier terme de la science politique.

SUICIDE. Preuve de lâcheté.

SYBARITES. Tonner contre.

SYPHILIS. Plus ou moins, tout le monde en est affecté.

T

TABAC. Cause de toutes les maladies du cerveau et des maladies de la moelle épinière.

TALLEYRAND (LE PRINCE DE). S'indigner contre.

TEMPS. Eternel sujet de conversation. — Toujours s'en plaindre.

THÈME. Au collège, prouve l'application, comme la version prouve l'intelligence. — Mais, dans le monde, il faut rire des forts en thème.

TOILETTE DES DAMES. Trouble l'imagination.

TOLÉRANCE (UNE MAISON DE). N'est pas celle où on a des opinions tolérantes.

TOUR. Indispensable à avoir dans son grenier, à la campagne, les jours de pluie.

TOURISTE...

TRANSPIRATION DES PIEDS. Signe de santé.

U

UKASE. Appeler ukase tout décret autoritaire, ça vexe le gouvernement.

UNIVERSITÉ. « *Alma mater* ».

V

VACCINE. Ne fréquenter que des personnes vaccinées.

VALSE. S'indigner contre.

VEILLÉES. Celles de la campagne sont morales.

VELOURS. Sur les habits, distinction et richesse.

VENTE. Vendre et acheter, but de la vie.

VIEILLARD. A propos d'une inondation, d'un orage, etc., les vieillards du pays ne se rappellent jamais en avoir vu un semblable.

VINS. Sujet de conversations entre hommes. — Le meilleur est le Bordeaux, puisque les médecins l'ordonnent. — Plus il est mauvais, plus il est naturel.

VIZIR. Tremble à la vue d'un cordon.

VOISINS. Tâcher de se faire rendre par eux des services, sans qu'il en coûte rien.

VOITURES. Plus commode d'en louer que d'en posséder : de cette manière, on n'a pas le tracas des domestiques, ni des chevaux qui sont toujours malades.

VOLTAIRE. Célèbre par son « rictus » épouvantable. — Science superficielle.

VOYAGE. Doit être fait rapidement.

W

WAGNER. Ricaner quand on entend son nom, et faire des plaisanteries sur la musique de l'avenir.

Y

YVETOT. Voir Yvetot et mourir.

THÉATRE

« Le fond de ma nature, écrit Flaubert à Louise Colet, est, quoi qu'on dise, le saltimbanque. J'ai eu dans mon enfance et ma jeunesse un amour effréné des planches. J'aurais été peut-être un grand acteur, si le ciel m'avait fait naître plus pauvre. » A cet aveu fait écho, entre autres, le témoignage de la nièce de Flaubert, qui révèle que « dès dix ans, Gustave [composait] des tragédies », qu'il interprétait, avec des camarades, sur le billard de la maison paternelle. Naturellement, quand on a un don de plume, c'est d'être un autre Molière que l'on rêve, un acteur qui joue ses propres comédies : on cite de Flaubert un Amant avare, en 7 scènes, écrit en collaboration avec l'ami Ernest Chevalier; cela se passe en 1832 et l'auteur est un écolier de dix ans. Comme il faut bien apprendre le métier d'auteur dramatique, Flaubert s'essaye au journalisme en fondant une revue théâtrale, Art et Progrès, dépouille la Revue du Théâtre de Victor Herbin, dévore les grands succès dramatiques du romantisme flamboyant. Et puis on se mesure, à son tour, aux prestiges et aux recettes du drame historique : c'est Loys XI (3 mars 1838), point d'aboutissement d'une série d'essais antérieurs menés à bien (c'est le cas de Frédégonde et Brunehaut, terminé en 1835, dont le manuscrit a été perdu) ou laissés à l'état de scénarios ou de projets (c'est le cas de Deux amours et deux cercueils, de Madame d'Ecouy et de deux scénarios sans titre, tous quatre publiés par M. J. Bruneau, op. cit., p. 122-123, p. 99-100, p. 142-144). Un Flaubert mordu par le démon du théâtre, voilà ce qui ressort de toute cette ébullition juvénile, et l'article enthousiaste qu'il consacre à Rachel, en 1840, suffirait à nous prouver que la flamme ne s'éteint pas, quand bien même l'activité créatrice du jeune Flaubert se tourne davantage vers les genres narratifs.

C'est après 1845, c'est-à-dire après avoir composé son premier vrai roman, que Flaubert est repris par la démangeaison d'écrire pour le théâtre; il a un nouveau collaborateur en la personne de son ami Louis Bouilhet; et tous les soirs, paraît-il, durant les hivers de 1847 et 1848, les voici attelés à des scénarios de pièces de théâtre; « nous avons ainsi, écrit-il à Louise Colet, une douzaine, et plus, de drames, comédies, opéra-comiques etc..., écrits acte par acte, scène par scène. » De cette activité fébrile et désordonnée survivent quelques « témoins », qui permettent au lecteur de se faire une opinion : par exemple, un plan de drame historique, Sampiero Corso,

publié par Mme Durry dans Flaubert et ses projets inédits (p. 120-121) ou les ruines d'une tragédie en cinq actes et en vers, la Découverte de la Vaccine, qui doit remonter à 1845 ou 1846 et dont on trouvera plus loin le texte dans son état d'inachèvement; tout ce qu'on peut dire de cette parodie de l'abbé Delille, c'est que le trio qui l'a conçue (Flaubert, Bouilhet, Du Camp) a dû fort s'égayer en y travaillant.

Si Flaubert n'a jamais cessé de taquiner la muse dramatique, comme en témoignent les nombreux plans et projets retrouvés dans ses papiers et dont certains ont fait l'objet d'une minutieuse publication (cf. M. J. Durry, op. cit., p. 53-78), si, par certains côtés, la Tentation de saint Antoine, première et deuxième version, s'apparente à une œuvre dramatique, il faut néanmoins attendre 1863 pour voir Flaubert s'atteler vraiment à une œuvre destinée à la scène et la mener vivement à son terme. C'est donc en collaboration avec Bouilhet, auquel s'est adjoint Charles d'Osmoy, que Flaubert entreprend de se délasser des fatigues et des tracas de Salammbô en composant une laborieuse féerie, le Château des Cœurs. Achevée le 26 octobre 1863 et refusée par tous les directeurs de théâtre, elle ne connut jamais les feux de la rampe, mais fut publiée, du vivant de Flaubert, dans la Vie moderne du 24 janvier au 8 mai 1880, abondamment illustrée.

Bouilhet meurt le 18 juillet 1869. Sa carrière d'auteur dramatique n'avait pas été des plus aisées, en dépit des encouragements constants de Flaubert; « oh! le théâtre, dira-t-il, il aura abrégé mon existence... ». C'est au moment même où la chance commençait à lui sourire (la Conjuration d'Amboise, en 1866, avait été jouée plus de cent fois à Paris), que Bouilhet devait abandonner la partie. Bouilhet mort, Flaubert éprouve à la fois le besoin d'être utile à la mémoire du défunt et le désir de prendre, pour ainsi dire, au théâtre la revanche des échecs de son ami. Bouilhet laissait dans ses papiers une comédie à l'état de scénario, le Sexe faible. Flaubert entreprend, à l'intention de Carvalho, directeur du Vaudeville, qui l'y encourage, de mettre en forme ce « vieil ours » resté en panne. La pièce, commencée en 1872, est achevée en juin 1873. Tout en la lui lisant, Flaubert touche un mot à Carvalho d'un projet de comédie qu'il a en tête, le Candidat, une satire politique. « Naturellement, écrit avec humour M. R. Dumesnil, Carvalho préfère aussitôt le Candidat qui n'est pas fait au Sexe faible qui est prêt. » Dès septembre, Flaubert se met, *tambour battant, à la rédaction des 4 actes de sa comédie; la pièce est acceptée; répétitions en janvier 1874; « première » le 11 mars. Et c'est l'échec, la pièce ayant déplu à tous les partis, ce qui est un comble pour une satire politique. Dès la quatrième représentation, Flaubert retire*

sa pièce. Quant au Sexe faible, *pour lequel l'échec du* Candidat *est une assez mauvaise publicité, il fait antichambre sans succès dans bien des théâtres. Peut-être, sans le savoir, les directeurs récalcitrants évitaient-ils à Flaubert une nouvelle peine d'amour-propre.*

LA DÉCOUVERTE DE LA VACCINE

TRAGÉDIE EN CINQ ACTES ET EN VERS

> D'un pinceau délicat l'artifice agréable
> Du plus hideux objet fait un objet aimable.
> *(Le Législateur du Parnasse.)*

PERSONNAGES : GONNOR, *ancien chef des Bretons;* JENNER, *amant d'Hermance, médecin de Gonnor;* ELFRID, *rival de Jenner;* HERMANCE, *fille de Gonnor, amante d'Elfrid;* AGÉNOR, *confident de Jenner;* ISMÈNE, *confidente d'Hermance;* HARPAX, *confident de Gonnor;* UN GARDE, *amant d'Ismène;* GARDES, SOLDATS.

LA SCÈNE SE PASSE DANS UN CHATEAU D'ALBION

Le théâtre représente le vestibule du palais de Gonnor, donnant sur ses appartements et sur ceux de sa fille Hermance. On remarque, suspendues aux murs, les dépouilles des Calédoniens vaincus. Au fond, on voit de superbes jardins, ornés d'amours, d'ifs taillés et d'agréables berceaux de verdure.

ACTE UN

Scène I : Jenner, seul.

Dévoré de soucis, j'abandonne ces lieux,
Où l'illustre Gonnor, fils d'illustres aïeux,
Etendu sur sa couche, à la douleur en proie,
Enlève de ces bords et l'espoir et la joie.
Quoi! vingt ans incliné sur d'arides travaux,
J'ai de la race humaine étudié les maux;
Des produits bienfaisants qu'engendre la nature
Vingt ans j'ai contemplé la forme et la structure;
Sur les coteaux fleuris, dans les sombres forêts,
Ravissant de ma main la plante des guérets,
Plongeant un œil hardi dans les flancs de Cybèle,
Sondant de toutes parts la nature rebelle,
Et, poussé jusqu'au bout par un sublime effort,
Pour connaître la vie interrogeant la mort,
J'aurai donc vainement, depuis ma tendre enfance,
Des siècles disparus épuisé la science,
Pour ne pouvoir, hélas! inutile instrument,
D'un prince malheureux soulager le tourment!
Ce funeste fléau qui désole nos rives
Et peuple les enfers de victimes plaintives,
Faisant de ce palais un funèbre tombeau,
Offre de ses rigueurs un exemple nouveau.
Ah! les cœurs les plus purs et les plus nobles têtes

Ne sont point à l'abri du souffle des tempêtes!
Epouvantable mal, dont l'effet redouté
S'il n'enlève la vie enlève la beauté;
De la vierge, par lui, j'ai vu le doux visage,
Horrible désormais, nous présenter l'image
De ce meuble vulgaire, en mille endroits percé,
Dont se sert la matrone en son zèle empressé,
Quand, aux bords onctueux de l'argile écumante,
Frémit le suc des chairs, en mousse bouillonnante.
Hélas! qui peut lutter contre les coups du sort?
Pour ravir à Pluton l'infortuné Gonnor
J'ai tenté les secours que prescrit la science;
Des funestes humeurs j'ai banni l'influence,
Avec le sel mordant qui chasse, en flots confus,
Par des sentiers divers d'immondes résidus;
J'ai moi-même arrondi, procédant par mesure,
En globules légers l'essence la plus pure;
Armé d'un dard prudent, j'ai, pour calmer son mal,
De sa veine gonflée ouvert le noir canal;
Sur son bras amaigri, la mouche de Cythère
Etala tous les feux de son âcre poussière,
Et sur ses pieds glacés j'ordonne en ce moment
La graine corrosive, odieux aliment
Qui du vil débauché caressant la mollesse
Des organes usés réveille la paresse,
Et qui porte à la fois, funeste et respecté,
Aux libertins la mort, aux mourants la santé.
Il est temps, en effet, qu'Esculape m'inspire.
Déjà de son cerveau s'empare le délire;
En son égarement ce guerrier malheureux
Prodigue à ses coussins des baisers furieux,
Et des mots de l'amour empruntant le langage,
Sans souci de son nom, sans respect pour son âge,
Il semble dans ses bras étreindre un être aimé.
Il soupire! il rugit! son regard enflammé
A l'entour de son lit promène un feu lubrique,
Et, soulevant d'un bras sa nocturne tunique,
De l'autre il fait sur lui des gestes indécents
Qui font monter la honte à nos fronts rougissants.
Triste objet de pitié pour quiconque l'honore,
En ses tranports fougueux la fièvre le dévore.
Cet endroit qui du corps est la base et l'appui
En fétides lambeaux se détache sous lui,
Symptôme trop certain d'un trépas qui s'avance!
...
De le sauver pourtant je garde l'espérance;

Mes amours sont liés au destin de Gonnor,
Et que ne peut l'amour, même contre la mort!
Car pour les yeux si beaux de sa fille chérie
Cent fois s'il le fallait je donnerais ma vie!
Mais, pâle et tout tremblant à son charmant aspect,
Je voile mon ardeur d'un timide respect;
Jamais je n'oserai, lui découvrant ma flamme,
Etaler à ses yeux les langueurs de mon âme;
Dans sa pure vertu, cette jeune beauté
Semble sur son autel une divinité!
Eh! d'ailleurs, ô Jenner, que pourrait ton audace
Ne sais-tu pas son nom, ses trésors et sa race?
L'orgueil que dans son sang ont transmis ses aïeux
Comme un sanglant affront repousserait tes vœux.
Je n'ai pas, pour aimer, ce que cherchent les belles,
Pas de chars éclatants, pas de coursiers fidèles,
Pas de fer destructeur qui pende à mon côté;
Dans mon humble demeure, au fond de la cité,
Pas de vassaux tremblants, qui de dons magnifiques,
Chaque jour, à l'aurore, encombrent mes portiques;
Un modeste salaire à peine vient parfois
Payer l'âpre labeur dont je porte le poids.
Pourtant, si de l'esprit on comptait la richesse,
Plus qu'un autre j'aurais des droits à sa tendresse,
Et ce rival heureux, insolent devant moi,
S'écarterait confus et pâlirait d'effroi.
Que sont les vains trésors que jette la fortune
Et d'un faste insensé la grandeur importune
Près de ces biens réels qu'un travail assidu
Donne au mortel béni qu'enflamme la vertu!
Fuyant l'éclat des cours et l'air qu'on y respire,
Nul remords ne me trouble en mon modeste empire,
Et des infortunés les vœux reconnaissants
Sont ma félicité, ma gloire, et mon encens.
Mais... de ma déité la suivante assidue,
Bonheur inespéré! se présente à ma vue.
Oserai-je, en son sein confiant mon amour,
Du mal qui me poursuit lui parler sans détour?
(Ismène paraît.)

Scène II

ISMÈNE

Vous encore au palais, seigneur?... Votre présence...

JENNER

Je ne puis de ces lieux prolonger mon absence,
Et du noble Gonnor l'état désespérant
Exige, de ma part, un soin persévérant.

ISMÈNE

Pensez-vous maintenant que cette maladie
Puisse, en nous frappant tous, attenter à sa vie?

JENNER

Des destins rigoureux terrible est le pouvoir!

ISMÈNE

Grands dieux! c'en est donc fait?

JENNER

      Conservons un espoir.
Peut-être que le ciel, éclairant ma pensée,
Loin des sentiers connus de la route tracée,

Va m'offrir, en ce jour, quelque moyen nouveau
D'arrêter ce guerrier sur le bord du tombeau.

ISMÈNE

O mortel généreux, dont la sollicitude
Du salut des humains fait son unique étude!

JENNER

Ah! c'est trop me louer, Ismène. En ce palais
Je me sens retenu par de plus doux attraits,
Et malgré mes terreurs une amorce secrète
Me fait de ce lieu sombre une aimable retraite.
A peine suis-je loin de son seuil adoré
Que de regrets amers je me sens dévoré,
Et j'y suis rappelé par le charmant visage
Qui dans mon faible cœur fait un si doux ravage;
Au sein de mes travaux son souvenir me suit,
Dans mes pensers le jour, dans mes rêves la nuit;
Mais la cruelle Hermance...

ISMÈNE

      Eh quoi! seigneur, c'est elle
Pour qui vous nourrissez cette flamme fidèle?
Hermance a su charmer vos yeux?

JENNER, *revenant à lui.*

        Qui te l'a dit?

ISMÈNE

Vous-même, en ce moment...

JENNER

      O délire maudit!
O passion fougueuse! imprudente parole!

ISMÈNE

Seigneur, malgré vos soins, votre secret s'envole!

JENNER

Un vain songe t'abuse... et je n'ai point parlé.

ISMÈNE

Seigneur!

JENNER

   D'un rêve, ici, ton esprit est troublé.

ISMÈNE

Malgré lui, croyez-moi, quelque chose transpire
D'un cœur qui de l'amour endure le martyre;
Et ce n'est point à moi que les tendres amants
Pourraient de leur transport dérober les tourments.

JENNER

Hélas! de Cupidon dans mon âme ulcérée
J'ai gardé, je l'avoue, une flèche acérée!...
Plutôt que d'adorer d'inflexibles appas
Mieux vaudrait pour Jenner le calme du trépas!

ISMÈNE

Vous, expirer! Seigneur!... Songez-vous qu'une femme
Est légère en ses vœux, et mobile en sa flamme?

JENNER

D'un espoir décevant tu trompes mes douleurs.
Non, je n'attends rien d'elle... et dis-lui, si je meurs,
Qu'à mon dernier soupir, présente à ma pensée,
J'ai béni son dédain dont mon âme est blessée;
Dis-lui... Mais à quoi bon prolonger ces discours?
Adieu, je pars, Ismène.

ISMÈNE

      Ah! respectez vos jours!
Je n'ose vous promettre un succès sans alarmes,
Je ne sais où trouver d'assez puissantes armes

Pour fléchir de son sein l'indomptable rigueur;
Jamais de son esprit l'amour ne fut vainqueur;
Délicate et timide en sa vertu trop pure,
Du mot le moins coupable elle craint la souillure.
Mais mon père expirant vous dut la vie un jour,
Et je promets mes soins à votre tendre amour.

JENNER

Qu'un propice destin récompense ton zèle!
Que les dieux bienfaisants... Mais que vois-je? c'est elle!
Adieu! je ne pourrais supporter son abord,
Et j'évite l'amour comme on fuirait la mort.

Scène III

ISMÈNE

Mortel infortuné, que ta dure influence,
O reine de Paphos, arrache à la science!
Hélas! il ne sait point qu'un rival plus heureux
De la sensible Hermance a fasciné les yeux!

Scène IV : Ismène, Hermance.

HERMANCE

Vous ici, chère Ismène?

ISMÈNE

En ce lieu solitaire
Je goûtais du matin le zéphyr salutaire,
Madame, et mon esprit, par la crainte agité,
Cherchait dans la nature un repos souhaité.

HERMANCE

Du repos, chère Ismène? hélas! ma destinée,
Aux soucis dévorants aujourd'hui condamnée,
En vain le redemande à l'aurore, à la nuit,
Au calme des forêts, au sommeil qui me fuit.
Entre deux sentiments mon âme partagée
Succombe sous le poids dont le ciel l'a chargée.

ISMÈNE

Vous! madame? des pleurs ont roulé dans vos yeux?
Vous, fille de Gonnor, vous, maîtresse en ces lieux?

HERMANCE

Gonnor! à ce nom seul je tremble, chère Ismène;
Cruelle avec bonté tu réveilles ma peine,
Hélas! puisque celui qui m'a donné le jour
Va peut-être bientôt manquer à mon amour!
T'a-t-on dit?

ISMÈNE

Reprenez, madame, l'espérance;
Jenner de le sauver m'a donné l'assurance.

HERMANCE

Que les dieux soient loués!... Mais dis-moi sans retard
Quel espace Phébus a franchi sur son char?

ISMÈNE

Au sommet de la tour dix fois l'airain sonore
A résonné depuis le lever de l'aurore.

HERMANCE. *(Elle va à la fenêtre et soupire.)*

Que le temps semble long, quand, le cœur déchiré,
On attend le retour d'un amant adoré!
Aussi loin que mes yeux plongent dans l'étendue
Nul poudreux tourbillon ne se lève à ma vue;
Je tremble! il ne vient pas!

ISMÈNE

Qui, madame?

HERMANCE

Celui
Pour qui mon cœur palpite et soupire d'ennui.

ISMÈNE

Peut-être que, lié par d'exigeantes chaînes
Et retenu trop tard au sein de ses domaines,
Elfrid n'a pu venir adorer vos appas.

HERMANCE

Je redoute plutôt qu'un funeste trépas...

ISMÈNE

De noirs pressentiments pourquoi troubler votre âme?

HERMANCE

Hélas! que ne craint point une timide flamme!
Peut-être qu'emporté par ses coursiers fougueux
Je vais le voir venir tout sanglant à mes yeux!
Peut-être qu'en ses jeux son audace invincible
Aura voulu forcer quelque lion terrible?
Peut-être des rivaux, de sa gloire jaloux,
Ont assouvi sur lui leur indigne courroux?
Car tu sais comme moi que son âme bouillante
Aime d'un char léger la pompe étincelante,
Et qu'allant au péril demander des plaisirs
Il n'est jamais rapide au gré de ses désirs!
Mais d'un père expirant l'image vénérable
Accuse mon amour et le rendrait coupable.

ISMÈNE

Quoi! d'un cœur délicat le tendre emportement
Veut au père, en ce jour, sacrifier l'amant!
Mais d'un scrupule vain pourquoi troubler votre âme?
La piété doit-elle éteindre votre flamme?
D'une amoureuse ardeur le transport innocent
Jamais n'a pu briser les doux liens du sang.

HERMANCE

En vain tu veux flatter ma passion brûlante,
Ismène, je suis fille avant que d'être amante;
Le devoir et l'honneur...

ISMÈNE

Trompeuse illusion!

HERMANCE

Précepte impérieux!

ISMÈNE

Funeste fiction!
La sainte parenté d'un coup d'œil engendrée,
Madame, autant que l'autre est divine et sacrée.

HERMANCE

O dieux! puisque en mon sein vous allumez l'amour,
Pourquoi voiler mon âme et me taire en ce jour?
C'est lui, c'est lui que j'aime, et par qui ma pensée,
Malgré tous mes efforts, est sans cesse enlacée!
Tu le sais, chaque jour, par mes soins assidus
L'un à l'autre unissant de superbes tissus,
J'ourdis avec amour pour sa tête si fière
Le commode ornement dont la Grèce est la mère;
Vient-il? ai-je entendu le doux son de sa voix?
Tout mon cœur palpitant est réduit aux abois,
Je sens mon corps brûlé d'un désir frénétique,
Et d'un œil curieux pénétrant sa tunique,

Je cherche à découvrir au pli des vêtements
A quel point a monté l'ivresse de ses sens!   [obscure...
C'est peu; seule en ma couche, au sein de l'ombre
Mais je rougis et n'ose achever la peinture...
Te l'avouerai-je, Ismène?

ISMÈNE

Achevez. Des amants
Comme vous j'ai connu les soins et les tourments;
L'âge n'a point encore abattu dans mon âme
Le Temple qu'à Vénus avait bâti ma flamme.

HERMANCE

Oui! c'est la nuit qu'il vient, fantôme gracieux,
Peupler ma solitude et flotter à mes yeux.
De mes bras caressants j'entoure son image,
Je crois sentir ma lèvre effleurer son visage,
Et d'un secours furtif aidant la volupté,
Je goûte avec moi-même un bonheur emprunté.

ISMÈNE

Je comprends ces ardeurs, j'ai connu ce délire
Que le sang vigoureux à la jeunesse inspire.
Comme vous enflammée et belle comme vous,
Madame, on a besoin des baisers d'un époux.
Le ciel, qui nous donna la faiblesse en partage,
A voulu qu'en retour nous aimions davantage;
Et si de la pudeur l'obstacle impérieux
N'arrêtait en leur cours nos désirs furieux,
Qui sait, qui sait, madame, oubliant la décence,
Où des sens égarés irait l'effervescence?...
Nous aimons, on nous aime, et les hommes aussi
Par un moyen semblable apaisent leur souci.
Nourrissant un amour qui n'a pas d'espérance,
Il en est qui pour vous soupirent en silence
Et dont la passion, fertile en dévouement,
Peut-être effacerait celle de votre amant!...
J'en pourrais nommer un...

Scène V

ELFRID

Pardonnez, belle Hermance,
Et ne supposez point que mon indifférence
Loin de vous jusqu'alors ait retenu mes pas;
Je saurais, pour vous voir, affronter le trépas,
Endurer le supplice et mourir avec joie;
Mais les tristes pensers dont votre âme est la proie,
Un père vénérable aux portes du tombeau,
Semblent couvrir de deuil un entretien si beau.

HERMANCE

Sans doute le destin dont la rigueur m'accable
Quoique à regret éloigne un sentiment aimable,
Je pensais à mon père, Elfrid, et je pleurais.

ELFRID

Plein des mêmes pensers, Hermance, j'accourais...
Epanchant les pavots dont son urne est remplie,
Morphée a-t-il calmé sa noire maladie?
L'oracle d'Epidaure aux sévères arrêts
Permet-il à sa faim les présents de Cérès?
D'un doigt observateur la rare intelligence,
Du sang dans ses canaux mesurant la cadence,
A-t-il rendu l'espoir à ces nombreux amis

Qu'autour du vieux guerrier l'estime a réunis?
Hélas! où retrouver ce terrible courage,
Qui naguère aux combats répandait le carnage?
Qu'est devenu ce bras, cet invincible bras,
Terreur des ennemis et soutien des Etats,
Qui, promenant la mort sur les champs de batailles,
Abreuvait les sillons d'impures funérailles?
Languissant aujourd'hui, sans force, sans vigueur,
Accablé sous le poids d'une longue douleur,
Pourrait-il soulever cette vaillante épée
Que du sang des vaincus les guerres ont trempée?
Coursiers, fiers compagnons de l'illustre Gonnor,
Vous, dont la noble ardeur dans le repos s'endort
Et qui, chaque matin, oubliant la pâture,
Semblez de son trépas présager l'aventure,
On ne vous verra plus, par Bellone emportés,
Sous vos pieds triomphants ébranler les cités!
Et c'est vous qui bientôt traînerez sa poussière
Alors qu'il gagnera sa demeure dernière!

(*Hermance cache sa tête dans ses mains.*)

Scène VI. (*Arrivée d'un garde effaré.*)

ELFRID

Mais... quel garde, couvert de poudre et de sueur,
Se hâte vers ces lieux... et présage un malheur?

LE GARDE

Seigneur, vous l'avez dit, car bientôt cette terre
Ne sera pour nous tous qu'un enclos funéraire.

HERMANCE

Grands dieux! Qu'ai-je entendu?

ISMÈNE

Répondez! quel ennui...

LE GARDE

Déjà Phébus chassait les ombres de la nuit;
Fidèle à mon devoir, je me levais, tranquille.
Tout dormait dans les champs, tout dormait à la ville.
Dans les bras du sommeil les mortels épuisés
Oubliaient un moment leurs travaux commencés,
Mais ceux que Mars enflamme et guide à la victoire
Pour un lâche repos ne vendent point la gloire.
J'allais; mes compagnons qu'avertissait le jour
Pour me céder la place attendaient mon retour.
Seigneur, vous connaissez la puissante barrière
Des Calédoniens protégeant la frontière,
Où flottent menaçants, sur le haut des remparts,
De l'illustre Gonnor les brillants étendards?
J'arrive, et je confie à la garde qui veille
Le mot que ne doit pas entendre une autre oreille...
Soudain, à mes regards quel spectacle nouveau!
O prodige! ô terreur! De ce sombre tableau
Quels mots retraceront l'aspect épouvantable,
Et de ce jour affreux l'aurore lamentable?
A peine j'avais dit, que, pâles et tremblants,
Je vois frémir d'effroi ces guerriers chancelants;
D'une épaisse sueur l'exhalaison impure
De leurs membres gonflés coule sur leur armure;
Leur cuisante douleur en mille cris se perd;
Comme sur un serpent d'écailles recouvert

Tout à coup de leur peau des rougeurs inégales,
En cercle se formant, sortent par intervalles;
Leur face en est semée, et leurs traits confondus
Sont un amas sans nom qu'on ne reconnaît plus!
L'un sur l'autre tombant et roulant sur la terre,
Sans gloire et sans combats ils mordent la poussière;
De leur sein palpitant un cri suprême sort
Que pousse la douleur et qu'arrête la mort.
Je fuis, plein de terreur, et leur fétide haleine,
Epouvantable adieu, me poursuit dans la plaine.
Loin du triste fléau, je cours vers mes foyers.
Déjà, de toutes parts, les humains effrayés
Jetaient jusques aux cieux des plaintes déchirantes;
Pères, mères, enfants, époux, tendres amantes,
Sous le chaume expirants, surpris dans les chemins,
Ensemble moissonnés, accusaient les destins!
L'un, pressant dans ses bras sa compagne accourue,
Lui donne en son délire un baiser qui la tue;
L'autre, brûlé de feux et de rage éperdu,
Met la coupe à sa lèvre, et meurt sans avoir bu;
Ici, c'est un vieillard à qui la Parque envie
Quelques heures de plus qu'il aurait dans la vie;
Là, des mères qu'aveugle un effroi criminel
Repoussent leurs enfants loin du sein maternel.
O doux liens du cœur! humanité! nature!
Plus de lois! plus de frein! tout marche à l'aventure.
Sur un maître expirant l'esclave déchaîné
Exerce la fureur de son bras forcené,
A la virginité la soldatesque impure
Sur le bord de la tombe imprime la souillure;
Mais du fléau commun punissant chaque amant,
Le ciel sous le plaisir glisse le châtiment,
Et, frappés sur le corps de leurs faibles victimes,
Ils meurent enivrés en expiant leurs crimes.
Partout enfin l'on voit d'odieux scélérats
Assouvir leurs instincts en face du trépas,
Tandis qu'aux saints autels la foule prosternée
Entoure de ses vœux la sourde destinée,
Ou maudissant le monde, elle-même et les dieux,
Fait trembler les parvis de ses cris furieux.

...

Mais... où suis-je?... est-ce un jeu de mon âme abusée?
Des objets à mes yeux la forme est effacée!...
Je sens par tout mon corps des frissons... des chaleurs,
Et mes yeux malgré moi se remplissent de pleurs.

ISMÈNE
Qu'avez-vous?

HERMANCE
Qui vous trouble?

ELFRID
O guerrier que j'honore,
D'où vient que vous tremblez et pâlissez encore?

ISMÈNE
Le suc délicieux exprimé du roseau,
Qui fond en un moment dans le cristal de l'eau
Et qu'on mêle au parfum du fruit des Hespérides,
Peut-il porter le baume à vos lèvres arides?

LE GARDE, *se pressant le ventre.*
O dieux! un feu secret me déchire les flancs!

ISMÈNE
Ne puis-je pour calmer ces désordres brûlants,
Rafraîchir d'une main complaisante et timide
Vos entrailles en feu, sous la rosée humide?
Et pousser, à l'écart, doucement ajusté
Le tube tortueux d'où jaillit la santé?

LE GARDE
O souffrance! ô douleur! ô cruelle torture!
Que de maux je subis! quels supplices j'endure!
De mon sein haletant le souffle est suspendu
Et la peste fermente en mon sang corrompu;
Sur mes mains, sur mes bras, jusque sur mon visage,
Le mal en traits de feu signale son passage.
Si de mes vêtements je détachais le fer
On frémirait à voir ce tableau de l'enfer :
Les flammes de l'Etna, les neiges d'Hyrcanie,
Alternant leurs fureurs se disputent ma vie.
Je frémis... je chancelle... et tombe sous le faix...
Et l'avide Achéron...
(Il tombe.)

ISMÈNE
Malheureux! Je l'aimais!

ACTE DEUX

I

Agénor, aide et élève de Jenner, vient, envoyé par son maître, porter au malade une potion bienfaisante. Il tient cette potion dans ses mains, il doute qu'elle serve à grand'chose. — Pourquoi Jenner vient-il si souvent chez Gonnor? ce n'est pas seulement l'humanité qui l'y appelle, mais aussi l'amour; car il a découvert la flamme qu'il nourrit pour Hermance. — Agénor a de l'ambition, il gagne peu à faire des saignées et lever des vésicatoires; or, comme il a de l'ambition, il a résolu de découvrir la chose à Elfrid dans l'espérance qu'il en sera largement récompensé. — Il déteste d'ailleurs Gonnor, Jenner, Hermance, tout le monde, et lui-même. — Il va donc porter la potion au vieillard fébricitant, mais il regrette qu'elle ne soit pas nuisible.

Puissent tous les venins que mon noir cœur distille
Empoisonner Gonnor et perdre sa famille!

II

Elfrid arrive sur ces entrefaites, Agénor lui raconte comment il a entendu des soupirs, des sanglots dans l'ombre des nuits,

Quand Jenner languissant exhalait ses ennuis;

comment, un jour, il a surpris des vers amoureux que Jenner écrivait et où le nom d'Hermance était mis en acrostiche. — Surprise et fureur d'Elfrid, il fait de grandes promesses au traître : ce sera lui qui sera le médecin de ses écuries et qui soignera ses vassaux; il le poussera dans les concours et l'aidera de l'influence de son nom. — Après quoi il sort pour courir à la vengeance.

Pars, illustre guerrier...

III

Agénor seul.

Jenner arrive. — Condescendance hypocrite d'Agénor. — Qu'il est heureux de servir sous un maître tel que lui! — Pendant qu'il parle, Ismène apparaît rapidement au fond et sort aussitôt pour prévenir de l'arrivée de Jenner.

V

Gonnor entre appuyé d'un bras sur sa fille et de l'autre sur son confident Harpax; on voit dans ses fiers yeux une larme qui brille, à peine s'il peut marcher,
... et ses débiles mains
Ne pourraient soutenir les combats inhumains.
Il contemple avec tristesse et amertume les trophées des Calédoniens, ces trophées qu'il a ravis, ces trophées...
— Il parle de sa valeur passée, de son bras...
Et il voit se lever autour de ses murailles
Ses aïeux réveillés au sein des funérailles,
Il est bien souffrant encore, pourtant un peu d'air lui fait du bien. — Il vient interroger
Le célèbre Jenner sur le présent danger,
et savoir combien de temps il lui reste encore, car il ne craint pas la mort, lui! la mort! lui qui tant de fois...
— Hermance sort par discrétion pour les laisser seuls.

VI

Jenner le rassure : Consolez-vous, bientôt ça ira mieux, dans quelques jours vous mangerez, on vous permettra un œuf à la coque, vous reprendrez vos habitudes,
Et votre fille encor pourra chaque matin
Mêler discrètement de sa main si jolie
Au lait de vos troupeaux la plante d'Arabie.

VII

Hermance revient avec Ismène. — Aparté de Jenner qui soupire : non, jamais il n'osera. — Il est brûlé, il est glacé.
Hermance et Ismène reconduisent
... en ses appartements
Le guerrier malheureux qui se traîne à pas lents.

VIII

Elfrid arrive haletant, l'épée nue, insulte Jenner et le provoque, sans que celui-ci sache pourquoi. — Fierté froide de Jenner : ce ne sont pas ces armes-là dont il se sert, lui, mais des armes de l'esprit. — Comparaison de la force physique à la force morale, du courage civil au courage militaire; inégalité des conditions, allusions à la révolution de 89 qui viendra, et à toutes les découvertes modernes de l'industrie, chemins de fer et messagers parisiens. — Alors en effet
Le plus simple mortel pourra pour quelque argent
Envoyer par la ville un courrier diligent.
Elfrid demeure confondu, il redoute en effet que ses vassaux ne se révoltent. — Transes. — Il suspecte Jenner d'être communiste et se propose de le dénoncer au souverain.

IX

Ismène revient et relève Jenner, en le remerciant d'avoir sauvé son amant qu'on avait cru mort à la fin du premier acte. — Mais ce n'est pas tout, répond Jenner, de guérir l'humanité, il faut prévenir le mal; peut-être un jour me sera-t-il donné... — Il sort majestueusement.

ACTE TROIS

I

Jenner fait part à Agénor des éclairs qu'Esculape a fait luire à ses yeux; il a observé, en promenant par les bois ses ennuis, que les jeunes filles destinées par
... des parents inhumains
A souiller dans les champs leurs délicates mains,
et qui ont le soin des tendres génisses, portent quelquefois sur leurs doigts légers des proéminences curieuses, inconnues, et que celles-là ne sont pas attaquées du fléau. Si on pouvait donc extraire ce bienfaisant venin et l'introduire dans le sein des mortels affectés, quel soulagement pour l'humanité! quelle sainte gloire! quel bonheur pour lui que de pouvoir sauver peut-être Hermance, dont la beauté à toute heure peut être ravie!
— Agénor fait semblant d'être satisfait de cette idée et l'approuve. — Jenner entre chez Gonnor.

II

Agénor au contraire en est désolé : oui, il réussira, tout lui réussit; je le hais pour ses talents, à cause de sa bonté même pour moi. Eh bien, quand tout homme aurait la petite vérole? j'en suis content. Une femme marquée de la petite vérole m'excite davantage, tant j'ai les goûts corrompus; j'aime le gibier faisandé et les fromages pourris.
A ce degré d'horreur...

III

Elfrid arrive pour voir Hermance. — Il est choqué de ce qui se passe.
Le rustique mortel venu de l'Helvétie
lui a dit de parler à la confidente; pourquoi ne peut-il voir Hermance? — Ils épanchent ensemble leurs misères, leurs rages et les ulcères de leurs cœurs. — Agénor lui fait part de la découverte de son maître et se promet bien d'en empêcher l'exécution.

IV

Ismène vient excuser Hermance si elle ne paraît pas : c'était l'heure de sa toilette, il fallait la corser, faire bidet. — Elfrid va aller prendre l'air, dévoré qu'il est de jalousie, car Jenner est chez Gonnor, et Hermance y est peut-être. Que les médecins sont heureux! c'est un métier bien propice aux larcins de l'amour; ils voient même souvent ce que les femmes refusent de montrer à leurs époux. — Il est rongé d'inquiétude, de rage; l'enfer est dans son âme. — Lui et Agénor rugissent en se séparant. — Agénor sort aussi pour accomplir ses noirs desseins.

V

Hermance, Ismène. — Le songe. — Elle a eu un songe : elle a vu un monstre bouffi, avec des creux, des bosses et des coutures, qui la voulait embrasser et se penchait sur elle; elle sentait que chaque baiser lui faisait un trou. Une main mystérieuse tenant un glaive a paru dans les nuages; une voix a dit : ce qui paraît donner la vie te donnera la mort, ce qui fait mourir prolongera tes jours. — Haletante, je m'éveillai... et toujours dans mon souvenir...

VI

Entrée de Jenner et de Gonnor juste à la fin du songe. — Gonnor approuve la découverte; il a toujours cru au génie de Jenner, il admire la science, il regrette que ses parents ne lui aient pas donné plus d'éducation. — Mais les armes! le service du Prince! l'Etat! Il a néanmoins toujours été curieux de la nature et désireux d'étendre ses connaissances; il avoue qu'il aime, dans ses jardins, à cueillir des simples et à soigner des abeilles malades; il a envie de se former, dans sa retraite, une bibliothèque des meilleurs auteurs; il demande à Jenner des livres de médecine et d'accouchement. — Donc, si Hermance se livrait à l'expérience, elle ferait bien. — Hermance refuse.

VII

Elfrid paraît au milieu de la contestation et décoche à Jenner les plus fines plaisanteries sur la tentative à laquelle il veut se livrer : il ne croit pas à la médecine, il raille cet art divin. — Jenner ne répond que par des apartés, dans lesquels il invoque Esculape, Apollon. — Elfrid prie, même supplie qu'on ne livre pas le bras aux expériences de cet empirique, de ce mortel téméraire... Il s'oppose à ce que ce bras soit exposé... ce cher bras... ce bras.

En vain Jenner représente qu'il est temps, bien temps; que d'un moment à l'autre elle peut être attaquée. — Gonnor hésite, balance, il craint que sa fille ait la petite vérole, il craint que l'opération soit dangereuse, il est déchiré. O cœur d'un père! — On hésite, on balance, Jenner lui-même est ébranlé. — Tout à coup Ismène, prise d'un beau mouvement, déclare qu'elle offre son bras.

ACTE QUATRE

I

Hermance, Ismène. — Ismène raconte à Hermance l'opération qu'elle a subie : détails du vaccin, on ne souffre pas, le sang ne coule pas, c'est plutôt un plaisir. Vous devriez imiter mon exemple.

II

Gonnor arrive tout guilleret sur la scène, il est guéri, quelques traces légères se mêlent aux cicatrices de son visage, mais ne les font pas disparaître. — En effet, c'est le plus bel ornement du visage d'un guerrier, reprend Ismène. — Gonnor avoue qu'il regrette d'être avec tous ses membres, puisque Mars en tout il a toujours protégé. — Il vient engager Hermance à se faire vacciner. — Qu'importent les vaines railleries d'Elfrid? elles sont sans fondement; c'est un homme élégant, mais peu instruit et qui ne repose pas souvent sous les sacrés bosquets. Que signifie donc ce qu'il peut dire? qui sait d'ailleurs si les justes dieux ne sauront pas le punir?

III

A ces mots, le même garde arrive haletant, effaré. — Elfrid est atteint du cruel fléau. — Punition des dieux! s'écrie Gonnor en levant ses nobles mains au ciel.

IV

Jenner survient avec Agénor. — Qu'il est heureux que Gonnor en soit réchappé! — Mais Hermance devrait bien, puisque l'opération a réussi sur Ismène. — Oui, oui, s'écrie Ismène.

... C'est un mortel divin. Prenez au nom des dieux son bienfaisant venin; mon père, mon amant, moi-même, tous nous lui devons la vie. On se rapproche des dieux par la science, un mortel instruit est l'image ici-bas de la Divinité, il la surpasse peut-être quand il y joint la bonté, l'humanité, la tendre pitié, car les dieux n'ont pas toujours ces qualités. — Agénor à part approuve cette idée, c'est bien sa façon de voir.

Enfin Hermance se décide. — Joie générale. — Aparté d'Agénor : il est au désespoir du bien qui va résulter; c'est peut-être lui qu'on va charger de l'opération, alors il se promet d'être le plus maladroit possible et de lui couper tout le bras avec sa lancette. — Mais ce ne sera pas lui. S'il avait au moins à aller chercher le vaccin! au lieu de vaccin il rapporterait le suc des plantes les plus vénéneuses, la bave des serpents, car, s'il pouvait, il inoculerait la peste au genre humain.

Hermance, Jenner et Ismène sortent pour l'opération, suivis d'Agénor qui va au moins repaître ses yeux d'un supplice, quelque léger qu'il soit; c'est toujours beaucoup pour son âme altérée.

V

Le vieux guerrier reste seul. — Il sait voir la mort sur les champs de bataille, Bellone ne l'a jamais effrayé; mais, quand il s'agit de son enfant, le cœur d'un père est toujours faible. La sensibilité d'ailleurs s'allie toujours à la bravoure : le lion est généreux. — C'est maintenant qu'on opère Hermance; ô mon Dieu! le cœur de Gonnor est agité.

VI

Ismène d'abord.

VII

Agénor ensuite viennent lui rendre compte de ce qui se passe : on découvre le bras, on le saisit, on a mis le vaccin sur la lancette, etc. — Cruelle perplexité de Gonnor.

VIII

Enfin la porte s'ouvre. — Hermance, pâle mais belle, s'élance au cou de son père. — Tendre effusion, elle est sauvée! — Jenner jouit de ce tableau. — Fureur sombre et concentrée d'Agénor : la voilà donc préservée du fléau, grâce à ce vaccin.

Jenner seul, à l'écart : Oh! s'il était un vaccin contre l'amour!

ACTE CINQ

I

Ismène, Agénor. — Agénor est venu clandestinement trouver Ismène pour tâcher de l'enlacer de ses intrigues. — Jenner réussit, Hermance est sauvée, Gonnor guéri; donc tout va mal pour Agénor, Elfrid a même un commencement de petite vérole, il est temps encore d'arracher Ismène au parti de Jenner. — Agénor sonde celle-ci à ce sujet : il veut l'amener à lui, c'est-à-dire le tromper Hermance, à la livrer à ses propres mains; alors Agénor en abusera. S'il ne peut jouir de la maîtresse, au moins il aura la confidente pour laquelle il se sent excité... Allons! cueillons cette fleur... déjà pour elle ma main s'allume... soyons impudique et, Mercure et Vénus aidant, faisons sur la suivante des lubricités, car je désire

    Avant que n'ait sonné la fin de la journée
    En avoir à loisir une large soûlée.

Ismène s'aperçoit de ses projets et le repousse comme un misérable. — Agénor se relève en blasphémant et en promettant la vengeance.

II

Hermance, Ismène. — Hermance épanche sa reconnaissance pour Jenner. — Ismène en profite pour lui parler de son amour. — Etonnement d'Hermance : son cœur éprouve un sentiment qu'elle ne peut définir.

III

Gonnor survient pour jouir encore une fois du spectacle de sa fille sauvée de l'opération, invulnérable maintenant... Mais ne nous réjouissons pas, il faut toujours craindre les coups du destin. — Eloge de Jenner. — Gonnor ne sait comment le payer. — A la fin de sa tirade : par la reconnaissance. Jenner arrive.

IV

Comment me payer? il est un prix inestimable, prix au-dessus des richesses et des empires; si on me l'offrait, plein de fierté je repousserais

              ... en mon choix
    Et tout l'or des puissants et le sceptre des rois!

C'est... c'est... — Quand il a désigné Hermance, étonnement de Gonnor qui consent. — Hermance reste muette.

V

Entrée d'Elfrid, qui vient enfin, las des langueurs qui le font soupirer, demander la main d'Hermance. — Il est tout couturé de la petite vérole, hideux, et à peine reconnaissable; aspect dégoûtant, voix faible. Dialogue coupé entre Elfrid et Jenner, qui tous deux demandent Hermance et s'invectivent : Jenner reproche beaucoup à Elfrid sa laideur. — Hermance à part en effet ne le trouve pas beau. — Enfin elle se décide pour Jenner. — Désespoir d'Elfrid; il se tue sur la scène, on emporte ce malheureux.

VI

Le garde arrive, toujours effaré. — Récit. — Agénor a été atteint de la petite vérole; il souffrait déjà beaucoup, quand il a voulu néanmoins caresser une bergère; il a bu pour étourdir ses inquiétudes, mais ça a redoublé son mal, le garde l'a trouvé expirant sur le bord du chemin. — Allocution.

Ismène trouve que les dieux l'ont bien puni. — Ses forfaits.

Mariage d'Hermance et de Jenner.

Ismène demande alors qu'il lui soit permis d'épouser le garde.

Gonnor y consent.

Joie générale. — Vers qui enveloppe :

              ... Après tant de travaux,
    Allons tous dans l'amour oublier tous nos maux;

ou

              ... Puisqu'en ce jour
    Les justes dieux enfin récompensent l'amour.

[FRAGMENTS RÉDIGÉS DES ACTES PRÉCÉDENTS :]

ACTE DEUX

Scène I

AGÉNOR *entre, portant à la main un immense bocal. Agénor doit avoir des cheveux très crépus.*

Ministre diligent d'un maître qu'on révère,
Je prépare aux douleurs un baume salutaire,
Et ce vase puissant que je tiens dans mes mains
Enferme en son cristal la santé des humains.
Ah! plutôt, que ne puis-je au monde que j'abhorre
Ouvrir, comme un volcan, la boîte de Pandore,
De l'aveugle destin jeu moqueur et fatal,
Qui fait porter le bien par qui cherche le mal!
Mais je redoute en vain l'effet de ce breuvage :
Gonnor a contre lui le fardeau de son âge,
Et, malgré ses efforts, Jenner ne pourra pas
Arracher le vieillard aux portes du trépas...
Pourtant dans ce palais on le voit, à chaque heure,
Du père qui languit à la fille qui pleure
Prodiguer avec art, doublement agité,
Le remède au mourant, l'espoir à la Beauté!...
Mais un penser nouveau s'éveille dans mon âme :
Ne vient-il en ces lieux que poussé par sa flamme,
Et cet empressement qu'il montre nuit et jour
N'est-il qu'un masque impur pour voiler son amour?
Car ce n'est pas à moi, qui l'épiai sans cesse,
Qu'il pourrait dans son cœur cacher la folle ivresse;
Mais je ne croyais pas qu'il fût assez pervers
Pour tromper un guerrier blanchi par les hivers.
Tirons de cette honte un profit pour moi-même,
Car je n'aime personne et personne ne m'aime.
Elfrid instruit par moi de cette passion
Pourra servir d'échelle à mon ambition
Depuis mes tendres ans le travail m'importune
Et j'ai droit comme un autre aux dons de la fortune.

Scène III : Agénor, seul.

Pars, illustre guerrier! tes plus chers intérêts
Sont d'un lien fatal unis à mes projets!
Car, pareil au serpent qui se glisse en silence,
J'avance sourdement en rampant... mais j'avance,
Et suivant dans la nuit des sentiers ténébreux,
J'enlace ma victime en mes plis tortueux.
L'heure a sonné peut-être, et bientôt, je le pense,
Pour prix de mes efforts m'attend ma récompense,
Et ce qu'à la vertu ne donnent pas les cieux
La noire trahison va l'arracher aux dieux.
Vainement j'ai cherché dans les soins et l'étude
A me faire un destin libre d'inquiétude;
Ayant vu dans sa fleur mon espoir emporté,
Il ne me reste plus que la perversité.
Que dis-je? existe-t-il des vertus et des crimes?
Je ne vois ici-bas que bourreaux et victimes,
Et ce n'est que la foi du mortel égaré
Qui dresse à la justice un autel vénéré.
Son esprit, tout peuplé des plus vaines chimères,
S'embarrasse soi-même en ses lois mensongères.
Atome imperceptible en l'univers perdu,
Inconnu de lui-même en un monde inconnu,
Fragment ambitieux de l'inerte matière,
Qui, sorti du néant, retourne à la poussière,
Et, sans savoir le but où mène le chemin,
Roule au gré du hasard son fragile destin,
Des organes divers l'étonnant assemblage
Sous le nom de l'esprit n'est qu'un trompeur mirage,
Où l'orgueilleux humain d'un vain songe flatté
Au fond de son néant voit la Divinité.
Imagination, pensée, intelligence,
Haine, amour et vertus que le vulgaire encense,
Sont le produit banal de ces mille ressorts
Que l'aveugle nature a cachés dans nos corps.
Quand l'erreur sur le monde étendait son empire,
Des pontifes maudits l'hypocrite délire,
Etayant de l'autel l'ambition des rois,
Des superstitions a cimenté les droits;
L'humanité, courbée au joug de l'ignorance,
Entre crime et vertu vit une différence,
Et le prêtre grandi par cet abaissement
A de ses cruautés bâti le monument.
Que de fois incliné sur les sanglantes dalles,
Au funèbre reflet des lampes sépulcrales,
Et d'un fer curieux interrogeant la mort,
J'ai voulu pénétrer le problème du sort!
Que de fois, le cœur plein d'un studieux courage,
J'ai cherché l'âme humaine en sa fétide image!
Mais ces tristes débris, sur les marbres épars,
N'offraient que le néant à mes sombres regards;
Et j'ai ri dans moi-même, en songeant que la Parque
Ainsi que le pasteur emportait le monarque.
Devant tous ces tableaux mon cœur désenchanté
Est revenu, plus sage, à la réalité.
Pour bannir de mon sein la tristesse profonde
J'ai livré ma jeunesse aux passions du monde;

Etalant près des morts ma débauche sans frein,
En de hideux banquets j'engourdis mon chagrin,
Et, la lèvre trempée au flamboyant breuvage,
J'épouvantai le ciel de mon affreux langage.
Mes amis avec moi, dans de nocturnes jeux,
Troublèrent sans pudeur le calme de ces lieux.
Certes, Minos a dû, dans sa cour étonnée,
Sentir par nos horreurs son âme consternée,
Quand, imitant l'amour et ses emportements,
Sur des membres glacés, sacrilèges amants,
D'un doigt luxurieux égarant la mollesse,
Nous donnions à la mort une infâme caresse.
Vertu! si j'ai foulé tes préceptes pieux,
Que faut-il accuser des hommes ou des dieux?
Les hommes?... Ces amis, troupe chère et cruelle,
Qu'auprès de moi l'étude abritait sous son aile,
Non, jamais ils n'ont pu, malgré leur vil effort,
A ce point de licence amener Agénor.
Les dieux?... lorsque leur main façonna ma nature
Ne pouvaient-ils choisir une argile plus pure?
S'il est vrai que tu sois aveugle, Déité,
Le jour où je naquis que faisait ta bonté?
Dieux maudits! c'est à vous que mon juste délire
Reporte tout le mal dont je subis l'empire.
Que ne puis-je, arrachant le tonnerre à vos mains,
Faire crouler l'Olympe, au rire des humains.

ACTE TROIS

Scène II

AGÉNOR

A ce degré d'horreur, hélas! j'en suis venu
D'aimer ce que l'amour a de plus corrompu.
Et ce n'est point assez sur de faibles victimes
D'exercer en fureur d'épouvantables crimes,
Promenant à la fois sur leurs flancs déchirés
La rage de mon bras et d'immondes baisers;
Pour exciter mon cœur en sa triste mollesse,
Il faut des cruautés qu'il épuise l'ivresse,
Qu'un soupir de douleur, que des cris déchirants,
Viennent dans nos festins chatouiller tous mes sens.
Longtemps il m'a suffi, dégradant la nature,
D'avoir avec l'enfance une jouissance impure,
Ou, dans mes premiers jeux, plein d'un tendre désir
De prendre à tout hasard pour me faire plaisir
Un cothurne défait, soit un casque, une épée,
Pourvu qu'elle fût longue et la garde assurée;
Le plus banal objet qui s'offrait à ma main,
Ma luxure aussitôt s'en emparait soudain
Et, sans plus réfléchir quel en était l'usage,
J'assouvissais dessus les flammes de ma rage.
Mais le temps a passé de ces douces amours,
Jusqu'au fond du tombeau j'y songerai toujours.
Heureux, s'ils avaient pu, retenant ma jeune âme,
Du volcan de mon cœur emprisonner la flamme!

Maintenant, ce qui m'amuse, ce sont des horreurs

inutiles : cracher sur la croix, cirer mes bottes avec les saintes huiles ; j'aime même à faire souffrir la nature morte, je casse tout pour le simple plaisir de détruire ; je tourmente les animaux. Qui le croirait ? j'aime à souiller une oie et à lui trancher la tête, je déchire de mes ongles les faibles animaux.

Souvent le laboureur, regagnant ses travaux,
A trouvé par les champs sa génisse en lambeaux !

LE CHATEAU DES CŒURS

FÉERIE EN DIX TABLEAUX, EN COLLABORATION AVEC
LOUIS BOUILHET ET CHARLES D'OSMOY

PREMIER TABLEAU

Une clairière dans les bois. Il fait nuit complète. A la lueur exagérée des vers luisants, on distingue çà et là de grandes masses de verdure et parmi elles des blancheurs qui circulent. Au fond, à droite, un petit lac. Le rideau se lève. On n'entend qu'un bruit de pas.

Scène I

Du fond et des deux côtés de la scène débouchent des Fées, un doigt sur les lèvres. Elles sont coiffées de fleurs rustiques et de fleurs marines avec des roseaux, des épis de blé et des glaïeuls sur la tête, avec toutes les couleurs et tous les attributs des milieux où elles vivent : fées des bois, des fleuves, des montagnes. Elles se détournent pour regarder derrière elles, comme si elles avaient peur de quelque chose, se cherchent et s'appellent à voix basse dans les ténèbres.

PREMIÈRE FÉE : Psitt ! psitt !

DEUXIÈME FÉE : Par ici !

TROISIÈME FÉE : Attendez-moi : mon pied s'est pris dans un rayon de lumière. Un effort ! *(Elle bondit.)* Et me voilà !

QUATRIÈME FÉE : Sommes-nous toutes réunies ?

TOUTES EN CHŒUR : Oui. Toutes, toutes !

CINQUIÈME FÉE : Il fait nuit, la terre dort ! C'est notre heure ! Allons, sautez, papillons !

D'énormes phalènes lumineuses, s'élançant des arbres, se mettent à voleter dans l'air en même temps que les Fées à danser, sur un rythme lent, avec un bourdonnement de flûte.

CHŒUR DES FÉES : Puisqu'on nous chasse de partout, dans le jour, chez les hommes, prenons nos ébats en liberté, pendant la nuit, dans les bois.

Les hommes sont méchants, mais la nature est bonne. Le pavé des villes est dur, mais l'herbe des prairies est douce.

Ne souillons plus nos pieds dans leur fange, ne brisons plus nos cœurs contre leur poitrine.

Le suc de l'euphorbe est moins perfide que leurs tendresses, la feuille desséchée qui roule au vent d'automne plus constante que leurs serments...

Assez de fatigue ! Tant pis pour eux ! Débarrassées de tout soin humain, nous n'en serons que plus heureuses.

Nous ne quitterons plus nos régions natales, la liberté de l'air, des eaux et des bois.

Balançons-nous, suspendues aux lianes des arbres avec la rosée des nuits d'été ; courons sur la surface des lacs bleus, cramponnées au dos des demoiselles ; remontons vers le soleil, dans les rayons poussiéreux qui passent par le soupirail des celliers ! Allons ! vive la joie ! en avant ! Pétales des roses, palpitez ! Ondes, murmurez ! Lune, lève-toi !

La lune peu à peu s'est levée pendant le chœur des Fées. Elle brille maintenant sur le lac, et les Fées se livrent à une joie extravagante, quand tout à coup, au milieu d'elles, et du sein d'une grosse touffe de bruyères sauvages, occupant le milieu de la scène, apparaît la Reine des Fées. Stupeur générale. Toutes s'écrient : « La Reine ! » et s'arrêtent.

Scène II : la Reine, les Fées.

LA REINE, *d'un ton courroucé :* Comment ! voilà le soin que vous prenez des hommes !

LES FÉES, *se récriant :* Eh ! nous n'y pouvons rien. Nous avons tout essayé.

LA REINE, *avec véhémence :* Mais quelques minutes encore, songez-y ! et nous retombons pendant mille ans sous la domination des Gnomes, puisque cette nuit est la dernière qui nous reste pour rendre aux hommes leurs cœurs volés.

UNE FÉE : Ils ne se plaignent pas d'en manquer, ô Reine ! Personne, jusqu'à présent, n'a redemandé le sien. Au contraire, il y a des parents qui enseignent à leurs petits...

LA REINE : Qu'importe ! Ignorez-vous donc que les Gnomes ne peuvent vivre sans les cœurs des hommes, car c'est pour s'en nourrir qu'ils les dérobent en leur mettant à la place, là *(elle désigne sa poitrine)*, je ne sais quel rouage de leur invention, lequel imite parfaitement bien les mouvements de la nature.

UNE FÉE, *riant :* En vérité, on s'y trompe !

LA REINE : Et les pauvres humains se laissent faire sans répugnance. Quelques-uns même y trouvent du plaisir. Petit à petit, et par l'effet d'un accord mutuel, pendant que le cœur sort du dedans, les génies du mal le tirent du dehors ; et c'est ainsi que leur race entière, ou presque entière, est vide de bons sentiments et de pensées généreuses.

UNE FÉE : Et tu veux que nous vainquions les Gnomes?

LA REINE : Oui, recommencez la lutte. Un ordre supérieur a partagé entre eux et vous l'empire du monde. Nous les avons vaincus autrefois; mais, depuis mille ans, ils triomphent. Les hommes, tyrannisés par eux, s'abandonnent aux exigences de la matière. L'esprit des Gnomes a passé dans la moelle de leurs os; il les enveloppe, les empêche de nous reconnaître et leur cache comme un brouillard la splendeur de la vérité, le soleil de l'idéal.

LES FÉES : Eh! tant pis, les Gnomes ne peuvent rien contre nous.

LA REINE : Mais à mesure qu'ils étendent leur pouvoir, le vôtre se rétrécit. On repousse vos consolations, on se moque de nos espoirs, on nie même notre existence, et quand ils auront conquis toute la terre, ils convoiteront des régions plus pures; ils se jetteront sur vous avec mille forces accrues, et vos cœurs, comme ceux des autres, seront dévorés! *(Les Fées poussent un cri d'épouvante.)* Rassurez-vous, écoutez-moi! *(Elles se rassemblent autour d'elle.)* Pour sauver le genre humain d'abord, et vous ensuite, il faut attaquer la puissance de vos ennemis dans son repaire, c'est-à-dire dans l'endroit inaccessible où ils tiennent en réserve les cœurs des hommes.

LES FÉES, *tumultueusement :* Allons-y!

LA REINE : Restez! L'entreprise ne peut réussir que par le complet accord de deux amants.

LES FÉES : Oh! ce n'est pas rare, cela; et sur la quantité...

LA REINE : Je veux dire deux amants d'une ardeur et d'une pureté plus qu'humaine, et dont l'un soit capable de mourir pour l'autre, sans avoir même l'espérance d'une larme sur sa tombe.

LES FÉES, *se récriant :* Oh! oh! oh! Et où les trouver?

LA REINE : Je l'ignore. Ils peuvent être là, tout près, comme à l'autre bout du monde, sous des haillons ou sur un trône. Fouillez partout, dans les villes, les déserts et les bois, et, du bord des plages au sommet des monts, ne négligez rien; allez! *(Bruit de pas dans la coulisse.)* On vient, cachons-nous! Des yeux mortels ne doivent pas nous voir.

Le soleil peu à peu s'est levé et, à travers le brouillard, il laisse voir à droite une cabane, au fond d'un massif d'arbres. Au bruit des pas qui se rapprochent, les Fées disparaissent, les unes dans les troncs des arbres voisins, d'autres plongent dans le lac, d'autres s'évanouissent dans le brouillard.

Scène III : le père Thomas, la mère Thomas, paysans des environs de Paris; Dominique, leur fils, avec une vieille livrée; M. Paul, en costume de voyage fané, un crêpe à son chapeau; il a l'air fort accablé.

LE PÈRE THOMAS : Du courage, mon bon monsieur Paul!

LA MÈRE THOMAS : Allons! il faut vous mettre en route pour Paris et ne pas négliger vos affaires; quelques lieues de marche, ce n'est pas le diable!

PAUL : Oui, je serai fort, je vais partir.

LE PÈRE THOMAS : Oh! rien ne presse.

LA MÈRE THOMAS, *à part, désignant son mari :* Imbécile, va!

PAUL : Merci, mes braves gens; mais quant à abuser plus longtemps de votre hospitalité...

LE PÈRE THOMAS, *à part :* Ah! enfin, il comprend!

DOMINIQUE : Elle n'était pas digne de vous, c'est vrai! et je m'étonne que Monsieur ait consenti à la subir. Puisque l'ancien régisseur de Monsieur, ce misérable, n'a pas eu le cœur de vous offrir un appartement dans le château, c'était bien la peine de venir ici pour écouter la kyrielle de ces maudits comptes. En vérité, Monsieur n'est pas heureux depuis quelque temps.

PAUL, *rêvant :* Oui, ç'a été comme une conjuration... un acharnement du hasard; la mort subite de mon père, des dettes anciennes qui se présentent, une ruine complète enfin, sans qu'on puisse en saisir la cause ni accuser personne.

DOMINIQUE : Quel guignon! Nous menions une si belle vie à voyager ensemble tous les deux!

PAUL : Calme-toi, bon Dominique, et ne parle plus du temps récent et déjà loin où nous vagabondions pour mon plaisir à travers les Indes et l'Orient. Plus de regrets! Il va encore falloir se lancer dans le monde, mais pour y chercher fortune. *(Il rêve.)*

LE PÈRE THOMAS : Le difficile, c'est de l'attraper.

PAUL : Bah! avec du courage! *(Se tournant vers Dominique.)* Et puis, tu ne m'abandonnes pas.

DOMINIQUE : Oh! non, non! J'ai confiance en Monsieur; je l'ai vu à l'œuvre. N'importe! ce serait le cas, si Monsieur veut le permettre, d'avoir à notre service quelques-uns de ces génies bienfaisants dont vous étiez si curieux là-bas! En avez-vous consulté de ces magiciens de toutes les couleurs, en robe verte, en robe jaune, en robe bleue, en manteau bariolé, sans compter ceux qui n'avaient pas de chemise! Et on aurait dit, vraiment, que vous croyiez à toutes leurs fariboles.

PAUL : Peut-être! pourquoi pas?... Mais je n'ai que trop tardé, adieu!...

Scène IV : les précédents, Jeanne.

LA MÈRE THOMAS : Qu'est-ce que tu viens faire ici, toi, fainéante?

PAUL, *affligé :* Oh! comme vous la traitez!

LA MÈRE THOMAS : N'allez-vous pas la défendre, monsieur Paul? Après tout, vous avez raison, allez : elle a assez parlé de vous pendant votre voyage.

PAUL : Comment, ma mignonne, tu ne m'avais pas oublié! Tu pensais à moi?

LA MÈRE THOMAS : Si elle y pensait, bonté divine! Figurez-vous que depuis cinq ans elle parlait de vous continuellement : « Où est-il? Quand reviendra-t-il? » Elle demandait de vos nouvelles à tous les rouliers qui passaient, et quand le vent soufflait sur le lac, elle avait peur pour votre navire.

LE PÈRE THOMAS, *voulant chasser Jeanne qui s'est rapprochée :* Ça ne te regarde pas. A l'ouvrage!...

PAUL : Comme tu as grandi! Te voilà une belle fille

maintenant! Veux-tu que je t'embrasse? *(Elle baisse la tête.)*

DOMINIQUE : Avance donc, nigaude!

JEANNE, *présentant son front timidement, et d'une voix émue :* Vous allez partir?

PAUL : Oui, chère petite, il le faut! *(Il l'embrasse.)*

JEANNE, *s'avançant vers son frère :* Adieu aussi, toi! *(Se tournant vers le père et la mère.)* Car il suit Monsieur! Il me l'a promis!

LA MÈRE THOMAS, *à part, à Dominique :* Tout ruiné qu'il est?

DOMINIQUE, *à part :* Nous attendons des héritages!... Et puis... et puis...

LA MÈRE THOMAS, *à part :* Défie-toi!

DOMINIQUE, *à part :* D'ailleurs, il sera toujours temps de le planter là, s'il ne réussit pas. On parlera de moi comme d'un serviteur modèle. Ça pose!... Et avec une ou deux réclames dans les journaux... de sport... J'ai pour amis des auteurs!

LE PÈRE THOMAS : Au moins, envoie-nous de temps en temps...

DOMINIQUE : Impossible! Mes capitaux sont... seront engagés. Nous connaissons des gens de Bourse!

LA MÈRE THOMAS, *avec admiration :* Quel gaillard!

DOMINIQUE : Mais dès que j'aurai une position sérieuse...

LE PÈRE THOMAS, *s'épanouissant :* Ah!

DOMINIQUE : Je vous donnerai de mes nouvelles!

LA MÈRE THOMAS : Soigne-toi bien, au moins!

DOMINIQUE : Moi avant tout! C'est un principe!

LE PÈRE THOMAS : Et ne te ruine pas le tempérament avec des particulières en falbalas.

DOMINIQUE : Allons donc! On est revenu de ces folichonneries. Le positif! Je ne sors pas de là!

LA MÈRE THOMAS : A-t-il de l'esprit!

DOMINIQUE : Et maintenant, les anciens, bonsoir, bon appétit et bonne santé! *(Il embrasse le père.)* Et d'une! *(Il embrasse la mère.)* Et de deux! C'est fini! Embarqué!

PAUL : Malgré ma détresse, il veut me suivre : vous le voyez!

DOMINIQUE : Oh! tant qu'il y en aura pour vous, je me contente! Vous ne pouvez pas vivre sans valet de chambre! C'est indécent! Je ferai retourner ma livrée, mettre un galon neuf à mon chapeau, et nous ferons encore belle figure, saperlotte! Monsieur, à vos ordres!

JEANNE, *sautant au cou de son frère :* Oh! mon bon frère!

LE PÈRE THOMAS, *à Dominique :* Prends garde!

DOMINIQUE : Oui! oui!

LA MÈRE THOMAS : Ecoute donc!

DOMINIQUE, *s'éloignant :* N'ayez pas peur.

LE PÈRE THOMAS : Reviens!

DOMINIQUE : On se reverra!

LA MÈRE THOMAS : Mon pauvre fils!

DOMINIQUE : Je vous écrirai! *(Il a disparu.)*

PAUL, *au père et à la mère :* Je ne puis le retenir. Adieu! Adieu! Rassurez-vous. Nous allons faire fortune. *(Il sort.)*

Scène V : le père Thomas, la mère Thomas, Jeanne.

LE PÈRE THOMAS, *rêvant :* Faire fortune!... devenir un gros monsieur... avoir de bons morceaux de terre... des prés... des bois... un moulin... et marcher sur le ventre à tout le monde... c'est ça qui est beau!

LA MÈRE THOMAS : Je crois bien! *(A Jeanne.)* Aussi, tu entends, toi, tu vas piocher, je t'en réponds, au lieu de passer des heures entières à regarder comme tu fais dans le blanc des nuages.

JEANNE : Cependant, dès le petit matin...

LA MÈRE THOMAS : Bref! tout ça c'est de la paresse...

LE PÈRE THOMAS : Ecoute, il me vient une idée.

LA MÈRE THOMAS : Ça rapportera-t-il?

LE PÈRE THOMAS : Peut-être. Si nous envoyions Jeannette à Paris?

JEANNE : Aller toute seule... là-bas... dans la grande ville...

LA MÈRE THOMAS : Dame! il y en a plus d'une qui est partie en sabots de son village... et qu'on a vue revenir... Qui sait! *(Regardant Jeanne.)* Pas déjà si chiffonnée, la Jeannette!... Eh! pourquoi pas? C'est décidé. A partir de demain...

JEANNE : Je vous en supplie...

LA MÈRE THOMAS : Oh! nous n'épargnerons rien. Ton père et moi nous saurons faire des sacrifices. N'est-ce pas, Thomas? Et pour commencer, je te donne ma capeline rouge... Avec mes vieilles coiffes nous trouverons bien moyen... Seras-tu assez gentille!... Ah! vois-tu, Jeannette, il faut de la coquetterie... mais de la bonne, de la vraie... de celle qui fait pousser des gros sous... et assure l'existence des parents... des bons parents.

JEANNE : Que devenir à Paris, toute seule?... Je ne saurai seulement pas me retrouver dans les rues...

LA MÈRE THOMAS : Bah! il y a des gens polis... qui vous enseignent...

JEANNE : Je n'y connais personne.

LA MÈRE THOMAS : Eh bien! et Dominique? Il a de si belles connaissances! Des banquiers, des militaires... tout le gouvernement, quoi!

JEANNE : Non, je n'oserai jamais!

LA MÈRE THOMAS : Sans compter M. Paul qui se fera un plaisir...

JEANNE : Lui! Une pauvre fille comme moi!

LE PÈRE THOMAS : Mais, saperlipopette!...

LA MÈRE THOMAS, *au père :* Tais-toi. Tu ne sais pas la prendre. *(A Jeanne.)* Paris et ma belle agrafe d'or... ou bien la maison et... *(Elle fait signe de lui donner des gifles.)*

JEANNE, *avec résignation :* Eh bien! j'irai.

LA MÈRE THOMAS : Enfin! Mais d'ici là tu ne vas pas te croiser les bras. A l'ouvrage, et vivement!

JEANNE : Tout de suite.

LE PÈRE THOMAS : Par ici.

LA MÈRE THOMAS : Par là.

JEANNE : Je ne sais plus...

LA MÈRE THOMAS, *lui donnant un soufflet :* Voilà pour t'apprendre.

LE PÈRE THOMAS : Piaule, sanglote, file! *(Ils sortent en poussant Jeanne devant eux.)*

Scène VI : les Fées reparaissent.

TOUTES LES FÉES : Ah! les sales vieux! Heureusement les jeunes sont meilleurs, ce qui nous fait déjà deux cœurs purs.

UNE DES FÉES : Sans doute. Mais lui, comment pourra-t-il jamais s'éprendre d'une fillette aussi simple, aussi pauvre, aussi sale?

LA REINE : Ah! il faudra bien que nous fassions naître cet amour, puisque notre succès en dépend. Mais comme nous ne pouvons avertir que l'un des deux, voyons, mes sœurs, décidez-vous, hâtez-vous!

LES FÉES, *tumultueusement :* Lui! — Elle! — Non! non! — Elle! lui! — Lui! — Elle!

LA REINE : Allons! c'est le jeune homme, car Jeanne a pour sauvegarde son ignorance et l'humilité de sa condition. Paul, au contraire, est exposé chaque jour à toutes les embûches des Gnomes. Donc c'est lui que nous devons avertir quand il en sera temps, seulement, et protéger dans les limites permises.

Conseils et exhortations de la Reine aux Fées pour protéger Paul :

Allons, mes sœurs, de la prudence
Et notre plan réussira.

On entend des voix souterraines répéter :
Ah! ah! ah!

LES FÉES *s'arrêtent :* Qu'est-ce donc? l'écho, sans doute. *(Elles reprennent le chant.)*

Allons, mes sœurs, de la prudence
Et notre plan réussira.

Les voix souterraines vont crescendo *de force et de gaieté, et l'on voit sortir de dessous terre des petits êtres avec des têtes énormes, les Gnomes; ils crient plus fort et tournent autour des Fées, qui s'enfuient prises de terreur.*

DEUXIÈME TABLEAU

Un cabaret aux environs de Paris. Il fait petit jour.

Scène I : le cabaretier; Paul, Dominique, couverts de poussière, fatigués et assis devant une table où sont une bouteille de vin, deux verres, un encrier et un paquet de lettres cachetées.

DES MARAICHERS, *partant pour la halle :* Adieu, père Michel!

LE CABARETIER : Bonne chance, les enfants! *(A Paul et à Dominique.)* Et à présent que vous êtes servis, Messieurs, vous excuserez, mais comme il est encore grand matin et que je n'attends plus de monde, je reprends mon somme.

Il monte dans son comptoir, appuie sa tête sur ses deux mains et s'endort.

PAUL, *montrant à Dominique le paquet de lettres :* Ainsi, tu comprends : à peine arrivé, tu les distribueras!

DOMINIQUE, *prenant les lettres :* Entendu! *(Il lit au fur et à mesure.)* A monsieur le vicomte Alfred de Cisy!... Bon! en voilà un dont vous avez souvent payé les dettes! Mais son adresse?

PAUL : Tu la demanderas au Club!

DOMINIQUE, *continuant :* A monsieur Onésime Dubois, peintre, rue de l'Abbaye! Lui en avez-vous acheté de ses croûtes, à celui-là!... Au professeur Letourneux, membre de plusieurs sociétés religieuses et philanthropiques. Connu! c'est votre père qui l'a présenté partout à Paris!... Au docteur... Colombel.

PAUL : Le médecin de la famille, tu sais!

DOMINIQUE : A monsieur Bou... Bou... Bouvignard...

PAUL : Eh! oui! l'amateur de vieilles faïences!

DOMINIQUE : Ah! ce petit maigre qui venait toujours à l'heure du déjeuner? suffit!... A monsieur Macaret, en son usine; il a été bien heureux de trouver certains écus, quand il s'est établi! *(Il feuillette le paquet en marmottant.)* Bien! bien! je connais les rues, je vois ça!... Ah! comme vous en avez de ces amis, des pairs de France, des banquiers, des savants, des artistes, Paris entier!

PAUL, *soupirant :* Après cinq ans d'absence, ils m'auront oublié peut-être!... Heureusement qu'il y a des bons!... Aussi... *(désignant les lettres)* fais-en deux parts. Celles-là d'abord, les autres ensuite!

LE CABARETIER, *se réveillant en sursaut :* Voilà, Messieurs!

DOMINIQUE : On ne vous demande rien.

LE CABARETIER : Ah! *(Il bâille et reprend sa position.)*

PAUL : Et tu auras soin de lire les écriteaux des appartements à louer; tu me prendras un cabinet qui ne soit pas cher!

DOMINIQUE : L'étage est indifférent à Monsieur?

PAUL : Oui, indifférent!

LE CABARETIER , *s'éveillant en sursaut :* Voilà! *(Paul lui fait un signe de tête négatif.)*

DOMINIQUE, *qui s'est levé d'effroi tout à coup :* Ah! il a le sommeil occupé, décidément. *(Il se rassoit.)* Ouf! on est bien!... J'ai les genoux rompus de fatigue, avec la tête d'un creux...

PAUL, *debout :* C'est d'avoir marché toute la nuit! Pauvre garçon! finis ta bouteille, va! *(Dominique boit.)* Et à moi aussi, le cœur défaille! Au moment de me jeter dans une existence nouvelle, je ne sais quel trouble m'envahit; c'est comme le malaise qui nous survient quand on va partir pour les longs voyages! Allons, lève-toi!

Scène II : Paul, Dominique; un bourgeois, vêtu d'une longue redingote, chapeau à bords retroussés, favoris, canne à lanière de cuir, entre tout doucement, et s'assoit à une des tables, observant Paul et Dominique avec des yeux flamboyants. La pluie se met à tomber au dehors.

DOMINIQUE : Bon! la pluie! Il nous faut attendre, puisqu'un équipage nous manque pour faire notre entrée à Paris.

PAUL : Quand nous en sommes sortis, la dernière fois, c'était dans une chaise de poste à quatre chevaux.

DOMINIQUE : Moi, j'étais sur le siège; je payais les

postillons! et aujourd'hui, nous voilà à guetter l'omnibus.

L'INCONNU, *se levant poliment :* Les omnibus de la banlieue, Monsieur, ne se mettent en marche qu'à huit heures et demie du matin.

Paul et Dominique se retournent et examinent l'inconnu.

L'INCONNU : Ces messieurs sont étrangers?... Monsieur voyage pour son plaisir, sans doute? Si Monsieur avait besoin de quelques renseignements dans la capitale, je pourrais... vu mes relations nombreuses...

Paul et Dominique ne répondent pas.

Brounn... brounn... il fait un froid!... Je prendrais volontiers quelque chose de chaud! Hé! garçon, un punch!

Le cabaretier se lève en sursaut et sort par la droite.

Du sucre, un citron, du cognac! vivement!... et si ces messieurs veulent me faire l'honneur...

Une servante, arrivant par la gauche, apporte un bol.

DOMINIQUE : Avec plaisir, Monsieur; vous êtes trop bon!

La servante n'a eu que le temps de poser le bol sur la table; une flamme paraît dessus.

Mais il n'y avait rien là dedans tout à l'heure... voilà qui est drôle!

A l'inconnu.

Ah! ça, dites donc, vous l'aviez dans votre poche, celui-là... vous êtes un physicien, un grec!... Ah! elle est forte! il vient au cabaret avec des punchs bizeautés!

L'INCONNU : Je ne comprends pas un mot, cher Monsieur, de ce que vous dites. *(A la servante, en lui remettant de l'argent.)* Faites-moi le plaisir d'aller me chercher des panatellas dans la boutique de la deuxième rue, à droite, le troisième casier en haut; j'ai ma boîte, on me connaît! *(Elle sort.)* A nous deux, maintenant!

Scène III : Paul, Dominique, l'Inconnu.
Paul est resté accoudé, rêvant.

L'INCONNU, *montrant le punch :* Vraiment, Monsieur, est-ce que je n'aurai point l'avantage...

DOMINIQUE, *d'un ton engageant :* Voyons, mon pauvre maître... pas de fierté!

PAUL *se lève :* Il n'en faut plus avoir, c'est vrai! *(Il s'assoit à la petite table près de l'inconnu et de Dominique.)*

L'INCONNU : Ainsi, vous venez chercher fortune dans la grande ville?...

PAUL : Qui vous l'a dit?

L'INCONNU : Vous-même!

PAUL : Comment cela?

L'INCONNU : Tout à l'heure, quand vous causiez avec votre domestique!...

PAUL : Il me semblait cependant...

L'INCONNU : Pardonnez! je sais tout!... et comme mon industrie, Monsieur, consiste à tenir un bureau de renseignements universels et à faire un vaste courtage dans les différentes classes de la société, il y va de mon intérêt de vous servir.

DOMINIQUE : Voilà de la franchise, au moins!

L'INCONNU : Monsieur se propose de chercher un emploi dans une administration quelconque?

PAUL, *brutalement :* Non!

L'INCONNU : De prendre les finances, la diplomatie ou les chemins de fer?

PAUL : Eh! qu'en sais-je moi-même?

L'INCONNU : Le commerce, peut-être?

DOMINIQUE : Ah! bien oui! un homme qui en deux heures de temps vous couvre de peinture une toile plus haute que ça!

L'INCONNU, *saluant ironiquement :* Ah! Monsieur est artiste!... ah! et il compte faire fortune? respectons-le!

PAUL, *irrité :* Eh bien! pourquoi pas? Quand je vois tant de barbouilleurs que l'on applaudit, ce serait bien le diable... D'ailleurs j'ai de longues études derrière moi et en employant toutes mes forces, la gloire viendra... peut-être, la richesse ensuite.

L'INCONNU : Très bien, jeune homme! Mais j'espère que vous allez, pour parvenir, à ne rien négliger de tout ce qu'il vous faut : pillez-moi les anciens, dénigrez les modernes, exaltez les petits génies et conspuez les grands; ça pose, premier pas! Vous peindrez ensuite les boutiquiers en artilleurs et les lorettes en Vénus, avec les chevaux célèbres et les actions vertueuses, sans nul souci du dessin ni de la couleur; on dirait que vous manquez d'idées, prenez garde! Il faudra ensuite adopter le grec ou le gothique, le pompadour ou le chinois, l'obscénité ou la vertu, la chose à la mode, peu importe! Mais agenouillez-vous devant le public, servilement, et ne lui donnez rien qui dépasse la force de son esprit, les facultés de sa bourse, la largeur de son mur! Alors vos œuvres, reproduites à l'infini, couvriront l'Europe. Vous entrerez dans la cervelle de votre siècle. Vous serez un maître, une gloire, presque une religion. Le despotisme de votre médiocrité pourra abêtir toute une race; elle s'étendra même sur la Nature, car vous la ferez haïr, ô grand homme, car elle rappellera de loin vos barbouillages.

PAUL, *indigné :* Jamais!

L'INCONNU : Vous avez raison! une place, des appointements fixes, c'est plus sûr. Je vous recommande avant tout l'exactitude, non pour travailler, mais pour surveiller vos confrères. D'abord une petite médisance çà et là, puis une dénonciation formelle — dans l'intérêt du service; enfin une bonne calomnie, n'ayez pas peur! De l'arrogance envers les humbles, de la bassesse devant les chefs, cravate empesée et souple échine, morbleu! cervelle étroite et conscience large; respectez les abus, promettez beaucoup, tenez rarement, courbez-vous sous l'orage et, dans les circonstances difficiles, faites le mort! Mais tâchez de connaître le vice de votre supérieur; s'il prise, achetez une tabatière, et s'il aime les jolies femmes, mariez-vous!

PAUL : Horreur!

L'INCONNU : De l'indépendance!... j'aime ça! On ne la trouve plus, Monsieur, que dans une fortune acquise par le commerce. Nous avons le système des faillites honorables, les secrets des faux poids et du bon teint; mais rappelez-vous que le moyen d'avancement le plus rapide pour un jeune homme, dans une grande maison, c'est de séduire la femme du bourgeois.

PAUL : Tais-toi donc, misérable!

L'INCONNU : Oui, la fille vaut mieux, parce qu'il est forcé de vous la donner en mariage! *(Paul recule épouvanté.)*

DOMINIQUE : Il y a au fond de bonnes idées dans ce qu'il dit.

L'INCONNU, *toujours impassible :* Et alors, quoi que vous soyez, les obstacles s'aplaniront, chacun vous sourira; la santé sera bonne, vous dînerez bien, vous aurez la face rose comme une jeune fille.

Sa barbe disparaît; surprise de Paul.

Peu à peu vous deviendrez riche, considéré, heureux, vous ferez craquer sur l'asphalte vos bottes vernies, en roulant dans vos gants blancs le pommeau d'or de votre bambou.

Ce qu'il dit s'exécute; Paul pousse un cri.

On vous craindra, on vous aimera; vous vous repasserez vos caprices : habits neufs tous les jours, bagues à tous les doigts, chaînes de montre, breloques et linge fin.

Il apparaît vêtu en dandy; Paul et Dominique se rapprochent.

Vous achèterez une maison de campagne, des statues, des hôtels, des amis, et des chevaux de race, ce qui est plus cher. Pour duper les générations futures, vous pourrez même fonder un hôpital; et vous vieillirez tout doucement, servi par un peuple de valets, entouré de famille, lourd d'honneurs, avec une grosse bedaine et l'aspect d'un honnête homme.

Il apparaît en vieux bourgeois cossu, lunettes d'or, gilet de velours, etc.

PAUL, *se passant les mains sur la figure :* Est-ce une illusion? J'ai dans la tête comme des chars qui roulent, et des flammes qui voltigent.

Le punch, qui a continué de brûler, se multiplie sur les autres tables, et les flammes sautillent çà et là dans l'air comme des feux follets.

DOMINIQUE *tourne avec admiration autour de l'Inconnu :* Quel particulier! quelle expérience!

PAUL, *résolument :* Non! je ne veux pas! arrière! C'est même une faiblesse de t'écouter. Va-t'en!

L'INCONNU : A votre aise! Faites le vertueux, mon gaillard, et serrez-vous le ventre! Toutes les portes de la fortune, on les refermera sur vous, en vous écrasant la face! D'abord, cela va sans dire, Monsieur gardera les apparences. Vous irez jusqu'à neuf heures du soir avec deux sous de lait et un petit pain rond qu'on mange dans la poche de sa redingote, tout en trottinant sur le pavé! Ah! vous les connaîtrez, les mystères de la toilette, les faux cols en papier, l'encre que l'on repasse sur les coutures blanchies, les sous-pieds tendus pour retenir les semelles trop vieilles, et l'habit noir boutonné jusqu'au menton, pour cacher l'absence du linge!

Il apparaît dans le costume décrit.

Vous ne faiblirez pas! vous lutterez! Mais personne ne voudra de vous!... On ne va pas chercher ceux qui se cachent! qui donc s'inquiète des pauvres? et comme une première chute est la cause naturelle d'une seconde,

peu à peu vous dégringolerez, mon bonhomme; la misère augmentera, elle deviendra irrémédiable et constitutionnelle. «Clic! clac! clac! gare-toi de là, manant!... » et du fond de votre ruisseau, par un temps de verglas, en plein hiver, vous distinguerez à des hauteurs vertigineuses, derrière la mousseline des larges croisées, tournoyer sous des lustres, dans le flamboiement des festins toutes les convoitises de votre cœur.

Le côté droit de la muraille s'entr'ouvre et laisse voir un bal splendide, puis se referme.

Alors commenceront pour vous, dans Paris, ces longues promenades du pauvre le long des quais et des boulevards. Plus vague et funeste que le Bédouin dans le désert, vous chercherez quelque bonne occasion, un parapluie perdu, une bourse tombée, en marchant jusqu'au milieu de la nuit, où vous irez dormir côte à côte avec des forçats, les pieds dans la paille, assis sur un banc, et les deux bras contre une corde!

Le côté gauche de la muraille s'entr'ouvre et laisse voir l'intérieur abject d'un logeur, rempli de monde, puis se referme.

Et l'habit râpé, depuis longtemps, sera parti.

Son habit disparaît.

A la place du chapeau, une casquette sans visière.

Même jeu.

Plus de gilet, une seule bretelle! et pas même de souliers... des chaussons!

Avec une pose ignoble.

Faut-il un fiacre, mon bourgeois?

PAUL, *se tordant les mains :* Horrible! Horrible!

DOMINIQUE : Mais ce n'est pas gai du tout, cet avenir-là!

PAUL, *découragé, tombe sur un tabouret, le coude sur la table :* Que faire?

A la fin de la tirade de l'Inconnu, la servante est rentrée avec un paquet de cigares, qu'elle a déposé sur la table. L'Inconnu, qui est près de Paul, debout à droite, fait un pas à reculons avec un geste d'espoir; mais aussitôt, en face de lui et derrière Dominique, la servante, se transmuant en Fée, allonge le bras impérativement vers l'Inconnu qui se change en Gnome.

Dominique, stupéfait, pousse un cri. Paul relève la tête et en pousse un autre, en apercevant la Fée, qui disparaît dans la muraille à droite en même temps que le Gnome disparaît à gauche.

TROISIÈME TABLEAU

Chez le banquier Kloekher : un boudoir, portes des deux côtés et au fond. Pendant la première scène, des valets traversent le théâtre, portant des jardinières et des meubles, pour les derniers préparatifs d'un bal.

Scène I : Alfred, Paul.

PAUL : Comment, mon cher Alfred, vous m'amenez chez M. Kloekher, le soir même d'un bal?

ALFRED : Qu'importe! n'êtes-vous pas en tenue? Et puisque *(emphatiquement)* la *fête* n'est pas encore commencée, vous aurez bien le temps de dire un mot à notre illustre financier.

PAUL : C'est là un vrai service que vous me rendez! Merci du fond de l'âme, car sans lui je ne savais que devenir. Partout où je me suis présenté, depuis un mois bientôt, porte close! Ah! les amis! Et que de tentatives, d'efforts! *(Il baisse la tête.)*

ALFRED : Allons, bien! vous voilà retombé dans vos idées mélancoliques, romantiques et poétiques. *(Lui tapant sur l'épaule.)* Ce bon Paul! il n'a pas changé : prompt à s'enflammer toujours pour toutes les femmes et à donner dans toutes les illusions. C'est comme votre histoire du cabaret. *(Il rit.)* Ah! ah! ah!

PAUL : Mais quand je vous dis que j'ai vu...

ALFRED : Bah! vous aurez été la dupe de quelque hallucination ou d'un faiseur de tours! Comme si l'on rencontrait dans les bouges de la banlieue des créatures célestes disparaissant à travers les murailles! Vous avez beau soutenir qu'elle est belle comme une fée, et même qu'elle en portait le costume, les fées, mon cher, ne sortent plus de la Chaussée d'Antin; et je compte, tout à l'heure, vous en faire voir une, qu'on appelle dans le monde madame Kloekher... et qui a pour nous quelque indulgence.

PAUL, *saluant :* Ah!

ALFRED : Mais oui! on est posé. Moi, je m'amuse énormément.

PAUL : Et le mari?

ALFRED : Un ancien Auvergnat! Il en a porté bien d'autres! Un rustre, d'ailleurs, un avare.

PAUL : Comment!... Mon père, au contraire, m'avait dit...

ALFRED : Votre père le connaissait?

PAUL : Beaucoup! Et il m'avait vanté toujours son désintéressement. Moi, je ne l'ai jamais vu, car...

ALFRED, *vivement :* Mais si votre père le connaissait, qu'aviez-vous besoin de moi alors? Vous pouviez vous recommander tout seul.

PAUL, *humblement :* Ah! mon ami, on est timide quand on est pauvre!

ALFRED, *à part :* Pauvre! pauvre! Moi, je ne savais pas qu'il fût pauvre!... sans cela!...

Scène II : Kloekher, Paul, Alfred.

KLOEKHER : Salut, vicomte!

ALFRED : Bonjour, grand financier! Permettez que je vous présente un de mes intimes, M. Paul de Damvilliers.

KLOEKHER, *à part :* Son fils!

ALFRED : Il a besoin de je ne sais quoi; il va vous expliquer son histoire. Oh! bon garçon! excellent! Et j'ai une autre grâce à réclamer : puis-je présenter mes respects à Madame, si toutefois...?

KLOEKHER : Certes; comment donc!

Scène III : Kloekher, Paul.

KLOEKHER : J'ai beaucoup connu monsieur votre père, Monsieur, et, comme je l'estimais infiniment, la soudaineté de sa catastrophe m'a affligé plus qu'un autre. Et vous n'avez pas, jusqu'à présent, trouvé de quelle manière elle a pu survenir?

PAUL : Hélas! non, Monsieur! J'ai même renoncé à en chercher la cause.

KLOEKHER, *après avoir soupiré largement :* C'est plus sage! Ne perdez pas votre temps à cela, croyez-moi! *(Avec hauteur.)* Et vous demandez...?

PAUL : Du travail, Monsieur! Oh! mes exigences seront modestes!

KLOEKHER : Quel âge avez-vous, s'il vous plaît?

PAUL : Vingt-cinq ans.

KLOEKHER : Euh! euh! un peu jeune! Et, en fait de comptabilité, de banque, que savez-vous?

PAUL : Peu de choses, c'est vrai; mais j'apprendrai vite!

KLOEKHER : Ah! vous croyez?... Et qu'avez-vous fait jusqu'à présent?

PAUL : J'ai voyagé.

KLOEKHER : Où cela?... Dans quel but?

PAUL : Dans le nord de l'Afrique, et jusqu'en Chine pour m'instruire.

KLOEKHER : Ou vous amuser plus librement, avouez-le! C'est une jolie manière de manger sa fortune; on se donne par là le vernis d'un homme sérieux; et l'on se fait regarder des badauds en rapportant de longues pipes pour les amis et des babouches pour les petites dames. Ah! ces bons jeunes gens! ils sont drôles, parole d'honneur!

PAUL, *irrité :* Monsieur!...

KLOEKHER : Laissez donc! je les connais, vos études! Parions que vous ne sauriez pas seulement me dire le nom des principaux comptoirs de Macao, ni le taux de l'escompte à Calcutta.

PAUL : Eh! il y a d'autres choses!

KLOEKHER : C'est possible! Mais alors que venez-vous faire ici? Que voulez-vous?

PAUL : Une place, Monsieur, une place! Je puis traduire vos correspondances, rédiger vos mémoires! Un homme en vaut un autre, avec de la force et du courage. Je vous prie de considérer la situation... pénible où je me trouve; et j'ose, pour appuyer ma requête, vous faire souvenir que mon père fut votre ami.

KLOEKHER : Eh! votre père, Monsieur, était un fort galant homme; mais, s'il avait suivi mes conseils, il n'aurait pas fini d'une façon désastreuse! Au lieu de singer le grand seigneur et de vouloir éblouir par une libéralité intempestive, il aurait dû surveiller ses capitaux, augmenter sa fortune, se rendre utile, enfin! *(D'un ton de fausse bonhomie.)* Il m'a bien assez fait souffrir par l'affection que je lui portais, sans que vous veniez ici, vous, son fils, me donner la peine de vous désobliger! Une place! Est-ce que j'en ai, moi? Tous mes emplois sont pris; ce n'est pas ma faute. Mille excuses! *Paul est remonté au haut de la scène et va pour sortir par le fond. Kloekher se lève.)* Eh bien, non!... Revenez!

PAUL, *fièrement :* Pourquoi, je vous prie?

KLOEKHER : Je peux, je veux vous faire du bien. *(Le regardant en face.)* Si je sais me connaître en hommes, je crois vous avoir deviné. Or, je me fie à votre intelligence pour me comprendre, et, en cas de refus, à votre discrétion, pour vous taire!

PAUL : Soyez convaincu...

KLOEKHER : Jusqu'à présent, j'ai fait toutes mes affaires à la Bourse d'une façon officielle; mais à partir d'aujourd'hui, des circonstances trop longues à vous expliquer, au-dessus de votre compétence, cher Monsieur, me forcent à opérer d'une façon détournée... par les mains d'un autre... *(Silence.)*

PAUL, *cherchant à comprendre :* C'est-à-dire...?

KLOEKHER : Qu'il me faut un homme sûr... Je le conseillerai; je serai là... Un garçon solide qui me représente complètement, surveille mes ordres, agisse pour moi!

PAUL : Bien!

KLOEKHER : Et qui passe près du public pour n'agir que par lui-même, en son nom.

PAUL : Cependant... la responsabilité?...

KLOEKHER : Aucune chance de pertes, rassurez-vous! Peu de choses à faire, et je vous donne dix pour cent. Or, comme les bénéfices de ce genre d'opérations doivent s'élever annuellement à un million, pour le moins, c'est cent mille francs que vous toucherez par an, cent mille francs de rente, jeune homme!

PAUL : Cent mille francs de rente! *(Il tombe en rêverie. Bas.)* Impossible! il faut qu'il y ait là-dessous...

KLOEKHER, *à part :* Il hésite! Est-ce ignorance ou scrupule?

PAUL : Mais comment êtes-vous sûr d'avance de ne jamais perdre?

KLOEKHER : Par une série de calculs... de combinaisons infaillibles. Je vous expliquerai...

PAUL : Et pourquoi alors avez-vous besoin de mon nom?

KLOEKHER : Pourquoi?... *(Silence. Ils se considèrent; puis, brusquement.)* Mais ça ne se dit pas! Vous comprenez bien... C'est impatientant!

PAUL : Assez, Monsieur, assez! Je vous épargne, par pudeur, le mot propre dont on appelle, dans le code pénal, vos combinaisons infaillibles. Vous prêter mon nom pour elles serait y participer; et comme je ne veux pas être votre complice ni votre victime, je me retire.

KLOEKHER, *détournant la tête, à part :* Imbécile, va!

Au moment où Paul est sur le seuil de la porte, au fond, entre M. Letourneux; ils se trouvent face à face.

Scène IV : Paul, Kloekher, Letourneux.

LETOURNEUX, *avec stupéfaction et joie :* Paul! Ah! quel bonheur!

KLOEKHER, *à part :* Ils se connaissent!

LETOURNEUX : Que je l'embrasse, ce cher garçon! Quand j'ai su que vous étiez à Paris, je suis vite accouru du fond de la Guyenne, où j'étais parti pour inspecter un peu l'agriculture et les bonnes mœurs! Ah! voilà une chance! une chance!... *(A part, montrant le poing à Kloekher, qui tourne le dos.)* Je te tiens, vieux drôle! *(Haut.)* On vous avait cru mort, savez-vous?... N'est-ce pas, Kloekher, vos ennemis, — car vous en avez,

chacun en a, — vos ennemis se flattaient même qu'on ne vous reverrait plus!

PAUL : Qui donc peut m'en vouloir à moi? Je ne gêne personne.

LETOURNEUX : Quel intéressant jeune homme, hein? Tout le portrait de ce bon Damvilliers, que nous chérissions...

PAUL : Je ne sais comment reconnaître...

LETOURNEUX : Voilà ce qui s'appelle une bonne journée : d'abord, je retrouve le fils d'un vieil ami; puis, je soulage bien des infortunes, cela, grâce à vous, Kloekher.

KLOEKHER : Hein?

LETOURNEUX : Mais oui, puisque je venais vous remercier des vingt-cinq mille francs que vous m'avez donnés pour les pauvres de ma paroisse.

KLOEKHER : Ah! par exemple!...

LETOURNEUX : Allons! il cache ses bienfaits. Quel homme! *(Contemplant Paul.)* Cela fait plaisir de le revoir, n'est-ce pas?... J'espère que vous me conterez vos voyages. Vous avez dû rencontrer, en courant le monde, des mœurs bizarres, des caractères vraiment particuliers; et comme vos observations, sans doute, ainsi qu'il convient à un esprit sérieux, se sont dirigées sur la morale, que croyez-vous qui soit plus commun de la ruse ou de l'ingratitude, de la scélératesse ou de la sottise?

PAUL : Ces questions... demanderaient...

LETOURNEUX : Et vous, Kloekher, votre opinion?

KLOEKHER : Je ne comprends pas...

LETOURNEUX, *se rapprochant de lui et le regardant en face :* Ah! vous ne comprenez pas! Bien sûr?... Nous en recauserons. J'ai oublié de vous dire que je désirerais toucher immédiatement, pour la formation d'une ferme modèle, les cent soixante-douze Méditerranée que je vous ai vendus avant-hier.

KLOEKHER : Quand donc aurez-vous fini cette plaisanterie?

LETOURNEUX : Ce n'est pas une plaisanterie, mon cher, pas plus que l'histoire suivante... *(A Paul.)* Connaissez-vous la Cochinchine?

PAUL : Un peu.

LETOURNEUX : Eh bien, il y avait là, une fois, — l'anecdote remonte à cinq ans, — deux amis : un bon Chinois et un mauvais Chinois. Or, le bon était si bon, qu'il confia au mauvais...

KLOEKHER, *avec emportement :* Oh! je me moque pas mal de vos histoires...

LETOURNEUX : Elles sont vraies cependant; j'en peux fournir les preuves. *(Silence.)*

KLOEKHER, *étonné :* Des preuves?

LETOURNEUX, *bas, lui saisissant le bras, à l'oreille :* Dans mes mains, d'irrécusables, songez-y!...

KLOEKHER, *bas :* Nous nous arrangerons... Taisez-vous!... *(Il se tourne vers Paul, en éclatant de rire.)* Eh bien, Letourneux, il a cru que je n'avais pas de place pour lui!... Hé! hé! Imaginez-vous une histoire inventée à plaisir! Ah! ah! Une chose un peu légère que je lui proposais! Ah! ah! ce bon garçon!

PAUL : Comment?

KLOEKHER : Mais oui, pour vous éprouver, mon cher. Ah! ah! ah!... *(D'un ton sérieux.)* J'ai voulu voir, par là, le fond de votre nature. Maintenant je suis content de vous, jeune homme. C'est très bien! très bien!... De la délicatesse, des principes.

LETOURNEUX : Il n'y a que ça, voyez-vous, les principes!... c'est une base! Du moment qu'un homme a des principes, on peut compter dessus! Or je vous réponds de celui-là, moi!

KLOEKHER : Le fils de notre meilleur ami, je crois bien! *(Madame Kloekher entre en toilette de bal.)* Ma femme! Il faut que je vous présente. Permettez!... *(Il remonte la scène vivement jusqu'à elle.)*

Scène V : Paul, Letourneux, M. et Mme Kloekher.

KLOEKHER, *bas à sa femme :* Ecoutez bien, il y va de ma fortune! de la vôtre! cet homme peut nous perdre. Soyez adroite! Il le faut! *(Haut.)* Madame Kloekher, monsieur Paul de Damvilliers.

MADAME KLOEKHER : Oh! Je vous connais de nom, depuis longtemps, Monsieur!

PAUL, *à part :* Qu'elle est belle!

MADAME KLOEKHER : Nous avons si souvent causé de votre père ensemble...

LETOURNEUX : Nous trois.

PAUL, *à part :* Quel regard!...

KLOEKHER : Pauvre garçon! Au retour, après cinq ans d'absence, plus de foyer! Mais j'entends que le mien remplace le vôtre! Ne vous gênez pas! Usez de moi... De la franchise!...

PAUL : Oh! merci!... Mais comme j'ai peur d'être indiscret... *(Il va pour sortir.)*

KLOEKHER : Restez donc, vous êtes des nôtres, parbleu! On arrive à peine, continuez votre visite près de Madame. Allons, Letourneux, un petit tour dans le grand salon; nous penserons ensuite aux choses sérieuses.

Scène VI : Paul, Mme Kloekher.

MADAME KLOEKHER : Soyez convaincu, Monsieur, que les intentions de mon mari n'avaient pas besoin d'être exprimées. Je partage trop tous ses sentiments pour ne pas désirer comme lui vous être agréable, et même, pardon du mot... utile, si nous le pouvons.

PAUL : Oh! je suis confus, vraiment!...

MADAME KLOEKHER : Il nous sera bien doux de faire en sorte que vos chagrins soient sinon oubliés... du moins adoucis.

PAUL : Mais ils le sont déjà, Madame, par cette manière inattendue...

MADAME KLOEKHER : Comme vous avez dû souffrir, n'est-ce pas?

PAUL : Oui, oui!

MADAME KLOEKHER : Pourquoi n'êtes-vous pas venu à nous, d'abord?

PAUL : Eh! mon Dieu, Madame, mon excuse, quoique sincère, est mauvaise, mais...

MADAME KLOEKHER : Mais quoi?

PAUL : Pardon! je n'osais...

MADAME KLOEKHER : Enfant! Allons, vous réparerez cela, je l'exige!... Nous recevons nos intimes tous les mercredis à sept heures, n'oubliez pas! Je vous ferai connaître quelques-unes de mes amies, des femmes intelligentes qui vous plairont. J'espère que vous viendrez de temps à autre bavarder dans ma loge aux Italiens. Si vos après-midi vous pèsent trop, il y a une place en face de moi dans ma voiture pour faire le tour du lac, au Bois. C'est si ennuyeux d'être seule à revoir tous les jours cette éternelle pièce d'eau! Mais où aller? Puisque vous dessinez, il faudra m'apporter la prochaine fois vos albums de voyage. Je vous montrerai les miens; d'avance, je réclame un peu d'indulgence pour mes pauvres aquarelles. Enfin, nous lirons, nous causerons. Nous deviendrons de vrais amis. J'y compte, du moins.

PAUL : Oh! merci. Vous êtes bonne comme un ange. Voilà les premières marques de sympathie que l'on m'adresse. Qu'ai-je donc fait pour en mériter une si gracieuse?... A qui la dois-je?

MADAME KLOEKHER : Mais à la mémoire de votre père, au désir de mon mari, à votre position, et un peu... à vous-même. *(Elle lui tend la main; Paul la saisit et la baise.)*

MADAME KLOEKHER, *la retirant vivement :* Monsieur!...

PAUL : Pardon! c'est une faute, je conçois! L'élan irréfléchi de ma gratitude vous semble une grossièreté.

MADAME KLOEKHER : N'en parlons plus. Entrons dans le bal. Sortons.

PAUL : Sans m'avoir pardonné? Au nom du ciel, ne m'en voulez pas! Excusez-moi! il faut bien avoir un peu d'indulgence pour un homme abandonné de tous, fatigué par les déceptions, aigri par le malheur.

MADAME KLOEKHER, *à demi-voix :* C'est une sympathie de plus entre nous deux! *(Geste de Paul.)* Oui, j'ai mes souffrances, et aussi profondes que les vôtres, peut-être!

PAUL : Vous! Comment?

MADAME KLOEKHER : Ah! monsieur de Damvilliers, un homme de votre condition peut-il avoir des préjugés du peuple et s'imaginer comme lui que le cœur soit content et qu'on n'ait plus rien à demander au ciel, du moment qu'on est riche! Oh! non, non!

PAUL : Expliquez-moi...

MADAME KLOEKHER : Plus tard, mon ami!... *(Les panneaux qui fermaient le boudoir à droite, à gauche et au fond, s'enlèvent et laissent voir le bal.)* Votre bras, s'il vous plaît?

PAUL, *à part :* Son ami... son ami!...

De chaque côté de la scène, il y a des cariatides dorées contre des piliers qui montent jusqu'au plafond; entre les cariatides, des jardinières remplies de fleurs, espacées par des candélabres. Au fond, trois arcades ouvertes laissent voir d'autres salons, avec des buffets chargés d'argenteries et de flacons.

*Scène VII : Paul, Mme Kloekher,
Onésime Dubois, Macaret, Bouvignard, Alfred de Cisy,
le docteur Colombel, invités, messieurs et dames,
domestiques. Madame Kloekher remonte la scène au
bras de Paul, en même temps qu'on s'avance vers elle.*

LES INVITÉS, *saluant :* Une fête splendide, éblouissante, délicieuse!

UNE DAME, *à une autre :* Quel est donc ce jeune homme? Il est fort bien.

LA DEUXIÈME DAME : Je le trouverais même trop bien, si j'étais le vicomte Alfred de Cisy.

UN EMPLOYÉ DE LA MAISON, *à son voisin :* Regardez donc comme elle minaude! Que de grimaces! Mais pour nous, pauvres commis, il n'y a pas de danger qu'elle nous honore seulement d'un coup d'œil.

MADAME KLOEKHER, *à une jeune femme, lui désignant sa robe :* Oh! ravissant! Où donc vous habillez-vous, ma chérie? *(A une autre.)* Comment, on ne danse pas?... *(A un vieux monsieur.)* Bonjour, général. *(Au docteur Colombel.)* Ah! c'est fort aimable à vous, docteur Colombel, d'avoir abandonné vos malades.

DOCTEUR COLOMBEL : Ils recouvreraient la santé en vous voyant, belle dame : l'aspect de tant de fraîcheur, de grâces... *(Un domestique vient parler bas à Mme Kloekher.)*

MADAME KLOEKHER : J'y vais! *(Alfred, depuis le commencement de la scène, s'est rapproché d'elle. Quand elle est arrivée au bas, à droite, elle salue Paul.)* Je vous remercie. A tout à l'heure!

ALFRED, *à part :* J'ai fait une jolie affaire en l'introduisant ici. Soyons prudent et vif. *(Il sort précipitamment derrière elle.)*

*Scène VIII : les précédents, moins
Mme Kloekher et Alfred.*

ONÉSIME *s'avance vers Paul en lui secouant les deux mains fortement :* Ah! Quel plaisir!... on va donc se revoir! Où loges-tu? Je ne te quitte pas!

PAUL : Merci, vieux camarade... Et cette peinture, toujours enthousiaste d'elle, j'espère, et portant haut l'amour du grand art avec la haine du bourgeois?

ONÉSIME : Sans doute. Cependant je fais à présent de petits tableaux, des sujets domestiques; c'est d'un débit plus facile. Mais reçois mes félicitations, te voilà en joli chemin, diable! *(Tous s'empressent autour de Paul.)*

MACARET : Eh! cher monsieur de Damvilliers, j'étais bien sûr de vous rencontrer ici; sans cela...

LE DOCTEUR COLOMBEL, *lui coupant la parole :* Grâce à la bêtise inconcevable de mon valet de chambre, vos deux cartes de visite n'ont été égarées, et hier au soir seulement...

BOUVIGNARD, *l'interrompant :* Comment se fait-il, je vous le demande, que tous les matins je veux aller vous voir? Mais on vient chez moi pour un tas de choses, pour ceci, pour cela, je suis harcelé, tiraillé...

MACARET : Tout à vos ordres, vous savez!... *(Bas.)* On a l'oreille du ministre!

LE DOCTEUR COLOMBEL : Il faut que vous preniez un jour par semaine pour venir dîner chez moi régulièrement.

BOUVIGNARD : Dites donc, cher Monsieur, de quelle façon je puis vous être utile! *(Tous lui donnent des poignées de mains énergiques.)*

PAUL : Ah! mes amis! je suis vraiment attendri... *(A part.)* Quels cœurs excellents, et comme on calomnie les hommes!

Scène IX : les précédents, Letourneux.

LETOURNEUX *marche droit à Onésime, qui est le plus près de Paul :* Je ne suis pas content de vous!

ONÉSIME : Pourquoi?

LETOURNEUX : Parbleu, entre intimes on ne se gêne pas. Or chacun ici, excepté Paul, connaît votre prochain mariage. C'est moi qui vous procure cette affaire, une famille excellente, pieuse, considérée, riche, et vous vous exposez au scandale d'être rencontré en plein jour, donnant le bras à une créature!

ONÉSIME : Moi?

LETOURNEUX : Je vous ai vu, et pourtant vous m'aviez juré que tout était fini!

ONÉSIME : Ah! monsieur Letourneux, un moment! Si je me trouvais avec cette fillette, c'est que je lui préparais un petit tour.

LE DOCTEUR COLOMBEL : Voyons, voyons, j'adore ce genre d'anecdotes. *(Tous se rapprochent.)*

ONÉSIME : Je lui ai fait écrire de Marseille, son pays, une lettre qui l'appelle pour les affaires les plus pressées. Elle est partie; j'ai donc tout le temps de me marier, et ça me débarrasse d'autant mieux, que Clémence a la bourse légère, et que pour revenir... *(Hilarité générale et approbation.)*

LETOURNEUX : Très bien! voilà ce que j'appelle un acte à la fois d'adresse et de haute moralité.

PAUL : Comment, Clémence! ta vieille passion, celle que tu avais prise toute jeune à sa famille, et qui, disais-tu toi-même, te faisait travailler d'une façon?...

ONÉSIME : C'est comme ça! Autre temps, autres femmes! *(A Letourneux.)* Où donc m'avez-vous rencontré, vous?

LETOURNEUX : Dans le Luxembourg, comme je le traversais pour aller secourir une famille bien intéressante : trois fils sans ouvrage, le père et la mère presque à l'agonie. Vous devriez même, docteur, faire quelque chose pour eux.

LE DOCTEUR COLOMBEL : Que j'aille les voir, peut-être!

LETOURNEUX : Vous êtes assez riche pour vous passer ce luxe!

LE DOCTEUR COLOMBEL : Et vous donc, le millionnaire, que faites-vous pour eux?

LETOURNEUX : Oh! peu de choses, je les console et les moralise, rien que cela! et partout, comme maintenant, je fais de la propagande à leur profit, jusqu'auprès de monsieur Macaret. *(S'adressant à M. Macaret.)* Voyons, vous êtes un de nos grands industriels, et trois ouvriers de plus ne vous importent guère.

MACARET : Impossible! je n'ai pas d'ouvrage à leur donner. Vous n'exigerez pas que je me ruine!... *(Colombel sourit; Letourneux joint les mains d'un air béat. Mouvement de Paul indigné.)*

BOUVIGNARD, *avec un petit rire aigrelet :* Hé! hé! il a raison. Les discours, les secours et les utopies ne servent à rien. La machine est ainsi réglée. Tant pis pour ceux qu'elle écrase! résignons-nous! Il n'y a de sérieux au monde que les choses de l'intelligence, les beaux-arts!

ONÉSIME : Vous êtes dans le vrai, monsieur Bouvignard.

BOUVIGNARD : Ainsi moi, je ne m'occupe que des vieilles faïences.

LE DOCTEUR COLOMBEL : Un joli goût! Et toutes nos dames?

BOUVIGNARD : Entendons-nous! Permettez! je ne prise que les vieux Nevers, et, pour en posséder un authentique, je n'épargne ni temps, ni soins, ni argent.

ONÉSIME, *à part :* Il ferait mieux de doter sa fille.

BOUVIGNARD : Ah! j'économise, je me prive, je me sangle! Et combien d'inquiétudes! Songer qu'une maladresse peut tout réduire en mille morceaux. Aussi ma collection est-elle unique. C'est ma fortune entière, et, afin qu'elle demeure éternellement intacte, je la lègue par testament à ma ville natale.

PAUL, *à part, mélancoliquement :* Quel triste monde!

Scène X : les précédents, Kloekher.

KLOEKHER, *à Letourneux :* Venez-vous? Allons, les hommes sérieux, il y a là des tapis verts qui vous réclament! Un whist?

Tous disparaissent par le fond.

Scène XI : Paul, seul.

Dès que Paul est resté seul, du côté droit, entre les cariatides, débouche le Roi des Gnomes, dans le costume du bourgeois cossu du cabaret. Avec un geste emphatique, il lui montre le bal et toutes les splendeurs qui l'entourent. Mme Kloekher passe au fond, sous l'arcade du milieu; il la désigne de son bras allongé, fait ensuite le geste de quelqu'un qui applaudit des deux mains, remonte la scène, et s'en va lentement.

PAUL, *remontant la scène vers lui :* L'homme du cabaret!

La Reine des Fées débouche par le côté gauche en costume de fée et fixe sur le Roi des Gnomes un long regard.

L'autre! l'autre!

Tous les deux disparaissent.

Suis-je donc fou?... Ces illusions de l'autre jour qui me reprennent, c'est étrange!... Cela vient sans doute... du trouble, de l'enchantement où elle me plonge. Quels yeux!... quel sourire!... Se jouerait-elle de moi? Mais tout à l'heure sa main frémissait sur mon bras, ses regards m'enveloppaient de leurs caresses, son cœur battait. Elle m'aime!

Le candélabre près duquel il se trouve s'est éteint.

Qu'est-ce donc? la nuit! Eh! non, rien que cela!

Il se met à marcher.

Et c'est moi! moi qu'elle a distingué parmi tous ces hommes, entre les illustres, les riches et les beaux! Je suis donc plus fort qu'eux tous, je les domine, et me voilà presque le roi de ce monde où hier encore je luttais, perdu dans la foule des derniers. Ah! quelle félicité! comme ces fleurs embaument!

Il se penche sur une des jardinières, les fleurs se fanent.

Mortes!

Et l'obscurité redouble!

Au lieu d'un bruit de clochette qui accentuait la mesure dans la contredanse, on entend une cloche funèbre.

Ces sons! le glas d'un enterrement. J'ai peur!

Il regarde au fond.

Cependant les flambeaux resplendissent, les danses tourbillonnent. Eh! c'est la clochette qui tinte dans les quadrilles. Qu'avais-je donc? Elle va revenir!... oui!... là!... et, fendant pas à pas les flots du bal, j'écouterai d'un air indifférent ses paroles charmantes murmurées à mon oreille. Toutes ces choses qui lui appartiennent ont l'air de sourire, c'est comme si son âme flottait autour de moi. Où est-elle? Je veux la retrouver, la revoir.

Il remonte la scène.

Scène XII : Paul, Mme Kloekher, Alfred.

Madame Kloekher entre par le côté droit au bras d'Alfred.

PAUL, *à part :* Encore lui! (*Il s'arrête et l'observe.*)

MADAME KLOEKHER, *à mi-voix :* Est-ce une menace?

ALFRED : Comme il vous plaira de le comprendre, ma chère!

MADAME KLOEKHER, *dédaigneusement :* Faites donc! faites donc!

ALFRED : Ainsi, vous êtes bien décidée?... Tout est rompu. Mais si je me brûlais la cervelle au milieu de votre bal?

MADAME KLOEKHER, *éclatant de rire :* Ah! ah!

ALFRED, *à part, remettant son chapeau sur sa tête :* Allons, tournons-nous d'un autre côté.

Les danses ont fini; on sert le souper au fond, sur des petites tables rondes.

Scène XIII : Paul, Mme Kloekher.

PAUL : Cet homme vous aime?

MADAME KLOEKHER : Lui, jamais!

PAUL : Cependant!...

MADAME KLOEKHER : Des reproches, déjà?

PAUL : Oh! j'ai tort, je le sais, pardonnez-moi! Ce n'est pas ma faute si...

MADAME KLOEKHER : Plus bas!... on peut nous entendre!

PAUL, *regardant au fond :* Non, jusqu'à la fin du souper, personne ici ne viendra! Nous sommes libres! Écoutez-moi, au nom du ciel, restez!

MADAME KLOEKHER : Mais je reste! Que voulez-vous?

PAUL : Ah! je ne me rappelle plus! ma tête s'égare! Je suis si heureux de vous contempler ainsi, face à face! Tout à l'heure, quand nous étions avec les autres et que l'on s'empressait autour de vous, je me délectais à saisir ces regards, ces hommages, cette rumeur d'admiration et d'envie; et puis, voilà qu'à présent la même foule me déplaît! je la hais! Vous lui donnez en passant un coup d'œil, des sourires, des paroles, presque une partie de votre personne, de votre cœur. Il me semble que la dorure de ces murailles, les argenteries, les valets, la musique, vos diamants même, sont autant de choses qui vous déguisent, vous reculent plus loin, vous séparent de moi.

MADAME KLOEKHER : Enfant que vous êtes! Vous savez bien pourtant... *(Silence.)*

PAUL : Quoi?... Parlez!... parlez!...

MADAME KLOEKHER : Mais... que l'on vous préfère!

PAUL, *se rapprochant et lui prenant la main :* Est-ce vrai? Dites-le donc, ce mot que j'attends. Ah! je ne suis pas accoutumé au bonheur, moi! Et comment voulez-vous que je croie à celui-là, si je ne le vois moi-même tomber de vos lèvres? Ou plutôt non... ne parlez pas... et pour savoir si vous m'aimez, si les cieux vont s'ouvrir... rien qu'un signe... un regard...

Elle le regarde, et lui répond oui par un signe de tête très lent et très doux. Il lui prend la main et la porte à ses lèvres en pliant le genou.

MADAME KLOEKHER : Prenez garde! on peut nous voir! *(A part.)* Du feu... de la passion... *(Paul se relève.)*

PAUL : Ah! quel supplice! Vous ne comprenez donc pas que je vous aime éperdument! Je voudrais que tout ce qui nous écarte l'un de l'autre disparût! Qu'est-ce que cela vous coûterait de m'accorder où il vous plaira, quelquefois, pour me faire illusion, pour m'imaginer que nous sommes seuls sur la terre! Est-ce que cela vous chagrine, dites, de me donner?...

MADAME KLOEKHER : On vient! Retirez-vous! *(Paul disparaît à droite.)*

Scène XIV : Mme Kloekher, Letourneux.

LETOURNEUX, *entrant rapidement :* Ah! votre mari est un fier drôle!

MADAME KLOEKHER : Qu'y a-t-il?

LETOURNEUX : Je suis indigné!

MADAME KLOEKHER : Là! là! calmez-vous!

LETOURNEUX : Mais je me vengerai! Oh!...

MADAME KLOEKHER : Que vous a-t-il fait?

LETOURNEUX : Vous le demandez! Elle le demande! Eh bien, nous étions convenus, votre charmant époux et moi, de deux cents Hanovre au dernier courant qu'il devait, lui, me donner et que je devais, moi, palper : est-ce clair? Or, quand j'apporte les papiers convenus, il ne m'en livre que la moitié à grand'peine. Mais ça ne se passera pas comme ça! Où est Paul? Je vais tout lui dire!

MADAME KLOEKHER : Quoi donc?

LETOURNEUX : Lui apprendre ce que vous savez aussi bien que moi, parbleu! la manière dont votre mari a volé son héritage! Et un bon procès fera savoir à toute l'Europe...

MADAME KLOEKHER : Et vous comptez sur Paul, comme si c'était possible!...

LETOURNEUX : Pourquoi non?

MADAME KLOEKHER : Vous êtes trop curieux, mon cher.

Cependant, pour épargner vos démarches, apprenez que Paul est un simple enfant, et qu'il m'aime!

LETOURNEUX : Beau motif!

MADAME KLOEKHER : Excellent, au contraire! C'est nous, c'est moi qu'il croira et non pas vous, l'homme de bien. Allez chercher ailleurs des auxiliaires à vos turpitudes et à vos vengeances! Quant à celui-là, je vous le répète, il m'appartient! C'est ma chose, mon esclave! et je pourrais, sur un signe, le faire se jeter dans un puits qu'il m'en remercierait.

LETOURNEUX, *sortant par le fond :* Nous verrons! nous verrons!

Scène XV : Paul, Mme Kloekher.

PAUL *entre lentement à droite, de derrière une cariatide :* Vous avez raison, Madame : je suis un enfant, votre chose et votre esclave.

MADAME KLOEKHER : Ciel! ne croyez pas!...

PAUL : J'ai tout entendu, j'étais là derrière cette statue, où je m'étais mis pour épier les confidences d'un autre. Le hasard m'a puni de ma jalousie, en me détrompant amèrement.

MADAME KLOEKHER : Oh! Paul!... je vous jure...

Paul : Pas de serments, ne craignez rien; jamais je ne salirai par le scandale d'un procès la femme, quelle qu'elle soit, que j'ai... honorée de mon amour. Donc soyez tranquille, je me retire!

MADAME KLOEKHER : Mais vous n'avez pu comprendre, je n'y suis pour rien, c'est une trame odieuse. Je vous expliquerai... Paul! je vous en supplie!... Paul! Paul! je t'aime!

Paul s'en va par la gauche, la tête basse et lentement; arrivé sur le seuil, il s'arrête. Letourneux sort du fond et marche vers lui.

Scène XVI : Mme Kloekher, Paul, Letourneux, *puis tous les personnages précédents.*

LETOURNEUX : Ah! enfin! je vous trouve! Ecoutez-moi! *(Paul, absorbé, reste immobile.)* Paul! Eh bien! *(Il lui tape sur l'épaule.)* Mon ami! mon cher ami!

PAUL, *tournant la tête lentement :* Que voulez-vous?

LETOURNEUX, *élevant la voix :* Je veux vous apprendre, à vous et à tout le monde ici, dans votre intérêt comme dans celui de la moralité publique, et afin qu'il en résulte à la fois une réparation et un châtiment; je veux, dis-je, vous dénoncer une infâme machination. J'en possède les témoignages authentiques, écrits! Vous avez été indignement spolié par l'homme que voici : le banquier Kloekher! *(Murmures. Marques de surprise et d'indignation.)*

PAUL, *arrachant son gant blanc :* Vous mentez impudemment, Monsieur!

LETOURNEUX : Moi?

PAUL : Oui, vous, misérable! et comme gage de ce que j'affirme, je vous soufflette à la face! *(Il lui jette son gant à la face.)*

LETOURNEUX : Ah!

PAUL : Je suis à vos ordres, Monsieur!

LES INVITÉS : Séparez-les! Ils vont se battre!

LETOURNEUX, *dignement :* Un duel, non! Un homme de mon caractère n'obéit pas à de pareils préjugés. La vraie force consiste plutôt à supporter les injures et à s'en venger par les voies légales. J'ai le courage civil, moi! *(Il sort fièrement.)*

PAUL, *à demi-voix :* Infâme coquin!

KLOEKHER, *essayant de prendre la main de Paul :* Ah! c'est très bien ce que vous avez fait! Voilà qui est d'un bon ami!... Ma reconnaissance...!

PAUL, *fièrement :* Ne me parlez plus, Monsieur! *(Il sort.)*

KLOEKHER : Qu'est-ce qu'il a donc?

LES INVITÉS : Quel original! — Avez-vous vu? — Un scandale pareil pour finir une si belle fête!... — Ah! mon Dieu! à quoi se trouve-t-on exposé!...

Quand les invités sont partis, les girandoles et les candélabres se mettent à brûler plus fort, donnant une lumière rose, verte et bleue; les bouquets, tombés par terre, se relèvent d'eux-mêmes et vont se placer dans les jardinières. Les fleurs fanées s'entr'ouvrent, les meubles çà et là se replacent en ordre. Les cariatides des deux côtés de la scène se meuvent et s'avancent. Ce sont les Fées elles-mêmes qui se réjouissent de la vertu de Paul.

QUATRIÈME TABLEAU

Une chambre d'aspect misérable. A droite et à gauche, une fenêtre en tabatière. Au fond, une cheminée de plâtre, où brûlent quelques charbons à demi éteints. A côté de la cheminée, une porte. Sur la cheminée, une boîte de pistolets. A gauche, au premier plan, une table et une chaise de paille. A droite, une paire de bottes vernies dans leurs embauchoirs. Auprès des bottes, contre le mur, un lit de sangle, et, sur le premier plan, à côté, un placard. — Le jour commence à paraître par les vitres sans rideaux.

Scène I : Dominique, seul.

Il arrive sur la scène en manches de chemise, en pantalon avec un madras autour de la tête, et il s'avance vers la cheminée en grelottant.

Quel froid, miséricorde! Quand Monsieur va revenir, il est capable de geler.

Riant ironiquement.

Ah! Monsieur!... Eh bien, et moi? Est-ce que je ne gèle pas? Est-ce que je ne souffre pas? Est-ce une existence que de traîner une misère pareille! Qu'il s'en arrange, puisque ça l'amuse; mais moi, un homme fait tout au moins pour l'antichambre des ambassadeurs, quelle humiliation!

Il cherche de droite et de gauche dans l'appartement.

Et pas un cotret dans cette infernale mansarde, où il vous tombe des vents coulis...

Il regarde encore.

Non!... — Et voilà quatre mois que j'attends! et qu'il est à me lanterner avec toutes ses démarches! — D'abord, ça a été une place dans la diplomatie,

puis une mission scientifique, puis un poste d'inspecteur de je ne sais quoi, puis un emploi dans une colonisation, je ne sais où; et ce soir, enfin, il doit revenir de chez le banquier Kloekher les mains pleines, ou l'avenir assuré. — Je commence à n'y plus croire, à notre avenir! J'ai bien envie de séparer le mien du sien et de lui donner mon compte, carrément. Monsieur est un brave jeune homme, c'est vrai! Mais *(se touchant le front)* toqué! toqué! — Saperlotte! j'ai l'onglée!

Ses yeux rencontrent la boîte de pistolets sur la cheminée.

Tiens!... voilà une boîte qui me donne une tentation!... Ah! doucement!... nos moyens ne nous permettent pas une flambée en acajou. Oh! non!

En se reculant, il trébuche contre le paillasson.

— Eh! tu m'embêtes, toi! — Attends un peu...

Il jette le paillasson dans le feu; puis, le regardant brûler.

En être réduit là! Mais ça ne peut pas durer plus longtemps! c'est trop bête! Et si notre sort ne change pas avant huit jours, bonsoir!

Le feu flambe. Il se chauffe.

Ah! ça fait du bien! C'est une bonne idée que j'ai eue, décidément! Comme on a tort de se gêner! — Et pas un bon fauteuil pour se rôtir les tibias en tisonnant. C'est honteux, un aussi piètre escabeau! — Et puisque mon maître est en courses toute la journée, je ne vois pas pourquoi...

Il jette dans le feu la petite chaise.

Allons donc!

Tout en remuant les charbons.

Il faut convenir que je suis un véritable nigaud, avec mon dévouement! On n'a jamais vu un domestique comme moi! Nom d'un chien! quelle gelée! Ça disparaît comme une allumette! — Car, enfin, de toutes ses promesses, qu'ai-je attrapé, moi? Qu'est-ce que je gagne? Il se moque de moi, à la fin! Car, pendant que je suis là, à me morfondre en l'attendant, il fait le joli coco, dans les salons, près les belles dames. — Si je flanquais la table pour soutenir l'attisée? — Non! Ça ne durera pas!

Il aperçoit une paire de bottes dans leurs embauchoirs.

Ah! les bottes!

Il les retire des embauchoirs.

Pourquoi pas?

Les lançant dans le feu.

Aïe donc! — Et s'il se fâche, tant pis!

Scène II : Dominique, Paul, en habit noir, sans paletot, mouillé, les mains sous les aisselles, avec un peu de neige sur ses vêtements.

PAUL : Que fais-tu là, toi? Je ne t'avais pas dit de m'attendre! Va te coucher!

DOMINIQUE : Mais...

PAUL, *brutalement :* Va-t-en donc! Va-t'en! Laisse-moi!

DOMINIQUE, *à part :* Oh! oh! il est bien fier! — Y aurait-il pas quelque chose de bon, enfin?

Scène III : Paul, seul.

Après être resté longtemps les bras croisés, avec un grand soupir.

Ah!...

Il jette son chapeau sur le lit de sangle.

Quelle nuit!... *(Il regarde les murs lentement)* et quelle chambre!...

Puis la fenêtre.

Tiens! le jour qui se lève; et la neige, encore!... Mais il ne tombera donc pas du ciel quelque chose pour les écraser tous!

Il pleure.

Ah! comme je suis fatigué!...

Il s'assoit près de la cheminée, un bras sur le chambranle.

Sont-ils assez lâches, égoïstes, ingrats, hypocrites et cruels!... Par-dessus tout cela, des sourires, des phrases, des étreintes affectueuses, et même, ô sacrilège, des offres d'amour!... Et je prétendais trouver dans ce néant quelque chose qui désaltérât mon cœur! — Dans combien de pays n'ai-je pas traîné mes rêves!... Partout, avec des masques et des impudeurs différents, j'ai rencontré les mêmes ignominies! A présent, voilà qu'elles viennent jusqu'à moi, elles m'attaquent. Assez, assez! je n'en veux plus! — Pourquoi vivre alors, puisque je ne peux pas changer le monde? Ah! si j'avais eu pourtant quelqu'un qui m'eût aimé!...

Il se lève.

Allons, pas de faiblesse! Disparaissons tout de suite, pour prévenir peut-être les défaillances, avant la première rougeur de honte et dans l'intégrité de mon orgueil, comme ces vieux rois d'Orient qui se faisaient mourir avec toutes leurs richesses!... Il ne faut que la résolution d'une minute. Ce ne doit pas être difficile? D'ailleurs, tout m'y engage, tout m'y pousse...

Apercevant la boîte de pistolets ouverte.

Ah!... et jusqu'au hasard lui-même!

Il retire les pistolets et les manie.

L'armurier qui me les a vendus me faisait valoir, pour ma sécurité personnelle, la longueur de leur portée. A cette distance, je n'ai pas besoin qu'ils soient si merveilleux! C'est une superfluité. Essayons.

Il fait jouer la batterie.

Bien!... Ma poudrière, où est-elle?

Il verse de la poudre dans le fond de sa main, puis dans le pistolet, et jette le reste dans la cheminée. Le feu se ranime, et flambe extraordinairement. Paul continue à charger son pistolet.

La balle, une capsule maintenant; et je n'ai plus qu'un geste, presque un signe pour être libre!...

Six heures sonnent à une horloge voisine.

Au premier coup de la demie, tout sera dit!

Il promène ses yeux tout à l'entour, et aperçoit la table où sont des papiers et une cassette pleine de lettres.

Ah! ceci que j'oubliais! Non! que rien de moi, ni de mon passé, ne subsiste! Au feu, au feu, toutes mes lettres!

Il les jette dans la cheminée. Il se rassoit.

Ah! que cette flamme me réchauffe! Je ne souffre plus. Non, au contraire! Et penser que ces cendres peut-être seront encore tièdes quand mon cadavre sera froid! et puis tout se confondra, dispersé! Ma vie aura passé comme ces formes fugaces, qui se dessinent sur les charbons. Tiens! il me semble voir dans la braise des plages de pourpre s'étalant près d'un lac de feu. On dirait, à présent, de vagues édifices, des aiguilles de cathédrale, un navire. Il s'enfonce et reparaît, comme le mien autrefois. J'entends encore le vent dans les manœuvres, et les bois de ma cabine qui craquent au milieu de la nuit. — Tiens!... c'est étrange, voilà une lettre qui s'obstine à ne pas brûler! Elle blanchit même dans la flamme. — Pourquoi?...

Paul la reprend.

Elle est froide! Comment se fait-il?

La cheminée, peu à peu, s'est haussée et élargie, laissant voir, au milieu des flammes, les choses mêmes que Paul rêvait. Le bord supérieur, montant toujours, a presque disparu dans les frises; et l'on aperçoit un château tout noir, d'une architecture farouche, avec des meurtrières embrasées.

Une forteresse! Laquelle donc? Je ne l'ai jamais vue.

Le château disparaît. La lettre qu'il tient devient lumineuse. Paul lit.

« C'est l'endroit où les Gnomes détiennent captifs les cœurs des hommes. Nous comptons sur toi pour les délivrer. — Ta récompense sera un amour au-dessus même de tes rêves. Tu rencontreras souvent celle que nous te destinons; tâche de la reconnaître, ou sinon tu es irrévocablement perdu. — Es-tu prêt? — LA REINE DES FÉES. »

Moi!... Mais comment me guider?

Chœurs des Fées l'encourageant.

PAUL *reste pendant quelques minutes en proie à une anxiété terrible; puis, avec un geste de résolution héroïque :* J'accepte! partons!

Deux coups frappés à la porte, l'un après l'autre.

UNE VOIX, *du dehors :* Ouvre, Dominique! *(Troisième coup.)*

PAUL : Qui est-ce? *(Il va ouvrir.)*

Scène IV : Paul, Jeannette portant à chaque bras un gros panier.

JEANNETTE, *toute surprise :* Monsieur Paul!...

PAUL : Jeannette!... Comment se fait-il?... *(Elle dépose sur la table ces deux paniers, d'un air accablé.)* Que viens-tu faire à Paris?

JEANNETTE, *après un silence :* Mais... vendre mon lait, Monsieur.

PAUL : Avec ces deux paniers-là!... et chez moi! *(Elle baisse la tête sans répondre.)* Tu me caches quelque chose, Jeannette?

JEANNETTE, *défendant de la main un des paniers près d'elle :* Non, Monsieur, je vous jure!...

PAUL, *éclairé par le geste de Jeannette :* C'est là dedans, alors? Qu'y a-t-il? *(Il relève la toile couvrant le panier.)* Des foulards, mes chemises, tout mon linge! *(Il la regarde d'une façon sévère.)*

JEANNETTE, *vivement :* Oh! ne vous fâchez pas!...

Si vous le trouvez trop mal, je recommencerai. *(Silence. Elle baisse la tête.)*

PAUL : Ainsi, c'est Mademoiselle Jeannette qui était ma blanchisseuse!... Pourquoi ne pas l'avouer?

JEANNETTE, *embarrassée* : C'est que...

PAUL : Eh bien? *(Même silence. A part.)* Comment?... Quand Dominique m'avait dit... Voyons l'autre?

JEANNETTE, *l'arrêtant par le bras* : Prenez garde de les casser!

PAUL : Quoi donc?

JEANNETTE : Les œufs!

PAUL, *examinant l'intérieur du panier* : Des fruits... une galette... jusqu'à des petits pots de crème!... Et c'était... *(Il l'interroge du regard; elle lui répond par un signe de tête affirmatif)* pour moi! Jusqu'à présent, en effet, je n'ai rien payé de ces choses! — Ah! je devine!... l'amitié de mon domestique me réduit aux charités d'une paysanne! *(Brutalement.)* Remporte tout cela, Jeannette! Je n'en veux plus! Va-t'en!

JEANNETTE, *pleurant* : Si j'avais su vous fâcher, je ne l'aurais pas fait!

PAUL, *à part* : Elle pleure!... Et dans ma vanité imbécile, je la repousse!... Combien donc y en a-t-il d'un dévouement pareil? *(Haut.)* Non, reste! Pardonne-moi! C'est que je suis malade, quelquefois!... Et il y a longtemps que tu viens ainsi tous les jours?

JEANNETTE : Depuis un mois, bientôt!

PAUL : Et tu ne t'en vantes pas, toi!... Tu faisais le bien naïvement, dans la candeur de ton âme! *(Il lui prend les mains.)* Mais comme ta poitrine bat vite! Tu as de beaux yeux, ma Jeannette!... *(A part.)* Je ne l'avais pas seulement regardée, sot que j'étais! Et ces pauvres petites mains, sais-tu qu'enfermées dans des gants de peau fine, plus d'une belle dame les envieraient!

JEANNETTE : Vous êtes bien bon, Monsieur.

PAUL, *s'écartant d'elle à part* : Il faut pourtant que je trouve quelque chose à lui donner. *(La contemplant de loin.)* Mais elle est charmante!... Il y a sous ces simples vêtements une distinction, je ne sais quoi de pur, de fin... que je n'ai jamais vu!... Et cette douceur des attitudes, ce rayonnement dans le regard! Serait-ce?... Pourquoi pas?... Jeannette?

JEANNETTE : Monsieur?

PAUL : Tu dois être lasse de ta condition? N'arrive-t-il jamais dans ton esprit des pensées qui te surprennent? Ne sens-tu pas au fond de toi-même comme une sollicitation vers des destinées plus hautes? une envie de t'enfuir... quelque part... bien loin?

JEANNETTE : M'enfuir!... Et où ça?... Je ne connais pas les routes.

PAUL, *avec un geste de dépit, à part* : Eh! c'est mon langage qu'elle n'entend pas! *(Haut.)* Dis-moi, quand tu es toute seule, dans les champs, à quoi penses-tu?

JEANNETTE : Dame! à rien.

PAUL : Cherche un peu.

JEANNETTE : Ah! si... Je pense aux vaches!... à la noire, surtout, qui me suit comme un caniche. Et puis je regarde si les avoines poussent, et combien il y aura de boisseaux de pommes aux arbres.

PAUL : Mais... la nuit... dans tes rêves?

JEANNETTE, *riant* : Mes rêves?... Ah! bien oui. Je dors trop fort!

PAUL : Quels livres as-tu donc lus jusqu'à présent?

JEANNETTE : Je ne sais pas lire!... est-ce que j'ai eu le temps d'apprendre!... ni écrire non plus. Et je le regrette, allez! Ça me serait si utile pour tenir les comptes!

PAUL, *à part* : Voilà tout!... c'est le fond. Certes, il ne manque pas de gentillesse; mais ce serait si long à cultiver, que j'y renonce. *(Riant amèrement.)* Moi, qui avais cru un instant... *(Il reste perdu dans ses réflexions.)*

JEANNETTE : Qu'avez-vous donc, Monsieur Paul, que vous ne dites plus rien? Tout à l'heure vous parliez comme une musique. Je ne comprenais pas; mais c'est égal, ça me plaisait, ça me plaisait...

PAUL, *brusquement* : Bien, bien! *(Appelant.)* Dominique!... Je te remercie, Jeannette... Plus tard, dès que je pourrai, je reconnaîtrai tes bons offices... et quand tu te marieras...

Scène V : les précédents, Dominique.

DOMINIQUE : Que désire Monsieur?

PAUL, *montrant Jeanne* : Fais-lui tes adieux. Nous partons.

DOMINIQUE : En voyage encore?

PAUL : Oui, pour un long voyage.

DOMINIQUE : Mais Monsieur, sans doute, n'a pas réfléchi que notre garde-robe...

PAUL, *tournant autour de lui des yeux inquiets* : En effet! *(Il aperçoit sur le lit une superbe pelisse de fourrure.)* Ah! mais non! Tu vois bien! le ciel s'en mêle. C'est un avertissement, un ordre!

DOMINIQUE : La belle fourrure! *(Il lève la fourrure d'un bras, et l'examine.)* Vous ne m'en aviez pas parlé. Avec ça sur le dos, on doit se moquer joliment du thermomètre! si j'en avais une pareille! *(Il la remet sur le lit, et en voit une seconde à côté.)* Une autre!...

PAUL : C'est pour toi alors?... Prends-la!

DOMINIQUE *endosse vivement sa pelisse, en relève le collet et croise ses mains sous les manches. A part :* Je serai un peu calé là dedans! Hein? on aura l'air d'un ambassadeur russe!

PAUL, *frappant du pied* : Allons, hâte-toi! Je veux m'élancer par le monde, courir au but, l'atteindre. Viens! viens!

DOMINIQUE : Oh! nos paquets ne sont pas longs à faire. Me voilà!... Adieu, petite sœur!

JEANNETTE, *d'une voix entrecoupée par un sanglot :* Adieu!

PAUL, *qui a mis son chapeau sur sa tête et sa pelisse sur son bras, s'arrête sur le seuil, au bruit d'un grand sanglot de Jeannette :* Ah! de la sensibilité, plus que je ne croyais. Eh! c'est pour son frère. *(Ils sortent.)*

Scène VI : Jeannette, seule.

Partis!... Et je ne sais plus où, cette fois!... Très loin!... Il me semble pourtant que, pendant un moment, il m'a offert d'aller avec lui, là-bas! Mais non, puisqu'il m'abandonne, qu'il me dédaigne!... Ah! c'est parce que je ne suis pas une belle dame de la ville!... parce que je n'ai pas de robes à volants... de la dentelle, des cachemires et des bijoux!... parce que je suis une bête de paysanne! parce que je ne sais rien de ce qui lui plairait : la danse, les bonnes manières, la parure et le piano!... Oh! si j'avais tout cela!... (*Elle se rapproche de la cheminée et se met à rêver, tout debout, le coude appuyé sur le chambranle.*) Voilà ce qu'il lui faut, sans doute! Alors il m'aimerait. Mais comment faire pour avoir une belle toilette... une belle toilette... (*Le Roi des Gnomes sort du placard resté entr'ouvert.*)

LE ROI : Très bien!... elle débute par un souhait des plus stupides. Tant mieux!... Il nous est impossible de l'arrêter; mais nous allons nous arranger si bien, que jamais il ne la reconnaîtra. — Commençons... (*Changement de décor à vue.*)

CINQUIÈME TABLEAU

L'ILE DE LA TOILETTE

Les collines du fond, figurant des carrés de culture différente, sont couvertes par de longues bandes d'étoffes. A droite, au bord d'un ruisseau de lait d'amandes, poussent, comme des roseaux, des bâtons de cosmétique. Un peu plus en avant, une fontaine d'eau de Cologne sort d'un gros rocher de fard rouge. Au milieu, sur le gazon, des paillettes brillent; les buissons, çà et là, se trouvent représentés par des brosses de chiendent, et les cailloux par des savons de toutes couleurs. A gauche, un arbre, semblable à un tamaris, porte des marabouts, et un autre, pareil à un palmier, offre des éventails. Il y a un champ de rasoirs; plus loin, l'arbre à miroirs, l'arbre à perruques, l'arbre à houppes, l'arbre à peignes; et des costumes bariolés pendent à de grands champignons. Des mouches voltigeant dans l'air iront se coller d'elles-mêmes sur le visage des femmes : la mouche assassine, la capricieuse, la provocante, etc.

Scène I : Jeanne seule.

Dans la même attitude qu'elle avait à la fin du tableau précédent : la tête baissée et le coude gauche appuyé contre le rocher de fard, au bord de la fontaine. Après un instant de silence, elle lève les yeux et regarde autour d'elle avec ébahissement.

Comme c'est joli!... et comme ça sent bon!... Mais on dirait l'odeur de l'eau de Cologne?... D'où vient-elle? De cette fontaine!... Ah! si je me lavais les mains.

Elle y plonge ses bras jusqu'au coude.

On n'a pas peur d'en perdre!... Je puis bien m'en mettre dans les cheveux!

Elle s'en jette sur la tête quelques gouttes, qui deviennent aussitôt des diamants, sans qu'elle s'en aperçoive. Puis elle se lave le visage, les mains, et, pendant qu'elle est ainsi penchée sur la fontaine, une branche de l'arbre à peignes, derrière elle, s'abaisse tout doucement pour démêler ses cheveux au chignon. Elle se retourne, surprise, en tendant la joue droite.

Qui donc me prend là, par derrière?... Continuez! vous ne me faites pas mal.

L'arbre à houppes abaisse un de ses rameaux et la caresse de sa poudre de riz.

Oh! comme c'est doux!... comme c'est doux!...

Elle tend la joue gauche. Même jeu de l'arbre à houppes.

Encore!... Mais ça me chatouille!... Assez!... J'ai envie de rire!... Ah! ah! ah!

L'arbre s'arrête.

C'est fini?... Je vous remercie bien!...

Elle se lève.

Comment?... Personne!...

Elle considère tous les objets autour d'elle, en marchant lentement.

La drôle de campagne!... Des peignes qui tiennent aux arbres! En voilà un où poussent des perruques, et tous ces vêtements par terre, comme des feuilles mortes!... Ah! la belle herbe, avec ces grosses gouttes de rosée. Mais non, ce sont des paillettes d'argent!

S'apercevant dans une des glaces de l'arbre à miroirs.

Et cela? C'est moi!... en diamants!... J'ai l'air d'un soleil!

Sa robe, arrachée, disparaît dans l'air.

Le vent!... Ah!...

Elle pousse un cri de terreur en s'apercevant en chemise et en jupon, et croise ses bras sur sa poitrine.

Que devenir!... J'ai honte!...

Aussitôt, une des bandes d'étoffe, posées sur les collines du fond, arrive en ondoyant comme une rivière, et, se drapant autour d'elle, lui fait une sorte de tunique.

Eh bien! eh bien!... me voilà tout habillée maintenant.

Un arbre à bracelets d'or l'accroche par le bras.

Qu'est-ce qui me retient? Pourquoi? Laissez-moi!...

Elle tire à elle : le bracelet vient.

Ah! cela fait bien sur ma peau.

D'une espèce de sorbier tombe un collier de corail autour de son cou.

Qu'est-ce?... Un collier!... Ah! comme je suis belle! Quel bonheur! Je m'aime! Je voudrais m'embrasser. Mais je rêve sans doute?... Ce n'est pas possible! Je vais me réveiller tout à l'heure. — Où suis-je donc?... dans quel pays?

CHŒUR, *dans la coulisse :*

> C'est le pays de la toilette,
> C'est l'empire des affiquets,
> Des paquets!
> Des caquets!
> Chez nous la beauté se complète,
> La laideur prend des airs coquets.

JEANNE : Je ne comprends pas!...

CHŒUR :

> C'est le pays de la toilette,
> C'est le triomphe, sans un pli,
> Du poli,
> Du joli,
> Nos fleurs sont à la violette,
> Et nos soupirs au patchouli.

Rasoirs, il faut en découdre!
Allons! peignes nouveau-nés,
Cascade aux flots safranés,
Tombe ici comme la foudre,
Poudre les airs, arbre à poudre;
Savonette, savonnez!

Un grand bruit de tambours, de flûtes et de chapeaux chinois.

JEANNE *remonte la scène :* Quelle quantité de monde!...

CHŒUR :

Silence, silence! silence!
C'est le monarque qui s'avance!
Pareil aux astres éclatants,
C'est Couturin, roi de la mode.
Le seul qui sache, avec méthode,
Diriger nos goûts inconstants.

JEANNE : Mais ils viennent par ici!... J'ai peur. Où me cacher?... Ah!...

Elle s'enfonce sous l'arbre à miroirs. Toute la cour de Couturin, en arrivant, chante :

Mortels, que sa faveur inonde
De l'un à l'autre bout du monde,
Marchez où sa main vous conduit.
Tous ses ordres sont chose grave;
On est perdu quand on les brave,
On est sauvé dès qu'on les suit.

Scène II : *le roi Couturin, la reine Couturine, avec toute la cour (hommes et femmes); Graisse d'Ours, premier ministre.*

Couturin et Couturine sont habillés à la dernière mode du jour, exagérée. Graisse-d'Ours, en veste, toute la barbe hérissée, l'air farouche, un tablier. — Tous les personnages de la cour représentent les divers métiers relatifs à la toilette. — Le Roi arrive au milieu d'une estrade portée à bras, et assis dans une sorte de fauteuil ayant des compartiments sur les côtés, deux plumes d'autruche au haut des montants et un miroir dans le dossier. A droite et sur un siège plus bas, la Reine; à sa gauche, sur un autre siège, le premier ministre. — Les porteurs abaissent le trône-estrade, tout doucement, jusqu'à terre.

LE ROI COUTURIN : C'est bien! Arrêtez-vous! Et puisque nous voilà installés dans l'endroit trois fois coquet des séances royales, ayant à notre droite notre chère épouse, la sémillante Couturine.

COUTURINE, *avec un regard langoureux, lui prend la main et la baise :* Toujours tendre, Couturin!

LE ROI COUTURIN : A notre gauche, notre premier ministre, l'indispensable Graisse-d'Ours...

GRAISSE-D'OURS : Vous êtes trop bon, Majesté!

COUTURIN : Autour de nous, les hauts dignitaires de notre bonnet : l'archi-tailleur, l'archi-bottier, le prince du Cold-Cream, le duc du Caoutchouc et autres...

LES GRANDS DIGNITAIRES, *s'inclinant :* Pour vous servir, ô Souverain!

COUTURIN : Avec les dames de notre cour (*il salue*), lesquelles en font l'ornement...

LES DAMES : Ah! délicieux!

COUTURIN : Et derrière nous, le peuple imbécile!...

LA FOULE : Vive le Roi!

COUTURIN : Il nous faut, suivant l'usage, établir les modes de la saison.

TOUS, *avec vivacité et se démenant :* Voyons! quelles couleurs? combien de mètres?

COUTURIN : Un instant! Il est d'abord indispensable de rappeler les principes.

GRAISSE-D'OURS : Rappelez!

COUTURIN : Or, c'est une vérité reconnue, mes colombes, que vous êtes naturellement hideuses!

LES DAMES, *scandalisées :* Ah! ah! l'abomination!

COUTURIN : Oui, fort làides!... Silence! Vous ne mettrez pas en doute, j'imagine, la supériorité du factice sur le réel? C'est l'Art seul, déesses, qui vous fournit tous vos charmes. — Ne craignez rien, je suis discret. — Mais vous conviendrez que l'on est amoureux de la robe et non de la femme, de la bottine et non du pied; et si vous ne possédiez pas la soie, la dentelle et le velours, le patchouli et le chevreau, des pierres qui brillent et des couleurs pour vous peindre, les sauvages même ne voudraient pas de vous, puisqu'ils ont des épouses tatouées! (*Il se rassoit.*)

LES DAMES : C'est un peu dur! un peu vif!

GRAISSE-D'OURS *se lève :* D'ailleurs, le vêtement, étant le signe manifeste de la chasteté, fait partie de la vertu et est une vertu lui-même! (*Il se rassoit.*)

COUTURIN : Donc, plus le costume sera costumant, c'est-à-dire antinaturel, incommode et laid, plus il sera beau! (*Il se rassoit.*)

GRAISSE-D'OURS *se lève :* Et distingué surtout! (*Il se rassoit.*)

TOUS : Ah! distingué! le distingué, c'est le principal!

COUTURIN *se lève :* Eh bien! travaillez maitenant. (*Il se rassoit.*)

TOUS : Voyons! cherchons!

Un moment de silence, puis on entend tout à coup un grand fracas de miroirs cassés.

COUTURIN : Qu'est-ce? (*Il fait à un officier signe de sortir; après avoir regardé à droite.*) Ah! l'arbre aux miroirs, cassé! Ils étaient trop mûrs sans doute, et quelque maraudeur en l'ébranlant...

L'OFFICIER, *rentrant :* Nous avons trouvé dessous un monstre!

COUTURIN : Un monstre?

L'OFFICIER : Oui, ô Souverain, un être vert et démodé.

COUTURIN : Qu'on l'amène!

TOUS : Quelle bravoure!

Scène III : *les précédents, Jeanne.*

Elle entre avec des gants verts Empire qui lui montent jusqu'aux coudes, et faisant beaucoup de plis sur les bras; une coiffure à la girafe, un châle jaune par-dessus sa tunique et un ridicule à la main. A son aspect, Couturine pousse un cri aigu et tombe à la renverse. Graisse d'Ours se lève indigné; Couturin, avec un petit mouvement d'effroi, se recule sur son trône; les dames arrachent vivement les feuilles de l'arbre à éventails et se cachent le visage dessous. Brouhaha général.

LES HOMMES *s'écrient :* Arrière! — Va-t'en! — Cache-toi!

LES DAMES : C'est une horreur! — Une turpitude! — Une antiquité!...

COUTURIN, *pour commander le silence, étend son sceptre, un fer à papillotes :* Du calme! têtes exaltées par la frisure! Approche, jeune fille, — car tu as l'air d'en être une, à tes attributs naturels, bien que tu n'en possèdes point les grâces. Explique-nous, justifie ton accoutrement!

JEANNE : Je l'ai pris là, par terre, au hasard... croyant qu'il le fallait; et, en me relevant, tous les miroirs...

COUTURIN : Assez! Ce n'est pas d'eux qu'il s'agit. *(Rapidement.)* Mais, pour avoir désobéi aux lois de notre Empire, pour avoir méprisé le culte de la chaussure, les délicatesses de la lingerie et l'élégance du cheveu; pour t'être affublée d'une aussi infâme défroque, qui fait remonter l'imagination jusqu'au temps de Corinne et du cirage à l'œuf, tu mériterais les supplices...

TOUS : Oui, oui! les plus terribles!

COUTURIN : D'être condamnée à des bottines trop étroites, à des peignes trop durs, à des corsets indélaçables!

TOUS : Bravo!

COUTURIN : A porter un cabas!

JEANNE : Grâce!

COUTURIN : Et un turban... avec panaches!

JEANNE : Mais je ne connaissais pas la mode! Je n'ai pu la suivre. Est-ce un crime?

COUTURIN : Il n'y en a pas de plus grand, être femelle! car la Mode, sais-tu bien, c'est la loi, la fantaisie, la tradition et le progrès; il n'est rien qu'elle ne gouverne, ne produise et ne renverse. Colosse folâtre établi sur le monde, elle drape la couche des nouveau-nés, tandis qu'elle ornemente les tombeaux, levant sa tête au ciel vers les philosophies et pénétrant ainsi, du bout de son pied mignon, jusque dans l'éternité. Retire tes gants verts!

JEANNE, *humblement :* Je ne demande pas mieux, moi! Je ferai ce qui vous plaira.

COUTURIN : Ah! pitié pour elle, grand roi!

COUTURIN : Soit! je te pardonne, en considération de ton ignorance. *(Aux grands officiers.)* Et vous autres, occupez-vous de la façonner congrument, de la vêtir dans le dernier genre.

JEANNE, *sautant de joie :* Oh! merci. Quel bonheur! Je serai donc jolie, bien habillée!

COUTURIN : Espérons-le!

BALLET

Sur un signe que fait Couturin, les officiers de sa cour se précipitent de droite et de gauche : les uns vers les champignons qui portent des costumes, les autres vers les étoffes du fond, ceux-ci vers les marabouts, ceux-là vers l'arbre à peignes, etc.; et ils s'empressent d'habiller Jeanne et de la maquiller. Cependant le fond et les deux côtés du théâtre changent, et représentent du haut en bas les rayons d'un gigantesque magasin de nouveautés, plein de garçons servant des dames.

Couturin est placé au premier plan à droite, étalé, seul, sur une petite causeuse dans une pose méditative et en train de prendre des notes.

Les garçons de magasin habillent des dames du monde. Quelques-uns viennent s'adresser à Couturin, qui leur répond, par trois fois :

Laissez-moi! Je compose!

Couturine leur sert du thé, sur un petit guéridon, placé près de Couturin.

A de certains moments, le mouvement s'arrête et il se fait un grand silence.

Alors Couturin, un lorgnon dans l'œil, passe toutes les femmes en revue et les rajuste, abaisse ou rehausse leur décolletage d'un geste brusque, puis lève les épaules et crie :

Non, pas ça, c'est vieux; autre chose! vivement!

Jeanne doit toujours former le centre du groupe principal. A la fin, toutes les dames, y compris la Reine, qui ont suivi progressivement les mêmes changements, se trouvent habillées comme elle, d'une façon riche et extravagante.

COUTURIN : Restons-y au moins une demi-heure! C'est très beau!

Satisfaction générale exprimée par des soupirs ; mais tout à coup Couturin considère Jeanne, et, défaisant avec rapidité sa toilette :

Oui! décidément, ceci me déplaît; et cela aussi!... Autre chose... Allons! vite!

Jeanne se trouve dans un costume d'un goût simple et exquis.

Maintenant, seigneurs et seigneuresses, parfumeurs et brodeuses, chemisiers et couturières, retirez-vous dans vos cabinets artistiques, nous souhaitons être seuls! Demeurez, Couturine!

Scène IV : Jeanne, Couturin, Couturine.

COUTURIN : Eh bien! jeune fille, ce luxe de la toilette que tu désirais si fort, le voilà!

JEANNE : C'est donc vrai! Je ne rêve pas!

COUTURIN : Non, les génies supérieurs te protègent.

JEANNE : Moi!

COUTURIN : N'en doute plus! Aucune, grâce à nous, ne sera aussi séduisante.

JEANNE : Oh! merci. Il va donc m'aimer!

COUTURIN : Peut-être? Pour atteindre à la moderne dignité de femme, — tâche de comprendre, — pour devenir tout à fait cet être charmant, inextricable et funeste, commencé par Dieu et achevé par les poètes et les coiffeurs, si bien qu'il a fallu soixante siècles au monde avant de produire la Parisienne, il te manque encore, ô petite fille, bien des choses.

JEANNE : Lesquelles?

COUTURIN : Eh! tu ne sais pas saluer, sourire, pincer la bouche, cligner des yeux, ni débiter des mélancolies en prenant sur un sofa des poses de fleur battue par la brise. Comment ferais-tu, voyons, en l'entendant soupirer et quelle serait ta réponse s'il te demandait : « M'aimes-tu? »

JEANNE : Eh bien, je répondrais : Oui.

COUTURINE, *impérieusement :* Ça ne se dit pas, jeune fille! C'est un mot indécent, naturel et populaire!

JEANNE : Mais comment parler? Enseigne-moi!

COUTURIN : Holà! les deux types du bon goût! Arrivez!

Scène V : les précédents, deux mannequins.

Monsieur et dame que l'on apporte. La dame est vêtue à la dernière mode. Le monsieur a une raie derrière la tête, qui se continue, par les poils de son paletot systématiquement divisés, jusqu'au bas des reins; elle se reproduit sur chaque jambe du pantalon; lorgnon dans l'œil, chic anglais, etc.

COUTURIN : Considère ces deux honnêtes mannequins qui ressemblent à des humains : tâche de reproduire leurs mouvements, si tu veux avoir de belles manières. Rappelle-toi leurs discours, et, en quelque lieu que tu te trouves, à la campagne, en visite, en soirée, dans un dîner ou au spectacle, tu pourras jacasser hardiment sur la nature, la littérature, les enfants aux têtes blondes, l'idéal, le turf, et autres choses. La clef, Couturine?

Il remonte les deux automates à la poitrine.

Commençons. En appuyant ici, on obtient ce qu'il faut dire devant un beau paysage.

En prenant le monsieur sous les aisselles, il le penche de droite et de gauche, comme on fait à une pendule dont le balancier est arrêté. Couturine fait de même à la dame. Partez!

LE MONSIEUR, *avec de petits gestes rapides de la main droite et l'air guilleret :* Bonjour, chère!

LA DAME, *même jeu :* Bonjour, bonjour, mon bon!

Il se rapprochent ainsi des deux côtés de la scène, en roulant sur leurs roulettes, et quand ils sont arrivés face à face, ils se secouent les mains pendant une minute avec violence, en ricanant.

LE MONSIEUR, *regardant autour de lui, avec des mouvements de tête saccadés :* Tiens! tiens! tiens! où sommes-nous donc?

LA DAME, *minaudant et en détachant ses phrases :* Ah! la délicieuse campagne!... un site pittoresque!... et des petites fleurs! — si poétiques! — et inutiles!... poétiques parce qu'elles sont inutiles, — inutiles parce qu'elles sont poétiques!

LE MONSIEUR, *d'un ton bourru :* Moi... je la trouve bête comme chou... votre campagne! — Du sentiment, allons donc! — de l'élégie, ha! ha! ha! — la poésie, ha! ha! ha! — je suis revenu de tout ça... ha! ha! ha!

LA DAME, *avec beaucoup de gestes :* Mais cependant, permettez, si l'on taillait ces arbres... si l'on reculait ces massifs, en faisant avancer le vieux chêne, avec quelques ruines, des paysans bien habillés et un chemin de fer pour être à proximité, on aurait là, avouez-le, un beau sujet artistique, de quoi faire une jolie mine de plomb.

LE MONSIEUR, *gaillardement :* En fait de mine, je préfère la vôtre.

LA DAME : Où donc prenez-vous ce ton là? Chez vos petites dames? Je voudrais bien, sans qu'on le sache, y aller un peu... pour voir leur mobilier.

LE MONSIEUR : A vos ordres! (*A part.*) Une imagination!... elle pétille! (*Haut.*) Mais, permettez, un conseil : pour vos placements, je m'en chargerai.

LA DAME, *vite :* Et des reports aussi?

LE MONSIEUR, *vite :* Ça va! J'ai mon carnet.

LA DAME, *vite :* Nous disons donc?...

COUTURINE, *arrêtant le ressort :* Assez! assez! ils ne s'arrêteraient plus.

JEANNE : J'aurai bien du mal à retenir...

COUTURIN : Ah! bah! avec de la bonne volonté! Ecoute-les plutôt sur les nouvelles du jour. (*Il touche un ressort des mannequins à une autre place.*)

LA DAME, *lentement et d'un air affligé :* Eh bien, — à ce qu'il paraît, — on a encore massacré, là-bas, douze mille de ces pauvres diables.

LE MONSIEUR, *chantonnant :* Broum! broum! broum! Qu'est-ce que ça nous fait? Je ne donne plus là dedans! La vie est courte, turlurette! Amusons-nous!

LA DAME, *d'un ton gai :* Vous avez le genre Régence, tout à fait talon rouge.

LE MONSIEUR, *gravement, la main dans son gilet :* Oui, avec des idées libérales. Un mélange de l'ancienne aristocratie française et de l'industrialisme américain. Qu'est-ce que ça?

LA DAME, *vite, et d'un ton suppliant, en lui offrant une liasse de petits papiers :* Des billets de loterie, pour mes pauvres!

LE MONSIEUR, *avec un grand salut :* Trop heureux, Madame! (*A part.*) Pincé! (*Légèrement.*) Et le nouveau livre de chose, l'avez-vous lu?

LA DAME, *admirativement :* Oh! très beau! Vrai! c'est un grand homme!

LE MONSIEUR, *naturellement :* Eh! non, un crétin. Du moins on le dit.

LA DAME : On le dit. Ah! alors ça se peut. Je vous crois.

LE MONSIEUR, *avec un regard amoureux et soupirant :* Si vous pouviez croire tout ce que je vous... (*Il s'arrête brusquement.*)

COUTURIN : Ah! j'ai oublié deux demi-tours!

JEANNE : Mais ils ne s'aiment pas du tout, ceux-là!

COUTURIN, *en remontant les mannequins :* C'est ainsi que cela commence; et quand il lui aura dit, en face, assez d'impertinences pour la faire pleurer, ce sera une union si intime et tellement reconnue, que l'on ne manquera pas dans les meilleures maisons de les inviter ensemble.

Les deux mannequins, pendant qu'il les remontait, ont échangé des gestes tendres qui deviennent de plus en plus expressifs.

Non! non! à la valse! à la valse!

Ils se mettent à valser, et, pendant qu'ils valsent, Jeanne répète du mieux qu'elle peut tous leurs mouvements.

C'est cela! lui, menton levé et coude en l'air; — elle, droite comme un I et nez baissé; tous deux piquant leurs angles dans l'espace, une vraie figure de géométrie en belle humeur. Assez : qu'on les remmène! Et vous, Couturine, veillez bien à ce qu'on les remette dans leurs boîtes. (*On les emporte.*)

Scène VI : Couturin, Jeanne.

COUTURIN : Voilà! Tu en sais suffisamment pour te produire dans le monde.

JEANNE : Eh! ce n'est pas le monde qui m'inquiète, mais Lui. Où est-il? Je veux le voir.

COUTURIN, *lentement* : Il me serait possible de satisfaire ton désir.

JEANNE, *ravie* : Oh!...

COUTURIN : A une condition, cependant.

JEANNE : Dis-la! et quelle qu'elle soit, d'avance... Réponds donc...

COUTURIN : C'est que jamais tu ne te feras reconnaître, ni à lui, ni à son compagnon.

JEANNE : Pourquoi?

COUTURIN : Parce qu'il t'a déjà repoussée quand tu étais paysanne : l'oublies-tu? Et, surtout, écoute bien, tu ne doutes pas de mon pouvoir : n'est-ce pas moi qui t'ai donné plus de robes que tu ne possédais d'épingles et plus de perles qu'il n'y avait de grains de son dans l'auge de tes pourceaux? Eh bien, je te jure, par cette même puissance, que si tu viens à lui dire ton nom, à l'instant même, et comme d'un coup de foudre, tu mourras.

JEANNE *baisse la tête, tandis que Couturin l'observe avec anxiété; puis lentement* : N'importe quel nom et sous quelle figure : pourvu qu'il m'aime, c'est tout ce que je veux! Partons-nous?

COUTURIN : Oh! inutile! Le voilà qui vient pour des emplettes indispensables à son voyage! (*On entend la voix de Dominique dans la coulisse.*)

Scène VII : les précédents, Paul, Dominique, commis.

Dans la scène précédente, le décor peu à peu s'est changé en un bazar immense où il y a beaucoup d'articles de voyage. Le fond de la scène se trouve occupé par les couturiers et les modistes.

DOMINIQUE, *criant* : Place! place! Il nous faut deux sacs de nuit, une aumônière, des couvertures.

PREMIER COMMIS : A vos ordres!

DEUXIÈME COMMIS : Tout de suite, Monsieur!

TROISIÈME COMMIS : Huitième étage! quinzième rayon!

QUATRIÈME COMMIS : Non! par ici!

DOMINIQUE : Ah! j'en perds la boule! (*Paul et Dominique sont arrivés au milieu de la scène.*)

JEANNE, *la main sur son cœur* : C'est lui!

PAUL, *apercevant Jeanne* : Quelle beauté!

DOMINIQUE : Je trouve qu'elle a un faux air... (*Riant.*) Suis-je bête!... Comme si c'était possible!...

PAUL : Mais je l'ai déjà vue!... Où donc? Ah!... dans mes rêves, sans doute...

JEANNE, *vivement* : Il ne me reconnaît pas? Bien! D'autant plus que déguisée par cette toilette...

COUTURIN : Tu as meilleure chance de lui plaire, certainement! Mais n'oublie pas mes leçons!

JEANNE : Non! non! Oh! je me sens de l'esprit! tu vas voir.

PAUL, *saluant* : Madame!... (*A part.*) Pour qu'un

être tellement merveilleux se rencontre ici, avec moi, c'est que le ciel, sans doute, l'a voulu? Serait-ce par hasard...?

JEANNE, *imitant les gestes du mannequin* : Bonjour! bonjour, mon bon!

PAUL : Quelle familiarité! C'est un indice, un signe, peut-être?...

JEANNE, *se rapprochant de lui* : De la tristesse, il me semble? Et la cause?

PAUL : Prêt à partir pour un long voyage, je me demandais, tout à l'heure, si je ne ferais pas mieux...

JEANNE : Un voyage? ça me va! Plus on est de fous, plus on rit! Votre bras, voyons! Presto!

PAUL : Elle est folle!

JEANNE : Mais regardez! J'ai trois cent quatre-vingt-douze caisses pleines de robes, des coiffures par douzaine, des serviettes brodées, des torchons à dentelles, des gants à vingt-six boutons et des amours de petites bottes. Oh! mes petites bottes! (*Elle montre son pied.*) Bottes! bottes! bottes!

PAUL : Assez! assez!

JEANNE : Mon chalet d'acajou peut, en un clin d'œil, se poser sur les sites les plus pittoresques, et avec un piano!... (*geste de dégoût de Paul*) un bon piano pour jouer des polkas sur les montagnes... Je sais faire des imitations. Ecoute!

PAUL : Grâce!

JEANNE, *vivement* : Le reflet de nos élégances embellira le monde entier. Nous donnerons des raouts dans les pagodes, nous friserons les sauvages; notre poudre de riz se mêlera à tous les vents! Tout pour le chic! chic *for ever!* Du matin au soir nous ferons des mots! — Nous écrirons notre nom sur tous les monuments! nous blaguerons toutes les ruines, nous cracherons dans tous les précipices! Tu ne t'ennuieras pas! Grâce à la poste, maintenant, on reçoit n'importe où les journaux. Si l'occasion se présente de faire une affaire, un lac de pétrole, quelque gisement de houille...

PAUL, *s'enfuyant* : Horreur!

JEANNE : Aimons-nous.

PAUL : Pas de cette façon-là!

JEANNE : Reviens!

PAUL : Jamais! (*Il disparaît.*)

DOMINIQUE, *regardant de droite et de gauche* : Comment? décampé! Elle était bien aimable pourtant! (*Il sort.*)

Scène VIII : Jeanne, Couturin.

JEANNE, *atterrée et considérant Couturin* : Eh bien? eh bien?

COUTURIN : Qu'as-tu donc?

JEANNE *éclate en sanglots, et s'appuyant sur l'épaule de Couturin* : Ah! je suis horriblement malheureuse!

CHŒURS DE COUTURIERS ET DE MODISTES *offrant les consolations puisées dans les douceurs de leur art.*

JEANNE *les regarde quelque temps sans comprendre; puis tout à coup* : Misérables! c'est vous qui en êtes cause avec vos fadeurs imbéciles. Allez-vous-en, mensonges du cœur et de la joue, hypocrisies, maquillages, faux sentiments, faux chignons, poitrines débraillées, âmes étroites! Je hais tout cela! Non! non! plus de tout cela!

Elle déchire ses vêtements.

Où est-il?... Je veux lui dire que je le trompais!... Paul! Paul!

Elle court de côté et d'autre, éperdue, haletante, renversant tout devant elle. — Les couturiers et les modistes s'enfuient.

Attends-moi! réponds! Je vais venir! Me vois-tu? Ecoute! Paul!

Elle revient sur le devant de la scène, près de Couturin, qui est le roi des Gnomes.

Ah! je l'ai perdu pour toujours!

LE ROI : Par ta faute! Tu t'y es mal prise!

JEANNE : N'est-ce pas? j'aurais dû me nommer!

LE ROI : Tu en serais morte, l'oublies-tu?

JEANNE : Ah! mais que fallait-il donc faire? Et c'est moi-même qui l'ai chassé! Plutôt que de me contraindre dans tout ce factice qui m'étouffait le cœur, j'aurais dû lui parler simplement et ne pas l'étourdir par le caquet de mes élégances ineptes. Si j'avais été une autre, je lui aurais plu peut-être? Il lui faudrait quelqu'un avec moins de fard aux pommettes, de sottise aux lèvres, de singeries dans les manières; une femme... qui le gagnerait par la modestie de sa tendresse... une bonne épouse... une simple bourgeoise.

LE ROI : Tu veux en être une?

JEANNE : Est-ce qu'il m'aimerait alors?

LE ROI : Je le pense!

JEANNE : Comment le devenir?

LE ROI : Oh! cela est facile!

JEANNE : Fais donc!

LE ROI : Tu l'exiges!

JEANNE : Oui! oui! Où donc le trouver?

LE ROI, *l'entraînant par la main, avec autorité :* Viens! Par là! Suis-moi!

SIXIÈME TABLEAU

LE ROYAUME DU POT-AU-FEU

Le théâtre représente la place de ville, en hémicycle. Toutes les rues y aboutissent, de façon que l'on peut apercevoir d'un seul coup d'œil la ville entière. Les maisons, toutes pareilles et d'une architecture pitoyable, à façade nue, sont peintes en couleur chocolat, avec des réchampis blancs. Au milieu de la place, porté par un trépied et sur les charbons embrasés, bouillonne un gigantesque pot-au-feu.

Autour du pot-au-feu, il y a, rangés en demi-cercle, des fauteuils de bureau en acajou, dans lesquels se tiennent assis les épiciers, tous en serpillière et en casquette de loutre. Derrière eux, des deux côtés de la scène, debout, les différentes corporations de la ville, portant des bannières, où l'on voit écrit : BUREAUCRATIE, SCIENCES, LITTÉRATURE, *etc. Les savants ont des toques et des abat-jour verts; les littérateurs, un mirliton et un encrier passés en bandoulière sur la hanche; les bureaucrates, des bouts de manche de percale noire, avec une plume de*

fer à l'oreille. Tous les citoyens portent la barbe en collier et ont (à l'exception des épiciers) des redingotes à la propriétaire et des chapeaux tromblons sur la tête.

Le grand pontife, au milieu de la scène, derrière le pot-au-feu, faisant face au spectateur et monté sur un escabeau, dépasse la multitude. Des deux côtés, sur le devant, un groupe de collégiens, coiffés de képis, joue de l'accordéon. Aux fenêtres des maisons, il y a des femmes à bonnets tuyautés et en robe de laine brune; sur les toits à tuiles rouges, des chats. Au delà, un ciel gris.

Scène I

La toile se lève aux sons mélancoliques des accordéons joués par les collégiens, et qui se prolongent quelque temps encore après qu'elle est entièrement levée. Puis il se fait un silence. On entend bouillonner le pot-au-feu tout doucement, et enfin le grand pontife commence.

LE GRAND PONTIFE, *une écumoire à la main :* Citoyens, bourgeois, croûtons! En ce jour solennel, où nous sommes réunis pour adorer le trois fois saint Pot-au-feu, emblème des intérêts matériels, autrement dit des plus chers, si bien que, grâce à vous, le voilà maintenant presque une divinité!... C'est à moi, le grand pontife de ce culte sage, qu'il incombe de vous remémorer vos devoirs et de vous relier tous, par un acte commun, à la vénération, à l'amour, à la frénésie du Pot-au-feu!

Vos devoirs, ô Bourgeois, nul d'entre vous, je le déclare, n'y a transgressé! Vous vous êtes tenus philosophiquement dans vos maisons, ne pensant qu'à vos affaires, à vous-mêmes seulement; et vous vous êtes bien gardés de lever jamais les yeux vers les étoiles, sachant que c'est le moyen de tomber dans les puits. Continuez votre petit bonhomme de chemin, qui vous mènera au repos, à la richesse et à la considération! Ne manquez point de haïr ce qui est exorbitant ou héroïque, — pas d'enthousiasme surtout! — et ne changez rien à quoi que ce soit, ni à vos idées, ni à vos redingotes; car le bonheur particulier, comme le public, ne se trouve que dans la tempérance de l'esprit, l'immutabilité des usages et le glouglou du Pot-au-feu. (*Accordéons.*) A vous d'abord, colonnes de la patrie, exemples du commerce, bases de la moralité, protecteurs des arts, Epiciers! (*Les épiciers se lèvent.*)

Jurez-vous de toujours mettre de la chicorée dans le café?

LES ÉPICIERS, *en chœur :* Oui!

LE GRAND PONTIFE : Et de ne pas quitter le comptoir, sauf, bien entendu, pour venir sur votre seuil indiquer aux badauds la route qu'il faut suivre; enfin, de vous infusionner dans le monde par toutes sortes de moyens, alliances et propagande, de manière à faire prévaloir vos principes et à demeurer ce que vous êtes, les rois de l'humanité, les dominateurs universels?

TOUS LES ÉPICIERS, *debout, la main étendue vers le pot-au-feu :* Nous le jurons!

LE GRAND PONTIFE : Et vous, Bureaucrates!

LES BUREAUCRATES : Présents!

LE GRAND PONTIFE : Etes-vous bien résolus à travailler

toujours le moins possible, en ne songeant toujours qu'à votre avancement?

LES BUREAUCRATES : Oh! oui!

LE GRAND PONTIFE : Jurez-vous de toujours brûler effroyablement de bois dans vos poêles, de vous montrer incivils, de maudire vos chefs en vous plaignant de l'existence, et de dépenser pour cent écus d'écritures dans une affaire de vingt-cinq centimes, dont vous ferez attendre la solution pendant quinze ans?

LES BUREAUCRATES : Nous le jurons!

LE GRAND PONTIFE : Messieurs les Savants, lumières du pays, à votre tour!

Les Savants se présentent à demi courbés, avec un tremblement sénile.

LE GRAND PONTIFE, *d'un ton familier :* Vous vous engagez, n'est-ce pas, comme par le passé, à ne faire que des petites recherches innocentes, qui ne troublent rien?

TOUS LES SAVANTS *levant les mains :* Oui! oui! N'ayez pas peur! Nous le jurons.

LE GRAND PONTIFE : Cela suffit! — Venez maintenant, vous, talents honnêtes qui charmez nos soirées de famille. L'art étant fait pour récréer, vous nous récréez. Allons!

LES POÈTES COMIQUES *étendent tous la main vers le pot-au-feu, en faisant :* Cocorico!

Ricanements dans l'assemblée.

LE GRAND PONTIFE, *souriant aux épiciers qui l'entourent :* Encore un peu d'excentricité dans la forme; mais les intentions sont si pures!

Il frappe avec son écumoire sur le pot-au-feu pour réclamer l'attention.

Un dernier mot, Messieurs, à la Jeunesse, au printemps de la vie.

Sur un signe qu'il leur fait, les collégiens s'approchent avec leurs accordéons sous le bras.

Approchez, Éphèbes, approchez! Jeunes gens, notre espoir, vous allez entrer dans l'âge des passions! Prenez garde, c'est comme si vous pénétriez dans une poudrière; la moindre étincelle, tombant sur vos cerveaux, peut faire sauter l'édifice. On a eu soin d'écarter de vous toutes les torches, je le sais : n'importe! Il n'en faut pas moins se défier des ardeurs du sang et de l'imagination; elles ne produisent que des crimes et des folies! ou plutôt, utilisez vos vices! employez profitablement vos mauvais instincts! Que ceux, par exemple, qui savent gagner au jeu, rapportent leur argent à la maison, et qu'ils le placent! Amusez-vous en cachette, économiquement; prenez un bon état, et ne rentrez jamais passé dix heures du soir. Voilà le secret. Jurez-vous de l'observer?

LES COLLÉGIENS : Nous le jurons! *(Ils retournent à leur place.)*

LE GRAND PONTIFE : Je suis ému, Messieurs! Tant de raison dans cet âge m'a touché, et si la fête n'était pas terminée, je succomberais à mon émotion. Elle est terminée, car il n'est pas besoin de vous demander de serment, à vous... *(Il s'adresse aux femmes qui sont aux fenêtres.)* gardiennes et cause de notre félicité, épouses, ménagères, petites mamans pot-au-feu! C'est par vos

soins qu'il mijote! Donc, persévérez dans vos deux préoccupations chéries : 1° raccommoder les chaussettes de vos légitimes, et 2° être toujours en garde contre les séductions de la gaudriole. Ne songez même qu'à cela, incessamment, exclusivement. Bref, n'oubliez pas que l'attitude la plus belle pour une femme, sa position idéale, si j'ose m'exprimer ainsi, est de se tenir quelque peu agenouillée, avec une écumoire à la main, un bas de laine passé dans le bras gauche, tournant le dos à Cupidon, et la tête perdue dans la vapeur du Pot-au-feu!

Et vous, Chats, inconstants quadrupèdes, bohémiens des toits! Si vous n'employez pas tout votre temps et la force de votre gueule à nous prendre des souris, on vous mettra des muselières et l'on vous empalera avec la broche, puisque la Nature vous a créés pour nous être utiles. Mais, que si vous devenez sédentaires et zélés à nous servir, on vous laissera au fond de l'assiette quelques gouttes froides du Pot-au-feu!

Et toi, Soleil, puisses-tu, brillant toujours modérément, te transformer en un vaste paquet de chandelles, pour nous économiser l'éclairage! et que tes rayons fassent tomber dans le creux des mers une pluie de graisse, afin que, se chauffant à ta tiédeur, tout le globe entier ne soit plus qu'un immense Pot-au-feu!

TOUS *crient :* Vive le Pot-au-feu! *en retirant leurs chapeaux, ce qui laisse voir distinctement leurs crânes étroits et très allongés, en forme de pain de sucre.*

LES FEMMES, *aux fenêtres :* Comme nos maris sont bien!

Les autres corporations qui n'ont pas été nommées s'empressent autour du Pot-au-feu, et le grand pontife, décrivant mystiquement un cercle dans l'air, les asperge tous avec son écumoire. Après quoi, la séance étant levée, on retire les sièges, on se cherche et l'on s'aborde avec une certaine animation.

LES BOURGEOIS : Ah! une belle fête! un remarquable discours! Et quelle musique! On a fait des progrès dans les arts! C'est incontestable!...

La confusion et la rumeur peu à peu s'apaisent, et tous se mettent à observer les horloges qui sont au-dessus de la porte, devant chaque maison. L'aiguille marque cinq heures cinquante-cinq minutes. Ils attendent le nez en l'air, et quand six heures sonnent, ils disent tous en même temps :

Allons dîner! *(Ils entrent dans les maisons.)*

Scène II

La scène est complètement vide. D'abord, on entend dans les maisons un bruit de gros baisers, ensuite un bruit de chaises; presque aussitôt après, un bruit de cuillères sur les assiettes, et quelque temps après

DES VOIX *s'élèvent et disent :* Ah! ça fait bien!...

Un petit silence, puis cliquetis de couteaux et de fourchettes.

LES MÊMES VOIX : Voilà ce qu'on ne trouve pas au restaurant!...

Le bruit des couteaux et des fourchettes continue. On entend déboucher des bouteilles de vin, puis

LES MÊMES VOIX : Nous sommes entre la poire et le fromage.

Alors quelques petits rires de satisfaction.

LES VOIX DES HOMMES, *seulement :* Donne-nous un verre de liqueur, hein?

LES VOIX DES FEMMES :Mais tu vas te faire mal!

LES VOIX DES HOMMES : C'est pour mon estomac, une fois n'est pas coutume!...

Ensuite un fort remaniement de chaises, et

TOUS LES BOURGEOIS *apparaissent à leurs fenêtres, étendent la main et disent :* Il fait chaud!

UNE FEMME *arrive à chaque fenêtre :* Oui! mais le fond de l'air est froid.

TOUS LES BOURGEOIS : C'est vrai!

Ils se détournent un peu et tapent sur le baromètre accroché en dehors de la fenêtre.

Ça va-t-il se maintenir?

Après quelque réflexion.

Oui!... oui... on peut prendre le frais!

Les croisées se referment, et bientôt tous les bourgeois rentrent en scène et s'installent devant leurs portes sur des chaises, chaque ménage étant flanqué d'un petit garçon habillé en turco et d'une petite fille habillée en Suissesse.

Ah! on est bien ici!

Les femmes prennent leur tricot, les hommes leur journal. Jeanne, en costume extra-bourgeois, s'assoit sur le seuil d'une maison au premier plan, à droite.

Scène III : les bourgeois, les bourgeoises, Jeanne, le Roi des Gnomes.

Dès que Jeanne est assise,

LE ROI DES GNOMES, *ayant retiré quelques-uns de ses attributs de Pontife du Pot-au-feu, paraît derrière elle, et se penchant sur son épaule :* Tu le vois! tout me cède! tout nous sert! Je n'ai eu qu'à me montrer pour être élu bourgmestre de la ville et pontife de la religion. (A part.) Rien de plus facile : c'est dans la médiocrité que l'esprit du mal triomphe!

JEANNE, *soupirant :* Mais voilà tant de jours que je le cherche, que je l'attends... Et il va venir, tu crois!

LE ROI DES GNOMES : J'en suis sûr! Patiente!

JEANNE : Oh! merci. Protège-moi toujours!

LES MÈRES : Allons, mes anges! Voici l'heure où les enfants doivent s'amuser!

Les petits turcos et les petites Suissesses s'élancent du seuil des maisons en courant, se prennent par la main et dansent en rond autour du Pot-au-feu en chantant quatre vers imités de la chanson des Spartiates :

> Nos grands-pères étaient bêtes,
> Nos pères l'ont été plus !
> Nous le sommes davantage,
> Nos enfants le seront encore bien plus.

Quelques-uns de leurs bonnets tombent dans leur danse, et l'on voit leurs crânes extra-pointus.

JEANNE, *les contemplant :* Ils sont jolis, ces enfants. Heureuses mères!

UNE DAME, *à côté d'elle, sur une chaise :* Sans doute!

Vous êtes bien honnête, Mademoiselle, et le mien, quoique plus jeune, promet beaucoup! *(Elle appelle.)* Nourrice!...

DEUXIÈME DAME : Et le mien aussi. — Nourrice!...

TROISIÈME DAME : Et les deux miens donc! — Nourrice!...

Alors paraît une légion de nourrices dandinant des poupons dans leurs bras. Les mères s'empressent autour d'eux, pour les montrer.

PREMIÈRE DAME : Envoyez un bécot à la jolie demoiselle et au bon monsieur.

UNE MÈRE DE POUPARD, *lui retirant ses langes :* Regardez-moi ces membres!

UNE AUTRE MÈRE : Et sa tête *(Elle lui retire son béguin.)* Voyez!...

TOUTES LES MÈRES DE POUPARDS : La sienne est bien plus belle! la plus belle!

Elles retirent toutes les béguins de leurs marmots, qui ont des crânes fantastiquement pointus.

LE ROI, *prisant :* Encore mieux que leurs pères! La génération s'annonce crânement!

TOUTES LES MÈRES ET DAMES, *parlant à la fois :* Récitez votre fable!... Une risette!... Ah! qu'il est gentil! Il aura du nanan!

Tous les enfants envoient des baisers à Jeanne et commencent à marmotter très vite, pendant que les mères parlent à la fois, que les poupons pleurent et que les nourrices chantonnent. Mais il s'élève dans la coulisse un grand murmure, comme serait l'irritation contenue d'une foule lointaine. Paul et Dominique paraissent. Tous les enfants, effrayés, s'enfuient, les nourrices ramènent leurs nourrissons, et beaucoup de bourgeois et de bourgeoises s'éloignent avec des regards farouches. D'autres vociferent :

A bas! canailles, brigands, originaux! *(Sifflets, huées.)*

Scène IV : le Roi des Gnomes, Jeanne, Paul et Dominique, en costume de voyage très négligé.

Ils arrivent par le fond du théâtre.

DOMINIQUE : Eh bien, quoi?... Imbéciles! Est-ce notre costume qui nous vaut tout cela?

Les bourgeois sortent, en se faisant des signes d'intelligence.

JEANNE, *s'élançant vers Paul :* Paul!... Ah! enfin!

LE ROI : Dissimule! Tu sais qu'il faut de la simplicité!

DOMINIQUE : Ils ont l'air rébarbatif, ces particuliers-là.

PAUL : N'importe! C'est peut-être ici que se trouve... la bien-aimée inconnue...

DOMINIQUE : Ah! nous y revoilà! Décidément, que voulez-vous? que cherchez-vous? Où est le but? Depuis le temps que nous vagabondons dans toutes sortes de pays... car c'est la bouteille à l'encre que votre histoire!

PAUL : Rien de plus simple! Je dois rencontrer quelque part une jeune fille à l'âme pure, au désintéressement absolu, la reconnaître, en être aimé, fort de son amour, m'emparer du château des Cœurs.

DOMINIQUE : Ah! très bien! Une femme qui n'existe

guère, un château qui n'existe pas. Car, enfin, qu'y a-t-il donc dans ce savoyard de château? Des trésors?

PAUL : Non! mais une fortune tellement extraordinaire que tu ne peux l'imaginer.

DOMINIQUE : Oh! oh! reste à savoir! Allons, Monsieur, un bon mouvement! Revenons à Paris!...

PAUL : Oh! laisse-moi, Dominique! Je suis si plein de lassitude, de découragement! Et puis il y a dans cette ville, malgré sa vulgarité, je ne sais quel charme!

JEANNE, *lui offrant une chaise près d'elle :* Oui! restez, Monsieur! *(Paul hésite.)* Asseyez-vous!

PAUL, *à part :* On n'est pas plus gracieuse, ma parole! *(Il la considère. Elle baisse les yeux.)* Diable! quelle pudeur! *(Silence. Ils se regardent face à face.)*

JEANNE : On voit que vous êtes complètement étranger à la localité, Monsieur! *(Avec dédain.)* Et ce costume... excentrique!...

PAUL : Mon Dieu! Mademoiselle, je ne pensais pas qu'en voyage!...

JEANNE, *sèchement :* N'importe! Il faut suivre la coutume!

DOMINIQUE : Mais elle est assommante, celle-là! *(A part, haussant les épaules et montrant Paul.)* Quel plaisir de s'entêter!... J'ai envie de voir aux alentours s'il n'y a rien de plus drôle! Vous permettez, n'est-ce pas?...

PAUL : Oui! Reviens vite!

*Scène V : Jeanne, Paul
et le Roi des Gnomes, caché par le trône
du Pontife, qu'on a roulé au premier
plan, à droite.*

JEANNE : Vous ne faites pas comme lui? Tant mieux!

PAUL, *à part :* Ah! elle s'humanise!

JEANNE : Pour demeurer avec nous...

Silence.

PAUL : Eh bien?

JEANNE, *timidement :* Il faudra... oh! ne m'en voulez pas... ne rien faire, ne rien dire et même ne rien penser qui sorte des actions, des paroles et des idées de tout le monde!

PAUL : Eh! pourquoi! Où est le mal d'obéir à son cœur quand on sent qu'il est honnête? Moi, quoi qu'il advienne, je soufflette les infâmes, je m'écarte des laideurs, et, devant ce qui est grand, je m'agenouille!

JEANNE : Ah! c'est bien, cela! c'est bien!

LE ROI DES GNOMES, *derrière Jeanne :* Prends garde!

JEANNE : Pour un homme fatigué du monde, il serait doux, cependant, d'habiter une de ces maisons. *(Paul se détourne avec dégoût.)* Oh! l'intérieur vaut mieux! Si vous saviez comme chaque femme soigne son petit mari! Elle l'entoure de prévenances, fait les confitures, lui brode des pantoufles, le dorlote, le bécote, l'aide à s'habiller, et même lui présente... sa redingote! *(Jeanne offre à Paul une des redingotes locales.)* Passez-la!

PAUL, *ébahi :* Pourquoi?

JEANNE : On est si bien dedans! Je vous en prie!

PAUL, *mettant la redingote, à part :* Elle est stupide,

quoique charmante! *(Haut.)* Sans doute, cette vie-là possède des avantages. Mais ne croyez-vous pas, vous dont la voix est pure comme un chant d'oiseau et le regard cordial comme une bonne poignée de main, ne sentez-vous pas, dites, qu'il peut se rencontrer parfois des unions plus complètes, une félicité d'une telle ardeur qu'elle envoie ses rayons autour d'elle? L'enchantement qu'on a l'un de l'autre fait, au milieu des fanges de la terre, comme une poésie permanente : plus on s'aime, plus on devient bon; l'habitude seule de la tendresse conduit à l'intelligence de tout; et ce qui paraît de la vertu n'est que l'excès du bonheur!

JEANNE : Ah! je vous comprends! Oui! oui!

LES ROI DES GNOMES : Mais tu te perds, malheureuse!

JEANNE, *oppressée :* En effet, assurément! et, sans bannir un certain idéal, il y a moyen de s'organiser une petite existence bien tranquille. Pourquoi perdre le meilleur de soi-même en sympathies, en émotions, en démarches, au lieu de réserver tout cela pour son propre individu?

LE ROI DES GNOMES : Bravo!

JEANNE : Comme les autres sont les plus forts, soumettons-nous, afin qu'ils nous respectent et qu'ils nous servent! Oh! c'est facile, avec des concessions extérieures, et pourvu qu'on n'ait dans ses discours et sur sa personne rien d'extravagant ! *(Paraît un barbier avec les ustensiles de sa profession.)*

PAUL, *surpris :* Que voulez-vous?

LE BARBIER, *d'une voix caverneuse :* Tailler votre barbe en collier comme à tout le monde!

PAUL : Voilà, par exemple, une exigence!

JEANNE : Oh! pour me plaire! *(Elle lui attache la serviette autour du cou.)*

PAUL : Je suis d'un ridicule achevé, n'importe! Mais d'où vient qu'elle me fascine, et que j'obéis comme un enfant!

JEANNE, *pendant que le barbier travaille :* Un peu de patience! C'est presque fini! Encore un coup! Ah! que vous serez bien! et quels bons soirs, cet hiver, dans le salon à rideaux de perse, décoré par des photographies de famille, au coin du feu, près de mon piano! Il y a, dans le faubourg, de petits jardins avec des tonnelles de bâtons verts. Nous viendrons là, tous les deux, le dimanche; et, nous promenant bras dessus bras dessous, nous parlerons sans cesse de notre bonheur, à côté des légumes, en regardant l'espalier.

PAUL, *le barbier ayant fini, se lève. — A part :* Elle a raison peut-être. Un fond de jugement se découvre dans ce qu'elle dit. D'ailleurs, une fois ma femme, je l'éduquerai!

JEANNE : Mais tournez-vous donc pour que je vous voie! Ah! bravo! Merci! Je suis contente. Vous ne me quitterez plus! *(Elle lui prend les mains.)*

PAUL : Ah! chère mignonne! Non! non! je te le jure!

JEANNE, *ravie et le contemplant :* Est-ce possible? Mais oui! Rien ne lui manque!

LE ROI DES GNOMES, *tendant vivement à Jeanne un tromblon :* Et cela?

JEANNE, *posant le tromblon sur la tête de Paul :* Oui, cela! *(Appelant.)* Tous! tous! venez! c'est fini.

Des trois côtés, un flot de bourgeois se précipite sur la scène.

Scène VI : les précédents, bourgeois, puis Dominique.

LES BOURGEOIS, *applaudissant et embrassant Paul :* Ah! très bien, très bien! — Excessivement convenable! — Nos félicitations! — Mon cher compatriote, je suis heureux!...

PAUL : Permettez... Que signifie? Tout à l'heure on a failli me lapider, et maintenant...

UN BOURGEOIS : C'est que vous êtes un des nôtres!

LE ROI DES GNOMES, *lui présentant un miroir :* Tiens! regarde!

PAUL, *après s'être considéré quelque temps dans le miroir, et comme un homme qui sort d'un songe :* Comment! le collier! l'odieux tromblon du bourgeois! *(Il jette par terre le chapeau. Cris d'indignation de la foule.)* Et la redingote à la propriétaire! *(Il se l'arrache du corps.)* Moi, j'ai pu me déshonorer avec ces deux couvre-idiots, sous ces infâmes symboles! Jamais! jamais! *(Il trépigne sur le chapeau et sur la redingote avec rage.)*

JEANNE : Le malheureux! Grâce!

LES BOURGEOIS : Il est fou! Prenez garde!

JEANNE, *éperdue :* Calmez-le! Voyons! que faire?

VOIX DE LA FOULE : Qu'on le saisisse! Un bouillon! L'épreuve du bouillon!...

JEANNE : Apportez-le vite!... Là! C'est bien! Prenez, mon ami!

Paul est entouré, tenu par les pieds et par les mains. Jeanne lui tend une tasse de bouillon, qu'on vient de lui remettre, et l'approche de ses lèvres.

Buvez-moi cela, lentement.

PAUL *renverse la tasse d'un revers de main :* Je me moque pas mal de votre bouillon!

TOUS : Sacrilège! — Au cachot! au cachot! — Dans un cul de basse-fosse! *(La foule s'est ruée sur lui et on le garrotte aux poignets.)*

PAUL : Oui! battez-moi! J'aime mieux vos injures que vos applaudissements et vos supplices que vos bienfaits! Avec vos cœurs d'esclaves et vos têtes en pain de sucre, vos grotesques costumes, vos hideux ameublements, vos occupations abjectes et vos férocités d'anthropophages!

LA FOULE : C'est du délire!

PAUL, *levant au ciel ses mains enchaînées :* Ah! que n'ai-je, pour vous exterminer, la foudre du ciel!

LES BOURGEOIS : Il devient dangereux! Un bâillon!... *(On le bâillonne.)*

UN BOURGEOIS : Et à son domestique!...

TOUS LES BOURGEOIS : Oui! oui!

DOMINIQUE *reparaît avec la redingote et le tromblon, et se débattant :* Mais j'ai la redingote, moi! J'ai le tromblon! Je ne demande pas mieux!

UN BOURGEOIS : Ça n'y fait rien! En vertu de la solidarité!...

DOMINIQUE : Je boirai le bouillon!

LES BOURGEOIS : Silence!

DOMINIQUE : J'en ai même besoin!

LES BOURGEOIS : Insolent!

On le bâillonne, et on les enferme tous les deux, au rez-de-chaussée, dans la prison qui est à droite, au second plan. — On les aperçoit à travers les barreaux.

LA FOULE *pousse un grand soupir de satisfaction.* Ah! il s'agit maintenant de les moraliser un peu, de les catéchiser!

Scène VII : les mêmes, le Grand Pontife.

LE GRAND PONTIFE : Ça me regarde! C'est mon devoir, mon sacerdoce! Je commence!

Infortunés! vous êtes convaincus d'attentat contre la redingote et le Pot-au-feu!

LES BOURGEOIS, *ricanant :* Ah! ah! ces messieurs n'en voulaient pas!

LE GRAND PONTIFE : De dédain pour l'Epicerie, de sentiments, idées, paroles, manières et costumes bizarres, en un mot d'excentricité!

UNE VOIX : La guillotine!

LE GRAND PONTIFE : Non, Messieurs! Grâce au ciel, nos mœurs sont plus douces! Nous ne demandons, misérables! qu'à vous lessiver par le châtiment, à vous purifier par le remords, et même nous voudrions que plus tard, si c'est possible, à force de bonne conduite, vous vous réhabilitassiez! Le bouillon que vous avez rejeté, on vous l'ingurgitera de force, mais plus clair; les murs de votre appartement seront embellis par des inscriptions morales, et ce sera, au lieu d'apprivoiser des araignées, votre distraction unique!

Les prisonniers s'agitent en remuant leurs bras à travers les barreaux.

Je n'ai pas fini! La juste fureur du peuple veut, puisque vous ne pouvez à présent nous faire aucun mal, que je vous assomme ainsi en vous disant un tas de choses! Donc on tentera sur vous des expériences!...

Un petit râle se fait entendre à toutes les horloges au-dessus des portes, et huit heures sonnent. Au premier coup, tous les bourgeois tirent leur bonnet de coton de leur poche et le mettent sur leur tête. Le Grand Pontife s'interrompt subitement et se coiffe du sien en même temps.

L'heure de se coucher! A demain!

Tous les bourgeois rentrent chez eux.

Scène VIII : Jeanne, le roi des Gnomes.

JEANNE, *avec emportement :* Délivre-le! délivre-le donc, ou je vais moi-même...

LE ROI : Prends garde!

JEANNE : Mais c'est par ta faute qu'il se trouve là, et que je l'ai perdu encore une fois!

LE ROI : Par la tienne!

JEANNE : Ah! non content de m'avoir trompée!...

LE ROI : Je ne t'ai pas trompée! Je puis te donner tout ce que tu demandes, mais il m'est impossible d'agir sur tes sentiments comme sur les siens; choisis mieux! A ta première réquisition, je t'ai accordé les élégances du monde et les niaiseries qu'elles comportent; à la seconde, la simplicité bourgeoise avec son cortège de laideurs. De quoi te plains-tu? que te faut-il?

JEANNE, *après un long silence* : Eh bien! Je vais te le dire; car je l'ai deviné enfin, lorsqu'au milieu de la populace qui l'enchaînait, le rêve de son cœur a jailli dans une explosion d'orgueil! Ce que je veux? Ecoute : c'est un pouvoir tellement démesuré qu'il l'éblouisse! Je demande des palais de basalte avec des escaliers de diamant, et à le faire asseoir auprès de moi sur un trône d'or, pour qu'il contemple de plus haut toutes les têtes de mes peuples esclaves prosternés dans la poussière!

LE ROI : Bien! bien! Mais pas si fort, ma princesse, de peur de réveiller ces honnêtes populations.

Il tire de sa poche un bonnet de coton démesuré, se l'enfonce sur le chef et relève ses lunettes bleues. Son visage est effroyable, avec des dents jaunes, des yeux cernés jusqu'aux oreilles, tandis que son collier de barbe rouge, se développant sur les deux côtés, ressemble à deux gros plumets. La mèche de son bonnet de coton flamboie. Il disparaît avec Jeanne.

Scène IX

Aussitôt le Pot-au-feu, dont les anses se transforment en deux ailes, monte dans les airs et, arrivé en haut, il se retourne entièrement. Tandis que les flancs du pot-au-feu vont s'élargissant toujours, de manière à couvrir la cité endormie, des légumes lumineux, carottes, navets, poireaux, s'échappent de sa cavité et restent suspendus à la voûte noire comme des constellations.

Dès que l'obscurité est complète, on entend s'élever dans toutes les maisons un ronflement général.

Mais il se fait un bruit sec comme d'un barreau qu'on brise; puis de la prison sortent deux ombres humaines, frôlant les murs et marchant sur la pointe des pieds. Paul apparaît d'abord, ensuite Dominique avec le tromblon et la redingote à la propriétaire, et portant sous ses bras ses deux bottes pour ne point faire de bruit. Il contemple un instant avec effroi les constellations-légumes.

Le ronflement général repart.

La toile tombe lentement.

SEPTIÈME TABLEAU

LES ÉTATS DE PIPEMPOHÉ

Le théâtre représente une vaste salle d'une architecture indo-moresque, ayant dans le fond une galerie (praticable) à doubles arcs correspondants, soutenus par des colonnettes géminées. Il y en a trois, et celui du milieu, faisant porte, s'ouvre sur l'escalier à trois marches par où l'on descend dans la salle.

Le salon a des poutrelles or et bleu, successivement. Les colonnettes sont en ébène avec des incrustations de nacre, et les arcades du côté extérieur de la galerie closes par des stores en petits bambous dorés.

Sur la plinthe qui supporte la galerie, comme sur toutes les murailles, des losanges vermillon et azur alternent dans la couleur noire.

A droite, une grande portière de cachemire. A gauche, sur un trône flanqué de chimères, à fond d'or mat et que surmonte un baldaquin de plumes blanches, Jeanne, en costume royal et éblouissante de pierreries, est assise dans une attitude impérieuse.

Près d'elle, debout, se tient son premier ministre (le Roi des Gnomes). Par derrière, des négresses agitent des éventails en plume de paon; et devant elle, des nains barbus, habillés de rouge et accroupis sur leurs talons, occupent symétriquement tous les degrés du trône. Les deux derniers, en bas, soufflent à pleine poitrine sur deux cassolettes un peu plus hautes qu'eux.

Au milieu de la scène danse un groupe de bayadères, — tandis qu'au fond, devant chaque arcade et tranchant ainsi sur la couleur dorée des stores, il y a un géant, habillé d'une longue robe noire, et qui reste immobile.

Une musique langoureuse bourdonne. Les tourbillons des parfums montent lentement; et la lumière du soleil, passant par les intervalles des roseaux, enveloppe tout d'une atmosphère ambrée.

Scène I : Jeanne, le Roi des Gnomes, en premier ministre, les Nains, les Danseuses.

LE ROI DES GNOMES, *bas, à l'oreille de Jeanne* : Es-tu heureuse, maintenant?

JEANNE, *souriant* : J'espère l'être bientôt!

Les bayadères, après un de leurs pas et avant d'en recommencer un autre, s'inclinent devant le trône.

LE ROI DES GNOMES : Oui, c'est cela! Tous te prennent pour la reine, morte la nuit passée, et l'erreur du peuple va durer. Tu n'as plus qu'à le retenir quand il viendra, mais sans te faire connaître, car n'oublie pas quelles conséquences terribles...

JEANNE : Je sais! Merci, bon génie, qui as eu pitié de ma tendresse, et puisque tu es mon premier ministre, ne me quitte plus.

LE ROI DES GNOMES : Si parfois je m'écarte, ce sifflet d'or m'appellera.

Il lui donne un sifflet d'or, qu'il avait à son cou et qu'elle passe au sien.

La portière de cachemire faisant face au trône s'entr'ouvre, et il entre un nain d'aspect farouche, avec une aigrette à son turban, de très longues moustaches, et un bâton d'ivoire à la main. Il conduit, marchant au pas et effroyablement armés, une escouade de six géants. Tandis qu'il s'avance jusqu'aux pieds du trône pour se prosterner, les géants s'alignent en haie contre la muraille et y restent immobiles.

Scène II : les mêmes, le Nain, général des géants, puis un officier, puis le Chancelier.

LE NAIN, *après sa prosternation, se retourne vers les géants* : Plus haut, drôles! plus haut! Le menton levé! Qu'est-ce qu'une tenue pareille!...

Tous les géants tremblent d'effroi devant lui.
Place au messager des désirs de la souveraine!

En gardant le dos toujours collé contre la muraille, ils s'écartent de droite et de gauche; et alors paraît un officier en turban rose, avec des gants de mousseline claire, une veste bleue et un large sabre suspendu contre sa hanche par un baudrier.

L'OFFICIER, *ayant fait un long salut :* D'après les ordres de Votre Majesté sublime, nous venons de hacher en petits morceaux les douze misérables qui ne se sont pas prosternés assez vite, hier, quand vous passiez dans le bazar des soieries sur votre éléphant blanc.

JEANNE : D'après mes ordres... par morceaux... mon éléphant...?

L'OFFICIER, *souriant :* Il ne s'agit pas de votre trois fois divin éléphant blanc, Majesté, ce ne sont que des hommes.

JEANNE, *indignée :* Malheureux! *(L'officier la regarde, ébahi.)*

LE ROI DES GNOMES, *bas :* Tu te compromets par cette indignation. Pense donc à lui, à ton but, et récompense ce bon serviteur pour son exactitude.

JEANNE : Jamais je ne pourrai!

LE ROI DES GNOMES : Il le faut cependant!

JEANNE, *d'une voix hésitante :* C'est bien, nous sommes contente, va! *(L'officier sort. — A part.)* Ah! mon Dieu! qui m'aurait dit que j'aurais le courage...?

LE ROI, *à part. —* Allons! elle commence bien!

Entre le Chancelier, vêtu d'une grande pelisse bordée de fourrures par-dessus sa robe verte, avec un bonnet d'astrakan, un encrier dans sa ceinture noire, et à la main gauche, entre les doigts, plusieurs longues bandes de papier.

LE CHANCELIER : Je me hasarde sous vos puissants rayons, lumière des étoiles, pour vous faire observer qu'il manque à cette place votre auguste sceau!

JEANNE : Qu'est-ce?

LE CHANCELIER : Votre Majesté, sans doute, se rappelle l'insolence de cet homme qui osa pleurer en sa présence, avant-hier, sous le prétexte qu'il mourait de faim!

JEANNE : Je... ne me souviens pas.

LE ROI, *bas :* Tu te souviens, au contraire.

LE CHANCELIER : C'est l'ordre pour son exécution immédiate!

JEANNE : Horreur! Retirez-moi cela!

LE ROI, *au chancelier :* Donne, je m'en charge! Sortez, vous tous!

JEANNE : Oui, sortez!

Le nain sort, suivi des six géants, dont les têtes touchent aux voussures des arcades dans la galerie. Les bayadères s'en vont ensuite, et les nains, accroupis sur les marches du trône, sauf un seul qui demeure à demi caché.

LE ROI, *désignant les deux géants du fond près des stores :* Ceux-là peuvent rester, étant muets.

Scène III : Le Roi des Gnomes, Jeanne.

JEANNE, *descendant du trône :* Qu'as-tu donc pour exiger cette mort?

LE ROI : Moi? Oh! pas le moindre motif!

JEANNE : Eh bien, comme j'ai le droit de pardonner...

LE ROI : Pardonner? Mais ils ne croiront jamais que tu sois la reine!

JEANNE : Pour avoir pleuré! quel crime! elle était donc bien cruelle, l'autre!...

LE ROI : Elle était forte. Imite-la!

JEANNE : Il m'est impossible, cependant...

LE ROI : Tu veux donc te perdre, et pour un scrupule indigne de ce pouvoir tant rêvé, quand il te le faudrait plus fort que jamais...

JEANNE : Que dis-tu?...

LE ROI : Car bientôt, tout à l'heure peut-être, tu auras à tirer d'un péril mortel ton frère et ton amant.

JEANNE, *après un long silence :* Et tu crois que ce papier...

LE ROI : Il ne s'agit que de retourner dans tes mains ton sifflet d'or et d'en appuyer le pommeau sur cette cire rouge.

JEANNE : Oh! non! c'est trop horrible!

LE ROI : Mais si le peuple se révolte, s'il te chassait? Je ne peux rien sur les multitudes, moi! Il est accoutumé chaque jour à des supplices. Tu le prives de sa joie, il va douter de sa reine. *(De grands cris s'élèvent au dehors.)* L'entends-tu?

JEANNE, *prêtant l'oreille :* En effet!

VOIX LOINTAINES : Vengeance! La mort! la mort!

LE ROI DES GNOMES, *à un des géants près des stores :* Relève!

Le géant, sans monter sur les marches, allonge le bras et il relève d'un seul coup jusqu'en haut le store de bambous dorés qui ferme l'arcade extérieure du milieu de la galerie. On aperçoit une ville orientale, minarets, coupoles.

JEANNE *gravit vivement les trois marches et se penche pour voir :* Quelle foule! et avec des piques, des haches, des épées! La voilà qui bat contre les portes du palais!

LE ROI : Hâte-toi donc, malheureuse! pour sauver ceux que tu aimes!

JEANNE : Donne! *(Elle repousse le papier.)* Non! non!

LE ROI DES GNOMES : Garde au moins le pouvoir quelque temps, ne fût-ce qu'un jour, une heure, et que ce supplice montre...

JEANNE, *emportée :* Eh bien! qu'il ait lieu quand je n'y serai plus!

LE ROI, *servilement :* Demain, si tu veux; tes désirs sont des ordres, Majesté. Voilà.

JEANNE, *apposant vite le cachet :* Oui, demain!

LE ROI remet le papier au nain resté près du trône : Cours! *(Le nain se précipite à droite par la portière, en riant à gorge déployée.)* Eh! eh! il est d'humeur folâtre, ce bouffon!

JEANNE, *se tordant les mains :* Miséricorde de Dieu! si j'avais su tout cela...!

LE ROI DES GNOMES, *à part :* Nous la tenons! Elle a été coquette, puis stupide; elle devient cruelle! C'est complet! *(Cris de joie et applaudissements au dehors.)* Ton peuple te remercie, ô reine!

JEANNE : Mais un grand bruit de pas se rap-proche!...

LES VOIX, *de plus près :* La mort! la mort!

LE ROI, *tout en remontant jusqu'au fond, au delà des trois marches, contre la grande baie du milieu :* C'est qu'il vient lui-même jusqu'ici, pour aider à tes bour-reaux et jouir de ton aspect trois fois saint. Entrez!

Alors s'avance par la galerie d'abord le nain général, puis derrière lui des nègres portant sur leur épaule le bout d'une énorme chaîne qui attache Paul et Dominique. Un flot de peuple les accompagne.

Tout ce cortège, avec le nain en tête, descend les marches de l'escalier et se déploie au fond contre le petit mur de la galerie, laissant au premier plan Paul et Dominique en haillons, très pâles, les yeux hagards, tandis que le Roi des Gnomes reste sous l'arcade du milieu et que les géants en robe noire, dominant par derrière la multitude, se tiennent toujours immobiles devant les stores dorés.

Scène IV : Jeanne, le Roi des Gnomes, Paul, Dominique, le Nain général, nègres, foule, etc.

JEANNE, *apercevant Paul :* Lui!...

Puis elle s'est contenue, et quand il se trouve en face d'elle, au nain : Enchaînés! Pourquoi?

LE NAIN, *général des géants :* Ils ont franchi les limites de vos États, Majesté!

JEANNE : Eh bien?...

LE ROI DES GNOMES, *descendant vers elle par le côté gauche :* N'est-ce pas le plus grand des crimes, ô lumière des étoiles?

JEANNE, *comprenant :* Ah! ...en effet... certainement! Vous avez bien agi, général! et vous aussi, les noirs!... et vous aussi, mon peuple!... Mais... en raison même de cet excès d'audace, nous désirons interroger les deux coupables, seule! *(Au roi des Gnomes.)* Sans notre premier ministre! *(Il s'incline.)* S'il est besoin de vous... *(lui montrant le sifflet)* on vous appellera, vous savez! *(Il disparaît brusquement par une trappe, dans le trône.)* Comment? disparu déjà?... Je ne l'ai pas vu sortir! *(A demi-voix.)* Ah! tant mieux, il nous impor-tunerait!...

Scène V : Jeanne, Paul, Dominique, puis le Roi des Gnomes.

JEANNE, *après que la foule s'est écoulée :* Bien que je sois la reine, il me faut subir pourtant les lois de ce pays. C'est en vertu d'elles que mon peuple vous a tout à l'heure arrêtés. J'ai dû, quand il était là, lui don-ner raison. A présent je vous pardonne, vous êtes libres!

DOMINIQUE, *à part :* Quelle bonne femme!

JEANNE : Je veux d'abord vous retirer ces chaînes, sans que personne ne sache toutefois, excepté le pre-mier ministre. — Où est-il? — Ah! le sifflet!

Elle siffle. Le Roi des Gnomes, à l'instant, se trouve près d'elle.

DOMINIQUE, *à part :* D'où sort-il donc, celui-là? Je n'aime pas ces manières d'entrer! Quand nos affaires allaient si bien!

PAUL, *considérant le Roi des Gnomes :* C'est étrange! Je l'ai déjà vu... mais oui!... Dans ce bal... ou plutôt... ne serait-ce pas l'homme du cabaret? Il y a là-dessous... quelque piège...

JEANNE, *au Roi des Gnomes :* Faites tomber leurs chaînes! *(Bas.)* J'avais besoin du secret... tu m'excuses?

LE ROI : Sans doute! *(Haut.)* Oh! immédiatement, Majesté!...

Il s'avance gravement vers les deux prisonniers, et sans effort, rien qu'en les touchant, il brise leur chaîne, anneau par anneau, avec ses doigts. Les tronçons tombent sur le sol, avec un grand bruit de fer.

DOMINIQUE : Tudieu! quel poignet!

PAUL : C'est lui!

Il se penche pour l'examiner; le Roi des Gnomes a disparu.

JEANNE, *à part :* Aussi discret que dévoué, ce bon génie! *(Haut à Paul.)* Mais qui vous gêne encore? Cependant, voyez vos mains, elles sont délivrées; toutes ces portes, elles sont ouvertes. N'avez-vous rien à nous dire?

PAUL, *froidement :* Des remerciements, il est vrai!

JEANNE, *piquée :* Ah!... c'est tout?

PAUL, *lentement :* Que demandez-vous de plus? Sais-je d'ailleurs quel motif...?

DOMINIQUE, *à part :* L'imprudent! *(Haut.)* Ah! Majesté, reine, déesse, reflet de la lune, nos cœurs débordent de reconnaissance!

JEANNE : Bien! — Plutôt que de continuer vos courses périlleuses, il serait meilleur pour vous de rester dans ce royaume.

DOMINIQUE : Certainement; moi, j'accepte!

JEANNE, *à part :* Il ne répond pas!... *(Haut.)* Je dis dans cette ville, à ma cour, où je vous offrirais quelque fonction.

PAUL, *brièvement :* Je refuse!

JEANNE : Même celle de premier ministre.

PAUL : Oui!

JEANNE, *à part :* Que veut-il donc?... *(Elle étend son bras vers l'arcade du milieu ouverte.)* Regarde! Voici la capitale de mes États, ma grande ville de Pipempohé, elle a vingt-quatre lieues de tour, trois millions d'habitants, six fleuves qui la traversent, des palais d'or, des maisons d'argent, et des bazars telle-ment interminables qu'il faut un guide pour vous conduire dans la forêt de leurs piliers de cèdre. Je te la donne.

PAUL : Je n'en ai pas besoin!

JEANNE : Ah! quel orgueil! *(Au géant qui est au fond, à droite.)* Relève!

Le géant relève, comme a fait l'autre, le store de bambous dorés. On aperçoit un golfe semé de navires, une forêt plus loin.

Et tu auras mon port, mes marins, mes vaisseaux, toute la mer, avec les îles et les contrées que l'on découvrira.

PAUL : A quoi bon?

JEANNE : Tu accepteras ceci, j'èspère! *(Au second géant.)* Relève!

Le géant relève le store de gauche et l'on aperçoit, entre des rochers noirs et d'aspect horrible, un grand bloc éclatant de blancheur.

Cette montagne est toute en diamant. Les magiciens qui sont à mon service la couperont, et je te fournirai des éléphants pour en emporter les morceaux.

PAUL : C'est un bagage trop lourd, Majesté!

JEANNE : Est-ce mon trône que tu désires?... Je puis t'y faire asseoir près de moi!... *(Avec tendresse.)* et même en descendre, pour que tu y restes seul?

PAUL : Ma place est plus loin; j'ai une tâche à exécuter.

JEANNE : Ah! Et si je t'en empêche?

PAUL : Elle se trouve au-dessus de tous les pouvoirs!

JEANNE : Mais si je te retenais?

PAUL : J'aurais encore la liberté de vous haïr!

JEANNE : Me haïr! — Et tu refuses mon trône? Qu'est-elle donc, cette mission si extraordinaire?...

PAUL : Personne, je vous le dis, n'en doit rien savoir.

JEANNE : Mais moi?

PAUL : Vous surtout!...

JEANNE : Quelle audace!

DOMINIQUE, *bas* : Monsieur! Monsieur! pas de folies! D'un mot elle peut faire sauter nos têtes comme deux volants; si vous ne voulez pas, refusez avec politesse! du calme! de l'astuce!

PAUL : Eh! je ne crains rien! A mesure que je me rapproche du but, il se fait des lumières dans mon esprit. Et vous, qui m'apparaissez maintenant sous la figure d'une reine au milieu d'épouvantes et de somptuosités, vous n'êtes rien autre chose que cette même femme qui a déjà voulu m'arrêter par d'absurdes élégances, et qui plus tard a tâché de me séduire avec les charmes d'un bonheur vulgaire. Ah! je vous connais.

JEANNE, *à part* : Malheureuse! à moitié seulement, et pour m'exécrer davantage.

PAUL : Car vous n'êtes, avouez-le donc! que l'instrument des génies funestes! Mais je ne succomberai pas plus sous votre puissance que je n'ai été vaincu par les autres tentations! Accumulez les obstacles! Ma volonté est plus solide que vos citadelles et plus fière que vos armées.

JEANNE : Insensé! *(Appelant.)* Les nègres! les nègres!

Arrivent quatre nègres avec des poignards. Aux deux premiers.

Approchez, vous deux!... Tirez vos poignards.

Ils marchent sur Paul et Dominique en levant leurs longs coutelas. Paul reste impassible; Dominique est presque évanoui de terreur. — Froidement.

Tuez-vous!

Les deux nègres tremblent et hésitent.

Avez-vous entendu?

Ils se percent de leurs poignards et tombent morts. Aux deux autres.

Emportez cela!

Les deux nègres survivants emportent les deux cadavres. A Paul.

Doutes-tu encore de ma puissance?

DOMINIQUE, *à genoux, les mains jointes* : Non! non! Moi, d'ailleurs, je n'ai rien dit!

JEANNE : Penses-tu qu'avec un peuple pareil je manque de moyens pour te contraindre? J'ai ma tour de fer, bâtie sur un roc d'airain, dans un lac de soufre; et au-dessus d'elle, pour empêcher de fuir par les airs, il y a continuellement quatre griffons tenant des nuages dans leur gueule et qui tourbillonnent en regardant sous eux. J'ai au fond d'un puits de marbre, après des centaines d'escaliers, un cachot plus étroit qu'un cercueil, dont les pierres vous dévorent, et où les captifs ne peuvent pas mourir! Mais je te ferais, s'il me plaisait, écraser sous mes chariots, brûler dans mes fours à porcelaine, dévorer par mes tigres, ou boire d'un tel poison qu'immédiatement tu disparaîtrais et qu'il ne resterait de toi, sur la terre, pas plus que d'une goutte d'eau évaporée! Eh bien... va-t'en!... tu es libre.

PAUL, *se croisant les bras* : De quelle façon?

JEANNE : Tu peux sortir de mon royaume. *(Paul fait un geste de doute.)* Oui, sans que personne t'en empêche.

PAUL : Qui me l'affirme?

JEANNE *déchire son écharpe au-dessus de la frange, et y imprime son cachet* : Mon nom sur cette bribe de satin suffira pour vous mener jusqu'aux frontières... et peut-être, un jour, si tu la conserves, tu t'accuseras d'avoir répondu par des outrages aux offres les plus magnifiques et les plus tendres que jamais un homme ait reçues d'une reine! *(A Dominique, lui tendant le sauf-conduit.)* Tiens, prends! *(Avec un geste d'autorité.)* Sortez!

Ils s'en vont par la galerie. Jeanne les suit du regard pendant longtemps.

Scène VI : Jeanne, seule.

Que lui ai-je donc fait, pour qu'il me fuie toujours? Il m'a été impossible de l'éblouir avec mon pouvoir, et ma générosité ne l'a pas ému!

Elle marche lentement en regardant les murs.

Qu'ai-je besoin de tout cela maintenant, puisqu'il le refuse!... Je vais abandonner ce royaume... et le suivre... partout... de loin...

Elle s'affaisse sur les degrés du trône.

Ah! j'avais plus de bonheur autrefois, quand je n'étais qu'une laitière. Un jour... je me rappelle... je suis venue dans sa mansarde, il me vanta ma jolie figure... mes mains qu'il a presque portées à ses lèvres... Et aujourd'hui, non seulement il ne me reconnaît plus, mais il me hait. Par quelle fatalité? Et pourquoi se trompe-t-il sur ces bons génies, quand ils ne travaillent au contraire qu'à notre félicité commune.

Des éclats de rire stridents éclatent au dehors, à gauche, derrière le trône.

Ah! ce sont mes petits bouffons, dans la salle à côté, qui s'amusent!

Un bruit de voix joyeuses s'élève.

Quelle gaieté!

Scène VII : Jeanne, le Roi des Gnomes, entrant de côté, dans son costume de gnome.

JEANNE, *à sa vue, pousse un cri d'effroi :* Qu'est-ce donc?

LE ROI : Rien! Nous nous amusons beaucoup! tu l'as dit!

JEANNE : Ces voix tout à l'heure, cette apparence... que signifie...?

LE ROI : Ceux qui rient là, à côté, ce sont les génies acharnés à ta perte, comme à celle de ton amant. Moi qui t'ai conduite partout, conseillée et fait semblant de te servir, je suis leur maître, le Roi des Gnomes.

JEANNE, *atterrée :* Le Roi des Gnomes!... des Gnomes!...

LE ROI : En vertu de ma volonté, jamais il ne t'aimera, et, à peine arrivé sur nos terres, il est perdu.

JEANNE : Impossible! Je cours après...

LE ROI : Il est trop tard! et quand même il reviendrait, je suis sûr de sa défaite.

JEANNE, *avec impatience :* Non! non! non! Je vais donner des ordres.

LE ROI : Oh! tant qu'il te plaira!

JEANNE : Tu vas t'y opposer, n'est-ce pas?

LE ROI : Au contraire! Tu seras obéie ponctuellement. Essaye.

Le Roi des Gnomes sort en riant; et les rires, dans la coulisse, redoublent.

Scène VIII : Jeanne, seule.

Que me veulent-ils donc contre lui? et dans quel but? Qu'importe! un péril le menace. Il y tombe, peut-être? Il est perdu. Ah! qu'il revienne! Que faire ensuite? Je n'en sais rien. Nous fuirons. *(Appelant.)* Général! *(Le nain, général des géants, paraît.)* Oh! non, pas lui! C'est un des leurs! D'autres! le chef de ma garde, le chancelier, des soldats, quelqu'un! Venez donc! venez donc!

Scène IX : Jeanne, un officier avec des soldats, le Chancelier.

JEANNE, *à l'officier :* Ces deux étrangers partis tout à l'heure, cours après! Malgré notre sauf-conduit royal, quoi qu'ils fassent, tu m'entends, je les veux! ramène-les! Tu m'en réponds sur ta tête!... Plus vite. *(L'officier et les soldats sortent par la droite. — Au chancelier.)* Pourquoi donc t'ai-je appelé, toi?... Ah! tu dois avoir encore entre tes mains l'ordre de supplice de cet homme... tu sais... qui a pleuré l'autre jour.

LE CHANCELIER, *avec une grande révérence, le lui montrant :* Le voici, gracieuse Majesté.

JEANNE : Donne! *(Elle le déchire en morceaux.)* Je lui fais grâce!... *(Le chancelier la regarde, stupéfait.)* Oui! entièrement grâce!... Va le délivrer toi-même, et tu auras soin qu'on lui porte, pour qu'il n'ait plus faim à l'avenir, trois tonnes d'argent et la charge en blé de quatre dromadaires. *(Fausse sortie du chancelier.)*

Écoute donc! Il doit y avoir beaucoup d'esclaves dans mes jardins? Qu'on brise leurs chaînes et qu'on les renvoie, sur des vaisseaux, dans leur patrie! Ensuite, tu prendras aux magasins du palais tous les vêtements qui s'y trouvent : les dolmans de fourrures, les vestes en brocart d'or, les robes tissues de perles, et tu les distribueras aux habitants de ma ville, en commençant par les plus pauvres!... Reviens! Je n'ai pas fini! On tirera des arsenaux toutes les armes, et l'on en fera sur les places de grands bûchers qui réjouiront les veuves! Comme j'ai trop de parfums, qu'on les jette par les fenêtres pour laver les rues! J'ordonne qu'il n'existe rien des commandements portés jusqu'à ce jour en mon nom! Je veux qu'il n'y ait plus dans mon royaume une seule douleur, mais un même sourire de joie sur la face de tout mon peuple! Rien, maintenant, que des larmes d'allégresse et des bénédictions pour moi! *(Paul et Dominique rentrent à droite, par la portière, avec l'officier et les soldats.)* Ah! *(A l'officier.)* C'est bien! Laissez-nous!

Scène X : Jeanne, Paul, Dominique.

PAUL, *ironiquement :* Je me doutais de cette clémence, ô Reine!

JEANNE : Malheureux qui me calomnies encore! Ecoute, il y va de ton salut.

DOMINIQUE : Peut-être du mien! Miséricorde!

JEANNE : De ta vie!

PAUL : Que vous importe? *(Un long silence.)*

JEANNE : C'est à moi que tu le demandes, toi!... toi, Paul de Damvilliers!

PAUL : Qui vous a dit mon nom?

JEANNE, *fièrement :* Eh! que t'importe à ton tour? *(Silence.)*

PAUL : Ah! je comprends. En effet, vous avez pour vous la science des Gnomes; moi, j'ai la protection des Fées. Je vous défie.

JEANNE : Ah! oui, insulte-moi, méprise-moi, exècre-moi bien! Mais au nom de tout ce qu'il y a de plus sacré, par les âmes de ceux qui te sont les plus chers, par pitié pour toi-même, je t'en supplie, reste, reste ici!

PAUL : Je partirai, cependant!

JEANNE : Pourquoi donc t'obstines-tu à ne jamais me croire?

PAUL : C'est que vous m'avez déjà trompé sous tant de formes! Tout à l'heure encore, vous m'accabliez d'offres et de protestations, et puis à propos de rien, subitement, voilà que vous reprenez avec violence cette liberté que vous aviez eu tant de mal à fournir!

JEANNE : Mais tu ne sais pas que tu te précipites à une mort certaine, puisque je ne le savais pas moi-même! Jusqu'à présent, j'étais la victime d'esprits infernaux dont je ne soupçonnais pas les desseins.

PAUL : Ah! c'est un autre artifice maintenant?

JEANNE : Non, je te jure. Ne t'en va pas!

PAUL : Eh! tous les hasards sont moins périlleux que vos serments.

JEANNE : Regarde-moi donc. Est-ce que j'ai l'air de mentir?

PAUL : Un nouveau piège! Car, plus je vous considère, et plus votre visage, évoquant pour moi des souvenirs lointains, m'en représente un autre, celui d'une jeune fille.

JEANNE : Achève!

PAUL : Elle valait mieux que toutes les reines; et j'aurais bien fait peut-être de retourner en arrière dans ma vie, plutôt que de toujours poursuivre en avant!

JEANNE : Grandeur de Dieu! quelle punition!

PAUL : Rien qu'une justice!

JEANNE : Mais c'est affreux! Tu ne me reconnais donc pas, quand tu sauras... quand je te dis...!

LE ROI DES GNOMES, *apparaissant tout à coup :* Prends garde!

PAUL, *à part :* Encore lui!

JEANNE : Je ne t'ai pas appelé, toi?

LE ROI DES GNOMES, *avec un grand salut :* Raison de plus pour venir, ô Reine!

JEANNE : Va-t'en, va-t'en! Je le sauverai seule!

LE ROI DES GNOMES : Mais tu vois bien que le misérable lui-même ne veut pas de ton secours!

JEANNE, *à Paul, qui est déjà remonté au milieu de la scène :* Grâce! Reviens!

PAUL : Jamais!

Il entraîne Dominique immobile de terreur, et s'en va par le fond.

JEANNE : Au nom du souvenir dont tu parlais tout à l'heure! Dussé-je pour te convaincre donner ma vie!...

PAUL : Je n'en ai que faire, de vos dons!

JEANNE : Ecoute, je suis...

Paul et Dominique ont disparu. Le Roi des Gnomes étend sa main sur Jeanne qui balbutie d'une voix mourante :

Jeanne la laitière!

Elle tombe comme foudroyée sous la main du Roi des Gnomes... Alors, toutes les marches du trône s'entr'ouvrent; et les Nains, avec les têtes de Gnomes qu'ils avaient au premier tableau, s'élancent autour d'elle, dansant et chantant.

Elle est morte, elle est morte! personne désormais ne nous contrariera. Enfin! nous triomphons! Haha! haha! haha!

LA REINE DES FÉES *apparaît debout sur le trône :* Non, elle n'est pas morte!

Elle descend gravement les marches du trône et étend son manteau sur Jeanne pour la défendre.

Son abnégation l'a sauvée!

Les Gnomes, reculant, font un cercle au milieu duquel se trouvent Jeanne et la Reine des Fées.

HUITIÈME TABLEAU

LA FORÊT PÉRILLEUSE

Scène I : Dominique, seul.

Il arrive par la droite, à petits pas, en regardant de tous les côtés.

Perdu pour avoir quitté mon maître une minute! Où est-il donc?

Il crie.

Monsieur! Monsieur!... Absent! Eh! c'est sa faute... Quelle diable d'idée a-t-il avec ses gnomes et son château des Cœurs! Cherchons-le cependant! Monsieur!... Ah bien oui! cours après. Mais des yeux brillent dans les feuilles... Eh! non! c'est le soleil sur la mousse! Il y a de ces effets-là dans les bois! Continuons!... On marche! Un oiseau qui s'envole! Suis-je bête! Il n'en faudrait pas moins sortir d'ici! Essayons!

Une branche le cingle.

Ah!

Il se détourne.

Personne. Dieu soit loué! Scélérates d'épines, va! Gueuses de branches! Plus j'avance, plus je m'empêtre!

Les arbres le frappent avec leurs branches.

Mais... Mais... J'ai toute la forêt sur les épaules! Aïe! N'importe! Je passerai... Quand je vous dis que je passerai!

Il empoigne vigoureusement un arbre de chaque main, et il les écarte d'un seul mouvement. Aussitôt toute la forêt se divise devant lui, comme une toile que l'on déchire, et forme une belle allée de verdure, avec deux rangs d'arbres symétriques.

Au fond, et détaché en noir sur le ciel rose que fait le soleil couchant, se dresse le Château des Cœurs, tel qu'il a été vu dans la mansarde; ses trois tourelles sont reliées par des courtines percées de petites ouvertures d'où s'échappe une lumière rouge.

Dominique reste longtemps immobile et muet de surprise.

Un château! Le Château des Cœurs! C'est donc vrai! Le voilà exactement comme d'après ses paroles. Eh non! je rêve! Impossible.

Il se palpe.

Cependant... je ne dors pas!... Ce toit noir, ces lumières rouges, on dirait un monstre qui vous regarde. Voyons! voyons! calmons-nous! Pas de raison d'avoir peur! au contraire, c'est une fière chance! Je l'ai découvert le premier tout de même! Quelle joie ce sera pour Monsieur!

Mais... puisque je suis le premier ici... c'est à moi que revient la gloire! Et pourquoi pas?

Il est pris d'un rire frénétique.

La récompense, la dame, la belle femme! La maison paraît seigneuriale, et les terres à l'entour se composent un domaine... la forêt en dépend sans doute? Comme je vais la couper rasibus! C'est par là que je commence! Quel abattis feront mes gens! car j'ai des gens!

Il se promène de droite et de gauche, enthousiasmé.

Je ne suis plus domestique! Allons donc! Ah! mais oui! une valetaille de Sardanapale! une livrée rouge et or, avec des bas tirés, sapristi! des plumets au chapeau, des boutons larges comme des assiettes, et dans le vestibule, au bas de l'escalier, toutes sortes de jeux de cartes et de dominos; c'est grand genre!... et s'ils ne charrient pas droit...

Il fait le geste de donner des coups de pied.

Eh bien! pas de bourgeois? Ma foi, tant pis! J'ai

fait tout ce que j'ai pu!... Cependant, une dernière complaisance.

Il crie, mais très faiblement.

Monsieur! Monsieur!... Il ne pourra pas dire que je ne l'ai pas appelé!... Je suis quitte!... car enfin... puisqu'il se cache... Je voudrais même qu'il y eût ici des témoins pour affirmer que je l'ai bien appelé.

Tous les arbres du côté où il a crié à voix basse s'inclinent, tandis que ceux de l'autre côté secouent leur feuillage en signe de dénégation.

Ah! voilà qui est drôle! Ils remuent, sans qu'il y ait du vent, d'eux-mêmes, comme des personnes! Vous ne me comprenez pas, cependant!

Tous les arbres des deux côtés s'inclinent à la fois, en manière d'assentiment.

Horreur! Ma moelle se glace dans mes os, je deviens fou! Si j'allais mourir! Il y a des choses au-dessus de notre intelligence, décidément, et j'avais bien tort de nier!...

Il s'assoit par terre, près de défaillir.

Je voudrais que Monsieur fût arrivé maintenant. Attendons-le! Ce n'était pas très délicat, ce que j'allais faire! lui dérober sa gloire, pauvre garçon! après tant de travers! Il est vrai que je les ai subis comme lui! Jusqu'à présent je m'en suis tiré. Pourquoi la suite serait-elle pire? Tout à l'heure, c'est un petit étourdissement que j'ai eu, rien de plus!

Il regarde le château.

Et ce château-là ressemble à bien d'autres châteaux, parbleu! seulement un peu rébarbatif de loin, mais d'un chic!... Il n'est pas désert, toujours. On s'y remue. La fumée des cuisines m'arrive; j'entends de grands bruits de vaisselle. Sans doute, on attend le maître? Mais c'est moi, le maître!

Il regarde les arbres avec indécision.

Non, immobiles. Du courage, Dominique! en avant! on n'a rien sans toupet!

Il s'élance, mais ses jambes se trouvent vivement prises dans l'écorce qui monte le long de son corps.

Ah! Ah!

Parvenue à la hauteur des bras, l'écorce se déploie en branches chargées de feuilles, la tête reste intacte.

Mon maître! à moi! mon bon maître, je...

Il est complètement métamorphosé en arbre.

Scène II : Dominique, les arbres.

TOUS LES ARBRES *à la fois :* Il est pris!... Encore un! encore un!...

DOMINIQUE, *changé en prunier :* Au secours! à mon secours!

LES ARBRES : Impossible.

DOMINIQUE : Qui a parlé?

LES ARBRES : Un chêne, — un orme, — un tilleul, — un sapin, — des ébéniers.

DOMINIQUE : Quelle plaisanterie!...

UN CHÊNE : Tu parles bien toi-même! Nous étions tous des hommes autrefois.

LES ARBRES : Tous! Tous!

UN TILLEUL : Nous avons subi ton aventure. Notre seule distraction est de causer entre nous. Mais quand arrive quelqu'un d'un ordre supérieur, nous devenons muets comme les arbres ordinaires.

DOMINIQUE : Qu'est-ce qui me parle à présent?

UN TILLEUL : Un tilleul!

DOMINIQUE : Et moi, que suis-je donc?

LE TILLEUL : Tu te trouves trop loin... Nous t'apercevons confusément...

DOMINIQUE : Je me sens... stupide... Je ne serais pas surpris d'être un prunier.

LES ARBRES : Oui, en effet... un prunier.

DOMINIQUE : Et dire que me voilà tout seul, à l'écart... comme un proscrit, sans pouvoir seulement vous donner une poignée de branche...

UN ORME : Imite-nous! Résigne-toi!

DOMINIQUE : Mais je vais m'ennuyer à périr, moi qui venais pour épouser. Au printemps, quand j'aurai des nids, ça me mettra dans une position affreuse. Ce sera un nid de Tantale! Vous n'auriez pas quelque plante grimpante qui pourrait venir jusqu'à moi?

LES ARBRES : Non!

DOMINIQUE : Pas un petit liseron? pas une vigne? une vigne folle? Ça ferait mon affaire. Voyons! Je vous la rendrai.

LES ARBRES : Prunier, vous êtes obscène! Silence! Ah! voilà la brise, heureusement, qui va chanter dans nos feuilles!

Chœur des brises dans les arbres.

Réveillez-vous, arbres des bois;
Tressaillez toutes à la fois,
Forêts profondes,
Et, loin des rayons embrasés,
A la fraîcheur de nos baisers
Mêlez vos ondes.

Aimez-vous,
Chantez tous,
Pins et houx,
Fougères!
Nous passons,
Nous glissons,
Nous valsons
Légères!

Oh! comme avec un bruit joyeux
Nos ailes battent sous les cieux
Grandes ouvertes!
Oh! le délire et la douceur
De se rouler dans l'épaisseur
Des feuilles vertes!

Quels doux sons
Les chansons
Des pinsons,
Des merles!
Bois bénis,
Tous vos nids
Sont garnis
De perles!

Quand nous aurons, quelques instants
Joué sous les berceaux flottants
De vos ramures,
Nous reviendrons dans les cités
Mêler un peu de nos gaîtés
A leurs murmures.

> Ouvrez-vous
> Devant nous
> Pins et houx,
> Fougères!
> Nous passons,
> Nous glissons,
> Nous valsons,
> Légères!

A la fin, les arbres baissent de plus en plus la voix, et, se penchant les uns vers les autres, s'avertissent.

Un homme! Un homme! Un homme!

DOMINIQUE : C'est mon maître, mes amis, c'est mon... *(Paul paraît par la gauche.)*

Scène III : les arbres, Dominique, Paul.

PAUL, *accablé* : Je ne le trouverai donc jamais, cet infernal Château des Gnomes! et Dominique disparu! On n'est pas idiot comme ce garçon! J'ai beau lui prescrire de ne pas me quitter d'une semelle, depuis plus de deux heures il faut que je perde mon temps... *Il est arrivé au milieu de l'allée, et s'arrête stupéfait.* Ah! Enfin!...

Dominique secoue ses branches, pour attirer l'attention de son maître.

Me voilà donc au terme de toutes mes recherches et de toutes mes fatigues! Merci, bonne Fée, d'avoir soutenu mon cœur à travers les périls où tant d'autres avant moi se sont perdus!

Un éclat de rire part de l'intérieur du château.

On dirait un éclat de rire venant du château... Cependant toutes ses fenêtres sont fermées... Qu'est-ce encore? Allons! c'est bien la peine d'être arrivé jusqu'ici pour m'effrayer, comme une femme, du cri de quelque oiseau ou d'une bête fauve?... Mais où est donc Dominique?

Dominique s'agite.

J'ai fait plus que mon devoir en le cherchant derrière tous les arbres de cette forêt... M'a-t-il assez ennuyé, du reste, pendant le voyage! et je suis bon de tant l'aimer, vraiment! Il sera tombé sans doute dans quelque embûche, où, malgré mes recommandations, sa curiosité ou sa sottise l'aura conduit.

Dominique s'agite de plus en plus.

En avant! Dans une entreprise pareille, l'existence d'un seul homme n'est rien, puisqu'il s'agit de tous les autres.

Alors retentit un immense éclat de rire, un bruit de foule. Toutes les fenêtres et toutes les portes du château s'ouvrent avec violence. Il y a douze fenêtres; à chacune d'elles paraît un Gnome. Sur le balcon du milieu se tient le Roi avec une couronne en tête et le sceptre à la main. De chaque porte s'élance un Gnome (garde du corps ou laquais), riant, criant, sautant autour de Paul, à quelque distance. Tous les arbres s'inclinent avec un grand frémissement. Paul, ébloui, reste debout en face du château.

Scène IV : les précédents, le Roi des Gnomes.

LE ROI DES GNOMES, *à son balcon, d'une voix haute et ironique* : Ah! maître sensible! Ah! cœur exempt de souillures! Toi qui abandonnes ton serviteur et qui te crois appelé à sauver le genre humain, tu as failli deux fois en deux minutes, par égoïsme et par orgueil! Tu es à nous, maintenant.

PAUL, *dédaigneusement* : Moi?

LE ROI DES GNOMES : Contemple cet arbre, c'est ton domestique lui-même.

PAUL : Grands dieux!

LE ROI DES GNOMES : Sous l'écorce où le voilà caché, il conserve le sentiment et la mémoire. Tu vas être comme lui.

PAUL, *d'un ton terrible, aux Gnomes qui se sont resserrés autour de lui* : Pas encore, tant que cette épée...

LE ROI DES GNOMES : Tire-la donc!

Paul, déjà la main sur la garde de son épée, est paralysé tout à coup. Ses bras et ses jambes conservent l'attitude qu'il avait prise dans ce mouvement. Il devient rigide et blanc comme une statue, pendant que le Roi, du haut de son balcon, prend son sceptre d'or. La bague reluit à sa main de marbre.

LE ROI DES GNOMES : Nous t'avons fait des épaules assez solides pour porter les destinées du monde. Qu'en dis-tu? Garde comme un remords le souvenir du passé. Demeure perpétuellement dans l'impuissance de ta menace. Tes yeux sans prunelles auront le don de nous voir et tes oreilles celui de nous entendre, quand tu seras transporté dans la salle de nos festins; car sous ton apparence insensible tu vivras, pour souffrir ton supplice éternel.

Tous les Gnomes, se prenant par la main avec des éclats de rire et aux sons d'une musique infernale, font une grande ronde autour de la statue immobile.

NEUVIÈME TABLEAU

LE GRAND BANQUET

Une salle à manger monumentale. Des lampes brillent, tenues à de très longues cordes, comme dans les églises. Sur les deux côtés, de distance en distance, il y a des colonnes de fer à chapiteau corinthien reliées entre elles par de grosses chaînes où sont suspendus des cœurs tout rouges. Au fond et occupant la largeur entière de la scène, un escalier à marches noires monte vers une galerie où se répète le même alignement de colonnes; mais celles-là sans chaînes ni cœurs, avec des palmettes d'améthyste dans leurs chapiteaux et laissant voir la nuit par les intervalles de l'une à l'autre. Au milieu, à une table couverte de vaisselle d'or, et dont la nappe est de pourpre à franges d'or, siègent douze Gnomes de premier rang, six d'un côté, six de l'autre, tous portant au front des couronnes d'or. Le Roi, sur un trône plus élevé et faisant face au spectateur, est au haut bout de la table avec une couronne plus haute et ornée tout autour de petits cœurs en diamants. — Sur le premier plan, à gauche, Paul, changé en statue de marbre blanc et dans le costume qu'il portait à l'avant-dernier tableau, garde son attitude immobile.

Chœurs des Gnomes célébrant leur victoire.

Pendant qu'ils chantent, les marmitons circulent dans la galerie du fond pour apporter les plats et descendent quelques marches de l'escalier où les valets servant les Gnomes viennent prendre les plats pour les poser sur la table. En passant devant la statue, chaque valet lui fait une salutation ironique.

Scène I : *les Gnomes, le Roi des Gnomes, Paul, en statue.*

PREMIER GNOME *à la droite du Roi, regardant la statue :* Eh bien, héroïque nigaud, comment trouves-tu ta position?

DEUXIÈME GNOME : Te voilà maintenant au-dessus de nous.

TROISIÈME GNOME : Et méprisant toujours les petits gnomes.

TOUS, *riant à la fois :* Ha! ha! ha! ha!

QUATRIÈME GNOME : Tu voulais changer le monde, toi!

CINQUIÈME GNOME : Change donc d'attitude.

TOUS, *riant à la fois :* Ha! ha! ha! ha!

SIXIÈME GNOME : Insulte-nous, pour te venger.

SEPTIÈME GNOME : Pour nous faire rire.

TOUS, *riant à la fois :* Ha! ha! ha! ha!

LE ROI DES GNOMES : Bien! amusez-vous, Gnomes, mes sujets. Fêtons royalement notre victoire sur les hommes. Leurs cœurs à présent nous appartiennent, et il n'est pas besoin de ménager la marchandise. Les caveaux, les murailles, notre palais, tout en regorge. Contemplez! Et chaque partie du monde nous en procure : il y en a de Tombouctou et il y en a de Paris. Des cœurs de nègres et des cœurs de duchesses! les uns qui ont palpité pour de l'opium sous la grande muraille en Chine, et d'autres un peu rancis déjà par trop de séjour au fond d'un comptoir, dans Londres!...

Une longue branche d'arbre paraît à droite et s'étend contre la statue.

LES SIX GNOMES, *en face, à gauche :* Tiens! regardez donc!

LE ROI : Eh! c'est cet imbécile changé en prunier contre le mur du château.

Une seconde branche paraît.

UN GNOME : Mais voilà deux branches; elles l'entourent, elles vont l'embrasser.

LE ROI : Du sentiment! Ça m'ennuie. Coupez-les!

Un valet, avec un couteau, abat d'un seul coup deux branches d'arbre. On entend deux cris terribles. Les rameaux saignent contre le piédestal.

UN GNOME : Délicat comme une sensitive. Pour un prunier, c'est comique!

TOUS LES GNOMES, *riant :* Ha! ha! ha! ha!

PREMIER GNOME, *regardant la statue :* Il ne s'en émeut pas, le misérable!

DEUXIÈME GNOME : Défends-le donc! Anime-toi!

TROISIÈME GNOME : Veux-tu prendre, avec nous, ta petite portion de cœurs?

QUATRIÈME GNOME : Faut-il qu'on t'en serve?

CINQUIÈME GNOME : J'ai envie de t'en barbouiller le visage!

SIXIÈME GNOME : Moi, de te les faire manger tous!

LE ROI : Tiens, bois leur sang!

Il lui jette le contenu de la coupe. Le liquide rouge l'éclabousse, et reste figé çà et là par plaques inégales sur sa face et ses vêtements.

SEPTIÈME GNOME : Réponds-nous donc, lâche!

HUITIÈME GNOME : Entends-tu, nous bafouons ta sottise, tes illusions, ton courage!

NEUVIÈME GNOME : Et ce cœur immaculé, où est-il?

DIXIÈME GNOME : Tu en as rencontré de jolis, cependant.

ONZIÈME GNOME : Et qui t'aimaient.

DOUZIÈME GNOME : Depuis des reines jusqu'à des femmes de banquier.

PAUL, *toujours immobile, répète trois fois lentement :* Jeanne! Jeanne! Jeanne!

Tous les Gnomes épouvantés se lèvent sur leurs sièges.

LE ROI : Ah! malédiction!

A ce moment, Jeanne, en laitière, se trouve debout sur le piédestal, dans les bras de Paul et l'étreignant étroitement.

LES GNOMES : Regardez! Regardez!

LE ROI : A moi, mes valets, mes soldats, mes bourreaux! tout le monde! à moi, au secours!

Une foule de Gnomes apparaît de tous côtés, se précipitant dans la salle. La statue, peu à peu, a changé de couleur, et le piédestal s'est abaissé, si bien que le groupe est maintenant au niveau du plancher.

PAUL, *tenant Jeanne sur son bras gauche, tire son épée :* Vous êtes vaincus, misérables!

Un large éclair sillonne le ciel au fond; et dans un éclat de tonnerre, avec un cri immense de la foule, la table et les Gnomes, tout s'abîme sous le sol et disparaît. Les lampes s'éteignent. Les cœurs suspendus se mettent à flamboyer, les colonnes du fond s'écroulent à demi, et l'escalier ne fait plus qu'un monceau de ruines.

Scène II : *Paul, Jeanne.*

PAUL : C'est toi? c'est bien toi? M'as-tu pardonné?

JEANNE : Monsieur Paul...

PAUL : Oh! plus de ces mots-là! Lève la tête! toi qui as secouru ma détresse autrefois et qui maintenant me délivres, chère providence de ma vie, pauvre amour méconnu! Et j'ai pu en chercher d'autres! Ah! comme j'étais ingrat pour le passé, aveugle pour l'avenir! Je me suis laissé prendre, tout le long de ma route, par des illusions funestes, d'autant plus irrésistibles que je retrouvais dans chacun de ces monstres survenant pour me perdre quelque chose de toi, ton image. — Et tu étais, au contraire, si loin!

JEANNE : Oh! pas si loin!

PAUL : Comment?

JEANNE : Moi aussi, j'étais aveugle!

PAUL : Que veux-tu dire?

JEANNE : Vous rappelez-vous cette coquette Parisienne qui vous étourdissait avec son embarras de bagages et de sottises?

PAUL, *riant :* Oui! oui!

JEANNE, *naïvement :* C'était moi!

PAUL : Mais...

JEANNE : Vous rappelez-vous cette lourde petite bourgeoise, dans cette contrée hideuse?

PAUL : Ah! ne me parle pas de cette imbécile!

JEANNE, *piteusement :* C'était moi!

PAUL : Impossible!

JEANNE : Et cette reine aux splendeurs infinies qui d'un geste faisait mourir les hommes...

PAUL : Assez! N'achève pas!

JEANNE, *se cachant la tête dans les mains :* C'était moi!

PAUL *recule d'un pas :* Vous!

JEANNE, *lui sautant au cou :* Oui, moi! Pour te retrouver, pour te plaire, pour que tu m'aimes! J'ose te le dire maintenant. Mon amour était si fort que j'ai traversé, afin de venir jusqu'à toi, toutes les démences et toutes les cruautés du monde. Et comme tu ne l'as pas compris, cet amour, comme tu ne l'as pas même aperçu, — il redoublait pourtant à chacun de tes dédains, — aujourd'hui, pour te sauver, je descends du ciel.

PAUL : Du ciel?

JEANNE : Ah! tu ne sais pas, écoute! J'étais morte; les Gnomes me trompaient. Les Fées m'ont rendue à la vie! Tu vas me suivre! l'heure a sonné. Viens! viens!

PAUL : Oh! oui, oui, je te crois! Je savais bien quelle destinée m'était promise. Malgré tous les obstacles, je n'en ai jamais douté... Et tout à l'heure, sous le marbre qui m'enfermait, j'en avais l'espoir, l'impatience et l'angoisse! Partons! Emmène-moi! Les Gnomes sont vaincus, laissons la terre!

JEANNE : Je vais te conduire dans un pays tout bleu, où les fleurs, comme les amours, sont éternelles et démesurées. Là, mon bien-aimé, les orages ne soufflent pas; l'immensité tiendra dans nos cœurs, et nos yeux, toujours se contemplant, auront la lumière et la durée des étoiles!

PAUL, *étreignant Jeanne :* Ah! délices de mon âme, elle commence déjà, l'éternité de notre ivresse!

Scène III : Paul, Jeanne, la Reine des Fées.

LA REINE DES FÉES, *qui depuis le milieu de la scène précédente est descendue lentement du fond, survenant entre eux deux :* Non! pas encore!

PAUL, *indigné :* Toi, la Reine des Fées! Mais tu m'avais promis...

LA REINE : As-tu donc oublié notre convention? Tu n'as accompli que la moitié de ton devoir. La seconde est plus difficile peut-être. *(Montrant Jeanne.)* Avant d'obtenir la félicité de votre union perpétuelle, il faut remettre aux hommes ces cœurs délivrés par ta bravoure!

PAUL : Comment pourrai-je, à moi seul...?

LA REINE, *souriant :* Oh! nous sommes-là : les Fées t'aideront! Tu n'as à t'occuper que de ceux exclusivement qui te sont connus! Tâche de les convaincre! qu'ils reprennent leur cœur! Pour devenir immortel, exécute d'abord l'œuvre d'un dieu!

Paul baisse la tête dans ses mains. On entend au dehors un chœur de voix joyeuses.

PAUL, *levant son visage baigné de larmes :* Ces voix?...

LA REINE : Ce sont les arbres de la forêt, les hommes délivrés qui s'en retournent!

Scène IV : les précédents;
Dominique entre par le côté droit, avec un nid sur la tête; en guise de bras, il a deux rameaux chargés de fruits qu'il tient horizontalement.

JEANNE *émue :* Mon frère! Comme le voilà!

DOMINIQUE, *pleurant :* Mon pauvre maître! Enfin je vous retrouve. Les larmes m'en coulent comme la pluie le long du tronc, du corps c'est-à-dire. Je ne peux vous serrer dans mes bras. On a beau me couper les rameaux, ça repousse. Je voudrais tant vous embrasser! Maudite gourmandise, c'est elle qui a tout fait! *(En baissant le menton, il mange une prune sur son épaule, et se remet à pleurer.)* Ah! mon Dieu, mon Dieu!

PAUL ET JEANNE, *ensemble :* Grâce pour lui, bonne Fée!

LA REINE, *à Paul :* Puisque tu l'aimes, soit!

Aussitôt les deux branches disparaissent. Dominique a des bras. Dans le mouvement de sa chevelure qui frissonne, le nid tombe de sa tête, des œufs s'écrasent par terre et un oiseau s'envole.

LA REINE DES FÉES, *à Dominique :* Mais tu iras...

DOMINIQUE : Oh! partout. Depuis que j'ai pris racine, je ne demande qu'à me dégourdir.

LA REINE, *montrant les colonnes :* Tu iras avec ton maître, pour donner ces cœurs à tous ceux qui en manquent.

DOMINIQUE : Volontiers! *(Il considère les cœurs suspendus et se gratte l'oreille.)* Mais... vu la quantité, nous allons avoir une cargaison d'une lourdeur...!

LA REINE : Non! regarde.

Les cœurs se rapetissent à la dimension d'une noix. Une surface dorée les enveloppe.

DOMINIQUE : Oh! que c'est drôle! comme c'est drôle! Pas de paresse grimpons-y!

Il va pour monter à la colonne de gauche au premier plan.

LA REINE : Non! baisse-toi!

Le chapiteau de la colonne à gauche et celui de la colonne à droite, s'entr'ouvrant, laissent tomber une pluie de cœurs.

DOMINIQUE, *les ramassant :* On dirait, vraiment, des bonbons de sucre!

LA REINE : Ils n'en seront que plus faciles à prendre.

A Paul, qui reste immobile au pied de la colonne de droite.

Que fais-tu donc? Tu restes là!

PAUL, *à part, murmurant :* Et je la perds au moment de ma victoire, quand tout semblait fini et que je croyais enfin la tenir!

JEANNE, *suppliant :* Oh! ne sois pas désespéré! Va-t'en si tu m'aimes. Tu ne connais pas le destin. Fais ce qu'elle ordonne, tout de suite, tout de suite!

DOMINIQUE : Allons! mon pauvre maître, encore un petit voyage, le dernier!

Paul étend son manteau et reçoit des cœurs pendant que Dominique en bourre ses poches.

LA REINE, *montrant l'horizon :* Va! maintenant.

PAUL, *se tournant vers Jeanne pour l'embrasser :* Jeanne!

LA REINE, *l'écartant d'un geste :* Non! à ton devoir! le sien est accompli sur la terre. Je la transporte dans des régions où elle attendra, pour vous retrouver, que ta vertu t'ait fait digne de son amour.

Paul et Dominique remontent vers le fond et gravissent l'escalier en ruines en trébuchant parmi les pierres.

JEANNE : Adieu!

PAUL, *de loin :* Adieu!

Dominique se retourne pour envoyer un baiser. Tous les chapiteaux de toutes les colonnes s'entr'ouvrent et laissent tomber un ruisseau de cœurs d'or. En même temps, des deux côtés, les Fées envahissent la scène en tourbillonnant et recueillent les cœurs dans le pan de leurs robes. — Au premier plan, Jeanne, émue, est restée avec la Reine qui lui tient la main. — On aperçoit Paul et Dominique à l'extrême horizon.

DIXIÈME TABLEAU

LA FÊTE DU PAYS

Un beau parc dans les environs de Paris, chez le banquier Kloekher. Des deux côtés de la scène il y a de grands arbres. — Au fond un petit mur soutenant une terrasse, avec un escalier de pierre au milieu. — Sur chaque marche de l'escalier, aux deux bouts, un vase de fleurs. D'autres vases sont alignés sur la dalle du mur. Au delà, on aperçoit la campagne avec Paris dans l'éloignement. Le milieu de la scène se trouve occupé par une pelouse de gazon.

Scène I : *M. et Mme Kloekher,*
Letourneux, Alfred de Cisy, Onésime Dubois, Macaret, Colombel, Bouvignard, Invités, Messieurs et Dames, tous en élégants costumes d'été.

C'est le soir. Au lever du rideau les invités arrivent par la gauche et se répandent sur la scène, Mme Kloekher donnant le bras à Alfred. Bouvignard se précipite à droite, seul, à l'écart, et tire de sa poche une petite cruche de faïence, enveloppée dans son mouchoir, qu'il découvre et se met à contempler.

MADAME KLOEKHER, *respirant largement :* Enfin, ici on respire! car cette fête du pays, avec ses trompettes et sa grosse caisse, nous a ennuyés si fort durant le dîner...

MONSIEUR KLOEKHER : Ah! voilà! le jour qu'on choisit pour recevoir ses amis, Messieurs les gens du peuple s'amusent!

LETOURNEUX : Si au moins dans leurs divertissements ils respectaient la morale!

MACARET : Puis, ils viendront crier misère à la porte de notre usine...

COLOMBEL : Et il faudra les recevoir dans les hôpitaux, où l'on perd à les soigner un temps... *(Il sort.)*

LETOURNEUX, *gaiement :* Et dire que de vieux camarades comme nous ont été sur le point de se fâcher, mon pauvre Kloekher!

KLOEKHER : Comment, sur le point? Nous étions furieux! *(Il rit.)* Ha! ha!

LETOURNEUX, *riant :* A propos de quoi, je vous le demande? Pour ce petit monsieur Paul.

KLOEKHER, *avec une colère concentrée :* L'intrigant!

ALFRED, *haussant les épaules :* Un fou!...

MADAME KLOEKHER : Un véritable drôle! *(Elle s'assoit sur le banc à gauche. Alfred se met près d'elle.)*

KLOEKHER : Sait-on au moins ce qu'il est devenu?

ALFRED : Non! Sombré.

MADAME KLOEKHER : Vous ne pleurez pas, Onésime, vous, son ami?

ONÉSIME : Moi, Madame! jamais de la vie, je vous jure.

MADAME KLOEKHER, *riant :* C'eût été fort beau, cependant, que de le voir, la semaine prochaine, à vos côtés, comme témoin de votre mariage.

KLOEKHER : Eh! mon Dieu, ne causons plus de ce misérable! Si nous faisions quelques pas, Letourneux, hein, pour régler les bases de notre opération!...

LETOURNEUX : Avec plaisir! *(Letourneux et Kloekher se mettent à se promener du haut en bas de la scène.)*

MADAME KLOEKHER, *à Onésime :* On la dit une excellente personne, votre fiancée?

ONÉSIME : Elle n'est point d'une beauté... extraordinaire. Mais... il y a d'autres avantages.

MACARET, *à Onésime :* Qu'a-t-il donc, Bouvignard? Il semble absorbé dans une contemplation...*(Ils vont à lui.)*

BOUVIGNARD, *à Onésime :* Vous qui êtes artiste, examinez-moi cela! Quels filets, quel émail!

Onésime veut prendre le pot.

Prenez garde! Non! Je vais vous le démonter moi-même.

Bouvignard, Onésime et Macaret restent debout à examiner le pot que Bouvignard leur montre sur toutes les faces. Mme Kloekher est assise sur le banc, à gauche, avec Alfred. Letourneux et Kloekher se promènent de haut en bas.

MADAME KLOEKHER, *à demi-voix :* Ainsi c'est convenu? je recevrai par samedi mon invitation chez Mme la comtesse de Trémanville?

ALFRED : Et pour tous ses autres samedis.

Kloekher et Letourneux passent en gesticulant.

Ma tante s'est fait prier, je vous l'avoue. La différence des mondes, des quartiers, je veux dire... *(A part.)* Attrape, ma petite bourgeoise!

MADAME KLOEKHER : Oh! merci! il ne faudra plus me faire de terreurs, comme l'autre jour.

ALFRED : Non! non! bien sûr! C'est que j'avais perdu la tête, à propos de rien; tout s'est arrangé. Je vous adore, Ernestine! *(Montrant Kloekher qui repasse.)* Vous lui parlerez de moi, n'est-ce pas, comme d'un homme entièrement à lui, prêt à toutes les démarches, et auquel il pourrait, dans son intérêt même, confier ses affaires... les plus capitales.

MADAME KLOEKHER : Sans doute, mon ami!

ALFRED, *à part :* Si elle ne s'y met pas, dans huit jours la Belgique!

MACARET : Et vous avez acheté cela...?

BOUVIGNARD : Quatre-vingts francs! — pas un sou de plus, — ici dans un cabaret, à côté! *(On entend un bruit de trompettes et de grosse caisse.)*

MADAME KLOEKHER, *se levant :* Encore! mais c'est intolérable, monsieur Kloekher; il faudrait se plaindre à l'autorité.

Le bruit redouble; il s'y mêle des cris d'enthousiasme et comme le brouhaha d'une foule.

Scène II : les précédents, Colombel rentrant.

COLOMBEL : Savez-vous qu'il y a là, sur la place, au milieu des boutiques, quelque chose de fort original, d'extraordinaire, une chose très amusante, ma parole! J'ai vu bien des saltimbanques, mais aucun de pareil à celui-là. Un homme qui vend des cœurs pour un sou!

ALFRED : Ce n'est pas cher!

UNE DAME : Oh! non, mais curieux.

UN INVITÉ : On ferait peut-être bien de voir... Qui sait?

UN AUTRE : Quand ce ne serait que pour entendre le boniment.

MACARET : Ces gaillards-là, quelquefois, vous ont une verve!... *(Les invités entourent Mme Kloekher.)*

MADAME KLOEKHER : Je ne sais si je dois?... Est-ce un homme que l'on puisse faire venir, docteur?

COLOMBEL : Oh! pour vous, certainement non, belle dame; il n'en est nul besoin. Mais, quant à nous autres, à qui vous avez pris tous nos cœurs...

KLOEKHER, *se disposant à sortir :* Bah!... à la campagne!... Je vais l'appeler!

LES INVITÉS : Bien!... Bravo!... c'est une idée!

COLOMBEL, *remonte de quelques pas, en faisant un signe à droite :* Entrez! — Je me suis permis, en qualité de médecin, de vous donner cette petite surprise, Mesdames.

Scène III : les précédents, Paul,
avec de longs cheveux blancs, une barbe blanche et une vaste robe de velours noir qui l'enveloppe complètement. Dominique le suit, habillé en Chinois, et portant sur son dos une grosse caisse et un sac de peau rouge, à la main un petit pliant.

Ils s'arrêtent, au milieu, sur le gazon. Dominique place le sac sur le pliant.

LES DAMES : Oh! ça va être gentil! Ça m'amuse déjà, moi; j'aime les escamoteurs.

MADAME KLOEKHER : Vous faut-il une table pour exécuter vos tours?

PAUL : Merci, Madame, je ne fais pas de tours. Ma mission est plus haute. C'est votre amélioration morale, votre salut que je demande. Je suis chargé par les Fées de vous remettre vos cœurs.

LES INVITÉS : Comment, nos cœurs?

ALFRED : Il est poli, le Nostradamus!

PAUL : Eh! il ne s'agit pas de politesse; je parle sérieusement, croyez-moi.

LES INVITÉS, *riant :* Très drôle! très drôle!

COLOMBEL, *à Mme Kloekher :* Quand je vous disais qu'il est parfait!

DOMINIQUE, *après avoir vidé sur le pliant le sac plein de bonbons dorés :* Eh bien! Messieurs, qui vous empêche...? Voyons, Mesdames, un peu de courage!... C'est joli, sucré, hygiénique!

COLOMBEL : Il s'exprime en bons termes, ce Chinois, qui vient de Paris.

DOMINIQUE : Non, Monsieur, nous arrivons de Pipempohé... *(caressant sa moustache)* où la sultane nous a fait les offres les plus avantageuses!

LES INVITÉS, *riant :* Pipempohé!... la sultane!...

PAUL : Oui! et c'est ensuite que je les ai conquis moi-même dans la forteresse des Gnomes!

LES INVITÉS : Les Gnomes!... Il est d'un sérieux!...

ONÉSIME : Laisse-le donc continuer.

PAUL : Mais j'ai fini!... Je vous répète encore une fois que je dois, d'après l'ordre des Fées, vous remettre vos cœurs!

DOMINIQUE, *tapant sur la grosse caisse à tour de bras :* Des cœurs! des cœurs! des cœurs! prenez des cœurs!

PAUL, *l'arrêtant :* Tais-toi! *(Joignant les mains d'un air suppliant.)* Ah! c'est dans votre intérêt, je vous le jure. Prenez. Hâtez-vous!

UNE DAME, *s'avançant :* Cela se mange?

MADAME KLOEKHER : N'y touchez pas! Quelque drogue, sans doute.

ONÉSIME : Tant pis! Je me risque!... Allons, père Bouvignard, je vous en paye un! — Faites comme moi! *(Il donne une pièce de monnaie et se met à croquer un bonbon, comme Bouvignard.)*

UNE DAME, *à demi-voix :* Ces artistes!... toujours singuliers!

COLOMBEL, *tout en payant et prenant un cœur :* Il faut bien que je donne l'exemple aussi, moi qui l'ai amené, ce farceur-là.

ONÉSIME, *se frappant le front :* Malheureux! Où est-elle?

MADAME KLOEKHER : Qui donc?

ONÉSIME : Clémence!

MADAME KLOEKHER, *bas :* Y pensez-vous? devant le monde!... Votre mariage!...

ONÉSIME : Plus de mariage! *(Il sort en criant.)* Clémence! Clémence!

BOUVIGNARD, *élevant la voix :* Mais quelle stupidité que de prodiguer son argent à de pareils bibelots! *(Il jette son pot, qui se brise par terre.)* Ah! ça soulage!... et je vais vendre toute ma collection pour doter ma fille!

COLOMBEL, *se parlant à lui-même en se promenant :* Pour l'achat du terrain, un million, je le donne! — Et, quant au reste, avec des souscriptions particulières et en s'adressant au gouvernement, j'arriverai à fonder mon hôpital *(Voyant qu'on le regarde.)* Oui, Messieurs, j'y consacrerai ma fortune, mon temps, ma science, tous mes efforts. Les services seront dirigés par de véritables savants; les salles tapissées en aubusson, les lits en acajou. Je veux, diable m'emporte!...

LES INVITÉS, *surpris :* Eh bien! eh bien!...

LETOURNEUX : Il y a là dedans quelque chose qui monte au cerveau.

PAUL : Prenez donc!... je ne les vends plus, je les donne!

MACARET : A ce prix-là... D'ailleurs je ne vois pas l'intérêt qu'il aurait... *(Il avale un bonbon.)*

PAUL, *à Alfred :* Et vous, Monsieur, auriez-vous peur, quand les autres...?

ALFRED : Moi! peur!... Allons donc! J'en demande deux! *(Il en prend deux et en mange un.)*

MADAME KLOEKHER : Vous aussi?...

ALFRED, *à voix basse :* Mais c'est excellent! plus sucré que du miel et suave comme un baiser! Partagez enfin la passion qui me torture! Quoi que j'aie pu dire, elle est nouvelle. Quittons cette horrible existence! Fuyons bien loin sur quelque plage inconnue, au fond des bois, dans un désert! n'importe où, pourvu que nous soyons seuls tous les deux à savourer le bonheur de vous chérir. *(Il porte le bonbon aux lèvres de Mme Kloekher, qui l'avale.)*

MADAME KLOEKHER *aussitôt baisse son voile, et vient prendre le bras de son mari, affectueusement :* Alphonse, mon ami?

KLOEKHER : Hein? Quoi?

MADAME KLOEKHER : Ce monde m'ennuie... nous sommes si bien dans notre petite intimité... Je t'aime!

KLOEKHER, *à part :* Ma femme qui m'aime, maintenant!... Elle a perdu la tête!

MACARET, *dans le coin de droite, sanglotant :* Oh! oh! mon Dieu!... Oh! oh! mon Dieu!... Oh! oh!...

KLOEKHER : Qu'avez-vous donc, vous?

MACARET, *sans lui répondre :* Oh! oh!... tant de jours perdus!... Oh! oh!... comme Titus!

Les invités, qui peu à peu ont pris des cœurs, s'empressent autour de Paul de plus en plus.

DOMINIQUE, *bas à Paul :* Ça va bien!

PAUL, *bas :* Non!... Comme il en reste! Dominique!

Dominique frappe sur sa caisse.

PAUL, *avec impatience :* Allons! Allons donc!

KLOEKHER, *irrité :* Eh! la farce est trop longue!... le monde en a assez... Laissez-nous!

PAUL : Vous n'en avez pas, vous, Alphonse-Jean-Baptiste-Isidore Kloekher.

KLOEKHER : Insolent! Qui t'a dit mes noms?

PAUL : Je les sais!

KLOEKHER ET LETOURNEUX : A la porte! A la porte!

PAUL : Pas avant que tu n'aies pris ce cœur.

KLOEKHER : Moi!

PAUL : Je vous en conjure!

KLOEKHER : Mais c'est une indignité!

PAUL : Je te l'ordonne!

KLOEKHER *reste quelque temps abasourdi, pâle de colère; puis, avec une pose majestueuse :* De quel droit?

Paul, sans lui répondre, arrache d'un seul mouvement sa barbe et ses cheveux blancs, ainsi que sa longue robe de velours noir. Kloekher lève les bras, épouvanté, comme à la vue d'un spectre, en s'écriant : Lui!

MADAME KLOEKHER, *pressant délicatement le bras de son mari, et le lui montrant, avec une voix douce :* Monsieur Paul!

LETOURNEUX, *se mordant le pouce et détournant la tête :* Paul de Damvilliers!...

UNE DAME : Ah! la bonne surprise!

COLOMBEL : Cet excellent jeune homme!

ALFRED, *venant lui presser la main :* Cher ami!

Tous les invités viennent ou lui serrer la main ou l'entourer.

KLOEKHER, *à part :* Mon Dieu!... tout le monde pour lui!... S'il allait parler!...

(Etendant la main.) Je veux bien. *(Il avale un cœur.)*

DOMINIQUE, *à part :* Allons donc!

KLOEKHER, *d'une voix entrecoupée :* Tiens! tiens!... Mais... qu'est-ce que j'ai donc?... Ah! j'oubliais! Ces pauvres gens que j'ai fait avant-hier enfermer à Clichy. *(S'adressant à un monsieur.)* Françoise. *(A un monsieur.)* Pierre, délivrez-les. Qu'on y coure!

LETOURNEUX, *s'approchant avec inquiétude :* Mon ami!

KLOEKHER : Et ce brave inventeur à qui j'ai refusé... vingt mille francs tout de suite! Nous verrons après! mon caissier!

LETOURNEUX : Mais vous n'y pensez pas, Kloekher.

KLOEKHER : Laissez-moi, vous! *(Letourneux fait un geste de stupéfaction et de pitié.)* Je suis heureux... oui, — écoutez tous! — heureux de vous avoir là, réunis, pour être témoins d'un acte de... haute justice... non!... *(Bas.)* de confiance! Il s'agit d'une restitution!... — qu'est-ce que je dis donc là? — d'un dépôt sacré!... *(Se frappant la poitrine à deux poings.)* Imbécile!... oui, tant pis!... je dis bien!... sa... sa... sacré!

PAUL, *fièrement :* Je ne suis pas venu pour cela, Monsieur!

KLOEKHER : N'importe, jeune homme! Je profite de l'occasion. C'est un fardeau qu'on m'enlève, et, dès ce soir... *(lui serrant la main)* pas plus tard!

Le bruit de la fête villageoise redouble au dehors. Ah! comme ça fait plaisir d'entendre cette gaieté populaire! Eh! ce serait doubler notre bonheur que de le partager avec eux. Les pauvres gens! ils n'ont pas déjà tant de joie tout le long de l'année!... (Criant.) Débouchez le champagne! Qu'on les fasse entrer! Ouvrez tout!... ah! le beau jour!... *(Tout le décor s'éclaire en rose.)* Je vois la vie en rose!... Quel beau jour!

Scène IV : les précédents, un flot de peuple où se trouve le cabaretier, le père et la mère Thomas.

LA FOULE, *criant :* Vive monsieur Kloekher! Vive monsieur Kloekher!

KLOEKHER, *à part :* Mon cœur déborde!

MACARET, *dans un coin, sanglotant :* Ah! ah! bien touchant! bien touchant!

DOMINIQUE, *tapant sur la caisse :* Dépêchez-vous! Suivez la foule! Enlevez le reste!

La multitude tourbillonne autour de Paul et de Dominique. — Trois valets, en grande livrée, apportent des paniers pleins de vin de Champagne. — Kloekher en fait sauter le bouchon, et, suivi par un domestique, il se précipite de groupe en groupe et verse à boire.

KLOEKHER : Sablez! sablez! sablez!

Le décor, tout rose maintenant, s'éclaire de plus en plus, jusqu'à la fin du tableau. Des fleurs lumineuses, pareilles à de grandes tulipes et à des tournesols, s'épa-

nouissent dans les arbres. Les raisins d'une vigne, serpentant autour d'un chêne, deviennent des grenats; les feuilles d'un tremble se changent en argent; et tous les arbres et tous les arbustes, selon leur essence particulière, prennent différents feuillages en pierres précieuses. — Tout le monde s'embrasse, saute de joie, applaudit. Le père et la mère Thomas envoient des baisers à leur fils.

DOMINIQUE, *à Paul :* Eh bien! Tout est fini, mon bon maître, plus rien dans le sac! Amusons-nous comme les autres.

PAUL, *lentement et bas, en prenant sur le pliant un cœur et le tenant entre ses doigts :* Mais il y en a encore un, Dominique!

DOMINIQUE, *le lui prenant vivement :* Ah! ce ne sera pas long! ça me connaît! *(A un monsieur.)* Vous, là-bas, Monsieur?

LE MONSIEUR : J'en ai pris!

DOMINIQUE, *à une dame :* Et vous, Madame?

LA DAME : Moi aussi!

DOMINIQUE : Voyons!... le dernier!

UNE PERSONNE : Nous en avons tous.

LA FOULE : Tous! tous!

PAUL, *à demi-voix :* Mais ce serait épouvantable! C'est impossible!

DOMINIQUE, *bas et d'une voix effrayée, en montrant le cœur, qui peu à peu grossit démesurément :* Maître! maître! comme il grandit!... comme il s'enfle!

LETOURNEUX, *survenant tout à coup derrière Paul et lui frappant sur l'épaule :* Vous voudriez bien me le faire gober, celui-là?

PAUL : Oui, oui!... Pardon pour ce que je vous ai fait. *—(Montrant le cœur.)* Prenez-le! C'est la paix de la conscience, le pouvoir du bien, l'intelligence de tout ce qui est beau; le moyen de comprendre à la fois l'humanité, la nature et Dieu! *(Letourneux sourit ironiquement, sans bouger.)* Mais qui êtes-vous donc, pour rester insensible dans l'allégresse de tous? Dans quelle pierre êtes-vous taillé? Vous n'avez donc jamais aimé quelque chose, quelqu'un? Vous n'avez donc rêvé jamais au bonheur de la posséder, au désespoir de le perdre? Ah! s'il ne fallait, pour vous convaincre, que verser mon sang, retourner à l'autre bout du monde, vous servir en esclave! Un peu de pitié! grâce! attendrissez-vous!... Prenez-le!

LETOURNEUX : Merci, ça gêne trop!

PAUL : Adieu, Jeanne!... Oh! je suis maudit!... Je t'ai perdue!...

Le petit mur de la terrasse s'est levé, et l'escalier, devenu d'argent, a grandi. De chacun des vases de fleurs posés sur les marches est sortie une femme. Elles étendent leurs bras sur les épaules les unes des autres, de sorte que l'escalier semble avoir pour rampe une longue file de femmes vêtues de perles. On distingue en haut, enveloppée dans les nuages et sous les teintes laiteuses d'un clair de lune, la base du palais des Fées, couleur de nacre. Jeanne est en avant, sur la plate-forme, au sommet de l'escalier. — Paul, en se retournant pour suivre d'un regard Letourneux qui s'éloigne, l'aperçoit, s'écrie : Jeanne!... *et escalade, en courant l'escalier. — Pendant qu'il monte, son habillement disparaît pour un costume d'apothéose, tout en blanc, long manteau. Chaque marche, à mesure qu'il monte, exhale un son d'harmonica : succession de toutes les notes de la gamme. — Au moment où il va ouvrir les bras pour serrer Jeanne, la Reine des Fées apparaît auprès d'elle, avec toutes les Fées, qui sont un peu en arrière, à sa droite et à sa gauche; sur le péristyle du temple, lequel est maintenant plus éclairé, Paul s'arrête et recule.*

Je n'ose avancer, ô Reine! ma mission n'est pas finie. J'ai laissé le mal sur la terre.

LA REINE : Il lui en faut toujours un peu! Tu n'en as pas moins mérité la récompense. Soyez heureux dans l'immortalité.

DOMINIQUE, *tenant le cœur dans ses mains et le pied sur la première marche de l'escalier :* Eh bien! et moi? et moi? qu'est-ce que je vais devenir avec cette charge-là?

LA REINE : Valet de cœur, surveille ceux qui trichent, console ceux qui perdent!

Dominique est changé en valet de cœur. — Le cœur se place dans l'air, à sa gauche, sur un carré blanc, fait à sa taille, et qui lui sert de fond, tandis qu'une longue banderole se déploie dans les airs, portant, écrits en lettres lumineuses, ces mots :

La vertu étant récompensée, on n'a rien à dire!

LE SEXE FAIBLE

COMÉDIE EN CINQ ACTES

PERSONNAGES

PAUL DUVERNIER, 25 ans.
AMÉDÉE PEYRONNEAU, 50 ans, chauve, un peu de ventre, grisonnant légèrement; moustaches, mouche et favoris; sanglé dans son pantalon. Au 1er acte, en costume d'été, tout en nankin ou tout en blanc.
LE GÉNÉRAL VARIN DES ILOTS, 64 ans, décrépit; souliers de castor; un toupet apparent. Habit bleu au 1er acte; au 4e, sous-pieds.

M. DES ORBIÈRES, 60 ans, tout en noir, tenue d'avocat.
M. DE GRÉMONVILLE, lourdaud, provincial; parapluie, chapeau à très larges bords; genre amateur de jardinage.
M. NÉPOMUCÈNE ROCH, professeur de déclamation; immense chevelure noire dont il tire des effets; redingote marron, avec parements, col et revers de velours, râpé; cravate blanche un peu jaune.
M. CASIMIR, professeur de gymnastique; redingote d'une coupe militaire, à un rang de boutons; tromblon à longs poils et à bords retroussés, canne, col de cuir, pas de linge.

M. LE VICOMTE DE RUMPIGNY, *gandin, à la dernière mode.*
VALENTINE DE GRÉMONVILLE, *20 ans, très gracieuse, naïve.*
THÉRÈSE, *sa sœur, 18 ans, rouge de cheveux, air bougon.*
MME DE GRÉMONVILLE, *leur mère, costume un peu étriqué et d'une sévérité exagérée; anguleuse dans ses mouvements.*
MME DUVERNIER, *toilette trop jeune pour son âge; un peu lourde, bijoux.*
LA VICOMTESSE DE MÉRILHAC, *63 ans, grandes manières, coiffure en dentelle au 1ᵉʳ acte; poudrée complètement.*
VICTOIRE, *femme de chambre, 27 ans; en femme de chambre au 2ᵉ et au 3ᵉ acte; au 4ᵉ, d'abord en peignoir, puis en toilette de dîner, puis en déshabillé galant.*
UNE DOMESTIQUE DE MME DE MÉRILHAC, *tenue bourgeoise.*
UN DOMESTIQUE, *au 4ᵉ acte grande tenue de valet à la mode.*
UNE FILLE DE BASSE-COUR, *tenue rustique.*
UNE NOURRICE, *personnage muet, habillée en Cauchoise.*

ACTE UN

Chez Mme de Mérilhac, à la campagne, aux environs de Paris.

Salon d'été, donnant sur un jardin, avec trois arcades au fond et une véranda extérieure. Deux portes latérales. Au premier plan, à droite un guéridon, à gauche un canapé.

Scène I : Mme de Mérilhac, debout, au milieu de la scène, Amédée, une plume à la main et courbé sur le guéridon où il y a beaucoup de petits papiers les uns près des autres.

MADAME DE MÉRILHAC : Amédée!

AMÉDÉE : Ma tante?

MADAME DE MÉRILHAC : As-tu fini d'écrire les noms de nos invités pour ce soir?

AMÉDÉE : Oui, et de ma plus belle main! en ronde superbe! Brard et Saint-Omer auprès de moi...

MADAME DE MÉRILHAC : Tu es capable d'avoir commis encore quelque bévue! Voyons.

AMÉDÉE : Voyez! *(Il se lève, tendant un des billets.)* Et d'abord notre nouveau ministre, M. des Orbières... Fallait-il mettre Son Excellence?

MADAME DE MÉRILHAC : Certainement!

AMÉDÉE : En toutes lettres?

MADAME DE MÉRILHAC : Non! un S et un E, puis ministre : Son Excellence le ministre de... *(Pendant qu'Amédée, qui s'est rassis, écrit, à part.)* Il l'est enfin! il l'est...

AMÉDÉE, *donnant les autres billets au fur et à mesure :* Maintenant, voici les autres : Mme de Grémonville, Mlle Valentine de Grémonville, Mlle Thérèse de Grémonville, la considérable Mme Duvernier, son fils M. Paul, et l'oncle, le vieux de la vieille, l'excellent général Varin des Ilots!

MADAME DE MÉRILHAC : Parfait!

AMÉDÉE, *ironiquement :* Vous croyez? mais il manque quelqu'un.

MADAME DE MÉRILHAC : Qui donc?

AMÉDÉE : Et Gertrude? Mlle Gertrude! est-ce que notre général peut s'en passer? Ne faut-il pas qu'elle soit là pour le garantir du vent, de la pluie et du soleil, le forcer de mettre sa calotte de peur des rhumes et lui faire avaler son bouillon dès cinq heures, juste? Il la mène, ou plutôt elle l'escorte partout, si bien qu'au jour de l'an je l'ai rencontré sur le boulevard en train de faire ses visites, côte à côte dans un cabriolet mylord avec sa bonne; rien de plus folichon que leurs deux profils!

MADAME DE MÉRILHAC : Faiblesse de vieillard! N'importe! Il nous a rendu service, un vrai service; sans lui, M. des Orbières ne serait pas maintenant au pouvoir; c'est par son influence dans le comité de la Madeleine et les voix de ses vieux compagnons d'armes dont il dispose.

AMÉDÉE : Et où faut-il le placer, notre grand homme? en face de vous, n'est-ce pas?

MADAME DE MÉRILHAC : Pourquoi cela, en face?

AMÉDÉE : Mais... chère tante, sa longue habitude de venir ici tous les jours... l'autorité qu'il y possède... enfin, c'est comme le maître de la maison!

MADAME DE MÉRILHAC : Je n'aime pas ce genre de plaisanteries, tu sais!

AMÉDÉE : Cela va de soi-même, pourtant! et le rapport de vos deux personnes n'a rien que de naturel. Lui, c'est un homme de tribune et de gouvernement; vous, vous êtes une femme... académique, diplomatique et politique. Oh! ne niez pas! Plus d'une motion importante est sortie du boudoir de la rue Bellechasse!... Et quels raouts, miséricorde! Des messieurs, convenables comme les domestiques du Grand-Hôtel, et qui dissertent sur la fusion des Centres, l'esprit du dernier cabinet, où la meilleure assiette des impôts! Le tout, bien entendu, d'après la direction du célèbre orateur, publiciste et homme d'état, M. des Orbières... et on appelle la comtesse de Mérilhac *(il salue)* son Égérie... ce qui est un grand honneur pour vous, ou plutôt pour lui, chère tante.

MADAME DE MÉRILHAC : Tu auras soin de te placer auprès de Valentine.

AMÉDÉE : Moi? je veux bien.

MADAME DE MÉRILHAC : Et tu tâcheras, n'est-ce pas, de surveiller un peu tes manières? je tiens à ce que tu plaises.

AMÉDÉE : Je plais toujours! Dans quel but, ce soir, tout particulièrement...

MADAME DE MÉRILHAC : Je trouve qu'il faudrait quitter enfin la vie de garçon; à cinquante ans, il n'est pas trop tôt de s'établir, de se marier.

AMÉDÉE : Moi! me marier! allons donc! Un mariage, des enfants! D'abord, je déteste les enfants, et quant à subir le joug d'une femme...

MADAME DE MÉRILHAC : Fais ce que je te dis... Et tu mettras ton ami Paul près de Thérèse.

AMÉDÉE : Auriez-vous également, à son endroit, des intentions d'hyménée?

MADAME DE MÉRILHAC : Pourquoi pas?

AMÉDÉE : Celui-là, je l'avoue, est de naissance prédestiné au mariage; sa mère le gouverne comme un marmot, jusqu'à régler la longueur de sa barbe, interdiction de la cigarette, défense du bal masqué et privation de sortie après minuit! Et, comme elle le contrecarre dans tous ses goûts, sans qu'il regimbe! Avec

Thérèse ce sera bien pire, car je la trouve, moi, une petite personne désagréable; elle tient cela peut-être de son père que l'on dit fou? Ce bonhomme Grémonville ne vit pas avec sa femme.

MADAME DE MÉRILHAC : Tu ferais mieux de ne pas répéter des cancans... pareils! Du reste, je partage ton opinion sur Valentine *(geste d'étonnement d'Amédée)*, elle est charmante, tandis que Thérèse, entre nous, me semble un peu nigaude, sans compter un caractère boudeur, avec un entêtement!

AMÉDÉE : Eh bien! au lieu d'un maître le pauvre garçon en aura deux! Sera-t-il assez inspecté, et grondé, tiraillé, surmené! Avant six mois il est fourbu, je parie! *(Riant.)* Très drôle! très drôle!

Scène II : les mêmes, M. des Orbières.

MADAME DE MÉRILHAC : Exact comme un simple mortel!

MONSIEUR DES ORBIÈRES, *lui baisant la main :* C'est bien le moins, chère Madame. Depuis longtemps déjà j'aurais dû...

AMÉDÉE : Croyez, Monsieur le Ministre, que, pour ma part, je m'estime fort heureux...

MONSIEUR DES ORBIÈRES : Bien, bien, mon jeune ami! mais entre nous...

AMÉDÉE, *prenant son chapeau de paille pour sortir :* On se comprend, Monsieur le Ministre, et comme je sais le prix de vos instants, j'aurais peur...

MONSIEUR DES ORBIÈRES : Non!... pas le moins du monde!

AMÉDÉE : Si fait! permettez! D'ailleurs, il faut que j'aille pour ma tante...

MONSIEUR DES ORBIÈRES : Oh! alors...

AMÉDÉE, *à part, en se retirant :* Que j'aie de très mauvaises manières, c'est possible! mais je ne manque pas d'une certaine délicatesse! *(Sur le seuil, au fond.)* Bénissez-moi, donc, vieux tourtereaux!

*Scène III : Mme de Mérilhac,
M. des Orbières.*

MADAME DE MÉRILHAC : Eh bien?

MONSIEUR DES ORBIÈRES : Ah!... la transition est jugée... un peu brusque! on m'appelle renégat, on crie.

MADAME DE MÉRILHAC : Laissez crier.

MONSIEUR DES ORBIÈRES : Ils ne veulent pas comprendre que mon entrée au pouvoir ne change en rien mes convictions, et que je suis toujours aussi libéral qu'auparavant.

MADAME DE MÉRILHAC : C'est ce qu'il faut dire.

MONSIEUR DES ORBIÈRES : Et même encore plus, peut-être.

MADAME DE MÉRILHAC : Sans doute!... aussi je m'applaudis de vous avoir montré indirectement le chemin, et enlevé des scrupules qui prenaient leur cause, non pas dans l'insuffisance de votre coup d'œil, grâce au ciel, mais dans l'exagération d'une probité...

MONSIEUR DES ORBIÈRES : Une fois de plus je m'incline. Et d'ailleurs, n'ai-je pas d'innombrables motifs pour admirer l'excellence de vos conseils? Vous avez été pour moi un secours, une lumière, un dévouement continu, si bien qu'à chaque pas dans ma carrière, à chaque échelon de ma fortune j'ai senti se développer ma reconnaissance et... grandir ma tendresse.

MADAME DE MÉRILHAC : Eh! j'ai soixante-trois ans, mon ami!

MONSIEUR DES ORBIÈRES : Pour moi, vous êtes toujours à la trentaine.

MADAME DE MÉRILHAC : Flatteur!

MONSIEUR DES ORBIÈRES : Non pas! et vous calomniez votre âge; c'est à cause de lui que je vous adore. Il faut que les caprices de la jeunesse soient disparus si nous voulons trouver dans une femme le plus fidèle, et le plus intelligent des amis.

MADAME DE MÉRILHAC : Je ne suis qu'un reflet, le vôtre, vous le savez; avocat, journaliste, député, j'ai suivi, j'ai partagé orgueilleusement tous vos triomphes, et à présent que vous êtes le Pouvoir, ce ne sont plus des paroles et des écrits que j'attends, mais des œuvres, de grandes choses! Vous les ferez *(geste de des Orbières)*, oh! j'en suis sûre! Pardon, une misère, j'oubliais! avez-vous pensé à cette place d'inspecteur des Beaux-Arts pour le jeune Duvernier?

MONSIEUR DES ORBIÈRES : Toutes, malheureusement, sont prises.

MADAME DE MÉRILHAC : Faites-en une autre!

MONSIEUR DES ORBIÈRES : Il n'y a pas d'argent au budget!

MADAME DE MÉRILHAC : Trouvez-en!

MONSIEUR DES ORBIÈRES : Je vous répète que c'est impossible!

MADAME DE MÉRILHAC : Ah! n'importe, il me la faut!

MONSIEUR DES ORBIÈRES : Mais, chère amie, quel est là dedans votre intérêt?

MADAME DE MÉRILHAC : C'est que je marie mon neveu Amédée Peyronneau à Valentine de Grémonville.

MONSIEUR DES ORBIÈRES, *d'un air maussade :* Tiens! pourquoi?

MADAME DE MÉRILHAC : Cela vous choque? cependant la fortune de Valentine...

MONSIEUR DES ORBIÈRES : Sans doute! mais ce qui s'est passé autrefois à Toulouse? Mme de Grémonville, malgré ses grands airs de vertu... *(Geste de Mme de Mérilhac comme pour dire : je m'en moque!)* Permettez, je connais parfaitement l'histoire, et même, comme avocat, j'ai donné à M. de Grémonville une consultation.

MADAME DE MÉRILHAC : Alors, vous savez que Valentine a été avantagée par son père?

MONSIEUR DES ORBIÈRES : Oui! je le sais; mais quel rapport entre les demoiselles de Grémonville et une place pour M. Duvernier?

MADAME DE MÉRILHAC : C'est afin de reconnaître dans la personne du neveu les services rendus par l'oncle.

MONSIEUR DES ORBIÈRES : Eh! le général n'est pas homme...

MADAME DE MÉRILHAC : Pardon! le général Varin des

Ilots, soit embarras ou délicatesse, n'a pas osé vous la demander lui-même, mais il en a envie, j'en suis sûre, il me l'a dit. *(A part.)* De cette façon-là, mon maître, vous serez bien forcé...

MONSIEUR DES ORBIÈRES, *se grattant l'oreille :* Diable!... diable!...

MADAME DE MÉRILHAC : Cette place n'est pas considérable, la dot de Thérèse non plus, mais la place et la dot réunies donneront aux jeunes époux Duvernier un revenu fort honnête; c'est un moyen d'équilibrer les choses, de rendre la position des deux sœurs égale, et, puisque je marie mon neveu à Valentine, de faire entrer Paul dans ma famille. D'ailleurs, cet exemple moralisera Amédée, et je ne vois pas, mon cher Ministre, que le Gouvernement serait bien malade quand vous dénicheriez dans les Beaux-Arts...

MONSIEUR DES ORBIÈRES, *avec empressement :* Il s'y connaît?

MADAME DE MÉRILHAC : Eh ! tout le monde s'y connaît!

MONSIEUR DES ORBIÈRES : D'accord, mais...

MADAME DE MÉRILHAC : Savez-vous ce qui vous retient? la peur des journaux! Ah! quelle faiblesse!

MONSIEUR DES ORBIÈRES : Il n'y a pas de faiblesse à respecter la loi. Est-ce que je peux, moi...

MADAME DE MÉRILHAC : Ce que vous pouvez? vraiment! et vous êtes un homme! Il faut avoir l'audace de sa faiblesse, mon ami, et le dédain brutal de l'opinion est parfois de l'habileté... Moi, quand je me suis vu des cheveux gris, j'ai poudré à blanc tout le reste, hardiment, ce qui m'a rendue plus jeune. Osez tout, et on vous trouvera fort... Ah! vous êtes loin des grands modèles! Le cardinal de Richelieu, M. de Talleyrand, et même Mirabeau, n'y auraient pas tant regardé!

MONSIEUR DES ORBIÈRES, *à part :* Quelle femme!

MADAME DE MÉRILHAC, *remontant :* Ce sera fait bientôt, n'est-ce pas? On peut compter...

MONSIEUR DES ORBIÈRES, *derrière elle :* Ah! je ne promets rien.

MADAME DE MÉRILHAC : Allons donc! vous vous moquez!

Scène IV : les mêmes, Mme Duvernier,
Paul Duvernier, portant sur son bras le châle de sa mère;
Amédée, au fond, les introduit.

MADAME DUVERNIER, *minaudant :* Ah! comtesse, quelle délicieuse résidence vous avez là! Des fleurs, une pelouse, un étang, qui est un lac!... A chaque détour d'allée un site nouveau, jusqu'à la façade de la maison!... Comme on reconnaît aux moindres choses... *(A Paul.)* Tu pourrais bien, par convenance, renforcer ce que je dis d'agréable. *(Haut.)* Non! véritablement tout a un cachet!...

MADAME DE MÉRILHAC : Vous me comblez! *(A M. des Orbières.)* Mme Duvernier, une de mes bonnes amies... Son fils, M. Paul... *(A Mme Duvernier.)* Permettez-moi de vous présenter notre ministre, M. des Orbières.

MADAME DUVERNIER : Lui! le ministre! Ah! Monsieur, quel immense honneur pour moi que de me trouver face à face avec un homme... de votre capacité! *(à Mme de Mérilhac, de manière à être entendue)* un génie, et si simple!

MONSIEUR DES ORBIÈRES, *s'inclinant :* Madame!

MADAME DUVERNIER, *à Paul :* Trouve donc un compliment pour Son Excellence... l'occasion!

PAUL : Mais tout de suite, ce serait...

MADAME DE MÉRILHAC, *désignant Paul :* L'ami de mon neveu, le jeune homme dont...

MONSIEUR DES ORBIÈRES : Ah! fort bien! Vous n'êtes pas un inconnu pour moi, Monsieur, et soyez persuadé...

Il le prend par le coude et remonte avec lui doucement vers le fond : les femmes restent au premier plan.

MADAME DE MÉRILHAC : Dépêchons-nous, pendant qu'ils causent plus loin! Et d'abord, notre grand projet, que devient-il?

MADAME DUVERNIER : Le général a promis de tâter le terrain, j'aurai sa réponse prochainement, peut-être même aujourd'hui.

MADAME DE MÉRILHAC : Monsieur votre fils doit être d'une impatience!

MADAME DUVERNIER : Pourquoi?

MADAME DE MÉRILHAC : Amoureux comme il est!

MADAME DUVERNIER : Mais non! Je ne lui ai encore rien dit!

MADAME DE MÉRILHAC : Alors que savez-vous si Thérèse...

MADAME DUVERNIER : Oh! il ne refusera pas une femme de ma main!

MADAME DE MÉRILHAC : Voilà un fils modèle, chère Madame, recevez-en mes compliments.

MADAME DUVERNIER : Pour être dans le vrai, certains indices, de ces petits détails peu importants par eux-mêmes, mais qui, réunis, ont leur signification, me donnent à croire que la jeune personne ne lui est pas indifférente. Pendant les visites que nous faisons aux dames de Grémonville, j'ai remarqué qu'il avait de la pâleur, avec des yeux!... Ah! comtesse! Quels yeux! Ça me rappelle son pauvre père quand il était dans la même position, et je vous avoue que, à sa place, moi aussi c'est bien Thérèse que je choisirais... un agneau, du bon sens, pas évaporée, pas artiste, avec le goût naturel de l'économie, enfin une vraie femme d'intérieur, tout ce qu'il faut pour gagner la confiance d'une mère de famille, en être une elle-même!

MADAME DE MÉRILHAC : Je la crois, comme vous, une jeune fille pleine de... qualités sérieuses, ce qui ne l'empêche pas, sans doute, d'en avoir au fond de plus brillantes, et que monsieur votre fils ne manquera pas de développer, tout naturellement, par sa place...

MADAME DUVERNIER : Elle est donnée?

MADAME DE MÉRILHAC : Oh! à peu près.

MADAME DUVERNIER : Si j'allais remercier Son Excellence? qu'en dites-vous?

MADAME DE MÉRILHAC : Mais... oui! ce sera une manière de l'engager. *(Elles remontent vers la véranda; les hommes, pendant qu'elles parlaient, ont descendu la scène jusqu'au milieu.)* Et puis la nomination de Paul va devenir pour son mariage un argument décisif, je me fais un plaisir de l'apprendre, pendant le dîner, à Mme de Grémonville.

PAUL *se retourne vivement :* Ces dames de Grémonville dînent ici?

MADAME DUVERNIER, *à Mme de Mérilhac :* Son secret lui échappe, vous voyez bien!

MADAME DE MÉRILHAC : Le cri de la passion, en effet! *(A Paul, ironiquement.)* Oui, Monsieur, elles dînent ici, et je n'ai pas attendu que vous me dénonciez vos sentiments pour faire mes invitations.

Les deux femmes, en riant légèrement, continuent à s'avancer vers M. des Orbières. Paul va pour les suivre.

AMÉDÉE, *l'arrêtant :* Eh! laisse-les tripoter ensemble! nous en aurons assez tout à l'heure pendant le festin! J'imagine qu'il sera peu drôle, et je serai de même. D'abord, je me méfie toujours de ma tante dès qu'il y a des vierges aspirant au sacrement; elle a voulu me placer à côté de Valentine.

PAUL, *vivement :* Tu seras à côté d'elle, toi?

AMÉDÉE : Oui! et que le diable m'emporte si je trouve de quoi alimenter la conversation! je n'ai rien à dire aux femmes honnêtes, moi! Oh! pas n'est besoin de surveillance! Mais toi, pendant ce temps-là, mon gaillard, tu nageras en plein azur?

PAUL : Comment?

AMÉDÉE : Tu vas faire ta cour à la cadette, à Mlle Thérèse.

PAUL : A Thérèse *(Il s'assombrit.)*

AMÉDÉE : Malin! ne cache donc pas ton jeu! tu l'aimes.

PAUL : Ah! par exemple!

AMÉDÉE : Ta ta ta.

PAUL : Mais je te jure...

AMÉDÉE : Je te souhaite infiniment de plaisir!

PAUL : Oh! ce n'est pas...

AMÉDÉE : Après tout, tu es libre, ça te regarde! *(Il pirouette sur ses talons et remonte la scène.)*

PAUL, *resté seul sur le devant :* Ah! maudite timidité qui me rend toujours si malheureux! Est-ce que jamais je ne me ferai connaître? Pourquoi rougir de mon amour comme d'un crime? il faudra bien pourtant que je prenne une résolution, et que ça finisse!

Scène V : les précédents, le général Varin des Ilots.

LE GÉNÉRAL : *(Il est entré par la porte latérale, à droite, et après avoir regardé quelque temps avec inquiétude.)* Paul! ah! je te cherchais... Un mot! Tu devrais prier ton ami Amédée d'avertir son domestique qu'il viendra peut-être, ce soir, une dame me demander... en secret.

PAUL, *étonné :* Mon oncle!

LE GÉNÉRAL : C'est tout bonnement Gertrude! je n'ai pas voulu la faire manger à la cuisine, tu comprends; elle est restée chez le traiteur du village, là, à côté, et même je n'ai pas besoin qu'on sache... mais, quelquefois, si par hasard, pour une chose, ou pour une autre...

PAUL : Bien! Bien!

LE GÉNÉRAL : Ainsi, je peux être tranquille, n'est-ce pas?

MADAME DUVERNIER, *descendant précipitamment :* Mais c'est la voix du général! je brûle...

LE GÉNÉRAL, *saluant :* Madame... Comtesse, je dépose mes hommages... *(Vite.)* Bonjour, M. Peyronneau!... *(Donnant une poignée de main.)* Monseigneur, je vous salue.

MONSIEUR DES ORBIÈRES : Le monseigneur doit bien des excuses à son général, d'abord de n'avoir pas répondu à sa lettre si flatteuse *(l'entraînant un peu),* puis, relativement à cette place pour M. Paul Duvernier...

LE GÉNÉRAL : Une place?

MONSIEUR DES ORBIÈRES : Oui! l'inspection!

LE GÉNÉRAL : Quelle inspection?

MONSIEUR DES ORBIÈRES : Celle enfin que vous avez demandée.

LE GÉNÉRAL : Moi? demandée... à qui?

MONSIEUR DES ORBIÈRES : A Mme de Mérilhac.

LE GÉNÉRAL : Jamais de la vie!

MONSIEUR DES ORBIÈRES, *étonné, regardant Mme de Mérilhac :* Comment?

MADAME DE MÉRILHAC, *bas à des Orbières :* Maladroit! vous le blessez. *(Des Orbières remonte.)*

LE GÉNÉRAL, *s'avançant vers elle :* N'est-ce pas, comtesse, que je n'ai point...

MADAME DUVERNIER, *au général, l'arrêtant :* Mais, depuis deux heures, j'attends! *(Elle l'entraîne.)* Eh bien, voyons, Mme de Grémonville, qu'a-t-elle dit?

LE GÉNÉRAL : Je n'y vais pas par quatre chemins, vous savez! je mène les choses rondement, à la hussarde! j'ai donc fait la demande.

MADAME DUVERNIER : Et?

LE GÉNÉRAL : Mme de Grémonville l'a accueillie avec une satisfaction que j'ose dire visible, malgré un petit air de modestie; la vérité même est qu'elle se rengorgeait!

MADAME DUVERNIER : Ah! le ciel soit loué!

LE GÉNÉRAL : Du reste, vous pouvez vous en assurer par vous-même, ces dames arrivent tout à l'heure, elles doivent être maintenant au bout du parc.

MADAME DUVERNIER, *à Mme de Mérilhac :* Allons au-devant d'elles, ce serait plus poli, qu'en dites-vous?

MADAME DE MÉRILHAC : Volontiers. *(Appelant.)* Amédée! tu nous accompagnes, c'est bien le moins qu'il y ait un homme pour offrir son bras à Mme de Grémonville.

AMÉDÉE : Oui! je vous rejoins.

PAUL, *à part :* Si j'y allais aussi, moi! Pourquoi pas? en plein air, on est plus brave; le bon vent d'été, le ciel bleu, les roses, les oiseaux, la nature immense autour de moi me soutiendra. Quelque chose me dit même : en avant! Je risque tout! *(Il sort très vite.)*

Scène VI : le général, M. des Orbières, Amédée.

AMÉDÉE, *regardant Paul s'éloigner, et haussant les épaules :* Encore un qui se précipite à l'abîme! Pauvre garçon!

LE GÉNÉRAL : De quoi le plaignez-vous?

AMÉDÉE : Eh! de se marier! il va se marier!

MONSIEUR DES ORBIÈRES : C'est s'y prendre un peu jeune!

LE GÉNÉRAL : Certainement! j'ai même fait là-dessus des représentations à Mme Duvernier; mais les femmes, vous savez, l'amour, le mariage!... et puis le mariage, l'amour! elles ne sortent pas de là!

MONSIEUR DES ORBIÈRES : Il y a d'autres buts cependant, et pour les atteindre il vaut mieux rester garçon.

AMÉDÉE : D'abord avec les femmes on n'est jamais indépendant.

LE GÉNÉRAL : Ni tranquille.

MONSIEUR DES ORBIÈRES : Ni sûr de quoi que ce soit.

LE GÉNÉRAL : Croyez-vous, par exemple, qu'un militaire marié aura le même courage...

MONSIEUR DES ORBIÈRES : Et qu'on puisse, au milieu de tracas pareils, mener, je suppose, une vie d'études, de cabinet?

AMÉDÉE : Effectivement, il me semble que je ne posséderais pas toutes mes facultés si j'avais une épouse.

MONSIEUR DES ORBIÈRES : Le mal de notre temps, le voilà, Messieurs, la femme! son influence nous étouffe, on la sent partout épandue, c'est le grand filet où se prennent les âmes! L'homme libre y laisse sa force, et le penseur sa conscience!

LE GÉNÉRAL : Que je voudrais que Gertrude l'entendît!

MONSIEUR DES ORBIÈRES : Eve, Circé, Dalilah, Hélène, Cléopâtre, Dubarry et bien d'autres prouvent assez que, depuis le commencement du monde, elles sont faites pour combattre l'idéal, humilier l'homme et perdre les empires!

LE GÉNÉRAL : Dans toutes les affaires criminelles, on trouve, au fond, une femme!

AMÉDÉE : Il est de fait qu'elles vous mènent souvent très loin.

MONSIEUR DES ORBIÈRES : Aussi, moi, Messieurs, pour me conserver plus ferme dans la lutte, ardent au travail et sourd aux complaisances, j'ai poussé, comment dirais-je? la circonspection... oui, c'est le mot... jusqu'à me priver d'une maîtresse!

LE GÉNÉRAL : Moi, en qualité de militaire, j'ai parcouru bien des pays, et j'ai eu... je peux maintenant le dire sans fatuité... pas mal de relations! mais jamais, nom d'un petit bonhomme! la moindre attache sérieuse. *(Il rit. On rit.)*

AMÉDÉE : De la brune à la blonde! libre comme l'air! tout est là!

LE GÉNÉRAL : Et elles avaient beau, pour m'attendrir, employer leurs giries... *(Il se détourne.)* Hein? vous dites?

UN DOMESTIQUE, *entré timidement depuis quelque temps, s'approche du général et lui présentant une redingote-pardessus* : C'est une dame qui veut que Monsieur le général mette sa redingote, à cause du frais.

LE GÉNÉRAL, *en lui faisant signe de se retirer, prend la redingote* : ... Ça ne me produisait aucun effet! *(Il passe une manche.)* Je vous les envoyais bouler!... *(Il a du mal à passer l'autre manche.)*

AMÉDÉE, *l'aidant* : Moi, comme enfant de Paris, je ne suis pas, vous pensez bien, sans avoir rencontré

quelques bonnes fortunes... Des personnes! oh! j'en ai connu qui m'ont aimé beaucoup, et qui rêvaient un tas de choses... qui entreprenaient de me faire changer mes habitudes! mais pas si bête! un moment! Aucune encore n'a pu aplatir cette boule-là, voyez-vous *(montrant sa tête)*, pas même ma tante! et Dieu sait qu'elle est forte, la comtesse.

MONSIEUR DES ORBIÈRES, *à part* : Après tout, rien ne m'empêche de commander un rapport sur son affaire?... Une idée, notons-la. *(Il tire un calepin de sa poche et écrit debout.)*

AMÉDÉE, *se frappant le front* : Ah! saprelotte! j'oubliais les dames de Grémonville!... Quelle semonce! *(Il se précipite pour sortir.)*

LE GÉNÉRAL, *regardant au loin* : Inutile! je crois que les voilà.

AMÉDÉE, *même jeu* : Oui! toutes les trois... et ma tante, et Mme Duvernier... Cinq femmes! comme ça tient de la place!

LE GÉNÉRAL : Avec la toilette qu'elles ont aujourd'hui, parbleu! Et même je ne sais comment un homme peut y suffire! D'autant plus que la simplicité, mon Dieu, un joli petit bonnet!...

MONSIEUR DES ORBIÈRES : Autre signe des temps, général; toute la valeur d'un siècle se reconnaît à la façon dont les femmes s'habillent. Aux époques viriles, pas d'étalage, nulle pompe; vous les voyez glisser entre les événements, minces et fluettes, dans des sarraux ou des gaines. Mais que l'homme s'endorme et que les cœurs se relâchent, tout à coup leur coiffure se dresse à leur front comme une menace, leurs hanches s'élargissent dans des proportions formidables, elles débordent les voitures, elles font craquer les murailles; on dirait qu'elles veulent toucher le ciel de leur front et abriter le monde avec leur jupe.

AMÉDÉE : Très bien!

LE GÉNÉRAL, *serrant la main de M. des Orbières* : Vous me faites plaisir, quand vous parlez, vous! non, là, sérieusement, vous me faites plaisir!

Scène VII : les mêmes, Thérèse.

THÉRÈSE : *(Elle entre par la droite avec des sanglots, une main sur le cœur, et s'appuyant aux lambris.)* Moi qui l'aimais tant! Oh! mon Dieu! mon Dieu!

MADAME DUVERNIER *entre par la gauche, ébouriffée, furieuse* : Le misérable! manquer à toutes les convenances! sans égard pour sa pauvre mère!

THÉRÈSE : Faut-il que j'aie cru jusqu'à présent!...

MADAME DUVERNIER : S'il m'avait prévenue, au moins! mais non, là, tout à coup...

THÉRÈSE : C'est à en mourir de chagrin! *(Elle s'affaisse sur la causeuse.)*

MADAME DUVERNIER : Ah! j'étouffe de rage! *(Elle tombe de l'autre côté, dans un fauteuil.)*

LE GÉNÉRAL : Eh! bon Dieu, chère Madame, si je pouvais...

MONSIEUR DES ORBIÈRES : Mademoiselle, du calme, je vous en prie, du calme!

AMÉDÉE : Mais qu'y a-t-il?

Scène VIII : les mêmes, Paul, au bras de Valentine, tous les deux rayonnant de joie, Mme de Grémonville, l'air enorgueilli.

MADAME DE GRÉMONVILLE : Rien! une petite sotte!

PAUL : Un événement heureux.

VALENTINE : Oh! bien heureux!

THÉRÈSE, *redoublant de sanglots :* Pas pour moi toujours! pas pour moi!

MADAME DUVERNIER, *à son fils :* Un procédé de ta part que je n'attendais guère, par exemple!

THÉRÈSE : Oh! allons-nous en.

MADAME DE GRÉMONVILLE : Veux-tu bien ne pas pleurer!

THÉRÈSE : Je veux pleurer, moi! je veux m'en aller!... non! qu'on me laisse tranquille!... dans un couvent!

LE GÉNÉRAL : Mais elle va se faire du mal!

MADAME DUVERNIER : Et moi! j'en aurai bien sûr une fluxion de poitrine! et rien que pour la mémoire de ton père...

Scène IX : les mêmes, Mme de Mérilhac, entrant par le fond.

MADAME DE MÉRILHAC : Tout ce bruit, ces cris, je voudrais savoir...

Paul se penche à l'oreille du général et lui parle bas sans qu'on l'entende.

LE GÉNÉRAL *fait un bon en arrière :* Comment! mais ce n'était pas ça? voilà qui dérange tout! ah! fichtre!

MONSIEUR DES ORBIÈRES, *au général :* Quoi donc?

LE GÉNÉRAL, *parle bas à l'oreille de M. des Orbières, puis désignant Mme de Mérilhac :* Je n'ose pas lui dire, mais dites-le, vous.

MONSIEUR DES ORBIÈRES : Ah! diable, c'est fort embarrassant!

MADAME DE MÉRILHAC : Mais, mon ami, pourquoi, dans ma maison, tous ces mystères?

AMÉDÉE, *un peu auparavant, s'est rapproché de Paul qui lui a parlé à l'oreille, et sur le dernier mot de Mme de Mérilhac, gaiement :* Le mystère est bien simple, Paul a demandé et obtenu la main de Mlle Valentine.

MADAME DE MÉRILHAC *pousse un cri :* Valentine! *(Se contraignant.)* J'en suis ravie... enchantée, certainement. *(A Mme Duvernier.)* Vous aurez là, Madame, une belle-fille on ne peut mieux. *(A Paul.)* Je vous félicite, Monsieur! *(Tâchant de se remettre.)* La nouvelle de ces événements, quand on s'y intéresse, a toujours quelque chose qui impressionne.

UNE FILLE DE BASSE-COUR *entre, essoufflée :* Il y a là une dame qui veut à toute force parler au général.

LE GÉNÉRAL : On y va, sacrrr... *(Embarras général.)*

AMÉDÉE : Qu'est-ce que vous avez donc à vous regarder tous sans rien dire? Moi, par principe et caractère, je ne suis pas pour le mariage, assurément; mais quand c'est plus fort que vous, je trouve cela très bien et permets qu'on en use. Allons dîner! *(On se met en mouvement pour passer dans la salle à manger, d'une façon contrainte. Mme de Mérilhac, seule, en tête;*

Mme de Grémonville au bras de Paul, Mme Duvernier au bras du général, Valentine au bras de M. des Orbières; Thérèse, seule, après tous les autres; enfin Amédée. Il regarde les convives, et au public.) Pas de femme! moi! jamais de femme!

ACTE DEUX

A Paris, un salon chez Paul.

Scène I : Mme de Grémonville, Valentine, Thérèse puis Victoire.

MADAME DE GRÉMONVILLE, *fermant avec violence un secrétaire plein de papiers, registres de comptes, etc :* Une pareille dépense pour quinze jours à Nice, c'est affreux!

VALENTINE : Il est vrai de dire qu'il ne m'a rien refusé!

MADAME DE GRÉMONVILLE : Je crois bien!

VALENTINE : Les premiers temps du mariage...

THÉRÈSE, *ironiquement :* La lune de miel!

MADAME DE GRÉMONVILLE : Du miel qui coûte cher!

VALENTINE : Mais, petite maman adorée, tu ne songes pas que bientôt sa place...

MADAME DE GRÉMONVILLE : Toi et lui, vois-tu, vous n'êtes que deux enfants sans aucune idée de la vie, et il est réellement fort heureux que je vous aie tout sacrifié : goûts, repos, habitudes... sacrifié est le mot, car, si j'habite, avec vous, cette maison, c'est grâce aux instances de ton mari.

THÉRÈSE, *à demi-voix :* Bien sûr!

VALENTINE : Aussi notre reconnaissance...

MADAME DE GRÉMONVILLE : Sans moi, pauvre fille, il t'aurait dominée, tu es trop bonne. Dieu merci, j'étais là; mon expérience m'avait appris qu'il fallait d'abord lui tenir tête et se poser dès le premier jour carrément. C'est pour son bien, après tout; il a été singulièrement élevé, ce garçon.

THÉRÈSE : Oh! oui!

VALENTINE, *vivement :* Quand tu ne seras pas sans cesse à renforcer les accusations...

MADAME DE GRÉMONVILLE : Elle a raison; rappelletoi les premiers temps de votre mariage! comme il était pliant, respectueux, empressé! Depuis son retour de Nice, il manifeste en toutes choses je ne sais quel esprit d'indépendance; vendredi, c'était une grimace devant le dîner maigre, tu l'as vu; l'autre jour, il a refusé de m'accompagner au sermon. A chaque instant, on dirait qu'il prend à tâche de combattre mes principes; mais sois tranquille, une mère se doit au bonheur de ses enfants. Il y a ici un besoin urgent de réformes, d'abord votre train de maison.

VALENTINE : Mais, petite mère, puisqu'il va avoir cette place, aujourd'hui peut-être? il est même descendu...

MADAME DE GRÉMONVILLE : Tant mieux! Quoi qu'il en soit, je vous sauverai, et comme premier point j'exige... *(Bruit de pas précipités dans la coulisse.)*

VALENTINE : Ecoute donc! mais oui, c'est lui!

Scène II : Les mêmes; Paul agitant un journal.

PAUL : Le journal! le journal! il y est, le décret! j'ai respecté la bande, je n'ai pas voulu lire ma nomination tout seul. *(Valentine lui saute au cou.)*

MADAME DE GRÉMONVILLE : Etes-vous sûr au moins?

PAUL, *montrant le journal :* Parbleu! tenez, là! regardez!

MADAME DE GRÉMONVILLE, *prenant les mains de Paul :* Cette excellente dame de Mérilhac! quel beau, quel noble caractère! et une influence...

VALENTINE : Oh! la bonne comtesse! il faut aller la remercier, maman.

MADAME DE GRÉMONVILLE : Tout de suite! *(Prenant la main de Paul qui va déployer le journal.)* Vous aussi! *(A Valentine.)* Mets ton chapeau. *(Valentine sort.)* Tu nous accompagnes, Thérèse?

THÉRÈSE, *avec humeur :* Moi?

MADAME DE GRÉMONVILLE, *après avoir sonné, revenant vers Paul et l'arrêtant dans sa lecture commencée :* Oui, l'expression de notre reconnaissance doit avoir un caractère de spontanéité.

PAUL : Sans doute.

VALENTINE, *revenant avec son châle et son chapeau :* Me voilà! *(Victoire entre.)*

MADAME DE GRÉMONVILLE : Faites atteler, Victoire, et donnez-nous d'abord à moi et à Mademoiselle tout ce qu'il faut pour sortir. *(Victoire sort.)*

PAUL, *feuilletant avec anxiété :* Mais... mais... ah! l'autre page...

MADAME DE GRÉMONVILLE, *pendant qu'il lit :* Une place pareille! et pour un début! c'est splendide!... Oh la protection des femmes! Vous avez maintenant le pied à l'étrier, mon ami!

PAUL, *balbutiant et parcourant fiévreusement le journal :* Comment?

MADAME DE GRÉMONVILLE : Eh bien, qu'arrive-t-il? *(Paul s'affaisse dans un fauteuil.)* Vous pâlissez.

VALENTINE, *courant à lui :* Paul! Paul!

PAUL, *d'une voix faible et laissant tomber le journal :* Je ne suis pas nommé!

MADAME DE GRÉMONVILLE, *ramassant le journal :* C'est impossible!

VALENTINE, *bas à Paul :* Du courage, mon ami!

MADAME DE GRÉMONVILLE, *froissant le journal :* Non! rien!

THÉRÈSE, *avec amertume :* Ah! ah! cette excellente dame de Mérilhac!

MADAME DE GRÉMONVILLE, *éclatant :* Mais c'est une trahison, mais c'est une infamie! mais on ne se moque pas ainsi des personnes de notre rang! *(Victoire revient avec deux chapeaux et deux manteaux.)*

VICTOIRE, *à part :* Oh! oh! tempête!

MADAME DE GRÉMONVILLE, *à Victoire :* Allez-vous rester plantée comme ça une heure devant moi? Mettez tout ici, laissez-nous! Ah! Mme de Mérilhac! *(Victoire sort.)*

THÉRÈSE, *allant à sa mère :* Chère maman, ne te fais donc pas tant de mal pour une... intrigante de cette espèce.

MADAME DE GRÉMONVILLE : Embrasse-moi, Thérèse; tu as vu clair, toi! tu es la seule tête forte de la maison. *(Désignant Paul et Valentine avec dédain.)* On n'arrive à rien avec des caractères comme ceux-là.

PAUL, *se relevant :* Madame!

VALENTINE, *à sa mère :* Mais, ce n'est pas sa faute.

MADAME DE GRÉMONVILLE : Qu'en sais-tu? que veux-tu que je te dise, moi? Monsieur a ses idées, Monsieur a ses allures... Monsieur est un libre penseur! tout cela peut fort bien ne pas convenir à tout le monde! et si Mme de Mérilhac est inexcusable d'avoir agi de cette façon-là à mon égard, je suis bien forcée de reconnaître qu'elle n'a peut-être pas complètement tort envers Monsieur.

PAUL : J'excuse votre injustice en considération de votre désappointement.

MADAME DE GRÉMONVILLE : Une place sans laquelle, certainement, je n'aurais pas consenti...

PAUL : A quoi?

MADAME DE GRÉMONVILLE, *détournant la tête :* Car enfin, la dot que Mme Duvernier vous a donnée...

PAUL : Oh! Madame, il me semble que vous-même vous n'avez pas été d'une générosité...

MADAME DE GRÉMONVILLE, *fondant en larmes :* Des reproches! Mon Dieu! c'est le dernier coup! *(Elle tombe dans un fauteuil.)*

THÉRÈSE : Ma pauvre maman!

MADAME DE GRÉMONVILLE, *gémissant :* Me faire un crime, à moi, de l'exiguïté de mes ressources présentes! me reprocher les immenses sacrifices que m'impose la malheureuse santé de mon mari.

VALENTINE : Il n'a pas voulu dire cela, je t'assure.

MADAME DE GRÉMONVILLE : Ce n'était pas la peine de m'attirer chez lui, à mon âge, s'il n'avait que des insultes...

VALENTINE, *bas à Paul :* Demande-lui pardon, Paul.

PAUL : Moi?

VALENTINE : Je t'en supplie...

PAUL : Jamais!

VALENTINE, *s'agenouillant :* Tiens, comme cela, près de moi!

PAUL : Tu le veux?

VALENTINE : Oui, je t'en prie.

PAUL, *s'avançant gravement vers Mme de Grémonville :* Je vous fais mes excuses, Madame.

MADAME DE GRÉMONVILLE : Ah! Monsieur, la vie en commun n'était qu'un beau rêve! Je vois bien maintenant qu'il vaut mieux nous séparer... dans notre intérêt réciproque.

VALENTINE : Oh! chère maman, ne nous quitte jamais, jamais!

PAUL : Je vais joindre ma prière à la sienne, Madame.

MADAME DE GRÉMONVILLE, *laissant prendre sa main par Valentine, qui la met dans celle de Paul :* Ah! Monsieur, vous ne connaissez pas le cœur d'une mère!

THÉRÈSE : Quoi qu'il en soit, je pense que notre visite à Mme de Mérilhac est toute faite?

MADAME DE GRÉMONVILLE, *se redressant convulsivement :* Non pas! j'ai des compliments à lui adresser. Allons, mes filles *(elle se coiffe ainsi que Thérèse)* nous avons dit que nous irions, nous irons. *(A Paul.)* Vous n'avez pas besoin de vous déranger pour elle, monsieur Paul. *(Elle sort avec Valentine et Thérèse.)*

Scène III : Paul, seul, regardant la porte du fond.

Tu peux bien compter que j'ai fait cela pour toi, Valentine. Me rendre responsable des boutades de Mme de Mérilhac!... Voyons! il s'agit désormais de régler un peu ses affaires. Il est impossible qu'avec mes rentes... Mais pouvais-je soupçonner qu'une femme comme la comtesse!... Allons, un peu de courage! Puisque ce n'est pas ma faute, je peux bien exposer à ma mère... *(Il réfléchit.)* Oh! je n'oserai jamais lui avouer en face, écrivons. *(Il s'assoit pour écrire.)*

Scène IV : Paul, Amédée.

AMÉDÉE, *entrant avec hésitation :* Seul?

PAUL, *se retournant :* Amédée!

AMÉDÉE : Maison du bon Dieu, porte ouverte.

PAUL, *regardant, à part :* Elles auront oublié de la fermer.

AMÉDÉE : Ma visite de noces est légèrement en retard; mille compliments, d'ailleurs; femme adorable, mère charmante, belle petite sœur en sucre, bonne affaire. Moi, voilà bien huit jours que je n'ai pas salué mes pénates, ma tante doit être furieuse; j'ai passé la nuit, je meurs de faim.

PAUL : Tu vas manger, parbleu!

AMÉDÉE : Sans refus.

PAUL *tire une des sonnettes de la cheminée :* Ce cher Amédée! toujours gai.

AMÉDÉE : Mais oui; pourquoi pas? Et toi?

PAUL *re-sonne :* Moi aussi!

AMÉDÉE : Et le mariage? est-ce aussi bon qu'on le prétend?

PAUL : Délicieux! *(Il sonne plus fort.)*

AMÉDÉE : Cette fois, on a entendu, ne t'inquiète pas, on va venir. *(Il s'assoit.)* Ce doit être bien agréable, en effet, d'avoir une petite femme toujours là, auprès de soi, pour vous dorloter. *(A la cantonade.)* Dominique!

AMÉDÉE : Un garçon, on a beau dire, n'est jamais aussi bien servi.

PAUL : Certainement. *(A la cantonade.)* Joséphine!

AMÉDÉE : Du reste, tout le monde n'est pas comme toi; au lieu d'une femme, tu en as deux.

PAUL, *à la cantonade :* Victoire!

AMÉDÉE : C'est un double avantage, car une belle-mère doit avoir toutes sortes d'attentions.

PAUL : Mais... *(Appelant.)* Victoire!

AMÉDÉE : L'intérêt de sa famille, naturellement, lui fait soigner le bonheur de son gendre.

Scène V : les mêmes, Victoire.

PAUL : Ah! enfin! où étiez-vous donc?

AMÉDÉE, *à part :* Eh! elle est appétissante, cette esclave!

VICTOIRE : Monsieur, c'est que ces dames...

PAUL : Oui... Quand ces dames ne sont pas là, les domestiques ne se gênent guère! Vous allez dire à la cuisine qu'on fasse à déjeuner pour Monsieur.

VICTOIRE, *embarrassée :* C'est que...

PAUL : Eh bien, quoi?

VICTOIRE : Entre les repas, Madame a expressément défendu...

PAUL : Quelle madame?

VICTOIRE : Mme de Grémonville a expressément défendu qu'on fasse jamais...

PAUL : Eh bien, moi j'ordonne!...

AMÉDÉE, *voulant s'en aller :* Non! j'ai regret, vois-tu, j'aime mieux...

PAUL : Vous avez compris, n'est-ce pas? allons! vite!

VICTOIRE, *s'en allant :* Bien, Monsieur, bien!

AMÉDÉE : Oh! la moindre des choses! je ne suis pas difficile. *(A Paul.)* Véritablement, mon bonhomme, je te cause un embarras.

VICTOIRE, *revenant :* Monsieur... mais, pour le vin?

PAUL : Quoi, encore?

VICTOIRE : C'est que Madame serre toujours la clef de la cave.

PAUL, *exaspéré :* Ah! qu'on prenne un serrurier... ou qu'on enfonce la porte!

VICTOIRE : Cependant... Madame... *(Coup de cloche d'antichambre.)* Tenez! c'est elle qui rentre. *(Elle sort.)*

AMÉDÉE : Dans ce cas, mon bon, je m'éclipse.

PAUL : Au contraire, je tiens à ce que tu restes. Parbleu! ce serait trop fort si un vieil ami ne pouvait pas, chez moi...

VICTOIRE, *rentrant :* Monsieur, Mme la comtesse de Mérilhac!

AMÉDÉE : Ma tante! je me dérobe à son courroux... dans la salle à manger. *(A Victoire.)* Vous me tiendrez compagnie, jeune fille! *(Sur le seuil de la porte.)* Après vous, s'il vous plaît. *(Victoire passe la première, Amédée lui pince la taille.)*

PAUL : Il faut se montrer, à la fin! et il n'est pas dit que les femmes me gouverneront toujours!

Scène VI : Paul, Mme de Mérilhac.

PAUL, *d'un air contraint :* Madame!

MADAME DE MÉRILHAC : Vous ne m'attendiez pas aujourd'hui, n'est-ce pas?

PAUL : J'avoue.

MADAME DE MÉRILHAC : Etes-vous seul?

PAUL : Ces dames, précisément, sont sorties pour aller vous voir *(il pousse un siège devant elle)*, mais faites-moi l'honneur...

MADAME DE MÉRILHAC, *s'asseyant :* Merci! *(Silence, elle le considère.)* Vous m'avez bien battue, l'autre jour.

PAUL : Comment cela?

MADAME DE MÉRILHAC : Mais oui! c'est une histoire piquante, on s'en amuse. Moi qui ai une réputation d'habileté, je passe pour une dupe; les petits journaux ont raconté votre demande de mariage d'une manière très drôle, sans omettre les initiales; la chose a pris les proportions d'un événement, c'est pour le Pouvoir presque un échec, en tous cas un ridicule.

PAUL : Et votre vengeance est retombée sur moi.

MADAME DE MÉRILHAC : Parfaitement!

PAUL : Pour quelle raison?

MADAME DE MÉRILHAC : Je voulais marier Amédée à Valentine.

PAUL : Lui? Amédée? Avec ses opinions...

MADAME DE MÉRILHAC : On change d'opinion tous les jours. Fausse honte, vous dis-je; je suis sûre de ses sentiments, il a été peiné de votre mariage.

PAUL : Ah! par exemple!

MADAME DE MÉRILHAC : Je vous l'affirme; il plaisait à la belle-mère, il regardait même Thérèse.

PAUL : Eh! qu'il l'épouse! elle est libre.

MADAME DE MÉRILHAC, *comme réfléchissant :* Thérèse! tiens, voilà une idée *(silence)*, malheureusement impraticable.

PAUL : Vous pensiez bien à Valentine.

MADAME DE MÉRILHAC : Oh! Valentine, c'est autre chose.

PAUL : Que voulez-vous dire?

MADAME DE MÉRILHAC, *haussant les épaules :* Vous le savez.

PAUL : Pas le moins du monde.

MADAME DE MÉRILHAC : Valentine, votre femme, sera beaucoup plus riche que sa sœur.

PAUL : Comment cela?

MADAME DE MÉRILHAC : Mme de Grémonville ne vous a rien dit?

PAUL : Pas un mot.

MADAME DE MÉRILHAC, *réfléchissant et comme se parlant à elle-même :* C'est possible après tout, de peur des explications; mais le père ayant dénaturé ses biens...

PAUL : Je marche absolument dans les ténèbres.

MADAME DE MÉRILHAC : M. de Grémonville a juré de laisser toute sa fortune à Valentine, au détriment de sa sœur.

PAUL : M. de Grémonville? mais il n'a pas sa tête! c'est un impotent, un malade!

MADAME DE MÉRILHAC : Un homme séparé de sa femme, rien de plus... oui... à l'amiable, par incompatibilité d'humeur.

PAUL : Je comprends cela.

MADAME DE MÉRILHAC, *baissant la voix avec malice:* Certains bruits ont couru... qu'il est inutile de vous dire puisque vous n'en avez pas eu connaissance.

PAUL : Ah! ah! la belle-mère...

MADAME DE MÉRILHAC : Qu'il vous suffise d'apprendre que M. de Grémonville n'a jamais voulu voir Thérèse.

PAUL : Pourquoi?

MADAME DE MÉRILHAC : De cette naissance date encore une fois! sa séparation.

PAUL, *soupirant largement :* Oh! oh!

MADAME DE MÉRILHAC, *souriant :* Tout s'efface, le temps met sur les choses une brume... commode. On a dit à propos de cet événement « maladie »; Mme de Grémonville, sans l'affirmer, a laissé murmurer tout bas « démence »; c'est une fiction désormais inattaquable, et qui s'est durcie aux années jusqu'à la consistance d'un fait. *(Regardant Paul qui réfléchit.)* Eh bien, qu'avez-vous donc?... une histoire des plus ordinaires, il n'y a pas le moindre drame à chercher là-dessous, je vous en préviens, et si cette révélation vous affecte, je regretterai vivement d'avoir été entraînée à vous la faire.

PAUL, *revenant à lui :* Non, non, au contraire.

MADAME DE MÉRILHAC : Vous comprenez maintenant combien la situation de Thérèse...

PAUL : Pauvre enfant!

MADAME DE MÉRILHAC : Oui, pauvre!

PAUL : Mais que faire? il faudrait que Valentine renonçât...

MADAME DE MÉRILHAC : Prenez garde! vous parlez contre vos intérêts.

PAUL : Il ne s'agit pas de mes intérêts, mais de justice; elle finira peut-être par consentir.

MADAME DE MÉRILHAC : C'est une éventualité douteuse.

PAUL, *réfléchissant :* En effet!... Mais M. de Grémonville lui-même pourrait...

MADAME DE MÉRILHAC, *à part :* Oh! l'y voilà!

PAUL : Pourquoi pas? j'irai le trouver, ce père invisible; c'est bien le moins qu'il fasse connaissance avec son gendre; je lui parlerai, Madame.

MADAME DE MÉRILHAC : Vraiment?

PAUL : Mais oui! je partirai dès ce soir pour Toulouse.

MADAME DE MÉRILHAC : Réfléchissez bien! on se repent quelquefois de ces mouvements de générosité.

PAUL : Eh! quand j'ai épousé Valentine, je n'ai rien vu derrière sa dot que la couleur de ses yeux et la qualité de son âme.

MADAME DE MÉRILHAC : Vous êtes simplement sublime, cher Monsieur.

PAUL : Je ne commets rien de sublime en me refusant à jouir de la fortune de ma belle-sœur, je voudrais même par là affaiblir un peu la peine que lui a causée mon mariage, et je déplore, croyez-le, celle qu'il a pu indirectement vous faire.

MADAME DE MÉRILHAC : Ma peine, à moi, est oubliée... *(appuyant)* bien que j'en regrette les conséquences.

PAUL : N'en parlons plus!

MADAME DE MÉRILHAC : Du reste, elles ne sont pas irréparables; tous les jours des nominations se trouvent retardées, empêchées même, pour une raison ou pour une autre, puis elles ont lieu, plus tard. M. des Orbières me le disait encore ce matin : tout n'est pas perdu. *(Elle lui tend la main pour partir.)* Ainsi, à bientôt! sans rancune! Et puisque vous allez voir M. de Grémonville, n'oubliez pas de lui représenter, pour mieux le fléchir, que c'est un parti fort avantageux. La position d'Amédée...

PAUL : Vous croyez donc absolument qu'il veut se marier?

MADAME DE MÉRILHAC : Je m'en charge.

PAUL : La conversion, quoi que vous dites, me semble...

MADAME DE MÉRILHAC : Bah! dès que je le verrai...

PAUL, *à la cantonade :* Amédée!

Scène VII : les mêmes, Amédée.

MADAME DE MÉRILHAC : Amédée!

AMÉDÉE, *jetant son cigare :* Ma tante!

PAUL : Il se mourait de faim, je l'ai fait déjeuner.

MADAME DE MÉRILHAC : Vous vous plaisez donc partout mieux que chez vous, mon pauvre neveu! *(Le regardant.)* Ce teint, ces yeux rouges! vous avez encore joué toute la nuit, je parierais.

AMÉDÉE : Il faut que jeunesse se passe, chère tante.

MADAME DE MÉRILHAC : Au train dont vous allez, prenez garde, elle ne se passe pas, elle se précipite. *(Le considérant avec anxiété.)* Mais vous êtes malade, Amédée! Dites-moi, ne souffrez-vous pas? vous vieillirez tout à fait, et j'ai véritablement peur...

AMÉDÉE : Moi? Je me porte comme un régiment de cuirassiers.

MADAME DE MÉRILHAC : Voyez donc sa figure, monsieur Paul!

PAUL : Un peu fatiguée, sans doute...

MADAME DE MÉRILHAC, *à mi-voix, à Paul :* J'étais aveugle de vouloir le marier, il est trop tard!

PAUL : Trop tard?

MADAME DE MÉRILHAC : Oh! certainement.

AMÉDÉE, *piqué :* Un point de gagné, au moins!

MADAME DE MÉRILHAC : Comme vous le dites. Je vous conseillerai seulement de vous ménager un peu plus.

AMÉDÉE : Ah çà, vous me trouvez donc bien changé depuis quelques semaines?

MADAME DE MÉRILHAC : Je n'ai pas dit cela pour vous affecter, mon ami, n'en parlons plus; j'aurais été heureuse, j'en conviens, de voir autour de vous les soins d'une épouse, le dévouement d'une famille, mais de deux choses l'une : ou je m'abusais étrangement l'autre jour, ou bien...

AMÉDÉE : Ou bien quoi?

MADAME DE MÉRILHAC : Vous êtes à cette période de l'existence qui ne connaît plus la lenteur des transitions.

AMÉDÉE : Mais ne dirait-on pas à vous entendre que je suis un véritable octogénaire... 49 ans!

MADAME DE MÉRILHAC : Cinquante.

AMÉDÉE : 49, ma tante.

MADAME DE MÉRILHAC : 50, mon neveu.

AMÉDÉE : Et quand même, on se sent bien, je suppose! Six mois de gymnastique et d'hydrothérapie, un peu d'équitation, plus de sommeil, et je vous garantis, moi, Amédée Peyronneau, de 50 ans, que je serais encore homme à épouser, haut la main, qui bon me semble.

PAUL, *à part :* Il se noie!

MADAME DE MÉRILHAC : Pourvu que ce ne soit pas une fille de 20 ans, comme j'avais la sottise de vous le proposer.

AMÉDÉE : Pourquoi donc? en connaissez-vous de plus jeunes, ma tante?

MADAME DE MÉRILHAC : Vous n'avez pas la prétention, j'imagine, de descendre jusqu'à l'âge, par exemple, de Mlle Thérèse de Grémonville?

PAUL : Elle est pourtant fort bien.

AMÉDÉE : J'ai été accueilli par elle avec une sécheresse...

MADAME DE MÉRILHAC, *à Paul :* Et il prétend connaître les femmes!

AMÉDÉE : Hein?

MADAME DE MÉRILHAC : Rien. Vous avez peut-être raison, après tout; Thérèse ne se sera pas gênée, vous n'êtes plus guère, pour elle, dans la catégorie des hommes possibles.

AMÉDÉE : J'ai dit sécheresse... pour froideur.

MADAME DE MÉRILHAC : C'est la même chose.

AMÉDÉE : Voulez-vous parier que si je me donnais la peine de lui faire la cour, sérieusement...

MADAME DE MÉRILHAC : N'allez pas vous permettre une aussi sotte plaisanterie.

AMÉDÉE : Comment, plaisanterie? j'ai bien le droit de me diriger tout seul, je suis d'un âge...

MADAME DE MÉRILHAC : Oh oui!

AMÉDÉE, *exaspéré :* Mais vous feriez damner un saint, ma parole d'honneur! Voilà bien les femmes! pendant trente ans, vous me poussez vers la mairie, j'arrive au seuil et tout à coup vous m'arrêtez sans même savoir si je veux y entrer.

MADAME DE MÉRILHAC : Il n'y a vraiment aucune raison à tirer de lui!

AMÉDÉE : Ce n'est pas répondre.

MADAME DE MÉRILHAC : M'en voulez-vous assez, monsieur mon neveu, pour me refuser l'honneur de votre compagnie jusque chez moi?

AMÉDÉE : Je suis toujours à vos ordres, chère tante, mais c'est bien convenu, n'est-ce pas, j'entends me conduire absolument à ma guise.

MADAME DE MÉRILHAC, *à Paul :* Priez pour lui, monsieur Paul. Allons, beau Clitandre, être effervescent! *(Bas, à Paul.)* Je le tiens!

PAUL, *à part, les regardant s'éloigner :* On m'avait toujours assuré que le diable portait deux cornes et une queue!

Scène VIII : Paul, Victoire.

PAUL : Victoire, ma petite malle et mon nécessaire de voyage!

VICTOIRE, *du dehors :* Oui, Monsieur.

PAUL : Il y viendra, Amédée; quelles lâchetés les femmes vous font commettre! *(S'asseyant.)* J'en ai appris de bonnes aujourd'hui, et maintenant que je connais à fond ma belle-mère, si elle bronche... gare la première mouche qui va piquer! Ce voyage-là, c'est l'affaire d'une semaine... à peu près *(calculant)* oui, pas davantage. *(Victoire entre, portant la malle et le nécessaire.)*

PAUL : Ouvrez cela, Victoire, et voyez s'il ne manque rien.

VICTOIRE : Non, Monsieur... *(elle ouvre)* les deux limes, les ciseaux... *(Criant.)* Aïe!

PAUL, *se retournant :* Qu'avez-vous?

VICTOIRE, *pressant son doigt sur ses lèvres :* Je me suis déchiré le doigt à une machine pointue!

PAUL : Est-ce que vous saignez?

VICTOIRE : Un peu.

PAUL, *prenant les ciseaux et du taffetas dans le nécessaire :* Attendez! avec un morceau de taffetas d'Angleterre...

VICTOIRE, *minaudant et tenant toujours son doigt sur ses lèvres :* Mais, Monsieur...

PAUL, *lui tendant le morceau de taffetas :* Montrez-moi...

VICTOIRE, *se détournant, avec coquetterie :* Ça guérira tout seul.

PAUL, *impatienté :* Donnez donc!

VICTOIRE, *rapprochant sa main avec lenteur et timidité :* C'est que je n'osais pas, Monsieur!

PAUL, *collant le taffetas sur la déchirure :* Voilà tout. *(On sonne.)*

VICTOIRE, *s'échappant comme effrayée :* Ces dames!

PAUL : Eh bien, allez ouvrir, et prévenez François de ne pas dételer.

VICTOIRE : Oui, Monsieur. *(Elle se dirige vers le fond.)*

PAUL, *la rappelant :* Ah! vous n'avez pas besoin de dire que j'ai reçu la visite de cette dame.

VICTOIRE, *mystérieusement :* Non, Monsieur.

PAUL, *la regardant s'éloigner :* C'est qu'elle n'est pas mal, pour une servante; j'avais une envie de la complimenter sur sa main.

Scène IX : Paul, Mme de Grémonville, Thérèse, Valentine.

MADAME DE GRÉMONVILLE : Ah! une jolie journée! c'est comme un fait exprès, une conjuration! D'abord, chez Mme de Mérilhac, personne; elle était sortie, ou bien elle se cachait, n'importe!... et l'huissier du ministre, car j'ai tenu à le voir, ce monsieur-là, s'est mis le dos contre les deux battants pour m'empêcher... et on ne sait pas ce qui s'y passait, chez votre ministre.

PAUL : Ce n'est pas le mien, malheureusement.

MADAME DE GRÉMONVILLE : Ni le mien, je vous assure.

THÉRÈSE : Moi, d'abord, je n'ai jamais pu le sentir.

MADAME DE GRÉMONVILLE : La couturière, non plus, n'était pas chez elle, ni la veuve Lehérissé où j'allais pour prendre des renseignements, ni le vicaire que je voulais... Au moins, quand on n'est pas chez soi, on devrait le dire! *(Apercevant la malle et le nécessaire de voyage.)* Tiens! pourquoi cela?

PAUL : Je suis forcé d'entreprendre un voyage.

MADAME DE GRÉMONVILLE : Vous?

PAUL : Pour mes affaires.

MADAME DE GRÉMONVILLE : Quelles affaires?

PAUL : Vous comprenez bien, Madame, que cette place qui m'échappe et la nouvelle situation qui m'est faite exigent le plus tôt possible des mesures.

MADAME DE GRÉMONVILLE : Peut-on savoir au moins où vous allez?

PAUL : Assez loin.

MADAME DE GRÉMONVILLE : En Chine?

PAUL : Cela se peut.

MADAME DE GRÉMONVILLE : Voilà une plaisanterie d'un goût...

THÉRÈSE : Il faut convenir, Paul, que vous n'êtes guère poli.

MADAME DE GRÉMONVILLE : Ainsi, vous refusez positivement de me dire...

PAUL : Eh bien, Madame, je vais dans le Midi.

MADAME DE GRÉMONVILLE : Le Midi? quelle idée! pourquoi faire dans le Midi? à Bordeaux! sans doute, Marseille, Carpentras?

PAUL : Mon Dieu, Madame, cette insistance...

MADAME DE GRÉMONVILLE : Là, calmez-vous! gardez vos secrets! je n'ai pas l'habitude de contrarier les gens. Amusez-vous! voyagez! continuez vos fredaines!

PAUL : Mes fredaines!

MADAME DE GRÉMONVILLE, *éclatant d'indignation :* Croyez-vous que je n'aie pas vu ce qu'il y a dans la salle à manger? les restes d'un repas, Monsieur, d'une orgie! jusqu'à trois carafons sur la table, avec deux tasses de café... du café au milieu de la journée, je vous demande un peu!

THÉRÈSE : Et une odeur de pipe!

MADAME DE GRÉMONVILLE : Vraiment, je ne me figurais pas que dans ma maison.

PAUL : Votre maison? ah! permettez.

MADAME DE GRÉMONVILLE : Et comme pour me narguer... en dépit de mes ordres...

PAUL : Les miens diffèrent.

MADAME DE GRÉMONVILLE : Moi qui ai commandé toute ma vie, je ne changerai pas mes habitudes, je vous en préviens.

PAUL : Et moi qui n'ai jamais eu cet avantage, je désire en prendre d'autres.

MADAME DE GRÉMONVILLE : C'est votre dernier mot, Monsieur?

PAUL : Oui, Madame.

MADAME DE GRÉMONVILLE : Mets ton manteau, Thérèse, nous ne coucherons pas une nuit de plus dans *sa* maison.

PAUL : C'est prendre bien vivement les choses.

MADAME DE GRÉMONVILLE : Peut-être m'accorderez-vous le droit de régler ma conduite personnelle comme bon me semble?

PAUL : Je m'incline.

VALENTINE : Demain! attends à demain! où vas-tu aller ce soir?

MADAME DE GRÉMONVILLE : A Neuilly.

PAUL : Permettez au moins...

MADAME DE GRÉMONVILLE : Merci de vos attentions... Adieu, ma fille, mes facultés baissent, je me fais vieille, tâche d'être plus heureuse que moi, mon enfant *(plus bas)* à moins que l'inutilité de tes complaisances ne te montre à quels abîmes peut nous entraîner notre faiblesse! *(Elle sort majestueusement avec Thérèse.)*

Scène X : Paul, Valentine.

VALENTINE : Mais elle ne reviendra pas!... Qu'as-tu fait?

PAUL : Je te prie instamment de rester ici, Valentine.

VALENTINE, *sanglotant :* Mon Dieu! que je suis malheureuse!

PAUL : Auprès de moi, ma femme? Quand nous sommes ensemble, ne sommes-nous pas tout un monde? Tiens, je n'ai jamais respiré si librement. Par la plus déplorable des sottises, je n'avais fui la discipline maternelle que pour subir la domination d'une belle-mère! A partir d'aujourd'hui, j'ai ma volonté, je suis un homme. Au revoir, Valentine, quelques jours seulement, aie confiance! la démarche que je vais faire, tu me l'aurais conseillée toi-même, c'est un sentiment de justice et de délicatesse qui m'y pousse; j'obtiendrai ma place, tu verras. Mais si Mme de Mérilhac nous oublie, si ma mère se confine dans la froideur qu'elle nous montre, ne trouverons-nous pas toujours mon brave parrain, cet excellent M. Varin des Ilots, qui nous adore et dont nous sommes les héritiers probables? Adieu encore, petite femme *(il l'embrasse)*, essuyez-moi ces grands yeux-là, tout de suite. Quand on s'aime comme nous, Valentine, c'est le bonheur suprême de se blottir tout seuls dans son nid. Adieu *(lui envoyant de loin un baiser)* adieu! *(Il sort par le fond.)*

ACTE TROIS

Salon chez Paul, un berceau à gauche.

Scène I : Paul, Victoire.

PAUL, *seul. Il berce avec un air d'ennui et de résignation, tout en chantonnant, puis il regarde la pendule :* Trois heures! et ma commission au Ministère! — sans compter mon rendez-vous avec Amédée!... Ma femme a perdu la tête et cette maison est de plus en plus intolérable. *(Appelant.)* Victoire!

VICTOIRE : Monsieur?

PAUL : Madame n'est pas rentrée, par hasard?

VICTOIRE : Non, Monsieur.

PAUL, *décontenancé :* C'est bien!

VICTOIRE, *à part :* Voilà la troisième fois qu'il m'appelle.

Elle pousse plus loin les objets qui sont sur la cheminée ou l'étagère.

PAUL : Que faites-vous donc?

VICTOIRE : Une précaution! c'est l'heure où M. Amédée Peyronneau vient vous voir.

PAUL : Eh bien, quel rapport?

VICTOIRE, *levant alternativement ses deux bras :* Il fait des mouvements comme ci, comme ça, de droite, de gauche.

PAUL : Ah! oui, sa gymnastique! *(Il congédie Victoire d'un geste.)* Amédée se dispose à épouser Thérèse, parfait! le ciel le protège, et qu'il soit plus heureux que moi!

Scène II : Paul, le général Varin des Ilots, l'air désolé, crêpe au chapeau.

PAUL : Qu'avez-vous donc, mon cher parrain? votre figure... ce deuil...

LE GÉNÉRAL, *la voix entrecoupée par les larmes :* Gertrude! *(Etonnement de Paul.)* Oui! défunte!

PAUL : Comment? Ah! je ne m'attendais pas...

LE GÉNÉRAL : Ni moi... et c'est une rude secousse, va! *(Il s'assoit et après un long silence.)* Dimanche, mon Dieu, nous sommes rentrés ensemble, elle a mangé comme à son habitude; seulement, au dessert, elle s'est mise à dire tout à coup : « Tiens! c'est drôle! je ne me sens pas bien! » et trois heures après, elle a passé, sans douleur, tranquillement, comme une sainte.

PAUL : Ah! mon pauvre oncle, que je vous plains!

LE GÉNÉRAL : Depuis bientôt quarante ans... que nous étions ensemble! Pense donc! une fille si dévouée, si attentionnée, si propre! elle me lisait mon journal tous les matins; le soir, elle me donnait son bras si je voulais sortir; la nuit, dès qu'elle m'entendait tousser...

PAUL : Ah! c'est une perte, je comprends.

LE GÉNÉRAL : Quand il faisait beau, nous allions nous promener aux environs; elle s'asseyait sur l'herbe avec son panier et ses tapisseries, elle m'écoutait lui raconter des histoires... et comme elle aimait le jardinage, j'avais même le projet d'acheter quelque part, en Touraine... Ah! je ne pourrai pas m'y accoutumer, je ne pourrai pas vivre seul! *(Il pleure.)*

PAUL : Voyons! mon oncle, du courage! un vieux de la Bérésina, comme vous! Est-ce qu'on n'est plus un homme, saprelotte!

LE GÉNÉRAL : Tu as raison, je suis bête! il faut être plus raide sur la discipline. Parlons d'autres choses, de toi plutôt; c'est même pour toi que j'étais venu. On m'a dit que Mme de Grémonville vous avait quittés?

PAUL : Dieu merci, oui!

LE GÉNÉRAL : Pourquoi?

PAUL : Parce que j'ai voulu voir son mari. J'ai donc été à Toulouse et j'ai trouvé un homme très convenable, très raisonnable, et qui n'est pas fou le moins du monde.

LE GÉNÉRAL : Tu m'étonnes! Eh bien, alors?...

PAUL : Seulement, il a eu avec sa femme des brouilles trop longues à vous expliquer; mais ce que j'ai appris me donne le moyen de faire chanter la belle-mère, et d'être le maître chez moi.

LE GÉNÉRAL : Oh!... est-ce qu'il y aurait?... après tout, ça ne me regarde pas, et tu es assez grand garçon pour te conduire; mais j'ai un avertissement à te communiquer : on se plaint de toi! et ne serait-ce que par égard pour Mme de Mérilhac et pour M. des Orbières, qui ont été, dans cette affaire-là, charmants...

PAUL : Quelle est ma faute?

LE GÉNÉRAL, *avec solennité :* « Inspecteur du degré d'avancement des commandes faites aux artistes par la Direction des Beaux-Arts », le titre est long et la besogne, tu en conviendras, facile.

PAUL : Il n'y a rien à faire!

LE GÉNÉRAL : Raison de plus pour donner l'exemple! et quand, une fois par semaine, tu te présenterais dans ton bureau...

PAUL : Eh! c'est la faute de ma femme, elle m'empêche de sortir, il faut que je l'accompagne dans ses visites, elle me donne des courses... un tas de choses, est-ce que je sais, moi?

LE GÉNÉRAL : Comment! tu n'es pas heureux avec Valentine?

PAUL : Elle a un cœur excellent, sans doute, mais...

LE GÉNÉRAL : Mais quoi?

PAUL, *après un long silence, éclatant :* Sa mère a déteint sur elle!

LE GÉNÉRAL : Cependant, puisque Mme de Grémonville n'est plus avec vous...

PAUL : N'importe! elle lui écrit, et l'excite contre moi, j'en suis sûr. Je ne puis expliquer autrement ses exagérations de principes, qui sont devenues intolérables... Et puis, sa maternité, comme un vin nouveau trop fort pour sa cervelle, l'a complètement grisée; et chaque jour, à propos de rien, elle récrimine, se fâche.

LE GÉNÉRAL : C'est que tu ne sais pas t'y prendre. Les femmes? mais avec un peu d'adresse, on en fait ce qu'on veut, tout ce qu'on veut.

Scène III : Paul, le général, Valentine, puis Victoire.

Valentine entre avec un paquet d'une main, et de l'autre une boîte de bois blanc qu'elle dépose sur le pied du berceau.

PAUL : J'ai un grand malheur à t'annoncer, ma chère amie, le général vient de perdre Mlle Gertrude.

VALENTINE : Mon Dieu! *(Embrassant tout à coup le général.)* Ah! notre pauvre oncle!

LE GÉNÉRAL : Que vous êtes gentille, mon enfant! *(La repoussant doucement.)* Assez! assez! je recommencerais à m'attendrir.

PAUL : Oui, laisse-le, mais puisque le cher parrain, maintenant, se trouve seul, tu devrais le prier de venir s'installer chez nous.

VALENTINE : Oui! c'est une bonne idée; faites cela.

LE GÉNÉRAL : Je vous dérangerais, mes enfants.

VALENTINE : Pas du tout! pas du tout! rien n'empêche...

LE GÉNÉRAL : Qu'est-ce que je viendrais faire ici? Moi, une vieille ganache, me mettre en tiers au milieu de votre bonheur?

VALENTINE : Vous le partagerez! Vous aurez du monde avec qui causer, quelqu'un, le soir, pour faire la partie de cartes; et on vous aimera, on vous soignera. Oh! je connais vos petites habitudes!... et comme c'est l'heure... attendez un peu. *(Elle sort vivement.)*

LE GÉNÉRAL : Que va-t-elle chercher?

PAUL : Quelque chose pour vous, sans doute.

LE GÉNÉRAL : Tu as là un trésor, sais-tu bien?

PAUL : Vous croyez?

LE GÉNÉRAL : Mais oui.

PAUL : Oh! il faut la voir, seule avec moi, à de certains moments.

VALENTINE, *rentrant avec Victoire qui porte un bol sur un plateau :* Le voilà! prenez-le *(Figure étonnée du général.)* Votre bouillon!

LE GÉNÉRAL, *prenant la tasse :* Ah! ah! véritablement, je suis touché... Eh bien, ma foi, puisque vous le voulez... *(Après avoir bu une gorgée, à Victoire.)* C'est vous qui le faites?

VICTOIRE : Non, mon général, mais je sais en faire. *(Il boit.)*

LE GÉNÉRAL : Si c'est comme celui-là, vous êtes un cordon bleu. *(Remettant la tasse sur le plateau.)* Merci, Mademoiselle. *(Pendant que Victoire s'éloigne.)* Une jolie tournure, votre femme de chambre!... quelque chose de... fin! et son consommé avait un bouquet!...

VALENTINE : Ici, vous en prendrez tous les jours de pareils... Chez vous, au moins, avez-vous tout ce qu'il vous faut? et peut-on se permettre d'aller faire une revue?

LE GÉNÉRAL, *sortant d'une rêverie qui vient de le prendre tout à coup :* Non, je n'ai besoin de rien, mais quand je considère votre intérieur, je pense que j'ai gâché mon existence, et je t'envie, mon garçon!... Enfin, je ne suis plus jeune! Soyons sage!... Adieu, chère belle nièce. *(Bas, à Paul.)* Tu es un sot, je te répète qu'elle est charmante; embrasse-la. *(Haut.)* Au revoir, mes enfants! Bonne santé!

Scène IV : Paul, Valentine.

PAUL : Maintenant que nous sommes seuls, Valentine, tu me permettras de te dire que c'est se moquer de moi. Ce matin je t'ai attendue...

VALENTINE : Il faut bien que je sorte pour les affaires de la maison.

PAUL : Je perdrai ma place.

VALENTINE, *gravement :* La place d'un père est près de son enfant, Paul.

PAUL : Pourrais-tu m'expliquer dans quel but on paye, ici, une nourrice?

VALENTINE : Il faut bien qu'elle prenne un peu l'air, cette femme!

PAUL : Et moi, donc?

VALENTINE : Tu te plains?

PAUL : Nullement, mais je réclame pour ton bonhomme de mari ce que tu accordes de récréation à une berceuse.

VALENTINE : Ah! Paul! tu ne connais pas encore le cœur d'une mère!...

PAUL : Valentine, cette phrase-là n'est pas de toi; elle est de ta mère.

VALENTINE : De toutes les mères, mon ami.

PAUL : Eh bien, elle n'est pas amusante.

VALENTINE : Tu deviens grossier, prends garde.

PAUL : Allons! bon! je suis grossier maintenant!... c'est que ta nourrice commence à m'agacer terriblement, elle ne remplit pas ses devoirs.

VALENTINE : La nourrice est une seconde mère.

PAUL, *en se tournant vivement, fait tomber la boîte déposée sur le berceau, et les joujoux qu'elle contenait se répandent par terre :* Qu'est-ce que tout cela?

VALENTINE : Le ménage de ma fille!

PAUL : Encore un?

VALENTINE, *triomphalement :* Tu comprends pourquoi j'ai un peu tardé, maintenant?

PAUL : Ah! voilà ce que tu appelles les affaires de la maison? *(haussant les épaules)* une batterie de cuisine pour un enfant de six mois!

VALENTINE : Tu me reproches?

PAUL : Oh! rien, ma chère amie, je voudrais te voir

un peu plus simple, plus raisonnable, voilà tout. Mon cabinet de travail est comme une boutique de la foire, plein de brimborions inutiles.

VALENTINE : Inutiles! *(Se baissant vers le berceau, comme pour embrasser l'enfant.)* Inutiles! *(se redressant, blessée)* je retiens le mot : inutiles!

PAUL : Mettons, précoces, si tu veux.

VALENTINE : Je ne veux rien, Monsieur, laissez-moi! *(Elle étale un couvre-pied qui était dans le paquet.)*

PAUL : Tudieu! quelles broderies! cette valenciennes...

VALENTINE, *aigrement :* C'est encore inutile, probablement!

PAUL : Elle serait mieux placée au bas de ta robe.

VALENTINE : Quoi, Monsieur, vous disputez à votre enfant sa couverture?

PAUL : Je dis seulement qu'un tel luxe...

VALENTINE : Vous marchandez un lit à votre fille?

PAUL : Eh! je ne marchande rien! Tu as raison, je te fais des excuses; es-tu contente?

VALENTINE, *murmurant :* Oh! contente...

PAUL : Ecoute-moi, ou plutôt regarde! *(il tire un billet de sa poche)* ceci est une loge de spectacle, pour ce soir.

VALENTINE, *niaisement :* Ah!

PAUL : Et il nous faudrait dîner de meilleure heure.

VALENTINE : C'est que la nourrice...

PAUL : Encore la nourrice! Eh bien, quoi?

VALENTINE : Je veux l'attendre.

PAUL : Pour dîner?

VALENTINE : Mais certainement... *(hésitant un peu)* afin d'être moralement plus certaine...

PAUL : Eh bien?

VALENTINE : J'ai pris la résolution...

PAUL : Achève donc!

VALENTINE : De la faire manger tous les jours à notre table.

PAUL : Ah! non, par exemple! il suffit pour sa gloire qu'elle m'ait chassé de ton appartement, en s'établissant la nuit à ton chevet.

VALENTINE : Et moi, je considère comme un devoir de surveiller par moi-même la façon dont se nourrit cette bonne femme, si rien ne lui manque, si elle n'aurait pas quelque envie.

PAUL : Tout ce que tu voudras, je m'y oppose.

VALENTINE : Mais ce n'est pas elle qui mange, c'est votre fille! N'admettriez-vous pas votre fille à votre table?

PAUL : Pas encore! et en voilà assez sur la nourrice, n'est-ce pas?

VALENTINE : Non, Monsieur, car je tiens absolument à mon idée; cela se fait bien chez Mme de Vorigny, et je ne veux pas passer dans le monde pour une moins bonne mère que Mme de Vorigny.

PAUL, *riant :* Allons donc! voilà le post-scriptum! je savais bien qu'il y avait de la vanité là-dessous. Pour moi, je ne céderai pas à ces caprices, et quant à me priver du spectacle...

VALENTINE : Le plus doux spectacle pour un père...

PAUL, *il remonte :* Je connais cela.

VALENTINE, *le suivant :* Et vous osez me reprocher le

peu que je donne à ma fille quand vous trouvez naturel de jeter l'argent à pleines mains dans des dissipations frivoles?

PAUL : C'est à en devenir fou, ma parole d'honneur! oh! *(Comme il se trouve près du berceau, il se remet à bercer l'enfant avec force.)*

VALENTINE : Un moment! un moment! parce que vous êtes fatigué de votre fille, ce n'est pas une raison pour la jeter par terre, comme un chien! cédez-moi la place, Monsieur!

PAUL, *s'écartant :* En effet, c'est la vôtre.

VALENTINE : Oui, c'est la mienne! je la revendique, je la garde, c'est là seulement que je me sens forte!

PAUL : Oh! restez-y!

VALENTINE : Ah! pauvre petite innocente! il n'aurait pas seulement le cœur de te bercer.

PAUL, *exaspéré :* Eh bien, oui! j'en ai le cœur. *(Il revient au berceau, s'assoit et berce en chantant.)* Do do do.

VALENTINE : Mais vous allez réveiller l'enfant, Monsieur!

PAUL : C'est vrai, Madame, d'autant que j'ai pris l'air un peu haut. Do do do, tra la la la!

VALENTINE : Il se moque! il se raille! et je n'ai plus ma mère pour me défendre! et je suis seule contre lui, maintenant!

PAUL, *toujours berçant :* Do do do.

Valentine est debout à gauche, au fond; Paul, assis à droite, près du berceau.

Scène V : Paul, Mme de Grémonville, Thérèse.

MADAME DE GRÉMONVILLE, *à Thérèse, en lui montrant du regard les deux époux qui se tournent le dos :* On se boude ici.

THÉRÈSE, *bas, à sa mère :* M. Amédée n'y est pas!

MADAME DE GRÉMONVILLE, *bas, à Thérèse :* Compte sur moi. *(Haut.)* Eh bien, ces chers enfants, ce bon petit ménage va toujours?

VALENTINE, *se jetant à son cou :* Oh! maman.

PAUL, *saluant :* Madame!

MADAME DE GRÉMONVILLE : Pardonnez-moi d'être entrée comme cela, sans cérémonie.

PAUL : Comment donc, chère Madame, vous aviez bien le droit...

MADAME DE GRÉMONVILLE : Aucun droit, aucun motif même que l'intérêt que je vous porte, le désir de savoir... si vous n'êtes pas trop fatigué de votre voyage.

PAUL : Aucunement.

MADAME DE GRÉMONVILLE : Et tout s'est passé... comme vous le souhaitiez?

PAUL : On ne peut mieux, Madame, on ne peut mieux.

MADAME DE GRÉMONVILLE : J'en suis fort aise, Monsieur! *(Allant au berceau.)* Et cette bichonnette? que je baise un peu sa petite menotte! *(Se penchant.)* Oh! je ne veux pas la réveiller... Comme elle dort! *(Se retournant.)* Mais vous avez donc perdu la langue, tous les deux? *(A Valentine.)* Qu'as-tu, toi?

VALENTINE : Rien, maman.

MADAME DE GRÉMONVILLE : Tu as pleuré.

VALENTINE : Je te jure!

MADAME DE GRÉMONVILLE : Tu pleures encore.

VALENTINE, *sanglotant :* Mais non! mais non!

MADAME DE GRÉMONVILLE, *avec douceur :* Si ce n'est pas une indiscrétion de demander à Monsieur pour quelle cause?

PAUL : Je ne sais pas, Madame.

VALENTINE, *éclatant :* Ah! vous ne savez pas! il ne sait pas! eh bien, c'est un père...

MADAME DE GRÉMONVILLE : Arrête-toi! cela ne me regarde pas, ma fille.

VALENTINE : Un père...

MADAME DE GRÉMONVILLE : Eh bien?

VALENTINE : Un père qui ne veut pas bercer son enfant.

PAUL : Comment? je ne fais que ça!

VALENTINE, *pleurant toujours :* Oui, mais d'une façon...

MADAME DE GRÉMONVILLE : Monsieur a sans doute des motifs, un système...

VALENTINE : Lui?

MADAME DE GRÉMONVILLE : Les hommes se dirigent d'après des considérations supérieures... dont l'importance nous échappe. Oh! l'expérience m'a instruite, et si j'ai un regret aujourd'hui, c'est d'avoir cru naïvement autrefois qu'il suffisait du cœur d'une mère pour assurer le bonheur de ses enfants... Ah! voilà qu'on s'éveille! *(A Paul, avec humilité.)* Voulez-vous me permettre de bercer ma petite-fille, Monsieur?

PAUL : Tant qu'il vous plaira, Madame.

MADAME DE GRÉMONVILLE, *penchée sur le berceau :* Pauvre charmant petit ange, je ne te parlerais pas, va, si tu étais seulement un peu plus grande, de peur de t'inculquer, malgré moi, des idées fausses.

PAUL : Douce comme du miel... où tous les aiguillons sont restés!

Scène VI : les mêmes, Amédée, Victoire.

VICTOIRE, *annonçant :* M. Amédée Peyronneau!

AMÉDÉE *porte un bouquet de la main gauche, sur le bras son paletot, dans la main droite un haltère et, le jetant par terre, en entrant :* Ah! ça commençait à me gêner, depuis le *Bazar du Voyage* que je porte ça! *(Il salue.)* Madame! Mademoiselle! *(A part.)* C'est un ange! *(A Paul.)* Tu es joliment venu à ma leçon de gymnastique, toi?

PAUL : Une occupation des plus graves...

AMÉDÉE : Tu t'y serais mis, rien qu'à me voir! Sans me vanter, je ne suis pas mal du tout au trapèze; ces exercices-là vous font des muscles!... *(Il soulève une chaise à bras tendu.)*

PAUL : Bravo!

AMÉDÉE : Pardon, Mesdames, je me suis oublié, l'habitude...

THÉRÈSE : Comment donc!

AMÉDÉE : C'est que j'ai un grand besoin de rattraper le temps perdu; une leçon par jour, c'est peu, et je veux à la maison tenir mon système dans une activité incessante. J'avais des haltères du poids de cinquante livres, maintenant j'en porte de cent trente, témoin celui-là. *(Il se baisse pour le soulever.)*

PAUL : Assez, mon ami, ces dames sont convaincues.

THÉRÈSE : Vous appelez cela?

AMÉDÉE : Des haltères, Mademoiselle; ce sont des instruments qui servaient aux athlètes dans l'antiquité.

MADAME DE GRÉMONVILLE, *à part :* Il est instruit!

AMÉDÉE : J'en lèverais quatre à la fois!

THÉRÈSE, *à part :* Je le trouve beau!

AMÉDÉE : Voilà mon caractère, Madame, quand une chose me plaît, je m'y livre corps et âme... *(A Thérèse, amoureusement.)* Oui, corps et âme!

PAUL : Et cela te réussit, tu m'as l'air d'avoir maintenant une santé...

AMÉDÉE, *avec joie :* N'est-ce pas? aussi je me suis condamné à une hygiène impitoyable. J'aimais le sucre, plus de sucre! j'adorais les légumes, les primeurs; rien que des viandes rouges! le vin... ne me déplaisait pas, je m'en gorge et je n'y mets jamais d'eau, c'est le régime. Quant au sommeil, six heures de lit, bonne mesure, et tous les matins, sur la nuque, un plein baquet qu'on a été remplir à la pompe!

MADAME DE GRÉMONVILLE, *frissonnant :* Brrrr!...

AMÉDÉE : Mes cheveux repoussent... il y a mieux : ils repoussent tout noirs. *(A Paul, en penchant sa tête vers lui.)* Vois toi-même!

PAUL, *riant :* C'est ma foi vrai!

AMÉDÉE : Le régime! *(A Mme de Grémonville.)* Et il ne m'empêche pas d'avoir des préoccupations... plus charmantes; je me suis présenté tout à l'heure à votre hôtel, dans l'intention *(il prend son bouquet)* d'offrir à Mademoiselle ces modestes fleurs.

MADAME DE GRÉMONVILLE : M. Peyronneau! M. Peyronneau! nous n'en sommes pas encore aux cadeaux! Dans une honnête quantité de semaines, tout au plus! Il faut bien que nous atteignions à la dignité de dix-huit ans.

AMÉDÉE : C'est bien long.

THÉRÈSE : En attendant, Monsieur, voulez-vous porter, en souvenir de moi, cette médaille? *(Elle tire de sa bourse une petite médaille avec un cordon noir.)* J'ai toujours peur pour vous dans vos exercices violents. *(A sa mère.)* Tu permets? *(Amédée recule.)*

MADAME DE GRÉMONVILLE : Ma pauvre enfant, la plupart des hommes regardent comme une faiblesse de porter sur eux...

THÉRÈSE, *à Amédée, le suppliant du regard :* Vraiment?

AMÉDÉE, *obéissant au regard de Thérèse :* Pas moi, Madame, voilà comme je la porterai, moi! *(Il saisit la médaille et la place sur son gilet, ostensiblement.)*

MADAME DE GRÉMONVILLE : Par le temps qui court, c'est tout bonnement de l'héroïsme, Monsieur.

PAUL, *à part :* Il va bien!

VALENTINE, *à Amédée, lui montrant le couvre-pied :* Vous qui avez tant de délicatesse dans le choix des choses, que pensez-vous de cela?

AMÉDÉE : Ravissant!

VALENTINE, *regardant Paul :* Ce n'est pas l'avis de tout le monde!

THÉRÈSE : Est-ce possible?

AMÉDÉE *(A part)* : Je lui en donnerai un tout pareil. *(Tout à coup il se précipite vers Mme de Grémonville qui berce l'enfant.)* Mais, Madame, vous allez vous fatiguer, permettez! *(Il s'assoit près d'elle.)*

VALENTINE : Comment, M. Peyronneau, vous consentiriez?...

AMÉDÉE : Pourquoi pas? *(Il berce.)*

PAUL : Tous les talents.

THÉRÈSE : *effrayée de la manière violente dont il berce* : Prenez garde!

PAUL, *avec gravité* : Il n'est pas maître de sa force!

THÉRÈSE, *prenant en riant la place d'Amédée* : Un peu plus de modération!

AMÉDÉE, *bas, à l'oreille de Thérèse* : J'apprendrai.

PAUL, *à part* : Peut-on ainsi se fourrer, la tête la première...

MADAME DE GRÉMONVILLE : Allons, mignonne, nous avons quelques courses à faire! *(Montrant le berceau.)* C'est une grande privation pour toi qui aimes tant les enfants!

AMÉDÉE : Oh! pas plus que moi.

MADAME DE GRÉMONVILLE : Mais il faut que la vraie mère ait sa part. Adieu, M. Peyronneau.

THÉRÈSE : Adieu, Valentine.

AMÉDÉE, *à Paul* : On a un peu réussi, j'espère! et mon honorable tante qui doute encore! Si elle me voyait, hein?

VALENTINE, *amèrement, et de façon à n'être entendue que de Paul* : Ce gendre-là ne se séparera pas de sa belle-mère, lui!

PAUL : Grand bien lui fasse! il m'en dira des nouvelles.

AMÉDÉE, *offrant son bras à Mme de Grémonville* : Madame, permettez...

MADAME DE GRÉMONVILLE : Comment donc! Au revoir, mes agneaux! *(Bas, à Valentine.)* De la fermeté toujours... souviens-toi!

Scène VII : Paul, Valentine.

PAUL : Valentine!

VALENTINE : Eh bien?

PAUL : Il serait temps de se mettre à table si nous ne voulons pas manquer le spectacle.

VALENTINE : Je n'irai pas.

PAUL : Et pourquoi?

VALENTINE, *montrant le berceau* : Mais... l'enfant!

PAUL : Valentine, je te préviens que tu joues à la maman comme une pensionnaire et que tu réussis à faire, de ce qu'il y a de plus saint au monde, quelque chose de ridicule et de niais.

VALENTINE : C'est aimable.

PAUL : Laisse donc une bonne fois tes exagérations de commande, sois vraie un peu, sois bonne fille! *(Lui montrant le billet de loge qu'il tire de son gilet.)* La pièce d'un ami, une première! ça ne se refuse pas. *(Avec gaieté.)* Sais-tu comment tu te conduirais, si tu voulais être bien charmante? tu mettrais ton chapeau, tu te ferais toute gentille et, bras dessus bras

dessous, comme deux amoureux en bonne fortune, dès que la fameuse nourrice sera rentrée, nous irions nous abattre avant le spectacle dans le premier restaurant venu.

VALENTINE, *froidement* : Je n'irai pas.

PAUL : Alors, j'irai tout seul.

VALENTINE : Oh! vous ne ferez pas cela!

PAUL : Mais parfaitement!

VALENTINE : Vous n'abandonnerez pas votre femme... auprès de votre fille en bas âge!

PAUL : Sans le moindre remords.

VALENTINE : Malheureuse mère!

PAUL : *(A part.)* Est-ce que ma femme serait bête, par hasard? *(Tirant sa montre.)* L'heure marche, tu n'as que le temps de t'habiller, décide-toi!

VALENTINE : Je suis toute décidée, Monsieur. Puisque vous rougissez de voir en face de vous celle qui donne la vie et la santé à votre enfant, je dînerai avec elle, dans ma chambre.

PAUL : Et moi au cabaret, c'est plus simple!

VALENTINE, *ouvrant la porte de gauche, à la cantonade* : Victoire, vous ferez servir chez moi deux couverts; commencez par débarrasser ma chambre.

VICTOIRE, *du dehors* : Oui, Madame.

Scène VIII

PAUL, *seul. Il se dirige vers le berceau, comme pour embrasser l'enfant* : Ce n'est pas ta faute à toi, belle petite!

Scène IX : Paul, Victoire, Valentine.

VALENTINE *paraît à la porte de droite, au moment où Victoire ouvre la porte de gauche* : Ah! Victoire, vous apporterez le berceau.

PAUL, *à part* : C'est qu'elle l'oubliait complètement!

VALENTINE : Allons! dépêchez-vous!

VICTOIRE, *emportant le berceau* : Bien! bien!

Scène X : Paul, seul.

Ah! je pars, je m'habille, il faut ici un exemple; ce serait à mourir d'ennui que cette vie-là! Entêtement ou sottise, je veux savoir dès demain à quoi m'en tenir sur ma femme... Voilà donc le charmant intérieur que j'avais rêvé!

Au moment où il sort par un des côtés, Victoire entre par l'autre, tenant un châle sur son bras et à la main un chapeau avec une robe.

Scène XI : Victoire, Valentine, dans la coulisse.

VICTOIRE, *seule* : Monsieur est parti? Il a joliment bien fait! Quel bon garçon! On n'est pas grimacière comme cette tirant-là!

VALENTINE, *dans la coulisse* : Prenez le couvre-pied!

VICTOIRE : *(Haut.)* Voilà, Madame, je l'apporte! *(A elle-même.)* Mais je n'ai pas quatre bras! un moment!

(Elle met sur sa tête le chapeau qu'elle tenait à la main.)

VALENTINE, *dans la coulisse :* Apportez aussi le ménage!

VICTOIRE : On y va! *(Elle jette le châle sur ses épaules.)*

VALENTINE : Plus vite donc!

VICTOIRE : J'arrive!

VALENTINE : Mon Dieu! êtes-vous lente!

VICTOIRE : Là! là!

Scène XII : Victoire, Paul, chapeau sur la tête, gants. Quand il arrive, Victoire lui tourne le dos.

PAUL, *s'élançant vers elle :* Valentine! habillée? voilà qui est ravissant! *(L'embrassant par derrière.)* Dans mes bras! je t'adore!

VICTOIRE, *confuse :* Monsieur!

PAUL, *stupéfait et reculant :* Victoire! moi qui croyais que c'était ma femme!

VICTOIRE : Ne sachant qu'en faire, j'avais mis le chapeau... et votre baiser...

PAUL : Eh bien, il est à une bonne place, qu'il y reste!

VICTOIRE : Il le faut bien! je ne peux pas le rendre à Monsieur!

PAUL : Pourquoi donc?

VICTOIRE : Mais... Madame?

PAUL : Elle n'a que ce qu'elle mérite! c'est sa faute! *(A part.)* Et dire que je n'avais pas encore admiré cette tête-là! Ce que c'est, pourtant, qu'un peu de toilette! *(Il veut la retenir.)*

VICTOIRE : Laissez-moi!

PAUL, *prenant sa main :* Quant à cette main mignonne, je l'ai déjà remarquée.

VICTOIRE, *bas, souriant :* Je le sais.

PAUL : Qui vous l'a dit?

VICTOIRE, *montrant son doigt :* Ce petit-là!

PAUL, *lui baisant la main :* Attendez! Attendez! je vais donner de quoi jaser à tous les autres!

VICTOIRE : Monsieur! Monsieur! est-ce possible?

PAUL : Mais c'est très bien! *(Victoire veut retirer le châle et le chapeau.)* Restez donc ainsi! Vous êtes charmante.

VICTOIRE, *joignant ses mains :* Aurait-on deviné cela à voir Monsieur?

PAUL, *lui fermant la bouche avec sa main :* C'est que je vous trouve tout bonnement jolie à croquer, et si...

VALENTINE, *dans la coulisse :* Mais venez donc, Victoire!

VICTOIRE : Je ramasse les joujoux! *(Elle se baisse pour les ramasser. Au fond, apparaît la nourrice, en Cauchoise.)*

PAUL, *à part :* La nourrice! l'éternelle nourrice!

Scène XIII : Paul, Victoire, la nourrice.

PAUL, *saluant profondément :* Donnez-vous la peine d'entrer... Madame aurait-elle, par hasard! quelque velléité d'appétit?

VICTOIRE, *riant aux éclats :* Ho! ho! ho! ho!

PAUL : Ouvrez les appartements, Victoire! *(Victoire*

va ouvrir la porte de droite, Paul tire de sa poche son mouchoir blanc, le met sur son bras comme une serviette, puis s'inclinant devant la nourrice.)* Madame est servie!

VICTOIRE : Oh! oh! ho! ho!

La nourrice regarde Paul avec terreur et Victoire avec indignation, puis elle sort par la porte de droite. Paul, derrière son dos, fait un signe d'adieu à Victoire et disparaît par le fond.

Scène XIV : Victoire, seule.

J'ai dans l'idée que je ne serai pas longtemps la servante de Monsieur!

ACTE QUATRE

Chez Mme de Saint-Laurent (Victoire). — Une salle à manger, table dressée dans le fond, porte au fond, à droite et à gauche, une console à droite, ameublement élégant.

Scène I

UN DOMESTIQUE, *en livrée toute neuve, un écrin à la main. Il traverse la scène, de gauche à droite, en regardant ses beaux habits :* Si Mme de Saint-Laurent n'est pas contente de ma tenue! *(Il frappe d'abord faiblement à la porte de droite, puis s'admirant encore et prenant une pose.)* C'est un peu ça! *(Il frappe plus fort.)* Est-elle morte? *(Entrebâillant la porte.)* Madame!... *(Il la referme aussitôt.)*

Scène II : le domestique, Mme de Saint-Laurent, en peignoir; elle entre en parlant à la cantonade.

Tenez votre fer bien chaud, Marie! *(Au domestique.)* Qu'avez-vous donc à me dire, pour me déranger de la sorte? *(Elle regarde le domestique qui se pose, sans répondre, dans tous les avantages de son costume.)*

LE DOMESTIQUE : On vient de l'apporter... je voulais faire voir à Madame...

MADAME DE SAINT-LAURENT : Pas assez d'aiguillettes! J'avais cependant recommandé... Tournez-vous! là... bien... Ce ne serait pas trop mal, avec un peu plus d'aiguillettes. *(Apercevant l'écrin.)* Cet écrin?

LE DOMESTIQUE : De la part de M. Gaston de Rumpigny.

MADAME DE SAINT-LAURENT *ouvre l'écrin et en tire un bracelet :* Ah! ah! très joli! ravissant!... Et il n'a rien faire dire pour les courses? vous ne savez pas qui a gagné?

LE DOMESTIQUE : Non, Madame.

MADAME DE SAINT-LAURENT : Bien! posez-le ici, je vais le prendre. *(Elle sort par la droite, tandis que le domestique met le bracelet sur la console.)*

Scène III

LE DOMESTIQUE, *seul; il revient devant la glace et se mirant :* Eh bien, non! je porte assez d'aiguillettes pour être tout à fait dans le bon genre! C'est elle qui se trompe, c'est jeune, ça commence... D'où sort-elle? fière avec le monde, peu de relations, et pas de piano... petite origine! Et cependant un certain chic naturel, du cheveu, de l'œil... Oh! elle a de l'œil! il y a peut-être là-dessous un avenir, et si ça voulait m'écouter...

Scène IV : le domestique, Paul.

PAUL, *avec stupéfaction, en regardant le domestique :* Comment! un pareil costume!

LE DOMESTIQUE, *ouvrant les bras :* C'est Madame...

PAUL : Parbleu! je le pense bien... Elle aura quelques personnes à souper, vous savez?

LE DOMESTIQUE, *montrant le fond :* Tout est prêt.

PAUL, *en se dirigeant vers la porte de droite pour aller trouver Mme de Saint-Laurent, aperçoit l'écrin au milieu de la console, bondit dessus et rappelle le domestique qui allait sortir à gauche :* D'où vient ce bracelet?

LE DOMESTIQUE, *embarrassé :* Quel bracelet?

PAUL : Celui-là que je tiens, et qui était sur la console.

LE DOMESTIQUE : C'est moi qui l'ai apporté, Monsieur.

PAUL, *furieux :* Pas de mensonges! Voyons!

LE DOMESTIQUE : C'est-à-dire que je l'ai apporté dans cette salle...

PAUL, *vivement :* De la part de qui?

LE DOMESTIQUE : Autant que je crois me rappeler...

PAUL : Dites le nom!

LE DOMESTIQUE, *avec mystère :* Ça doit venir... de son professeur, M. Népomucène Roch.

PAUL, *exaspéré :* Impudent! (*Le domestique sort précipitamment.*)

Scène V : Paul, seul.

J'ai des démangeaisons de remercier M. Roch sur la joue de M. de Rumpigny! (*Il rejette violemment le bracelet, puis montrant la porte de droite.*) Moi, jaloux de cette créature-là? Dieu m'en garde!... seulement je mériterais les oreilles d'âne, si je ne m'étais couvert de dettes depuis sept mois (*il tire des papiers de sa poche et les froisse convulsivement*) que pour servir de cible aux impertinences d'un sot! (*Il remet vivement ses paperasses dans sa poche en entendant ouvrir la porte de droite.*)

Scène VI : Paul, Mme de Saint-Laurent.

MADAME DE SAINT-LAURENT, *en costume somptueux :* Vous m'attendiez, mon ami?

PAUL : Voilà déjà deux fois que je viens; dix femmes du monde s'habilleraient dans le temps que tu passes à mettre tes gants.

MADAME DE SAINT-LAURENT : Quoi! je fais des frais pour vous plaire, et c'est tout ce que vous avez à me dire?

PAUL : Ce n'est pas tout. (*Montrant la porte de gauche.*) Cette livrée!

MADAME DE SAINT-LAURENT, *éludant la question :* Allez-vous aussi me reprocher ma robe neuve?

PAUL : J'adore les choses simples...

MADAME DE SAINT-LAURENT : Vous ne disiez pas cela, il y a sept mois! rien ne coûtait trop cher, vous m'admiriez, en toilette... je portais ces choses-là comme une duchesse! Oh! je connais vos goûts, vous avez beau vous débattre, je ne vais pas me négliger comme Madame, pour qu'un de ces quatre matins vous me traitiez de la même façon.

PAUL, *en colère :* Je t'ai déjà défendu de prononcer, ici, le nom de ma femme.

MADAME DE SAINT-LAURENT : Quelle humeur!

PAUL : J'y tiens!

MADAME DE SAINT-LAURENT : A propos d'une malheureuse livrée...

PAUL : Laissons cela, je ne suis pas encore assez absurde pour te faire un crime de mes sottises; si tu as des gens, une voiture, si, malgré le danger des rencontres, et au détriment de mes occupations, je t'accompagne à la promenade, au théâtre, partout où m'entraînent tes fantaisies, tu n'es pas coupable, c'est ma faute. Mais ce qu'en retour j'ai le droit d'exiger formellement, c'est que le nom de ma femme soit, ici, à couvert de toute insulte et le mien de tout ridicule. (*Il montre le bracelet qui est tombé sous la console.*)

MADAME DE SAINT-LAURENT, *suivant des yeux la direction de son doigt :* (A part.) Le bracelet!... je l'avais oublié! (*Haut.*) Je ne vous comprends pas, mon ami.

PAUL : De qui, cela?

MADAME DE SAINT-LAURENT, *avec innocence :* Mais... de vous... probablement?...

PAUL, *avec rage :* Ou de M. Gaétan de Rumpigny!

MADAME DE SAINT-LAURENT, *avec calme :* Ah! vous croyez?... c'est possible...

PAUL : Comment? possible?

MADAME DE SAINT-LAURENT : D'ailleurs, on peut interroger le domestique.

PAUL : Je le renverrai, le domestique. La maison entière est d'accord pour me tromper!

MADAME DE SAINT-LAURENT, *haussant les épaules :* Dans quel but? tous les jours une femme reçoit des bracelets.

PAUL : Cela dépend!

MADAME DE SAINT-LAURENT : Mais quand il viendrait de la personne que vous dites, ce n'est pas une raison pour le mépriser. (*Elle le ramasse.*)

PAUL : Tu oserais...

MADAME DE SAINT-LAURENT, *mettant le bracelet à son bras :* Je le dois dans l'intérêt de votre honneur, mon ami! vous devenez vraiment d'une jalousie...

PAUL, *se défendant :* Moi?

MADAME DE SAINT-LAURENT, *avec sentiment:* Comme si je pouvais en aimer un autre, maintenant! (*A part, tandis qu'il se retourne au moment où elle veut l'embrasser.*) Ça le tient en haleine, cette peur-là!

PAUL, *serrant les poings :* Une histoire qui aura une fin, je le jure!

MADAME DE SAINT-LAURENT : Vous voilà dans des dispositions charmantes pour le souper de garçon de ce pauvre M. Amédée.

PAUL : Je voudrais qu'il fût au diable, son souper!

MADAME DE SAINT-LAURENT, *joignant les mains :* Un intime, le seul de vos amis qui connaisse le secret de notre bonheur ! *(Elle l'embrasse.)*

PAUL, *radouci :* Amène-t-il quelqu'un avec lui ?

MADAME DE SAINT-LAURENT : Je l'ignore ; aussi, pour ne pas nous trouver tous les trois en tête à tête, j'ai invité mon professeur de déclamation.

PAUL : Riche idée !... un imbécile !...

MADAME DE SAINT-LAURENT : Oh ! je sais bien que vous le détestez ; vous allez recommencer vos attaques contre mes idées de théâtre, n'est-ce pas ?

PAUL, *impatienté :* Parbleu ! si j'avais voulu une actrice, je n'aurais pas choisi une femme de chambre.

MADAME DE SAINT-LAURENT, *piquée :* Les femmes de chambre de ma sorte sont du goût des personnes les plus distinguées ; je connais des gens qui vous valent, et qui auraient la délicatesse de ne pas me rappeler...

PAUL, *l'interrompant :* Ces gens-là viennent-ils ce soir ?

MADAME DE SAINT-LAURENT : Pourquoi pas ?

PAUL, *prenant son chapeau :* Si la chose a lieu, je décampe.

MADAME DE SAINT-LAURENT, *lui barrant le chemin :* Vous ne ferez pas à votre ami Amédée un pareil affront, un tel jour...

PAUL, *croisant ses bras :* Ainsi, tu as invité M. de Rumpigny ?

MADAME DE SAINT-LAURENT : Amédée le connaît...

PAUL, *même jeu :* Et je vais me voir condamné...

MADAME DE SAINT-LAURENT, *l'interrompant :* Vous êtes bien injuste à son égard.

PAUL : C'est le moyen de ne pas être autre chose.

MADAME DE SAINT-LAURENT : Ah ! mon Dieu ! *(Elle feint de s'évanouir. On sonne.)*

PAUL, *embarrassé :* Allons pas de bêtises !

MADAME DE SAINT-LAURENT : Vous me tuerez !

PAUL : Remets-toi !

MADAME DE SAINT-LAURENT : Vous ne partirez pas ?

PAUL : Non, je reste ! j'aime autant rester après tout, et si ce faquin vient me braver impunément...

(On sonne de nouveau.)

MADAME DE SAINT-LAURENT, *à Paul, d'une voix languissante :* Les domestiques sont peut-être sortis, mon ami ?

Paul, après un instant d'hésitation, va ouvrir la porte.

Scène VII : les mêmes, M. Népomucène, puis le domestique.

MADAME DE SAINT-LAURENT : Ah ! cet excellent monsieur Roch ! Soyez le bienvenu, monsieur Roch.

MONSIEUR ROCH *s'incline académiquement devant Paul, puis s'avançant, à pas mesurés, vers Mme de Saint-Laurent :* Me permettrez-vous une légère observation, Madame ! *(Geste de Mme de Saint-Laurent.)* Votre *ah !* manque absolument de justesse. Votre *ah !* peint l'étonnement, la surprise, comme si vous disiez, en ouvrant votre fenêtre : *Ah !* il pleut ! tandis que dans la circonstance présente, où j'ai l'honneur d'être attendu de vous, votre *ah !* ne peut être qu'un *ah !* de contentement, de joie même : « Ah !... enfin !... cet excellent

monsieur Roch ! » Bien, étalez « excellent ». « Soyez le bienvenu, monsieur Roch. » *(Se retournant vers Paul.)* Pardon, mille fois, Monsieur, mais ce sont ces nuances-là qui font la perfection !... *(A Mme de Saint-Laurent, avec emphase :)* Bienvenu, le bienvenu monsieur Roch !... tous mots de valeur...

PAUL, *à part :* Quel idiot !

MADAME DE SAINT-LAURENT, *subjuguée :* Sans flatterie, Monsieur, espérez-vous tirer quelque chose de votre élève ?

MONSIEUR ROCH, *appuyé sur la jambe gauche, avançant un peu la droite, avec des gestes du bras et des inflexions savantes :* J'en ai plus que l'espérance, Madame, j'en ai la certitude ! *(avec un aimable sourire)* ne possédez-vous pas déjà la meilleure garantie de réussite... *(se penchant vers elle)* la beauté ?

MADAME DE SAINT-LAURENT, *flattée :* Ah !

MONSIEUR ROCH, *vivement :* Très bien, ce *ah !* là, très bien ! *(S'approchant d'elle.)* Avez-vous observé, Madame, comme je me suis posé, en vous parlant d'une façon vraie et agréable tout à la fois ? Point d'appui, la jambe gauche ; la droite un peu avancée, attitude favorable à la liberté du bras, à la bonne assiette de l'abdomen, et qui laisse aux poumons un développement plus facile... car il faut bien se pénétrer de ce principe, que la voix est le son produit par l'air quand il est chassé des poumons.

PAUL, *avec un admiration ironique :* Vous croyez ?

MONSIEUR ROCH, *se retournant vers Paul, avec une énergie :* Pas autre chose, Monsieur, pas autre chose ! *(Revenant à Mme de Saint-Laurent.)* Et avez-vous noté, vers la fin, cette légère inclination de la partie supérieure de mon corps, comme pour vous faire toucher du doigt la délicatesse du compliment ?

MADAME DE SAINT-LAURENT, *avec admiration :* C'est vrai, tout cela !

MONSIEUR ROCH, *à Paul :* Avec la permission de Monsieur, Madame peut nous donner un petit échantillon...

PAUL, *vivement :* Pas ce soir ! nous sommes en vacances, monsieur Roch ! vous voyez que je connais aussi les mots de valeur...

MADAME DE SAINT-LAURENT, *bas, à Paul, en lui faisant de gros yeux :* De grâce, soyez raisonnable, taisez-vous !

LE DOMESTIQUE, *annonçant :* M. le vicomte de Rumpigny. *(Il sort.)*

Scène VIII : les mêmes, M. Gaétan de Rumpigny.

MADAME DE SAINT-LAURENT, *à part, avec rêverie :* Vicomte !

MONSIEUR DE RUMPIGNY, *tenue complète de gandin ; il parle tout en marchant et en s'inclinant :* De deux longueurs ! j'avais parié pour Giselle, une affaire certaine, un coup d'or ! et figurez-vous, Madame, que nous avons perdu de deux longueurs. *(Bas.)* Ravissante ! *(Se tournant vers Paul, avec un léger salut.)* Monsieur, j'ai l'honneur d'être...

PAUL *assez sèchement :* Moi de même !

MONSIEUR DE RUMPIGNY, *pirouettant sur ses talons et se trouvant nez à nez avec M. Roch :* Deux longueurs!

MONSIEUR ROCH, *gravement :* C'est énorme!

MONSIEUR DE RUMPIGNY, *piqué :* Plaît-il, Monsieur?

MONSIEUR ROCH, *souriant avec supériorité :* Permettez! moi, je ne juge des choses que d'après la façon dont elles sont dites, et *(se tournant vers Mme de Saint-Laurent)* je suis bien aise de le faire remarquer à Madame, vos deux longueurs peuvent aller d'ici à la lune. *(Allongeant le mot et imitant M. de Rumpigny.)* Deux longueurs!

MONSIEUR DE RUMPIGNY, *indigné :* Mais Monsieur!...

MONSIEUR ROCH, *imperturbable :* Que si, légèrement, sans peser, vous eussiez dit : deux longueurs... *(se retournant vers Mme de Saint-Laurent, avec une grande vitesse de prononciation)* de deux longueurs, oh! alors *(revenant vers M. de Rumpigny)* il n'y aurait pas une personne, ici présente, qui ne fût émue, qui ne fût saisie, si j'ose le dire, révoltée, en comparant cette grande trahison de la fortune avec l'exiguïté de la différence. *(A demi-voix, à Mme de Saint-Laurent.)* Et toujours, pour point d'appui, le pied gauche.

MONSIEUR DE RUMPIGNY, *bas, à Mme de Saint-Laurent :* Quelle est cette brute?

MADAME DE SAINT-LAURENT, *bas, d'un air suppliant :* Mon professeur de déclamation.

MONSIEUR DE RUMPIGNY, *souriant :* Ah! très bien!

PAUL, *à part, avec inquiétude :* Que peuvent-ils se dire ainsi tous les deux?

Scène IX : les mêmes, Amédée, M. Casimir, le domestique.

AMÉDÉE, *du dehors, donnant de grands coups de pied dans la porte :* Ouvrez! ouvrez!

MADAME DE SAINT-LAURENT, *à Paul :* M. Amédée.

MONSIEUR ROCH. *Il se précipite avant Paul pour ouvrir la porte du fond, et se heurte avec le domestique qui vient de la porte de gauche :* Doucement donc! *(Le domestique ouvre la porte et sort.)*

AMÉDÉE. *Il entre suivi de M. Casimir, il est chargé de deux énormes ananas :* Je n'ai pas voulu taper trop; avec ma force, j'aurais défoncé les deux battants!

MONSIEUR CASIMIR, *à part, boutonné jusqu'au cou :* Il y a eu du feu, ici, on étouffe.

AMÉDÉE *à Mme de Saint-Laurent, en inclinant sa tête entre les deux ananas :* Salut, belle dame! *(Bas)* Tu n'as pas voulu, cruelle! *(Haut, en se retournant.)* M. de Rumpigny! *(Il salue.)* Mon cher Paul, je ne tends pas la main, je n'ai que des branches! *(Bas, à Mme de Saint-Laurent, en lui désignant M. Roch.)* Peut-on compter sur cette redingote marron?

MADAME DE SAINT-LAURENT, *bas, en riant :* Comme sur moi-même!

AMÉDÉE, *haut, avec joie, en soulevant les deux ananas :* Very well!

MADAME DE SAINT-LAURENT, *à Paul :* Sonnez le domestique, mon ami, M. Peyronneau est plus chargé qu'une table de noce. *(Paul appuie sur un timbre.)*

AMÉDÉE, *réclamant :* Moi? vous plaisantez! je les porte, à bras tendu, depuis la voiture *(se tournant vers M. Casimir)* n'est-ce pas, Casimir? *(Le présentant à Mme de Saint-Laurent.)* Mon professeur de gymnastique, belle dame!

MONSIEUR CASIMIR, *saluant militairement :* Pour vous servir! *(A part.)* On étouffe!

PAUL, *à part :* Quel monde! quel monde! c'est pour trouver cela que j'ai déserté ma maison!

Le domestique a pris les deux ananas, et les place au bout de la table, qu'il tire au milieu de l'appartement.

AMÉDÉE, *regardant la pendule :* Tiens! une pendule qui retarde sur mon estomac d'une bonne heure! *(Regardant la table toute servie.)* Quand nous serons prêts?

MADAME DE SAINT-LAURENT : Nous le sommes.

AMÉDÉE, *prenant la main de Mme de Saint-Laurent :* A table! vive la joie! c'est ma dernière nuit, soyons fous! *(se retournant vers les convives)* car vous saurez, Messieurs, que je me marie demain.

MONSIEUR DE RUMPIGNY, *tout en allant vers la table :* Pas possible!

AMÉDÉE, *se redressant :* Pourquoi donc?

PAUL, *avec énergie :* Tu as bien raison, mon ami! *(Il lui serre la main.)*

MONSIEUR ROCH, *se posant avec grâce :* Le mariage! mais c'est la loi, c'est la base, c'est la sécurité *(avec sentiment)* le bonheur!

MONSIEUR DE RUMPIGNY, *voyant que Mme de Saint-Laurent est furieuse :* A la condition cependant de savoir se créer *(montrant Paul)* comme Monsieur *(montrant Mme de Saint-Laurent)* une charmante compensation!

MADAME DE SAINT-LAURENT, *à part :* Qu'il a de l'esprit! *(Lui montrant un siège, avec un sourire gracieux.)* Près de moi!

M. de Rumpigny s'assoit à gauche de Mme de Saint-Laurent, Amédée à sa droite.

PAUL, *à part, se plaçant en face d'eux, le dos tourné au public :* Si je les perds de vue un seul instant!...

MONSIEUR CASIMIR, *à part, déboutonnant sa redingote :* Pouh! on peut bien se mettre un peu à l'aise, pour officier...

AMÉDÉE. *au moment où M. Casimir prend place à la gauche de Paul :* Complet, l'omnibus! Dinck! *(On sonne à la porte d'une façon formidable.)*

Scène X : les mêmes, M. Varin des Ilots.

M. Varin des Ilots s'avance, raide et sévère, au milieu de la stupéfaction générale. Amédée se retourne vivement du côté de la muraille, M. de Rumpigny se lève comme pour protéger Mme de Saint-Laurent, M. Roch et M. Casimir, toujours assis, écartent simultanément leurs chaises de la table; Mme de Saint-Laurent reste comme pétrifiée à sa place.

PAUL, *reculant sur le devant de la scène :* Mon parrain!

MONSIEUR VARIN DES ILOTS, *allant droit à lui, sans regarder personne :* Vous n'êtes pas facile à trouver, Monsieur!

PAUL, *balbutiant :* Mais...

MONSIEUR VARIN DES ILOTS : On vous a vu hier, au bois...

PAUL, *se tournant vers Mme de Saint-Laurent* : J'en étais sûr!

MONSIEUR VARIN DES ILOTS : Votre femme sait tout!

AMÉDÉE, *prenant son chapeau* : Ma belle-sœur! *(Il se sauve derrière la porte et regarde dans la salle, en passant seulement la tête.)*

MONSIEUR VARIN DES ILOTS : Et vos irrégularités sont devenues si scandaleuses, qu'aujourd'hui même vous avez perdu votre place.

PAUL, *abasourdi* : Ma place?

MONSIEUR VARIN DES ILOTS, *se retourne et parcourt la salle du regard, Amédée disparaît définitivement* : Peut-on vous parler en particulier dans cette maison?

MADAME DE SAINT-LAURENT, *bas à M. de Rumpigny* : Partez, je vous en supplie! *(M. de Rumpigny se dirige vers la porte en lui envoyant un baiser.)*

MONSIEUR ROCH, *regardant M. Varin des Ilots* : *(A part.)* C'est peut-être un pick-pocket, un faux parrain, cela s'est vu. *(Il se retire vers la porte, avec lenteur, déclamant à demi-voix ces deux vers.)*

> Replions-nous sans bruit, et que le ciel prospère
> Écarte de nos jours le poids de sa colère !

Casimir a boutonné fièrement sa redingote jusque sous le menton, mis son chapeau sur sa tête et fait un pas vers M. Varin des Ilots, comme pour protester.

MONSIEUR VARIN DES ILOTS, *mettant aussi son chapeau, et marchant vers M. Casimir* : Auriez-vous quelque chose à me dire, Monsieur?

PAUL, *se précipitant vers lui* : Général!

M. Casimir, au nom du général, et devant la fière attitude du vieillard, ôte involontairement son chapeau, et sort, à reculons, sans mot dire.

MONSIEUR VARIN DES ILOTS, *se retournant vers Mme de Saint-Laurent* : Vous pouvez vous retirer, Victoire!

Mme de Saint-Laurent, subjuguée, obéit à l'ordre, et sort lentement par la droite.

LE DOMESTIQUE *fait un grand geste d'étonnement dans le fond de la salle* : *(A part.)* Victoire?

Scène XI : Paul, M. Varin des Ilots, le domestique.

M. Varin des Ilots prend majestueusement un fauteuil et s'y installe; puis, d'un geste solennel, il indique un siège à Paul. A ce moment on entend un roulement léger, c'est la table poussée par le domestique; le général se retourne vivement, aperçoit le domestique, et, d'un mouvement muet et impérieux, lui ordonne de sortir.

Scène XII : Paul, M. Varin des Ilots.

MONSIEUR VARIN DES ILOTS : Savez-vous ce que je représente ici, Monsieur?... la famille!

PAUL : Mon cher parrain, vous ne me tutoyez donc plus?

MONSIEUR VARIN DES ILOTS : Pas encore!

PAUL : Si j'avais commis un crime...

MONSIEUR VARIN DES ILOTS, *l'interrompant* : C'en est un, une pareille conduite!

PAUL : Vous êtes bien dur!

MONSIEUR VARIN DES ILOTS : J'en ai le droit! Vous cherchiez, sans doute, à faciliter vos désordres en me proposant chez vous un logement? Tenir compagnie à Madame, pour favoriser les escapades de Monsieur, joli rôle!

PAUL, *avec énergie* : Pouvez-vous croire!...

MONSIEUR VARIN DES ILOTS : Pourquoi pas? un homme capable d'une telle faiblesse!... *(Haussant les épaules.)* Je comprends une amourette, parbleu! un caprice; je ne suis pas une vierge, mais on devrait mourir de honte quand on se laisse subjuguer par une donzelle, au point de lui sacrifier l'estime publique et les devoirs de sa position... Moi qui vous parle, Monsieur, durant ma longue carrière...

PAUL, *l'interrompant* : Oh! tous les blâmes possibles sont moins forts, pour me ramener chez moi, que mes propres dégoûts et la lassitude où je suis.

MONSIEUR VARIN DES ILOTS : Mais ces dégoûts, Monsieur, vous les promenez en carrosse.

PAUL, *exaspéré* : Le carrosse! c'est ce qui m'a perdu, le carrosse!

MONSIEUR VARIN DES ILOTS : Que voulez-vous dire?

PAUL : Que je quitterais cette femme dès ce soir, si je n'étais pas enchaîné ici par mes dettes... *(montrant la porte de droite)* et le remords secret de l'avoir poussée dans cette voie.

MONSIEUR VARIN DES ILOTS : Ah! le remords secret! vous êtes bon! Un remords, ça se guérit; malheureusement, les dettes, ça se paye... Combien dois-tu?

PAUL, *étonné d'abord, puis hésitant* : Beaucoup!... et je n'ai plus ma place. *(Avec rage.)* Comme si l'on montrait de pareilles sévérités pour les autres!... Mais Mme de Mérilhac s'est liguée contre moi, avec ma belle-mère, depuis qu'elle tripote le mariage de son neveu.

MONSIEUR VARIN DES ILOTS, *appuyant sur chaque mot* : Combien dois-tu?

PAUL, *tirant de sa poche une liasse de notes et de protêts* : Tout est là.

MONSIEUR VARIN DES ILOTS : Donne!

PAUL, *hésitant* : Si vous saviez!

MONSIEUR VARIN DES ILOTS, *tendant la main avec impatience* : Dépêche-toi!... *(Prenant les papiers et tâtant toutes ses poches.)* J'ai oublié ma loupe, je lirai tout cela à la maison, ça me regarde.

PAUL, *se levant* : Comment?

MONSIEUR VARIN DES ILOTS, *mettant tout dans sa poche* : Ça me regarde! comprends-tu le français?

PAUL, *lui saisissant la main* : Cher parrain!

MONSIEUR VARIN DES ILOTS : Si tu as l'audace de répliquer un mot... *(Lui faisant un geste terrible.)* Sors d'ici! Va-t'en te jeter au cou de ta femme.

PAUL : Ce soir?

MONSIEUR VARIN DES ILOTS : Tout de suite!

PAUL : Oh! demain, pas ce soir! le temps seulement...

MONSIEUR VARIN DES ILOTS, *roulant son fauteuil devant la porte de droite* : Halte-là!

PAUL, *avec un grand geste de dénégation :* Je n'ai aucunement le dessein...

MONSIEUR VARIN DES ILOTS, *froidement :* Espérons-le!

PAUL : Quant à revoir ma femme, sans préparation, face à face... après tout ce qui s'est passé aujourd'hui... c'est impossible!

MONSIEUR VARIN DES ILOTS, *toujours en sentinelle :* Eh! ça m'est bien égal!... va chez toi, va au diable! mais va-t'en!

PAUL, *timidement :* Vous restez ici?

MONSIEUR VARIN DES ILOTS : Un peu!

PAUL : Vous allez tout rompre?

MONSIEUR VARIN DES ILOTS : Je le suppose!

PAUL, *revenant à lui :* Dites-moi au moins que vous m'avez pardonné!...

MONSIEUR VARIN DES ILOTS, *lui montrant la porte :* Qu'est-ce que ça te fait? *(Paul sort tout rêveur.)*

Scène XIII : M. Varin des Ilots, seul.

A l'autre! *(Il se lève avec peine.)* Je n'en peux plus *(il va à la porte de droite)* je n'en ai jamais tant brassé... depuis vingt ans! *(Il frappe à la porte.)*

Scène XIV : M. Varin des Ilots,
Mme de Saint-Laurent.

MONSIEUR VARIN DES ILOTS, *à Mme de Saint-Laurent qui arrive dans un déshabillé des plus élégants :* Deux mots seulement à vous dire.

MADAME DE SAINT-LAURENT, *inquiète et très humble :* Si Monsieur le général veut bien me faire l'honneur de passer dans une pièce plus convenable...

MONSIEUR VARIN DES ILOTS : Nous sommes parfaitement ici.

MADAME DE SAINT-LAURENT, *s'inclinant :* A vos ordres!

MONSIEUR VARIN DES ILOTS *s'installe dans un grand fauteuil et laisse Mme de Saint-Laurent s'asseoir sur une chaise, en face de lui :* J'ai 65 ans sur la tête, un âge qui n'attend guère, et où il faut mener les choses rondement.

MADAME DE SAINT-LAURENT, *allant chercher deux coussinets et voulant les placer sous les bras de M. Varin des Ilots :* Le fauteuil est d'un dur! Ces deux coussins...

MONSIEUR VARIN DES ILOTS, *froidement :* Inutile! un peu d'attention, s'il vous plaît!

MADAME DE SAINT-LAURENT, *les plaçant malgré lui sur chaque bras du fauteuil :* Ah! tout ce qu'il vous plaira!

MONSIEUR VARIN DES ILOTS, *sévèrement :* Honorée de la confiance de Mme Duvernier, mêlée par vos fonctions au plus intéressant des ménages, vous avez compromis sciemment l'avenir d'un homme, et la sécurité d'une famille.

MADAME DE SAINT-LAURENT, *très humble et très interdite :* Monsieur... mais... Monsieur *(lui apportant un petit tabouret)* seulement cela...

MONSIEUR VARIN DES ILOTS, *refusant du geste :* Vous détournez la question!

MADAME DE SAINT-LAURENT, *se courbant et plaçant le tabouret à portée de ses pieds :* J'écoute! c'est un honneur pour moi d'écouter...

MONSIEUR VARIN DES ILOTS : Sans parler, ici, de vos dettes, ces promenades ensemble, ces rendez-vous au théâtre, ce mépris pour le monde, et cette impudeur dans le désordre... *(Il laisse tomber son mouchoir, elle se précipite pour le ramasser et le lui donner en saluant.)* Bien obligé!

MADAME DE SAINT-LAURENT, *avec humilité :* Mais ces mains-là sont faites pour vous servir *(minaudant)* comme autrefois.

MONSIEUR VARIN DES ILOTS, *regardant la main de Victoire, et cherchant à ressaisir l'ordre de ses idées :* Ce désordre, dis-je, dans l'impudeur... et... le mépris du monde... ou plutôt... ce monde du mépris... dans le désordre de l'impudeur...

MADAME DE SAINT-LAURENT, *se levant :* Si Monsieur le général veut permettre... il me semble que c'est l'heure de... son bouillon. *(Elle va au fond, vers la table.)*

MONSIEUR VARIN DES ILOTS, *étonné :* Vous croyez?

MADAME DE SAINT-LAURENT, *revenant avec un verre sur un plateau :* Oui! et un verre de madère plutôt? *(Il hésite.)* Allons buvez!

MONSIEUR VARIN DES ILOTS, *prenant le verre :* Merci!

MADAME DE SAINT-LAURENT : Me remercier! quand c'est moi au contraire...

MONSIEUR VARIN DES ILOTS, *remettant le verre sur le plateau :* Bref, sans nous perdre encore dans des récriminations inutiles... et mettant de côté les épithètes dont je pourrais qualifier votre conduite...

MADAME DE SAINT-LAURENT : Monsieur le général est si bon.

MONSIEUR VARIN DES ILOTS : Non, je ne suis pas bon! et je vous suppose assez d'intelligence pour comprendre qu'entre vous et Paul, tout est fini désormais. *(Il se lève pour sortir.)*

MADAME DE SAINT-LAURENT, *fondant en larmes :* Oui... oui... tout est fini, pour moi! je comprends!

MONSIEUR VARIN DES ILOTS. *Il se retourne et la regarde :* *(A part.)* Allons! les pleurnicheries commencent! *(Haut.)* Calmez-vous!

MADAME DE SAINT-LAURENT, *sanglotant :* Pardon! j'avais tort... Vous ai-je manqué?... Je serai calme.

MONSIEUR VARIN DES ILOTS, *à demi-voix, serrant les poings :* Si elle pouvait se mettre un peu en colère!... J'aurais moins de mal à m'en débarrasser.

MADAME DE SAINT-LAURENT, *qui a saisi la phrase :* *(A part.)* Ah! non, par exemple! *(Haut.)* Est-ce que je pleure encore trop haut, Monsieur?

MONSIEUR VARIN DES ILOTS, *commençant à être ému :* Vous aimez donc bien mon filleul?

MADAME DE SAINT-LAURENT, *vivement :* Moi? *(Elle éclate en sanglots.)* Si j'avais su, si j'avais su!

MONSIEUR VARIN DES ILOTS : Que voulez-vous dire?

MADAME DE SAINT-LAURENT, *à part :* Il fléchit.

MONSIEUR VARIN DES ILOTS, *insistant avec bonté :* Parlez franchement.

MADAME DE SAINT-LAURENT, *d'un air désespéré :* A quoi bon? il y a des hommes qui n'ont pas de cœur!

MONSIEUR VARIN DES ILOTS, *vivement :* Est-ce que Paul?

MADAME DE SAINT-LAURENT, *l'interrompant, et la voix coupée de sanglots :* Ne craignez rien, Monsieur, je n'accuse personne, c'est l'usage !... On prend une pauvre fille à son travail, à sa joie, à son ignorance des choses... on est jeune, séduisant... on se met à ses pieds, on l'adore... la malheureuse succombe... tout va bien, la famille n'est pas encore en danger ; mais si, par un reste de pudeur, ou mieux, pour faire de la victime une esclave, on lui jette une robe sur les épaules, et l'abri d'un toit sur la tête... horreur et scandale ! tout est perdu, tout s'écroule... les mères se désolent, les vieillards se lèvent, comme des juges, et tandis qu'il y a, dans le monde, des cous qui ploient, sans crainte, sous la charge de leurs diamants, une perle à notre oreille fait pencher la société vers sa ruine ! *(Elle sanglote, et, à part, en se détournant pour cacher sa douleur.)* M. Roch serait content, cette fois !

MONSIEUR VARIN DES ILOTS, *cherchant à l'apaiser :* Paix là ! paix là ! *(A part.)* Où va-t-elle donc chercher ce qu'elle dit ?

MADAME DE SAINT-LAURENT, *d'une voix creuse et frémissante :* Que la société se rassure ! *(Mettant la main sur sa poitrine.)* Je le sens ici... j'ai mon compte... je ne troublerai pas longtemps les familles !

MONSIEUR VARIN DES ILOTS : Un peu de courage, allons !

MADAME DE SAINT-LAURENT, *arrachant ses bracelets :* Ce bracelet vient de lui *(le jetant à terre)*, le voilà ! je n'en veux plus ! Ah ! ses bagues, tenez ! le collier... voilà son peigne ! oui, oui, tout ! *(Elle a successivement tout retiré, arraché, et, se posant, échevelée, devant M. Varin des Ilots :)* Suis-je maintenant assez nue pour que la société dorme tranquille ? *(Elle est prise d'un spasme nerveux, chancelle tout à coup, et tombe, pâmée, sur la chaise, en face de M. Varin des Ilots.)*

MONSIEUR VARIN DES ILOTS, *très embarrassé et la soutenant :* Quelqu'un !... *(Cherchant partout des yeux.)* La sonnette ?... *(Regardant Mme de Saint-Laurent.)* Elle se trouve mal ! *(Appelant.)* Au secours ! *(Cherchant encore du regard.)* Où diable a-t-on pendu cette sonnette ?... Si je pouvais la laisser seulement une seconde... *(Il la pose, avec mille précautions, sur une chaise, et court ouvrir la porte de droite.)* Holà ! *(D'une voix désespérée.)* Personne ! *(Il court à gauche, après s'être retourné vers Mme de Saint-Laurent.)* A l'aide !... si tout le monde est parti, me voilà bien ! *(Revenant et cherchant à détacher sa ceinture.)* Elle étouffe... *(Ne pouvant y parvenir.)* J'ai absolument oublié... *(Il lui frappe dans les mains.)* Victoire ! *(Le fichu tombe.)* Elle a des épaules charmantes, cette fille-là !... *(Lui frottant les tempes.)* Ma toute belle ! *(Mme de Saint-Laurent lui jette un regard languissant, devant lequel il demeure saisi.)* Madame ! *(A part.)* Quels yeux ! *(La soulevant à moitié.)* Mettez-vous, au moins, dans le fauteuil, Madame !

MADAME DE SAINT-LAURENT, *refusant, d'une voix faible :* Quand vous êtes là ?

MONSIEUR VARIN DES ILOTS, *la soutenant et la plaçant amoureusement dans le fauteuil, dont il arrange les coussins :* Je l'exige ! *(Il lui met le tabouret sous les pieds.)*

De cette façon, vous serez mieux. *(Apercevant au fond la table servie.)* Attendez ! attendez ! *(Il remplit un verre et remue le sucre avec une cuillère, puis revient.)*

MADAME DE SAINT-LAURENT : Vous, Monsieur le général, me servir !

MONSIEUR VARIN DES ILOTS, *lui tendant le verre qu'elle finit par accepter :* Pourquoi pas ?

MADAME DE SAINT-LAURENT, *hésitant à boire :* Je serais trop confuse !

MONSIEUR VARIN DES ILOTS : Allons ! buvez ! *(Elle boit.)* Servir la beauté, n'est-ce pas le rôle d'un soldat ? *(Il reprend le verre, et va le poser sur la table.)*

MADAME DE SAINT-LAURENT : Vous vous moquez... c'est cruel !

MONSIEUR VARIN DES ILOTS, *éclatant :* Je ne me moque pas, mille tonnerres ! et il faut que Paul soit un fier dinde, s'il n'a pu oublier devant de pareils charmes !

MADAME DE SAINT-LAURENT, *jouant la surprise :* Que dites-vous ?

MONSIEUR VARIN DES ILOTS, *embarrassé :* Je... moi ?... je ne dis rien... *(Courant vers la table.)* Encore un peu d'eau sucrée, peut-être ?

MADAME DE SAINT-LAURENT, *faisant signe que non :* Mille grâces !

MONSIEUR VARIN DES ILOTS, *s'asseyant sur une chaise en face d'elle :* Vous vous trouvez tout à fait bien maintenant ?

MADAME DE SAINT-LAURENT, *cachant son visage dans ses deux mains :* Ah ! Monsieur le général, que je suis donc malheureuse de vous avoir vu !

MONSIEUR VARIN DES ILOTS, *abasourdi :* Comment cela ?

MADAME DE SAINT-LAURENT : Cette rupture... elle devait éclater... un de ces jours... fatalement... je la sentais venir aux dédains de Paul, à ses colères ; mais, alors, j'aurais quitté la vie sans un regret, avec tout mon désespoir... et toute ma haine... je ne me serais pas souvenue, au départ, qu'on trouve des cœurs d'homme faits autrement que le sien !

MONSIEUR VARIN DES ILOTS : Pauvre enfant !

MADAME DE SAINT-LAURENT, *jetant sur lui un regard d'admiration :* Que vous ne lui ressemblez guère ! vous avez pleuré votre bonne Gertrude, vous !

MONSIEUR VARIN DES ILOTS, *très ému :* Je la pleure encore.

MADAME DE SAINT-LAURENT : Ce n'était pas une servante, c'était une véritable amie... une compagne...

MONSIEUR VARIN DES ILOTS : C'est vrai, c'est vrai.

MADAME DE SAINT-LAURENT, *avec émotion :* Ah ! si l'on recommençait son existence, s'il n'était pas si tard ! si je me sentais assez pure ! avec quelle joie et quelle affection de toutes les heures... j'aurais pu continuer près de vous, moi plus jeune, plus forte, et aussi dévouée... peut-être... *(Changeant de ton.)* Mais il n'y faut pas songer, c'est un rêve ! le malheur a son châtiment, comme le crime, et quelle que soit la cause qui nous perd, le monde ne voit que notre flétrissure, lui !

MONSIEUR VARIN DES ILOTS, *rêveur et frémissant :* Oh ! la jolie petite Gertrude !

MADAME DE SAINT-LAURENT, *d'une voix brisée :* Au lieu de cette félicité... de cet honneur... je n'ai plus, devant moi, qu'une mort prochaine... ou qu'un avenir misérable !...

MONSIEUR VARIN DES ILOTS : Qui dit cela ?

MADAME DE SAINT-LAURENT, *désignant les objets d'un bras découragé :* Il faudra vendre, à l'enchère, mes meubles, mes tapis, tous ces riens élégants dont j'ignorais jusqu'au nom, mais auxquels on finit par s'attacher... malgré soi...

MONSIEUR VARIN DES ILOTS, *l'interrompant :* Laissez donc !

MADAME DE SAINT-LAURENT, *énergiquement :* A moins que je ne les abandonne avec mépris... *(regardant à terre)* comme ces bracelets d'or qui sont à terre !

MONSIEUR VARIN DES ILOTS, *les ramassant avec peine, ainsi que le peigne et le collier :* Vous les garderez, Madame !

MADAME DE SAINT-LAURENT, *les repoussant de la main :* Que je les garde ! pour qu'ils me rappellent encore qui me les a donnés !

MONSIEUR VARIN DES ILOTS : Ils vous rappelleront celui qui les paie...

MADAME DE SAINT-LAURENT, *feignant de ne pas comprendre :* Comment ?

MONSIEUR VARIN DES ILOTS, *les lui tendant toujours :*... et qui vous les offre...

MADAME DE SAINT-LAURENT : Mais...

MONSIEUR VARIN DES ILOTS : ... à la condition de les rattacher, lui-même, à vos beaux bras ! *(Il lui remet les bracelets, en embrassant les deux mains tour à tour.)*

MADAME DE SAINT-LAURENT, *comme dans un songe :* Est-ce possible ?

MONSIEUR VARIN DES ILOTS : Voici le collier *(Il le lui passe au cou.)* Voici le peigne ! *(Il le lui met dans la main.)*

MADAME DE SAINT-LAURENT : Ah ! Monsieur ! Monsieur ! qu'ai-je besoin de tout cela ? je ne suis pas assez grande dame pour qu'on m'enterre avec mes bijoux.

MONSIEUR VARIN DES ILOTS, *se récriant :* Vous enterrer !

MADAME DE SAINT-LAURENT, *ouvrant les bras, d'un air accablé :* Seule au monde !

MONSIEUR VARIN DES ILOTS, *lui prenant la main :* Mais moi...

MADAME DE SAINT-LAURENT : Maudite !

MONSIEUR VARIN DES ILOTS : Que dites-vous ?

MADAME DE SAINT-LAURENT : Méprisée !

MONSIEUR VARIN DES ILOTS : Jamais ! pauvre innocente ! un piège tendu !... je comprends tout !

MADAME DE SAINT-LAURENT : Mais qui me défendra ? qui me défendra ?

MONSIEUR VARIN DES ILOTS, *avec force :* Je ne suis donc pas là, mille bombes !

MADAME DE SAINT-LAURENT, *avec un grand cri :* Vous !

MONSIEUR VARIN DES ILOTS : Moi ! *(bas)* sans compter ma maison qui sera la tienne... Il faut bien que je répare les torts de mon filleul !

MADAME DE SAINT-LAURENT, *se précipitant à ses pieds,* et posant sa tête échevelée sur les mains de M. Varin des Ilots : Merci ! merci !

MONSIEUR VARIN DES ILOTS, *à part :* Oh ! la jolie petite Gertrude ! *(La toile tombe.)*

ACTE CINQ

Chez Paul Duvernier, appartement du second acte.

Scène I : Valentine, Mme Duvernier, Mme de Grémonville, Mme de Mérilhac, toutes en toilettes de noce.

MADAME DE GRÉMONVILLE : Il n'est pas rentré ?

VALENTINE : Non, maman, je l'attends.

MADAME DE GRÉMONVILLE : Et moi aussi ! *(A part.)* Sans en compter un autre ! mais celui-là ! *(Comme pour dire : je m'en moque !)*

MADAME DUVERNIER : Une bien triste fête, Mesdames.

MADAME DE MÉRILHAC : Manquer au mariage de son ami intime et de sa belle-sœur !

MADAME DUVERNIER : Et son pauvre parrain qu'on n'a pas revu !

MADAME DE GRÉMONVILLE : Jugez donc ! un coup de cette force à son âge ! lui qui aimait Paul comme son fils ! Il y a de quoi le tuer !

MADAME DE MÉRILHAC : Surtout s'il n'a pas pu encore l'arracher aux séductions de cette... misérable !

MADAME DE GRÉMONVILLE, *à Mme Duvernier :* Un vieillard qui succombe, une femme délaissée, une orpheline, voilà l'œuvre de M. Paul, Madame !

MADAME DUVERNIER : J'en souffre plus que vous, moi, sa mère !

MADAME DE GRÉMONVILLE : Je suis mère aussi, permettez !

MADAME DUVERNIER : Sans doute ! et quand j'aurais des excuses à apporter...

MADAME DE GRÉMONVILLE : Lesquelles, s'il vous plaît ?

MADAME DUVERNIER : Car enfin, vous l'avez abandonné un peu vite, comtesse ?

MADAME DE MÉRILHAC : Dites qu'il s'est abandonné lui-même ! Devant un scandale qui arrive à ces proportions...

MADAME DE GRÉMONVILLE : C'est juste ! et peut-être Mme Duvernier comprend-elle maintenant où mène un éducation... trop... libérale.

MADAME DUVERNIER : Parfaitement ! surtout quand elle vient se heurter à une cohabitation imprudente !

MADAME DE GRÉMONVILLE : Oh ! il avait déjà ses petits projets.

MADAME DUVERNIER : Tout le monde ne peut avoir votre perspicacité, Madame !

MADAME DE GRÉMONVILLE : Elle n'a pas suffi toutefois à défendre ma fille chérie ! Cette pauvre enfant, la première victime, qu'a-t-elle fait, je vous le demande ?

MADAME DE MÉRILHAC : Rien, à coup sûr ! et au lieu de vous accuser mutuellement d'un malheur dont vous êtes innocentes l'une et l'autre, mieux vaudrait nous unir pour en empêcher le retour.

MADAME DUVERNIER : Volontiers.

MADAME DE GRÉMONVILLE : Tout de suite.

MADAME DE MÉRILHAC : Mais si nous consultions M. des Orbières? il reviendra tout à l'heure. *(A Mme de Grémonville.)* Son petit cadeau de noces! vous savez? *(Mme de Grémonville lui répond par un signe d'intelligence.)*

MADAME DUVERNIER : N'importe! nous pourrions, dès maintenant, commencer.

MADAME DE GRÉMONVILLE, *à part, regardant la pendule et agitée :* Un retard inexplicable... pas de lettres! rien!

MADAME DE MÉRILHAC : Je crois donc que la première chose à faire serait...

VALENTINE, *en sursaut :* Lui!

Scène II : les mêmes, Paul.

PAUL, *sur le seuil :* Tout le monde au mariage! je m'en doutais! Valentine!... *(Il fait un pas vers elle.)*

MADAME DE GRÉMONVILLE, *lui barrant le passage, sévèrement :* Vous vous trompez, Monsieur!

PAUL, *interdit :* Vous, Madame!

MADAME DE MÉRILHAC, *s'approchant, dédaigneusement :* Vous vous trompez!

PAUL, *éperdu :* Comtesse!

MADAME DUVERNIER *s'avançant, d'un ton solennel :* Vous vous trompez!

PAUL, *avec épouvante :* Ma mère! *(Cherchant avec anxiété.)* Où est Amédée? où est le général? *(A part, avec terreur.)* Pas un homme! pas un pan d'habit où me raccrocher!... et toutes ces crinolines amoncelées autour de moi comme des vagues!

MADAME DE GRÉMONVILLE : Vous auriez trouvé plus commode qu'elle fût abandonnée, n'est-ce pas?

PAUL : J'avoue qu'une explication pareille, en public...

MADAME DE MÉRILHAC : Si ma présence vous gêne?

MADAME DUVERNIER : Restez, comtesse! vous avez ici des droits, le fils a pu se jouer de vos bontés, la mère se fait un devoir de s'en souvenir.

PAUL, *allant vers sa femme :* Valentine!

VALENTINE *détourne la tête en sanglotant :* Mon Dieu! mon Dieu!

MADAME DE GRÉMONVILLE *se précipite entre lui et Valentine, et croisant les bras :* Vous ne comprenez donc pas qu'elle sait tout?

Scène III : les mêmes, la nourrice portant l'enfant et entrant par la gauche.

PAUL *va pour embrasser sa fille :* Celle-là, au moins!

MADAME DE GRÉMONVILLE *relève vivement le voile du maillot de manière à le couvrir tout entier :* C'est ma fille! vos lèvres ne sont plus celles d'un père! elle m'appartient plus qu'à vous, maintenant! Peut-être sa petite âme comprend-elle déjà son malheur, et si sa faible bouche pouvait parler, elle vous jetterait votre condamnation à la face!

PAUL, *saluant profondément le maillot :* Oui! vous avez raison, c'est une femme aussi, je m'incline.

MADAME DE GRÉMONVILLE, *à la nourrice :* Emportez l'enfant, nourrice! *(La nourrice sort par la gauche.)*

PAUL : Je vous prie instamment de la suivre, Mesdames, j'ai à parler à ma femme.

MADAME DE GRÉMONVILLE : Bien, Monsieur! nous allons refléchir sur le parti qu'il faut prendre. *(Valentine fait un mouvement pour suivre les trois dames, Paul l'arrête par le bras.)*

Scène IV : Paul, Valentine.

VALENTINE : Laissez-moi, Monsieur, Laissez-moi!

PAUL, Seulement deux mots!

VALENTINE : Impossible! on m'attend.

PAUL : Ecoute-moi!

VALENTINE : Après toutes les choses qui se sont passées!

PAUL : Continue! je ne me défendrai pas! tes torts, si tu en as eu, sont absorbés dans ma faute. Te rappelles-tu ce soir où tu refusas de m'accompagner au théâtre? j'en ai honte : tout vient de là... Que veux-tu? l'amour-propre blessé, un moment de dépit... j'étais fou!

VALENTINE : Cette femme! cette femme!

PAUL : N'en sois pas jalouse, j'ai trouvé mon premier châtiment dans la vulgarité de son âme... et peut-être me fallait-il cette épreuve pour comprendre moi-même jusqu'à quel point je t'adore.

VALENTINE : Un épreuve terrible où l'on a brisé mon cœur sans retour.

PAUL : Ne dis jamais de ces mots-là, Valentine! rien n'est brisé, rien n'est mort! Me voilà sorti de ma folie comme d'un mauvais rêve, je me sens désormais assez de dévouement et de tendresse pour effacer dans ton âme jusqu'au souvenir de mon erreur.

VALENTINE, *les yeux au ciel :* Comme s'il m'était possible de le croire, maintenant!

PAUL, *avec désespoir :* Que faut-il faire? est-ce un éclat que tu demandes? une séparation? un scandale? ou supposes-tu que notre raccommodement sera mieux cimenté par les autres que par nous-mêmes? Non, n'est-ce pas?... Détourne-toi! réponds-moi! nos mains pour s'étreindre n'ont pas besoin qu'on les pousse, et le pardon que j'attends de ma femme ne veut pas d'autre intermédiaire qu'un baiser!

VALENTINE, *émue :* Mon Dieu!

PAUL, *s'agenouillant :* Valentine! aimes-tu mieux que je meure, Valentine?

VALENTINE, *le regardant :* Paul! *(Paul couvre sa main de baisers.)*

Scène V : les mêmes, Thérèse, en toilette de mariée, Amédée, idem.

THÉRÈSE : Malheureuse! le regarder! lui parler! *(Se tournant avec un rire dépité.)* Et moi qui accourais ici pour la plaindre!

PAUL, *dignement :* Ici, Madame?

THÉRÈSE : Oh! ne craignez rien, je me retire; ouvrez la porte, Amédée.

VALENTINE *court vers Thérèse, Amédée reste la main sur la porte :* Il voulait mourir, Thérèse!

THÉRÈSE, *haussant les épaules et regardant Amédée :* Pauvre tête! *(A Valentine, bas.)* Mais tu ne comprends pas que c'est donner tort à ma mère et déshonorer tout ton sexe?... Votre bras, Amédée! *(A Valentine, haut.)* Tu devrais rougir, te dis-je! tu es plus coupable que lui! *(A Paul.)* Adieu, Monsieur!

PAUL : Est-ce pour toujours, Thérèse?

THÉRÈSE : Mais rester plus longtemps, il me semble, ce serait encourager votre conduite...

PAUL : Ah! vous oubliez un peu le service que je vous ai rendu?

THÉRÈSE : Quel service?

AMÉDÉE. *s'avançant :* Oui, lequel.

PAUL, *après un long silence :* Il est considérable, je vous jure; je dis bien considérable. *(Voyant que Valentine va sortir.)* Valentine! *(A Thérèse, lui montrant la porte de droite par où vient de s'en aller Valentine.)* Ne sortez pas, Madame, on délibère ici contre moi, c'est votre place.

THÉRÈSE, *s'arrêtant :* Ces dames, peut-être? Allons voir! *(A part.)* Je ne suis pas fâchée de donner cet exemple à mon mari. *(A Amédée.)* A tout à l'heure, Amédée, je vous ménage une surprise... il y a là quelqu'un...

AMÉDÉE : Qui donc?

THÉRÈSE : Vous verrez! vous verrez!

Scène VI : Paul, Amédée.

AMÉDÉE : De qui veut-elle parler?

PAUL : Je ne sais! mais n'importe! Ecoute-moi, je suis un misérable, un enfant! Veux-tu que je te demande pardon à genoux, Amédée?

AMÉDÉE : A moi?

PAUL : Tu étais joyeux, tu étais libre; à chacun de tes pas sur ta route on entendait sonner hardiment tes écus dans ta poche et tes fantaisies dans ta tête. Et moi, pour m'assurer une protection qui m'échappe, en vue d'un intérêt tout personnel, sais-tu ce que j'ai fait, Amédée? je me suis embusqué sur ton chemin comme un traître, j'ai pris ta liberté dans une trappe, j'ai tendu un piège à loups sous ta joie.

AMÉDÉE : Un piège à loups!

PAUL : Ce complot d'où est résulté ton mariage...

AMÉDÉE : Il y avait... un complot?

PAUL : Mais sans doute!

AMÉDÉE : Et tu en étais?

PAUL, *baissant la tête :* Oui!

AMÉDÉE : Ah! ce cher Paul!... ma reconnaissance... *(Il lui saute au cou.)*

PAUL, *s'en débarrassant :* C'est de la générosité, je te remercie.

AMÉDÉE : Pourquoi donc?

PAUL : Après ce qui m'arrive? quand tu as dans ma personne un échantillon des aménités qu'on te réserve?

AMÉDÉE : Ah! distinguons!

PAUL : Distinguons quoi?

AMÉDÉE : Ah! tu m'entends, j'ai beau être ton ami, il y a véritablement de ces choses...

PAUL : Quelles choses?

AMÉDÉE : Voyons, en bonne conscience, peux-tu espérer que je donne mon approbation à ta... comment dirai-je? je ne veux pas être amer... à ta conduite?

PAUL : Tu me fais de la morale, toi! quand hier, cette nuit même...

AMÉDÉE, *regardant autour de lui :* Chut! on pourrait t'entendre! j'étais encore garçon, cette nuit.

PAUL : Et ce matin?

AMÉDÉE : Mon Dieu, oui! je me sens métamorphosé, je l'avoue; cet acte solennel, la cérémonie, nos serments, l'orgue... Mes yeux se sont ouverts, j'ai dépouillé le vieil homme... Certaines positions exigent de nous certaines idées; ce qui ne semblait la veille qu'une plaisanterie, peut prendre le lendemain des proportions colossales, et sans vouloir me poser en Don Quichotte de la vertu, je trouve franchement qu'il y a des bornes.

PAUL, *avec force :* Je crois bien! *(A Amédée.)* Est-ce que tu me salueras encore dans la rue, Amédée?

AMÉDÉE : Es-tu bête! certainement, mon vieux, ce n'est pas parce qu'un ami a eu le malheur de s'égarer... *(lui serrant la main)* certainement!

PAUL : Que tu es bon! *(A part, avec amertume.)* Lui aussi! *(Apercevant les dames qui entrent.)* La cour!

Scène VII : Paul, Amédée, Mme de Grémonville, Mme Duvernier, Mme de Mérilhac, Thérèse, Valentine.

Elles arrivent processionnellement, s'assoient en demi-cercle et après un long silence, Paul restant debout, seul, au milieu de la scène, et Amédée derrière le siège de sa femme :

MADAME DE GRÉMONVILLE, *à Mme de Mérilhac :* Vous avez la parole, Madame.

MADAME DE MÉRILHAC : Madame Duvernier plutôt.

MADAME DE GRÉMONVILLE, *à Mme Duvernier :* Madame!

MADAME DUVERNIER, *à Mme de Grémonville :* Vous plutôt.

MADAME DE GRÉMONVILLE, *à Mme de Mérilhac :* Non, vous!

MADAME DE MÉRILHAC : Non!

MADAME DUVERNIER, *à Mme de Grémonville :* Vous.

MADAME DE GRÉMONVILLE : Soit! *(A Paul.)* Toute faute, Monsieur, doit être suivie d'une expiation, et malgré les objections que vous pourrez faire...

PAUL : Je n'en ferai aucune, Madame!

MADAME DE GRÉMONVILLE : Après les événements déplorables que je ne veux pas rappeler...

AMÉDÉE, *à part :* Très bien!

MADAME DE GRÉMONVILLE : ... et avant que ma fille ne recommence d'enchaîner sa destinée à la vôtre, il faudrait nous prouver, c'est le moins, la sincérité de votre repentir par une conduite à la fois morale et régulière.

MADAME DE MÉRILHAC : Morale.

MADAME DUVERNIER : Régulière.

AMÉDÉE, *à part :* Il y a, vraiment, dans cette juridiction de la famille, quelque chose qui empoigne.

MADAME DE GRÉMONVILLE : Nous vous exposerons

d'abord le seul plan de vie qui puisse vous mener à l'accomplissement de nos vœux.

MADAME DUVERNIER : C'est cela. Continuez.

MADAME DE GRÉMONVILLE : J'ignore vos dettes, mais vos ressources personnelles sont insuffisantes désormais à vous faire tenir dans le monde un rang convenable; vos deux familles y pourvoiront, Monsieur. Non pas, veuillez le croire, par des prodigalités dangereuses, source de tentations nouvelles, mais en mêlant leur existence à la vôtre, et sous la protection de deux mères. Oh! vous serez bien entouré, cette fois!

PAUL : Comment, entouré?

MADAME DUVERNIER : Sans doute! dès demain, je m'établis chez vous *(montrant Mme de Grémonville)* avec Madame, car je ne laisserai pas souiller mon nom, le nom de votre père!

MADAME DE GRÉMONVILLE : Je n'abandonnerai point à la mobilité de vos passions le bonheur de mon enfant, et l'avenir de ma petite-fille.

MADAME DUVERNIER : Je n'en ai pas le droit.

MADAME DE GRÉMONVILLE : Ce serait de ma part un crime!

MADAME DE MÉRILHAC, *aux dames :* Et moi, qui n'ai dans la famille qu'une autorité indirecte, je vous promets de veiller au dehors, et généralement, à toutes les phases de son existence.

THÉRÈSE : L'abondance de précautions ne peut nuire.

AMÉDÉE, *avec un geste violent :* Bravo!

THÉRÈSE, *se retournant :* Tenez-vous donc tranquille! on dirait que j'ai épousé un saltimbanque!

AMÉDÉE : Un reste d'habitude, pardon, mon ange! c'était pour montrer seulement que je me soumets d'avance à toutes les volontés de ma belle petite femme.

PAUL, *après avoir regardé Amédée, et baissant la tête :* Oh! sexe faible!

MADAME DE GRÉMONVILLE : Enfin, Monsieur, comme vous avez découragé par votre inexactitude *(montrant Mme de Mérilhac)* le plus bienveillant des patronages, et perdu sans retour un poste éminent, ce n'est plus dans ce genre d'occupations qu'il vous est permis de chercher une place; mais comme, d'autre part, vous devez fuir l'oisiveté, cette mère de tous les vices... Voulez-vous prendre la parole, comtesse, puisqu'aussi bien c'est vous...

MADAME DE MÉRILHAC : Nous avons donc pensé à des fonctions... obligatoires, sérieuses; et j'espère que l'on trouvera, pour vous, quelque emploi dans un bureau.

PAUL : Un bureau? jamais de la vie!

Scène VIII : les mêmes, M. des Orbières.

MONSIEUR DES ORBIÈRES, *à Mme de Mérilhac :* Voici, chère Madame, ce que vous avez désiré. *(Il lui tend une grande enveloppe ministérielle.)*

MADAME DE MÉRILHAC, *à Amédée :* Cela vous regarde, mon ami. Lisez-le.

AMÉDÉE : Quel cachet! *(Il ouvre et parcourt des yeux.)* « Inspecteur du degré d'avancement des commandes faites aux artistes par la Direction des Beaux-Arts : M. Amédée Peyronneau »... Moi? oui! moi! inspecteur!

PAUL, *à M. des Orbières :* Comment? après m'avoir destitué!

MONSIEUR DES ORBIÈRES : Eh! que voulez-vous, cher Monsieur? Des convenances, un peu exagérées peut-être, mais impérieuses, l'opposition qui est toujours là, à nous guetter, et puis... un homme qui vit dans le désordre, après tout! bref, il nous a fallu, bien malgré moi, vous retirer cette place.

PAUL, *désignant Amédée :* Et pour la donner à ...

MONSIEUR DES ORBIÈRES : Du moment qu'elle était libre, mieux valait M. Peyronneau, votre ami, que le premier venu, convenez-en.

MADAME DE GRÉMONVILLE : D'autant plus qu'il est aussi capable.

THÉRÈSE : Il a même la vocation!

AMÉDÉE, *obéissant au geste impératif de Thérèse :* Parbleu!

MADAME DE MÉRILHAC, *mielleusement :* Et cela ne sort pas de la famille!

MONSIEUR DES ORBIÈRES : De cette façon, vous voyez, je satisfais tout à la fois aux exigences de l'amitié et... pardon du mot... à celles de la morale.

PAUL : La morale? mais je l'ai servie; le mariage de Thérèse ne se serait pas fait sans moi, et puisqu'on me force à parler de mon désintéressement, je m'exécute. *(A Mme de Grémonville.)* Oh! vous avez beau me regarder, Madame, je ne suis pas plus fou qu'un autre, et monsieur votre mari, si on l'interroge, donnera là-dessus des renseignements.

MADAME DE GRÉMONVILLE : Vous pouvez vous-même lui parler, le voilà!

Scène IX : les précédents,
M. de Grémonville.

MONSIEUR DE GRÉMONVILLE : Je m'excuse auprès de mon nouveau gendre d'avoir manqué la cérémonie; j'avais pris dans la gare un train pour un autre, et je me suis réveillé à Mont-de-Marsan. Alors, forcément, j'ai été obligé de repasser par Toulouse.

PAUL : Qu'ai-je fait, moi, Monsieur, en venant vous voir à Toulouse?

MONSIEUR DE GRÉMONVILLE : Une chose très bien.

MADAME DE GRÉMONVILLE : Vous n'allez pas ennuyer la compagnie par des détails!

MONSIEUR DE GRÉMONVILLE : Des détails? non.

PAUL : Dites au moins...

MONSIEUR DE GRÉMONVILLE : M. Duvernier m'a engagé à une chose... une chose...

MADAME DE GRÉMONVILLE : Que vous auriez faite de vous-même, mon Dieu!

MONSIEUR DE GRÉMONVILLE : Que j'allais faire, moi-même... oui.

PAUL : Et qui est... Voyons! précisez!

MONSIEUR DE GRÉMONVILLE, *obéissant toujours au regard de Mme de Grémonville :* Qui est très bien... très bien... et cela m'étonne!

PAUL : De moi?

MONSIEUR DE GRÉMONVILLE : Oui, car tout à l'heur

je viens d'apprendre par ma femme vos coupables égarements.

PAUL, *croisant les bras* : Vous la croyez?

MONSIEUR DE GRÉMONVILLE : Pourquoi pas? et je vous blâme, je vous blâme, tout à fait!... On aurait dû me laisser à Toulouse plutôt que de me faire assister à de pareils... tableaux.

PAUL : Ah ! vous aussi! tout le monde contre moi! Eh bien, puisqu'on est à me marchander un pardon que j'implore et jusqu'à un amour qui m'appartient, je repousse net toutes les conditions qu'on m'impose. Assez de prières! (*A Mme de Mérilhac.*) Je ne descendrai pas pour vivre au modeste emploi que vos bontés me destinaient, Madame... (*A M. des Orbières.*) Et j'espère pouvoir me passer de vous, Monsieur le Ministre!... Si deux maisons me sont fermées et la mienne devenue impossible, une autre va s'ouvrir : celle du général Varin des Ilots. Vous parliez de mes dettes? rassurez-vous! il les paye.

MADAME DE GRÉMONVILLE : Lui?

MADAME DUVERINER : Comment?

THÉRÈSE : Quel exemple!

MADAME DE MÉRILHAC : Une aberration!

MADAME DE GRÉMONVILLE : Un scandale!

PAUL, *à Mme de Grémonville* : Il n'a pas d'autre héritier que moi, Madame, je suis désespéré de vous l'apprendre. C'est un esprit juste, un bon cœur, sachant distinguer une faiblesse d'une infamie, assez sûr de lui-même pour être indulgent aux autres, et dont la fortune, je regrette mille fois de vous le dire, échappe complètement à l'influence salutaire du sexe le plus aimable et surtout le plus infaillible. (*Prenant son chapeau.*) J'ai bien l'honneur de vous saluer!

Scène X : les mêmes, le général Varin des Ilots.

LE GÉNÉRAL : Tout est réparé! j'ai tout réparé!

PAUL, *se jetant à son cou* : Cher parrain!

MADAME DUVERNIER : Vous n'avez pas été indisposé?

LE GÉNÉRAL : Pas le moins du monde!

MADAME DE GRÉMONVILLE : Votre absence au mariage...

LE GÉNÉRAL : Toutes ces affaires...

MADAME DUVERNIER : Je n'étais pas sans inquiétudes!

MADAME DE GRÉMONVILLE : Effectivement, si on savait le général bien entouré d'une famille...

PAUL, *à part* : Oh! le serpent, qui veut l'attirer dans sa maison!

MADAME DE GRÉMONVILLE : Tandis qu'une personne, seule, d'un certain âge... livrée exclusivement à des domestiques mâles... sans ces mille petits soins qu'on ne peut espérer que des femmes...

LE GÉNÉRAL : C'est incontestable! incontestable!

PAUL, *avec anxiété* : Que dit-il?

MADAME DE GRÉMONVILLE : D'autant plus que vous êtes accoutumé à ces douceurs-là, général, et que la perte irréparable de cette bonne Gertrude...

PAUL : Allons, Madame, vous exagérez singulièrement les choses; on peut trouver ailleurs quelqu'un de dévoué.

MADAME DE GRÉMONVILLE : Allons donc!

LE GÉNÉRAL : J'en ai une autre!

MADAME DUVERNIER : Une autre?

PAUL : (*A part.*) Ah! très fort, il a flairé le piège, je suis sauvé. (*Haut, avec feu.*) Et quand vous n'en auriez pas une autre, cher parrain, quand il serait impossible de rencontrer dans le monde connu une femme assez... phénoménale pour diriger convenablement votre maison, sachez que vous trouverez en moi non seulement un filleul, mais un fils. Jour et nuit, à toute heure, je serai fier de vous témoigner par mes soins l'éternelle reconnaissance que je vous dois.

LE GÉNÉRAL : Je te remercie.

PAUL : A compter d'aujourd'hui, plus d'obligations qui m'enchaînent! je vous suis de ce pas, je vous appartiens corps et âme!

LE GÉNÉRAL, *étonné* : Que dis-tu?

PAUL : J'habiterai chez vous, nous vivrons seuls, tous les deux!

LE GÉNÉRAL, *stupéfait* : Tu rêves!

PAUL : Ah! sans doute! vous ne savez pas, j'oubliais!... Malgré cette noble indulgence dont vous avez enveloppé toute ma folie, quand les autres ont pu connaître par votre exemple le chemin de la miséricorde et du pardon, ma femme me maudit, mes deux familles me repoussent ou du moins ne m'admettent qu'à des conditions trop basses pour qu'il me soit permis de les accepter. Vous voyez donc bien que je peux vous suivre.

LE GÉNÉRAL : Sacrebleu! mon garçon, nous ne nous entendons pas du tout!... Donne-moi un fauteuil. (*Il s'assoit.*) J'ai absolument tout réparé! comprends-tu?

PAUL : Eh bien?

LE GÉNÉRAL : Mais, mille tonnerres! tu ne peux pas demeurer chez moi! fais ta paix!

PAUL, *interdit* : Que je...

LE GÉNÉRAL, *avec résolution* : C'est impossible! j'en suis bien fâché... Fais ta paix!

MADAME DE GRÉMONVILLE, *triomphante* : A la bonne heure! voilà qui est parlé, général.

PAUL, *désespéré* : Ainsi, vous me refusez votre porte?

LE GÉNÉRAL, *avec impatience* : Quand je te dis que j'ai trouvé une personne!

PAUL, *vivement* : Et... cette personne serait un obstacle?

LE GÉNÉRAL, *avec force* : Je t'en réponds!

MADAME DE GRÉMONVILLE, *se frottant les mains* : Parfait!

PAUL, *abasourdi* : D'où vient cela?

LE GÉNÉRAL : C'est Victoire!

TOUS : Ah!

Thérèse jette un regard courroucé à Amédée, qui a joint à son cri un soubresaut gymnastique, et qui retombe aussitôt dans son immobilité.

MADAME DE GRÉMONVILLE, *avec dégoût* : Cette fille?

LE GÉNÉRAL : Cette pauvre fille, Madame, cette innocente... abusée.

PAUL, *avec violence* : Comment?

LE GÉNÉRAL, *sévèrement* : Serais-tu assez hardi pour soutenir le contraire? et t'imagines-tu qu'en soldant tes notes, j'aurai payé toute ta dette?

PAUL : Quelle dette?

LE GÉNÉRAL, *croisant ses bras :* As-tu, toi, homme marié, les moyens de réparer le tort que tu lui as fait?

PAUL, *hors de lui :* Moi?

LE GÉNÉRAL : Oui, toi, qui l'as arrachée à une existence honnête, et précipitée dans la honte, si l'on n'arrive à temps pour la sauver!

PAUL, *avec un rire amer :* Il faut que votre religion ait été étrangement surprise par cette fille!

LE GÉNÉRAL, *se levant tout à coup :* Plus de ces mots-là... je l'épouse!

TOUS, *dans des attitudes accablées :* Ah!

AMÉDÉE, *à part, regardant le général :* Encore un de pincé! et la succession avec! il était temps! *(Très haut, et avec un geste extravagant.)* Ah!

THÉRÈSE, *lui jetant un regard terrible :* Qu'est-ce qui vous prend donc?

AMÉDÉE, *avec un sourire :* Ma chérie?

PAUL, *sortant tout à coup de son anéantissement et s'avançant le chapeau à la main vers Mme de Mérilhac :* Voulez-vous bien me dire où est ce bureau, Madame?

LE CANDIDAT

COMÉDIE EN QUATRE ACTES REPRÉSENTÉE SUR LE THÉATRE DU VAUDEVILLE, LES 11, 12, 13 ET 14 MARS 1874

PERSONNAGES : ROUSSELIN, *56 ans* (Delannoy) MUREL, *34 ans* (Goudry); GRUCHET, *60 ans* (Saint-Germain); JULIEN DUPRAT, *24 ans* (Train); LE COMTE DE BOUVIGNY, *65 ans* (Thomasse); ONÉSIME, *son fils, 20 ans* (Richard); DODART, *notaire, 60 ans* (Michel); PIERRE, *domestique de M. Rousselin* (Ch Joliet); MME ROUSSELIN, *38 ans* (Mme H. Neveux); LOUISE, *sa fille, 18 ans* (Mme J. Bernhardt); MISS ARABELLE, *institutrice, 30 ans* (Mme Damain); FÉLICITÉ, *bonne de Gruchet* (Mme Bouthié); MARCHAIS (Royer); HEURTELOT (Lacroix); LEDRU (Cornagli); HOMBOURG (Colson); VOINCHET (Moisson); BEAUMESNIL (Fauvre); UN GARDE CHAMPÊTRE (Bource); LE PRÉSIDENT DE LA RÉUNION ÉLECTORALE (Hacquier); UN GARÇON DE CAFÉ (Vaillant); UN MENDIANT (Jourdan); PAYSANS, OUVRIERS, ETC.

L'ACTION SE PASSE EN PROVINCE.

Les mots entre crochets ont été supprimés par la CENSURE.

ACTE UN

Chez M. Rousselin. Un jardin. Pavillon à droite. Une grille occupant le côté gauche.

Scène I : Murel, Pierre, domestique.

Pierre est debout, en train de lire un journal. — Murel, entre, tenant un gros bouquet qu'il donne à Pierre.

MUREL : Pierre, où est M. Rousselin?

PIERRE : Dans son cabinet, monsieur Murel; ces dames sont dans le parc avec leur Anglaise et M. Onésime... de Bouvigny!

MUREL : Ah cette espèce de cagot [séminariste] à moitié gandin? J'attendrai qu'il soit parti, car sa vue seule me déplaît tellement!...

PIERRE : Et à moi donc!

MUREL : A toi aussi! Pourquoi?

PIERRE : Un gringalet! fiérot! pingre! Et puis, j'ai idée qu'il vient chez nous... *(Mystérieusement.)* C'est pour Mademoiselle.

MUREL, *à demi-voix :* Louise?

PIERRE : Parbleu! sans cela les Bouvigny, qui sont des nobles ne feraient pas tant de salamalecs à nos bourgeois!

MUREL, *à part :* Ah! ah! attention! *(Haut.)* N'oublie pas de m'avertir lorsque des messieurs, tout à l'heure, viendront pour parler à ton maître.

PIERRE : Plusieurs ensemble? Est-ce que ce serait... par rapport aux élections?... On en cause...

MUREL : Assez! Ecoute-moi! Tu vas me faire le plaisir d'aller chez Heurtelot le cordonnier, et prie-le de ma part...

PIERRE : Vous, le prier, monsieur Murel!

MUREL : N'importe! Dis-lui qu'il n'oublie rien!

PIERRE : Entendu!

MUREL : Et qu'il soit exact! qu'il amène tout son monde!

PIERRE : Suffit, Monsieur! j'y cours! *(Il sort.)*

Scène II : Murel, Gruchet.

MUREL : Eh! c'est monsieur Gruchet, si je ne me trompe?

GRUCHET : En personne! Pierre-Antoine pour vous servir.

MUREL : Vous êtes devenu si rare dans la maison!

GRUCHET : Que voulez-vous? avec le nouveau genre des Rousselin! Depuis qu'ils fréquentent Bouvigny, — un joli coco encore, celui-là, — ils font des embarras!..

MUREL : Comment?

GRUCHET : Vous n'avez donc pas remarqué que leur domestique maintenant porte des guêtres! Madame ne sort plus qu'avec deux chevaux, et dans les dîners qu'ils donnent, — du moins, c'est Félicité, ma servante, qui me l'a dit, — on change de couvert à chaque assiette!

MUREL : Tout cela n'empêche pas Rousselin d'être généreux, serviable!

GRUCHET : Oh! d'accord! plus bête que méchant! Et pour surcroît de ridicule, le voilà qui ambitionne la députation! Il déclame tout seul devant son armoire à glace, et la nuit, il prononce en rêve des mots parlementaires.

MUREL, *riant :* En effet!

GRUCHET : Ah! c'est que ce titre-là sonne bien, député!!! Quand on vous annonce : « Monsieur un tel, député, » alors, on s'incline! Sur une carte de visite, après le nom, « député », ça flatte l'œil. Et en voyage, dans un théâtre, n'importe où, si une contestation s'élève, qu'un individu soit insolent, ou même qu'un agent de police vous pose la main sur le collet : « Vous ne savez donc pas que je suis député, Monsieur! »

MUREL, *à part :* Tu ne serais pas fâché de l'être, non plus, mon bonhomme!

GRUCHET : Avec ça, comme c'est malin! pourvu qu'on ait une maison bien montée, quelques amis, de l'entregent!

MUREL : Eh! mon Dieu! quand Rousselin serait nommé!

GRUCHET : Un moment! S'il se porte, ce ne peut être que candidat juste-milieu?

MUREL, *à part :* Qui sait?

GRUCHET : Et alors, mon cher, nous ne devons pas... Car enfin nous sommes des libéraux; votre position, naturellement, vous donne sur les ouvriers une influence!... Oh! vous poussez même à leur égard les bons offices très loin! Je suis pour le peuple, moi, mais pas tant que vous! Non... non!

MUREL : Bref, en admettant que Rousselin se présente?...

GRUCHET : Je vote contre lui, c'est réglé!

MUREL, *à part :* Ah! j'ai eu raison d'être discret! *(Haut.)* Mais avec de pareils sentiments, que venez-vous faire chez lui?

GRUCHET : C'est pour rendre service... à ce petit Julien.

MUREL : Le rédacteur de l'*Impartial ?*... Vous, l'ami d'un poète!

GRUCHET : Nous ne sommes pas amis! Seulement, comme je le vois de temps à autre au cercle, il m'a prié de l'introduire chez Rousselin.

MUREL : Au lieu de s'adresser à moi, un des actionnaires du journal! Pourquoi?

GRUCHET : Je l'ignore!

MUREL, *à part :* Voilà qui est drôle! *(Haut.)* Eh bien, mon cher, vous êtes mal tombé!

GRUCHET : La raison?

MUREL, *à part :* Ce Pierre qui ne revient pas! J'ai toujours peur... *(Haut.)* La raison? c'est que Rousselin déteste les bohèmes!

GRUCHET : Celui-là, cependant...

MUREL : Celui-là surtout! et même depuis huit jours... *(Il tire sa montre.)*

GRUCHET : Ah ça! qui vous démange? Vous paraissez tout inquiet.

MUREL : Certainement!

GRUCHET : Les affaires, hein?

MUREL : Oui! mes affaires!

GRUCHET : Ah! je vous l'avais bien dit! ça ne m'étonne pas!...

MUREL : De la morale, maintenant!

GRUCHET : Dame, écoutez donc, chevaux de selle et de cabriolet, chasses pique-niques, est-ce que je sais, moi! Que diable! quand on est simplement le représentant d'une compagnie, on ne vit pas comme si on avait la caisse dans sa poche.

MUREL : Eh! mon Dieu, je payerai tout!

GRUCHET : En attendant, puisque vous êtes gêné, pourquoi n'empruntez-vous pas à Rousselin?

MUREL : Impossible!

GRUCHET : Vous m'avez bien emprunté à moi, et je suis moins riche.

MUREL : Oh! lui! c'est autre chose!

GRUCHET : Comment, autre chose? un homme si généreux, serviable! Vous avez un intérêt, mon gaillard, à ne pas vous déprécier dans la maison.

MUREL : Pourquoi?

GRUCHET : Vous faites la cour à la jeune fille, espérant qu'un bon mariage...

MUREL : Diable d'homme, va!... Oui, je l'adore... Mme Rousselin! Au nom du ciel, pas d'allusion!

GRUCHET, *à part :* Oh! oh! tu l'adores. Je crois que tu adores surtout sa dot!

Scène III : Murel, Gruchet, Mme Rousselin,
Onésime, Louise, Miss Arabelle,
un livre à la main.

MUREL, *présentant son bouquet à Mme Rousselin :* Permettez-moi, Madame, de vous offrir...

MADAME ROUSSELIN, *jetant le bouquet sur le guéridon, à gauche :* Merci, Monsieur!

MISS ARABELLE : Oh! les splendides gardénias!... et où peut-on trouver des fleurs aussi rares?

MUREL : Chez moi, miss Arabelle, dans ma serre!

ONÉSIME, *avec impertinence :* Monsieur possède une serre?

MUREL : Chaude! oui, Monsieur!

LOUISE : Et rien ne lui coûte pour être agréable à ses amis.

MADAME ROUSSELIN : Si ce n'est, peut-être, d'oublier ses préférences politiques.

MUREL, *à Louise, à demi-voix :* Votre mère aujourd'hui est d'une froideur!...

LOUISE, *de même, comme pour l'apaiser :* Oh!

MADAME ROUSSELIN, *à droite, assise devant une petite table :* Ici, près de moi, cher Vicomte. Approchez, monsieur Gruchet! Eh bien, a-t-on fini par découvrir un candidat? Que dit-on?

GRUCHET : Une foule de choses, Madame. Les uns...

ONÉSIME, *lui coupant la parole :* Mon père affirme que M. Rousselin n'aurait qu'à se présenter...

MADAME ROUSSELIN, *vivement :* Vraiment! c'est son avis?

ONÉSIME : Sans doute! et tous nos paysans, qui savent que leur intérêt bien entendu s'accorde avec ses idées...

GRUCHET : Cependant, elles diffèrent un peu des principes de 89!

ONÉSIME, *riant aux éclats :* Ah! ah! ah! les immortels principes de 89!

GRUCHET : De quoi riez-vous?

ONÉSIME : Mon père rit toujours quand il entend ce mot-là.

GRUCHET : Eh! sans 89, il n'y aurait pas de députés!

MISS ARABELLE : Vous avez raison, monsieur Gruchet, de défendre le Parlement. Lorsqu'un gentleman est là, il peut faire beaucoup de bien!

GRUCHET : D'abord on habite Paris, pendant l'hiver.

MADAME ROUSSELIN : Et c'est quelque chose!... Louise, rapproche-toi donc!... Car le séjour de la province, n'est-ce pas, monsieur Murel, à la longue fatigue?

MUREL, *vivement* : Oui, Madame! *(Bas à Louise.)* On y peut cependant trouver le bonheur!

GRUCHET : Comme si cette pauvre province ne contenait que des sots!

MISS ARABELLE, *avec exaltation* : Oh! non! non! Des cœurs nobles palpitent à l'ombre de nos vieux bois; la rêverie se déroule plus largement sur les plaines; dans des coins obscurs, peut-être, il y a des talents ignorés, un génie qui rayonnera! *(Elle s'assied.)*

MADAME ROUSSELIN : Quelle tirade, ma chère! Vous êtes plus que jamais en veine poétique!

ONÉSIME : Mademoiselle, en effet, sauf un léger accent, nous a détaillé tout à l'heure, le *Lac* de M. de Lamartine... d'une façon...

MADAME ROUSSELIN : Mais vous connaissiez la pièce?

ONÉSIME : On ne m'a pas encore permis de lire cet auteur.

MADAME ROUSSELIN : Je comprends! une éducation... sérieuse! *(Lui passant sur les poignets un écheveau de laine à dévider.)* Auriez-vous l'obligeance?... Les bras toujours étendus! fort bien!

ONÉSIME : Oh! je sais! Et même, je suis pour quelque chose dans ce paysage en perles que vous a donné ma sœur Elisabeth!

MADAME ROUSSELIN : Un ouvrage charmant; il est suspendu dans ma chambre! Louise, quand tu auras fini de regarder l'*Illustration*...

MUREL, *à part* : On se méfie de moi; c'est clair!

MADAME ROUSSELIN : J'ai admiré, du reste, les talents de vos autres sœurs, la dernière fois que nous avons été au château de Bouvigny.

ONÉSIME : [Ma mère y recevra prochainement la visite de mon grand oncle, l'évêque de Saint-Giraud.

MADAME ROUSSELIN : Monseigneur de Saint-Giraud votre oncle!

ONÉSIME : Oui! le parrain de mon père.

MADAME ROUSSELIN : Il nous oublie, le cher Comte, c'est un ingrat] [1]!

ONÉSIME : Oh! non! car il a demandé pour tantôt un rendez-vous à M. Rousselin!

MADAME ROUSSELIN, *l'air satisfait* : Ah!

ONÉSIME : Il veut l'entretenir d'une chose... Et je crois même que j'ai vu entrer, tout à l'heure, maître Dodart.

MUREL, *à part* : Le notaire! Est-ce que déjà?...

MISS ARABELLE : En effet! Et après est venu Marchais,

l'épicier, puis M. Bondois, M. Liégeard, d'autres encore.

MUREL, *à part* : Diable, qu'est-ce que cela veut dire?

Scène IV : les mêmes, Rousselin.

LOUISE : Ah! papa!

ROUSSELIN, *le sourire aux lèvres* : Regarde-le, mon enfant! Tu peux en être fière! *(Embrassant sa femme.)* Bonjour, ma chérie!

MADAME ROUSSELIN : Que se passe-t-il? cet air rayonnant...

ROUSSELIN, *apercevant Murel* : Vous ici, mon bon Murel! Vous savez déjà... et vous avez voulu être le premier!

MUREL : Quoi donc?

ROUSSELIN, *apercevant Gruchet* : Gruchet aussi! ah! mes amis! C'est bien! Je suis touché! Vraiment, tous mes concitoyens!...

GRUCHET : Nous ne savons rien!

MUREL : Nous ignorons complètement...

ROUSSELIN : Mais ils sont là!... ils me pressent!

TOUS : Qui donc?

ROUSSELIN : [Tout un comité] [2] qui me propose la candidature de l'arrondissement.

MUREL, *à part* : Sapristi! on m'a devancé!

MADAME ROUSSELIN : Quel bonheur!

GRUCHET : Et vous allez accepter peut-être?

ROUSSELIN : Pourquoi pas? Je suis conservateur, moi

MADAME ROUSSELIN : Tu leur as répondu?

ROUSSELIN : Rien encore! Je voulais avoir ton avis

MADAME ROUSSELIN : Accepte!

LOUISE : Sans doute!

ROUSSELIN : Ainsi, vous ne voyez pas d'inconvénient?

TOUS : Aucun. — Au contraire. — Va donc!

ROUSSELIN : Franchement, vous pensez que je ferais bien?

MADAME ROUSSELIN : Oui! oui!

ROUSSELIN : Au moins, je pourrai dire que vous m'avez forcé *(Fausse sortie.)*

MUREL, *l'arrêtant* : Doucement! un peu de prudence

ROUSSELIN, *stupéfait* : Pourquoi?

MUREL : Une pareille candidature n'est pas sérieuse

ROUSSELIN : Comment cela?

Scène V : les mêmes, puis Marchais, maître Dodart.

MARCHAIS : Serviteur à la compagnie! Mesdames faites excuse! Les messieurs qui sont là m'ont di d'aller voir ce que faisait M. Rousselin, et qu'il fau qu'il vienne! et qu'il réponde oui!

ROUSSELIN : Certainement!

MARCHAIS : Parce que vous êtes une bonne pratique et que vous ferez un bon député!

ROUSSELIN, *avec enivrement* : Député!

---

1. La Censure ne permettant pas le mot *évêque* ni le mot *monseigneur*, Flaubert avait dû substituer : Mme ROUSSELIN : « ... au château de Bouvigny, mais votre père nous oublie. C'est un ingrat. »

2. Il y avait dans le texte : « Un comité *ministériel* me propose. La Censure a interdit *ministériel*.

DODART, *entrant :* Eh! mon cher, on s'impatiente, à la fin!

GRUCHET, *à part :* Dodart! encore un tartufe celui-là!

DODART, *à Onésime :* Monsieur votre père, qui est dans la cour, désire vous parler.

MUREL : Ah! son père est là?

GRUCHET, *à Murel :* Il vient avec les autres. L'œil au guet, Murel!

MUREL : Pardon, maître Dodart. *(A Rousselin.)* Imaginez un prétexte... *(A Marchais.)* Dites que M. Rousselin se trouve indisposé, et qu'il donnera sa réponse... tantôt. Vivement! *(Marchais sort.)*

ROUSSELIN : Voilà qui est trop fort, par exemple!

MUREL : Eh! on n'accepte pas une candidature, comme cela, à l'improviste!

ROUSSELIN : Depuis trois ans je ne fais que d'y penser!

MUREL : Mais vous allez commettre une bévue! Demandez à Me Dodart, homme plein de sagesse, et qui connaît la localité, s'il peut répondre de votre élection.

DODART : En répondre, non! J'y crois, cependant! Dans ces affaires-là, après tout, on n'est jamais sûr de rien. D'autant plus que nous ne savons pas si nos adversaires...

GRUCHET : Et ils sont nombreux, les adversaires!

ROUSSELIN : Ils sont nombreux?

MUREL : Immensément! *(A Dodart.)* Vous excuserez donc notre ami qui désire un peu de réflexion. *(A Rousselin.)* Ah! si vous voulez risquer tout!

ROUSSELIN : Il n'a peut-être pas tort! *(A Dodart.)* Oui, priez-les...

DODART : Eh! bien, monsieur Onésime? Allons!

MUREL : Allons! il faut obéir à papa!

ROUSSELIN, *à Murel :* Comment, vous partez aussi? Pourquoi?

MUREL : Cela est mon secret! Tenez-vous tranquille! vous verrez!

Scène VI : Rousselin, Mme Rousselin, Miss Arabelle, Gruchet.

ROUSSELIN : Que va-t-il faire?

GRUCHET : Je n'en sais rien!

MADAME ROUSSELIN : Quelque extravagance!

GRUCHET : Oui; c'est un drôle de jeune homme! J'étais venu pour avoir la permission de vous en présenter un autre.

ROUSSELIN : Amenez-le!

GRUCHET : Oh! il peut fort bien ne pas vous convenir. Vous avez quelquefois des préventions! En un mot, il se nomme M. Julien Duprat.

ROUSSELIN : Ah! non! non!

GRUCHET : Quelle idée!

ROUSSELIN : Qu'on ne m'en parle pas, entendez-vous! *(Apercevant, sur le guéridon, un journal.)* J'avais pourtant défendu chez moi l'admission de ce papier! Mais je ne suis pas le maître, apparemment! *(Examinant la feuille.)* Oui! encore des vers!

GRUCHET : Parbleu, puisque c'est un poète!

ROUSSELIN : Je n'aime pas les poètes! de pareils galopins...

MISS ARABELLE : Je vous assure, Monsieur, que je lui ai parlé, une fois, à la promenade, sous les quinconces; et il est... très bien!

GRUCHET : Quand vous le receviez!

ROUSSELIN : Moins que jamais! *(à Louise)* moins que jamais, ma fille!

LOUISE : Oh! je ne le défends pas!

ROUSSELIN : Je l'espère bien... un misérable!

MISS ARABELLE, *violemment :* Ah!

GRUCHET : Mais pourquoi?

ROUSSELIN : Parce que... Pardon, miss Arabelle! *(A sa femme, montrant Louise.)* Oui, emmène-là! J'ai besoin de m'expliquer avec Gruchet.

Scène VII : Rousselin, Gruchet.

GRUCHET, *assis sur le banc, à gauche :* Je vous écoute.

ROUSSELIN, *prenant le journal :* Le feuilleton est intitulé : « Encore à Elle! »

« Les vieux sphinx accroupis, qui sont de pierre dure,
« Gémiraient sous la peine horrible qu'on endure
« Lorsque... »

Eh! je me fiche bien de tes sphinx!

GRUCHET : Moi aussi; mais je ne comprends pas.

ROUSSELIN : C'est la suite de la correspondance... indirecte.

GRUCHET : Si vous vouliez vous expliquer plus clairement?

ROUSSELIN : Figurez-vous donc qu'il y a eu mardi huit jours, en me promenant dans mon jardin, le matin, de très bonne heure, — je suis agité maintenant, je ne dors plus, — voilà que je distingue, contre le mur de l'espalier, sur le treillage...

GRUCHET : Un homme?

ROUSSELIN : Non, une lettre, une grande enveloppe, ça avait l'air d'une pétition, et qui portait pour adresse simplement : « A Elle! » Je l'ai ouverte, comme vous pensez; et j'ai lu... une déclaration d'amour en vers, mon ami!... quelque chose de brûlant... tout ce que la passion...

GRUCHET : Et pas de signature, naturellement? Aucun indice?

ROUSSELIN : Permettez! La première chose à faire était de connaître la personne qui inspirait ce délire, et comme elle se trouvait décrite dans cette poésie même, car on y parlait de cheveux noirs, mon soupçon d'abord s'est porté sur Arabelle, notre institutrice, d'autant plus...

GRUCHET : Mais elle est blonde!

ROUSSELIN : Qu'est-ce que ça fait? en vers, quelquefois, à cause de la rime, on met un mot pour un autre. Cependant, par délicatesse, vous comprenez, les Anglaises... je n'ai pas osé lui faire de questions.

GRUCHET : Mais votre femme?

ROUSSELIN : Elle a haussé les épaules, en me disant : « Ne t'occupe donc pas de tout ça! »

GRUCHET : Et Julien, là dedans?

ROUSSELIN : Nous y voici! Je vous prie de noter que la susdite poésie commençait par ces mots :

Quand j'aperçois ta robe entre les orangers!

et que je possède deux orangers, un de chaque côté de ma grille; — il n'y en a pas d'autres aux environs; — c'est donc bien à quelqu'un de chez moi que la déclaration en vers est faite. A qui? à ma fille, évidemment, à Louise! et par qui? par le seul homme du pays qui compose des vers, Julien! De plus, si on compare l'écriture de la poésie avec l'écriture qui se trouve tous les jours sur la bande du journal, on reconnaît facilement que c'est la même.

GRUCHET, *à part* : Maladroit, va!

ROUSSELIN : Le voilà, votre protégé! que voulait-il? séduire Mlle Rousselin?

GRUCHET : Oh!

ROUSSELIN : L'épouser, peut-être?

GRUCHET : Ça vaudrait mieux!

ROUSSELIN : Je crois bien! Maintenant, ma parole d'honneur, on ne respecte plus personne! L'insolent! Est-ce que je lui demande quelque chose, moi? Est-ce que je me mêle de ses affaires? Qu'il écrivaille ses articles! qu'il ameute le peuple contre nous! qu'il fasse l'apologie des bousingots de son espèce! Va, va, mon pauvre journaliste, cours après les héritières!

GRUCHET : Il y en a d'autres qui ne sont pas journalistes, et qui recherchent votre fille pour son argent!

ROUSSELIN : Hein?

GRUCHET : Cela saute aux yeux! — On vit à la campagne, où l'on cultive les terres de ses ancêtres soi-même, par économie et fort mal. Du reste, elles sont mauvaises et grevées d'hypothèques. Huit enfants, dont cinq filles, une bossue; impossible de voir les autres pendant la semaine, à cause de leurs toilettes. L'aîné des garçons, qui a voulu spéculer sur les bois, s'abrutit à Mostaganem avec de l'absinthe. Ses besoins d'argent son fréquents. Le cadet, Dieu merci [sera prêtre] [1]; le dernier, vous le connaissez, il tapisse. Si bien que l'existence n'est pas drôle dans le castel, où la pluie vous tombe sur la nuque par les trous du plafond. Mais on fait des projets, et de temps à autre, — les beaux jours, ceux-là, — on s'encaque dans la petite voiture de famille disloquée, que le papa conduit lui-même, pour venir se refaire à l'excellente table de ce bon M. Rousselin, trop heureux de la fréquentation.

ROUSSELIN : Ah! vous allez loin; cet acharnement...

GRUCHET : C'est que je ne comprends tant de respect pour eux, à moins que, par suite de votre ancienne dépendance...

ROUSSELIN, *avec douleur* : Gruchet, pas un mot de cela, mon ami! pas un mot; ce souvenir...

GRUCHET : Soyez sans crainte; ils ne divulgueront rien, et pour cause!

ROUSSELIN : Alors?

GRUCHET : Mais vous ne voyez donc pas que ces gens-là nous méprisent parce que nous sommes des plébéiens, des parvenus! et qu'ils vous jalousent, vous, parce que vous êtes riche! L'offre de la candidature qu'on vient de vous faire, — due, je n'en doute pas, aux manœuvres de Bouvigny, et dont il se targuera, — est une amorce pour happer la fortune de votre fille. Mais comme vous pouvez très bien ne pas être élu...

ROUSSELIN : Pas élu?

GRUCHET : Certainement! Et elle n'en sera pas moins la femme d'un idiot, qui rougira de son beau-père.

ROUSSELIN : Oh! je leur crois des sentiments...

GRUCHET : Si je vous apprenais qu'ils en font déjà des gorges chaudes?

ROUSSELIN : Qui vous l'a dit?

GRUCHET : Félicité, ma bonne. Les domestiques, entre eux, vous savez, se racontent les propos de leurs maîtres.

ROUSSELIN : Quel propos? lequel?

GRUCHET : Leur cuisinière les a entendus qui causaient de ce mariage, mystérieusement; et, comme la comtesse avait des craintes, le comte a répondu, en parlant de vous : « Bah! il en sera trop honoré! »

ROUSSELIN : Ah! ils m'honorent!

GRUCHET : Ils croient la chose presque arrangée!

ROUSSELIN : Ah! non, Dieu merci!

GRUCHET : Ils sont même tellement sûrs de leur fait, que tout à l'heure, devant ces dames, Onésime prenait un petit air fat!

ROUSSELIN : Voyez-vous!

GRUCHET : Un peu plus, j'ai cru qu'il allait la tutoyer!

PIERRE, *annonçant* : M. le comte de Bouvigny!

GRUCHET : Ah! — Je me retire! Adieu, Rousselin! N'oubliez pas ce que je vous ai dit! (*Il passe devant Bouvigny, le chapeau sur la tête, puis lui montre le poing par derrière.*) Je te réserve un plat de mon métier, à toi!

Scène VIII : Rousselin, le comte de Bouvigny.

BOUVIGNY, *d'un ton dégagé* : L'entretien que j'ai réclamé de vous, cher Monsieur, avait pour but...

ROUSSELIN, *d'un geste, l'invite à s'asseoir* : Monsieur le comte...

BOUVIGNY, *s'asseyant* : Entre nous, n'est-ce pas, la cérémonie est inutile? Je viens donc, presque certain d'avance du succès, vous demander la main de mademoiselle votre fille Louise, pour mon fils le vicomte Onésime-Gaspard-Olivier de Bouvigny! (*Silence de Rousselin.*) Hein! vous dites?

ROUSSELIN : Rien jusqu'à présent, Monsieur.

BOUVIGNY, *vivement* : J'oubliais! Il y a de grandes espérances, pas directes à la vérité!... et comme dot... une pension;... du reste Me Dodart, détenteur des titres (*baissant la voix*) ne manquera pas... (*Même silence.*) J'attends.

ROUSSELIN : Monsieur... c'est beaucoup d'honneur pour moi, mais...

BOUVIGNY : Comment? mais!...

ROUSSELIN : On a pu, Monsieur le comte, vous exagérer ma fortune?

---

1. La Censure a biffé le mot *prêtre* sur mon manuscrit. J'ai mis : « Le cadet, Dieu merci *a disparu.* » (*Note de Flaubert.*)

BOUVIGNY : Croyez-vous qu'un pareil calcul?... et que les Bouvigny!...

ROUSSELIN : Loin de moi cette idée! Mais je ne suis pas aussi riche qu'on se l'imagine!

BOUVIGNY, *gracieux* : La disproportion en sera moins grande!

ROUSSELIN : Cependant, malgré des revenus... raisonnables, c'est vrai, nous vivons, sans nous gêner. Ma femme a des goûts... élégants. J'aime à recevoir, à répandre le bien-être autour de moi. J'ai réparé, à mes frais, la route de Bugueux à Faverville. J'ai établi une école, et fondé, à l'hospice, une salle de quatre lits qui portera mon nom.

BOUVIGNY : On le sait, Monsieur, on le sait!

ROUSSELIN : Tout cela pour vous convaincre que je ne suis pas, — bien que fils de banquier et l'ayant été moi-même, — ce qu'on appelle un homme d'argent. Et la position de M. Onésime ne saurait être un obstacle, mais il y en a un autre. Votre fils n'a pas de métier?

BOUVIGNY, *fièrement :* Monsieur, un gentilhomme ne connaît que celui des armes!

ROUSSELIN : Mais il n'est pas soldat?

BOUVIGNY : Il attend, pour servir son pays, que le gouvernement ait changé.

ROUSSELIN : Et en attendant?...

BOUVIGNY : Il vivra dans son domaine, comme moi, Monsieur!

ROUSSELIN : A user des souliers de chasse, fort bien! Mais moi, Monsieur, j'aimerais mieux donner ma fille à quelqu'un dont la fortune — pardon du mot, — serait encore moindre!

BOUVIGNY : La sienne est assurée!

ROUSSELIN : A un homme qui n'aurait même rien du tout, pourvu...

BOUVIGNY : Oh! rien du tout!...

ROUSSELIN, *se levant :* Oui, Monsieur, à un simple travailleur, à un prolétaire.

BOUVIGNY, *se levant :* C'est mépriser la naissance!

ROUSSELIN : Soit! Je suis un enfant de la Révolution, moi!

BOUVIGNY : Vos manières le prouvent, Monsieur!

ROUSSELIN : Et je ne me laisse pas éblouir par l'éclat des titres!

BOUVIGNY : Ni moi par celui de l'or... croyez-le!

ROUSSELIN : Dieu merci, on ne se courbe plus devant les seigneurs, comme autrefois!

BOUVIGNY : En effet, votre grand-père a été domestique dans ma maison!

ROUSSELIN : Ah! vous voulez me déshonorer? Sortez, Monsieur! La considération est aujourd'hui un privilège tout personnel. La mienne se trouve au-dessus de vos calomnies! Ne serait-ce que ces notables qui sont venus tout à l'heure m'offrir la candidature...

BOUVIGNY : On aurait pu me l'offrir aussi, à moi! et je l'ai, je l'aurais refusée par égard pour vous. Mais devant une pareille indélicatesse, après la déclaration de vos principes, et du moment que vous êtes un démocrate, un suppôt de l'anarchie...

ROUSSELIN : Pas du tout!

BOUVIGNY : Un organe du désordre, moi aussi, je me

déclare candidat! Candidat conservateur, entendez-vous! et nous verrons bien lequel des deux... Je suis même le camarade du préfet qui vient d'être nommé! je ne m'en cache pas! et il me soutiendra! Bonsoir! (*Il sort.*)

Scène IX : Rousselin, seul.

Mais ce furieux-là est capable de me démolir dans l'opinion, de me faire passer pour un jacobin! J'ai peut-être eu tort de le blesser. Cependant, vu la fortune des Bouvigny, il m'était bien impossible... N'importe, c'est fâcheux! Murel et Gruchet déjà ne m'avaient pas l'air si rassurés; et il faudrait découvrir un moyen de persuader aux conservateurs... que je suis... le plus conservateur des hommes... Hein? qu'est-ce donc?

Scène X : Rousselin, Murel, avec une foule d'électeurs, Heurtelot, Beaumesnil, Voinchet, Hombourg, Ledru, puis Gruchet.

MUREL : Mon cher concitoyen, les électeurs ici présents viennent vous offrir, par ma voix, la candidature du parti libéral de l'arrondissement.

ROUSSELIN : Mais... Messieurs...

MUREL : Vous aurez entièrement pour vous les communes de Faverville, Harolle, Lahoussaye, Bonneval, Hautot, Saint-Mathieu.

ROUSSELIN : Ah! ah!

MUREL : Randou, Manerville, la Coudrette! Enfin nous comptons sur une majorité qui dépassera quinze cents voix, et votre élection est certaine.

ROUSSELIN : Ah! citoyens! (*Bas à Murel.*) Je ne sais que dire.

MUREL : Permettez-moi de vous présenter quelques-uns de vos amis politiques : d'abord, le plus ardent de tous, un véritable patriote, M. Heurtelot... fabricant...

HEURTELOT : Oh! dites cordonnier, ça ne me fait rien!

MUREL : M. Hombourg, maître de l'*Hôtel du Lion d'Or* et entrepreneur de roulage; M. Voinchet, pépiniériste; M. Beaumesnil, sans profession; le brave capitaine Ledru, retraité.

ROUSSELIN, *avec enthousiasme :* Ah! les militaires!

MUREL : Et tous nous sommes convaincus que vous remplirez hautement cette noble mission! (*Bas à Rousselin.*) Parlez donc!

ROUSSELIN : Messieurs!... non, citoyens! Mes principes sont les vôtres! et... certainement que... je suis l'enfant du pays, comme vous! On ne m'a jamais vu dire du mal de la liberté, au contraire! Vous trouverez en moi... un interprète... dévoué à vos intérêts, le défenseur... une digue contre les envahissements du Pouvoir!

MUREL, *lui prenant la main :* Très bien, mon ami, très bien! Et n'ayez aucun doute sur le résultat de votre candidature! D'abord, elle sera soutenue par l'*Impartial!*

ROUSSELIN : L'*Impartial* pour moi?

GRUCHET, *sortant de la foule :* Mais tout à fait pour vous! J'arrive de la rédaction. Julien est d'une ardeur! (*Bas à Murel, étonné de le voir.*) Il m'a donné des raisons. Je vous expliquerai. *(Aux électeurs.)* Vous permettez, n'est-ce pas? *(A Rousselin.)* Maintenant, c'est bien le moins que je vous l'amène?

ROUSSELIN : Qui? pardon! car j'ai la tête...

GRUCHET : Que je vous amène Julien; il a envie de venir.

ROUSSELIN : Est-ce... véritablement nécessaire?

GRUCHET : Oh! indispensable!

ROUSSELIN : Eh bien, alors... oui, comme vous voudrez *(Gruchet sort.)*

HEURTELOT : Ce n'est pas tout ça, citoyen; mais la première chose, quand vous serez là-bas, c'est d'abolir l'impôt des boissons!

ROUSSELIN : Les boissons? sans doute!

HEURTELOT : Les autres font toujours des promesses; et puis, va te promener! Moi, je vous crois un brave; et tapez là dedans! *(Il lui tend la main.)*

ROUSSELIN, *avec hésitation* : Volontiers, citoyen, volontiers!

HEURTELOT : A la bonne heure! et il faut que ça finisse! Voilà trop longtemps que nous souffrons!

HOMBOURG : Parbleu! on ne fait rien pour le roulage! l'avoine est hors de prix!

ROUSSELIN : C'est vrai! l'agriculture...

HOMBOURG : Je ne parle pas de l'agriculture! Je dis le roulage!

MUREL : Il n'y a que cela! mais, grâce à lui, le Gouvernement...

LEDRU : Ah! le Gouvernement! il décore un tas de freluquets!

VOINCHET : Et leur tracé du chemin de fer, qui passera par Saint-Mathieu, est d'une bêtise!...

BEAUMESNIL : On ne peut plus élever ses enfants!

ROUSSELIN : Je vous promets...

HOMBOURG : D'abord, les droits de la poste!...

ROUSSELIN : Oh! oui!

LEDRU : Quand ce ne serait que dans l'intérêt de la discipline!...

ROUSSELIN : Parbleu!

VOINCHET : Au lieu que si on avait pris par Bonneval...

ROUSSELIN : Assurément!

BEAUMESNIL : Moi, j'en ai un qui a des dispositions...

ROUSSELIN : Je vous crois!

HOMBOURG, LEDRU, VOINCHET, BEAUMESNIL, *tous à la fois :*

(HOMBOURG) : Ainsi, pour louer un cabriolet...

(LEDRU) : Je ne demande rien; cependant...

(VOINCHET) : Ma propriété qui se trouve...

(BEAUMESNIL) : Car enfin, puisqu'il y a des collèges...

MUREL, *élevant la voix plus haut* : Citoyens, pardon, un mot! Citoyens, dans cette circonstance où notre cher compatriote, avec une simplicité de langage que j'ose dire antique, a si bien confirmé notre espoir, je suis heureux d'avoir été votre intermédiaire...; — et afin de célébrer cet événement, d'où sortiront pour le canton, — et peut-être pour la France, — de nouvelles destinées, permettez-moi de vous offrir, lundi prochain, un punch, à ma fabrique.

LES ÉLECTEURS : Lundi, oui, lundi!

MUREL : Nous n'avons plus qu'à nous retirer, je crois?

TOUS, *en s'en allant* : Adieu, monsieur Rousselin! A bientôt! ça ira! vous verrez!

ROUSSELIN, *donnant des poignées de main* : Mes amis! Ah! je suis touché, je vous assure! Adieu! Tout à vous! *(Les électeurs s'éloignent.)*

MUREL, *à Rousselin* : Soignez Heurtelot; c'est un meneur! *(Il va retrouver au fond les électeurs.)*

ROUSSELIN, *appelant* : Heurtelot!

HEURTELOT : De quoi?

ROUSSELIN : Vous ne pourriez pas me faire quinze paires de bottes?

HEURTELOT : Quinze paires?

ROUSSELIN : Oui! et autant de souliers. Ce n'est pas que j'aille en voyage, mais je tiens à avoir une forte provision de chaussures.

HEURTELOT : On va s'y mettre tout de suite, Monsieur! A vos ordres! *(Il va rejoindre les électeurs.)*

HOMBOURG : Monsieur Rousselin, il m'est arrivé dernièrement une paire d'alezans, qui seraient des bijoux à votre calèche! Voulez-vous les voir?

ROUSSELIN : Oui, un de ces jours!

VOINCHET : Je vous donnerai une petite note, vous savez, sur le tracé du nouveau chemin de fer, de façon à ce que, prenant mon terrain par le milieu...

ROUSSELIN : Très bien!

BEAUMESNIL : Je vous amènerai mon fils; et vous conviendrez qu'il serait déplorable de laisser un pareil enfant sans éducation.

ROUSSELIN : A la rentrée des classes, soyez sûr!...

HEURTELOT : Voilà un homme celui-là! Vive Rousselin!

TOUS : Vive Rousselin! *(Tous les électeurs sortent.)*

Scène XI : Rousselin, Murel.

ROUSSELIN *se précipite sur Murel, et l'embrassant :* Ah! mon ami! mon ami! mon ami!

MUREL : Trouvez-vous la chose bien conduite?

ROUSSELIN : C'est-à-dire que je ne peux pas vous exprimer...

MUREL : Vous en aviez envie, avouez-le?

ROUSSELIN : J'en serais mort! Au bout d'un an que je m'étais retiré ici, à la campagne, j'ai senti peu à peu comme une langueur. Je devenais lourd. Je m'endormais le soir, après le dîner; et le médecin a dit à ma femme : « Il faut que votre mari s'occupe! » Alors j'ai cherché en moi-même ce que je pourrais bien faire.

MUREL : Et vous avez pensé à la députation?

ROUSSELIN : Naturellement! Du reste, j'arrivais à l'âge où l'on se doit ça. J'ai donc acheté une bibliothèque. J'ai pris un abonnement au *Moniteur.*

MUREL : Vous vous êtes mis à travailler, enfin!

ROUSSELIN : Je me suis fait, premièrement, admettre dans une société d'archéologie, et j'ai commencé à recevoir, par la poste, des brochures. Puis, j'ai été du conseil municipal, du conseil d'arrondissement, enfin du conseil général; et dans toutes les questions importantes, de peur de me compromettre... je souriais. Oh! le sourire, quelquefois, est d'une ressource!

MUREL : Mais le public n'était pas fixé sur vos opinions, et il a fallu — vous ne savez peut-être pas...

ROUSSELIN : Oui! je sais... c'est vous, vous seul!

MUREL : Non, vous ne savez pas!

ROUSSELIN : Si fait! ah! quel diplomate!

MUREL, *à part* : Il y mord (*Haut.*) Les ouvriers de ma fabrique étaient hostiles au début. Des hommes redoutables, mon ami! A présent, tous dans votre main!

ROUSSELIN : Vous valez votre pesant d'or!

MUREL, *à part* : Je n'en demande pas tant!

ROUSSELIN, *le contemplant* : Tenez! vous êtes pour moi... plus qu'un frère!... comme mon enfant!

MUREL, *avec lenteur* : Mais... je pourrais... l'être.

ROUSSELIN : Sans doute! en admettant que je sois plus vieux.

MUREL, *avec un rire forcé* : Ou moi... en devenant votre gendre. Voudriez-vous?

ROUSSELIN, *avec le même rire* : Farceur!... vous ne voudriez pas vous-même!

MUREL : Parbleu! oui!

ROUSSELIN : Allons donc! avec vos habitudes parisiennes!

MUREL : Je vis en province!

ROUSSELIN : Eh! on ne se marie pas à votre âge!

MUREL : Trente-quatre ans, c'est l'époque!

ROUSSELIN : Quand on a, devant soi, un avenir comme le vôtre!

MUREL : Eh! mon avenir s'en trouverait singulièrement...

ROUSSELIN : Raisonnons; vous êtes tout simplement le directeur de la filature de Bugneaux, représentant la Compagnie flamande. Appointements : vingt mille.

MUREL : Plus une part considérable dans les bénéfices!

ROUSSELIN : Mais l'année où on n'en fait pas? Et puis, on peut très bien vous mettre à la porte.

MUREL : J'irai ailleurs, où je trouverai...

ROUSSELIN : Mais vous avez des dettes! des billets en souffrance! on vous harcèle!

MUREL : Et ma fortune, à moi! sans compter que plus tard...

ROUSSELIN : Vous allez me parler de l'héritage de votre tante? Vous n'y comptez pas vous-même. Elle habite à deux cents lieues d'ici, et vous êtes fâchés!

MUREL, *à part* : Il sait tout, cet animal-là!

ROUSSELIN : Bref, mon cher, et quoique je ne doute nullement de votre intelligence ni de votre activité, j'aimerais mieux donner ma fille... à un homme...

MUREL : Qui n'aurait rien du tout, et qui serait bête!

ROUSSELIN : Non! mais dont la fortune, quoique minime, serait certaine!

MUREL : Ah! par exemple!

ROUSSELIN : Oui, Monsieur, à un modeste rentier, à un petit propriétaire de campagne.

MUREL : Voilà le cas que vous faites du travail!

ROUSSELIN : Ecoutez donc! l'industrie, ça n'est pas sûr; et un bon père de famille doit y regarder à deux fois.

MUREL : Enfin, vous me refusez votre fille?

ROUSSELIN : Forcément! et en bonne conscience, ce n'est pas ma faute! sans rancune, n'est-ce pas? (*Appelant.*) Pierre! mon buvard, et un encrier! Asseyez-vous là! Vous allez préparer ma profession de foi aux électeurs. (*Pierre apporte ce que Rousselin a demandé, et le dépose sur la petite table, à droite.*)

MUREL : Moi! que je...

ROUSSELIN : Nous la reverrons ensemble! Mais commencez d'abord. Avec votre verve, je ne suis pas inquiet! Ah! vous m'avez donné tout à l'heure un bon coup d'épaule, pour mon discours! Je ne vous tiens pas quitte! Est-il gentil! — Je vous laisse! Moi, je vais à mes petites affaires! Quelque chose d'enlevé, n'est-ce pas? — du feu! (*Il sort.*)

Scène XII : Murel, seul.

Imbécile! Me voilà bien avancé, maintenant! (*A la cantonade.*) Mais, vieille bête, tu ne trouveras jamais quelqu'un pour la chérir comme moi! De quelle façon me venger? ou plutôt si je lui faisais peur? C'est un homme à sacrifier tout pour être élu. Donc, il faudrait lui découvrir un concurrent! Mais lequel? (*Entre Gruchet.*) Ah!

Scène XIII : Murel, Gruchet.

GRUCHET : Qu'est-ce qui vous prend?

MUREL : Un remords! J'ai commis une sottise, et vous aussi.

GRUCHET : En quoi?

MUREL : Vous étiez tout à l'heure avec ceux qui portent Rousselin à la candidature? Vous l'avez vu!

GRUCHET : Et même que j'ai été chercher Julien; il va venir.

MUREL : Il ne s'agit pas de lui, mais de Rousselin! Ce Rousselin, c'est un âne! Il ne sait pas dire quatre mots! et nous aurons le plus pitoyable député!

GRUCHET : L'initiative n'est pas de moi!

MUREL : Il s'est toujours montré on ne peut plus médiocre!

GRUCHET : Certainement!

MUREL : Ce qui ne l'empêche pas d'avoir une considération!... tandis que vous...

GRUCHET, *vexé* : Moi, eh bien?

MUREL : Je ne veux pas vous offenser, mais vous ne jouissez pas, dans le pays, de l'espèce d'éclat qui entoure la maison Rousselin.

GRUCHET : Oh! si je voulais (*Silence.*)

MUREL, *le regardant en face* : Gruchet, seriez-vous capable de vous livrer à une assez forte dépense?

GRUCHET : Ce n'est pas trop dans mon caractère; cependant...

MUREL : Si on vous disait : « Moyennant quelques mille francs, tu prendras sa place, tu seras député! »

GRUCHET : Moi, dé...

MUREL : Mais songez donc que là-bas, à Paris, on est à la source des affaires! on connait un tas de monde! on va soi-même chez les ministres! Les adjudications de fournitures, les primes sur les sociétés nouvelles, les grands travaux, la Bourse! on a tout! Quelle influence! mon ami, que d'occasions!

GRUCHET : Comment voulez-vous que ça m'arrive? Rousselin est presque élu!

MUREL : Pas encore! Il a manqué de franchise dans la déclaration de ses principes; et là-dessus la chicane est facile! Quelques électeurs n'étaient pas contents. Heurtelot grommelait.

GRUCHET : Le cordonnier? J'ai contre lui une saisie pour après-demain!

MUREL : Epargnez-le; il est fort! Quant aux autres, on verra. Je m'arrangerai pour que la chose commence par les ouvriers de ma fabrique... puis, s'il faut se déclarer pour vous, je me déclarerai, M. Rousselin n'ayant pas le patriotisme nécessaire; je serai forcé de le reconnaître; d'ailleurs, je le reconnais, c'est une ganache.

GRUCHET, *rêvant :* Tiens! tiens!

MUREL : Qui vous arrête? Vous êtes pour la Gauche? Eh bien, on vous pousse à la Chambre de ce côté-là; et quand même vous n'iriez pas, votre candidature seule, en ôtant des voix à Rousselin, l'empêche d'y parvenir.

GRUCHET : Comme ça le ferait bisquer!

MUREL : Un essai ne coûte rien; peut-être quelques centaines de francs dans les cabarets.

GRUCHET, *vivement :* Pas plus, vous croyez?

MUREL : Et je vais remuer tout l'arrondissement [1], et vous serez nommé, et Rousselin sera enfoncé! Et beaucoup de ceux qui font semblant de ne pas vous connaître s'inclineront très bas en vous disant : « Monsieur le député, j'ai bien l'honneur de vous offrir mes hommages ».

Scène XIV : les mêmes, Julien.

MUREL : Mon petit Duprat, vous ne verrez pas M. Rousselin!

JULIEN : Je ne pourrai pas voir...

MUREL : Non! Nous sommes brouillés... sur la politique.

JULIEN : Je ne comprends pas! Tantôt vous êtes venu chez moi me démontrer qu'il fallait soutenir M. Rousselin, en me donnant une foule de raisons..., que j'ai été redire à M. Gruchet. Il les a, de suite, acceptées, d'autant plus qu'il désire...

GRUCHET : Ceci entre nous, mon cher! C'est une autre question, qui ne concerne pas Rousselin.

JULIEN : Pourquoi n'en veut-on plus?

MUREL : Je vous le répète, ce n'est pas l'homme de notre parti.

GRUCHET, *avec fatuité :* Et on en trouvera un autre!

MUREL : Vous saurez lequel. Allons-nous-en! On ne conspire pas chez l'ennemi.

JULIEN : L'ennemi? Rousselin!

MUREL : Sans doute; et vous aurez l'obligeance de l'attaquer, dans l'*Impartial*, vigoureusement!

JULIEN : Pourquoi cela? Je ne vois pas de mal à en dire.

---

1. « Nous ferons répandre que c'est un légitimiste déguisé. » *(Supprimé par la Censure.)*

GRUCHET : Avec de l'imagination, on en trouve.

JULIEN : Je ne suis pas fait pour ce métier!

GRUCHET : Ecoutez donc! Vous êtes venu à moi le premier m'offrir vos services, et sachant que j'étais l'ami de Rousselin, vous m'avez prié, — c'est le mot, — de vous introduire chez lui.

JULIEN : A peine y suis-je que vous m'en arrachez!

GRUCHET : Ce n'est pas ma faute si les choses ont pris, tout à coup, une autre direction.

JULIEN : Est-ce la mienne?

GRUCHET : Mais comme il était bien convenu entre nous deux que vous entameriez une polémique contre la Société des Tourbières de Grumesnil-les-Arbois, président le comte de Bouvigny, en démontrant l'incapacité financière dudit sieur, — une affaire superbe dont ce gredin de Dodart m'a exclu!...

MUREL, *à part :* Ah! voilà le motif de leur alliance!

GRUCHET : Jusqu'à présent, vous n'en avez rien fait; donc, c'est bien le moins, cette fois, que vous vous exécutiez! Ce qu'on vous demande, d'ailleurs, n'est pas tellement difficile...

JULIEN : N'importe! Je refuse.

MUREL : Julien, vous oubliez qu'aux termes de notre engagement...

JULIEN : Oui, je sais! Vous m'avez pris pour faire des découpures dans les autres feuilles, écrire toutes les histoires de chiens perdus, noyades, incendies, accidents quelconques, et rapetisser à la mesure de l'esprit local les articles des confrères parisiens, en style plat; c'est une exigence, chaque métaphore enlève un abonnement. Je dois aller aux informations, écouter les réclamations, recevoir toutes les visites, exécuter un travail de forçat, mener une vie d'idiot, et n'avoir, en quoi que ce soit, jamais d'initiative! Eh bien, une fois par hasard, je demande grâce!

MUREL : Tant pis pour vous!

GRUCHET : Alors, il ne fallait pas prendre cette place!

JULIEN : Si j'en avais une autre!

GRUCHET : Quand on n'a pas de quoi vivre, c'est pourtant bien joli!

JULIEN, *s'éloignant :* Ah! la misère!

MUREL : Laissons-le bouder! Asseyons-nous, pour que j'écrive votre profession de foi.

GRUCHET : Très volontiers! *(Il s'assoient.)*

JULIEN, *un peu remonté au fond :* Comme je m'enfuirais à la grâce de Dieu, n'importe où, si tu n'étais pas là, mon pauvre amour! *(Regardant la maison de Rousselin.)* Oh! je ne veux pas que dans ta maison, aucune douleur, fût-ce la moindre, survienne à cause de moi! Que les murs qui t'abritent soient bénis! Mais... sous les acacias, il me semble, qu'une robe?... Disparue! Plus rien! Adieu. *(Il s'éloigne.)*

GRUCHET, *le rappelant :* Restez donc; nous avons quelque chose à vous montrer!

JULIEN : Ah! j'en ai assez de vos sales besognes! *(Il sort.)*

MUREL, *tendant le papier à Gruchet :* Qu'en pensez-vous?

GRUCHET : C'est très bien; merci!... Cependant...

MUREL : Qu'avez-vous?

GRUCHET : Rousselin m'inquiète!

MUREL : Un homme sans conséquence!

GRUCHET : Eh! vous ne savez pas de quoi il est capable — au fond! Et puis, le jeune Duprat ne m'a pas l'air extrêmement chaud.

MUREL : Son entêtement à ménager Rousselin doit avoir une cause.

GRUCHET : Eh! il est amoureux de Louise!

MUREL : Qui vous l'a dit?

GRUCHET : Rousselin lui-même!

MUREL, *à part* : Un autre rival! Bah! j'en ai roulé de plus solides! Ecoutez-moi : je vais le rejoindre pour le catéchiser; vous, pendant ce temps-là, faites imprimer la profession de foi; voyez tous vos amis, et trouvez-vous ici dans deux heures.

GRUCHET : Convenu! *(Il sort.)*

MUREL : Et maintenant, M. Rousselin, c'est vous qui m'offrirez votre fille! *(Il sort.)*

ACTE DEUX

Le théâtre représente une promenade sous les quinconces. A gauche, au deuxième plan, le Café Français; à droite, la grille de la maison de Rousselin. Au lever du rideau, un colleur est en train de coller trois affiches sur les murs de la maison de Rousselin.

Scène I : *Heurtelot, Marchais, le garde champêtre, la foule.*

LE GARDE CHAMPÊTRE, *à la foule* : Circulez! circulez! laissez toute la place aux proclamations!

LA FOULE : Trop juste!

HEURTELOT : Ah! la profession de foi de Bouvigny!

MARCHAIS : Parbleu, puisqu'il sera nommé!

HEURTELOT : C'est Gruchet qui sera nommé! Lisez plutôt son affiche!

MARCHAIS : Que je la lise?...

HEURTELOT : Oui!

MARCHAIS : Commencez vous-même! *(A part.)* Il ne connaît pas ses lettres! *(Haut.)* Eh bien?

HEURTELOT : Mais vous?

MARCHAIS : Moi?...

HEURTELOT, *à part* : Il ne sait pas épeler! *(Haut.)* Allons...

LE GARDE CHAMPÊTRE : Et ça vote! — Tenez, je vais m'y mettre pour vous! D'abord, celle du comte de Bouvigny : « Mes amis, cédant à de vives instances, j'ai cru devoir me présenter à vos suffrages... »

HEURTELOT : Connu! A l'autre! Celle de Gruchet!

LE GARDE CHAMPÊTRE : « Citoyens, c'est pour obéir à la volonté de quelques amis que je me présente... »

MARCHAIS : Quel farceur! assez!

LE GARDE CHAMPÊTRE : Alors, je passe à celle de M. Rousselin. « Mes chers compatriotes, si plusieurs d'entre vous ne m'en avaient vivement sollicité, je n'oserais... »

HEURTELOT : Il nous embête! je vais déchirer son affiche!

MARCHAIS : Moi aussi, car c'est une trahison!

LE GARDE CHAMPÊTRE, *s'interposant* : Vous n'en avez pas le droit!

MARCHAIS : Comment, pour soutenir l'ordre!

HEURTELOT : Eh bien, et la liberté?

LE GARDE CHAMPÊTRE : Laissez les papiers tranquilles, ou je vous flanque au violon tous les deux!

HEURTELOT : Voilà bien le Gouvernement! Il est à nous vexer, toujours!

MARCHAIS : On ne peut rien faire!

Scène II : *les mêmes, Murel, Gruchet.*

MUREL, *à Heurtelot* : Fidèle au poste! c'est bien! Prenez-les tous; faites-les boire!

HEURTELOT : Oh! là-dessus!...

MUREL, *aux électeurs* : Entrez! et pas de cérémonie! J'ai donné des ordres; c'est Gruchet qui régale.

GRUCHET : Jusqu'à un certain point, cependant!

MUREL, *à Gruchet* : Allez donc!

LES ÉLECTEURS : Ah! Gruchet! un bon! un solide! un patriote! *(Ils entrent tous dans le café.)*

Scène III : *Murel, Miss Arabelle.*

MUREL, *se dirigeant vers la grille de la maison Rousselin* : Il faut pourtant que je tâche de voir Louise!

MISS ARABELLE, *sortant de la grille* : Je voudrais vous parler, Monsieur.

MUREL : Tant mieux, miss Arabelle! Et Louise, dites-moi, n'est-elle pas?...

MISS ARABELLE : Mais vous étiez avec quelqu'un?

MUREL : Oui.

MISS ARABELLE : M. Julien, je crois?

MUREL : Non, Gruchet.

MISS ARABELLE : Gruchet! Ah! bien mauvais homme! C'est vilain, sa candidature!

MUREL : En quoi, miss Arabelle?

MISS ARABELLE : M. Rousselin lui a prêté, autrefois, une somme qui n'est pas rendue. J'ai vu le papier.

MUREL, *à part* : C'est donc pour cela que Gruchet a peur!

MISS ARABELLE : Mais M. Rousselin, par délicatesse, gentlemanry, ne voudra pas poursuivre! Il est bien bon! seulement bizarre quelquefois! Ainsi sa colère contre M. Julien...

MUREL : Et Louise, miss Arabelle?

MISS ARABELLE : Oh! quand elle a su votre mariage impossible, elle a pleuré, beaucoup.

MUREL, *joyeux* : Vraiment?

MISS ARABELLE : Oui; et, pauvre petite! Mme Rousselin est bien dure pour elle!

MUREL : Et son père?

MISS ARABELLE : Il a été très fâché!

MUREL : Est-ce qu'il regrette?...

MISS ARABELLE : Oh! non! Mais il a peur de vous.

MUREL : Je l'espère bien!

MISS ARABELLE : A cause des ouvriers, et de l'*Impartial*, où il dit que vous êtes le maître!

MUREL, *riant* : Ah! ah!

MISS ARABELLE : Mais non, n'est-ce pas, c'est M. Julien?

MUREL : Continuez, miss Arabelle.

MISS ARABELLE : Oh! moi, je suis bien triste, bien triste! et je voudrais un raccommodement.

MUREL : Cela me paraît maintenant difficile!

MISS ARABELLE : Oh! non! M. Rousselin en a envie, je suis sûre! Tâchez! Je vous en prie!

MUREL, *à part* : Est-elle drôle!

MISS ARABELLE : C'est dans votre intérêt, à cause de Louise! Il faut que tout le monde soit content : elle, vous, moi, M. Julien!

MUREL, *à part* : Encore Julien! Ah! que je suis bête; c'était pour l'institutrice; une muse et un poète, parfait! (*Haut.*) Je ferai ce qui dépendra de moi. Au revoir, Mademoiselle!

MISS ARABELLE, *saluant* : Good afternoon, sir! (*Apercevant une vieille femme qui lui fait signe de venir.*) Ah! Félicité! (*Elle sort avec elle.*)

Scène IV : Murel, Rousselin.

ROUSSELIN, *entrant* : C'est inouï, ma parole d'honneur!

MUREL, *à part* : Rousselin! A nous deux!

ROUSSELIN : Gruchet! un Gruchet, qui veut me couper l'herbe sous le pied! un misérable que j'ai défendu, nourri; et il se vante d'être soutenu par vous?

MUREL : Mais...

ROUSSELIN : D'où diable lui est venue cette idée de candidature?

MUREL : Je n'en sais rien. Il est tombé chez moi comme un furieux, en disant que j'allais abjurer mes opinions.

ROUSSELIN : C'est parce que je suis modéré! Je proteste également contre les tempêtes de la démagogie que souhaite ce polisson de Gruchet, et le joug de l'absolutisme, dont M. Bouvigny est l'abominable soutien, le gothique symbole! en un mot, — fidèle aux traditions du vieil esprit français, — je demande, avant tout, le règne des lois, le gouvernement du pays par le pays, avec le respect de la propriété! Oh! là-dessus, par exemple!...

MUREL : Justement! on ne vous trouve pas assez républicain.

ROUSSELIN : Je le suis plus que Gruchet, encore une fois! car je me prononce, — voulez-vous que je l'imprime, — pour la suppression des douanes et de l'octroi.

MUREL : Bravo!

ROUSSELIN : Je demande l'affranchissement des pouvoirs municipaux, une meilleure composition du jury, la liberté de la presse, l'abolition de toutes les sinécures et titres nobiliaires.

MUREL : Très bien!

ROUSSELIN : Et l'application sérieuse du suffrage universel! Cela vous étonne? Je suis comme ça, moi! Notre nouveau préfet qui soutient la réaction, je lui ai écrit trois lettres, en manière d'avertissement! Oui, Monsieur! Et je suis capable de le braver en face, de l'insulter! Vous pouvez dire ça aux ouvriers!

MUREL, *à part* : Est-ce qu'il parlerait sérieusement?

ROUSSELIN : Vous voyez donc qu'en me préférant Gruchet... car, je vous le répète, il se vante d'être soutenu par vous. Il le crie dans toute la ville.

MUREL : Que savez-vous si je vote pour lui?

ROUSSELIN : Comment?

MUREL : Moi, en politique, je ne tiens qu'aux idées; or, les siennes ne m'ont pas l'air d'être aussi progressives que les vôtres. Un moment! Tout n'est pas fini!

ROUSSELIN : Non! tout n'est pas fini! et on ne sait pas jusqu'où je peux aller, pour plaire aux électeurs. Aussi, je m'étonne d'avoir été méconnu par une intelligence comme la vôtre.

MUREL : Vous me comblez!

ROUSSELIN : Je ne doute pas de votre avenir!

MUREL : Eh bien, alors, dans ce cas-là...

ROUSSELIN : Quoi?

MUREL : Pour répondre à votre confiance, — j'ai un petit aveu à vous faire : — en écoutant Gruchet, c'était après ce refus, et j'ai cédé à un mouvement de rancune.

ROUSSELIN : Tant mieux! ça prouve du cœur.

MUREL : Comme j'adore votre fille, je vous maudissais.

ROUSSELIN : Ce cher ami! Ah! votre défection m'a fait de la peine!...

MUREL : Sérieusement, si je ne l'ai pas, j'en mourrai!

ROUSSELIN : Il ne faut pas mourir!

MUREL : Vous me donnez de l'espoir?

ROUSSELIN : Eh! eh! Après mûr examen, votre position personnelle me paraît plus avantageuse...

MUREL, *étonné* : Plus avantageuse?

ROUSSELIN : Oui, car sans compter trente mille francs d'appointements...

MUREL, *timidement* : Vingt mille!

ROUSSELIN : Trente mille! en plus, une part dans les bénéfices de la Compagnie; et puis vous avez votre tante...

MUREL : Madame veuve Murel, de Montélimart.

ROUSSELIN : Puisque vous êtes son héritier.

MUREL : Avec un autre neveu, militaire!

ROUSSELIN : Alors, il y a des chances!... (*Faisant le geste de tirer un coup de fusil.*) Les Bédouins! (*Il rit.*)

MUREL, *riant* : Oui, oui, vous avez raison! Les femmes, même les vieilles, changent d'idées facilement; celle-là est capricieuse. Bref! cher monsieur Rousselin, j'ai tout lieu de croire que ma bonne tante songe à moi, quelquefois.

ROUSSELIN, *à part* : Si c'était vrai, cependant? (*Haut.*) Enfin, mon cher, trouvez-vous ce soir, après dîner, là, devant ma porte, sans avoir l'air de me chercher. (*Il sort.*)

Scène V : Murel, seul.

Un rendez-vous pour ce soir! Mais c'est une avance, une espèce de consentement; Arabelle disait vrai.

Scène VI : Murel, Gruchet, puis Hombourg, puis Félicité.

GRUCHET : Me voilà! je n'ai pas perdu de temps! Quoi de neuf? — Répondez-moi.

MUREL : Gruchet, avez-vous réfléchi à l'affaire dans laquelle vous vous embarquez?

GRUCHET : Hein?

MUREL : Ce n'est pas une petite besogne que d'être député...

GRUCHET : Je le crois bien!

MUREL : Vous allez avoir sur le dos tous les quémandeurs.

GRUCHET : Oh! moi, mon bon, je suis habitué à éconduire les gens.

MUREL : N'importe, ils vous dérangeront de vos affaires énormément.

GRUCHET : Jamais de la vie!

MUREL : Et puis, il va falloir habiter Paris. C'est une dépense.

GRUCHET : Eh bien, j'habiterai Paris! ce sera une dépense! voilà!

MUREL : Franchement, je n'y vois pas de grands avantages.

GRUCHET : Libre à vous!... moi, j'en vois.

MUREL : Vous pouvez d'ailleurs échouer.

GRUCHET : Comment? vous savez quelque chose?

MUREL : Rien de grave! Cependant Rousselin, eh! eh! il gagne dans l'opinion.

GRUCHET : Tantôt vous disiez que c'est un imbécile!

MUREL : Ça n'empêche pas de réussir.

GRUCHET : Alors, vous me conseillez de me démettre?

MUREL : Non! Mais il est toujours fâcheux d'avoir contre soi un homme de l'importance de Rousselin.

GRUCHET : Son im-por-tan-ce!

MUREL : Il a beaucoup d'amis, ses manières sont cordiales, enfin il plaît; et tout en ménageant les conservateurs, il pose pour le républicain.

GRUCHET : On le connaît!

MUREL : Ah! si vous comptez sur le bon sens du public...

GRUCHET : Mais pourquoi tenez-vous à me décourager, quand tout marche comme sur des roulettes? Ecoutez-moi : Primo, sans qu'on s'en doute le moins du monde, je saurai par Félicité, ma bonne, tout ce qui se passe chez lui.

MUREL : Ce n'est peut-être pas trop délicat, ce que vous faites.

GRUCHET : Pourquoi?

MUREL : Ni même prudent; car on dit que vous lui avez autrefois emprunté...

GRUCHET : On le dit? Eh bien...

MUREL : Il faudrait d'abord lui rendre la somme.

GRUCHET : Pour cela, il faudrait d'abord que vous me rendiez ce qui m'est dû, vous! Soyons justes!

MUREL : Ah! devant les preuves de mon dévouement, et à l'instant même où je vous gratifie d'un excellent conseil, voilà ce que vous imaginez! Mais, sans moi, mon bonhomme, jamais de la vie vous ne seriez élu; je m'éreinte, bien que je n'aie aucun intérêt...

GRUCHET : Qui sait? Ou plutôt je n'y comprends goutte; tour à tour, vous me poussez, vous m'arrêtez! Ce que je dois à Rousselin! les autres aussi feront des réclamations! On n'est pas inépuisable. Il faudrait pourtant que je rentre dans mes avances! Et la note

du café qui va être terrible, — car ces farceurs-là boivent, boivent! — Si vous croyez que je n'y pense pas! C'est un gouffre qu'une candidature! *(A Hombourg, qui entre.)* Hombourg! quoi encore?

HOMBOURG : Le bourgeois est-il là?

GRUCHET : Je n'en sais rien!

HOMBOURG : Un mot! Je possède un petit bidet cauchois, pas cher, et qui vous serait bien utile pour vos tournées électorales.

GRUCHET : Je les ferai à pied; merci!

HOMBOURG : Une occasion, monsieur Gruchet!

GRUCHET : Des occasions comme celle-là, on les retrouve!

HOMBOURG : Je ne crois pas!

GRUCHET : Il m'est, à présent, impossible...

HOMBOURG : A votre service! *(Il entre chez Rousselin.)*

MUREL : Pensez-vous que Rousselin eût fait cela? Cet homme, qui tient une auberge, va vous déchirer près de ses pratiques. Vous venez de perdre, peut-être, cinquante voix. Je suis fatigué de vous soutenir.

GRUCHET : Du calme! j'ai eu tort! Admettons que je n'aie rien dit. C'est que vous veniez de m'agacer avec votre histoire de Rousselin, qui, d'abord, n'est peut-être pas vraie. De qui la tenez-vous? A moins que lui-même... Ah! c'est plutôt une farce de votre invention, pour m'éprouver. *(Rumeur dans la coulisse.)*

MUREL : Ecoutez donc!

GRUCHET : J'entends bien.

MUREL : Le bruit se rapproche.

DES VOIX, *dans la coulisse :* Gruchet! Gruchet!

FÉLICITÉ, *apparaissant à gauche :* Monsieur, on vous cherche!

GRUCHET : Moi?

FÉLICITÉ : Oui, venez tout de suite!

GRUCHET : Me voilà! *(Il sort précipitamment avec elle. — Le bruit augmente.)*

MUREL, *en s'en allant par la gauche :* Tout ce tapage! Qu'est-ce donc? *(Il sort.)*

Scène VII : Rousselin, puis Hombourg.

ROUSSELIN, *sortant de chez lui :* Ah! le peuple à la fin s'agite! pourvu que ce ne soit pas contre moi!

TOUS, *criant dans le café :* Enfoncés, les bourgeois!

ROUSSELIN : Voilà qui devient inquiétant.

GRUCHET, *passant au fond, et tâchant de se soustraire aux ovations :* Mes amis, laissez-moi! non! vraiment!

TOUS : Gruchet! Vive Gruchet! notre député.

ROUSSELIN : Comment, député?

HOMBOURG, *sortant de chez Rousselin :* Parbleu! puisque Bouvigny se retire. *(La bande s'éloigne.)*

ROUSSELIN : Pas possible!

HOMBOURG : Mais oui, le ministère est changé. Le préfet donne sa démission; et il vient d'écrire à Bouvigny, pour l'engager à faire comme lui, à se démettre! *(Il sort par où est sortie la bande.)*

ROUSSELIN : Eh bien, alors, il ne reste plus que... *(La main sur la poitrine pour dire : moi.)* Mais non! il y a encore Gruchet! *(Rêvant.)* Gruchet! *(Apercevant Dodart qui entre.)* Que me voulez-vous?

Scène VIII : Rousselin, Dodart.

DODART : Je viens pour vous rendre un service.

ROUSSELIN : De la part d'un féal de M. le comte, cela m'étonne!

DODART : Vous apprécierez ma conduite, plus tard. M. de Bouvigny ayant retiré sa candidature...

ROUSSELIN, *brusquement :* Il l'a retirée? c'est vrai?

DODART : Oui... pour des raisons...

ROUSSELIN : Personnelles.

DODART : Comment?

ROUSSELIN : Je dis : il a eu des raisons, voilà tout!

DODART : En effet; et permettez-moi de vous avertir d'une chose... capitale. Tous ceux qui s'intéressent à vous — je suis du nombre, n'en doutez pas — commencent à s'effrayer de la violence de vos adversaires!

ROUSSELIN : En quoi?

DODART : Vous n'avez donc pas entendu les cris insurrectionnels que poussait la bande Gruchet! Ce Catilina de village!...

ROUSSELIN, *à part :* Catilina de village... Jolie expression! A noter!

DODART : Il est capable, Monsieur, de... capable de tout! et d'abord, grâce à la démence du peuple, il deviendra peut-être un de nos tribuns.

ROUSSELIN, *à part :* C'est à craindre!

DODART : Mais les conservateurs n'ont pas renoncé à la lutte, croyez-le! D'avance, leurs voix appartiennent à l'honnête homme qui offrirait des garanties. (*Mouvement de Rousselin.*) Oh! on ne lui demande pas de se poser en rétrograde; seulement quelques concessions... bien simples.

ROUSSELIN : Eh! c'est ce diable de Murel!...

DODART : Malheureusement, la chose est faite!

ROUSSELIN, *rêvant :* Oui!

DODART : Comme notaire et comme citoyen, je gémis sur tout cela! Ah! c'était un beau rêve que cette alliance de la bourgeoisie et de la noblesse cimentée en vos deux familles; et le comte me disait tout à l'heure, — vous n'allez pas me croire?...

ROUSSELIN : Pardon!... je suis plein de confiance.

DODART : Il me disait, avec ce ton chevaleresque qui le caractérise : « Je n'en veux pas du tout à M. Rousselin... »

ROUSSELIN : Ni moi non plus, mon Dieu!

DODART : « Et je ne demande pas mieux, s'il n'y trouve point d'inconvénient... »

ROUSSELIN : Mais quel inconvénient?

DODART : « Je ne demande pas mieux que de m'aboucher avec lui, dans l'intérêt du canton, et de la moralité publique. »

ROUSSELIN : Comment donc? je le verrai avec plaisir!

DODART : Il est là! (*A la cantonade.*) Psitt! Avancez!...

Scène IX : les mêmes, le comte de Bouvigny.

BOUVIGNY, *saluant :* Monsieur!

ROUSSELIN, *regardant autour de lui :* Je regarde si quelquefois...

BOUVIGNY : Personne ne m'a vu! soyez sans crainte! Et acceptez mes regrets sur...

ROUSSELIN : Il n'y a pas de mal...

DODART, *en ricanant :* A reconnaître ses fautes, n'est-ce pas?

BOUVIGNY : Que voulez-vous, l'amour peut-être exagéré de certains principes...

ROUSSELIN : Moi aussi, Monsieur, j'honore les principes!

BOUVIGNY : Et puis la maladie de mon fils!

ROUSSELIN : Il n'est pas malade; tantôt, ici même...

DODART : Oh! fortement indisposé! Mais il a l'énergie de cacher sa douleur. Pauvre enfant! les nerfs! tellement sensible!

ROUSSELIN, *à part :* Ah! je devine ton jeu, à toi; tu vas faire le mien! (*Haut.*) En effet, après avoir conçu des espérances...

BOUVIGNY : Oh! certes!

ROUSSELIN : Il a dû être peiné...

BOUVIGNY : Désolé, Monsieur!

ROUSSELIN : De vous voir abandonner subitement cette candidature.

DODART, *à part :* Il se moque de nous!

ROUSSELIN : Lorsque vous aviez déjà un nombre de voix.

BOUVIGNY : J'en avais beaucoup!

ROUSSELIN, *souriant :* Pas toutes, cependant!

DODART : Parmi les ouvriers, peut-être, mais dans les campagnes, énormément!

ROUSSELIN : Ah! si on comptait!...

BOUVIGNY : Permettez! D'abord la commune de Bouvigny, où je réside, m'appartient, n'est-ce pas? Ainsi que les villages de Saint-Léonard, Valencourt, la Coudrette.

ROUSSELIN, *vivement :* Celui-là, non!

BOUVIGNY : Pourquoi?

ROUSSELIN, *embarrassé :* Je croyais!... (*A part.*) Murel m'avait donc trompé?

BOUVIGNY : Je suis également certain de Grumesnil, Ypremesnil, les Arbois.

DODART, *lisant une liste qu'il tire de son portefeuille :* Châtillon, Colange, Heurtaux, Lenneval, Bahurs, Saint-Filleul, le Grand-Chêne, la Roche-Aubert, Fortinet!

ROUSSELIN, *à part :* C'est effroyable!

DODART : Manicamp, Dehaut, Lampérière, Saint-Nicaise, Vieville, Sirvin, Château-Régnier, la Chapelle, Lebarrois, Mont-Suleau.

ROUSSELIN, *à part :* Je ne savais donc pas la géographie de l'arrondissement!

BOUVIGNY : Sans compter que j'ai des amis nombreux dans les communes de...

ROUSSELIN, *accablé :* Oh! je vous crois, Monsieur!

BOUVIGNY : Ces braves gens ne savent plus que faire! Ils sont toujours à ma disposition du reste, m'obéissant comme un seul homme; — et si je leur disais... de voter pour... n'importe qui... pour vous, par exemple...

ROUSSELIN : Mon Dieu! je ne suis pas d'une opposition tellement avancée!

BOUVIGNY : Eh! eh! l'Opposition est quelquefois utile!

ROUSSELIN : Comme instrument de guerre, soit! Mais il ne s'agit pas de détruire, il faut fonder!

DODART : Incontestablement, nous devons fonder!

ROUSSELIN : Aussi ai-je en horreur toutes ces utopies, ces doctrines subversives!... N'a-t-on pas l'idée de rétablir le divorce, je vous demande un peu! Et la presse, il faut le reconnaître, se permet des excès...

DODART : Affreux!

BOUVIGNY : Nos campagnes sont infestées par un tas de livres!

ROUSSELIN : Elles n'ont plus personne pour les conduire! Ah! il y avait du bon dans la noblesse; et là-dessus, je partage les idées de quelques publicistes de l'Angleterre.

BOUVIGNY : Vos paroles me font l'effet d'une brise rafraîchissante; et si nous pouvions espérer...

ROUSSELIN : Enfin, Monsieur le comte, *(mystérieusement)* la Démocratie m'effraye! Je ne sais par quel vertige, quel entraînement coupable.

BOUVIGNY : Vous allez trop loin!...

ROUSSELIN : Non! j'étais coupable! car je suis conservateur, croyez-le, et peut-être quelques nuances seulement...

DODART : Tous les honnêtes gens sont faits pour s'entendre.

ROUSSELIN, *serrant la main de Bouvigny :* Bien sûr, Monsieur le comte, bien sûr.

Scène X : les mêmes, Murel, Ledru, Onésime, des ouvriers.

MUREL : Dieu merci! je vous trouve sans vos électeurs, mon cher Rousselin!

BOUVIGNY, *à part :* Je les croyais fâchés!

MUREL : En voici d'autres! Je leur ai démontré que les idées de Gruchet ne répondent plus aux besoins de notre époque; et, d'après ce que vous m'avez dit ce matin, vous serez de ceux-ci mieux compris; ce sont non seulement des républicains, mais des socialistes!

BOUVIGNY, *faisant un bond :* Comment, des socialistes!

ROUSSELIN : Il m'amène des socialistes!

DODART : Des socialistes! Il ne faut pas que ma personnalité!... *(Il s'esquive.)*

ROUSSELIN, *balbutiant :* Mais...

LEDRU : Oui, citoyen! Nous le sommes!

ROUSSELIN : Je n'y vois pas de mal!

BOUVIGNY : Et tout à l'heure, vous déclamiez contre ces infamies!

ROUSSELIN : Permettez! il y a plusieurs manières d'envisager...

ONÉSIME, *surgissant :* Sans doute, plusieurs manières...

BOUVIGNY, *scandalisé :* Jusqu'à mon fils!

MUREL : Que venez-vous faire ici, vous?

ONÉSIME : J'ai entendu dire que l'on se portait chez M. Rousselin, et je voudrais lui affirmer que je partage, à peu près... son système.

MUREL, *à demi-voix :* Petit intrigant!

BOUVIGNY : Je ne m'attendais pas, mon fils, à vous voir, devant l'auteur de vos jours, renier la foi de vos aïeux!

ROUSSELIN : Très bien!

LEDRU : Pourquoi très bien? Parce que Monsieur est M. le comte! *(à Murel, désignant Rousselin)* et à vous croire, il demandait l'abolition de tous les titres!...

ROUSSELIN : Certainement!

BOUVIGNY : Comment? il demandait...

LEDRU : Mais oui!

BOUVIGNY : Ah! c'est assez!

ROUSSELIN, *voulant le retenir :* Je ne peux pas rompre en visière brusquement. Beaucoup ne sont qu'égarés. Ménageons-les!

BOUVIGNY, *très haut :* Pas de ménagements, Monsieur! On ne pactise point avec le désordre; et je vous déclare net que je ne suis plus pour vous! — Onésime! *(Il sort; son fils le suit.)*

LEDRU : Il était pour vous? Nous savons à quoi nous en tenir! Serviteur!

ROUSSELIN : Pour soutenir mes convictions, je vous sacrifie un vieil ami de trente ans!

LEDRU : On n'a pas besoin de sacrifices! Mais vous dites tantôt blanc, tantôt noir; et vous m'avez l'air d'un véritable... blagueur! Allons, nous autres, retournons chez Gruchet! Venez-vous, Murel?

MUREL : Dans une minute, je vous rejoins!

Scène XI : Rousselin, Murel.

MUREL : Il faut convenir, mon cher, que vous me mettez dans une situation embarrassante!

ROUSSELIN : Si vous croyez que je n'y suis pas?

MUREL : Saperlotte, il faudrait cependant vous résoudre! Soyez d'un côté, soyez de l'autre! Mais décidez-vous! finissons-en!

ROUSSELIN : Pourquoi toujours ce besoin d'être emporte-pièce, exagéré? Est-ce qu'il n'y a pas dans tous les partis quelque chose de bon à prendre?

MUREL : Sans doute, leurs voix!

ROUSSELIN : Vous avez un esprit, ma parole d'honneur! une délicatesse!... Ah! je ne m'étonne pas qu'on vous aime!

MUREL : Moi? et qui donc?

ROUSSELIN : Innocent! une demoiselle, du nom de Louise.

MUREL : Quel bonheur! merci! merci! Maintenant, je vais m'occuper de vous, gaillardement! J'affirmerai qu'on ne vous a pas compris. Une dispute de mots, une erreur. Quant à l'*Impartial*...

ROUSSELIN : Là, vous êtes le maître!

MUREL : Pas tout à fait! Nous dépendons de Paris, qui donne le mot d'ordre. Vous deviez même être éreinté!

ROUSSELIN : Décommandez l'éreintement!

MUREL : Sans doute. Mais, comment, tout de suite, prêcher à Julien le contraire de ce qu'on lui a dit?

ROUSSELIN : Que faire?

MUREL : Attendez donc! Il y a chez vous quelqu'un dont peut-être l'influence...

ROUSSELIN : Qui cela?

MUREL : Miss Arabelle! D'après certaines paroles

405

qu'elle m'a dites, j'ai tout lieu de croire que ce jeune poète l'intéresse...

ROUSSELIN, *riant* : La pièce de vers serait-elle pour l'Anglaise?

MUREL : Je ne connais pas les vers, mais je crois qu'ils s'aiment.

ROUSSELIN : J'en étais sûr! Jamais de la vie je ne me trompe! Du moment que ma fille n'est pas en jeu, je ne risque rien; et je me moque pas mal, après tout, si... Il faut que j'en parle à ma femme. Elle doit être là, précisément.

MUREL : Moi, pendant ce temps-là, je vais essayer de ramener ceux que votre tiédeur philosophique a un peu refroidis.

ROUSSELIN : N'allez pas trop loin, cependant, de peur que Bouvigny, de son côté...

MUREL : Ah! il faut bien que je rebadigeonne votre patriotisme! *(Il sort.)*

ROUSSELIN, *seul* : Tâchons d'être fin, habile, profond!

Scène XII : Rousselin, Mme Rousselin, Miss Arabelle.

ROUSSELIN, *à Arabelle* : Ma chère enfant, — car mon affection toute paternelle me permet de vous appeler ainsi, — j'attends de vous un grand service; il s'agirait d'une démarche près de M. Julien!

ARABELLE, *vivement* : Je peux la faire!

MADAME ROUSSELIN, *avec hauteur* : Ah! comment cela?

ARABELLE : Il fume son cigare tous les soirs sur cette promenade. Rien de plus facile que de l'aborder.

MADAME ROUSSELIN : Vu les convenances, ce serait plutôt à moi...

ROUSSELIN : En effet; c'est plutôt à une femme mariée...

ARABELLE : Mais je veux bien!

MADAME ROUSSELIN : Je vous le défends, Mademoiselle!

ARABELLE : J'obéis, Madame! *(A part, en remontant.)* Qu'a-t-elle donc à vouloir m'empêcher?... Attendons! *(Elle disparaît.)*

MADAME ROUSSELIN : Tu as parfois, mon ami, des idées singulières; charger l'institutrice d'une chose pareille! car c'est pour ta candidature, j'imagine?

ROUSSELIN : Sans doute! Et moi, je trouvais que miss Arabelle, précisément à cause de son petit amour, dont je ne doute plus, pouvait fort bien...

MADAME ROUSSELIN : Ah! tu ne la connais pas. C'est une personne à la fois violente et dissimulée, cachant sous des airs romanesques une âme qui l'est fort peu; et je sens qu'il faut se méfier d'elle...

ROUSSELIN : Tu as peut-être raison? Voici Julien! Tu comprends, n'est-ce pas, tout ce qu'il faut lui dire?

MADAME ROUSSELIN : Oh! je saurai m'y prendre.

ROUSSELIN : Je me fie à toi! *(Rousselin s'éloigne, après avoir salué Julien. La nuit est venue.)*

Scène XIII : Mme Rousselin, Julien.

JULIEN, *apercevant Mme Rousselin* : Elle! *(Il jette son cigare.)* Seule! Comment faire? *(Saluant.)* Madame!

MADAME ROUSSELIN : M. Duprat, je crois?

JULIEN : Hélas! oui, Madame.

MADAME ROUSSELIN : Pourquoi, hélas?

JULIEN : J'ai le malheur d'écrire dans un journal qui doit vous déplaire.

MADAME ROUSSELIN : Par sa couleur politique, seulement!

JULIEN : Si vous saviez combien je méprise les intérêts qui m'occupent!

MADAME ROUSSELIN : Mais les intelligences d'élite peuvent s'appliquer à tout sans déchoir. Votre dédain, il est vrai, n'a rien de surprenant. Quand on écrit des vers aussi... remarquables...

JULIEN : Ce n'est pas bien ce que vous faites là, Madame! Pourquoi railler?

MADAME ROUSSELIN : Nullement! Malgré mon insuffisance, peut-être, je vous crois un avenir...

JULIEN : Il est fermé par le milieu où je me débats. L'art pousse mal sur le terroir de la province. Le poète qui s'y trouve et que la misère oblige à certains travaux est comme un homme qui voudrait courir dans un bourbier. Un ignoble poids, toujours collé à ses talons, le retient; plus il s'agite, plus il enfonce. Et cependant, quelque chose d'indomptable proteste et rugit au dedans de vous! Pour se consoler de ce que l'on fait, on rêve orgueilleusement à ce que l'on fera; puis les mois s'écoulent, la médiocrité ambiante vous pénètre, et on arrive doucement à la résignation, cette forme tranquille du désespoir.

MADAME ROUSSELIN : Je comprends; et je vous plains!

JULIEN : Ah! Madame, que votre pitié est douce! bien qu'elle augmente ma tristesse!

MADAME ROUSSELIN : Courage! le succès, plus tard, viendra.

JULIEN : Dans mon isolement, est-ce possible?

MADAME ROUSSELIN : Au lieu de fuir le monde, allez vers lui! Son langage n'est pas le vôtre, apprenez-le! Soumettez-vous à ses exigences. La réputation et le pouvoir se gagnent par le contact; et, puisque la société est naturellement à l'état de guerre, rangez-vous dans le bataillon des forts, du côté des riches, des heureux! Quant à vos pensées intimes, n'en dites jamais rien, par dignité et par prudence; puis dans quelque temps, lorsque vous habiterez Paris, comme nous...

JULIEN : Mais je n'ai pas le moyen d'y vivre, Madame!

MADAME ROUSSELIN : Qui sait? avec la souplesse de votre talent, rien n'est difficile; et vous l'utiliserez pour des personnes qui en marqueront leur gratitude! Mais il est tard; au plaisir de vous revoir, Monsieur! *(Elle remonte.)*

JULIEN : Oh! restez! au nom du ciel, je vous en conjure! Voilà si longtemps que je l'espère, cette occasion. Je cherchais des ruses, inutilement, pour arriver jusqu'à vous! D'ailleurs, je n'ai pas bien compris vos dernières paroles. Vous attendez quelque chose de moi, il me semble? Est-ce un ordre? Dites-le! J'obéirai.

MADAME ROUSSELIN : Quel dévouement!

JULIEN : Mais vous occupez ma vie! Quand, pour respirer plus à l'aise, je monte sur la colline, malgré moi, tout de suite, mes yeux découvrent parmi les autres votre chère maison, blanche dans la verdure de son jardin; et le spectacle d'un palais ne me donnerait pas autant de convoitise! Quelquefois vous apparaissez dans la rue, c'est un éblouissement, je m'arrête; et puis je cours après votre voile, qui flotte derrière vous comme un petit nuage bleu! Bien souvent je suis venu devant cette grille, pour vous apercevoir et entendre passer au bord des violettes le murmure de votre robe. Si votre voix s'élevait, le moindre mot, la phrase la plus ordinaire, me semblait d'une valeur inintelligible pour les autres; et j'emportais cela, joyeusement, comme une acquisition! — Ne me chassez pas! Pardonnez-moi! J'ai eu l'audace de vous envoyer des vers. Ils sont perdus, comme les fleurs que je cueille dans la campagne, sans pouvoir vous les offrir, comme les paroles que je vous adresse la nuit, et que vous n'entendez pas, car vous êtes mon inspiration, ma muse, le portrait de mon idéal, mes délices, mon tourment!

MADAME ROUSSELIN : Calmez-vous, Monsieur! Cette exagération...

JULIEN : Ah! c'est que je suis de 1830, moi! J'ai appris à lire dans *Hernani*, et j'aurais voulu être Lara! J'exècre toutes les lâchetés contemporaines, l'ordinaire de l'existence, et l'ignominie des bonheurs faciles! L'amour qui a fait vibrer la grande lyre des maîtres gonfle mon cœur. Je ne vous sépare pas dans ma pensée de tout ce qu'il y a de plus beau; et le reste du monde, au loin, me paraît une dépendance de votre personne. Ces arbres sont faits pour se balancer sur votre tête, la nuit pour vous recouvrir, les étoiles qui rayonnent doucement, comme vos yeux, pour vous regarder!

MADAME ROUSSELIN : La littérature vous emporte, Monsieur! Quelle confiance une femme peut-elle accorder à un homme qui ne sait pas retenir ses métaphores, ou sa passion? Je crois la vôtre sincère, pourtant. Mais vous êtes jeune, et vous ignorez trop ce qui est l'indispensable. D'autres, à ma place, auraient pris pour une injure la vivacité de vos sentiments. Il faudrait au moins promettre...

JULIEN : Voilà que vous tremblez aussi. Je le savais bien! Je ne repousse pas un tel amour!

MADAME ROUSSELIN : Ma hardiesse à vous écouter m'étonne moi-même. Les gens d'ici sont méchants, Monsieur. La moindre étourderie peut nous perdre!... Le scandale...

JULIEN : Ne craignez rien! Ma bouche se taira, mes yeux se détourneront, j'aurai l'air indifférent; et si je me présente chez vous...

MADAME ROUSSELIN : Mais, mon mari... Monsieur.

JULIEN : Ne me parlez pas de cet homme!

MADAME ROUSSELIN : Je dois le défendre.

JULIEN : C'est ce que j'ai fait, — par amour pour vous!

MADAME ROUSSELIN : Il l'apprendra; et vous n'aurez pas à vous repentir de votre générosité.

JULIEN : Laissez-moi me mettre à vos genoux, afin que je vous contemple de plus près. J'exécuterai, Madame, tout ce qu'il vous plaira! et valeureusement, n'en doutez pas; me voilà devenu fort! Je voudrais épandre sur vos jours, avec les ivresses de la terre, tous les enchantements de l'Art, toutes les bénédictions du Ciel...

MISS ARABELLE, *cachée derrière un arbre* : J'en étais sûre!

MADAME ROUSSELIN : J'attends de vous une preuve immédiate de complaisance, d'affection...

JULIEN : Oui, oui!

Scène XIV : les mêmes, Miss Arabelle, puis Murel et Gruchet, à la fin Rousselin.

MADAME ROUSSELIN, *remontant* : On vient! il faut que je rentre.

JULIEN : Pas encore!

GRUCHET, *au fond, poursuivant Murel* : Alors, rendez-moi mon argent!

MUREL, *continuant à marcher* : Vous m'ennuyez!

GRUCHET : Polisson!

MUREL, *lui donnant un soufflet* : Voleur!

ROUSSELIN, *en entrant, qui a entendu le bruit du soufflet* : Qu'est-ce donc?

JULIEN, *à Mme Rousselin* : Oh! cela seulement! (*Il lui applique, sur la main, un baiser sonore.*)

MISS ARABELLE *reconnaît Julien* : Ah!

ROUSSELIN : Que se passe-t-il? (*Apercevant miss Arabelle qui s'enfuit.*) Arabelle! Demain, je la flanque à la porte!

ACTE TROIS

Au Salon de Flore. L'intérieur d'un bastringue. En face, et occupant tout le fond, une estrade pour l'orchestre. Il y a dans le coin de gauche une contrebasse. Attachés au mur, des instruments de musique; au milieu du mur, un trophée de drapeaux tricolores. Sur l'estrade, une table avec une chaise; deux autres tables des deux côtés. Une petite estrade plus basse est au milieu, devant l'autre. Toute la scène est remplie de chaises. A une certaine hauteur un balcon, où l'on peut circuler.

Scène I : Rousselin, seul, à l'avant-scène, puis un garçon de café.

Si je comparais l'Anarchie à un serpent, pour ne pas dire hydre? Et le Pouvoir... à un vampire? Non, c'est prétentieux! Il faudrait cependant intercaler quelque phrase à effet, de ces traits qui enlèvent... comme : « fermer l'ère des révolutions, camarilla, droits imprescriptibles, virtuellement; » et beaucoup de mots en *isme* : « parlementarisme, obscurantisme!... »

Calmons-nous! un peu d'ordre. Les électeurs vont venir, tout est prêt; on a constitué le bureau, hier au soir. Le voilà, le bureau! Ici, la place du Président (*il montre la table, au milieu*); des deux côtés, les deux secrétaires, et moi, au milieu, en face du public!... Mais sur quoi m'appuierai-je? Il me faudrait une tribune! Oh! je l'aurai, la tribune! En attendant... (*Il va prendre une chaise et la pose devant lui, sur la petite estrade.*) Bien! et je placerai le verre d'eau, car je commence à avoir une soif abominable — je placerai le verre d'eau là! (*Il prend le verre d'eau qui se trouve sur la table du Président, et le met sur sa chaise.*) Aurai-je assez de sucre? *(Regardant le bocal qui est plein.)* Oui! Tout le monde est assis. Le Président ouvre la séance, et quelqu'un prend la parole. Il m'interpelle pour me demander... par exemple... Mais d'abord qui m'interpelle? Où est l'individu? A ma droite, je suppose! Alors, je tourne la tête, brusquement!... Il doit être moins loin? *(Il va déranger une chaise, puis remonte.)* Je conserve mon air tranquille, et tout en enfonçant la main dans mon gilet... Si j'avais pris mon habit? C'est plus commode pour le bras! Une redingote vaut mieux, à cause de la simplicité. Cependant, le peuple, on a beau dire, aime la tenue, le luxe. Voyons ma cravate? *(Il se regarde dans une petite glace à main, qu'il retire de sa poche.)* Le col un peu plus bas. Pas trop éventré; on ressemble à un chanteur de romances. Oh! ça ira — avec un mot de Murel, de temps à autre, pour me soutenir! C'est égal! Voilà une peur qui m'empoigne... et j'éprouve à l'épigastre... *(Il boit.)* Ce n'est rien. Tous les grands orateurs ont cela à leurs débuts! Allons, pas de faiblesses, ventrebleu! un homme en vaut un autre, et j'en vaux plusieurs! Il me monte à la tête... comme des bouillons! et je me sens, ma parole, un toupet infernal! « Et c'est à moi que ceci s'adresse, Monsieur! » Celui-là est en face; marquons-le! *(Il dérange une chaise et la pose au milieu.)* « A moi que ceci s'adresse, à moi! » Avec les deux mains sur la poitrine, en me baissant un peu. « A moi, qui, pendant quarante ans... à moi, dont le patriotisme... à moi que... à moi pour lequel... » puis, tout à coup : « Ah! vous ne le croyez pas vous-même, Monsieur! » Et on reste sans bouger! Il réplique : « Vos preuves alors! donnez vos preuves! Ah! prenez garde! On ne se joue pas de la crédulité publique! » Il ne trouve rien. « Vous vous taisez! ce silence vous condamne! J'en prends acte! » Un peu d'ironie, maintenant! On lui lance quelque chose de caustique, avec un rire de supériorité. « Ah! ah! » Essayons le rire de supériorité. « Ah! ah! ah! je m'avoue vaincu, effectivement! Parfait! » Mais deux autres qui sont là! — je les reconnaîtrai, — s'écrient que je m'insurge contre nos institutions, ou n'importe quoi. Alors d'un ton furieux : « Mais vous niez le progrès! » Développement du mot progrès : « Depuis l'astronome avec son télescope qui, pour le hardi nautonnier... jusqu'au modeste villageois baignant de ses sueurs... le prolétaire de nos villes... l'artiste dont l'inspiration... » Et je continue jusqu'à une phrase, où je trouve le moyen d'introduire le mot « bourgeoisie ». Tout de suite : éloge de la bourgeoisie, le tiers Etat, les cahiers, 89, notre commerce, richesse nationale, développement du bien-être par l'ascension progressive des classes moyennes. Un ouvrier me crie : « Eh bien! et le peuple, qu'en faites-vous? » Je pars : « Ah! le peuple, il est grand »; et je le flagorne, je lui en fourre par-dessus les oreilles! J'exalte Jean-Jacques Rousseau qui avait été domestique, Jacquard tisserand, Marceau tailleur; tous les tisserands, tous les tisserands et tous les tailleurs sont flattés. Et, après que j'ai tonné contre la corruption des riches : « Que lui reproche-t-on, au peuple? c'est d'être pauvre! » Tableau enragé de sa misère; bravos! « Ah! pour qui connaît ses vertus, combien est douce

la mission de celui qui peut devenir son mandataire! Et ce sera toujours avec un noble orgueil que je sentirai dans ma main la main calleuse de l'ouvrier! parce que son étreinte, pour être un peu rude, n'en est que plus sympathique! parce que toutes les différences de rang, de titre et de fortune sont, Dieu merci! surannées, et que rien n'est comparable à l'affection d'un homme de cœur!... » Et je me tape sur le cœur! bravo! bravo! bravo!

UN GARÇON DE CAFÉ : M. Rousselin, ils arrivent!

ROUSSELIN : Retirons-nous, que je n'aie pas l'air... Aurai-je le temps d'aller chercher mon habit?... Oui! — en courant! *(Il sort.)*

Scène II : tous les électeurs,
Voinchet, Marchais, Hombourg, Heurtelot, Onésime, le
garde champêtre, Beaumesnil, Ledru, le Président, puis
Rousselin, puis Murel.

VOINCHET : Ah! nous sommes nombreux. Ce sera drôle, à ce qu'il paraît.

LEDRU : Pour une réunion politique, on aurait dû choisir un endroit plus convenable que le *Salon de Flore.*

BEAUMESNIL : Puisqu'il n'y en a pas d'autres dans la localité! Qui est-ce que vous nommerez, M. Marchais?

MARCHAIS : Mon Dieu, Rousselin! C'est encore lui, après tout...

LEDRU : Moi, j'ai résolu de faire un vacarme...

VOINCHET : Tiens! le fils de Bouvigny.

BEAUMESNIL : Le père est plus finaud, il ne vient pas.

LE PRÉSIDENT : En séance!

LE GARDE CHAMPÊTRE : En séance!

LE PRÉSIDENT : Messieurs! nous avons à discuter les mérites de nos deux candidats pour les élections de dimanche. Aujourd'hui, vous vous occuperez de l'honorable M. Rousselin, et demain soir, de l'honorable M. Gruchet. La séance est ouverte.

Rousselin, en habit noir, sort d'une petite porte derrière le président, fait des salutations, et reste debout au milieu de l'estrade.

VOINCHET : Je demande que le candidat nous parle des chemins de fer.

ROUSSELIN, *après avoir toussé, et pris un verre d'eau :* Si on avait dit du temps de Charlemagne, ou même de Louis XIV, qu'un jour viendrait, où, en trois heures, il serait possible d'aller...

VOINCHET : Ce n'est pas ça! Etes-vous d'avis qu'on donne une allocation au chemin de fer qui doit passer par Saint-Mathieu, ou bien à un autre qui couperait Bonneval — idée cent fois meilleure?

UN ÉLECTEUR : Saint-Mathieu est plus à l'avantage des habitants! Déclarez-vous pour celui-là, monsieur Rousselin!

ROUSSELIN : Comment ne serais-je pas pour le développement de ces gigantesques entreprises qui remuent des capitaux, prouvent le génie de l'homme, apportent le bien-être au sein des populations!...

HOMBOURG : Pas vrai, elles les ruinent!

ROUSSELIN : Vous niez donc le progrès, Monsieur? le progrès, qui depuis l'astronome...

HOMBOURG : Mais les voyageurs?...

ROUSSELIN : Avec son télescope...

HOMBOURG : Ah! si vous m'empêchez!...

LE PRÉSIDENT : La parole est à l'interpellant.

HOMBOURG : Les voyageurs ne s'arrêteront plus dans nos pays.

VOINCHET : C'est parce qu'il tient une auberge!

HOMBOURG : Elle est bonne, mon auberge!

TOUS : Assez! assez!

LE PRÉSIDENT : Pas de violence, Messieurs!

LE GARDE CHAMPÊTRE : Silence!

HOMBOURG : Voilà comme vous défendez nos intérêts!

ROUSSELIN : J'affirme!...

HOMBOURG : Mais vous perdez le roulage!

UN ÉLECTEUR : Il soutiendra le libre échange!

ROUSSELIN : Sans doute! Par la transmission des marchandises, un jour la fraternité des peuples...

UN ÉLECTEUR : Il faut admettre les laines anglaises! Proclamez l'affranchissement de la bonneterie!

ROUSSELIN : Et tous les affranchissements!

LES ÉLECTEURS : *(Côté droit.)* Oui! oui! *(Côté gauche.)* Non! non! à bas!

ROUSSELIN : Plût au ciel que nous puissions recevoir en abondance les céréales, les bestiaux!

UN AGRICULTEUR, *en blouse :* Eh bien, vous êtes gentil pour l'agriculture!...

ROUSSELIN : Tout à l'heure, je répondrai sur le chapitre de l'agriculture! *(Il se verse un verre d'eau. — Silence.)*

HEURTELOT, *apparaissant en haut, au balcon :* Qu'est-ce que vous pensez des hannetons?

TOUS, *riant :* Ah! ah! ah!

LE PRÉSIDENT : Un peu de gravité, Messieurs!

LE GARDE CHAMPÊTRE : Pas de désordre! Au nom de la Loi, assis!

MARCHAIS : M. Rousselin, nous voudrions savoir votre idée sur les impôts.

ROUSSELIN : Les impôts, mon Dieu... certainement, sont pénibles... mais indispensables... C'est une pompe, — si je puis m'exprimer ainsi, — qui aspire du sein de la terre un élément fertilisateur pour le répandre sur le sol. Reste à savoir si les moyens répondent au but... et si, en exagérant... on n'arriverait pas quelquefois à tarir...

LE PRÉSIDENT, *se penchant vers lui :* Charmante comparaison!

VOINCHET : La propriété foncière est surchargée!

HEURTELOT : On paye plus de trente sous de droits pour un litre de cognac!

LEDRU : La flotte nous dévore!

BEAUMESNIL : Est-ce qu'on a besoin d'un Jardin des Plantes!

ROUSSELIN : Sans doute! sans doute! sans doute! Il faudrait apporter d'immenses, d'immenses économies!

TOUS : Très bien!

ROUSSELIN : D'autre part, le Gouvernement lésine, tandis qu'il devrait...

BEAUMESNIL : Elever les enfants pour rien!

MARCHAIS : Protéger le commerce!

L'AGRICULTEUR : Encourager l'agriculture!

ROUSSELIN : Bien sûr!

BEAUMESNIL : Fournir l'eau et la lumière gratuitement dans chaque maison!

ROUSSELIN : Peut-être, oui!

HOMBOURG : Vous oubliez le roulage, dans tout ça!

ROUSSELIN : Oh! non, non pas! Et permettez-moi de résumer en un seul corps de doctrine, de prendre en faisceau...

LEDRU : On connaît votre manière d'enguirlander le monde! Mais si vous aviez devant vous Gruchet...

ROUSSELIN : C'est à moi que vous comparez Gruchet! à moi!... qu'on a vu pendant quarante ans... à moi dont le patriotisme... — Ah! vous ne le croyez pas vous-même, Monsieur!

LEDRU : Oui, je le compare à vous!

ROUSSELIN : Ce Catilina de village!

HEURTELOT, *au balcon :* Qu'est-ce que c'est, Catilina?

ROUSSELIN : C'est un célèbre conspirateur qui, à Rome...

LEDRU : Mais Gruchet ne conspire pas!

HEURTELOT : Etes-vous de la police?

TOUS, *à droite, ensemble, confusément :* Il en est! il en est!

TOUS, *à gauche, de même :* Non, il n'en est pas! *(Vacarme.)*

ROUSSELIN : Citoyens! de grâce! Citoyens! Je vous en prie! de grâce! écoutez-moi!

MARCHAIS : Nous écoutons!

Rousselin cherche à dire quelque chose, et reste muet. Rires de la foule.

TOUS, *riant :* Ah! ah! ah!

LE GARDE CHAMPÊTRE : Silence!

HEURTELOT : Il faut qu'il s'explique sur le droit au travail.

TOUS : Oui! oui! le droit au travail!

ROUSSELIN : On a écrit là-dessus des masses de livres. *(Murmures.)* Ah! vous m'accorderez qu'on a écrit, à ce propos, énormément de livres. Les avez-vous lus?

HEURTELOT : Non!

ROUSSELIN : Je les sais par cœur! Et si, comme moi, vous aviez passé vos nuits dans le silence du cabinet, à...

HEURTELOT : Assez causé de vous! Le droit au travail!

TOUS : Oui, oui, le droit au travail!

ROUSSELIN : Sans doute, on doit travailler!

HEURTELOT : Et commander de l'ouvrage!

MARCHAIS : Mais si on n'en a pas besoin?

ROUSSELIN : N'importe!

MARCHAIS : Vous attaquez la propriété!

ROUSSELIN : Et quand même?

MARCHAIS, *se précipitant sur l'estrade :* Ah! vous me faites sortir de mon caractère!

ÉLECTEURS, *de droite :* Descendez! descendez!

ÉLECTEURS, *de gauche :* Non! qu'il y reste!

ROUSSELIN : Oui! qu'il demeure! J'admets toutes les contradictions! Je suis pour la liberté! *(Applaudissements à droite. Murmures à gauche; il se retourne vers Marchais.)* Le mot vous choque, Monsieur? c'est que vous n'en comprenez point le sens économique, la valeur... humanitaire! La presse l'a élucidée pourtant! et la presse, — rappelons-le, citoyens, — est un flambeau, une sentinelle qui...

BEAUMESNIL : A la question!

MARCHAIS : Oui, la propriété!

ROUSSELIN : Eh bien! je l'aime comme vous; je suis propriétaire. Vous voyez donc que nous sommes d'accord.

MARCHAIS, *embarrassé :* Cependant... hum!... cependant...

LEDRU : Ah! l'épicier! *(Tout le monde rit.)*

ROUSSELIN : Encore un mot! je vais le convaincre! *(A Marchais.)* On doit, — n'est-il pas vrai, — on doit, autant que possible, démocratiser l'argent, républicaniser le numéraire. Plus il circule, plus il en tombe dans la poche du peuple, et par conséquent dans la vôtre. Pour cela, on a imaginé le crédit.

MARCHAIS : Il ne faut pas trop de crédit!

ROUSSELIN : Parfait! Oh! très bien!

LEDRU : Comment! pas de crédit?

ROUSSELIN, *à Ledru :* Vous avez raison; car si l'on ôte le crédit, plus d'argent! et d'autre part, c'est l'argent qui fait la base du crédit; les deux termes sont corrélatifs! *(Secouant fortement Marchais.)* Comprenez-vous que les deux termes soient corrélatifs? Vous vous taisez? ce silence vous condamne, j'en prends acte!

TOUS : Assez! assez!

Marchais regagne sa place.

ROUSSELIN : Ainsi se trouve résolue, citoyens, l'immense question du travail! En effet, sans propriété, pas de travail! Vous faites travailler parce que vous êtes riche, et sans travail, pas de propriété. Vous travaillez, non seulement pour devenir propriétaires, mais parce que vous l'êtes! Vos œuvres font du capital, vous êtes capitalistes.

L'AGRICULTEUR : Drôles de capitalistes!

MARCHAIS : Vous embrouillez tout!

LEDRU : C'est se ficher du monde!

TOUS : Oui! la clôture! à la porte! la clôture!

LE PRÉSIDENT : Cela devient intolérable! on ne peut plus...

LE GARDE CHAMPÊTRE : Je vais faire évacuer la salle!

ROUSSELIN, *à part, apercevant Murel qui entre :* Murel!

LEDRU : Que le candidat justifie les éloges qu'il a donnés devant moi aux opinions du sieur Bouvigny! *(Aux ouvriers.)* Vous y étiez, vous autres!

ROUSSELIN : Mais... je... je...

LEDRU : Il est perdu!

HEURTELOT : Tendez la gaffe!

VOINCHET : Un médecin! *(Rire général.)*

MUREL : J'étais là aussi, moi! L'honorable M. Rousselin a paru condescendre aux idées de Bouvigny! Il ne s'en cache pas! Il s'en vante!

ROUSSELIN, *fièrement :* Ah!

MUREL : Et c'était précisément à cause des électeurs qui l'entouraient, pour affirmer leurs convictions, en leur faisant voir jusqu'à quel point peut aller dans la tête de certaines personnes...

ROUSSELIN : L'obscurantisme!

MUREL : Effectivement! C'était, dis-je, un procédé de

tactique parlementaire, une ruse... bien légitime, passez-moi l'expression, pour le faire tomber dans le panneau.

HEURTELOT : Oh! oh! trop malin!

LEDRU : Alors, il s'est conduit en saltimbanque.

MUREL : Mais je...

HEURTELOT : Ne le défendez plus!

LEDRU : Et voilà l'homme qui avait promis d'aller calotter le préfet!

ROUSSELIN : Pourquoi pas?

LE GARDE CHAMPÊTRE, *le frappant légèrement sur l'épaule :* Doucement, monsieur Rousselin!

TOUS : Assez! assez! la clôture! la clôture!

Tout le monde se lève. Rousselin fait un geste désespéré, puis se retourne vers le président qui sort.

LE PRÉSIDENT : Une séance peu favorable, cher Monsieur; espérons qu'une autre fois...

ROUSSELIN, *observant Murel :* Murel qui s'en va! *(A Marchais qui passe devant lui.)* Marchais! ah! c'est mal! c'est mal!

MARCHAIS : Que voulez-vous, avec vos opinions!...

Scène III : Rousselin, Onésime, le garçon
de café.

ROUSSELIN, *redescendant :* Oh! mes rêves!... — je n'ai plus qu'à m'enfuir, ou à me jeter à l'eau, maintenant! On va faire des gorges chaudes, me blaguer! *(Considérant les chaises.)* Ils étaient là!... oui! et au lieu de cette foule en délire dont j'écoutais d'avance les trépignements... *(Le garçon de café entre, pour ranger les chaises.)* Ah! fatale ambition, pernicieuse aux rois comme aux particuliers!... et pas moyen de faire un discours! tous mes mots ont raté! Comme je souffre! comme je souffre! *(Au garçon de café.)* Ah! vous pouvez les prendre! je n'en ai plus besoin! *(A part.)* Leur vue me tape sur les nerfs, maintenant!

LE GARÇON DE CAFÉ, *à Onésime, sur l'estrade, et qui se trouve caché par la contrebasse :* Restez-vous là?

ONÉSIME, *timidement :* Monsieur Rousselin!

ROUSSELIN : Ah! Onésime!

ONÉSIME, *s'avançant :* Je voudrais trouver quelque chose de convenable... pour vous dire que je participe aux désagréments.

ROUSSELIN : Merci! merci! Car tout le monde m'abandonne!... jusqu'à Murel!

ONÉSIME : Il vient de sortir avec le clerc de Me Dodart!

ROUSSELIN : Si j'allais le trouver? *(Regardant dehors.)* Il y a encore trop de monde sur la place; et le peuple est capable de se porter sur moi à des excès!...

ONÉSIME : Je ne crois pas!

ROUSSELIN : Cela s'est vu! On peut être outragé, déchiré! Ah! la populace! je comprends Néron!

ONÉSIME : Quand mon père a reçu cette lettre du préfet qui lui enlevait tout espoir, il a été comme vous, bien triste! Cependant il a repris le dessus, à force de philosophie!

ROUSSELIN : Dites-moi, vous qui êtes excellent, vous n'allez pas me tromper?

ONÉSIME : Oh!

ROUSSELIN : Est-ce que Monsieur votre père... *(Se retournant vers le garçon qui remue les chaises.)* Il est irritant, ce garçon-là! Laissez-nous tranquilles! *(Le garçon sort.)* Est-ce que votre père avait autant de voix qu'on le soutient? Il m'a défilé une liste de communes!...

ONÉSIME : Il est toujours sûr de soixante-quatre laboureurs. J'ai vu leurs noms.

ROUSSELIN, *à part* : C'est un chiffre, cela!

ONÉSIME : Mais... j'ai quelque chose pour vous. Une vieille femme, que je ne connais pas, m'a dit comme j'entrais à la séance : « Faites-moi le plaisir de remettre ce billet à M. Rousselin. » *(Il le lui donne.)*

ROUSSELIN : Une drôle de lettre! Voyons un peu! *(Lisant.)* « Une personne qui s'intéresse à vous, croit de son devoir de vous prévenir que Mme Rousselin... » *(Il s'arrête bouleversé.)*

ONÉSIME : Dois-je porter la réponse?

ROUSSELIN, *ricanant convulsivement* : La... la... la réponse?

ONÉSIME : Oui! laquelle?

ROUSSELIN, *furieux* : C'est un coup de pied pour l'imbécile qui fait de pareilles commissions! *(Onésime s'enfuit.)*

Une lettre anonyme, après tout! je suis bien sot de m'en tourmenter! *(Il la froisse et la jette.)* La haine de mes ennemis n'aura donc pas de bornes! Voilà une machination qui dépasse toutes les autres! C'est pour me distraire de la vie politique, pour me gêner dans ma candidature! et on m'attaque jusqu'au fond de l'honneur! Cette infamie-là vient de Gruchet... Sa bonne est sans cesse à rôder autour de la maison... *(Il ramasse la lettre, et lisant.)* « Que votre femme a un amant! » On n'est pas l'amant de ma femme! — Quels sont les hommes qui peuvent être son amant?...

Est-ce assez bête!... Cependant, l'autre soir, sous les quinconces, j'ai entendu un soufflet, presque aussitôt un baiser! J'ai bien vu miss Arabelle! mais sûrement elle n'était pas seule, puisque d'autre part, un soufflet?... Est-ce qu'un insolent se serait permis envers Mme Rousselin?... Oh! elle me l'aurait dit? Et puis, le baiser, dans ce cas-là, eût précédé le soufflet, tandis que j'ai fort bien entendu un soufflet d'abord, et un baiser, ensuite! Bah! n'y pensons plus! j'ai bien d'autres choses! Non! non! tout à mon affaire! *(Il va pour sortir.)*

Scène IV : Rousselin, Gruchet.

GRUCHET : Il n'est pas là, M. Murel?

ROUSSELIN : Vous venez me narguer, sans doute? jouir de ma défaite, ajouter vos persiflages...

GRUCHET : Pas du tout!

ROUSSELIN : Au moins, faut-il se servir d'armes loyales, Monsieur!

GRUCHET : Le droit est de mon côté!

ROUSSELIN : Je sais bien qu'en politique...

GRUCHET : Ce n'est pas la politique qui me fait agir, mais des intérêts plus humbles... M. Murel...

ROUSSELIN : Eh! je me moque de Murel!

GRUCHET : Voilà huit jours qu'il m'échappe, malgré ses promesses. Et il se conduit d'une manière abomi-

nable! Non content de s'être livré sur moi à des violences, — je pouvais le traduire en justice; je n'ai pas voulu, par respect du monde et considération pour l'industrie...

ROUSSELIN : Plus vite, je vous prie!

GRUCHET : M. Murel s'est engagé, en arrivant ici, dans des opérations de Bourse, qui furent d'abord heureuses; et il a si bien fait... que... une première fois, je lui ai prêté dix mille francs. Oh! il me les a rendus, et même avec des bénéfices! Deux mois plus tard, autre prêt de cinq mille! Mais la chance avait tourné. Une troisième fois...

ROUSSELIN : Est-ce que ça me regarde?

GRUCHET : Bref, il me doit actuellement trente mille deux cent vingt-six francs, et quinze centimes!

ROUSSELIN, *à part* : Ah! c'est bon à savoir!

GRUCHET : Ce jeune homme a abusé de ma candeur! Il me leurrait avec la perspective d'une belle affaire, un riche mariage.

ROUSSELIN, *à part* : Coquin!

GRUCHET : Par sa faute, je me trouve sans argent. Depuis quelque temps, j'en ai tellement dépensé! *(Il soupire.)* Et, puisque vous êtes son ami, arrangez-vous, priez-le, pour qu'il me rende ce qui m'appartient.

ROUSSELIN : Me demander cela, vous, mon rival!

GRUCHET : Je n'ai pas fait le serment de l'être toujours! J'ai du cœur, monsieur Rousselin; je sais reconnaître les bons offices!

ROUSSELIN : Comment! lorsque je possède une reconnaissance de six mille francs, prêtés autrefois pour commencer vos affaires, et dont les intérêts, depuis l'époque, montent à plus de vingt mille!

GRUCHET : C'est même où je voulais en venir. Donnant, donnant!

ROUSSELIN : Je n'y suis plus du tout!

GRUCHET : Songez donc que beaucoup de personnes dépendent de moi, et que j'ai, sans qu'il y paraisse, pas mal d'influence! Si vous me remettiez le papier en question, on pourrait s'entendre.

ROUSSELIN : Sur quoi?

GRUCHET : Je lâcherais les électeurs.

ROUSSELIN : Et si je ne suis pas nommé?... Je perds mon argent!

GRUCHET : Vous êtes trop modeste!

ROUSSELIN : Hein?

GRUCHET : A votre guise! Jusqu'à la dernière minute, il sera temps! Mais je vous répète que vous avez tort! *(Il se dirige vers la gauche.)*

ROUSSELIN : Où allez-vous donc par là?

GRUCHET : Dans ce cabinet, où mon ami Julien doit être à travailler sur le procès-verbal de la séance. Je vous assure que vous avez tort!

Scène V : Rousselin, puis Murel.

ROUSSELIN : Est-ce un piège, ou serait-ce la vérité? Quant à Murel, c'est un sauteur qui faisait tout bonnement une spéculation. Oh! je m'en doutais un peu! Mais à présent, je ne vois pas pourquoi je me gênerais; il a perdu son crédit sur le peuple, et ma foi... *(Il sort.)*

MUREL, *entre joyeux :* Pardon de vous avoir quitté si vite! Je viens de chez Dodart. Quel événement, mon cher! Un bonheur!...

ROUSSELIN : Ah! vous en faites de belles! Je suis obligé de recevoir vos créanciers. Gruchet exige trente mille francs!

MUREL : La semaine prochaine, il les aura!

ROUSSELIN : Encore vos forfanteries! Jamais vous ne doutez de rien!... De même pour ma candidature! On n'est pas en vérité moins habile; et vous auriez dû plutôt...

MUREL : Soutenir Gruchet, n'est-ce pas?

ROUSSELIN : C'est tout comme! L'*Impartial*, depuis huit jours, n'a rien fait.

MUREL : J'étais en voyage; et je suis revenu sans même attendre...

ROUSSELIN : Mauvaise excuse!

MUREL : La réclamation de Gruchet est une vengeance. Je me perds à cause de vous; heureusement que...

ROUSSELIN : Quoi donc!

MUREL : Vous m'avez, en quelque sorte, promis la main de votre fille...

ROUSSELIN : Oh! oh! entendons-nous!

MUREL : Mais vous ne savez donc pas que je viens d'hériter!

ROUSSELIN : De votre tante, peut-être?

MUREL : Certainement!

ROUSSELIN : La plaisanterie est rebattue.

MUREL : Je vous jure que ma tante est morte!

ROUSSELIN : Eh bien, enterrez-la, et ne me bernez pas avec vos histoires d'héritage.

MUREL : Rien de plus vrai! Seulement comme la pauvre femme a trépassé depuis mon départ, on cherche si quelquefois un autre testament...

ROUSSELIN : Ah! il y a des *si!* Eh bien, mon cher, moi, j'aime les gens sûrs des choses qu'ils disent et entreprennent.

MUREL : Monsieur Rousselin, vous oubliez trop ce que je puis faire pour vous!

ROUSSELIN : Pas grand'chose! Les ouvriers ne vous écoutent plus!

MUREL : Vraiment! Parce qu'il y a cinq ou six braillards peut-être... des hommes que j'avais renvoyés de ma fabrique... Mais tous les autres!

ROUSSELIN : Pourquoi ne sont-ils pas venus?

MUREL : Comment les amener, étant absent?

ROUSSELIN, *à part :* Cela, c'est une raison.

MUREL : Vous ne connaissez pas leur humeur; et je parie que d'ici à dimanche prochain, si je voulais, j'aurais le temps... Mais non, je ne m'en mêle plus... et... je recommanderai Gruchet.

ROUSSELIN, *à part :* Il me fait des menaces!... Est-ce que j'aurais encore des chances? *(Haut.)* Ainsi, vous croyez... que l'effet de la réunion... n'a pas été absolument mauvais?

MUREL : Ah! vous avez blessé le peuple!

ROUSSELIN : Mais j'en suis, du peuple! Mon père était un modeste travailleur. Voilà ce qu'il faut leur dire, mon bon Murel, et j'ai souffert pour eux, car le Gou-

vernement a mis la main sur moi, là, tout à l'heure! Retournez à la filature.

MUREL : Mais écoutez!... j'apporte... — on n'attend plus que le certificat de décès de mon cousin... —

ROUSSELIN : Faites-leur comprendre!...

MUREL : Premièrement, une ferme!

Scène VI : les mêmes,
Mme Rousselin, Louise.

MADAME ROUSSELIN, *à la cantonade :* Louise, suis-moi donc! Qu'as-tu à regarder partout? *(A son mari.)* Ah! je te trouve enfin; j'étais inquiète. S'il y a du bon sens!

ROUSSELIN : Je ne pouvais pas...

LOUISE, *apercevant Murel :* Mon ami!

MUREL : Louise!

MADAME ROUSSELIN, *scandalisée :* Que signifie? Est-ce une tenue pour une jeune personne? Et vous même, Monsieur, une pareille familiarité!...

MUREL : Mon Dieu, Madame, M. Rousselin pourra vous dire...

MADAME ROUSSELIN : Je suis curieuse, en effet, de voir par quelles raisons, ma fille...

ROUSSELIN : Ma chérie, d'abord tu comprendras...

LOUISE, *à Murel, à part :* C'est moi qui ai poussé ma mère à venir; je vous savais ici; pas d'autre moyen!...

MUREL, *de même :* Il faut brusquer tout; je vous dirai pourquoi. *(S'avançant vers M. et Mme Rousselin.)* Madame, bien qu'on ait l'habitude d'employer pour de telles démarches des intermédiaires, je m'en passe forcément, et je vous prie de m'accorder en mariage Mlle Louise.

MADAME ROUSSELIN : Monsieur, mais Monsieur! on ne prend pas les gens...

MUREL, *vite :* Ma nouvelle position de fortune me permet...

ROUSSELIN : Ah! il faut voir!

MADAME ROUSSELIN : Cela est si en dehors des procédés ordinaires...

LOUISE, *souriant :* Oh! maman!

MADAME ROUSSELIN : Et cette inconvenance, dans un endroit public!

Julien entre par la porte de gauche.

Scène VII : les mêmes, Julien.

JULIEN, *à Rousselin :* Je viens, Monsieur, me mettre à votre disposition.

ROUSSELIN : Vous?

JULIEN : Oui, moi, absolument!

MUREL, *à part :* Qui l'amène?

JULIEN : Mon journal ayant une autorité de vieille date dans le pays, je peux vous être utile.

ROUSSELIN, *ébahi :* Mais Murel?

JULIEN : J'ai entendu à travers cette cloison tout ce qui s'est passé à la séance; et il m'est facile d'en faire un compte rendu favorable *(désignant Murel)*, avec la permission, toutefois, de mon chef.

MUREL : Parbleu! depuis assez longtemps!...

ROUSSELIN : Comment vous exprimer...

MADAME ROUSSELIN, *bas à son mari :* Tu vois que j'ai réussi, hein? *(Bas à Julien.)* Je vous remercie.

JULIEN, *de même :* Vos yeux me soutenaient! c'est fait!

ROUSSELIN, *à sa femme :* Il est charmant! — Défendu par vous, qui êtes un polémiste!...

MUREL : Un talent flexible, clair, pittoresque!

ROUSSELIN : Je crois bien!

MUREL : Et d'une violence quand il veut s'en donner la peine! *(Bas, à Julien.)* Dites que l'idée vient de moi; vous m'obligerez.

JULIEN : Malgré les arguments de notre ami Murel, — car il vous prône avec une ardeur!... — je demeurais dans mon obstination *(regardant Mme Rousselin)* mais tout à coup, comme éclairé par une lumière, et obéissant à une voix, j'ai vu, j'ai compris.

ROUSSELIN : Ah! cher Monsieur, je suis pénétré de reconnaissance!

JULIEN, *bas, à Mme Rousselin :* Quand vous reverrai-je?

MADAME ROUSSELIN, *de même :* Je vous le ferai savoir.

ROUSSELIN, *à Julien :* Par exemple, je ne sais pas comment vous vous y prendrez!

JULIEN, *gaiement :* Ceci est mon affaire!

ROUSSELIN, *à sa femme :* Prie donc M. Julien de venir ce soir dîner chez nous, en famille.

MADAME ROUSSELIN, *faisant une révérence :* Mais certainement, avec le plus grand plaisir.

JULIEN, *saluant :* Madame!

ACTE QUATRE

Le cabinet de Rousselin. Au fond, une large ouverture avec la campagne à l'horizon. Plusieurs portes. A gauche, un bureau sur lequel se trouve une pendule.

Scène I : Pierre, puis le garde champêtre, puis Félicité.

PIERRE, *à la cantonade, d'une voix très haute :* François, allez prendre dans le char à bancs huit messieurs à Saint-Léonard, et vous ne refermerez pas la grille! — Il faut qu'Elisabeth porte encore des bulletins. — Vous n'oublierez pas, en revenant, le papetier pour les cartes de visite.

Entre un commissionnaire qui halète sous un ballot de journaux.

C'est lourd, hein? mon brave... Mettez cela ici; bon! *(L'homme dépose son ballot par terre, près d'un autre beaucoup plus grand.)* Et descendez vous rafraîchir à la cuisine. On y boit du champagne dans des pots à confitures; rien ne coûte, vu la circonstance!

Ce soir, l'élection, et la semaine prochaine, Paris! Voilà assez longtemps que j'en rêve le séjour, principalement pour les huîtres et le bal de l'Opéra! *(Considérant les deux tas de journaux.)* L'article de M. Julien, encore! A qui en distribuer! Tout le monde en a, sans exagération, au moins trois exemplaires! Et il nous en reste!... N'importe! à l'ouvrage!

Il commence à diviser le tas par petits paquets. Entre le garde champêtre.

Ah! père Morin, aujourd'hui vous êtes en retard!

LE GARDE CHAMPÊTRE : C'est qu'il y a eu, chez M. Murel, une espèce d'émeute; les ouvriers maintenant sont contre lui [on parle même de faire venir de la troupe [1]]. Ah! ça ne va pas! ça ne va pas! *(Il se met à aider Pierre. Entre Félicité.)*

PIERRE : Tiens, Félicité! Bonjour, madame Gruchet.

FÉLICITÉ : Malhonnête!

PIERRE : Je vous croyais fâchée depuis que votre maître nous fait concurrence?

FÉLICITÉ, *sèchement :* Ça ne me regarde pas!... J'ai une commission pour le vôtre.

PIERRE : Il est sorti.

FÉLICITÉ : Mais il rentrera pour déjeuner?

PIERRE : Est-ce qu'on déjeune! Est-ce qu'on a le temps! Monsieur du matin au soir n'arrête pas, Madame porte des secours à domicile, et Mademoiselle, avec un grand tablier, distribue des potages aux pauvres!

FÉLICITÉ : Et l'institutrice?

PIERRE : Oh! plus gnian-gnian que jamais! *(Au garde champêtre.)* Non! comme cela! *(Pliant un journal.)* C'est Monsieur qui m'a appris, de manière à ce que l'on voie, du premier coup d'œil, l'article.

LE GARDE CHAMPÊTRE : Il cause dans l'arrondissement une agitation!...

PIERRE : Pour être tapé, il l'est.

FÉLICITÉ : En attendant, n'y aurait-il pas moyen de lui dire un mot, à votre Anglaise?

PIERRE, *désignant la porte de gauche :* Sa chambre est par là, au fond du corridor, à droite.

FÉLICITÉ : Oh! je sais. *(Elle se dirige vers la porte.)*

PIERRE : Notre patron!

Scène II : les mêmes, Rousselin.

ROUSSELIN, *en entrant, presse chaleureusement la main de Pierre :* Mon cher ami...

PIERRE, *étonné :* Mais, Monsieur?...

ROUSSELIN : Une distraction, c'est vrai! L'habitude de donner au premier venu des poignées de main est plus forte que moi... J'en ai la paume enflée. *(Au garde champêtre.)* Ah! très bien! *(Lui glissant de l'argent d'une manière discrète.)* Merci!... et... ne craignez pas... si jamais vous aviez besoin...

LE GARDE CHAMPÊTRE, *avec un geste pour le rassurer :* Oh! *(Il sort avec Pierre qui l'aide à porter les journaux.)*

ROUSSELIN : Il enfonce toutes les objections, l'article! — démontrant fort bien qu'il est absurde d'avoir des opinions arrêtées d'avance, et que ma conduite par là est plus sage et plus loyale. Il vante mes lumières administratives; il dit même que j'ai fait mon droit. — J'ai poussé jusqu'au premier examen. — Et avec des tournures de style!... — C'est pourtant à ma femme que je dois cela!

FÉLICITÉ, *s'avançant, et lui remettant une lettre :* De la part de M. Gruchet!

1. Supprimé par la Censure.

ROUSSELIN : Ah! *(Lisant.)* « La quittance, et je me désiste. Vous pouvez la confier à ma bonne. » Diable! Voilà ce qu'on appelle vous mettre le couteau sur la gorge!

Mais, s'il se retire, pas d'autre concurrent, et je suis nommé! Mon Dieu, oui! C'est bien clair! La somme est lourde, cependant, et je n'aurai plus contre lui aucun moyen... Eh! quand il sera élu, belle avance! Pour six mille francs, dont je ne parlais pas, que j'avais oubliés... A quoi me serviraient-ils? Bah! on n'a rien sans sacrifice! *(Il ouvre son bureau.)* Tenez! *(Donnant un petit papier à Félicité.)* Dépêchez-vous! votre maître attend!

FÉLICITÉ : Merci, Monsieur! *(Elle sort.)*

ROUSSELIN : La démission est tardive! Bah! le scrutin ne fait que d'ouvrir, et quand j'y perdrais quelques voix...

Scène III : Rousselin, Murel, Dodart.

MUREL : Ah! maintenant vous me croirez. Je vous amène le notaire, avec toutes ses preuves.

DODART : Voici les actes de l'état civil, et l'extrait d'inventaire établissant les droits et qualités de mon client à la succession de Mme veuve Murel de Montélimart, sa tante.

ROUSSELIN : Mes compliments!

MUREL : Ainsi, rien ne s'oppose plus à ce que...

ROUSSELIN : Quoi? qu'est-ce que vous dites?

MUREL : Mon mariage?

ROUSSELIN : Et comment voulez-vous que dans un jour pareil?

MUREL : Sans doute! Cependant, sans rien décider, on pourrait convenir...

ROUSSELIN, *à Dodart :* Savez-vous quelque chose de nouveau? On ne vous a pas dit, par hasard, que Gruchet...

MUREL : Mon cher, il me semble que vous pourriez accorder plus d'attention...

ROUSSELIN : Non! pas de bavardage! Vous feriez mieux de ne pas quitter vos hommes; le bruit court même qu'ils se disposent...

MUREL : Mais j'ai amené exprès Dodart!

ROUSSELIN : Allez-vous-en! Nous causerons ensemble de votre affaire!

MUREL : Vous consentez, alors? c'est bien sûr?

ROUSSELIN : Oui! mais ne perdez pas de temps!

MUREL, *sortant vivement :* Ah! comptez sur moi! Quand je devrais leur donner de ma bourse une augmentation!... *(Il sort.)*

Scène IV : Rousselin, Dodart, puis Marchais, puis Pierre, puis Arabelle.

ROUSSELIN : Un bon enfant, ce Murel!

DODART : Néanmoins, il se trompe! Les ouvriers maintenant se moquent de lui! Quant à sa fortune, par exemple...

MARCHAIS : Serviteur! M. de Bouvigny m'envoie chercher votre réponse.

ROUSSELIN : Comment?

MARCHAIS : La réponse à la chose que M. Dodart vous a communiquée?

DODART, *se frappant le front :* Quelle étourderie! la première, peut-être, qui m'arrive dans la carrière du notariat!

MARCHAIS, *à Rousselin :* Et il demande un mot d'écrit.

ROUSSELIN : Mais?...

DODART, *à Rousselin :* Je vais vous dire. *(A Marchais.)* Patientez quelques minutes dans la cour, n'est-ce pas? *(Marchais sort.)* M. de Bouvigny est donc venu, il y a trois jours, m'affirmer encore une fois qu'il tenait à votre alliance...

ROUSSELIN : Je le sais.

DODART : Et que si vous vouliez, — dame! on se sert des moyens que l'on a, on utilise les armes que l'on possède! Ce n'est peut-être pas toujours extrêmement bien... mais...

ROUSSELIN : Ah! vous avez une façon de parler!...

DODART : Sans l'affaire de Murel, qui est tombée dans mon étude, et qui a pris tous mes instants, je serais vite accouru.

ROUSSELIN : Au fait, je vous en prie!

DODART : Si vous accordez votre fille à son fils, il est sûr, entendez-vous, le comte m'a dit qu'il était sûr de vous faire élire, ne serait-ce qu'en amenant aux urnes soixante-quatre laboureurs.

ROUSSELIN : Cet envoi de Marchais est une sommation?

DODART : Absolument.

ROUSSELIN : Eh bien?... et Murel!

DODART : En effet, vous venez de lui promettre.

ROUSSELIN : Lui ai-je promis?...

DODART : Oh! légèrement!

ROUSSELIN : Pour ainsi dire, presque pas!... Cependant... Enfin, que me conseillez-vous?

DODART : C'est grave! très grave! Des liens d'amitié, des rapports d'intérêt même m'attachent à M. de Bouvigny, et je serais enchanté pour moi... D'autre part, je ne vous cache pas que M. Murel maintenant... *(A part.)* Un contrat! *(Haut.)* C'est à vous de réfléchir, de voir, de peser les considérations! D'un côté le nom, de l'autre la fortune. Certainement, Murel devient un parti. Cependant le jeune Onésime...

ROUSSELIN : Que faire? Eh! ma femme que j'oubliais! D'ailleurs je ne peux pas agir sans sa volonté. *(Il sonne.)* Tout le monde est donc mort aujourd'hui! *(Il crie.)* Ma femme! Pierre! *(A Pierre qui entre.)* Dites à Madame que j'ai besoin d'elle!

PIERRE : Madame n'est pas dans la maison!

ROUSSELIN : Voyez au jardin! *(Pierre sort.)* Elle découvrira un expédient; elle est quelquefois d'un tact...

DODART : En de certaines circonstances, je consulte, comme vous, mon épouse; et je dois lui rendre cette justice...

PIERRE *rentre :* Monsieur, je n'ai pas vu Madame!

ROUSSELIN : N'importe! trouvez-la!

PIERRE : La cuisinière suppose que Madame est sortie depuis longtemps.

ROUSSELIN : Pour où aller?

PIERRE : Elle ne l'a pas dit!

ROUSSELIN : Vous en êtes sûr?

PIERRE : Oh! *(Il sort.)*

ROUSSELIN : C'est extraordinaire! jamais de sa vie!...

ARABELLE, *entrant fort émue :* Monsieur! Monsieur! il faut que je vous parle! écoutez-moi! une chose importante! oh! très sérieuse, Monsieur!

DODART : Dois-je me retirer, Mademoiselle? *(Signe affirmatif d'Arabelle; il sort.)*

Scène V : Rousselin, Miss Arabelle.

ROUSSELIN : Que me voulez-vous? dépêchons!

MISS ARABELLE : Mon Dieu, Monsieur, pardonnez-moi si j'ose... c'est dans votre intérêt! L'absence de Madame paraît vous... contrarier? et je crois pouvoir...

ROUSSELIN : Est-ce que par hasard?...

MISS ARABELLE : Oui, Monsieur, le hasard précisément! — Votre femme est avec M. Julien!

ROUSSELIN, *abasourdi :* Comment?... *(Puis tout à coup.)* Sans doute! pour mon élection!

MISS ARABELLE : Je ne crois pas! car je les ai rencontrés à la Croix bleue, entrant dans le petit pavillon, — vous savez, le rendez-vous de chasse, — et j'ai entendu cette phrase de M. Julien, — sans la comprendre peut-être, malgré l'explication que cherchait à m'en donner M. Gruchet, à qui j'en parlais tout à l'heure, et qui, lui, avait l'air de comprendre mieux que moi : « J'en sortirai avant vous, et pour vous faire connaître si vous pouvez rentrer sans crainte, j'agiterai, derrière moi, mon mouchoir! »

ROUSSELIN : Impossible!!... des preuves, miss Arabelle! J'exige des preuves!

Scène VI : les mêmes, Dodart, puis Louise.

DODART, *entre vivement :* Marchais ne veut plus attendre! Du haut de votre vignot dans le parc, il croit même apercevoir M. de Bouvigny qui descend la côte, au milieu d'une grande foule!

ROUSSELIN : Les soixante-quatre laboureurs!

DODART : Le comte peut les faire voter pour Gruchet!

ROUSSELIN : Eh! non! puisque Gruchet... après tout, ce misérable-là!... on ne sait pas!

DODART : Ou mettre des bulletins blancs!

ROUSSELIN : C'est assez pour me perdre!

DODART : Et l'heure avance!

ROUSSELIN, *regardant la pendule :* D'un quart sur la Mairie, heureusement! Que Marchais retourne vers le comte, le supplier, pour qu'il m'accorde au moins... Où est Louise? Miss Arabelle, appelez Louise! *(Arabelle sort.)* Comment la convaincre?

DODART : Si vous pensez que mon intervention...

ROUSSELIN : Non! ça la blesserait! Tenez-vous en bas, et dès que j'aurai son consentement... Mais Bouvigny demande une lettre! Est-ce que je pourrai jamais...

DODART : La parole d'honneur suffira. Et puis, je reviendrai vous dire...

ROUSSELIN : Eh! vous n'aurez pas le temps! A 4 heures, le scrutin ferme. Courez vite!

DODART : Alors, j'irai tout de suite à la Mairie...

ROUSSELIN : Que je voudrais y être, pour savoir plus tôt...

DODART : Ce sera vite fait!

ROUSSELIN : Eh! avec votre lenteur...

DODART : En cas de succès, je vous ferai de loin un signal.

ROUSSELIN : Convenu!

LOUISE, *entrant :* Tu m'as fait demander?

ROUSSELIN : Oui, mon enfant *(A Dodart.)* Allez vite, cher ami!

DODART, *indiquant Louise :* Il faut bien que j'attende la décision de Mademoiselle!

ROUSSELIN : Ah! c'est vrai! *(Dodart sort.)*

Scène VII : Rousselin, Louise.

ROUSSELIN : Louise! tu aimes ton père, n'est-ce pas?

LOUISE : Oh! cette question!

ROUSSELIN : Et tu ferais tout pour lui...

LOUISE : Tout ce qu'on voudrait!

ROUSSELIN : Eh bien, écoute-moi. Dans les existences les plus tranquilles, des catastrophes surviennent. Un honnête homme, quelquefois, se laisse aller à des égarements. Supposons, par exemple, — c'est une supposition, pas autre chose, — que j'aie commis une de ces actions, et que pour me tirer de là...

LOUISE : Mais vous me faites peur!

ROUSSELIN : N'aie pas peur, ma mignonne! C'est moins grave! Enfin, si on te demandait un sacrifice, tu te résignerais!... ce n'est pas un sacrifice que je demande, une concession, seulement! Elle te sera facile! Les rapports entre vous sont nouveaux! Il faudrait donc, ma pauvre chérie, ne plus songer à Murel!

LOUISE : Mais je l'aime!

ROUSSELIN : Comment! Tu t'es laissé prendre à ses manières, à tous les embarras qu'il fait?

LOUISE : Moi! je lui trouve très bon genre!

ROUSSELIN : Et puis, je ne peux pas donner de détails, mais, entre nous, il a des mœurs!...

LOUISE : Ce n'est pas vrai!

ROUSSELIN : Cousu de dettes! Au premier jour, on le verra décamper!

LOUISE : Pourquoi? Maintenant il est riche!

ROUSSELIN : Ah! si tu tiens à la fortune, je n'ai rien à dire. Je te croyais des sentiments plus nobles!

LOUISE : Mais, le premier jour, je l'ai aimé!

ROUSSELIN : Tu as ton petit amour-propre aussi, toi! avoue-le! Tu ne dédaignes pas le flafla, tout ce qui brille, les titres; et tu serais bien aise, à Paris, — quand je vais être député, — de faire partie du grand monde, de fréquenter le faubourg Saint-Germain... Veux-tu être comtesse?

LOUISE : Moi?

ROUSSELIN : Oui, en épousant Onésime.

LOUISE [1] : Jamais de la vie! un sot qui ne fait que regarder la pointe de ses bottines, dont on ne voudrait pas pour valet de chambre, incapable de dire deux mots! Et j'aurais de charmantes belles-sœurs! Elles ne savent pas l'orthographe! et un joli beau-père! qui ressemble à un fermier. Avec tout cela un orgueil, et une manière de s'habiller! elles portent des gants de bourre de soie!

ROUSSELIN : Tu es bien injuste! Onésime, au fond, a beaucoup plus d'instruction que tu ne penses. Il a été élevé par un ecclésiastique éminent [2], et la famille remonte au XIIe siècle. Tu peux voir dans le vestibule un arbre généalogique. Pour ces dames, parbleu, ce ne sont pas des lionnes... mais enfin!... et quant à M. Bouvigny, on n'a pas plus de loyauté, de...

LOUISE : Mais vous le déchiriez depuis la candidature; et il vous le rendait. Ce n'est pas comme Murel, qui vous a défendu, celui-là! Il vous défend encore! Et c'est lui que vous me dites d'oublier! Je n'y comprends rien! Qu'est-ce qu'il y a?

ROUSSELIN : Je ne peux pas t'expliquer; mais pourquoi voudrais-je ton malheur? Doutes-tu de ma tendresse, de mon bon sens, de mon esprit? Je connais le monde, va! Je sais ce qui te convient! Tu ne nous quitteras pas! Vous vivrez chez nous! Rien ne sera changé! Je t'en prie, ma Louise chérie, tâche!

LOUISE : Ah! vous me torturez!

ROUSSELIN : Ce n'est pas un ordre, mais une supplication! *(Il se met à genoux.)* Sauve-moi!

LOUISE, *la main sur son cœur :* Non! je ne peux pas!

ROUSSELIN, *avec désespoir :* Tu te reprocheras, bientôt, d'avoir tué ton père!

LOUISE, *se levant :* Ah! faites comme vous voudrez, mon Dieu! *(Elle sort.)*

ROUSSELIN, *courant au fond :* Dodart, ma parole d'honneur! vivement! *(Il redescend.)* — Voilà de ces choses qui sont pénibles! Pauvre petite! Après tout, pourquoi n'aimerait-elle pas ce mari-là? Il est aussi bien qu'un autre! Il sera même plus facile à conduire que Murel. Non, je n'ai pas mal fait, tout le monde sera content, car il plaît à ma femme!... Ma femme!... Ah! encore! C'est ce serpent d'Arabelle avec ses inventions!... Malgré moi... je...

Scène VIII : Rousselin, et successivement Voinchet, Hombourg, Beaumesnil, Ledru.

ROUSSELIN, *apercevant Voinchet :* Vous n'êtes pas à voter, vous?

VOINCHET : Tout à l'heure! Nous sommes quinze de Bonneval qui s'attendent au Café Français, pour aller de là tous ensemble à la Mairie!

ROUSSELIN, *d'un air gracieux :* En quoi puis-je vous être utile?

VOINCHET : L'ingénieur vient de m'apprendre que le chemin de fer passera décidément par Saint-Mathieu! J'avais donc acheté, tout exprès, un terrain; et pour en

avoir une indemnité plus forte, j'avais même créé une pépinière! Si bien que me voilà dans l'embarras. Je veux changer d'industrie; et comment me défaire, tout de suite, d'environ cinq cents bergamottes, huit cents passe-colmar, trois cents empereurs de la Chine, plus de cent soixante pigeons?

ROUSSELIN : Je n'y peux rien!

VOINCHET : Pardon! Comme vous avez derrière votre parc un sol excellent, — rien que du terreau, — à raison de trente sous l'un dans l'autre, je vous céderais avec facilité...

ROUSSELIN, *le reconduisant :* Bien! bien! Nous verrons plus tard!

VOINCHET : Le marché est fait, n'est-ce pas? Vous recevrez demain la première voiture! Oh! ça ira! Je vais rejoindre les amis! *(Il sort par le fond.)*

HOMBOURG, *entrant par la gauche :* Il n'y a pas à dire, monsieur Rousselin! il faut que vous me preniez...

ROUSSELIN : Mais je les ai, vos alezans! Depuis trois jours ils sont dans mon écurie!

HOMBOURG : C'est leur place! Mais pour les charrois, les gros ouvrages, M. Bouvigny (vous le battrez toujours, celui-là) m'avait refusé une forte jument! qui n'est pas une affaire, — quarante pistoles!

ROUSSELIN : Vous voulez que je l'achète?

HOMBOURG : Ça me ferait plaisir.

ROUSSELIN : Eh bien, soit!

HOMBOURG : Faites excuse, monsieur Rousselin, mais... est-ce trop vous demander que... un petit acompte sur les alezans, ou le reste, à votre idée?...

ROUSSELIN : Non! *(Il ouvre son bureau, et en tirant à lui un des tiroirs.)* A la Mairie, où en sommes-nous?

HOMBOURG : Oh! ça va bien!

ROUSSELIN : Vous y avez été?

HOMBOURG : Parbleu!

ROUSSELIN, *à part, en repoussant le tiroir :* Alors, rien ne presse!

HOMBOURG, *qui a vu le mouvement :* C'est-à-dire que j'y ai été... pour prendre ma carte. J'ai même le temps tout juste! *(Rousselin ouvre de nouveau son tiroir et donne de l'argent.)* Merci de votre obligeance! *(Fausse sortie.)* Vous devriez faire un coup, monsieur Rousselin; j'ai un bidet cauchois...

ROUSSELIN : Oh! assez!

HOMBOURG : Etant un peu rafraîchi, ça ferait un poney pour Mademoiselle.

ROUSSELIN, *à part :* Pauvre Louise!

HOMBOURG : Quelque chose de coquet, enfin, une distraction!

ROUSSELIN, *soupirant :* Oui! je prendrai le poney! *(Hombourg sort par la gauche.)*

BEAUMESNIL, *sur le seuil de la porte, à droite :* Deux mots seulement; je vous amène mon fils.

ROUSSELIN : Pourquoi faire?

BEAUMESNIL : Il est dans la cour, où il s'amuse avec le chien. Voulez-vous le voir? C'est celui dont je vous avais parlé, relativement à une bourse. Nous l'espérons, d'ici à peu.

ROUSSELIN : Je ferai tout mon possible, certainement!

---

1. La Censure a supprimé dans cette réplique les phrases suivantes : *... dont on ne voudrait pas pour valet de chambre...; ... elles ne savent pas l'orthographe.*

2. La Censure avait remplacé ce mot par *parfaitement.*

BEAUMESNIL : Ces marmots-là coûtent si cher! Et j'en ai sept, Monsieur, forts comme des Turcs!

ROUSSELIN, *à part :* Oh!

BEAUMESNIL : A preuve que son maître de pension me réclame deux trimestres;... et bien que la démarche... soit humiliante, si vous pouviez m'avancer...

ROUSSELIN, *ouvrant le tiroir :* Combien les trimestres?

BEAUMESNIL *exhibe un long papier :* Voilà! *(Il en donne un autre.)* Il y a, de plus, quelques fournitures! *(Rousselin donne de l'argent.)* Je cours vite rapporter chez moi cette bonne nouvelle. Franchement, j'étais venu exprès.

ROUSSELIN : Comment! et mon élection?

BEAUMESNIL : Je croyais que c'était pour demain. Je vis tellement renfermé dans ma famille, dans mon petit cercle! Mais je me rends à mes devoirs, tout de suite! tout de suite! *(Il sort par la droite.)*

LEDRU, *entrant par le fond :* Fameux! C'est comme si vous étiez nommé!

ROUSSELIN : Ah!

LEDRU : Gruchet se retire. On le sait depuis deux heures. Il a raison, c'est prudent! Pour dire le vrai, je l'ai, en dessous, pas mal démoli; et vous devriez reconnaître mon amitié, en tâchant de me faire avoir... *(Il montre sa boutonnière.)*

ROUSSELIN, *bas :* Le ruban?

LEDRU, *très haut :* Si je ne le méritais pas, je ne dirais rien! mais nom d'un nom!... Ah! je vous trouve assez froid, monsieur Rousselin.

ROUSSELIN : Mais, cher ami, je ne suis pas encore ministre!

LEDRU : N'importe! J'ai derrière moi vingt-cinq hommes, des gaillards, — Heurtelot en tête, avec des ouvriers de Murel, — qui sont maintenant sous les halles à faire une partie de bouchon. Je leur ai dit que j'allais vous proposer un accommodement, et ils m'attendent pour se décider. Or, je vous préviens que si vous ne me jurez pas de m'obtenir la croix d'honneur!

ROUSSELIN : Eh! je vous en achèterai quatre d'étrangères!

LEDRU : Au pas de course, alors! *(Il sort vivement.)*

Scène IX : Rousselin, seul, regardant au fond.

Il aura le temps! on a encore cinq minutes! Dans cinq minutes le scrutin ferme, et alors?...

Je ne rêve donc pas! C'est bien vrai! je pourrais le devenir! Oh! circuler dans les bureaux, se dire membre d'une commission, être choisi quelquefois comme rapporteur, ne parler toujours que budget, amendements, sous-amendements, et participer à un tas de choses... d'une conséquence infinie! Et chaque matin je verrai mon nom imprimé dans tous les journaux, même dans ceux dont je ne connais pas la langue!

Le jeu! la chasse! les femmes! est-ce qu'on aime quelque chose comme ça? Mais pour l'obtenir, je donnerais ma fortune, mon sang, tout! Oui! j'ai bien donné ma fille! ma pauvre fille! *(Il pleure.)* J'ai des remords maintenant; car je ne saurai jamais si Bouvigny a tenu parole. On ne signe pas les votes!

Quatre heures sonnent.

C'est fait! On dépouille le scrutin; ce sera vite fini! A quoi vais-je m'occuper pendant ce temps-là? Quelques intimes, quand ce ne serait que Murel qui est si actif, devraient être ici pour m'apprendre les premiers bulletins!

Oh! les hommes! dévouez-vous donc pour eux! Si le pays ne me nomme pas... Eh bien, tant pis! qu'il en trouve d'autres! J'aurai fait mon devoir! *(Il trépigne.)* Mais arrivez donc! arrivez donc! Ils sont tous contre moi, les misérables! C'est à en mourir! Ma tête se prend, je n'y tiens plus! J'ai envie de casser mes meubles!

Scène X : Rousselin, un mendiant aveugle, qui joue de la vielle.

ROUSSELIN : Ah! ce n'est pas un électeur, celui-là? On peut le bousculer! Qui vous a permis...

LE MENDIANT : La maison est ouverte; et des camarades m'ont dit qu'on y faisait du bien à tout le monde, mon cher monsieur Rousselin du bon Dieu! On ne parle que de vous! Donnez-moi quelque chose! Ça vous portera bonheur!

ROUSSELIN, *à lui-même :* Ça me portera bonheur! *(Il met deux doigts dans la poche de son gilet, rêvant.)* L'aumône, faite en des circonstances suprêmes, a peut-être une puissance que l'on ne sait pas? et j'aurais dû, ce matin, entrer dans une église!...

LE MENDIANT, *faisant aller la vielle :* La charité, s'il vous plaît!

ROUSSELIN, *ayant palpé ses poches :* Eh! je n'ai plus d'argent sur moi!

LE MENDIANT, *jouant toujours :* Quelque chose, s'il vous plaît?

ROUSSELIN, *fouillant les tiroirs de son bureau :* Non! pas un sou! pas un liard! J'ai tant donné depuis ce matin! Cet instrument m'agace! Ah! je trouverai bien un peu de monnaie qui traîne.

LE MENDIANT : La charité, s'il vous plaît! Vous qu'on dit si riche! C'est pour avoir du pain! Ah! que je suis faible! *(Près de tomber, il se soutient à la porte.)*

ROUSSELIN, *découragé :* Je ne peux pas battre un aveugle!

LE MENDIANT : La moindre des choses! je prierai le bon Dieu pour vous!

ROUSSELIN, *arrachant sa montre de son gousset :* Eh bien, prenez ça! et le ciel sans doute aura pitié de moi! *(Le mendiant décampe vite, Rousselin regarde la pendule.)* On ne vient pas! Il y a quelque malheur! personne n'ose me le dire! J'irais bien, mais les jambes... Ah! c'est trop!... tout me semble tourner! Je vais m'évanouir! *(Il s'affaisse sur le canapé.)*

Scène XI : Rousselin, Miss Arabelle.

MISS ARABELLE, *le touchant à l'épaule :* Regardez! *(Du doigt elle indique l'horizon; Rousselin se penche pour voir.)* Au bas du sentier, en face l'école, au-dessus de la haie.

ROUSSELIN : Quelque chose de blanc qui s'agite ?

MISS ARABELLE : Le mouchoir !...

ROUSSELIN : Mais... je ne distingue pas !... *(Puis, tout à coup, poussant un cri.)* Ah ! que je suis bête ! c'est Dodart ! Victoire ! Oui, ma bonne Arabelle. Bien sûr ! tenez ! on accourt par ici !

MISS ARABELLE : Du monde sur les portes ! des hommes avec des fusils ! *(Coups de feu.)*

ROUSSELIN : C'est pour me célébrer ! Bon ! encore !

toujours ! Pif ! paf ! *(Silence.)* Ecoutez donc, mon Dieu ! *(Bruit de pas rapides.)*

Scène XII : les mêmes, Gruchet, puis tout le monde.

ROUSSELIN, *se précipitant vers Gruchet :* Gruchet ! quoi ? parlez ! Eh bien ? — Je le suis ?

GRUCHET *le regarde des pieds à la tête, puis éclate de rire :* Ah ! je vous en réponds !

TOUS, *entrant à la fois, par tous les côtés.* — Vive notre député ! Vive notre député !

PIERROT AU SÉRAIL

PANTOMIME EN SIX ACTES SUIVIE DE L'APOTHÉOSE DE PIERROT
DANS LE PARADIS DE MAHOMET [1]

PERSONNAGES : PIERROT; CASSANDRE; COLOMBINE; LA MÈRE DE PIERROT; LE PÈRE DE PIERROT; LE MAITRE DE PENSION DE PIERROT; DOMESTIQUES DE LA MAISON DE PIERROT; UN CHAMEAU; UNE AUTRUCHE; UN OURS BLANC; UN AFFREUX SERPENT; LE GRAND TURC; LA SULTANE FAVORITE; DES EUNUQUES NOIRS; TROIS MÉDECINS; ODALISQUES DU GRAND TURC; MAHOMET; HOURIS DU PARADIS DE MAHOMET.

ACTE UN

Scène I

Des domestiques rangent un dîner sur une table. — On apporte quelques paquets et une malle énorme que l'on place dans un coin.

Scène II

Entrent avec fracas : Pierrot, une couronne de lierre sur la tête, plusieurs couronnes passées à son bras gauche et plusieurs livres serrés sous son bras droit; — le Père de Pierrot, qui porte une pile de livres, et la Mère de Pierrot chargée d'un poids pareil. — Joie générale. — Pierrot vient de remporter des prix au collège, les parents pleurent de satisfaction et embrassent leur enfant. — Le Maître de pension (grand col, lunettes bleues, chapeau bas de forme, habit en queue de morue, gants de coton et parapluie rouge) est félicité, congratulé, remercié; — il témoigne de la modestie et fait des révérences. — On apporte la soupe.

Scène III

Entrent Cassandre et Colombine. — Colombine est la fiancée de Pierrot, mais il ne doit l'épouser qu'après

1. Ce plan, qu'aucun biographe ne date avec certitude, a été reproduit en appendice aux *Œuvres de Jeunesse* de Flaubert dans l'édition Conard.

ses voyages, complément nécessaire d'une bonne éducation. — On se met à table.

Tristesse de la Mère, mélancolie de Colombine, regards ardents de Pierrot. — Le Père de Pierrot lui fait des recommandations d'éviter les excès de la boisson et des femmes; — il doit surtout se tenir en garde contre elles, afin de conserver sa santé, pour n'en être que plus dispos ensuite à devenir le mari de Colombine. — Pierrot écoute avec une feinte obéissance. — Le Maître de pension, le repas fini, embrasse son élève; — après mille bénédictions et encouragements, il s'en va.

Scène IV

Alors la Mère de Pierrot lui montre, dans les paquets de voyage et dans la malle, tout ce qu'elle y a mis; — elle exhibe des tricots, des bonnets de coton, des caleçons, des bouts de manches, des caoutchoucs, un petit pot de chambre en cuir bouilli, un clysopompe, etc., etc. — Pierrot remarque qu'il lui manque des bottes fourrées, en faisant signe d'avoir froid aux pieds. — Il indique aussi qu'on a oublié de lui donner de l'argent, et qu'il désirerait fort, pour le soutenir dans son voyage, le portrait de Colombine. — Le Père, la Mère et le futur beau-père sortent, l'une pour lui acheter des bottes, l'autre pour aller quérir de l'argent, et le troisième enfin pour rapporter le portrait de Colombine.

Scène V

Libres et seuls, Pierrot et Colombine épanchent leur tendre amour. — Pierrot est enflammé, Colombine très triste, ne vont-ils pas se quitter ? — Il y aurait un moyen cependant, ce serait de fuir ensemble, mais comment ? — Réflexions et perplexité de Pierrot. — Enfin, d'un bond rapide, il s'élance vers la malle, la vide avec fureur et jette tout par la fenêtre. — Puis, sans donner à Colombine le temps de réfléchir, il l'y pousse elle-même tout entière et ferme la malle. — Après quoi il vide complètement son sac de nuit et y introduit les restes du dîner, un jambon, deux bouteilles de vin et un bocal de prunes à l'eau-de-vie.

Scène VI

Le Père, la Mère et Cassandre rentrent, l'heure du départ est arrivée, on entend la cloche du bateau. — La Mère donne les bottes, que Pierrot passe; — le Père donne l'argent que Pierrot met dans sa poche; — et Cassandre donne le portrait que Pierrot baise. — Puis on se fait les adieux, grande scène hydraulique. — Des domestiques prennent les paquets. (Pendant toute cette scène, on en a vu d'autres qui ont passé au fond, portant des sacs, ballots, caisses, etc.). — Pierrot saisit son sac délicatement; — les deux vieillards enlèvent la malle, chacun par un bout.

ACTE DEUX

Le désert. La scène est complètement vide, pas un arbre, rien. Le fond représente un ciel tout rouge.

Scène I

Pierrot paraît, monté sur un chameau, ayant en croupe Colombine et devant lui le bocal de prunes à l'eau-de-vie. Il fait plusieurs tours de théâtre. — Le chameau s'arrête.

Pierrot alternativement embrasse Colombine et prend une prune. — Quelquefois il prend deux prunes sans embrasser Colombine, et celle-ci le tire alors par son habit pour qu'il lui donne un baiser. — A la fin cependant il trouve que les prunes valent mieux, il mange sans discontinuer et n'embrasse plus. — Vaines réclamations de Colombine.

Scène II

On entend un bruit; — effroi de Pierrot, qui cache le bocal dans sa poitrine; — Colombine se tapit contre son dos. — Des cavaliers arabes, avec des lances gigantesques et de très longs arcs, des carquois à l'épaule, et des anneaux dans le nez, arrivent en caracolant sur des chevaux de carton, de toutes couleurs (chevaux terminés par des draperies, et dans lesquels le cavalier entre jusqu'à la ceinture). — Le chameau, à leur aspect, est tellement effrayé qu'il se sépare en deux; — les jambes de devant s'enfuient d'un côté et les jambes de derrière d'un autre. — Par ce mouvement, Pierrot et Colombine tombent net par terre, et le bocal se casse. — Les Arabes examinent Colombine et la caressent de fort près. — Pierrot, exaspéré, veut se ruer contre eux; — on lui donne un coup de lance sur la tête; — il tombe évanoui. — Les Arabes s'en vont, emportant Colombine.

Scène III

Pierrot reste évanoui. — La solitude est effrayante. — On voit alors (pour bien indiquer que l'on est dans le désert) passer silencieusement, au fond du théâtre, d'abord : un ours blanc qui marche très lentement; — ensuite une autruche, une patte en l'air, et glissant très vite, sur des roulettes; — puis un serpent fort long, ondulant, gueule ouverte, trois dards. — Pierrot reprend ses esprits quand les animaux ont eu le temps de passer; — il se tâte les membres. — Il semble chercher Colombine; — mais tout à coup il se rappelle son malheur et s'arrache les cheveux. — Paroxysme de désespoir épouvantable. — Après le désespoir, réaction douce; — il se laisse retomber dans une pose accablée. — Il aperçoit par hasard une prune, il la prend puis la rejette et s'arrache de nouveau les cheveux. — Cependant il regarde la prune. — Lutte de sa conscience. — Mais il se relève désespéré et veut en finir avec la vie. — Dans un mouvement brusque, il empoigne à la fois toutes les prunes et les avale, en même temps qu'il envoie une multitude de baisers du côté où Colombine a disparu. — Il essaie ensuite de s'étrangler avec sa cravate; — cela lui fait mal, il s'arrête. — Il tire son couteau, entame son habit; — puis referme son couteau et le remet dans sa poche. — Enfin une meilleure idée lui survenant, il se frappe le front. — Des deux mains à la fois il se tire le coton des oreilles; — il en sort considérablement, et toujours, et toujours. — Il bat le briquet, le coton s'allume. — Explosion subite. — Pierrot tombe.

Scène IV

Bruits de tambours, de trompettes, de grosses caisses, fanfares. — Marche turque. — Un bataillon de Turcs s'avance, très en rang, marquant le pas et emboîtant. — Ils ont des pantalons de calicot blanc passés dans leurs bottes noires, des vestes retournées à l'envers, des sabres de papier doré, des moustaches excessivement longues, dont les pointes doivent monter jusqu'au turban. — Air des plus farouches, ils roulent des yeux. — En apercevant Pierrot étendu, ils s'arrêtent; — puis le ramassent. — La musique reprend — Défilé. — On marque le pas.

ACTE TROIS

Les jardins du sérail. Sur le devant de la scène un petit massif, à gauche, fenêtres grillées et porte grillée, en bois.

Scène I

Pierrot, devenu captif et les fers aux chevilles, est poussé à coups de fouet par des eunuques noirs (jambes et bras nus, vestes de couleur, sabres recourbés, pistolets à la ceinture). — Ils se retirent après lui avoir donné plusieurs ordres. — Pierrot range des pots de fleurs; — jardine.

Scène II

Quand les eunuques sont partis, il se désole, il se lamente. — Il songe à Colombine, à son père, à sa mère, aux bois qui l'ont vu naître, aux prunes à l'eau-de-vie...

Scène III

Mais la porte grillée s'entr'ouvre. — Il en sort quelques femmes, parmi lesquelles est Colombine (devenue suivante de la Sultane favorite) et la Sultane favorite elle-même, vêtue tout en blanc et voilée, sauf des yeux. — Elle aperçoit Pierrot et vient tourner autour de lui; — elle se rapproche, l'observe. — Pierrot ne répond point. — Elle l'enhardit par des gestes aimables et même lui envoie un baiser. — Elle lui fait signe qu'elle l'aime; — il s'approche. — En ce moment, Colombine, dans le fond, reconnaît Pierrot. — Sa surprise; — elle n'ose avancer. — La Sultane lève son voile; — Pierrot s'arrête ébloui. — Mais, comme l'éblouissement augmente, il se rapproche de plus près et lui colle un baiser sur la joue. — Le voile retombe après le baiser. — Colombine, dévorée de jalousie, arrive derrière Pierrot et tout à coup se présente à lui; — il se mord le pouce. — Fureur contenue de Colombine. — La Sultane redouble ses avances. — Pierrot exprime à Colombine qu'il faut céder à la nécessité, que refuser serait fatal à tous les deux. — Indignation de Colombine. —

On entend une musique douce. — Terreur de la Sultane; — elle fait signe à Pierrot de se cacher derrière le massif d'arbustes; — ce qu'il exécute immédiatement.

Scène IV

Entre le Grand Turc, appuyé sur les épaules de deux esclaves et fumant une pipe démesurée que porte un enfant noir. — Il a une longue barbe blanche, une tunique qui flotte, un riche turban. — Il s'avance et, avec un petit lorgnon, considère attentivement toutes les femmes, exprimant par des gestes divers ce qu'il pense de chacune d'elles. — Enfin il s'arrête à Colombine, avec des démonstrations de satisfaction. — Pierrot, dans son coin, se démène. — Le Sultan tire un mouchoir de sa poche et le jette à Colombine. — Elle tombe à genoux dans une pose extatique en joignant les mains. — Mais la Sultane, froissée, s'avance vers le Sultan, qui la repousse dédaigneusement. — Colombine profite de ce jeu pour exprimer à Pierrot furieux qu'il faut céder à la fatalité. — Rage de Pierrot qui tremble. — Cependant il a le temps de donner à Colombine un rendez-vous pour le lendemain, vers un endroit qu'il lui désigne du doigt; — car ils ont besoin de s'expliquer ensemble.

Quand le Sultan a suffisamment repoussé la Sultane, il part emmenant Colombine. — La Sultane achève de s'évanouir; — deux femmes la soutiennent.

Scène V

Mais à peine le cortège du Sultan est-il sorti, qu'elle se réveille tout de suite; — chasse d'un geste ses esclaves; — et ordonne non moins rapidement à Pierrot de la suivre dans le harem. — Pierrot s'y glisse en tapinois, haletant, à quatre pattes.

ACTE QUATRE

Autre partie des jardins du sérail. Une tonnelle. Sur des ronds de gazon, des Amours, des ifs et des buis taillés en pyramides, en dômes et en paons, avec des yeux et des becs de porcelaine.

Scène I

Colombine et Pierrot, après avoir débuté par de violentes invectives, se réconcilient et s'embrassent, chacun ayant à se pardonner bien des choses.

Scène II

La Sultane se présente. — Elle est en quête de Pierrot; — elle n'y tient plus; — elle l'adore. — A la vue du baiser qu'il donne à Colombine, elle entre en frénésie. — Elle se jette sur Colombine, prête à l'étrangler de ses deux mains; — Pierrot fait des efforts pour les réconcilier.

Scène III

Mais attiré par ce vacarme, le Sultan paraît. — Son étonnement stupide en voyant Pierrot entre ces deux femmes qui se le disputent, et le tirent chacune de leur côté, en embrassant chacune une joue. — Quand il a deviné de quoi il s'agit, il frappe du pied la terre avec fureur. — Il siffle dans un petit sifflet. — A ce signal, six eunuques noirs arrivent.

Scène IV

Trois se saisissent de Pierrot, de Colombine et de la Sultane, et les trois autres s'en vont, sur un signe du Sultan...

Scène V

... Qui, par des gestes furieux, annonce bien clairement aux coupables leur mort prochaine.

Scène VI

Les trois eunuques rentrent, apportant deux sacs et un énorme rasoir. — Les deux femmes sont mises chacune dans un sac, et les esclaves vont les emporter; — quand le Sultan ordonne, pour l'exemple, qu'on leur découvre la tête et qu'elles restent là, afin d'être témoins du supplice de Pierrot.

Alors on va pour déshabiller Pierrot. — Un des esclaves porte la main sur un des boutons de sa culotte; — tandis qu'un autre approche du sabre. — Pierrot pousse des cris; — il joint les mains; — il demande grâce et déclare qu'il aime mieux mourir, cependant que les deux femmes s'agitent dans leurs sacs, en hurlant de désespoir.

Le Sultan, miséricordieux, lui accorde la faveur du trépas, et pousse même la condescendance jusqu'à lui laisser choisir son supplice.

Scène VII

Donc, on apporte un pal, un sabre démesuré, et une longue corde à puits, que l'on attache à une branche d'arbre.

Pierrot, sommé d'opter au plus vite, va d'abord passer sa tête dans le nœud de la corde; — tire un peu; — fait une grimace; — et exprime clairement qu'il n'en veut pas.

Deux nègres l'enlèvent et le suspendent sur le pal. — Il fait des mouvements tortueux de la croupe pour se l'enfoncer dans le cul. — Son effroi à la première sensation. — Enfin il déclare qu'il aime mieux le sabre.

Il va donc vers le sabre; — en essaie le tranchant sur son pouce; — et, après une longue hésitation, fait encore signe que non.

Le Sultan cependant perd patience. — Il s'avance précipitamment vers Pierrot et ordonne aux esclaves d'en finir.

On va donc décapiter Pierrot.

Le Sultan est placé à la droite du spectateur près de la coulisse, Pierrot à côté de lui, le bourreau à droite de Pierrot. (Dans le mouvement que fait le bourreau pour abattre la tête de Pierrot, rentrée du Sultan dans la coulisse, on lui substitue un mannequin.) — Le bourreau lève le bras. — Pierrot fait un bond en arrière et esquive le coup. — La tête du Sultan vole et son corps tombe à terre.

Pierrot soudain se précipite sur le cadavre. — Il s'empare du sabre, met le turban, passe les bottes du sultan, fouille dans ses poches et en tire de l'or dont il bourre les siennes et qu'il distribue aux esclaves.

A ce bruit entrent précipitamment des soldats. Nouvelle distribution. — Enthousiasme de la troupe. — Harangue de Pierrot. — On l'emmène en triomphe, sans que personne se soucie des deux femmes, toujours restées dans leurs sacs; — et qui font des contorsions pour en sortir.

ACTE CINQ

Intérieur du sérail. Grande salle du Trône.

Scène I

Pierrot sur le trône du Grand Turc, radieux. — Toutes les femmes et tous les esclaves, rangés sur deux lignes, le contemplent et se disposent à recevoir ses ordres. — On va procéder à la toilette royale; — les femmes, l'une après l'autre, lui apportent différentes pièces du costume; — on lui met successivement des babouches, une pelisse, un grand sabre, un turban, surmonté d'un crois-

sant pareil à une tranche de melon et décoré d'une aigrette qui monte à l'infini. — Les femmes le parfument, le bichonnent; — lui toujours sérieux et beau sur son trône. — On apporte un grand pot de pommade de lion et on lui en frotte la lèvre supérieure; — aussitôt il lui pousse une paire de moustaches gigantesques, à pointes très relevées. — Puis quand la toilette est finie, il demande un miroir et se contemple dedans, avec bonheur.

La Sultane favorite sort de la foule pour aller embrasser Pierrot. — Il la repousse du bout de son long chibouk; — et lance sur l'assemblée des regards sévères.

Scène II

A la nouvelle que Pierrot est devenu sultan, Colombine, accourant pleine de joie, monte les degrés du trône pour s'aller précipiter dans ses bras. — Il la renverse d'un coup de pied dans le cul et se rassoit majestueusement. — Il fait signe alors à toutes les femmes de venir lui baiser les pieds; — ce qu'elles exécutent, y compris la Sultane et Colombine, malgré leur répugnance bien concevable. — Pendant que ces deux dernières s'acquittent de cette humiliante fonction, Pierrot a le sabre levé sur leurs têtes pour les tuer impitoyablement, si elles bronchent.

Scène III

Quand le baisement des pieds est fini, il se fait apporter à manger. — Il mange, dévore, s'empiffre; — il s'impatiente quand on le sert mal; — il jette des bouteilles à la tête des gens. — Il est féroce d'orgueil, ivre de grandeur. — Lorsqu'on a enlevé la table devant lui, on voit son ventre considérablement grossi.

Il manifeste le contentement de sa digestion et s'épanouit à loisir. — Bientôt des idées gaillardes lui viennent; — il se fait un abat-jour avec sa main et considère les femmes. — Il tire de dessous le trône (où il y a un coffre spécial) un mouchoir qu'il jette à l'une d'elles. — Puis il croit s'être trompé; — après quelque hésitation il jette un second mouchoir à une seconde femme. — Troisième, quatrième mouchoir. — Enfin, s'allumant de plus en plus, Pierrot empoigne les mouchoirs à vrac et les jette tous en pluie sur la scène. — Bataille générale des femmes, grande confusion, majesté de Pierrot.

Scène IV

Tout à coup entrent, au milieu du brouhaha, le Père de Pierrot et le Maître de pension. (Le Père : en costume de voyage, bourré d'habits, on ne peut plus couvert de poussière, redingote en peau de taupe; grandes guêtres jusqu'au ventre, casquette à double visière, une valise sous le bras avec une botte qui dépasse par chaque bout. — Le Maître de pension est dans le costume du 1er acte, sans paquets, excessivement couvert de poussière, des chaussons de lisière par-dessus ses souliers, un Cicéron sous le bras, et il porte son riflard dans un bel étui de toile bleue.)

Ils courent le monde depuis longtemps à la recherche de Pierrot et ils viennent d'apprendre sa nouvelle fortune. — Stupéfaction de ces deux honnêtes bourgeois, qui en croient à peine leurs yeux.

Le Père s'avance jusque sur les marches du trône et adresse à Pierrot une semonce violente sur son immoralité. — Pierrot envoie promener l'auteur de ses jours d'une façon dégagée. — Le bruit redouble dans le harem. — Le Père outragé prend un ton pathétique; — il lui rappelle ses devoirs filiaux, sa mère, son titre de bachelier, et du doigt lui montre le ciel. — Mais Pierrot répond qu'il est le maître.

Le Magister s'interpose. — Gravité de ce monsieur. — Pierrot lui fait des cornes. — Puis il ordonne à un eunuque d'aller lui chercher des musiciens. — Le calme se rétablit parmi les odalisques effarouchées.

Scène V

Entrent les musiciens de l'orchestre dans le costume où ils seront venus ce jour-là au théâtre. (On désire qu'ils soient le plus crottés possible.)

Aussitôt ils entament un cancan. — Les femmes dansent et font des tentatives pour engager les deux bourgeois à danser. — D'abord ils s'y refusent; — mais Pierrot s'avance et, après avoir fait un seul pas, au grand scandale de son papa, il force, sous peine de mort, le Maître de pension à pincer aussi un léger cancan. — Contorsions de ce dernier. — Une odalisque lui indique les poses les plus gracieuses; — un eunuque lui façonne les articulations à coups de plat de sabre. — Il danse, son livre sous le bras et son parapluie sous l'autre, aussi gracieux qu'il le peut, mais roulant des yeux furibonds du côté de Pierrot, qui se tient le ventre de rire. — Le Père cependant est emporté dans un galop général. — Au cancan succède l'air de la polka et cette danse folâtre.

Après quoi, Pierrot renvoie les deux vieillards à grands coups de pied dans le cul. — Ils le maudissent dans une pose solennelle. — Pierrot leur fait un pied de nez.

ACTE SIX

Dans l'intérieur du harem, les appartements secrets et voluptuaires.

Scène I

Des femmes décolletées et les cheveux pendants, fumant des brûle-gueules et des cigarettes, sont étendues sur des coussins et boivent ensemble des petits verres. — Au fond de la scène est un immense lit, vu de face, et qui porte sur son traversin quinze à vingt oreillers rangés en ligne. — Un grand croissant tient les rideaux.

Pierrot, devenu considérablement gros et ne pouvant plus bouger, est languissamment assis dans un voltaire. — Il se sent mourir de pléthore. — Quand les femmes viennent le caresser, il leur fait signe qu'il ne peut plus rien pour leur bonheur. — Il s'en va; — il n'a maintenant ni appétit, ni sens, ni désir. — Il souhaiterait pourtant un médecin.

Scène II

Entre un monsieur, vêtu à l'européenne, habit noir, cravate blanche, ruban. — Il tâte le pouls de Pierrot; — et la main lui en saute à plusieurs reprises, tant les pulsations du pouls sont violentes. — Il lui tapote la poitrine; — et fait de temps à autre des grimaces qui n'indiquent rien de bon. — Il sort.

Scène III

On apporte une boîte remplie de pilules, grosses comme des noix. — Pierrot en avale quelques-unes, manque de s'étouffer; — se désespère. — Il envoie chercher un autre médecin.

Scène IV

Entre un médecin, en robe noire et à bonnet pointu. — Il tire de sa poche un immense stéthoscope, long comme une trompette, qu'il applique sur le ventre de Pierrot.

Agacement de Pierrot qui lui demande ce qu'il faut faire. — Le médecin conseille des sangsues aux oreilles. — Il sort.

Scène V

On apporte un grand bocal rempli de sangsues monstrueuses qui ont l'air de couleuvres (boudins de drap vert auxquels on mettrait une tête de serpent). — On les applique contre les oreilles de Pierrot; — qui fait des grimaces affreuses; — et il ordonne qu'on les lui retire et qu'on aille lui chercher un autre médecin.

Scène VI

Entre un charlatan (moustaches réunies aux favoris, chic empire, bonnet grec, bottes à la russe, à glands d'or, redingote à brandebourg, croix et médailles des deux côtés de la poitrine). — Il considère Pierrot et lui fait tirer la langue. — Pierrot tire une langue effroyablement chargée; — et le charlatan recule trois pas, épouvanté. — Il s'informe s'il va à la selle; — Pierrot répond que non. — Le charlatan commande un lavement.

Scène VII

Deux artilleurs, domestiques du charlatan, apportent un grand baquet, qu'ils vont mettre près de Pierrot. — Et un Turc (en costume de Turc comme ci-dessus, avec des bottes, mais ayant de plus larges lunettes et un tablier blanc) se présente, portant péniblement sur une serviette d'or, pliée en plusieurs doubles, une gigantesque seringue. — A cette vue toutes les femmes rabattent leur voile.

Il faut prendre le clystère. — Mais Pierrot, apercevant le calibre de la canule et se rappelant le pal, déclare qu'i[l] ne prendra pas un tel remède. — Le médecin l'exhorte; — Pierrot se fâche. — En vain les femmes l'entourent et le sollicitent; — il refuse, il s'impatiente, empoigne la seringue, en arrose les assistants, la jette à la tête du médecin, et retombe exténué dans son fauteuil.

Scène VIII

Il se désole et pleure de ce que personne ne peut le guérir. — Mais tout à coup il relève fièrement la tête et donne un grand coup de poing dans le tamtam qui, toujours par terre à ses côtés, lui sert de timbre.

Scène IX

Entrent des esclaves. — Il ordonne qu'on lui apporte à boire et à manger; — il veut se soûler, bannir le chagrin.

Scène X

On apporte quantité de pâtés et de flacons. — Pierrot prend un verre d'absinthe, qu'une odalisque mélange et fait mousser, en versant de l'eau de très haut. — Alors Pierrot se met à manger et à boire sans discernement, pendant que les plus belles divinités de sa cour dansent des pas académiques en pinçant de la guitare.

Il entonne, il entonne. — Tout à coup il s'arrête; — tord la bouche; — pousse un cri. — Les femmes accourent. — Il crève; — son ventre hydropique se déchire en deux. — Et on en voit sortir des bouteilles de vin, des pâtés, du boudin, des fruits, un melon, un lapin vivant, un homard, etc.

APOTHÉOSE

LE PARADIS DE MAHOMET

Mahomet, assis sur les nuages, fumant une pipe qui descend jusque sur la scène, et dans laquelle brûle le globe terrestre.

De droite et de gauche, entourées de nuages, sous des tonnelles de capucines et de chèvrefeuille, des femmes en maillots rouges (costumes de danseuses de corde, beaucoup de ballon, archipommadées), avec des hommes en Hercules du Nord, sont assises à de petites tables rondes peintes en bleu, et boivent de la bière de Strasbourg. — D'un arbre à l'autre, guirlandes de saucissons, de poulets et de gigots. — Feux de Bengale.

Pierrot, dans son vrai costume de Pierrot, monte vers Mahomet qui lui tend les deux bras. — Redoublement de feux de Bengale. — La *Marseillaise*. — Tableau.

NOTES DE VOYAGE

VOYAGE AUX PYRÉNÉES ET EN CORSE, 1840

Reçu bachelier le 23 août 1840, Flaubert entreprend, d'août à octobre, un voyage dans les Pyrénées, le midi méditerranéen et la Corse, en compagnie d'un éminent professeur de clinique chirurgicale, le docteur Jules Cloquet, camarade d'études de son père, de la sœur du docteur et d'un prêtre italien, ami du docteur. Toutefois l'événement important — ou, du moins, celui qui exerça le plus d'influence sur son imagination créatrice — se situe en marge de ce très littéraire journal de bord : c'est à Marseille, en effet, que le jeune Flaubert rencontre, à l'hôtel Richelieu, rue de la Darse, Eulalie Foucaud de Langlade, Péruvienne retour d'Amérique du Sud. Elle l'initie fougueusement au plaisir amoureux; mais l'idylle est sans lendemain, sinon sans déchirements. Quelques lettres passionnées, un souvenir vivace dans la mémoire de Flaubert, un pèlerinage sentimental, en 1858, aux lieux de cette aventure, et ce fut tout; mais, dans l'expérience d'un écrivain, des banalités de ce genre sont parfois de grande conséquence.

Le Voyage de 1840 a été rédigé pour partie en cours de route, à Bordeaux et Marseille, pour partie de retour à Rouen. Le manuscrit consiste en dix-neuf cahiers ou fragments de cahiers de format 22 × 18. On ne sait trop si le voyageur a rédigé son compte rendu définitif d'après ses notes ou d'après ses souvenirs. En tout cas, cette relation de voyage imite de fort près celles de la plupart des voyageurs romantiques : Flaubert s'y ouvre, à son tour, « tout entier aux impressions qui survenaient ». Au demeurant, l'auteur y dévoile un assez nonchalant amateurisme dans le domaine de l'art monumental; c'est surtout un récit de poète, épris d'histoire, de paysages, de spectacles naturels, de jeux d'ombre et de lumière; c'est aussi la narration d'un jeune homme cultivé, qui découvre à chaque pas les traces d'une civilisation gréco-latine à laquelle l'attachent ses études, ses lectures, ses goûts. Déjà se fait jour, sur la côte méditerranéenne, l'attrait de l'Orient, paré de couleurs mystiques ou fabuleuses. En ce sens, cette randonnée de 1840 est comme la préface de la grande expédition de 1849.

Sur le Voyage *de Flaubert et le « genre » auquel il appartient, cf. J. Bruneau, op. cit., p. 284-305.*

BORDEAUX

Il y a des gens qui la veille de leur départ ont tout préparé dans leur poche : encrier rempli, érudition placardée, émotions indiquées d'avance. Heureuses et puériles natures qui se jouent avec elles-mêmes et se chatouillent pour se faire rire, comme dit Rabelais. Il en est d'autres, au contraire, qui se refusent à tout ce qui leur vient du dehors, se rembrunissent, tirent la visière de leur casquette et de leur esprit pour ne rien voir. Je crois qu'il est difficile de garder, ici comme ailleurs, le juste milieu exquis préconisé par la sagesse, point géométrique et idéal placé au centre de l'espace, de l'infini de la bêtise humaine. Je vais tâcher néanmoins d'y atteindre et de me donner de l'esprit, du bon sens et du goût; bien plus, je n'aurai aucune prétention littéraire et je ne tâcherai pas de faire du style; si cela arrive, que ce soit à mon insu comme une métaphore qu'on emploie faute de savoir s'exprimer par le sens littéral. Je m'abstiendrai donc de toute déclamation et je ne me permettrai que six fois par page le mot *pittoresque* et une douzaine de fois celui d'*admirable*. Les voyageurs disent le premier à tous les tas de cailloux et le second à toutes les bornes, il me sera bien permis de le stéréotyper à toutes mes phrases, qui, pour vous rassurer, sont d'ailleurs fort longues.

Ceci est un préambule que je me suis permis et qu'on aurait pu intituler le marchepied, pour indiquer les émotions que j'avais en montant en voiture, ce qui veut dire que je n'en avais aucune. Je m'assassinerais si je croyais que j'eusse la pensée de faire ici quelque chose d'un peu sérieux; je veux tout bonnement, avec ma plume, jeter sur le papier un peu de la poussière de mes habits; je veux que mes phrases sentent le cuir de mes souliers de voyage et qu'elles n'aient ni dessus de pieds, ni bretelles, ni pommade qui ruisselle en grasses périodes, ni cosmétique qui les tienne raides en expressions ardues, mais que tout soit simple, franc et bon, libre et dégagé comme la tournure des femmes d'ici, avec les poings sur les hanches et l'œil gaillard, le nez fin s'il est possible et avant tout point de corset, mais que la taille soit bien faite. Cet engagement pris, me voilà lié moi-même et je suis forcé d'avoir le style d'un honnête homme.

La campagne de Paris est triste, l'œil va loin rencontrer de verdure; de grandes roues qui tirent les pierres des carrières, un maigre cheval flanqué d'un petit âne tirant des tombereaux de fumier, du pavé, le cliquetis des glaces et cet indéfinissable vide d'esprit qui vous prend aux moments du départ, voilà tout ce que j'ai vu, voilà tout ce que j'ai senti. Certes, je ne demandais pas mieux que de me fouiller l'esprit pour penser au XVIe siècle en passant par Longjumeau, et de là par une association d'idées me laisser couler dans Brantôme et en plein Médicis, mais je n'en avais pas le cœur, de même qu'à Montlhéry, la tour ne m'a point rappelé de souvenirs. Expression des plus charmantes surtout comme il en arrive dans la bouche de ceux qui ne savent rien et qui l'adoptent par passion historique.

Quand je me suis réveillé le lendemain matin, la campagne avait changé; il y avait de grands champs de vignes, éclairés du soleil levant, et c'était l'air frais du matin, à 5 heures, dans le mois d'août. Insensiblement le terrain s'abaisse et par une pente douce vous mène aux bords de la Loire que vous longez sur une chaussée de 17 lieues, depuis Blois jusqu'à Tours. Honnête pays, paysages bourgeois, nature comme on l'entend dans la poésie descriptive; c'est là la Loire, mince filet d'eau au milieu d'un grand lit plein de sable, avec des bateaux qui se traînent à la remorque la voile haute, étroite et à moitié enflée par le vent sans vigueur. D'un autre côté, et sous un certain point de vue de symbolisme littéraire, ce pays m'a semblé représenter une face de la littérature française. A mesure que vous avancez, la vallée se déploie, les arbres de l'autre bord se mirent tranquillement dans l'eau, les coteaux boisés disparaissent les uns après les autres; on aimerait ici à mettre pied à terre, à s'étendre sur l'herbe, à écouter le bruit de cette pauvre eau paisible, que n'appelle pas onde; ce n'est ni grand, ni beau, ni bien vert, mais c'est, si vous voulez, un refrain de Charles d'Orléans, pas plus, où la naïveté seule a une certaine tendresse qui n'est pas même du sentiment, tant c'est faible et calme, mais tranquille et doux.

Il ne faut rien moins que la vue de Blois pour faire penser à quelque chose de plus vigoureux et vous remettre en mémoire la cour d'Henri III. Hélas! je n'ai pas vu le château où Henri se vengea de sa peur, ni ce lit, comme dit Chateaubriand, où tant d'ignominies firent mourir tant de gloire; la rapidité de ma course m'a à peine laissé la vue des murs extérieurs.

Si j'avais été un beau gentilhomme tourangeau comme ceux à qui je pensais alors, marchant dans son XVIe siècle, les mains dans les poches et le large chapeau sur les oreilles, ou s'acheminant sur sa mule aux États de Blois, je n'aurais pas manqué de relire mon Rabelais à l'ombre de ces vignes où il dormit; car il a vécu là. Ces sentiers sur le sable, dans les roseaux, il y a fait sieste un certain jour peut-être qui était soulas; son rire a retenti le long de ces peupliers qui bordent la rivière; cette voix de Gargantua a rebondi sur ces coteaux, s'en est allée le long de ce courant calme et doux se perdre dans l'Océan plein de clameurs que toutes les autres dérisions ont grossi avec elle; le géant a marché dans ces larges plaines, sous ce soleil doux; il lui fallait chaque jour le lait de 3.600 vaches qu'il buvait à large pipée. Toute la contrée est faite à sa taille : plaines larges, arbres frais, eau calme, grand lit

qui s'emplit parfois, avenue sans fin qui tourne au fastidieux par sa longueur.

Du reste rien d'original, rien de coloré, une platitude toute française jusqu'à Tours. Je me rappelle seulement trois petites filles qui m'ont demandé l'aumône à Montbazon, le premier relais en sortant de cette ville; l'aînée surtout, qui avait dix ans à peine, m'a donné la première idée du Midi : pieds nus, elle courait dans la poussière en suivant la portière; sa voix, qui répétait en *crescendo* la charité! la charité! la charité, avait quelque chose de nasillard et de glapissant; des cheveux noirs et collés de sueur, un teint de bistre, des dents blanches qui se sont montrées à moi dans un éclat de rire enfantin quand la voiture est partie au galop. Charmante peinture de farce enfantine et de grâce naïve, perdue au milieu de la grande route et que m'a value l'appât prolongé d'une petite pièce de deux sous.

A Poitiers, le Midi commence : larges bonnets, moins gracieux toutefois que ceux de Montbazon, quelque chose de sévère, autant que j'ai pu en juger par un mauvais dîner et me rappelant que le Poitou est la patrie des... Je garde un souvenir plus gracieux d'Angoulême et de la colline où elle est bâtie. On commence à rencontrer des attelages de bœufs qui m'ont fait penser au tableau de Léopold Robert. Les postillons ont le béret rouge des Basques et le pantalon à galons, les chevaux sont plus petits, plus efflanqués; les toits deviennent plats; les tuiles rouges et bosselées qui les couvrent, les murs blancs des maisons dont le faîte n'est pas souvent plus haut que les vignes, tout cela c'est bien du Midi. Partout cheveux noirs et barbes fortes, costumes bigarrés comme dans un bal masqué, des paysans battant le blé devant leur grange. Quand vous passez dans ces petits villages blancs comme la campagne où ils sont assis et comme le soleil qui les éclaire, que vous tournez aux angles de mur uni, percé de petites fenêtres, on se croirait, j'imagine, en Espagne.

Vous n'êtes plus assailli, comme dans le Poitou, de femmes qui exploitent la soif ou la pitié du voyageur, seulement la poussière tourbillonne et le soleil darde; point de bruit ni de chants dans la campagne. Pour rendre la ressemblance plus parfaite, le rapport plus juste, à Savignac j'ai eu une véritable apparition moresque : pendant que nous relayions, un contrevent vert s'est ouvert, une main est d'abord aperçue (pour qu'on ne m'accuse pas trop d'exploration féminine, je déclare que c'est sur la découverte de mon grave et savant compagnon M. Cloquet), une main, puis un profil, puis deux, deux têtes noires avec un sourcil superbe à peine entrevues! Dérision! une plaque jaune me fait conjecturer que c'étaient les deux filles du notaire.

Ce qu'on appelle ordinairement un bel homme est une chose assez bête; jusqu'à présent, j'ai peur que Bordeaux ne soit une belle ville. Larges rues, places ouvertes, beaucoup de mouchoirs sur des têtes brunes, telle est la phrase synthétique dans laquelle je la résume avant d'en savoir davantage. Il me faut pour que je l'aime quelque chose de plus que son pont, que les pantalons blancs de ses commerçants, que ses rues alignées et son port qui est le type du *port*. Il n'y fait, selon moi, ni assez chaud ni assez froid; il n'y a rien d'incisif et d'accentué : c'est un Rouen méridional, avec une Garonne aux eaux bourbeuses. Je comptais donc me jeter à l'eau et me laisser entraîner par le courant, m'étendre dans le duvet moelleux du fleuve, couche suave dont les draps limpides vous baisent la peau. Imaginez un espace fermé où l'eau reste stagnante comme dans un bocal, comparaison peu flatteuse pour ceux qui y vivent même momentanément, des grilles en bois qui empêchent l'air de circuler et même de vider l'eau, une atmosphère de cigare éteint, de la boue et des oies qui y pataugeaient, telle était l'école de natation. J'hésitai à y mouiller mes membres, mon héroïsme m'y fit plonger jusqu'au coude, car un plancher bourgeois remplace le lit du fleuve, de sorte qu'il n'y a pas même la possibilité de se mouiller la tête sans crainte de tomber sur le plancher. Allez-vous donc ici vous reposer dans l'herbe, effleurer du bout du nez les pointes dardées des roseaux, remuer les cailloux au fond du lit, monter à califourchon sur les câbles étendus et suivre la barque grillée où l'on entend des voix? Vous voulez de la fraîcheur, du silence, de l'ombrage, de l'eau claire et caressante, et vous avez la puanteur des ruisseaux, le cri des tavernes, la chaleur grasse qui suinte des murs; car l'onde ici est empoisonnée, le cours arrêté, tant ils sont habiles à souiller ce qui purifie, à salir ce qui lave!

J'ai pourtant vu aujourd'hui, en plein soleil, une nacelle couverte d'une tente carrée, sous laquelle on doit bien dormir et d'où cette pauvre Garonne doit apparaître belle aux clairs de lune quand la ville s'est tue et que les hommes laissent parler les joncs dans le courant. J'y rêverais volontiers de l'Inde et du Gange, avec les cadavres qu'il charrie comme des feuilles et que le soir les vautours viennent becqueter avec de grands cris. J'aurais tout autant aimé passer ainsi ma soirée que d'aller comme j'ai fait tout à l'heure dîner en ville, chez un brave homme dans toute la force du terme, à sa maison de campagne qui est dans un faubourg, pour boire d'excellent vin, j'en conviens, dont la digestion a été gâtée par des romances au piano et deux cigarettes au Maryland, musique d'épiciers, tabac de clerc de notaire, le tout fadasse et doux comme du jus de noyau. Je crois qu'il a été question d'un air italien de Rossini chanté en français. Pauvre Rossini! plus disséqué que mes cadavres du Gange, et par des becs féminins encore, ce qui est pis. Le salon et la salle à manger étaient ornés d'insectes et d'oiseaux adaptés verticalement à la muraille dans des boîtes garnies de vitres. J'ai promis de la graine de melon à mon cordial amphitryon. Le dîner après tout a été aimable, et je me suis un peu réconcilié avec ma voisine qui, au premier abord, m'a eu tout l'air d'une bécasse qui a peur de se mouiller les pieds dans de l'eau claire; et voici pourquoi. J'étais débarqué d'omnibus par une chaleur confortable, ficelé et tiré dans mes dessous de pieds, avec une cravate de satin toute neuve, le lorgnon au bouton du gilet et des gants de la plus scrupuleuse blancheur dont mon bras avait l'air de sortir tant la main y était enchevêtrée. Après les salutations d'introduction on

fit un tour de jardin; le bon ton le plus exquis régnait dans mes manières, je laissais marcher seule dans les allées une jeune dame, la fille de la maison, dans la crainte de faire le empressé. Me trouvant simplement près d'elle, je lui offris enfin mon bras qu'elle refusa, ce que je trouvai de fort mauvais goût; car aussitôt je fis un retour sur moi-même où je ne me flattai pas médiocrement, et je repassai dans un éclair tous mes avantages physiques et intellectuels, avec une telle lucidité que j'en rougis presque d'humilité. Au reste, on enfonçait dans les allées du jardin comme dans des landes, et ce que j'y trouvais de plus beau, c'est le chant des cri-cri le soir, après dîner, qui valait mieux que les maigres accords du piano asthmatique.

Puisque j'en suis au jardin, j'ai vu aussi hier le cimetière de Bordeaux, grand jardin planté d'érables, où les tombes sont, je crois, plus bêtes que les vivants trépassés qu'elles renferment; les pauvres habitent au milieu et ont l'avantage de ne point porter de nom et de regrets peints sur bois ou gravés sur pierre.

La vanité ici a un recours à la bêtise qui la bien secondée. Des pyramides de granit sont entassées sur des épiciers, des sarcophages de marbre sur des armateurs; au jour du jugement ceux qui ont le plus de pierre sur eux ne seront peut-être pas les plus prompts à monter au ciel, chargés qu'ils seront du poids de leur orgueil. Le concierge avait l'air piteux et rapace, sa mâchoire a souri comme une tombe qui s'ouvre quand il nous a vus entrer. Les cyprès étaient poudreux, déjà des feuilles jaunes étaient dans l'herbe, rien que la platitude du lieu était triste.

Un voyageur est tenu de dire tout ce qu'il a vu, son grand talent est de raconter dans l'ordre chronologique : déjeuner au café et au lait, monté en fiacre, station au coin de la borne, musée, bibliothèque, cabinet d'histoire naturelle, le tout assaisonné d'émotions et de réflexions sur les ruines; je m'y conformerai donc autant qu'il sera possible.

J'étais curieux de voir le musée d'antiques pour expliquer à mes compagnons deux bas-reliefs dont j'avais lu la description le matin, mais je ne les ai point retrouvés et M. Cloquet, par intuition, m'en a nommé un que je ne reconnus pas. Mauvais sort de savant. A la bibliothèque j'ai touché le manuscrit de Montaigne avec autant de vénération qu'une relique, car il y a aussi des reliques profanes. Les additions qui sont en marge sont nombreuses, surchargées, mais nettes et sans rature, écrites comme le reste de veine primesautière; c'est plus souvent une extension qu'une correction de la pensée ou du mot, ce qui arrive pourtant quelquefois par scrupule d'artiste et pour rendre son idée avec toutes ses nuances.

J'ai feuilleté ce livre avec plus de religion historique, si cela peut se dire, que je ne suis entré avec recueillement dans la cathédrale de Bordeaux, église qui veut faire la gothique, mais qui trahit le sol païen où elle est bâtie, alliance de deux architectures, amalgame de deux idées qui ne produit rien de beau. Le jubé est orné de sculptures mignardes et bien ouvragées qui seraient mieux à quelque rendez-vous de chasse de

François Ier, à quelque boudoir de pierre au milieu des bois, pour y renfermer à l'heure de midi la maîtresse du roi; des arceaux romans s'étendent tout le long de l'église, et les ogives supérieures forment la voûte, ogives rondes encore, quoi qu'elles fassent, qui n'ont pas eu la force de s'élever au ciel dans un élan d'amour et qui sont retombées presque en plein cintre, accablées et fatiguées. On a remplacé les anciens vitraux par des neufs, de sorte que le soleil entre malgré les rideaux qu'on a tendus, fait mille jeux de lumière riants sur les dalles, ce qui emporte l'esprit loin du lieu saint dans les champs, sous les vignes. J'ai pensé alors à nos bonnes églises du Nord où il fait toujours sombre et toujours froid, où les peintures des vitraux ne laissent pénétrer que des rayons mystiques qui se reflètent sévèrement, pleins de mélancolie, sur les dalles grises. Si vous montez aux clochers, vous voyez toute la plaine de Bordeaux, blanche et illuminée; le ciel est bleu et les tours octogones se détachent sur ce fond limpide; la terre et le ciel se confondent à l'horizon dans leur blancheur, et l'esprit charmé et fatigué retombe de toute la hauteur des tours sur ce sol qui attiédit les âmes.

J'ai voulu grimper aux échelles et aller jusqu'au haut, mais j'ai senti le vertige venir; des jours partis d'en bas me montaient entre les rayons des échelles et les fentes des charpentes, je suis redescendu avec plaisir tout content d'avoir à temps fui la peur. L'orgue, qu'on raccommodait pendant que nous visitions l'église bourdonnait comme une grosse mouche.

C'est dans la tour Saint-Michel que se trouve le fameux caveau corroyeur, qui a la propriété de tanner les hommes; ingénieux caveau qui n'a pas été aux écoles d'arts et métiers et qui fait de peaux de chrétiens des peaux d'ânes, car j'atteste qu'elles sont toutes dures, brunes, coriaces et retentissantes. Je suis désespéré de ne pas avoir eu d'idées fantastiques au milieu de ces vénérables momies; je ne suis pas assez sensible non plus pour que cela m'ait fait horreur; j'avoue que je me suis assez diverti à contempler les grimaces de tous ces cadavres de diverses grandeurs, dont les uns ont l'air de pleurer, les autres de sourire, tous d'être éveillés et de vous regarder comme vous les regardez. Qui sait? ce sont peut-être eux qui vivent et qui s'amusent à nous voir venir les voir. Ils se tenaient en rond autour d'un caveau circulaire, dont le sol est monté à moitié des arceaux, car ces morts-là sont debout sur 17 pieds d'autres morts, et ceux-ci sur d'autres sans doute, et nous, face à face avec les premiers. On vient, on les examine à la lanterne, le gardien leur fait sonner la poitrine pour faire voir qu'elle est dure; on passe au suivant et, quand la revue est passée, on remonte l'escalier. C'est là leur métier, à ces morts; on les a retirés de dessous terre, et on les a alignés en cercle; l'un a 100 ans, l'autre 80, etc., un troisième 76, tous aussi âgés les uns que les autres pourtant! Quand on vous a raconté leur genre de mort et que vous avez donné vos dix sous, tout est dit et vous faites place à d'autres. J'envie ici le sort de ces braves morts tannés qu'on va voir nus (car la mort n'a pas de pudeur); il y a une négresse qui a encore un air d'odalisque, un portefaix,

joli garçon de plus de 6 pieds, superbe à voir, et un comte du pays tué en duel. Je ne demande pas à être plus célèbre, car il y a bien des gens vertueux, des poètes et des membres de l'Institut qui ne sont pas aussi curieux à voir que ces cuirs racornis, qui n'auront jamais le renom de cette poussière obscure.

Le christianisme n'est point sérieux à Bordeaux. L'église est entourée d'un ancien cimetière où entre autres dorment les Girondins (Vergniaud, et sur l'affirmation d'un ancien camarade de Julien, M. Mabitte, médecin de Bordeaux) converti maintenant en promenade. Ici c'est pire qu'à Saint-Michel, les vivants ne marchent plus seulement sur les morts, ils y font l'amour et on nomme ce lieu l'allée d'Amour, antithèse à la Shakespeare, où se trouvent opposés tout ce que la vie a de beau, tout ce que la mort a de hideux. A côté, sous ces arbres dont l'ombrage est si doux dans le Midi, l'église n'a guère de valeur; l'amour nargue le ciel et se pose sur les tombeaux.

Sainte-Croix, vieux temple païen, église à demi romane, d'un beau roman du reste; les phallus sont multipliés dans les murs. La petite église Saint-Pierre est badigeonnée, ouverte au soleil et rit dans ses peintures de théâtre. Non loin, dans la rue de la Bahuterie, je viens de voir une petite façade de maison qui vaut bien à elle seule tous les monuments de Bordeaux pour les nombreuses conjectures qu'on peut en faire sortir : le panneau principal est occupé par une figure humaine à trois facies, quatre yeux servent aux trois figures, emblème de la Trinité; à droite et à gauche, sont des chevaux ailés, plus bas un griffon; dans une autre cour une tête d'homme couverte d'un turban. Un caractère asiatique persan ressort de cette énigme de pierre, attribuée par mon cicerone à l'invention d'un membre du parlement, alchimiste autrefois célèbre. Symbolisme curieux qui se rattacherait peut-être aux dogmes orientaux du moyen âge. Est-ce qu'Ahriman serait venu si loin jusque dans l'anglaise Gascogne? Un homme du peuple disait près de là que c'était l'hôpital des pauvres. Que conclure de tout ceci? Rien que du vague.

Comme il faut essentiellement s'instruire en voyage, je me suis laissé mener à la manufacture de porcelaine de M. Johnston, dans laquelle nous avons été pilotés par un petit homme rempli de suffisance, d'ailleurs extrêmement poli pour nous. Pendant deux heures nous avons marché au milieu des cruches, tasses, pots, plats et assiettes de différentes grandeurs et je m'ennuyais si bien que je n'étais point dans la mienne. Je sens au rebours des autres, est-ce ma faute? Mais je n'aime point à voir travailler et suer la pauvre humanité; j'aime autant la voir dormir. Voilà un sentiment qu'un philanthrope ne comprendrait guère, j'imagine, mais ce n'est jamais sans être froissé que je vois piteusement entassés des enfants et des jeunes filles sous des vitres et dans une atmosphère lourde, tandis qu'à côté, derrière la muraille, s'étend la campagne, l'herbe verte, la forêt ombreuse, le lac si frais, le champ de vignes tout doré. On nous vante le bonheur matériel du monde moderne et la douceur de l'enchâssement social, et, reportant sur le passé un immense regard de pitié, nous faisons les capables et les forts, nous nous rengorgeons dans notre linge frais et dans nos maisons bien fermées, qui sont plus vides, hélas, que les caravansérails délabrés de l'Orient, abandonnés qu'ils sont à tous les vents qui dessèchent, où nous habitons seuls, sans dieux et sans fées, sans passé et sans avenir, sans orgueil de nos ancêtres, sans espoir religieux dans notre postérité, sans gloires ni armoiries sur nos portes, ni sans christ au chevet.

Quand nous entrions dans les ateliers, on levait la tête pour voir les étrangers, quelques-uns la détournaient avec mépris vers M. Alexandre, les autres continuaient silencieusement; on n'entendait que le bruit de la meule qui tournait et celui de l'argile clapotée dans l'eau. Est-ce que cela n'est pas triste que de voir ce travail morne et sérieux, cette machine composée d'hommes aller sans bruit, tant d'intelligences travailler sous le même niveau? Il y a de beaux enfants du Midi, aux yeux noirs, au sourcil arqué, au teint cuivré et qui se courbent et qui pétrissent la terre glaise. Autant valaient des coups de lance et même la famine dans les camps; mais de l'air au moins, du soleil, de l'action et des coups d'épée en rase campagne, quelque chose qui anoblisse et qui grandisse! Je sais bien qu'il y a quelque chose d'étroit à tout considérer ainsi sous un petit point de vue sentimental et étriqué, que c'est fausser l'histoire et nier le mouvement que de lapider le présent par le passé, les modernes par les anciens; j'en demande pardon et je trouve cela assez bête, mais que voulez-vous? C'est l'image d'un garçon de 14 ans environ, dont les cheveux ras, la tête osseuse et le regard singulièrement triste et élevé, mis en parallèle avec le bambin puant de vanité, faisant le maître et les tutoyant tous; pauvre enfant qui est peut-être né de la plus pure argile, poète destiné à contenir l'ambroisie des suaves pensées, vase d'élection dont on souille la forme et qu'on fait commun, usuel, utile, propre à faire boire les pourceaux. Rien n'y manque pour l'abrutissement, pas même une école. Vous croyez que le soir, quand le bras est fatigué, l'oreille assourdie, ils peuvent s'étendre sur l'herbe, regarder la lune, courir les champs par bandes joyeuses pour manger le raisin mûr, aimer sous les arbres? Fi donc! et la morale? Les mains lavées, ils montent un étage, du mortier matériel ils passent au gâchis spirituel; on leur montre à lire, à écrire; on leur enseigne l'histoire, la géographie, les quatre règles; aux plus avancés on lit le *Journal des Connaissances utiles;* dans les chaudes soirées d'été ils écoutent le maître à la lueur des quinquets qui fument, ils tournent le dos au ciel bleu resplendissant d'étoiles pour regarder le tableau rayé des chiffres, pour écouter la théorie des quatre règles, au lieu de chanter les chansons que leurs pères, dans leur jeunesse, ont chantées à leurs mères, le soir, assis sur le banc devant leur maison.

J'ai hâte d'en finir avec Bordeaux et j'aime mieux le Médoc où je me suis promené dans une bonne vieille voiture à la Louis XIV, comme les présidents devaient en avoir il y a deux cents ans, conduits par le silencieux Cadiche et par deux gros chevaux bretons, au milieu du sable, entre les vignes dont chaque grappe vaut de l'or, religieux pèlerinage où nous avons fait de nombreuses stations. Hélas! le vin alourdit dans ces chaudes contrées, il n'enivre pas, mais vous enfle et bouffit, vous fait gonfler la veine, et vous endort; si bien qu'ayant peu bu j'étais horriblement fatigué et que je fis, dès lors, un serment d'ivrogne que je n'ai pas encore violé, car il y a de cela trois jours. J'approuve fort néanmoins la manière dont nous avons dîné à Léoville, qui a consisté à se repaître d'excellent vin, en l'absence des propriétaires; délicieuse façon de dîner chez les gens et que tous ceux qui vous invitent chez eux devraient avoir. Je me rappellerai donc longtemps M. Bartou, que je n'ai pas vu, et ses excellents procédés.

BAYONNE, BIARRITZ, LE PAYS BASQUE, LES PYRÉNÉES

De Bordeaux à Bayonne vous passez dans un pays qui est dit les *Landes*, quoiqu'il soit, sans contredit, bien supérieur au Poitou et à la Guyenne. Vous allez au milieu de pins clairsemés; çà et là une maison, des attelages de bœufs qui traînent un petit chariot dans lequel est assise une femme couverte d'un large chapeau de paille. A Dax, le bois s'épaissit, et jusqu'à Bayonne la route est charmante. On retrouve plus de fraîcheur et d'herbe; les petites collines boisées qui se succèdent les unes aux autres annoncent enfin qu'on va voir les montagnes et on les voit enfin se déployer dans le ciel à grandes masses blanches, qui tout à coup saillissent à l'horizon. Je ne sais quel espoir vous prend alors, l'ennui des plaines blanches du Midi vous quitte, il vous semble que le vent de la montagne va souffler jusqu'à vous, et quand vous entrez dans Bayonne, l'enchantement commence.

Le soleil se couchait quand nous entrâmes dans le quartier des Juifs, hautes maisons, rues serrées, plus d'alignements au moins! pour être surpris et plus charmé encore quand vous passez l'Adour. Voilà des eaux azurées, et la chute du crépuscule leur donnait une teinte sombre, et néanmoins les barques, les arbres du rivage s'y miraient en tremblant. La voiture roulait au pas sur le pont de bateaux, et une jeune Espagnole, la cruche de grès passée au bras comme les statues antiques, s'avançait vers nous. C'était là un de ces tendres spectacles qui font sourire d'aise et qu'on hume par tous les pores. Jusqu'à présent j'adore Bayonne et voudrais y vivre; à l'heure qu'il est je suis assis sur ma malle, à écrire; la fenêtre est ouverte et j'entends chanter dans la cour de l'hôtel.

L'Adour est un beau fleuve qu'il faut voir comme je l'ai vu, quand le soleil couchant assombrit ses flots azurés, que son courant, calme le soir, glisse le long des rives couvertes d'herbes. Aux allées marines où je me promenais hier après la pluie, l'air était doux, on entendait à deux lieues de là le bruit sourd de la mer sur les roches; à gauche il y a une prairie verte où paissaient les bœufs.

On vous parle beaucoup de Biarritz à Bayonne. Les voitures qui vous y conduisent sont remplies de gens du pays. Allègre et gaillarde population descendue de la montagne, leur patois est vif et accentué, compris d'eux seuls, et servant de langue commune aux deux frontières espagnole et française. On y va pour s'y baigner, pour y danser. Bravets est un nom qui fait sourire ici chaque habitant, on m'en avait conté mille choses charmantes que je me promettais de voir et que je n'ai pas vues.

Ce joli pays m'a été gâté, non par son aspect physique qui est des plus beaux, mais par son costume, si je puis dire, et gâté par un événement où j'ai trempé; le mot n'est pas métaphorique.

Nous étions descendus sur la grève à peu près déserte pour lors; l'heure des bains et des baigneuses surtout était passée, première contrariété pour moi qui comptais voir beaucoup de naïades. Une vieille petite femme, dont les cheveux blancs encadraient un visage ridé, recueilli sous une capote de toile cirée, s'avançait à la mer pour y ramollir sa vieille peau; une vaste blouse jaune qui l'enveloppait et qui flottait sur ses membres la faisait ressembler à un caniche qui sortirait d'un bol de café au lait. C'est là la seule baigneuse que j'aie vue à Biarritz, quelle chance!

Comme je marchais le long de l'écume des flots, j'ai vu tout à coup sortir de l'eau un baigneur qui appelait du secours pour deux hommes qui se noyaient au large. Je ne sais où étaient les gardes-côtes; il y avait au loin quelques amateurs qui restaient fort impassibles, on ne se dérangeait guère. A l'instant j'entendis des cris aigus, et une grande femme vêtue de noir, qu'à sa douleur expansive je crus être la mère de ceux qui se noyaient, accourait vers moi avec de grandes lamentations. Quand elle vit que j'ôtais vivement mon habit, elle augmenta ses éclats, me déboutonna mes bottines, m'exhortant à sauver ces malheureux, me comblant de bénédictions et d'encouragements. Je me mis à l'eau assez vivement, mais avec autant de sang-froid que j'en ai quand je nage tous les jours, et si bien que, continuant à nager toujours devant moi dans la direction que l'on m'avait indiquée, j'avais fini tout à coup par oublier que je faisais un acte de dévouement; je n'étais ennuyé seulement que de mon pantalon et de mes bas que j'avais gardés et qui m'embarrassaient dans mes mouvements. A environ cinquante brasses je rencontrai un homme évanoui que deux autres traînaient à terre avec beaucoup de peine. Je me disposais à retourner avec eux et à aider ces braves gens.

— Il en reste encore un second, me dit un d'eux.

— Allons le chercher, lui dis-je.

Et nous continuâmes à nager côte à côte assez vigoureusement, d'abord droit devant nous, puis parallèlement au rivage; mais ne plongeant aucun des deux, que pouvions-nous faire? Un orage s'annonçait par des éclairs; et les vagues (qu'il ne faut pas dire fortes, car je mentirais) nous empêchaient de voir tout ce qui pouvait saillir sur les flots autour de nous.

— C'est fini, me dit un compagnon, il est noyé!

Nous fîmes alors volte-face, et regagnâmes le rivage. Le trajet me parut plus long que pour aller, et les dernières vagues pleines de mousse nous poussaient vivement sur le sable. Je croyais l'autre homme sauvé, mais tous les soins furent inutiles, il mourut au bout de quelques minutes. Pendant qu'on entourait le noyé, je m'étais réfugié dans une cabane, privé de ma chemise et de mon habit, grelottant et tout trempé d'eau salée. Je finis par les retrouver au bout d'un quart d'heure, ils avaient été déposés dans une baraque où se trouvaient plusieurs pauvres femmes du pays, se lamentant et poussant des cris. Elles me croyaient un de leurs compagnons et leur douleur s'en augmentait, peut-être un peu par politesse, elles répétaient toutes : « Ah! mon Dieu! mon Dieu! la pauvre mère qui les a nourris! » et c'étaient des exclamations et des battements de mains nouveaux. La grande dame anglaise qui m'avait pris mes hardes m'étourdissait de son caquet et voulait que je fisse une plainte contre les gardes-côtes qui ne s'étaient pas trouvés à leur poste; ce qui me dégoûta assez de sa douleur. On me prêta un pantalon de paysan que je gardai toute la journée, où je m'exerçai à aller nu-pieds. Quand je sortis de la cahute on m'entoura pendant cinq minutes; je fus oublié au bout de dix, comme je le méritais.

Le soir, quand la pluie fut passée, nous allâmes tous au phare, que je ne pus visiter, ayant oublié mon passeport, ce qui me contraria médiocrement, car je n'avais guère envie d'y monter. Le reste de la société s'en retourna à pied directement à Bayonne et moi je revins à Biarritz pour reprendre mon pantalon qui devait être sec et que je repassai aussi mouillé que lorsque je l'avais quitté le matin. Ce fut là ce qu'il y eut pour moi de plus tragique dans l'aventure.

Du phare à Biarritz le terrain descend sensiblement, et après avoir marché sur des rochers escarpés on se trouve sur le rivage. Je marchais le long des flots comme il m'était si souvent arrivé à Trouville, à la même saison et à la même heure; le soleil aussi se couchait sans doute là-bas sur les flots, mais ici la mer était bleue et douce, le vent était tiède et l'orage s'en allait.

Je me récitais tout haut des vers, comme cela m'arrive quand je suis tout seul dans la campagne; la cadence me fait marcher et m'accompagne dans la route comme si je chantais. Je pensais à mille choses, à mes amis, à l'art, à moi-même, au passé et à l'avenir, à tout et à rien, regardant les flots et enfonçant dans le sable.

J'ai été hier en Espagne, j'ai vu l'Espagne, j'en suis fier et j'en suis heureux, je voudrais y vivre. J'aimerais bien à être muletier (car j'ai vu un muletier), à me coucher sur mes mules et à entendre leurs clochettes dans les gorges des montagnes; ma chanson moresque fuirait répétée par les échos. A Behobie je voyais l'Espagne sur l'autre rive et mon cœur en battait de plaisir, c'est une bêtise. La Bidassoa nous a conduits jusqu'à Fontarabie, ayant la France à droite, l'Espagne à gauche. L'île des Faisans ne vaut pas la peine d'être nommée, placée comme une petite touffe d'herbes dans un fleuve, entre de hautes montagnes des deux côtés. Nous avons débarqué sur la terre d'Espagne et, après avoir suivi une chaussée entourée de maïs, nous nous trouvâmes devant la porte principale qui tombe dans les fossés. Il en sortait au même instant une grande fille, pieds nus, vêtue de rouge et les tresses sur les épaules; elle ne détourna pas la tête et continua sa route. Fontarabie est une ville toute en ruines. L'on n'entend aucun bruit dans les rues, les herbes poussent sur les murs calcinés, point de fenêtres aux maisons. La principale rue est droite et raide, entourée de hautes maisons noires garnies toutes de balcons pourris où sont étendus des haillons rouges qui sèchent au soleil; nous l'avons gravie lentement, regardant de tous côtés et regardés encore plus. C'est l'Espagne telle qu'on l'a rêvée souvent : à travers un pan de mur gris, derrière un tas de ruines couvert d'herbes, dans les crevasses du terrain bouleversé, un rayon de soleil sort tout à coup et vous inonde de lumière, comme vous voyez passer devant vous et marchant vivement le long des rues désertes quelque admirable jeune fille, éternelle résurrection des beautés de la nature, qui surgit, quoi que les hommes fassent, au milieu des débris et reparaît plus belle derrière les tombeaux.

L'église de Fontarabie est sombre et haute, il n'y a plus ce qui insultant des temples du Midi; les dorures répandues à profusion ont néanmoins quelque chose de bronzé qui est grave. Point d'ornements à l'extérieur, des grands murs droits comme à Saint-Jean-de-Luz qui ressemble aussi à l'Espagne. Nous y étions entrés le même jour, le matin; on y disait une messe des morts; il y avait peu de monde, quelques femmes toutes entourées de voiles et à une grande distance les unes des autres se tenaient au milieu de l'église, agenouillées séparément sur des tapis noirs et la tête baissée.

En me promenant dans Fontarabie, je m'ouvrais tout entier aux impressions qui survenaient, je m'y excitais et je les savourais avec une sensualité gloutonne; je me plongeais dans mon imagination de toutes mes forces, je me faisais des images et des illusions et je prenais tout mon plaisir à m'y perdre et à m'y enfoncer plus avant. J'entendis, partant d'une maison dont je rasais le mur, une chanson espagnole sur un rythme lent et triste. C'était sans doute une vieille femme, la voix chevrotait et semblait regretter quelque chose d'évanoui. Je ne voyais rien, la rue était déserte, sur nos têtes le ciel était bleu et radieux, nous nous taisions tous. Que voulait-elle dire, cette chanson espagnole chantée par la vieille voix? Était-ce deuil des morts, retour sur les ans de jeunesse, souvenirs du bon temps qui n'est plus, des chants de guerre sur ces ruines ou des chants d'amour que fredonnait la vieille femme inconnue? Elle se tut, et une voix fraîche partit à côté, entonnant un boléro allègre, chaud de notes perlées, chanson de l'alouette qui secoue le matin ses ailes humides sur la haie d'épines; mais elle ne dura guère, cette voix se tut vite, et le boléro avait été moins long que la complainte. Et nous continuâmes à marcher dans les pierres des rues. On trouve çà et là des puits comblés au milieu des rues, des créneaux dans chaque pan de mur; on ne sait où on va; la ville a l'air d'errer aussi et de penser des choses douloureuses.

Un pêcheur vêtu de rouge, le profil osseux et découpé, faisait sécher une voile rapiécée sur un tertre de gazon, entre des hardes sales et cent fois recousues. Quand il nous vit, il nous appela et nous fit descendre dans un trou creux maçonné, plein de meurtrières, et d'où les Carlistes se cachaient pour mitrailler les avant-postes christinos. Car les Carlistes ont tenu bon, ils sont tombés un à un, comme le moyen âge aussi est tombé pierre à pierre; mais il a fallu les arracher, et bien des ongles ont sauté; chaque maison, chaque porte, chaque poutre est criblée de balles, l'église a reçu des boulets, les obus ennemis ont été jusqu'à Behobie et y ont tué des hommes. Carlos est venu jusqu'aux bords de la Bidassoa, on montre la porte où il est entré la nuit pour visiter les siens et ranimer les courages.

A côté de la ville est un village moins misérable qu'elle, la Madalena. Il n'y a rien à y voir que des huttes de pêcheurs et sa belle plage qui descend mollement jusqu'à la mer. Devant l'église, il y a une petite fontaine dont les pierres sont disjointes, l'eau tombe goutte à goutte; une petite fille et une vieille femme rousse attendaient, toutes deux assises sur le bord, que leur cruche fût remplie. L'église est basse, fraîche et sombre; il y fait presque nuit, nous nous y sommes reposés sur de vieux bancs en chêne, la lampe de l'autel remuait agitée par le vent qui venait de la porte. Je n'oublierai pas le cortège d'enfants qui m'a entouré sur le rivage, alléché par l'espoir des aumônes; les plus jeunes étaient les plus hardis, les aînés se tenaient au second rang, ordre qu'ils n'ont pas observé quand ma pluie de sous espagnols est tombée sur eux. Ils étaient tous en guenilles, tous timides et beaux, tous attendant l'argent en silence et ils se sont rués dessus quand il est venu. La marée n'était pas encore assez haute pour nous conduire facilement à Irun, ce qui fait que nous avons remonté lentement et péniblement la rivière.

J'ai quitté Fontarabie avec tout le regret d'une chose aimée; je lui garde une reconnaissance, tout le temps que j'y ai été, il m'a semblé errer dans une ville antique.

J'aime aussi Irun, où nous avons abordé, en remontant la Bidassoa, le soir vers les 5 heures. La première personne que nous y avons vue est une jeune fille qui voulait venir avec nous en France, et la première chose, c'est l'église dont le curé nous a fait les honneurs avec une grâce toute castillane. Elle porte un caractère du XVIe siècle qui sent son Philippe II, dorures sombres à force d'être vieilles, une richesse triste; les sculptures en bois qui ornent le maître-autel représentent la Passion sont toutes dorées avec une grande profusion, surtout dans les étoffes. Je me rappelle maintenant un morceau de sculpture en bois figurant les limbes et qui se trouve sur le côté gauche : parmi les damnés j'ai remarqué deux têtes tonsurées qui se cachent au spectateur et ne lui montrent que le signe de leur mission oubliée. Evidemment il n'y a eu ici aucune intention personnelle et la leçon est claire, sans être scandaleuse. Il m'eût fallu plus de temps pour étudier les deux églises de Fontarabie et d'Irun. Et, d'ailleurs, que résulte-t-il d'une étude si partielle sinon quelques jalons à conjectures? Je voudrais savoir, par exemple, si Satan est souvent représenté avec des seins de femme, comme je l'ai vu à Fontarabie, ce que je n'ai point remarqué dans les églises du Nord. On fit un baptême, l'orgue joua un air fanfaron et résonnant; on eût plutôt dit une contredanse exécutée par des trompettes.

Nous avons dîné à Irun, nous avons donc fait un repas en Espagne et j'y ai bu du cidre, du vrai cidre, comme en Normandie. La salle était tendue de papier frais et ornée d'une gravure de 25 sols représentant l'Europe en chapeau à plumes. La fille qui nous servait à table était maigre, fanée et vieille; elle a dû être jolie à en juger par son beau regard et par l'expression de gracieuse tristesse qui lui donne quelque chose de doux et fier comme l'Espagne son pays. Le soir enfin nous avons quitté notre hôtesse avec des poignées de main, après lui avoir acheté des cigarettes, nous être souhaité bonne santé et lui avoir promis notre retour. Ah! c'est un beau pays que l'Espagne! On l'aime en mettant le pied sur son seuil et on lui tourne le dos avec tristesse, car je la regrettais comme si je l'avais connue, en m'en retournant, le soir, à Behobie, à pied, et le ciel grondait d'orage le long de la rivière; chemin faisant nous rencontrions des paysans qui rentraient chez eux, et tous nous saluaient en nous souhaitant *buenas noches*. La pluie venue, nous nous sommes mis à l'abri dans une étable où s'étaient réfugiées comme nous une mère et sa fille, qui se signaient à chaque éclair; nous avons repris notre route; l'abbé, qui lisait son bréviaire, n'a pu continuer, l'eau mouillait son livre, et moi je pensais à Fontarabie, à son soleil et à ses ruines.

J'étais triste quand j'ai quitté Bayonne et je l'étais encore en quittant Pau; je pensais à l'Espagne, à ce seul après-midi où j'y fus, ce qui fait que Pau m'a semblé ennuyeux. On m'a assuré le contraire et on a rejeté sa mine rechignée sur le mauvais temps qu'il faisait; on m'a dit que les jolies femmes ne se montraient qu'au soleil, et il pleuvait fort, la journée que j'y suis resté. Le haras m'a tout autant intéressé que le château d'Henri IV, car j'ai encore mal au cœur du berceau du bon roi. Son petit-fils Louis XVIII l'a fait surmonter d'un casque doré et de drapeaux blancs, de trophées et de fleurs de lis, et tout cela pour une écaille de tortue et deux fourchettes qui dorment dedans à la place du cher monarque. Cela veut-il dire qu'Henri IV ait été un pique-assiette? Aujourd'hui on répare le château, on recrépit les ruines, on remet du ciment dans les pierres grises, on se joue avec l'histoire. Qu'est-ce que tout cela signifie? Par amour pour l'art on finira par s'habiller en ligueur quand on sera dans un château du XVIᵉ siècle, et par vivre dans un bal masqué perpétuel. Bref, je suis assommé des châteaux qui rappellent des souvenirs, et des souvenirs comme ceux d'Henri IV, qui est bien l'homme le plus matériel et le plus antipoétique du monde. Si nous rebattons si bien les vieux habits pour les mettre sur nos dos, c'est faute peut-être d'en avoir de neufs.

L'homme n'est pas content d'avoir le présent et l'avenir, il veut le passé, le passé des autres, et détruit même jusqu'aux ruines. S'il pouvait il vivrait à la fois dans trois siècles et se regarderait dans douze miroirs. Laissez donc un peu couper la faux du temps, ne grat-

tez pas la verdure des vieilles pierres, point de badigeon aux tombeaux et n'ôtez pas les vers de dessus les cadavres pour les embaumer ensuite et vivre avec eux.

Au delà de Pau, le paysage devient triste, sans être encore grandiose. Il n'y a plus rien ici de la vivacité et de l'hilarité bayonnaises; à Lourdes, à Argelès, à Pierrefitte, aux eaux voisines et aux eaux chaudes, les vêtements sont bruns; comme les troupeaux, les hommes sont laids et petits, beaucoup de goitres chez les femmes; plus de saillies ni d'éclats, on est triste, l'hiver a été rude, il fait froid, le vent souffle de la montagne, le gave gronde et emporte à chacun un morceau de son champ; on est éloigné des grandes villes et le transport est cher, et pourtant l'herbe est haute, la culture va jusqu'au haut des montagnes et s'attache aux pans escarpés des rochers. La nature est riche et l'homme est pauvre, d'où cela vient-il? Si on n'avait devant soi les pics des Pyrénées, on trouverait superbes ces montagnes d'avant-poste, ces paysages si pleins de fraîcheur, ces vallées qui ont l'air d'une corbeille de marbre tapissée d'herbes. J'ai été à pied de Assat aux Eaux-Chaudes, le long du gave qui roulait au fond sous des touffes d'arbres. La route serpente le long d'un côté, suspendue aux rochers, comme un grand lézard blanc qui en suivrait tous les contours; je marchais vite, écoutant le bruit de l'eau et regardant les sommets de la montagne.

Tous les établissements thermaux se ressemblent : une buvette, des baignoires et l'éternel salon pour les bals que l'on retrouve à toutes les eaux du monde. La fréquentation des étrangers donne un air plus éveillé aux habitants des eaux qu'à ceux des vallées inférieures, dont le caractère extérieur est plus grave.

A Saint-Savin, qui domine la vallée d'Argelès par exemple, l'église [1] était remplie d'hommes; les femmes vêtues complètement de noir avaient l'air de statues. L'église est haute, nue; les fenêtres sont petites et très élevées; sa simplicité contraste avec les églises du pays (et notamment celles de Lourdes), qui sont toutes chargées d'ornements dans le goût des églises espagnoles, comme celle de Bétharram.

Nous avons été au bout de la terrasse du prieuré pour regarder le panorama de quatre vallées qui s'embranchent. De gros nuages flottaient sur les pics de montagnes et l'air était lourd, et cependant la brise montait jusqu'à nous. Au loin on entendait vaguement le bruit du gave dans la vallée; l'église résonnait de cantiques et des oiseaux chantaient dans les arbres. A l'entrée du prieuré, il y a des bas-reliefs romans, arrachés au cloître détruit, dont on a formé une sorte de haie; les feuilles de vignes qui montent le long des fûts de pierre battaient sur les feuilles d'acanthe et sur les oiseaux sculptés dans les chapiteaux écornés; l'enfant qui nous conduisait et le domestique de la maison, étonnés, nous regardaient. Je garderai bon souvenir de Cauterets et de la cordialité de M. Baron,

---

1. Sa forme est celle d'une croix ronde; point d'abside, deux chapelles latérales parallèles au chœur; vieilles peintures moisies; portail roman; un bénitier à droite en entrant représentant deux hommes qui portent un vase. *(Note de Flaubert.)*

qui nous a menés au lac de Gaube et au Pont d'Espagne. On y va à cheval, ou plutôt on y grimpe sur des rochers éboulés dans le sentier, on gravit en quelques instants à des hauteurs immenses, s'étonnant de la vigueur de son cheval, dont le pied ne glisse pas sur le granit ni sur le marbre et dont le poil, après une journée de fatigue est aussi sec et aussi dur que les pierres auxquelles il se cramponne. Ce qu'on appelle le Pont d'Espagne est un pont jeté sur le torrent, que l'on traverse environ une heure après la cascade de Cerisey. Alors on entre dans une forêt de sapins, et bientôt vous marchez sur une grande prairie au bout de laquelle se trouve le lac. Sa teinte vert de gris le fait confondre un instant avec l'herbe que vous foulez; il est uni et calme; son eau est si calme qu'on dirait une grande glace verte; au fond se dresse le Vignemale, dont les sommets sont couverts de neige, de sorte que le lac se trouve encaissé dans les montagnes, si ce n'est du côté où vous êtes. Certes, si on y allait seul et qu'on y restât la nuit pour voir la lune s'y mirer dans ses eaux vertes avec la silhouette des pics neigeux qui le dominent, écoutant le vent casser les troncs de sapins pourris, certes, cela serait plus beau et plus grand; mais on y va comme on va partout, *en partie de plaisir*, ce qui fait qu'on n'a pas le loisir d'y rêver et l'impudeur de se permettre des élans poétiques désordonnés. On arrive à midi, dévoré d'une faim atroce, et l'on s'y empiffre d'excellentes truites saumonées, ce qui ôte à l'imagination toute sa *vaporisité* et l'empêche de s'élever vers les hautes régions, sur les neiges, pour y planer avec les aigles. Si vous ouvrez l'album que vous présente le maître de la cabane où vous mangez, vous n'y verrez que deux genres d'exclamations : les unes sur la beauté du lac de Gaube, les autres sur la bonté de ses truites; les secondes sont infiniment plus remarquables au rapport littéraire que les premières, ce qui veut dire qu'il n'y a que des sots ou des ventrus qui aient pris la plume pour y signer leur nom et leurs idées.

Les plus curieuses réflexions :

« Je me suis chargé d'excellentes truites au lac de Gaube. » (DANTAN jeune.)

« Malgré tous mes efforts la truite n'a pu entrer. » (VILLEMAIN.) En regard, un portrait du fin critique.

« Pour entonner une truite « O truites du lac de Gaube, que n'êtes-vous des cerises?» (M. DE RÉMUSAT).

« Quelle bosse je me suis foutue. » (COUSIN.)

Sur le haut d'une page, on lit :

« Mme THIERS : N'est-ce pas, bijou chéri, qu'il serait bien doux de mourir ensemble, à côté de ces neiges éternelles, au clair de lune et dans les eaux azurées du lac?

« M. THIERS : Ma petite chatte, ne parlons pas politique. »

Un jour Chateaubriand se trouvait au lac de Gaube avec quelques amis, tous mangeant assis sur ce même banc où nous avons déjeuné. On s'extasiait sur la beauté du lac : « J'y vivrais bien toujours, disait Chateaubriand. — Ah! vous vous ennuieriez ici à mourir, reprit une dame de la société. — Qu'est-ce que cela,

repartit le poète en riant, je m'ennuie toujours! » (Rapporté par M. Caron.)

J'ai la prétention de n'être exclusivement ni l'un ni l'autre (c'est pour cela que je n'ai rien écrit sur l'album ni pour les truites ni pour le lac, gardant mes impressions pour moi seul) et moins ridicule donc que tous les poètes qui sont venus au lac de Gaube. Je n'en dirai rien, ni du Marcado non plus, forêt couverte de sapins noirs et où les branches pourries sont tombées en travers de la route. Je fais comme nos chevaux, je saute par là-dessus, ayant bien plus peur qu'eux de m'y casser le cou.

Jusqu'à présent ce que j'ai vu de plus beau, c'est Gavarnie. On part de Luz le matin et on n'y revient que le soir au jour tombant; la course est longue et dangereuse, on marche peut-être pendant trois lieues au bord d'un précipice de 500 pieds, sans éprouver le moindre sentiment d'inquiétude, confiance qu'il est difficile d'expliquer et que tout le monde éprouve malgré soi. Quand vous avez passé l'échelle et le pic de Bergun, la montagne s'écarte du gave pour un instant, vous étale une prairie qui embaumait de foin coupé; elle se resserre bientôt et déploie toutes ses splendeurs tragiques au Chaos. Ainsi nomme-t-on un lieu plein de rochers entassés les uns sur les autres, comme un champ de bataille d'un combat de montagnes où ces cadavres immenses seraient restés, écroulés sans doute un jour d'avalanche; je ne me rappelle plus quand, mais tout l'effroi de leur chute reste encore dans leur nom de Chaos, dans toute la contrée; le gave passe à travers et se cabre contre eux sans les ébranler. Tout s'oublie vite quand on arrive dans le cirque de Gavarnie. C'est une enceinte de deux lieues de diamètre, enfermée dans un cercle de montagnes dont tous les sommets sont couverts de neige et du fond de laquelle tombe une cascade. A gauche, la brèche de Roland et la carrière de marbre, et le sol sur lequel on s'avance, et qui de loin semblait uni, monte par une pente si raide qu'il faut s'aider des mains et des genoux pour arriver au pied de la cascade; la terre glisse sous vos pas, les roches roulent et s'en vont dans le gave, la cascade mugit et vous inonde de sa poussière d'eau.

Le temps était pur, et les masses grises des montagnes du Marboré, bordées de neige, se détachaient dans le bleu du ciel et au-dessus d'elles roulaient quelques petits nuages blancs dont le soleil illuminait les contours. On reste ravi, et l'esprit flotte dans l'air, monte le long des rochers, s'en allant vers le ciel avec la vapeur des cascades.

C'est en côtoyant le pied de la montagne que l'on arrive au pont de neige. A l'entrée, nous trouvâmes enseveli un aigle que sans doute l'avalanche aura pris dans son vol et entraîné avec elle, tombeau de neige qui s'est dressé pour lui dans les hautes régions et qui l'a emporté comme un immense lacet blanc.

On s'avance sous une longue voûte qui suit le cours du gave, dont les parois de neige durcie sont en pointe de diamants. On dirait de l'albâtre oriental humide de rosée; l'eau découle du plafond sur nos habits; le gave roule des pierres, et au milieu des ténèbres la blancheur des murs de neige nous éclaire, et l'on marche courbé, se traînant sur les pierres de marbre dans cette demeure des fées. Quand vous revenez au jour, vous revoyez le cirque, ses roches, ses petits sapins et dans le bas son herbe roussie du soleil.

Je suis revenu à Luz au pas et en rêvant de Gavarnie ; j'avais encore le bruit de sa cascade dans l'oreille et je marchais sous le pont de neige. J'ai été accosté franchement par un homme qui m'a demandé du tabac et nous avons causé côte à côte jusqu'à Saint-Sauveur, où nous nous sommes quittés. Il était grand, veste blanche, bas bleus et espadrilles aux pieds, le chapeau noir espagnol et le foulard roulé en bandeau sur la tête ; il montait un maigre petit cheval blanc et s'appuyait sur son long bâton comme s'il s'en fût aidé pour marcher. Je l'avais d'abord tenu pour espagnol à son accent, mais il m'a dit être français et faire le commerce des mules ; il a servi dans la guerre de Belgique, il a été sergent, on lui a même proposé d'être tambour-major, mais il n'a pas voulu ; car il déteste l'habit de soldat et la discipline, il aime mieux l'Espagne que la France : « C'est là que la vie est bonne, s'écriait-il ! tout le monde y mange de la viande, le pain y coûte un sou, deux liards la livre, le vin y est meilleur, tout le monde est poli et on n'a pas besoin de crier pour se faire servir dans les auberges. — Oui, Monsieur, me disait-il en me regardant avec son œil à moitié fermé, celui qui y fait de la dépense pour un sou est regardé comme celui qui en fait pour six francs. » Comme je lui demandais si les femmes étaient jolies : « Ce n'est pas tant qu'elles sont jolies comme elles sont bonnes ; rien qu'à les entendre parler, continuait-il, il y a une grâce, une certaine chose chez elles enfin, qui vous porte à penser à des affaires de femmes quand on ne le voudrait pas. » Mais il revenait toujours sur le bon marché des vivres et ne tarissait pas sur l'éloge du pain qui est meilleur, du vin, de la viande, de tout en général et sur la magnifique beauté du cher pays qu'il habite.

BAGNÈRES-DE-LUCHON

15 septembre, temps de pluie.

Aujourd'hui je devais aller au port de Venasque et revenir par le port de la Picade, aller en Espagne encore une fois ! Le projet est avorté et je suis à écrire assis sur un canapé d'auberge, en paletot et le chapeau sur la tête. Je ne sais ni que faire, ni que lire, ni qu'écrire. Il faut passer ainsi toute une journée, et qui promet d'être ennuyeuse. A peine s'il est 7 heures du matin, et le jour est si triste qu'on dirait du crépuscule ; il fait froid et humide. Restant confiné dans ma chambre, il ne me reste qu'un parti, c'est d'écrire. Mais quoi écrire ? il n'y a rien de si fatigant que de faire une perpétuelle description de son voyage, et d'annoter les plus minces impressions que l'on ressent ; à force de tout rendre et de tout exprimer, il ne reste plus rien en vous ; chaque sentiment qu'on traduit s'affaiblit dans notre crâne, et dédoublant ainsi chaque image, les couleurs primitives s'en altèrent sur la toile qui les a reçues.

Et puis, à quoi bon tout dire ? N'est-il pas doux au contraire de conserver dans le recoin du cœur des choses inconnues, des souvenirs que nul autre ne peut s'imaginer et que vous évoquez les jours sombres comme aujourd'hui, dont la réapparition vous illumine de joie et vous charmera comme dans un rêve ? Quand je décrirais aujourd'hui la vallée de Campan et Bagnères-de-Bigorre, quand j'aurais parlé de la culture, des exploitations, des chemins et des voitures, des grottes et des cascades, des ânes et des femmes, après ? après ?... est-ce que j'aurai satisfait un désir, exprimé une idée, écrit un mot de vrai ? je me serai ennuyé et ce sera tout. Je suis toujours sur le point de dire avec le poète :

> *A quoi bon toutes ces peines,*
> *Secouez le gland des chênes,*
> *Buvez de l'eau des fontaines,*
> *Aimez et rendormez-vous.*

Je suis avant tout homme de loisir et de caprice, il me faut mes heures, j'ai des calmes plats et des tempêtes. Je serais resté volontiers quinze jours à Fontarabie, et je n'aurais vu ni Pau, ni les eaux thermales, ni la fabrique de marbre à Bagnères-de-Bigorre, qui ne vaut pas l'ongle d'une statue cassée, ni bien d'autres belles choses qui sont dans le guide du voyageur. Est-ce ma faute si ce qu'on appelle l'*intéressant* m'ennuie et le *très curieux* m'embête ? Hier, par exemple, en allant au lac d'Oo, quand mes compagnons maugréaient contre le mauvais temps, je me récréais de la pluie qui tombait dans les sapins et du brouillard qui faisait comme une mer de blancheur sur la cime des montagnes. Nous marchions dedans comme dans une onde vaporeuse, les pierres roulaient sous les pieds de nos chevaux, et bientôt le lac nous est apparu calme et azuré comme une portion du ciel ; la cascade s'y mirait au fond, les nuages qui s'élevaient du lac, chassés par le vent, nous laissaient voir de temps en temps les sommets d'où elle tombe.

En venant ici de Bagnères-de-Bigorre, nous avons couché à Saint-Bertrand-de-Comminges, vieille petite ville aux rues raides et pierreuses, presque déserte, silencieuse et ouverte au soleil. De la vieille ville romaine il ne reste rien, et de l'église romane peu de chose, tant l'attention se porte ailleurs tout entière. La façade est nue ; grande tour carrée avec du ciment neuf entre les vieilles pierres, couverte d'un chapeau de planches construit récemment pour couvrir les cloches qui se rouillent sans doute. Le portail est petit et de vieux goût roman, et les chapiteaux de ses colonnes supportent des grotesques : gnomes montés sur des hippogriffes, usés par le temps, uniformes d'eux-mêmes et qui semblent rire dans leur horreur du mystère qui les entoure. A l'intérieur, murs simples et nus ; point d'abside ; les fenêtres, hautes et étroites, et sur les côtés des arcades jumelles et pointant en pure ogive diminuent de hauteur à mesure qu'elles s'inclinent vers le fond, comme si l'élan diminuait. Mais ce qui est maintenant toute l'église et ce qui la constitue réellement, c'est un immense jubé en buis qui renferme à lui seul le chœur et la nef, le prêtre et les fidèles. Ses pans hauts obscurcissent le jour qui tombe des fenêtres romanes; son maître-autel, plein de fioritures de bois peint, cache la relique du saint qui est relégué derrière, comme dans la coulisse; sur les parois latérales, à chaque médaillon une tête de chevalier ou de matrone, souvenir antique que le libre caprice du sculpteur a jeté à profusion, plaçant l'art au milieu de la foi, le remplissant et s'en faisant un prétexte. N'est-ce pas l'antiquité dans le roman, le xvie siècle dans le xie, la Renaissance dans le moyen âge? Partout le bois est sculpté, fouillé, tressé, tant le talent est flexible, tant l'imagination se joue et rit dans les mignardes inventions; aux culs-de-lampe ce sont des amours suspendus et versant des corbeilles de fleurs sur des seins de femmes qui palpitent, et des ventres de tritons qui rebondissent et dont, plus bas, la queue de poisson s'enlace et se roule sur la colonne. Çà et là c'est une tête de mort, plus loin, une face de cheval, de lion, n'importe quoi pourvu que ce soit quelque chose; ici un pédagogue qui fesse un écolier pour faire rire quand on passe à côté; la luxure en femme avec le pied fourchu, et la feuille de chou, un singe qui a mis le capuchon d'un moine, des bateleurs qui s'exercent, et mille choses encore sans gravité et sans pensée; partout de la complaisance dans les formes, de l'esprit, de l'art et rien autre chose; pas une tête inspirée qui prie, pas une main tendue vers le ciel, ce n'est pas une église, c'est plutôt un boudoir. Dans un temple, toutes ces miséricordes ouvragées où l'on s'assoit comme dans un fauteuil, et où les belles dames du xvie siècle laissaient retomber leurs doigts effilés se prélassant sur les détails païens, ces volutes, ces feuilles d'acanthe, ces têtes de mort même, qu'est-ce que tout cela veut dire? Les prophètes, les docteurs et les sibylles qui se suivent méthodiquement dans chaque cadre de bois, sur les parois intérieures, où vont-ils? et pour quoi faire? On leur tourne le dos, et la tête levée vers le ciel rencontre involontairement les petits plafonds fleuris où l'œil caresse des formes amoureuses. La Renaissance est entière avec son enthousiasme scientifique et sa prodigalité de formes, et sa décence exquise dans les nudités où elle s'étudie, dans la corruption. Qu'il y a loin de là au pieux cynisme du moyen âge! C'est beau, joli, charmant; on admire la tête et non du cœur, enthousiasme frelaté qui s'en va vite; c'est un musée, un beau morceau d'art qui fait penser à l'histoire, un livre en bois où l'on lit une page du xvie siècle, pas autre chose.

Si vous voulez du grand et du beau, il faut sortir de l'église et gagner la montagne, vous élever des vallées et monter vers la région des neiges. C'est une belle vie que celle de chasser l'isard ou l'ours, de vivre dans le pays des aigles, d'être haut comme eux et de leur faire la guerre.

Quand on va au port de Venasque, on traverse d'abord une grande forêt de frênes et de hêtres qui couvrent deux montagnes qui se regardent face à face. Les ravins ont enlevé des arbres, et font sur le côté opposé à celui où vous marchez comme des chemins qui serpentent en tombant à travers les bois. C'était le matin, et les lueurs du soleil levant dessinaient les ombres des branches sur la mousse et sur les feuilles jonchées par terre; il avait plu, le chemin était boueux; la lune blanche remontait dans le ciel. Avant de gravir le plus rude, on s'arrête à l'hospice, grande maison nue au dehors comme au dedans, où nous n'avons vu que les enfants du gardien qui se taisaient en nous regardant. La cuisine est haute et voûtée pour soutenir le poids des avalanches; des meurtrières dans les murs remplacent les fenêtres, et quand on ferme les auvents il fait nuit. La fumée sortait en nuages du foyer, et le vent qui venait du dehors passait sur les murs noirs et l'agitait autour de nous sans l'entraîner en se retirant. Des chênes dégrossis, placés devant le feu, servent de bancs et bien des belles voyageuses qui venaient là s'y asseoir au mois d'août, en compagnie, gantées, heureuses d'être dans les montagnes et de pouvoir le dire, ne pensent guère que quelques mois plus tard, sur ces mêmes bancs, dans les nuits d'hiver, viennent s'asseoir aussi, armés et sombres, les contrebandiers et les chasseurs d'ours. On ferme les ouvertures avec du foin et de la paille, la résine éclaire la voûte, et l'arbre brûle dans cet âtre sombre autour duquel sont réunis quelquefois jusqu'à cinquante hommes, montagnards égarés, chasseurs, contrebandiers, proscrits. Tous se rangent en cercle pour se chauffer; les uns guettent les bruits de pas sur la neige, les autres laissent venir le jour et fument sous le manteau de la cheminée. Je crois qu'on y cause peu, et que le vent qui rugit dans la montagne et qui siffle dans les jointures de la porte y fait taire les hommes; on écoute, on se regarde, et quoique les murs soient solides on a je ne sais quel respect qui vous rend silencieux.

A partir de l'hospice, la route monte en zigzag et devient de plus en plus scabreuse, ardue et aride. On tourne à chaque instant pour faciliter la montée, et si on regarde derrière soi, on s'étonne de la hauteur où l'on est parvenu. L'air est pur, le vent souffle et le vent vous étourdit; les chevaux montent vite, donnant de furieux coups d'épaule, baissant la tête comme pour mordre la route et s'y hissent.

A votre gauche vous apercevez successivement quatre lacs enchâssés dans des rochers, calmes comme s'ils étaient gelés; point de plantes, pas de mousse, rien; les teintes sont plus vertes et plus livides sur les bords et toute la surface est plutôt noire que bleue. Rien n'est triste comme la couleur de ces eaux qui ont l'air cadavéreuses et violacées et qui sont plus immobiles et plus nues que les rochers qui les entourent. De temps en temps on croit être arrivé au haut de la montagne, mais tout à coup elle fait un détour, semble s'allonger, comme courir devant vous à mesure que vous montez sur elle; vous vous arrêtez pourtant, croyant que la montagne vous barre le passage et vous empêche d'aller plus avant, que tout est fini, et qu'il n'y a plus qu'à se retourner pour voir la France, mais voilà que subitement, et comme si la montagne se déchirait, la Madaletta surgit devant vous. A gauche toutes les montagnes de l'Auvergne, à droite la Catalogne, l'Espagne là devant vous, et l'esprit peut courir jusqu'à Séville, jusqu'à Tolède, dans l'Alhambra, jusqu'à Cordoue, jusqu'à Cadix, escaladant les montagnes et volant avec les aigles qui planent sur nos têtes, ainsi que d'une plage de l'Océan l'œil plonge dans l'horizon, suit le sillage des navires et voit de là, dans la lointaine Amérique, les bananiers en fleurs, et les hamacs suspendus aux platanes des forêts vierges.

A voir tous les pics hérissés qui s'abaissent et montent inégalement, les uns apparaissant derrière les autres, tous se pressant, serrés et portés au ciel dans des efforts immenses, on dirait les vagues colossales d'un océan de neige qui se serait immobilisé tout à coup.

En longeant la montagne le sentier se rétrécit, et les schistes calcaires sur lesquels on marche ressemblent à des lames de couteaux qui vous offriraient leur tranchant.

Quand on est arrivé à la hauteur de la Pigue, on est retourné vers la France que l'on aperçoit dans les nuages et dont les plaines se dressent au loin comme des immenses tableaux suspendus, vous offrant des massifs d'arbres, des vallées qui ondulent, des plaines qui s'étendent à l'infini, spectacle d'aigles que vous contemplez du haut d'un amphithéâtre de 1.500 toises.

Dans les gorges des montagnes placées sous nous, des nuages blancs se formaient et montaient dans le ciel; le vent de la terre les faisait monter vers nous, et quand ils nous ont entourés, le soleil qui les traversait comme à travers un tamis blanc fit à chacun de nous une auréole qui couronnait notre ombre et marchait à nos côtés.

TOULOUSE

Il est commode de n'avoir qu'une demi-science, tout est clair et s'explique; une érudition plus avancée me gênerait et j'en sais juste assez pour pouvoir dire des sottises de la meilleure foi du monde. Je vois clair comme le jour dans les recoins les plus obscurs, tout s'explique et s'encadre dans mon système; j'assigne les dates et les caractères avec sang-froid et une assurance miraculeuse. Je retrouve complaisamment ce que j'ai flairé et je fais de la philosophie de l'art sans en savoir l'alphabet. Ce que je pourrais dire ici de Saint-Sernin serait le pendant de Saint-Bertrand-de-Comminges, ratatouille de styles qui figurerait bien en face de l'autre, flanqué de cornichons et de réflexions esthétiques. Je vais donc, comme un vrai savant, indiquer ici un aperçu ingénieux qui va se trouver là à propos de rien, comme il m'est pointé hier soir dans l'esprit en me couchant.

Écrit sur le canal du Midi pour passer le temps :

Il ne s'agirait rien moins que de savoir pourquoi, en avançant dans le XVIe siècle et dans le XVIIe, on trouve en architecture précisément l'inverse de ce qui arrive dans l'histoire de la poésie et de la prose; pourquoi la pierre se dégrade tandis que la parole devient au contraire éminemment plus nette et plus accentuée. A mesure, par exemple, que Rabelais se filtre et se clarifie dans Montaigne, que Régnier succède à Ronsard et qu'il n'est pas jusqu'à Scarron qui ne se souvienne de Francion, le style de Louis XIII succède hélas à celui d'Henri II, les fenêtres des maisons se rétré-

cissent et le mur blanc gagne sur les sculptures qu'on y avait dessinées. Non pas que je veuille dire que bien des figures et des niches curieusement taillées n'aient sauté aussi dans le style, abattues à grands coups de marteau, cassées en bloc pour faire de la prose, mais ici il y a renaissance, là il y a mort.

Quand on lit Rabelais et qu'on s'y aventure, on finit par perdre le fil et par avancer dans un dédale dont vous ne savez bientôt ni les issues ni les entrées; ce sont des arabesques à n'en plus finir, des poussées de rire qui étourdissent, des fusées de folle gaieté qui retombent en gerbes illuminant et obscurcissant à la fois à la manière des grands feux; rien de général ne se saisit, on pressent et on prévoit bien quelque chose, mais quant à un sens clair, à une idée nette, c'est ce qu'il n'y faut point chercher. Dans Montaigne tout est libre, facile; on y nage en pleine intelligence humaine, chaque flot de pensée emplit et colore la longue phrase causeuse qui finit tantôt par un saut tantôt par un arrêt. La pensée de la Renaissance, d'abord vague et confuse, pleine de rire et de joie géante dans Rabelais, est devenue plus humaine, dégagée d'idéal et de fantastique; elle a quitté le roman et est devenue philosophie. Ce que je voudrais nettement exprimer, c'est la marche ascendante du style, le muscle dans la phrase qui devient chaque jour plus dessiné et plus raide. Ainsi passez de Retz à Pascal, de Corneille à Molière, l'idée se précise et la phrase se resserre, s'éclaire; elle laisse rayonner en elle l'idée qu'elle contient comme une lampe dans un globe de cristal, mais la lumière est si pure et si éclatante qu'on ne voit pas ce qui la couvre. C'est là, si je ne me trompe, l'essence de la prose française du XVIIe siècle : le dégagement de la forme pour rendre la pensée, la métaphysique dans l'art, et, pour employer un mot qui sent trop l'école, la substance en tant qu'être. Je doute que l'architecture ait fait quelque chose de semblable. Elle se dépouille bien, en effet, comme le style, de tous les contours qui entravaient sa marche, et comme dans le style aussi elle a passé un rabot qui fait sauter mille choses gracieuses de la Renaissance ou du moyen âge qui disparaissent pour toujours avec les derniers vestiges de grâce naïve; la bonne pensée gauloise, échauffée au souvenir latin, ne s'en ira pas moins; l'arabesque meurt avec Rabelais, la Renaissance, quelque belle qu'elle ait été, n'a vécu qu'un jour. Ce qui a été pour la pierre tout un jour de vie est une aurore, une ère nouvelle pour les lettres. C'est que la pierre n'exprime ni la philosophie ni la critique; elle ne fait ni le roman, ni le conte, ni le drame; elle est l'hymne. Il ne lui est plus resté après Luther, après la satyre Ménippée, qu'à s'aligner dans les quais, à paver les routes, à bâtir des palais, et Louis XIV qui voulait s'en faire des temples pour vivre n'a pu lui donner la vie; le sang en était parti avec la foi, c'était chose usée, outil cassé dont l'ouvrier était mort. Tout ce que la pierre n'avait pas dit, la prose se chargea de le dire et elle le dit bien. Maintenant que nous croyons tout expirant, que trois siècles de littérature ont raffiné sur chaque nuance du cœur de l'homme, usant toutes les formes, parlant tous les mots, faisant vingt langues dans un siècle et renfermant dans une immense synthèse Pascal contre Montaigne, Voltaire contre Bossuet, La Fontaine et Marot, Chateaubriand et Rousseau, le doute et la foi, l'art et la poésie, la monarchie et la démocratie, tous les cris les plus doux et les plus forts, à cette heure, dis-je, où les poètes se rencontrent inquiets et où chacun demande à l'autre s'il a retrouvé la Muse envolée, quelle sera la lyre sur laquelle les hommes chanteront? reprendront-ils le ciseau pour bâtir la Babel de leurs idées? dans quelle eau de Jouvence se retrempera leur plume? C'est ce que je me disais dans Saint-Sernin à Toulouse, me promenant sous sa belle nef romane; catacombe de pierre où sont ensevelies de vieilles idées, nous n'avons pour elle qu'une vénération de curiosité et nous faisons craquer nos bottes vernies sur les dalles où dorment les saints. Eh! pourquoi pas? Que nous font les saints, à nous autres? Nous étudions l'histoire du christianisme comme celle de l'islamisme et nous nous ennuyons de l'un et de l'autre. Nous sentons bien qu'il nous faut quelque chose que nous ne savons pas, mais ce n'est rien de ce qu'on nous offre. J'étais fatigué de l'église, quelque beau que soit son roman, j'étais assommé d'église et je le suis encore; le curé nous dit qu'il avait des reliques, je l'ai cru en homme bien élevé, et un mouvement de joie inconcevable m'a fait bondir le cœur quand il m'a dit que le vélin des missels avait fait des cartouches. Je rencontrais là au moins quelque chose de notre vie, de ma vie, de la colère brutale; une passion au moins que nous comprenons, qu'un rien peut rallumer, tandis que pour la foi la niche même en est cassée en pièces dans notre cœur.

Qu'avais-je besoin d'aller à Saint-Sernin pour voir des arceaux romans dans le goût moresque, un vieux christ en bois doré qui m'a fait penser à Don Quichotte et qu'un autre jour j'aurais trouvé superbe? Mais j'avais mal dormi et j'avais froid, et puis il y a des choses qu'on ne sent bien qu'en certains jours; il faut être en humeur et en veine de manger. C'est comme le canal du Midi sur lequel j'écris maintenant: traîné par des chevaux, notre bateau glisse entre des rangées d'arbres qui mirent leurs têtes rondes dans l'eau, l'eau fait semblant de murmurer à la proue, nous nous arrêtons de temps en temps à des écluses, la manivelle crie et la corde se tend. Il y a des gens qui trouvent cela superbe et qui se pâment en sensation pittoresque, cela m'ennuie comme la poésie descriptive. Quand on a dépassé certaines classes d'idées et d'émotions, on ne regarde guère ce qui est au-dessous de vous; il en est de même pour tout, pour les croyances, pour les amours; nous ne nous reverrons jamais qu'en imagination dans notre temps passé, et nous ne l'aurons que par souvenir. Quelquefois, il est vrai, on détourne la tête pour voir en arrière, mais les jambes vous portent toujours en avant, le cœur humain pas plus que l'histoire ne recule jamais, et comme sous les pieds du cheval d'Attila l'herbe ne repousse pas où il a marché et brouté.

D'ailleurs c'est toujours la même chose, une église du Midi! Le dehors est roman, le plus souvent le portail est de la Renaissance; à l'intérieur, du rechampissage et du badigeon.

Ainsi qu'à Saint-Bertrand-de-Comminges, le chœur de Saint-Sernin à Toulouse est de bois sculpté, bien inférieur à celui-ci tant par l'exécution que par le dessin; les culs-de-lampe du dais continu qui couronne les miséricordes tombent moins bas, sont plus raides et plus carrés; les miséricordes elles-mêmes ne signifient rien, elles sont sculptées plus lourdement et leur rangée est terminée aux quatre coins par de gros Amours qui ont le ventre tendu comme des hydropiques. Au fond, en face de la chaire de l'évêque et collée au mur, se dresse une grande Naïade les cheveux en arrière et présentant l'abdomen dans un mouvement de croupe à la Bacchante, incartade drolatique mise en face de Monseigneur pour le délecter un peu pendant l'office. Car j'imagine que l'homme qui s'asseyait dans cette chaire-là, au milieu de ces femmes nues, de ces Amours bouffis et de ces guirlandes sur lesquelles ils dansent, devait lire Marot plus que saint Augustin et faire ses petites heures d'Horace, à la mode des prélats du XVIᵉ siècle qui avaient peur de gâter leur latinité en lisant l'évangile. Entre chaque miséricorde il y a alternativement, sur la partie la plus saillante, une jeune femme et une vieille: les premières sont belles, de face pure, et vous regardent avec une sécurité impudente; les secondes sont maigres et furieuses et tiennent le milieu entre la sorcière et la harpie.

L'église Saint-Etienne se compose de deux parties, deux nefs ajustées ensemble, avec un angle à gauche comme deux bâtons l'un au bout de l'autre et mal attachés; la première est romane, la seconde est gothique. Le chœur est de la Restauration, de même qu'à Castelnaudary. L'église Saint-Michel a un portail gothique, masqué par une porte moderne, et son autre façade a été bouchée avec du plâtre. Saint-Jean vous offre une enveloppe carlovingienne et un intérieur plein de mauvaises peintures d'auberge. On entre là pensant y rencontrer le moyen âge et on trouve la Restauration.

Ce matin, quand nous sommes allés à Saint-Ferréol, j'ai regardé du haut du parapet le grand bassin; l'eau était basse et le vent tiraillait sur les cailloux çà et là, comme une loque, une méchante vague. Vous auriez fermé les yeux et vous auriez reconnu que ce n'était pas le bruit d'un lac, mais une vague artificielle tant sa voix était phtisique et grêle. A cette minute je suis encaissé entre deux écluses; quand le trop-plein arrive, l'eau coule bêtement et fait le long des pierres comme le bruit d'un homme qui pisse dans un pot de chambre. Voilà le soleil qui se couche, et les joncs du bord se mirent dans l'eau et dessinent en avant et en arrière une longue bande d'ombre. Les joncs ici sont taillés au cordeau et égalisés, on les y plante (planter des joncs!) et on en fait une sorte de palissade d'herbe droite pour empêcher *d'endommager les propriétés*. Comme je ne suis pas propriétaire, j'aimerais autant voir sous l'eau un champ d'herbes inclinées irrégulièrement, en petits clochers verts qu'agiterait maintenant le vent et qui se ploieraient sous le poids des sauterelles qui s'y mirent avec elles.

LE LANGUEDOC

C'est à Toulouse qu'on s'aperçoit vraiment que l'on a quitté la montagne et qu'on entre en plein Midi. On se gorge de fruits rouges, de figues à la chair grasse. Le Languedoc est un pays de soulas, de vie douce et facile; à Carcassonne, à Narbonne, sur toute la ligne de Toulouse à Marseille, ce sont de grandes prairies couvertes de raisins qui jonchent la terre. Çà et là des masses grises d'oliviers, comme des pompons de soie; au fond, les montagnes de l'Hérault. L'air est chaud, et le vent du Sud fait sourire de bien-être. Les gens sont doux et polis. Pays ouvert et qui reçoit grassement l'étranger, le Languedoc n'offre point de saillies bien tranchées ni dans les types, ni dans le costume, ni dans l'idiome. Tout le Midi en effet y a passé et y a laissé quelque chose : Romains, Goths, Francs du Nord aussi, dans la guerre des Albigeois, Espagnols à leur tour, tous y sont venus et y ont chassé sans doute tout l'élément national et primitif; la nationalité s'est retirée plus haute et plus sombre dans les montagnes, ou plus acariâtre et plus violente dans la Provence. Quoique je n'aie rien retrouvé du Midi du moyen âge (à l'exception peut-être de quelques sculptures albigeoises à en juger par leur ressemblance avec les monuments persans à cause de la reproduction du cheval ailé et d'autres symboles ultra-caucasiques que n'a point employés le Nord), la différence n'en reste pas moins sensible entre les deux provinces. En arrivant à Nîmes, par exemple, qui est pourtant encore du Languedoc, tout est changé, et la population y est criarde et avide; elle ressemble un peu, je crois, à ce que devait être le bas peuple à Rome, les affranchis, les barbiers, les souteneurs, tous les valets de Plaute. Cela tient sans doute à ce que je les ai vus à l'ombre des arènes et dans un pays tout romain.

Le lendemain de mon arrivée à Carcassonne, j'ai été sur la grande place. C'est là une vraie place du Midi, où il fait bon dormir à l'ombre pour faire la sieste. Elle est plantée de platanes qui y jettent de l'ombre, et la grande fontaine au milieu, ornée de Naïades tenant entre leurs cuisses des dauphins, répand tout alentour cette suave fraîcheur des eaux que les pores hument si bien. On y tenait le marché : dans des corbeilles de jonc étaient dressées des pyramides de fruits, raisins, figues, poires; le ciel était bleu, tout souriait, je sortais de table, j'étais heureux.

En face de la ville moderne il y a la vieille, dont les pans de murs s'étendent en grandes lignes grises de l'autre côté du fleuve, comme une rue romaine. On y monte par une rampe qui suit la colline; on passe les tours d'entrée et l'on se trouve dans les rues. Elles sont droites et petites, pleines de tas de fumier, resserrées entre de vieilles maisons la plupart abandonnées; de temps en temps un petit jardin avec une vigne et un olivier s'élève entre des toits plats. Sur une place il y a un grand puits roman dont le dedans est tout tapissé d'herbes; personne n'y puise plus de l'eau, les plantes poussent au fond dans la source à moitié comblée. La ville est entourée d'un réseau de murs, romains par la base, gothiques par la tête; on les répare, on les soutient du moins. Les portes aux mâchicoulis sont encore debout, mais je n'y ai trouvé ni soldat romain, ni archer latin, disparus également sous l'herbe des fossés. Si on regarde du côté de la campagne, tout est radieux et illuminé de soleil et flambe de vie. La vieille ville est là, assise sur la colline, et regarde les champs étendus à ses pieds depuis longtemps, comme un vieux terme dans un jardin.

L'église est gothique d'extérieur, romane à l'intérieur. Quand nous y sommes entrés, on moulait une vieille sculpture illisible où l'on ne voyait que confusément des cavaliers, une tour, un assaut. Qu'est maintenant devenu le déblaiement de la chapelle latérale?

Dans la cathédrale de la ville neuve, chapelle très remarquable par deux statues, l'une de saint Benoist et l'autre de saint Jean.

C'était vendanges tout le long de la route jusqu'à Nîmes, aussi avons-nous vu des charrettes couvertes de baquets rougis; partout on cueillait la vigne dans les champs.

Il était environ midi quand nous entrâmes à Narbonne. Le soleil dorait toute la campagne et la cathédrale se détachait sur l'azur du ciel, je n'avais pas l'idée de ce que c'était qu'un horizon. Pendant deux jours, c'est bien mieux, j'ai vécu en pleine antiquité, à Nîmes et à Arles.

Rien ne se rattache au Pont du Gard que le vague souvenir qu'évoquent ces grands débris de grandeur romaine; il ne coule plus rien dans l'aqueduc comblé en partie dans son long tuyau de pierre par les stalactites que les cours des eaux ont formées et qui font comme une double enceinte intérieure. Trois rangs d'arcades superposés les uns sur les autres supportent la rivière aérienne dans le lit de laquelle on se promène maintenant à pied sec. En bas et tout petit, coule le Gard qui ne passait alors que sous deux arches, tant le pont est grand et s'étend sur la campagne; une partie s'est cachée et enfouie, des deux côtés du fleuve, dans les deux coteaux où l'édifice est appuyé, de sorte que ça fait comme un grand corps de pierre dont la tête et les pieds sont enfoncés dans le sable. En regardant d'en bas la hauteur du jet de ces voûtes, si fortes et si élégantes à la fois, il m'est venu à l'idée qu'on n'avait pas élevé de monument à l'ingénieur qui les avait élevées comme on l'a fait à M. Lebas pour le Luxor, et que les hommes qui ont fait tout cela ne sortaient pas de l'Ecole polytechnique!

Le soleil était presque couché quand nous fûmes de retour à Nîmes; la grande ombre des arènes se projetait tout alentour; le vent de la nuit s'élevant faisait battre au haut des arcades les figuiers sauvages poussés sous les assises des mâts du vélarium. C'était à cette heure-là que souvent le spectacle devait finir, quand il s'était bien prolongé et que lions et gladiateurs étaient longuement tués. Le gardien vint nous ouvrir la grille de fer et nous entrâmes seuls sous les galeries abandonnées où se croisèrent et allèrent tant de pas dont les pieds sont ailleurs.

L'arène était vide et on eût dit qu'on venait de la

quitter, car les gradins sont là tout autour et dressés en amphithéâtre pour que tout le monde puisse voir. Voici la loge de l'Empereur, voici celle des chevaliers un peu plus bas, les vestales étaient en face; voici les trois portes par où s'élançaient à la fois les gladiateurs et les bêtes fauves, si bien que si les morts revenaient, ils retrouveraient intactes leurs places laissées vides depuis deux mille ans, et pourraient s'y rasseoir encore, car personne ne la leur a prise, et le cirque a l'air d'attendre les vieux hôtes évanouis. Qui dira tout ce que savent ces pierres nues, tout ce qu'elles ont entendu, les jours qu'elles étaient neuves et quand la terre ne leur était pas montée jusqu'au cou? Cris féroces, trépignements d'impatience, tout ce qui s'est dit, sur ce seul coin de pierre, de triste, de gai, d'atroce et de folâtre, tous ceux qui ont ri, tous ceux qui sont venus, qui s'y sont assis et qui se sont levés; il fut un temps où tout cela était retentissant de voix sonores, du bas jusqu'en haut, ce n'étaient que laticlaves bordés de rouge, manteaux de pourpre, sur l'épaule des sénateurs; le vélarium flottait et le safran mouillait le sable avant que la rosée de sang n'en ait fait une boue. Que disait-on en attendant la venue de César ou du préteur, quand sous ses pieds dans les caveaux qui sont là rugissaient les panthères et que tout le monde se penchait en avant pour voir de quel air elles allaient sortir? Qu'y disait Dave à Formion, Libertinus à Posthumus? Quelle histoire racontait Hippia au consul? De quel air riaient les sénateurs quand la place des chevaliers se trouvait prise? Et là-haut, suspendus au plus haut, pourquoi les affranchis crient-ils si fort que tout le monde se tourne vers eux? Et à cette heure-là, au crépuscule, quand tout était fini, que l'empereur se levait de sa loge, quand la vapeur grasse du théâtre montait au ciel toute chaude de sang et d'haleines, le soleil se couchait comme aujourd'hui dans son ciel bleu, le bruit s'écoulait peu à peu; on venait enlever les morts, la courtisane remontait dans sa litière pour aller aux thermes avant souper, et Gito courait bien vite chez le barbier se faire nettoyer les ongles et épiler les joues, car la nuit va venir et on l'aime tant!

Ce qu'on appelle la Fontaine à Nîmes est un grand jardin plein d'ombrages et de murmures. Il n'y avait pas tant d'eau du temps qu'on se baignait sous les colonnes de marbre qui se trouvent suspendre une grande allée de jardin dans laquelle vous marchez. Au milieu il y a une île avec des Amours et des Naïades du temps de Louis XIV qui a fait construire le canal qui conduit l'eau jusqu'à la ville. Au fond du jardin et à côté de la fontaine, à gauche, est le temple de Diane dont la voûte est écroulée; on marche sur les frises et les corniches, les acanthes de marbre sont couvertes de mousse, les statues sont brisées et on n'en voit que des tronçons, morceaux de draperies qui semblent déchirés et qui se tiennent debout seuls comme des loques de marbre; on se demande où est le reste.

Du haut de la tour Magne on voit toute la plaine de Nîmes, ses maisonnettes éparses dans la campagne, à mi-côte, toutes entourées de jardins d'oliviers et de vignes, et chacune assise à son aise dans la verdure grise de ses touffes d'oliviers. De longues rues qui descendent vers la ville, encaissées dans deux couloirs de murs faits avec de la poussière et des cailloux, ressemblent à des lignes de craie serpentant sur un tapis vert.

Je n'ai pas eu le temps de voir complètement la Maison Carrée.

ARLES, MARSEILLE TOULON

A Arles également j'aurais voulu rester plus longtemps et y savourer longuement toutes les délicatesses sans nombre du cloître Saint-Trophime, qu'il faut avoir vu pour aimer et pour désirer encore Arles. Souvenir romain, un souvenir triste et grave, surtout sur le soir. Son amphithéâtre n'est pas, comme celui de Nîmes, presque intact et retrouvé tout entier comme une statue déterrée, il est enfoui jusqu'au milieu dans la terre et les loges supérieures sont démantelées; on dirait que les gradins qui s'écroulent veulent descendre dans l'arène. Malgré les tours de Charles Martel on ne pense guère aux Francs, et malgré la chaumière laissée comme spécimen de toutes celles qui emplissaient naguère le cirque, on ne pense guère non plus au moyen âge.

Ces monuments romains sont comme un squelette dont les os çà et là passent à travers la terre; aux ondulations du gazon on devine la forme du mort. Le théâtre est encore enfoui sous les maisons voisines et il n'y a qu'un coin qui se montre; sur une plate-forme qui faisait face aux bancs de pierre et que j'ai jugée la scène, deux colonnes de marbre blanc sont encore debout, hautes toutes deux, décorées d'une collerette de feuilles d'acanthe, tandis que toutes les autres sont étendues, mutilées, à leurs pieds. C'est par là qu'on a joué Plaute et Térence et que les Mascarilles du monde latin ont fait rire le peuple; l'ombre de la comédie latine palpite encore là. Au coin de la rue une fille sur sa porte attendait l'aventure *(carnem homini tenentem)*, mais les bougies du lupanar qui devaient brûler jour et nuit étaient éteintes, tant toute splendeur se perd; pauvre ruine d'amour, à côté de la ruine de l'art et qui vivait dans son ombre. Les Arlésiennes sont jolies. On en voit peu, on m'a dit qu'on n'en voyait plus. On ne voit donc plus rien maintenant! C'est là ce qu'on appelle le type gréco-romain; leur taille est forte et svelte à la fois comme un fût de marbre, leur profil exquis est entouré d'une large bande de velours rouge qui leur passe sur le haut de la tête, se rattache sous leur cou et rehausse ainsi la couleur noire de leurs cheveux et fait nuance avec l'éclat de leur peau, toute chauffée de reflets de soleil.

C'est le lendemain, en me réveillant, que j'ai aperçu la Méditerranée, toute couverte encore des vapeurs du matin qui montaient pompées par le soleil; ses eaux azurées étaient étendues entre les parois grises des rochers de la baie avec un calme et une solennité antiques. Toute la côte qui descend jusqu'au rivage est couverte de bastides éparses dans la campagne, leurs volets étaient fermés et le jour les surprenait tout endormies entre les oliviers et les figuiers qui les entourent.

J'aime bien la Méditerranée, elle a quelque chose de grave et de tendre qui fait penser à la Grèce, quelque chose d'immense et de voluptueux qui fait penser à l'Orient. A la baie aux Oursins, où j'ai été pour voir pêcher le thon, je me serais cru volontiers sur un rivage d'Asie Mineure. Il faisait si beau soleil, toute la nature en fête vous entrait si bien dans la peau et dans le cœur! C'est la fille du patron Sicard qui nous a reçus; elle nous a fait monter dans sa maison, des filets étaient étendus par terre, et le jour qui entrait par la fenêtre faisait éclater de blancheur la peinture à la colle qui décorait la muraille. Mlle Sicard n'est pas jolie, mais elle avait des mouvements de tête et de taille les plus gracieux du monde; tout en causant, elle se tenait sur sa chaise d'une façon mignarde et naïve. J'ai pensé aux belles demoiselles de ville qui se lissent, qui se sanglent, qui jeûnent et qui, après tout, ne valent pas en esprit et en beauté le sans-façon cordial de la fille du bord de la mer. Elle est venue avec nous dans la barque et elle a causé tout le temps avec nous comme une bonne créature. Ses yeux sont du même azur que la mer. Pas un souffle d'air ne ridait les flots, et nous avancions à la rame doucement et tout en suivant la direction du filet; l'eau est si transparente que je m'amusais à regarder la madrague qui filait sous notre barque et les petits poissons se jouer dans les mailles avec toutes les couleurs chatoyantes que leur donnait le soleil qui, passant à travers les flots, les colorait de mille nuances d'azur, d'or et d'émeraude; ils frétillaient, passaient et revenaient avec mille petits mouvements les plus gentils du monde. A mesure qu'on s'avance, le filet se resserre et s'étrangle de plus en plus vers les trois barques placées au large, qui forment comme un cul-de-sac où doit se rendre tout le poisson pris dans le filet antérieur. Les nattes de jonc accrochées aux barques, plongées dans l'eau et sur les bords se relevant en coquille, avaient l'air du berceau d'une Naïade.

Un dimanche soir j'ai vu le peuple se réjouir. Ce qui chagrine le plus les gens vertueux c'est de voir le peuple s'amuser. Il y a de quoi les chagriner fort à Marseille, car il s'y amuse tout à son aise, et boit le plaisir par tous les pores, sous toutes les formes, tant qu'il peut. J'en suis rentré le soir tout édifié et plein d'estime pour ces bonnes gens qui dînent sans causer politique et qui s'enivrent sans philosophie. La rue de la Darse était pleine de marins de toutes les nations, juifs, arméniens, grecs, tous en costume national, encombrant les cabarets, riant avec des filles, renversant des pots de vin, chantant, dansant, faisant l'amour à leur aise. Aux portes des guinguettes, c'était une foule mouvante, chaude et gaie, qui se dressait sur la pointe des pieds pour voir ceux qui étaient attablés, qui jouaient et qui fumaient. Nous nous y sommes mêlés et à travers les vitres obscurcies nous avons vu, tout au fond d'une grande pièce, la représentation d'un mystère provençal.

Sur une estrade au fond se tenaient quatre à cinq personnages richement vêtus; il y avait le roi avec sa couronne, la reine, le paysan à qui on avait enlevé sa fille et qui se disputait avec le ravisseur pendant que la mère désolée et s'arrachant les cheveux chantait une espèce de complainte avec des exclamations nombreuses, comme dans les tragédies d'Eschyle. Le dialogue était vif et animé, improvisé sans doute, plein de saillies à coup sûr à en juger par les éclats de rire et les applaudissements qui survenaient de temps à autre dans l'auditoire. Tous ces braves gens écoutaient et goûtaient l'air avec respect et recueillement, d'une manière à réjouir un poète s'il fût passé là. J'ai remarqué que les tables étaient presque toutes vides ou à peu près, on se pressait pour entrer, et la foule s'introduisait flot à flot comme elle pouvait, mais sans troubler le spectacle. Des joueurs de mandoline ou des chanteurs étaient aussi dans la rue, il y avait des cercles autour d'eux. On n'entendait aucun chant d'ivrogne; les tavernes du rez-de-chaussée, toutes ouvertes, fermaient la vue de ce qui se passait au dedans par un grand rideau blanc qui tombait depuis le haut jusqu'en bas; lorsque quelqu'un allait ou venait, ou l'entr'ouvrait, on voyait assis, sur des tabourets séparés, trois ou quatre hommes du peuple, les bras nus, tenant des femmes sur leurs genoux.

A Toulon, j'ai revu, au coin d'une rue, encore un de ces drames, mais cette fois en français; la scène était plus simple : un nain fort laid causait avec une grande fille assez jolie et exerçait sa verve sur les riches et les gens d'esprit, ce qui faisait rire les pauvres et les sots. Pour un homme intelligent qui saurait le provençal ou qui voudrait l'apprendre, ce serait une chose à étudier que ces derniers restes du théâtre roman, où l'on retrouverait peut-être tout à la fois des romanceros espagnols, des *canzone* des troubadours, des atellanes latines et de la farce italienne du temps de Scaramouche, quand Molière y prit son *Médecin barbouillé*.

Marseille est une jolie ville, bâtie de grandes maisons qui ont l'air de palais. Le soleil, le grand air du Midi entrent librement dans ses longues rues; on y sent je ne sais quoi d'oriental, on y marche à l'aise, on respire content, la peau se dilate et hume le soleil comme un grand bain de lumière. Marseille est maintenant ce que devait être la Perse dans l'antiquité, Alexandrie au moyen âge : un capharnaüm, une babel de toutes les nations, où l'on voit des cheveux blonds, ras, de grandes barbes noires, la peau blanche rayée de veines bleues, le teint olivâtre de l'Asie, des yeux bleus, des regards noirs, tous les costumes, la veste, le manteau, le drap, la toile, la collerette rabattue des Anglais, le turban et les larges pantalons des Turcs. Vous entendez parler cent langues inconnues, le slave, le sanscrit, le persan, le scythe, l'égyptien, tous les idiomes, ceux qu'on parle au pays des neiges, ceux qu'on soupire dans les terres du Sud. Combien sont venus là sur ce quai où il fait maintenant si beau, et qui sont retournés auprès de leur cheminée de charbon de terre, ou dans leurs huttes au bord des grands fleuves, sous les palmiers de cent coudées, ou dans leur maison de jonc au bord de

Gange? Nous avons pris une de ces petites barques couvertes de tentes carrées, avec des franges blanches et rouges, et nous nous sommes fait descendre de l'autre côté du port où il y a des marchands, des voiliers, des vendeurs de toute espèce. Nous sommes entrés dans une de ces boutiques pour y acheter des pipes turques, des sandales, des cannes d'agavé, toutes ces babioles étalées sous des vitres, venues de Smyrne, d'Alexandrie, de Constantinople, qui exhalent pour l'homme à l'imagination complaisante tous les parfums d'Orient, les images de la vie du sérail, les caravanes cheminant au désert, les grandes cités ensevelies dans le sable, les clairs de lune sur le Bosphore. J'y suis resté longtemps; il y avait toutes sortes d'oiseaux venus de pays divers, enfermés dans des cages devant la boutique, qui battaient leurs ailes au soleil. Pauvres bêtes, qui regrettaient leur pays, leur nid resté vide à 2 000 lieues d'ici dans de grands arbres, bien hauts. Si j'ai maudit les bains de Bordeaux, je bénis ceux de Marseille. Quand j'y fus, c'était le soir, au soleil couchant; il y avait peu de monde, j'avais toute la mer pour moi. Le grand calme qu'il y faisait est plus agréable pour nager, et le flot vous berce tout doucement avec un grand charme. Quelquefois j'écartais les quatre membres et je restais suspendu sur l'eau sans rien faire, regardant le fond de la mer tout tapissé de varech, d'herbes vertes qui se remuent lentement, suivant le roulis qui les agite lentement comme une brise. Le soleil n'avait plus de rayons, et son grand disque rouge s'enfonçait sous l'horizon des flots, leur donnant des teintes roses et rouge pourpre; quand il s'est couché, tout est devenu noir, et le vent du soir a fait faire du bruit aux flots en les poussant un peu sur les rochers qui se trouvaient sur le rivage.

J'ai eu le même spectacle le lendemain en allant dîner au Prado. Nous nous sommes promenés en barque dans une petite rivière qui se jette là; des touffes d'arbres retombent au milieu, mes rames s'engageaient dans les feuilles restées sur le courant... qui ne coule pas, exercice qui m'a préparé à recevoir l'excellent dîner que nous avons fait chez Courty, grâce aux ordres et à la bourse de M. Cauvierre.

A Toulon, il va sans dire que j'ai visité un vaisseau de ligne. C'est certainement beau, grand, inspirant. J'ai vu des marins qui mangeaient dans de la porcelaine, j'ai assisté au salut du pavillon, etc., j'ai pu, comme tous les badauds, être étonné de voir des tapis et des fauteuils élastiques dans la chambre du capitaine; mais en vue de marine j'aime mieux celle d'un petit port de mer comme Lansac, comme Trouville, où toutes les barques sont noires, usées, retapées, où tout sent le goudron, où la poulie rouillée crie au haut du mât, où les marteaux résonnent sur les vieilles carcasses qu'on calfeutre. De même, les fortifications de Toulon peuvent être une belle chose pour les troupiers, mais je n'aime point l'art militaire dans ce qu'il a de boutonné, de propre; les remparts ne me plaisent qu'à moitié détruits. Il y a plus de poésie dans la casaque trouée d'un vieux troupier que sur l'uniforme le plus doré d'un général; les drapeaux ne sont beaux que lorsqu'ils sont à moitié

déchirés et noirs de poudre. Les canons du *Marengo* étaient tous en bon état et cirés comme des bottes; est-ce qu'un canon n'est pas plus beau à voir avec quelques longues taches de sang qui coule et la gueule encore fumante? A bord, au contraire, tout était propre, ciré, frotté, fait pour plaire aux dames quand elles viennent. Ces messieurs sont d'une politesse exquise et ont fait exécuter je ne sais quelle manœuvre pour nous faire honneur quand nous avions remis le pied sur notre embarcation. Nous revenions de Saint-Mandrier, que nous avons visité, guidés par un de ses médecins, M. Raynaud fils; on m'y a fait admirer une église toute neuve, bâtie par les forçats, j'ai admiré le coup de génie qui a fait construire un temple à Dieu par la main des assassins et des voleurs. Il est vrai *que ça n'a rien coûté*, mais il est vrai aussi qu'il est impossible, sinon absurde, d'y dire la messe : la forme ronde de cette bâtisse a contraint à placer l'autel sur un des points de la circonférence, de sorte qu'il est impossible que les fidèles puissent voir le prêtre. Je crois, au reste, que les fidèles qui viennent là y sont peu sensibles; s'ils trempent les mains dans le bénitier placé à l'entrée, ce n'est uniquement que pour se les laver. Il faut voir la citerne de l'hôpital dont l'écho répète tous les sons avec un vacarme épouvantable; on y tire des coups de fusil, on y joue du cornet à piston, on crie, on chante, on miaule, on fait toutes sortes de bruits absurdes pour avoir le plaisir de se les entendre répéter plus nombreux et plus forts.

La rade de Toulon est belle à voir, surtout quand, sorti des gorges d'Ollioules, on la voit qui s'étend tout au loin dans son rayon de trois lieues de circuit, avec les mâts de tous ses vaisseaux, ses bricks, ses frégates, toutes ces voiles blanches qu'on hisse et qu'on abaisse. A droite, on a le fort Napoléon, au fond le fort Pharon. C'est par ce dernier que les républicains ont d'abord tenté le siège de la ville, qu'ils n'auraient jamais pu prendre sans le conseil de Bonaparte, qui affirma que tant que l'on ne serait pas maître de la rade, tous les efforts seraient inutiles et qu'une fois la rade prise Toulon n'offrirait plus aucune défense. L'attaque commença donc sur le point appelé le petit Gibraltar, qui domine toute la mer et la ville elle-même qu'elle protège de ce côté. Tous les détails du siège sont d'ailleurs curieusement relatés dans l'*Histoire de la Révolution française dans le département du Var*, par M. Lauvergne, un de mes amis, que j'ai fait en voyage, un homme à moitié poète et à moitié médecin, offrant un bon mélange de sentiments et d'idées; il m'a dit de ses vers, un soir que nous sommes revenus au bord de la rade jusqu'à Toulon; nous avons déjeuné à une bastide voisine, dans un grand jardin plein d'ombre, où il y avait de hautes cannes de Provence, des avenues fraîches, on a joué à la balançoire, on a fumé des cigarettes de Havane. Passé une journée à ne rien faire; c'est toujours une de bonne, une journée tranquille, douce, où l'on a vécu avec des amis, sous un beau ciel, l'estomac plein, le cœur heureux; elle s'est terminée par un beau crépuscule sur les flots, par une promenade pleine de causerie divaguante, de ces causeries où l'on mêle de tout, et qui tiennent à la fois de la rêverie solitaire au fond des bois et de l'intimité babillarde du coin du feu.

Le lendemain matin nous nous sommes embarqués pour la Corse.

CORSE

Quand nous sommes partis de Toulon, la mer était belle et promettait d'être bienveillante aux estomacs faibles, aussi me suis-je embarqué avec la sécurité d'un homme sûr de digérer son déjeuner. Jusqu'au bout de la rade en effet, le *perfide élément* est resté bon enfant et le léger tangage imprimé à notre bateau nous remuait avec une certaine langueur mêlée de charme. Je sentais mollement le sommeil venir et je m'abandonnais au bercement de la naïade tout en regardant derrière nous le sillage de la quille qui s'élargissait et se perdait sur la grande surface bleue. A la hauteur des îles d'Hyères, la brise ne nous avait pas encore pris, et cependant de larges vagues déferlaient avec vigueur sur les flancs du bateau, sa carcasse en craquait (et la mienne aussi); une grande ligne noire était marquée à l'horizon et les ondes, à mesure que nous avancions, prenaient une teinte plus sombre, analogue tout à fait à celle d'un jeune médecin qui se promenait de long en large et dont les joues ressemblaient à du varech tant il était vert d'angoisse. Jusque-là j'étais resté couché sur le dos, dans la position la plus horizontale possible, et regardant le ciel où j'enviais d'être, car il me semblait ne remuer guère, et je pensais le plus que je pouvais afin que les enfantements de l'esprit fissent taire les cris de la chair. Secoué dans le dos par les coups réguliers du piston, en long par le tangage, de côté par le roulis, je n'entendais que le bruit régulier des roues et celui de l'eau repoussée par elles et qui retombait en pluie des deux côtés du bateau; je ne voyais que le bout du mât, et mon œil fixe et stupide placé dessus en suivait tous les mouvements cadencés sans pouvoir s'en détacher, comme je ne pouvais me détacher non plus de mon banc de douleurs. La pluie survint, il fallut rentrer, se lever pour aller s'étendre dans la cabine où je devais rester pendant seize heures comme un crachat sur un plancher, fixe et tout gluant.

Le passager se composait de trois ecclésiastiques, d'un ingénieur des ponts et chaussées, d'un jeune médecin corse et d'un receveur des finances et de sa jeune femme qui a eu une agonie de vingt-quatre heures. La nuit vint, on alluma la lampe suspendue aux écoutilles et que le roulis fit remuer et danser toute la nuit; on dressa la table pour les survivants, après nous avoir fait l'ironique demande de nous y asseoir. Les trois curés et M. Cloquet seuls se mirent à manger. Cela avait quelque chose de triste, et je commençai à m'apitoyer sur mon sort; humilié déjà de ma position, je l'étais encore plus de voir trois curés boire et manger comme des laïques. J'aurais pris tant de plaisir à me voir à leur place et eux à la mienne! Les rôles me semblaient intervertis, d'autant plus que l'un d'eux voyageait pour sa santé — c'était bien plutôt à lui d'être malade; le second s'occupait de botanique — et qu'est-ce qu'un botaniste

a à faire sur les flots? — le troisième avait l'air d'un gros paysan décrassé, indigne de regarder la mer et de rêver, tandis que moi j'aurais eu si bonne grâce à table! La nuit venue je l'aurais passée à contempler les étoiles, le vent dans les cheveux, la tempête dans le cœur. Le bonheur est toujours réservé à des imbéciles qui ne savent pas en jouir.

Je m'endormis enfin, et mon sommeil dura à peu près quatre heures. Il était minuit quand je me réveillai, j'entendais les trois prêtres ronfler, les autres voyageurs se taisaient ou soupiraient, un grand bruit d'eaux qui venaient et se retiraient se faisait sur les parois du navire, la mer était rude et la mâture craquait; une faible lueur de lune qui se reflétait sur les flots venait d'en face et disparaissait de temps en temps, et celle de la lampe jetait sur les cabines des ondulations qui passaient et repassaient avec le mouvement du roulis. Alors je me mis à me rappeler Panurge en pareille occurrence, lorsque « la mer remuait du bas abysme » et que tristement assis au pied du grand mât il enviait le sort des pourceaux; je m'amusai à continuer le parallèle, tâchant de me faire rire sur le compte de Panurge afin de ne pas trop m'attrister sur moi-même. L'immobilité à laquelle j'étais condamné me fatiguait horriblement et le matelas de crin m'entrait dans les côtes; au moindre mouvement que je tâchais de faire la nausée me prenait aussitôt, il fallait bien se résigner, la douleur me rendormait.

Nous longions alors les côtes de la Corse, et le temps, de plus en plus rude, me réveilla avec des angoisses épouvantables et une sueur d'agonisant. Je comparais les cabines à autant de bières superposées les unes au-dessus des autres; c'était en effet une traversée d'enfer et la barque de Caron n'a jamais contenu de gens qui aient eu le cœur plus malade. D'autres fois j'essayais de m'étourdir, de me tourner en ridicule, de m'amuser à mes dépens; je me dédoublais et je me figurais être à terre, en plein jour, assis sur l'herbe, fumant à l'ombre et pensant à un autre moi couché sur le dos et vomissant dans une cuvette de fer blanc; ou bien je me transportais à Rouen, dans mon lit : l'hiver, je me réveillais à cette heure-là, j'allumais mon feu, et je me mettais à ma table. Alors je me rappelais tout et je pressurais ma mémoire pour qu'elle me rendît tous les détails de ma vie de là-bas; je revoyais ma cheminée, ma pendule, mon lit, mon tapis, le papier taché, le pavé blanchi à certaines places; je m'approchais de la fenêtre et je regardais les barres du jour qui saillissaient entre les branches de l'acacia; tout le monde dort tranquille au-dessous de moi, le feu pétille et mon flambeau fait un cercle blanc au plafond. Ou bien c'était à Déville, l'été; j'entrais dans le bosquet, j'ouvrais la barrière, j'entendais le bruit du loquet de fer qui retentissait sur le bois. Une vague plus forte me réveillait de tout cela et me rendait à ma situation présente, à ma cuvette aux trois quarts remplie.

D'autres fois je prenais des distractions stupides, comme de regarder toujours le même coin de la chambre ou de faire couler quelques gouttes de citron sur ma lèvre inférieure que je m'amusais ensuite à souffler sur ma moustache, toutes les misères de la philosophie pour adoucir les maux. Le moment le plus récréatif pour moi a été celui où le roulis devenant plus fort a renversé la table et les chaises qui ont roulé avec un fracas épouvantable et ont éveillé tous les malades hurlant : le vieux curé, qui avait les pieds embarrassés dans les rideaux, a manqué d'être écrasé, et le financier, qui sortait du cabinet, est tombé sur le dos de M. Cloquet de la manière la plus immorale du monde. J'ai ri très haut, d'abord parce que j'en avais envie, et, en second lieu, pour faire un peu plus de bruit et me divertir. Le mouvement que je m'étais donné occasionna encore une purgation, qui fut bien la plus cruelle, et de nouvelles douleurs qui ne me quittèrent réellement qu'à Ajaccio sur le terrain des vaches. Quelques heures après être débarqué, le sol remuait encore et je voyais tous les meubles s'incliner et se redresser.

Nous avons eu un avant-goût de l'hospitalité corse dans le cordial et franc accueil du préfet, qui nous a fait quitter notre hôtel et nous a pris chez lui comme des amis déjà connus. M. Jourdan est un homme encore jeune, plein d'énergie et de vivacité. Ancien carbonaro, un des chefs de l'association, sa jeunesse a été agitée par les passions politiques et sa tête a été mise à prix. Il administre la Corse depuis dix ans, ne rencontrant plus maintenant d'opposition que dans quelques membres du conseil général qu'il mène assez rudement. Sa maison est pleine de ce bon ton qui part du cœur; ses filles, qui ne sont pas jolies, sont charmantes. M. Jourdan connaît son département mieux qu'aucun Corse et il nous a donné sur ce beau pays d'excellents renseignements. Je me rappelle un certain soir qu'il a déblatéré contre l'archéologie et je l'ai contredit; un autre jour il a parlé avec feu des études historiques et particulièrement de la philosophie de l'histoire; je l'ai laissé dire, me demandant en moi-même si les gens qui ont passé leur vie à l'étudier entendaient aujourd'hui par ce mot-là, et s'ils le comprenaient bien eux-mêmes. Ce que les plus fervents y voient de plus clair, c'est que c'est une science dans l'horizon, et les autres sceptiques pensent que ce sont deux mots bien lourds à entasser l'un sur l'autre, et que la philosophie est assez obscure sans y adjoindre l'histoire, et que l'histoire en elle-même est assez pitoyable sans l'atteler à la philosophie.

Nous sommes partis d'Ajaccio pour Vico le 7 octobre, à 6 heures du matin. Le fils de M. Jourdan nous a accompagnés jusqu'à une lieue hors de la ville. Nous avons quitté la vue d'Ajaccio et nous nous sommes enfoncés dans la montagne. La route en suit toutes les ondulations et fait souvent des coudes sur les flancs du maquis, de sorte que la vue change sans cesse et que le même tableau montre graduellement toutes ses parties et se déploie avec toutes ses couleurs, ses nuances de ton et tous les caprices de son terrain accidenté. Après avoir passé deux vallées, nous arrivâmes sur une hauteur d'où nous aperçûmes la vallée de Cinarca, couverte de petits monticules blancs qui se détachaient dans la verdure du maquis. Au bas s'étendent les trois golfes de Chopra, de Liamone et de Sagone; dans

l'horizon et au bout du promontoire, la petite colonie de Cargèse. Toute la route était déserte, et l'œil ne découvrait pas un seul pan de mur. Tantôt à l'ombre et tantôt au soleil, suivant que la silhouette des montagnes que nous longions s'avançait ou se retirait, nous allions au petit trot, baissant la tête, éblouis que nous étions par la lumière qui inondait l'air et donnait aux contours des rochers quelque chose de si vaporeux et de si ardent à la fois qu'il était impossible à l'œil de les saisir nettement. Nous sommes descendus à travers les broussailles et les granits éboulés, traînant nos chevaux par la bride jusqu'à une cabane de planches où nous avons déjeuné sous une treille de fougères sèches, en vue de la mer. Une pauvre femme s'y tenait couchée et poussait des gémissements aigus que lui arrachait la douleur d'un abcès au bras; les autres habitants n'étaient guère plus riants; un jeune garçon tout jaune de la fièvre nous regardait manger avec de grands yeux noirs hébétés. Nos chevaux broutaient du maquis, toute la nature rayonnait de soleil, la mer au fond scintillait sur le sable et ressemblait avec ses trois golfes à un tapis de velours bleu découpé en trois festons. Nous sommes repartis au bout d'une heure et nous avons marché longtemps dans des sentiers couverts qui serpentent dans le maquis et descendent jusqu'au rivage. Au revers d'un coteau nous avons vu sortir du bois et allant en sens inverse un jeune Corse, à pied, accompagné d'une femme montée sur un petit cheval noir. Elle se tenait à califourchon, accoudée sur une botte de maïs que portait sa monture; un grand chapeau de paille plat, lui couvrait la tête, et ses jupes relevées en arrière par la croupe du cheval laissaient voir ses pieds nus. Ils se sont arrêtés pour nous laisser passer, nous ont salués gravement. C'était alors en plein midi, et nous longions le bord de la mer que le chemin suit jusqu'à l'ancienne ville de Sagone. Elle était calme, le soleil, donnant dessus, éclairait son azur qui paraissait plus limpide encore; ses rayons faisaient tout autour des rochers à fleur comme des couronnes de diamant qui les auraient entourés; elles brillaient plus vives et plus scintillantes que les étoiles. La mer a un parfum plus suave que les roses, nous le humions avec délices; nous aspirions en nous le soleil, la brise marine, la vue de l'horizon, l'odeur des myrtes, car il est des jours heureux où l'âme aussi est ouverte au soleil comme la campagne et, comme elle, embaume de fleurs cachées que la suprême beauté y fait éclore. On se pénètre de rayons, d'air pur, de pensées suaves et intraduisibles; tout en vous palpite de joie et bat des ailes avec les éléments, on s'y attache, on respire avec eux, l'essence de la nature animée semble passée en vous dans un hymen exquis, vous souriez au bruit du vent qui fait remuer la cime des arbres, au murmure du flot sur la grève; vous courez sur les mers avec la brise, quelque chose d'éthéré, de grand, de tendre plane dans la lumière même du soleil et se perd dans une immensité radieuse comme les vapeurs rosées du matin qui remontent vers le ciel.

Nous avons quitté la mer au port de Sabone, vieille ville dont on ne voit même pas les ruines, pour continuer notre route vers Vico, où nous sommes enfin arrivés le soir après dix heures de cheval. Nous avons logé chez un cousin de M. Multedo, grand homme blond et doux, parlant peu et se contentant de répéter souvent le même geste de main. Il s'est vaillamment battu contre les Anglais lorsque ceux-ci ont voulu faire une descente à Sagone; il se sent tout prêt à recommencer. Il y a en effet dans la Corse une haine profonde pour l'Angleterre et un grand désir de le prouver. Sur la route que nous avons faite pour aller à Vico, des paysans nous arrêtaient.

— Va-t-on se battre? demandaient-ils.

— C'est possible.

— Tant mieux.

— Et contre qui?

— Contre les Anglais.

A ce mot ils bondissaient de joie et nous montraient en ricanant un poignard ou un pistolet, car un Corse ne voyage jamais sans être armé, soit par prudence ou par habitude. On porte le poignard soit attaché dans le pantalon, mis dans la poche de la veste, ou glissé dans la manche; jamais on ne s'en sépare, pas même à la ville, pas même à table. Dans un grand dîner à la préfecture et où se trouvait réuni presque tout le conseil général, on m'a assuré que pas un des convives n'était sans stylet. Le cocher qui nous a conduits à Bogogna tenait un grand pistolet chargé sous le coussin de sa voiture. Tous les bergers de la Corse manquent plutôt de chemise blanche que de lame affilée.

A Vico on commence à connaître ce que c'est qu'un village de la Corse. Situé sur un monticule, dans une grande vallée, il est dominé de tous les côtés par des montagnes qui l'entourent en entonnoir. Le système montagneux de la Corse à proprement parler, n'est point un système; imaginez une orange coupée par le milieu, c'est là la Corse. Au fond de chaque vallée, de temps en temps un village, et pour aller au hameau voisin il faut une demi-journée de marche et passer quelquefois trois ou quatre montagnes. La campagne est partout déserte; où elle n'est pas couverte de maquis, ce sont des plaines, mais on n'y rencontre pas plus d'habitations, car le paysan cultive encore son champ comme l'Arabe : au printemps il descend pour l'ensemencer, à l'automne il revient pour faire la moisson; hors de là il se tient chez lui sans sortir deux fois par an de son rocher où il vit sans rien faire, paresseux, sobre et chaste. Vico est la patrie du fameux Théodore dont le nom retentit encore dans toute la Corse avec un éclat héroïque; il a tenu douze ans le maquis, et n'a été tué qu'en trahison. C'était un simple paysan du pays, que tous aimaient et que tous aiment encore. Ce bandit-là était un noble cœur, un héros. Il venait d'être pris par la conscription et il restait chez lui attendant qu'on l'appelât; le brigadier du lieu, son compère, lui avait promis de l'avertir à temps, quand un matin la force armée tombe chez lui et l'arrache de sa cabane au nom du roi. C'était le compère qui dirigeait sa petite compagnie et qui, pour se faire bien voir sans doute, voulut le mener rondement et prouver son zèle pour l'État en faisant le lâche et le traître. Dans la crainte qu'il ne

lui échappât il lui mit les menottes aux mains en lui disant : « Compère, tu ne m'échapperas pas », et tout le monde vous dira encore que les poignets de Théodore en étaient écorchés. Il l'amena ainsi à Ajaccio où il fut jugé et condamné aux galères. Mais après la justice des juges, ce fut le tour de celle du bandit. Il s'échappa donc le soir même et alla coucher au maquis; le dimanche suivant, au sortir de la messe, il se trouva sur la place, tout le monde l'entourait et le brigadier aussi, à qui Théodore cria du plus loin et tout en le mirant : « Compère, tu ne m'échapperas pas. » Il ne lui échappa pas non plus, et tomba percé d'une balle au cœur, première vengeance. Le bandit regagna le maquis d'où il ne descendit plus que pour continuer ses meurtres sur la famille de son ennemi et sur les gendarmes, dont il tua bien une quarantaine. Le coup de fusil parti disparaissait le soir et retournait dans un autre canton. Il vécut ainsi douze hivers et douze étés, et toujours généreux, réparant les torts, défendant ceux qui s'adressaient à lui, délicat à l'extrême sur le point d'honneur, menant joyeuse vie, recherché des femmes pour son bon cœur et sa belle mine, aimé de trois maîtresses à la fois. L'une d'elles, qui était enceinte lorsqu'il fut tué, chanta sur le corps de son amant une ballata que mon guide m'a redite. Elle commence par ces mots : « Si je n'étais pas chargée de ton fils et qui doit naître pour te venger, je t'irais rejoindre, ô mon Théodore! »

Son frère était également bandit, mais il n'en avait ni la générosité, ni les belles formes. Ayant mis plusieurs jours à contribution un curé des environs, il fut tué par celui-ci qui, harassé de ses exactions, sut l'attirer chez lui, et sauta dessus avec des hommes mis en embuscade. La sœur du bandit, attirée par le bruit de tous ces hommes qui se roulaient les uns sur les autres, entra aussitôt dans le presbytère. Le cadavre était là, elle se rua dessus, elle s'agenouilla sur le corps de son frère, et agenouillée, chantant une ballata avec d'épouvantables cris, elle suça longtemps le sang qui coulait de ses blessures.

Il ne faut point juger les mœurs de la Corse avec nos petites idées européennes. Ici un bandit est ordinairement le plus honnête homme du pays et il rencontre dans l'estime et la sympathie populaires tout ce que son exil lui a fait quitter de sécurité sociale. Un homme tue son voisin en plein jour sur la place publique, il gagne le maquis et disparaît pour toujours. Hors un membre de sa famille, qui correspond avec lui, personne ne sait ce qu'il est devenu. Ils vivent ainsi dix ans, quinze ans, quelquefois vingt ans. Quand ils ont fini leur contumace, ils rentrent chez eux comme des ressuscités, ils reprennent leur ancienne façon de vivre, sans que rien de honteux ne soit attaché à leur nom. Il est impossible de voyager en Corse sans avoir affaire avec d'anciens bandits, qu'on rencontre dans le monde, comme on dirait en France. Ils vous racontent eux-mêmes leur histoire en riant, et ils s'en glorifient tous plutôt qu'ils ne rougissent; c'est toujours à cause du point d'honneur, et surtout quand une femme s'y trouve mêlée, que se déclarent ces inimitiés profondes qui s'étendent jusqu'aux arrière-petits-fils et durent quelquefois plusieurs siècles, plus vivaces et tout aussi longues que les haines nationales.

Quelquefois ils font des serments à la manière des barbares, qui les lient jusqu'au jour où la vengeance sera accomplie. On m'a parlé d'un jeune Corse dont le frère avait été tué à coups de poignard; il alla dans le maquis à l'endroit où on venait de déposer le corps, il se barbouilla de sang le visage et les mains, jurant devant ses amis qu'il ne le laverait que le jour où le dernier de la famille ennemie serait tué. Il tint sa parole et les extermina tous jusqu'aux cousins et aux neveux.

J'ai vu aujourd'hui à Isolaccio, chez le capitaine Lauseler où je suis logé, un brave médecin des armées de la République dont le fils s'est enfui en Toscane et qui lui-même a été obligé de quitter le village où il habitait. Sa fille s'était laissé séduire; le père de l'enfant néanmoins reconnaissait son fils, mais il refusait de lui donner son nom en se mariant avec la pauvre fille. Il joignit même l'ironie à l'outrage en assurant qu'il allait bientôt faire un autre mariage et en ridiculisant en place publique la famille de sa maîtresse, si bien qu'un jour le fils de la maison a vengé l'honneur de son nom, comme un Corse se venge, en plein soleil et en face de tous. Pour lui, il s'est enfui sur la terre d'Italie, mais son père et ses parents, redoutant la vendetta, ont émigré dans le Fiumorbo.

A Ajaccio j'avais vu également un jeune docteur qui a quitté Sartène, son pays, trois cousins à lui et son frère ayant déjà été les victimes du même homme et lui menacé d'en être le cinquième; aussi marchait-il armé jusqu'aux dents dans les rues de la ville où nous nous promenions avec lui.

On retrouve en Corse beaucoup de choses antiques : caractère, couleur, profils de têtes. On pense aux vieux bergers du Latium en voyant ces hommes vêtus de grosses étoffes rousses; ils ont la tête pâle, l'œil ardent et couleur de suie, quelque chose d'inactif dans le regard, de solennel dans tous les mouvements; vous les rencontrez conduisant des troupeaux de moutons qui broutent les jeunes pousses des maquis, l'herbe qui pousse dans les fentes du granit des hautes montagnes; ils vivent avec eux, seuls dans les campagnes, et le soir quand on voyage, on voit tout à coup leurs bêtes sortir d'entre les broussailles, çà et là sous les arbres, et mangeant les ronces. Eparpillés au hasard, ils font entendre le bruit de leurs clochettes qui remuent à chacun de leurs pas dans les broussailles [2]. A quelque distance se tient leur berger, petit homme noir et trapu, véritable pâtre antique, appuyé tristement sur son long bâton. A ses pieds dort un chien fauve. La nuit venue,

ils se réunissent tous ensemble et allument de grands feux que du fond des vallées on voit briller sur la montagne. Toutes les côtes chaque soir sont ainsi couronnées de ces taches lumineuses qui s'étendent dans tout l'horizon. J'ai vu dans toutes les forêts que j'ai traversées de grands pins calcinés encore debout, qu'ils allument sans les abattre pour passer la nuit autour de ces bûches de cent pieds. Ils reçoivent le bandit qui vient tranquillement se réchauffer à leur feu et ils attendent ainsi le jour tout en dormant ou en chantant. J'ai été surtout frappé de la physionomie antique du Corse dans un jeune homme qui nous a accompagnés le lendemain jusqu'à Guagno. Il était monté sur un petit cheval qui s'emportait à chaque instant sous lui; son bonnet rouge brun retombait en avant comme un bonnet de la liberté. Une seule ligne seulement, interrompue par un sourcil noir faisant angle droit, s'étendait depuis le haut du front jusqu'au bout du nez; bouche mince et fine, barbe noire et frisée comme dans les camées de César; menton carré : un profil de médaille romaine.

J'ai eu une transition brusque en fait de physionomie, en voyant à la scierie de bois de M. Dupuis la face grasse, réjouie et fleurie d'un beau Normand rebondi, qui est venu exprès de Rouen au fond de la Corse, pour être l'économe de l'établissement. M. François, quand nous l'avons vu, était vêtu d'une veste de tricot gris, un sale bonnet de coton lui couvrait les oreilles, et il s'appuyait en se dandinant sur une canne de jonc, convalescent encore de la fièvre intermittente qui a pincé tous mes compatriotes transplantés. Le vin, qui est ici à très bon marché, tout autant que les miasmes végétaux en ont été la cause, « néanmoins, me disait M. François, nous avons toujours mangé nos 250 livres de viande par semaine ». Ce petit homme, égrillard et gaillard, au ventre arrondi et aux couleurs rosées, regrettant du fond de la Corse les bals masqués de Rouen, et les restaurants de sa ville, la première du monde, m'assurait-il, pour la bonne chère, vu à côté de ces hommes du midi, pâles, sobres, taciturnes, le cœur plein d'orgueil, d'élans purs, de passions ardentes, me semblait comme un vaudeville à côté d'une tragédie antique. Son grand œil bleu malicieux était réjoui de voir quelqu'un de son pays et en me disant adieu il m'a serré la main avec tendresse. Pauvre homme qui s'expatrie sans doute par dévouement pour lui-même et qui, sa bourse remplie, s'en ira bien vite se boulotter en carnaval, au théâtre des Arts, et manger la poule de Pavilly chez Jacquinot!

En revenant à Vico, le jour baissait et toutes les montagnes prenaient des teintes vineuses et vaporeuses. Au crépuscule, le paysage agrandissait toutes ses lignes

---

2. Les moutons de la Corse sont tous noirs, petits, de forme nerveuse; leurs yeux sont rouges, bien plus grands et plus ardents que ceux des nôtres. Ils portent au milieu du front une houppe épaisse, touffue, qui leur ombrage la tête et leur donne un aspect étrange. Les porcs ressemblent généralement aux sangliers : tête allongée, pattes hautes et fines. On m'a expliqué cette ressemblance en me disant qu'ils provenaient souvent du croisement des sangliers avec les truies qu'on laisse courir dans le maquis. Les troupeaux sont un fléau pour le propriétaire corse; ils ravagent tout ce qui se trouve sur leur passage, et il y aurait souvent un héroïsme étourdi à arrêter un pourceau dans son repas. Les chiens corses n'ont rien de remarquable, généralement rouges, laids et peu caressants, moins intelligents, il me semble, que nos chiens de berger. Les chevaux qu'on voit dans l'île sont de deux espèces : corses ou sardes, les premiers infiniment préférables aux seconds; ils tiennent un peu du cheval arabe par le cou allongé et marqué, la tête carrée et droite. Les chevaux sardes sont plus gras, plus lourds; on les reconnaît surtout à leur encolure épaisse, à la pose fatiguée quand ils sont sans cavaliers. *(Note de Flaubert.)*

et ses perspectives, et des rayons de soleil couchant passaient en grandes lignes droites lumineuses entre les gorges des montagnes ; tout le ciel était rouge feu, comme incendié par le soleil.

A notre gauche s'élevaient les sept pics de la *Spoza* avec la tête qui la couronne. Ces sept pics sont autant de cavaliers, et cette tête est la tête d'une femme. Au delà de ces monts, à droite de Vico, dans la forêt, il y a un village ; c'était le village de cette femme. On venait de la marier, mais son époux après les noces était retourné chez lui, et sa femme qui devait l'y suivre était restée seule chez sa mère dans son lit de fille. Sa mère la gardait toujours, et quand elle demandait à partir, elle lui répondait : demain. En vain chaque matin, quand le rossignol chantait dans le maquis, que les feux des bergers s'éteignaient sur les montagnes, les sept cavaliers, les amis de l'époux, arrivaient avec leurs chevaux tout sellés et bridés ; ce n'était pas encore aujourd'hui. Elle attendit donc un jour, deux jours, trois jours, jusqu'à quatre, et la voilà qui part heureuse, chantant sur son cheval, la couronne de myrte blanc sur la tête. Son mari l'attend sans doute impatient, regardant la route où rien n'apparaît ; il soupire, tout malade d'amour. Déjà les raisins et les olives sont dans la corbeille, la lampe brûle au plafond, le lit est ouvert et attend les heureux. La fille galope sur son cheval, elle et ses cavaliers sont entraînés avec une vitesse de démon. Sa mère pourtant est restée toute en pleurs sur le seuil de sa porte et elle lui crie : adieu, adieu, mais pour réponse elle n'entend toujours que le roulement du galop qui s'éloigne de plus en plus. Elle la vit encore une fois quand elle fut arrivée au haut de la montagne et qu'elle allait descendre.

Encore une fois elle lui fit signe de la main, mais l'autre regardait en avant. Elle regardait le cœur qui palpitait, là-bas au fond de la vallée, un toit qui fumait à l'horizon ; elle enviait le torrent qui courait devant elle, les oiseaux qui volaient à tire d'aile vers la demeure de l'époux chéri. L'infâme, dit-on, ne regarda pas sa mère, ne détourna pas la tête, ne fit pas un signe de main, avec fureur la voilà qui enfonce l'éperon dans le ventre de son cheval pour descendre la montagne plus vite encore qu'elle ne l'avait montée, mais sa bête ne veut pas avancer ; un cavalier qu'elle appelle pour l'aider ne peut descendre de sa selle, ni le second non plus, ni aucun des sept cavaliers ne peut faire un mouvement ; ils se sentent tous entrer dans le granit, comme dans la vase ; ils poussent des cris de désespoir auxquels répond la voix de la mère irritée qui leur envoie une malédiction éternelle.

Un paysan, monté sur un petit cheval maigre et chassant devant lui d'autres bêtes chargées d'outres, marchait devant nous depuis quelque temps ; il se détournait pour nous examiner et pour écouter ce que nous disions. Sa maigre et vieille figure était animée tout à la fois de ruse et de bonhomie gracieuse, mélange singulier d'expression que j'avais déjà observé sur quelques visages corses et surtout sur celui du bandit Bastianesi que j'avais vu quelques jours auparavant à l'hôpital d'Ajaccio. Son grand œil noir et sombre nous dévorait et épiait les moindres gestes de nos lèvres. Quand il a pu se rapprocher de M. Multedo, il lui a demandé qui nous étions, où nous allions, et tout ce que nous avions dit depuis qu'il marchait près de nous. Avec nos habitudes de politesse française, une telle curiosité eût été récompensée d'un refus net et formel d'y satisfaire. Rien n'est défiant, soupçonneux comme un Corse. Du plus loin qu'il vous voit, il fixe sur vous un regard de faucon, vous aborde avec précaution, et vous scrute tout entier de la tête aux pieds. Si votre air lui plaît, si vous le traitez d'égal à égal, franchement, loyalement, il sera tout à vous dès la première heure, il se battra pour vous défendre, mentira auprès des juges, et le tout sans arrière-pensée d'intérêt, à charge de revanche. M. Multedo lui a donc dit qu'il nous l'avait montré comme étant l'oncle de Théodore et qu'il venait de nous raconter l'histoire de ses neveux : « Il n'y a rien de déshonorant, a-t-il dit, vous avez bien fait. » Puis il s'est retourné vers nous et a tâché de lier conversation en italien, nous faisant bonne mine et nous traitant en amis jusqu'au moment où il a pris un chemin de traverse dans le maquis. Nous sommes repartis pour Ajaccio le lendemain matin quand la lune nous éclairait encore ; le neveu de M. Multedo nous a fait la conduite jusqu'à Sagone, ainsi que le médecin du pays qui, tout en chevauchant près de nous, nous conte des histoires corses. Après avoir dit adieu à ces braves gens, nous avons repris le bord de la mer. C'était la même route, dans les mêmes maquis pleins d'arbousiers rouges et de myrtes en fleurs, le même azur sur les flots calmes que le soleil faisait resplendir. Çà et là nous voyions sur les eaux de grands cercles s'étendre et diminuer peu à peu, c'étaient des dauphins qui se jouaient, comme des chevaux dans une prairie et sortaient de leur retraite marine pour voir le soleil du matin.

A Calcatoggio, nous avons déjeuné sous le même lit de fougères sèches, en vue des trois golfes à qui j'ai dit un tendre et dernier adieu.

Il y a à Ajaccio une maison que les hommes qui naîtront viendront voir en pèlerinage ; on sera heureux d'en toucher les pierres, on en gravira dans dix siècles les marches en ruines, et on recueillera dans les cassolettes le bois pourri des tilleuls qui fleurissent encore devant la porte, et, émus de sa grande ombre, comme si nous voyions la maison d'Alexandre, on se dira : c'est pourtant là que l'Empereur est né !

Elle se trouve sur la place Lætitia et au coin de la rue Saint-Charles. A l'extérieur elle est peinte en blanc, toutes ses fenêtres ont des volets noirs ; la porte est basse et s'ouvre sur un escalier en marbre noir de même couleur, et dont la rampe en fer date de la même époque. La main de l'Empereur s'est appuyée dessus, à cette place où vous mettez la vôtre. Les chambres sont généralement belles, riches, ornées de rouge la plupart, et décorées dans le goût de la république ; le salon est grand, un canapé à droite en entrant, des glaces, un lustre en verre. La chambre où il est né donne sur une terrasse, les volets en étaient fermés quand nous y entrâmes, nous laissaient à peine voir le plancher, et de grandes barres de jour se dessinaient en blanc sur le parquet ciré, et le portrait de Napoléon, don qu'il a fait de Sainte-Hélène, était suspendu au fond. Le manteau impérial, couvert d'abeilles d'or, saillissait dans l'ombre malgré le crépuscule. On nous a ouvert les fenêtres, et le jour est entré et a inondé toute la pièce, découvrant tout, comme un drap qu'on eût retiré. Alors nous avons vu la cheminée, les murs, les tableaux, le tapis, le sofa, les statues; les meubles étaient adossés à la muraille tendue de papier grisâtre à petits pois verts; tout était propre, rangé, habité encore. Mais il n'y a plus le fauteuil où sa mère le mit au monde, ce n'est plus le même lit non plus. Sur la table de nuit se trouvait un livre, et retourné de manière à ne pouvoir en lire le titre. Je le pris et je lus : « Manuel du cultivateur provençal indiquant les divers modes d'engrais, etc. »; je reposai le livre avec dégoût et m'avançai dans l'autre pièce. C'est là, à l'entrée et près de la porte, le vieux canapé de la famille, fané, à franges arrachées, aux couleurs ternies; il est encore souple, on enfonce dans son duvet et on s'y met à rêver à des choses grandes.

C'est le lendemain matin, à 3 heures, que nous avons commencé notre grande tournée, expédition pour Bastia à travers la Corse. Après avoir embrassé notre excellent hôte, nous sommes partis dans sa voiture qui devait nous mener jusqu'à Bogogna. Le capitaine Laurelli nous accompagne et nous sommes conduits par l'ancien cocher de Pozzo di Borgo, le neveu du ministre russe assassiné il y a quelque temps dans sa voiture, en retournant chez lui. On nous avait montré sur la route de Vico la place où le meurtre s'accomplit, et nous vîmes les trous que les balles ont faits dans le granit de la route. Lestement emportés par nos deux chevaux arabes, nous arrivons vers midi à Bocognano, où nous déjeunons. Chemin faisant, le capitaine nous a raconté des histoires de bandits. M. Laurelli est un ancien bandit lui-même qui a tenu trois ans le maquis. Je ne me rappelle plus bien son histoire, mais c'est toujours l'injustice d'un général qui l'a forcé à fuir dans la campagne; il était à cette époque maire de la commune d'Isolaccio. C'est lui qui, depuis, a purgé tout le Fiumorbo des bandes qui l'infestaient, et qui le premier a fait payer l'impôt à ce pays que l'on ne traversait pas, il y a vingt ans, sans faire son testament. Il nous a indiqué les mouvements stratégiques opérés par les voltigeurs pour s'emparer des bandits et nous a donné sur cette matière tous les documents que nous lui avions demandés. Rarement ou, pour mieux dire, jamais un bandit ne se rend; attaqué, il se bat tant que sa cartouchière est pleine, et sa dernière balle, il la réserve pour lui. Quelquefois, quand le maquis où il se tient est cerné de toutes parts, le bandit reste couché à plat ventre sous les broussailles et échappe ainsi à toute investigation; c'est même la manière la plus sûre [3].

Le capitaine nous raconta l'histoire d'un bandit des environs de Bastia qu'il a tué de sa main. D'une force prodigieuse et d'une férocité analogue, cet homme exer-

çait sur la Corse entière un absolutisme asiatique : il assignait aux pères et aux maris le jour et le lieu où ils devaient lui envoyer leurs filles et leurs femmes. Quand le capitaine l'eut tué, on fit une fête générale dans le pays, et depuis Bastia jusqu'à Isolaccio, tous les paysans se pressaient à sa rencontre pour le remercier.

A Bocognano, nous trouvons nos chevaux et nous piquons vers la forêt de Vizzavona. Le capitaine s'est fait escorter par deux voltigeurs. Est-ce pour nous faire honneur? Est-ce par prudence?

ÉCRIT AU RETOUR

J'en étais resté à Marseille de mon voyage, je le reprends à quinze jours de distance. Me voilà réinstallé dans mon fauteuil vert, auprès de mon feu qui brûle, voilà que je recommence ma vie des ans passés. Qu'ont donc les voyages de si attrayant pour qu'on les regrette à peine finis? Oh! je rêverai encore longtemps des forêts de pins où je me promenais il y a trois semaines, et de la Méditerranée qui était si bleue, si limpide, si éclairée de soleil il y a quinze jours; je sens bien que cet hiver, quand la neige couvrira les toits et que le vent sifflera dans les serrures, je me surprendrai à errer dans les maquis de myrtes, le long du golfe de Liamone, ou à regarder la lune dans la baie d'Ajaccio.

Maintenant, les arbres ici n'ont plus de feuilles, et la boue est dans les chemins. J'entends encore le chant de nos guides et le bruit du vent dans les châtaigniers; c'est pour cela que je reprendrai souvent ces notes interrompues et reprises à des places différentes, avec des encres si diverses qu'elles semblent une mosaïque. Je les allongerai, je les détaillerai de plus en plus, ce sera comme un homme qui a un peu de vin dans son verre et qui y met de l'eau pour délayer son plaisir et boire plus longtemps. Quand on marche on veut l'avenir, on désire avancer, on court, on s'élance, regardant toujours en avant et, la route à peine finie, on détourne la tête et l'on regrette les chemins parcourus si vite, de sorte que l'homme, quoi qu'on en dise, aspire sans cesse au passé et à l'avenir, à tout ce qui n'est pas de sa vie actuelle en un mot, puisqu'il se reporte toujours vers le matin qui n'est plus, vers la nuit qui n'est pas encore (réflexion neuve).

Notre guide s'appelle Francesco, et nous faisons connaissance avec lui. Nous n'avons pas voulu reprendre celui qui nous avait conduits à Vico. Charles était un gros garçon joufflu, gai, obséquieux les premiers jours, mais d'une tendresse si exagérée pour ses chevaux qu'il nous défendait presque de les faire trotter. Nous nous sommes débarrassés de sa tutelle, et son successeur paraît plus complaisant; petit, maigre et hâve, il forme en tous points contraste parfait avec l'autre; le temps nous dira si nous avons gagné au change.

A une lieue environ de Bocognano, au haut de la vallée dont ce village tient la base, on quitte la grande route d'Ajaccio à Bastia et l'on entre dans la forêt de Vizzavona. Le chemin devient de plus en plus ardu et difficile, si bien qu'il faut mettre pied à terre. Chacun

---

3, On en cite un qui s'était attaché au cou une sonnette de chèvre et, imitant autant qu'il pouvait les sauts de cet animal, il passa ainsi très tranquille plusieurs années dans le maquis. (Note de Flaubert.)

marche comme il peut. Vers les 4 heures du soir nous sommes arrivés sur un plateau où nos montures et nous-mêmes avons soufflé à l'aise. Tout à l'heure nous avons failli peut-être avoir une aventure : un coup de fusil est parti devant nous sur la montagne, le capitaine s'arrête, appelle un de ses hommes, lui demande sa carabine, l'arme, et marche devant nous en nous disant de le suivre. Les arbres étaient si hauts, le soleil si resplendissant, toute la nature en un mot était si belle que nous n'avions guère peur, car on ne se figure bien une tragédie que de nuit et par un orage; mais en plein jour, sous un beau ciel, quand les oiseaux chantent dans le bois, quand, les pieds tout fatigués on se repose à marcher sur les tapis d'herbes, le cœur se dilate, s'épanouit, aspire en lui la vie luxuriante qui l'entoure, les couleurs qui brillent, tout le bonheur qui se présente. Comment croire alors à quelque chose de triste? Cela pouvait être pourtant un bandit qui eût quelque querelle avec le capitaine, une vengeance à assouvir sur lui, mille choses probables. Comment se fait-il alors que ces préparatifs de guerre m'aient paru ridicules, et que je me sois diverti de penser qu'ils n'étaient pas peut-être inutiles? Et à quelques pas de là nous avons rencontré des chasseurs. On voit dans les forêts, de temps en temps, de grands arbres calcinés qui sont encore debout au milieu de leurs frères tout verts et tout chargés de feuilles. Quand les bergers y ont rallumé le feu, et qu'il fait un orage, ils se brisent et tombent par terre; quelquefois, leurs branches s'embarrassent dans celles des arbres voisins, et ils restent ainsi suspendus dans leurs bras; les vivants tiennent embrassés les morts qui allaient tomber. Nous avons laissé passer devant nous nos compagnons et nous sommes restés, M. Cloquet et moi, à nous amuser comme des enfants, à faire les hercules du Nord, en soulevant avec une main des arbres de trente pieds et nous les brisant sur le dos en riant aux éclats. C'était chose assez comique de nous voir enlever de terre des poutres énormes et les lancer à quarante pas aussi facilement que nous eussions fait d'une badine. Après nous être ainsi divertis une bonne demi-heure et avoir ri tout notre soûl, nous avons rejoint nos gens à qui nous avons dit que nous venions de faire des observations botaniques.

Il était tard quand nous sommes arrivés à Ghisoni, maigre village où il me semblait impossible de loger des honnêtes gens. On nous a conduits devant une grande maison grise et délabrée. Quoiqu'il fût nuit, je ne voyais aucune lumière aux fenêtres, et la porte qui s'ouvrait sur la rue était celle d'une salle basse où grognaient des pourceaux. A un angle de cette pièce enfumée était placée une large échelle en bois et dont les marches peu profondes ne permettaient de monter qu'en se tournant de côté. Nous avons trouvé le maître et sa femme qui ne nous attendaient que le lendemain. Ils se sont donc beaucoup excusés sur ce qu'ils avaient déjà dîné, et se sont mis tout de suite à préparer notre repas. La maîtresse était une grande femme maigre, vêtue d'une robe bleue faite sans doute d'après une gravure de mode du temps de l'Empire, c'est là, du reste, tout ce que je puis dire d'elle, car elle ne nous a pas adressé un mot

et nous a servis silencieusement et respectueusement comme une servante. C'est, du reste, une chose à remarquer en Corse que le rôle insignifiant qu'y joue la femme; si son mari tient à la garder pure, ce n'est ni par amour ni par respect pour elle, c'est par orgueil pour lui-même, c'est par vénération pour le nom qu'il lui a donné. D'ailleurs, il n'y a entre eux deux aucune communication d'idées et de sentiments; le fils, même enfant, est plus respecté et plus maître que sa mère [4].

Tandis que vous voyez l'homme bien vêtu, portant une veste de velours, un bon pantalon de gros drap, la pipe à la bouche et le fusil sur l'épaule, chevauchant à son aise sur une bonne bête, sa femme, à quelques pas de là, le suit pieds nus et portant tous les fardeaux. Vous voyagerez dans toute la Corse, vous y serez partout bien reçu, on vous accueillera d'une manière cordiale qui vous ira jusqu'au cœur, et le lendemain matin votre hôte pleurera presque en vous quittant; de sa famille, vous ne connaîtrez que lui. En descendant de cheval vous avez bien vu des enfants jouer devant la porte, ce sont les siens, mais ils ne paraissent pas à table; leur mère ne se montre presque jamais et reste avec eux tant qu'ils sont jeunes. Les liens de famille sont forts, il est vrai, mais à la manière antique, entre frères, entre cousins, entre alliés, même à des degrés éloignés. Quand un membre de la famille est insulté, tout le reste est solidaire de sa vengeance; s'il succombe c'est à eux de le remplacer, de sorte qu'instantanément il se forme une association de cinquante à soixante hommes, tous servant la même cause, gardant le même secret, animés de la même haine.

La femme compte pour peu de chose et on ne la consulte jamais pour prendre mari. Quand un fils a 14 ou 15 ans, son père lui dit qu'il est temps d'être homme, qu'il faut se marier; il lui choisit lui-même une femme, les deux familles négocient longtemps l'affaire, et avec toutes les précautions possibles, le pacte d'alliance se conclut, les noces se font avec pompe, on y chante des chansons guerrières; puis les enfants arrivent dans le ménage, on leur apprend à tirer le fusil, on leur enseigne un peu de français, ils vont à la chasse et c'est là toute la vie, une vie de paresse, d'orgueil et de grandeur.

Nous avons dîné tard; le capitaine nous a servis, comme s'il eût été le maître de la maison. Un avoué de Corte, attiré dans le pays par les affaires de la Compagnie Corse, se chauffait au coin de la cheminée et nous a tenu conversation, car notre hôte restait à distance et avait l'air tout humilié de recevoir des personnages. Après le dîner, on m'a conduit dans une pièce délabrée où je devais coucher. Les murs étaient barbouillés de chaux, une petite gravure noire représentant un moine italien canonisé était à la tête du grand lit qui

---

4. Dans un curieux mémoire que M. Lauvergne a publié sur la Corse, il dit qu'il a vu un jeune garçon de douze ans environ s'amuser à tenir sa mère couchée en joue au bout de son fusil; il lui faisait faire ainsi toutes les évolutions qu'il lui commandait et la faisait danser comme un chien avec un fouet. Le père était à deux pas de là et riait beaucoup de cette plaisanterie barbare. (Note de Flaubert.)

en occupait l'angle; la petite fenêtre donnait sans doute sur la campagne; la lune n'était pas encore levée, je me mis à me déshabiller, éclairé par un flambeau à l'huile placé sur une chaise près de mon chevet et dont la faible lueur néanmoins me faisait très bien voir que les draps n'étaient ni propres ni de fine toile. Je fis alors des réflexions philosophiques et je me dis que sans doute les gens qui dormaient dans ce lit-là devaient y bien dormir n'ayant ni amour contenu, ni ambition rentrée, ni aucune des passions du monde moderne. Tout cela était si loin de la France, si loin du siècle, resté à une époque que nous rêvons maintenant dans les livres, et je me demandais (tout en graissant d'huile mes cuisses rougies) si après tout, quand on voyagera en diligence, quand il y aura au lieu de ces maisons délabrées des restaurants à la carte, et quand tout ce pays pauvre sera devenu misérable grâce à la cupidité qu'on y introduira, si tout cela enfin vaudra bien mieux; et je comparais le bruit du vent dans les arbres, celui des clochettes de chèvres sur les montagnes, au roulement des voitures dans la rue de Rivoli, au bruit des pompes à feu dans la vallée de Déville. Je me rappelais alors la baie d'Ajaccio et la molle langueur qui vous prend dans la plaine de Liamone, en vue de ces trois lacs que j'aime tant; je me rappellerai le soleil de midi, les jours fuyants sur le tronc des hêtres, la lune le matin dans la vallée de Bocognano, et reportant les yeux sur cette chambre si calme, si paisible, je pensais à d'autres chambres où il y a des tapis, des velours, des rideaux de mousseline, etc. Je m'endormis enfin, m'amusant peu de mes réflexions et harassé de la course du jour et de mes exercices acrobatiques. Non, non, on ne dort pas mieux (de corps du moins) à Ghisoni que dans des lits de pourpre (style poétique, car je n'ai jamais couché que dans des draps blancs); cela veut dire que les puces m'ont tenu éveillé pendant trois heures, quelque invention que j'aie prise pour les fuir. J'avais éteint mon flambeau, et la lune avec tous ses rayons entrait dans ma chambre et m'éclairait comme en plein jour. Je me levai et je regardai la campagne, je voyais les chèvres marcher dans les sentiers du maquis et sur les collines; çà et là les feux de bergers, j'entendais leurs chants; il faisait si beau qu'on eût dit le jour, mais un jour tout étrange, un jour de lune. Etant arrivé de nuit dans le village, je n'avais pu voir le paysage où il se trouve placé, mais il m'était maintenant facile d'en saisir tous les accidents, tout aussi bien qu'en plein soleil. Entre les gorges des montagnes, il y avait des vapeurs bleues et diaphanes qui montaient et qui semblaient se bercer à droite et à gauche, comme de grandes gazes d'une couleur indéfinissable qu'une brise aurait agitées sur le flanc de toutes ces collines. Leur grande silhouette se projetait en avant, de l'autre côté de la vallée; la lumière s'étendait, claire et blanche, autour de la lune, et devenait de plus en plus humide et tendre en s'approchant du haut faîte inégal des montagnes. Tous les contours, toutes les lignes saillissaient librement, grâce à une teinte grise qui surplombait les grandes masses noires du maquis. Le ciel semblait haut, haut, et la lune avait l'air d'être lancée et perdue

au milieu; tout alentour elle éclairait l'azur, le pénétrait de blancheur, laissant tomber sur la vallée en pluie lumineuse ses vapeurs d'argent qui, une fois arrivées à la terre, semblaient remonter vers elle comme de la fumée.

Nous sommes repartis le lendemain de bonne heure, après que M. Cloquet eut vu, je crois, tous les malades du pays qui encombraient la maison de notre hôte avec les curieux venus pour nous voir. Ils sont amenés par un pharmacien italien, grand gaillard blond aux yeux bleus, qui a plutôt l'air d'un Bas-Normand que d'un Parmesan, sauf toutefois la vivacité faciale. C'est un réfugié politique qui paraît fort patriote; il attend le signal de l'autre rivage pour laisser là la Corse et se mettre le fusil sur l'épaule, et nous parle beaucoup de M. Libri dont il se dit l'ami intime.

Chemin faisant, je raconte au capitaine mes doléances et mes malédictions de la nuit passée; ce pauvre Laurelli avait été encore plus mal traité que moi, il ne s'est pas déshabillé et s'est couché sur une malle.

La route est étroite, monte et descend continuellement. Nous sommes au fond d'une vallée dont les deux côtés sont couverts de pins immenses qui font partie de la forêt de Sorba.

Nous nous arrêtons à une rivière qui sépare celle-ci de la forêt de Marmano. Là nous nous sommes assis, et avons dévoré les provisions que le capitaine avait fourrées dans ses sacoches. On a monté dans les arbres pour casser des branches vertes pour nos chevaux qui nous regardent d'un œil d'envie. L'herbe est fraîche, de grands troncs dépouillés et tout blancs s'étendent en travers du torrent, les rochers et les pierres qui sont dans son lit le font murmurer; les grands arbres nous entourent, et sur leur faîte le soleil commence à darder vigoureusement.

Nous sommes accompagnés par un brave homme de Ghisoni qui doit nous indiquer la route d'Isolaccio, qu'ignorent également notre guide et le capitaine. Il marche à côté de ce dernier et lui parle sans s'arrêter pendant plus d'une heure, sans que celui-ci lui réponde un seul mot.

Nous avons monté depuis le matin et nous entrons dans la forêt de Marmano. Le chemin est raide et va en zigzag à travers les sapins, dont le tronc a des lueurs du soleil qui pénètre à travers les branches supérieures et éclaire tout le pied de la forêt; l'air embaume de l'odeur du bois vert. Il ne faut pas écrire tout cela. De temps en temps les arbres avaient l'air de nous quitter, et nous passions alors devant des huttes de bergers, faites de cailloux rapportés et de branchages morts. Enfin nous parvînmes, vers le soir, sur le plateau appelé le Prato. Nous étions placés sur une des plus hautes montagnes de la Corse et nous voyions à nos côtés toutes les vallées et toutes les montagnes qui s'abaissaient en descendant vers la mer; les ondulations des coteaux avaient des couleurs diversement nuancées suivant qu'ils étaient couverts de maquis, de châtaigniers, de pins, de chênes-lièges ou de prairies; en face de nous et dans un horizon de plus de trente lieues, s'étendait la mer Tyrrhénienne, comprenant l'île

449

d'Elbe, Sainte-Christine, les îles Caprera, un coin de la Sardaigne; à nos pieds s'étendait la plaine d'Aleria, immense et blanche comme une vue de l'Orient, où allaient se rendre toutes les vallées qui partaient en divergeant du centre où nous étions; et là, en face, au fond de cette mer bleue où les rayons de soleil tracent sur les flots de grandes lignes qui scintillent, c'est la Romagne, c'est l'Italie! Nous étions descendus de nos chevaux et nous les avions laissés aller brouter l'herbe courte qui pousse entre le granit. Nous nous sommes avancés pour contempler plus à notre aise un roc escarpé en espèce de promontoire. On ne saurait dire ce qui se passe en vous à de pareils spectacles; je suis resté une demi-heure sans remuer, et regardant comme un idiot la grande ligne blanche qui s'étendait à l'horizon.

Isolaccio est situé au fond des gorges que nous dominions. Du Prato il faut bien trois heures pour y atteindre. Nous avons descendu par des chemins abrupts, à l'aventure, comme nous avons pu. Tout le revers de la montagne est couvert d'une forêt de hêtres qui poussent on ne sait comment dans les granits; de grands glacis s'étendent les uns sur les autres; nos malheureuses bêtes, que personne ne conduisait, hésitaient à chaque pas à avancer et piétinaient de devant, toutes tremblantes de peur; nous-mêmes, à l'aide de grands bâtons que nous avions ramassés, ne pouvions faire autrement que de marcher à pas de géants et de sauter tant bien que mal par-dessus les racines qui ressortaient du sol et s'étendaient au loin au milieu des pierres.

Nous avons trouvé au bas de cette côte quelques amis du capitaine (tous armés de fusils et accompagnés de chiens), qui étaient venus à sa rencontre. Il faisait presque nuit, le vent du soir venait sécher la sueur qui trempait nos cheveux; comme je me sentais bon jarret, je fis lestement à pied la distance qui nous séparait du village, le maquis alors n'avait pas plus de deux pieds de hauteur; cela reposait de courir dans les ronces et les joncs marins, après avoir sauté sur du granit. Enfin au détour d'une petite colline, nous aperçûmes des champs enclos de haies et nous entendîmes des chiens japper, et bientôt nous arrivâmes au village.

La maison du fils du capitaine où nous devions loger, se trouve la dernière du pays. A la voir extérieurement, avec toutes ses vitres cassées, et ses sombres murs gris, je présumais un triste gîte; mais deux gros enfants joufflus et bruns, qui vinrent embrasser leur grand-père à la descente de cheval, nous montrèrent à leur bon air et à leurs vêtements propres que mes prévisions étaient injustes, et je me sentis alors soulagé de tout l'espoir d'un bon dîner et d'un bon lit. Les gens qui restent non loin de leur feu, les pieds dans les pantoufles, et à qui l'on vient dire tous les jours, quand il est six heures, que la table est mise, s'étonnent quelquefois dans les récits de voyage de la voracité et des joies bestiales de celui qu'ils lisent ou qu'ils écoutent; il faut avoir passé plusieurs jours à chevaucher sous un soleil de 23 degrés, pendant douze ou treize ans, s'arrêtant une fois dans la journée pour boire l'eau d'une fontaine et manger du pain sec, avoir marché

de longues heures sur des pointes de marbre ou de granit, pour sentir la joie inexprimable (et ne plus la condamner) de dévorer en silence le bouc rôti sur les charbons et de s'étendre ensuite dans une couche molle et propre.

Un jeune homme de 22 ans environ, en veste de velours vert, nu-tête et de manières graves, se tenait sur le perron; c'était le fils de M. Laurelli. Il nous a fait monter en haut où nous avons dîné comme des affamés, en compagnie d'un sergent voltigeur qui a gardé le silence tout le repas et qui, la bouche béante, à chaque mot que nous disions avait l'air d'attendre les suivants comme de bons morceaux.

Le capitaine Laurelli est le propriétaire des eaux misérables de Pietra-Pola, situées à environ deux lieues d'Isolaccio dans la direction de la mer. Le médecin du pays nous y a accompagnés (c'est le même dont j'ai parlé plus haut), il s'appuyait sur une petite canne en jonc très courte et terminée par une longue pointe en fer; je n'estime les médecins qu'autant qu'ils sont bons philosophes, mot qu'il nous répétait souvent. Cela étonne et fait plaisir à la fois de trouver au milieu des forêts, à trente lieues d'une ville, dans un désert pour ainsi dire et chez des gens qui n'ont jamais quitté leur village, tout le bon sens pratique de ceux qui ont vécu longtemps dans le monde, une finesse rare dans les jugements sur les hommes et sur les choses de la vie. L'esprit des Corses n'a rien de ce qu'on appelle l'esprit français; il y a en eux un mélange de Montaigne et de Corneille, c'est de la finesse et de l'héroïsme, ils vous disent quelquefois sur la politique et sur les relations humaines des choses antiques et frappées à un coin solennel; jamais un Corse ne vous ennuiera du récit de ses affaires, ni de sa récolte et de ses troupeaux; son orgueil, qui est immense, l'empêche de vous entretenir de choses vulgaires.

Le capitaine nous avait parlé d'un de ses neveux retiré au maquis pour homicide et nous avait proposé de nous le faire voir. A la nuit close, et sur les dix heures du soir, il fut introduit dans la maison. Comme la salle où nous avions mangé était pleine d'amis qui étaient venus faire visite après dîner, et celle où avait couché M. Cloquet se trouvant au fond, ce fut donc dans la mienne au haut de l'escalier qui donnait sur la rue, qu'on le fit entrer. Le capitaine nous fit signe et nous sortîmes comme pour aller nous coucher.

Le bandit se tenait au fond de ma chambre, le flambeau placé sur la table de nuit me le fit voir dès en entrant. C'était un grand jeune homme, bien vêtu et de bonne mine, sa main droite s'appuyait sur sa carabine. Il nous a salués avec une politesse réservée et nous nous sommes regardés quelque temps sans rien dire, embarrassés un peu de notre contenance. Il était beau, toute sa personne avait quelque chose de naïf et d'ardent, ses yeux noirs qui brillaient avec éclat étaient pleins de tendresse à voir des hommes qui lui tendaient la main; sa peau était rosée et fraîche, sa barbe noire était bien peignée; il avait quelque chose de nonchalant et de vif tout à la fois, plein de grâce et de coquetterie montagnarde. Il n'y a rien de bête comme de représenter les *scélérats* l'œil hagard, déguenillés, *bourrelés de remords*. Celui-là, au contraire, avait le sourire sur les lèvres, des dents blanches, les mains propres; on eût plutôt dit qu'il venait de sortir de son lit que du maquis. Il y a pourtant trois ans qu'il y vit, trois ans qu'il n'a été reçu sous un toit, qu'il couche l'hiver dans la neige et que les voltigeurs et les gendarmes lui font la chasse comme à une bête fauve. Brave et grand cœur qui palpite seul et librement dans les bois, sans avoir besoin de vous pour vivre, plus pur et plus haut placé, sans doute, que la plupart des honnêtes gens de France, à commencer par le plus mince épicier de province pour monter jusqu'au roi!

A côté de lui se tenait un autre homme maigre et noir, une figure pleine de feu, grimaçant et pétillant d'expression rustique : c'est le parent qui communique avec lui, lui fait parvenir les vivres et les nouvelles. Tout le temps il est resté assis sur une malle qui se trouvait là et a gardé son bonnet de laine, il parlait à voix basse et très vivement.

Nous avons causé longtemps ensemble, nous nous sommes occupés des moyens de le faire sortir de la Corse. Comme son signalement au besoin eût pu passer pour le mien, je lui ai proposé mon passeport, mais l'autre homme en a tiré un autre de sa poche qu'il s'était procuré sous un faux nom; de ce côté les mesures sont bien prises. Il a été question de le faire aller à la sucrerie de M. Dupuis et de là on l'aurait fait passer en Normandie avec les ouvriers qui retourneraient chez eux, mais il aborderait peut-être plus difficilement sur la terre de France que sur celle d'Italie; il est donc décidé que la première barque que l'on pourra trouver à Sagone doublera Bonifacio et viendra le prendre la nuit sur le rivage de Fiumorbo. De là il ira à Livourne, tâchera de s'accrocher à quelque commerçant d'Alexandrie ou de Smyrne et de passer avec lui en Egypte où il prendra du service.

Au bout d'une heure il nous a quittés, le capitaine lui a versé une goutte, deux doigts d'eau-de-vie; enfin il nous a dit adieu à plusieurs reprises, nous lui avons souhaité bonne réussite, il nous a longuement serré la main et nous a quittés le cœur tout navré de tendresse.

Nous devions aller coucher le lendemain soir à Corte, il nous fallait traverser tout le Fiumorbo et la plaine d'Aleria. C'était une forte journée, aussi commençâmes-nous à 4 heures du matin. Comme il faisait encore froid, nous marchâmes deux heures environ pour nous réchauffer; le fils Laurelli nous a accompagnés jusqu'au bout du pays, et là nous nous sommes séparés. Car c'est là voyager! On arrive dans un lieu, des amitiés se lient, et à l'heure où elles vont s'accomplir, tout se défait, et l'on sème ainsi partout quelque chose de son cœur. Les premiers jours cela attriste, on s'arrache difficilement de tout ce que l'on a vu qui vous plaît, mais l'habitude venant, il ne vous prend plus envie de regarder en arrière, on pense toujours au lendemain, quelquefois au jour même, jamais à la veille; l'esprit, comme les jambes, s'accoutume à vous porter en avant, et comme dans un panorama perpétuel, tout passe près de vous rapidement, vu au galop de votre course. Vallées

pleines d'ombre, maquis de myrtes, sentiers sinueux dans les fougères, golfes aux doux murmures dans les mers bleues, larges horizons de soleil, grandes forêts aux pins décharnés, confidences faites par le chemin, figures qu'on rencontre, aventures imprévues, longues causeries avec des amis d'hier, tout cela glisse emporté et vite s'oublie pour l'instant, mais bientôt se resserre dans je ne sais quelle synthèse harmonieuse qui ne vous présente plus ensuite qu'un grand mélange suave de sentiments et d'images où la mémoire se reporte toujours avec bonheur, vous replace vous-même et vous les donne à remâcher, embaumés cette fois de je ne sais quel parfum nouveau qui vous les fait chérir d'une autre manière.

A Prunelli, le capitaine nous a fait arrêter pour dire le bonjour à deux de ses filles mariées dans ce village. C'était là le quartier général des Corses qui rossèrent si élégamment le marquis de Rivière, ambassadeur à Constantinople. Déjà nous avons vu à la préfecture le général Paoli, à qui la gloire de cette guerre est revenue en entier; néanmoins, c'est bien notre ami le capitaine Laurelli qui, dans le pays, passe pour y avoir eu la part la plus active. La veille, en allant aux eaux de Pietra-Pola, il nous avait montré tous les lieux où l'action s'est portée, en homme qui parle de ce qu'il a vu; chez lui, à Corte, il a conservé les étriers du général Sebastiani qui était descendu de cheval pour fuir plus à l'aise dans la campagne. Nous sommes descendus à travers de grands maquis et des chênes-lièges jusqu'à l'immense plaine qui forme tout le littoral oriental de la Corse et qui s'étend depuis Bonifacio jusqu'à Bastia. Elle est inculte dans sa plus grande partie, couverte çà et là d'un maquis dont la touffe de verdure paraît de loin au milieu de cette terre blanche; on en a brûlé, manière de défricher adoptée dans toute la Corse, mais tous les efforts, la plupart du temps, n'ont pas été au delà et les jeunes pousses reparaissent entre les arbustes calcinés. De temps à autre un grand chêne-liège décharné élève son branchage clairsemé sans donner d'ombrage; ailleurs, nous allons dans des sentiers à travers de hautes fougères, et chacun voit la tête de celui qui le précède passer rapidement, en mille détours, le long de leur tige. Les voltigeurs nous ont accompagnés jusqu'à la rivière, et nous avons continué seuls notre route. Le pays est désert, vide d'habitants; ceux qu'on rencontre dans tout le Fiumorbo sont jaunes de fièvre, vêtus de haillons et ont l'air triste. La misère dans le Nord n'a rien de bien choquant, le ciel est gris; toute la nature est lugubre; mais ici, quand le soleil répand tant de splendeur et de vie rayonnante, les couleurs sombres sont bien sombres, les têtes pâles sont plus pâles, sous ce beau ciel si bleu et si uni les guenilles sont bien plus déchirées.

Nous avons un peu quitté la plaine et repris à gauche en longeant le pied des mêmes montagnes que nous dominions la veille. J'aime à me redire tous ces détails. Il me semble que nous tournons encore dans les chemins du maquis, que j'arrache encore en passant les fruits rouges de l'arbousier et les petites fleurs blanches des myrtes; nous allons sous des berceaux de verdure, de temps en temps nous nous perdons de vue, tout est vert et frais, et quand on se retrouve dans la plaine, marchant dans les chaumes, tout au contraire est long et lumineux. Quand nos chevaux s'arrêtent le bruit se tait, et nous ne voyons que l'immense horizon bleu de la Méditerranée, qui s'agrandit à mesure que nous montons. La plaine, comme la mer, se déploie aussi de plus en plus, elle agrandit, comme elle, ses perspectives sans nombre. Des masses grises de cailloux vous indiquent dans la plaine quelques petits villages. Dans l'immense baie que la mer découpe devant nous, à quatre lieues en face, était la ville d'Aleria. On nous dit que des flottes pouvaient contenir dans ce port comblé et qu'il ne faudrait qu'enlever les sables pour en faire demain le plus beau du monde. Elle garde un renom de splendeur passée. Quand l'avait-elle? Personne ne vous le dira; il y a sans doute bien des siècles qu'elle regarde ainsi en face l'Italie sans se lever de ses sables et que les lièvres viennent brouter le thym dans les pierres de son aqueduc. Ensevelie dans cette plaine vide et blanche elle me semblait une de ces cités de l'Orient, mortes depuis longtemps et que nous rêvons si tristes et si belles, y replaçant tous les rêves de grandeur que l'humanité a eus.

Cependant nous marchions sur la crête de petites collines, dans des cailloux de cuivre qui ressortaient de sous terre comme des bronzes antiques; des plantes sauvages poussaient parmi eux, tout était pavé d'airain rouge et noir; le soleil brillait dessus, et les rayons qui tombaient sur les arêtes saillantes en rebondissaient en paillettes. J'aimais à regarder à gauche la ligne blanche qui bordait la vue et que je savais être l'Italie. Elle s'étendait dans toute la longueur du grand horizon bleu qu'elle contemplait avec une langueur inexplicable. Notre guide nous chantait je ne sais quelle ballata que je n'écoutais pas, laissant buter mon cheval à chaque pierre et tout ébloui, étourdi de tant de soleil, de tant d'images, et de toutes les pensées qui arrivaient les unes sur les autres, sereines et limpides comme des flots sur des flots. Il faisait du vent, un vent tiède qui venait de courir sur les ondes, il arrivait de là-bas, d'au delà de cet horizon, nous apportant vaguement, avec l'odeur de la mer, comme un souvenir de choses que je n'avais pas vues. J'aurais presque pleuré quand je me suis enfoncé de nouveau dans la montagne. Non, ce n'est jamais devant l'océan, devant nos mers du Nord, vertes et furieuses, que les dix mille eussent poussé le cri d'immense espoir dont parle Xénophon; mais c'est bien devant cette mer-là, quand, avec tout son azur, elle surgit au soleil entre les fentes de rochers gris, que le cœur alors prend une immense volée pour courir sur la cime de ces flots si doux, à ces rivages aimés, où les poètes antiques ont placé toutes les beautés, à ces pays suaves où l'écume, un matin, apporta dans une coquille la Vénus endormie.

Le jour était déjà avancé, et nous n'avions point mangé. De temps à autre nous rencontrions bien quelque hutte en chêne-liège de dessous laquelle ressortaient des yeux noirs brillant comme ceux des chats; des familles entières accroupies se tenaient au milieu de la fumée sous ces maisons de trois à quatre pieds de hauteur ainsi qu'on nous représente les Hottentots ou les naturels de la Nouvelle-Zélande; mais toutes ces cabanes n'avaient point d'eau, il fallait donc aller plus loin. Nous en trouvâmes enfin vers 1 heure de l'après-midi à Acquaviva, petit village ombragé d'une touffe de châtaigniers. Nous sommes entrés dans une maison où le bienheureux capitaine nous a fait déjeuner. Quelques charbons se trouvaient au milieu de la cuisine entre trois ou quatre pierres rangées en carré, la fumée s'en allait au ciel à travers les poutres du toit.

Nous avons été reçus par une vieille femme et par une jeune fille très jolie et fort bourrue, dont les naïvetés gaillardes nous ont fait rire encore deux heures après l'avoir quittée; mon excellent compagnon, en se séparant d'elle, se roulait sur le perron, et sa bonne humeur l'a mis en train de me faire des confidences facétieuses pendant une partie de la route que nous avons parcourue, cette fois, l'estomac plein tout en devisant et en pantagruélisant.

Après une journée de dix heures de cheval, nous sommes arrivés à Corte. Mme Laurelli nous a reçus avec une distinction toute parisienne; ses manières et sa figure ne sont pas de la Corse, où le beau sexe a les unes et les autres assez peu agréables. Hélas! il a fallu se séparer le lendemain de notre bon capitaine qui nous a embrassés avec effusion et qui nous a bien promis de venir nous voir en France.

La grande route nous a menés jusqu'à trois heures de Corte où nous avons trouvé deux voltigeurs qui, par ordre du capitaine, devaient nous accompagner jusqu'à Piedicroce. Nous nous élevons dans la direction de l'Italie et parcourons une route à peu près semblable à celle que nous avons faite de Bocognano à Ghisoni. Les montagnes de la Corse se montrent à nous de nouveau, et le soleil couchant nous les éclaire encore. Arrivés sur la hauteur où nous avons revu la Méditerranée, elles avaient complètement disparu. Le soir venait et le chemin se faisait de plus en plus mauvais; il a fallu descendre de cheval et aller à pied. Bientôt nous sommes entrés dans une forêt de châtaigniers, et l'obscurité est devenue tout à fait complète. Notre guide ne contribue pas médiocrement à nous rendre la route désagréable, il s'est enivré à Corte, nous étourdit de ses chansons; il est baveux, bavard et bravache.

Comme la lune n'était pas encore parue et que les arbres étaient touffus, nous marchions doucement de peur de rouler dans les pierres, soutenant par le bras la baguette qui nous avait servi de cravache. Toute la vallée était couverte de châtaigniers, et les pentes qui s'étendaient sous nous, les hauteurs qui nous dominaient, tout était sombre, silencieux. Le jour qui pénétrait dans les clairières nous faisait voir de gros troncs d'arbres qui apparaissaient les uns derrière les autres; de temps à autre nous enfoncions les pieds dans des sources d'eau vive. Notre guide, qui conduisait les chevaux, s'inquiétait d'ailleurs fort peu de savoir si nous le suivions tout entier qu'il était à l'expansion lyrique que la boisson avait provoquée en lui. Souvent nous nous arrêtions pour reprendre haleine et nous demander si bientôt enfin nous arrivions. Les châtaignes tombaient sur les feuilles, sur la mousse ou sur nos chapeaux. Au loin, au fond de la vallée, un chien aboyait après la lune qui commençait à se lever un peu, toute rousse et entourée de nuages; quelques lumières brillaient çà et là dans les montagnes voisines et disparaissaient les unes après les autres. Francesco de plus belle reprenait sa chanson ou continuait d'exciter ses chevaux avec cet ignoble cri qu'on retrouve par toute la Corse pour faire aller les bêtes, et qui ressemble à celui d'un homme qu'on assommerait à coups de massue. Ce n'était pas sans raison que le brave capitaine nous a fait escorter, nos deux voltigeurs en effet avaient reçu de lui l'ordre de frapper notre guide au moindre signe de rébellion, et l'un d'eux me paraissait très disposé à lui tirer un coup de fusil. J'avoue que j'eus un moment d'inconcevable rage, lorsque tout fatigué, mourant de soif et désespéré de ne rien avoir sous la dent, je lui demandai la gourde qu'on avait remplie le matin à Corte, et que le misérable me répondit froidement que le bouchon en était tombé et que tout s'était perdu... Il me sembla alors qu'on m'enterrait vif, et que toutes les colères du ciel étaient en moi; je m'étais vivement rapproché de lui, haletant, espérant boire, je me voyais déjà saisissant la bienheureuse gourde, je sentais si bien couler dans mon estomac fatigué... j'arrive, rien. On a beau parler des désillusions morales, celle-là fut atroce. Je déguisai ma douleur sous une ironie magnifique dont je ne me rappelle plus la forme, mais elle l'écrasa, et j'eus pour satisfaction de faire rire les deux voltigeurs qui étaient là et qui, comme moi, n'auraient pas été fâchés de boire.

Nous continuâmes encore à marcher dans des chemins de plus en plus mauvais; de temps en temps nous tâtions avec les mains pour nous guider, et nous tombions dans les grosses pierres, le bois était toujours aussi sombre, et la lune rongée se montrait seulement pour l'acquit de sa conscience. Je pensais alors aux contes que l'on débite sur les voyageurs égarés dans le bois, et qui aperçoivent au loin une lumière; ils s'approchent pour demander du secours, c'est une cabane de faux monnayeurs, où pour la plupart du temps ils sont égorgés. Nous avons frappé aussi à une cabane pour savoir si nous étions loin de Piedicroce. Un vieillard est venu nous ouvrir; il était seul dans sa maison et nous a dit tout d'abord que nous serions mal logés chez lui parce que toute sa famille était absente et qu'on ne pourrait pas nous servir; d'ailleurs il ne nous restait plus qu'une heure de chemin. Puis il a refermé sa porte, et toute sa cabane est rentrée dans le silence et l'obscurité. Un de nos gens nous a dit qu'à l'air dont il nous avait répondu, ce vieillard, à coup sûr, était resté le seul de sa famille; tous les autres ayant été tués par vendetta, il se souciait peu de la visite des étrangers.

Nous avons donc repris courage, et continuant d'un pas plus leste nous sommes enfin arrivés à 9 heures à Piedicroce. M. Paoli nous attendait avec son oncle, vieux curé de la commune, qui se tenait à table tout en prenant patience. C'était un petit gros vieillard, tout blanc, en bonnet de coton et en culotte courte; il sait

peu de français et ne nous a guère parlé que pour dire que le clergé devait se mettre à la tête de la nation et charger le fusil, si le sol venait à être envahi par l'Anglais.

M. Paoli, frère du procureur du roi de Calvi, que nous avions vu à Ajaccio, est un grand gaillard mince; il était décolleté, en veste de toile, il nous a reçus avec beaucoup de franchise et paraît plus gai et plus causeur que ses compatriotes. Pendant le dîner, il nous a parlé de son pays longuement et même avec une rare sagacité. Cet homme, qui s'exprime si purement en français, qui a tant de finesse et de bon sens, n'est jamais sorti de sa commune dont il est le maire, il est vrai, et à qui il porte un amour d'administrateur.

Nos courses en Corse allaient bientôt finir; le soir même nous devions aller coucher à Bastia. M. Paoli nous a accompagnés jusqu'à Orezza, monté sur une superbe bête qui bondissait sous lui et sautait comme un chevreuil. Le reste de la route, jusqu'à Saint-Pancrace, se fait dans une grande forêt de châtaigniers, sur des pelouses unies. Nous avons plusieurs fois traversé le Golo dont nous avons suivi le courant. A 4 heures du soir enfin nous atteignons Saint-Pancrace, où M. Podesta avait eu l'obligeance d'envoyer la voiture; ça a été pour nous une chose toute nouvelle de nous sentir traînés sur une grande route et sur de bons ressorts. Bastia paraît de loin étendue au bas du cap Corse, au fond du golfe; son phare brillait dans les flots, et la nuit était déjà venue quand nous entrâmes dans les rues de la ville.

Il ne nous restait plus qu'une journée, qu'une journée et tout était fini! Adieu la Corse, ses belles forêts, sa route de Vico au bord de la mer; adieu ses maquis, ses fougères, ses collines, car Bastia n'est pas de la Corse; c'en est la honte, disent-ils là-bas. Sa richesse, son commerce, ses mœurs continentales, tout la fait haïr du reste de l'île. Il n'y a que là, en effet, que l'on trouve des cafés, des bains, un hôtel, où il y ait des calèches, des gants jaunes et des bottes vernies, toutes les commodités des sociétés civilisées. Bastiacci, disent-ils, méchants habitants de Bastia, hommes vils qui ont quitté les mœurs de leurs ancêtres, pour prendre celles de l'Italie et de la France. Il est vrai que les petits commis des douanes et de l'enregistrement, les surnuméraires des domaines, les officiers en garnison, toute la classe élastique désignée sous le nom de jeunes gens, n'a pas besoin, comme à Ajaccio, de faire de temps en temps de petites excursions à Livourne et à Marseille pour bannir la mélancolie, comme on dit dans les chansons; ces messieurs profitent ici de l'avilissement du caractère national. Malgré tous ces avantages incontestables pour le *consommateur*, qu'il y a loin de Bastia à Ajaccio, cette ville si éclairée, si pure de couleur, si ouverte au grand air, où les palmiers poussent sur la place publique, et dont la baie vaut, dit-on, celle de Palerme. A Bastia, les rues au contraire sont petites, noires, encombrées de monde; son port est étroit, malaisé; la grande place Saint-Laurent ne vaut pas à coup sûr l'esplanade qui est devant la forteresse ni la terrasse du cardinal Fesch, où je me suis promené le dernier soir à Ajaccio.

Le palais est inachevé, la lune entrait par les vitres et se jouait dans les grandes pièces nues; les escaliers étaient vides et sonores. Du haut de la terrasse j'ai revu la baie avec toutes les côtes qui l'entourent. La lune en face se reflétait dans les flots; suivant qu'elle montait dans le ciel, son image prenait sous l'eau des formes changeantes, tantôt celle d'un immense candélabre d'argent, tantôt celle d'un serpent dont les anneaux montaient en droite ligne à la surface et dont le corps remuait en ondulant; les montagnes étaient éclairées, et de l'autre côté, au large, à travers les ombres, la grande immensité azurée apparaissait toute sereine.

Les églises de Bastia n'ont rien qui me plaise, fraîchement peintes, luisantes, ornées dans le goût italien.

Nous avons été voir les prisons pour y trouver quelque bon type corse et non pour goûter la soupe comme les philanthropes. Le geôlier d'Ajaccio était un vigoureux gaillard, capable de résister seul à une émeute; celui de Bastia est geignard et doucereux; il se plaint de l'exiguïté de son logement, quoiqu'il ait envahi une bonne partie des prisons; un de ses fils est borgne et l'autre est attaqué d'une maladie de poitrine; ce dernier, nous a-t-il dit, est un fort bon sujet qui s'est rendu malade à force de travailler, nous n'avions qu'à demander au proviseur... Nous vîmes en effet étendu dans son lit un maigre jeune homme toussant et crachant, pauvre brute! que l'ambition dévore et qui se tue pour devenir un savant! Corse, Corse, gagne plutôt le maquis! là, tu entendras sous le myrte la chanson des rossignols et tu n'auras pas besoin de dictionnaire pour la comprendre, le vent dans la forêt de Marmano te sifflera un autre rythme que celui de ton Virgile que tu ne comprends guère. Allons, philosophe, jette au feu ton Cousin dont tu voudrais bien être le valet, et va un peu le soir t'étendre sur le sable du golfe de Lucia, à regarder les étoiles. Te voilà devenu professeur de philosophie dans ta ville natale, le maire te fait des compliments dans son discours au jour de la distribution des prix, et tu rougis sans doute devant l'auditoire avec une grâce charmante; tu as des répétitions au collège et des leçons particulières en ville. Eh bien! homme vertueux, homme d'esprit, homme que tes frères respectent et que ton père regarde ébahi, tu me parais, à te voir ainsi couché dans ce lit avec ton sot bonnet sur ta tête déjà chauve, et ne voyant de jour qu'à travers les barreaux de cette cage où tu t'illustres, tu me sembles plus misérable, plus stupide et plus condamnable que tous ceux qui sont là derrière la muraille, aigles de la montagne qui soupirent après l'heure où ils pourront reprendre leur volée.

J'ai vu, dans les cellules des prisonniers, un jeune garçon de Sartène qui a porté faux témoignage; il était condamné à un an de prison, mais il souriait, passant la main dans ses cheveux, il avait un large front et des dents blanches. J'ai vu aussi plusieurs meurtriers qui m'avaient l'air fort heureux; j'ai revu mon vieux Bastianesi qui va bientôt sortir; il y avait de plus une femme adultère qui va bientôt accoucher et qui pense au fils qui va naître, et un Gênois accusé de viol, qui a une figure fort bouffonne. Tous m'ont fait plus de plaisir à voir que toi, homme à bonne conduite, parce que ceux-là aiment et haïssent, ils ont des souvenirs, des espoirs, des projets; ils aiment la lumière, le grand jour, la liberté, la montagne; mieux que toi, savant, ils comprennent l'élégie que soupire le laurier-rose à la brise du soir, le dithyrambe des pins qui se cassent, le monologue de l'orage qui hurle et de la haine quand elle emplit les cœurs vreux. Ils n'ont point de poitrine étriquée, de membres amaigris, d'esprit sec, de vanité misérable. Je te hais, fils de geôlier qui veux devenir académicien, et il n'a fallu rien moins pour te faire oublier que l'excellent déjeuner que nous avons fait chez Letellier en compagnie du bon Multedo que j'avais retrouvé le matin dans la rue, et des docteurs Arrighi et Manfredi.

Puisque j'ai rendu compte de ma traversée de Toulon à Ajaccio avec une exactitude psychologique, digne de l'école écossaise, je puis me faire le plaisir de parler de celle du retour.

Quand nous avons quitté Bastia, le temps était superbe, la mer calme. La Corse belle me disait un dernier adieu. Pauvre Corse! il a fallu en quitter la vue bien vite pour aller se clouer dans une étroite cabine où, le corps ployé en deux, je recevais le soleil dans la face. Là, fermant les yeux, étourdi du roulis, suant et soufflant, je m'imaginai être un fort poulet à la broche: l'astre du jour me rôtissait et je ne vous dirai pas quel jus tombait dans la lèche-frite.

Vers 5 heures du soir je me suis résigné à monter sur le pont, où je passai la nuit, enveloppé dans ce gros manteau corse que M. Cloquet avait acheté à Ajaccio. La nuit fut belle, je dormis, je rêvai, je regardai la lune, la mer; je pensais aux peuples d'Orient qui par la même nuit regardaient les mêmes étoiles et s'acheminaient lentement dans les sables vers quelque grande cité, je pensais aussi à mon voyage qui allait finir, je regardais le bout du mât se balancer à droite et à gauche, j'écoutais le vent siffler dans les poulies et, à travers les écoutilles, les bruits des vomissants montaient jusqu'à moi; j'avais pour eux le dédain du bonheur. Le matin, quand nous longeâmes les côtes de la Provence, le temps devint rude, les flots fumaient à l'horizon, notre navire s'avançait lentement et rudement secoué, et sa proue pointait dans l'eau. J'ai fait la conversation avec un officier qui a entré en fraude une grande quantité de tabac corse, et avec un épicier qui m'a pris pour un commis voyageur. Allons, finissons-en vite, arrivons au port, puisque nous sommes en rade. C'est en vain que depuis huit jours je suis à m'amuser à ceci, il faut bien plier la feuille, tourcela à deux mains, et quitter le passé, lui qui vous quitte si facilement. J'ai fait le traînard tant que j'ai pu, me promenant cent fois d'Ajaccio à Bastia, de Ghisoni dans la forêt de Marmano, revenant sur mes pas, revoyant les sentiers parcourus, ramassant des feuilles tombées, me jouant avec mes souvenirs comme avec de vieux habits; il faut se hâter de finir mon voyage qui, du train que je mets à le raconter, pourra bien finir au mois d'août prochain.

Je vous fais grâce du bagne et de l'arsenal, de la description pittoresque et des réflexions humanitaires, j'aime mieux dire qu'un certain soir encore j'ai été à la bastide de Lauvergne. La mer vient battre au pied de sa terrasse; à gauche il y a une anse dans le rocher faite exprès par les Tritons pour y nager aux heures de nuit; de dessus un tombeau turc qui sert de banc, on voit toute la Méditerranée; son jardin est en désordre, l'herbe pousse dans les murs, la fontaine est tarie, les cannes de Provence sont cassées, mais l'éternelle jeunesse de la mer sourit en face à chaque rayon de soleil, dans chaque vague azurée.

Si je demeurais à Toulon, j'irais aussi tous les jours au jardin botanique; ce serait peut-être une sottise, car il est des choses dont il ne faut garder qu'une vision, comme Arles, par exemple. Que le cloître Saint-Trophime était beau, à la tombée du jour! Des femmes venaient puiser de l'eau dans le puits de marbre qui se trouve là, à droite en entrant. Les femmes d'Arles! quel autre souvenir! Elles sont toutes en noir; elles marchaient, il m'a semblé, deux à deux dans les rues, et elles parlaient à voix basse se tenant par le bras. J'en ai revu une à Toulon, elle s'en allait aussi la tête penchée un peu sur l'épaule, le regard vers la terre; avec leur jupe courte, leur démarche si légère et si grave, toute leur stature robuste et svelte, elles ressemblent à la Muse antique.

Il faisait du *mistrao* à Toulon; nous étions aveuglés de poussière. Une fois entrés dans le jardin, je ne sais si cela tient aux murs qui nous abritaient, l'air est devenu calme. Après la maison du concierge, il y a quelques petites maisonnettes en bois qui servent de serres; des cages d'oiseaux étaient attachées aux murs extérieurs, elles étaient remplies de gazouillements et de battements d'ailes. Je vis là sous de grands arbres pleins d'ombrages, à côté d'un banc de gazon, deux ou trois forçats qui travaillaient au jardin; ils n'avaient ni garde-chiourme, ni sergents, ni argousins; on entendait pourtant leur chaîne qui traînait sur le sable. Tandis que les autres étaient au bagne à soulever des poutres, à clouer la carcasse des vaisseaux, à manier le fer et le bois, ceux-là entendaient le bruit du vent dans les palmiers et dans les aloès, car il y a là des roseaux de l'Inde à forme étrange, et des bananiers, des agavés, des myrtes encore, des cactus, toutes ces belles plantes des contrées inconnues, sous lesquelles les tigres bondissent, les serpents s'enroulent, où les oiseaux bigarrés perchent et se mettent à chanter. Il me semble que cela doit leur amollir le cœur de vivre toujours avec ces plantes, avec ce silence, cet ombrage, toutes ces feuilles petites et grandes, ces petits bassins qui murmurent, ces jets d'eau qui arrosent; il fait frais sous les arbres et chaud au soleil, le vent agite le branchage sur le treillis, il y a du jasmin qui embaume, des chèvrefeuilles, des fleurs dont je ne sais pas le nom, mais qui font qu'on les respirant on se sent le cœur faible et tout prêt à aimer; des nénufars sont étendus dans les sources, avec des roseaux qui s'épanchent

de tous côtés. Le vent avait renversé les arbustes et il agitait les palmiers dont le faîte murmurait, deux palmiers, de ceux qu'on appelle rois; ils sont au bout du jardin, et si beaux que j'ai compris alors que Xerxès en eût été amoureux, et, comme à une maîtresse, ait passé à un d'eux autour du cou des anneaux et des colliers. Les rameaux du haut retombaient en gerbes avec des courbes douces et molles, ce *mistrao* qui souf-flait en haut le poussait les uns sur les autres en leur faisant faire un bruit qui n'est point de nos pays, le tronc restait calme et immobile, comme une femme dont les cheveux seuls remuent au vent. Un palmier pour nous c'est toute l'Inde, tout l'Orient; sous le palmier l'éléphant paré d'or bondit et balance au son des tambourins, la bayadère danse sous son ombrage, l'encens fume et monte dans ses rameaux pendant que le brahme assis chante les louanges de Brahma et des Dieux.

C'était fini du Midi! A Marseille il faisait froid, tout se rembrunissait et sentait déjà le retour. Il y aurait pourtant de l'injustice à ne rien dire du dîner d'adieu chez M. Cauvière. Il a une petite salle romaine en pierre de taille, voûtée, pavée de marbre, comme Horace devait en avoir une; je vous réponds qu'il s'y est bien bu du bon vin, qu'il s'y est dit des choses spirituelles. Ce fut un dîner exquis en tout point, comme les rois n'ont pas l'esprit d'en faire, où il y eut, dit Commines, « toutes sortes de bonnes épices qui font boire de l'eau point »; les mets, les vins, le langage, tout cela eut un caractère à part, non jusqu'à l'excellent, original et de bon goût; l'ivresse et la plaisanterie allèrent jusqu'à ce point délicat où l'on ne perd ni l'esprit ni la décence, il y avait des dames. Il faudrait une autre mémoire et une autre plume surtout pour vous rapporter cette délicieuse soirée, les lumières étaient douces, tout allait harmonieusement, Porto se prome-nait lentement autour de la table à la manière des grands animaux; le soir on nous apporta sur la table une colonne de tabac de Lataki [5], avec des pipes de bambou; nous bûmes, en fumant, un vin spécial appelé Lep-Fraidi [6], je n'en écris pas plus.

Avant de m'emboîter pour Paris, j'ai été dire un dernier adieu à la Méditerranée. Il faisait encore beau sur le quai, le soleil brillant, le *mistrao* ne soufflait pas, le ciel était pur comme le jour où j'y fus avant de partir pour la Corse, alors que j'avais devant moi encore, et dans un rose horizon, un mois de beau temps, d'excursions libres, encore tout un mois de Méditerranée et de grand soleil. Les navires étaient attachés sur le quai par des câbles tendus, néanmoins ils remuaient un peu, comme les cœurs par les temps plus calmes, aussi amarrés au rivage, font des bonds qu'eux seuls sentent, pour repartir au large. J'ai encore vu quelques pantalons plissés, des pelisses arabes, des dolmans turcs, et puis il a fallu repartir, tourner le dos à tout cela, sans savoir quand je reverrai ni Arles,

---

5. Lataki : tabac d'Orient, d'origine syrienne et de couleur noirâtre (on dit plutôt : Lattaquié ou Latakieh).
6. Lep-Fraidi : vin blanc du Rhin (son nom exact est : *Liebfrau-milch;* d'où, par altération, *Lip-fraoli* ou *Lep-Fraidi*).

ni Marseille, et la baie aux Oursins, et les golfes de Liamone, de Chopra, de Sagone, le Prato, la plaine d'Aleria.

La première page de ceci a été écrite à Bordeaux dans un accès de bonne humeur, le matin, la fenêtre ouverte; la rue était pleine de cris de femmes, de chansons, de voix joyeuses.

Maintenant il pleut, il fait froid, les arbres dépouillés ont l'air de squelettes verts ou noirs. Au lieu de partir bientôt pour Bayonne, pour Biarritz, pour Fontarabie, me voilà empêtré dans des plans d'études admirables, ayant cinq ou six fois plus de travaux qu'un honnête homme ne peut en accomplir; dans un mois ce sera la même chose, je serai à la même table, sur la même chaise et toujours ainsi de même. Mais je me console en pensant que cet hiver je pourrai boire quelquefois du champagne frappé et manger du canard sauvage; et puis quand reviendra la saison où les blés commencent à mûrir, je m'en irai aussi dans les champs ou dans les îles de la Seine, je nagerai en regardant les arbres qui se mirent au bord, je fumerai une pipe à l'ombre, je laisserai aller ma barque à la dérive vers 5 heures, quand le soleil se couche, mais non!

Car je retournerai à Bordeaux, je passerai Saint-Jean-de-Luz, Irun; j'irai en Espagne. Il serait trop stupide en effet qu'un homme bien élevé n'ait pas vu l'Andalousie ni les lauriers-roses qui bordent le Guadalquivir, ni l'Alhambra, ni Tolède, ni Séville, ni toutes ces vieilles villes aux balcons noirs, où les Inès chantent la nuit les romances du *Cid*.

Mais, de grâce, Arles aussi, et Marseille également, et Toulon, parce que je désire avant de mourir dîner encore deux ou trois fois chez M. Cauvière. Plus loin même, je dépasserai la bastide de Raynaud et j'irai à Venise, à Rome, à Naples, dans la baie de Baïa, puisque je relis maintenant Tacite et que je vais apprendre Properce.

Mais la Méditerranée est si belle, si bleue, si calme, si souriante qu'elle vous appelle sur son sein, vous attire à elle avec des séductions charmantes. J'irai bien en Grèce; me voilà lisant Homère, son vieux poète qui l'aimait tant, et à Constantinople, à qui j'ai pensé plus d'heures dans ma vie qu'il n'en faudrait pour faire d'ici le voyage à pied, ayant toute ma vie aimé à me coucher sur des tapis, à respirer des parfums, regrettant de n'avoir ni esclaves, ni sérails, ni mosquées pavées de marbre et de porphyre, ni cimeterre de Damas pour faire tomber les têtes de ceux qui m'ennuient.

Oh! moi qui si souvent en regardant la lune, soit les hivers à Rouen, soit l'été sous le ciel du Midi, ai pensé à Babylone, à Ninive, à Persépolis, à Palmyre, aux campements d'Alexandre, aux marches des caravanes, aux clochettes des chamelles, aux grands silences du désert, aux horizons rouges et vides, est-ce que je n'irai pas m'abreuver de poésie, de lumière, de choses immenses et sans nom à cette source où remontent tous mes rêves?

Povero! Tu iras dimanche prochain à Déville, s'il fait beau; cet été, à Pont-l'Evêque.

Encore un mot : Je réserve dix cahiers de bon papier que j'avais destinés à être noircis en route, je vais les cacheter et les serrer précieusement après avoir écrit sur le couvert : papier blanc pour d'autres voyages.

VOYAGE EN ITALIE ET EN SUISSE
AVRIL-MAI 1845

Flaubert vient d'achever la première Education senti-mentale, *quand il assiste, le 3 mars 1845, au mariage de sa sœur Caroline avec Emile Hamard, condisciple de Gustave à la faculté de Droit. Puis, par une initiative qui nous paraît maintenant singulière, toute la famille – le docteur, Madame, Gustave – se rend en Italie pour accompagner les jeunes mariés dans leur traditionnel voyage de noces. C'est le compte rendu de ce voyage en famille qu'on trouvera ci-dessous. La sécheresse et souvent la banalité des propos s'expliquent peut-être par l'ennui et la déception que suscita ce déplacement en groupe chez un jeune homme naturellement épris d'in-dépendance. Le doute sur ce point n'est plus permis, quand on lit la lettre que Flaubert adresse de Marseille à son ami Le Poittevin à la fin d'avril 1845 (on est en route depuis le 3 avril) : « Par tout ce que tu as de plus sacré, par le Vrai et par le Grand, cher et tendre Alfred, ne voyage avec personne! avec personne! (...) voilà donc deux fois que je vois la Méditerranée en épicier! La troisième sera-t-elle meilleure? ». Le plaisir de revoir la Méditerranée, de découvrir l'Italie ne compense qu'en partie ce poids des autres à supporter. Flaubert rêve alors d'un voyage de l'amitié, où le compagnon de route est librement choisi et où deux âmes accordées vibrent à l'unisson. « Ah! cher vieux!, écrit-il encore à Le Poittevin, quand irons-nous nous coucher à plat ventre sur le sable d'Alexandrie, ou dormir à l'ombre sous les platanes de l'Hellespont? » Toujours le rêve tenace du voyage en Orient, qui ne deviendra réalité que quatre ans plus tard et auquel le « cher et tendre Alfred » ne participera pas, étant mort le 3 avril 1848.*

Mais ces notes de voyage, si décevantes qu'elles soient parfois, s'illuminent de loin en loin d'un éclair, et pour qui connaît Flaubert, c'est-à-dire veut le mieux connaître, des remarques comme celles-ci ne peuvent laisser indif-férent : « Palais Balbi, à Gênes. – La Tentation de saint Antoine de Breughel (...) Ce tableau paraît d'abord confus, puis il devient étrange pour la plupart, drôle pour quelques-uns, quelque chose de plus pour d'autres; il a effacé pour moi toute la galerie où il est, je ne me souviens déjà plus du reste. » Ou encore, à Chillon, cette fois : « Quand je suis entré là, que j'ai vu le nom de Byron et que j'ai tâché de penser à ce qu'il y avait peiné, ou plutôt rien qu'à la vue du nom, j'ai été pris d'une joie exquise; j'ai mis la main sur mon cœur et je l'ai senti battre plus fort que l'instant d'auparavant; c'est ensuite que j'ai été au pilier du captif. »

Chemin de fer de Rouen à Paris, dans un wagon découvert. – Un homme du peuple, les joues entourées d'un foulard de coton rougeâtre, en casquette, blouse de couleur, mangeant des provisions.

En 1843, au mois de novembre, dans un wagon de 2ᵉ classe, homme et femme de même mine, redingote blanchâtre, casquette de cuir, mangeant *idem*.

Mais il faisait froid, humide, presque pas de soleil.

C'était sur la même route. Quel abîme et que de faits entre ces deux voyages pareils, et aussi entre ces deux parallèles humains!

PARIS. – J'ai respiré largement sur le boulevard, dans la rue de Rivoli surtout. Quelle en était la cause? Sont-ce les lieux où nous avons le plus souffert que nous préférons aux autres (où ai-je lu cette pensée?) ou bien était-ce effet d'optique sur le passé?

Visite aux Champs-Elysées : en régie comme autre-fois; le cirque, les arbres, les voitures. J'ai savouré le luxe avec plaisir, comme un homme qui a passé la nuit au corps de garde s'étend, la nuit suivante, avec joie, sur son lit mollet et s'étonne de trouver si bonnes des choses si simples.

Quand nous pensons à quelque événement futur, nous le plaçons dans les lieux où nous le rêvons dans les conditions présentes, et quand il arrive nous sommes tout dépaysés.

. . . .

NOGENT. – TROYES. – Couvent : haine de ce qui restreint, émotion de la liberté.

BOURGOGNE. – Terrains rouges, gras, plats; petites collines.

DIJON. – Pas eu le temps de voir la maison de ce brave Tavannes, mais j'ai vu un reste de l'église où il a été enterré. – Au musée, la figure du conseiller de Bourgogne, pâle, maigre, froide, méchante, mais mélan-colique au fond, impassible et jaunâtre; chaperon à bords relevés, chape raide et dorée sur les épaules.

NUITS. – CLOS-VOUGEOT à gauche. – Maison de Bossuet, salle à manger puante et humide.

CHALON. – . . . .

Le lendemain matin, bateau à vapeur. . . . .

Arrivée à LYON. – Pluie. – Hôtel de l'Europe : grands plafonds peints. – L'après-midi, Musée : deux Rubens, un symbolique, l'autre l'*Adoration des mages*. Homme de face, debout, les poings sur les hanches; cheval qui se cabre, le manteau du mage qui s'avance. – Mosaïque antique représentant des courses de char : mouvement des chevaux. – Momies : une découverte et assez conservée pour qu'on puisse la reconnaître.

Bains. – Lyon : ville noire, pluvieuse, sale; vie renfermée et peu extérieure, grandes maisons hautes. – A l'embranchement des deux fleuves. – Le Rhône bouillonne et court d'une façon effrénée; c'est là le fleuve d'Annibal et de Marius, il a quelque chose d'antique et de barbare. – Il roulait de la terre et était jaune comme un torrent.

Fourvières. – Montée tournante sur un pavé de pierres pointues. – Une procession nous suivait. – Restes d'aqueduc romain. – Cabaret. – Chapelle toute remplie d'*ex-voto* en cire blanche représentant les différents membres guéris par la Vierge. Les ornements et les gravures enluminées respirent un paganisme dont je ne m'étais pas douté; on sent qu'il n'a pas abandonné les races méridionales (ici il a remonté le Rhône) et qu'il sort du sol même par des émanations mystérieuses.

L'observatoire. – Descente par des escaliers. – Chic triste des maisons. – De temps à autre le bruit d'un métier de tisserand, dont la navette claquait. – En allant nous avions vu M. de Bonald marchant sur sa terrasse, tout en rouge, grand, maigre, l'allure raide et campée.

Départ de Lyon à 4 heures du matin. – Petit à petit le jour vient et le soleil se lève. Dans combien de dispositions différentes ai-je vu réapparaître sa lumière! – Le capitaine, gros homme sanguinolent, manteau d'alpaga. – Passagers : l'officier d'Afrique, son compagnon; dominos, fumant, installés au soleil sur une petite table sur le pont. Ils ont peu observé les rives du Rhône parce qu'ils étaient gais. Ne faut-il pas avoir l'âme vide pour chercher à regarder la nature avec plaisir? à moins qu'on ne la voie au contraire à travers un grand sentiment? – Le père et le fils, type du jeune homme convenable : mains blanches, bonne toilette du matin, album pour prendre des croquis, pas plus ni trop liant. Il m'a trouvé peut-être un peu libre en propos. – L'orphelin, sa chanson sur les femmes avec le refrain : « Ça ne se peut pas », expression sérieuse sans tristesse. – J'ai revu le château des Adrets, que Lauvergne m'avait montré.

RIVES DU RHONE. – Il est enserré dans des montagnes d'un noir noir, qui en cachent le cours; on aimerait à les gravir. A gauche, larges plans; au fond de l'horizon, le mont Ventoux couronné de neige. On est plein d'espoir en descendant ce fleuve rapide qui vous mène à la mer rêvée. En plein soleil, je me suis assis un moment près de la cheminée, et j'ai lu de l'Horace. Le ciel était bleu.

Arrivée à AVIGNON. – Cris sur le quai. – Les mâchicoulis des remparts. – Quel air doux, surtout du côté de la campagne! – La voiture de l'hôtel. – C'est le Midi : tout le monde sur sa porte, teintes blanchâtres, des bouffées d'air chaud dans ces rues pleines de grâce. – Vieux cloître à peintures effacées. – Eglise ronde. – Rue remplie de moulins. – Sur la place de notre hôtel, un grand arbre au haut duquel sont placées des tables pour boire. – Nous retrouvons notre officier à la redingote blanche, qui fait toilette et nous engage à voir un escalier en fonte. – Dîner : conversa-

tion sur le cours d'assises, Lacenaire. « Ces accusés affichent un cynisme de goût »; on cite quelques bons mots; j'en dis!

Le lendemain matin, seul. – Musée : les arbres se balançaient, le vent frémissait, jardin vert; inscriptions grecques et latines de la grande pièce au rez-de-chaussée. Au bas de l'escalier, deux portiques. – C'est le Musée où j'ai le plus joui, j'étais seul, je commençais une série d'émotions qui s'annonçaient joyeuses : croquis de Karl Vernet; marines de Joseph Vernet, le *Mazeppa* de Horace Vernet. Il faisait un calme exquis dans ce musée.

Boutique d'antiquités. – Poitrine du marchand de tableaux qui devait nous vendre des albums; me rappelle le débraillé du père Du Sommerard.

Château des Papes. – La vieille femme, robe jaune, bonnet blanc, perruque noire, teint de parchemin flétri, yeux jeunes et singulièrement vifs, ensemble frénétique et lugubre, une démarche tragique et emportée. – Elle traverse la caserne; bruit dans les corridors et les escaliers. – La salle d'inquisition : cheminée en entonnoir; traces de feu; trou par lequel on les jetait en hâte; encore une odeur fétide. Sur un mur, une espèce de précipice, quatre grandes traces de sang. Tout est fort et formidable. – La bonne femme entremêlait ses récits de l'Inquisition à ceux de Jourdan Coupe-Tête; jamais de réflexions dans ses récits abondants, rien que le fait. Il faut se rappeler la manière et le geste dont elle a dit : « Ils les ont assassinés. » – Sur une voûte encore un reste de peinture; mais plus rien, tout est blanc; rien d'ecclésiastique, tout sent le tyran dans son rude château. C'est bien là que les prisonniers devaient vieillir et se courber la taille à la mesure des cachots. – Fraîcheur et humidité.

Eglise à côté, sur la place. – Ami de M. Pradier, moustaches rouges et droites, grosse cravate. – *Vierge* de Pradier, les mains jointes et la tête à peu près de trois quarts. – Peinture à fresque de Devéria, inachevée.

En revenant seul à l'hôtel pour commander le déjeuner, à qui demandai-je ma route? C'était tassé et blanc; trois ou quatre femmes sur le devant, une avec des roses; lits au fond, quelque chose de frais et d'attirant. Il me semble qu'il y avait des fleurs bleues sur la fenêtre.

La chambre du maréchal Brune : papier jaune et blanc; à deux lits, les pieds l'un contre l'autre; les marques de balles sont à droite, au fond, à côté de la cheminée.

D'AVIGNON A TARASCON. – Pluie. – Paysage plat, oliviers; les prairies étaient d'un vert tendre. – Pas de masses. – Le chef de Tarascon fumant son bout de cigare; femmes travaillant dans la cuisine : la maîtresse avec une coiffure d'Arles; la petite bonne rieuse (Mme Germain) en casaquin vert, petites moustaches sur la lèvre.

....

Tarascon a l'air d'une ville dont tous les habitants sont partis en croisade. – Le château fort : je ne revois pas la grande salle où des habits séchaient et où était le portrait de ce pauvre Chaillot qui ne pouvait plus prendre son petit café, mais en revanche l'escalier et la cour, dont je ne me souvenais pas. – La fille du concierge, beauté grave et distinguée, figure de roman, surtout dans son entourage. – Les murs sont énormément hauts et semblent faits pour étouffer même l'espoir.

DE BEAUCAIRE A NIMES. – Hussards bleus, dont l'un a une mentonnière. – Qu'est devenu le garçon de café qui parlait italien, et l'autre joli cœur, qui allait chercher des raisins dans la corbeille sur la tête d'une fille? Nous avons pataugé dans la boue, sans réverbère, au lieu d'arriver sur l'impériale d'une diligence par une jolie matinée de soleil. – Le soir, les arènes, sans y entrer.

Le lendemain matin, par un beau soleil. – Le ciel bleu par-dessus les pierres grises. – Je retrouve mon figuier sauvage, mais desséché, sans feuilles. – Il faisait tiède. – Au milieu de l'arène, estrade la dégradant, pour une course de taureaux.

PONT-DU-GARD. – Le paysage plus beau; ceux de Salvator Rosa, noirs et gris. – En y allant, nous avons rencontré des zingaros, tous tête noire, admirablement basanés. – Le vrai bohémien : grand homme barbu, enfants à l'air maudit et marchant à pied à côté des charrettes. Comme nous les regardions avec nos lorgnons, ils ont poussé de grands cris.

La fontaine. – Le Musée d'histoire naturelle : aigle malade, perdrix d'Afrique, la chouette balançant sa tête basse. – Faux diamants de la femme qui nous le montrait.

Musée Perrot : la tête de Sapho; la marmite sur son trépied; ameublements du XVIe siècle, ceintures, casques, aigles romaines; le portique de la Maison Carrée encore plus aérien, plus libre et plus beau; on se promène dessous à l'aise. Comme les corniches se détachent sur l'air bleu! Le gothique n'a rien de cette sérénité.

A ARLES, le soir. – Café de la Rotonde. – Saint-Trophime. – Promenade seul, dans les rues en pente, entre le théâtre et le cirque. Au théâtre on déblayait... – Etrange silence; arbre qui passe au-dessus du mur, pots de chambre que l'on vidait sur le théâtre même. O Plaute!... – Je fais le tour, j'entre sur le théâtre et je regarde l'ensemble. – Conversation. – Arlésienne à l'air stupide, yeux chassieux et coiffure mal peignée. – Puis je m'en retournai, écrasé par l'histoire et entendant les cris rauques de Labrac et du Soro. – Arlésiennes: les belles me semblent en plus grande quantité que la première fois.

Alyscamps. – Plaine de tombeaux, chemin de fer, chapelle avec ses cercueils vides. – La jeune fille morte le jour de ses noces : le crâne était plein de terre et une longue plante sans feuilles avait poussé dedans.

Musée. – Le Silène, sans tête, cuisse molle, ventre flasque et empli, poitrine large; on est tenté de prendre son ventre et d'en manier les plis gras. – Tête de Cybèle sans nez. – Jolis tumulus. – Le guide : « J'ai des dictionnaires latins, grecs... » – Le marché, jeune fille avec sa mère. – La messe : les enfants dans une chapelle; femme au teint de marbre jauni, au coin d'un pilier, maigre et pâle. C'est dans une église pareille

et dans une telle atmosphère que Don Juan arrive et se tient caché derrière les colonnes, à regarder les cous penchés, les profils purs inclinés sur le prie-Dieu, respirant la femme et l'encens.

Aux environs d'Arles, vieille forteresse et vieux couvent, sur un grand rocher : broussailles dans les pierres, air arabe de l'architecture. – Conduit là par un petit cheval de la Camargue, ardent et maigre.

Plaine de la Crau. – Froid, plus de soleil, triste.

SALON, fontaine avec ses herbes vertes, platanes. – Route serpentant à travers les vignes et les oliviers. – Cris, réveil à Aix.

AIX. – Rien.

Arrivée à MARSEILLE par la pluie. – Hôtel d'Orient. – Dès le soir, à l'Hôtel Riche : tout sombre, plus de lumières, ni de nacre brillant sous le gaz; j'ai eu du mal à en trouver la place. – Pluie, temps sombre et froid, comme le dimanche soir que j'en partis... Grand vent à Notre-Dame de la Garde, montées raides et blanches... Après-midi, froid au lieu d'un soleil couchant sur les flots. – La petite rivière où nous nous étions promenés et embarrassés dans les roseaux. (On écrit ses souvenirs pour les mêler à d'autres souvenirs.)

Le Jardin botanique de Marseille est laid. Quelle différence avec ce que m'avait semblé celui du Toulon!

Sur le port, les femmes n'ont plus leurs bas couleur tabac d'Espagne, leur jupe n'est pas serrée aux hanches, elle est plus longue; je ne vois plus le même mouvement déhanché ni la petite fleur jaune qu'elles portent à la lèvre. – Boutique d'orientalités; je crois la même.

A la Santé : le tapis turc, la sculpture de Puget, le tableau de Vernet représentant le choléra à bord de la *Minerve;* dans le port, quelques barques avec leurs tentes.

Un soir j'ai descendu la rue de la Darse : café, scènes comiques de M. Alfred Deschamps, les deux quêteuses. – Elle a mis ma pièce de 40 sols dans sa poche, vite, comme si elle l'eût volée; elle était en sueur et poitrine nue. – Le prince de Montpensier. – Dîner dans la grande salle de l'Hôtel d'Orient, seuls avec le père Cauvière. – Figure du majordome au dîner du duc de Montpensier.

Le maître de poste. – Départ de Marseille. – Cujis : je n'y vois pas les grives suspendues à la porte de l'auberge, à gauche en arrivant (saltimbanque autrefois), et en revenant à 1 heure du matin, café : « Le petit te fatigue »; arrivée à M... à 3 heures.

Les gorges d'Ollioules. – Troupiers allant en Afrique.

TOULON. – Maison de Lauvergne : je l'y revois déjeunant, comme je l'avais quitté dînant; son fils seulement a grandi et les meubles sont usés.

Partout, jusqu'à Toulon, j'ai été obsédé, surtout quand j'y repense, par les souvenirs de mon premier voyage; la distance qui les sépare s'efface, ils se posent toujours en parallèle et se mettent au même niveau, si bien que déjà ils me semblent presque à même éloignement. Au bout d'un certain temps, les ombres et les lumières se mêlent, tout prend même teinte, comme dans les vieux tableaux : les jours tristes se colorent des jours gais, les jours heureux s'alanguissent un peu de la mélancolie des autres. Voilà pourquoi on aime à revenir sur son passé. Il est triste et charmant cependant, c'est comme les airs qui font mal à entendre et qu'on est poussé à écouter toujours et le plus longtemps possible.

La place au Foin a ses mêmes arbres verts et son même bruit d'eau; le quai, la mer, les rues, tout est de même. Quelle différence avec le cœur! Les arbres ne conservent point la trace des orages qui ont courbé leurs branches, ni les sables légers que le vent fait mouvoir celle des pas qui s'y sont imprimés; il n'en est pas de même de l'âme et de la figure des hommes : tout y marque. Eternel travail de mosaïque! les petites pierres s'incrustent par-dessus les grandes, le noir sur le blanc, le bleu à côté du rouge, les privations et les excès, les colères, les découragements et les enthousiasmes, *hei mihi! hei mihi!*

Visite d'hôpital au bagne; *idem* pour l'ensemble.

Celui qui se croit le Messie. – Le savant, en lunettes bleues, sa camisole arrangée en robe de chambre, lisant son petit bouquin; condamné pour viol. – Arabes : moins beaux qu'à ma première visite.

Nous y sommes revenus l'après-midi. Il y a une indécence bien bête à venir voir des forçats. Les honnêtes femmes y viennent et les regardent avec leurs lorgnons pour voir si ce sont des hommes. – Mine du bourgeois se promenant là en gants blancs! – Leurs lits de planche : c'est là-dessus qu'on rugit et qu'on se m.......! O poète, viens la nuit et entre dans leurs rêves, tu feras ensuite l'histoire de l'humanité! Que ne donnerait-on pas pour savoir toutes leurs histoires! – Figure du banqueroutier frauduleux, gras, frais, regard hardi. – Le vendeur, corse, d'objets de coco; le matin, un autre jeune homme nous en avait proposé, avec un salut exquis, plein de perfidie comme un sourire. – Le brave gendarme qui nous menait était plein de l'amour de la vertu. – Le type du forçat a disparu : en lui ôtant son cynisme (voitures cellulaires régime philanthropique) on lui a ôté sa poésie et peut-être toute sa consolation. – Une voiture cellulaire, arrivait; quels étaient ceux qui étaient dedans? Leurs vieux camarades qui nous attendaient. – On se sent en rage contre la race bête des procureurs du roi, contre leur aplomb profond, contre les messieurs qui envoient là tous ces hommes pour le crime d'avoir agi en vertu de leur position et de leur nature. On serait tenté de briser leurs chaînes et de les relâcher sur le monde. – « Mais, Monsieur, où en serions-nous si tout le monde pensait comme vous? Où en seraient mes propriétés, mes biens? Il faut des lois pour contenir la société; il faut punir les misérables et les empêcher de se livrer à leurs mauvais penchants. Vous-même, Monsieur, qui déclamez contre la société, vous êtes bien aise d'être protégé par elle... » En raisonnant ainsi ils arrivèrent à Bordeaux.

SAINT-MANDRIER. – L'économe, le prévôt. – Jardin, citerne avec son écho. – Promenade dans la rade. – La mer était bien bleue, le vent gonflait la voile, et l'eau murmurait aux flancs du canot, l'eau de la même mer avec le même bruit qui murmurait à la proue de la galère de Cléopâtre ou de Néron. L'immobilité de la Méditerranée semble la rendre éternelle et toujours jeune. Si Homère revenait, il reverrait le soleil aussi chaud sur ses golfes aussi doux. L'Océan est plus dans notre nature; il a à la différence du romantique au classique : plus large, mais moins beau peut-être.

LAMALGUE. – Habitation de poète, les roses dans le jardin, le petit singe. – Je ne sais jamais si c'est moi qui regarde le singe ou si c'est le singe qui me regarde. Les singes sont nos aïeux. J'ai rêvé, il y a environ trois semaines, que j'étais dans une grande forêt toute remplie de singes; ma mère se promenait avec moi. Plus nous avancions, plus il en venait : il y en avait dans les branches, qui riaient et sautaient; il en venait beaucoup dans notre chemin, et de plus en plus grands, de plus en plus nombreux. Ils me regardaient tous, j'ai fini par avoir peur. Ils nous entouraient comme dans un cercle; un a voulu me caresser et m'a pris la main, je lui ai tiré un coup de fusil à l'épaule et je l'ai fait saigner; il a poussé des hurlements affreux. Ma mère m'a dit alors : « Pourquoi le blesses-tu, mon ami? qu'est-ce qu'il t'a fait? ne vois-tu pas qu'il t'aime? comme il te ressemble! » Et le singe me regardait. Cela m'a déchiré l'âme et je me suis réveillé... me sentant de la même nature que les animaux et fraternisant avec eux d'une communion toute panthéistique et tendre.

En revenant de Lamalgue, théâtre, loge du général. Le lendemain, départ, route nouvelle.

HYÈRES. – Jardin plein d'orangers. – Ascension difficile au haut. – Terrasse de l'hôtel d'où l'on découvre la mer. Combien de pauvres poitrinaires ont regardé de cette place avec leurs yeux qui s'éteignaient!

FRÉJUS. – Vide, vide, blanc. – L'hôtelier : « Fille! fille. » Je suis sorti seul le soir. Un clair de lune d'une paix grave éclairait les rues abandonnées. – Chœur d'hommes chantant je ne sais pourquoi et répondant à d'autres voix dans l'intérieur d'une maison. – Un monsieur s'est avancé vers moi, me prenant pour un autre, en me parlant en provençal. – Quel calme! Oh! la nuit! Je la humais comme un parfum. La nuit, l'âme ouvre ses ailes et plane en paix. J'aime la nuit. J'aime la nuit comme un violon tendu dont on relâche les chevilles. Il a fallu rentrer, sans en avoir fini avec cette sensation, ne l'ayant qu'effleurée, sans l'avoir ruminée. – La porte Dorée donne sur la campagne. – Petites briques rouges, couleur de bronze et de cuivre. – Sables abandonnés et couverts de joncs. – De l'autre côté de la ville, quelques arcades interrompues d'un grand cirque; herbe verte dessous; l'humidité de la rosée sur l'herbe. – Mme Jourdan. – Ce que c'est que la vie en province dans ces pays-là.

L'ESTÉREL. – Grands arbres au relais. – Boule du gaillard au nez rouge, moustache, dans sa chaise de poste enfermé avec sa femme et ses enfants pâles. – Sa femme de chambre. – Qu'est-ce que la femme de chambre doit penser de l'infirmité de Monsieur. – Quel gaillard avec ses moustaches grises et sa toque, la main sur sa canne, et regardant à travers la vitre de la portière. – Sur la gauche, les Adrets : c'est là d'où Robert Macaire a pris son vol vers la postérité.

Descendue des montagnes, la route suit la mer; les oliviers deviennent énormes, on voit les premiers cactus en pleine terre.

CANNES. – Port de mer exquis, en demi-lune allongée; voilure triangulaire, le grand mât, simple, mis de côté.

ANTIBES. – Hôtel de la Poste : M. Camatte et sa puissante épouse à moustaches. – Le port : fortifié; la mer était un peu houleuse; grand brick de Granville à l'ancre; petite barque qui rentrait en sautant sur les flots. La Méditerranée n'est belle que calme, la sérénité lui va. – Dîner dans une grande salle au premier, où il y avait des commis voyageurs. – L'homme à la perruche malade, que je lui vis porter le lendemain sur le garde-crotte de la carriole qui le conduisait à Nice, petit, noir, barbe mal taillée, redingote marron sale, calotte noire grasse. – Pendant le dîner la perruche était sur le chambranle de la cheminée et piaulait. – Quel singulier amour!

FRONTIÈRE DE FRANCE AU VAR. – Un grand pont. Quelle différence avec la frontière espagnole de la Bidassoa, si chaude, si espagnole déjà! Pendant le retard pour nos passeports, j'ai lu du Vincens, dans la voiture cuisante de soleil sous les cuirs, restée dételée sur la grande route. – Petit bois; j'ai enfin été m'y asseoir à l'ombre. – Déjeuner : on commence à parler italien; la dame niçarde, avec sa capeline doublée de rose, menton allongé, gueule, figure laide et aimable, nous plaignait beaucoup.

NICE. – L'Hôtel des Etrangers. – M. Ferdinand, joli homme, jolie chevelure, belle tenue; il doit avoir devant sa maîtresse un extérieur convenable et décent, et lui dire seulement dans ses moments de bienveillance égrillarde : « Petite gamine! » – Sur la grande place nous avons regardé les troupes manœuvrer. Il y a loin de là à une armée française (tout en France n'est guère beau que par l'ensemble; son génie est l'unité; chez elle, c'est la réunion qui fait la force, l'équilibre qui fait la grâce). – Grand rocher au milieu de la ville : forçats faisant sauter la mine. – Prêtres, moines. – La mer pure et douce. – Pauvre Germain [1]; je n'ai pas même vu la maison où il mourut. S'il eût vécu, si je l'avais retrouvé là, comme nous nous serions promenés et comme nous aurions causé! mais non, non, rien, rien! toujours et de tout c'est ainsi. – Grand jardin en terrasses superposées : grande vue de terrain et de montagne à gauche; la ville au pied des montagnes; le golfe, la mer en face; Antibes à droite. – Mauvais goût des jardins. – Peintures prétentieuses et nombreuses. – Projet de voyage à Naples. Quelle rage! quelle peur!

Promenade en calèche dans la vallée de la rivière de Nice, sur le côté droit du torrent; revenus sur le côté gauche. – Notre loueur de maisons de campagne, figure maigre, nez rouge et gros, museau allongé, bas blancs, souliers lacés, redingote grasse, chapeau *idem* sur le derrière de la tête. – Canu le jeune, figure d'an-

cienne comédie, de parasite et de ruffian qui reçoit des piles; il doit acheter des petites filles et les vendre aux riches; toujours de votre avis, à la fois l'air gai, officieux, familier et bas sans bassesse plate, parce que c'est l'humilité de nature, quoique le calcul s'y prête et y ajoute.

Le jardin de l'hôtel : treille de roses devant ma fenêtre. – Giuseppi : veste de velours rouge, pantalon *idem* vert, chapeau blanc; grand homme doux et fort.

LA CORNICHE. – A 2 heures de Nice. Après avoir monté sur le côté gauche du torrent, on tourne à gauche et elle commence. Mer bleue, énorme, longue, tranquille. A gauche, les rochers droits à pic, arides. Route tragique! mais si calme malgré sa terreur; à chaque tournant de montagne elle change, et c'est toujours la même.

MENTON. – L'Italie commence, on le sent dans l'air. Petites rues à hautes maisons blanches, étroites; à peine si la voiture y peut passer. Avant d'arriver et en sortant, la grande route est plantée de lauriers-roses, cactus et palmiers. – Essaim de mendiants. – Enfants. – Promenade que j'ai faite au bord de la mer, sur le grand chemin. – Oliviers et montagnes à gauche.

CIMETIÈRE : figure pâle du fossoyeur, homme maigre sous son bonnet de laine grise. Quel admirable cimetière, en vue de cette mer éternellement jeune! Pas une croix, pas un tombeau! L'herbe est haute et verte; à peine s'il y a ces ondulations légères qui font ressembler les champs des morts à des champs de blés fauchés. Qu'y germe-t-il, en effet? L'âme y fermente-t-elle pour repousser dans un autre séjour en nouveaux parfums, tandis que sa vieille enveloppe se pourrit? Il nous a montré le côté des hommes et le côté des femmes; il nous a nommé les tombes les plus fraîches, en se vantant de tout le mal qu'il a eu et de tout l'ouvrage qu'il a fait depuis plus de 30 ans qu'il ensevelit les gens du pays. – Sérieux de sa profession, sans pédantisme, comme une chose naturelle et pourtant digne de remarque. O Shakspeare! Sa grande fille, qui nous avait demandé l'aumône dans la rue nous accompagnait, l'air d'une gueuse. – Le cimetière est tout ravagé et sens dessus dessous. Comme il finissait par devenir trop étroit, il a été obligé de déterrer les anciens, de creuser une espèce de fosse et de les y jeter pour faire de la place aux nouveaux. Il m'a ouvert la porte de ce local, et j'ai vu un monceau d'os entassés les uns sur les autres, à une hauteur d'environ 12 à 15 pieds sur une soixantaine au moins de large. Le sans-façon avec lequel ils avaient été jetés là avait quelque chose de pittoresque et d'amer qui plaisait fort; c'était une de ces ironies ingénues que l'on payerait cher pour l'avoir inventée.

En revenant à l'hôtel, descente par des rues escarpées. A sa fenêtre regardait une enfant de 15 ans, figure ovale, teint rouge et olivâtre tout à la fois, chevelure noire crépue, un peu soulevée des tempes, retenue par un cordon; bouche mince et fine garnie de perles dans le sourire; expression grave de colère; ensemble d'intelligence, de volupté, de férocité et de douceur : c'est la

---

1. Germain : il s'agit de Germain des Hogues, condisciple de Flaubert, mort en 1843 à Nice.

seule jeune fille que j'aie trouvée belle; elle était penchée sur le rebord de sa fenêtre, nu-bras dans sa grosse chemise de toile un peu jaunâtre, et nous regardait passer; toute sa tête avait l'air en sueur.

Le reste de la Corniche a le même caractère attiédi, peut-être parce qu'on y est accoutumé. Sur le chemin, deux teintes : les rochers blancs, presque à pic, et la mer toute bleue qui brille au soleil. De temps à autre on passe un torrent à gué, puis on remonte au flanc de la montagne dont on suit toutes les courbes. La route est comme une couleuvre qui serpenterait le long de cette muraille de 60 lieues, tantôt au bas ou au milieu. Quand on passe dans les villes, des enfants vous suivent et font la roue, mendiant. Cris, joie italienne qui, comme un galon d'or, scintille à travers cette misère; on se sent à l'aise, on respire bien; puis la ville une fois passée, tout redevient calme. – Enfants et femmes pieds nus; énormes fardeaux qu'elles portent sur la tête, leur démarche des hanches.

VINTIMIGLIA. – Saint-Maurice de Oneglia, où nous avons été coucher le même jour, le second de notre départ de Nice : port en maçonnerie rustique, barques. J'ai été au bout du port le soir. O! O! arrachement, comme à Fréjus! Il a fallu rentrer! toujours la même histoire! Vivre à Oneglia et passer ses heures à dormir sur le galet! n'y avoir rien qu'un cigare et ne contempler que le bleu de la mer, le blanc des vagues et les spirales bleues du tabac! Les flots écumaient sur les rochers amoncelés, limpides et cadencés; l'idée qu'elle n'allait pas être libre, complète, me gâtait par avance la jouissance que j'avais.

SAVONE. – Arrêtés par une procession : des guirlandes de fleurs, suspendues sur des perches, allant d'un bout de la rue à l'autre; chantres, musiciens, des violons, une basse portée par des hommes; jésuites; air établi du clergé; tête chevrotante d'un vieux. — Grands lits à paillasses de maïs de l'hôtel, le garçon sentant l'eau athénienne. – Le lendemain, promenade dans Savone : églises dont je ne me souviens plus, italiennes, dorées; madones au coin des rues, enchâssées au milieu des cierges et des fleurs; pluie qui nous a forcés à rentrer.

VOLTRI. – Hommes jouant à la boule qui passe dans un anneau, ou plus loin, sur le rivage, dormant au soleil. — Bateaux échoués comme au temps d'Homère; on les tire à la mer sur des rouleaux. – Eglise : statue en argent de saint Charles Borromée, air idiot. Ce saint-là n'est pas fait pour être béni par les arts, s'il l'a été de ses contemporains. – Mine du vieux à barbe grise qui nous accompagnait. – Pont à angle sur le torrent, escarpé et pierreux pour le pas des cavaliers.

DE VOLTRI A GÊNES on ne quitte pas les maisons, tout annonce une grande ville. Bientôt la rade apparaît et l'on voit la belle cité assise au pied de sa montagne. Le phare de la Lanterne, comme un minaret, donne à l'ensemble quelque chose d'oriental, et l'on pense à Constantinople. — Jardin Durazzo, que la rue traverse, tout rempli de roses; au haut d'un mur, colonnes de pierre autour desquelles elles sont enlacées. – Grande place. – Rue qui descend. – Palais. – Galeries couvertes de l'ancien port. – Nouvelle enceinte avec promenade

dessus. – Le soir, même rencontre du bourgeois de Gênes, qui nous promène et nous raconte, sur la place de l'Annonciata, l'histoire d'un Lomellini et de sa femme, faits prisonniers dans l'île de Tabarka. Je ne m'en souviens plus, mais elle m'a frappé sur le moment comme beau sujet d'opéra. Il a voulu aussi nous faire l'histoire de Christophe Colomb, mais j'ai si bien montré mon envie de partir qu'il a fini. (Autre fâcheux à Milan. On est poli dans toutes ces villes, on y sent d'anciennes mœurs civilisées, qui, comme une étoffe usée, s'en vont en haillons quoique encore soyeuses.)

Le premier palais que j'ai vu a été le palais Brignole : façade rouge, escalier de marbre blanc tout droit. Les appartements ne sont pas aussi grands que dans beaucoup d'autres, mais la tenue générale, les mosaïques des parquets, et les tableaux surtout, en font peut-être le plus riche de Gênes. Il y en a un autre contigu, appartenant également aux Brignole. — Domestique à cheveux crépus. – Deux grands portraits en pied, de Van Dyck, le mari et la femme en regard l'un de l'autre; le mari, à cheval, de face, tout en noir, tête nue, saluant; son cheval se rengorge un peu, une levrette jappe à ses pieds; figure grave, pâle, aristocratique, douce et triste; la dame, debout, la tête raide dans sa collerette, chevelure crépelée, à la Médicis, robe en étoffe lourde, à raies d'or qui descendent droit. Vénérables toiles de famille, respectables par ce qu'elles représentent et par la manière dont elles le représentent.

Un portrait d'homme, de l'école vénitienne, figure très pâle, barbe noire, manches en soie rouge, pourpoint noir; intensité du regard, ardeur sous le calme. C'est du grand style et du vrai beau, on voudrait être cet homme-là pour avoir semblable tournure.

Un joueur de flûte par le Capucin : de face, joues enflées, rouges, yeux qui pissent le sang et le vin, emportement de la joie et du rire; il s'est mis à jouer dans un moment de folle gaieté, à jouer une danse ou une chanson à boire dans laquelle, au refrain, on doit choquer les verres.

Saint Gérôme (le Guide) (à Balbi?) : presque nu, jambes croisées, admirables pieds d'homme de 50 ans, gras, un peu engorgés, ongles crochus, les uns sur les autres; la tête est sereine, sillonnée de rides, pensante et sue la couleur; il lit sur ses genoux; un lion à côté.

Une grande toile de Guerchin, représentant Jésus chassant les marchands du Temple : effet d'ensemble peu agréable; tête inspirée du Christ; beau dessin du dos de l'homme qu'il pousse et qui s'enfuit naïvement avec lâcheté.

Sur le haut d'une porte un Tintoret : portrait d'homme déjà vieux, maigre, usé, en pourpoint noir, assis dans son fauteuil d'une façon lassée. On voit, sous les vêtements, c'est un corps fané; bout du nez rouge, traits flétris, spirituels, mais ennuyés, expression peu indulgente quoique sans férocité ni ruse. Il est assis d'une manière admirable comme vérité; elle en devient insolente à force d'être vraie.

Judith et Holopherne (Titien) : Judith, coiffure presque Pompadour, met la tête d'Holopherne dans un sac que lui présente sa suivante, négresse (raccourci de bras vilain, on distingue d'abord peu la négresse); Holopherne est vu presque en raccourci, couché dans son lit, le tronc sanglant au premier plan. Elle vient de tuer, l'effort est passé, elle est calme, tranquille. Souvenons-nous du calme de Lorenzaccio, dans la pièce d'Alfred de Musset; dans le tableau de Steuben, elle rêve, elle marche à son entreprise, elle est triste; dans celui de Vernet, elle l'exécute, elle est emportée. Quelle est de ces trois situations celle que j'aurais choisie, de ces trois femmes quelle est la plus belle? la plus jolie, comme joli, c'est celle de Steuben; celle que l'on aimerait le mieux à f....., c'est celle de Vernet; celle que l'on admire le plus, c'est celle de Véronèse : c'est peut-être la supérieure, en tout cas c'est la conception la plus hardie des trois. La manière toute bête dont elle met la tête d'Holopherne dans le sac n'est pas sortie d'un artiste vulgaire qui eût voulu faire de l'inspiré, de l'animé, du mouvementé, comme au premier abord le sujet d'un tel fait semble le demander. Belle histoire que celle de Judith, et, que dans des temps plus audacieux, moi aussi, j'avais rêvée!

Le palais des Jésuites est en face Brignole. – Grosse porte à clous de fer. – Conduits par un jésuite grisonnant, à nez pointu et à formes amènes. Les cellules enfermées de leurs élèves, n'ayant pour tous meubles qu'un Christ et un porte-manteau, m'ont dégoûté encore moins que leur habitude de se faire baiser la main par leurs élèves; ce servilisme, établi par un maigre despotisme, a choqué un homme qui aime à la fois la liberté et le pouvoir (je me sens de l'âme pour les peuples qui rugissent de douleur et qui se soulèvent de colère comme les flots de l'océan, mais je sens aussi qu'il est doux de faire marcher les hommes à coups de fouet et de mener l'humanité comme un bétail). – Leurs classes, drapeaux de Rome et de Carthage; leurs divisions en B et C est une chose assez puérile : *signifer, dux equitum*, etc. « afin de les exercer toujours à combattre ». – Le P. Ducis, professeur de physique. – « Etes-vous parent du poète, Monsieur? – On dit que oui, Monsieur, mais je n'en crois rien, il a gardé tout pour lui, car ce n'est pas du tout ma partie », avec un petit rire modeste et orgueilleux qui voulait dire : « Moi, je ne rimaille pas, je m'occupe à des choses positives, et puis, d'ailleurs, le théâtre n'est-il pas maudit par l'Eglise? nous haïssons l'art, nous autres ». Quelque disposé que je sois à ne pas me joindre aux criailleurs contre les jésuites, j'ai senti pendant une demi-heure qu'ils n'avaient pas tout à fait tort. Quelle différence avec l'air franc, cordial et normal de ces vieux moines qui ne lèvent jamais la tête ou bien vous regardent en face!

Le palais Spinola : le vestibule au rez-de-chaussée est peint, usé; les peintures tombent par morceaux. La première fois que j'y ai été, il y avait établie une marchande de fleurs qui faisait ses bouquets. – Vieux domestique, petit, maigre, figure douce, un peu railleur, aimant ses maîtres, ne parlant que d'eux, des ouvrages de Mme la marquise, du lit de mort de M. le comte. – Son mot à propos du tombeau scandaleux (prétendu) tourné contre la muraille : « Monsieur est un peu jésuite. » – La grande salle au premier, voûtée, et avec ses coins en petites voûtes, à lambris noirs, plafond doré, haute

cheminée, est, avec celle du palais Doria, le plus grand appartement qu'il y ait dans tous les palais de Gênes. Les fils actuels peignent; nous avons vu de leurs œuvres à côté de celles des maîtres; il faut avoir du front! – Un *Silène*, de Rubens : Silène, le chef couronné de pampres et de raisins, nu, gros ventre, plein de vin, s'endormant et riant tout à la fois, digérant et gueulant; à côté de lui, une femme vigoureuse, vue de profil, vers laquelle il se tourne un peu, et un autre compagnon; ces deux derniers cherchent à le soutenir.

Palais Balbi. – Comme ensemble de richesses et de peinture : petits Amours, de Rubens, se jouant sous des arbres; beaux d'expression, de mouvement et de chaleur, pieds vilains, engorgés. – Frise de Dominiquin Zampieri, représentant le *Combat des Centaures et des Lapithes* : figure soufflant dans un instrument, *plenis buccis;* autre criant, de face, on lui voit tout le palais, les dents; un Centaure, dans l'eau, prenant une femme pour la violer, la femme est nue et également dans l'eau jusqu'à la ceinture; cela est d'un érotisme excellent. Toute l'œuvre est vigoureuse et mouvementée.

Andromède, de Guerchin, ressemble trop au sujet analogue de l'Arioste, traité par M. Ingres.

Un Marché, de Bassano, plein de monde, plein d'animaux et de comestibles, toujours confus, sale de couleur et singulièrement bousculé; il y a pourtant là quelque chose. Bassano devait être un homme malheureux.

Portrait du Titien par lui-même : teint pâle, cheveux roux blond, yeux bleus, crâne fort et ardent, expression élevée, antisensuelle. Dans la figure des grands artistes tout se concentre dans l'œil, parce qu'ils ne sont peut-être que cela, que des contemplateurs, comme disait Boileau en parlant de Molière. Regard un peu oblique et fixe; petit chapeau relevé, posé sur le sommet de la tête.

La *Tentation*, de Breughel : Une femme couchée nue, l'Amour dans un coin (Titien?). Pendant que je regardais la *Tentation* de Breughel il est venu un monsieur et une dame qui sont partis à peine entrés; leur mine devant ces toiles était quelque chose de très profond comme bêtise. Ils accomplissaient un devoir.

Durazzo (rue Balbi). – Grand escalier, le plus beau avec celui de l'Université qui a ses deux lions descendant les marches; jardin au milieu du carré et l'escalier. Ces arcades, au milieu desquelles il y a des arbres, font penser à des palais moresques.

Madeleine, de Titien, chevelure épanchée sur les épaules, nue, brune, sanguine, forte, pleurant, livide aux tempes, les paupières rouges, des larmes sous la peau, belle, belle et faite encore pour être aimée, embellie de sa prostitution expiée par le repentir.

Deux tableaux de Ribera, *Héraclite* et *Démocrite* : Démocrite, le rieur, a la main posée sur le globe. Je n'ai rien vu dans le monde d'une ironie plus tragique et plus insolente; c'est un rire de cuivre qui sort de la toile, un rire énorme, à la Gargantua, mais romantisé, plus satanique; l'homme a l'air canaille et intelligent; par-dessus tout cela donne la terreur du sublime. Héraclite est tout pâle, verdâtre, la bouche crispée, décharné. Inférieure à l'autre toile, qui est exagérée comme d'ordinaire.

On peut (pour moi) la rapprocher de l'Ecole espagnole.

Un tableau de Van Dyck représentant des petits enfants seuls; un autre représentant un seul enfant habillé en satin blanc, le comble du beau pour un enfant. Cela doit faire rêver les femmes grosses. Au palais Brignole, il y en a un bien joli aussi, vu de face à côté d'un homme noir. C'était un homme intense que ce Van Dyck.

Doria Lursi, au bord de la mer. – Autrefois les galères pouvaient entrer jusque sous la double terrasse de marbre, de laquelle on descendait au rivage par un escalier en dessous. La terrasse est longue, faite pour de lentes promenades au soleil, à l'ombre de la tente de soie, le bras appuyé sur le négrillon en jaquette rouge, en regardant l'horizon d'où s'avancent des navires qui reviennent du Levant... – Jardin de mauvais goût, malgré ses roses, coupé, taillé. – Belle salle au premier. – Charles IX et Napoléon ont couché au palais.

Effet de la chaise à porteur en entrant. Elle était jolie, cette chaise à porteur, noire, bordée d'or, tapissée de velours rouge, à forme fin du XVIIe siècle; les porteurs allaient vite comme ceux de Mascarille!

Palais Palavicini : superbe comme ornement, comme ameublement, comme chic, comme ensemble. Je ne me souviens plus des tableaux.

Mais ce qu'il y a de plus écrasant, à Gênes, ce qui fait rêver le luxe par-dessus tout, c'est la grande salle du palais Cera. Tout or et glaces, jusqu'à ce qui est derrière les petits sophas entre les colonnes; plafond en voûte, quatre grandes colonnes dorées, dôme se fondant avec le plan du plafond; grand lustre et six autres lustres en cristal : en tout, il me semble, au moins huit lustres.

L'église Saint-Laurent : toute blanche et noire; trois portails byzantins. C'est une église italienne où l'on aime à entrer parce qu'on est bien à l'ombre de ses marbres. Le mot d'Heine : « Le catholicisme est une religion d'été » est juste, mais c'est plus encore : c'est l'âme qui s'y sent en été. Comme on aimerait là, le soir à l'angélus, vers la fête-Dieu, quand l'autel est jonché de bouquets! Dans une chapelle à gauche, statues d'Adam et d'Eve; celle d'Eve, surtout, avec sa peau d'animal sur la taille, le jour tombant du haut dessinait des ombres qui l'animaient; teintes neigeuses et animées.

Enterrement sur la place de la Cathédrale. La maison n'était pas tendue. Grand appareil, c'était un homme riche. Les moines, ou les frères de la confrérie destinée aux enterrements, étaient vêtus de longues robes noires avec un caphardum sur le visage, et portaient des cierges d'une main, de l'autre un gros bouquet de fleurs comme pour aller au bal. Suivaient des chanoines en robes rouges, gras, luisants de santé, d'aplomb, de bien-être et marchant comme des conseillers de cour royale. Il y aurait, sur cet usage des fleurs à l'enterrement, trop de choses à dire pour ne rien dire. Est-ce du paganisme? est-ce pour atténuer l'effet lugubre, ou pour l'augmenter? Il est plus large et plus juste, je crois, de ne pas conclure.

J'ai vu aussi un autre enterrement, c'était à l'Annonciata; j'ai suivi le convoi qui entrait dans l'église. Le mort était porté sur les épaules de ses anciens frères; le moine, en robe grise, était tout couché dans son cercueil, qui n'avait pas de couvercle; il avait le visage découvert, ses mains jointes tenaient un crucifix. On chantait fort et cela résonnait sous la voûte dorée de l'Annonciata.

A Gênes, j'aimais à aller dans les églises. – Eglise que je croyais être celle de Carignan, où j'ai entendu les vêpres; il n'y avait guère que les femmes avec leurs longs voiles blancs. – Grand soleil sur la place. – Au portail étaient les chaises. – Chaisière : robe d'indienne bleue, gros camée aux oreilles, robe courte, bottines de joueuse de guitare, en cuir mal ciré et craquant, mouvement de hanche, activité; autre, grosse, suant, téton ballottant dans sa robe lâche et cependant dessinante.

Pont de Carignan. – Eglise de Carignan ne m'a pas fait tant de plaisir. – Pluie. – Dans le quartier de Carignan petites rues étroites, serpentantes et tournantes pour descendre jusqu'en bas.

Ces remparts font le tour de la ville, le chemin d'enceinte longe le bord de la ville. Quelle mer! on la voit parfois dans les percées de ces rues noires et humides. – Dames laides et excitantes (par la réflexion) dans une de ces rues, parallèles à la mer, et que je n'ai pas pu retrouver.

Grotte de Sestri : le mauvais italien s'y étale et doit s'y complaire.

Première promenade à cheval, sur les hauteurs, par le soleil; ç'a été la plus belle journée de mon voyage. – Palais Durazzo à côté des Tuescini : grand bassin de marbre, avec son cygne méchant; camélias en pleine terre, cascade murmurante sur l'herbe; le jardin à l'anglaise. A Nice et dans tout le Midi l'art des jardins est dans l'enfance; ici on retrouve le goût aristocratique des patriciens. Cela doit être quelque chose avec ces Tritons de marbre au bord des bassins, et ces grands arbres des anciens jardins de plaisance des Romains; ça y fait penser.

Deuxième promenade à cheval. – Cabaret où je me suis arrêté pour boire un verre d'eau; un bouquet de bruyères à la porte, à l'intérieur une table sur un banc, une madone dans le fond, en sa châsse ornée. Ce lieu m'a rappelé la Corse, si grave et si chaude. Nous avons ensuite pris sur la gauche, une fois remontés à cheval, et nous avons longé la Polcevera, verte, noire, à la Poussin, arbres à lignes monumentales. – Couvent de Franciscains, par une montée à escaliers entourée de grands peupliers. – Portier à l'air bourru; l'autre, l'adjoint du supérieur, façons de gentleman, air doux, amène, bon, amoureux, plus lent et plus distingué que celui de Domodossola, aussi bon enfant, mais d'autre façon; le gros, rubicond, dont il a ouvert la porte de la cellule, rouge comme si on venait de le surprendre lisant le marquis de Sade. – Galop en revenant, ma bride s'est cassée.

Au théâtre Carlo Felice, à côté d'un officier. – Salle mal éclairée. – Premier acte de la *Somnambule*. – Un bon : M. Derivis. – Ballet. – Amérique. – Négresse qui meurt de jalousie à la fin de la pièce. – Maison du comte de ..., au haut de la ville; treille de roses et de vignes. Le comte de ... est un vieil amateur qui fait des vers italiens, latins et français. – Son cabinet d'histoire naturelle, dans lequel il a une vieille flûte, cinq ou six oiseaux et autant de cailloux. – A l'ameublement ce doit être un excellent homme. – Quelques plantes rares. Je n'avais pas vu alors l'*isola Madre* ni le jardin du général Serbelloni.

Figure commune et canaille d'un jeune Spinola auquel le jardinier (veste peau de tigre) a parlé.

Théâtre en plein vent. – L'*Aqua sola*, promenade, allées vertes, haies de rosiers, musique. – Femme que j'y ai vue la première fois, battant la mesure avec sa tête, nez effilé, teint pâle, coiffée en cheveux, voile blanc bordé de noir, du reste en deuil, grands yeux bleus, profil à l'Esmeralda; d'ensemble, quelque chose de riant (quoique ce ne doit pas être son expression habituelle) et d'élégant; ses paupières s'ouvraient et se fermaient. Je crois que c'est la plus belle femme que j'aie vue, je m'abreuvais à la contempler comme on boit à pleine poitrine d'un vin dont le goût est exquis. Il fallait qu'elle fût belle, car au premier abord j'ai rougi d'étonnement et j'ai eu peur d'en devenir amoureux. Revenant là quelques jours après et tâchant de la retrouver, à la même place j'ai vu une autre femme, chapeau blanc, bouche et menton avancés, lèvre bleuâtre, nez accusé, une allure brisée, molle, à ressorts cachés, à hurlements et à morsures. Si elle n'avait pas été à Paris, elle l'avait deviné. Mais la maîtresse des Fiescini! petite, grosse, très grasse, tout en noir, mains fines, bonne odeur, peau blanche et propre, cheveux châtain brun, une raie de côté, sur le côté gauche, front large, deux rides sur son cou, dents blanches et bouche dessinée, mélange de bonté et de sensualité douce. Quel dommage de n'avoir pu lui dire un mot! En revanche je l'ai regardée, regardée, regardée. Sans rien affirmer, elle m'a peut-être rendu la pareille... Il y avait sur elle beaucoup à rêver; la femme de 40 ans n'a pas encore été introduite dans la littérature, celle-ci le mériterait. – Salle basse, où les jeunes filles travaillaient aux fleurs, d'autres à l'aiguille; toutes, les mains propres; robinets et bassins de marbre à la porte, dans les corridors, pour se les laver; leur réfectoire avec leurs gobelets et leurs petites bouteilles à fond large. Adieu, Madame, adieu! Quand je retournerai à Gênes, je retournerai aux Fiescini; il y a tant de roses à la porte en face, elles retombent par-dessus le mur!

Hôtel de la Croix de Malte. – Le balcon de marbre, le secrétaire entre les deux fenêtres. – Première promenade dans la rade. – Deuxième le matin de mon départ. Comme j'étais triste en quittant Gênes, après les montagnes qui le dominent surtout, et pendant deux jours dans tout ce sot pays de la Lombardie!

MARENGO. – Grande chambre nue, grise de poussière, au rez-de-chaussée, où a couché l'Empereur. – Trous de balles dans les murs de l'auberge et surtout dans une petite tour à gauche, six pas plus loin.

TURIN. – Ville belle, alignée, droite, ennuyeuse, stupide; sans contredit, dans l'esprit des Sardes, la plus magnifique chose de la Sardaigne, aussi ce brave Charles-Albert y habite-t-il. Les places sont grandes et les maisons toutes pareilles. Je préférerais habiter Rouen. Loger à Turin quand on possède Gênes! Il y a la différence d'une jeune fille bien propre, bien corsée, bien plate et bien nulle, la petite bouche en cœur et de petits yeux en amandes, des bottines à la place de pieds et des jupes à la place de corps, à quelque royale courtisane des temps passés, l'épaule nue, la chevelure abondante relevée par un cordon d'or, accoudée sur le marbre et chaussée de riches sandales.

Hôtel de l'Europe. – Au premier, au fond du corridor, une sculpture en bois représentant des cavaliers du XVIIe siècle; groupe mouvementé, charmant, plein d'esprit.

Musée nul : beaucoup de copies, que l'on voit copiées par de braves artistes ne se doutant pas probablement qu'à moins de 40 lieues de là ils ont les originaux. Quelques Wouwerman.

Musée d'artillerie, grand, verni et ciré. Combien sont autrement belles les vieilles armures, couvertes de poussière et de toiles d'araignées! Malgré la beauté de tout ce qui s'y trouve, on n'est pas volontiers impressionné, car on a peine à croire que toutes ces cuirasses si bien étiquetées et rangées aient jamais servi ni recouvert des cœurs palpitants. L'armure du prince Eugène est bosselée de deux balles. – Cimeterres et pistolets turcs. – Selle de Charles-Quint, en velours rouge brodé d'argent, large selle à la française, avec des rebords devant et derrière. – Armure et cheval japonais. – Casque et étriers en cuir noir. – Machines de guerre, modèles de balistes et de béliers. Ce qu'il y a de plus curieux ce sont des armures orientales, turques ou arabes.

Promenade en voiture dans la ville. – Le cocher : poignets de la redingote bleue non boutonnés, avec des gants blancs; son amour pour les cafés. – Pépinière, jardin botanique, caserne à côté. – Le soir visite de ce brave Pertuccio, imbécile, ennuyeux, mine pauvre; café qui les enthousiasme; manque de chic. La singerie de Paris est partout, en voyage, quelque chose qui fait lever les épaules de pitié.

Statue de Philibert-Emmanuel, superbe comme mouvement, le cheval surtout jusqu'aux glands de son harnais; l'homme trop petit pour la bête.

Le garçon de place de l'hôtel : quatre ans dans la légion étrangère en Afrique; Français, ennemi des jésuites comme gardien de la morale publique...

Palais Balbi, à Gênes. – *La Tentation de saint Antoine*, de Breughel. – Au fond, des deux côtés, sur chacune des collines, deux têtes monstrueuses de diables, moitié vivants, moitié montagne. Au bas, à gauche, saint Antoine entre trois femmes, et détournant la tête pour éviter leurs caresses; elles sont nues, blanches, elles sourient et vont l'envelopper de leurs bras. En face du spectateur, tout à fait au bas du tableau, la Gourmandise, nue jusqu'à la ceinture, maigre, la tête ornée d'ornements rouges et verts, figure triste, cou démesurément long et tendu comme celui d'une grue, faisant une courbe vers la nuque, clavicules saillantes, lui présente un plat chargé de mets coloriés.

Homme à cheval, dans un tonneau; têtes sortant du ventre des animaux; grenouilles à bras et sautant sur les terrains; homme à nez rouge sur un cheval difforme, entouré de diables; dragon ailé qui plane, tout semble sur le même plan. Ensemble fourmillant, grouillant et ricanant d'une façon grotesque et emportée, sous la bonhomie de chaque détail. Ce tableau paraît d'abord confus, puis il devient étrange pour la plupart, drôle pour quelques-uns, quelque chose de plus pour d'autres; il a effacé pour moi toute la galerie où il est, je ne me souviens déjà plus du reste.

MILAN. – Bibliothèque Ambrosienne. – Elle est froide et humide, on y sent le vide et que tous les livres rangés ne transpirent pas sur les vivants. Il y avait peu de monde à travailler, cinq ou six tout au plus, parmi lesquels deux enfants. – Le gardien : petit homme grassouillet, habit bleu, boutons de métal, calotte de cuir sur le chef, prisant et souriant jovialement. – Le *prefetto* : ecclésiastique en lunettes, sec et grand, la tournure d'un in-folio mince; pareille à celle de M. Potier par le dos. Chaque métier courbe son homme; les souliers larges font les grands pieds, les petites bottines font les petits pieds.

Manuscrits : *Cicéron*, VIIᵉ siècle; le *Virgile* de Pétrarque, avec des notes en marges; des lettres de Lucrèce Borgia, écriture assez lisible, cursive, tourmentée à la fin des mots. La lettre qui est à la montre, adressée au cardinal Bembo, commence par « Caro mio ».

Quatre bas-reliefs de Thorwaldsen; un Amour ailé (avec une feuille de vigne en peau blanche) par Shadow sculpteur, poussière parmi les tableaux; deux de mon Breughel représentant l'*Eau* et le *Feu;* une Vierge, de Memling, qui regarde son enfant d'un air doux; un Lucas Cranach, deux figures; un Holbein : Homme qui porte la main à son chapeau. – Esquisses de Léonard de Vinci : deux portraits avec du crayon jaune et noir, à gauche en entrant, à côté de l'esquisse de Raphaël. L'homme, chaperon, cheveux en masses, traits larges, bout du nez carré, yeux ouverts et humides. L'autre, la femme, est blonde; sa chevelure, divisée par le milieu et retenue par un simple bandeau, s'épanche également sur les épaules; paupières baissées qui cachent presque les yeux expressifs pourtant, quoiqu'à peine vus; ovale parfait, passion énorme dans la candeur apparente; pour la poitrine, deux ou trois traits à peine dans les ombres; effet écrasant par la force du dessin.

Les caricatures de Léandre reproduisent presque toutes le même type : un menton saillant et remontant en droite ligne vers le nez. Notez une qui a l'air d'un chantre, expression remarquable d'imbécillité et d'hypocrisie, l'air populaire du jésuite. – Esquisses de l'*Ecole d'Athènes*, de Raphaël : calme et intelligence, vérité et force. Homme du milieu assis sur les marches; à gauche, groupe de l'homme qui lit : crâne où l'intelligence transsude; le vieillard qui s'approche pour regarder, le jeune homme debout à longue chevelure;

à gauche, le géomètre faisant des figures sur la terre, on ne lui voit que le haut de la tête; tout à fait à droite, un grand barbu, nez aquilin. Homme à manteau et couronné, vu par derrière, draperie romaine, pose à la Talma, plus simple encore et plus placide. – Cheveux de Lucrèce, mèche blonde attachée par deux rubans noirs, sous verre, entre des poignards, des yatagans et des cachets de corail rouge.

MONZA (entre deux ondées). – Rien que l'église : rosace surmontée d'un grand carré dont la bordure est des carrés fleuris. – Ensemble blanc et noir; portail byzantin, *idem*. – Intérieur saxon déjà un peu gothique; une nef et des bas côtés; le chœur et le transept gauche sont remplis de vieilles peintures dégradées qui demanderaient les rayons d'aplomb d'un soleil couchant pour être encore vues et avoir de l'expression. – Le trésor : deux saints sacrements en pierres précieuses; un missel donné par Béranger, relié en or, recouvert d'ivoire; un saint-ciboire par Béranger, les trois bustes en argent doré de saint Pierre, saint Paul et saint Ambroise; les deux pains d'argent, don de Napoléon; trois reliquaires dans des corbeilles encadrées; une croix garnie de rubis et d'émeraudes, à porter sur la poitrine, don de Béranger; le peigne de Théodelinde, femme d'Autharis, roi des Lombards : dos en clous d'or, large et fort; dents d'ivoire jaune, usées d'un côté. Je l'avais remis en place, la tentation m'a démangé, je l'ai repris et je me suis peigné avec, comme pour l'essayer, mais au contraire en pensant à cette chevelure inconnue qu'il fixait sur une nuque royale. La tête devait être fière, haute; la femme grande et grosse, de la race des femmes de ces rois barbares, de la race des Frédégonde et des Brunehaut, une beauté mêlée d'antique, relevée par quelque chose de plus pâle et de plus violent, de la couleur tudesque par-dessus un bronze romain. Il y a aussi son éventail en cuir, dans un étui de cuivre ciselé.

La couronne de fer : deux portes et un rideau. Est-ce que Charlemagne a pu se l'entrer sur la tête? Elle me semble petite. On ne faisait peut-être que la poser. (Les couronnes en effet tiennent peu sur la tête des rois, ils font comme un bourgeois qui se promène par un grand vent et qui a peur de perdre son chapeau, il l'enfonce le plus qu'ils peuvent au risque de se faire saigner les oreilles; puis au moment où ils n'y pensent plus, elle vole au diable.) On a allumé des cierges et on l'a encensée. Etait-ce la croix? étaient-ce les reliques qui y sont? était-ce la couronne de fer? la mémoire de ceux qui l'ont mise? à quelle idole sacrifiait l'homme qui s'est agenouillé? à aucune. Et voilà comme les gens qui font des réflexions philosophiques sont bêtes.

CHARTREUSE DE PAVIE. – D'ensemble, même architecture que la cathédrale de Milan; le bas, de la Renaissance. Deux fenêtres carrées divisées par deux arceaux n'ayant qu'une séparation; au-dessus une grande rosace et un grand carré, des arcades à coins fleuris. – L'intérieur tout marbre, rubis, lapis-lazuli. Aux chapelles latérales les autels alternativement en mosaïque ou en sculpture de marbre. – Tombeau de Ludovic Le More et de sa femme. Ludovic, figure sévère, calme, un peu grasse, à bajoues, les chairs devaient être basanées et un peu molles; sa femme, morte à 12 ans, seins, chaussure, douce, naïve, endormie avec ses longs cils, simple. Les Chartreux, un à un, arrivant pour chanter. – Le petit cloître (mi-marbre, le haut en terre cuite, arceaux romans) plus beau que le grand. – Soleil. – Etages superposés, de même architecture. – Un moine a passé, dans la lumière, maigre, à plis flottants, tout blanc, allant vite. – Mouvement pour tourner dans l'escalier. – Celui qui a arrangé les lampes; c'est un doux bruit que celui des lampes et des encensoirs. – Chacun a sa petite maison, son petit jardin. Avec quel amour la pauvre âme doit en cultiver les fleurs! J'ai pensé à un pauvre homme pleurant là dedans par un après-midi d'été. – On les éveille à 11 heures de nuit. – Guichet par où on leur apporte à manger. – L'égoïsme doit s'y développer. – Visiteurs : le vieux, l'estimable M. et son intéressante jeune fille. Quel dommage que les dames... ça perdrait de sa poésie et les jupons s'y rôtiraient. – Activité de notre guide. – Parmi les bas-reliefs : le *Massacre des nouveaunés.*

Musée Pinacothèque. – Un portrait de Raphaël Mengs, par Knoller : figure blanche, fraîche aux lèvres et aux paupières, regard vif, un peu ému; carrick jaunâtre, une palette à la main. Il y a de ce même Raphaël Mengs un portrait de musicien, vu de face, la main droite sur le bord d'un clavier; grand gilet XVIIIe siècle, brodé d'or, habit de velours marron; rouge figure, ronde, molle et souriante, italienne, mêlée de sérénade et de madrigal, amollie par quelque chose du courtisan Pompadour.

Magnifique portrait de jeune homme en pourpoint de satin, nez retroussé, toque de velours un peu sur le derrière de la tête. – Une vieille, à côté de lui, par Enrico (Martinger); il a quelque chose de Van Dyck, plus lumineux, moins profond, plus incisif. – Une vieille, de Murillo, tout en gris, souriant plutôt de malice que de gaieté, main droite crispée. – Le *Mariage*, de Raphaël, mélancolie étrange, naïveté saisissante. – *Abraham et Agar*, par Guerchin : Sarah sourit dans le coin à gauche, Agar pleure et regarde Abraham, Ismaël se cache les yeux avec ses poings. – Une *Vierge*, du Guide : les yeux et le front! l'enfant est laid, comme partout. (Le Christ à l'état de bambino est peut-être en dehors des proportions de l'art; la Divinité a du mal à s'exprimer par le symbole de la faiblesse, étant une chose fausse humainement parlant, comment exprimer par un extérieur normal une abstraction insaisissable? L'art ne peut montrer des miracles, c'est-à-dire le désaccord de l'idée et de la forme, à plus forte raison ceux qui ne sont pas tangibles.) – Tête de moine endormi, de Velasquez. – Des Amours dansants, de l'Albane. L'Albane me semble avoir été un des aïeuls du rococo. – Un portrait d'homme, par Hals, figure blanche, chevelure noire.

Esther et Assuérus, de Miéris : main trop longue. Esther : les deux femmes qui la soutiennent, surtout celle du côté gauche, grande, seins abondants presque nus, pose théâtrale et magnifique, tête ornée; Assuérus se lève de son trône et s'avance vers la reine évanouie.

Tapis turc colorié. Au fond, deux gardes. La suivante fait penser à Georges, dans ses belles poses.

Milan est la transition entre l'Italie et l'Autriche. – Luxe et beauté des équipages roulant sur les dalles unies des rues. On ne rencontre pas de sales voitures, mais le barbare se trahit par le domestique; ce n'est plus l'élégance parisienne. – Réunion dans le Jardin public. La musique des régiments est ici meilleure que celle de la plupart de nos orchestres. – Costumes différents des régiments, pantalons bleus collants de la garde hongroise.

La Scala : grande salle, grande scène, surtout la toile levée. J'ai marché sur la scène en regardant les trappes et en pensant vaguement à toutes les pièces et à tous les ballets; je suis entré dans deux loges, et j'ai songé à tout ce qui pouvait s'y dire. Un théâtre est un lieu tout aussi saint qu'une église, j'y entre avec une émotion religieuse, parce que, là aussi, la pensée humaine, rassasiée d'elle-même, cherche à sortir du réel, que l'on y vient pour pleurer, pour rire ou pour admirer, ce qui fait à peu près le cercle de l'âme.

Théâtre des marionnettes. – Salle petite, mal éclairée, en entrant surtout. La pièce que l'on jouait était vertueuse, le coupable puni comme dans nos mélodrames. Les marionnettes sont hautes d'environ trois pieds; le personnage principal, le seigneur banni et rentrant chez lui, frappant de vérité, surtout par le dos. Les gens qui parlaient dans la coulisse nuançaient très bien, avec attention. C'est un genre qui meurt, il y avait peu d'enthousiasme dans le public. Donizetti et M. Scribe leur font tort, à ces pauvres marionnettes! Le ballet surtout était charmant. La grosse tête, le charlatan, son cheval qui piaffait, les danseurs s'élevant à des poses gracieuses; du fond de la salle surtout l'illusion était complète. Quand il y a quelque temps qu'on y est, on finit par prendre tout cela au sérieux et par croire que ce sont des hommes; un monde réel, d'une autre nature, surgit alors pour vous et, se mêlant au vôtre, vous vous demandez si vous n'existez pas de la même vie ou s'ils n'existent pas de la vôtre. Même dans les moments de calme on a peine à se dire que tout cela n'est que du bois et que ces visages coloriés ne soient animés par des sentiments véritables; à voir l'habit, on ne peut s'imaginer qu'il n'y ait pas de cœur. – Effet gigantesque des gens dans la coulisse. J'ai été stupéfait alors de la grandeur d'un homme. – Mais le ballet! le ballet! Mine de deux bourgeois figurant les invités du bal et se parlant entre eux!

DE MILAN A CÔME, la route monte légèrement. Dans le port de Côme (qui n'est pas un port, et c'est là ce qui le rend charmant), de petites nacelles avec leurs arceaux de bois pour soutenir la tente, comme on en voit dans les keepsakes; voilà qui est italien, qui est débraillé et colorié, je ne sais si les gondoles de Venise sont plus belles. J'aime mieux la vue d'un de ces mauvais bateaux-là que celle du plus beau vaisseau de ligne du monde. L'ensemble du lac est doux, amoureux, italien. Premiers plans escarpés, teintes chaudes des maisons; horizon neigeux et tout bordé d'habitations exquises faites pour l'étude et pour l'amour. – Taglioni, Pasta, sur la rive gauche du lac en partant de Côme. – Villa Sommariva; escalier de pierre descendant jusque dans l'eau pour s'embarquer dans la gondole, grands arbres, roses qui poussent sur une fontaine. – L'*Amour et Psyché*, de Canova : je n'ai rien regardé du reste de la galerie; j'y suis revenu à plusieurs reprises, et à la dernière j'ai embrassé sous l'aisselle la femme pâmée qui tend vers l'Amour ses deux longs bras de marbre. Et le pied! et la tête! et le profil! Qu'on me le pardonne, ç'a été depuis longtemps mon seul baiser sensuel; il était quelque chose de plus encore, j'embrassais la beauté elle-même, c'était au génie que je vouais mon ardent enthousiasme. Je me suis rué sur la forme, sans presque songer à ce qu'elle disait. Définissez-moi-la, faiseurs d'esthétiques, classez-la, étiquetez-la, essuyez bien le verre de vos lunettes, et dites-moi pourquoi cela m'enchante.

De l'autre côté du lac, après avoir monté par une montée droite à larges marches, maison noire et blanche : c'est la villa du général Serbelloni.

Vue des trois lacs. On voudrait vivre ici et y mourir. Spectacle fait à souhait pour le plaisir des yeux : de grands arbres, poussés dans les précipices, vous viennent jusque sous la main, un horizon bordé de neiges avec des premiers plans charmants ou vigoureux; paysage shakespearien, tous les sentiments de la nature s'y trouvent réunis, et le grand prédomine. – Plantes grasses, arbustes variés. – Grotte d'où l'on voit deux points de vue divers encadrés dans la verdure. – Bateau à vapeur; nos Anglais. – Promenade dans l'après-midi sur le lac.

Eglises de Côme. — Cathédrale : portail roman, statues des deux Pline. – Eglise San Fedele avec sa vieille [...] saxonne, comme à Avignon. Têtes de morts naturelles dans une chapelle, éclairées par un cierge; coutume fréquente à Côme et que j'ai rencontrée sans la chercher encore deux fois.

VARÈSE. – Du haut d'un grand jardin, vue étendue, ample, dégagée, le Simplon, le lac Varèse et le lac Majeur; mais ce n'est plus le lac de Côme et encore moins l'incomparable beauté de la villa du général Serbelloni.

Ecrit au Simplon. – Fumée du poêle.

LAC MAJEUR (Laveno-Baveno) plus grand, plus vaste, paysage plus étendu que celui du lac de Côme. Ce n'est plus si italien, si chaud. Quand le lac est agité on dirait une mer, mais une mer enfermée, l'infini ne vous y prend pas. Plus on le contemple du reste, et plus il s'agrandit.

Isola Madre : paradis terrestre; arbres à feuilles d'or que le soleil dorait. On s'attendait à voir apparaître derrière un buisson le sultan grave et doux, avec son riche yatagan et sa robe de soie. C'est le lieu du golfe le plus voluptueux que j'aie vu, la nature vous y charme de mille séductions étranges, et l'on se sent dans un état tout sensuel et tout exquis. S'il durait longtemps, il ferait mal, tant il est nouveau; puis on s'y accoutume et cela passe comme autre chose. – Deux percées encadrées de verdure et voyant le lac. – Arbres de tous les pays du monde, citronniers, orangers, palmiers,

hêtres, etc., dont la cime paraît le haut des monts couronnés de neige.

Excursion à Arona. – Bateau à vapeur : presque rien que des gens du pays; vieille Anglaise prenant des notes et regardant dans son livre le nom de chaque coin de terre.

Statue de Charles Borromée, grande, sale, huileuse sous sa peinture, grandes oreilles détachées de la tête. Ensemble laid.

Retour fatigué à Baveno.

Isola Bella, le soir même. Quelle différence avec Isola Madre! Le palais est grand, immense, on y a logé 2.000 personnes. Mais rien n'y sue le luxe ni l'aristocratie; pas un escalier de marbre, ni un vrai beau tableau. J'aime mieux un seul des palais de Gênes. J'aime peut-être trop Gênes? mais non! ce n'est pas la perspective du lointain, car je l'ai goûtée quand j'y étais.

DOMODOSSOLA. – Petite vallée entre de hautes montagnes comme Brigues, mais à pans moins abrupts. Sur la gauche, en arrivant du lac de Côme, grand bois de châtaigniers. – Moine à barbe blanche portant sa besace et montant à son couvent. – Le petit portier, barbe moitié grise, air commun, homme du peuple; le capucin, grand, fort, air franc, prisant beaucoup de son tabac rouge. Il nous a demandé si nous étions catholiques, et sur notre réponse affirmative nous a tapé sur l'épaule et nous a fait entrer dans des cellules. Elles ne m'ont pas fait froid, comme celles des jésuites à Gênes. – Livres dans quelques-unes. – Arrivé dans la sienne, il a ouvert une petite armoire et nous a offert un verre de vin... « Allons! Voyons! un verre de vin! ».

Bibliothèque publique : livres sous clef, vol Rousseau, Guicciardini... de peur pour la tête, pour la tête. On peut les lire avec dispense du pape. – Histoire de l'Empereur, Mémorial; il m'a demandé si le dessin du frontispice était exécuté à Paris, croyant que c'était le plan de la statue équestre. Dès qu'il a su que nous étions des Français : « Le front, le cœur grands ». Je lui ai donné deux cigares : « Optime padre, optime figlio. » Que d'amis on effleure, on perd en voyage! – Galanterie du capucin. – Adieux. – « Vous vous recorderez de cela en France. »

DE DOMODOSSOLA AU SIMPLON tout en montant, de plus en plus âpre, sauvage. La montagne se resserre, la vallée se rétrécit, on arrive dans le pays des neiges, le torrent gronde toujours. La vie ici est triste, éclairée de cet éternel reflet blanc. Il n'y a pas d'ours ni de loups, le pays est trop pauvre. – Auberge. – Le matin, deux voyageurs : une dame et un monsieur sans nez; les deux jeunes gens ont exécuté une polka. – C'était fête-Dieu. – Reposoir. – Le cantonnier battant du tambour avec un jeune gars qui soufflait gravement dans une flûte, une rose sur son chapeau.

Départ à 9 heures du matin. – Neiges. Les arbres se rapetissent et bientôt cessent complètement; on ne voit plus que des troncs, cassés par les avalanches ou brisés par les bûcherons, passant à travers la neige. – Grandes courbes blanches d'une ondulation pleine de grâce. – Chemin à travers deux murs de neige; les moyeux de notre voiture y entraient. – Cantonnier à lunettes vertes

marchant devant nous, son instrument sur l'épaule.
– Rencontre de la diligence. – Homme dégoûtant passant sa tête par la portière, grotesque au milieu du sublime, petite laideur au milieu de la grande laideur (au point de vue classique), vilain dans l'horrible. –
A plat, l'hospice. – Les trois galeries. – C'est en commençant à descendre que la vue devient magnifique : la vallée part de dessous vos pieds et ouvre son angle immense vers l'horizon, portant sur ses flancs ses pins et ses neiges. – Indescriptible! il faut rêver et se souvenir.
REVISAILLES. – Déjeuner. – Pont d'une maison à l'autre qui traverse la route. – Forte fille de la montagne, fraîche, rose, charnue, un peu allemande avec son petit chapeau rond à grand ruban plissé; chignon renoué et visible par derrière. – Descendus par le raidillon, les pins deviennent plus fréquents, la neige ne se voit plus qu'au haut des monts; par place la terre est couverte de rochers ou d'écorces de sapins. Ça m'a rappelé certaines pentes de forêts de la Corse (après Bocognano pour aller à Ghisoni). Comme hier de Domo à Simplon, il me semblait me retrouver il y a cinq ans dans les Pyrénées, quand je fus de Laruns aux Eaux-Bonnes.
BRIGUES. – Encore les petits chapeaux des femmes. – Une belle, noire, souriante à sa fenêtre. – Ramée pour la fête-Dieu tout le long des rues, guirlandes vertes aux fenêtres des maisons. – Politesse un peu germanique et bête, quoique bonne des habitants. Type blond, doux; pas d'élégance dans la taille des femmes, quoique leur figure soit agréable; pas de sévérité ni de feu dans le regard. — Propriété du bourgeois ayant un établissement à Turin et regrettant l'Empereur. – Eglise au bout de la promenade, à un quart de lieue, affreuse par ses sculptures en bois. – Adieu à l'Italie! – A gauche, en sortant, grande montagne, prairies au bas, puis au milieu neiges et rochers, nue au sommet. C'est un spécimen de l'art du grand artiste. Comme tous les tons sont fondus et comme toutes les transitions sont ménagées, rien de disparate quoique rien de pareil.

Ecrit à Brigues – 22 mai – 10 h. du soir.

DE BRIGUES A MARTIGNY. – Montagnes à gauche, couvertes de neiges, vallées vertes, beau pays, de Sion à Martigny surtout. C'est la vraie Suisse verte, neigeuse au sommet, plantureuse dans sa vallée. – Déjeuner à Sierre, chez le beau-frère de l'hôtelière du Simplon. – Les trois idiots, pantomime quand je leur ai donné de l'argent. – Expression. – Une figure carrée, nez camus, goitre. – Elles me faisaient des signes d'amitié, passaient leur main sur leur visage. – J'estime les fous et les animaux; est-ce parce qu'ils sentent que je les comprends et que j'entre dans leur monde?
MARTIGNY. – M. et Mme Bonsor. – Marchandes d'objets en bois, sales, mal peignées, costumes de Berne, garces d'aspiration dans leur petite ville. Une guitare, un recueil de vers et peut-être un roman (les 2 autres vol.) sur leur sopha. – Cascade sur le bord de la route à gauche, des effluvions de gazes blanches se précipitant et se laissant envoler au vent, argent vaporeux. C'est là qu'autrefois la fée suspendue dans les airs baignait ses pieds d'albâtre. Le bruit de la cascade n'est pas celui du torrent, le bruit du fleuve n'est pas celui du lac; ils se marient tous ensemble et jouent l'éternelle partition. Je me suis rappelé le bruit des cascades de la vallée du Lis et j'ai repensé à mes guides des Pyrénées.
SAINT-MAURICE. – Vieille idiote aveugle, priant avec ferveur, figure pâle et flétrie; elle demandait le chanoine. Où était le chanoine?
CHILLON. – Tourelles, au bord du lac. On traverse deux pièces, une grande et une petite, voûtées, presque souterraines, à colonnes de lourd gothique, avant d'arriver à celle du prisonnier. – Anneau à 1 pied de terre. Tout autour le roc est usé par les pas qu'il a faits en tournant dans le même demi-cercle. Autre anneau à un autre pilier pour un de ses frères. – Le nom de Byron est écrit sur le troisième pilier en entrant, le deuxième avant d'arriver à celui du prisonnier; il est gravé dans le roc, de travers, une barre dessus dans toute la longueur comme si on avait voulu l'effacer. Il est écrit en noir : est-ce déjà le temps? ou de l'encre mise pour faire revivre les lettres? Au milieu de tous les noms obscurs qui égratignent et encombrent la pierre, il reluit seul en trait de feu. J'ai plus pensé à Byron qu'au prisonnier. Au-dessous du nom la pierre est un peu mangée, comme si la main énorme qui s'est appuyée longtemps l'avait usée. J'ai rêvé à cette main s'appliquant à creuser cinq lettres. Quand je suis entré là, que j'ai vu le nom de Byron et que j'ai tâché de penser à ce qu'il y avait peiné, ou plutôt rien qu'à la vue du nom, j'ai été pris d'une joie exquise; j'ai mis la main sur mon cœur et je l'ai senti battre plus fort que l'instant d'auparavant; c'est ensuite que j'ai été au pilier du captif. – Victor Hugo en moulé, au crayon; G. Sand gravé au couteau, sur le pilier qui vient après celui de Byron, celui du frère; sur le même, plus haut, du côté de la muraille en roc brut, Mme Pauline Viardot née Garcia, parfaitement lisible.
– A l'étage supérieur, petit arsenal, vue du lac. Les montagnes s'y reflétaient, les endroits où il y avait de la neige faisaient l'effet dans ce miroir de flambeaux blancs placés sur les pics, ils tiraient dans l'ombre de longs sillons lumineux. – Jolie maison de campagne en vue du lac, rond de gazon, enfants en costume d'été jouant sous les arbres.
CLARENCE. – A peu près à la sortie du pays j'ai fait arrêter la voiture, je suis descendu et je suis entré dans une petite cour plantée et couverte de longues herbes que l'on fauchait; un mur bas la séparait de la route. Je me suis dirigé vers le monsieur qui m'en paraissait être le maître et lui ai demandé si la maison de Mme de Warens existait encore. Sans trop attendre que j'aie achevé, ni sans trop me comprendre, il m'a adressé à un jeune homme en costume de jardinier qui fauchait à quelques pas de lui; celui-ci a souri à ma question. Il était blond, avait l'air doux et tendre, un peu à la façon de Jean-Jacques, auquel il pouvait ressembler. La maison de Mme de Warens est détruite depuis longtemps; il m'en a indiqué la place. Elle était située au bas d'une petite colline, à la place où il y a maintenant des arbres, sur le penchant d'un vallon, avec la montagne par derrière, le lac pour horizon, des premiers plans très étroits et des perspectives énormes. Le jeune

homme ne l'a jamais vue, il y a bien longtemps qu'elle est détruite, il a entendu dire ça aux anciens. Et je suis remonté dans la voiture et les chevaux sont repartis au grand trot. Il faisait beau soleil, l'air était doux, 5 heures du soir environ.

VEVEY. — Il y est venu souvent, le maître aux phrases ardentes (il a fait souvent cette route à pied), il y a rêvé sa Julie et l'y a placée. On aimerait, en songeant à lui, à s'asseoir sous chaque arbre et à contempler chaque nuage pour y retrouver quelque chose de son amie.

Hôtel. — Terrasse. — De Vevey à Lausanne, cascades sur le bord du chemin. — Vignes. — La route est entre deux murs. — Ce qui est tout à fait près de vous est aride et sec sans grandiose, mais le lac à gauche, le lac et les montagnes qui s'y regardent.

LAUSANNE. — Caractère lourd, bon, épicier et platement intelligent de ses habitants. — Femmes laides, dénuées d'élégance. — Pas une. — Les deux fillettes riant et avenantes sur le seuil du tailleur, près de l'hôtel. — Deux ou trois costumes d'étudiant allemand. — La musique sous les grands arbres. Je me suis rappelé, à propos de l'intérieur de ces petites villes, les chœurs de bourgeois à la promenade dans *Faust*. — Le commandant, vrai ignoble. — Maison du docteur Mayor : la promenade en terrasse; la bonne, la plus belle fille de Lausanne, yeux noirs, cheveux noirs, air distingué, doux et tendre. — Echange de regard (femme de l'épicier italien). Je n'ai vu qu'une nuque noire, mais abondante et tressée; au milieu des visages incolores (très colorés) et lourds des Suisses, c'était pour moi l'Italie me jetant un soupir d'au delà des monts. — Visite du médecin Mayor pendant le dîner. — Le soir, pluie; nous fumons le cigare au bas de l'escalier, et j'écris ceci, 10 heures vingt minutes du soir.

De NYON, je ne me rappelle plus qu'une salle au rez-de-chaussée de l'hôtel où nous avons déjeuné, et le gros garçon agréable qui nous servait. Sur la hauteur de la ville, promenade à l'ombre de grands arbres. Ville tranquille et douce où l'on doit être bien quand on est malade.

Quand on est dans Coppet, on prend une rue à gauche (si l'on vient de Lausanne) et l'on monte au château de Mme de Staël. Arrivé devant la grille, que l'on a à droite, on voit derrière soi, un peu sur la droite, une grande avenue d'arbres et un parc à l'entrée duquel, caché dans les arbres, est le tombeau de Mme de Staël. Nous avons été menés jusque-là par une vieille femme, Marie Lemesier, qui l'a servie, ainsi que M. Necker, pendant quatre ans. (Dans ses dernières années, nous a-t-elle dit, il était très gros, énorme et toujours suivi d'un médecin qu'il avait ramené de Paris.) Au rez-de-chaussée, appartement en carré long, avec une bibliothèque en armoire à grillage et en soies vertes, dont on ne voit pas un livre; c'était là que Mme de Staël jouait la comédie. Portrait d'un des amis de M. de Staël. — Au premier, le salon, grande et belle pièce. Portrait de Gérard de Mme de Staël, celui qu'on voit en tête de ses ouvrages, en tartan rouge : nez fort, bouche avancée, grosse, sanguine, semblant aimer le vin plus que l'amour, quoiqu'il y ait aussi de la luxure; œil fier, ardent, intelli-

gent. — Dans une autre salle, portrait de David (jeune), m'a paru vilain. A son côté, celui de M. Necker, en costume XVIIIe siècle, poudré, lui ressemble un peu; M. Necker a sa tête un peu renversée, yeux à demi fermés, sans fatuité pourtant. Son fils en manteau, nu-tête; son mari, homme ordinaire, écrasé par sa femme et qui fait pitié quand on les regarde ensemble; sa fille, Mme de Broglie. Un abîme entre ces deux femmes : c'est l'artiste d'un côté, et de l'autre la femme comme il faut, la femme honnête dans toute l'étroitesse de ses moyens physiques et moraux. On montre aussi le portrait de M. ..., un des grands amis de Mme de Staël. — A côté du salon est la chambre à coucher où elle a composé une grande partie de ses ouvrages; petite table noire carrée, espèce de cartonnier, armoire où elle serrait ses manuscrits.

Chambre de M. de Broglie : lit en pente. De dessus le balcon, la vue est superbe, longue, allongée, sans plans étagés. Ce beau château fait penser à la société intellectuelle de l'Empire, à quelque chose de restreint, de distingué, d'un peu étroit, d'animé, à rien de plus. Mme de Staël (que je connais peu du reste) ne ressemble-t-elle pas à Girodet? Son romantisme ne me semble pas d'un romantisme bien pur, ou du moins comme nous en voulons un maintenant; il paraît, comme le sien, déclamatoire et intentionnel.

Se souvenir du capitaine Rose. — Anglais ennuyé; trait du fils du portier de l'Hôtel Meurice leur apprenant le cancan à six, sans qu'aucun ait jamais pu le savoir.

GENÈVE. — Ile de Rousseau. — Quand j'y entrai, le soir, on y faisait de la musique; des Allemands jouaient leurs cuivres d'une façon tendre et déchirante. Il se tenait sur son piédestal, immobile, la tête penchée en avant, l'air intelligent et doux. — A gauche, bouquet de trois peupliers droits, frissonnant un peu dans leurs cimes. — Comme il aimait la musique, le pauvre Jean-Jacques, j'ai bien pensé à lui; je faisais tous mes efforts pour y penser de toute mon âme. Les fanfares qui sont venues après m'ont fait penser à ce soir où il courait éperdu dans les corridors... Quel homme! quelle âme! quelle lave et quelle onde! Comme cela est beau les gens qui trouvent ses *Confessions* un livre immoral et Rousseau un misérable! Je l'ai entendu dire, je l'ai entendu dire; on trouve que je suis susceptible et je vis!! — La statue de Pradier est peut-être fort belle, je n'ose en être bien sûr, mais c'est l'effet qu'elle me fait. Tous les Genevois ont été étonnés de ne pas voir M. Rousseau en souliers à boucles et en habit à la française. On tient donc beaucoup à l'habit des gens qu'on admire!

Bibliothèque publique. — Ecriture de Calvin, illisible comme celle du XVIe siècle, longue et mêlée; de Jean-Jacques, sobre, courte, très claire, très bien alignée et comme gravée sur le papier. Manuscrits plus ou moins jolis, mais c'était l'écriture du maître qui m'attirait. — Portraits des Genevois célèbres. — Stalles en bois. — Quelque chose de chaud et d'usuel bien différent de l'immobilité sépulcrale, collégiale, de la bibliothèque Ambrosienne, qui est du reste bien plus belle et qui semble bien mieux tenue.

Musée. — Marie-Thérèse (pastel), femme, vers 45 à

48 ans, fraîche, viande un peu molle, rose encore, pendante, œil humide et bon; expression trop complexe pour être décrite; admirable chose comme intensité. – Mme de l'Epinay *(id.)*, figure maigre, noire, œil noir, mâchoire allongée, ce qui s'appelle une femme laide, mais une femme que l'on remarque et que l'on doit aimer beaucoup si on l'aime (elle devait puer ou sentir très bon), quelque chose de Déjazet, mais le crâne plus large, mais plus grave et plus occupée. – Un paysage de Calame, coup de vent, ours à gauche du tableau. – Un portrait d'homme noir, crâne dégarni, un peu appuyé sur le côté droit, par Van der Heltz, ressemble aux Van Dyck et n'est guère moins beau. – *David portant la tête de Goliath* (Dominiquin?), tableau à ombres et à lumières contrastées. – Prudhon (?) sur la droite : femme debout, de profil, chaussée en sandales avec des cordons bleus, dont un lui passe entre le pouce. La belle chose que la sandale! n'est-ce pas un symbole? l'art se prêtant à la nature, ne la cachant pas encore, mais s'y adaptant! – En fait de sculpture, un très beau plâtre de Pradier, *Vénus consolant l'Amour;* une *Haydé* assise à genoux, avec des amulettes, belle comme sentiment. C'est peut-être un peu extérieur; du reste ça contente. – Le jeune homme faisant l'agréable entre les deux fillettes, était-ce pour le bon ou pour le mauvais motif? – Les trois marchands d'antiquités, types différents : le premier, boutique; le second, le bouquiniste et son fils; le troisième, grand, maigre, blanc, doux, pied bot, ignorant du prix de ses choses, faisant compassion; ses deux émaux de Petitot; être riche!!

FERNEY. – Le château est au milieu des arbres, qui étaient vert clair sous la pluie. – Aspect triste d'abord. – Petit château à un étage, deux ailes, trois escaliers. Celui du milieu vous fait entrer dans le salon, celui de gauche dans le cabinet de travail de Voltaire, que l'on ne montre pas. – Le parc est par derrière et ne se voit pas en entrant. Allée droite (au milieu, un bassin d'eau) devant la porte du salon. Sur la gauche surtout, et au bout, la vue doit être superbe : tout le lac de Genève, le mont Blanc, et plus encore...

Eglise bâtie par Voltaire. – L'inscription *Deo erexit Voltaire* ne se voit plus, elle a été effacée par les « mauvaises gens », m'a dit Louis Grandperrey. Tombeau en forme pyramidale, surmonté d'une urne que Voltaire avait fait édifier pour lui. L'église et le tombeau sont maigres et ont l'air vieux sans être anciens. On a été longtemps à nous ouvrir la porte, un énorme dogue aboyait sur le seuil; il est venu à moi, m'a regardé et s'est tu. – Le salon a une forme carrée à coins coupés. Tenture en soie rouge brochée, copies de l'Albane : Muses et femmes nues, la *Toilette de Vénus;* fauteuils en tapisserie, fond blanchâtre à fleurs. Sur la droite la cheminée, singulière forme du poêle. – Sur la porte qui donne dans sa chambre à coucher : l'Apothéose de Voltaire conduit par la Vérité et couronné par la Gloire; au bas et renversés, les Critiques, l'Envie, le Fanatisme, etc., aquarelle, gravure coloriée ou dessin avec de la couleur, pitoyable du reste. – Chambre à coucher : au fond le lit, le vrai lit où le grand homme dormait; on en a ôté les tentures et on en voit le bois à nu. Suspendu

sur le lit, le portrait de Lekain (au pastel) à la Titus et couronné de laurier; à droite, un portrait (pastel) de Voltaire jeune, le même que celui de l'édition de 1782; à gauche, le grand Frédéric (à l'huile), nu-tête, en costume militaire, teint animé, plaqué de rouge, tête maigre et carrée. Sur les deux grands panneaux, à droite, Mme du Chatelet et Mme Denis; à gauche, le portrait de Catherine, brodé à la main par elle-même (fait et donné par Catherine de Russie à M. de Voltaire). Dans la cheminée une espèce de monument funèbre qui a contenu son cœur, avec ces deux inscriptions au-dessus : « Son esprit est partout et (ou mais?) son cœur est ici. » – « Mes mânes seront tranquilles puisque je sais que je reposerai au milieu de vous ». Entre ce monument et la porte, un pastel; portrait d'un ramoneur au-dessus.

La tenture est de soie jaune à fleurs. L'ameublement de ces deux pièces était riche, plein de goût, vif en couleurs. On voudrait y être enfermé pendant tout un jour à s'y promener seul. Triste et vide, le jour vert, livide du feuillage, pénétrait par les carreaux; on était pris d'une tristesse étrange, on regrettait cette belle vie remplie, cette existence si intellectuellement turbulente du XVIIIe siècle, et on se figurait l'homme passant de son salon dans sa chambre, ouvrant toutes ces portes... Louis Grandperrey avait 15 ans quand Voltaire est mort; vieillard ordinaire, petit, chapeau de cuir, il semble encore ébloui du souvenir de son ancien maître. Il l'avait servi cinq ans; c'était lui qui faisait les commissions : « Lui avez-vous parlé? – Oh! oui, monsieur, plusieurs fois; il était sec comme du bois, maigre, maigre. – Etait-il bon? – Oui, monsieur, mais il ne fallait pas lui désobéir, il était vif comme la poudre, il s'emportait, oh! il s'emportait... et il nous tirait les oreilles, il me les a tirées plusieurs fois. Il était aimé. Quand il est venu ici, il n'y avait qu'une ou deux maisons. Il était très bon, aimé, généreux, mais il ne fallait pas lui désobéir par exemple! » Je regardais cet homme avec avidité pour voir si Voltaire n'y avait pas laissé quelque chose que je pusse ramasser!

LES ROUSSES. – MORET. – L'hôtelier, sa femme sagefemme.

SALINS. – BESANÇON. – Par les toits seulement on s'aperçoit de l'ancienneté des maisons. – Palais du cardinal Granvelle : cour carrée à arceaux peu cintrés, pas d'ornements, quelque chose de sobre, mais d'un peu lourd. – Mal que j'ai eu pour découvrir la maison de Victor Hugo. – Mme de Lelie. – Elle est au rond de Saint-Quentin, no 140; la chambre où il est né lambrissée, peinte en gris blanc; alcôve avec un lit de bout au milieu; salon grand, commode.

LANGRES. – Hôtel, tous les garçons gris, mine de l'hôtelier, la salle du festin pour le baptême.

BAR-SUR-SEINE. – MM. du conseil de revision.

VANDEUVRE. – TROYES. – Peur que j'ai eue à cause de mon amour pour l'harmonie des faits et le fatalisme rythmique. – L'abbé, son séminaire, le portier, macération, caractère de stupidité.

NOGENT. – COURTAVENT. – DE COURTAVENT A LA SAUSSOTTE. – NANGIS. – NORMAN.

BRIE-COMTE-ROBERT. – Les fermiers de la Brie allumés

par le déjeuner et allant au concours agricole. – Le grand rouge, forme de ses sous-pieds.

CHARENTON. – Entrée à Paris. – Visite à Mme Chéronnet [2], à qui j'ai donné le bras jusque chez Durand, où elle allait dîner. Ce pauvre Durand! J'y ai fait trois repas et sur chacun d'eux on pourrait écrire un volume : 1° souper, 2° déjeuner, 3° dîner. – Champs-Elysées, trois fois le lundi, le mardi et le mercredi. – La belle histoire que celle de ces visites! j'y ai vu le défaut de la cuirasse de mon âme comme à celle des autres. – Dîner chez d'Arcet. – Visite à Auteuil. – Mme Pradier [3] est venue en chapeau de paille rond, robe noire. – La poésie de la femme adultère n'est vraie que parce qu'elle-même est dans la liberté au sein de la fatalité. – Le lendemain

2. Mme Chéronnet : la grand-mère de Maxime Du Camp.
3. Mme Pradier : la femme du sculpteur James Pradier, qui se sépara de son mari en 1846, après avoir fait beaucoup parler d'elle.

Mme Hugo. Je suis curieux d'y retourner. – Conseils médicaux de Pradier. – Les Peaux-Rouges : l'oncle hurlant, l'enfant, l'œil de l'enfant et du roi quand ils tirent l'arc; danse du scalp; saut les pieds joints, de la femme au manteau rouge. La dame de derrière moi riait beaucoup, riait, riait et trouvait ça drôle. – La poignée de main des bourgeois. – Quelque envie que j'eusse d'en faire autant, parce que mon envie ne partait pas du même principe et que je n'aime pas à lécher les plats.

Retour à Rouen dans le wagon étouffant, derrière, au coin de gauche, comme à mon dernier voyage. – Le monsieur d'en face. – Le vieux vomissant de la bile. – Les Anglais qui ont monté à Oissel.

Et enfin Rouen, le port, l'éternel port, la cour pavée. – Et enfin ma chambre, le même milieu, le passé derrière moi et comme toujours la vague apparence d'une brise plus parfumée!

PAR LES CHAMPS ET PAR LES GRÈVES
VOYAGE EN BRETAGNE 1847

Par les champs et par les grèves est un livre d'hommes de lettres. Partis en compagnons de plein air, « poitrine nue et la chemise bouffant à l'air, la cravate autour des reins, le sac à l'épaule, blancs de poussière, hâlés par le soleil », Flaubert et Maxime Du Camp n'en ont pas moins eu le souci de prendre, en cours de route, les notes qui serviraient, au retour, à nourrir le récit qu'ils comptaient écrire en commun de leur randonnée. D'où le caractère très soigné, très « rédigé » de leur compte rendu.

C'est du 1er mai au 6 août 1847 que les deux amis parcourent la Touraine et la Bretagne, non sans avoir en tête un autre voyage vers de plus lointains horizons. Au retour, ils se partagent la tâche littéraire, comme ils avaient partagé, durant trois mois, les chambres d'auberges et la paille des granges : Flaubert écrit les chapitres impairs, Du Camp se charge des chapitres pairs (tous les sommaires semblent être de Flaubert; les chapitres pairs, dus à la plume de Du Camp, sont, à ce jour, encore inédits). Singulière méthode de travail, on en conviendra, et qui n'est guère propice à l'unité d'inspiration et de ton généralement nécessaire à l'œuvre d'art. Aussi faut-il voir dans ce récit une œuvre personnelle écrite pour soi et pour le plaisir des intéressés plutôt qu'un livre destiné à la publication immédiate. Ce que Flaubert en donne de son vivant au grand public, c'est un fragment, détaché de l'ensemble, qui paraît dans l'Artiste du 18 avril 1858 sous le titre

Les pierres de Carnac et l'archéologie celtique. Ce n'est qu'en 1885, cinq ans après la mort de l'écrivain, que le public pouvait prendre connaissance du gros de cette narration dans l'édition Charpentier datée de 1886. Le texte Charpentier, établi d'après le brouillon autographe de Flaubert, est un texte incomplet, mais qui a l'avantage de tenir compte des corrections apportées postérieurement par l'auteur à son manuscrit primitif. On l'a donc préféré, toutes les fois que cela a été possible, au texte de l'édition Conard, qui est établi d'après la copie que Flaubert et Du Camp avaient fait exécuter en double exemplaire sur leurs brouillons. C'est ce parti qui avait été adopté naguère par le grand flaubertiste qu'est M. René Dumesnil pour son excellente édition critique des Voyages (G. Flaubert, Voyages, Paris, 1948, tome I, p. 159 à 412), – travail minutieux dont nous avons tenu naturellement le plus grand compte pour la présente édition.

Par les champs et par les grèves est, des grands ouvrages de la jeunesse de Flaubert, le premier qui ait été « écrit péniblement », comme il l'avoue lui-même dans une lettre à Louise Colet du 3 avril 1852. En ce sens on a pu avec bonheur parler de cette œuvre comme de la « veillée d'armes du grand romancier ».

On pourra consulter : R. Dumesnil, op. cit., Introduction, p. XXII à XXXIX; R. Descharmes et R. Dumesnil, Autour de Flaubert, Paris, 1912, t. II, p. 105-121.

I

1er mai 1847.

Chemin de fer. – Anglais vérolé et son enfant qui lisait des vaudevilles français. – Grainetiers, 2 expressions de marchand, l'accapareur sournois et l'exploiteur jovial et féroce. – Les deux jeunes gens se croyant charmants.

BLOIS. – Près le débarcadère une allée de vieux ormeaux à tronc large, à branches diffuses, les vrais arbres XVIIIe siècle, arbres de théâtre sous lesquels les fillettes dansent au son du violon. – Rues silencieuses *intimes* dans lesquelles on placerait quelque douce et bénigne passion. – En sortant de la cathédrale pour descendre à la rivière il y en a une, à marches, comme celles qui mènent à Fourvières. – Vieille femme dont la tête en coiffe blanche saillissait à sa fenêtre à guillotine. – Près l'église Saint-Nicolas, une rue longue (avec des portes cochères donnant sur des jardins), courbée, herbue; au fond, une boutique de modes.

Eglise Saint-Nicolas, entrée par derrière, chapiteaux; grand portail noir avec des ravenelles; église de l'ogive primitive. – Cathédrale XVIe siècle, transition de la Renaissance. – Château, côté du Nord, élevé sur des remparts; pour y entrer on passe sous une voûte. – Le côté gauche, dans la cour, est de la reine Anne, charmant; le fond de Louis XIV atroce; côté de droite réparé, charmant; tourelle carrée; délicieuse corniche François Ier intérieur. – Oratoire d'Henri III à côté de sa chambre; à côté son cabinet au Nord. – Troupiers avec leurs brocs de vin pour la fête du roi. – Partout la cordelière d'Anne et le cygne percé d'une flèche de Claude de France.

CHAMBORD. – Terrains sablonneux, maigres, dégarnis d'arbres. – Façade, rivière, oiseaux qui volaient bas; tristesse de la ruine qui n'est pas ruine. – Dans la cour l'âne et son ânon, chien joyeux. – Sur le registre, à côté des jérémiades et souhaits, légitimité, ô mania, Louise et Alfred; « on peut être boiteux sans cesser d'être droit », l'abbé Sam. aumônier du presbytère... exilé sans cesser d'être roi. – Escalier double à jour; on a fait 2 étages de ce qui n'était que le rez-de-chaussée.

La salle du BG au 2e étage a le plafond comme tout le reste, couvert de salamandres peintes et dorées. – Parc d'artillerie. – Donné au duc de Bordeaux par le colonel Langlois. – Oratoire de François Ier: plafond sculpté, une salamandre ou un chou, un ornement quelconque dans chaque carré.

AMBOISE. – Bâti sur deux bras de la Loire; une île au milieu. – Pays singulièrement doux et bon, plus pur comme Touraine qu'à Blois; femmes jolies, braves. – Revue de la garde nationale; les bisets sont ficelés et semblaient mettre de la prétention dans leur dédain du costume civique. – Promenade plantée à droite au bas du château. – Château, grandes tours. – Au haut, galerie à arcade; à gauche, une grande tour avec des ravenelles, superbe en couleur bistrée, elle est garnie de fenêtres hautes, resserrées, à plein cintre. – On monte par derrière, jardin charmant, élevé, en pleine vue sur la campagne; horizon doux, fuyant, avec deux grandes voiles au fond. – A pic sous soi les toits pointus des maisons, vieux hôtels déserts.

Intérieur du château, nul; les éternels bustes du roi, de la reine et de Mme Adélaïde dans plusieurs appartements. – Dans un pan de mur qui faisait partie d'une ancienne terrasse, le porc-épic. – La chapelle: délicieuse, ouvrage de fouillure, de ciselé, d'élégance et dont le style fait penser aux fraises à la Médicis à cause de ses broderies, de ses boutons et de ses découpures. – Sur la porte un saint Hubert descendu de cheval, à genoux; un ange vient mettre une couronne sur son bonnet, le saint est agenouillé devant le cerf qui porte un crucifix entre ses cornes; les chiens sont à côté et jappent; un serpent rampe sur une montagne où l'on aperçoit des cristaux, on voit sa tête plate de vipère au pied des arbres, l'arbre dévot, théologique des bibles, petit et sec de feuillage, mais large de branches. – Saint Christophe porte Jésus; saint Antoine est dans sa cellule, son cochon rentre, on ne lui voit que le derrière, cela fait parallèle à un autre animal (lièvre?) dont la tête sort.

Tour par où montent les voitures, garnie de fenêtres de même style que l'autre: médaillons représentant différents sujets grotesques, obscènes; il y a une intention dans la gradation des scènes en prenant le sujet d'en bas. Ainsi à partir d'en bas, on voit l'*Aristoteles equitatus* (?) et on en arrive à un homme qui visite une dame par derrière. –

Plusieurs médaillons intermédiaires ont été enlevés exprès, de sang-froid, « parce qu'il y en avait beaucoup qui étaient inconvenants pour les dames », a dit le garde d'un air pénétré de cette vérité.

Route de Chenonceaux à travers la forêt monte jusqu'à Bléré à peu près. – Chemin frais, à cause de la fraîcheur de la pluie; nous fumions dans la voiture après un excellent dîner à Amboise.

CHENONCEAUX. – Le soir, 2 mai, 9 heures. – Le soir nous avons été fumer sous les arbres verts, à la pluie. – Le château d'un beau style du XVIe siècle. – Le Cher passe dessous. – Salle d'armes dans le vestibule à ogives; salle à manger avec les tentures de l'époque; grande cheminée. – Partout les ameublements ont été conservés. – Masse d'armes de François Ier.

Portraits: l'original de ceux de Rabelais; Isabeau de Bavière, figure toute blonde, toute blanche, grasse avec des sourcils bruns, des bourrelets aux sourcils; Mme d'Humières, petite bouche en cœur, singulièrement sensuelle; Mme Dupin, figure spirituelle, nez retroussé, mine agaçante, yeux bruns (dans la grande galerie qui servait de salle de bal), lèvres minces et roses; Louise de Vaudemont, femme d'Henri III; deux grands portraits à cheval de MM. de Beauvilliers, l'un amiral, l'autre colonel de cavalerie; sur une porte un tableau représente Gabrielle d'Estrées, vue de face jusqu'à la ceinture, avec sa coiffure frisée montée, blonde, un collier de perles sur sa poitrine; sa sœur nue également, vue de dos, détournant la tête; aussi femme en costume de paysanne qui sourit ou plutôt qui rit et donne à téter au duc de Vendôme au maillot.

DE CHENONCEAUX A BLÉRÉ; route à pied, au bord du Cher dans l'herbe; soleil. – Bléré à Tours; à partir de Montlouis, grand paysage de la Loire, gras, riche, doux, plein de verdure et d'eau.

Le 1er mai 1847, à huit heures et demie du matin, les deux monades dont l'agglomération va servir à barbouiller de noir le papier subséquent sortiront de Paris dans le but d'aller respirer à l'aise au milieu des bruyères et des genêts, ou au bord des flots sur les grandes plages de sable.

On n'avait d'autre ambition que celle de chercher quelque coin de ciel pur, floconné de nuages enroulés, ou de découvrir au revers d'une roche blanche, caché sous les houx et les chênes, assis entre le fleuve et la colline, un de ces pauvres petits villages comme on en rencontre encore, avec des maisons en bois, de la vigne qui monte aux murs, du linge qui sèche sur la haie et des vaches à l'abreuvoir.

A d'autres temps, pour plus tard, les grands voyages à travers le monde, au dos des chameaux sur des selles turques, ou sous le tendelet des éléphants; à d'autres temps, si jamais ça arrive, le grelot des mules andalouses, les pérégrinations rêveuses dans la Maremme, et les mélancolies de l'histoire, surgissant, avec les vapeurs du crépuscule, du fond de ces horizons où se sont passées les choses que l'on rêve dans les vieux livres.

Aujourd'hui, sans trop quitter le coin de sa cheminée où on laisse pour les y retrouver, presque tièdes encore, sa pipe et ses songeries, et sans aucun de ces poignants arrachements du départ, on s'en va, sac au dos, souliers ferrés aux pieds, gourdin en main, fumée aux lèvres et fantaisie en tête, courir les champs pour coucher dans les auberges dans de grands lits à baldaquin, pour écouter les oiseaux sous les arbres quand il a plu et pour voir, le dimanche, les paysannes sous le porche de l'église sortir de la messe avec leurs grands bonnets blancs et leurs gros jupons rouges, et quoi encore? pour se hâler la peau à coup sûr et pour attraper des poux peut-être?

Voilà donc ce qui a fait que deux êtres doués de raison (définition de l'homme dans les livres) ont, pendant sept mois, médité la forme, le dessin, la couleur, le relief et l'arrangement harmonique entre eux des objets suivants, à savoir :

Un chapeau de feutre gris;

Un bâton de maquignon, venu exprès de Lisieux;

Une paire de souliers forts (cuir blanc, clous en dents de crocodiles);

Dito vernis (costume de ville pour les visites diplomatiques, s'il s'en trouve à faire, ou les courses à Paphos si par hasard les oies de cette divinité nous enlèvent dans le char de la Déesse);

Une paire de guêtres en cuir, appropriée aux souliers forts;

Dito en drap pour protéger de la poussière nos chaussettes, les jours de souliers vernis;

Une veste de toile (chic garçon d'écurie);

Un pantalon de toile, démesurément large pour être mis dans les guêtres;

Un gilet de toile, dont la coupe élégante rachète la vulgarité de l'étoffe.

Ajoutez à cela la répétition du même costume en drap.

De plus, un couteau modèle, deux gourdes, une pipe en bois, trois chemises de foulard, ce qu'il faut à un Européen pour ses ablutions quotidiennes, et vous aurez le cadre dans lequel nous nous sommes présentés en Bretagne, dans lequel nous avons vécu durant quelques semaines, à la pluie et au soleil. Jamais habit de bal ne fut médité avec plus de tendresse et, ce qu'il y a de certain, porté avec aussi peu de gêne.

Le canon tonnait pour fêter le roi, les gardes nationaux s'apprêtaient à se hausser le menton dans leur habit et les allumeurs de la liste civile préparaient leur suif pour la solennité du soir, quand, après avoir dit adieu à nos deux amis Fritz et Luigi [1], nous sommes montés dans notre wagon; on a fermé la portière, la bête de fer a renâclé comme un cheval qui piaffe, et nous sommes partis.

Autrefois, quand vous vous transportiez d'un lieu à un autre, soit en voiture ou en bateau, vous aviez le temps de voir quelque chose et d'avoir des aventures; un voyage de Paris à Rouen pouvait fournir un livre. J'ai connu des gens qui avaient mis dans leur jeunesse trois jours à l'accomplir : on s'en allait coucher, le premier, à Pont-de-l'Arche; le deuxième, à Meulan et on s'estimait heureux si, le troisième, on était arrivé à Paris à temps pour souper. Je lis dans un vieil itinéraire de la France publié vers la fin du règne d'Henri IV : « Pour aller de Rouen à Dieppe, il y a un messager qui part trois fois par semaine; on est un jour; la dînée se fait à Tôtes où l'on reste trois heures. » Les hommes, qui

maintenant jouent au gendarme, et les femmes, qui font des dines-dines dans le jardin, ne sauront que par tradition ce que c'était seulement que la diligence, avec son conducteur en veste bordée d'astrakan et les postillons en blouse poussant leur cri sonore du haut de leur siège; ils penseront à la rotonde et à l'impériale, aux relais de la poste où les chevaux crottés et fumants s'attachent, en arrivant, aux anneaux de la muraille, comme nous rêvons, nous autres, aux anciennes nuitées dans les auberges, avec les méprises de lits, les chandelles soufflées dans les corridors, le vacarme des servantes, l'hôte qui jure, l'hôtesse qui crie. Où sont maintenant les histoires de carrosses embourbés et des grandes dames à falbalas qui versaient dans les fondrières, en se rendant dans leurs châteaux? Est-ce que ce seul mot, le coche d'Auxerre, ne nous fait pas penser à M. de Pourceaugnac débarquant à Paris avec ses hauts-de-chausses trop courts, son habit du règne passé et son accent limousin? Aurions-nous les charmantes pages de Chapelle et de Bachaumont si, au lieu de s'en aller de province en province, portés dans les lourdes voitures de leurs amis MM. les gouverneurs et les fermiers, ils eussent été entraînés sur un chemin de fer ou dans un bateau à vapeur?

Tout ce que nous avons donc remarqué de Paris à Blois, c'est que la route, quelque peu qu'elle ait duré, dura trop encore, agacés que nous sommes toujours de ce mode aride de locomotion et fort ennuyés, d'ailleurs, par la société de deux marchands de grains, grands parleurs, grands rieurs, gens enrichis probablement et fort satisfaits d'eux-mêmes. L'un décoré, jovial, gros, gras, lèvres épaisses, fort d'encolure et de voix rude, représentait l'accapareur hardi, le spéculateur en gros, qui est maire de sa commune, qui sera député de sa ville et plus tard ministre tout comme un autre, tandis que son voisin, petit homme maigre à face ridée, à bouche rentrée, à nez saillant, et faisant avec un indicible sourire de satisfaction et de malice sauter dans le creux de sa main des échantillons de blé, avait plutôt l'air du marchand rapace et souterrain, du travailleur entêté, qui suce le sac dont il a vidé les écus, de l'homme féroce aimant l'argent pour l'argent et épris du trafic pour le trafic même; race de gens fort commune aujourd'hui, qui ambitionne d'avoir des vignes pour n'en pas boire le vin! Il y avait encore à côté de nous un pauvre Anglais malade et boiteux qui m'avait l'air rongé par un autre métal que par l'argent; sa petite fille, à figure laide, mais d'expression déjà mûre comme l'est en général celle des enfants qui n'ont pas de mère, lisait des vaudevilles du Palais-Royal et du Gymnase pour s'initier à la langue, aux mœurs et au bon goût français.

A Orléans nous eûmes la vue de M. Berryer qui, assis à la buvette, emplissait sa large poitrine, et nous vîmes deux aimables jeunes gens qui devaient appartenir à une administration quelconque : il y avait de l'un à l'autre la différence du bête au sot, et du nul au vide.

Le souvenir de la jeunesse du poète qui s'est écoulée à Blois nous a pris dès en y entrant; allant par ses rues tortueuses pleines de silence nous pensions que lui aussi s'y promenait il y a quelque vingt ans, regardant comme

1. Fritz et Luigi : Frédéric Baudry et Louis Bouilhet.

nous une de ces maisons-là pour y placer sa Marion de Lorme, et nous demandions à l'air, aux arbres, aux murs, à ce je ne sais quoi de persistant et d'individuel qui réside en un lieu, en constitue la couleur, et en est l'âme, le secret des premières floraisons du grand homme, alors que sa poésie, dans les pièces sans titre de ses premiers recueils, débordait en strophes chevelues pendantes comme des lianes, épanouissait ses métaphores comme des soleils, tressaillait en rythmes multiples et en harmonies incessantes. Que d'idées devenues des œuvres, que de rêves devenus des marbres ont éclos au coin de ce mur, au bord de ce fleuve, sous cet arbre, le matin à la rosée, dans les gouttes de l'herbe, ou par les soirs d'été, par ces beaux soirs ardents et tristes comme le premier amour, quand le ciel est rayé de longues lignes droites et que les essaims de moucherons tournent dans l'air comme des roues d'or!

Est-ce pour cela que Blois nous a charmés? Près le débarcadère, d'ailleurs, n'y a-t-il pas une large avenue d'ormeaux à feuillage épaté et touffu, avec des branches robustes partant exprès d'en bas comme pour y suspendre la musette? Vrais ormeaux XVIIIe siècle, poussés larges pour qu'on danse dessous, au son du violon du ménétrier qui, monté sur une barrique, bat la mesure de son pied sonore pendant que les cottes volent au vent, que les boucles poudrées se dénouent, et que les garçons prennent la taille aux fillettes qui en rient d'effroi et s'en pâment de plaisir.

Les rues à Blois sont vides, l'herbe croît entre les pavés; des deux côtés s'étendent de longs murs gris enfermant de grands jardins, percés de quelques petites portes discrètes qui ne semblent s'ouvrir que la nuit au visiteur mystérieux. On sent que tous les jours doivent s'y passer pareils, qu'ils doivent y être, à cette calme monotonie, douce pourtant comme la sonnerie du cadran des églises, pleins de mélancolie savoureuse et de langueurs émouvantes. On se plaît à rêver, dans ces paisibles demeures, quelque profonde et grande histoire intime, une passion maladive qui dure jusqu'à la mort, amour continu de vieille fille dévote ou de femme vertueuse; on y sent malgré soi comme à sa place voulue quelque beauté pâle aux ongles longs et aux mains fines, dame aristocratique aux froides manières, mariée à un bourru, à un avare, à un jaloux, et qui se meurt de la poitrine.

Ces réflexions, qui nous sont revenues plus tard, à Amboise, à Chinon et dans les autres villes de la Touraine, nous ont fait nous demander si M. de Balzac, qui est de ce pays, y a puisé ses héroïnes, si c'est là, enfin, qu'il a découvert *La femme de trente ans*, cette création immortelle! inconnue à l'antiquité comme le christianisme dont elle relève et que je prise plus que la plupart de celles de l'industrie moderne (j'en excepte cependant les allumettes chimiques et la fricassée de poulet froid de Tortoni).

Exhumer dans ce qu'on rejetait comme hors d'usage des trésors nouveaux de plastique et de sentiment, découvrir dans l'univers de l'amour un continent nouveau et appeler à son exploitation des milliers d'êtres qui s'en trouvaient rejetés, cela n'est-il pas spirituel et sublime? Prolonger l'exercice d'un sexe, n'est-ce pas presque en inventer un autre? Aussi quel enthousiasme nous vîmes! Ça a été comme la découverte de l'Amérique: au lieu de routiers congédiés et de juifs en faillite y courant pour faire fortune, une foule de sentiments aux abois et de décadences encore robustes s'est ruée avec ardeur sur cette grande trouvaille de *La femme de trente ans;* il y a eu engouement au début, puis réaction en sens inverse, mais on y reviendra plus tard comme à tout ce qui est vrai, comme à tout ce qui est bon, comme au système de Galilée et comme aux gilets longs; on verra ce qu'on n'a qu'entrevu, on sondera ce qu'on n'a qu'effleuré, la mine est neuve encore, la veine profonde; préparées par cette grande question, il en est d'autres, consécutives de celle-là, qui ne demandent plus qu'un grand moraliste, un grand artiste pour être mises au jour, telles que celle du *teton lyrique*, dont toute l'importance et la justesse m'ont été si bien révélées par mon illustre ami Pradier.

Quant à notre problème de tout à l'heure, il en est un peu de l'influence des lieux sur les livres et de celle des livres sur les lieux comme du problème de l'œuf et de la poule: est-ce la poule qui a fait l'œuf, ou l'œuf qui a fait la poule? Sont-ce les livres de Balzac qui m'ont fait songer dans les rues de Blois à ce qui s'y passe ou bien est-ce ce qui s'y passe qui a causé des livres? Qui de Dieu ou de l'homme a arrangé les choses comme nous les voyons?

Allant à l'aventure dans une de ces rues désertes au fond de laquelle, par un hasard ironique se dressait, peint en rouge, l'écriteau d'une marchande de modes, nous tombâmes en une étroite allée, menant à une espèce de cul-de-sac qui contient l'abside de l'église Saint-Nicolas. C'est un coin lugubre et de haut goût, comme empli de bitume; tout est noir, la pierre du sol, la couleur de l'air lui-même; ça a un aspect austère et dur de robe de prêtre, c'est beau de nudité, de crudité et de brutalité. Sur la place, devant le portail, en plein soleil, des maçons taillaient des pierres, de grandes ravenelles accrochées aux angles des chapiteaux romans tranchaient par la joyeuseté de leurs tons jaunes avec la couleur sombre du vieil édifice; mobiles et folâtres dans l'air, elles étaient là rien que pour montrer comme elles étaient jolies.

Château de Blois. – Du côté du Nord, le château de Blois, dressé sur des murs formidables, présente une galerie à double arcade d'un charmant effet; là était la chambre d'Henri III. A côté se trouve son oratoire, coïncidence qui n'a rien de rare en soi-même, mais qui frappe ici, dans cette âme où la volupté s'aiguisait de religion, où la cruauté se ravivait à la peur. Quand nous eûmes passé sous une voûte tournante et traversé la place, nous entrâmes dans la cour intérieure du château. Il y avait grande joie: la garnison avait reçu une bouteille de vin par homme, et les soldats portaient des brocs pleins d'un liquide bleu et s'apprêtaient à le boire à la santé du monarque dont la fête leur occasionnait ce régal. La cour du château est un carré régulier. Le côté de l'entrée, du temps de Louis XII, n'a qu'un seul étage avec une galerie soutenue par des colonnes courtes, couvertes de losanges, et est orné partout de la corde-lière de la reine Anne et des hermines de Bretagne; le côté gauche (sud), un peu antérieur, n'a pas été ter-miné, il est plus sobre d'ornementation, plus rude, plus reculé dans son moyen âge. En face, un corps de logis des plus bêtes, construction de Louis XIV, jure d'une manière détestable, avec son classique de collège et son goût sobre qui est le goût pauvre; mais auprès d'elle éclate et reluit en grand costume la belle architecture du XVIe siècle, celle de la bonne époque, avant l'envahisse-ment du pilastre attique, avant que la Renaissance n'allât s'aplatir dans le grec abâtardi de Marie de Médi-cis. Sur ce corps de logis sont accrochés les deux plus délicieux escaliers du monde, bâtis à jour, ciselés d'un ciseau vivace et tout découpés, comme les hautes colle-rettes des grandes dames qui, il y a trois cents ans, en montaient les marches. Nous avons vu, au rez-de-chaus-sée, la salle où se tinrent les Etats de 1588. Un gentil-homme gascon y assista, envoyé par la noblesse de Bordeaux; il dut, j'imagine, prendre peu de part aux dis-cussions qui retentissaient sous ces voûtes de bois. Assis à l'écart, dans son élégant costume noir, et jouant avec une badine qu'il portait toujours, sans doute qu'il remâchait en lui-même quelque passage de Salluste ou quelque vers de Lucain que les circonstances présentes lui remettaient en mémoire. Sans passions au milieu de toutes ces pas-sions hurlantes, sans croyances à côté de tant de convic-tions violentes, il était là comme le symbole de ce qui reste à côté de ce qui passe : il s'appelait Michel de Mon-taigne.

J'ai vu en dehors du château, sur une plate-forme d'où l'on découvre toute la ville et la Loire bordée de peu-pliers et la campagne à l'entour, remontant au ciel par de lentes perspectives insensibles, une tourelle qui sert à mettre les poudres de la garnison : c'était là qu'habitait Ruggieri, l'astrologue d'Henri III. On avait tendu du linge sur l'esplanade, les cordes où séchaient les chemises du concierge la zigzaguaient dans tous les sens; la senti-nelle qui veillait à la porte de la poudrière avait posé son fusil dessus, elle l'y balançait en équilibre et jouait à faire claquer le ressort de batterie en attendant qu'on la vînt relever de sa faction.

D'illustres hôtes ont dormi sous ces murs : Valentine de Milan, Isabeau de Bavière, Anne de Bretagne, Charles VIII, Louis XII, François Ier, Claude de France, Henri III, Catherine et Marie de Médicis, et les Guise qui y ont laissé leur sang; il a coulé là à cette place. Vainement l'œil le cherche encore sur le plancher, avec les prunes de Damas que le Balafré avait jetées à côté dans la salle des gardes en disant « qui en veut »; on a bouché l'escalier par où il descendit dans la chambre du roi, on ne voit plus rien, et cependant on regarde.

Après avoir servi aux noces du duc d'Alençon avec Marguerite d'Anjou, à celles d'Henri IV avec Marguerite de Valois, et aux sanglantes tragédies des Guise, le château de Blois resta tout ouvert pour recevoir d'autres fortunes : Marie de Médicis y fut enfermée et s'enfuit par cette fenêtre qu'on montre encore; en 1716, Marie-Casimir, reine de Pologne, l'habita; en 1814, Marie-Louise s'y réfugia après la prise de Paris, et aujourd'hui

les tourlourous y fument leur pipe et chantent la gau-driole; le sang a été lavé, le bruit des sarabandes et des menuets s'est évanoui avec le rire des pages et les frôle-ments des robes à queue. Que reste-t-il de ce que l'his-toire en sait? et de tout ce qu'elle ne sait pas? Ce qui est plus tentant à connaître et ce qu'on s'en va demandant aux vieux lambris, aux vieux portraits muets qui vous regardent, aux tombeaux vides qui bâillent, secret qu'ils gardent pour eux seuls et qu'ils se murmurent dans leur solitude. L'histoire est, comme la mer, belle par ce qu'elle efface : le flot qui vient enlève sur le sable la trace du flot qui est venu, on se dit seulement qu'il y en a eu, qu'il y en aura encore; c'est là toute sa poésie et sa moralité peut-être?

Le lendemain nous visitâmes une ruine plus ruinée : je parle de Chambord. Après nous être perdus dans la sotte campagne qui l'environne, nous y arrivâmes enfin par un long chemin dans le sable, au milieu d'un bois maigre, propriété de rentier gêné qui fait des coupes anticipées; le château n'a ni jardin ni parc, pas la moindre arbuste, pas une fleur autour de lui; il montre sa façade devant une grande place d'herbe grêle, au bas de laquelle coule une petite rivière. Quand nous sommes entrés un seul chien s'est mis à aboyer; la pluie tombait, l'eau coulait sur les toits et passait par les fenêtres brisées. On nous a introduits dans le logement du garde, où, en attendant que sa bonne, qui tient lieu de concierge, fût revenue de la messe, nous avons parcouru le livre des visiteurs.

Il est rempli de doléances légitimistes, jérémiades sur le maître et la maison, vœux pour le retour de l'auguste exilé, etc. Un certain abbé Sam..., aumônier du presbytère de X..., a écrit ce vers magnifique :

    On peut être boiteux sans cesser d'être droit.

Un anonyme plus hardi a fait cette variante :

    On peut être exilé sans cesser d'être roi.

Quelqu'un, indigné sans doute, a écrit au beau milieu du livre : « ô mania ». Mais ce qui nous a le plus arrêtés, ce sont deux seuls mots : « Louise et Alfred » qui se trouvent perdus sous les marquis, les comtes, les cheva-liers de saint Louis, les fils des victimes de Quiberon, les pèlerins de Belgrave-Square et toute cette racaille de noblesse postiche qui vit, comme le romantisme de M. de Marchangy, sur la sempiternelle poésie des tou-relles, des damoiselles, du palefroi, des fleurs de lis de l'oriflamme de saint Louis, du panache blanc, du droit divin et d'un tas d'autres sottises aussi innocentes. Parmi tant de prétentions pleurardes, grimacières, arrogantes, ces simples noms d'inconnus nous ont paru avoir quelque chose de simple et de bon et de meilleur goût que tout le reste.

Château de Chambord. – Nous nous sommes promenés le long des galeries vides et par les chambres abandon-nées où l'araignée étend sa toile sur les salamandres de François Ier. Un sentiment navrant vous prend à cette misère qui n'a rien de beau. Ce n'est pas la ruine de partout, avec le luxe de ses débris noirs et verdâtres, la broderie de ses fleurs coquettes et ses draperies de verdures ondulantes au vent, comme des lambeaux de damas. C'est une misère honteuse qui brosse son habit râpé et fait la décente. On répare le parquet dans cette pièce, on le laisse pourrir dans cette autre. Il y a là un effort inutile à conserver ce qui meurt et à rappeler ce qui a fui. Chose étrange! cela est triste et cela n'est pas grand.

Et puis, on dirait que tout a voulu contribuer à lui jeter l'outrage, à ce pauvre Chambord, que le Primatice avait dessiné, que Germain Pilon et Jean Cousin avaient ciselé et sculpté. Elevé par François Ier, à son retour d'Espagne, après l'humiliant traité de Madrid (1526), monument de l'orgueil qui veut s'étourdir, pour se payer de ses défaites; c'est d'abord Gaston d'Orléans, un prétendant vaincu, qu'on y exile; puis c'est Louis XIV qui d'un seul étage en fait trois, gâtant ainsi l'admirable escalier double qui allait d'un seul jet, lancé comme une spirale, du sol au faîte. Un jour, c'est Molière qui y joue pour la première fois le *Bourgeois gentilhomme*, au deuxième étage, côté qui donne sur la façade, sous ce beau plafond couvert de salamandres et d'ornements peints dont les couleurs s'en vont en écailles. Puis on l'a donné au maréchal de Saxe; on l'a donné aux Polignac, on l'a donné à un simple soldat, à Berthier; on l'a racheté par souscription et on l'a donné au duc de Bordeaux. On l'a donné à tout le monde, comme si personne n'en voulait ou ne pouvait le garder. Il semble n'avoir jamais servi et avoir été toujours trop grand. C'est comme une hôtellerie abandonnée où les voyageurs n'ont pas même laissé leurs noms aux murs.

En allant par une galerie extérieure vers l'escalier d'Orléans, pour examiner les cariatides qui sont censées représenter François Ier, Mme de Chateaubriant et Mme d'Etampes, et tournant autour de la fameuse lanterne qui termine le grand escalier, nous avons, à plusieurs reprises, passé la tête à travers la balustrade, pour regarder en bas : dans la cour, un petit ânon, qui tétait sa mère, se frottait contre elle, secouait ses oreilles, allongeait son nez, sautait sur ses sabots. Voilà ce qu'il y avait dans la cour d'honneur du château de Chambord; voilà ses hôtes maintenant : un chien qui joue dans l'herbe et un âne qui tette, ronfle, brait, fiente et gambade sur le seuil des rois!

Le temps s'était radouci; la pluie s'en était allée et le doux soleil du soir brillait quand nous arrivâmes à Amboise. Ici encore ce sont de ces bonnes rues de province comme à Blois : on y cause sur les portes, on y travaille dehors; les femmes, presque toutes brunes, de figure douce et remarquablement jolies, ont d'excellents airs féminins, pleins d'une bénignité voluptueuse. Vous êtes en effet dans ce gras et doux pays de Touraine, pays du bon petit vin blanc et des beaux vieux châteaux et qu'arrose la Loire, le plus français des fleuves français. Les poses et les allures retiennent quelque chose du calme du Nord; tandis que la vivacité du Midi anime, dans l'expression, le sourire; et cependant, malgré le caractère bâtard qui résulte ordinairement de la fusion des nuances opposées, la Touraine me paraît avoir une originalité distincte, pas bien forte il est vrai, mais fine, intime, qui n'est ni prose ni poésie et qui s'exprimerait, je crois, d'un seul mot, si je ne craignais qu'on ne le prît

dans une acception trop élevée : ce serait celui de *prose chantée*.

Comme nous traversions le pont d'Amboise – il y en a deux, la ville étant bâtie sur les deux rives de son fleuve et au milieu ayant une île; – il y a deux ponts, disons-nous, mais c'est le second qui est beau, un de ces vénérables ponts, un de ces vieux ponts bossus, étroits, gris, racornis au soleil et à l'eau, où il semble, on ne sait pourquoi, qu'une traînée de cavaliers passant dessus avec des bruits d'armures et de pieds de chevaux allant au pas ferait un bon effet et où on regrette de ne pas entendre chanter, assis sur la borne, un mendiant aveugle tournant sa vielle, ou une gitana nu-pieds dans la poussière, secouant son tambourin dont le son court et brusque est emporté par le bruit large de l'eau qui passe sous les arches. Donc, pendant que nous étions sur le pont, nous vîmes apparaître, débusquant de la promenade au pied du château, la garde nationale du lieu qui s'en revenait de la revue. Sur trente hommes environ qu'ils étaient, cinq ou six portaient l'uniforme, les officiers seulement, le reste n'était que bisets, mais des bisets rares, vraiment en grande tenue avec des habits à queue de morue, des gilets jaunes et des gants noirs. Le dandysme du lieu consiste, je crois, dans cette affectation à mépriser le costume civique. Je dois avouer, à l'honneur d'Amboise, que je n'ai pas vu dans les rangs ou dans le rang (et je m'y attendais) aucun enfant habillé en artilleur tenant son papa par la main. Est-ce que cette monstruosité serait inconnue à cette bienheureuse ville? ou bien la mode en est-elle passée? ou bien les fortunes des particuliers ne sont-elles pas assez considérables pour atteindre à cette folle dépense? N'importe, c'est honorable pour Amboise, car l'enfant habillé en artilleur et récitant des fables est le dernier degré de l'ignominie humaine.

Château d'Amboise. – Le château d'Amboise dominant toute la ville qui semble jetée à ses pieds comme un tas de petits cailloux au bas d'un rocher, a une noble et imposante figure de château-fort, avec ses grandes et grosses tours percées de longues fenêtres étroites, à plein cintre; sa galerie en arcade qui va de l'une à l'autre, et la couleur fauve de ses murs rendue plus sombre par les fleurs qui pendent d'en haut, comme un panache joyeux sur le front bronzé d'un vieux soudard. Nous avons passé un grand quart d'heure à admirer la tour de gauche qui est superbe, qui est bistrée, jaune par places, noire de suie dans d'autres, qui a des ravenelles adorables appendues à ses créneaux et qui est, enfin, un de ces monuments parlants qui semblent vivre et qui vous tiennent tout béants et rêveurs sous leurs regards, ainsi que ces portraits dont on n'a pas connu les originaux et qu'on se met à aimer sans savoir pourquoi.

On monte au château par une pente douce qui mène dans un jardin élevé en terrasse, d'où la vue s'étend en plein sur toute la campagne d'alentour. Elle était d'un vert tendre; les lignes de peupliers s'étendaient sur les rives du fleuve; les prairies s'avançaient au bord, estompant au loin leurs limites grises dans un horizon bleuâtre et vaporeux qu'enfermait vaguement le contour des collines. La Loire coulait au milieu, baignant ses îles, mouillant la bordure des prés, faisant tourner les moulins et laissant glisser sur sa sinuosité argentée les grands bateaux attachés ensemble qui cheminaient, paisibles, côte à côte, à demi endormis au craquement lent du large gouvernail qui les remue, et au fond il y avait deux grandes voiles éclatantes de blancheur au soleil.

Des oiseaux partaient du sommet des tours, du rebord des mâchicoulis, allaient se nicher ailleurs, volaient, poussaient leurs petits cris dans l'air, et passaient. A cent pieds sous nous, on voyait les toits pointus de la ville, les cours désertes des vieux hôtels et le trou noir des cheminées fumeuses. Accoudés dans l'anfractuosité d'un créneau, nous regardions, nous écoutions, nous aspirions tout cela, jouissant du soleil qui était beau, de l'air qui était doux et tout imbibé de la bonne odeur des ruines. Et là, sans méditer sur rien du tout, sans phraser même intérieurement sur quoi que ce soit, je songeais aux cottes de mailles souples comme les gants, aux baudriers de buffle trempés de sueur, aux visières fermées sous lesquelles brillaient des regards rouges; aux assauts de nuit, hurlants, désespérés, avec des torches qui incendiaient les murs, des haches d'armes qui coupaient les corps; et à Louis XI, à la guerre des amoureux, à d'Aubigné, et aux ravenelles, aux oiseaux, aux beaux lierres lustrés, aux ronces toutes chauves, savourant ainsi dans ma dégustation rêveuse et nonchalante : des hommes, ce qu'ils ont de plus grand, leur souvenir; de la nature, ce qu'elle a de plus beau, ses envahissements ironiques et son éternel sourire.

Dans le jardin au milieu des lilas et des touffes d'arbustes qui retombent dans les allées, s'élève la chapelle, ouvrage du XVIe siècle, ciselée sur tous les angles, vrai bijou d'orfèvrerie lapidaire, plus travaillée encore au dedans qu'au dehors, découpée comme un manche d'ombrelle chinoise. Il y a sur la porte un bas-relief très réjouissant et très gentil : c'est la rencontre de Saint Hubert avec le cerf mystique qui porte un crucifix entre les cornes. Le saint est à genoux; plane au-dessus un ange qui va lui mettre une couronne sur son bonnet; à côté on voit son cheval qui regarde de sa bonne figure d'animal étonné; ses chiens jappent, et, sur la montagne dont les tranches et les facettes figurent des cristaux, le serpent rampe. On voit sa tête plate s'avancer au pied d'arbres sans feuilles qui ressemblent à des choux-fleurs. C'est l'arbre qu'on rencontre dans les vieilles bibles, sec de feuillages, gros de branches et de tronc, qui a du bois et du fruit, mais pas de verdure, l'arbre symbolique, l'arbre théologique et dévot, presque fantastique dans sa laideur impossible. Tout près de là, saint Christophe porte Jésus sur ses épaules; saint Antoine est dans sa cellule, bâtie sur un rocher; le cochon rentre dans son trou et on ne voit que son derrière et sa queue terminée en trompette, tandis que près de lui un lapin sort les oreilles de son terrier.

Tout cela est un peu lourd sans doute, et d'une plastique qui n'est pas rigoureuse. Mais il y a tant de vie et de mouvement dans ce bonhomme et ces animaux, tant de gentillesse dans les détails, qu'on donnerait beaucoup pour emporter ça et pour l'avoir chez soi.

A l'intérieur du château, l'insipide ameublement de l'empire se reproduit dans chaque pièce. Presque toutes sont ornées des bustes de Louis-Philippe et de Mme Adélaïde. La famille régnante actuelle a la rage de se reproduire en portraits. C'est un mauvais goût de parvenu, une manie d'épicier enrichi dans les affaires et qui aime à se considérer lui-même avec du rouge, du blanc et du jaune, avec ses breloques au ventre, ses favoris au menton et ses enfants à ses côtés.

Sur une des tours on a construit, en dépit du bon sens le plus vulgaire, une rotonde vitrée, qui sert de salle à manger. Il est vrai que la vue qu'on y découvre est superbe. Mais le bâtiment est d'un si choquant effet, vu du dehors, qu'on aimerait mieux, je crois, ne rien voir de la vie ou aller manger à la cuisine.

Pour regagner la ville, nous sommes descendus par une tour qui servait aux voitures à monter presque dans la place. La pente douce et garnie de sable tourne autour d'un axe de pierres comme les marches d'un escalier. La voûte est sombre, éclairée seulement par le jour vif des meurtrières. Les consoles où s'appuie l'extrémité intérieure de l'arc de voûte représentent des sujets grotesques ou obscènes. Une intention dogmatique semble avoir présidé à leur composition. Il faudrait prendre l'œuvre à partir d'en bas, qui commence par l'*Aristoteles equitatus* (sujet traité déjà sur une des statues du chœur de la cathédrale de Rouen), et l'on arrive, par des dégradations, à un monsieur qui s'amuse avec une dame dans la posture perfide recommandée par Lucrèce et par l'*Amour conjugal*. La plupart des sujets intermédiaires ont du reste été enlevés, au grand désespoir des chercheurs de fantaisies drôlatiques, tels que nous autres, et enlevés de sang-froid, exprès, par décence, et comme nous le disait, d'un ton convaincu, le domestique de Sa Majesté, « parce qu'il y en avait beaucoup qui étaient inconvenants pour les dames ».

Personne ne peut m'accuser de m'avoir entendu gémir sur n'importe quelle dévastation que ce soit, n'importe quelle ruine ni débris; je n'ai jamais soupiré à propos du ravage des révolutions ni des désastres du temps; je ne serais même pas fâché que Paris fût retourné sens dessus dessous par un tremblement de terre ou se réveillât un beau matin avec un volcan au beau milieu de ses maisons, comme un gigantesque brûle-gueule qui fumerait dans sa barbe : il en résulterait peut-être des aquarelles assez coquettes et des ratatouilles grandioses dans le goût de Martins. Mais je porte une haine aiguë et perpétuelle à quiconque taille un arbre pour l'embellir, châtre un cheval pour l'affaiblir; à tous ceux qui coupent les oreilles ou la queue des chiens, à tous ceux qui font des paons avec des ifs, des sphères et des pyramides avec du buis; à tous ceux qui restaurent, badigeonnent, corrigent, aux éditeurs d'expurgata, aux chastes voileurs de nudités profanes, aux arrangeurs d'abrégés et de raccourcis; à tous ceux qui rasent quoi que ce soit pour lui mettre une perruque, et qui, féroces dans leur pédantisme, impitoyables dans leur ineptie, s'en vont amputant la nature, ce bel art du bon Dieu, et crachant sur l'art, cette autre nature que l'homme porte en lui comme Jéhovah porte l'autre et qui est la cadette ou peut-être l'aînée. Qui sait? C'est du moins l'idée d'Hegel que l'école empirique a toujours trouvée fort ridicule – et moi?

Moi, j'ai des remords d'avoir eu la lâcheté de n'avoir pas étranglé de mes dix doigts l'homme qui a publié une édition de Molière « que les familles honnêtes peuvent mettre sans danger dans les mains de leurs enfants »; je regrette de n'avoir pas à ma disposition, pour le misérable qui a sali Gil Blas des mêmes immondices de sa vertu, des supplices stercoraires et des agonies outrageantes; et quant au brave idiot d'ecclésiastique belge qui a purifié Rabelais, que ne puis-je dans mon désir de vengeance réveiller le colosse pour lui voir seulement souffler dessus son haleine et pour lui entendre pousser sa hurlée titanique!

Le beau mal, vraiment, quand on aurait laissé intactes ces pauvres consoles où l'on devait voir de si jolies choses; ça faisait donc venir bien des rougeurs aux fronts des voyageurs, ça épouvantait donc bien fort les vieilles Anglaises en boa, avec des engelures aux doigts et leurs pieds en battoirs, ou ça scandalisait dans sa morale quelque notaire honoraire, quelque monsieur décoré qui a des lunettes bleues et qui est cocu! On aurait pu au moins comparer ça aux coutumes anciennes, aux idées de la Renaissance et aux *manières* modernes, qu'on aurait été retremper aux bonnes traditions, lesquelles ont furieusement baissé, depuis le temps qu'on s'en sert. N'est-ce pas, monsieur? Qu'en dit madame?

Mais il y a des heures où l'on est en plus belle humeur que d'autres. L'excellent dîner que nous fîmes à Amboise et dont nous avions besoin (ayant de tout ce jour plus nourri la Muse que la Bête) nous remit un peu de calme dans les veines et le soir, trottant lestement sur la route de Chenonceaux, nous fumions nos pipes et humions l'odeur de la forêt dans un état très satisfaisant.

Avant de nous mettre au lit, nous avions été nous livrer au même passe-temps sous les arbres qui entourent le château. La pluie tombait sur les feuilles vertes; à l'abri sous elles, le dos appuyé sur le tronc des gros charmes, et cirant le cuir de nos chaussures sur la mousse humide, nous nous amusions du bruit des gouttes d'eau qui tombaient sur nos chapeaux.

Château de Chenonceaux. – Je ne sais quoi d'une suavité singulière et d'une aristocratique sérénité transpire du château de Chenonceaux. Il est à quelque distance du village qui se tient à l'écart respectueusement. On le voit, au fond d'une grande allée d'arbres, entouré de bois, encadré dans un vaste parc à belles pelouses. Bâti sur l'eau, en l'air, il lève ses tourelles, ses cheminées carrées. Le Cher passe dessous, et murmure au bas de ses arches dont les arêtes pointues brisent le courant. C'est paisible et doux, élégant et robuste. Son calme n'a rien d'ennuyeux et sa mélancolie n'a pas d'amertume.

On entre par le bout d'une longue salle voûtée en ogives qui servait autrefois de salle d'armes. On y a mis quelques armures qui, malgré la difficulté de semblables ajustements, ne choquent point et semblent à leur place. Tout l'intérieur est entendu avec goût. Les tentures et les ameublements de l'époque sont conservés et soignés avec intelligence. Les grandes et vénérables cheminées du XVIe siècle ne recèlent pas, sous leur manteau, les ignobles et économiques cheminées à la prussienne qui savent se nicher sous de moins grandes.

Dans les cuisines que nous visitâmes également, et qui sont contenues dans une arche du château, une servante épluchait des légumes, un marmiton lavait des assiettes, et, debout sur ses fourneaux, le cuisinier faisait bouillir pour le déjeuner un nombre raisonnable de casseroles luisantes. Tout cela est bien, a un bon air, sent son honnête vie de château, sa paresseuse et intelligente existence d'homme bien né. J'aime les propriétaires de Chenonceaux.

N'y a-t-il pas, d'ailleurs, partout de bons vieux portraits à vous faire passer devant un temps infini, en vous figurant le temps où leurs maîtres vivaient, et les ballets où tournoyaient les vertugadins de toutes ces belles dames roses, et les bons coups d'épée que ces gentilshommes s'allongeaient avec leurs rapières. Voilà des tentations de l'histoire. On voudrait savoir si ces gens-là ont aimé comme nous et les différences qu'il y avait entre leurs passions et les nôtres. On voudrait que leurs lèvres s'ouvrissent, pour nous dire les récits de leur cœur, tout ce qu'ils ont fait autrefois, même de futile, quelles furent leurs angoisses et leurs voluptés. C'est une curiosité irritante et séductrice, une envie rêveuse de savoir, comme on en a pour le passé inconnu d'une maîtresse... Mais ils restent sourds aux questions de nos yeux, ils restent là, muets, immobiles dans leurs cadres de bois, nous passons. Les mites picotent leur toile, on les revernit, ils sourient encore, que nous sommes pourris et oubliés. Et puis d'autres viennent aussi les regarder jusqu'au jour où ils tomberont en poussière, où l'on rêvera de même devant nos propres images.

Et l'on se demandera ce qu'on faisait dans ce temps-là, de quelle couleur était la vie, et si elle n'était pas plus chaude.

Il y a, par exemple, deux grands portraits à cheval de MM. de Beauvilliers, l'un amiral, l'autre colonel de cavalerie; ils sont bottés jusqu'aux cuisses, en grand habit vert, blanchi aux épaules par les tire-bouchons poudrés de leurs perruques, gantés à la crispin, coiffés du petit lampion, et droits, fichés sur leur grosse mecklembourgeoise qui, rassemblée sur ses jarrets de derrière, se cabre convenablement pour faire le fougueux. Il vous revient là devant comme un souvenir des carrousels de Louis XIV et des grandes chasses à courre, avec des lévriers jaunes à taches blanches, une nuée de piqueurs en livrée, des meutes aboyantes, et les grandes trompes passées autour du corps, sonnant dans les clairières des hallalis prolongés.

Sur un dessus de porte une toile de chevalet vous montre de face la belle Gabrielle d'Estrées, nue jusqu'à la ceinture; un gros collier de perles du même ton blond que sa peau pend sur sa poitrine, sa coiffure blonde, montée et crêpelée, donne à son visage un air étonné plein d'une agacerie naïve; à côté d'elle sa sœur, vue de dos, nue jusqu'aux reins, détourne sa mine brune et vous regarde curieusement, tandis que, dans le fond, une paysanne en bavolet rouge et en cape blanche présente le sein à M. le duc de Vendôme, charmant maillot, tout ficelé et raide dans ses langes, qui écarquille les yeux, tend les bras et rit de sa petite bouche rose aux agaceries de sa bonne nourrice.

Nous avons encore remarqué, dans l'appartement qui sert de salon et où se trouve sur une table la masse d'armes de François Ier, un beau portrait de Rabelais : figure bistrée, hilarante, sanguine, robuste, yeux petits et vifs, cheveux rares, barbe et menton de satyre, c'est évidemment le type d'après lequel on a fait tous les portraits du grand homme. Celui d'Isabeau de Bavière, au-dessous un peu à gauche, est singulièrement expressif : elle n'est pas coiffée de son grand bonnet pointu, que je lui ai vu ailleurs, et ce n'est plus la tête pâle et dolente du musée de Versailles ; une espèce de coiffure plate, à l'italienne, couvre les longs bandeaux blonds, à demi défaits, qui entourent sa figure blanche, à la fois lymphatique et ardente, pleine d'irrésolutions et d'élans contrariés, elle a les lèvres avancées, le menton court et de grands yeux dont l'expression pleurarde est relevée par les bourrelets rouges de ses paupières inférieures.

Il y a encore sur tous les murs beaucoup d'autres toiles qu'on voudrait regarder plus longtemps tout seul et bien à son aise, sans qu'un concierge fût sur vos talons, tenant la clef de la porte à la main et vous invitant du geste à vous dépêcher d'en finir. Je me rappelle encore un portrait en pied de Louis XIII en Apollon, avec son menton pointu, ses petites moustaches droites et sa grande perruque noire qui retombe sur ses épaules et ombrage sa figure triste. Je n'ai jamais pensé à Louis XIII sans une certaine douleur, il me semble que c'est l'homme qui s'est le plus ennuyé sur la terre.

Nous n'avons pas pu entrer dans la salle du spectacle où fut joué le *Devin de village*, on la réparait ; mais nous avons vu un bon portrait de Mme Dupin par Nattier. La figure est brune, éveillée, coquette, le nez retroussé, les lèvres roses, le regard noir et droit, l'air franc, amical, fripon et bon enfant, plus spirituel de beaucoup que celui de Mme d'Humières, par exemple, avec sa bouche rose en cœur si sensuelle et tout humide.

Je ne parlerais plus de toutes ces belles dames, si le grand portrait de Mme Deshoulières, en grand déshabillé blanc, debout (c'est du reste une belle figure et, comme le talent si décrié et si peu lu de ce poète, meilleur au second aspect qu'au premier), ne m'avait rappelé par le caractère infaillible de la bouche, qui est grosse, avancée, charnue et charnelle, la brutalité singulière du portrait de Mme de Staël, par Gérard. Quand je le vis, il y a deux ans, à Coppet, éclairé par le soleil de juin, je ne pus m'empêcher d'être frappé par ces lèvres rouges et vineuses, par ces narines larges, reniflantes, aspirantes. La tête de George Sand offre quelque chose d'analogue. Chez toutes ces femmes à moitié hommes, la spiritualité ne commence qu'à la hauteur des yeux. Tout le reste est resté dans les instincts matériels.

En fait de choses amusantes, il y a encore à Chenonceaux, dans la chambre de Diane de Poitiers, le grand lit à baldaquin de la royale concubine, tout en damas blanc et cerise. S'il m'appartenait, j'aurais bien du mal à m'empêcher de ne m'y pas mettre quelquefois. Coucher dans le lit de Diane de Poitiers, même quand il est vide, cela vaut bien coucher dans celui de beaucoup de réalités plus palpables. N'a-t-on pas dit qu'en ces matières tout le plaisir n'était qu'imagination ? Concevez-vous alors, pour ceux qui en ont quelque peu, la volupté singulière, historique et XVIe siècle, de poser sa tête sur l'oreiller de la maîtresse de François Ier et de se retourner sur ses matelas ? (Oh ! que je donnerais volontiers toutes les femmes de la terre pour avoir la momie de Cléopâtre !) Mais je n'oserais pas seulement, de peur de les casser, toucher aux porcelaines de Catherine de Médicis qui sont dans la salle à manger, ni mettre mon pied dans l'étrier de François Ier, de peur qu'il n'y restât, ni poser les lèvres sur l'embouchure de l'énorme trompe qui est dans la salle d'armes, de peur de m'y rompre la poitrine.

Nous lui avons cependant dit adieu à ce pauvre Chenonceaux, nous l'avons laissé avec ses beaux souvenirs, ses beaux portraits, ses belles armes et ses vieux meubles, dormant au bruit de sa rivière roucoulante, à l'ombre de ses grands arbres, sur son herbe verte ; et pleins de bonne humeur et des gourdes remplies, nous avons fait l'inauguration de nos sacs en allant à pied gagner Bléré, pour de là nous rendre à Tours en carriole.

Cette promenade n'a rien de récréatif, c'est une longue prairie assez maigre avec de rares peupliers pâles.

A Bléré, pendant qu'on donnait l'avoine au cheval et qu'on tirait de la remise le cabriolet qui s'y rongeait aux vers, comme un vieux roquefort oublié dans une armoire, nous avons été voir l'église où commence le goût d'ornements rococo, fleurs artificielles, rubans, pompons, guirlandes de papier peint, si remarquable à quelques lieues plus loin, dans les villes de l'Anjou, province qui semble avoir conservé de ses anciens maîtres des prédilections italiennes.

Jusqu'à Tours vraiment la route est belle, la campagne est ample et nourrie, riche à l'œil et bien portante, sans les exubérances presque sombres de la Normandie, ni les finesses de lumière du Midi. On passe sous de beaux arbres qui recouvrent le chemin comme des berceaux, ou au milieu de larges prairies qu'égayent çà et là des villes et des clochers, et, à partir de Montlouis, on va tout le long de la Loire, rencontrant l'un après l'autre, se succédant et revenant sans cesse, des châteaux, au haut des collines, des vignes à côté des blés, des îles oblongues avec une couronne de peupliers et une frange de roseaux. Le vent est tiède sans volupté, le soleil doux sans ardeur ; tout le paysage enfin joli, varié dans sa monotonie, léger, gracieux, mais d'une beauté qui caresse sans captiver, qui charme sans séduire et qui, en un mot, a plus de bon sens que de grandeur et plus d'esprit que de poésie : c'est la France.

II

TOURS. — Saint-Julien ; portail nu d'un roman superbe ; trois charmants pleins cintres au haut ; intérieur délabré, magasins ; transept de gauche couvert de toiles d'araignée, magnifique de ton ; au fond par la porte on voyait un bazar parisien ambulant.

PLESSIS-LES-TOURS; rue dans une campagne plate; grand enclos de murs. – Maison de Tristan, petite, à ogive, ouverte. – Cathédrale de la fin du xve siècle, ornée, lourde, intérieur plus pur, magnifique serrurerie dans le chœur.

CHINON. – A gauche en descendant la côte, les tours du château. – Vue du château, à l'ombre duquel la ville est bâtie. – Chinon a l'air resserré, comprimé entre la Vienne et le château; elle a été forcée de s'étendre en long. – A partir du pied, de l'endroit où le terrain monte, c'est la ville vieille, rues tortueuses et les voûtes silencieuses, les coques noires comme à Carcassonne et à Provins; les ânes paissent dans les rues, les m..... de Gargantua s'écrasent sous vos pieds. – Le château sur la hauteur, formé d'un carré long alterné de tours rondes et carrées, des arbres dans les fossés et de l'herbe qui remonte au mur. – Du côté de la tour d'Agnès Sorel, du côté opposé à la ville, le cimetière est au pied des tours; deux gros noyers. – La tour de la cage de fer à trois étages. – Dans les deux étages inférieurs (la cage était dans le premier) il y avait une cheminée, anneau au plafond, inscriptions de prisonniers, chapelets, saints ciboires. – Partout au milieu des ruines, des lilas en fleurs, de l'herbe. – Dans la chambre où Jeanne d'Arc a été reçue, des narcisses en fleur et des églantiers penchés les uns sur les autres. – A la tour qui sert d'entrée on voit la coulisse de la herse. – Partout à Chinon je cherche le souvenir de Rabelais et je ne trouve rien; Rabelais au reste est-il un génie local?

DE CHINON A FONTEVRAULT, route charmante avec des sinuosités entre la verdure; ce sont de grands arbres à large touffe. La nuit nous prit avant.

FONTEVRAULT, enfoncé un peu comme Jumièges, sans que l'on voie grande colline autour de l'abbaye. – Ce qu'il y a de plus curieux, c'est l'église dont l'abside (extérieur) est d'un beau roman avec des rotondes attenantes. – Salle capitulaire d'un gothique primitif; cloître, gothique comme celui de Saint-Wandrille. – Directeur en robe de chambre bleue dans son cabinet, bègue, pointu, grand ignorantin. – Prisonniers au réfectoire, à la promenade, un à un, en silence forcé, à la queue du loup. – Pauvre Robert d'Arbrissel, âme d'amour, te doutais-tu de ces choses honteuses? – Gendarmes, troupiers d'Afrique.

DE FONTEVRAULT A SAUMUR. – Par le soleil qui chauffait les roches couvertes de verdure; singulier pays pour sa douceur. – L'Anjou me semble une espèce de Normandie.

SAUMUR. – Officiers de cavalerie en costume de cheval. – Église. – Petites rues mal pavées, tortueuses avec des fleurs aux fenêtres. – Église Notre-Dame, rotonde. – Panthéon d'Agrippa. A gauche en entrant, sous une roche artificielle sombre et profonde, une femme en robe blanche, à manches à gigot, avec deux mèches de cheveux noirs, une qui pend à côté, l'autre qui passe sur sa taille, elle couchée dans des pierres, sur les rochers; l'ombre de la voûte contraste avec le blanc du vêtement et la pâleur du visage. Malgré le laid de l'invention et le mauvais goût de tout cela il y a à quelque chose qui frappe et qu'on se rappelle. – Un saint Siméon de Philippe de Champagne; belle tête du saint, blonde, éclairée, douce, émue; un enfant à gauche qui marche. – Saint-Pierre, entrée latérale charmante, d'un roman exquis, mais ce qu'il y a de plus beau, c'est la couleur de la pierre qui est verte, bleue, etc.; les chapelles intérieures sont couvertes de fleurs; il y en a une qui représente une passion avec des rochers en relief en toile peinte; partout l'élément moyen âge ogival disparaît sous le badigeon et sous l'ornementation italienne. La foi est évidemment aux chapelles, c'est là qu'on va; les gravures religieuses sont entrelacées de guirlandes de lierre

(comme à Bléré au petit autel latéral). – L'Anjou sent l'Italie. Est-ce souvenir? reste d'influence? ou l'effet de la douce Loire, le plus sensuel des fleuves de France? – Nantilly est d'un roman pur, le plein cintre est large et fort; on y monte par une pente, ancien escalier de cailloux; elle est entourée de grands arbres. Comme ce serait beau sans l'affreuse couleur blanche!

L'allée couverte de Bagneux, large d'environ douze pas, longue d'à peu près trente, haute de huit pieds; pierres monstrueuses; la pluie tombait par les interstices et faisait des flaques d'eau dans l'intérieur; deux trous dans le pan du fond laissant passer un jour vif et blanc; les feuilles des arbres brillaient sous la pluie qui ruisselait; l'intérieur des pierres était vert par places, plus blanc dans d'autres. – Conducteur inepte de notre américaine. – Troupeau de bœufs vendéens que nous avons croisés. – Art de la taille des arbres publié par l'Administration des ponts et chaussées; l'idéal de l'ineptie et de la haine de la nature s'est réalisé à Saumur sur la route de Poitiers, en sortant de Saumur. – Nos hôtes. – Encore le veau! – Le salon de province : le velours d'Utrecht rouge paraît être, comme le veau, une des bases des mœurs de la province. – Le veau est parmi la viande de boucherie la viande universitaire et académique.

DE SAUMUR A ANCENIS par la Loire. – Fleuve doux, large, étendu, mais les peupliers donnent quelque chose de grêle au paysage. – Tours rondes à Angers. – Saint-Florent à gauche sur une hauteur. – Mais la Seine est plus belle; je ne mets la Loire qu'après la Seine et le Rhône; nulle part je ne vois rien de pareil à Dieppedalle, à La Mailleraye, à Caudebec; la Loire est plus française, plus douce, plus bourgeoise, plus prose. – Bateau à vapeur : la jeune fille et sa mère; figure blanche froide; l'officier de cavalerie, sa femme et son moutard; des MM. Le bateau à vapeur est le bateau à vapeur.

ANCENIS est ce qu'on appelle une affreuse petite ville, mal pavée, tortueuse, avec des maisons grises et pauvres, comme les petites villes du Languedoc, mais son dénuement lui donne un chic étrange; personne dans les rues. – L'Hôtel de la Marine, femme de 40 ans, grasse, gracieuse; la grand'mère, les deux petites-filles, les MM. de la table d'hôte s'ennuyant fort du pays et convoitant les délices de la capitale. – Jolie vue sur la Loire, une des plus belles du fleuve à coup sûr. – L'église est d'un air laid et d'une ineptie curieuse : trois pyramides au pied d'une croix de la mission bardées du haut en bas de cœurs percés de flèches; baldaquins en marbre; ornements d'un goût déplorable. – Le château n'a plus que ses murs extérieurs garnis de créneaux et les deux grosses tours d'entrée dont l'une porte encore un boulet de pierre. L'intérieur est délabré, occupé par un jardin potager; la concierge nous y promène avec ses enfants. Des ravenelles, des ronces, les belles plantes vivaces, les belles feuilles vertes se cramponnent partout, pendant dans les coins; la vue du haut du donjon est singulièrement contrariée par l'aspect du pont suspendu. – Atroce charge de la pierre druidique dans la plaine druidique. – Plaisanterie pleine d'à-propos de mon honorable ami sur la pierre branlante.

D'ANCENIS A LA MEILLERAYE, le paysage est triste quoique vert et fourni. Partout des enclos, des haies; il y a quelque chose de sombre et de méfiant dans la campagne. On rencontre peu de monde quoique ce soit le dimanche; les petites filles ont de grands bonnets comme les femmes qui sont toutes fort laides; on voit des jeunes filles assises par deux ou trois au bord des fossés, tournant le dos à la grande route. – Les genêts se multiplient à mesure qu'on avance, les arbres deviennent plus forts et plus petits, plus râblés. – A Priaillé, procession avec des drapeaux blancs. – Notre conducteur, Normand de Domfront, cheveux presque blancs, yeux noirs qui me rappellent ceux du père Langlois, déteste les chouans; en 1831 il ne nous aurait pas conduits par là pour 100.000 francs.

La Meilleraye est à découvert au milieu des bois abattus. – A la porte, des bœufs entraient comme nous sortions. – On nous a introduits dans une salle de réception élevée, avec des fauteuils XVIIIᵉ siècle; air moitié monacal moitié château de campagne. Un moine est venu nous demander si nous n'avions pas besoin de quelque chose; puis le frère hôtelier pour nous demander nos noms. On nous a menés à la chapelle, puis au parloir. Deux moines blancs sont venus se prosterner à nos pieds à plat ventre; ils nous ont reconduits à la chapelle le temps de dire un *ave* et un *credo* et sont revenus dans le parloir nous lire un passage de l'Imitation nᵒ 3, ch. xx. – Dîner dans une grande salle, nappe assez propre, couverts de fer. Un vieil abbé breton, petite figure ouverte, cheveux blancs, a servi des œufs durs à l'oseille, une espèce de bouillie en colle que j'avais prise pour des mattes, des pruneaux cuits. – J'ai pensé à la vertu grotesque et théologique que Henri Estienne lui attribue dans son apologie pour Hérodote. – Figures : à ma gauche, un ancien militaire, calotte de laine, nez retroussé, favoris empire, du carliste panné, grand amateur de beurre salé; à ma droite, un paysan en faillite? en face, grand jeune homme, bouche épaisse, mystique, mains fortes, tout à fait mystique; en face, un curé d'environ 40 ans, homme de puissante encolure et de bonnes manières, en pénitence probablement; à gauche, de mon côté, un vicaire en cheveux blancs, bas du visage singulièrement charnel et ignoble, front droit et assez intelligent, fort en chimie selon le vieil abbé breton qui a fait la conversation avec nous dans le jardin après le dîner. – Parmi les pensionnaires un affreux petit bonhomme en habit noir, casquette par-dessus son bonnet de soie noire.

La chapelle. – Après le *salve* nous sommes descendus de la tribune, les moines se sont mis à genoux, nous sommes au milieu d'eux pour réciter les litanies à la Vierge. La chapelle de la Vierge était tendue d'un rideau blanc ouvert comme un lit, l'autel avait un transparent rose recouvert de dentelles; des fleurs artificielles ou vraies entouraient la femme de plâtre; on a allumé les cierges et les voix sont parties. Il y avait dans l'arrangement de tout cela quelque chose de voluptueux, de conjugal; ces pauvres hommes avaient l'air d'avoir préparé avec amour la couche de leur épouse céleste. Les voix étaient fortes, puissantes; l'énergie de la vie y réapparaissait, s'y faisait jour. Quand nous sommes rentrés dans l'église, il faisait jour encore: le soleil, comme l'ironie de la nature, colorait en rose les parois et la muraille blanchies à la craie. – Agent voyer ami de l'établissement. – Dur noviciat des moines. – On ménage la vie de l'abbé à cause des droits de mutation à payer, aussi couche-t-il sur un matelas. – Trait de la mort de la mère d'un des moines annoncée au réfectoire. (Ecrit le dimanche 9 mai dans la cellule de Saint-Théodore, 10 heures du soir.)

Dans le parloir, parmi les objets à vendre, une gravure intitulée « les faux plaisirs ». On voit sur le premier plan un adolescent vêtu d'une robe, tenant un chapelet à la main et regardant en haut; dans le ciel des anges jouent de la viole, avec leurs ailes pointues; sur la terre, au contraire, on voit deux demoiselles décolletées et en manches à gigot dont l'une joue de la guitare et l'autre danse (celle-là a des manches à sabot et des bracelets), elles charment un jeune troubadour en veste et en culotte courte portant des favoris et leur jetant un regard en coulisse; au fond un lac avec des peupliers. Il y a écrit au-dessous :

La volupté vous tente
Fuyez, ne cédez pas,
Une joie innocente
Suivra tous vos combats.

On n'est pas venu me réveiller à 2 heures pour aller aux matines, la nuit s'est passée assez mal dans un lit taché de sang. Le matin, un matin gris et pâle, le déjeuner avec les mêmes inconcevables pensionnaires. Il y a une grande tristesse dans la nécessité de se lever de bonne heure pour manger. – Visite dans l'établissement : dans les ateliers pas de chants, un silence stupide; salutations dans les corridors quand les moines vous rencontrent; le petit bœuf dont on tournait les cornes; ils ne nous ont pas parlé et ils voyaient que nous avions besoin d'explications, mais leurs yeux! Deux moines en retraite dans le chapitre; ceux-là vraiment jouaient bien; au fond le siège de l'abbé avec la crosse. Réfectoire, couvert en bois, odeur humide et fade. – On peut beaucoup dans ce lieu de sainteté! – Le réfectoire ainsi que le dortoir sont des lieux qu'on respecte spécialement, il n'est pas permis même aux étrangers d'y parler. – Le dortoir est d'une seule couleur et d'un bel aspect austère, gris couleur de bois; le plafond comme le plancher est de bois, lit à colonnes carrées allant jusqu'au plafond; entre chaque lit il y a un petit rideau en toile à matelas; une paillasse; un pot de chambre sous chaque lit. – Cimetière, toutes tombes pareilles avec des croix noires, la seule différence est qu'aux moines on met la croix aux pieds, aux abbés à la tête. – Le frère hôtelier n'avait pas au cimetière la tenue confite des ecclésiastiques, il marchait sur les tombes sans façon. – Ce qu'il y a de mieux à La Meilleraye.

Nous étions si pressés d'en partir que nous n'avons pas attendu la messe. – Notre joie dans les champs, portant le sac, retrouvant la liberté et le soleil. – Au bourg, après une omelette qui nous a paru excellente et des rognons délicieux, nous avons été dans le bois fumer sous les arbres.

Nort, indescriptibles fresques.

L'Erdre s'élargit tout à coup, gentille rivière avec de jolis aspects, des arbres dans le goût des vieilles gravures XVIIᵉ siècle, où l'on voit un homme pêcher à la ligne en culottes courtes, en chemise bouffante au nombril, tandis qu'à côté de lui une bergère arrange des fleurs dans son tablier et qu'un chien est couché à plat ventre sur le foin. – Nous retrouvons sur le bateau les MM. de La Meilleraye, le gros beau et le petit cancre en lunettes, que nous avons vus tout à l'heure s'agenouiller dans l'église de Nort. – Canotiers peu habitués aux lorgnons. – Verrières. – Entrée à Nantes; nous y travaillons depuis avant-hier matin (13 mai, 10 heures, Nantes).

Ce sommaire a été développé par Maxime Du Camp.

III

Nantes. – Grand lieu; danses; bonnet de flanelle blanche.

Musée : Elisabeth par Tibaldi. Prodigieuse fraise à gros tuyaux, brodée de noir; menton avançant, figure longue, grands yeux bleus sortis, roulant, très animés; sourcils ébouriffés à la base; lèvre inférieure grosse, front haut, chevelure blond roux haut montée; avec des œillets rouges sur le côté gauche; elle est vêtue de noir et passe la main droite dans une chaîne d'or qui lui pend du cou.

Scène de carnaval de Lancret. Dans une grande chambre boisée une dame en corsage jaune et en jupon rose, avec de longs repentirs aux bras, est entre un pierrot et un danseur qui l'invitent. On regarde autour. La teinte générale brun de madère est relevée par le costume rose et jaune de la dame et par l'habit gris des deux danseurs qui l'entourent.

Id. Camargo dansant en plein vent, robe de satin blanc avec des rubans bleus, des guirlandes de roses; à sa droite un joueur de tambour et de fifre; à gauche un violon, un basson, une femme qui regarde.

Un portrait de femme de Murillo : robe bleue, figure terreuse, ton verdâtre, yeux noirs, retroussés, mystiques et profonds; elle tient un petit livre; bandeaux noir de suie mal peignés, air idiot et profond.

Apollon et statues nues avec des feuilles de vigne en fer-blanc découpé.

Adoration des mages, avec des nègres, des gens qui regardent aux fenêtres; figure stupide et crâne déprimé de celui qui est aux pieds du Seigneur.

Tableau de Daniel dans la fosse, de Zigler.

Musée d'histoire naturelle : deux petits fœtus de cochons; *id.* d'hommes; modèles de têtes de nègres et de chimpanzé, oreilles saillantes de la tête. Tête boucanée d'habitant du fleuve des Amazones, on lui a mis des dents dans les yeux; à côté sont le collier et le bonnet de plumes bizarres. Tête boucanée de la Zélande, tatouage, soleils qu'on distingue encore sur son cuir brun, chevelure négligée, longues mèches pleines de férocité et de volupté!

Maison de la duchesse de Berry : impression triste, toute petite chambre, un sale papier bleu gris, nue, une table, plaque.

Château : tours, boulets et canon, pantalon rouge passant par une fenêtre, troupiers dormant sur l'herbe.

Cathédrale, vilaine à l'intérieur, trop courte à l'extérieur; belle nef d'un beau jet, mais d'une vilaine voûte; réparations de menuiserie en pitoyable chic moyen âge. – Aux chapelles, femme qui priait près d'un confessionnal. – Tombeau de François II, charmantes figures des petits anges qui portent les coussins. – A côté de l'église une boutique de « mercerie et objets de piété ».

CLISSON, au confluent de la Sèvre et de la Moine. – Cascade qui gâte l'effet de ce paysage simple. – Toits plats en tuile. – Le château, les prodigieux lierres, arbre qui sort du mur. – L'intérieur, arbres, troncs verts. – Donjon des ormeaux, d'où l'on voit la prairie des chevaliers; prison des femmes, crocs, porte; impression si forte qu'elle n'en est pas triste. – Prodigieuse cheminée, grand pan de mur avec des fenêtres grillées par où le ciel bleu entre. – Triple enceinte. – La Garenne. – Le temple de Vesta. – Goût italien de l'empire en face de ces choses si vraies et si belles d'elles-mêmes. – Temple à l'amitié.

TIFFAUGES, ruine tout ouverte dans la campagne solitaire. – Tour carrée le pied dans l'eau, nénufars, pas un bruit d'oiseau, vent qui ride les blés et fait trembler le lierre; fenêtre carrée encadrée. – Restes de chapelle dans une tour où nous avons compté quatre étages; au haut une cheminée avec des herbes et des fleurs dessus comme sur une jardinière. – Silence général. – Un enfant qui jetait des pierres.

Sortant de chez les frères de la Trappe, il nous a semblé agréable de revoir des figures humaines et des biftecks au beurre d'anchois; encore tout réjouis des fresques de Nort et tout épouvantés du souvenir de La Meilleraye, nous avons fait, le soir de notre arrivée à Nantes, la meilleure digestion qu'on se puisse sentir. Convenablement installés à l'Hôtel de France, nous avons pendant huit jours mené une vie fort plaisante. Nous avions pour nous servir une de ces canailles alertes et gracieuses qui plaisent aux gens bien nés, drôle intelligent, qui vendait de bons cigares et de bonne parfumerie. Nous écrivions dans notre chambre fraîche, nous nous lavions dans de grandes cuvettes; nous nous amusions dans la cour avec un petit singe qui déchiquetait de ses dents et de ses ongles nos vieux gants blancs d'une façon à faire croire que c'était pour lui qu'on les avait inventés, ou bien nous allions dans le passage Pommeraye acheter des stores de Chine, des sandales turques ou des paniers du Nil, afin d'examiner à l'aise et de toucher avec nos mains toutes les babioles venues d'au delà des mers, dieux, chaussures, parasols et lanternes, futilités splendides en couleur qui font rêver à d'autres mondes, niaiseries sans usage qui pour nous sont des choses graves.

Je crois que Nantes est une ville assez bête, mais j'y ai tant mangé de salicoques que j'en garde un doux souvenir.

Ce qui prouve que Nantes ne nous a pas ennuyés, c'est que nous étions sur le point d'en partir quand nous nous sommes dit qu'il fallait cependant la voir.

Ce n'est pas la saleté sombre de Lyon, ni le mouvement du Havre ou de Marseille, ni l'alignement de Bordeaux, ville si joliment sotte qui ressemble à un bel homme bien cravaté; ça ne vaut pas Rouen qui serait beau si on l'embellissait et que j'aimerais si je n'y étais né. Du haut de la cathédrale, pourtant, on découvre un horizon qui vous récompense de vous être essoufflé à grimper les escaliers : en bas, à pic, les maisons se pressent et tassent leurs toits comme les chapeaux pointus d'une foule qui se serre aux épaules; à gauche, une large prairie se mouille au bord du fleuve qui se divise et fait un coude, tandis que les deux cours de l'Erdre et de la Sèvre, multipliant leurs bras et leurs îles, découpent la campagne en grandes lignes grises. Ce jour-là le ciel était d'une lumière pâle qui, harmonisant sa teinte aux couleurs bourbeuses des eaux, donnait à cet ensemble un aspect tranquille et triste. La campagne est vaste, étendue, plus verte et plus vivante en remontant la Loire du côté de la Touraine, mais monotone et comme engourdie en s'avançant vers les sables du côté de la mer. A tout prendre, l'horizon est large et beau, mais quel est l'horizon qui ne soit beau quand il est grand, et tous les horizons ne sont-ils pas grands quand on plane sur eux?

Montez n'importe où, pourvu que vous montiez haut, et vous découvrirez des perspectives démesurées aux paysages les plus plats. Quelle est aussi l'idée qui ne soit longue quand on y court jusqu'au bout, le cœur qui ne paraisse immense quand on y laisse couler la sonde?

J'ai passé autrefois de bonnes heures dans les clochers d'églises; appuyé aussi sur le parapet, je regardais les nuages rouler dans le ciel et les corbeaux nichés dans les gargouilles s'envoler avec des cris rauques et de grands battements d'ailes. C'était assez fréquemment, pendant ma rhétorique, ma manière de suivre la classe; y perdai-je beaucoup, et cela aussi n'était-ce pas du style?

Une chose tout ordinaire m'a choqué et m'a fait rire, c'est le télégraphe que tout à coup, en me retournant, j'ai aperçu en face sur une tour. Les bras raides de la mécanique se tenaient immobiles, et sur l'échelle qui mène à sa base un moineau sautillait d'échelon en échelon ; placé au-dessus de tout ce qu'on voyait à l'entour, au-dessus de l'église et de la croix qui la termine, cet instrument disgracieux me semblait comme la grimace fantastique du monde moderne.

Qu'est-ce qui passe dans l'air maintenant, entre les nuages et les oiseaux, dans la région pure où vient mourir la voix des cloches, et où s'évaporent les parfums de la terre ? C'est la nouvelle que la rente baisse, que les suifs remontent ou que la reine d'Angleterre est accouchée.

Quelle drôle de vie que celle de l'homme qui reste là, dans cette petite cabane à faire mouvoir ces deux perches et à tirer sur ces ficelles ; rouage inintelligent d'une machine muette pour lui, il peut mourir sans connaître un seul des événements qu'il a appris, un seul mot de tous ceux qu'il aura dits. Le but ? le but ? le sens ? qui le sait ? Est-ce que le matelot s'inquiète de la terre où le pousse la voile qu'il déploie, le facteur des lettres qu'il porte, l'imprimeur du livre qu'il imprime, le soldat de la cause pour laquelle il le tue et se fait tuer ? Un peu plus, un peu moins, ne sommes-nous pas tous comme ce brave homme, parlant des mots qu'on nous a appris et que nous apprenons sans les comprendre. Espacés en ligne et se regardant à travers les abîmes qui les séparent, les siècles se transmettent ainsi de l'un à l'autre l'éternelle énigme qui leur vient de loin pour aller loin, ils gesticulent, ils remuent dans le brouillard, et ceux qui, portés sur des sommets, les font se mouvoir n'en savent pas plus long que les pauvres diables d'en bas qui lèvent la tête pour tâcher d'y deviner quelque chose.

Où en étais-je donc ? A Nantes, je crois, à la cathédrale. Elle est dans le goût anglais du xvᵉ siècle tout chargé de ciselures épaisses, tout alourdi des enjolivements stériles du gothique en décadence, et vilaine à l'extérieur, trop courte à l'intérieur ; la nef est d'un bon jet, mais la voûte assez laide et d'une courbe écrasée. Nous avons remarqué sous le portail, occupant l'entrecolonnement des nervures ogivales, des espèces de fûts de pierres simulant des troncs d'arbres, avec des naissances de branches coupées, comme serait un bâton de houx émondé. Cette particularité se reproduit dans plusieurs églises de la Bretagne. En fait de hideux, et de hideur rare, il faut signaler dans une des chapelles latérales une sorte de lambris plaqué sur les murs, fabriqué dans un *chic* moyen âge déplorable et atteignant aux dernières limites du rococo imitatif. Mais une chose vraiment belle, c'est le tombeau de François II et de Marguerite de Foix, sa seconde femme. Ils sont tous deux dans leurs beaux costumes du temps, couronne ducale en tête, étendus sur leur marbre, ayant aux pieds, le duc un lion, la duchesse un lévrier ; trois anges soulèvent le coussin où repose leur tête aux yeux fermés ; de grandes figures symboliques se tiennent aux quatre coins du monument. Le visage de la femme est gras, triste, nez relevé et paupières grosses ; celui de François II, assez dur, intelligent et rusé, un peu mêlé de force et de faiblesse comme fut sa vie, révèle bien le vieil ennemi de Louis XI, l'homme habile comme lui à conclure des traités équivoques et à nouer des alliances clandestines. Ils se trompaient à l'envi. A la réconciliation d'Arras,

1477, il fut stipulé qu'on jurerait la paix sur telles reliques que l'on voudrait, sauf sur le corps de J.-C. et sur la vraie croix, parce que le parjure en mourrait infailliblement dans l'année. Pendant qu'il parlementait avec le roi, il s'alliait avec l'Angleterre et faisait venir des armes d'Italie ; le roi, de son côté, promettait la Bretagne aux Ecossais et soudoyait le sire de Lescun, son conseiller. Une fois pourtant il eut un beau mouvement, qui fut de refuser le collier de Saint-Michel, 1470 ; d'après les statuts de l'ordre, il eût été forcé, en effet, de servir le roi envers et contre tous et de renoncer à toute autre alliance, or il préférait avec raison celle du comte de Charolais et du duc de Berry. Il aurait pu jurer et ne pas tenir, il faut lui savoir gré de la franchise. Louis XI, qui toute sa vie le combattit et qui le haïssait déjà avant d'être roi, mourut sans l'avoir pu vaincre, et quatre ans plus tard cependant, comme pour faire voir combien les gens médiocres triomphent parfois des grands hommes pour succomber ensuite sous de plus faibles qu'eux-mêmes, il est forcé de subir l'humiliant traité du Verger, 1488, et il en meurt de tristesse. Quoiqu'il ait établi des manufactures de soie à Vitré et de tapisseries à Rennes (ce qu'on a soin de mettre dans les livres où on le représente comme le défenseur dévoué de l'indépendance bretonne), j'ai toujours eu peu de sympathie pour cet homme terne qui faisait combattre un lion contre des ânes (celui que lui avait donné, quelque temps avant de mourir, l'amiral de Montauban) et qui si lâchement abandonna tour à tour son conseiller Chauvin à son favori Landois, et Landois aux ennemis de Chauvin ; tiraillé en tous sens par mille liaisons qu'il dénouait, par mille influences qui se succédaient, il est bien loin quant au manque de cœur et à la sécheresse de caractère, de la froide et hypocrite Anne qui est pour moi une des figures les plus mal plaisantes du xviᵉ siècle.

Puisque nous parlons d'histoire, à cent pas de là, en face le vieux château, se trouve la maison où fut surprise la duchesse de Berry en 1832. Le cœur se serre dans cette petite chambre nue tendue d'un sale papier gris et à peine éclairée par des carreaux jaunes. Nous vîmes la plaque derrière laquelle se cachèrent la princesse et ses compagnons ; on a peine à croire qu'ils y aient pu tenir. Toute cette demeure est discrète et froide, on n'y entend aucun bruit, point d'enfant qui joue ni de chien qui aboie. Habitée par deux vieilles filles dévotes, avec son étroite cour sombre, son allée humide, son escalier de bois qui se pourrit à la pluie, elle a quelque chose de découragé, de ruiné, de honteux comme si elle sentait jusque dans ses pierres l'amertume du souvenir.

Il ne reste du vieux château que les deux tours d'entrée, celle du pied-de-biche, à gauche du pont-levis, celle de la boulangerie à droite. Il y a encore d'à peu près intact un autre corps de logis percé de fenêtres de la fin du xvᵉ siècle, et dans la cour un vieux et beau puits orné d'un élégant couronnement de fer pour y suspendre des poulies. Des canons, cirés comme des bottes, sont rangés en ligne sur l'herbe à côté des boulets mis distinctement suivant leur calibre, comme les mètres de cailloux sur le bord des routes ; deux ou trois soldats couchés sur le dos dormaient tranquillement au soleil et sans doute rêvaient à quoi? Probablement que ce n'était ni au duc de Mercœur, qui fit bâtir le bastion de la Croix de Lorraine, maintenant délabré, ni au cardinal de Retz qui s'en évada, et pas davantage à la reine Anne qui se maria à Louis XII dans la chapelle du fer à cheval, convertie en poudrière. S'ils rêvaient, n'était-ce pas plutôt aux bonnes parties de boules que l'on faisait le dimanche après vêpres, au jour où ils apercevront le coq du clocher par-dessus les arbres de leur village ou à la payse qu'ils y ont laissée? Il n'y a que les gens ayant pour métier de penser, qui se fourrent dans le cerveau les passions des époques disparues; les braves gens ont assez des leurs; ils font l'histoire – et nous, nous la lisons.

Deux ou trois hommes en chemises chantaient dans la caserne en brossant leurs habits et en polissant les boutons de cuivre avec de la craie. Au second étage, sur le rebord d'une ravissante fenêtre carrée, un pantalon rouge, étalé tout ouvert, laissait tomber ses deux jambes le long du mur, et déployait avec une impudence bête son grand pont à doublure grise.

Quand nous fûmes sortis du château, nous allâmes visiter le musée. Le conservateur, occupé dans un coin à peinturlurer quelque chose, se dérangea de sa besogne et vint officieusement lier avec nous une conversation artistique, mais bientôt nous ayant vus admirer un Delacroix, le brave homme remit sa casquette sur sa tête et nous tourna les talons, ce qui nous fit suspecter de se livrer au paysage Bertin ou au genre histoire romaine, à grands renforts de lances en queue de billard et de casques en pots à l'eau. Nous sommes restés longtemps devant un tableau dans la vieille manière allemande, représentant une *Adoration des Mages* ; le dessin en est d'une naïveté presque ironique : un mage, vêtu d'une sorte de manteau d'évêque, se prosterne aux pieds du Christ avec un air si stupide et un front si déprimé qu'on croirait volontiers que c'est une malice du peintre; il y a des nègres singuliers, ajustés dans des caleçons rouges et couverts de colliers de corail; à une fenêtre, des femmes et des hommes passent la tête et montrent une mine ébahie. Tout cela est vivant et drôle, heurté en tons rouges et verts (un peu comme la *Tentation de saint Antoine* de Breughel), intense d'expression, amusant de détail, original d'ensemble et d'un effet impossible à faire comprendre quand on ne l'a pas vu.

Nous avons aussi remarqué la *Scène de carnaval*, par Lancret. Dans une grande chambre boisée, une belle dame en corsage jaune et en jupon rose, avec de longues manches aux coudes, est entre un danseur et un pierrot qui l'invitent au menuet. Des deux côtés, sur des sièges, des amis sourient et causent. Au premier plan, un petit enfant traîne un joujou; c'est là une bonne maison où il fait chaud, une maison où l'on s'amuse; on sent que dehors il pleut et que les masques courent dans la crotte, le temps est gris, un vrai temps de carnaval, on jouera tout à l'heure la comédie et l'on mangera ce soir des beignets.

J'aime beaucoup aussi du même auteur un portrait de la Camargo. Elle danse en plein vent, sur l'herbe, en robe de satin blanc avec des rubans bleus et des guirlandes de roses; à sa droite un tambour remue ses baguettes et un fifre enfle ses joues; à gauche un violon, un basson et une femme qui regarde. La Camargo! quel nom! est-ce qu'il n'est pas tout résonnant de grelots vermeils? est-ce qu'il ne vous envoie pas, comme dans une ritournelle folâtre, avec le vent chaud d'une jupe qui tourne, une odeur de poudre d'iris ou de jasmin d'Espagne et des aperçus de rotules blanches qui se raidissent sur des édredons de soie jaune dans un boudoir plein de porcelaines de Saxe et tout couvert de pastels?

L'antithèse, comme peinture, comme visage et comme idée, se trouve en face, dans ce portrait de femme qu'on attribue à Murillo. Elle est vêtue d'une robe bleue blanchie par l'usage, ses cheveux noir de suie et mal peignés surplombent d'un ton mort sa figure verdâtre, sous son front bas et mélancolique ses yeux bruns retroussés vous envoient un regard idiotement profond qui déplaît tout en attirant; à la main elle tient un petit livre, un livre de prières, elle passe sa vie dans les bas côtés de l'église, à l'ombre humide des piliers, éblouie par les illuminations de l'autel, incessamment éperdue dans les emportements de l'amour mystique, et le soir elle rentre dans son grenier nu où elle a des apparitions de la Vierge et des voix d'anges qui l'appellent par son nom.

Voici un rare et bon portrait, celui d'Elisabeth d'Angleterre, par Tibaldi. Il faut renoncer, s'il n'est pas ressemblant, à se faire jamais une idée des gens que l'on n'a pas connus, ce qui serait triste vu que tous ceux que l'on connaît d'ordinaire ne sont pas si récréatifs. Une prodigieuse fraise à gros tuyaux empesés, brodée d'un fil noir, enserre sa longue tête osseuse, aux pommettes saillantes et aux lèvres rouges; son front pâle est droit, élevé et fièrement intelligent. Sous les sourcils blonds, rares à leur jonction, ses grands yeux bleus, sortis, grands ouverts, roulent et regardent avec vivacité et réflexion; le menton pointu, le bout du nez rond, la bouche avancée où l'on pressent des dents longues décèlent la férocité sensuelle, tandis que la chevelure d'un blond roux, très montée et ondée en demi-cercles successifs, et ornée d'œillets rouges sur le côté gauche, lui donne un air raide et noble, un ragoût bizarre d'une distinction imposante. C'est celle-là qu'on appelait de son temps « l'émeraude des mers, la perle de l'Occident », et pour laquelle, jouant *Richard III*, Shakespeare s'arrêta tout à coup afin de lui ramasser son mouchoir.

Je donnerais bien le Villemain complet que j'ai acheté dans mon enfance, action insensée qui ne m'a pas fait interdire, ce qui prouve la débonnaireté de ma famille; je donnerais aussi le cours de M. Saint-Marc Girardin que je conserve, comme dit René pour m'ôter à l'avenir tout mouvement de joie, j'y ajouterais même une vieille paire de babouches marocaines qui l'été m'est très commode, et de plus mes droits de citoyen, l'estime de mes compatriotes et le reste d'une bouteille de beau vernis qui commence à s'épaissir, oui, je donnerais tout cela de grand cœur et sur l'heure pour savoir le nom, l'âge, la demeure, la profession et la figure du monsieur qui a inventé pour les statues du musée de Nantes des feuilles de vignes en fer-blanc, qui ont l'air d'appareils contre l'onanisme. L'Apollon du Belvédère, le Discobole et un joueur de flûte sont enharnachés de ces honteux caleçons métalliques qui reluisent comme des casseroles. On voit, d'ailleurs, que c'est un ouvrage médité de longtemps et exécuté avec amour, c'est escalopé sur les bords et enfoncé avec des vis dans les membres des pauvres plâtres, qui s'en sont écaillés de douleur. Par ce temps de bêtises plates qui court, au milieu des stupidités normales qui nous encombrent, il est réjouissant, ne fût-ce que par diversion, de rencontrer au moins une bêtise échevelée, une stupidité gigantesque. Malgré tous mes efforts je ne suis parvenu à me rien figurer sur le créateur de cette pudique immondicité. J'aime à croire que le Conseil municipal en entier y a pris part, que MM. les ecclésiastiques l'avaient sollicitée et que les dames l'ont trouvée convenable.

Nous avons été ensuite au muséum d'histoire naturelle, maigre collection qui, je pense, n'est pas curieuse pour un savant, mais où il y a néanmoins une momie égyptienne, debout, à côté de son cercueil peint, des coraux tout roses, des coquilles nacrées et des crocodiles suspendus au plafond. Il y a aussi dans un bocal d'esprit-de-vin deux petits cochons unis ensemble par le ventre et qui, cabrés sur leurs pattes de derrière, relevant la queue et clignant des yeux, sont, ma foi, fort plaisants. Placés ainsi à côté de deux fœtus humains, de monstruosité analogue, ils en disent peut-être plus long que beaucoup de nos œuvres. Mais quel est celui qui saura voir, dans ces manifestations irrégulières de la vie, les expressions multiples et graduées de cet art inconnu, qui gît dans son immobilité mystérieuse au fond des océans, dans les profondeurs du globe, dans le foyer de la lumière, y variant les créations successives et perpétuant l'Etre.

Depuis six mille ans qu'il l'étudie, l'homme commence peut-être à épeler la première lettre de cet alphabet qui n'a pas d'oméga. Quand pourra-t-il lire une phrase?

Si ce que l'on appelle les monstruosités de la nature ont entre elles leurs rapports anatomiques, c'est-à-dire plastiques, et leurs lois physiologiques, c'est-à-dire nécessaires pour exister, pourquoi n'auraient-elles pas (partant de ce principe et dès lors nous plaçant dans ce monde qui paraît la négation du nôtre et qui, peut-être, en est bien le corollaire), pourquoi donc tout cela n'aurait-il pas sa beauté aussi, son idéal? Les anciens ne le croyaient-ils pas? et leur mythologie est-elle autre chose qu'un univers monstrueux et fantastique, revêtu de formes impossibles à notre nature et belles pourtant, tant elles sont justes en elles-mêmes et harmonieuses l'une à l'autre? N'adorez-vous pas les longs cheveux glauques des Naïades et la voix des Sirènes, gouffre de mélodie qui faisait tourbillonner les navires? Qu'est-ce qui n'a pas trouvé la Chimère charmante, aimé sa narine de lion, ses ailes d'aigle qui bruissent et sa croupe à reflets verts? – Ne croyez-vous pas, comme s'ils avaient existé, aux Satyres ricaneurs qui passaient leurs oreilles pointues derrière les bouquets de myrtes et dont les pieds de boucs tombaient en cadence la nuit sur le gazon des jardins? – Et ces rêves-là, pas plus que ceux de la nature n'ont été non plus créés par un homme, ni mis au monde en un jour; comme les métaux, comme les rochers, comme les fleuves, comme les mines d'or, et comme les

perles, ils ont sourdi lentement, goutte à goutte, se formant par couches successives, se produisant d'eux-mêmes et se tirant du néant par leur force interne. Nous les contemplons pareillement avec un ébahissement inquiet et rétrospectif, cherchant peut-être au delà du souvenir si, avant notre vie, comme eux aussi nous n'avons pas existé, si nos pensées n'ont pas cohabité dans une patrie commune avec ces pensées devenues formes, si le principe de nos formes à nous n'a pas couvé jadis au sein de la chrysalide universelle, avec la graine des chênes et les sources qui ont fait la mer.

La belle chose qu'une tête de sauvage! Je me souviens de deux qui étaient là, noires et luisantes à force d'être boucanées, superbes en couleurs brunes, avec des teintes d'acier et de vieil argent. La première (celle d'un habitant du fleuve des Amazones) porte des dents qu'on lui a enfoncées dans les yeux; parée d'ornements d'un goût inouï, couronnée de toutes sortes de plumages, et les gencives à nu, elle grimace d'une façon horrible et charmante; à côté sont suspendus les colliers bigarrés de plumes d'oiseaux qu'autrefois dans la savane, quand elle criait et remuait, elle a pris sur les ennemis vaincus; les colliers sont nombreux, ce qui prouve que c'était un brave, qui avait expédié beaucoup d'âmes à Areskoui, car ces petites choses-là sont l'inverse de nos médailles de sauvetage. On a mis près d'elle une tête d'homme de la Nouvelle-Zélande, sans autre ornement que les tatouages qui l'ont engravée comme des hiéroglyphes et que les soleils que l'on distingue encore sur le cuir brun de ses joues, sans autre coiffure que ses longs cheveux noirs, débouclés, pendants, et qui semblent humides comme des branches de saule. Avec des plumes vertes sur les tempes, ses longs cils abaissés, ses paupières demi-closes, elle a un air exquis de férocité, de volupté et de langueur. On comprend en la regardant toute la vie du sauvage, ses sensualités de viande crue, ses tendresses enfantines pour sa femme, ses hurlements à la guerre, son amour pour ses armes, ses soubresauts soudains, sa paresse subite et les mélancolies qui le surprennent sur les grèves en regardant les flots.

Tout cela existe encore, ce n'est pas un conte, il y a encore des hommes qui marchent nus, qui vivent sous les arbres, pays où les nuits de noces ont pour alcôve toute une forêt, pour plafond le ciel entier. Mais il faut partir vite, si vous les voulez voir; on leur expédie déjà des peignes d'écaille et des brosses anglaises pour nettoyer leur chevelure, écumeuse de la sueur des courses, plaquée de rouge par le sang caillé des bêtes fauves, on leur taille des sous-pieds pour les pantalons qu'on leur fait; on leur prépare des lois pour les villes qu'on leur bâtit; on leur envoie des maîtres d'école, des missionnaires et des journaux.

Nous évitons généralement ce qu'on a soin de nous indiquer comme curieux, ainsi nous n'avons vu ni la colonie de Mettray, près Tours, ni l'hôpital des fous, à Nantes, ni les forges d'Indret, ni le fort Penthièvre, ni le phare de Belle-Isle et nous ne sommes pas encore entrés dans aucun des *beaux cafés* des villes où nous passons, mais nous sommes allés à Clisson.

Château de Clisson. – Sur un coteau au pied duquel se

joignent deux rivières, dans un frais paysage égayé par les claires couleurs des toits en tuiles abaissés à l'italienne et groupés là ainsi que dans les croquis d'Hubert, près d'une longue cascade qui fait tourner un moulin, tout caché dans le feuillage, le château de Clisson montre sa tête ébréchée par-dessus les grands arbres. A l'entour, c'est calme et doux. Les maisonnettes rient comme sous un ciel chaud ; les eaux font leur bruit, la mousse floconne sur un courant où se trempent de molles touffes de verdure. L'horizon s'allonge, d'un côté, dans une perspective fuyante de prairies et, de l'autre, remonte tout à coup, enclos par un vallon boisé dont un flot vert s'écrase et descend jusqu'en bas.

Quand on a passé le pont et qu'on se trouve au pied du sentier raide qui mène au château, on voit, debout, hardi et dur sur le fossé où il s'appuie dans un aspect vivace et formidable, un grand pan de muraille tout couronné de mâchicoulis éventrés, tout empanaché d'arbres et tout tapissé de lierres dont la masse ample et nourrie, découpée sur la pierre grise en déchirures et en fusées, frissonne au vent dans toute sa longueur et semble un immense voile vert que le géant couché remue, en rêvant, sur ses épaules. Les herbes sont hautes et sombres, les plantes sont fortes et ardues ; le tronc des lierres, noueux, rugueux, tordu, soulève les murs comme avec des leviers, ou les retient dans le réseau de ses branchages. Un arbre, à un endroit, a percé l'épaisseur de la muraille et, sorti horizontalement, suspendu en l'air, a poussé en dehors l'irradiation de ses rameaux. Les fossés dont la pente s'adoucit par la terre qui s'émiette des bords et par les pierres qui tombent des créneaux ont une courbe large et profonde, comme la haine et comme l'orgueil ; et la porte d'entrée, avec sa vigoureuse ogive un peu cintrée et ses deux baies servant à relever le pont-levis, a l'air d'un grand casque qui regarde par les trous de sa visière.

Entré dans l'intérieur, on est surpris, émerveillé par l'étonnant mélange des ruines et des arbres, la ruine faisant valoir la jeunesse verdoyante des arbres, et cette verdure rendant plus âpre la tristesse de la ruine. C'est bien là l'éternel et beau rire, le rire éclatant de la nature sur le squelette des choses ; voilà bien les insolences de sa richesse, la grâce profonde de ses fantaisies, les envahissements mélodieux de son silence. Un enthousiasme grave et songeur vous prend à l'âme ; on sent que la sève coule dans les arbres et que les herbes poussent avec la même force et le même rythme que les pierres s'écaillent et que les murailles s'affaissent. Un art sublime a arrangé dans l'accord suprême les discordances secondaires, la forme vagabonde des lierres au galbe sinueux des ruines, la chevelure des ronces au fouillis des pierres éboulées, la transparence de l'air aux saillies résistantes des masses, la teinte du ciel à la teinte du sol, mirant leurs visages l'un dans l'autre, ce qui fut et ce qui est. Toujours l'histoire et la nature révèlent ainsi, en l'accomplissant dans ce coin circonscrit du monde, le rapport incessant, l'hymen sans fin, celui de l'humanité qui s'envole et de la marguerite qui pousse, des étoiles qui s'allument et des hommes qui s'endorment, du cœur qui bat et de la vague qui monte. Et cela est si nettement établi à cette place, si

complet, si dialogué, que l'on en tressaille intérieurement comme si cette double vie fonctionnait en nous-mêmes, tant survient, brutale et immédiate, la perception de ces harmonies et la conscience de ces développements ; car l'œil aussi a ses orgies et l'idée ses réjouissances.

Au pied de deux grands arbres dont les troncs s'entre-croisent, un jour vert coulant sur la mousse passe comme un flot lumineux et réchauffe toute cette solitude. Sur votre tête, un dôme de feuilles troué par le ciel qui tranche dessus en lambeau d'azur, vous renvoie une lumière verdâtre et claire qui, contenue dans les murs, illumine largement tous ces débris, en creuse les rides, en épaissit les ombres, en dévoile toutes les finesses cachées.

On s'avance, enfin, on marche entre ces murs, sous ces arbres, on s'en va, errant le long des barbacanes, passant sous les arcades qui s'éventrent et d'où s'épand quelque large plante frissonnante. Les voûtes comblées qui contiennent des morts résonnent sous vos pas ; les lézards courent sous les broussailles, les insectes montent le long des murs, le ciel brille et la ruine assoupie continue son rêve.

Avec sa triple enceinte, ses donjons, ses cours intérieures, ses mâchicoulis, ses souterrains, ses remparts mis les uns sur les autres, comme écorce sur écorce et cuirasse sur cuirasse, le vieux château des Clisson se peut reconstruire encore et réapparaître. Le souvenir des existences d'autrefois découle de ses murs avec l'émanation des orties et la fraîcheur des lierres. D'autres hommes que nous ont agité là dedans leurs passions plus violentes ; ils avaient des mains plus fortes, des poitrines plus larges.

De longues traînées noires montent encore en diagonales le long des murs, comme au temps où flambaient les bûches dans les cheminées vastes de dix-huit pieds. Des trous symétriques alignés dans la maçonnerie indiquent la place des étages où l'on montait jadis par les escaliers tournants qui s'écroulent et qui ouvrent sur l'abîme leurs portes vides. Quelquefois un oiseau, débusquant de son nid accroché dans les ronces, au fond d'un angle sombre, s'abaissait, ses ailes étendues, et passait par l'arcade d'une fenêtre pour s'en aller dans la campagne.

Au haut d'un pan de muraille élevé, tout nu, gris, sec, des baies carrées, inégales de grandeur et d'alignement, laissaient éclater à travers leurs barreaux croisés la couleur pure du ciel dont le bleu vif, encadré par la pierre tirait l'œil avec une attraction surprenante. Les moineaux dans les arbres poussaient leur cri aigre et répété. Au milieu de tout cela, une vache broutait, qui marchait là dedans comme dans un pré, épatant sur l'herbe sa corne fendue.

Il y a une fenêtre, une grande fenêtre qui donne sur une prairie que l'on appelle la *prairie des chevaliers*. C'était là, de dessus un banc de pierres entaillées dans l'épaisseur de la muraille, que les grandes dames d'alors pouvaient voir les chevaliers entrechoquer le poitrail bardé de fer de leurs chevaux et la masse d'armes descendre sur les cimiers, les lances se rompre, les hommes tomber sur le gazon. Par un beau jour d'été comme aujourd'hui, peut-être, quand ce moulin qui claque sa cliquette et met en bruit tout le paysage n'existait pas, quand il y avait des toits au haut de ces murailles, des cuirs de Flandre sur ses parois, des toiles cirées à ces fenêtres, moins d'herbes et des voix et des rumeurs de vivants, oui, là, plus d'un cœur, serré dans sa gaine de velours rouge, a battu d'angoisse et d'amour. D'adorables mains blanches ont frémi de peur sur cette pierre que tapissent maintenant les orties, et les barbes brodées des grands hennins ont tressailli dans ce vent qui remue les bouts de ma cravate et qui courbait le panache des gentilshommes.

Nous sommes descendus dans le souterrain où fut enfermé Jean V. Dans la prison des hommes nous avons vu encore au plafond le grand crochet double qui servait à pendre ; et nous avons touché avec des doigts curieux la porte de la prison des femmes. Elle est épaisse de quatre pouces environ, serrée avec des vis, cerclée, plaquée et comme capitonnée de fers. Au milieu, un petit guichet grillé servait à jeter dans la fosse ce qu'il fallait pour que la condamnée ne mourût pas. C'était cela qu'on ouvrait, et non la porte qui, bouche discrète des plus terribles confidences, était de celles qui se ferment toujours et ne s'ouvrent jamais. C'était le bon temps de la haine ! Alors, quand on haïssait quelqu'un, quand on l'avait enlevé dans une surprise, ou pris en trahison dans une entrevue, mais qu'on l'avait enfin, qu'on le tenait, on pouvait à son aise le sentir mourir à toute heure, à toute minute, compter ses angoisses, boire ses larmes. On descendait dans son cachot, on lui parlait, on marchandait son supplice pour rire de ses tortures, on débattait sa rançon ; on vivait sur lui, de lui, de sa vie qui s'éteignait, de son or qu'on lui prenait. Toute votre demeure, depuis le sommet des tours jusqu'au pied des douves, pesait sur lui, l'écrasait, l'ensevelissait ; et les vengeances de famille s'accomplissaient ainsi, dans la famille, et par la maison elle-même qui en constituait la force et en symbolisait l'idée.

Quelquefois, cependant, quand ce misérable était un grand seigneur, un homme riche, quand il allait mourir, quand on en était repu et que les larmes de ses yeux avaient fait à la haine de son maître comme des saignées rafraîchissantes, on parlait de le relâcher. Le prisonnier promettait tout ; il rendrait ses places fortes, il remettrait les clefs de ses meilleures villes, il donnerait sa fille en mariage, il doterait des églises, il irait à pied au Saint-Sépulcre. Et de l'argent ! de l'argent encore ! Il en ferait plutôt faire par les juifs ! Alors, on signait le traité, on le contre-signait, on l'antidatait ; on apportait les reliques, on jurait dessus, et le prisonnier revoyait le soleil. Il enfourchait un cheval, partait au galop, rentrait chez lui, faisait baisser la herse, convoquait ses gens et décrochait son épée. Sa haine éclatait au dehors en explosions féroces. C'était le moment des colères terrifiantes et des rages victorieuses. Le serment ? Le pape vous en relevait, et pour la rançon, on ne la payait pas.

Quand Clisson fut enfermé dans le château de l'Hermine, il promit pour en sortir cent mille francs d'or, la restitution des places appartenant au duc de Penthièvre, la non-exécution du mariage de sa fille Margue-

rite avec le duc de Penthièvre. Et, dès qu'il fut sorti, il commença par attaquer Chatelaudren, Guingamp, Lamballe et Saint-Malo, qui furent pris ou capitulèrent. Le duc de Penthièvre se maria avec sa fille, et quant aux cent mille francs d'or qu'il avait soldés, on les lui rendit. Mais ce furent les peuples de Bretagne qui payèrent.

Quand Jean V fut enlevé, au pont de Loroux, par le comte de Penthièvre, il promit une rançon d'un million ; il promit sa fille aînée, fiancée déjà au roi de Sicile. Il promit Moncontour, Sesson et Jugan, et ne donna ni sa fille, ni l'argent, ni les places fortes. Il avait fait vœu d'aller au Saint-Sépulcre. Il s'en acquitta par procureur. Il avait fait vœu de ne plus lever ni tailles ni subsides ; le pape l'en dégagea. Il avait fait vœu de donner à Notre-Dame de Nantes son pesant d'or ; mais comme il pesait près de ceux cents livres, il resta fort endetté. Avec tout ce qu'il put ramasser et prendre, il forma bien vite une ligue et força les Penthièvre à lui acheter cette paix, qu'ils avaient vendue.

De l'autre côté de la Sèvre, et s'y trempant les pieds, un bois couvre la colline de sa masse verte et fraîche ; c'est « la Garenne », parc très beau de lui-même, malgré ses beautés factices. M. Semot, (le père du propriétaire actuel), qui était un peintre de l'Empire et un artiste lauréat, a travaillé là du mieux qu'il a pu à reproduire ce froid goût italien, républicain, romain, qui était fort à la mode du temps de Canova et de Mme de Staël. On était pompeux, grandiose et noble. C'était le temps où l'on sculptait des urnes sur les tombeaux, où l'on peignait tout le monde en manteau et chevelure au vent, où Corinne chantait sur sa lyre, à côté d'Oswald qui a des bottes à la russe, et où il fallait enfin qu'il y eût sur toutes les têtes beaucoup de cheveux épars et dans tous les paysages beaucoup de ruines.

Ce genre de beauté ne manque pas à la Garenne. Il y a un temple de Vesta, et en face, un temple à l'Amitié, grand tombeau renfermant deux amis (M. Semot et le sénateur Cacot), ce qui fait passer un peu par-dessus le ridicule du nom qu'ils ont choisi pour leur boîte commune. Ne nions pas, en effet, les sentiments prétentieux et les enthousiasmes déclamatoires, on peut pleurer de bonne foi tout en arrondissant gracieusement le coude pour tirer son mouchoir, faire une pièce de vers sur un bonheur ou un malheur quelconque et le faire sentir aussi bien que ceux qui n'en font pas, et il n'est pas encore absolument prouvé qu'il soit impossible d'aimer la femme que l'on appelle *sa déité* ou *son bel ange d'amour*.

Les inscriptions, les rochers composés, les ruines factices sont prodigués ici avec naïveté et conviction. Sur un morceau de granit, on lit cet illustre vers de Delille :

> *Sa masse indestructible a fatigué le temps.*

Plus loin, vingt vers du même Delille ; ailleurs, sur une pierre taillée en forme de tombe : *In Arcadia ego*, non-sens dont je n'ai pu découvrir l'intention.

Mais toutes les richesses poétiques sont réunies dans la grotte d'Héloïse, sorte de dolmen naturel sur le bord de la Sèvre.

« Ce que nous éprouvons dans ces lieux, dit M. Richer

auteur d'un voyage dans la Loire-Inférieure, Héloïse l'a éprouvé, elle a senti, admiré, et rêvé comme nous. » Eh bien, je l'avoue, je ne suis pas comme M. Richer ni comme Héloïse, j'ai senti peu de chose, je n'ai admiré que les arbres, trouvant que la grotte qu'ils ombragent serait très congruente pour y déjeuner, l'été, en compagnie de quelques amis et d'Héloïses quelconques, d'autant que la proximité de l'eau permettrait d'y mettre rafraîchir les bouteilles, et je n'ai rien rêvé du tout. Mais il y a des gens heureux, des gens bien doués, sensibles, imaginatifs, qui sont toujours à la hauteur des circonstances, qui ne manquent pas de pleurer à tous les enterrements, de rire à toutes les noces, et d'avoir des souvenirs devant toutes les tuiles cassées et toutes les bicoques non construites à la mode du jour. Ceux-là disent que la vue de la mer leur inspire de grandes pensées et que la contemplation d'une forêt élève leur âme vers Dieu. Ils sont tristes en regardant la lune, et gais en regardant la foule. « Ce nom consacré, continue M. Richer c'était lui seul que cette grotte devait offrir. L'inscription qu'on y lit est peut-être inutile, car le sentiment est toujours plus prompt que la parole. » Quoique je sois volontiers de l'avis de M. Richer et que je pense comme lui que l'inscription n'était pas utile, je ne peux cependant résister au plaisir de la transcrire.

> *Héloïse peut-être erra sur ce rivage,*
> *Quand aux yeux des jaloux dérobant son séjour*
> *Dans les murs du Pallet elle vint mettre au jour*
>   *Un fils, cher et malheureux gage*
> *De ses plaisirs furtifs et de son tendre amour.*
> *Peut-être en ce réduit sauvage,*
> *Seule plus d'une fois elle vint soupirer*
> *Et goûter librement la douceur de pleurer.*
>   *Peut-être, sur ce roc assise,*
>   *Elle rêvait à son malheur.*
> *J'y veux rêver aussi! j'y veux remplir mon cœur*
>   *Du doux souvenir d'Héloïse.*

Et là-dessus le visiteur ingénu s'efforce à se figurer Héloïse errante sur ce rivage avec le petit Astrolabe qu'elle tient par la main, il s'apitoie sur le résultat de ses plaisirs furtifs et de son tendre amour; il est vrai que si l'idée du tendre amour l'afflige, le tableau des plaisirs furtifs le ragaillardit un peu; il tâche de trouver sauvage ce réduit, il ne s'en doutait pas tout à l'heure, mais cependant il le trouve sauvage en effet; enfin il la voit pleurant sur le roc assise, rêvant à son malheur, et il veut rêver aussi, il veut remplir son cœur du doux souvenir d'Héloïse. Il remplit donc ou du moins il fait tout son possible pour le remplir. Mais non, il ne le remplit pas assez, il ne le remplit pas à son gré, il voudrait l'en remplir tout à fait, l'en combler, l'en bourrer, l'en faire craquer... n'importe! Il s'en retourne, écrit son nom sur l'album du concierge, tire sa pièce de 20 sols et part heureux : il a eu des émotions; il a eu des souvenirs.

Pourquoi donc a-t-on fait de cette figure d'Héloïse, qui était une si noble et si haute figure, quelque chose de banal et de niais, le type fade de tous les amours contrariés et comme l'idéal étroit de la fillette sentimentale? Elle méritait mieux pourtant, cette pauvre maîtresse du grand Abailard, celle qui l'aimait d'une admiration si

dévouée, quoiqu'il fût dur, quoiqu'il fût sombre et qu'il ne lui épargnât ni les amertumes ni les coups. Elle craignait de l'offenser plus que Dieu même, et désirait lui plaire plus qu'à lui. Elle ne voulait pas qu'il l'épousât, trouvant que « c'était chose messéante et déplorable que celui que la nature avait créé pour tous... une femme se l'appropriât pour elle seule... », sentant, disait-elle, « plus de douceur à ce nom de maîtresse et de concubine qu'à celui d'épouse, qu'à celui d'impératrice », et, s'humiliant en lui, espérant gagner davantage dans son cœur.

O créatures sensibles, ô pécores romantiques qui, le dimanche, couvrez d'immortelles son mausolée coquet, on ne vous demande pas d'étudier la théologie, le grec ni l'hébreu dont elle tenait école, mais tâchez de gonfler vos petits cœurs et d'élargir vos courts esprits pour admirer dans son intelligence et dans son sacrifice tout cet immense amour.

Le parc n'en est pas moins un endroit charmant. Les allées serpentent dans le bois taillis, les touffes d'arbres retombent dans la rivière. On entend l'eau couler, on sent la fraîcheur des feuilles. Si nous avons été irrités du mauvais goût qui s'y trouve, c'est que nous sortions de Clisson qui est d'une beauté vraie, si solide et si simple, et puis que ce mauvais goût, après tout, n'est plus notre mauvais goût à nous autres. Mais d'ailleurs, qu'est-ce donc que le mauvais goût? C'est invariablement le goût de l'époque qui nous a précédés. Tous les enfants ne trouvent-ils pas leur père ridicule? Le mauvais goût du temps de Ronsard, c'était Marot; du temps de Boileau, c'était Ronsard; du temps de Voltaire, c'était Corneille, et c'était Voltaire du temps de Chateaubriand que beaucoup de gens, à cette heure, commencent à trouver un peu faible. O gens de goût des siècles futurs! je vous recommande les gens de goût de maintenant. Vous rirez un peu de leurs crampes d'estomac, de leurs dédains superbes, de leur prédilection pour le veau et pour le laitage, et des grimaces qu'ils font quand on leur sert de la viande saignante et des poésies trop chaudes.

Comme ce qui est beau sera laid, comme ce qui est gracieux paraîtra sot, comme ce qui est riche semblera pauvre, nos délicieux boudoirs, nos charmants salons, nos ravissants costumes, nos intéressants feuilletons, nos drames palpitants, nos livres sérieux, oh! oh! comme on nous fourrera au grenier, comme on en fera de la bourre, du papier, du fumier, de l'engrais! O postérité! n'oublie pas surtout nos parloirs gothiques, nos ameublements renaissance, les discours de M. Pasquier, la forme de nos chapeaux et l'esthétique de la *Revue des Deux-Mondes!*

C'est en nous laissant aller à ces hautes considérations philosophiques que notre carriole nous traîna jusqu'à Tiffauges. Placés tous deux dans une espèce de cuve en fer-blanc, nous écrasions de notre poids l'imperceptible cheval qui ondulait dans les brancards : c'était le frétillement d'une anguille dans le corps d'un rat de Barbarie. Les descentes le poussaient en avant, les montées le tiraient en arrière, les débords le jetaient de côté et le vent l'agitait sous la grêle des coups de fouet. Pauvre bête! Je ne puis y penser sans de certains remords.

La route, taillée dans la côte, descend en tournant, couverte sur ses bords par des massifs d'ajoncs, ou par de larges langues d'une mousse roussâtre. A droite, au pied de la colline, sur un mouvement de terrain qui se soulève du fond du vallon en s'arrondissant comme la carapace d'une tortue, on voit de grands pans de muraille inégaux qui allongent les uns par-dessus les autres leurs sommets ébréchés.

On longe une haie, on grimpe un petit sentier, on entre sous un porche tout ouvert qui s'est enfoncé dans le sol jusqu'aux deux tiers de son ogive. Les hommes qui y passaient jadis à cheval n'y passeraient plus qu'en se courbant maintenant. (Quand la terre s'ennuie de porter un monument trop longtemps, elle s'enfle de dessous, monte sur lui comme une marée, et pendant que le ciel lui rogne la tête elle lui enfouit les pieds.) La cour est déserte, l'enceinte est vide, les herses ne remuent pas, l'eau dormante des fossés reste plate et immobile sous les ronds nénufars.

Le ciel était blanc, sans nuages, mais sans soleil. Sa courbe pâle s'étendait au large, couvrait la campagne d'une monotonie froide et dolente. On n'entendait aucun bruit, les oiseaux ne chantaient pas, l'horizon même n'avait point de murmure, et les sillons vides ne vous envoyaient ni les glapissements des corneilles qui s'envolent, ni le bruit doux du fer des charrues. Nous sommes descendus à travers les ronces et les broussailles dans une douve profonde et sombre, cachée au pied d'une grande tour qui se baigne dans l'eau et dans les roseaux. Une seule fenêtre s'ouvre sur un de ses pans, un carré d'ombre coupé par la raie grise de son croisillon de pierre. Une touffe folâtre de chèvrefeuille sauvage s'est pendue sur le rebord et passe au dehors sa bouffée verte et parfumée. Les grands mâchicoulis, quand on lève la tête, laissent voir d'en bas, par leurs ouvertures béantes, le ciel seulement ou quelque petite fleur inconnue qui s'est nichée là, apportée par le vent, un jour d'orage, et dont la graine aura poussé à l'abri, dans la fente des pierres.

Tout à coup un souffle est venu, doux et long, comme un soupir qui s'exhale, et les arbres dans les fossés, les herbes sur les pierres, les joncs dans l'eau, les plantes des ruines, et les gigantesques lierres qui, de la base au faîte, revêtaient la tour sous leur couche uniforme de verdure luisante, ont tous frémi et clapoté leur feuillage; les blés dans les champs ont roulé leurs vagues blondes, qui s'allongeaient, s'allongeaient toujours sur les têtes mobiles des épis. La mare d'eau s'est ridée et a poussé un flot sur le pied de la tour; les feuilles de lierre ont toutes frissonné ensemble et un pommier en fleur a laissé tomber ses boutons roses.

Rien, rien! Le vent qui passe, l'herbe qui pousse, le ciel à découvert. Pas d'enfant en guenilles gardant une vache qui broute la mousse dans les cailloux; pas même, comme ailleurs, quelque chèvre solitaire sortant sa tête barbue par une crevasse de remparts et qui s'enfuit tout effrayée en faisant remuer les broussailles; pas un oiseau chantant, pas un nid, pas un bruit! Ce château est comme un fantôme, muet, froid, abandonné dans cette campagne déserte; il a l'air maudit et plein de ressouve-

nances farouches. Il fut habité pourtant, le séjour triste dont les hiboux semblent maintenant ne pas vouloir. Dans le donjon, entre quatre murs livides comme le fond des vieux abreuvoirs, nous avons compté la trace de cinq étages. A trente pieds en l'air une cheminée est restée suspendue avec ses deux piliers ronds et sa plaque noircie; il est venu de la terre dessus et des plantes y ont poussé comme dans une jardinière qui serait restée là.

Au delà de la seconde enceinte, dans un champ labouré, on reconnaît les restes d'une chapelle, aux fûts brisés d'un portail ogival. L'avoine y a poussé, et les arbres ont remplacé les colonnes. Cette chapelle, il y a quatre cents ans, était remplie d'ornements de drap d'or et de soie, d'encensoirs, de chandeliers, de calices, de croix, de pierreries, de plats de vermeil, de burettes d'or; un chœur de trente chanteurs, chapelains, musiciens, enfants, y poussaient des hymnes aux sons d'un orgue qui les suivit quand ils allaient en voyage. Ils étaient couverts d'habits d'écarlate fourrés de gris-perle et de menu-vair. Il y en avait un que l'on appelait l'archidiacre, un autre que l'on appelait l'évêque, et on demandait au pape qu'il leur fût permis de porter la mitre comme à des chanoines; car cette chapelle était la chapelle et ce château était un des châteaux de Gilles de Laval, sire de Rouci, de Montmorency, de Retz, et de Craon, lieutenant général du duc de Bretagne et maréchal de France, brûlé à Nantes, le 25 octobre 1440, dans la *Prée* de la Madeleine, comme faux monnayeur, assassin, sorcier, sodomite et athée.

Il avait en meubles plus de cent mille écus d'or, trente mille livres de rentes, et les profits de ses fiefs, et les gages de son office de maréchal; cinquante hommes magnifiquement vêtus l'escortaient à cheval. Il tenait table ouverte, on y servait les viandes les plus rares, les vins les plus lointains, et l'on jouait chez lui des mystères comme dans les villes aux entrées des rois. Quand il n'eut plus d'argent, il vendit ses terres; quand il eut vendu ses terres, il chercha l'or; et quand il eut détruit ses fourneaux, il appela le diable. Il lui écrivit qu'il lui donnerait tout, sauf son âme et sa vie. Il fit des sacrifices, des encensements, des aumônes et des solennités en son honneur. Les murs déserts s'illuminaient la nuit à l'éclat des torches qui brûlaient au milieu des hanaps pleins de vin des îles, et parmi les jongleurs bohèmes; ils rougissaient sous le vent incessant des soufflets magiques. On invoquait l'enfer, on se régalait avec la mort, on égorgeait des enfants, on avait d'épouvantables joies et d'atroces plaisirs; le sang coulait, les instruments jouaient, tout retentissait de voluptés, d'horreurs et de délires.

Quand il fut mort, quatre ou cinq demoiselles firent ôter son corps du bûcher, l'ensevelirent et le firent porter aux Carmes où, après des obsèques fort honorables, il fut inhumé solennellement.

On lui éleva sur un des ponts de la Loire, en face de l'Hôtel de la Boule-d'Or, dit Guépin, un monument expiatoire; c'était une niche dans laquelle se trouvait la statue de la *bonne Vierge de Crée-lait* qui avait la vertu d'accorder du lait aux nourrices; on y apportait du beurre et d'autres offrandes rustiques. La niche y est encore, mais la statue n'y est plus; de même qu'à l'hôtel de ville la boîte qui contenait le cœur de la reine Anne est vide aussi. Mais nous étions peu curieux de voir cette boîte; nous n'y avons seulement pas songé. J'aurais préféré contempler la culotte du maréchal de Retz, que le cœur de Mme Anne de Bretagne; il y a eu plus de passions dans l'une que de grandeur dans l'autre.

IV

DE NANTES A SAINT-NAZAIRE. – La Loire, large et plate.

DE SAINT-NAZAIRE A PORNICHET, aubépines, ajoncs. – Chemins à travers les haies de Pornichet au Pouliguen. – La baie déserte; au bord des flots sur le sable dur, des coquilles roses et blanches; dunes couvertes de joncs. – Le bac. – Le Pouliguen. – Jusqu'au Bourg-de-Batz, marais salins, pas un arbre; paludiers. – Cabaret de Batz, barriques; deux lits hauts; sur la cheminée une Vierge en costume; à une fenêtre le mari, la mariée, trogne rouge d'un homme. – Vieille abbaye d'un bon gothique, toute découverte. – Surprise et curiosité des enfants à nos aspects. – Femme qui met sur les murs de la bouse de vache, ça remet les pierres et sert de mortier. – Jusqu'au Croisic plus rien sur des plaines de sable recouvertes d'une herbe maigre; le ciel bleu pâle à grandes lignes blanches; les vaches sont petites, les moutons noirs.

LE CROISIC. – Le beau temps. – Dune; varech sous l'eau en allant au bout de la jetée. – Charlotte, bonnet égyptien.

DU CROISIC A GUÉRANDE. – Au bord de la mer et à travers les marais. – Guérande sur une hauteur qui domine le pays; les fortifications entourées d'arbres, petits peupliers; à gauche de l'entrée Nord l'eau baigne le pied des tours; nous retrouvons ce que nous avons vu à Clisson. – Caractère doux de ces ruines; ces fortifications me font penser à Avignon. – Moucharabieh éventré, lierres; mais la beauté naturelle est au pied, dans l'eau sur laquelle les petites plantes vertes ont fait comme une grande couche de peinture.

Eglise anglaise de caractère; portail haut, d'une ogive assez pure et pas trop ornementée pour son époque. A la place de la rosace on a accolé l'orgue. Sur une cartouche il y a, presque illisible, « le peuple français reconnaît un Dieu suprême et l'immortalité de l'âme ». Les deux entrées latérales ont un portique couvert comme l'église de Louviers, à laquelle du reste celle-ci ressemble. A droite du portail d'entrée, en dehors du mur, une chaire en pierre, couverte. – Intérieur : un mauvais tableau qui représente des membres du parlement en costume et un personnage adorant Jésus-Christ sur la croix (la coiffure indique le commencement du XVIIe siècle); au pied du Christ agonisant, un évêque avec la crosse et la mitre; dans l'air, des anges qui volent.

Vitraux beaux. – Montreur de phénomènes curieux; enseigne. – C'était une large figure animée, intelligente, dents blanches; sa manœuvre avec les enfants qu'il faisait mettre à genoux; vaches et moutons; nous avons été désillusionnés de ce que le phénomène fût vrai! Comme d'autres l'auraient été s'ils l'avaient reconnu faux, tant il est vrai qu'on n'aime pas à changer ses idées toutes faites et à voir ce à quoi on ne s'attendait pas. – Nous avons fait une deuxième fois le tour de la ville. – Caractère doux; nous trouvons que c'est un lieu propre aux promenades amoureuses par la taille, sans parler, le soir, à cette heure-ci. – Marché encombré de paysans et de bœufs accouplés deux à deux.

Nous partons le jeudi 20 à 6 heures du matin, avec un verre de madère dans le ventre et une croûte dans le ventre et nous filons lestement sur Piriac. La campagne est nue, le chemin monte et descend; à gauche, une grande vue de mer; au fond, et jusqu'à la mer, une plaine immense tachée çà et là de flaques d'un brun acier. Ce sont les marais salins.

PIRIAC. – Désert; bon air de la mer; les rues pleines de sable; pas même un filet aux portes; jolie baie avec du sable; deux ou trois barques sans mâture ni voiles, échouées sur le rivage. – Inconcevable auberge : du veau et des œufs; le soir à manger du veau et des œufs! toujours le veau! toujours le veau! – Maire dudit endroit chez lequel nous étions adressés par M. Mérès, bonne robe de chambre, bonne tabatière, bon cabinet du solitaire, collection du *Moniteur*, les manuels Roret, livres de droit, l'*Histoire de Thiers*, un gros livre relié à clous de cuivre sur lequel était écrit « Arrêtés et délibérations ».

Excursion à l'île. – Canot; le vieux pilote blanc, barbe longue; le matelot, le mousse; un jeune homme fils de l'entrepreneur des travaux, figure singulièrement brutale, tenait la barre; il a déserté; les travaux n'ont pas l'air de mordre. – Beaux rochers presque tous noirs et marbres. – Je rejouis de la mer, je repense à Trouville et à mes vacances au cottage; comme autrefois j'ai fumé au soleil dans un trou de rocher. – Rocher en arc, avec des petites marguerites roses et blanches, il y avait sur les roches une verdure pâle comme celle qui vient aux marbres, une verdure de velours vert tirant sur le jaune; beau fucus que nous avons pris et manié, jabot, festons dentelés et remuants. – Retour vent arrière. – Odeur du suif et chanson de la mère qui endormait son enfant pendant que je bouclais nos sacs. – Le vieux mendiant paralysé à mi-chemin de Piriac; un vagabond estropié qui espère coucher dans les métairies, qui ramasse des morceaux de pain; il était hier au marché de Guérande. – Sieste au soleil, sur l'herbe de la falaise. – Dans un chemin ombragé, charrette de deux bœufs avec l'enfant; ils sont entrés dans une grande ferme où l'on voit des restes de vieilles constructions; portail ruiné.

DE MESQUER A HERBIGNAC, route assez raide, montante et descendante; la lande rousse pâle sous un ciel bleu blanc. – Grandes masses de sapins qui enclosent un parc. – La charrette Herbignac. – A 1 kilomètre d'Herbignac, le château du maréchal de Rieux (Ranrouet); pas de lierres ni d'arbres sur les murs, de la mousse sèche qui est rouge; tours démantelées se baignant dans une mare; nous sommes entrés par une fenêtre. – Dans l'intérieur un plant de choux. – Les murs ont l'air démantelés régulièrement; les pans se tiennent debout. Partout la ruine. Elle a quelque chose de bourgeois comme le maréchal de Rieux lui-même. L'enfant qui nous conduisait grimpait pour dénicher des nids et avec un bâton en faisait tomber la poussière à nos pieds. – Déjeuner à Herbignac dans la boutique de l'épicier.

LA ROCHE-BERNARD. – La Vilaine sans arbre au bord, entre les rochers d'un vert pâle recouverts d'ajoncs d'or. – Le pont gâte la simplicité du paysage. – Souterrain bête. – A l'entrée un mendiant aveugle et manchot récitant son chapelet; une inscription adressée à la bourse des voyageurs indique que c'est un mineur du port que le travail de l'endroit a ainsi favorisé. – Dîner. – M. Poulman (Balzac), l'employé des contributions indirectes un Montmorency!

VANNES. – Sarzeau; maison de Le Sage.

SUCINIO, dans la campagne, en vue de la mer, percé de larges fenêtres, semble avoir été plutôt une habitation qu'une forteresse. – Tours. – On pourrait facilement le reconstruire; escaliers dont les degrés restent. – L'intérieur de la cour avec ses mâchicoulis, ses pans de mur percés de fenêtres et de jours, et le soleil et le ciel bleu, ça avait un air moresque. – Sur la tour de droite, en regardant la façade (du dehors), fenêtre trilobée dans un cadre carré. – Des animaux sont entrés comme nous étions sur l'herbe, petits bœufs, moutons, deux chèvres.

Retour à Sarzeau. – Promenade dans la campagne. M. ... capitaine d'état-major.

DE SARZEAU A LOGEOT. – Dans les champs paysannes se rendant à la messe, avec leur bavolet noir; presque toutes en noir; grand tablier quelquefois en soie gorge-pigeon.

LOGEOT. – Les exécrables brutes: haine des médailles d'honneur.

L'ILE D'ARZ. – L'église. – Cimetière, tombes avec un pot de fleurs couvert par une ardoise; ossuaire à travers des barreaux au milieu des futailles et des bouts de bois. – Bordées que nous avons courues sur la mer.

L'ILE DE GAVR'INIS couverte de longues fleurs bleues à clochette sur tige.

GALGAL, avec une allée couverte. Dessous, l'entrée du souterrain est décorée par deux grandes touffes de genêts. L'allée a quelque trente pieds de long. Toutes les pierres sont couvertes de lignes faites au ciseau, régulières et figurant assez d'innombrables côtes ou branches partant d'un thorax ou tronc, et dans le bas les lignes remontent. Du reste il faudrait avoir bonne volonté pour y voir la reproduction de quoi que ce soit. – L'allée est plus profonde au fond qu'à l'entrée, les pierres aussi y sont plus larges; sur la gauche, dans une pierre, comme les courroies d'un bouclier creusées à même.

En nous rembarquant nous avons admiré avec amour des grandes plantes qui, partant d'une simple racine, s'irradiaient en fusées comme des chevelures et s'étalaient sur la surface de l'eau; au fond, à travers un jour vert bleu, on voyait des mousses, des herbes.

LOCMARIAQUER. – Peulvan abattu, brisé dans sa largeur (7 pieds environ), long de 72. – Deux allées couvertes: dans l'une, nous retrouvons des dessins pareils, mais plus effacés que ceux de Gavr'inis; dans l'autre, un tronc pour les pauvres.

DE LOCMARIAQUER A CARNAC, genêts, genêts, haies d'ajoncs, avec des aubépines par places. – La route monte et descend, se perd. – On ne parle presque plus français. – On voit la mer. – Passage en bac à la pointe d'une presqu'île. – Vieillard grave, figure maigre avec son énorme chapeau.

Le clocher de Carnac de loin semblant sur une hauteur, quoique Carnac soit au bord de la mer. – Chapelle Saint-Michel bâtie sur un borran; on monte par un escalier on descend par une pente. – La mer. – La campagne verte, séparée en carrés bruns ou gris par des haies et des murs en pierres sèches. – Une croix avec un Christ sculpté si mal que ça en a du caractère et rappelle, si ce n'est que c'est plus lourd, le vieux roman. En venant, nous avons vu une autre croix du même genre érigée à l'endroit où fut tué en 1800 un certain M. Lebaron, recteur.

Ce sommaire a été développé par Maxime Du Camp.

V

CARNAC. – Chez la veuve Gildas. – Logés dans une grande chambre à deux lits, nous arrêtons d'y séjourner; les lits sont à baldaquin et on ne borde pas par le pied la couverture afin qu'on puisse la plier et montrer la large raie rouge qui en fait la bordure. Les murs sont tapissés de l'histoire de Joseph, de gravures religieuses: portraits de saint Stanislas, de saint Louis de Gonzague, etc., certificat de première communion avec vignettes représentant l'intérieur de l'église et des communiants; une dame qui revient de la Sainte Table a l'air de d... dans ses mains. Sur la cheminée sont rangées des tasses à café dorées sur lesquelles il y a écrit « liberté, ordre public », et aux deux bouts deux carafes dans lesquelles il y a la représentation en bois peint, enrichi de perles et de plumes, du tombeau de l'empereur, entouré de six troupiers de divers grades portant des couronnes vertes oblongues comme des cornichons. Dans l'autre on voit le Saint Sacrifice de la messe, avec deux enfants de chœur ayant des pains de sucre rouges sur la tête en guise de calottes; l'autel est entouré de quatre colonnes en perles. Sur une grande armoire, deux cuvettes de Russie. Au plafond sur ma tête deux paniers d'osier.

Après avoir fumé une pipe et bu une bonne bouteille de bière blanche, nous avons été voir les pierres. – Femme en casaquin rouge, nu-pieds, avec son long bonnet qui volait au vent; c'était vigoureux et hardi. – Les pierres de Carnac nous ont peu émus (nous y avons causé de Very et de Chemery!); elles vont grandissant vers le côté de la mer et à mesure qu'elles s'en éloignent, elles diminuent et finissent par devenir presque des bornes.

On avait retrouvé un homme perdu à la mer il y avait trois semaines; on l'a apporté à l'église sur une charrette à bœufs. Il faisait presque nuit, quatre cierges aux coins du catafalque, enfant avec sa chandelle tenant la porte ouverte, clochettes des porteurs; les femmes se sont mises au fond, les hommes au haut, plus près; ordre qui a été conservé au cimetière; les femmes du reste en bien plus grande quantité. L'office fut court, tout le monde à genoux dans le cimetière sur la terre des tombes. Froid des soirs d'été, crépuscule vert, bonnets se levant au vent. Une femme noire gloussait, c'étaient des pleurs. Le bruit étouffé des sanglots ressemble au rire. On a jeté de la terre sur la fosse, on s'en est allé. Un jeune homme a dit près de moi en français : « Nom de Dieu! le bougre pue-t-il! il est presque tout pourri; depuis trois semaines c'est pas étonnant. » En rentrant nous avons trouvé notre jeune hôtesse donnant à téter à son enfant.

Aujourd'hui 25, nous avons été fumer une pipe sur le sable en plein soleil; nous nous sommes joués avec le sable, nous avons fait des trous avec nos bâtons. Max a poussé un bon somme en rentrant, j'ai repassé mes notes.

Depuis Sarzeau environ jusqu'ici les femmes portent par-dessus un petit bonnet plissé une ample cape blanche très avançante comme celle des religieuses et retombant sur le dos. Ce vêtement couvre au moins la moitié du corps aux petites filles. Quant au corsage un ruban de velours noir collé sur l'étoffe (noire) fait le contour de l'omoplate, prenant ainsi l'épaule dans une espèce de bracelet plat qui attire l'œil sur l'aisselle; souliers à bout rond, orné de longs rubans plats tombant des deux côtés presque jusqu'à terre.

Par un beau temps, mer bleue et brise à peine sensible, nous nous embarquons à Pô pour Saint-Pierre. – Vieux douanier, bonne figure douce et *saige*, vivant de la pêche, tranquille dans sa barque, aimant peu les prêtres et peu dévot.

DE SAINT-PIERRE A QUIBERON. – Terrains nus et sablonneux; le soleil tapait, la mer brillait en bleu. – L'auberge; grande femme noire et grosse. – L'hôte: Rohan-Belisle, un vrai noble, en chemise et nu-pieds dans ses souliers vu la chaleur, trinquant avec M. Léon, entrepreneur du lieu, et me battant des biftecks. – Un troupier est entré avec un gendarme, air pourfendant et crâne, le gendarme borgne. – Après le déjeuner bain de soleil. En faisant un long somme sur le sable dans un coin de rocher, ça a réchauffé mes souliers et mes bas que j'avais mouillés en allant de Carnac à Pô.

Cimetière bourré de tombes; ossuaire au milieu. Sur les quatre faces, petites boîtes en bois noir avec un cœur au milieu par lequel on voit une tête de mort. Il n'y a que les gens riches qu'on traite ainsi; c'est la piété filiale du pays. Le milieu de l'ossuaire rempli d'os pêle-mêle; on les voit très aisément. Effet effrayant que fait là dedans le clair de lune, au dire de notre hôtesse qui nous explique cet usage. – Les marins pour Belle-Isle attendaient dans l'auberge; importance de l'heure de la poste. – Le courrier d'Auray (Callot, Bellanger). Aspect singulièrement pittoresque, varié de la barque, les rameurs entre-croisés debout sur les bancs, passagers, deux soldats qu'on envoyait en discipline, la petite casquette; l'autre un paysan; deux caractères distincts du troupier; gendarme, soldat qui les moralisait. Peu à peu la blague du flambart tomba. – Avilissement de la discipline. – Un vieux grand chapeau dormant à mes pieds. – Calme plat. – Aviron. – Le soir à Belle-Isle qui a la tristesse du soldat qui s'ennuie. Nous avons été voir des roches. – Deux ou trois cavernes; refuges de la Naïade ou du monstre marin. – Hôtel: portraits XVIIIe: le chevalier d'Eon.

Le lendemain, grande journée de marche à travers la campagne et les rochers. Nous avons déjeuné sous un bois de petits pins, le soir nous étions gris de la nature. Après nous être reposés deux heures sur le sable, nous étions repartis, emportés par la fièvre des rochers, des goémons, des varechs. – Caverne chocolat. – Une avec des herbes vert feu de bengale et distillant des gouttes d'eau; un grand pan en glacis, etc., etc.; forme variée des herbes, couleur d'argent, veines de sang; grands pans réguliers qui font penser à des ruines de palais antédiluviens.

DE BELLE-ISLE A QUIBERON, bon vent. – Jeune mousse blond qui chantait dans la brise et dont on n'entendait pas les paroles. – Un cheval. – Deux voyageurs pour le commerce: le vieux blanchi dans l'exercice; l'autre, vaudeville Achard, tutoyant les marins, etc. – Déjeuner à Quiberon avec eux. – Un monsieur de l'endroit, nullité complète, tout oreilles, le troupier de l'avant-veille gris perdu.

DU FORT PENTHIÈVRE A PLOUHARNEL, route triste dans les sables au bord de la mer qui reluisait en bleu et pétillait à notre gauche avec ses vagues blanches pressées. - Nous rencontrons la *poste* de Quiberon. – Chaussée pour rejoindre Plouharnel, grosses pierres.

PLOUHARNEL. – Chez Demame, aubergiste. – Vieux mendiant *hirsutus, sudans purpureusque*. – Le chercheur de sangsues. – Couteau celtique du maire. – Nous dînons avec les deux voyageurs qui se rembourriffent de nous; le maire veut prendre un verre de champagne et écoute. – A 3/4 de lieue dolmens.

Il faisait chaud, le bon soleil de mai nous mordait le cou, et nos chemises de soie nous collaient dans le dos. Aussi notre premier soin en arrivant à Carnac, chez la veuve Gildas, notre hôtesse, fut-il de nous rafraîchir avec une bouteille de bière blanche qui fut suivie d'une autre, lesquelles nous gonflèrent le ventre, chose importante à dire.

Le gîte était propre et d'honnête apparence. On nous mit dans une grande chambre dont deux lits à baldaquin, recouverts d'indienne, et une table longue pareille à celle d'un réfectoire de collège formaient l'ameublement principal. Un raffinement de coquetterie avait laissé le pied des lits non bordé pour qu'on pût voir sur le bout de la couverture une large raie rouge qui en faisait la bordure, et une précaution de propreté avait cloué sur la table une belle toile cirée verte comme du bronze. Sur les murs, dans des cadres de bois noir, il y a l'histoire de Joseph, y compris la scène avec Mme Putiphar, le portrait de saint Stanislas, celui de saint Louis de Gonzague, qui est bien le saint le plus bête du monde, et des certificats de première communion avec vignettes représentant l'intérieur de l'église et les communiants et assistants dans leurs costumes respectifs. Des tasses à café, décorées de ces mots écrits en lettres d'or «liberté, ordre public», sont rangées le long de la cheminée dans l'espace que leur laissent deux carafes. Ah! quelles carafes! quel dommage si on en cassait une! où retrouver la paire? Elles n'étaient pas de verre de Venise, ni ciselées, ni taillées, mais de verre tout bonnement, comme de simples carafes; elles n'ont pas même de bouchons, mais dans la première, autour d'un Napoléon, grand d'un demi-pouce et tout raide étendu sur son tombeau piqué de perles et hérissé de plumes, six militaires, de grades différents, se tiennent majestueusement, portant, chacun à la main, des palmes oblongues comme des cornichons, et dans la seconde s'accomplit le Saint Sacrifice de la messe: on voit le prêtre, le calice, l'autel, quatre colonnes de perles, aux quatre coins du sanctuaire, plus deux enfants de chœur surchargés d'énormes pains de sucre rouges qui sont censés être les calottes de ces jeunes drôles.

Ce lieu était si honnête, si bénin, exhalait un tel parfum de candeur, une modestie si bête, mais si douce, la grande armoire à ferrements de cuivre brillait si propre sous les cuvettes de Russie qui en ornaient la corniche, et les paniers d'osier crochés au sommier avaient l'air, comme tout le reste, si tranquille et si bonhomme que nous décrétâmes de suite que Carnac nous plaisait et que nous y resterions quelque temps.

Nos fenêtres donnaient sur la place de l'Eglise, où des enfants jouaient aux billes à l'ombre d'un tilleul. C'était l'unique bruit du village, il n'y passe pas de voiture, il n'y a pas de boutiques et tout le pain qu'on y mange se cuit là en bas, dans la cuisine, dont la moitié est consacrée à une boulangerie.

Quoique ne parlant pas le français et décorant leurs intérieurs de cette façon, on vit donc là tout de même, on y dort, on y boit, on y fait l'amour et on y meurt tout comme chez nous; ce sont aussi des humains que ces êtres-là. Mais comme ils s'occupent peu du Salon! et même de l'Exposition de l'industrie; comme ils s'embarrassent médiocrement de l'Opéra qui va rouvrir et du Rocher de Cancale qui est fermé; comme ils ne causent pas de ce dont on cause: le Jockey-Club, les courses de Chantilly, les dettes de Dumas, les cuirs de M. de Rambuteau, le nez d'Hyacinthe, etc.

C'est une chose dont on ne peut se défendre que cet étonnement imbécile qui vous prend à considérer ces gens vivant où nous ne vivons point et passant leur temps à d'autres affaires que les nôtres. Vous rappelez-vous souvent, en traversant un village le matin, quand le jour se levait, avoir aperçu quelque bourgeois ouvrant ses auvents ou balayant le devant de sa porte, et qui s'arrêtait bouche béante à vous regarder passer? A peine s'il a pu distinguer votre visage ni vous le sien, et dans cet éclair pourtant tous les deux, au même instant, vous vous êtes ébahis dans un immense étonnement; il se disait en vous regardant fuir : « Où va-t-il donc celui-là et pourquoi voyage-t-il? », et vous qui couriez : « Qu'est-ce qu'il fait là? disiez-vous, est-ce qu'il y reste toujours? »

Il faut assez de réflexion et de force d'esprit pour saisir nettement que tout le monde n'habite pas la même ville, ne se chausse pas chez votre bottier, ne s'habille pas chez votre tailleur, dîne à d'autres heures que vous, et n'ait pas vos idées; mais je ne comprends point encore comment on existe lorsqu'on est notaire, comment il se peut faire que l'on soit employé dans un bureau, comment on se lève avant dix heures et on se couche avant minuit, et je me demande sérieusement s'il est possible qu'il y ait des êtres sur la terre s'occupant à autre chose qu'à aligner des phrases et à chercher des adjectifs.

Il serait trop absurde, étant à Carnac, de ne pas aller voir les fameuses pierres de Carnac; aussi nous reprîmes nos bâtons et nous nous dirigeâmes vers le lieu où elles gisent. Nous allions dans l'herbe, tête baissée et devisant sur je ne sais quoi, quand un frôlement nous a fait lever les yeux et nous avons vu une femme s'avancer par le sentier qui descendait, nu-pieds, nu-jambes, sans fichu, son grand bonnet remuant, sa jupe claquant au vent, une main sur la hanche et de l'autre retenant une énorme gerbe de foin qu'elle portait sur la tête; elle marchait avec des torsions de taille, hardie et belle, dans son corsage rouge. Elle a passé près de nous. Son souffle était large et fort et la sueur coulait en filets sur la peau brune de ses bras ronds.

Bientôt, enfin, nous aperçûmes dans la campagne des rangées de pierres noires, alignées à intervalles symétriques, sur onze files parallèles qui vont diminuant de grandeur à mesure qu'elles s'éloignent de la mer; les plus hautes ont vingt pieds environ et les plus petites ne sont que de simples blocs couchés sur le sol. Beaucoup d'entre elles ont la pointe en bas, de sorte que leur base est plus mince que leur sommet. Cambry soutient qu'il y en avait quatre mille et Fréminville en a compté douze cents; ce qu'il y a de sûr, c'est qu'elles sont nombreuses.

Voilà donc ce fameux champ de Carnac qui a fait écrire plus de sottises qu'il n'a de cailloux; il est vrai qu'on ne rencontre pas tous les jours des promenades aussi rocailleuses. Mais, malgré notre penchant naturel à tout admirer, nous ne vîmes qu'une facétie robuste, laissée là par un âge inconnu pour *exerciter* l'esprit des antiquaires et stupéfier les voyageurs. On ouvre, devant, des yeux naïfs et, tout en trouvant que c'est peu commun, on s'avoue cependant que ce n'est pas beau. Nous comprîmes donc parfaitement l'ironie de ces granits qui, depuis les Druides, rient dans leurs barbes de lichens verts à voir tous les imbéciles qui viennent les visiter. Il y a des gens qui ont passé leur vie à chercher à quoi elles servaient et n'admirez-vous pas d'ailleurs

cette éternelle préoccupation du bipède sans plumes de vouloir trouver à chaque chose une utilité quelconque? Non content de distiller l'océan pour saler son pot-au-feu et de chasser les éléphants pour avoir des ronds de serviette, son égoïsme s'irrite encore lorsque s'exhume devant lui un débris quelconque dont il ne peut deviner l'usage.

A quoi cela était-il bon? Etait-ce un temple?

Un jour, saint Cornille poursuivi sur le rivage par des soldats allait tomber dans le gouffre des flots, quand il imagina de les changer tous en autant de pierres, et les soldats furent pétrifiés. Mais cette explication n'était bonne tout au plus que pour les niais, les petits enfants et pour les poètes, on en chercha d'autres.

Au XVIe siècle, Olaüs Magnus, archevêque d'Upsal, (et qui, exilé à Rome, composa sur les antiquités de sa patrie un livre fort estimé partout, si ce n'est dans son pays même, la Suède, où il n'eut pas un traducteur), avait découvert que « quand les pierres sont plantées sur une seule et longue ligne droite, c'est qu'il y a dans des guerriers morts en se combattant en duel; que celles qui sont disposées en carré sont consacrées à des héros ayant péri dans une bataille; que celles qui sont rangées circulairement sont des sépultures de famille, et que celles qui sont en coin ou sur un ordre angulaire sont les *tombeaux des cavaliers ou même des fantassins, ceux surtout dont le parti avait triomphé.* » Voilà qui est clair. Mais Olaüs Magnus a oublié de nous dire comment s'y prendre pour enterrer deux cousins ayant fait coup double, dans un duel, à cheval. Le duel voulait que les pierres fussent droites; la sépulture de famille exigeait qu'elles fussent circulaires; mais comme il s'agissait de cavaliers, on devait les disposer en coin, prescription, il est vrai, qui n'était pas formelle, puisqu'on n'employait ce système que «pour ceux dont le parti avait triomphé». O brave Olaüs Magnus! vous aimiez donc bien fort le Monte Pulciano? Et combien vous en a-t-il fallu de rasades pour nous apprendre toutes ces belles choses?

Selon un certain docteur Borlase, anglais, qui avait observé en Cornouailles des pierres pareilles, « on a enterré là des soldats, à l'endroit même où ils avaient péri ». Comme si d'habitude on les charriait au cimetière! et il appuie son hypothèse sur cette comparaison : « Leurs tombeaux sont rangés en ligne droite, comme le front d'une armée dans les plaines qui furent le théâtre de quelque grand exploit. »

Puis on alla chercher les Grecs, les Egyptiens et les Cochinchinois! Il y a un Karnak en Egypte, s'est-on dit, il y en a un en Basse-Bretagne. Or, il est probable que le Carnac ici descend du Karnak de là-bas; cela est sûr! Car là-bas, ce sont des sphinx, ici des blocs; des deux côtés c'est de la pierre. D'où il résulte que les Egyptiens (peuple qui ne voyageait pas) sont venus sur ces côtes (dont ils ignoraient l'existence), y auront fondé une colonie (car ils n'en fondaient nulle part), et qu'ils y auront laissé ces statues brutes (eux qui en faisaient de si belles), témoignage positif de leur passage (dont personne ne parle).

Ceux qui aiment la mythologie ont vu là des colonnes d'Hercule; ceux qui aiment l'histoire naturelle y ont vu une représentation du serpent Python, parce que, d'après Pausanias, un amas de pierres semblables, sur la route de Thèbes à Elissonte, s'appelait *la tête du serpent*, « et d'autant plus que les alignements de Carnac offrent des sinuosités comme un serpent ». Ceux qui aiment la cosmographie y ont vu un zodiaque, comme M. de Cambry entre autres, qui a reconnu, dans ces onze rangées de pierres, les douze signes du zodiaque, « car il faut dire, ajoute-t-il, que les anciens Gaulois n'avaient que onze signes au zodiaque ».

Ensuite un membre de l'Institut a conjecturé que ce pouvait bien être le cimetière des Vénètes, qui habitaient Vannes, à six lieues de là, et lesquels fondèrent Venise comme chacun sait. Un autre a pensé que ces bons Vénètes vaincus par César élevèrent ces pierres à la suite de leur défaite, uniquement par esprit d'humilité et pour honorer César. Mais on en avait assez des cimetières, du serpent et du zodiaque; on se mit en quête et l'on trouva un temple druidique.

Le peu de documents authentiques que nous ayons, épars dans Pline et dans Dion Cassius, s'accordent à dire que les Druides choisissaient pour leurs cérémonies religieuses des lieux sombres, le fond des bois « et leur vaste silence ». Aussi, comme Carnac est au bord de la mer, dans une campagne stérile, où il n'a jamais poussé autre chose que les conjectures de ces Messieurs, le premier grenadier de France, qui ne me paraît pas en avoir été le premier homme d'esprit, suivi de Pelloutier et de M. Mahé (Chanoine de la cathédrale de Vannes), a conclu « que c'était un temple des Druides dans lequel on devait aussi convoquer les assemblées politiques. »

Tout cependant n'était pas fini et il fallait démontrer un peu à quoi servaient, dans l'alignement, les espaces vides. « Cherchons-en la raison, ce que personne ne s'est encore avisé de faire », s'est écrié M. Mahé, et s'appuyant sur cette phrase de Pomponius Méla : « Les Druides enseignent beaucoup de choses à la noblesse qu'ils instruisent secrètement en des cavernes et en des forêts écartées. » Et sur cette autre de Lucain : « Vous habitez de hautes forêts », il établit, en conséquence, que les Druides non seulement desservaient les *sanctuaires*, mais y faisaient leur demeure et y tenaient des collèges : « Donc puisque le monument de Carnac est un sanctuaire comme l'étaient les forêts gauloises (ô puissance de l'induction! où pousses-tu le père Mahé, chanoine de Vannes et correspondant de l'Académie d'agriculture de Poitiers!) *il y a lieu de croire* que les intervalles vides qui coupent les lignes des pierres renfermaient des files de maisons où les Druides habitaient avec leurs familles et leurs *nombreux* élèves et où les principaux de la nation qui se rendaient au sanctuaire, aux jours de grande solennité, trouvaient des logements préparés. » Bons Druides! excellents ecclésiastiques! comme on les a calomniés, eux qui habitaient là si honnêtement avec leurs familles et leurs nombreux élèves, et qui même poussaient l'amabilité jusqu'à préparer des logements pour les principaux de la nation!

Mais un homme est venu, enfin, pénétré du génie des choses antiques et dédaigneux des routes battues. Il a su reconnaître, lui, les restes d'un camp romain, et précisément d'un camp de César qui n'avait fait élever ces pierres « que pour servir d'appui aux tentes de ses soldats et pour les empêcher d'être emportées par le vent ». Quelles bourrasques il devait y avoir autrefois sur les côtes de l'Armorique!

Le littérateur honnête qui retrouva, pour la gloire du grand Julius, cette précaution sublime (ainsi restituant à César ce qui jamais n'appartint à César) était un ancien élève de l'Ecole polytechnique, un capitaine du génie, le sieur de la Sauvagère.

L'amas de toutes ces gentillesses constitue ce qu'on appelle l'archéologie celtique, dont nous allons immédiatement vous découvrir les arcanes.

Une pierre posée sur d'autres se nomme un *dolmen*, qu'elle soit horizontale ou verticale. Un rassemblement de pierres debout et recouvertes au sommet par des dalles consécutives, formant ainsi une série de *dolmens*, est une *grotte aux fées*, *roche aux fées*, *table des fées*, *table du diable* ou *palais des géants*; car, semblables à ces bourgeois qui vous servent un même vin sous des étiquettes différentes, les Celtomanes, qui n'avaient presque rien à vous offrir, ont décoré de noms divers des choses pareilles.

Quand ces pierres sont rangées en ellipse, sans aucun chapeau sur les oreilles, il faut dire : Voilà un *cromlech;* lorsqu'on aperçoit une pierre étalée horizontalement sur deux autres verticales, on a affaire à un *lichaven* ou *trilithe*. Parfois deux blocs énormes sont superposés l'un sur l'autre, ne se touchant que par un seul point, et vous lisez dans les livres « qu'ils sont équilibrés de telle manière que le vent suffit pour imprimer au bloc supérieur une oscillation marquée », assertion que je ne nie pas (tout en me méfiant quelque peu du vent celtique), et bien que ces pierres prétendues branlantes soient constamment restées inébranlables à tous les coups de pieds furieux que nous avons eu la candeur de leur donner; elles s'appellent alors pierres *roulantes* ou *roulées*, pierres *retournées* ou *transportées*, pierres *qui dansent* ou pierres *dansantes*, pierres qui *virent* ou pierres *virantes*. Il reste à vous faire connaître ce que c'est qu'une *fichade*, une pierre *fiche*, une pierre *fixée;* ce qu'on entend par *haute borne*, pierre *latte* et pierre *lait;* en quoi une pierre *fonte* diffère d'une pierre *fiette*, et quels rapports existent entre une *chaire au diable* et une *pierre droite;* après quoi vous en saurez à vous seul aussi long que jamais n'en surent ensemble Pelloutier, Deric, Latour d'Auvergne, Penhoët et autres, doublés de Mahé et renforcés de Fréminville. Apprenez donc que tout cela signifie un *peulvan*, autrement dit un *menhir*, et n'exprime autre chose qu'une borne, plus ou moins grande, placée toute seule au milieu des champs. J'allais oublier les tumulus. Ceux qui sont composés à la fois de silex et de terre sont appelés *barrows* en haut style, et les simples monceaux de cailloux, *galgals*.

On a prétendu que les dolmens et les trilithes étaient des autels, quand ils n'étaient pas des tombeaux; que les roches aux fées étaient des lieux de réunion ou bien des sépultures et que les conseils de fabrique au temps des Druides s'assemblaient dans les cromlechs. M. de Cambry a entrevu dans les pierres branlantes les emblèmes du monde suspendu dans l'espace, mais on s'est assuré depuis que ce n'était que des pierres probatoires dont on faisait usage pour rechercher la culpabilité des accusés, et qu'ils étaient convaincus du crime imputé quand ils ne pouvaient remuer le rocher mobile.

Les galgals et les barrows ont été sans doute des tombeaux, et quant aux menhirs, on a poussé la bonne volonté jusqu'à leur trouver une forme, d'où l'on a induit le règne d'un culte ithyphallique dans toute la basse Bretagne. O chaste impudeur de la science, tu ne respectes rien, pas même les *peulvans!*

Une rêverie, si vague qu'elle soit, peut vous conduire en des créations splendides quand elle part d'un point fixe. Alors, l'imagination, comme un hippogriffe qui s'envole, frappe la terre de tous ses pieds, et voyage en ligne droite vers les espaces infinis. Mais lorsque, s'acharnant sur un objet dénué de plastique et vide d'histoire, elle essaie d'en extraire une science et de recomposer un monde, elle demeure elle-même plus stérile et pauvre que cette matière brute à qui la vanité des bavards prétend trouver une forme et donner des chroniques.

Pour en revenir aux pierres de Carnac (ou plutôt les quitter), que si l'on me demande, après tant d'opinions, quelle est la mienne, j'en émettrai une irréfutable, irréfragable, irrésistible, une opinion qui ferait reculer les tentes de M. de la Sauvagère et pâlir l'Égyptien Penhoët, qui casserait le zodiaque de Cambry et hacherait le serpent Python en mille morceaux. Cette opinion, la voici : les pierres de Carnac sont de grosses pierres!

Nous nous en retournâmes donc à l'auberge où, servis par notre hôtesse qui avait de grands yeux bleus, de fines mains qu'on achèterait cher et une douce figure d'une pudeur monacale, nous dînâmes d'un bel appétit qu'avaient creusé nos cinq heures de marche. Il ne faisait pas encore nuit pour dormir, on n'y voyait plus pour rien faire, nous allâmes à l'église.

Elle est petite, quoique portant nef et bas côtés, comme une grande dame d'église de ville. De gros piliers de pierre, trapus et courts, soutiennent sa voûte de bois bleu, d'où pendent de petits navires ex-voto promis dans les tempêtes. Les araignées courent sur leurs voiles et la poussière pourrit leurs cordages.

On ne disait aucun office, la lampe du chœur brûlait seule dans son godet d'huile jaune, et en haut, dans l'épaisseur de la voûte, les fenêtres non fermées laissaient passer de larges rayons blancs, avec le bruit du vent qui courbait les arbres. Un homme est venu, a rangé les chaises, a mis deux chandelles dans des girandoles de fer accrochées au pilier, et a tiré dans le milieu une façon de brancard à pied dont le bois noir avait de grosses taches blanches. D'autres gens sont entrés dans l'église, un prêtre en surplis a passé devant nous ; on a entendu un bruit de clochettes s'arrêtant et reprenant par intervalles, et la porte de l'église s'est ouverte toute grande. Le son saccadé de la petite cloche s'est mêlé à un autre qui lui répondait, et toutes deux, s'approchant en grandissant, redoublaient leurs battements secs et cuivrés.

Une charrette traînée par des bœufs a paru dans la place et s'est arrêtée devant le portail. Un mort était dessus. Ses pieds pâles et mats, comme de l'albâtre lavé,

dépassaient le bout du drap blanc qui l'enveloppait de cette forme indécise qu'ont tous les cadavres en costume. La foule survenue se taisait. Les hommes restaient découverts ; le prêtre secouait son goupillon et marmottait des oraisons, et les bœufs accouplés, remuant lentement la tête, faisaient crier leur gros joug de cuir. L'église, où brillait une étoile au fond, ouvrait sa grande ombre noire que refoulait du dehors le jour vert des crépuscules pluvieux, et l'enfant qui éclairait sur le seuil passait toujours la main devant sa chandelle, pour empêcher le vent de l'éteindre.

On l'a descendu de la charrette ; sa tête s'est cognée contre le timon. On l'a entré dans l'église, on l'a mis sur le brancard. Un flot d'hommes et de femmes a suivi. On s'est agenouillé sur le pavé, les hommes près du mort, les femmes plus loin, vers la porte, et le service a commencé.

Il ne dura pas longtemps, pour nous du moins, car les psalmodies basses bourdonnaient vite, couvertes de temps à autre par un sanglot faible qui partait de dessous les capes noires, en bas de la nef. Une main m'a effleuré et je me suis effacé pour laisser passer une femme courbée. Serrant les poings sur la poitrine, baissant la face, allant en avant sans remuer les pieds, essayant de regarder, tremblant de voir, elle s'est avancée vers la ligne des lumières qui brûlaient le long du brancard. Lentement, lentement, en levant son bras comme pour se cacher dessous, elle a tourné la tête sur le coin de son épaule et elle est tombée sur une chaise, affaissée, aussi morte et molle que ses vêtements mêmes. A la lueur des cierges, j'ai vu ses yeux fixes dans leurs paupières rouges, éraillés comme par une brûlure vive, sa bouche idiote et crispée, grelottante de désespoir, et toute sa pauvre figure qui pleurait comme un orage.

C'était son mari, perdu à la mer, que l'on venait de retrouver sur la grève et qu'on allait enterrer tout à l'heure.

Le cimetière touchait à l'église. On y passa par une porte à côté, et chacun y reprit son rang, tandis que dans la sacristie on clouait le mort en son cercueil. Une pluie fine mouillait l'air, on avait froid ; il faisait gras marcher, et les fossoyeurs, qui n'avaient pas fini, rejetaient avec peine la terre lourde qui collait sur leurs louchets. Au fond, les femmes, à genoux dans l'herbe, avaient découvert leurs capuchons et leurs grands bonnets blancs, dont les pans empesés se soulevaient au vent, faisaient de loin comme un grand linceul qui se lève de terre et qui ondoie.

Le mort a reparu, les prières ont recommencé, les sanglots ont repris. On les entendait à travers le bruit de la pluie qui tombait.

Près de nous sortait par intervalles égaux une sorte de gloussement étouffé qui ressemblait à un rire. Partout ailleurs, en l'écoutant, on l'eût pris pour l'explosion réprimée de quelque joie violente ou pour le paroxysme contenu d'un délire de bonheur. C'était la veuve qui pleurait. Puis, elle s'approcha jusqu'au bord, fit comme les autres, et la terre peu à peu reprit son niveau et chacun s'en retourna.

Comme nous enjambions l'escalier du cimetière, un

jeune homme qui passait à côté de nous dit en français à un autre : « Le bougre puait-il! Il est presque tout pourri! Depuis trois semaines qu'il est à l'eau, c'est pas étonnant! »

En rentrant chez nous, nous avons trouvé notre hôtesse qui donnait à téter à son enfant et qui l'endormait en se dandinant sur une chaise. Il n'y avait pour nous plus rien de curieux à Carnac. Nous avions vu à loisir sur le portail latéral de son église l'affreux baldaquin qui rentre généralement dans le goût de l'architecture des pâtissiers, j'entends celle qui décore ces odieuses inventions connues sous le nom de pièces montées dont les tranches d'orange confite font les arcades et les bouts de chocolat les colonnes, avec un obélisque en sucre rose terminé par une fleur, et nous avions contemplé dans l'intérieur la statue de saint Cornille, plus entourée de cordes qu'un saucisson de Lyon ne l'est de ficelles. Les cordes qui ont touché le saint ont la vertu de guérir les animaux malades, aussi y a-t-il au-dessus de la grande porte de l'église une sorte d'enseigne peinte, représentant deux paysans présentant l'un sa vache et l'autre son bœuf à ce bon saint vétérinaire. Quand ces cordes sont restées autour de lui un certain temps, elles ont acquis leur diplôme, on les emporte et on les garde chez soi, on se les emprunte de voisin à voisin et de village à village. Honteux reste des superstitions dont la France éclairée s'est purgée, dirait le *National*.

Nous n'en restâmes pas moins trois jours encore à Carnac, à n'y faire autre chose que de nous promener au bord de la mer et à nous coucher sur le sable, où nous dessinions avec nos bâtons des arabesques qu'effaçait le flot montant, et sur lequel, étendus en plein soleil, nous dormions comme des lézards. L'un près de l'autre, assis par terre, nous prenions du sable dans nos mains, nous le regardions couler à travers nos doigts, nous retournions la carcasse séchée de quelque vieux crabe évidé, nous cherchions des galets creux pour nous faire des encriers, nous ramassions des coquillages, et la journée passait. Le soleil s'abaissait sur la mer qui variait ses couleurs, continuait son bruit et laissait sur la plage son long feston de varechs et d'écume, nous ouvrions nos poitrines, nous humions le parfum des vagues, douce et âcre senteur mêlée d'eau, de brise et d'herbes, qui accourt vers nous du fond de l'océan, et des bouffées d'air chaud venaient d'entre les trous des dunes dont les joncs minces s'accrochaient aux boucles de nos guêtres. Quand le soir était arrivé, nous retournions au gîte en regardant dans le ciel les grandes traînées de pourpre qui s'étendaient sur son azur.

Un matin pourtant nous partîmes comme les autres matins; nous prîmes le même sentier, nous traversâmes la haie d'ormeaux et la prairie inclinée où nous avions vu, la veille, une petite fille chassant ses bestiaux vers l'abreuvoir; mais ce fut le dernier jour et la dernière fois peut-être que nous passâmes par là.

Un terrain vaseux où nous enfoncions jusqu'aux chevilles s'étend de Carnac jusqu'au village de Pô. Un canot nous attendait, nous montâmes dedans, on poussa du fond avec la rame et on hissa la voile.

Notre marin, vieillard à figure gaie, s'assit à l'arrière,

attacha au plat-bord une ligne pour prendre du poisson, et laissa partir sa barque tranquille. A peine s'il faisait du vent; la mer toute bleue n'avait pas de rides et gardait longtemps sur elle le sillage étroit du gouvernail. Le bonhomme causait; il nous parlait des prêtres qu'il n'aime pas, de la viande qui est une bonne chose à manger, même les jours maigres, du mal qu'il avait quand il était au service, des coups de fusil qu'il a reçus quand il était douanier... Nous allions doucement, la ligne tendue suivait toujours et le bout du *tape-cul* trempait dans l'eau.

La lieue qui nous resta à faire à pied pour aller de Saint-Pierre à Quiberon fut lestement avalée, malgré une route montueuse à travers des sables, malgré le soleil qui faisait crier sur nos épaules la bretelle de nos sacs, et nonobstant quantité de menhirs qui se dressaient dans la campagne.

A Quiberon, nous déjeunâmes chez le vieux Rohan Belle-Isle qui tient l'Hôtel Penthièvre. Ce gentilhomme était nu-pieds dans ses savates, vu la chaleur, et trinquait avec un maçon, ce qui ne l'empêche pas d'être le descendant d'une des premières familles d'Europe. Un noble de vieille race! un vrai noble, vive Dieu! qui nous a tout de suite fait cuire des homards et s'est mis à nous battre des biftecks.

Le passé de Quiberon se résume dans un massacre. Sa plus rare curiosité est un cimetière; il est plein, il regorge, il fait craquer ses murs, il déborde dans la rue. Les pierres tassées se brisent aux angles, montent les unes sur les autres, s'envahissent, se submergent et se confondent, comme si les morts, gênés dessous, soulevaient leurs épaules pour sortir de leurs tombeaux. On dirait de quelque océan pétrifié dont ces tombes sont les vagues et où les croix seraient les mâts des vaisseaux perdus.

Au milieu, un grand ossuaire tout ouvert reçoit les squelettes de ceux que l'on désensevelit pour faire place aux autres. De qui donc cette pensée : la vie est une hôtellerie, c'est le cercueil qui est la maison? Ceux-ci ne restent pas dans la leur, ils n'en sont que les locataires et on les en chasse à la fin du bail. Autour de cet ossuaire, où cet amas d'ossements ressemble à un fouillis de bourrées, est rangée, à hauteur d'homme, une série de petites boîtes noires, de six pouces carrés chacune, recouvertes d'un toit, surmontées d'une croix, et percées sur la face antérieure d'un cœur à jour qui laisse voir dedans une tête de mort. Au-dessus du cœur, on lit en lettres peintes : « Ceci est le chef de***, décédé tel an, tel jour. » Ces têtes n'ont appartenu qu'à des gens d'un certain rang, et l'on passerait pour un mauvais fils, si au bout de sept ans on ne donnait au crâne de ses parents le luxe de ce petit coffre. Quant au reste du corps, on le rejette dans l'ossuaire; vingt-cinq ans après, on y jette aussi la tête. Il y a quelques années, on voulut abolir cette coutume. Une émeute se fit, elle resta.

Il peut être mal de jouer ainsi avec ces boules rondes qui ont contenu la pensée, avec ces cercles vides où battait l'amour. Toutes ces boîtes, le long de l'ossuaire, sur les tombes, dans l'herbe, sur le mur, pêle-mêle, peuvent sembler horribles à plusieurs, ridicules à d'autres; mais ces bois noirs se pourrissent à mesure que les os qu'ils renferment blanchissent et s'égrènent; ces têtes vous regardant avec leur nez rongé, leurs orbites creuses et leur front qui luit par place sous la traînée gluante des limaçons; ces fémurs entassés là comme dans les grands charniers de la Bible; ces fragments de crânes qui roulent pleins de terre, et où parfois, comme dans un pot de porcelaine, a poussé quelque fleur qui sort par le trou des yeux; la vulgarité même de ces inscriptions toutes pareilles les unes aux autres, comme le sont entre eux les morts qu'elles désignent; toute cette pourriture humaine, disposée de cette façon, nous a paru fort belle et nous a procuré un solide et bon spectacle.

Si la poste d'Auray eût été arrivée, nous fussions partis tout de suite pour Belle-Isle; mais on attendait la poste d'Auray. Assis dans la cuisine de l'auberge, en chemise et les bras nus, les marins de passage patientaient en buvant chopine.

— A quelle heure arrive-t-elle donc, la poste d'Auray?

— C'est selon; à dix heures, d'ordinaire répondit le patron.

— Non, à onze heures, dit un autre.

— A midi, fit M. de Rohan.

— A une heure.

— A une heure et demie.

— Souvent elle n'est pas ici avant deux heures.

— C'est pas régulier!

Nous en étions convaincus, il en était trois.

On ne pouvait partir avant l'arrivée de ce malencontreux courrier qui apporte pour Belle-Isle les dépêches de la terre ferme. Il fallait se résigner. On allait sur le devant de la porte, on regardait dans la rue, on rentrait, on ressortait. « Ah! il ne viendra pas aujourd'hui. — Il sera resté en route. — Faut nous en aller. — Non, attendons-le. — Si ces messieurs s'ennuient trop après tout... — Au fait, peut-être n'y a-t-il pas de lettres? — Non, encore un petit quart d'heure. — Ah! c'est lui! » Ce n'était pas lui, et le dialogue recommençait.

Enfin, un trot de cheval fatigué qui bat le briquet, un bruit de grelots, un coup de fouet, un homme qui crie : « Ho! ho! voilà la poste! voilà la poste! »

Le cheval s'arrêta net à la porte, rentra son échine, tendit le cou, allongea le museau en montrant les dents, écarta les jambes de derrière et se leva sur ses jarrets.

La rosse était haute, cagneuse, osseuse, sans poils à la crinière, le sabot rongé, les fers battants; la croupière lui déchirait la queue; un séton sautait à son poitrail. Perdu dans une selle qui l'engouffrait, retenu en arrière par une valise, en avant par le grand portefeuille aux lettres passé dans l'arçon, son cavalier, juché dessus, se tenait ratatiné comme un singe. Sa petite figure à poils rares et blonds, ridée et racornie comme une pomme de rainette, disparaissait sous un chapeau de toile cirée doublé de feutre; une sorte de paletot de coutil gris lui remontait jusqu'aux hanches et lui entourait le ventre d'un cercle de plis ramassés, tandis que son pantalon sans sous-pieds, qui se relevait et s'arrêtait aux genoux,

laissait voir à nu ses mollets rougis par le frottement des étrivières, avec ses bas bleus descendus sur le bord de ses souliers. Des ficelles rattachaient les harnais de la bête; des bouts de fil noir ou rouge avaient recousu le vêtement du cavalier; des reprises de toutes couleurs, des taches de toutes formes, de la toile en lambeaux, du cuir gras, de la crotte séchée, de la poussière nouvelle, des cordes qui pendaient, des guenilles qui brillaient, de la crasse sur l'homme, de la gale sur la bête, l'un chétif et suant, l'autre étique et soufflant, le premier avec son fouet, le second avec ses grelots; tout cela ne faisait qu'une même chose ayant même teinte et même mouvement, exécutant presque mêmes gestes, servant au même usage, dont l'ensemble s'appelle la poste d'Auray.

Au bout d'une heure encore, quand on eut pris dans le pays nombre de paquets et de commissions et qu'on eut, de plus, attendu quelques passagers qui devaient venir, on quitta enfin l'auberge et l'on avisa à s'embarquer. Ce fut d'abord un pêle-mêle de bagages et de gens, d'avirons qui vous barraient les jambes, de voiles qui vous retombaient sur le nez, l'un s'embarrassant dans l'autre et ne trouvant pas où se mettre; puis tout se calma, chacun prit son coin, trouva sa place, les bagages au fond, les marins debout sur les bancs, les passagers où ils purent.

Nulle brise ne soufflait, et les voiles pendaient droites le long des mâts. La lourde chaloupe se soulevait à peine sur la mer presque immobile qui se gonflait et s'abaissait avec le doux mouvement d'une poitrine endormie.

Appuyés sur l'un des plats-bords, nous regardions l'eau qui était bleue comme le ciel et calme comme lui; et nous écoutions le bruit des grands avirons qui battaient l'onde et criaient dans les tolets. A l'ombre des voiles, les six rameurs entre-croisés se levaient lentement en mesure et les poussaient devant eux; ils tombaient et se relevaient, égrenant des perles au bout de leurs palettes.

Couchés dans la paille, sur le dos, assis sur les bancs, les jambes ballantes et le menton dans les mains ou postés contre les parois du bateau, entre les gros jambages de la membrure dont le goudron se fondait à la chaleur, les passagers silencieux baissaient la tête et fermaient les yeux à l'éclat du soleil frappant sur la mer plate comme un miroir.

Un homme à cheveux blancs dormait par terre à mes pieds; un gendarme suait sous son tricorne, deux soldats avaient ôté leurs sacs et s'étaient couchés dessus. Près du beaupré, le mousse regardait dans le foc et sifflait pour appeler le vent; debout, à l'arrière, le patron faisait tourner la barre.

Le vent ne venait pas. On abattit les voiles qui descendirent tout doucement en faisant sonner le fer des rocambots et affaissèrent sur les bancs leur draperie lourde; puis chaque matelot défit sa veste, la serra sous l'avant, et tous alors recommencèrent, en poussant de la poitrine et des bras, à mouvoir les immenses avirons qui se ployaient dans leur longueur.

L'air était d'une transparence bleuâtre, sa lumière crue enveloppant tout, frappant tout, pénétrait jusque dans leurs pores les vieux bois gris de la barque, les fils épais de la voile, la peau des hommes gouttelante de sueur; ils haletaient d'accord, on entendait à la fois leur poitrine respirer et les avirons tomber dans l'eau.

Après chaque mouvement de tous ces bras qui se dépliaient et s'abaissaient, une traction sourde vous glissait en avant, on entendait autour du gouvernail l'eau clapoter plus clair et dans le silence la barque s'avançait puis, secouée, repartait.

Derrière, on voyait Quiberon reculant graduellement sa plage de sable; à gauche les îles d'Houat et d'Hoedic bombant sur la surface du pâle azur leurs masses d'un vert noir, Belle-Isle grandissant les pans à pic de ses rochers couronnés d'herbe et la citadelle dont la muraille plonge dans la mer, qui se levait lentement de dessous les flots.

On y envoyait dans un régiment de discipline les deux soldats escortés par le gendarme, et que moralisait de son mieux un fusilier qu'il avait pris comme renfort pour le contenir. Le matin déjà, pendant son demi déjeunions, l'un d'eux, en compagnie du brigadier, était entré dans l'auberge d'un air crâne, la moustache retroussée, les mains dans les poches, le képi sur l'oreille, en demandant à manger « tout de suite » et à boire n'importe quoi, fût-ce de l'arsenic, appelant, jurant, criant, faisant sonner ses sous et damner le pauvre gendarme; maintenant il riait encore, mais des lèvres seulement, et sa joie devenait plus rare à mesure qu'à l'horizon se dressait le grand mur blanc où il allait bêcher la terre et traîner le boulet. Son compagnon était plus calme. C'était une grosse figure lourde et laide, une de ces natures d'une vulgarité si épaisse que l'on comprenait de suite l'immense mépris qu'ont pour elle ceux qui poussent sur le canon cette viande animée, et le bon marché qu'ils en font. Il n'avait jamais vu la mer, il la regardait en ouvrant ses deux yeux, et il dit se parlant à lui-même : « C'est curieux tout de même, ça donne tout de même un aperçu de ce qui existe », appréciation que j'ai trouvée profonde et aussi émue par le sentiment de la chose même que toutes les expressions lyriques que j'ai entendu faire à bien des dames.

L'autre soldat ne cachait pas pour lui le dédain qu'il avait et quoiqu'ils fussent amis, il haussait les épaules de pitié en le regardant. Quand il se fut suffisamment amusé de lui en essayant de faire rire sur son compte la société qui l'entourait, il le laissa dormir dans son coin et se tourna vers nous. Alors il nous parla de lui-même, de la prison qu'il va subir, du régiment qui l'ennuie, de la guerre qu'il souhaite, de la vie dont il est las. Peu à peu ainsi sa joie étudiée s'en alla, son rire forcé disparut; il devint simple et doux, mélancolique et presque tendre. Trouvant enfin une oreille ouverte à tout ce qui depuis longtemps surchargeait son cœur exaspéré d'ennui, il nous exposa longuement toutes les misères du soldat, les dégoûts de la caserne, les exigences taquines de l'étiquette, toutes les cruautés de l'habit, l'arrogance brutale des sergents, l'humiliation des obéissances aveugles, l'assassinat permanent de l'instinct et de la volonté sous la masse du devoir.

Il est condamné à un an de discipline pour avoir vendu un pantalon. « A beaucoup, disait-il, ça ne fait rien, comme à ça par exemple, en désignant son compagnon; des paysans, c'est habitué à remuer la terre, mais moi, ça me salira les mains. »

O orgueil! ton goût d'absinthe remonte donc dans toutes les bouches et tous les cœurs te ruminent! Qu'était-il, lui qui se plaignait de tant souffrir au contact des autres? Un enfant du peuple, un ouvrier de Paris, un garçon sellier. J'ai plaint, j'ai plaint cet homme ardent et triste, malade de besoins, rongé d'envies longues, qui s'impatiente du joug et que le travail fatigue. Il n'y a pas que nous, au coin de nos cheminées, dans l'air étouffé de nos intérieurs, qui ayons des fadeurs d'âme et des colères vagues dont on tâche de sortir avec du bruit en essayant d'aimer, en voulant écrire; celui-là fait de même dans son cercle inférieur, avec les petits verres et les donzelles; lui aussi il souhaite l'argent, la liberté, le grand air, il voudrait changer de lieu, fuir ailleurs, n'importe où, il s'ennuie, il attend sans espoir.

Les sociétés avancées exhalent comme une odeur de foule, des miasmes écœurants, et les duchesses ne sont pas les seules à s'en évanouir. Ne croyez pas les mains sans gants plus robustes que les autres; on peut être las de tout sans rien connaître, fatigué de traîner sa casaque sans avoir lu Werther ni René, et il n'y a pas besoin d'être reçu bachelier pour se brûler la cervelle.

On avait tant tardé à partir, qu'à peine s'il y avait de l'eau dans le port, et nous eûmes grand mal à y entrer. Notre quille frôlait contre les petits cailloux du fond, et pour descendre à terre il nous fallut marcher sur une rame comme sur la corde raide.

Resserré entre la citadelle et ses remparts et coupé au milieu par un port presque vide, Le Palais nous parut une petite ville assez sotte, qui transsude un ennui de garnison et a je ne sais quoi d'un sous-officier qui bâille.

Ici, on ne voit plus les chapeaux de feutre noir du Morbihan, bas de forme, immenses d'envergure et abritant les épaules. Les femmes n'ont pas ces grands bonnets blancs qui s'avancent devant leur visage comme ceux des religieuses et, par derrière, retombent jusqu'au milieu du dos, vêtant ainsi chez les petites filles la moitié du corps. Leurs robes sont privées du large galon de velours appliqué sur l'épaule qui, dessinant le contour de l'omoplate, va se perdre sous les aisselles. Leurs pieds non plus ne portent point ces souliers découverts, ronds du bout, hauts de talons et ornés de longs rubans noirs qui frôlent la terre. C'est, comme partout, les figures qui se ressemblent, les costumes qui n'en sont pas, des bornes, des maisons, des pavés et même un trottoir.

Etait-ce la peine de s'être exposés au mal de mer, que nous n'avions pas eu d'ailleurs, ce qui nous rendait indulgents, pour n'avoir à contempler que la citadelle, dont nous nous souciions fort peu, le phare, dont nous nous inquiétions encore moins, ou le rempart de Vauban qui nous ennuyait déjà. Mais on nous avait parlé des roches de Belle-Isle. Incontinent donc, nous dépassâmes les portes, et coupant net à travers champs, rabattîmes sur le bord de la mer.

Nous ne vîmes qu'une grotte, une seule (le jour baissait), mais qui nous parut si belle (elle était tapissée de varechs et de coquilles et avait des gouttes d'eau qui tombaient d'en haut), que nous résolûmes de rester le lendemain à Belle-Isle pour en chercher de pareilles, s'il y en avait, et nous repaître à loisir les yeux du régal de toutes ces couleurs.

Le lendemain donc, sitôt qu'il fit jour, ayant rempli une gourde, fourré dans un de nos sacs un morceau de pain avec une tranche de viande, nous prîmes la clef des champs, et, sans guide ni renseignement quelconque (c'est là la bonne façon), nous nous mîmes à marcher, décidés à aller n'importe où, pourvu que ce fût loin, et à rentrer n'importe quand, pourvu que ce fût tard.

Nous commençâmes par un sentier dans les herbes; il suivait le haut de la falaise, montait sur ses pointes, descendait dans ses vallons et se continuait dessus en faisant le tour de l'île.

Quand un éboulement l'avait coupé, nous remontions plus loin dans la campagne et, nous réglant sur l'horizon de la mer, dont la barre bleue touchait le ciel, nous regagnions ensuite le haut de la crête que nous retrouvions à l'improviste ouvrant son abîme à nos côtés. La pente à pic sur le sommet de laquelle nous marchions ne nous laissait rien voir du flanc des rochers; nous entendions seulement au-dessous de nous le grand bruit battant de la mer.

Quelquefois la roche s'ouvrait dans toute sa grandeur, montrait subitement ses deux pans presque droits que rayaient des couches de silex et où avaient poussé de petits bouquets jaunes. Si on jetait une pierre, elle semblait quelque temps suspendue, puis se heurtait aux parois, déboulait en ricochant, se brisait en éclats, faisait rouler de la terre, entraînait des cailloux, finissait sa course en s'enfouissant dans les graviers; et on entendait crier les cormorans qui s'envolaient.

Souvent les pluies d'orage et les dégels avaient chassé dans ces gorges une partie des terrains supérieurs qui, s'y étant écoulés graduellement, en avaient adouci la pente, de manière à y pouvoir descendre. Nous nous risquâmes dans l'une d'elles, et, nous laissant glisser sur le derrière en nous enrayant des pieds et nous retenant des mains, nous arrivâmes enfin au bas sur du beau sable mouillé.

La marée baissait, mais il fallait, pour passer, attendre le retrait des vagues. Nous les regardions venir. Elles écumaient dans les roches, à fleur d'eau, tourbillonnaient dans des creux, sautaient comme des écharpes qui s'envolent, retombaient en cascades et en perles, et dans un long balancement ramenaient à elles leur grande nappe verte. Quand une vague s'était retirée sur le sable, aussitôt les courants s'entre-croisaient en fuyant vers des niveaux plus bas. Les varechs remuaient leurs lanières gluantes, l'eau débordait des petits cailloux, sortait par les fentes des pierres, faisait mille clapotements, mille jets. Le sable trempé buvait son onde, et, se séchant au soleil, blanchissait sa teinte jaune.

Dès qu'il y avait de la place pour nos pieds, sautant par-dessus les roches, nous continuions devant nous. Elles augmentèrent bientôt leur amoncellement désordonné; tournées, bousculées, entassées dans tous les sens, renversées l'une sur l'autre. Nous nous cramponnions de nos mains qui glissaient, de nos pieds qui se crispaient en vain sur leurs aspérités visqueuses.

La falaise était haute, si haute qu'on en avait presque peur quand on levait la tête. Elle nous écrasait de sa placidité formidable et elle nous charmait pourtant; car on la contemplait malgré soi et les yeux ne s'en lassaient pas.

Il passa une hirondelle, nous la regardâmes voler; elle venait de la mer, elle montait doucement, coupant au tranchant de ses plumes l'air fluide et lumineux où ses ailes nageaient en plein et semblaient jouir de se développer toutes libres. Elle monta encore, dépassa la falaise, monta toujours et disparut.

Cependant nous rampions sur les rochers dont chaque détour de la côte nous renouvelait la perspective. Ils s'interrompaient par moments et alors nous marchions sur des pierres carrées, plates comme des dalles, où des fentes se prolongeant presque symétriques semblaient les ornières de quelque antique voie d'un autre monde.

De place en place, immobiles comme leur fond verdâtre, s'étendaient de grandes flaques d'eau qui étaient aussi limpides, aussi tranquilles, et ne remuaient pas plus qu'au fond des bois, sur son lit de cresson, à l'ombre des saules, la source la plus pure. Puis de nouveau les rochers se présentaient plus serrés, accumulés. D'un côté c'était la mer dont les flots sautaient dans les basses roches, de l'autre, la côte droite, ardue, infranchissable.

Fatigués, étourdis, nous cherchions une issue. Mais toujours la falaise s'avançait devant nous, et les rochers, étendant à l'infini leurs sombres masses de varechs, faisaient succéder l'une à l'autre leurs têtes inégales qui grandissaient en se multipliant comme des fantômes noirs sortant de dessous terre.

Nous roulions ainsi à l'aventure, quand nous vîmes tout à coup, serpentant en zigzag dans la roche, une valleuse qui nous permettait, comme par une échelle, de regagner la rase campagne.

Quand nous l'eûmes gravie, nous nous trouvâmes sur le plateau qui domine ce côté de l'île et continuâmes dans la même direction, à travers des champs sans arbres que n'égayait aucune verdure. Il était néanmoins fort doux de n'avoir plus qu'à remuer les pieds et à les pousser devant soi. Un petit bois de pins grêles s'offrit, nous y entrâmes et ayant débouclé le sac qui depuis quatre heures nous ballottait aux épaules, nous commençâmes à déchiqueter avec nos ongles et nos mains la tranche de veau froid qui s'y *hocquesonnait* contre le morceau de pain.

Couchés par terre sur les feuilles tombées, nous dînâmes entre nos jambes, en faisant sécher au bout des branches d'arbres nos chaussettes et nos souliers tout trempés d'eau de mer. Lorsque la nappe fut ôtée et qu'une bonne pipe nous eut remis de nos fatigues nous ramassâmes le bâton et nous repartîmes.

Voulant traverser l'île dans sa largeur, nous nous dirigeâmes d'après le soleil et allâmes droit en face de nous; mais bientôt perdus dans la campagne, nous ne cherchâmes plus dès lors qu'à retrouver la mer dont le rivage, si nous le suivions toujours, devait nous ramener enfin au Palais soit le soir, soit dans la nuit ou le lendemain matin, car nous ne savions plus où il était, ni nous-mêmes où nous étions.

N'importe, c'est toujours un plaisir, même quand la campagne est laide, que de se promener à deux tout au travers, en marchant dans les herbes, en traversant les haies, en sautant les fossés, abattant des chardons avec votre bâton, arrachant avec vos mains les feuilles et les épis, allant au hasard comme l'idée vous pousse, comme les pieds vous portent, chantant, sifflant, causant, rêvant, sans oreille qui vous écoute, sans bruit de pas derrière vos pas, libres comme au désert!

Ah! de l'air! de l'air! de l'espace encore! Puisque nos âmes serrées étouffent et se meurent sur le bord de la fenêtre, puisque nos esprits captifs, comme l'ours dans sa fosse, tournent toujours sur eux-mêmes et se heurtent contre ses murs, donnez au moins à mes narines le parfum de tous les vents de la terre, laissez s'en aller mes yeux vers tous les horizons!

Aucun clocher ne montrait au loin son toit reluisant d'ardoises, pas un hameau n'apparaissait au revers d'un pli de terrain, ajustant dans un bouquet d'arbres ses toits de chaume et ses cours carrées; on ne rencontrait personne, ni paysan qui passe, ni mouton qui broute, ni chien qui rôde.

Tous ces champs cultivés n'avaient pas l'air habités; on y travaille, on n'y vit point. On dirait que tous ceux qui les ont en profitent, mais ne les aiment pas.

Nous avons vu une ferme, nous sommes entrés dedans; une femme en guenilles nous a servi dans des tasses de grès du lait frais comme la glace. C'était un silence singulier. Elle nous regardait avidement, et nous sommes repartis.

Nous sommes descendus dans un vallon dont la gorge étroite semblait s'étendre vers la mer. De longues herbes à fleurs jaunes nous montaient jusqu'au ventre. Nous avancions en faisant de grandes enjambées. Nous entendions de l'eau couler près de nous et nous enfoncions dans la terre marécageuse. Les deux collines vinrent à s'écarter, portant toujours sur leurs versants arides un gazon ras que des lichens plaquaient par intervalles comme de grandes taches jaunes. Au pied de l'une d'elles un ruisseau passait parmi les bas rameaux des arbrisseaux rabougris qui avaient poussé sur ses bords, et s'allait perdre plus loin dans une mare immobile où des insectes à grandes pattes se promenaient sur la feuille des nénuphars.

Le soleil dardait. Les moucherons bruissaient leurs ailes, et faisaient courber la pointe des joncs sous le poids de leurs corps légers. Nous étions seuls tous les deux dans la tranquillité de cette solitude.

En cet endroit le vallon s'arrondissait en s'élargissant et faisait un coude sur lui-même. Nous montâmes sur une butte pour découvrir au delà; mais l'horizon s'arrêtait vite, enclos par une autre colline, ou bien étendait de nouvelles plaines. Nous prîmes courage cependant et continuâmes à avancer, tout en pensant à ces voyageurs abandonnés dans les îles, qui grimpent

sur les promontoires, pour apercevoir au loin quelque voile venant à eux.

Le terrain devint plus sec, les herbes moins hautes; la mer tout à coup se présenta devant nous, resserrée dans une anse étroite, et bientôt sa grève faite de débris de madrépores et de coquilles se mit à crier sous nos pas. Nous nous laissâmes tomber par terre et nous nous endormîmes, épuisés de fatigue. Une heure après, réveillés par le froid, nous nous remîmes en marche, sûrs cette fois de ne pas nous perdre; nous étions sur la côte qui regarde la France, et nous avions Le Palais à notre gauche. C'était sur ce rivage que nous avions vu la veille la grotte qui nous avait tant charmés. Nous ne fûmes pas longtemps à en trouver d'autres plus hautes encore et plus profondes.

Elles s'ouvraient toujours par de grandes ogives, droites ou penchées, poussant leurs jets hardis sur d'énormes pans de rocs aux coupes régulières. Noires et veinées de violet, rouges comme du feu, brunes avec des lignes blanches, elles découvraient pour nous qui les venions voir, toutes les variétés de leurs teintes et de leurs formes, leurs grâces, leurs fantaisies grandioses. Il y en avait une, couleur d'argent, que traversaient des veines de sang; dans une autre des touffes de fleurs ressemblant à des primevères s'étaient écloses sur les glacis de granit rougeâtre, et du plafond tombaient sur le sable fin des gouttes lentes qui recommençaient toujours. Au fond de l'une d'elles, sous un cintre allongé, un lit de gravier blanc et poli, que la marée sans doute retournait et refaisait chaque jour, semblait être là pour recevoir au sortir des flots le corps de la Naïade; mais sa couche est vide et pour toujours l'a perdue! Il ne reste que ces varechs encore humides où elle étendait ses beaux membres nus fatigués de la nage et sur lesquels, jusqu'à l'aurore, elle dormait au clair de lune.

Le soleil se couchait. La marée montait au fond sur les roches, qui s'effaçaient dans le brouillard bleu du soir, que blanchissait sur le niveau de la mer l'écume des vagues rebondissantes; à l'autre partie de l'horizon, le ciel rayé de longues lignes orange avait l'air balayé comme par de grands coups de vent. Sa lumière reflétée sur les flots les dorait d'une moire chatoyante; se projetant sur le sable, elle le rendait brun et faisait briller dessus un semis d'acier.

A une demi-lieue vers le Sud, la côte allongeait vers la mer une file de rochers. Il fallait pour les joindre recommencer une marche pareille à celle que nous avions faite le matin. Nous étions fatigués, il y avait loin; mais une tentation nous poussait vers là-bas, derrière cet horizon. La brise arrivait dans le creux des pierres; les flaques d'eau se ridaient; les goémons accrochés aux flancs des falaises tressaillaient, et du côté d'où la lune allait venir, une clarté pâle montait de dessous les eaux.

C'était l'heure où les ombres sont longues. Les rochers étaient plus grands, les vagues plus vertes. On eût dit aussi que le ciel s'agrandissait et que toute la nature changeait de visage.

Donc nous partîmes en avant, au delà, sans nous

soucier de la marée qui montait, ni s'il y aurait plus tard un passage pour regagner terre. Nous avions besoin jusqu'au bout d'abuser de notre plaisir et de le savourer sans en rien perdre. Plus légers que le matin, nous sautions, nous courions sans fatigue, sans obstacle, une verve de corps nous emportait malgré nous et nous éprouvions dans les muscles des espèces de tressaillements d'une volupté robuste et singulière. Nous secouions nos têtes au vent et nous avions du plaisir à toucher les herbes avec nos mains. Aspirant l'odeur des flots, nous humions, nous évoquions à nous tout ce qu'il y avait de couleurs, de rayons, de murmures : le dessin des varechs, la douceur des grains de sable, la dureté du roc qui sonnait sous nos pieds, les altitudes de la falaise, la frange des vagues, les découpures du rivage, la voix de l'horizon; et puis, c'était la brise qui passait, comme d'invisibles baisers qui nous coulaient sur la figure, le ciel où il y avait des nuages allant vite, roulant une poudre d'or, la lune qui se levait, les étoiles qui se montraient. Nous roulions l'esprit dans la profusion de ces splendeurs, nous en repaissions nos yeux; nous en écartions les narines, nous en ouvrions les oreilles; quelque chose de la vie des éléments émanant d'eux-mêmes, sans doute à l'attraction de nos regards, arrivait jusqu'à nous, et, s'y assimilant, faisait que nous les comprenions dans un rapport moins éloigné, que nous les sentions plus avant, grâce à cette union plus complexe. A force de nous en pénétrer, d'y entrer, nous devenions nature aussi, nous nous diffusions en elle, elle nous reprenait, nous sentions qu'elle gagnait sur nous et nous en avions une joie démesurée; nous aurions voulu nous y perdre, être pris par elle ou l'emporter en nous. Ainsi que dans les transports de l'amour, on souhaite plus de mains pour palper, plus de lèvres pour baiser, plus d'yeux pour voir, plus d'âme pour aimer, nous étalant dans la nature dans un ébattement plein de délire et de joies, nous regrettions que nos yeux ne pussent aller jusqu'au sein des rochers, jusqu'au fond des mers, jusqu'au bout du ciel, pour voir comment poussent les pierres, se font les flots, s'allument les étoiles; que nos oreilles ne pussent entendre graviter dans la terre la formation des granits, la sève pousser dans les plantes, les coraux rouler dans les solitudes de l'océan. Et dans la sympathie de cette effusion contemplative, nous aurions voulu que notre âme, irradiant partout, allât vivre dans toute cette vie pour revêtir toutes ses formes, durer comme elles, et se variant toujours, toujours pousser au soleil de l'éternité ses métamorphoses!

Mais l'homme n'est fait pour goûter chaque jour que peu de nourriture, de couleurs, de sons, de sentiments, d'idées. Ce qui dépasse la mesure le fatigue ou le grise; c'est l'idiotisme de l'ivrogne, c'est la folie de l'extatique. Ah! que notre verre est petit, mon Dieu! Que notre soif est grande! que notre tête est faible!

Ce soir-là nous n'avions plus la nôtre parfaitement d'aplomb sur les épaules; nous nous en revenions animés, émus, presque furieux, le cœur battant, les nerfs vibrant comme les cordes d'une harpe que l'on a trop pincées; nous nous sentions le corps fatigué, le cerveau étourdi, tandis qu'au contraire nos jarrets, saccadant leurs mouvements, d'eux-mêmes nous poussaient en avant et nous faisaient presque bondir. Lorsque nous rentrâmes dans la ville dont on allait fermer les portes, il y avait quatorze heures que nous marchions, nos pieds sortaient par nos souliers et l'on tordit nos chemises qui, deux jours après, n'étaient pas sèches.

Pour nous en retourner à Quiberon, il fallut, le lendemain, nous lever avant 7 heures, ce qui exigea du courage. Encore raides de fatigue et tout grelottants de sommeil, nous nous empilâmes dans la barque, en compagnie d'un cheval blanc, de deux voyageurs pour le commerce, du même gendarme borgne et du même fusilier qui, cette fois, ne moralisait personne. Gris comme un cordelier et roulant sous les bancs, il avait fort à faire pour retenir son shako qui lui vacillait sur la tête et pour se défendre de son fusil qui lui cabriolait dans les jambes. Je ne sais qui de lui ou du gendarme était le plus bête des deux. Le gendarme n'était pas ivre, mais il était stupide. Il déplorait le peu de tenue du soldat, il énumérait les punitions qu'il allait recevoir, il se scandalisait de ses hoquets, il se formalisait de ses manières. Vu de trois quarts, du côté de l'œil absent, avec son tricorne, son sabre et ses gants jaunes, c'était certes un des plus tristes aspects de la vie humaine. Un gendarme est, d'ailleurs, quelque chose d'essentiellement bouffon, que je ne puis considérer sans rire; effet grotesque et inexplicable, que cette base de la sécurité publique a l'avantage de m'occasionner, avec les procureurs du roi, les magistrats quelconques et les professeurs de belles-lettres.

Incliné sur le flanc, le bateau coupait les vagues qui filaient le long du bordage en tordant de l'écume. Les trois voiles bien gonflées arrondissaient leur courbe douce. La mâture criait, l'air sifflait dans les poulies. A la proue, le nez dans la brise, un mousse chantait; nous n'entendions pas les paroles, mais c'était un air lent, tranquille et monotone qui se répétait toujours, ni plus haut, ni plus bas, et qui se prolongeait en mourant, avec des modulations traînantes.

Cela s'en allait doux et triste sur la mer, comme dans une âme un souvenir confus qui passe.

Le cheval se tenait debout, du mieux qu'il pouvait, sur ses quatre pieds et mordillait sa botte de foin. Les matelots, les bras croisés, souriaient en regardant dans les voiles.

A Quiberon, nous revîmes M. Rohan, sa rubiconde et haute épouse et son jeu du « trou madame » qui remplace dans son établissement le billard obligé et qui paraît être une des curiosités du pays. Nos deux voyageurs y étaient forts, et quand après avoir déjeuné avec eux nous partîmes pour Plouharnel, nous les laissâmes acharnés mieux que jamais en train de jouer le café avec une de leurs connaissances de l'endroit. Tous deux ils voyageaient dans les draps. Le premier était un assez beau mâle de quelque vingt ans, blond, haut en couleur, ayant poitrine bombée, casquett sur l'oreille, talons hauts et gilet jusqu'aux genoux; il nous représentait l'incarnation du Vaudeville-Achard, il en avait l'élégance, c'en était le style. Quant à l'autre, sans doute qu'il avait eu dans son temps l'aimable laisser-aller de son compagnon; lui aussi, il avait peut-être jadis pris la taille aux bonnes, injurié amicalement les garçons, été brillant sur le carambolage et distrait les ennuis de la grande route en chantant du Béranger dans son cabriolet; mais l'âge était venu, cette neige du cœur qui avait éteint sa flamme et calmé sa voix. L'expérience d'un sage, la modération du philosophe se lisaient sur son front qu'avaient ridé les soucis de la vente et les inquiétudes du ballot. Combien dans sa vie avait-il dû écrire de lettres d'affaires? De combien de maisons n'avait-il pas été mis à la porte? Que de fois il avait dîné à table d'hôte!

Devant se rendre comme nous le soir à Plouharnel, ces messieurs nous proposèrent de prendre nos sacs dans leur voiture, ce que nous acceptâmes et dont bien nous prit, car de Quiberon à Plouharnel la route est fort sablonneuse, et vingt-cinq livres de plus sur le dos n'auraient pas accéléré notre marche.

Jusqu'au fort Penthièvre à peu près, la route étant connue nous ne vîmes rien de nouveau, mais nous revîmes avec ennui quelques-unes de ces bons menhirs allongeant sur l'herbe leur ombre bête.

Nous n'entrâmes pas au fort Penthièvre, ce qui étonna beaucoup le factionnaire qui, nous voyant passer, avait eu la prévenance de nous crier de loin « qu'il nous fallait une permission pour le voir », mais nous nous assîmes au bas de son talus sur le versant d'un grand monticule de gazon dont la pente descend vers les sables. Le soleil brillait, la mer pétillait, un vent sec et âpre soufflait sur les joncs des dunes et, comme une nappe d'eau qui eût passé dessus, les courbait tous à la fois.

En face de cette hauteur où nous étions, Plouharnel se montrait sur la côte opposée, le clocher de son église, certes, paraissait facile à atteindre, il n'y avait qu'*à suivre tout droit* ainsi que disent les paysans. Comme si c'était chose fort aisée à faire que de suivre tout droit n'importe quoi, même quand on a devant les yeux un clocher ou une girouette!

La presqu'île, se découpant au milieu de la mer, prolongeait sa perspective d'un jaune pâle, et les vagues dessinaient sur son double rivage deux longues bordures d'écume blanche. La mer était toute bleue, le ciel tout blanc; frappés d'aplomb par le soleil, les sables faisaient miroiter devant nous de grands reflets bruns qui semblaient les faire onduler et en allonger l'étendue. Des monticules ronds formés par des coups de vent, et que piquaient çà et là quelques joncs minces comme des aiguilles, se présentaient sans cesse l'un après l'autre, il fallait les monter et les descendre, des traînées de poussière se levant lentement s'envolaient et nos yeux se fermaient à l'éblouissement du soleil qui flambait sur les flots et chatoyait sur le sable. Le vent nous empourprait le visage, il nous le fouettait à grands coups, nous avancions lentement et avec tristesse sur cette grève abandonnée.

Donc, nous allions sans mot dire, du mieux que nous pouvions, sans jamais atteindre au fond de la baie où avait l'air de se trouver Plouharnel. Nous y arrivâmes cependant. Mais là, nous tombions dans la mer. Nous avions pris le côté droit du rivage, tandis qu'on devait suivre le gauche. Il fallut rebrousser chemin et recommencer une partie de la route.

Un bruit étouffé se fit entendre. Un grelot sonna, un chapeau parut. C'était la poste d'Auray. Toujours même homme, même cheval, même sac aux lettres. Il s'en allait tranquillement vers Quiberon d'où il reviendra tantôt pour s'en retourner demain. C'est l'hôte du rivage; il le passe le matin, il le repasse le soir. Sa vie est de le parcourir; lui seul l'anime, il en fait l'épisode, j'allais presque dire la grâce.

Il s'arrête; nous lui parlons deux minutes, il nous salue et il repart.

Quel ensemble que celui-là! Quel homme et quel cheval! Quel tableau! Callot, sans doute, l'aurait reproduit; il n'y avait que Cervantes pour l'écrire.

Après avoir passé sur de grands quartiers de rocs qu'on a essayé d'aligner dans la mer, pour raccourcir la route en coupant le fond de la baie, nous arrivâmes enfin à Plouharnel.

Le village était tranquille, les poules gloussaient dans les rues, et dans les jardins enclos de murs de pierres sèches, les orties ont poussé au milieu de carrés d'avoine.

Comme nous étions devant la maison de notre hôte, assis à prendre l'air, un vieux mendiant a passé. Il était courbé, en guenilles, grouillant de vermine, rouge comme du vin, hérissé, suant, la poitrine débraillée, la bouche baveuse.

Le soleil reluisait sur ses haillons, sa peau violette et presque noire semblait transsuder du sang. Il beuglait d'une voix terrible en frappant à coups redoublés contre la porte d'une maison voisine.

Nous eûmes l'honneur de dîner avec nos deux voyageurs pour le commerce dont la politesse méritait bien l'offre de l'inévitable bouteille de champagne, aussi leur cœur s'ouvrit-il complètement aux nôtres, et ils versèrent dedans leurs confidences les plus intimes. Nous apprîmes des choses fort intéressantes, que le plus jeune, par exemple, voyageait pour une maison de Lisieux et qu'il avait eu l'an passé une maîtresse qui s'appelait Joséphine et qui avait beaucoup de gorge. C'était, du reste, un gaillard qui avait connu de Cythère le haut et le bas de l'échelle, il lui arrivait souvent de calmer ses sens pour de faibles trésors et il avait *couché avec des femmes qui couchaient dans des draps de satin noir.*

— Eh quoi! lui dit son compagnon, tu ne leur en as pas pris un peu pour te faire des gilets?

L'hôte, qui est le maire de l'endroit, vint au dessert trinquer avec nous. Les deux coudes de sa chemise appuyés sur la table, son bonnet de soie noire relevé derrière les oreilles pour mieux entendre, il demeura tout le temps muet et béant à savourer les discours de nos amis et les nôtres, qui ne valaient pas mieux. Du reste, ce dîner ne nous ennuya pas, il est parfois très doux de causer avec des imbéciles.

Le lendemain était un dimanche, et la cuisine était déjà toute pleine de paysans qui venaient boire, quand nous descendîmes pour y prendre notre soupe à l'oignon avant de nous mettre en marche pour Auray.

On entendait par-dessus les voix et les galoches ferrées qui résonnaient dans le cabaret, le roucoulement d'une tourterelle enfermée dans une cage suspendue à la muraille. Quel doux bruit que celui-là! Aimez-vous les vieux colombiers où on les voit marcher sur le toit des tuiles en rengorgeant leur cou, en ouvrant leurs ailes, en baignant leurs pieds roses dans l'eau des gouttières tout en poussant tout le long du jour leurs ronflements plaintifs qui reprennent et s'arrêtent?

Nous étions levés, nous allions partir, nous le vîmes passer, mais nous ne l'aperçûmes que par derrière. Qu'était-ce par devant? qui donc? le chapeau. Quel chapeau! un vaste et immense chapeau qui dépassait les épaules de son porteur et qui était en osier, quel osier! du bronze plutôt, planisphère dur et compact fait pour résister à la grêle, que la pluie ne traversait point, que le temps ne devait que durcir et fortifier. L'homme qu'il recouvrait disparaissait dessous et avait l'air d'y être entré jusqu'au milieu du corps, et il le portait cependant (je l'ai vu tourner la tête). Quelle constitution! quel tempérament il avait donc! quels muscles cervicaux! quelle force dans les vertèbres! Mais aussi quelle ampleur! quel cercle, ce chapeau! Il projette une ombre tout à l'entour de lui, et son maître ne doit jamais jouir du soleil. Ah! quel chapeau! C'est un couvercle de chaudière à vapeur surmonté d'une colonne, ça ferait un four en y pratiquant des meurtrières! Il y a des choses inébranlables : le Simplon et l'impudence des critiques, des choses solides : l'arc de l'Etoile et le français de Labruyère, des choses lourdes : le plomb, le bouilli et M. Nisard, des choses grandes : le nez de mon frère, l'*Hamlet* de Shakespeare et la tabatière de Bouilhet, mais je n'ai rien vu d'aussi solide, d'aussi inébranlable, d'aussi grand et d'aussi lourd que ce chapeau de Plouharnel!

Et il avait une couverture en toile cirée!

VI

DE PLOUHARNEL A AURAY, campagne déserte; on rencontre peu de maisons, mais de beaux aspects de paysages comme ajoncs et arbres.

AURAY, a un bon chic de bonne petite vieille ville avec ses toits et ses maisons; les femmes plus jolies qu'aux alentours. – Belle vue du haut d'un belvédère de pierre d'Auray, à droite et dedans la terre. – Quelques barques à sec sur la rive à cause de la marée basse; vieux pont à piles triangulaires avec des avancées dans les piles.

LA CHARTREUSE. – *Gallia mœrens posuit*, mausolée, vilain monument dans le goût de la Restauration : au fond deux bas-reliefs : l'un Mlle d'Angoul posant la première pierre; pose du préfet qui lui présente la truelle sur un coussin; l'autre M. d'Angoul priant; son manteau; quel galbe de bottes! Et le monsieur par derrière retenant un gant sur sa poitrine. – On a descendu une chandelle par un trou et nous avons vu les ossements. – Cloître vitré, fermé,

garni de copies de saint Bruno de Lesueur. – Les sœurs grises. – L'abbé se promenant. – Champ des martyrs : une espèce de chapelle totalement insignifiante; d'un côté un petit bois, une allée d'arbres verts, une longue lande que la mer inonde à chaque marée; l'endroit était bien choisi. Pour aller à Sainte-Anne, la route monte. – Lieux charmants avec de l'eau (c'est l'Auray qui coule), des roches, des nénufars sur l'eau, des ajoncs. – Le petit chien qui courait et se baignait partout. – Les haies sont effrayantes tant elles sont multipliées quand on pense à leur usage. – Sous un arbre une vieille femme pâle, agenouillée, priait au coin d'un chemin creux; c'était l'heure des vêpres. Nous en avons rencontré deux autres qui marchaient tout en priant, sans doute, car l'une a fait le signe de la croix.

SAINTE-ANNE. – Eglise ornée de tableaux, *ex-voto* le moulin et les enfants. – Coup de hache. – Boutiques d'objets de piété. – Notre conducteur carliste et dévot, gros bonhomme lourd et nul.

VANNES. – Messieurs et dames endimanchés. – Les jeunes troupiers en bourgeois, moustaches, pantalons tirés; un pantalon et une paire de bottines! M. Descormiers de Montmorency écarté de tout le monde quoique au milieu. – L'officier, chapeau en soie noir, redingote de velours noir, cravate blanche, bouche et nez de Marat. On aurait dû le nommer gardien de la promenade avec un logement dans l'hôpital quoiqu'il n'ait pas besoin de ça. – Vannes et sa femme. – La tour du connétable, occupée par un menuisier et des Kiques effroyables. – Eglises sans noms. – Coin oriental en descendant de l'hôtel vers une petite promenade au bord de l'eau entouré à un champ entouré régulièrement de chênes sous lesquels j'écris. – A l'hôtel, dans une pièce qui semble être le salon, deux gravures : le retour et le départ du roi en 1817. Mgr d'Angoulême en Espagne, grand costume, bottes à l'écuyère; son épée s'appuie sur un monstre enchaîné qui doit être l'hydre de l'anarchie; il se tient debout à côté du tronc. Au fond, sur un bouclier pendu à la muraille, il y a écrit : *veni, vidi, vici.*

DE VANNES A HENNEBONT la route nous semble jolie; vent frais sur l'impériale. – Bois que la route traverse.

LORIENT. – Nullité complète; rues basses et alignées. – Hôtel de France, gargote, serre dans le jardin. – Musique le soir sous les arbres devant le théâtre. – La calomnie de M. Scribe (M. de Sauvray Raymond), j'en sors malade. – Le port impossible à voir. – Promenade le soir. – Rien dedans. – Hennebont sur le penchant d'un coteau.

DE LORIENT A HENNEBONT à pied. – Florentin chantant une chanson génoise et vendant des plâtres. – Plantes violettes dans les ruines; deux tours conservées avec des toits en ardoise. – En arrivant de Lorient : pan de mur à mâchicoulis garni de terre. – Sur le haut de la ville, promenade, vue sur la rivière; en face l'Hôtel du Commerce grande allée d'ormeaux. – En relayant, idiot farouche, regard dur, grande redingote verte, pantalon de toile trop court, sabots, nu-pieds, chapeau de paille; femme couverte...

D'HENNEBONT A PLOËRMEL, sous la bâche. – Le conducteur est une espèce de marin. – Mélancolie en regardant la grande route. – A Vannes le démocrate classique, désirant notre intimité. – Procession, soldats, jeunes garçons vêtus de blanc couronnés de roses à Hennebont.

PLOËRMEL. – Eglise gothique du bon temps avec de jolis vitraux; portail du commencement du XIVe siècle; la truie à gauche sur un contrefort, près du portail latéral. – Dans un long vallon plat la campagne est foncée en couleur et bleue à l'horizon. – Idiot. – Père de 26 enfants nous récite des vers sur l'empereur.

JOSSELIN, vu de l'angle du pont. – Trois tours, fenêtres carrées (du commencement du XVᵉ siècle). – Bâti sur roc, sur la rivière, rangée de mâchicoulis; de face dix fenêtres dans le style de la reine Anne à Blois, mais d'un goût plus raide. – Aucune pareille; l'entre-croisement des galeries également différent. – Enormes gargouilles : éléphants sans cornes, chien marin, dragon; de dessous leur ventre part une gouttière en pierre menant jusqu'en bas, à 3 pieds du sol; et terminée par une autre tête de gargouille de même caractère. L'une, vers le milieu, la deuxième en partant de l'angle droit, figure la tête d'un crocodile dont le corps est la gouttière; le corps est couvert de bosses sur les côtés des nageoires, un peu plus haut, la queue reparaît autour de la colonne.

Eglise de Josselin. – Notre-Dame du Roncier; robe rouge étalée en éventail renversé.

Ce sommaire a été développé par Maxime Du Camp.

VII

BAUD. – A une petite demi-lieue, après avoir passé par un bois de hêtres, la Vénus de Quinipily qui n'est pas plus égyptienne que les deux cascatelles de Locminé. – Figure plate, écrasée, cheveux aplatis et ondés sur les tempes; deux bandelettes s'entre-croisent sur son dos après avoir été prises par une espèce d'étole dont le devant, lui retombant sur la poitrine, finit en triangle comme un caleçon de Samoyède. Cuisses grasses, fortes; genoux fléchis, mains croisées sur la poitrine; la tête est enfoncée dans les épaules, ce qui, de profil, lui donne quelque chose de frissonnant; seins marqués, fesses largement indiquées. Ensemble barbare.

QUIMPERLÉ. – Deux rivières. – En revenant, sentiers entre des murs ruisselant de feuilles et de ronces; vieux pont tout tapissé de feuillage; l'eau est limpide, arrêtée par les cailloux, elle gargouille et fait de petites cascades qui sont comme des voiles blancs accrochés sur le courant.

Eglise Saint-Michel. – N'a pas de façade. Le côté de l'abside est appuyé sur deux contreforts où sont accolées des maisons; on passe dessous. A gauche, une vieille maison avec des bonshommes en bois sculpté, l'un broyant dans un mortier; le porche latéral fleuri, lourd. – Dans l'intérieur, une statue en bois d'une Pieta : air Grassot de la mère, air Small de J. – Un tableau de 1715 représentant la mort d'un évêque : à gauche, dans le bas, les âmes au Purgatoire; le Père Eternel au haut en pape, le Christ avec sa croix; la Vierge plus bas; des anges en sandales descendant sur la terre où se meurt dans son lit un évêque; un prêtre lui présente la croix, sa servante pleure; un enfant de chœur à genoux porte un cierge, souliers. Au pied du lit le Diable dégoûtant à l'air d'une vieille maquerelle grasse; à la tête du lit l'ange qui invite l'évêque à venir au ciel; sous la table, où sont quelques ornements d'église, le dragon.

L'église Sainte-Croix est le contraire de l'église Saint-Michel, elle donne plus qu'elle ne promet : roman pur, élevé, noble (blanchi!); chœur monté sur une estrade, on y pénètre par deux escaliers; sous l'autel une voûte où l'on descend par deux perrons de pierre. On pénètre dessous et on circule. – Plein de monde; bonnet blanc des femmes, les hommes en longs cheveux, en grègues, en sabots; air vigoureux et gracieux, œil pénétrant et intense d'un jeune homme que j'avais vu descendre en sautant une

ruelle en pente, à murs couverts de ronces et de lierres et qui est entré en même temps que moi dans l'église. – Autre assis en face sur les marches; le jour tombait sur ses sabots; sa tête se perdait dans la masse noire de ses cheveux retombant sur sa veste blanche. On s'est mis à chanter les litanies, j'entendais sa voix dans la masse. A sa gauche, le premier en face sur un banc, homme en veste bleue, air grave. – Aspect normal et tranquille de tous ces hommes qui semblent représenter leurs ancêtres et leurs descendants. – Cryptes ogive basse, ornements de feuilles aux chapiteaux. – Deux beaux tombeaux d'abbés avec la crosse, celui qui est par terre surtout, tout noir, draperies simples et belles, vrai gothique, quelque chose de carlovingien même, et puis plus loin le peuple qui chantait. La religion là au moins était *vraie* et ne choquait pas comme un anachronisme.

ROSPORDEN. – Petit lac. – Eglise. – Femme pâle, maigre, qui priait sur une tombe dans le cimetière avec un air aussi intense que la femme dans l'église de Nantes près le confessionnal. C'était plus douloureux, plus profond, mais moins élevé, moins mystique; elle avait la tête droite sur la pierre qu'elle perçait du regard; l'autre, de côté, au ciel où elle entrevoyait quelque chose. – A côté de l'église petit lac. – Marché silencieux, sans rires, sans cris; pas de cabarets ni de boutiques; ils sont silencieux dans leurs cheveux comme le pays dans ses arbres. – Les mendiants tombent sur l'étranger et se ruent sur lui avec l'obstination de la faim.

QUIMPER. – Longue promenade d'ormeaux sur les bords de l'Odet, dans le genre de Quimperlé, mais moins herbue, moins simple comme impression. – Les abattoirs. S'il y avait des abattoirs d'hommes! ai-je songé en entendant les cris des animaux; un veau lié avait, par terre, des mouvements convulsifs de peur. – Cathédrale : deux grandes tours avec de longues baies étroites, ogives disgracieuses, peu d'élévation comme style, qui a quelque chose du gothique en décadence, est pauvre; vierge d'Ottin en marbre derrière le chœur, gentil et mollasse; statue de Grallon à genoux avec une inscription expliquant qu'il a fait des fondations pieuses pour l'église.

Eglise Saint-Mathieu : beaux vitraux du fond du sanctuaire.

Journée du samedi. – Petite pluie fine. – Notre guide, petit vieillard d'une vivacité nerveuse, maigrelet, marchant mal et vite. « Tout ce que je voudrais c'est de retourner encore une fois à Rennes. » – A travers les haies de genêts et d'ajoncs, les routes voûtées de verdure où l'on peut se tenir à peine debout à cause des branches; quelquefois une avenue de hêtres, deux vallons laissant voir la campagne, dans le brouillard, toute cicatricée de haies; et puis des cavées profondes, des pentes nues, jaunâtres d'ajoncs; pas d'oiseaux, pas de village, pas d'hommes; la verdure sombre et muette au pays féodal et triste.

LOCMARIA, à un quart de lieue de Quimper. – Vieux roman, portail ogival, affreux saint Christophe; bénitier, la pierre en est verte.

PLOMELIN. – Enseveli sous la verdure. – Eglise nue, mais qui ne paraît pas nulle; on y sent le sentiment malgré la plastique qui semble antiplastique, c'est-à-dire que la forme est en rapport avec le lieu où elle se trouve. – Temple de faux dieux, masure ruinée, un portail gothique, plus loin un pan de mur avec une autre entrée ogivale; les souterrains ont été bouchés.

Eglise de Kerfeunteun. – Clocher carré à jour, en pierre. A gauche sur le porche une inscription en marbre blanc indiquant que le peintre Valentin, né à Guingamp, est enterré là; belle verrière du fond : arbre généalogique de la

Trinité dont le sommet soutient les pieds de la croix où le Christ agonise. – Eglise de la Mère-Dieu. – Jeune homme blond qui nous a apporté la clef; veste bleue, cheveux contenus sous son chapeau. Quand il s'est agenouillé dans l'église ils ont déroulé comme ceux d'une femme, séparés par une raie sur le milieu de la tête. J'ai compris qu'une femme aussi pouvait aimer à passer sa main dans une chevelure. Quand nous en sommes sortis ils étaient tout répandus et étalés d'eux-mêmes. O les coiffeurs! O l'art appris et montré! O la bêtise humaine! – L'intérieur de l'église est nul, mais elle est si chastement cachée dans un nid de feuillage! Une date indique qu'elle a été construite en 1590 et l'on aurait juré que l'église était des XIIIᵉ ou XVᵉ siècles.

Il ne reste de Notre-Dame de Guilen que le portail, petit, bas, d'une jolie ogive d'un excellent goût. Ronces, lierres et c'est tout. Sur les deux piliers carrés, accolés aux deux côtés du portail, dans chacun un trou carré : lavabo. – La vagabonde.

Costumes. – Les veuves portent un bonnet bleu, le derrière des bonnets fait ceci avec des bouts relevés. Quelques-unes, broderies de couleurs aux parements, sous les aisselles, un galon qui court; par derrière, leur corsage semble un fragment de fraise à grands tuyaux, mais ce n'est que par derrière, le tuyauté n'est pas par devant; jupe brune plissée en long; souliers découverts ronds, à boucles d'argent carrées. – Homme : grègues de cuir, sabots ou souliers à semelles de bois, chapeau rond d'une dimension raisonnable, et non plus fantastique comme dans le Morbihan, placé sur le derrière de la tête; cela fait un bel effet avec leur chevelure. Veste bleue bordée de jaune, seconde veste par-dessus, sans manche, de même couleur, mais plus foncée; large plaque de cuivre à la ceinture.

La Procession, les petits anges en bracelets, colliers, rubans, fleurs; ça fait une impression de prostitution. Deux gamins en vestes de nankin brodées, jeunes filles en blanc, l'une jolie, maigre, avec des gants jaunes. – Les chantres, la chasuble de velours violet. – Mine démesurément stupide de celui qui portait le Saint-Esprit. – Les troupiers s'agenouillent quand on encense le Saint-Sacrement; les gendarmes suivent l'épée tirée; bruit d'un pompier qui pissait pendant que le canon tirait et que le bourdon bourdonnait. – On est révolté quoiqu'on ne veuille pas l'être. – Hôtel de l'Epée. – Expression âpre de la fille qui nous servait, bavolet bleu, bouts de manches, tablier, bonnet blanc; pas de cheveux.

CONCARNEAU. – Amabilité naïve ou prétentieuse de la jeune fille de l'établissement. – Arbres le long du quai. – Les mâchicoulis sont restaurés et intacts. – Marée basse, vue plate, au loin la mer. – La pierre branlante de Tregunc ne branle plus. – Cimetière celtique, avec les pierres disséminées au milieu des ajoncs et de l'herbe, un bel effet. – Pluie, pluie. – La route de Concarneau à Fouesnant doit être ravissante, comme arbres, comme montées et descentes.

LA FORÊT. – On traverse une chaussée bâtie sur un petit bras de mer, les pointes de terre couvertes d'arbres avancent jusque dans la mer. – Caractère breton de l'église avec son clocher carré à jour. – Calvaire en pierre; grenouilles et tête de chien (ou d'autre animal) comme ornements.

FOUESNANT, lundi soir, 10 heures et demie, 14 juin. – Route jusqu'à Pont-l'Abbé même caractère, couverte d'arbres; moins de landes que dans le Morbihan.

BÉNODET. – On passe en bac.

PONT-L'ABBÉ. – Eglise, un seul côté de fait; le côté droit de la nef s'appuie sur la muraille; bonnes ogives, mais le tout abîmé sous le badigeon; toujours le Père Eternel en pape portant un petit Christ; au-dessus le Saint-Esprit.

Danses à un; entrelacement des rondes, queue allant et revenant. – La deuxième veste des hommes ne leur descend que jusqu'au milieu du dos avec des effilés pareils; sur le bas de la première des broderies en fil blanc formant des lettres; chapeau petit, gracieux, couvert de trois rubans de velours. La coiffure des femmes change : des oreillères brodées leur passent sur la tête laissant le derrière des cheveux à découvert; le chignon relevé est contenu par le bout par un bandeau rouge, sur lequel elles mettent quelquefois un tout petit bonnet ou calotte blanche.

Le commissaire, le garde champêtre, quelle intimité secrète il doit exister entre eux. – Opérations chirurgicales. – Effet du râteau pièce à conviction; foule; le juge de paix; un instrument contondant; le bon gendarme.

A une demi-lieue de distance du petit village de Baud, cachée au fond d'un bois de hêtres, se trouve la Vénus de Quinipily. C'est une statue en granit, de six pieds de haut, représentant une femme nue posant les mains sur sa poitrine, une sorte d'étole qui passe autour du cou lui descend jusque sur le ventre où elle s'arrête en triangle comme un caleçon de Samoyède; deux bandelettes serrant ses cheveux ondés sont prises sous l'étole et vont s'entre-croiser par derrière à la chute des reins. A voir de profil ses cuisses grasses, sa croupe charnue, ses genoux fléchis et sa grosse tête enfoncée dans les épaules, elle vous semble d'une sensualité à la fois toute barbare et raffinée, la face est plate, le nez camus, les yeux à fleur de tête et la bouche ainsi que les doigts des pieds et des mains indiqués seulement par une simple raie; sur la poitrine on a voulu figurer des seins. Au bas de son piédestal est une grande cuve de même granit, ayant la forme d'un carré long terminé à l'une de ses extrémités par un demi-cercle; il peut contenir, dit-on, seize barriques d'eau.

On l'a prise pour une Isis égyptienne à cause de ses bandelettes, ou pour une Vénus romaine à cause des inscriptions du piédestal. Que décider cependant si ces inscriptions, comme on l'assure, n'ont été mises là qu'au XVIIᵉ siècle par le comte Pierre de Lannion? Devons-nous en revenir alors à l'hypothèse d'une Isis? Mais n'est-ce pas, comme M. de Penhoët, la rage permanente de l'Egypte, que de reconnaître dans cette œuvre gauche, surabondante et lymphatique, le style élevé, svelte, rythmique des Egyptiens? et n'y a-t-il pas, d'autre part, une irrévérence trop grossière à supposer les Romains, eux qui aimaient tant les belles femmes, capables jamais d'en avoir fait une si laide?

On sait seulement que jusqu'au XVIIᵉ siècle cette statue était placée sur la montagne de Castannec où les paysans bretons l'y adoraient comme une idole et lui apportaient des offrandes. Elle guérissait des malades; les femmes relevant de couches se baignaient dans sa cuve et les jeunes gens désireux des noces accouraient s'y plonger pour se livrer ensuite, sous les yeux de la déesse, aux passe-temps solitaires des mélancolies amoureuses. En 1671 des missionnaires qui se trouvaient à Baud, ayant, à ce qu'il paraît, des prédilections d'une autre nature, en furent scandalisés et engagèrent le comte de Lannion, gouverneur du pays, à extirper d'un seul coup l'idolâtrie en détruisant l'idole; le comte se contenta de la renverser et de la rouler du haut de la montagne dans la rivière qui passe au pied. Une inondation survint, les paysans l'attribuèrent à la colère de la déesse, la retirèrent de l'eau, la remirent à sa place et recommencèrent à célébrer son culte avec ces mêmes cérémonies qui révoltaient les *honnêtes gens*, comme on disait alors, si bien qu'un certain évêque de Vannes, Charles de Rosmadec, supplia à son tour le comte de Lannion (le fils du précédent) de mettre définitivement la pauvre statue en pièces. Le comte n'en fit rien, mais transporta le tout, cuve et femme, dans la cour de son château de Quinipily. Cet enlèvement ne se fit pas sans peine, il fallut que les soldats du gouverneur se défendissent contre les paysans qui la voulaient garder chez eux.

Ils devaient y tenir. N'était-ce pas pour eux, au milieu de cette campagne rude et âpre, l'idole féconde et douce, l'idole fortifiante, excitante, guérissante, l'incarnation de la santé et de la chair et comme le symbole même du désir?

Que ce soit donc la tentative d'un art qui s'éveille ou le fruit pourri d'une civilisation perdue, à quelque culte qu'elle appartienne, de quelque Olympe qu'elle descende, par sa légende et ses formes mêmes est-elle autre chose pour nous qu'une des mille manifestations de cette éternelle religion des entrailles de l'homme? J'entends celle qui se reconstitue partout sous toutes les autres, s'étalant hier, se cachant aujourd'hui, mais qui pas plus que lui ne peut périr, car ce rêve permanent c'est le rêve individuel de son cœur, ce culte-là c'est le culte de son être : l'adoration de la Vie dans le principe qui la donne.

Le château qui a recueilli la statue est ruiné, rasé, disparu; la Vénus se dresse au milieu des broussailles sous un dôme de feuilles vertes. Plus d'enceinte sacrée, de cérémonies, d'adorations; il ne reste d'elle qu'elle seule, c'est-à-dire le Dieu sans la foi, ce qui est peu de chose ou rien du tout. Voilà donc le cadavre de ce qui fut peut-être une religion et ce qui demeure en définitive de la croyance de plusieurs siècles! L'idole cependant n'est pas morte sans pousser un râle qui s'entend encore : sur la chapelle chrétienne élevée à la place où jadis était son temple, son nom réapparaît comme l'outrage d'un souvenir dont on ne peut se décharger; cette chapelle est nommée le *prieuré de la Couarde*.

Il y avait autrefois à Quinipily deux autres statues que l'on a transportées à Locminé. Ce sont des hommes trapus, barbus, chevelus et coiffés sur le derrière de la tête d'un bonnet en façon de pyramide tronquée. Une ceinture de feuillage leur entoure le corps, chacun d'eux tient une massue à la main gauche. Je ne puis croire que ces deux espèces de cariatides, taillées par quelque manœuvre de village, aient eu jamais grande valeur ni grand sens, elles ont d'ailleurs par elles-mêmes je ne sais quel air *canaille* qui me les rend suspectes de n'être pas fort anciennes. Qu'on y voie ce qu'on voudra, des hercules gaulois ou des prêtres égyptiens, « car quant à la barbe et aux cheveux, dit M. de Pen-

hoët, ce sont pour moi autant d'indices qu'il s'agit de prêtres du culte du soleil ou de Sérapis », ils n'en sont pas moins laids, archilaids, et, qui pis est, vilains.

Une heure après avoir quitté ces affreux bonshommes, nous arrivâmes à Quimperlé qui, pour n'offrir rien de celtique, de romain ou de phénicien, n'en est pas moins une des plus agréables bonnes fortunes que nous ayons rencontrées dans notre voyage.

Ici, pas d'alignement, pas de trottoir, aucune espèce de palais de justice, que nous sachions du moins; point de bourse en temple grec, aucune caserne, pas même de mairie montrant son inepte façade, rehaussée d'une loque tricolore. Mais ce sont de petites rues qui serpentent comme des sentiers entre de vieux murs d'où retombent des bouquets de feuillage et des grappes de clématite. Les maisons de bois ont des toits pointus et des balcons noirs, et on entend en passant près d'elles les rouets filer dans l'intérieur ou le bruit de quelque oiseau suspendu à la fenêtre dans une cage d'osier blanc. Deux rivières, au pied des montagnes, entourent la ville comme un bracelet d'argent; elles se réunissent, s'entrecroisent, se divisent, disparaissent en revenant sans qu'on distingue de quel côté elles coulent, s'il y en a plusieurs ou une seule; elles s'en vont ainsi entre les maisons et les rues en mouillant sur leur bord la dernière marche de l'escalier des jardins, et gargouillent sur les cailloux verts de leur lit où se courbent ensemble de grandes herbes minces. Les espèces de quais qui les enferment disjoignent sous les racines des lierres leurs pierres qui s'éboulent; elles restent au fond comme des rochers, et le courant se heurtant contre elles déchire dessus sa nappe unie. De place en place, sur cette surface d'un bleu pâle, ces marques dans l'eau semblent les arrachures blanches d'un grand voile étendu que le vent ferait lever. D'une rive à l'autre un pont d'une seule arche a jeté sa courbe aplatie, dont la silhouette projetée tremblote sur la rivière avec les herbes suspendues à sa voûte; elles descendent en chevelure, s'allongent jusqu'en bas, et frôlent du bout le courant qui passe à travers l'ogive de cette verdure aérienne. On voit tous les coudes de la rivière réapparaître au loin dans la prairie où elle s'ébat avec des lignes de peupliers sur l'herbe, des bouquets d'arbres derrière les places d'eau, et çà et là, sur les bords, deux ou trois bicoques de travers mirant obliquement leurs poutres jaunes et leurs plâtres noircis. Puis au fond, tout au loin, dans une perspective qui se rétrécissant toujours, le vague aperçu des collines et des bois qui se perdent dans la brume.

La ville s'étageant graduellement remonte en face sur une colline avec cette eau, ces arbres, les madriers de ces maisons peints ou vermoulus, ces pignons de plomb, ces toits en tuiles serrés l'un près de l'autre ou régulièrement séparés par la ligne ondoyante de quelque mur tout chevelu; il semble que Quimperlé n'est venu au monde que pour être un sujet d'aquarelle.

L'église Saint-Michel montre, au-dessus de la ville qui se déroule à ses pieds, les quatre clochetons de sa tour et sa galerie à arcade, mais l'on est fort surpris, quand on arrive auprès, de ne trouver qu'une église assez commune et n'ayant même pour portail qu'un portail latéral divisé par deux portes jumelles dont la forme serait jolie si l'ornementation générale n'en était trop lourde. Sur les contreforts de l'abside deux maisons voisines sont venues appuyer leur premier étage qui, lorsqu'on monte de la ville vers l'église, font l'effet d'un pont jeté sur chacune des rues. La façade de l'une d'elles, noire, obscure, rongée de mites, porte sur les poutres extérieures de sa charpente des personnages sculptés fort amusants; ils ont des bonnets ronds, des mines sérieuses et des robes longues que leur plisse autour de la taille une ceinture à large boucle. Ils sont occupés à différentes besognes qui paraissent très importantes. Un d'eux tenant un pilon broie quelque chose dans un mortier. Probablement que c'était le logis vénéré d'un bon apothicaire-herboriste d'autrefois, lors du vieux temps des élixirs et des juleps, quand on venait chercher chez lui la drogue orientale, le médicament miellé, l'or potable qui prolonge la vie, et puis aussi le remède mystérieux qui se composait la nuit dans la seconde arrière-boutique, derrière les gros alambics verts et les paquets de baume : la potion contre l'épilepsie, faite de raclure de crâne humain et de sang de décapité ou le sirop prolifique pour les vieux maris. Celui qui fit bâtir cette maison fut, j'imagine, quelque gros bourgeois du temps ayant sa stalle dans le chœur et sa métairie hors de la ville, qui était marguillier de l'église et doit y être enterré quelque part.

Il n'y a rien à voir dans l'intérieur de Saint-Michel, et nous allions en sortir quand nous découvrîmes une statue en bois et un tableau à l'huile, la statue est une *Pieta* dont je défie qui que ce soit de donner une idée; la Vierge, bleue et verte, ressemble à Grassot, l'acteur; le Christ, jaune et vert, à Small, coiffeur (Palais-Royal, galerie Montpensier, 7).

Mais que dire du tableau dont la poésie mirifique rappelle (de loin, il est vrai) les extrasublimes fresques de Nort? Un évêque est dans son lit, il va mourir, ce pauvre vieux, mais il a gardé néanmoins sa calotte rouge pour qu'on voie bien qu'il est évêque jusqu'au bout; son corps se dessinant sous les draps avec une gentillesse charmante qui rappelle le galbe d'une andouille vue à travers un torchon mouillé; à ses côtés un prêtre, en surplis, lui présente la croix à baiser, tandis que sa servante, non loin, pleure en s'essuyant les yeux à l'ourlet de son tablier. A la tête du lit un ange emplumé se penche et souffle de bons conseils à Monseigneur, qui hésite quelque peu, car à ses pieds, en effet, un diable vert, avec un bec de corbeau et des mamelles d'une mollassité dégoûtante, essaie de le fasciner par ses contorsions. La chambre est pleine de chapelets, d'encensoirs, de saints ciboires, de saints sacrements, de reliques et d'*agnus Dei*. Tout près du moribond, à genoux, vu de dos, au premier plan, se tient un enfant de chœur portant un cierge; la semelle jaune de ses robustes souliers est garnie de clous aussi formidables que les dents des diables, et se présente devant vous avec une naïveté qui fait plaisir, d'autant qu'un raccourci de jambes bien entendu le lui fait remonter jusqu'au milieu des reins. Cependant l'enfer fait rage, l'haleine empestée du démon vert se répand en bouffées noires, des oiseaux sinistres voltigent, des serpents s'enroulent aux barreaux des chaises, il y a sous une table un affreux dragon se tordant, bavant, rugissant; on a peur, on palpite, on tremble pour l'âme de l'évêque. Quel dommage si un homme pareil allait en enfer! Ira-t-il? n'ira-t-il pas? Tout en conservant le calme de l'enfant de chœur, le spectateur ne peut s'empêcher de partager les transes du vicaire et la douleur de la servante. Heureusement que la sainte Trinité veille au salut de l'évêque. En haut est le Père Eternel habillé en pape; un peu plus bas, à distance respectueuse, le Christ avec sa croix, et plus bas encore, sur un troisième coussin, la Vierge Marie. Ils envoient vers l'évêque de jolis anges qui traversent l'air, ayant à la main des lis lumineux et qui, marchant dignement sur des nuages de mastic, arrondissent leurs mollets rebondis où se rattachent les cordons roses de leurs cothurnes indigo.

O sainte religion catholique, si tu as inspiré des chefs-d'œuvre, que de galettes, en revanche, n'as-tu pas causées!

En contemplant cette épouvantable toile, et en songeant que beaucoup l'ont pu regarder sans rire, qu'à d'autres sans doute elle a semblé belle, que d'autres enfin se sont agenouillés devant, y ont puisé peut-être des inspirations suprêmes, nous avons été pris malgré nous d'une mélancolie chagrine. Mais qu'y a-t-il donc dans le cœur de l'homme pour que toujours et sans cesse il se jette sur toutes choses et se cramponne avec une ardeur pareille au laid comme au beau, au mesquin comme au sublime? Hélas! hélas! rappelons-nous, pour excuser celui qui a fait cela et encore plus ceux qui l'admirent, nos prédilections maladives et nos extases imbéciles! Evoquons dans notre passé tout ce que nous avons eu jadis d'amour naïf pour quelque femme laide, de candide enthousiasme pour un niais ou d'amitié dévouée pour un lâche...

Sortis de l'église enfin, nous retrouvâmes le soleil, le ciel, l'air, l'espace, et comme un oiseau joyeux qui s'échappe, quelque chose s'envolant de notre âme disait : « C'est cela qu'il me faut, car Dieu est là et pas ailleurs. »

Le soir venait, on sonnait la prière dans les clochers. Nous descendîmes vers la ville par une ruelle à gradins de bois, longue, étroite, remplie d'herbes et qui coulait entre deux grands murs. Leur chaperon disparaissait sous le feuillage, partout les lierres s'y accrochaient, les orties blanches en cachaient le pied et ils n'avaient l'air bâtis que pour porter cette végétation charmante. C'était un torrent de verdure ruisselant à travers les maisons du haut de la côte en bas de la côte.

Nous nous en allions lentement, marche à marche, quand nous nous sommes retournés pour laisser passer un jeune garçon qui descendait en sautant. Il était robuste et beau, ses cheveux bruns, que coiffait son chapeau rond de feutre noir, couvraient à demi sa veste bleue et à chacun de ses bonds s'envolaient et retombaient sur ses épaules; sa taille courte, mais pleine de souplesse, se cambrait d'une façon hardie au mouvement de ses cuisses jouant à l'aise dans son *bragow-brass* de toile écrue; son mollet dur, serré dans des grèves blanches, saillissait nerveusement, et son pied chaussé de gros sabots était léger comme celui d'un chamois. I s'arrêta à quelques pas de nous pour renouer la boucle de sa jarretière, nous vîmes de profil sa figure pâle sur laquelle, dans cette pose, sa grande chevelure s'avançait comme une draperie et pendait jusqu'au coude. Lorsqu'il eut fini, il se redressa vite et nous le vîmes d'échelon en échelon qui continuait à sauter et de bonds en bonds s'éloignait.

Nous le retrouvâmes dans l'église Sainte-Croix chantant les litanies de la Vierge, à genoux, le front levé sur le ciel; il nous reconnut, tourna vers nous le regard sérieux de ses yeux noirs, l'y arrêta un instant avec une curiosité méfiante, puis il reprit son maintien et continua sa prière. Cette église Sainte-Croix est une belle église romane du XIᵉ siècle, à qui son plan circulaire, sa voûte divisée par arcades, ses colonnes engagées à leur base dans des piliers carrés, ses pleins cintres surhaussés et son chœur placé au milieu, auquel on monte par des escaliers de plusieurs marches, donnent je ne sais quel air bas-empire et gallo-romain. La lumière arrivant d'en haut par de longues fenêtres étroites descend presque perpendiculaire, comme le jour des ateliers, et déverse sur vous une sérénité blanche et pacifique. Ce n'est pas le christianisme rêveur de l'ogive, avec le souffle mystique des cathédrales gothiques, c'est plus reculé, plus latin, d'une théologie plus primitive, d'une poésie plus chaude, on se rappelle le cloître d'Arles et les grands conciles carlovingiens.

Elle était pleine. Tout le monde priait, nous seuls regardions. La foule chantait avec une joie grave, et des bas côtés, de dessous le porche, de partout, des voix puissantes reprenaient en chœur, après chaque point d'orgue de la voix grêle du prêtre officiant à l'autel. Cela sortait comme d'une seule poitrine un immense cri d'amour. Les femmes agenouillées à une même place inclinaient la tête sous leur bonnet blanc, on n'en pouvait voir le visage, mais on voyait leurs dos courbés ensemble et la file de leurs mains jointes.

Les hommes étaient debout, assis, à genoux, à toutes les places, dans tous les sens, comme ils avaient pu se mettre ou comme la fantaisie les en avait pris; ils ne semblaient cependant ni contraints ni distraits, on sentait au contraire qu'ils existaient là comme chez eux, chacun s'isolant dans la solitude de son recueillement ou se réchauffant à l'âme de ses frères, et les attitudes de leurs corps étaient nonchalantes ou majestueuses, selon sans doute leurs lassitudes ou leurs redressements intérieurs.

C'étaient des figures graves sous de longs cheveux bruns, de rudes regards plus fauves que la lande, de larges poitrines qui respiraient d'une façon puissante, des têtes songeuses, des airs rustiques et solennels; mais ces fronts hâlés, découverts, ces solides épaules qui s'inclinaient, ces mains grises comme le manche des charrues et qui restaient oisives, et même les lourdes chaussures que le respect rendait légères, toute cette rudesse tournée en grâce, cette force devenant douceur à son insu avait un grandiose singulièrement doux, presque attendrissant à force d'être naïf. Ils étaient beaux ces hommes, beaux parce qu'ils étaient vrais et dans la simplicité de leurs costumes faits à leur taille, aptes à

leurs corps, pliés selon le travail de leur vie, et dans la bonne foi de leur croyance qui s'exhalait à l'aise dans cette église faite pour elle, restes derniers d'une nationalité complète qui s'efface sans métamorphoses et disparaît sans transition, ainsi que les feuilles de l'if qui tombent sans jaunir. Avec leur costume d'autrefois, leur antique visage et cette religion de leurs ancêtres, ils exhibaient ainsi les générations antérieures et semblaient à eux seuls représenter toute leur race. C'est pour cela peut-être qu'ils avaient l'air si pleins, et que chacun d'eux paraissait porter en lui plus de choses qu'il n'y en a ordinairement dans un homme.

Sous l'église romane se trouve la crypte romane.

Ce souterrain quadrilatéral au lieu de voûte est couvert d'un plafond plat, dallé comme le sol et supporté par quatre rangs de colonnettes soudées ensemble qui se séparent aux deux tiers de leur hauteur; elles ont toutes de lourds chapiteaux au feuillage allongé, et se relient entre elles par des arcatures surhaussées se succédant sans intervalle.

On tâtonne dans l'ombre, et à la lueur de l'unique fenêtre du fond on aperçoit deux tombeaux noirs, humides, verts, deux vénérables tombeaux. Le premier porte la statue couchée d'un moine. On le reconnaît à la large tonsure qui montre à nu son vieux crâne de pierre; il tient un livre à la main; sa figure est rongée, comme à celle des morts le nez disparaît, et son corps maigre est enveloppé de longues draperies qui coulent vers ses pieds à grands plis droits.

Près de lui, sur une lame de pierre, est un abbé avec sa crosse et croisant les bras; deux chiens soutiennent son écusson burelé sans couleur; ses pieds, chaussés de chaussures pointues, ne s'appuient sur rien; un petit dais carré abrite sa tête. On regarde le premier comme étant saint Gurlot, martyrisé à cette place même, aussi son sarcophage est-il percé d'un trou où à certains jours de fête les malades viennent se plonger le bras pour se guérir. Mais le second mort n'a pas laissé son nom. Promenant sur lui notre chandelle nous avons cherché à reconnaître son visage, comme si nous l'eussions connu jadis! N'est-on pas toujours attiré vers ces choses par un sentiment d'inquiétude curieuse ainsi que vis-à-vis d'un voyageur qui vient de loin ou d'une lettre cachetée. Ainsi se passe une journée en voyage, il n'en faut pas plus pour la remplir: une rivière, des buissons, une belle tête d'enfant, des tombeaux; on savoure la couleur des herbes, on écoute le bruit des eaux, on contemple les visages, on se promène parmi les pierres, on s'accoude sur les tombes, et le lendemain on rencontre d'autres hommes, d'autres pays, d'autres débris; on établit des antithèses, on fait des rapprochements. C'est là le plaisir, il en vaut bien un autre.

A Rosporden, par exemple, nous vîmes dans le cimetière une femme en prières qui nous en rappela une autre que nous avions vue dans la cathédrale de Nantes. Elle était à genoux, raidie, immobile, le corps droit, la tête baissée et regardant la terre avec un œil fouilleur plein de rage et de tristesse. Ce regard perçait la dalle blanche, entrait, descendait, pompait à lui ce qu'il y avait dessous; celle de Nantes, au contraire, dont le teint était blanc comme la cire des cierges, couchée de côté sur un prie-Dieu, la bouche ouverte dans l'extase, les yeux portés au ciel, au delà du ciel, plus haut encore, avait l'âme partie au dehors. Toutes deux priaient avec une aspiration démesurée, et certes qu'il n'y avait plus pour elles rien dans la création que l'objet de ce désespoir et de cette espérance. La première s'acharnait au néant, la seconde montait à Dieu ; ce qui était regret dans l'une était désir dans l'autre ; et le désespoir de celle-ci si âcre qu'elle s'y complaisait comme à une volupté dépravée, et le désir de celle-là si fort qu'elle en souffrait comme d'un supplice. Ainsi toutes deux tourmentées par la vie souhaitaient d'en sortir : celle qui priait sur le tombeau, pour rejoindre ce qu'elle avait perdu ; celle qui priait devant la Vierge, pour s'unir à ce qu'elle adorait. Douleur, aspiration, prière, mêmes rêves et quel abîme ! L'un pivotait sur un souvenir, l'autre gravitait vers l'éternité !

Au village de Rosporden nous avons revu les hommes que nous venions de quitter à Quimperlé : mêmes allures, mêmes habits, grand chapeau, grand gilet, veste bleue ou blanche, large ceinture de cuir, bragow-brass, galoches, mêmes aspects de visage, mêmes tournures de corps.

C'était jour de marché, la place était pleine de paysans, de charrettes et de bœufs ; on entendait sonner les rauques syllabes celtiques mêlées au grognement des animaux et au claquement des charrettes, mais pas de confusion, d'éclats, ni rires dans les groupes ni bavardages sur le seuil des cabarets, pas un homme ivre, pas de marchand ambulant, point de boutique de toile peinte pour les femmes, ou de verroterie pour les enfants, rien de joyeux, de heurté, d'animé. Ceux qui veulent vendre attendent résignés et sans bouger le chaland qui vient à eux. Dans la place se promènent des couples de bœufs avec quelque enfant qui les retient par les cornes, ou bien trotte une maigre rosse au milieu de la foule qui s'écarte, sans jurer ni se plaindre. Puis on se regarde un instant, la convention se conclut et l'on s'en retourne chez soi sans s'attarder davantage. En effet le village est éloigné, la lande est grande, le soir arrive, il n'y a personne au logis, la mère est partie dans les tamarins couper des bourrées pour l'hiver, l'enfant est sur la côte à ramasser le varech ou à garder les moutons. Quant au valet de ferme, le plus souvent il n'y en a pas, chaque cultivateur ayant d'ordinaire un petit coin de terrain qu'il égratigne tout seul tant bien que mal et dont il est le maître, l'esclave plutôt ! puisqu'il s'use vainement dessus. L'homme ne pouvant engraisser la terre, la terre ne pouvant nourrir l'homme, pourquoi donc ne la quitte-t-il pas ? pourquoi ne se vend-il pas comme le Suisse ? ne s'exile-t-il point comme l'Alsacien ? pourquoi y demeure-t-il avec un amour si opiniâtre ! qui le sait ! le sait-il lui-même ?

Nulle part donc vous ne rencontrez comme chez nous de ces gros fermiers cossus, ventrus, à la face avinée, à la sacoche bourrée d'argent, qui s'en viennent aux foires de campagne, y font grand bruit, y marchandent longuement, se disputent en criant, se tapent dans la main, braillent dans les cafés en jouant aux dominos,

s'emplissent de viandes et d'eau-de-vie, boivent jusqu'à trente demi-tasses en un jour, et ne s'en retournent que bien tard dans la nuit, tout en s'endormant sur leur bidette qui trottine lentement le long du chemin jusqu'à ce qu'elle s'arrête d'elle-même à la barrière de la cour, en reconnaissant la bonne écurie où elle a de la litière jusqu'au ventre. Mais le paysan breton repart à jeun, il eût été trop cher de manger dehors ; il va retrouver sa galette de sarrasin et sa jatte de bouillie de maïs cuite depuis huit jours dont il se nourrit toute l'année, à côté des porcs qui rôdent sous la table et de la vache qui rumine là sur son fumier, dans un coin de la même pièce. D'ailleurs pourquoi serait-il gai ? Qu'a-t-il rapporté du bourg ? S'il a vendu son cheval, il lui faudra maintenant porter les fardeaux et traîner lui-même la charrue, belle avance ! A quoi lui sert le peu d'argent qu'il en a retiré ? est-ce que tout à l'heure ou demain ou la semaine qui s'approche on ne va pas venir le lui demander dans une langue qu'il n'entend pas, au nom de la loi qu'il ignore ? Est-ce la peine d'en gagner ? aussi travaille-t-il peu, mal, d'une façon ennuyée et sans s'inquiéter s'il pourrait mieux faire.

Méfiant, jaloux, ahuri par tout ce qu'il voit sans comprendre, il s'empresse donc bien vite de quitter la ville, le bourg, et de regagner sa chaumière cachée sous des arbres touffus, derrière la haie compacte, et là il resserre étroitement dans la famille, à son foyer, auprès de son recteur, aux pieds du saint de l'église, et il y concentre son cœur qui, condensé sur lui-même, se double d'énergie. De tout ce qui se passe il ne sait rien, si ce n'est qu'à vingt ans son fils s'en ira se battre, puisqu'il y a une ville qui s'appelle Paris et que le roi de France est Louis-Philippe dont il vous demandera des nouvelles, par interprète, en s'informant s'il vit encore, si vous le voyez souvent, et si vous dînez chez lui.

Quel qu'il soit, l'étranger pour eux est toujours quelque chose d'extraordinaire, de vague et de miroitant dont ils voudraient bien se rendre compte ; on l'admire, on le contemple, on lui demande l'heure pour voir sa belle montre, on le dévore du regard, d'un regard curieux, envieux, haineux peut-être, car il est riche, lui, bien riche, il habite Paris, la ville lointaine, la ville énorme et retentissante.

Dès que vous arrivez quelque part, les mendiants se ruent sur vous et s'y cramponnent avec l'obstination de la faim. Vous leur donnez, ils restent ; vous leur donnez encore, leur nombre s'accroît, bientôt c'est une foule qui vous assiège. Vous aurez beau vider votre poche jusqu'au dernier liard, ils n'en demeurent pas moins acharnés à vos flancs, occupés à réciter leurs prières, lesquelles sont malheureusement fort longues et heureusement inintelligibles. Si vous stationnez, ils ne bougent ; si vous vous en allez, ils vous suivent ; rien n'y remédie, ni discours, ni pantomime. On dirait un parti pris pour vous mettre en rage, leur ténacité est irritante, implacable. Comme on se prend à regretter alors les bonnes bassesses facétieuses du mendiant italien, faisant la roue devant votre carriole en vous traitant d'excellence, et l'aimable gueuserie insolente du gamin de Paris qui vous demande votre bout de cigare en vous appelant général et qui le ramasse dans la boue en vous riant au nez!

La pauvreté du Midi n'a rien qui attriste, elle se présente à vous pittoresque, colorée, rieuse, insouciante, chauffant ses poux à l'air chaud et dormant sous la treille; mais celle du Nord, celle qui a froid, celle qui grelotte dans le brouillard et patauge nu-pieds dans la terre grasse, semble toujours humide de pleurs, engourdie, dolente, et méchante comme une bête malade. Ils sont si pauvres! la viande pour eux est un luxe rare. Un de nos guides nous disait : « C'est mon plus grand bonheur, comme je tape dessus quand j'en attrape! » Pour le pain, on n'en mange pas non plus tous les jours. Notre postillon de Locminé n'en avait point goûté depuis huit mois. Une telle existence n'embellit pas les races; aussi rencontre-t-on quantité d'estropiés, de manchots, d'aveugles-nés, de bossus, de dartreux, de rachitiques; ainsi que les chênes dont les chétifs s'étiolent au vent de la mer et dont les robustes n'en poussent que mieux, se durcissent aux gelées, ceux qui ont traversé toute cette misère sans y rien laisser n'en paraissent que plus sains, plus droits et plus solides. Ce sont ceux-là que vous voyez passer devant vous, si austères et si forts, taciturnes sous leurs longs cheveux comme leur pays sous sa sombre verdure.

Dans les villes, quoique la langue persiste, le caractère s'efface, le costume national devient plus rare, refoulé qu'il est dans la campagne par l'envahissement progressif du tailleur et de la couturière, dont la petite boutique du rez-de-chaussée étale à son vitrail quelque belle gravure de mode qui fait envie. L'habitant de la ville voit s'arrêter tous les soirs la diligence au bureau des messageries, il en retire bien quelque nouvelle, soit du postillon qui a causé avec le conducteur, ou du commissionnaire qui porte les paquets; à la tombée du jour, il converse sur sa porte avec l'huissier, le commis de la mairie ou l'employé de la sous-préfecture, lesquels lisent les journaux et savent ce qui se passe dans le monde. Petit à petit ainsi, il se *désenbretonne* et arrive à s'écarter du paysan qu'il méprise de plus en plus et qui s'éloigne de lui davantage, à mesure qu'ils se comprennent moins.

Ce qu'il y a encore de plus breton dans les villes, ce sont les pauvres filles qu'on fait venir pour servir comme domestiques. Confinées dans leur service, avec qui communiqueraient-elles pour perdre le caractère natal? Voyez-les s'arrêter dans la rue avec l'homme qui apporte chaque semaine de la campagne les œufs et le beurre. Que leur dit-il? Il leur parle de leur village, de leurs parents; leur frère leur envoie pour cadeau de noces une belle paire de boucles d'argent, il faudra bien les porter; il y aura bientôt un pardon, il faudra y venir. Elles iront donc et s'y retremperont à tout ce que la patrie a de plus distinctif, le langage et le costume; aussi quand elles seront de retour chez leurs maîtres, leur cœur restera là-bas, et elles en causeront ensemble en se promenant comme elles font, par bandes de dix ou vingt, sur les places et à l'entrée de la grande route, le dimanche après les vêpres.

Ainsi se conserve au milieu d'une population déjà bâtarde ce petit peuple entêté, qui tournoie dans l'autre sans y perdre ses angles. A Quimper, à table d'hôte, en regardant la servante, fille large d'épaules, de visage âpre et d'une tenue rigide, avec son bonnet blanc, ses bouts de manche et son bavolet carré, qui servait des œufs à la neige à un gros monsieur à lunettes d'or, inspecteur des contributions indirectes, je me disais : « Voilà donc les deux sociétés face à face et le rapport final d'un siècle à l'autre! Le vieux portrait s'humilie devant la caricature moderne. D'où j'ai tiré cet axiome : le *Présent fait cirer ses bottes par le Passé et ne l'en remercie même pas.* »

Quimper, quoique centre de la vraie Bretagne, est distinct d'elle. Sa promenade d'ormeaux, le long de la rivière, qui coule entre les quais et porte navires, la rend fort coquette, et le grand hôtel de la préfecture, recouvrant à lui seul le petit delta de l'ouest, lui donne une tournure toute française et administrative. Vous vous apercevez que vous êtes dans un chef-lieu de département, ce qui vous rappelle aussitôt les divisions par arrondissements, avec les grandes, moyennes et petites vicinalités, les comités d'instruction primaire, les caisses d'épargne, les conseils généraux et autres inventions modernes qui enlèvent toujours aux lieux qui en sont doués quelque peu de couleur locale pour le voyageur naïf qui la rêve.

N'en déplaise aux gens qui prononcent ce nom de Quimper-Corentin, comme le nom même du ridicule et de l'encroûtement provincial, c'est un charmant petit endroit et qui en vaut beaucoup d'autres plus respectés. Vous n'y retrouvez pas, il est vrai, les fantaisies de Quimperlé, le luxe de ses herbes, le tapage de ses couleurs; mais je sais peu de choses d'un aspect aussi agréable que cette allée qui s'en va indéfiniment au bord de l'eau et sur laquelle l'escarpement presque à pic d'une montagne toute proche déverse l'ombre foncée de sa verdure plantureuse.

On n'est pas longtemps à faire le tour de semblables cités, à les connaître jusque dans leurs replis les plus intimes et l'on y découvre parfois des coins qui arrêtent et vous mettent le cœur en joie. Les petites villes, en effet, comme les petits appartements, paraissent d'abord plus chaudes et plus commodes à vivre. Mais restez sur votre illusion. Les seconds ont plus de vents coulis qu'un palais, et dans les premières il y a plus d'ennui qu'au désert.

En revenant vers l'hôtel par un de ces bons sentiers comme nous les aimons, un de ces sentiers qui montent, descendent, tournent et reviennent, tantôt le long des murs, tantôt dans un champ, puis entre des broussailles et dans le gazon, ayant tour à tour des cailloux, des marguerites et des orties, sentiers vagabonds faits pour les pensées flâneuses et les causeries à arabesques; en revenant donc vers la ville, nous avons entendu sortir de dessous le toit d'ardoises d'un bâtiment carré des gémissements et des bêlements plaintifs. C'était l'abattoir.

Sur le seuil, un grand chien lapait dans une mare de sang et tirait lentement du bout des dents le cordon bleu des intestins d'un bœuf qu'on venait de lui jeter. La porte des cabines était ouverte. Les bouchers besognaient, les bras retroussés. Suspendu, la tête en bas et les pieds passés par un tendon dans un bâton tombant du plafond, un bœuf, soufflé et gonflé comme une outre, avait la peau du ventre fendue en deux lambeaux. On voyait s'écarter doucement avec elle la couche de graisse qui la doublait et successivement apparaître dans l'intérieur, au tranchant du couteau, un tas de choses vertes, rouges et noires, qui avaient des couleurs superbes. Les entrailles fumaient ; la vie s'en échappait dans une bouffée tiède et nauséabonde. Près de là, un veau couché par terre fixait sur la rigole de sang ses gros yeux ronds épouvantés, et tremblait convulsivement malgré les liens qui lui serraient les pattes. Ses flancs battaient, ses narines s'ouvraient. Les autres loges étaient remplies de râles prolongés, de bêlements chevrotants, de beuglements rauques. On distinguait la voix de ceux qu'on tuait, celle de ceux qui se mouraient, celle de ceux qui allaient mourir. Il y avait des cris singuliers, des intonations d'une détresse profonde qui semblaient dire des mots qu'on aurait presque pu comprendre. En ce moment, j'ai eu l'idée d'une ville terrible, de quelque ville épouvantable et démesurée, comme serait une Babylone ou une Babel de Cannibales où il y aurait des abattoirs d'hommes ; et j'ai cherché à retrouver quelque chose des agonies humaines, dans ces égorgements qui bramaient et sanglotaient. J'ai songé à des troupeaux d'esclaves amenés là, la corde au cou, et noués à des anneaux pour nourrir des maîtres qui les mangeaient sur des tables d'ivoire, en s'essuyant les lèvres à des nappes de pourpre. Auraient-ils des poses plus abattues, des regards plus tristes, des prières plus déchirantes ?

Un garçon a pris un maillet de fer, on a poussé vers lui le pauvre veau qu'on venait de délier, il a levé son instrument dont il l'a frappé d'un coup sec sur le crâne entre les yeux. Ça a fait un bruit sourd, la bête est tombée raide morte avec de l'écume aux lèvres et la langue serrée dans les dents ; on l'a prise, on l'a remuée, elle ne bougeait pas ; on l'a hissée à la poulie pour la dépecer.

Au premier coup de couteau elle a frémi dans toute sa chair, puis est redevenue morte. L'était-elle ? Qui le sait ? Qu'en savez-vous, vous philosophes et physiologistes ? Etes-vous bien sûrs de ce que c'est que la mort ? Qui vous a dit que pour n'avoir pas de manifestations l'âme n'avait plus de conscience ? Et qu'elle ne sentait pas goutte à goutte, atome à atome, la décomposition successive de ce corps qu'elle animait ? Qui vous a dit que le cadavre ne souffre pas à chaque piqûre de tous les vers qui le rongent jusqu'à ce que ses parties intégrantes étant passées ailleurs y revivent une autre vie ou continuent la même, de sorte qu'il y aurait ainsi une moitié de l'être engagée dans une existence nouvelle, tandis que l'autre demeurerait retenue dans l'existence antérieure, un peu comme le lapin que j'ai vu dévorer tout vivant par une chienne de Terre-Neuve et dont la tête était avalée quand les pattes de derrière lui gigotaient encore ?

En sortant, nous avons revu le dogue qui continuait son festin, il avait presque fini son plat de tripes crues, il se léchait les babines et on venait de lui servir pour dessert le péritoine d'un mouton ; il est très gras et a l'air farouche.

Nous avons vu aussi à Quimper la cathédrale, grande église du XVe siècle qui ne nous a pas divertis quoique ses tours carrées aient deux immenses baies vraiment très bien construites, quoique son abside soit penchée à droite ainsi que sur son épaule la tête du Christ mourant, et quoiqu'il y ait en outre une assez gentille Vierge de Ottin, d'une sculpture plus gracieuse qu'élégante et plus mollasse que tendre.

Nous aperçûmes ensuite, dans l'église Saint-Mathieu, des vitraux fort beaux, mais que nous n'eûmes pas le loisir d'examiner à notre aise, car nous fûmes expulsés du chœur par la frénésie du bedeau qui arriva sur nous en nous criant d'une voix exaspérée : « Sortez du sanctuaire ! Voulez-vous bien sortir du sanctuaire ! Mais sortez donc du sanctuaire ! » Pour y rester, il eût fallu se battre ou graisser la patte de cette bête féroce, moyens qui répugnaient également à notre caractère et à notre dignité.

Qu'exigez-vous de plus sur Quimper ? Que voulez-vous savoir encore ? Est-ce d'où lui vient son nom de Quimper ? Quimper veut dire confluent à cause du confluent de l'Odet et de l'Eir (note : aussi Quimperlé, confluent de l'Ellée). Pourquoi on y a ajouté Corentin ? C'est à cause de Corentin, son premier évêque « ayant esté homme de grande religion et intégrité de vie, vivant au temps de Gradlon, roi de Bretagne ». Faut-il maintenant les dates ? Sachez donc que la première pierre de la cathédrale fut posée le 26 juillet 1424 par l'évêque Bertrand Rosmadec, et la dernière l'an 1501 (j'ignore le jour, quel dommage !). De plus, la ville fut prise en 1344 par Charles de Blois, puis assiégée une fois en 1345 par le comte de Montfort, puis deux fois en 1594 avant de se rendre au maréchal d'Aumont. Mais vous n'exigez pas, ô lecteurs, la description des sièges (j'oublie toujours que je n'ai pas de lecteurs), donc je m'épargnerai également la relation des facétieuses entrées des évêques de Cornouailles, qui devaient laisser au prieuré de Locmaria leurs gants et leur bonnet, et à la porte de la cathédrale leurs bottes et leurs éperons [2] ; ainsi que celle de la vieille coutume du verre de vin que l'on présentait la veille de la Sainte-Cécile à la statue du roi Gradlon et qui, bu d'un trait par un des sonneurs de l'église, était rejeté dans la foule où celui qui le rapportait sans fracture au chapitre était récompensé d'un louis d'or. Toutes ces choses en effet étant aussi ennuyeuses à redire qu'elles ont été amusantes à apprendre, les livres vous les donneront si vous en êtes curieux, et non pas nous qui n'en prisons pas assez les livres pour les copier, quoiqu'il nous arrive d'en lire et que nous ayons même la prétention d'en faire.

Etant à Quimper, nous sortîmes un jour par un côté de la ville et rentrâmes par l'autre, après avoir marché dans la campagne pendant huit heures environ.

Sous le porche de l'hôtel, notre guide nous attendait. Il se mit aussitôt à courir devant nous, et nous le suivîmes. C'était un petit bonhomme à cheveux blancs,

---

2. C'était la propriété du seigneur de Guengot, qui avait tiré les bottes et qui les emportait ainsi que le cheval. (*Note de Flaubert.*)

coiffé d'une casquette de toile, chaussé de souliers percés et vêtu d'une vieille redingote brune trop large qui lui flottait autour de la taille. Il bredouillait en parlant, se cognait les genoux en marchant et roulait sur lui-même; néanmoins il avançait vite et avec une opiniâtreté nerveuse, presque fébrile. De temps à autre, seulement, il arrachait une feuille d'arbre et se la collait contre la bouche pour se rafraîchir. Son métier est de courir les environs, pour aller porter les lettres ou faire des commissions. Il va ainsi à Douarnenez, à Quimperlé, à Brest, jusqu'à Rennes qui est à quarante lieues de là (voyage qu'il a exécuté une fois en quatre journées, y compris l'aller et le retour). « Toute mon ambition, disait-il, est de retourner encore une fois dans ma vie à Rennes. » Et cela, sans autre but que d'y retourner, pour y retourner, afin de faire une longue course et pour pouvoir s'en vanter ensuite. Il sait toutes les routes, il connaît toutes les communes avec leurs clochers; il prend des chemins de traverse à travers champs, ouvre les barrières des cours et, en passant devant les maisons, souhaite le bonjour aux maîtres. A force d'entendre chanter les oiseaux, il s'est appris à imiter leurs cris, et, tout en marchant sous les arbres, il siffle comme eux pour charmer sa solitude.

Nous nous arrêtâmes d'abord à un quart de lieue de la ville, à Loc-Maria, ancien prieuré, jadis donné à l'abbaye de Fontevrault par Conan III. Le prieuré n'a pas, comme l'abbaye du pauvre Robert d'Arbriselle, été utilisé d'une ignoble manière. Il est abandonné, mais sans souillures. Son portail gothique ne retentit pas de la voix des garde-chiourme, et s'il en reste peu de chose, l'esprit, du moins, n'éprouve ni révolte ni dégoût. Il n'y a de curieux comme détail, dans cette petite chapelle d'un vieux roman sévère, qu'un grand bénitier posé sans pilier sur le sol et dont le granit taillé à pans est devenu presque noir. Large, profond, il représente bien le vrai bénitier catholique, fait pour y plonger tout entier le corps d'un enfant, et non pas ces cuvettes étroites de nos églises dans lesquelles on trempe le bout du doigt. Avec son eau claire rendue plus limpide encore par la couche verdâtre du fond, cette végétation qui a sourdi dans le calme religieux des siècles, ses angles usés, sa lourde masse à couleur de bronze, il ressemble à un de ces rochers creusés d'eux-mêmes dans lesquels on trouve de l'eau de mer.

Quand nous eûmes bien tourné autour, nous redescendîmes vers la rivière que nous traversâmes en bateau et nous nous enfonçâmes dans la campagne.

Elle est déserte et singulièrement vide. Des arbres, des genêts, des ajoncs, des tamaris au bord des fossés, des landes qui s'étendent, et d'hommes, nulle part. Le ciel était pâle; une pluie fine, mouillant l'air, mettait sur le pays comme un voile uni qui l'enveloppait d'une teinte grise. Nous allions dans des chemins creux qui s'engouffraient sous des berceaux de verdure, dont les branches réunies, s'abaissant en voûtes sur nos têtes, nous permettaient à peine d'y passer debout. La lumière arrêtée par le feuillage était verdâtre et faible comme celle d'un soir d'hiver. Tout au fond, cependant, on voyait jaillir un jour vif qui jouait au bord des

feuilles et en éclairait les découpures. Puis on se trouvait au haut de quelque pente aride, descendant toute plate et unie, sans un brin d'herbe qui tranchât sur l'uniformité de sa couleur jaune. Quelquefois, au contraire, s'élevait une longue avenue de hêtres dont les gros troncs luisants avaient de la mousse à leurs pieds. Des traces d'ornières passaient là, comme pour mener à quelque château qu'on s'attendait à voir; mais l'avenue s'arrêtait tout à coup et la rase campagne s'étalait au bout. Dans l'écartement de deux vallons, elle développait sa verte étendue sillonnée en balafres noires par les lignes capricieuses des haies, tachée çà et là par le massif d'un bois, enluminée par des bouquets d'ajoncs, ou blanchie par quelque champ cultivé au bord des prairies qui remontaient lentement vers les collines et se perdaient dans l'horizon. Au-dessus d'elles, bien loin à travers la brume, dans un trou du ciel, apparaissait un méandre bleu, c'était la mer.

Les oiseaux se taisent ou sont absents; les feuilles sont épaisses, l'herbe étouffe le bruit des pas, et la contrée muette vous regarde comme un triste visage. Elle semble faite exprès pour recevoir les existences en ruines, les douleurs résignées. Elles pourront solitairement et nourrir leurs amertumes à tel ou tel murmure des arbres et des genêts et sous ce ciel qui pleure. Dans les nuits d'hiver, quand le renard se glisse sur les feuilles sèches, quand les tuiles tombent des colombiers, que la lande fouette ses joncs, que les hêtres se courbent et qu'au clair de lune le loup galope sur la neige, assis tout seul près du foyer qui s'éteint, en écoutant le vent hurler dans les longs corridors sonores, c'est là qu'il doit être doux de tirer du fond de son cœur ses désespoirs les plus chéris avec ses amours les plus oubliées.

Nous avons vu une masure en ruines où l'on entrait par un portail gothique; plus loin se dressait un vieux pan de mur troué d'une porte en ogive; une ronce dépouillée s'y balançait à la brise. Dans la cour, le terrain inégal est couvert de bruyères, de violettes et de cailloux. On distingue vaguement des anciens restes de douves; on entre quelques pas dans un souterrain comblé, on se promène là dedans, on regarde et on s'en va. Ce lieu s'appelle le *temple des faux Dieux*, et était, à ce que l'on suppose, une commanderie de Templiers.

Notre guide est reparti devant nous, nous avons continué à le suivre.

Un clocher est sorti d'entre les arbres; nous avons traversé un champ en friche, escaladé le haut bord d'un fossé; deux ou trois maisons ont paru : c'était le village de Plomelin. Un sentier fait la rue; quelques maisons, séparées entre elles par des cours plantées, composent le village. Quel calme! quel abandon plutôt! les seuils sont vides, les cours sont désertes.

Où sont les maîtres? On les dirait tous partis à l'affût, se tapir derrière les genêts pour guetter le *Bleu* qui doit passer dans la ravine.

L'église est pauvre et d'une nudité sans pareille. Pas de beaux saints peinturlurés, pas de toiles aux murs, ni, au plafond, de lampe suspendue, oscillant au bout de sa longue corde droite. En un coin du chœur, une mèche, par terre, brûle dans un verre rempli d'huile. Des piliers ronds supportent la voûte de bois dont la couleur bleue est déteinte. Par les fenêtres à vitrail blanc arrive le grand jour des champs verdi par le feuillage d'alentour qui recouvre le toit de l'église. La porte (une petite porte en bois que l'on ferme avec un loquet) était ouverte ; une volée d'oiseaux s'est entrée, voletant, caquetant, se collant aux murs ; ils ont tourbillonné sous la voûte, sont allés se jouer autour de l'autel. Deux ou trois se sont abattus sur le bénitier, y ont trempé leur bec, et puis, tous, comme ils étaient venus, sont repartis ensemble. Il n'est pas rare en Bretagne de les voir ainsi dans ces églises ; plusieurs y habitent et accrochent leur nid aux pierres de la nef ; on les y laisse en paix. Lorsqu'il pleut, ils accourent ; mais dès que le soleil reparaît dans les vitraux et que les gouttières s'égouttent, ils regagnent les champs. De sorte que pendant l'orage deux créatures frêles entrent souvent à la fois dans la demeure bénie : l'homme pour y faire sa prière et y abriter ses terreurs, l'oiseau pour y attendre que la pluie soit passée et réchauffer les plumes naissantes de ses petits engourdis.

Un charme singulier transpire de ces pauvres églises. Ce n'est pas leur misère qui émeut, puisque alors même qu'il n'y a personne, on dirait qu'elles sont habitées. N'est-ce pas plutôt leur pudeur qui ravit ? Car avec leur clocher bas, leur toit qui se cache sous les arbres, elles semblent se faire petites et s'humilier sous le grand ciel de Dieu. Ce n'est point, en effet, une pensée d'orgueil qui les a bâties, ni la fantaisie pieuse de quelque grand de la terre en agonie. On sent, au contraire, que c'est l'impression simple d'un besoin, le cri naïf d'un appétit, et comme le lit de feuilles sèches du pâtre, la hutte que l'âme s'est faite pour s'y étendre à l'aise à ses heures de fatigue. Plus que celles des villes, ces églises de village ont l'air de tenir au caractère du pays qui les porte et de participer davantage à la vie des familles qui, de père en fils, viennent à la même place y poser les genoux sur la même dalle. Chaque dimanche, chaque jour, en entrant et en partant, ne revoient-ils pas les tombes de leurs parents, qu'ils ont ainsi près d'eux dans la prière, comme à un foyer plus élargi d'où ils ne sont pas absents tout à fait ? Ces églises ont donc un sens harmonique où, comprise entre le baptistère et le cimetière, s'accomplit la vie de ces hommes. Il n'en est pas ainsi chez nous qui, reléguant l'éternité hors barrière, exilons nos morts dans les faubourgs, pour les loger dans le quartier des équarrisseurs et des fabriques de soude, à côté des magasins de poudrette.

Vers trois heures de l'après-midi, nous arrivâmes près des portes de Quimper, à la chapelle de Kerfeunteun. Il y a, au fond, une belle verrière du XVIe siècle, représentant l'arbre généalogique de la Trinité. Jacob en forme la souche et la croix du Christ le sommet, surmonté du Père Eternel qui a la tiare au front. Le clocher carré figure sur chaque face un quadrilatère percé à jour, comme une lanterne, par une longue baie droite. Il ne pose pas immédiatement sur la toiture, mais, à l'aide d'une base amincie dont les quatre côtés se rétrécissent et se touchent presque, forme un angle obtus vers la crête du toit. En Bretagne, presque toutes les églises de village ont de ces clochers-là.

Avant de rentrer dans la ville, nous fîmes un détour pour aller visiter la chapelle de la Mère-Dieu. Comme d'ordinaire on la ferme, notre guide prit en route le gardien qui en a la clef ; il vint avec nous, emmenant par la main sa petite nièce qui tout le long du chemin s'arrêtait pour ramasser des bouquets. Il marchait devant nous dans le sentier. Sa mince taille d'adolescent à cambrure flexible, un peu molle, était serrée dans une veste de drap bleu ciel, et sur son dos s'agitaient les trois rubans de velours de son petit chapeau noir qui, posé soigneusement sur le derrière de la tête, retenait ses cheveux tordus en chignon.

Au fond d'un vallon, d'un ravin plutôt, l'église de la Mère-Dieu se voile sous le feuillage des hêtres. A cette place, dans le silence de cette grande verdure, à cause sans doute de son petit portail gothique que l'on croirait du XIIIe siècle et qui est du XVIe, elle a je ne sais quel air qui rappelle ces chapelles discrètes des vieux romans et des vieilles romances, où l'on armait chevalier le page qui partait pour la Terre Sainte, un matin, au chant de l'alouette, quand les étoiles pâlissaient, et qu'à travers la grille passait la main blanche de la châtelaine que le baiser de départ trempait aussitôt de mille pleurs d'amour.

Nous sommes entrés. Le jeune homme s'est agenouillé en ôtant son chapeau, et la grosse torsade de sa chevelure blonde s'est échappée et s'est dépliée dans une secousse en tombant le long de son dos. Un instant accrochée au drap rude de sa veste, elle a gardé la trace des plis qui la roulaient tout à l'heure, peu à peu est descendue, s'est écartée, étalée, répandue comme une vraie chevelure de femme. Séparée sur le milieu par une raie, elle coulait à flots égaux sur ses deux épaules et couvrait son cou nu. Toute cette nappe d'un ton doré avait des ondoiements de lumière qui changeaient et fuyaient à chaque mouvement de tête qu'il faisait en priant. A ses côtés, la petite fille, à genoux comme lui, avait laissé tomber son bouquet par terre. Là seulement, et pour la première fois, j'ai compris la beauté de la chevelure de l'homme et le charme qu'elle peut avoir pour des bras nus qui s'y plongent. Etrange progrès que celui qui consiste à s'écourter partout les superfétations grandioses de la nature, si bien que lorsque nous la découvrons dans toute sa vierge plénitude, nous nous en étonnons comme d'une merveille révélée.

O coiffeurs, ô fers à papillotes, ô philocomes à la vanille ou au citron, perruquiers de tous pays, brosses de toutes façons, onguents de toutes puanteurs, ornez les chevelures de vos tire-bouchons et de vos tortillons, rasez-les à la malcontent, roulez-les à la Perrinet-Leclerc, montez-les en poire, étalez-les en saule pleureur, versez dessus votre colle de poisson, votre sirop de coing, vos bandolines, fixateurs et vos encaustiques luisants ; taillez, coupez, frisez raide et pommadez gras, jamais vous ne m'en montrerez une d'une distinction si relevée, d'une grâce si voluptueuse que celle-là, que l'on ne peignait sans doute qu'avec un gros peigne de corne blanche et que la pluie du ciel et la rosée mouillaient seules de leur eau pure.

Le lendemain, à midi, les rues de Quimper se tendirent de draps de calicot, les cloches sonnèrent, on sema sur le pavé des roses et des juliennes, et dans les carrefours se dressèrent des espèces d'estrades décorées de colonnes de verdure où s'enroulaient des guirlandes de fleurs en papier peint. C'était le dimanche de je ne sais quelle fête, et la procession allait passer. Sur le devant des portes on voyait les servantes dans leur toilette de campagne, avec des broderies de couleur sur les manches de leur casaquin et la tête prise entre leurs grands bonnets à barbes relevées et leur collerette raide qui fait l'effet par derrière d'une fraise à gros tuyaux; leur jupe brune est plissée à petits plis serrés, droits comme ceux des *bragow-brass*, et leurs souliers découverts portent sur le cou-de-pied de larges boucles d'argent. Aux fenêtres, la haute société, comme aux premières loges, attendait le spectacle du cortège.

Les cloches ont redoublé leur volée, on a entendu des chants, on a battu du tambour, on a tiré des coups de fusil et deux files de gamins ont débouché des deux côtés de la rue. Au milieu circulait un prêtre en surplis qui commandait la manœuvre à l'aide d'un livre en bois qu'il fermait par un coup sec qui résonnait comme celui d'un battoir. Les enfants avaient des pantalons boutonnés par-dessus leur veste, un cierge éteint à la main droite et braillaient comme des ânes. Après eux venaient les petites filles toutes en robes blanches, avec des ceintures bleues, et au milieu d'elles un ecclésiastique quelconque pareillement occupé à aller de rang en rang pour les faire s'avancer, s'arrêter, repartir, chanter et se taire. Enfin venaient les chantres et les chanoines ouvrant tous la bouche, baissant les yeux et marchant au pas, en se prélassant dignement dans leurs belles chasubles d'église. Je me souviens d'une surtout qui était de velours violet brodé d'or; elle brillait là, seule, unique, splendide, effaçant toutes les autres; l'homme qu'elle recouvrait jouissait à la porter, il s'y délectait, il ne pouvait s'empêcher de sourire tout en chantant, et de se dandiner des épaules pour faire admirer le pan de derrière où était brodé un saint ciboire surmonté d'un soleil. Si le chapitre, en effet, n'en possède pas une seconde, s'il y a soixante gens en droit de la revêtir et qu'on ne fasse que sept ou huit processions par année, voilà peut-être dix ans qu'il l'attend, qu'il l'espère, qu'il languit, qu'il soupire après, car il faut compter les passe-droits, les bassesses triomphantes des rivaux, les préférences injustes. Il a donc vieilli, il a maigri dans l'anxiété de l'avoir. Aujourd'hui enfin il l'a; il la porte sur son dos, dans la rue, on la voit, on le voit dessous, elle le dessus. Comme elle lui va bien! Il la flaire, il la hume, il se gonfle dans sa doublure pour l'emplir partout, il y promène ses yeux, il en contemple les broderies, il se repaît des galons; elle est lourde, il sue, elle l'écrase, tant mieux! il n'en éprouve que plus de joie, il ne la sent que davantage sur ses épaules; et il les remue exprès pour se convaincre qu'elle est là, qu'elle tient d'aplomb, qu'il ne l'a pas

perdue. Ah! que ne peut-elle se coller sur lui pour qu'on ne puisse la lui reprendre, car tantôt il va falloir la rendre et quand la remettra-t-il? Jamais peut-être, mon Dieu; deux jours pareils ne reviennent pas dans la vie. Comme il l'aime! comme il l'adore, cette chasuble dont la beauté lui remplit l'âme, et avec elle aussi cette bonne religion catholique sans laquelle la chasuble n'existerait pas et en l'honneur de laquelle elle a été faite! Aussi comme il chante! avec quel cœur! avec quelle foi! avec quel orgueil! Il convient qu'un homme ainsi revêtu ait une voix démesurée, ou la sienne dominait tout, elle tonnait avec une plénitude sacerdotale, c'était un beuglement continu couvrant les cris des enfants, le piétinement de la foule et le bourdonnement du serpent dont le souffleur hors d'haleine était pourtant bleu de fatigue.

Sous un dais de velours cramoisi s'avança encore une autre chasuble. Dessous, un homme à front déprimé, blond comme un porte-cigares en cuir de Russie, ayant des cils blancs, des sourcils rouges et les cheveux roulés en champignons, un de ces êtres à profil encore plus bas que niais et qui semblent scrofuleux encore plus en dedans qu'en dessus, portait pieusement d'un air confit et boursouflé le saint Sacrement en or qui tremblait dans ses mains contractées que revêtaient des gants de coton blanc. Autour de lui les enfants de chœur encensaient, les chantres vociféraient; il marchait sur les fleurs que l'on jetait devant ses pas, et lorsqu'aux reposoirs il élevait sa chose reluisante, tout le monde se mettait à genoux, y compris les soldats, les gardes nationaux et les gendarmes qui escortaient la procession. Quatre rubans de satin tombant du dais étaient tenus par deux bambins habillés en nankin jaune, brodé sur toutes les coutures, et par deux toutes petites filles en robe bleue semée d'étoiles d'argent, les bras nus, garnis de bracelets, avec une couronne sur la tête et deux ailes roses dans le dos.

Suivaient ensuite des bourgeois de la ville qui jouaient du violon, du piston et du basson, puis une douzaine de gendarmes, le sabre tiré, puis la garde nationale sur deux files, puis une compagnie de soldats précédée d'un tambour-major qui faisait tournoyer sa canne et remuer son panache.

N'ayant plus rien à voir à Quimper ni dans les environs, nous nous disposâmes pour notre expédition du Finistère dont nous devions parcourir la côte à pied jusqu'à Brest. C'était une course de quatre-vingts lieues. Nous fîmes remettre une pièce à nos souliers et nous partîmes.

Notre première étape fut Concarneau que nous vîmes assez mal, car la pluie tombait à torrents, des ruisseaux jaunes coulaient au pied des maisons et, s'engouffrant au trou des parapets du port, se versaient sur les bancs de vase où étaient couchées sur le flanc des barques vides. L'eau coulait dessus et pénétrait la toile de leurs voiles endormies dans la boue comme un voyageur fatigué. A la prochaine marée cependant elles se relèveront et s'en iront emmenant avec elles le fucus ou la petite coquille qu'on voit accrochée aux planches de la carène et qui la suit partout dans les flots.

La mer était loin, la vue s'étendait sur les sables et se perdait vite dans la morne teinte du ciel barbouillé par les mille rainures de la pluie.

La ville est ceinte de murailles dont à marée haute la vague vient battre la base, les mâchicoulis sont encore intacts comme au temps de la reine Anne, et la ligne des pierres dentelées s'allonge sur les remparts droite et basse, en se découpant dans la brume.

Dans l'intervalle de deux ondées nous passâmes les portes et le pont-levis pour aller à une lieue de là voir la pierre branlante de Trégunc. La route, verdoyante, avait des coudes successifs et des plans inégaux ; c'était large et vert. Comme un poulain en liberté le regard galopait dans la campagne et se roulait sur l'herbe fraîche. A mesure que nous avancions, des pierres disséminées sur le sol augmentaient de nombre et de grandeur, et détachaient leurs formes inégales parmi les bouquets d'ajoncs jaunes. Au milieu d'elles se dresse, sur une hauteur de onze pieds, un cône de granit renversé, posé sur une saillie de rocher presque à fleur de terre. Telle est la fameuse pierre branlante de Trégunc que les maris autrefois venaient ébranler pour savoir à quoi s'en tenir sur le compte de la chasteté de leurs épouses. Si la pierre remuait, cela voulait dire : vous l'êtes ! et si elle ne bougeait : revenez demain. Des auteurs assurent l'avoir mise en mouvement, mais pour nous, qui sommes célibataires, elle est restée aussi inébranlable à tous nos coups d'épaule que l'aurait été la grande pyramide d'Egypte.

Deux heures après nous étions de retour à Concarneau. La pluie avait repris de plus belle ; notre hôtesse nous faisait pour rester les plus aimables instances. Il y avait certes de quoi retenir des chiens ou charmer des tigres, néanmoins nous nous informâmes de suite d'un véhicule quelconque qui pût nous mener le soir même coucher à Fouesnant, la patrie des belles femmes. On trouva d'abord la voiture, puis un homme pour nous conduire, puis le cheval et enfin des harnais. Après que tout se fut ajusté l'un dans l'autre à grande peine, nous nous huchâmes dans le tape-cul qui, trop petit déjà pour nous deux, ne pouvait contenir notre conducteur. Il se mit donc à pied et prit par le licou la rosse engourdie qu'il traînait ainsi dans les montées et retenait dans les descentes. Quand il était fatigué, il s'asseyait derrière sur l'essieu et la machine sans s'arrêter continuait son train. Elle allait en zigzags, s'accrochant dans les haies, se cognant aux cailloux, retombant dans les ornières, s'arrêtant aux saignées, et toujours nous *hocquesonnant* devant les yeux sa capote recourbée qui nous dérobait le paysage. De temps à autre, en nous penchant, nous saisissions quelque chose, un massif d'arbres, une clairière dans le bois, un bout de chemin qui tournait, une épine en fleurs dans les pommiers, un bout de mer qu'on voyait à travers les branches ; mais bientôt, à cause de la pente qui montait, les brancards se levaient en l'air et nous n'apercevions plus que le ciel sur nos têtes ; ou bien si elle descendait nous plongions en avant sur

les jarrets du cheval et ne recevions plus de jour que par l'intervalle de la capote et du garde-crotte qui tendaient à se refermer sur nous et s'entrechoquaient dans les cahots.

A la Forêt nous passâmes sur une digue qui continuait la route dans l'eau et coupait par le milieu une des plus charmantes baies qu'il y ait. Elle s'avance dans les terres entre deux coteaux boisés dont les arbres descendant jusqu'en bas trempent dans les flots le bout de leur feuillage qui retombe en touffes diffuses avec des courbes molles comme font les saules sur les bords des rivières.

Une église parut. Nous arrêtâmes la carriole et allâmes en faire le tour. Son clocher, découpé comme celui de Kerfeunteun, est flanqué de deux clochetons, et sur son petit portail s'élève un pinacle d'où ressortent des têtes de grenouille et de chien. En face se verdit à la pluie un de ces bons vieux calvaires bretons, ciselés, sculptés, portant fleurons et personnages ; une face représente la Vierge, l'autre Jésus et ses apôtres.

Quant à l'intérieur de l'église, je ne m'en souviens guère, car je crois ne l'avoir pas vu, de même que celle de Fouesnant. Je me rappelle seulement un grand bénitier taillé dans un pilier, et de larges dalles posées transversalement pour clore l'entrée du cimetière, en manière d'échaliers.

Fouesnant, du reste, ce lieu si vanté pour toutes les délices qu'il possède, ne nous offrit qu'une détestable omelette que nous mangeâmes tout de même, un épouvantable lit où nous dormîmes néanmoins, et une pluie incessante qui ne nous empêcha de repartir le lendemain, ayant rabattu le bord de nos chapeaux et endossé nos waterproof.

Cette journée-là fut la première de nos vaillantes journées du Finistère. Nous fûmes rafraîchis par le vent, chauffés par le soleil, la pluie nous trempa jusqu'au dernier fil, la sueur jusqu'au dernier poil ; nous dînâmes d'artichauts crus et nous nous trompâmes de route. Longtemps, sans que cela nous parût long, nous cheminâmes par la rase campagne, sous les arbres dans des chemins creux, dans la lande à travers les sillons labourés, dans des sentiers, sur la grande route. Quand nous étions las, nous débouclions nos sacs et couchés au pied d'un chêne, sur le revers d'un fossé, tout en fumant et causant, nous regardions les nuages rouler, nous laissions les heures passer.

A Bénodet nous avons traversé la rivière dans un bac. A Combrit nous nous sommes perdus et nous retournions vers Quimper si un cantonnier ne nous en avait avertis.

A cinq heures du soir, enfin, nous arrivâmes à Pont-l'Abbé, enduits d'une respectable couche de poussière et de boue qui se répandit de nos vêtements sur le parquet de la chambre de notre auberge, avec une prodigalité si désastreuse, que nous étions presque humiliés du gâchis que nous faisions, rien qu'en nous posant quelque part.

Pont-l'Abbé est une petite ville fort paisible, coupée dans sa longueur par une large rue pavée. Les maigres rentiers qui l'habitent ne doivent pas avoir l'air plus nul, plus modeste et plus bête.

Il y a à voir, pour ceux qui partout veulent voir quelque chose, les restes insignifiants du château et l'église ; une église qui serait passable d'ailleurs, si elle n'était encroûtée par le plus épais des badigeons qu'aient jamais rêvés les conseils de fabrique. La chapelle de la Vierge était remplie de fleurs : bouquets de jonquilles, juliennes, pensées, roses, chèvrefeuilles et jasmins mis dans des vases de porcelaine blanche ou dans des verres bleus, étalaient leurs couleurs sur l'autel et montaient entre les grands flambeaux vers le visage de la Vierge, jusque par-dessus sa couronne d'argent, d'où retombait un voile de mousseline à longs plis qui s'accrochait à l'étoile d'or du bambino de plâtre suspendu dans ses bras. On sentait l'eau bénite et le parfum des fleurs. C'était un petit coin embaumé, mystérieux, doux, à l'écart dans l'église, retraite cachée, ornée avec amour, toute propice aux exhalaisons du désir mystique et aux longs épanchements des oraisons éplorées.

Comprimée par le climat, amortie par la misère, l'homme reporte ici toute la sensualité de son cœur, il la dépose aux pieds de Marie, sous le regard de la femme céleste et il y satisfait, en l'excitant, cette inextinguible soif de jouir et d'aimer. Que la pluie entre par le toit, qu'il n'y ait ni bancs ni chaises dans la nef, partout vous n'en découvrirez pas moins luisante frottée et coquette, cette chapelle de la Vierge, avec des fleurs fraîches et des cierges allumés. Là, semble se concentrer toute la tendresse religieuse de la Bretagne ; voilà le repli le plus mol de son cœur, c'est là sa faiblesse, sa passion, son trésor. Il n'y a pas de fleurs dans la campagne, mais il y en a dans l'église ; on est pauvre, mais la Vierge est riche ; toujours belle, elle sourit pour tous et les âmes endolories vont se réchauffer sur ses genoux, comme à un foyer qui ne s'éteint pas. On s'étonne de l'acharnement de ce peuple à ses croyances ; mais sait-on tout ce qu'elles lui donnent de délectation et de voluptés, tout ce qu'il en retire de plaisir ? L'ascétisme n'est-il pas un épicurisme supérieur, le jeûne une gourmandise raffinée ? La religion comporte en soi des sensations presque charnelles ; la prière a ses débauches, la mortification son délire, et les hommes qui le soir viennent s'agenouiller devant cette statue habillée y éprouvent aussi des battements de cœur et des enivrements vagues, pendant que, dans les rues, les enfants des villes revenant de la classe s'arrêtent rêveurs et troublés à contempler sur sa fenêtre la femme ardente qui leur fait les doux yeux.

Il faut assister à ce qu'on appelle ses fêtes, pour se convaincre du caractère sombre de ce peuple. Il ne danse pas, il tourne ; il ne chante pas, il siffle. Ce soir même, nous allâmes dans un village des environs, voir l'inauguration d'une aire à battre. Deux joueurs de *biniou*, montés sur le mur de la cour, poussaient sans discontinuer le souffle criard de leur instrument, au son duquel couraient au petit trot, en se suivant à la queue du loup, deux longues files d'hommes et de femmes, qui serpentaient et s'entrecroisaient. Les files

revenaient sur elles-mêmes, tournaient, se coupaient et se renouaient à des intervalles inégaux. Les pas lourds battaient le sol, sans souci de la mesure, tandis que les notes aiguës de la musique se précipitaient l'une sur l'autre dans une monotonie glapissante. Ceux qui ne voulaient plus danser s'en allaient, sans que la danse en fût troublée, et ils rentraient ensuite quand ils avaient repris haleine. Pendant près d'une heure que nous considérâmes cet étrange exercice, la foule ne s'arrêta qu'une fois, les musiciens s'étant interrompus pour boire un verre de cidre ; puis, les longues lignes s'ébranlèrent de nouveau et se remirent à tourner. A l'entrée de la cour, sur une table, on vendait des noix, à côté était un broc d'eau-de-vie, par terre une barrique de cidre ; non loin, se tenait un particulier en casquette de cuir et en redingote verte ; près de lui, un homme en veste avec un sabre suspendu par un baudrier blanc : c'était le commissaire de police de Pont-l'Abbé avec son garde champêtre.

Bientôt, M. le commissaire tira sa montre de sa poche, fit un signe au garde qui alla parler à quelques paysans et l'assemblée se dispersa.

Nous nous en revînmes tous quatre de compagnie à la ville et nous eûmes en ce trajet le loisir d'admirer encore ici une de ces combinaisons harmoniques de la Providence qui avait fait ce commissaire de police pour ce garde champêtre et ce garde champêtre pour ce commissaire de police. Ils étaient emboîtés, engrenés l'un dans l'autre. Le même fait leur occasionnait la même réflexion, de la même idée ils tiraient des déductions parallèles. Quand le commissaire riait, le garde souriait ; quand il prenait un air grave, l'autre avait un air sombre, si la redingote disait : « il faut faire cela », la veste répondait « j'y avais songé » ; si elle continuait : « c'est nécessaire », celle-ci ajoutait : « c'est indispensable ». Et les rapports de rang et d'autorité n'en restaient pas moins, malgré cette adhésion intime, respectivement distincts. Ainsi, le garde élevait la voix moins haut que le commissaire, était un peu plus petit et marchait derrière. Le commissaire, poli, important, beau parleur, se consultant, ruminait à part, causait tout seul et faisait claquer sa langue ; le garde était doux, attentif, pensif, observait de son côté, poussait des interjections et se grattait le bout du nez. Chemin faisant, il s'informait des nouvelles, lui demandait des avis, sollicitait ses ordres, et le commissaire questionnait, méditait, donnait des commandements.

Nous touchions aux premières maisons de la ville, quand nous entendîmes de l'une d'elles sortir des cris aigus. La rue était pleine d'une foule agitée et des gens accouraient vers le commissaire en lui disant : « Arrivez, arrivez, monsieur, on se bat ! Il y a deux femmes de tuées ! – Par qui ? – On n'en sait rien. – Pourquoi ? – Elles saignent. – Mais comment ? – Avec un râteau. – Où est l'assassin ? – L'une à la tête, l'autre au bas. Entrez, on vous attend, elles sont là. »

Le commissaire entra donc, et nous à sa suite.

C'était un bruit de sanglots, de cris, de paroles, une houle qui se poussait et s'étouffait. On se marchait sur les pieds, on se coudoyait, on jurait, on ne voyait rien.

Le commissaire commença par se mettre en colère. Mais comme il ne parlait pas le breton, ce fut le garde qui se mit en colère pour lui et qui chassa le public de céans, en prenant tout le monde par les épaules et en le poussant à la porte.

Lorsqu'il n'y eut plus dans la pièce qu'une douzaine de personnes environ, nous parvînmes à distinguer dans un coin un lambeau de chair qui pendait à un bras et une masse noire comme une chevelure sur laquelle coulaient des gouttes de sang. C'étaient la vieille femme et la jeune fille blessées dans la bagarre. La vieille, qui était sèche et grande et portait une peau bistrée, plissée comme du parchemin, se tenait debout avec son bras gauche dans sa main droite, geignait à peine et n'avait pas l'air de souffrir; mais la jeune fille pleurait. Assise, écartant les lèvres, baissant la tête, et les mains à plat sur les genoux, elle tremblait convulsivement et sanglotait tout bas. A toutes les questions qu'on leur faisait, elles ne répondaient que par des plaintes, et les témoignages de ceux qui avaient vu donner les coups ne concordant même pas entre eux, il fut impossible de connaître ni qui avait battu ni pourquoi on avait battu. Les uns disaient que c'était un mari qui avait surpris sa femme; d'autres, que c'étaient les femmes qui s'étaient disputées et que le maître de la maison avait voulu les assommer pour les faire taire. On ne savait rien de précis. M. le commissaire en était fort perplexe et le garde tout interdit.

Le médecin du pays étant absent, ou ces bonnes gens ne voulant pas s'en servir, parce que cela coûtait trop cher, nous eûmes l'aplomb d'offrir « le secours de nos faibles talents » et nous courûmes chercher notre nécessaire de voyage avec un bout de sparadrap, une bande et de la charpie que nous avions, en prévision d'accident, fourrés au fond de notre sac.

C'eût été, ma foi, un beau spectacle pour nos amis, que de nous voir étalant doctoralement sur la table de ce gîte notre bistouri, nos pinces et nos trois paires de ciseaux, dont une à branches de vermeil. Le commissaire admirait notre philanthropie, les commères nous regardaient en silence, la chandelle jaune coulait dans son chandelier de fer et allongeait sa mèche que le garde mouchait avec ses doigts. La bonne femme fut pansée la première. Le coup avait été consciencieusement donné; le bras dénudé montrait l'os et un triangle de chair d'environ quatre pouces de longueur retombait en manchette. Nous tâchâmes de remettre le morceau à sa place en l'ajustant exactement sur les bords de la plaie, puis nous serrâmes le tout avec une bande. Il est très possible que cette compression violente ait causé la gangrène et que la patiente en soit morte.

On ne savait au juste ce qu'avait la jeune fille. Le sang coulait dans ses cheveux, sans qu'on pût voir d'où il venait; il se figeait dessus par plaques huileuses et filait le long de la nuque. Le garde, notre interprète, lui dit d'ôter le bandeau de laine qui la coiffait; elle le dénoua par un seul mouvement de main, et toute sa chevelure d'un noir mat et sombre se déroula comme une cascade avec les fils sanglants qui la rayaient en rouge. Ecartant délicatement ses beaux cheveux mouillés qui

étaient doux, épais, abondants, nous aperçûmes en effet, sur l'occiput, une bosse grosse comme une noix percée d'un trou ovale. Nous rasâmes la peau tout à l'entour; après avoir lavé et étanché la plaie, nous fîmes fondre du suif sur de la charpie et nous l'adaptâmes sur la blessure à l'aide de bandelettes de diachylon. Une compresse mise par-dessus fut retenue par le bandeau, recouvert lui-même par le bonnet.

Sur ces entrefaites, le juge de paix survint. La première chose qu'il fit fut de demander le râteau, et la seule dont il s'inquiéta fut de le regarder et de le contempler sous tous les sens. Il le prenait par le manche, il en comptait les dents, il le brandissait, l'essayait, en faisant sonner le fer et ployer le bois.

— Est-ce bien là, disait-il, l'instrument de l'attentat? Jérôme, en êtes-vous convaincu?

— On le dit, monsieur.

— Vous n'y étiez pas, monsieur le commissaire?

— Non, monsieur le juge de paix.

— Je voudrais savoir si c'est bien avec un râteau que les coups ont été portés ou si ce n'est pas plutôt avec un instrument contondant. Quel est le malfaiteur? Ce râteau, d'abord, lui appartenait-il? ou était-il à un autre? Est-ce bien avec cela qu'on a blessé ces femmes? N'est-ce pas plutôt, comme je le répète, avec un instrument contondant? Veulent-elles porter plainte? Dans quel sens dois-je faire mon rapport? Qu'en dites-vous, monsieur le commissaire?

Les malheureuses ne répondaient rien, si ce n'est qu'elles souffraient toujours; et quant à requérir la vengeance des lois, on leur laissa la nuit pour y réfléchir. La jeune fille pouvait à peine parler et la vieille avait également les idées fort confuses, vu qu'elle était ivre à ce que disaient les voisins; ce qui nous expliqua l'insensibilité qu'elle avait montrée pendant que nous la soulagions.

Après nous avoir fouillé des yeux le mieux qu'ils purent, pour savoir qui nous étions, les autorités de Pont-l'Abbé nous souhaitèrent le bonsoir, en nous remerciant « des services que nous avions rendus au pays ». Nous remîmes notre nécessaire dans notre poche et le commissaire s'en alla avec son garde, le garde avec son sabre, le juge de paix avec le râteau.

A peine montés dans nos chambres, nous y reçûmes la visite de deux gendarmes désireux de lire sur nos passeports nos noms, prénoms, domicile et profession, afin de les rapporter bien vite au commissaire et au juge de paix qui les attendaient sans doute avec une anxiété fort grande. Mais comme nous jouissions du bonheur insigne de n'exercer aucun métier, de n'être décorés d'aucun titre ni revêtus d'aucune qualité, il leur fallut se résigner à n'apprendre que deux noms fort inconnus à Pont-l'Abbé, comme ailleurs. Jamais cependant ils ne purent croire que nous fussions des messieurs cheminant à pied pour leur récréation personnelle, cela leur paraissait inouï, absurde; nous étions des dessinateurs ou des leveurs de plan qui voyageaient par ambition pour faire mieux que les autres et gagner par là la croix d'honneur; nous étions salariés par le gouvernement pour inspecter les routes et surveiller les allumeurs des phares; nous avions une mission secrète, un travail clandestin que nous ne voulions pas dire afin de surprendre les gens et de faire notre coup; il y avait en nous quelque chose d'incompréhensible, de contradictoire et de ténébreux, et nous les effrayions presque, tant nous leur semblions étranges.

Non, vive Dieu! rien de tout cela ne nous pousse. Nous ne sommes que des contemplateurs humoristiques et des rêveurs littéraires; nous passons notre vie à regarder le soleil et à lire les maîtres. Si cela n'emplit pas la poche comme de faire du suif, des bottes et des lois, si les gendarmes le comprennent peu, et que les bourgeois en rient de pitié, c'est donc pour nous seuls alors, et tant mieux mille fois, que vous étendez vos horizons, grèves et prairies que labourent nos pieds, et c'est pour nous aussi que vous êtes venus, poètes magnifiques où nous délectons nos âmes.

Et nous nous mîmes au lit en riant de cette perversité grande qui fait de la vie humaine l'appendice de la boutique, de l'étude ou du comptoir, la croyant inventée par Dieu que pour emplir des casiers et prendre des numéros.

Puis nous dormîmes d'un bon sommeil malgré nos opérations, et dès l'aurore nous partîmes pour Penmarc'h sans nous informer de l'état de nos malades.

VIII

PENMARC'H. – Eglise du commencement du XVᵉ siècle; original porche de l'entrée principale; deux portes jumelles en plein cintre ornées; niche longue, élégante, à couronnement dentelé; tête de cheval à gauche; un homme qui se cramponne. – Entrée latérale charmante comme goût, on y sent un fumet du XVIᵉ siècle allié à l'élément indigène; deux portes jumelles du même genre, mais plus gracieuses encore; à gauche, un médaillon représentant un homme qui embrasse une femme, la femme se défend. – Intérieur plein d'oiseaux qui chantent. A notre seconde visite, ce matin, un oiseau a passé au milieu de la nef en volant. Ogives, médaillons à sculptures robustes, représentant les têtes ou des bonhommes. – Dans le chœur un saint en bois coloré, relevant le bras droit; manteau découpé, fenêtres divisées en fleurs dans la chapelle derrière l'abside. Restes d'un ossuaire en pierre dans le cimetière, avec deux petites têtes de mort sculptées dans un angle extérieur.

KÉRITY. – Rochers en vue, marais avec des criques que la marée montante remplissait. – Restes d'une belle église des Templiers, pure, sobre, niches charmantes dans le goût de celles de Penmarc'h. La nef n'a qu'un côté latéral, pas de transept. Autel en pierre. Au fond ogive avec trois divisions dans la fenêtre. – Il reste une tour sur le côté droit du portail, nous sommes montés. Campagne plate, la mer, les moulins qui tournaient, vent. – Conversation avec des marins. – Un vieux nous a dit qu'il avait vu dire la messe en mer (un autre nous avait dit le contraire) sur les ruines d'Ys, car ils placent Ys ici. Les gens nous ont prétendu qu'on voyait encore des pierres taillées comme s'il y avait eu une ville. – Homard. – Dans le cimetière de Penmarc'h, fût d'une croix avec des bouts de branches coupées, ce qui est un élément indigène constant et très remarquablement caractéristique.

LA TORCHE. – Crevasse. Grand rocher comme un meulvan, vagues retombant en cascade; autour elles couraient.

WHITE NORSE. – Désert pour aller à Plouvan, immense plaine d'un vert pâle, sables, ondulations du terrain. – Hutte aux canards sauvages où nous nous sommes assis; des oiseaux noirs au ventre blanc volaient en tournant et criaient sur notre tête; solitude complète; la mer à gauche. – Troupeau noir de moutons sautant par-dessus un enclos. – Nous passons dans des cours où les chiens aboient. – Bras de mer. – Marais. – M. Bataille a été à Louviers, a été dans l'Inde, à Waterloo, a fait la course, a été douanier et est maintenant retraité : histoire pour un quarteron tu en as une livre. Histoire du... envoyé dans un boulet: il cassera la gueule à quelqu'un. Retraite de Russie; le grenadier auquel il avait refusé le feu mort au coin de son feu; il lui prend sa culotte. Les poux appelés Napoléons de Pologne. – L'instituteur primaire nous désillusionne sur la vertu des Bretonnes; les filles se cotisent pour payer à boire aux garçons afin d'avoir un cavalier pour la danse. – Grogs. – Nous sympathisons avec un cordonnier. Soupçon de l'hôtesse sur l'immoralité de mon ami.

DE PLOUVAN A AUDIERNE, au bord de la mer en laissant une chapelle à droite. – Route qui serpente suivant les sinuosités de la côte. – Désert, la mer, la mer, le vent. – Le médecin à cheval en houseaux. – Paysans travaillant le varech; leurs vêtements bruns sur les rochers verts. – A droite, montagnes de sable et de craie; couleur blanche; la mer bleue verte, le ciel roulant des nuages, très bleu par places; le sentier serpentant devant nous au loin suivant l'ondulation des terrains, comme une traînée blanche sur le fond vert pâle de la terre; sables à traverser; moulin.

AUDIERNE. – Obligés de faire le tour de la baie. – Eglise : sous un porche latéral un monstre marin, une figure grotesque; un bateau sur la façade, mais moderne et non pas chiqué comme à Penmarc'h. – Le soir nous nous promenons sur le sable si beau que nous avons regret d'y marcher, en parlant de 7 millions de rentes. La mer verte foncée par l'effet d'une côte verte qui se reflétait dessus; plus près de nous bleue; nuages de nacre et de poussière d'or pâle. Du côté plus chargé un nuage noir sur une touffe d'arbres verts s'avançait en s'élargissant.

D'AUDIERNE A PLOUGOFF (samedi 19). – D'abord la grande route qui monte; arbres à droite. – Un monsieur à cheval et orné de longs cheveux, que nous arrêtons pour savoir notre route, nous conseille d'aller au pardon de Saint-Hugin à Premelin. – Baraque en toile. – En attendant vêpres nous allons nous asseoir au bord de la mer. – Eglise : statues décapitées; porche latéral tout peint. – Dans la baraque, assis sur une planche posée sur des pierres, nous causons avec des paysans (le grand qui me donne 45 ans, cheveux gris, frisé; celui à côté de Max tout noir; effet bouffant du bragow-brass en le voyant assis devant moi; ils admirent nos pipes, nos couteaux) et un matelot qui tenait l'établissement. – Nous nous perdons. Village désert; chiens aboyant; personne ne parle français. – Soleil sur le fumier et dans les chemins effondrés, desséchés.

A l'entrée de Plougoff, le médecin, l'hôtel! – Grandes ondulations arides et augmentant d'aridité en s'approchant de la pointe du Raz. Touffes de joncs marins très courts, le sol est pelé par places. Nous traversons deux villages noirs de crasse. – Une croix en pierre. – Moulin. – Enfant manchot de naissance qui nous demande l'aumône, il nous suit; un douanier lui explique d'être notre guide. Muet, il nous précède. – Ciel bleu, cormorans. – Nous allons par le côté droit. Trou satanique, bouleversements, replis, indescriptible couleur des roches sous-marines. L'homme n'est pas fait pour vivre là, pour supporter la nature à haute dose. Ce n'est pas un rocher, mais une agglomération de rochers; la terre a passé entre, herbe courte et glissante. La roche devient de plus en plus sèche, la crête aiguë s'abaisse vers la pointe. – Nous revenons par le versant gauche, la pente est moins à pic, et la vigueur du précipice est un peu atténuée par la dégradation des roches qui le garnissent. L'enfant est obligé de mettre son bras pour que je passe dessus. – Revenus nous fumons assis. – A droite, à l'entrée de la Baie des Trépassés, rocher debout couvert de mouettes, elles voltigent, crient, montent et s'entre-croisent; l'enfant jette des pierres; une barque se balance. – Religiosité de notre hôtesse. – Toujours la soupe au lait et les œufs. – Nuit bivouaquée.

DE PLOUGOFF A PONTCROIX. – Paysans se rendant au pardon de Saint-Hugin qui guérit et préserve de la rage. – Près de Pontcroix nous retrouvons notre gaillard d'hier. – Gendarmes qui nous demandent nos passeports sur notre mauvaise mine. – Violent déjeuner à Pontcroix. – L'aubergiste officier de santé. – Costumes. – Férocité d'un tailleur qui nous mène à Douarnenez; son char à bancs et le poulet du père Bataille sont les deux choses les plus dures que j'aie encore subies.

DOUARNENEZ. – Temps gris, nuageux, brouillardé, maisons basses, rues désertes, pays pauvre et triste; à droite, sur le sable, bout de falaise avec de la verdure et des herbes qui pendaient. – L'île Tristan en face; grand mur blanc. Du cultivateur qui l'habite; air morose de l'ensemble qui va à ce vieux Fontenelle.

DE DOUARNENEZ A CROZON. – Interminable route en carriole, mais dont la longueur est atténuée par un sommeil à peu près continuel.

CROZON. – M. de Saint-Amour, sa nièce. – M. Grand. – Violence de l'habit du père Renoult allant au dîner de noces rendu par le notaire. – Le gamin tout nu s'habillant dans un couloir. – Le soir, visite au cimetière.

MORGAT. – Le village à droite. – Barques tirées sur le galet comme à Etretat. – Grottes : les petites qu'on voit à pied sec, trois, une avec deux arches, une autre où il y a une espèce d'alcôve basse; la grande grotte, on y va en bateau. A l'entrée l'eau découle d'en haut, transparence de l'eau, la grotte n'est pas droite, mais fait des courbes; un petit rocher au milieu. La teinte des rochers est jaune, gris de fer, rouge, etc., et tout cela sans transition suivant les tranches de la pierre. La barque roulait à la godille, on se sentait entraîné vers un royaume nacré, étrange, comme dans un couloir magique; c'est la magie de la nature. Plafond diversement colorié.

LANDONADEC. – Lierres sur pans de murs. – Nos fouilles au dolmen. – Anse de Dinan. – Morts dans le sable, os calcinés par iceluy : on les a retrouvés les bras droits le long du corps, la face au ciel, les pieds vers la mer. – La mer, bleu foncé. – Le sable tout blanc et sec sous le soleil. – Campagne large et nue à couleur rousse pâle.

Ce sommaire a été développé par Maxime Du Camp.

IX

DE CROZON A LANDÉVENNEC. – Moulins qui servent à nous reconnaître. – Fond de la rade. – Terre découpée en langues de mer qui avancent entre de petites montagnes toutes vertes et toutes boisées, même jusqu'au bas; ça m'a fait penser à la Grèce. – Vieille abbaye, deux statues. l'une couchée, l'autre debout; boudoirs d'un nouveau style; la mer vue par le trou des fenêtres; au premier plan un champ de pommiers. – Intensité de priapisme fluent. – Passage. – Course solide.

DAOULAS. – Le bonnet de nuit. – Jeune enfant nu-pieds venant vendre des fraises et revenant avec l'argent acheter un gros morceau de pain. – Goût horripilant d'un ossuaire dans le cimetière. – M. Genès, mouchard, marchand d'hommes, agent d'affaires, inspecteur de ces demoiselles, concierge du dispensaire; il se moque des Juifs qui font le même commerce que lui, avec leurs grands manteaux et leur chaîne de chrysocale; n'aime ni le bal, ni l'église, ni le théâtre, mais une vieille bouteille; il raccroche des hommes sur la route : « le remplaçant est le meilleur soldat parce qu'il est comme un forçat ». Et l'honneur de l'armée comme dirait le *National*? eh! eh! eh!

Calvaire de Plougastel. – Amusant; animaux lourds, chevaux et ânes; mine d'un homme qui... le Christ en train tirant la langue; air raide de deux hommes qui vont le souffleter. M. Genès prenait la pâque pour une scène de jeu « ils jouent »; un tambour, un joueur de trompe, un cavalier la figure toute levée en l'air précédant Jésus allant au mont des Oliviers. – Passage, terreur d'une petite femme laide et sale, enceinte; elle se pressait sur moi. – L'homme aime à sentir la femme faible; la volupté se double de l'orgueil, du sentiment de la force; et elle avait de la crotte aux yeux! nous fuyons notre compagnon. – Marche sans fin pour arriver à Brest.

BREST. – Frocart et Cie. – Longue descente pavée. – Passeports. – Hôtel du Grand-Monarque.

Embêtement du port par le soleil. – Combats de chiens, d'ours et d'âne; nous retrouvons notre ami de Guérande, jouant du tambour; cri d'excitation de son associé; l'âne en dessous, les ours aux deux coins de l'estrade; dans l'intérieur, poussière, poteau, groupe d'ours, de chiens et d'homme, un amateur de la ville. – La vue antimagnétique; « Elle est magnétisée ». chansonnette africaine. Le b... militaire. – La jeune bayadère.

DE BREST AU CONQUET. – Monter et descendre. – Saint-Mathieu; alternative des colonnes. – Mise à l'eau de la frégate la *Persévérante*; effet de la masse s'avançant doucement et élégamment en soulevant l'eau.

KERAVEL, sept ruelles. – Obscur, silencieux, une lanterne au bout : quartier des maîtresses des garde-chiourme et des forçats. Le derrière donne sur les murs du bagne. La rue de la Trique; escalier, les femmes assises sur la porte lits au fond; les hommes et les femmes causant debout dans la rue; c'est presque une foule. Beau clair de lune. Ces demoiselles, Babet, Clara, le monsieur qui fumait sa pipe.

Visite à l'hôpital. – Fracture du crâne « je ne souffre pas » et il grimaçait quand on lui touchait. – Propreté niaise. – Jardin botanique; une flaque d'eau et un cygne. Ambroise nègre, le roi du bagne; Ambroise doit aimer le cygne. – Un chat-tigre un forçat qui se jouait avec lui. – Musée : deux têtes boucanées; plâtres, Voltaire à côté de ces MM. – Un vieux racorni, vol; un de la Seine-Infé rieure, oreilles plates de chimpanzé, attentat à la pudeur Salle des forçats, un nègre vérolé, comme un crocodile cause de ses pustules; un en lunettes; « la malheureuse passion du jeu », vol et détournement de fonds. – Dan notre promenade du port, le dentiste. – Dans le bagn logés à part, chien, place des exécutions devant le gran perron, cachots, porte. On s'apprêtait à ouvrir à deu forçats qui s'étaient échappés le matin. Je voulais don donner la bastonnade; le garde-chiourme m'a engagé me priver de ce spectacle qui est hideux; on les mèn immédiatement après à l'hôpital où ils en ont pour quinz jours. – Ils reviennent du travail, fouillement d'un chacur – Marchands : ils nous assaillent de leurs marchandise – Dans le port, les deux bassins; vue aride des canon des bouts de bois; pas de nature, pas d'arbres, à peine u bouquet par-dessus les maisons; pas de vague, pas d'anima rien où le cœur se pose. A l'hôpital pourtant j'ai vu un petite nichée de chats sur le lit d'un malade.

RECOUVRANCE. – Rue en pente au milieu des échoppes ouvertes. – Vue de la rade; un matelot regardait la mer, un homme traînait un petit enfant dans un chariot, des enfants jouaient dans les fossés. – Soleil chaud, ciel bleu, les bâtiments de la rade : le *Borda* avec ses deux raies blanches; l'*Astrolabe* plus loin. – Traversé le port marchand en bateau. – Eternel boucan des trompettes et des tambours.

LANDERNEAU. – Plat. – Un pont. – La rivière de Landerneau, canalisée droite. – Manoir de Kergoat, habitation d'homme ruiné, M. Fabre, bière, jardins, ifs, jets d'eau, soleil. – Intensité d'un moment effréné au milieu de cette nature.

JOYEUSE-GARDE. – Rien, qu'une porte avec du lierre, et des mouvements de terrain qui indiquent des douves. – Nous causons d'Isabey, Pradier, etc., et de Shakespeare et revenant dans la forêt par des chemins encore ombrés. – Vue de la rivière, trop droite près Landerneau, mais plus loin c'est une vraie rivière. – Eau dans les prairies du mont, montagnes assez basses, à sommet aigu, couvertes de verdure. – Chien gueulant auquel on avait attaché une casserole à la queue.

LA ROCHE-MAURICE. – Nid d'aigle, démantelé, bâti en pierres plates superposées les unes sur les autres. – Au milieu des rochers qui sortent de l'herbe verte, ce qu'on voit, surtout, quand on y est monté en haut, en se tournant du côté de Landerneau; d'en bas lierres sur les ruines, la verdure qui s'y crampone a des graduations de teintes, elle devient plus foncée à mesure qu'elle monte, on la distingue par bouffées vertes différentes; à travers une ouverture, dont les bords sont engraissés de vert lourd, le ciel bleu. – L'église, clocher en réparation dont les pierres couvrent le sol tout à l'entour; espèce de cour plantée d'arbres rapprochés, de sorte que ça a l'air d'une église en ruine où l'on dit encore la messe.

LANDIVISIAU. – Plat, nul, mais relais de poste au milieu de la grande route; maisons grises, basses. – Une lieue environ avant d'arriver à Saint-Pol, Tissot : point circonscrit dans l'immensité; un gendarme s'il avait passé pendant ce temps-là et au bon moment.

ROSCOFF. – Terrains dénudés, plats, légumes, légumes. – Les pays riches sont les pauvres : les millionnaires s'habillent mal. – Rochers blanchâtres, longs, à fleur d'eau dans la mer bleue, nombreux et comme découpant le fond du tapis azuré. – L'église : beaux bas-reliefs en albâtre du XVe; groupe de gardes au pied de la croix; le Christ sortant du tombeau, très grand, très maigre, animé; un garde casque en tête dormant sur son épée. – Malédiction des chaussures.
Manoir de Kersalion : cour restreinte; trois chevaux y jouant; tourelle dans la muraille; porte en plein cintre du XVe siècle surmontée d'un bonhomme coiffé d'un chaperon; fenêtre dans le toit avec un pinacle d'où sortent de côté deux manières de gargouilles qui ne sont pas des gargouilles, un lion et un bonhomme. – Soleil et vent froid, campagne nue, courant d'eau, moulin, pierres; chemin tout entouré de ronces de diverses espèces maigres, bruyère, etc., dont les formes se dessinaient sur le sentier blanc; blés à tête blanche, blonds s'agitant sous le vent; futaie à droite.
Château de Kerouseri. – Trois tourelles, mâchicoulis, appartements boisés, grande pièce avec des fenêtres rapetissées, donnant vue sur la mer; pays plat, la mer au fond; jardin délabré, pièce de blé entourée de roses; un Avignonnais pour gardien; puits à levier.

KERLAND. – Entrée, porte couverte de lierre, tour pentagonale; vieil escabeau en pierre; grande chambre avec des restes de peinture au plafond sur le plâtre qui s'écaille;

ensemble gris, froid, ennuyeux, sombre; toutes les pièces pleines d'outils, de bancs, d'ustensiles de campagne, un piège à loup dans l'embrasure d'une fenêtre.

A la fin de ce sommaire, Flaubert avait écrit les quelques notes suivantes :
> Brest, mardi 29 juin, 3 h 1/4 du soir.
Mot d'un troupier qui voyait la mer pour la première fois : « C'est curieux tout de même! ça donne tout de même un aperçu de ce qui existe! » (Belle-Isle).

« L'amour est comme l'opéra; on s'y ennuie, mais on y retourne. » Au bazar d'Ozaï, 30 avril 1847. (Blois, 1er mai.)

Les pigeons de Paphos ne sont souvent que des oies.

Il y a beaucoup de gens qui croient avoir les mains belles parce qu'ils les ont propres.

Dans le cimetière d'Arz :
Mon Dieu! n'aviez-vous pas assez d'anges au ciel?

Lieu chéri du Seigneur où la vertu réside
Aimable solitude où l'Esprit Saint préside,
Trois fois heureux celui qui charmé de tes biens
Renonce au siècle et rompt ses funestes liens
Aidé par le secours de son Dieu qui le guide
Plus il trouve de croix, plus il est intrépide,
Persuadé qu'il est que l'instant de la mort
Est l'instant fortuné qui le conduit au port.

En route! le ciel est bleu, le soleil brille, et nous nous sentons dans les pieds des envies de marcher sur l'herbe.
De Crozon à Landévennec, la campagne est découverte, sans arbres ni maisons; une mousse rousse comme du velours râpé s'étend à perte de vue sur un sol plat. Parfois des champs de blés mûrs s'élèvent au milieu de petits ajoncs rabougris. Les ajoncs ne sont plus en fleurs, les voilà redevenus comme avant le printemps.
Des ornières de charrettes profondes et bordées sur leurs bords d'un bourrelet de boue sèche, se multipliant irrégulièrement les unes près des autres, apparaissent devant vous, se continuent longtemps, font des coudes et se perdent à l'œil. L'herbe pousse par grandes places entre ces sillons effondrés. Le vent siffle sur la lande; nous avançons; le brise joyeuse se roule dans l'air, elle sèche de ses bouffées la sueur qui perle sur nos joues et, quand nous faisons halte un instant, nous entendons, malgré le battement de nos artères, son bruit qui coule sur la mousse.
De place en place, pour nous dire la route, surgit un moulin tournant rapidement dans l'air ses grandes ailes blanches. Le bois de leur membrure craque en gémissant; elles descendent, rasent le sol, et remontent. Debout sur sa lucarne tout ouverte, le meunier nous regarde passer.
Nous continuons, nous allons; en longeant une haie d'ormeaux qui doit cacher un village, dans une cour plantée, nous avons entrevu un homme monté dans un arbre; au pied, se tenait une femme qui recevait dans son tablier bleu les prunes qu'il lui jetait d'en haut. Je me souviens d'une masse de cheveux noirs tombant à flots sur ses épaules, de deux bras levés en l'air, d'un mouvement de cou renversé et d'un rire sonore qui m'est arrivé à travers le branchage de la haie.

Le sentier que l'on suit devient plus étroit. Tout à coup, la lande disparaît et l'on est sur la crête d'un promontoire qui domine la mer. Se répandant du côté de Brest, elle semble ne pas finir, tandis que, de l'autre, elle avance ses sinuosités dans la terre qu'elle découpe, entre des coteaux escarpés, couverts de bois taillis. Chaque golfe est resserré entre deux montagnes; chaque montagne a deux golfes à ses flancs, et rien n'est beau comme ces grandes pentes vertes dressées presque d'aplomb sur l'étendue bleue de la mer. Les collines se bombent à leur faîte, épatent leur base, se creusent à l'horizon dans un évasement élargi qui regagne les plateaux, et, avec la courbe gracieuse d'un plein cintre moresque, se relient l'une à l'autre, continuant ainsi, en le répétant sur chacune, la couleur de leur verdure et le mouvement de leurs terrains. A leurs pieds, les flots, poussés par le vent du large, pressaient leurs plis. Le soleil, frappant dessus, en faisait briller l'écume; sous ses feux, les vagues miroitaient en étoiles d'argent et tout le reste était une immense surface unie dont on ne se rassasiait pas de contempler l'azur.

Sur les vallons, on voyait passer les rayons du soleil. Un d'eux, abandonné déjà par lui, estompait plus vaguement la masse de ses bois et, sur un autre, une barre d'ombre large et noire s'avançait.

A mesure que nous descendions le sentier, et qu'ainsi nous nous rapprochions du niveau du rivage, les montagnes en face desquelles nous étions tout à l'heure semblaient devenir plus hautes, les golfes plus profonds; la mer s'agrandissait. Laissant nos regards courir à l'aventure, nous marchions, sans prendre garde, et les cailloux chassés devant nous déroulaient vite et allaient se perdre dans les bouquets de broussailles, aux bords du chemin.

Arrivés enfin à Landévennec, nous entrâmes pour déposer nos sacs quelque part dans un cabaret plus que simple, où l'on s'asseyait sur les futailles en guise de bancs. Après y avoir bu un coup de mauvaise eau-de-vie dans un de ces grands gobelets du pays en faïence rayée de bandes roses et bleues comme une culotte de bal masqué, nous allâmes tout de suite voir l'abbaye.

Il n'en reste qu'un portail composé de trois arcades; celle du milieu plus basse que les deux autres est seule percée. De chaque côté de l'une d'elles, après un contrefort, une longue petite fenêtre cintrée va s'évasant du dehors comme les meurtrières d'une forteresse; en dedans de l'arcade du milieu, des colonnes courtes supportant des moulures ont des chapiteaux couverts d'entre-lacs compliqués.

Quand on a franchi ce pan de muraille, soit par la brèche qui ouvre sur la cour, soit par le portail dont une échelle mise de travers vous barre l'entrée, apparaissent au fond les ruines du chœur et de l'abside découpant leur dentelure blanchâtre sur la couleur bleue du ciel. Elles forment un rond-point flanqué de chapelles latérales, rondes, garnies de contreforts extérieurs, avec des fenêtres à plein cintre, la plupart soutenues par des colonnes qui s'engagent à leur base dans des piliers carrés. Le terrain de la cour ondule, fait des bosses et des creux; c'est un mouvement heurté de plans inégaux

que les ronces et les lierres verdissent de leur verdure inégale.

Dans les chapelles latérales, par le trou des fenêtres, on voit au loin la mer à l'horizon d'une prairie que bossellent en dômes verts les têtes rondes des pommiers et qui s'encadre comme un tableau dans le plein cintre rongé des fenêtres romanes.

Une statue d'abbé est appuyée contre le mur : un gros anneau au médius de la main droite, un menton long, des pommettes saillantes, des yeux sortis, des cheveux légèrement crepelés, et une chape bordée de longues franges, et un écusson qui est d'hermine à trois fasces au chef chargé d'un lambel à trois pièces timbré de la crosse abbatiale. Est-ce là, pourquoi non? pourquoi oui? saint Guénolé, premier abbé du monastère, mort en 448, le même qui conseilla au roi Gradlon de quitter la ville d'Ys avant l'engloutissement du Seigneur, et qui, lorsque sur la grève le roi fuyait au galop avec la belle Dragut, sa fille, lui cria dans un nuage, comme les flots déjà battaient les jarrets de son cheval, de se débarrasser du démon qu'il emportait en croupe? Gradlon la précipita dans les flots, les flots l'engloutirent, s'arrêtèrent, et Gradlon continua sa course. Pour contempler cette figure plus à notre aise, nous nous étions assis sur une autre statue couchée par terre.

Celle-là représente un évêque, il a la crosse, la chape bordée de roses et d'olives, la bague au pouce et, sous le bras gauche, le bâton pastoral passé. Une manche étroite, fermée d'un gros bouton et sortant elle-même d'une manche très ample serre son bras; ses mains sont jointes; deux anges soutiennent l'oreiller où il repose son chien, couché à ses pieds, surmonte d'un écusson qui est de neuf macles posées par trois au lambel de trois pièces serties au chef et supporté à dextre par un lion lampassé, à senestre par un lévrier.

Pendant que nous nous occupions à lire ces niaiseries, un veau jaune, marqué d'une tache à la tête, se promenait près de nous. Il chancelait sur ses longues jambes faibles et les mouches bourdonnaient autour de ses naseaux blancs, humides encore du lait de sa mère. Derrière le portail, au bas de la montagne qu'ils recouvrent, les grands hêtres balançaient leurs cimes, le soleil frappait sur les vieux pans de mur, un air chaud passait; toutes sortes de plants et d'arbrisseaux, des orties, des marguerites, des angéliques, des sureaux, des bruyères et du baume faisaient un mélange de parfums sucrés; il tombait sur vous quelque chose de tendre, d'énervant, de navrant, d'écœurant; on se sentait pris de mollesse, tout plein de titillations obtuses et de convoitises fluides. Et comme nous étions là, couchés sur l'herbe, est survenue devant nous une grande jeune fille, blonde et blanche, allant nu-pieds parmi les ronces, et seulement vêtue d'un jupon de drap rouge dont le cordon lui serrait autour de la taille sa chemise de grosse toile jaune; elle avait à la main un roseau cassé par le haut et se tenait debout à nous regarder sans rien dire.

Elle s'en est allée, puis est revenue; elle riait quand on lui parlait et vous quittait aussitôt.

Puis nous nous sommes levés, nous avons repris nos bâtons, nous sommes partis. En passant par-dessus le mur, nous en avons fait ébouler des pierres et le ciment s'est égrené sous nos mains. Est-ce que nous détruisions aussi, nous autres? et ce que n'ont pu abattre ni le temps, ni les hommes, ni le bon goût, ni l'industrie, voilà que l'achève sans le savoir le contemplateur naïf, dans l'exercice même de sa curiosité admirative.

En vingt minutes une barque nous eut passés de l'autre côté de la rade et déposés dans une anfractuosité du rocher, sur des grandes lames de pierre couvertes de goémons où nous glissâmes quelque temps avant de pouvoir gagner la terre. Entrés dans la campagne, notre embarras commença. Il fallait coucher à Daoulas, or nous ne savions pas par où prendre. Les chemins tournaient le long des haies fournies, plus compactes que des murs. Nous montions, nous descendions; cependant les sentiers s'emplissaient d'ombre et la campagne s'assoupissait déjà dans ce beau silence des nuits d'été.

Ne rencontrant personne enfin qui pût nous dire notre route, et deux ou trois paysans à qui nous nous étions adressés ne nous ayant répondu que par des cris inintelligibles, nous tirâmes notre carte, atteignîmes notre compas, et, nous orientant d'après le coucher du soleil, nous résolûmes de piquer sur Daoulas à vol d'oiseau. Donc, la vigueur nous revint aux membres et nous nous lançâmes dans les champs, à travers les haies, par-dessus les fossés, abattant, renversant, bousculant, cassant tout, sans souci aucun des barrières restant ouvertes et des récoltes endommagées.

Au haut d'une montée, nous aperçûmes le village de l'Hôpital couché dans une prairie où passait une rivière. Un pont la traverse; sur ce pont, il y a un moulin qui tourne; après la prairie, la colline remonte; nous gravissions gaillardement quand, sur le talus d'un haut bord, à la lueur d'un rayon du jour, entre les pieds d'une haie vive, nous avons vu une belle salamandre noire et jaune qui s'avançait de ses pattes dentelées et traînait sur la poussière sa longue queue mince remuant aux ondulations de son corsage tacheté. C'était son heure; elle sortait de sa caverne qui est au fond de quelque gros caillou enfoui sous la mousse et s'en allait faire la chasse aux insectes dans le tronc pourri des vieux chênes.

Un pavé à pointes aiguës sonna sous nos pas, une rue se dressa devant nous; nous étions à Daoulas. Il faisait encore assez clair pour distinguer à l'une des maisons une enseigne carrée pendue à sa barre de fer scellée dans la muraille. Sans enseigne, d'ailleurs, nous aurions bien reconnu l'auberge, les maisons ayant ainsi que les hommes leur métier écrit sur la figure. Donc, nous y entrâmes fort affamés et demandant surtout qu'on ne nous fît pas languir.

Pendant que nous étions assis sur la porte à attendre notre dîner, une petite fille en guenilles est entrée dans l'auberge avec une corbeille de fraises qu'elle portait sur la tête. Elle en est sortie bientôt tenant à la place un gros pain qu'elle maintenait de ses deux mains. Elle s'enfuyait avec la vivacité d'un chat en poussant des cris aigus. Ses cheveux d'enfant, hérissés, gris de poussière, se levaient dans le vent autour de sa figure maigre et ses petits pieds nus, frappant d'aplomb sur la terre,

disparaissaient, en courant, sous les lambeaux déchiquetés qui lui battaient les genoux.

Après notre repas qui, outre l'inévitable omelette et le veau fatal, se composa en grande partie des fraises de la petite fille, nous montâmes dans nos appartements. L'escalier tournant, à marches de bois vermoulues, gémissait et craquait sous nos pas comme l'âme d'une femme sensible sous une désillusion nouvelle. En haut, se trouvait une chambre dont la porte, comme celle des granges, se fermait avec un crochet qu'on mettait du dehors. C'est là que nous gîtâmes. Le plâtre des murs, jadis peint en jaune, tombait en écailles; les poutres du plafond ployaient sous le poids des tuiles de la toiture, et, sur les carreaux de la fenêtre à guillotine, un enduit de crasse grisâtre adoucissait la lumière comme à travers des verres dépolis. Les lits, faits de quatre planches de noyer mal jointes, avaient de gros pieds ronds piqués de mites et tout fendus de sécheresse. Sur chacun d'eux étaient une paillasse et un matelas recouverts d'une couverture verte trouée par des morsures de souris et dont la frange était faite par les fils qui s'effilaient. Un morceau de miroir cassé dans son cadre déteint; à un clou, un carnier suspendu, et, près de là, une vieille cravate de soie dont on reconnaissait le pli des nœuds, indiquaient que ce lit était habité par quelqu'un, et, sans doute, qu'on y couchait tous les soirs.

Sous l'un des oreillers de coton rouge, une chose hideuse se découvrit, à savoir un bonnet de même couleur que la couverture des lits, mais dont un glacis gras empêchait de reconnaître la trame, usé, élargi, avachi, huileux, froid au toucher. J'ai la conviction que son maître y tient beaucoup et qu'il le trouve plus chaud que tout autre. La vie d'un homme, la sueur d'une existence entière est concrétée là en cette couche de cérat ranci. Combien de nuits n'a-t-il pas fallu pour la former si épaisse? Que de cauchemars se sont agités là-dessous, que de rêves y ont passé! Et de beaux, peut-être. Pourquoi pas?

Une délicatesse exagérée nous empêcha de jeter cette ordure par la fenêtre et nous nous contentâmes de la repousser du pied sous le lit. Que serait-il advenu si nous y eussions trouvé des savates qui devaient aller au bonnet! Et ensuite quel beau rapport à écrire pour ceux qui auraient fait notre autopsie.

O confort! me disais-je en entrant timidement dans mes draps, ô confort idéal du bonheur moderne, que tu es loin d'avoir pénétré jusqu'à Daoulas! comme on y méconnaît tes douceurs! Voilà cependant des gens qui ignorent tes stores, tes tapis, tes portières, tes étagères, tes calorifères! Quel mépris du *chic anglais*! quelle incurie dans le service! quelle malpropreté de linge! quels tristes coutiaux! quelle vilaine argenterie! On ne trouverait pas dans tout le pays une seule pierre ponce; ils ne se doutent pas même de la manière de faire le thé, et certainement qu'aucune de ces maisons-là n'a un water-closet convenable.

Nous dormîmes quatorze heures de suite; nous ronflions encore le lendemain, tout en visitant l'église. On raconte sur sa fondation une belle légende dans laquelle figurent un dragon avec son petit, deux saints et un seigneur furieux, mais je suis fatigué des légendes et non moins des églises. Outre que je n'ai pas, d'ailleurs, la bosse archéologique fort développée, n'est-il pas ennuyeux, convenez-en, d'endurer au moins une fois par jour une nef, un portail, des bas côtés, des chapiteaux, des arcades, des arcatures, des colonnes, des piliers, des pleins cintres et des ogives? A force d'être prodiguées, les plus aimables choses deviennent odieuses. De ma vie je n'oublierai la haine que les Pyrénées m'avaient procurée pour les cascades; j'en avais tant admiré que je les détestais à outrance. Lorsqu'il fallait se détourner pour en admirer une nouvelle, je me sentais des défaillances d'estomac; leur bruit, leur mousse, leur mouvement me révoltaient; je n'aspirais plus qu'après les plaines les plus sèches, j'aurais voulu vivre dans une marnière.

Sous le porche, il y a douze apôtres maigres, avec des mines assez naïves, et l'intérieur, quoique roman (mais plus blanchi, hélas! que la face de Pierrot), n'a rien, que de gros œufs d'autruche suspendus en ex-voto à la statue de la Vierge et qui rappellent ceux que mettent les musulmans dans les mosquées. Si cela arrête une minute et fait sourire en notre esprit la poésie des rapprochements, vous en êtes puni bientôt par la vue d'un ossuaire du goût le plus horripilant qu'il soit possible de souffrir.

Dans la crainte de nous perdre en chemin, et comme nous voulions arriver de bonne heure à Brest, nous nous enquîmes d'un guide.

— Voilà un monsieur qui vous y mènera bien, il y retourne lui-même, nous dit notre hôtesse en nous désignant du doigt un bourgeois accoudé sur la table de la cuisine et qui trinquait avec un maréchal ferrant.

Quand la bouteille fut vidée, le monsieur se leva, prit une prise dans une tabatière en écaille et se tournant vers nous :

— Vous allez à Brest, messieurs?

— Oui.

— Moi aussi. Nous allons donc faire route ensemble, nous pourrons causer, ça nous distraira.

Il était petit et commençait à prendre du ventre; ses cheveux noirs, coupés ras par derrière, frisaient sur la tempe gauche en une boucle qui s'avançait jusqu'au coin de la paupière, et son chapeau, s'en allant sur l'oreille droite, découvrait un front rétréci qui paraissait plus fuyant encore à cause de sa mâchoire allongée. Malgré ses joues pendantes, sa figure était maigre. Il clignait souvent les yeux et n'arrêtait pas de sourire. Une redingote de lasting, trop courte de taille, couvrait son dos voûté, et de ses manches trop petites sortaient deux grosses mains rouges, mains paresseuses, plus grasses que fortes, et dont la peau semblait humide. Sous un gilet de satin noir à schall, brodé de bouquets vert tendre, s'étalait une chemise de coton fort blanche durement empesée, sur laquelle filaient les deux rubans blonds d'une chaîne de sûreté en cheveux qui retenait dans un large gousset sa belle montre d'or. Sur sa cravate affaissée, son cou enfoncé tournait à l'aise, et son pantalon à grand pont, éraillé aux boutonnières et bombé aux genoux, s'arrêtait à mi-jambe sur la tige

d'une forte botte dont le cuir dur ne ployait pas. Il marchait vite, regardant à terre, baissant la tête et relevant l'épaule droite sous laquelle il serrait un formidable gourdin fait d'un bois des îles garni dans toute sa longueur de piquants aigus.

Et il causait! il causait! il parlait toujours, nous narrant des anecdotes de gens inconnus, nous rapportant des dialogues entiers, nous entretenant de ses opinions politiques, de ses goûts en cuisine, de sa santé, de son commerce, de ses relations, du prix des denrées, de sa femme, de son beau-père, de son petit chien, de son poêle qui fume. Il s'appelle M. Genès, il est fixé à Brest, il fait pour soixante mille francs d'affaires par an; il a été successivement armurier, soldat, mouchard, inspecteur des filles, concierge du dispensaire et il est maintenant établi, marié, propriétaire et agent d'affaires, c'est-à-dire marchand d'hommes, comme ils appellent ça en Bretagne.

On présumerait qu'une telle existence a dû détremper ses vases sur celui qui l'a traversée et qu'on va s'amuser à les y ramasser à la cuillère, mais non! rien n'est plus plat, plus nul, plus incolore et plus insipide que M. Genès. Il est bête comme un juge et aussi assommant que la biographie des hommes utiles. Sans se douter le moins du monde de la saleté de son industrie, il se croit fort honnête homme, car il passe tous les marchés qu'il fait par-devant notaire. Il est chaste dans ses propos et rangé dans sa conduite. Son seul goût est l'argent, sa seule prédilection le vin, et sans doute qu'il doit à l'habitude d'en boire cet air somnolent et débraillé dont la bonhomie superficielle atténue l'astuce de ses petits yeux gris et la dureté de ses lèvres minces.

Il n'a pas de vices, il regarde le jeu comme dangereux, les femmes comme pernicieuses. « On ne sait pas où ça vous mène, tandis qu'avec une vieille bouteille on s'arrête où l'on veut. » C'est un homme d'ordre, actif, malin, prudent et qui a peur des voleurs. Il paraît flatté de la considération qu'on lui montre; il respecte beaucoup les lois et vénère les gens de justice, notaires, avoués, huissiers; il porte un couteau-poignard et jamais n'ôte son chapeau.

Chemin faisant, il raccrochait les jeunes gens qu'il rencontrait et leur proposait de se vendre. Le remplaçant est d'ailleurs pour lui le type accompli du soldat parce qu'il ne craint rien, ne tient à rien, donne sa peau pour quelques centaines de francs, en un mot parce que « le remplaçant est comme un forçat », définition qui satisferait peu les défenseurs de l'honneur militaire.

M. Genès n'aime pas le spectacle, c'est une des causes, entre autres, pour lesquelles il est sorti de la police, cela l'ennuyait fort d'être obligé tous les soirs d'aller au théâtre. Puis, on lui disait aussi : « M. Genès, vous avez tort! un homme comme vous ne doit pas être attaché à la police. » Du reste il ne fréquente pas davantage les églises, il nous a déclaré n'y avoir pas mis les pieds trois fois en sa vie; il est voltairien, d'ailleurs, et ami du progrès, mais toutefois plus ami du gouvernement encore. Il souhaite la guerre, « ça ferait aller le commerce ».

A Plougastel cependant il s'arrête comme nous, pour que nous puissions voir le calvaire, petit monument d granit, carré, dont chaque face représente un tableau de la vie de Jésus-Christ, et dont les quatre coins sont occupés par les évangélistes dans leurs attributions. Les personnages, un peu lourds, n'en sont pas moins mouvementés, vivants, amusants : les hommes qui tiennent le Christ le lient de toutes leurs forces, à faire éclater leurs muscles; celui qui lui grimace au nez en tirant la langue grimace si bien qu'il fait rire; l'âne qui porte Notre-Seigneur entrant à Jérusalem a une vraie mine d'âne, bonasse et pacifique; les soldats qui le mènent au calvaire, en soufflant de la trompe et battant du tambour, sont précédés d'un officier chevauchant, la figure en l'air, avec une arrogance sublime; aux pieds de la croix la Madeleine en pleurs répand sa belle chevelure tressée. Mettez à tous ces personnages les costumes des tableaux de Teniers, les petits chapeaux ronds retroussés, les bons pourpoints serrant de grosses bedaines, de grandes manches, des hautes chausses, de larges visages, des yeux ouverts, et vous aurez un ensemble d'une fantaisie solide, quelque chose de très naïf, de très élevé et d'une poésie toute moyen âge, quoique le monument n'ait été construit qu'en 1602 en acquittement d'un vœu fait quatre ans auparavant à propos de je ne sais quelle épidémie qui ravageait la Basse-Bretagne.

Tout cela, du reste, fut complètement perdu pour M. Genès. Il ne se doutait même pas de ce que ça voulait dire; en regardant la Cène il prit les plats pour des cartes, les coupes pour des dés et il dit, fort ébahi : « ils jouent ». C'est farce.

De Plougastel au bord de la mer on dévale au milieu des bois par une pente rapide d'où l'on découvre une partie de la rade, celle du moins qui s'étend depuis Brest jusqu'à la rivière de Landerneau. A vos côtés se dresse une falaise de rochers blancs rayée horizontalement par des couches de silex à pic et nue du côté des flots, mais par derrière, sur le plateau, couverte de chênes et de hêtres, surchargée de feuillages, et qui, lorsque vous descendez par le vallon entr'ouvert dans son flanc, est d'une crâne tournure.

Ici l'on s'embarque, on s'évite ainsi, comme à Landévennec, de décrire le circuit de l'anse, les découpures inégales de la rade s'avançant dans les terres en mille golfes capricieux dont il faudrait quelquefois toute une journée pour faire le tour.

Avant de se mettre en mer, M. Genès eut soif et nous invita à entrer avec lui dans un cabaret de sa connaissance où, trouvant qu'on ne le servait pas assez vite, il alla chercher lui-même le vin dans le cellier et tira les verres du buffet. Comme nous redoutions fort qu'il ne payât à boire, car la revanche eût été inévitable, nous nous empressâmes de solder, d'avaler et de décamper au plus vite.

M. Genès, au contraire, voulait s'asseoir, s'attabler un peu, se rafraîchir; il demandait des fraises et s'informait s'il y avait du café; cependant le batelier nous attendait, la marée était haute, il fallait partir.

Les vagues sautaient sur le pavé de la cale où le bateau bondissait en cognant sa quille, leur écume rejaillissait sur les passagers qui s'embarquaient, une casquette tomba à l'eau, et les bottes de M. Genès furent mouillées.

La mer roulait, la brise était forte. Cahotée par les flots et tourmentée par un vent de nord-ouest qui nous poussait au fond de la baie, la lourde chaloupe n'avançait guère. Pendant le temps qu'on ramenait les avirons, elle se levait de l'avant, et pivotait arrêtée sur la pointe des vagues. Elles étaient blanches à leur crête, vertes dans leur courbure, bruissantes, nombreuses et se poussaient l'une sur l'autre avec un désir folâtre. Un brick devant nous qui prenait des bordées passait les voiles pleines, bouffi de vent, arrondissant son ventre et s'en allait doucement, coupant l'eau qui clapotait contre sa carène.

A l'horizon Brest apparaissait comme un point gris. Tout à l'entour, dans un cirque de 20 lieues bâti de rochers blancs, la mer s'étalait. A mes pieds, par terre, au fond de la chaloupe, était une cage d'oiseau qui contenait un merle pris le matin et que l'on apportait à la ville; il criait de peur en entendant le bruit des flots.

A côté de la cage, par terre aussi, se cachant le visage de ses mains, une jeune femme était assise dans une attitude désespérée; elle sanglotait, elle priait Dieu, elle suppliait tout le monde de la sauver, elle jurait de ne jamais retourner à Plougastel, elle s'écriait qu'elle allait mourir. C'était une petite femme brune, grasse, sale, mal peignée, mal vêtue, dont les pieds larges, chaussés de bas bleus, s'épataient dans des souliers sans cordons, et qui portait un tablier noir usé sur son ventre rebondi par une grossesse avancée. A mesure que l'on s'écartait du rivage, sa terreur croissait et elle se rapprochait de plus en plus de moi pour s'accrocher à quelqu'un, pour saisir quelque chose. Dans le mouvement d'une vague plus forte elle se jeta à mes pied, m'étreignant aux flancs, elle s'enfonça la tête dans mes cuisses sans en vouloir sortir; ses boucles d'oreilles frottaient mes mains, je sentais ses seins haleter sur mes genoux et tout son corps frissonnant de terreur qui se serrait sur le mien.

J'y prenais plaisir, pourquoi donc? est-ce parce que nous nous aimons davantage quand nous nous sentons plus forts que les autres? ou n'était-ce point plutôt parce que la virilité de l'homme se complétant de la faiblesse de la femme, s'en rehaussait de vanité, et y aiguisait son appétit? Il y avait ainsi, dans ce simple attouchement, tout rapport d'un sexe à l'autre et comme la communication de leurs caractères mêmes. Quoi qu'il en soit, cela ne manquait pas de douceur et j'aurais voulu que la traversée fût plus longue.

Et elle avait la crotte aux yeux!

Nous épiions le moment du débarquement pour sauter avant tout le monde afin de planter là M. Genès, dont la société nous était devenue tout à fait intolérable. Au lieu de rester un quart d'heure encore avec lui, nous eussions renoncé à Brest et couché à la belle étoile; la mesure était comble, nous en étions ahuris, abrutis. Il fut cependant le premier hors du bateau, et comme il y avait sur le rivage un bouchon, il voulut nous y rendre notre politesse et nous offrit tout de suite son éternelle bouteille de vin.

— Merci, il fait trop chaud.

— Alors un peu de bière.

— C'est trop lourd, ça empêche de marcher.

— Un petit verre?

— Jamais nous n'en prenons.

— D'anisette?

— Mille grâces, nous sommes pressés.

— Un café! ah! un café!

— Non, non, non, bien sûr non, adieu.

Il s'arrêta, hésita un moment, puis avec un geste sublime : « Eh bien j'en prendrai tout de même, allez toujours! je vais vous rejoindre. »

De quel train nous filâmes! ce n'était pas courir, mais voler! plus légers qu'une plume, la peur du Genès et la joie d'en être délivrés nous traînaient en avant avec la vitesse d'un wagon emporté par une double locomotive. A tout instant il nous semblait l'entendre derrière nous et nous n'osions point tourner la tête de peur d'apercevoir son chapeau.

Brest, cependant, n'arrivait pas. Nous avions beau suer, nous hâter, la route s'allongeait toujours, la côte montait sans fin. On rencontrait quantité de promeneurs, des marins, des soldats, des enfants aux bras de leurs bonnes, des bourgeois qui prenaient l'air ou allaient dîner à leur maison de campagne dans une petite voiture de famille; tout annonçait pourtant les approches d'une ville, mais la ville reculait. Enfin n'en pouvant plus, nous sommes entrés dans un champ de blé où nous nous sommes laissés tomber par terre, fourbus, comme des rosses à bout d'haleine. Un nuage qui creva sur nous nous obligea bientôt à reprendre le sac et un quart d'heure après, Brest, grâce au ciel, montra ses toits. Le premier homme que nous vîmes en y entrant, ce fut M. Genès. Il nous avait dépassés, sans doute pendant que nous faisions halte, et il causait avec un gendarme, mais cette fois nous ne le craignions plus, nous étions arrivés, à peu près du moins, car avant d'être aux portes de Brest il faut encore descendre un faubourg, longue rue continuant la grande route et que bordent de place en place des boutiques de charcutiers ou de marchands de vin, dont les enseignes patriotiques brillent à côté de grands cabarets délabrés qui ont des salons de réunion de 100 couverts, avec des guirlandes peintes à tous leurs étages.

On s'arrêtait pour nous voir, nous en valions la peine. Poitrine nue et la chemise bouffant à l'air, la cravate autour des reins, le sac à l'épaule, blancs de poussière, hâlés par le soleil, avec nos habits déchirés, nos chaussures usées, rapiécées, nous avions une belle allure vagabonde, insolente et pleine d'orgueil; le fer de nos souliers sonnait sur le pavé, sur nos dos nos sacs battaient la mesure, nos bâtons retombaient d'accord, et la fumée de nos pipes s'échappant sur le bord de nos chapeaux se tordait comme un panache. Messieurs les officiers, ébahis de cette tenue, nous regardaient d'un air stupéfait, quelques gamins nous suivaient de loin et on nous arrêta pour nous demander nos passeports.

Il nous fut néanmoins fort agréable, arrivés à l'hôtel, de pouvoir nous rincer à l'eau chaude, de dormir enfin dans un lit propre et de nous asseoir dans un fauteuil. Nous nous plongeâmes dans les délices de la civilisation, nous prîmes un bain et ne mangeâmes point de veau.

Quand vous n'êtes pas ingénieur, constructeur ou forgeron, Brest ne vous amuse pas considérablement. Le port est beau, j'en conviens; magnifique, c'est possible; gigantesque, si vous y tenez. *Ça impose*, comme on dit, et *ça donne l'idée d'une grande nation*. Mais toutes ces piles de canons, de boulets, d'ancres, le prolongement indéfini de ces quais qui contiennent une mer sans mouvement et sans accident, une mer assujettie au joug, des galères, et ces grands ateliers droits où grincent les machines, le bruit continuel des chaînes des forçats qui passent en rang et travaillent en silence, tout ce mécanisme sombre, impitoyable, forcé, cet entassement de défiances organisées, bien vite vous encombre l'âme d'ennui et lasse la vue. Elle se promène à satiété sur les pavés, sur des obus, sur les rochers dans lesquels le port est entaillé, sur des monceaux de fer, sur des madriers cerclés, sur des bassins à sec renfermant la carcasse nue des vaisseaux et toujours se heurte aux murailles grises du bagne, où un homme penché aux fenêtres éprouve le scellement de leurs barreaux en les faisant sonner avec un marteau.

Ici la nature est absente, proscrite, comme nulle part ailleurs sur la terre, c'en est la négation, la haine entêtée, et dans le levier de fer qui casse la roche, et dans le sabre du garde-chiourme qui chasse les galériens.

En dehors de l'arsenal et du bagne, ce ne sont encore que casernes, corps de garde, fortifications, fossés, uniformes, baïonnettes, sabres et tambours. Du matin au soir, la musique militaire retentit sous vos fenêtres, les soldats passent dans les rues, repassent, vont, reviennent, manœuvrent; toujours le clairon sonne et la troupe marche au pas. Vous comprenez tout de suite que la vraie ville est l'arsenal, que l'autre ne vit que par lui, qu'il déborde sur elle. Sous toutes les formes, en tous lieux, à tous les coins, réapparaît l'administration, la discipline, la feuille de papier rayé, le cadre, la règle. On admire beaucoup la symétrie factice et la propreté imbécile. A l'hôpital de la marine, par exemple, les salles sont cirées de telle façon qu'un convalescent, essayant de marcher sur sa jambe remise, doit se casser l'autre en tombant. Mais c'est beau, ça brille, on s'y mire. Entre chaque salle est une cour, mais où le soleil ne vient jamais et dont soigneusement on arrache l'herbe. Les cuisines sont superbes, mais à une telle distance, qu'en hiver tout doit parvenir glacé aux malades. Il s'agit bien d'eux! les casseroles ne sont-elles pas luisantes? Nous vîmes un homme qui s'était cassé le crâne en tombant d'une frégate et qui depuis dix-huit heures n'avait pas encore reçu de secours; mais ses draps étaient très blancs, car la lingerie est fort bien tenue.

A l'hôpital du bagne j'ai été ému comme un enfant en voyant sur le lit d'un forçat une portée de petits chats qui jouaient sur ses genoux. Il leur faisait des boulettes de papier et ils couraient après sur la couverture en se retenant aux bords avec leurs griffes pointues. Puis il les retournait sur le dos, les caressait, les embrassait, les mettait dans sa chemise. Renvoyé au travail, plus d'une fois, sans doute, sur son banc, quand il sera bien triste et bien las, il rêvera à ces heures tranquilles qu'il passait, seul avec eux, à sentir dans ses mains rudes la douceur de leur duvet et leurs petits corps chauds tapis sur son cœur.

J'aime à croire cependant que le règlement interdit ces récréations et que c'était, sans doute, une charité de la religieuse.

Au reste, pas plus là qu'ailleurs, la règle n'est sans exception, outre que d'abord la distinction des rangs ne s'efface pas, quoi qu'on dise (l'égalité étant un mensonge, même au bagne). Car du bonnet numéroté sort parfois quelque chevelure finement parfumée, comme sur le bord de la chemise rouge se relève souvent un bout de manchette entourant une main blanche. Il y a de plus des faveurs spéciales pour certaines professions, pour certains hommes. Comment ont-ils pu, malgré la loi et la jalousie de leurs camarades, conquérir cette position excentrique qui en fait presque des galériens amateurs et qu'ils gardent cependant comme un fait acquis, sans que personne la leur dispute? A l'entrée du chantier où l'on construit des canots, vous trouvez une table de dentiste munie de tous les ustensiles de la profession. Sur la muraille, dans un joli cadre vitré, s'alignent des râteliers entrebâillés auprès desquels l'artiste, debout, vous fait sa petite réclame, quand vous passez. Il reste là, toute la journée, dans son établissement, occupé à polir ses outils et à enfiler ses chapelets de molaires. Il y peut, loin de tout gardien, causer à l'aise avec les promeneurs, apprendre des nouvelles du monde médical, exercer son industrie comme un homme patenté. A l'heure qu'il est, il doit éthériser. Un peu plus, il aurait des élèves et ferait des cours. Mais l'homme le mieux posé est le curé Lacolonge. Médiateur entre la chiourme et le banc, le pouvoir s'en sert pour agir sur les galériens qui, de leur côté, s'adressent à lui pour obtenir des grâces. Il habite à part, dans une petite chambre fort propre, a un domestique pour le servir, mange de grands saladiers de fraises de Plougastel, prend son café et lit les journaux.

Messieurs les ecclésiastiques d'ailleurs jouissent d'égards tout particuliers; ils se réunissent, ont entre eux des conférences religieuses, servent la messe, confessent, feraient communier avec plaisir; c'est un petit séminaire, une aumônerie, il ne manque que le costume pour que l'illusion soit complète.

Si Lacolonge est la tête du bagne, c'est Ambroise qui en est le bras.

Ambroise est un magnifique nègre de près de six pieds de haut et qui eût fait, au XVIᵉ siècle, un admirable bravo pour un homme de qualité. Héliogabale devait nourrir chez lui quelque drôle de cette façon, pour s'amuser, en soupant, à le voir étouffer à bras le corps un lion de Numidie, ou assommer à coups de poing les gladiateurs. Il a une peau luisante d'un noir uni, avec un reflet bleu d'acier, une taille mince, vigoureuse comme celle d'un tigre, et des dents si blanches qu'elles en font presque peur.

Roi du bagne de par le droit des muscles, on le redoute, on l'admire; sa réputation d'hercule lui fait un *devoir* d'essayer les arrivants, et jusqu'à présent ces épreuves ont toutes tourné à sa gloire. Il ploie des barres de fer sur son genou, lève trois hommes au bout du poing, en renverse huit en écartant les bras, et quotidiennement mange triple portion, car il a un appétit démesuré, des appétits de toute nature, une constitution héroïque. Son mignon est un jeune Arabe dont il est jaloux à la fureur et qui lui reste fidèle dans la crainte de mourir.

Nous le vîmes au jardin botanique en train d'arroser les plantes. On le trouve toujours par là, dans sa serre chaude, derrière les aloès et les palmiers nains, occupé à remuer le terreau des couches, ou à nettoyer les châssis. Le jeudi, jour d'entrées publiques, Ambroise y reçoit ses maîtresses derrière les caisses d'oranger, et il en a plusieurs, plus qu'il n'en veut. Il sait, en effet, s'en procurer, soit par ses séductions, soit par sa force ou par son argent dont il porte habituellement quantité sur lui et qu'il jette royalement dès qu'il s'agit de réjouir sa peau noire. Aussi est-il fort couru d'une certaine classe de dames, et peut-être que les gens qui l'ont mis là n'ont jamais été si fort aimés.

Au milieu du jardin, dans un bassin d'eau claire, couvert de plantes sur les bords et qu'ombrage un saule pleureur, il y a un cygne. Il s'y promène, d'un coup de patte le traverse en entier, en fait cent fois le tour et ne songe pas à en sortir. Pour passer son temps, il s'amuse à gober les poissons rouges.

Plus loin, le long du mur, on a bâti quelques cages pour recevoir les animaux rares, venus d'outre-mer, destinés au Muséum de Paris. Elles étaient vides la plupart. Devant l'une d'elles, dans une étroite cour grillée, un forçat chaussé de bottes fines instruisait un petit chat tigre et lui apprenait comme à un chien à obéir à la parole. Il n'a donc pas assez de la servitude, celui-là? Il la déverse sur un autre. Les coups de gourdin dont on le menace, il les donne au chat-tigre qui, un beau jour, sans doute, s'en vengera en sautant par-dessus son grillage et en allant étrangler le cygne.

Un soir que la lune brillait sur les pavés, nous nous mîmes en devoir d'aller nous promener dans les rues dites *infâmes*. Elles sont nombreuses. La troupe de ligne, la marine, l'artillerie ont chacune la leur, sans compter le bagne qui, à lui seul, a tout un quartier de la ville. Sept ruelles parallèles, aboutissant derrière ses murs, composent ce qu'on appelle Keravel qui n'est rempli que par les maîtresses des gardes-chiourme et des forçats. Ce sont de vieilles maisons de bois tassées l'une sur l'autre, ayant toutes leurs portes fermées, leurs fenêtres bien closes, leurs auvents bouchés. On n'y entend rien, on n'y voit personne; pas une lumière aux lucarnes; au fond de chaque ruelle, seulement un réverbère que le vent balance, fait osciller sur le pavé ses longs rayons jaunes. Le reste n'en est que plus noir. Au clair de lune, ces maisons muettes, à toits inégaux, projetaient des lueurs étranges.

Quand s'ouvrent-elles? A des heures inconnues, au moment le plus silencieux des nuits les plus sombres. Alors y entre le garde-chiourme qui s'esquive de son poste, ou le forçat qui s'échappe de son banc, souvent tous deux de compagnie, s'aidant, se protégeant; puis, quand le jour revient, le forçat escalade le mur, le garde-chiourme détourne la tête et personne n'a rien vu.

Dans le quartier des matelots, au contraire, tout se montre, tout s'étale. Il flamboie, il grouille. Les joyeuses maisons vous jettent, quand vous passez, leurs bourdonnements et leurs lumières. On crie, on danse, on se dispute, on s'amuse. Dans de grandes salles basses au rez-de-chaussée, des femmes en camisole de nuit sont assises sur les bancs, le long de la muraille blanchie où un quinquet est accroché; d'autres, sur le seuil, vous appellent, et leurs têtes animées se détachent sur le fond du bouge éclairé où retentit le choc des verres avec les grosses caresses des hommes du peuple. Vous entendez sonner les baisers sur des épaules charnues, et rire de plaisir, au bras de quelque matelot bruni qui la tient sur ses genoux, la bonne fille rousse dont la gorge débraillée s'en va de sa chemise, comme sa chevelure de son bonnet. La rue est pleine, le bouge est plein, la porte est ouverte, on entre. Ceux qui sont dehors viennent regarder à travers les carreaux ou causent doucement avec quelque égrillarde à moitié nue qui se penche vers leur visage. Les groupements stationnent; ils attendent. Cela se fait sans façon et comme l'envie vous y pousse. Nous entrâmes dans l'un de ces établissements. Il n'est ni des derniers, encore moins des premiers.

Dans un salon tendu de papier rouge, trois ou quatre demoiselles étaient assises autour d'une table ronde, et un amateur en casquette, qui fumait sa pipe sur le sofa, nous salua poliment quand nous entrâmes. Elles avaient des tenues modestes et des robes parisiennes.

Les meubles d'acajou étaient couverts d'Utrecht, le pavé rouge ciré et les murs ornés des batailles de l'Empire. O vertu, tu es belle, car le vice est bien bête! Ayant près de moi une femme dont les mains auraient suffi pour faire oublier son sexe et ne sachant que faire, nous payâmes à boire à la compagnie.

Or j'allumai un cigare, m'étendis dans un coin et là, fort triste et la mort dans l'âme, pendant que les voix éraillées des femelles glapissaient et que les petits verres se vidaient, je me disais :

— Où est-elle? Où est-elle? Est-ce qu'elle est morte au monde, et les hommes ne la reverront-ils plus?

Elle était belle, jadis, au bord des promontoires, montant le péristyle des Temples, quand sur ses pieds roses traînait la frange d'or de sa tunique blanche, ou lorsque, assise sur des coussins persiques, elle devisait avec les sages en tournant dans ses doigts son collier de camées.

Elle était belle, debout, nue sur le seuil de sa *cella* dans sa rue de Suburre, sous la torche de résine qui pétillait dans la nuit, quand elle chantait lentement sa complainte campanienne et qu'on entendait sur le Tibre de longs refrains d'orgie.

Elle était belle aussi dans sa vieille maison de la Cité, derrière son vitrage de plomb, entre les étudiants tapageurs et les moines débauchés, quand, sans peur des sergents, on frappait fort sur les tables de chêne les grands pots d'étain, et que les lits vermoulus se cassaient sous le poids des corps.

Elle était belle, accoudée sur un tapis vert et guignant l'or des provinciaux, avec ses hauts talons, sa taille de guêpe, sa perruque à frimas dont la poudre odorante lui tombait sur les épaules, avec une rose de côté, avec une mouche sur la joue.

Elle était belle encore parmi les peaux de bique des cosaques et les uniformes anglais, se poussant dans la foule des hommes et faisant luire sa poitrine sur la marche des maisons de jeu, sous l'étalage des orfèvres, à la lueur des cafés, entre la faim et l'argent.

Que pleurez-vous? Est-ce la monarchie? sont-ce les croyances, est-ce la noblesse ou le prêtre? Moi, je regrette la fille de joie.

Sur le boulevard, un soir encore, je l'ai vue passer, aux feux du gaz, alerte, muette, lançant ses yeux, et glissant sur le trottoir sa semelle traînante. J'ai vu sa figure pâle aux coins des rues et la pluie tomber sur les fleurs de sa chevelure, quand sa voix douce appelait les hommes et que sa chair grelottait sur le bord du satin noir.

Ce fut son dernier jour; le lendemain elle ne reparut plus.

Ne craignez pas qu'elle revienne, car elle est morte maintenant, bien morte! Sa robe est haute, elle a des mœurs, elle s'effarouche des mots grossiers et met à la Caisse d'épargne les sous qu'elle gagne.

La rue balayée de sa présence a perdu la seule poésie qui lui restât encore; on a filtré le ruisseau, tamisé l'ordure.

Voilà ce que je me disais sur le sofa de ces dames tout en mâchant mon cigare éteint. Je n'y fis pas autre chose, et en nous en retournant nous déplorions dans nos âmes le type perdu dont la plate caricature nous avait glacés d'ennui.

Autrefois, lorsqu'on se promenait, on avait chance aussi de rencontrer des ours, des bateleurs, des tambours de basque, des singes habillés de rouge, dansant sur le dos d'un dromadaire, mais tout cela est également parti, est également chassé, proscrit sans retour; la guillotine est hors barrière et fonctionne en cachette, les forçats vont en voiture fermée et les processions sont défendues!

Dans quelque temps, les saltimbanques aussi auront disparu, pour faire place aux séances magnétiques et aux banquets réformistes, et la danseuse de corde bondissant dans l'air, avec sa robe pailletée et son grand balancier, sera aussi loin de nous que la bayadère du Gange.

De tout ce beau monde coloré, bruissant comme la fantaisie même, si mélancolique et si sonore, si amer et si folâtre, plein de pathétique intime et d'ironies éclatantes, où la misère était chaude, où la grâce était triste, dernier cri d'un âge perdu, race lointaine qu'on disait venue de l'autre bout de la terre, et qui nous apportait dans le bruit de ses grelots comme la vague souvenance et l'écho mourant des joies idolâtrées, quelque fourgon qui s'en va sur la grande route, ayant des toiles roulées sur son toit et des chiens crottés sous sa caisse, un homme en veste jaune escamotant la muscade dans ses gobelets de fer-blanc, les pauvres marionnettes des Champs-Elysées et les joueurs de guitare des cabarets hors barrière, voilà tout ce qui en reste.

Il est vrai qu'il nous est survenu en revanche beaucoup de facéties d'un comique plus relevé. Mais le nouveau grotesque vaut-il l'ancien? Est-ce que vous préférez Tom Pouce ou le musée de Versailles?

Sur une estrade de bois qui faisait le balcon d'une tente carrée de toile grise, un homme en blouse jouait du tambour; derrière lui se dressait une large pancarte peinte représentant un mouton, une vache, des dames, des messieurs et des militaires. C'étaient les deux jeunes phénomènes de Guérande, *porteurs d'un bras, quatre épaules*. Leur même montreur ou éditeur criait à se lancer les poumons par la bouche et annonçait, outre ces deux belles choses, des combats d'animaux féroces qui allaient commencer à l'heure même. Sous l'estrade on voyait un âne; trois ours roupillaient à côté, et des aboiements de chiens, partant de l'intérieur de la baraque, se mêlaient au bruit sourd du tambour, aux cris saccadés du propriétaire des jeunes phénomènes et à ceux d'un autre drôle, non pas trapu, carré, jovial et gaillard comme lui, mais grand et maigre, de figure sinistre et vêtu d'une plaude en lambeaux : c'est son associé; ils se sont rencontrés en route et ont uni leurs commerces. L'un a apporté les ours, l'âne et les chiens; l'autre les deux phénomènes et un chapeau de feutre gris qui sert dans les représentations.

Le théâtre, à découvert sous le ciel, a pour muraille la toile grise qui frissonne au vent et s'en irait sans les pieux qui la retiennent. Une balustrade contenant les spectateurs règne le long des côtés de l'arène où, dans un coin à part, grignotant une botte de foin déliée, nous reconnaissons en effet les deux jeunes phénomènes recouverts de leur housse magnifique. Au milieu est fiché en terre un long poteau et, de place en place, à d'autres morceaux de bois plus petits, des chiens sont attachés avec des ficelles, s'y démènent et tirent dessus en aboyant. Le tambour bat toujours, on crie sur l'estrade, les ours grognent, la foule arrive.

On commença par amener un pauvre ours aux trois quarts paralytique et qui semblait considérablement ennuyé. Muselé, il avait de plus autour du cou un collier d'où pendait une chaîne de fer, un cordon passé dans les narines pour le faire docilement manœuvrer, et sur la tête une sorte de capuchon de cuir qui lui protégeait les oreilles. On l'attacha au mât du milieu; alors ce fut un redoublement d'aboiements aigus, enroués, furieux. Les chiens se dressaient, se hérissaient, grattaient la terre, la croupe en haut, la gueule basse, les pattes écartées et, dans un angle, vis-à-vis l'un de l'autre, les deux maîtres hurlaient pour mieux exciter. On lâcha d'abord trois dogues; ils se ruèrent sur l'ours qui commença à tourner autour du

poteau et les chiens couraient après, se bousculant, gueulant, tantôt renversés, à demi écrasés sous ses pattes, puis se relevant aussitôt et bondissant se suspendre à sa tête qu'il secouait sans pouvoir se débarrasser de cette couronne de corps endiablés qui s'y tordaient et le mordaient. L'œil fixé sur eux, les deux maîtres guettaient le moment précis où l'ours allait être étranglé; alors ils se précipitaient dessus, les en arrachaient, les tiraient par le cou, et pour leur faire lâcher prise leur mordaient la queue. Ils geignaient de douleur, mais ne cédaient pas. L'ours se débattait sous les chiens, les chiens mordaient l'ours, les hommes mordaient les chiens. Un jeune bouledogue, entre autres, se distinguait par son acharnement; cramponné par les crocs à l'échine de l'ours, on avait beau lui mâcher la queue, la lui plier en double, lui presser les testicules, lui déchirer les oreilles, il ne lâchait point, et l'on fut obligé d'aller chercher un louchet pour lui desserrer les dents. Quand tout était séparé, chacun se reposait, l'ours se couchait, les chiens haletaient, la langue pendante; les hommes, en sueur, se retiraient d'entre les dents les brins de poil qui y étaient restés, et la poussière soulevée par la mêlée s'éparpillait dans l'air et retombait à l'entour sur les têtes du public.

On amena successivement deux autres ours dont l'un imitait le jardinier, allait à la chasse, valsait, mettait un chapeau, saluait la compagnie et faisait le mort. Après lui vint le tour de l'âne. Il se défendit bien; ses ruades lançaient au loin les chiens comme des ballons; serrant la queue, baissant les oreilles, allongeant le museau, il courait vite et tâchait toujours de les ramener sous ses pieds de devant, pendant qu'ils tournaient autour de lui et lui sautaient sous la mâchoire. On le retira néanmoins fort essoufflé, grelottant de peur et couvert de gouttes de sang qui coulaient le long de ses jambes, rendues galeuses par les cicatrices de ses blessures, et mouillaient avec la sueur la corne usée de ses sabots.

Mais le plus beau fut le combat général des chiens entre eux; tous y étaient, grands, petits, chiens-loups, bouledogues, les noirs, les blancs, les tachetés et les roux. Un bon quart d'heure se passa préalablement à les animer l'un contre l'autre. Les maîtres, les tenant dans leurs jambes, leur tournaient la tête vers leurs adversaires et la leur hocquesonnaient avec violence. L'homme maigre surtout travaillait de tout cœur; il tirait de sa poitrine, par une secousse brutale, un jet de voix rauque, éraillée, féroce, qui inspirait la colère à toute la bande irritée. Aussi sérieux qu'un chef d'orchestre à son pupitre, il absorbait en lui cette harmonie discordante, la dirigeait, la renforçait; mais quand les dogues étaient déchaînés, et qu'ils s'entre-déchiraient tous en hurlant, l'enthousiasme le prenait, il se délectait, ne se reconnaissait plus, il aboyait, applaudissait, se tordait, battait du pied, faisait le geste d'un chien qui attaque, se lançait le corps en avant comme eux, secouait la tête comme eux; il aurait voulu mordre aussi, qu'on le mordît, être chien, avoir une gueule pour se rouler là dedans, au milieu de la poussière, des cris et du sang; pour sentir ses crocs dans les peaux velues, dans la chair chaude, pour nager en plein dans ce tourbillon, pour s'y débattre de tout son cœur.

Il y eut un moment critique, quand tous les chiens l'un sur l'autre, tas grouillant de pattes, de reins, de queues et d'oreilles, qui oscillait dans l'arène sans se désunir, allèrent donner contre la balustrade, la cassèrent et menacèrent d'endommager dans leur coin les deux jeunes phénomènes. Leur maître pâlit, fit un bond, et l'associé accourut. C'est là qu'on mordit bien vite les queues, qu'on donna des coups de poing, des coups de pied, qu'on se dépêchait, qu'on allait! Les chiens empoignés n'importe par où, tirés du groupe et jetés par-dessus l'épaule, passaient dans l'air comme des bottes de foin qu'on engrange. Ce fut un éclair; mais j'ai vu l'instant où les deux jeunes phénomènes allaient être ravalés à l'état de biftecks, et j'ai tremblé pour le bras qu'ils portent sur le dos.

Emus de cette algarade, sans doute, ils firent des façons pour se laisser voir. La vache reculait, le mouton donnait des coups de corne; enfin, on releva leurs housses vertes à franges jaunes; leur appendice fut exhibé, et ainsi se termina la représentation.

Ce genre de littérature (aussi littéraire que beaucoup d'autres, après tout) est fort goûté à Brest. La seconde fois que nous y retournâmes, un bourgeois de la ville avait amené son chien pour combattre, et un artilleur se disposait à lutter contre les trois ours. Malheureusement il passa par là un sergent qui le fit rentrer à la caserne, le public fut indigné et nous aussi.

Que voir ensuite à Brest et qu'y a-t-il? Des maisons fort bêtes, un théâtre où l'on ne joue pas (et si l'on jouait!), des églises déplorables, une place d'armes carrée, puis une promenade, fort belle il est vrai, ayant vue sur la mer et plantée de grands arbres, où se réunit le soir la bonne société de l'endroit. De l'autre côté du port se trouve l'ancien quartier de Recouvrance. On gravit une grande rue droite dont le milieu est occupé par une file d'échoppes de brocanteurs et de marchands de ferraille et l'on arrive enfin sur l'esplanade des derniers remparts. Ce jour-là le ciel était sans nuages, tout bleu, la mer aussi; à l'entrée de la rade, la brise du large donnant contre les récifs faisait s'étendre sur tout ce côté de l'horizon une longue ligne blanche; les bâtiments à l'ancre se tenaient immobiles; près de nous, appuyé contre une meurtrière, un marin regardait avec une longue-vue, un homme du peuple en chemise traînait un petit enfant dans un chariot, les gamins jouaient dans les fossés, les orties verdoyaient au pied des murs, et le soleil brillait sur les buffleteries de cuivre des sentinelles.

La campagne qui entoure Brest n'a pas la sauvagerie silencieuse des environs de Crozon et de Landévennec, mais les arbres sont plus nombreux, plus verts, presque noirs. Jusqu'au Conquet, la route, comme nageant dans la verdure, monte et descend, tourne au flanc des collines, coupe des prairies; on file entre de grands genêts.

Ne vous arrêtez pas à Lockrist pour voir le tombeau de Michel Nobletz, car l'église est détestable, le tombeau stupide et Michel Nobletz ressemble à saint Vincent de Paul qui n'était pas un bel homme. Le Conquet lui-même, grand bourg paisible dont les habitants semblent partis, ne vaudrait pas la peine de s'être dérangé pour le voir s'il n'y avait non loin l'abbaye démantelée de Saint-Mathieu. A découvert sous le ciel, la nef déserte reçoit la pluie et à la place des dalles, entre les colonnes où s'enroulent aux chapiteaux des torses historiés, une herbe épaisse a poussé, les murailles nues ont une couleur de suie et de bronze, dont les tons tranchants se fondent l'un dans l'autre et qui capricieusement s'allongent sur la pierre comme les lambeaux inégaux d'une draperie déchirée. A d'autres places, de fines traînées d'herbes descendant de toute la hauteur de l'église semblent couler comme de grandes larmes.

Le vent de la mer, dont les vagues battent la base de l'édifice, entre par l'ogive des fenêtres sans vitrail où les courlis perchent sur le bord.

Elle n'a qu'un bas côté, et de l'autre de ses flancs, deux contre-nefs plus basses; les piliers carrés et les colonnes rondes s'alternent, la maîtresse voûte s'appuyait sur des faisceaux de colonnettes. Près du phare qu'on a bâti là, dans une cour fermée d'une claire-voie, il y a des choux, du chanvre et des poireaux.

Au phare de Brest. – Ici se termine l'ancien monde; voilà son point le plus avancé, « sa limite extrême ». Derrière vous est toute l'Europe, toute l'Asie; devant vous, c'est la mer et toute la mer. Si grands qu'à nos yeux soient les espaces, ne sont-ils pas bornés toujours, dès que nous leur savons une limite? Ne voyez-vous pas de nos plages, par delà la Manche, les trottoirs de Brighton, et, des bastides de Provence, n'embrassez-vous pas la Méditerranée entière, comme un immense bassin d'azur dans une conque de rochers que ciselent sur ses bords les promontoires couverts de marbres qui s'éboulent, les sables jaunes, les palmiers qui pendent, les sables, les golfes qui s'évasent? Mais ici plus rien n'arrête. Rapide comme le vent, la pensée peut courir, et s'étalant, divaguant, se perdant, elle ne rencontre que des flots; puis, au fond, là-bas, dans l'horizon de rêves, la vague Amérique, peut-être des îles sans nom, quelque pays à fruits rouges, à colibris et à sauvages, ou le crépuscule muet des pôles, avec le jet d'eau des baleines qui soufflent, ou les grandes villes éclairées en verres de couleur, le Japon aux toits de porcelaine, la Chine avec les escaliers à jour, dans des pagodes à clochettes d'or.

C'est ainsi que l'esprit, pour rétrécir cet infini dont il se lasse sans cesse, le peuple et l'anime. On ne songe pas au désert sans les caravanes, à l'Océan sans les vaisseaux, au sein de la terre sans les trésors qu'on lui suppose.

Nous nous en revînmes au Conquet par la falaise. Les vagues bondissaient à sa base, accourant du large; elles se heurtaient contre, et couvraient ensuite de leurs nappes oscillantes les grands blocs immobiles. Une demi-heure après, emportés dans notre char à bancs par deux petits chevaux presque sauvages, nous regagnions Brest, d'où le surlendemain nous partîmes avec beaucoup de plaisir.

En s'écartant du littoral et en remontant vers la Manche, la contrée change d'aspect, elle devient moins rude, moins celtique, les dolmens se font plus rares, la lande diminue à mesure que les blés s'étendent, et peu à peu l'on entre ainsi dans ce fertile et plat pays de Léon, qui est, comme l'a si aimablement dit M. Pitre-Chevalier, « l'Attique de la Bretagne ».

Landerneau est un pays où il y a une promenade d'ormeaux au bord de la rivière et où nous vîmes courir dans les rues un chien effrayé qui traînait à sa queue une casserole attachée.

Pour aller au château de la Joyeuse-Garde, il faut d'abord suivre la rive de l'Elorn, et ensuite marcher longtemps dans un bois par un chemin creux où personne ne passe. Quelquefois le taillis s'éclaircit; alors, à travers les branches, la prairie paraît ou bien la voile de quelque navire qui remonte la rivière. Notre guide était devant nous, loin, écarté. Seuls ensemble, nous foulions ce bon sol des bois où les bouquets violets des bruyères poussent dans le gazon tendre, parmi les feuilles tombées. On sentait les fraises, la framboise et la violette; sur le tronc des arbres, les longues fougères étendaient leurs palmes grêles. Il faisait lourd; la mousse était tiède. Caché sous la feuillée, le coucou poussait son cri prolongé; dans les clairières, des moucherons bourdonnaient en tournoyant leurs ailes.

Tranquilles d'âme et balancés par la marche, épanchant à l'aise nos fantaisies causeuses qui s'en allaient comme les fleuves par de larges embouchures, nous devisions des sons, des couleurs; nous parlions des maîtres, de leurs œuvres, des joies de l'idée; nous songions à des tournures de style, à des coins de tableau, à des airs de tête, à des façons de draperie; nous nous redisions quelques grands vers énormes, beauté inconnue pour les autres qui nous délectait sans fin, et nous en répétions le rythme, nous en creusions les mots, le cadençant si fort qu'il en était chanté. Puis, c'étaient les lointains paysages qui se déroulaient, quelque splendide figure qui venait, des saisissements d'amour pour un clair de lune d'Asie se mirant sur des coupoles, des attendrissements d'admiration à propos d'un nom sonore, ou la dégustation naïve de quelque phrase en relief trouvée dans un vieux livre.

Et couchés dans la cour de Joyeuse-Garde, près du souterrain comblé, sous le plein-cintre de son arcade unique que revêtent les lierres, nous causions de Shakespeare et nous nous demandions s'il y avait des habitants dans les étoiles.

Puis nous partîmes, n'ayant guère donné qu'un coup d'œil à la demeure ruinée du bon Lancelot, celui qu'une fée enleva à sa mère et qu'elle nourrit au fond d'un lac dans un palais de pierreries. Les nains enchanteurs ont disparu, le pont-levis s'est envolé et le lézard se traîne où se promenait la belle Geneviève songeant à son amant parti en Trébizonde combattre les géants.

Nous revînmes dans la forêt par les mêmes sentiers; les ombres s'allongeaient, les broussailles et les fleurs ne se distinguaient plus, et les montagnes basses d'en face grandissaient leurs sommets bleuâtres dans le ciel qui blanchissait. La rivière, contenue jusqu'à une demi-lieue en deçà de la ville dans des rives factices, s'en va ensuite comme elle veut et déborde librement dans la prairie qu'elle traverse; sa longue courbure s'étalait au loin, et les flaques d'eau que colorait le soleil couchant avaient l'air de grands plats d'or oubliés sur l'herbe.

Jusqu'à La Roche-Maurice, l'Elorn serpente à côté de la route qui contourne la base des collines rocheuses dont les mamelons inégaux s'avancent dans la vallée. Nous la parcourions au petit trot dans un cabriolet paisible qu'un enfant conduisait, assis sur le brancard. Son chapeau, sans cordons, s'envolait au vent, et dans les stations qu'il fallait faire pour descendre le ramasser, nous avions tout le loisir d'admirer le paysage.

Le château de La Roche-Maurice était un vrai château de burgrave, un nid de vautours au sommet d'un mont. On y monte par une pente presque à pic, le long de laquelle des blocs de maçonnerie éboulés servent de marches. Tout en haut, par un pan de mur fait de quartiers plats posés l'un sur l'autre et où tiennent encore de larges arcs de fenêtres, on voit toute la campagne : des bois, des champs, la rivière qui coule vers la mer, le ruban blanc de la route qui s'allonge, les montagnes dentelant leurs crêtes inégales, et la grande prairie qui les sépare en se répandant au milieu.

Un fragment d'escalier mène à une tour démantelée. Çà et là les pierres sortent d'entre les herbes, et la roche se montre entre les pierres. Il semble, parfois, qu'elle a d'elle-même des formes artificielles, et que la ruine, au contraire, plus elle s'éboule, revêt des apparences naturelles et rentre dans la matière.

D'en bas, sur un grand morceau de muraille, monte un lierre; mince à sa racine, il va s'élargissant en pyramide renversée et, à mesure qu'il s'élève, assombrit sa couleur verte qui est claire à la base et noire au sommet. A travers une ouverture dont les bords se cachaient dans la feuillage, le bleu du ciel passait.

C'était dans ces parages que vivait le fameux dragon tué jadis par le chevalier Derrieu qui s'en revenait de la Terre Sainte avec son ami Neventer. Il se mit à l'attaquer dès qu'il eut, il est vrai, retiré de l'eau l'infortuné Elorn qui, après avoir livré successivement ses esclaves, ses vassaux, ses serviteurs (il ne lui restait plus que sa femme et son fils), venait se jeter lui-même du haut de sa tour, la tête en bas, dans la rivière; mais le monstre, mortellement blessé et lié par l'écharpe de son vainqueur, alla bientôt se noyer dans la mer, à Poulbeunzual [3], ainsi que l'avait été, sur le commandement de saint Pol de Léon, le crocodile de l'île de Batz, lié par l'étole du saint breton, comme le fut plus tard la gargouille de Rouen par celle de saint Romain.

Qu'ils étaient beaux vraiment ces vieux dragons horrifiques, endentés jusqu'au fond de la gueule, vomissant des flammes, couverts d'écailles, avec une

---

3. Par contraction de Poulbeuzanneval : marais où fut noyée la bête. (*Note du manuscrit de Gustave Flaubert.*)

queue de serpent, des ailes de chauve-souris, des griffes de lion, un corps de cheval, une tête de coq, et *retirant au basilic!* Et le chevalier aussi qui les combattait était un rude sire! Son cheval, d'abord, se cabrait et avait peur, sa lance se brisait en morceaux contre les écailles de la bête, et la fumée de ses naseaux l'aveuglait. Il mettait enfin pied à terre, et après un grand jour, l'atteignait sous le ventre d'un bon coup d'épée, laquelle restait enfoncée jusqu'à la garde. Un sang noir sortait à gros bouillons, puis le peuple reconduisait triomphalement le chevalier qui devenait ensuite roi du pays, et épousait une belle dame.

Mais eux, d'où venaient-ils? Qui les a faits? Était-ce le confus souvenir des monstres d'avant le déluge? Est-ce sur la carcasse des ichtyosaures et des ptéropodes qu'ils furent rêvés jadis, et que l'épouvante des hommes a entendu dans les grands roseaux marcher le bruit de leurs pieds, et le vent mugir quand leur voix s'engouffrait dans les cavernes? Ne sommes-nous pas, d'ailleurs, dans le pays des chevaliers de la Table ronde, dans la contrée des fées, dans la patrie de Merlin, au berceau mythologique des épopées disparues? Sans doute qu'elles révélaient ces vieux mondes devenus fantastiques, qu'elles nous disaient quelque chose des villes englouties, Ys, Herbadilla, lieux splendides et féroces, pleins des amours des reines enchanteresses, et qu'ont doublement effacés à tout jamais la mer qui a passé dessus avec la religion qui en a maudit la mémoire.

Il y aurait là beaucoup à dire. Sur quoi, en effet, n'y a-t-il pas à dire? Si ce n'est sur Landivisiau toutefois, l'homme le plus prolixe étant forcé d'être concis quand la matière manque.

Je remarque que les bons pays sont généralement les plus laids, ils ressemblent aux femmes vertueuses; on les estime, mais on passe outre pour en trouver d'autres. Voici, certes, le coin le plus fertile de la Bretagne; les paysans sont moins pauvres, les champs mieux cultivés, les colzas magnifiques, les routes bien entretenues, et c'est ennuyeux à périr.

Des choux, des navets, beaucoup de betteraves et démesurément de pommes de terre, tous, régulièrement enclos dans des fossés, couvrent la campagne, depuis Saint-Pol-de-Léon jusqu'à Roscoff. On en expédie à Brest, à Rennes, jusqu'au Havre; c'est l'industrie du pays; il s'en fait un commerce considérable. Mais qu'est-ce que cela me fait à moi?

A Roscoff, la mer découvre devant les maisons sa grève vaseuse, se courbe ensuite dans un golfe étroit, et au large est toute tachetée d'îlots noirs, bombés comme des dos de tortue.

La campagne des environs de Saint-Pol est d'une tristesse froide. La teinte morne des terres lentement onduleuses se fond sans transition dans la pâleur du ciel, et la courte perspective n'a pas de grandes lignes dans ses proportions, ni de changement de couleur sur ses bords. Çà et là, en allant dans les champs, vous rencontrez, derrière un mur de pierres grises, quelque ferme silencieuse, manoir abandonné, où les maîtres ne viennent pas. Dans la cour, sur le fumier, les pour-

ceaux dorment, les poules grignotent l'avoine, entre les dalles disjointes, sous le plein cintre de l'entrée dont l'écusson ciselé est rongé par le grand air. Dans les pièces vides qui servent de grenier, le plâtre des plafonds s'en va avec des restes de peintures ternies par la toile des araignées, que l'on voit courir sur les lambourdes. Le réséda sauvage a poussé sur la porte de Kersalion où se dresse encore, près de la tourelle, une fenêtre à pinacle flanquée d'un lion et d'un hercule sortant d'un mur comme des gargouilles. A Kerjean, dans le grand escalier tournant, j'ai heurté un piège à loup. Des socs de charrue, des fers de bêche rouillés, et des graines sèches dans des calebasses, gisent au hasard sur le parquet des chambres, ou encombrent les grands sièges de pierre dans l'embrasure des fenêtres.

Kerouséré a conservé ses trois tourelles à mâchicoulis, et l'on reconnaît encore dans la cour le large sillon des douves qui, montant petit à petit, en gagne le niveau, ainsi que sur l'onde, le sillage d'une barque qui s'efface en s'étalant. De la plate-forme de l'une des tours (les autres ont des toits pointus) on découvre la mer au bout d'un champ, entre deux collines basses couvertes par des bois. Les fenêtres du premier étage, à moitié bouchées,,pour que la pluie n'entre pas, plongent sur un jardin clos de grands murs. Le chardon couvre le gazon, et dans les plates-bandes on a semé du blé qu'entoure des bordures de rosiers.

Entre un champ, où les têtes mûres des épis se courbaient ensemble, et un rideau d'ormeaux plantés sur le haut bord d'un fossé, un sentier mince s'allongeait parmi les broussailles. Les coquelicots éclataient dans les blés; de la berge du haut bord, des fleurs et des ronces s'échappaient; des orties, des églantiers, des tiges garnies de dards, des grosses feuilles à peau luisante, des mûres noires, des digitales pourprées, unissant leurs couleurs, enchevêtraient leurs branches, montraient leurs feuillages divers, lançaient leurs rameaux inégaux, et sur la poudre grise croisaient leurs ombres comme les mailles d'un filet.

Quand on a traversé une prairie, où tourne, embarrassée dans les joncs, la roue d'un vieux moulin dont il faut longer la muraille en marchant sur de grosses pierres mises dans l'eau, pour servir de pont, on se retrouve bientôt sur la grande route de Saint-Pol, au fond de laquelle se dresse, tailladée sur tous ses angles, la flèche du clocher de Kreizker. Fine, élancée, et s'appuyant sur une tour surmontée d'une balustrade, de loin elle fait le meilleur effet du monde; mais plus on en approche, plus elle se rapetisse et s'enlaidit, et l'on ne trouve enfin qu'une église comme toutes les églises, avec un porche vide dont les statues sont parties. La cathédrale aussi est d'un gothique lourd, empâté d'ornements, chamarré de broderies; mais il y a à Saint-Pol quelque chose de pire encore, c'est la table d'hôte de son auberge.

Elle était servie cependant par une avenante donzelle qui, avec ses boucles d'oreille d'or sur son cou blanc, son bonnet à barbes retroussées comme les soubrettes de Molière, et ses vifs yeux bleus surtout, vous aurait bien donné envie de lui demander autre chose que des assiettes. Mais les convives! Quels convives! Tous habitués! Le haut bout était tenu par un être revêtu d'une veste de velours et d'un gilet de cachemire. Il aimait à passer sa serviette autour des bouteilles entamées, pour les reconnaître. C'est lui qui sert la soupe. A sa gauche mangeait, le chapeau sur la tête, un monsieur en redingote gris clair ornée aux parements et au collet d'une laine noire frisottée en manière de fourrure, et qui est professeur de musique au collège de la ville. Mais la musique le fatigue, il en a assez, il désire trouver une place, n'importe laquelle, de huit cents à douze cents francs, pas davantage. Il tient peu à l'argent, plus à la considération; c'est une position seulement qu'il désire. Comme il arrivait toujours le repas commencé, il se faisait remonter les plats, les renvoyait, puis éternuait fort, crachait loin, se dandinait sur sa chaise, chantonnait tout bas, se couchait sur la table et faisait claquer son cure-dents.

Toute la société le respecte, la servante l'admire parler et en est, je suis sûr, amoureuse. La bonne opinion qu'il a de lui-même sort de son sourire, de ses paroles, de son silence, de ses gestes, de sa coiffure et ruisselle comme une sueur sur toute sa sale personne.

En face de nous, un individu grisonnant, frisé, grassouillet et courtaud, à pattes rouges, à lèvres épaisses et salivantes, et dont la voix glapissait, tout en mâchant sa nourriture nous regardait d'une telle façon, que nous nous retenions beaucoup pour ne pas lui jeter les carafes sur la tête. Quant au reste, il faisait galerie et contribuait à l'ensemble.

Un soir, l'entretien roula sur une dame des environs qui, ayant jadis décampé du domicile, s'était enfuie en Amérique avec son amant, et qui, la semaine précédente, traversant Saint-Pol pour entrer dans son pays, s'était arrêtée à l'auberge. On s'étonnait de cette audace et l'on accompagnait son nom de toutes sortes d'épithètes. On repassait sa vie entière, on riait de mépris, on l'injuriait quoique absente, on s'animait tout rouge, on aurait voulu la tenir là « pour lui dire un peu son fait, pour voir ce qu'elle aurait répondu ». Déclamations contre le luxe et scandales vertueux, haine de la toilette et maximes morales, mots à double entente et haussements d'épaules, tout fut employé à l'envi pour accabler cette femme qui, à en juger au contraire par l'acharnement de ces rustres, devait être de manières élégantes, de nature relevée, avoir des nerfs délicats et, sans doute, quelque jolie figure. Malgré nous le cœur nous battait de colère, et si nous eussions fait à Saint-Pol un dîner de plus, infailliblement il nous serait arrivé quelque aventure.

X

MORLAIX. – Canal, galerie en bois sous les maisons, perspective de maisons dans des rues étroites, toits, devanture, poutres, couleur noire, vêtements suspendus au rez-de-chaussée. – C'était le jour de marché; singulière étoffe de vestes d'hommes, fond jaunâtre avec des traînées brunes, inégales, comme des taches de chocolat; une autre espèce servant de pantalon, fond blanc avec des traînées

bleues et café. – Moutard tirant le fusil avec une queue de billard. – Manufacture de tabacs; les tas ressemblent à des tas de varech; chevelure du tabac à priser; machines stupides; casiers du tabac à priser. On y deviendrait fou, tous les hommes qui y travaillent sont pâles.

Tout le pays d'ici paraît plus riche, aussi les costumes deviennent plus laids, les têtes ont moins de vigueur; plus d'expression vigoureuse et intense comme à Quimperlé ou même à Quimper. (Morlaix, 4 juillet, 10 heures du matin.)

HUELGOAT. – Sur une hauteur, dans un fond, entre des coteaux tout boisés, parmi des roches semblables à celles que l'on voit dans la forêt de Fontainebleau; étang à droite en arrivant. – Une conversation que nous avions eue sur l'amour et sur le sens du mot « curiosité » ayant remué beaucoup de lie au fond du tonneau... et puis le soleil qui sèche la vase et fait sortir du fond les insectes qui y étaient cachés! Petit canal, promenade au bord. La berge du canal, escarpée, était couverte de ronces; la digitale pourprée y mirait ses fleurs dans l'eau, bois charmant, arbres menus et longs, pentes, jours sous les troncs; l'eau qui faisait des coudes. – Trou de Re-ahès, profond d'environ 25 pieds, lieu assez sinistre en effet, longue savouration de cette nature calme et retraitée. Huelgoat est le trou où l'on vient vivre quand on est triste, où le chagrin s'y changerait en mélancolie. – Ce matin, la mine; pas moyen de la voir! La boue d'où on retire l'argent. Nous avions, la veille au soir et le matin même, démesurément parlé d'argent! – A l'auberge de la Tour d'Argent, gravures de la Tour de Nesle.

DE HUELGOAT A CARHAIX, à monter et à descendre sans cesse; la route passe pendant 300 pas sous de grands arbres. Paysage grand, avec des lignes de terrain les unes sur les autres, noires et bleu foncé; grande campagne. Avant d'arriver à Huelgoat, au contraire, il y a des aspects tout secs, une montagne dentelée aiguë à la crête; la lande est sèche, couleur de vieille mousse séchée, ça fait penser à l'Espagne. Au haut de chaque montée, aujourd'hui, on découvrait un paysage nouveau, qui se rétrécissait et perdait ses seconds plans quand nous avions descendu la hauteur.

CARHAIX. – Désert, triste, le plâtre s'en va des maisons, les bois s'en vont en poudre. L'hôtel de ville avec une sainte serait un vilain cabaret de la rue Mouffetard. – Dans une rue, une maison d'ardoises et de bois rouge, vigoureuse comme ton à cause de la mousse rousse et verte qui s'est accrochée sur les murs d'ardoises. – Statue de La Tour d'Auvergne de Marochetti : belle tête, jambes lourdes, sotte mine du fusil passé sur un bonnet à poil; les bas-reliefs sont assez animés mais lourds. Tout ça c'est de la sculpture lymphatique. – Cimetière : les boîtes contenant des têtes comme à Quimper reparaissent « ci-gît le chef de... »; à Saint-Pol du reste il y en avait déjà quelques-unes; une seule convenable, on ne pouvait voir de qui, tout entourée de chèvrefeuille; tombes de trois notaires et une boîte contenant la tête d'un autre notaire. L'usage est de peindre des paysages funèbres sur le bois des croix, une pyramide, un mausolée, une colonne, un tombeau dans une campagne. Il y a une belle croix noire avec des boules d'or à ses trois bouts qui, au point d'intersection des bras, montre un tombeau chic : Sainte-Hélène, ombragé par un saule pleureur d'un pleurard échevelé; la campagne est désolée; au fond, des montagnes comme des vagues; au second plan, des herbes alignées et au-dessus des nuages roses. C'est du reste de règle, partout les nuages sont roses, la différence ne consiste que dans le plus ou moins vif de la couleur. Le brave homme est là avec son épouse « Priez pour leur repos »; ils doivent ronfler fort et pourrir gras pour ne pas se réveiller là-dessous. Pauvre vieux notaire, va! – Le cimetière est devant l'église : porte en bois sculpté; le saint, dans l'église, est encore avec sa tête! Immense bénitier, saint Michel affreux, une vierge très tétonnière; une autre grande couronne, jolie vraie figure de gravure de mode; une statuette en bois, Madeleine esquimaude; des cheveux énormes, chauds et bouffés, lui couvrent tout le corps jusqu'aux pieds comme un vêtement fait en poil d'animal; c'est d'une *vigousse* et d'une bestialité inouïes, la femme a là-dessous la tiédeur animale des étables.

Affreuse bagnole de Carhaix à Guingamp. – Notre conducteur; la femme veuve amie du conducteur; noix et pain qu'ils mangeaient ensemble...

GUINGAMP. – Il y avait eu un pardon : les saints sous le porche de l'église étaient tout couronnés de fleurs; flambeaux, herbes et gazons, lierres; leur tête noircie avait une animation bizarre. Au fond, la Vierge au visage hâlé, toute chamarrée d'une robe de satin blanc qui s'étale; sur la place, des boutiques; au fond, deux baraques de saltimbanques, l'une où l'on faisait des tours de force et d'équitation, où l'on représentait les supplices de la persécution de 150, et l'autre qui était de danseurs de corde; sur le devant, à gauche, les musiciens en militaires, figures toutes passives et obligées, et un paillasse en habit bleu à revers rouge qui jouait du tambour; à droite, rangés, les acteurs : une femme de 40 ans, maigre, la mère; une de 30, deux ou trois enfants et cambrée, debout, posée, la jambe en avant, en spencer de velours avec une robe blanche à paillettes d'or, une jeune fille de 14 ans, Mariette, cheveux noirs en deux tresses par derrière, front bas, sourcils noirs relevés, œil vigoureux, dardant; grand avenir de femme moderne; P... le père, médaille à la poitrine, redingote par-dessus son maillot, calotte sur la tête; Italien de Venise, il parlait, jouait du piston, du violon et faisait des tours de force : danses de corde, sauts sur des chevaux, exercices avec des anneaux. Cachucha, Mariette est revenue habillée en espagnole; polka nationale, pantomime, Pierrot, Mariette en homme : pantalon blanc, grand chapeau noir, petite veste, moustaches.

SAINT-BRIEUC. – Rien. – Tour de Cesson, crâne morceau, un monticule, dominant la mer; on voit encore des fragments d'escaliers et des restes de fenêtres. – Descente presque à pic sur de l'herbe glissante, passage, sables, godfiches, route sur des coquilles au bord de la mer; il était marée basse. – Nous sommes remontés. – Les blés venaient jusqu'au bord de la falaise.

PLÉVEN. – Cris affreux d'un moutard dans un cabaret où nous avons été prendre de la bière. – Dans le cimetière, vieux tombeau d'un guerrier bardé et cuirassé; la chevelure frisée à l'air sur le front d'un bouquet de roses et retombe aussi en deux boucles sur les épaules; à ses pieds, le chien dont la tête est cassée. – Herbes hautes dans ce cimetière, on la fauchait, l'homme repassait sa faux et nous regardait. – Mine de notre guide.

LAMBALLE. – Eglise sur la hauteur; éreintée par une ignoble peinture noire qui cache mille bons détails; deux tombeaux curieux. – Haras; effet de l'homme à côté des animaux; rôle tout passif de la jument qui ne dit mot. « Plus une jument est en chaleur et moins elle bouge », nous disait le vieux palefrenier, c'est le contraire chez nous. Mais si l'homme est moins beau que le cheval, en revanche l'ensemble humain est supérieur; la femme est plus colorée comme mouvement que la cavale. Mais quel outil! champignon. En le retirant, et lentement, avec un mouvement plein de mélancolie, l'étalon s'en barbouille les jambes. Cris presque féroces dans l'écurie en sentant les juments.

Vestes rouges des garçons, l'agent comptable, les paysans, nous autres, c'était un tableau tout fait. Mais où n'y a-t-il pas de tableaux tout faits? Il s'agit de les voir.

DINAN. – Eglise Saint-Sauveur, portail, triple plein cintre; les deux arcades de côté ont sur chaque angle du fond une colonne torse; dans chacune de ces arcades, deux statues mutilées, méconnaissables, debout, avec de grands animaux, lions ou chiens sur lesquels leurs pieds s'appuient; le couronnement d'une de ces statues (côté droit) représente un agneau portant une croix. – Chapiteaux des colonnes représentant divers sujets : une femme tourmentée par un crapaud et par un diable, le crapaud en bas lui monte le long des cuisses et lui mord le sein; une cigogne buvant dans un vase; un homme assis ayant au cou une chaîne d'où pend un boulet qui lui tombe entre les cuisses; dévoré par deux diables qui ont des têtes de taureaux. – Au bas du pinacle, lion ailé et bœuf ailé. – Pinacle lourd, percé d'une énorme fenêtre ogivale d'un vilain effet. – Sur un chapiteau, un vieux bonhomme à longue barbe portant un bâton au bout duquel est suspendue une boule, un pot? consultant une chimère. – Bénitier en granit de plus de 3 pieds de diamètre, deux poissons sculptés à l'intérieur; sur l'extérieur, deux hommes et deux femmes; deux le tiennent sur le ventre et deux autres à la renverse; toutes les têtes sont parties, on distingue les sexes aux pieds; les vêtements des femmes descendent jusqu'en bas, tandis qu'on voit les jambes des hommes; peu d'eau dans le bénitier. – Un seul bas-côté et d'un bon gothique. Le côté droit de la nef (le bas côté de la nef gauche manque) est garni de fenêtres romanes à deux colonnes couronnées de volutes plates. On a percé ce côté-là d'une petite chapelle ogivale. – Nef d'une pureté remarquable, les colonnettes qui terminent la retombée des ogives de la voûte, au lieu de se continuer rondes se continuent carrées. – Plaque de marbre de Duguesclin appelé Duguacquin. – Dans une des chapelles latérales on a scellé dans le mur un petit tableau en pierre sculptée représentant un homme debout, grand (saint Christophe?), barbu, chevelu, avec une robe et de longues manches, une ceinture large, judaïque, marchant sur les flots, flanqué de chaque côté de petits arbres (théologiques) sur des rochers; en bas deux enfants montés l'un sur un lion, l'autre sur un animal à croupe de cheval ou à tête de chien, mais de chien qui a des allures de crocodile dans la dentition. – Sur un chapiteau de colonne romane, deux chameaux s'abouchent; celui qui lui fait pendant (c'étaient deux colonnes à l'entrée), serpents et dragons enroulés.

Tours de la prison, mâchicoulis avec des trèfles et des carrés longs qui en terminent la base. – Vue toute boisée du haut de la tour. – Restes de remparts. – Rues en pente, maisons en bois à toits aigus, perspective fuyante. – Hôtel de ville; collection : cheveux de Napoléon, giberne de La Tour d'Auvergne, clef de Louis XVI, cabinet de M. le Maire. – Abus de Duguesclin : statue, portrait grand et petit, nom du bateau à vapeur, d'une place, d'un café. – Portrait de Broussais en costume de l'Institut.

CORSEUL. – Bénitier pareil à celui de l'église Saint-Sauveur, mais plus petit. – La tour du haut. – Le cheval. – Revêtements de pierres alignées à la romaine; construction à cône, mais l'intérieur de la maçonnerie ne me paraît pas romain.

LEHON. – Vieux château, monticule énorme à pente très rapide, toute couverte des hêtres; à peine si l'on voit quelques fragments de maçonnerie saillissant de dessous l'herbe et les broussailles. – Chapelle des Beaumanoir; grande fenêtre du fond par laquelle on voit une côte toute boisée; caveau funéraire noir; colonnette si verdie qu'elle ressemble à de beau bronze antique. Par une fenêtre géminée aiguë, à moitié brisée, jour vert, brutal, d'un livide flambant à cause des arbres et des feuilles, surtout à gauche, la lumière venait du coin droit. – Le cloître, sans toit, colonnes carrées; au haut desquelles court de la vigne, une vache jaune ruminait sur l'herbe. – Réfectoire rempli de métiers; fenêtres avec des châssis en plomb; construction particulière dans le mur pour la chaire qui servait à faire la lecture pendant les repas. – Petites filles impudiques et impudentes au bas du château, « si vous ne savez pas que c'est pour avoir du pain ».

Au musée, quelques tombeaux des Beaumanoir; mais comme les choses hors du lieu pour lequel elles ont été faites manquent d'effet! Cheveux de Napoléon, giberne de La Tour d'Auvergne, clef de Louis XVI, portraits de Broussais et de Duguesclin en pied; en haut déjà, dans une des pièces de l'hôtel de ville, il y a un petit portrait de Duguesclin, il y a la place de Duguesclin sur laquelle on voit la statue de Duguesclin, il y a un café Duguesclin, l'hôtel Duguesclin. Les villes où sont nés de grands hommes n'y voient pas, elles en font un abus déplorable, ou les laissent complètement dans l'oubli. – Effet du paysage du haut des remparts détruit, comme à la Roche-Bernard, par un pont que l'on construit. – La Rance si vantée n'est belle qu'à l'embouchure, qu'à la mer où, s'élargissant tout à coup, on aperçoit et Saint-Servan et tous les rochers qui entourent Saint-Malo. Sur ses bords, petits rochers, mais l'ensemble n'est ni doux ni âpre; sans caractère original.

Ce sommaire a été développé par Maxime Du Camp.

XI

SAINT-MALO. – Tout entouré de remparts, rues étroites, resserrées; maisons hautes noires, on voit chez le voisin; vie triste, violente et colorée; caractère singulièrement énergique de tout cela. – La mer est d'une beauté inouïe. – Hôtel de France : au second étage, en dehors, est écrit : « Ici est né Chateaubriand ». – Ilot du Grand-Bey; une seule pierre et croix de granit; le monument est composé de trois morceaux. A droite, Saint-Malo et la maison où il est né; à gauche, des îles; en face, la mer. Herbe rare; plus haut, casemate démantelée qui a l'air d'une masure en ruines, en bas, des rochers dans l'eau et le bruit des vagues qui s'y entre-croisent et s'y replient. La première fois que nous y fûmes, c'était le soir, le ciel était rose.

SAINT-SERVAN. – Quatre tours. – Fabrique de pipes, calme tout particulier de cet établissement. – Dans un cabaret, homme indigné contre les entrepreneurs de travaux. – Navigation pour revenir à Saint-Servan avec deux matelots : le père avait doublé le cap Horn, le fils le cap de Bonne-Espérance. – Bordées jusqu'à Dinard. – M. Boudon, conversation sur Harel et Georges. Les bourgeois comprennent décidément peu la vie honnête; suivre son instinct semble un crime dans l'état civilisé; même lorsque l'instinct est généreux on en est puni par les lois souvent; mais toujours par le mépris de ses concitoyens, et puis par la misère; alors on rit de vous et on vous blâme et si vous êtes connu cela alimente la conversation des tables d'hôte! – Lunettes bleues pour voir, plus dans sa couleur, le soleil se coucher. – « Mal du pays! » O Yvetot! La Générale, la Quiquengrogne : deux fières tours pareilles, intactes, dont le ventre s'évase un peu en fer à cheval; du haut de la Générale on frémit en songeant à l'ascension de La Blissais et de ses compagnons. – Dans l'église de Saint-Malo, nulle du reste, un tableau, dédié à Notre-Dame des Victoires,

représente, au fond dans les nuages, la bataille de Lépante et toute la chrétienté à genoux sur le premier plan.

CANCALE. – Baie de Cancale, grande plage vaseuse. – Le village aligne sur le bord de la mer toutes les barques à sec dans des postures différentes; filets qui sèchent. – Dans l'auberge où nous sommes descendus, chez une pauvre femme qui avait perdu tous ses enfants, un homme ivre est entré en chantant et en demandant à boire. « Vous savez que mon cœur est trop dans le deuil, on ne chante pas ici, allez-vous-en. » – Superbes images : *La Demande en mariage, Le Mariage, Le Coucher de la mariée, Le Lever de la mariée.* « Qu'il me tarde que tu partages ma demeure et ma couche – je te possède – viens – veux-tu connaître des fêtes plus aimables que celle où nos convives assistent pour nous plaire – l'hymen va te l'apprendre », etc. Le lever de la mariée : le mystère de Vénus est accompli; provisions sur la table de nuit, pâté et bouteille de vin; le jeune homme, en belle robe de chambre, confie sa joie à son père; la fillette, en déshabillé, témoigne sa satisfaction à sa mère qui l'engage à la pureté, à la chasteté « qui font le bonheur d'une famille pendant des siècles entiers ». Effet des bottes très pointues du marié, ses pantoufles démesurément pointues.

Rocher de Cancale. – Deux rochers; on passe dans la crevasse du premier à marée haute; peuplé de lapins. – On voit le mont Saint-Michel au milieu de la mer en bleu, dans la brume pénétrée de soleil et les côtes de la Normandie qui encerclent l'horizon. – Mme Maillart, erreur d'analyse; c'était son magasin qui lui donnait ça; nous croyions que c'était vice, c'était spéculation; ses bagues, ce n'était pas pour se parer et pour plaire, c'était pour faire de sa personne une étagère portative.

DOL. – Belle cathédrale; haute métropole de Bretagne; encore sur le chœur la crosse d'évêque; gynécée trilobé.

PONTORSON. – Promenade triste au bord du Couesnon. – Prairies; pays nourri et vigoureux, tout fourni d'arbres rapprochés.

MONT SAINT-MICHEL. – Chemin tout poussiéreux jusqu'à la grève. – Voitures qui transportent de la terre en quantité telle que ça a l'air d'une émigration barbare; chariots blancs sur la grève blanche. – Le sol devient bourbeux, rigoles, effet de la voiture. – Deux curés. – Le mont Saint-Michel debout, haut; tours et remparts, murs à pic; les contreforts de l'église alignés donnent une pente où poussent quelques arbustes; portes, surtout la seconde; escaliers. – Le couvent : prison, escalier droit; garde-chiourme ignoble; dédale d'escaliers et de couloirs; on entend le bruit des métiers, même d'en bas, ce qui dans un tel lieu choque démesurément. – Eglise, chœur haut, d'une pureté de gothique remarquable; elle a été brûlée; on la divise par des rideaux et la nef sert de réfectoire. – Arcade romane crâne; l'entrée donne sur une plate-forme en vue de la mer : c'est là que se promènent les malades, toujours le système silentiaire. La vue de la mer à un prisonnier est une ironie, l'infini de l'espace à l'homme confiné dans un point circonscrit. – Cloître en ogives, bonnet d'évêque; c'est là que les prisonniers exécutent leur promenade que nous avons contemplée à Fontevrault. *Homo homini lupus,* c'est là le cas de le dire. Hobbes avait deviné les gentillesses pénitentiaires modernes; on s'est épouvanté quand on pense qu'on peut un jour être condamné au système cellulaire. – Le soir, sur une des tours, conversation avec un vieux marin qui a navigué dans toutes les mers, en Cochinchine, au Japon, etc.; la mer était haute, des enfants se baignaient.

A Tombelaine on jouit en plein de la vue du mont Saint-Michel. – La femme qui nous y conduisait, cuisses d'homme. « Dieu dira : la pauvre bougresse a assez mangé de pain sec il faut lui donner un peu de viande. » – Canons énormes à la porte du pays, herbe dans les meurtrières des courtines. – Petite fille muette.

PONTORSON. – Dans notre chambre, belles images où des MM. et des dames « en sablant le champagne jettent des défis à ces Dieux qui font le bonheur de la vie » (c'est Bacchus et l'Amour). – M. Adolphe, gros maître de poste injuriant toutes les voitures qui ne se rangeaient pas et même celles qui se rangeaient.

DE DOL A COMBOURG. – Vieux bonhomme silencieux qui nous conduit en tilbury; route herbée, nourrie, petites montées.

COMBOURG. – Ecrasé par le château; quatre tours réunies par des courtines, le tout couvert d'un toit, de sorte que les baies supérieures ont un peu l'air (aux courtines surtout) des sabords d'un bâtiment; pas de jardin, pas de parc; on entre par une grande cour de ferme; perron d'environ trente marches, tout droit, le perron de René; grands marronniers à gauche qui montent jusqu'au haut du château. – Imbécile qui nous menait là en bas bleus et fumant sa pipe. – Petite porte, cour étroite enfouie entre les murailles; à l'air de la cour intérieure d'une prison. – Au second, à gauche, cette petite fenêtre carrée sous le toit est celle de la chambre de Chateaubriand enfant. Le propriétaire actuel « qui déteste Victor Hugo son oncle, à l'exception du *Génie du Christianisme*, a fait effacer sur la porte de cette pièce des vers qu'on y avait mis ». C'est une petite porte en bois avec des rainures et des carrés; la pièce est petite, basse, donnant sur le couchant, mais la vue est bouchée par la courtine d'en face. – Grande salle au rez-de-chaussée, dite salle des Chevaliers, lambrissée, peinte en blanc; énorme épaisseur des murs; vue sur le lac et sur le bois dont le terrain remonte doucement en ondulant. – Escaliers sombres en pierre, petits, tournants; tout verts sur leurs parois, à cause du jour qui arrive par les meurtrières. – Des oiseaux volaient; chaleur qui rendait tout cela plus triste : le soleil sur des ruines, c'est du vin qu'on met sur les lèvres d'un cadavre; ils ont volé dans le grand salon au plafond peint et dont la peinture tombe en écailles; cheminée grande à écusson brisé. – Sur les tours, trous des mâchicoulis. – On s'en va triste. – La route de Rennes a coupé le lac qui baignait jadis les pieds du château; le lac se rétrécit, s'atterrit; nénufars, grenouilles. – Nous lisons *René* en face, le soir dans une vieille édition du *Gén. du Christ.*, 1808, à gravures stupides, donnée par Mme de Marigny à M. Corvesier. La nuit je me réveille; éclairs de chaleur; ma silhouette sur le mur blanc en plâtre d'une maison en face.

HÉDÉ. – Enceinte dont nous faisons le tour, dessus. – Tour ruinée. – Des Anglais en voiture ne descendent pas pour voir ça et il y avait pourtant une vue grande, belle, riche, une vue immense de verdure et d'arbres.

RENNES. – Rien, rien que le phoque; ses narines ont l'air de deux coupures sur son museau; baquet vert avec des tentures peintes en dedans; quinquet d'en haut; orgue de Barbarie. Quand le phoque sera parti de Rennes il n'y aura plus rien à y voir.

Saint-Malo, bâti sur la mer et clos de remparts, semble, lorsqu'on arrive, une couronne de pierres posée sur les flots dont les mâchicoulis sont les fleurons. Les vagues battent contre les murs ou, quand il est marée basse, déferlent à leur pied sur le sable. De petits rochers couverts de varechs surgissent de la grève à ras du sol, comme des taches noires sur cette surface blonde. Les plus grands, dressés à pic et tout unis, supportent de leurs sommets inégaux la base des fortifications, en prolongeant ainsi la couleur grise et en augmentant la hauteur.

Au-dessus de cette ligne uniforme de remparts, que çà et là bombent des tours et que perce ailleurs l'ogive aiguë des portes, on voit les toits des maisons serrés l'un près de l'autre, avec leurs tuiles et leurs ardoises, leurs petites lucarnes ouvertes, leurs girouettes découpées qui tournent, et leurs cheminées de poterie rouge dont les fumignons bleuâtres se perdent dans l'air.

Tout à l'entour sur la mer s'élèvent d'arides îlots sans arbres ni gazon sur lesquels on distingue de loin quelques pans de murs percés de meurtrières tombant en ruines et dont chaque tempête enlève de grands morceaux.

En face de la ville, rattaché à la terre ferme par une longue jetée qui sépare le port de la pleine mer, de l'autre côté du bassin, s'étend le quartier de Saint-Servan, vide, spacieux, presque désert et couché tout à son aise dans une grande prairie vaseuse. A l'entrée se dressent les quatre tours du château de Solidor reliées entre elles par des courtines, et noires du haut en bas. Cela seul nous récompensa d'avoir fait ce long circuit sur la grève, en plein soleil de juillet, au milieu de chantiers, parmi les marmites de goudron qui bouillaient et les feux de copeaux dont on flambait la carcasse des navires.

Le tour de la ville par les remparts est une des plus belles promenades qu'il y ait. Personne n'y vient. On s'asseoit dans l'embrasure des canons, les pieds sur l'abîme. On a devant soi l'embouchure de la Rance, se dégorgeant comme un vallon entre deux vertes collines, et puis les côtes, les rochers, les îlots et partout la mer. Derrière vous se promène la sentinelle dont le pas régulier marche sur les dalles sonores.

Un soir nous y restâmes longtemps. La nuit était douce, une belle nuit d'été, sans lune, mais scintillant des feux du ciel, embaumée de brise marine. La ville dormait; les lumières, l'une après l'autre, disparaissaient des fenêtres, les phares éloignés brillaient en taches rouges dans l'ombre qui sur nos têtes était bleue et piquée en mille endroits par les étoiles vacillantes et rayonnantes. On ne voyait pas la mer, on l'entendait, on la sentait, et les vagues se fouettant contre les remparts, nous envoyaient des gouttes de leur écume par le large trou des mâchicoulis.

A une place, entre les maisons de la ville et la muraille, dans un fossé sans herbe, des piles de boulets sont alignés.

De là vous pouvez voir écrit sur le second étage d'une maison : « Ici est né Chateaubriand. »

Plus loin, la muraille s'arrête contre le ventre d'une grosse tour : c'est la Quiquengrogne; ainsi que sa sœur, la Générale, elle est large et haute, ventrue, formidable, renflée au milieu comme une hyperbole, et tient bon toujours. Intactes encore et comme presque neuves, sans doute qu'elles vaudraient mieux, si elles égrenaient dans la mer les pierres de leurs créneaux, et si par leur tête frissonnaient au vent les sombres feuillages amis des ruines. Les monuments, en effet, comme les hommes et comme les passions, ne grandissent-ils pas par le souvenir? ne se complètent-ils pas par la mort?

Nous entrâmes dans le château. La cour déserte, où les tilleuls chétifs arrondissent leur ombre sur la terre, était silencieuse comme celle d'un couvent. La femme du concierge alla chercher les clefs chez le commandant; elle revint en compagnie d'une belle petite fille qui venait s'amuser à voir les étrangers. Elle avait les bras nus et tenait un gros bouquet. Ses cheveux noirs frisés d'eux-mêmes, dépassaient sa capote mignonne, et la dentelle de son pantalon flottait sur ses petits souliers de peau de chèvre rattachés autour de ses chevilles par des cordons noirs. Elle allait devant nous dans l'escalier, en courant et en appelant.

On monte longtemps, car la tour est haute. Le jour vif des meurtrières passe comme une flèche à travers le mur. Par leur fente, quand vous mettez la tête, vous voyez la mer qui semble s'enfoncer de plus en plus et la couleur crue du ciel qui grandit toujours, si bien que vous avez peur de vous y perdre. Les navires paraissent des chaloupes et leurs mâts, des badines. Les aigles doivent nous croire gros comme des fourmis.

Nous voient-ils seulement? Savent-ils que nous avons des villes, des arcs de triomphe, des clochers?

Arrivés sur la plate-forme, quoique le créneau vous vienne jusqu'à la poitrine, on ne peut se défendre de cette émotion qui vous prend sur tous les sommets élancés : malaise voluptueux, mêlé de crainte et de plaisir, d'orgueil et d'effroi, lutte de l'esprit qui jouit et des nerfs qui souffrent. On est heureux singulièrement; on voudrait partir, se jeter, voler, se répandre dans l'air, être soutenu par les vents, et les genoux tremblent, et l'on n'ose approcher du bord.

Des hommes ont pourtant grimpé là, une nuit, avec une corde, mais jadis, dans ce prodigieux XVIe siècle, époque de convictions féroces et de frénétiques amours. Comme l'instrument humain y a vibré de toutes ses cordes! comme l'homme y a été large, rempli, fertile! Ne peut-on pas dire de cet âge le mot de Fénelon : « Spectacle fait à souhait pour le plaisir des yeux? » car, sans parler des premiers plans, croyances qui craquent sur leur base comme des montagnes qui s'écroulent, mondes nouveaux qu'on découvre, mondes perdus qu'on exhume, et Michel-Ange sous son dôme, et Rabelais qui rit, et Shakespeare qui regarde, et Montaigne qui rêve; où trouver ailleurs plus de développement dans les passions, plus de violences dans les courages, plus d'âpreté dans les volontés, une expansion plus complète enfin de la liberté se débattant et tournant sous toutes les fatalités natives? Aussi avec quel relief l'épisode se détache de l'histoire, et comme il y rentre cependant d'une merveilleuse façon pour en faire briller la couleur et en approfondir les horizons! Des figures passent devant vous, vivantes en trois lignes; on ne les rencontre qu'une fois; mais longtemps on les rêve et on s'efforce de les contempler pour les mieux saisir. N'en étaient-ce pas de belles, entre autres, et de terribles, que celles de ces vieux soudards dont la race disparut à peu près vers 1598,

à la prise de Vervins, tels que Lamouche, Heurtaud de Saint-Offrange, La Tremblaye qui s'en revenait portant au poing la tête de ses ennemis, ou ce La Fontenelle dont on a parlé; hommes de fer dont les cœurs ne ployaient pas plus que les épées et qui, attirant à eux mille énergies divergentes qu'ils dirigeaient de la leur, réveillaient les villes en entrant au galop, la nuit, dans leurs murs, équipaient des corsaires, brûlaient la campagne, et avec qui l'on capitulait comme avec des rois! Qui a songé à peindre ces violents gouverneurs de province, taillant à même la foule, violant les femmes, et raflant l'or comme d'Epernon, tyran atroce en Provence et mignon parfumé au Louvre, comme Montluc, étranglant les huguenots avec ses mains, ou comme Baligni, ce roi de Cambrai, qui lisait Machiavel pour copier le Valentinois, et dont la femme allait sur la brèche, à cheval, casque en tête et cuirassée.

Un des hommes les plus oubliés de ce temps-là, un de ceux du moins que la plupart des historiens se contentent de nommer, c'est le duc de Mercœur, l'intrépide ennemi de Henri IV, qui lui résista plus longtemps que Mayenne, plus longtemps que la Ligue et que Philippe II. Désarmé à la fin, c'est-à-dire gagné, apaisé (à de telles conditions qu'on tint secrets vingt-trois articles du traité) et ne sachant alors plus que faire, il s'en alla servir en Hongrie, combattit les Turcs, en attaqua un jour toute une armée avec cinq mille hommes, puis, vaincu encore par là et s'en revenant en France, mourut de la fièvre à Nuremberg, dans son lit, à l'âge de quarante-quatre ans.

Saint-Malo vient de me le mettre en mémoire. Il s'y heurta toujours et ne put jamais l'avoir pour sujet ni pour allié. Ils entendaient en effet faire la guerre pour leur propre compte, le commerce par leurs propres forces, et quoique ligueurs au fond, repoussaient le duc tout en ne voulant pas du Béarnais.

Quand le sieur de Fontaines, gouverneur de la ville, leur eut appris la mort de Henri III, ils refusèrent de reconnaître le roi de Navarre. On prit les armes, on fit des barricades. Fontaines se renferma dans le château, et chacun resta sur la défensive. Peu à peu ils empiétèrent. D'abord ils exigèrent de Fontaines qu'il déclarât vouloir les conserver dans leurs franchises. Fontaines céda, espérant gagner du temps. L'année suivante (1589) ils choisirent quatre généraux indépendants du gouverneur. L'année d'après (1590) ils obtinrent de tendre des chaînes, Fontaines accorda encore. Le roi était à Laval, il l'attendait. Le moment allait venir qu'il se vengerait d'un seul coup de toutes les humiliations qu'il avait reçues, et de toutes les concessions qu'il avait faites. Mais il se hâta trop et se découvrit. Quand les Malouins vinrent à lui rappeler ses promesses, il leur répondit que si le roi se présentait il lui ouvrirait les portes. Dès lors on prit un parti.

Le château avait quatre tours. C'est par la plus haute (la Générale), celle en qui Fontaines se fiait le plus, qu'ils tentèrent l'escalade. Ces audaces alors n'étaient pas rares, témoin l'ascension de la falaise de Fécamp par Bois-Rosé et l'attaque du Château de Blein par Guébriant.

On se concerte, on se réunit plusieurs soirs de suite chez un certain Frotet, sieur de la Landelle; on s'abouche avec un canonnier écossais de la place, et par une nuit de brouillard tous partirent en armes, se rendirent sous les murs de la ville, se laissèrent couler en dehors avec des cordages et s'approchèrent du pied de la Générale.

Là ils attendirent. Un frôlement brusque se fit sur la muraille; un peloton de fil tomba, ils y attachèrent vite leur échelle de corde qui fut hissée le long de la tour et liée par en haut, par le canonnier, à l'extrémité d'une couleuvrine braquée dans l'embrasure d'un créneau.

Michel Frotet monta le premier, puis Charles Anselin, La Blissais et les autres. La nuit était sombre; le vent soufflait; ils grimpaient lentement, le poignard dans les dents, tâtonnant du pied les échelons et avançant les mains. Tout à coup (ils étaient au milieu déjà), ils se sentent descendre, la corde se dénoue. Pas un cri, ils restèrent immobiles. C'était le poids de tous ces corps qui avait fait faire la bascule à la couleuvrine; elle s'arrêta sur l'appui de l'embrasure, puis ils se remirent en marche et arrivèrent tous à la file sur la plate-forme de la tour.

Les sentinelles engourdies n'eurent pas le temps de donner l'alarme. La garnison dormait ou jouait aux dés sur les tambours. La terreur la prit, elle se réfugia dans le donjon. Les conjurés l'y poursuivirent; on se battit dans les escaliers, dans les couloirs, dans les chambres; on s'écrasait sous les portes, on tuait, on égorgeait. Les habitants de la ville arrivèrent en renfort, d'autres dressèrent des échelles contre la Quiquengrogne, entrèrent sans résistance et commencèrent le pillage. La Péraudière, lieutenant du château, apercevant La Blissais, lui dit : « Voilà, Monsieur, une misérable nuit. » Mais La Blissais lui fit comprendre qu'il n'était pas temps de discourir. On n'avait pas encore vu le comte de Fontaines. On alla à sa chambre, on le trouva mort sur le seuil, percé d'un coup d'arquebuse que lui avait tiré un des habitants, au moment qu'il sortait faisant porter un flambeau devant lui. « Au lieu de courir au danger, dit l'auteur de la relation [4], il s'était habillé lentement et comme pour aller aux noces, sans qu'aucune aiguillette ne manquât d'être attachée. »

Cette surprise de Saint-Malo qui fit tant de mal au roi n'aida en rien le duc de Mercœur. Il désirait fort que les Malouins acceptassent un gouverneur de sa main, son fils, par exemple, un enfant, c'est-à-dire lui-même, mais ils s'obstinèrent à ne vouloir personne. Il leur envoya des troupes pour les protéger, ils les refusèrent, et les troupes furent contraintes de loger hors la ville.

Ils n'en devenaient pas cependant plus royalistes pour cela; car quelque temps après ayant arrêté le marquis de La Moussaie et le vicomte de Denoual, il en coûta pour sortir de prison douze mille écus au marquis et deux mille au vicomte.

Puis craignant que Pont-Briant n'interrompît le commerce avec Dinan et les autres villes de la Ligue, ils s'en emparent.

Supposant que leur évêque, seigneur temporel de la ville, pourrait bien les dépouiller de la liberté qu'ils venaient d'acquérir, ils le mettent en prison et ne le relâchent qu'au bout d'un an.

On sait enfin à quelles conditions ils acceptèrent Henri IV : ils devaient se garder eux-mêmes, ne pas recevoir de garnison, être exempts d'impôts pendant six ans, etc.

Placé entre la Bretagne et la Normandie, ce petit peuple semble avoir à la fois : de la première, la ténacité, la résistance granitique; de la seconde, la fougue, l'élan. Marins ou écrivains, voyageurs de tous océans, ce qui les distingue surtout c'est l'audace; violentes natures d'hommes, poétiques à force d'être brutales, souvent étroites aussi à force d'être obstinées. Il y a cette ressemblance entre ces deux fils de Saint-Malo : Lamennais et Broussais, qu'ils furent toujours également extrêmes dans leurs systèmes, et qu'ils ont, avec la même conviction acharnée, employé la seconde partie de leur vie à combattre ce qu'ils avaient soutenu dans la première.

Dans l'intérieur de la ville vous passez par de petites rues tortueuses, entre des maisons hautes, le long de sales boutiques de voiliers ou de marchands de morue. Point de voiture, aucun luxe; c'est noir et puant comme la cale d'un vaisseau. Ça sent Terre-Neuve et la viande salée, l'odeur rance des longs voyages.

« Le guet et ronde s'y fait chaque nuit avec de gros chiens d'Angleterre, dits dogues, lesquels on met au soir hors la ville, avec un maître qui les mène, et ne fait lors bon s'y trouver à l'entour. Mais, venant le matin, on les ramène en certain lieu de la ville où ils déposent toute leur fureur qui, de nuit, est étrangement grande [5]. »

A part la disparition de cette police quadrupède qui dévora jadis M. du Mollet, et dont voilà l'existence constatée par un texte contemporain, l'extérieur des choses a peu changé, sans doute, et même les gens civilisés qui habitent Saint-Malo prétendent qu'on y est fort arriéré.

Le seul tableau que nous ayons remarqué dans l'église est une grande toile représentant la bataille de Lépante et dédiée à Notre-Dame des Victoires. Elle plane, en haut, dans les nuages. Au premier plan, toute la chrétienté est à genoux, princesses et rois, couronnes en tête. Au fond, les deux armées s'entrechoquent. Les Turcs sont précipités dans les flots, et les chrétiens lèvent les bras au ciel.

L'église est laide, sèche, sans ornements, presque protestante d'aspect. J'ai remarqué peu d'ex-voto, chose étrange ici en face du péril. Il n'y a ni fleurs ni cierges dans les chapelles, pas de sacré-cœur saignant, de vierge

---

4. Josselin Frotet, sieur de La Landelle, chez qui les conjurés se donnèrent rendez-vous avant de tenter l'escalade. Voyez dans la collection des Bénédictins, dom Tallandier, t. II, de l'*Histoire civ. et ecclés. de Bretagne*, p. 386 et sq. (*Note du manuscrit de Gustave Flaubert.*)

5. D'Argentré, *Hist. de Bretagne*, p. 62. (*Note du manuscrit de Gustave Flaubert.*)

chamarrée, rien enfin de tout ce qui indigne si fort M. Michelet.

En face des remparts, à cent pas de la ville, l'îlot du Grand-Bey se lève au milieu des flots. Là se trouve la tombe de Chateaubriand; ce point blanc taillé dans le rocher est la place qu'il a destinée à son cadavre.

Nous y allâmes un soir, à marée basse. Le soleil se couchait. L'eau coulait encore sur le sable. Au pied de l'île, les varechs dégouttelants s'épandaient comme des chevelures de femmes antiques le long d'un grand tombeau.

L'île est déserte; une herbe rare y pousse où se mêlent de petites touffes de fleurs violettes et de grandes orties. Il y a sur le sommet une casemate délabrée avec une cour dont les vieux murs s'écroulent. En dessous de ce débris, à mi-côte, on a coupé à même la pente un espace de quelque dix pieds carrés au milieu duquel s'élève une dalle de granit surmontée d'une croix latine. Le tombeau est fait de trois morceaux, un pour le socle, un pour la dalle, un pour la croix.

Il dormira là-dessous, la tête tournée vers la mer; dans ce sépulcre bâti sur un écueil, son immortalité sera comme fut sa vie, déserte des autres et tout entourée d'orages. Les vagues aux siècles murmureront longtemps autour de ce grand souvenir; dans les tempêtes elles bondiront jusqu'à ses pieds, ou les matins d'été, quand les voiles blanches se déploient et que l'hirondelle arrive d'au delà des mers, longues et douces, elles lui apporteront la volupté mélancolique des horizons et la caresse des larges brises. Et les jours ainsi s'écoulant, pendant que les flots de la grève natale iront se balançant toujours entre son berceau et son tombeau, le cœur de René devenu froid, lentement, s'éparpillera dans le néant, au rythme sans fin de cette musique éternelle.

Nous avons tourné autour du tombeau, nous l'avons touché de nos mains, nous l'avons regardé comme s'il eût contenu son hôte, nous nous sommes assis par terre à ses côtés.

Le ciel était rose, la mer tranquille et la brise endormie. Pas une ride ne plissait la surface immobile de l'Océan sur lequel le soleil à son coucher servait sa lumière d'or. Bleuâtre vers les côtes seulement, et comme s'y évaporant dans la brume, partout ailleurs la mer était rouge et plus enflammée encore au fond de l'horizon, où s'étendait dans toute la longueur de la vue une grande ligne de pourpre. Le soleil n'avait plus ses rayons, ils étaient tombés de sa face et noyant leur lumière dans l'eau semblaient flotter sur elle. Il descendait en tirant à lui du ciel la teinte rose qu'il y avait mise, et à mesure qu'ils dégradaient ensemble, le bleu pâle de l'ombre s'avançait et se répandait sur toute la voûte. Bientôt il toucha les flots, rogna dessus son disque d'or, s'y enfonça jusqu'au milieu. On le vit un instant coupé en deux moitiés par la ligne de l'horizon, l'une dessus, sans bouger, l'autre en dessous qui tremblotait et s'allongeait, puis il disparut complètement; et quand, à la place où il avait sombré, son reflet n'ondula plus, il sembla qu'une tristesse tout à coup était survenue sur la mer.

La grève parut noire. Un carreau d'une des maisons de la ville, qui tout à l'heure brillait comme du feu,

s'éteignit. Le silence redoubla; on entendait des bruits pourtant : la lame heurtait les rochers et retombait avec lourdeur; des moucherons à longues pattes bourdonnaient à nos oreilles, disparaissant dans le tourbillonnement de leur vol diaphane, et la voix confuse des enfants qui se baignaient au pied des remparts arrivait jusqu'à nous avec des rires et des éclats.

Nous les voyions de loin qui s'essayaient à nager, entraient dans les flots, couraient sur le rivage.

Nous descendîmes l'îlot, traversâmes la grève à pied. La marée venait et montait vite; les rigoles se remplissaient; dans le creux des rochers la mousse frémissait, ou, soulevée par le bord des lames, elle s'envolait par flocons et sautillait en s'enfuyant.

Les jeunes garçons nus sortaient du bain; ils allaient s'habiller sur le galet où ils avaient laissé leurs vêtements et, de leurs pieds qui n'osaient, s'avançaient sur les cailloux. Lorsque voulant passer leur chemise le linge se collait sur leurs épaules mouillées, on voyait le torse blanc qui serpentait d'impatience, tandis que la tête et les bras restant voilés, les manches voltigeaient au vent et claquaient comme des banderoles.

Près de nous passa un homme dont la chevelure trempée tombait droite autour de son cou. Son corps lavé brillait. Des gouttes perlaient aux boucles frisées de sa barbe noire, et il secouait ses cheveux pour en faire tomber l'eau. Sa poitrine large où un sillon velu lui courait sur le thorax, entre des muscles pleins carrément taillés, haletait encore de la fatigue de la nage et communiquait un mouvement calme à son ventre plat dont le contour vers les flancs était lisse comme l'ivoire. Ses cuisses nerveuses, à plans successifs, jouaient sur un genou mince qui, d'une façon ferme et moelleuse, déployait une fine jambe robuste terminée par un pied cambré à talon court et dont les doigts s'écartaient. Il marchait lentement sur le sable.

Oh! que la forme humaine est belle quand elle apparaît dans sa liberté native, telle qu'elle fut créée au premier jour du monde! Où la trouver, masquée qu'elle est maintenant et condamnée pour toujours à ne plus apparaître au soleil? Ce grand mot de nature que l'humanité tour à tour a répété avec idolâtrie ou épouvante, que les philosophes sondaient, que les poètes chantaient, comme il se perd! comme il s'oublie! Loin des tréteaux où l'on crie et de la foule où l'on se pousse, s'il y a encore çà et là, sur la terre, des cœurs avides que tourmente sans relâche le malaise de la beauté, qui toujours sentent en eux ce désespérant besoin de dire ce qui ne se peut dire et de faire ce qui se rêve, c'est là, c'est là pourtant, comme à la patrie de l'idéal, qu'il leur faut courir et qu'il leur faut vivre. Mais comment? par quel chemin? L'homme a coupé les forêts, il bat les mers, et sur ses villes le ciel fait les nuages avec la fumée de ses foyers. La gloire, sa mission, disent d'autres, n'est-elle pas d'aller toujours ainsi, attaquant l'œuvre de Dieu, gagnant sur elle? Il la nie, il la brise, il l'écrase, et jusqu'en lui, jusque dans ce corps dont il rougit et qu'il cache comme le crime.

L'homme étant ainsi devenu ce qu'il y a de plus rare et de plus difficile à connaître (je ne parle pas de son cœur, ô moralistes!), il en est résulté que l'artiste ignore la forme qu'il a et les qualités qui la font belle. Quel est le poète d'aujourd'hui, parmi les plus savants, qui sache ce que c'est que la femme? Où en aurait-il jamais vu, le pauvre diable? Qu'en a-t-il pu apprendre dans les salons, à travers le corset ou la crinoline, ou dans son lit même, s'il y a songé, pendant les entr'actes du plaisir?

La plastique cependant, mieux que toutes les rhétoriques du monde, enseigne à celui qui la contemple la gradation des proportions, la fusion des plans, l'harmonie enfin! Les races antiques, par le seul fait de leur existence, ont ainsi détrempé sur les œuvres des maîtres, la pureté de leur sang avec la noblesse de leurs attitudes. J'entends confusément dans Juvénal des râles de gladiateurs; Tacite a des tournures qui ressemblent à des draperies de laticlave, et certains vers d'Horace ont des reins d'esclave grecque avec des balancements de hanches, et des brèves et des longues qui sonnent comme des crotales.

Mais pourquoi s'inquiéter de ces niaiseries? N'allons pas chercher si loin, contentons-nous de ce qui se fabrique. Ce qu'on demande aujourd'hui, n'est-ce pas plutôt tout le contraire du nu, du simple et du vrai? Fortune et succès à ceux qui savent revêtir et habiller les choses! Le tailleur est le roi du siècle, la feuille de vigne en est le symbole; lois, arts, politique, caleçon partout! Libertés menteuses, meubles plaqués, peinture à la détrempe, le public aime ça. Donnez-lui-en, fourrez-lui-en, gorgez cet imbécile!

Il se ruera sur la gravure et laissera le tableau, chantera la romance et dormira à Beethoven, saura tout Béranger par cœur et pas un vers d'Hugo.

C'est plaisir de le voir à sa table comme il s'empiffre des plus lourdes marchandises et se grise des plus frelatées. Les mets communs lui vont vite, et demain, encore du Scribe, du Vernet, de l'Eugène Sue, quelque chose de digestion facile et qui ne tienne pas de place au ventre pour qu'on en puisse manger davantage.

L'homme des champs particulièrement se délecte dans le mauvais avec une ténacité édifiante. Son mauvais à lui est plus sincèrement sot, plus sauvagement bête; il y met moins de finesse que le citadin qui au moins change de modes s'il ne change pas de goût. A combien de milliers d'exemplaires se vendent annuellement dans les campagnes l'*Amour conjugal* et *Faublas*! sans compter l'*Europe* et l'*Asie*, égrillardes demoiselles aux regards gluants qui décorent toutes les chaumières.

Mais il faut avoir vu les belles images de l'auberge de Cancale pour savoir comment le laid, le niais et le vulgaire peuvent prendre forme sur du papier.

Imaginez dans une salle basse cinq cadres de bois noir accrochés aux murs, et dans ces cadres, du rouge, du bleu, du jaune, une mosaïque de grosses couleurs qui tranche comme une tache bigarrée sur la blancheur du mur de plâtre.

On s'approche du premier cadre et on lit au-dessous: *La Demande en mariage*. C'est un salon richement meublé, tapis vert, papier rouge, beaux cordons de sonnette des deux côtés de la cheminée qui est enrichie d'une pendule représentant le Temps avec sa faulx. Un jeune homme, — quel jeune homme! l'idéal du jeune homme : habit bleu à boutons luisants, cravate rose tirée droit entre les deux revers à schall d'un gilet de velours, et piquée d'une épingle en diamant, pantalon gris d'un collant très mythologique, jolies cuisses, petite bouche, charmante chevelure, souriant et l'air timide — est présenté par son père à une dame assise dans une bergère et à une jeune personne plantée sur un tabouret. La mère enharnachée de dentelles a l'air un peu malade, un peu souffrant et sourit avec ce charmant sourire de la vieillesse indulgente contemplant l'amour; le père du futur est un homme tout à fait bien, croix d'honneur, cravate blanche, air cossu, beaucoup de paquet. Quant au père de la jeune personne, c'est un vieux, tout ce qu'il y a de plus caduc et de plus vénérable, considérablement de cheveux blancs, bonne redingote jaune d'œuf à collet très haut, bombé comme une gouttière. Tous sourient à la fois, l'émotion, l'amour, les amours paternelles, maternelles, filiales, la joie, l'espérance, la satisfaction bien douce et le trouble inconnu se partagent, déchirent, agitent et charment les cœurs.

Le second cadre représente *Le Mariage*. Nous sommes à l'église, le prêtre, l'autel, la fiancée en blanc, l'anneau qu'on se passe au doigt; la mère pleure, le père du jeune homme dans un coin est attendri, mais sourit; toutes les femmes ont des chapeaux à plumes; le marié en noir, frisé dur comme du fer, pantalon encore bien plus collant, bottes très pointues : c'est un chérubin.

Troisième tableau, *Le Bal*. Réunion du grand monde, luxe somptueux; deux lustres, brillants quadrilles, perspective de pieds chaussés d'escarpins très pointus dont la file se prolonge indéfiniment, chaînes de montres partout, pluie d'écharpes et de turbans, éblouissement complet. Cependant le marié tire à part sa compagne et lui dit d'une voix enflammée : « Mon amie, qu'il me tarde que tu partages ma demeure et ma couche, je te possède, viens! veux-tu connaître des fêtes plus aimables que celle où nos conviés assistent pour nous plaire? l'hymen va te l'apprendre... », etc.

Quatrième tableau, *Le Coucher de la mariée*. On la déshabille, le lit est là tout ouvert, avec la table de nuit, le bougeoir et les allumettes chimiques. La mère glisse à l'oreille de sa fille « des mots mystérieux sur les nouveaux devoirs qu'elle a à remplir »; par la porte entrebâillée on voit le marié « brûlant d'amour » qui veut à toute force entrer, mais les demoiselles d'honneur le repoussent et « font pour un moment obstacle à ses vœux », tout dévoré qu'il est « de la plus légitime, de la plus pure, de la plus touchante des impatiences ».

Cinquième tableau, *Le Lever de la mariée*. « Le mystère de Vénus est accompli, le sein de l'épouse a reçu le germe créateur qui dans neuf mois doit combler les époux d'un bonheur nouveau »; le lit est défait; sur le marbre de la table de nuit on voit les restes d'un pâté et une bouteille de vin entamée; en dessous, dans l'intérieur, on aperçoit le pot de chambre, et une bonne jette du linge sale dans une armoire; les parents arrivés dès l'aurore se précipitent dans les bras de leurs enfants; les traits de la mariée sont abattus, ses bandeaux tout dénoués et sa chemise de nuit entr'ouverte. L'explication la déclare d'ailleurs « un peu lasse peut-être des nouveaux assauts de l'hymen, mais heureuse et le cœur plein d'une félicité suprême ». Le marié radieux, en robe de chambre azur à revers rouges avec une cordelière d'or, et des pantoufles de velours violet extra-pointues, confie à son père qui sourit encore « les charmes de la nuit passée », et la mariée confie à sa mère « l'ivresse qu'elle a ressentie »; celle-ci l'engage « à cette pureté, à cette chasteté qui sont la base des États et qui font le bonheur d'une famille pendant les siècles entiers ».

Nous allâmes prendre l'air sur le quai où luisait un beau soleil; la grève découverte était toute grise à cause de la vase qui la recouvrait, et sur sa couche lisse, glacée comme une crème, les barques vides, échouées dans toutes les postures du monde, avaient leurs filets suspendus qui séchaient au haut des mâts. Sur le bois des canots le goudron suintait en gouttelettes noires. Dans la brume pénétrée de soleil, seul au milieu de la mer, se levait le Mont Saint-Michel, dôme bleuâtre aux sommets découpés; à droite, les côtes de Normandie continuant, de leur ligne mamelonneuse, la coupe immense de la baie, allaient graduellement s'abaissant et confondaient à l'horizon le vague de leurs contours dans la blancheur des nuées légères.

Nous glissions sur la vase tiède où nos pieds nus enfonçaient jusqu'à la cheville; de place en place, dans des flaques d'eau encloses de carrés de galets, quelques huîtres dormaient dans leurs vertes coquilles comme des gens qui font la sieste, les jalousies fermées.

Pour aller au rocher de Cancale nous montâmes en chaloupe, on hissa la voile qui s'étendit dans toute sa hauteur et nous couvrit de son ombre, elle se mirait sur l'eau, nous allions doucement, sans bruit, lentement.

Le rocher a deux pics inégaux, ou plutôt ce sont deux rochers séparés par une crevasse dans laquelle on passe à marée haute; il est fait de blocs accumulés; il y pousse des tamarins, du serpolet et des bruyères. Des lapins qui l'habitent débusquent effrayés quand vous jetez des cailloux dans les broussailles. Quand nous l'eûmes gravi jusqu'en haut, que nous nous fûmes assis à plusieurs places et promenés partout, nous regagnâmes la chaloupe qui nous déposa un quart d'heure après sur le galet au pied de la falaise.

Elle s'interrompt par un angle et découvre brusquement le village de Cancale aligné sur un quai de pierres sèches. Là, couché par terre à plat dos sur le sable, le chapeau sur les yeux, les bras étendus en croix, je suis resté une grande heure et demie à chauffer ma guenille au soleil et à faire le lézard. On se sent le corps inerte, engourdi, inanimé, inhérent presque à la terre sur laquelle il se vautre, tandis que l'âme, au contraire, partie bien loin, voltige dans les espaces comme une plume égarée.

Lorsque j'ai relevé la tête, la grève avait disparu, la marée presque subitement était venue la recouvrir, et les barques tout à l'heure immobiles se relevaient maintenant et se remettaient à flot. Sous le roulis des lames longues qui, arrivant l'une par-dessus l'autre comme des inondations successives, accouraient de toute leur vitesse sur cette plage unie où largement elles se développaient sans en finir, les canots pleins de monde se croisaient, se vidaient, revenaient au quai. On allait partir pour la pêche, on crochait les gouvernails, on frappait les tolets, on hissait les voiles; on voyait les embarcations prendre leur bordée afin de gagner le pied du vent, et s'éloignant les unes des autres chacune choisir sa route et s'enfuir vers le large.

Pendant qu'on attelait nos chevaux pour nous ramener à Saint-Malo, nous jugeâmes convenable de prendre des huîtres et de jeter un dernier coup d'œil aux images. L'hôtesse était une pauvre femme vêtue de noir qui avait perdu son mari la semaine dernière et sa fille il y avait trois jours. Dans un fauteuil dépaillé, au coin de la fenêtre, elle reste sans bouger ni se soucier des pratiques, à regarder par les carreaux la mer où n'apparaît plus la barque de son mari et ce quai vide où jouent maintenant les enfants des autres. Celle-là doit peu rire des fameuses gravures, mais c'est la servante, j'imagine, qui doit s'y plaire et s'en nourrir. Il est probable qu'elle convoite d'abord la bijouterie qui s'y trouve et qu'elle rêve là-dessus à des bonheurs de reine, à quelque existence sensuelle et cossue, toute chatoyante de la couleur des cachemires et sucrée du sirop, avec un bel amant bien habillé et des pâmoisons amoureuses dans de la toile de Hollande. Un matelot ivre est entré dans l'auberge en chantant et en demandant à boire; comme on ne lui répondait pas, il a donné un grand coup de poing sur la table, ce qui a fait claquer les piles d'assiettes. La bonne femme en noir s'est détournée et lui a demandé :

— Qu'est-ce que vous voulez?

Il a répondu, en continuant sa chanson, qu'il avait besoin de boire; elle l'a interrompu par un geste de main, et lui a dit :

— Vous savez que mon cœur est trop dans le deuil, on ne chante pas ici, allez-vous-en.

Et elle lui répétait avec une expression suppliante de dégoût et de prière :

— Ah! je vous en prie! allez-vous-en, allez-vous-en!

Il s'est interrompu, a promené sur les murs son regard idiot, puis est sorti en se cognant à la porte où il s'est remis aussitôt à gueuler à pleine poitrine.

Nous avons retrouvé à Saint-Malo, dans la cour de notre hôtel, Mme Maillart, assise comme d'ordinaire dans son hangar vitré et, de ses doigts gonflés de bagues, écossant des haricots verts sur un tablier de cuisine mis par-dessus son peignoir jaune.

Quand nous la vîmes la première fois, un matin en arrivant (elle était debout et faisait tourner ses clefs sur son index), avec ses yeux noirs admirablement doux et beaux et relevés vers les tempes sous un sourcil long, avec sa taille mince fortement garnie par derrière de tous les mensonges de l'industrie, avec ses boutons d'émeraude sur sa chemisette de batiste, des boucles d'oreilles battant son cou maigre, un collier sonnant sur ses clavicules et sa montre à breloques, son lorgnon d'or, ses broches et ses camées, avec sa robe jaune, ouverte, si lâche au corps, si parlante, et la pommade qu'il y avait sur ses bandeaux, et le sourire qui rendait presque jolie sa bouche aux dents gâtées, nous en conçûmes, il faut l'avouer, un préjugé défavorable pour ses mœurs, mais bien favorable pour son hôtel. Les arbustes verts dans la cour, des bouquets de fleurs que l'on arrangeait dans des vases de porcelaine, la capucine épanouie qui grimpait autour des fenêtres et le galon d'argent des rideaux de nos lits, jusqu'à des poissons rouges nageant dans leur bocal, tout cela avait je ne sais quel bon air féminin, espagnol, andalou, odaliscal et rafraîchissant qui faisait plaisir à retrouver après toutes les landes de l'Armorique.

Sotte présomption! erreur des jugements! Mme Maillart est la meilleure mère de famille du monde et la plus tendre épouse du département, y compris les îles de la côte; elle a quatorze enfants qu'elle élève dans le travail et dans les bons principes; sa fille aînée fait les desserts et son second fils est parti à Jersey apprendre l'anglais afin de pouvoir un jour servir d'interprète dans la maison.

Elle a adjoint à son établissement une boutique de curiosités où elle se livre vis-à-vis de l'étranger à une réclame des plus tenaces pour qu'il lui prenne ses assiettes du Japon, son point d'Angleterre, ses colibris empaillés ou ses gros Faënza qu'elle veut faire passer naïvement pour des Palissy. Elle vous montre aussi dans un bas d'armoire une demi-douzaine de bouquins dépareillés parmi lesquels il y a le second tome de Dom Morice, qu'elle garde pour quelqu'un de ses fils s'il s'en trouve un plus tard qui veuille étudier l'histoire, « car c'est une belle science et c'est joli pour un homme de la savoir ».

De temps à autre elle vous quitte au bruit d'une sonnette qui communique de l'hôtel dans son magasin, mais elle y revient bientôt; elle y passe sa vie, vend, achète, revend, arrange, essuie, tripote; son mari n'y connaît rien, c'est un butor sous le rapport des arts.

Ce magasin seul fut cause de la fausseté de notre diagnostic, elle en porte en effet les plus belles pièces sur elle, afin de les avoir toutes prêtes à offrir aux amateurs : aujourd'hui un bracelet, ce soir une collerette, demain une aumônière. Ce que l'on prendrait ainsi pour vice n'est que spéculation fort honnête, elle orne son corps non pour le mieux vendre, mais pour en faire une étagère.

Il fallut se quitter pourtant. Or un matin, après des adieux fort aimables, nous partîmes de Saint-Malo pour aller coucher le soir à Pontorson.

La cathédrale de Dol, qui se trouve sur la route, est une église de bon style, à qui son gynécée trilobé donne une grâce charmante sans ornements, mais riche d'elle-même par ses hautes proportions. Elle rappelle bien, dans sa sévère ogive, l'orgueil métropolitain de ses évêques dont les descendants laissent encore debout dans le chœur leur crosse recourbée, dorée du haut en bas.

Arrivés de bonne heure à Pontorson et y bâillant dès aussitôt, nous allâmes, pour employer le temps à quelque chose, traîner notre ennui le long d'une promenade de peupliers, au bord d'une petite rivière qui coule parmi les touffes d'arbustes et les roseaux grêles des marécages. La vue s'arrête à un coude de la rive, où flotte, incertaine et sans rien qui l'amuse, sur une plate

prairie régulièrement coupée par de longues lignes d'arbres. Comme on avait la veille pêché un saumon, trois ou quatre particuliers du lieu, posés sur les bords des eaux bourbeuses, y plongeaient et en retiraient un grand filet carré, s'attendant à toute minute à en sentir se déchirer les mailles sous la capture rêvée.

Quand nous eûmes assisté suffisamment longtemps à toutes leurs alternatives d'espérance et d'insuccès, nous reprîmes le chemin de l'auberge pour nous en aller dîner.

La route de Pontorson au Mont Saint-Michel est riante à cause des sables. Notre chaise de poste (car nous allons aussi en chaise de poste) était dérangée à tous moments par quantité de charrettes remplies d'une terre grise que l'on prend dans ces parages et que l'on exporte je ne sais où pour servir d'engrais. Elles augmentent à mesure qu'on approche de la mer et défilent ainsi pendant plusieurs lieues, jusqu'à ce que l'on découvre enfin les grèves abandonnées d'où elles viennent. Sur cette étendue blanche où les tas de terre élevés en cônes ressemblaient à des cabanes, tous ces chariots dont la longue file remuante fuyait dans la perspective nous rappelaient quelque émigration des barbares qui se met en branle et quitte ses plaines.

L'horizon vide se prolonge, s'étale et finit par fondre ses terrains crayeux dans la couleur jaune de la plage. Le sol devient plus ferme, une odeur salée vous arrive, on dirait un désert dont la mer s'est retirée. Des langues de sable, longues, aplaties l'une sur l'autre, se continuant indéfiniment par des plans indistincts, se rident comme une onde sous de grandes lignes courbes, arabesques géantes que le vent s'amuse à dessiner sur leur surface. Les flots sont loin, si reculés qu'on ne les voit plus, qu'on n'entend pas leur bruit, mais je ne sais quel vague murmure, insaisissable, aérien, comme la voix même de la solitude qui n'est peut-être que l'étourdissement de ce silence.

En face, devant vous, un grand rocher de forme ronde, la base garnie de murailles crénelées, le sommet couronné d'une église, se dresse, enfonçant ses tours dans le sable et levant ses clochetons dans l'air. D'énormes contreforts qui retiennent les flancs de l'édifice s'appuient sur une pente abrupte d'où déroulent des quartiers de rocs et des bouquets de verdure sauvage. A mi-côte, étagées comme elles peuvent, quelques maisons, dépassant la ceinture blanche de la muraille et dominées par la masse brune de l'église, clapotent leurs couleurs vives entre ces deux grandes teintes unies.

La chaise de poste allait devant nous; nous la suivions de loin, d'après le sillon de ses roues qui creusaient des ornières; elle s'enfonçait dans l'éloignement, et sa capote que l'on apercevait seule, s'enfuyant, avait l'air d'un gros crabe qui se traînait sur la grève.

Çà et là, des courants d'eau passaient; il fallait remonter plus loin. Ou bien c'étaient des places de vase qui se présentaient à l'improviste encadrant dans le sable leurs méandres inégaux.

A nos côtés cheminaient deux curés qui venaient aussi voir le Mont Saint-Michel. Comme ils avaient peur de salir leurs robes neuves, ils les relevaient autour d'eux pour enjamber les ruisseaux et sautaient en s'appuyant sur leurs bâtons. Leurs boucles d'argent étaient grises de la boue que le soleil y séchait à mesure, et leurs souliers trempés bâillaient en flaquant à tous leurs pas.

Le mont cependant grandissait. D'un même coup d'œil nous en saisissions l'ensemble et nous voyions, à les pouvoir compter, les tuiles des toits, les tas d'orties dans les rochers et, tout en haut, les lames vertes de la persienne d'une petite fenêtre qui donne sur le jardin du gouverneur.

La première porte, étroite et faite en ogive, s'ouvre sur une sorte de chaussée de galets descendant à la mer; sur l'écu rongé de la seconde, des lignes onduleuses taillées dans la pierre, semblent figurer des flots; par terre, des deux côtés, sont étendus des canons énormes faits de barres de fer reliées avec des cercles pareils. L'un d'eux a gardé dans sa gueule son boulet de granit; pris sur les Anglais en 1423, par Louis d'Estouteville, depuis quatre siècles, ils sont là.

Cinq ou six maisons se regardent en face composent toute la rue; leur alignement s'arrête et elles continuent par les raidillons et les escaliers qui mènent au château, se succédant au hasard, juchées, jetées l'une par-dessus l'autre.

Pour y aller, on monte d'abord sur la courtine dont la muraille cache aux logis d'en bas la vue de la mer. La terre paraît sous les dalles fendues; l'herbe verdoie entre les créneaux, et dans les effondrements du sol s'étalent des flaques d'urine qui rongent les pierres. Le rempart contourne l'île et s'élève par des paliers successifs. Quand on a dépassé l'échauguette qui fait angle entre les deux tours, un petit escalier droit se présente; de marche en marche, en grimpant, s'abaissent graduellement les toits des maisons dont les cheminées délabrées fument à cent pieds sous vous. Vous voyez à la lucarne des greniers le linge suspendu sécher au bout d'une perche avec des haillons rouges recousus, ou se cuire au soleil, entre le toit d'une maison et le rez-de-chaussée d'une autre, quelque petit jardin grand comme une table où les poireaux languissant de soif couchent leurs feuilles sur la terre grise; mais l'autre face du rocher, celle qui regarde la pleine mer, est nue, déserte, si escarpée que les arbustes qui y ont poussé ont du mal à s'y tenir et, tout penchés sur l'abîme, semblent prêts à y tomber.

Bien haut, planant à l'aise, quand vous êtes ainsi à jouir d'autant d'étendue que s'en peuvent repaître des yeux humains, que vous regardez la mer, l'horizon des côtes développant son immense courbe bleuâtre, ou, dressée sur sa pente perpendiculaire, la muraille de la Merveille, avec ses trente-six contreforts géants, et qu'un rire d'admiration vous crispe la bouche, tout à coup, vous entendez dans l'air claquer le bruit sec des métiers. On fait de la toile. La navette va, bat, heurte ses coups brusques; tous s'y mettent, c'est un vacarme.

Entre deux fines tourelles représentant deux pièces de canon sur leur culasse, la porte d'entrée du château s'ouvre par une voûte longue où un escalier de granit s'engouffre. Le milieu en reste toujours dans l'ombre, éclairé qu'il est à peine par deux demi-jours, l'un arrivant d'en bas, l'autre tombant d'en haut par l'inter-

valle de la herse; c'est comme un souterrain qui descendrait vers vous.

Le corps de garde est, en entrant, au haut du grand escalier. Le bruit des crosses de fusil retentissait sous les voûtes avec la voix des sergents qui faisaient l'appel. On battait du tambour.

Cependant un garde-chiourme nous a rapporté nos passeports que M. le gouverneur avait désiré voir; il nous a fait signe de le suivre, il a ouvert des portes, poussé des verrous, nous a conduits à travers un labyrinthe de couloirs, de voûtes, d'escaliers. On s'y perd, une seule visite ne suffisant pas pour comprendre le plan compliqué de toutes ces constructions réunies où, forteresse, église, abbaye, prisons, cachots, tout se trouve, depuis le roman du XIᵉ siècle jusqu'au gothique flamboyant du XVIᵉ. Nous ne pûmes voir que par un carreau, et en nous haussant sur la pointe des pieds, la salle des Chevaliers qui, servant maintenant d'atelier de tissage, est par ce motif interdite aux gens. Nous y distinguâmes seulement quatre rangs de colonnes à chapiteaux ornés de trèfles et supportant une voûte sur laquelle filent des nervures saillantes. A deux cents pieds au-dessus du niveau de la mer, le cloître est bâti sur cette salle des Chevaliers. Il se compose d'une galerie quadrangulaire formée par une triple rangée de colonnettes en granit, en tuf, en marbre granitelle ou en stuc fait avec des coquillages broyés. L'acanthe, le chardon, le lierre et le chêne s'enroulent à leurs chapiteaux; entre chaque ogive bonnet d'évêque, une rosace en trèfle se découpe dans la lumière; on en a fait le préau des prisonniers.

La casquette du garde-chiourme passe le long de ces murs où l'on voyait rêver jadis le crâne tonsuré des vieux bénédictins travailleurs; et le sabot du détenu bruit sur ces dalles que frôlaient les robes des moines soulevées par les grosses sandales de cuir qui se ployaient sous leurs pieds nus.

L'église a un chœur gothique et une nef romane, les deux architectures étant là comme pour lutter de grandeur et d'élégance. Dans le chœur l'ogive des fenêtres est haute, pointue, élancée comme une aspiration d'amour; dans la nef, les arcades l'une sur l'autre ouvrent rondement leurs demi-cercles superposés, et sur la muraille montent des colonnettes qui grimpent droites comme des troncs de palmier. Elles appuient leurs pieds sur des piliers carrés, couronnent leurs chapiteaux de feuilles d'acanthe, et continuent au delà par de puissantes nervures qui se courbent sous la voûte, s'y croisent et la soutiennent.

Il était midi. Par la porte ouverte le grand jour entrant faisait ruisseler ses effluves sur les pans sombres de l'édifice.

La nef séparée du chœur par un grand rideau de toile verte est garnie de tables et de bancs, car on l'a utilisée en réfectoire.

Quand on dit la messe, on tire le rideau, et les condamnés assistent à l'office divin sans déranger leurs coudes de la place où ils mangent : cela est ingénieux.

Pour agrandir de douze mètres la plate-forme qui se trouve au couchant de l'église, on a tout bonnement raccourci l'église; mais comme il fallait reconstruire une entrée quelconque, un architecte a imaginé de fermer la nef par une façade de style grec; puis, éprouvant peut-être des remords ou voulant, ce qui est plus croyable, raffiner son œuvre, il a rajusté après coup des colonnes à chapiteaux « assez bien imités du xıᵉ siècle », dit la notice. Taisons-nous, courbons la tête. Chacun des arts a sa lèpre particulière, son ignominie mortelle qui lui ronge le visage. La peinture a le portrait de famille, la musique a la romance, la littérature a le critique et l'architecture a l'architecte.

Les prisonniers marchaient sur la plate-forme, tous en rang, l'un derrière l'autre, les bras croisés, ne parlant pas, dans ce bel ordre enfin que nous avions contemplé à Fontevrault. C'étaient les malades de l'infirmerie auxquels on faisait prendre l'air et qu'on distrait ainsi pour les guérir.

L'un d'eux relevant les pieds plus haut que les autres et se tenant les mains à la veste du compagnon qui était devant lui, suivait la file en trébuchant. Il était aveugle. Pauvre misérable! Dieu l'empêche de voir et les hommes lui défendent de parler! Il avait l'air doux, cependant, et sa figure aux yeux fermés souriait sous les chauds rayons du soleil.

Après avoir donné la pièce à notre garde-chiourme, qui nous fit en signe de remerciement une grimace de chat-tigre, nous redescendîmes les escaliers, et cinq minutes après nous étions de retour dans l'intérieur du village où des femmes, assises devant les portes, faisaient des filets sur leurs genoux.

Quand on va à Tombelaine, qui est un rocher à une demi-lieue du Mont Saint-Michel et comme lui placé tout au milieu de la mer, on prend un guide pour éviter les courants. Même aux endroits non dangereux si l'on s'arrête on se sent enfoncer dans le sable qui se met à bouillonner et à monter vers vous; en dix minutes on en aurait jusqu'au ventre, en une demi-heure jusqu'aux épaules.

Lorsqu'on traverse les courants, l'eau rapide coule entre vos jambes avec la force d'un torrent; le vertige viendrait si on restait à le regarder. De tous côtés, partout, ce n'est que du sable, des étendues monotones qui se succèdent et s'enfuient; mais lorsqu'on détourne la tête, le Mont paraît si près qu'il a l'air de vous poursuivre, vous le voyez tout entier avec ses maisons en bas, ses arbustes accrochés sur ses pentes et son église tout en haut.

Tombelaine est un petit îlot de granit aplati sur les flots, à ras du sol. Dans l'herbe, on distingue encore des restes de fondations et sur toute la longueur du rocher deux traces parallèles comme des ornières de voiture. C'est là que Montgommery avait fait transporter le pillage des églises catholiques, il y battait monnaie, les beaux écus d'or tout neufs ont sauté sur ces pierres où les cormorans fatigués viennent poser leurs pieds roses, dans les orages. Jusqu'à la Révolution, dans une petite chapelle dont il ne reste rien, une lampe perpétuelle brûlait.

Tombelaine! d'où vient ce nom? est-ce celui de la jeune fille qui, n'ayant pu suivre son amant parti à la conquête avec le roi Guillaume, resta longtemps à l'attendre sur ce rocher, y mourut enfin de douleur et y fut enterrée, ou celui de la mère du roi Hoël, qui, ravie à ses parents par un seigneur espagnol, y aurait été transportée, violée et assassinée? Vague histoire de femme et d'amour qui flotte sur cet écueil.

Le soir, pendant que nous dînions, une procession d'enfants conduits par le curé a passé en chantant sous nos fenêtres. Ils tenaient tous des cierges à la main et, marchant deux à deux, ils ont monté l'escalier qui conduit de la rue sur les remparts. On voyait s'élever les robes blanches des petites filles avec les lumières des flambeaux et on entendait les voix s'éloigner.

À la nuit tombante, nous avons été sur les tours voir se coucher le soleil; nous y avons causé avec un vieux marin qui, appuyé sur le parapet, fumait comme nous la pipe en faisant la digestion. Il avait fait de longs voyages, été en Cochinchine et dans les Indes, visité le Japon et la mer Blanche; il nous parlait de ces pays qu'il avait vus, pendant que la marée montante battait le pied des tours, que les étoiles s'allumaient et que de temps à autre la voix éloignée des sentinelles qui criaient: Garde à vous! allait se répétant dans l'ombre.

Le lendemain, quand la grève se fut découverte encore, nous partîmes du Mont Saint-Michel par un ardent soleil qui chauffait les cuirs de la voiture et faisait suer les chevaux. Nous avancions au pas; les colliers craquaient, les roues enfonçaient dans le sable. Au bout de la grève, quand le gazon a paru, j'ai appliqué mon œil à la petite lucarne qui est au fond des voitures et j'ai dit adieu au Mont Saint-Michel.

Pour aller à Combourg il fallait revenir à Dol; ce fut le gros maître de poste de Pontorson qui nous y mena lui-même. Assis sur le tablier de son tape-cul (nous avions quitté notre équipage), les deux pieds posés sur le brancard, en chemise et la pipe aux lèvres, il poussait au grand trot ses deux pommelés et faisait claquer son perpignan; du plus loin qu'il apercevait des voitures il leur criait de se garer, injuriant celles qui ne se rangeaient pas, injuriant celles qui se rangeaient, les premières pour tout de bon, les secondes pour rire, vociférant, sacrant, furieux et facétieux, despote de la grande route comme si elle eût été sa propriété particulière.

De Dol à Combourg nous eûmes au contraire pour conduire notre tilbury un pauvre bonhomme qui tenait à peine ses guides et roupillait accablé par la chaleur. Quant à nous, nous causâmes si peu que nous ne pensâmes à rien regarder.

Une lettre du vicomte de Vesin devait nous ouvrir l'entrée du château. Aussi à peine arrivés nous allâmes chez M. Corvesier qui en est le régisseur.

On nous introduisit dans une grande cuisine où une demoiselle en noir, fort marquée de petite vérole et portant des lunettes d'écaille sur de gros yeux myopes, égrainait des groseilles dans une terrine. La marmite aux confitures était sur le feu et on écrasait du sucre avec des bouteilles. Évidemment des *dérangions*. Au bout de quelques minutes, on descendit nous dire que M. Corvesier, malade et grelottant de la fièvre dans son lit, était bien désolé de ne pouvoir nous rendre service, mais qu'il nous présentait ses respects. Cependant, son commis, *qui venait de rentrer de course* et faisait la collation dans la cuisine en buvant un verre de cidre et en mangeant une tartine de beurre, s'offrit à sa place à nous montrer le château. Il déposa sa serviette, se suça les dents, alluma sa pipe, prit un paquet de clefs accroché à un clou et se mit à marcher devant nous dans le village.

Après avoir longé un grand mur, on entre par une vieille porte ronde dans une cour de ferme silencieuse. Le silex sort ses pointes sur la terre battue où se montre une herbe rare salie par les fumiers qu'on traîne. Il n'y avait personne ; les écuries étaient vides. Dans les hangars, les poules, juchées sur le timon des charrettes, dormaient la tête sous l'aile. Au pied des bâtiments, la poussière de la paille tombée des granges, assourdissait le bruit des pas.

Quatre grosses tours, rejointes par des courtines, laissent voir sous leur toit pointu les trous de leurs créneaux qui ressemblent aux sabords d'un navire ; et les meurtrières dans les tours, ainsi que le corps du château de petites fenêtres irrégulières percées, font des baies noires inégales sur la couleur grise des pierres. Un large perron d'une trentaine de marches monte tout droit au premier étage, devenu le rez-de-chaussée des appartements de l'intérieur depuis qu'on en a comblé les douves.

Le « violier jaune » n'y croissait pas, mais les lentisques et les orties, avec la mousse verdâtre et les lichens. A gauche, à côté de la tourelle, un bouquet de marronniers a gagné jusqu'à son toit et l'abrite de son feuillage.

Quand la clef eut tourné dans la serrure et que la porte, poussée à coups de pieds, eut grincé sur le pavé collant, nous entrâmes dans un couloir sombre qu'encombraient des planches et des échelles avec des cercles de futailles et de brouettes.

Ce passage vous mène à une petite cour comprise entre les pans intérieurs du château et resserrée par l'épaisseur des murs. Le jour n'arrive que d'en haut, comme dans un préau de prison. Dans les angles, des gouttes humides coulaient le long des pierres.

Une autre porte fut ouverte. C'était une vaste salle dégarnie, sonore ; le dallage est brisé en mille endroits ; on a repeint le vieux lambris.

Par les grandes fenêtres, la teinte verte des bois d'en face jetait un reflet livide sur la muraille blanchie. Tout à leur pied, le lac est répandu, étalé sur l'herbe parmi les joncs ; sous les fenêtres, les troènes, les acacias et les lilas, poussés pêle-mêle dans l'ancien parterre, couvrent de leur taillis sauvage le talus qui descend jusqu'à la grande route ; elle passe sur la berge du lac et continue ensuite par la forêt.

Rien ne résonnait dans la salle déserte où jadis, à cette heure, s'asseyait sur le bord de ces fenêtres l'enfant qui fut *René*. Le commis fumait sa pipe et crachait par terre. Son chien, qu'il avait amené, se promenait en furetant les souris, et les ongles de ses pattes sonnaient sur le pavé.

Nous avons monté les escaliers tournants. Le pied trébuche, on tâtonne des mains. Sur les marches usées, la mousse est venue. Souvent un rayon lumineux, passant par la fente des murs et frappant dessus d'aplomb, en fait briller quelque petit brin vert qui, de loin, dans l'ombre, scintille comme une étoile. Nous avons erré partout : dans les longs couloirs, sur les tours, sur la courtine étroite dont les trous des mâchicoulis béants tirent l'œil en bas vers l'abîme.

Donnant sur la cour intérieure, au second étage, est une petite pièce basse dont la porte de chêne, ornée de rainures moulées, s'ouvre à un loquet de fer. Les poutrelles du plafond, que l'on touche avec la main, sont vermoulues de vieillesse ; les lattes paraissent sous le plâtre de la muraille qui a de grandes taches sales ; les carreaux de la fenêtre sont obscurcis par la toile des araignées et leurs châssis encroûtés dans la poussière. C'était là sa chambre. Elle a vue vers l'ouest, du côté des soleils couchants [6].

Nous continuâmes ; nous allions toujours ; quand nous passions près d'une brèche, d'une meurtrière ou d'une fenêtre, nous nous réchauffions à l'air chaud qui venait du dehors, et cette transition subite rendait tous ces délabrements encore plus tristes et plus froids. Dans les chambres, les parquets pourris s'effondrent, le jour descend par les cheminées, le long de la plaque noircie où les pluies ont fait de longues traînées vertes. Le plafond du salon laisse tomber ses fleurons d'or, et l'écusson qui en surmonte le chambranle est cassé en morceaux. Comme nous étions là, une volée d'oiseaux est entrée tout à coup, a tourbillonné avec des cris et s'est enfuie par le trou de la cheminée.

Le soir, nous avons été au bord du lac, de l'autre côté de la prairie. La terre le gagne, il s'y perd de plus en plus, il disparaîtra bientôt, et les blés pousseront où tremblent maintenant les nénuphars. La nuit tombait. Le château, flanqué de ses quatre tourelles, encadré dans sa verdure et dominant le village qu'il écrase, étendait sa grande masse sombre. Le soleil couchant, qui passait devant sans l'atteindre, le faisait paraître noir, et ses rayons, effleurant la surface du lac, allaient se perdre dans la brume, sur la cime violette des bois immobiles.

Assis sur l'herbe, au pied d'un chêne, nous lisions *René*. Nous étions devant ce lac où il contemplait l'hirondelle agile sur le roseau mobile, à l'ombre de ces bois où il poursuivait l'arc-en-ciel sur les collines pluvieuses ; nous écoutions ce frémissement de feuilles, ce bruit de l'eau sous la brise qui avaient mêlé leur murmure à la mélodie éplorée des ennuis de sa jeunesse. A mesure que l'ombre tombait sur les pages du livre, l'amertume des phrases gagnait nos cœurs, et nous nous fondions avec délices dans ce je ne sais quoi de large, de mélancolique et de doux.

6. Il y a quelques années, un étranger vint visiter la chambre de Chateaubriand et écrivit sur la porte des vers d'Hugo ; on n'a pu me dire lesquels. Dès que le propriétaire actuel (le neveu du poète) en eut connaissance, il fit venir de suite un menuisier et les fit enlever au rabot « car il déteste Victor Hugo et son oncle, à l'exception du *Génie du Christianisme* ». (Rapporté par M. Corvesier lui-même.) *(Note du manuscrit de Flaubert.)*

Près de nous, une charrette a passé en claquant dans les ornières son essieu sonore. On sentait l'odeur des foins coupés. On entendait le bruit des grenouilles qui coassaient dans le marécage. Nous rentrâmes.

Le ciel était lourd; toute la nuit il y eut de l'orage. A la lueur des éclairs, la façade de plâtre d'une maison voisine s'illuminait et flambait comme embrasée. Haletant, lassé de me retourner sur mon matelas, je me suis levé, j'ai allumé ma chandelle, j'ai ouvert la fenêtre et j'ai regardé la nuit.

Elle était noire, silencieuse comme le sommeil. Mon flambeau qui brûlait dessinait monstrueusement sur le mur d'en face ma silhouette agrandie. De temps à autre, un éclair muet survenant tout à coup m'éblouissait les yeux.

J'ai pensé à cet homme qui a commencé là et qui a rempli un demi-siècle du tapage de sa douleur.

Je le voyais d'abord dans ces rues paisibles, vagabondant avec les enfants du village, quand il allait dénicher les hirondelles dans le clocher de l'église ou la fauvette dans les bois. Je me figurais dans sa petite chambre, triste et le coude sur sa table, regardant la pluie courir sur les carreaux et, au delà de la courtine, les nuées qui passaient pendant que ses rêves s'envolaient; je me figurais les longs après-midi rêveurs qu'il y avait eus; je songeais aux amères solitudes de l'adolescence, avec leurs vertiges, leurs nausées et leurs bouffées d'amour qui rendent les cœurs malades. N'est-ce pas ici que fut couvée notre douleur à nous autres, le golgotha même où le génie qui nous a nourris a sué son angoisse?

Rien ne dira les gestations de l'idée ni les tressaillements que font subir à ceux qui les portent les grandes œuvres futures; mais on s'éprend à voir les lieux où nous savons qu'elles furent conçues, vécues, comme s'ils avaient gardé quelque chose de l'idéal inconnu qui vibra jadis.

Sa chambre! sa chambre! sa pauvre petite chambre d'enfant! C'est là que tourbillonnaient, l'appelaient des fantômes confus qui tourmentaient ses heures en lui demandant à naître : Atala secouant au vent des Florides les magnolias de sa chevelure; Velléda, au clair de lune, courant sur la bruyère; Cymodocée voilant son sein nu, sous la griffe des léopards, et la blanche Amélie, et le pâle René!

Un jour, cependant, il la quitte, il s'en arrache il dit adieu et pour n'y plus revenir au vieux foyer féodal. Le voilà perdu dans Paris et se mêlant aux hommes; puis, l'inquiétude le prend, il part.

Penché à la proue de son navire, je le vois, cherchant un monde nouveau, en pleurant la patrie qu'il abandonne. Il arrive; il écoute le bruit des cataractes et la chanson des Natchez; il regarde couler l'eau des grands fleuves paresseux et contemple sur leurs bords briller l'écaille des serpents avec les yeux des femmes sauvages. Il abandonne son âme aux langueurs de la savane; de l'un à l'autre, ils s'épanchent leurs mélancolies natives et il épuise le désert comme il avait tari l'amour. Il revient, il parle, et on se tient suspendu à l'enchantement de ce style magnifique, avec sa cambrure royale et sa phrase ondulante, empanachée, drapée, orageuse comme le vent des forêts vierges, colorée comme le cou des colibris, tendre comme les rayons de la lune à travers le trèfle des chapelles.

Il part encore; il va, remuant de ses pieds la poussière antique; il s'asseoit aux Thermopyles et crie : Léonidas! Léonidas! court autour du tombeau d'Achille, cherche Lacédémone, égrène dans ses mains les caroubiers de Carthage, et, comme le pâtre engourdi qui lève la tête au bruit des caravanes, tous ces grands paysages se réveillent quand il passe dans leur solitude.

Tour à tour rappelé, proscrit, comblé d'honneurs, il dînera ensuite à la table des rois, lui qui s'était évanoui de faim dans les rues; il sera ambassadeur et ministre, essayera de retenir de ses mains la monarchie qui s'écroule et, au milieu des ruines de ses croyances, assistera enfin à sa propre gloire, comme s'il était déjà compté parmi les morts.

Né sur le déclin d'une société et à l'aurore d'une autre, il est venu pour en être la transition et comme pour en résumer en lui les espérances et les souvenirs. Il a été l'embaumeur du catholicisme et l'acclamateur de la liberté. Homme des vieilles traditions et des vieilles illusions, en politique il fut constitutionnel, et en littérature révolutionnaire. Religieux d'instinct et d'éducation, c'est lui qui, avant tous les autres, avant Byron, a poussé le cri le plus sauvage de l'orgueil, exprimé son plus épouvantable désespoir.

Artiste, il eut cela de commun avec ceux du XVIIIe siècle qu'il fut toujours comme eux gêné dans des poétiques étroites, mais qui, débordées à tout instant par l'étendue de son génie, en ont malgré lui craqué dans toute leur circonférence. Comme homme, il a partagé la misère de ceux du XIXe siècle; il a eu leurs préoccupations turbulentes, leurs gravités futiles. Non content d'être grand, il a voulu paraître grandiose, et il s'est trouvé pourtant que cette manie vaniteuse n'a pas effacé sa vraie grandeur. Il n'est point certes de la race des contemplateurs qui ne sont pas descendus dans la vie, maîtres au front serein qui n'ont eu ni siècle, ni patrie, ni famille même. Mais lui, on ne le peut séparer des passions de son temps; elles l'avaient fait et il en a fait plusieurs. L'avenir peut-être ne lui tiendra pas compte de ses entêtements héroïques et ce seront, sans doute, les épisodes de ses livres qui en immortaliseront les titres avec le nom des causes qu'ils défendaient.

Ainsi, tout seul, devisant en moi-même, je restais accoudé, savourant la nuit douce et me trempant avec plaisir dans l'air froid du matin qui rafraîchissait mes paupières. Petit à petit, le jour venait; la chandelle allongeait sa mèche noire dans sa flamme pâlissant. Le pignon des halles a paru au loin, un coq a chanté; l'orage avait fui; quelques gouttes d'eau cependant tombées sur la poussière de la rue y faisaient de grosses taches rondes. Comme je m'assoupissais de fatigue, je me suis recouché et j'ai dormi.

Nous nous en allâmes fort tristes de Combourg; et puis la fin de notre voyage approchait. Bientôt allait finir cette fantaisie vagabonde que nous menions depuis trois mois avec tant de douceur. Le retour aussi, comme le départ, a ses tristesses anticipées qui vous envoient par avance la fade exhalaison de la vie qu'on traîne.

La tête sur la poitrine, ne parlant pas et regardant sans trop la voir la route vide qui s'allongeait, nous humions l'odeur des feuilles vertes, dandinés au mouvement du cheval qui trottait dans les brancards. Aux montées quand il soufflait, on entendait de dessous le feuillage quelque petit oiseau qui gazouillait. Nous nous arrêtâmes au village de Hédé pour voir les ruines du château, notre guide pour boire un verre de vin blanc, notre cheval pour prendre un picotin d'avoine : à chacun sa pitance.

Il ne reste du château que son enceinte rasée qui sort encore à quelque sept pieds du sol et qui forme comme un grand cirque dont on fait le tour en marchant sur les murs. De là, le paysage se déroulant semble une gigantesque nappe de verdure rayée par les blanches lignes droites des routes, posée tout à plat dans les prairies, ou onduleuse ailleurs sous le mouvement des collines qui la bombent. Le soleil brillait, les arbres verdoyaient, l'air était bleu ; près de là un ruisseau qui descendait de la colline sautillait de cascades en cascades sur les cailloux.

Un bruit de voiture a passé sur la route ; elle était cachée par les arbres, nous entendions seulement le glissement rauque de son sabot qui écrasait la poussière. Au bas de la côte elle s'est arrêtée ; j'ai pris mon lorgnon : c'était une vraie berline de voyage, ayant siège par derrière, femme de chambre à un bout, chasseur à l'autre, avec quatre chevaux, deux postillons, couverte de bâches, de boîtes, de cartons, et de parapluies accrochés en dehors dans leur étui de cuir ciré. Les stores de soie jaune étaient baissés, je n'ai distingué personne. Qu'y avait-il là dedans ? Pourquoi voyageaient-ils, ceux-là, s'ils passaient si vite à côté des ruines sans y mettre un pied les pieds, à côté des beaux ombrages sans lever la tête vers eux, et tout près de cette eau courante sans s'asseoir une minute pour en écouter la chanson ?

Le chasseur, quand il eut remis le sabot, remonta derrière, les deux postillons claquèrent leur fouet, la voiture partit, elle s'éloignait et se rapetissait à mesure qu'elle filait sur le long ruban de la route. Quelque temps le bruit des galops retentit encore, puis s'affaiblit, s'éteignit.

Et nous, nous repartîmes de notre côté. Il était 2 heures environ quand nous arrivâmes à Rennes ; le déjeuner de la table d'hôte était consommé et on nous fit attendre pour les côtelettes.

En nous promenant le soir sur le bord de la Vilaine, du côté des ponts, nous avons vu une sorte de long fourgon où l'on entrait par un escalier à double rampe et qui avait, le long de sa caisse, de petites fenêtres carrées à rideaux de coton rouge. La lumière de l'intérieur passant à travers, empourprait les têtes de la foule qui se tenait alentour ; sur le seuil de la voiture, une femme encore jeune, maigre, salement mise, et le front rétréci par des tresses noires relevées sur les oreilles, tenant une baguette à la main et glapissant dans son accent provençal, racontait l'horrible combat qui avait eu lieu sur les côtes de Barbarie entre un marin intrépide et un phoque furieux : on était cependant parvenu à s'emparer du

phoque, on l'avait dompté, éduqué ; il était là, on pouvait le voir.

Nous entrâmes et prîmes rang autour d'un grand baquet oblong dont le dedans peint en gris était relevé par des bandes grenat simulant une tenture. Au-dessus du baquet, un quinquet muni d'un abat-jour en tôle renvoyait sa lumière sur l'eau jaunâtre dans laquelle quelque chose de noir et de long gisait sans bouger. La femme s'en est approchée, l'a frappé d'un petit coup de baguette ; il a sorti sa tête humide, ses narines ressemblant à deux coupures symétriques se dilataient et se contractaient avec bruit, et il vous regardait tristement de ses deux gros yeux noirs ; il a voulu faire un mouvement, mais sa queue s'est heurtée contre les planches ; il s'est tourné sur le dos et nous a montré son ventre blanc, gras encore des viscosités de la mer ; il s'est levé tout droit, a appuyé ses nageoires sur le bord de la cuve, a donné un coup de son museau contre la joue de sa maîtresse, puis il est retombé au fond, en poussant un grand soufflement.

Il n'a plus ces bons flots où il vivait à son aise, ni les larges grèves où il s'étendait au soleil sur les goémons verts !

Comme il avait bien travaillé, on l'a gratifié de deux ou trois anguilles qu'il avalait lentement en les mangeant par le milieu, et les deux bouts lui sortant de la bouche faisaient de chaque côté de son museau comme deux longues moustaches blanches.

Un orgue de Barbarie qui était dans un coin s'est mis aussitôt à tourner une polka, le quinquet filait, sur l'escalier la femme appelait la foule, la représentation était terminée.

Voilà ce que nous vîmes à Rennes. Quand le phoque n'y sera plus, qu'y aura-t-il à voir ?

XII

De Rennes a Vitré. – Diligence. – Jeune fille très légère qui filait de Rennes ; encore une faute de diagnostic. – Plaisanteries aimables sur les lanciers, la lance, le piston.

Vitré. – Douves devant l'hôtel Sévigné, grande maison blanche où nous sommes descendus. – Vieux château : deux tours à toit aigu ; à gauche, un bouquet d'arbres et tourelle carrée ; dans l'intérieur, puits très large. – Intérieur des maisons reçoit le jour d'en haut ; escaliers en bois, tournant carrément, comme à Morlaix, comme à Rennes. – Une rare émotion ; tours le long ou plutôt dans la ville. – Jolie route pour aller aux Rochers, à travers les bois : il n'y a pas de rochers aux Rochers. – Maison en angle : rotonde de la chapelle, cuisine honnête. – Salon au rez-de-chaussée. – Le portrait de Mme de Sévigné n'est pas l'original de Mignard à coup sûr ; plusieurs autres portraits de l'époque sont détériorés. – Chambre de Mme de S... : lit doré en damas rouge ; cabinet, bourdalou en porcelaine peinte, fauteuil bas en tapisserie blanche et verte ; table de toilette, ustensiles en laque rouge, boîtes rondes, grosse brosse en crin blanc. – Pluie, lac, sous les arbres, sous la cahute des sabotiers, odeur des bois. – Table d'hôte : M. Menars, M. Marin, M. de Couesnon.

De Vitré a Fougères. – Normandie. – Notre conducteur nous parle du marquis de Letumière, père des propriétaires actuels des Rochers, qui le menaçait de son pistolet pour aller au galop et qui aimait à se faire verser dans sa voiture en tôle; il se déguisait avec ses amis en charbonnier.

VITRÉ. – Chaire extérieure comme à Guérande.

FOUGÈRES. – Aspect solide des tours, les remparts sont couverts de verdure. – La partie seule des fortifications qui descendait dans la vallée subsiste. – Jolie porte avec deux tours; un grand acacia, chute d'eau; les tours sont en fer à cheval comme à Saint-Malo. – Grande vue de l'esplanade sous l'église. – Forêt. – Fabrique de verre.

A VIRE, A MORTAIN même les bonnets de coton commencent. – Nuit en diligence, jour gris se lève, plaques d'argent dans le ciel bleu mat, puis lignes d'or que déchirent les clochers de CAEN. – Promenade dans les prairies; hippodrome pour les courses. – Saint-Etienne : superbe roman; le cintre des premières galeries est très large, jolis chapiteaux des colonnes de la nef, comme des ventres; dans le chœur : archivolte, ornementation d'un bâton passé dans des anneaux; un homme (dans un des bas côtés, à droite vers le milieu) qui se pollue (?). – Saint-Jean : gothique, bas, lourd, lustres de cristal dans le chœur donnent de l'animation à l'église; elle tombe à gauche, surtout l'entrée, la maison voisine la soutient. – Eglise Saint-Pierre : vilaine voûte à cause de l'entre-croisement exagéré des nervures, surtout à l'abside où courent dessus des arabesques; le mélange des formes carrées Renaissance des culs-de-lampe avec les formes ogivales choque.

Il n'est rien de pire que la statue de Louis XIV sur la place Royale, tout nu, avec un casque et une épée. – Effet superbe de « palais de l'université », faculté de droit, de médecine, des lettres, etc. – Rien au musée d'histoire naturelle. On ne peut pas s'empêcher, en voyant des collections de province, de regretter tout l'argent inutile que ça a coûté. – Buste de Dumont-d'Urville; toujours le grand homme local! parce qu'il était du pays de Condé-sur-Noireau.

Musée de Caen. – Le marquis d'Argenson mort en 1721 : grande perruque noire, plutôt yeux et sourcils noirs forts, nez un peu busqué, narines fortes, bouche discrète, menton fourchu, regard ironique, mais plus malin que railleur; toute la gravité reste dans le bas du visage.

La seconde révélation de sainte Catherine (Albert Dürer), mais me paraît plus jeune, plus coloré : la Vierge et la Sainte, grands cheveux épars, roux, ondés et tombant menu au bout sur leurs tailles; deux autres femmes au premier plan, rousses; *id.* : celle de droite, assise, grande robe rouge étalée à lourds plis; celle de gauche, robe verdâtre, assise, corsage jaune, manteau rouge à collet d'hermine; dans le fond, paysage, maison, un vieux serviteur en chaperon qui apporte des fruits.

Portrait de Mme de Parabère entourée d'une guirlande de fleurs : un nègre en bas en manche jaune, Mme de Parabère, cheveux noirs, frisés naturellement sur le front, dénoués, répandus sur les épaules, le visage dégagé, figure ronde, petite bouche, petit nez, air jovial et polisson, yeux bleus, sourcils blonds; le portrait est par Coypel, la guirlande par Fontenay.

Beau portrait de magistrat de Tournières : en perruque, cheveux d'une fausse couleur blonde, animé, laid, fin, maigre, yeux rouges, chairs molles de vieillard; cet homme-là devait être en droit ce que Boileau était en littérature; l'animation de l'étroite pupille à coin blanc (celui où la lumière tombe) éclatante dans son œil bleu.

Parti de Caen après le dîner à 6 heures en tilbury. – Longue promenade au bord de l'eau sous des arbres, très triste à cause du jour vert; à travers la campagne peuplée; village. Je sentais que j'approchais de Trouville; sans connaître les lieux, je les retrouvais *et jam redibant multa praeterita*. – Passage du bac; le petit cheval blanc un peu ombrageux avait peur.

DIVES. – Le vétérinaire ivre. – Nous emplissons nos gourdes et nous partons. La lune brillait, au loin, au fond de la mer, le phare du Havre; nous montons la côte de Houlgate et nous nous perdons; traversée dans un champ, broussailles, mauvais terrains. La lune nous éclairait et nous perdait. Les rigoles qu'on ne voyait pas mouillaient le terrain où nous enfoncions; enfin, après beaucoup de peines et d'efforts, nous parvenons à la grève. – Marée basse, sable brun rouge. La lune, toute basse sur les montagnes derrière nous, prolongeait notre ombre à nos côtés; elle brillait. Phosphorescence dans les flaques d'eau; les étincelles filaient des deux côtés de notre soulier quand nous marchions dedans. Nous étions plus silencieux que la nuit et plus sombres qu'elle, car elle était sereine et douce. J'ai eu un instant un épouvantement de la nature, je sentais trop qu'elle m'envahissait; à peine de temps à autre échangions-nous un « Eh bien, vieux » qui retombait de suite. Quelquefois des ombres grandissaient et s'approchaient de nous avec cet air particulier qu'on a quand on s'aborde la nuit. Nous leur demandions si nous étions loin de Trouville. – Barque dans laquelle il y avait des filets. Max était harassé et a songé à la bonne partie de novembre que cette barque-là m'a remise en mémoire. Il y avait cinq ans à même époque, par une nuit chaude aussi, j'allais à pied pour gagner Trouville tout seul. Le jour venait et j'y allais maintenant; mais je ne devais pas cette fois y trouver une famille et en remporter une affection; je devais n'y trouver que des souvenirs et n'en remporter pour le pays lui-même qu'une sorte de haine mouillée.

Lumières du quai. – Lieutenant de douane qui faisait son inspection avec son petit chien qui rôdait. – Marais. Nous roulions dans les joncs, nous arrivons vers la lumière du poteau qui reculait toujours. Max reste pendant que je vais réveiller le passager qui se réveille et consent à grande peine à nous passer; j'ai du mal à me reconnaître sur le quai. J'entre et la mère David ne me reconnaissent pas, il faut me nommer. Est-ce qu'on se reconnaît? Se reconnaît-on soi-même! Nous buvons une bouteille de vin, nous mangeons un morceau de fromage de Pont-l'Evêque. – Cuisine! fauteuil. – Entre un monsieur en redingote grise et en bottes à l'écuyère.

Le lendemain, politesses de L..., promenade à cheval à Bonneville et à Saint-Arnaud : à Bonneville on détruit la vieille maison et on en fait une neuve, autrefois j'y fis une bonne promenade avec Alfred. – Dames auxquelles Max cueille des bouquets. – A Saint-Arnaud, équipages au coin d'une haie. On y a bâti beaucoup de maisons, fait une route; dans la chapelle, on a découvert un caveau où il y a beaucoup d'ossements et on a réparé le chœur! Dans l'église, les mêmes arbres, les mêmes piliers quand j'y venais dessiner avec le père Dumée; ça, au moins, n'a pas changé. En revenant sur la route je reconnais le curé de Toucques « Vous autres, jeunes gens de Paris, avec vos soupers fins ». En face le parc aux huîtres, char à bancs de maître à siège élevé, conduit par quelque vieux général en chapeau de paille, décoré; mouvement de côté du fouet. – Tout est changé, tout, tout; j'ai du mal à me retrouver et mon souvenir est effarouché par les mutations de cette même nature à laquelle il se cramponnait. La terre même nous fuit de dessous les pieds; il n'y a pas que les cœurs qui changent, le sol aussi, les maisons aussi, les pavés aussi. O mon pauvre petit cottage et mes deux autres maisons, comme on nous a éreinté, surtout une, la plus chère. Dans la salle à manger, je revois les tables différentes, c'est maintenant un papier qui représente la *Fiancée d'Abydos*.

Drôle de chose, il me semble qu'autrefois, dans le coin du fond à gauche, le soleil couchant donnait ses rayons rouges; mon souvenir est bien fidèle pourtant. Est-ce que le soleil aussi aurait changé? Non, c'était alors la réverbération des sables à marée basse, dont la couleur éclairait les carreaux. – Course au chalet. – Notre ami Ulric [7]. Voilà un homme qui, après avoir fait..., en est revenu au bourgeois le plus convenable; le bourgeois est donc la fin de tout!

CRIQUEBŒUF, nous n'entrons pas; Villerville que nous traversons seulement. Nous faisons descendre nos chevaux par le chemin des douaniers. – Dîner chez M. Guetier; promenade le soir (avec eux!) sur la grève; le lendemain, déjeuner où l'on boit parce qu'il faut boire, et offert parce qu'il avait fallu l'offrir. Mais que c'est triste et bête tout cela! Comme c'est peu selon le cœur! Et cette pluie qui tombait et qui a duré toute la journée, comme elle était harmonique, elle, avec le fond de nous!

HONFLEUR. – Pluie sur les bassins. – Dîner; je me surpasse dans la composition d'une sauce anglaise. Je retrouve la mine de tous les domestiques que j'avais oubliée, comme le lendemain matin celle de deux canotiers du canot. Reconnaître quelqu'un dont on avait perdu complètement l'idée, c'est retrouver toujours quelque chose de soi-même; on se dit: « Tiens, c'est vrai, j'ai eu ça autrefois, ...je l'avais perdu, je le regagne. Ah! Ah! »

Dans le canot, curé avec son papier ciré sur son chapeau, froid, malaise; en vain je tâche de me réchauffer à la chaudière. L'agent comptable de la « Normandie » m'était également sorti de la mémoire! encore un qui revient! – La joueuse de harpe et la joueuse de guitare : laideur vio-

7. Ulric : Ulric Guttinguer (1785-1866), qui fut, entre autres, l'ami d'Alfred de Musset.

lente et empoignante de la première; tout ce que j'ai discerné dans leurs chansons, c'est amour, bonheur, etc. Deux religieuses, près de là, s'en sont allées, sans doute de peur d'être troublées, de se sentir venir à l'esprit des images libidineuses. Ah! les pauvres filles, ça m'en faisait peu venir, à moi. – Déjeuner. – C'est bizarre, mais je ne me suis pas ennuyé sur notre vapeur.

Entre Caudebec et Duclair (?) je reconnais un endroit, une anfractuosité sur la rive gauche, entre deux mamelons boisés, et je me souviens que, une fois que j'y passai, à un voyage de Pâques, en 1841, avec Caroline, ma mère et Mlle Jane, nous étions là sur le bastingage de gauche causant avec la femme du restaurant et trois jeunes gens qui ont péri au chemin de fer de Meudon. Il faisait froid et c'était vers 6 heures du soir, au mois d'avril il n'y avait presque personne à bord, c'était un des premiers voyages de la saison.

J'ai repensé à un voyage en bateau à vapeur des Andelys à Rouen avec Alfred : nous étions sales, las et tristes de même, mais alors sans cause; les voix grêles des deux femmes, le son boiseux de la guitare, le son métallique de la harpe s'en allaient, écrasés par le bruit des roues, par celui de l'eau fendue par la proue; le mouvement de la vapeur saccadait tout cela.

LA BOUILLE. – Le soir, Max arrange mon trophée, et le lendemain adieu.

Ecrit à Caumont, 28 juillet, mercredi soir, 9 heures et demie à 11 heures. – Il y a un an, j'étais à Paris : feu d'artifice des fêtes de juillet, vu des hauteurs; je faisais du sentiment, j'en ressens maintenant, il y a harmonie dans cet anniversaire.

Ce sommaire a été développé par Maxime Du Camp.

VOYAGE EN ORIENT

Le 22 octobre 1849, ayant achevé la Tentation de saint Antoine *et sans doute assez mal digéré le verdict sans appel prononcé à son endroit par l'aréopage des amis,* Maxime Du Camp *et* Louis Bouilhet, *Flaubert quitte Croisset pour entreprendre avec Du Camp le fameux voyage en Orient, auquel il songe depuis plusieurs années. Du Camp s'est fait charger par le gouvernement d'une mission officielle susceptible de faciliter les contacts locaux et d'ouvrir aux voyageurs les portes les plus fermées; Flaubert se munit lui-même chargé d'une « mission » pour le compte du ministère de... l'agriculture. Le 29 octobre, on quitte Paris, après avoir pris joyeusement congé des amis; et, le 4 novembre, c'est l'embarquement à Marseille. Tour à tour, les voyageurs visiteront l'Egypte (Alexandrie, 15 novembre; Esneh, 6 mars 1850; retour au Caire, 26 juin), la Palestine (Jérusalem, 9 août), la Syrie (Damas, 4 septembre), le Liban (Baalbek, 14 septembre), l'île de Rhodes (4 octobre), l'Asie Mineure (Smyrne, 27 octobre; Constantinople, 12 décembre), la Grèce (Athènes, 18 décembre), le Péloponnèse (24 au 29 janvier 1851), l'Italie (Rome, 28 mars). Flaubert ne regagne Croisset qu'en juin, saoulé d'images, riche de souvenirs, enfoncé dans un pessimisme plus noir et, par-dessus tout, animé du*

besoin de créer de nouvelles œuvres imaginaires. Car l'écrivain n'a jamais perdu ses droits au profit du voyageur : c'est à Ouadi Halfa, devant la deuxième cataracte du Nil, que Flaubert s'écrie soudain : « J'ai trouvé, Eurêka, Eurêka! Je l'appellerai Emma Bovary. ». On s'étonne parfois de cette étrange faculté d'abstraction qui pousse Flaubert à rêver de campagne normande devant les paysages les plus colorés et les visions sublimes de l'Orient, à songer au Dictionnaire des idées reçues *devant Damas, à faire des projets littéraires au lazaret de Rhodes ou à Constantinople. Sans oublier que, sans le voyage en Orient et les notes ramenées de là-bas, ni* Salammbô, *ni* Hérodias, *ni la version définitive de la* Tentation *ne seraient les chefs-d'œuvre que l'on sait. Tant il est vrai que l'imagination de l'artiste a besoin pour travailler efficacement d'une certaine distance aux choses que le souvenir ménage à merveille.*

Les notes du voyage en Orient qu'on va lire ont un caractère assez disparate. Certains passages sont des morceaux d'anthologie, d'autres de simples notes au jour le jour sans autre prétention que de fixer le souvenir à la manière du cliché photographique. Au dire de Du Camp, Flaubert n'aurait pris des notes qu'en Grèce et « par ci par là en Egypte », les autres notes ayant été

« simplement transcrites sur les (siennes) après (leur) retour ». Ce témoignage n'est pas absolument sûr et doit être accueilli avec les réserves d'usage quand il s'agit des Souvenirs littéraires *de Du Camp. Ce qui est sûr, c'est que toute la partie « égyptienne » des notes de voyage a été mise au net par Flaubert à son retour en France et que le fragment intitulé « A bord de la cange » a été rédigé sur le Nil et intercalé après coup entre la scène des adieux et l'épisode de Marseille. Mais, dès la deuxième section du voyage (Palestine et Liban), on peut dire que Flaubert n'a mis au point que par intermittence ses carnets de voyage et qu'il s'agit dès lors d'un simple journal de route ou de bord. Un extrait des notes de voyage (« A bord de la cange ») parut en 1880 dans le Gaulois, avant d'être intégré aux éditions Charpentier et Quantin de 1885-1886; d'autres fragments (notamment l'épisode chez l'almée Ruchuk Hânem) furent publiés dans* les Marges *du 15 juillet 1910, avec d'importantes et nombreuses variantes. La première édition d'ensemble des* Notes de voyages en Orient *est l'édition Conard, en deux volumes, de 1910.

L'établissement du texte des* Notes de voyage en Orient *nous a posé un problème délicat. On sait que Flaubert transcrit le plus souvent les noms arabes des localités d'une manière quasi phonétique et selon une orthographe plus ou moins anarchique, de sorte que l'on a parfois du mal à identifier les lieux qu'il évoque. Comme la présente édition est avant tout destinée au grand public et qu'elle doit être de lecture commode, nous avons cru pouvoir admettre la solution qui fut naguère celle de René Descharmes pour l'édition dite du Centenaire. Descharmes a tenté de « rétablir l'orthographe géographique usuelle pour les noms de localités », tout en adoptant, « pour les noms de personnages, une forme unique ». Tentative arbitraire, si l'on veut; tentative intelligente, en tout cas, puisque l'on peut, grâce à lui, suivre sans trop de difficulté, dans les guides touristiques et sur les cartes géographiques, l'itinéraire égyptien, syrien ou turc des deux voyageurs, — ce qui, s'agissant d'un journal de route, n'est tout de même pas négligeable. Nous n'avons toutefois pas tenu pour intangibles les corrections proposées par René Descharmes et nous avons apporté, çà et là, les rectifications qui nous paraissaient s'imposer; nous avons d'autre part* rétabli quelques passages tronqués et redressé à l'occasion certaines lectures manifestement fautives.

On trouvera enfin ci-dessous un bref lexique de termes usuels, principalement arabes ou turcs, qui reviennent à plusieurs reprises dans le texte de Flaubert.

LEXIQUE

Almée : danseuse égyptienne.

Baïram : nom turc de deux fêtes islamiques (après la fin du Ramadan; soixante jours plus tard).

Bardach (ou *bardaque*) : vase de terre.

Bari : barque de transport, généralement en écorce de palmier.

Bouza : sorbet.

Cange : barque légère et étroite.

Chadouf : appareil à bascules pour tirer l'eau.

Chibouk (ou *chibouque*) : pipe à long tuyau.

Chicheh : cf. *Narghilé.*

Combakrer : lupanar.

Coufieh : coiffure arabe faite d'étoffe roulée.

Courbache : long fouet à lanière de cuir.

Doom (ou *doum*) : palmier arabe.

Galaoum : cf. *Narghilé.*

Hadj (ou *hadji*) : musulman ayant fait le pèlerinage de la Mecque.

Khamsin (ou *chamsin*) : vent brûlant et chargé de sable.

Khan : lieu préparé pour le repos des caravanes.

Milayah : écharpe.

Moucre : muletier.

Narghilé : pipe orientale à long tuyau flexible et réservoir d'eau parfumée.

Noria : appareil à godets montés en chaîne et destiné à élever l'eau.

Raïs : capitaine, patron.

Raki (ou *arack*) : liqueur spiritueuse à base de riz fermenté.

Saki (ou *sakieh*) : variété de noria; cf. *Noria.*

Sherbet (ou *chorbet*) : boisson glacée à base de jus de citron et de sucre.

Takieh : calotte.

Tarbouch (ou *tarbouche*) : coiffure des Turcs et des Grecs (bonnet rouge à gland bleu).

ÉGYPTE, OCTOBRE 1849-JUILLET 1850

Je suis parti de Croisset le lundi 22 octobre 1849. Parmi les gens de la maison qui me dirent adieu au départ, ce fut Bossière, le jardinier, qui, seul, me parut réellement ému. Quant à moi, ç'avait été l'avant-veille, le samedi, en serrant mes plumes (celle-là même avec laquelle j'écris en faisait partie) et en fermant mes armoires. Il ne faisait ni beau ni mauvais temps. Au chemin de fer, ma belle-sœur avec sa fille vint me dire adieu. Il y avait aussi Bouilhet, et le jeune Louis Bellangé, qui est mort pendant mon voyage. Dans le même wagon que nous et en face de moi était la bonne de M. le Préfet de la Seine-Inférieure, petite femme noire à cheveux frisés.

Le lendemain, nous dînâmes chez M. Cloquet. Leserrec y était. Ma mère fut triste tout le temps du dîner. Le soir j'allai rejoindre Maurice [1] à l'Opéra-Comique, et assistai à un acte de *la Fée aux roses;* il

1. Maurice Schlesinger; *La Fée aux roses :* opéra-comique de Scribe, Saint-George et Halévy (création le 1er octobre 1849 à l'Opéra-Comique).

y avait dans la pièce un Turc qui recevait des soufflets.

Hamard était étonné que j'allasse en Orient, et me demandait pourquoi je ne préférais pas rester à Paris à voir jouer Molière et à étudier André Chénier.

Le mercredi, à 4 heures, nous sommes partis pour Nogent. Le père Parain s'est fait beaucoup attendre, j'avais peur que nous ne manquions le chemin de fer, cela m'eût semblé un mauvais présage. Enfin il arriva, portant au bout du poing une ombrelle pour sa petite fille. Je montai en cabriolet avec Eugénie et, suivant le fiacre, nous traversâmes tout Paris et arrivâmes à temps au chemin de fer.

DE PARIS A NOGENT, rien; un monsieur en gants blancs en face de moi dans le wagon. Le soir, embrassades familiales.

Le lendemain jeudi, atroce journée, la pire de toutes celles que j'aie encore vécues. Je ne devais partir que le surlendemain, et je résolus de partir de suite, je n'y tenais plus : promenades (éternelles!) dans le petit jardin, avec ma mère. Je m'étais fixé le départ à 5 heures, l'aiguille n'avançait pas, j'avais disposé dans le salon mon chapeau et envoyé ma malle d'avance, je n'avais qu'à faire un bond. En fait de visites de bourgeois, je me rappelle celle de Mme Dainez, la maîtresse de la poste aux lettres, et celle de M. Morin, le maître de la poste aux chevaux, qui me disait à travers la grille en me donnant une poignée de main : « Vous allez voir un grand pays, grande religion, un grand peuple », etc., et un tas de phrases.

Enfin je suis parti. Ma mère était assise dans un fauteuil, en face la cheminée; comme je la caressais et lui parlais, je l'ai baisée sur le front, me suis élancé sur la porte, ai saisi mon chapeau dans la salle à manger et suis sorti. Quel cri elle a poussé, quand j'ai fermé la porte du salon! il m'a rappelé celui que je lui ai entendu pousser à la mort de mon père, quand elle lui a pris la main.

J'avais les yeux secs et le cœur serré, peu d'émotion, si ce n'est de la nerveuse, une espèce de colère, mon regard devait être dur. J'allumai un cigare, et Bonenfant vint me rejoindre; il me parla de la nécessité, de la convenance de faire un testament, de laisser une procuration; il pouvait arriver un malheur à ma mère en mon absence. Je ne me suis jamais senti de mouvement de haine envers personne comme envers lui, à ce moment. Dieu lui a pardonné le mal qu'il m'a fait sans doute, mais le souvenir en moi ne s'en effacera pas. Il m'exaspéra, et je l'évinçai poliment!

A la porte de la gare du chemin de fer, un curé et quatre religieuses : mauvais présage! Tout l'après-midi, un chien du quartier avait hurlé funèbrement. J'envie les hommes forts qui à de tels moments ne remarquent pas ces choses.

Le père Parain ne me disait rien, lui; c'est la preuve d'un grand bon cœur. Je lui suis plus reconnaissant de son silence que d'un grand service.

Dans la salle d'attente, il y avait un monsieur (en affaires avec Bonenfant) qui déplorait le sort des chiens en chemin de fer, « ils sont avec des chiens inconnus qui leur donnaient des puces; les petits sont étranglés par les grands; on aimerait mieux payer quelque chose de plus, etc. ».

Eugénie en pleurs est venue : « M. Parain, Madame vous demande, elle a une crise », — et ils sont partis.

DE NOGENT A PARIS, quel voyage! J'ai fermé les glaces (j'étais seul), ai mis mon mouchoir sur la bouche et me suis mis à pleurer. Les sons de ma voix (qui m'ont rappelé Dorval deux ou trois fois) m'ont rappelé à moi; puis ça a recommencé. Une fois j'ai senti que la tête me tournait et j'ai eu peur : « Calmons-nous! calmons-nous! ». J'ai ouvert la glace : la lune brillait dans des flaques d'eau, autour de la lune, du brouillard; il faisait froid. Je me figurais ma mère crispée et pleurant avec les deux coins de la bouche abaissés...

A MONTEREAU, je suis descendu au buffet et j'ai bu trois ou quatre petits verres de rhum, non pour m'étourdir, mais pour faire quelque chose, une action quelconque.

Ma tristesse a pris une autre forme : j'ai eu l'idée de revenir (à toutes les stations j'hésitais à descendre, la peur d'être un lâche me retenait) et je me figurais la voix d'Eugénie criant : « Madame, c'est M. Gustave! » Ce plaisir immense, je pouvais me le faire tout de suite, il ne tenait qu'à moi, et je me berçais de cette idée; j'étais brisé, je m'y délassais.

Arrivée à PARIS. Interminable lenteur pour avoir mon bagage. Je traverse Paris par le Marais et passe devant la place Royale. Il fallait pourtant me décider avant d'arriver chez Maxime, il n'y était pas. Aimée me reçoit, tâche d'arranger le feu. Maxime rentre à minuit, j'étais aplati et indécis. Il me mit le marché à la main, le parti pris fit que je ne revins pas à Nogent. Je l'ai là, cette lettre (je viens de la relire et je la touche froidement), écrite à une heure du matin, après toute une soirée de sanglots et d'un déchirement comme aucune séparation encore ne m'en avait causé; le papier n'en dit pas plus long de soi qu'un autre papier, et les lettres sont comme les autres lettres de toutes autres phrases! Entre le moi de ce soir et le moi de ce soir-là, il y a la différence du cadavre au chirurgien qui l'autopsie.

Les deux jours suivants, je vécus largement, mangeaille, beuverie et p...; les sens ne sont pas loin de la tendresse, et mes pauvres nerfs si cruellement tordus avaient besoin de se détendre un peu.

Le lendemain vendredi, à l'Opéra, *le Prophète*. A côté de moi le Persan (comme j'aurais voulu nous faire amis, qu'il me parlât!) et deux bourgeois, un mari et sa femme, qui cherchaient à deviner l'intrigue de la pièce. A l'orchestre j'aperçois le père Bourguignon, rouge de luxure en contemplant les danseuses. Dans le foyer, rencontré Piédelieux et Ed. Monnais.

Quel bien m'a fait Mme Viardot! Si je n'avais craint de paraître ridicule, j'aurais demandé à l'embrasser. Pauvre cœur, sois béni, tant que tu battras, pour la délectation que tu as versée dans le mien!

Le lendemain samedi, visite d'Hennet, de Kesler et de Fovard chez Maxime; on cause socialisme.

Adieu à Mme Pradier sur son escalier.

Dimanche matin je vais attendre Bouilhet au chemin de fer. De dessus le pont en bois qui traverse la gare, je vois le train arriver. – Visite à Cloquet, où se trouve Pradier et son fils, devant lequel même il tient des propos indécents. – Visite à Gautier, que nous invitons à dîner. – Promenade avec Bouilhet à Saint-Germain-des-Prés et au Louvre (galerie ninivite). – Le soir dîner aux Trois Frères Provençaux, dans le salon vert, L. de Cormenin, Théophile Gautier, Bouilhet, Maxime et moi. – Après le dîner, moi et Bouilhet chez la Guérin. Il donne rendez-vous à Antonia pour le 1er mai 1851, de 5 à 6 devant le Café de Paris; elle devait l'écrire pour ne pas l'oublier. J'ai manqué au rendez-vous, j'étais encore à Rome, mais je voudrais bien savoir si elle y est venue. Dans le cas affirmatif (ce qui m'étonnerait), cela me donnerait une grande idée des femmes.

Maxime passe une grande partie de la nuit à écrire des lettres, Bouilhet dort sur sa peau d'ours noir; le matin je le reconduis au chemin de fer de Rouen, nous nous embrassons, pâles; il me quitte, je tourne les talons. Dieu soit loué! c'est fini, plus de séparation avec personne, j'ai le cœur soulagé d'un grand poids!

Il y a encombrement chez Maxime, on déménage ses meubles, les amis viennent lui dire adieu; Cormenin, assis sur une table, est noyé de larmes; Fovard est le plus raide; Guastalla, en pleurs et le pince-nez sur son nez : « Allons! soignez-vous bien! » Quel sentiment différent il n'a pas tardé à avoir à l'encontre de ce même ami! Est-il possible que si peu de chose change ainsi le cœur d'un homme?

J'intercale ici quelques pages que j'ai écrites sur le Nil, à bord de notre cange. J'avais l'intention d'écrire ainsi mon voyage par paragraphes, en forme de petits chapitres, au fur et à mesure, quand j'aurais le temps : c'était inexécutable, il a fallu y renoncer dès que le khamsin s'est passé et que nous avons pu mettre le nez dehors.

J'avais intitulé cela *La Cange.*

A BORD DE LA CANGE

I

6 *février* 1850. « *A bord de la Cange.* »

C'était, je crois, le 12 novembre de l'année 1840. J'avais dix-huit ans. Je revenais de la Corse (mon premier voyage). La narration écrite en était achevée, et je considérais, sans les voir, tout étalées sur ma table, quelques feuilles de papier dont je ne savais plus que faire. Autant qu'il m'en souvient, c'était du papier à lettres, à teinte bleue, et encore tout divisé par cahiers pour pouvoir tenir dans les ficelles de mon portefeuille de voyage.

Ils avaient été achetés à Toulon, par un de ces matins d'appétit littéraire où il semble que l'on a les dents assez longues pour [pouvoir] écrire démesurément sur n'importe quoi. J'ai jeté sur les pages noircies un long regard d'adieu; puis, les repoussant, j'ai reculé ma chaise de ma table et je me suis levé. Alors j'ai marché

de long en large dans ma chambre, les mains dans les poches, le cou dans les épaules, les pieds dans mes chaussons, le cœur dans ma tristesse.

C'était fini. J'étais sorti du collège. Qu'allais-je faire? J'avais beaucoup de plans, beaucoup de projets, cent espérances, mille dégoûts divers. J'avais envie d'apprendre le grec. Je regrettais de n'être pas corsaire. J'éprouvais des tentations de me faire renégat, muletier ou camaldule. Je voulais sortir de chez moi, de mon moi, aller n'importe où, partout, avec la fumée de ma cheminée et les feuilles de mon acacia.

Enfin, poussant un long soupir, je me suis rassis à ma table. J'ai enfermé sous un quadruple cachet les cahiers de papier blanc, j'ai écrit dessus, avec la date du jour : « Papier réservé pour mon prochain voyage », suivi d'un large point d'interrogation, j'ai poussé cela dans mon tiroir et j'ai tourné la clef.

Dors en paix, sous ta couverture, pauvre papier blanc qui devais contenir des débordements d'enthousiasme et les cris de joie de la fantaisie libre. Ton format était trop petit et ta couleur trop tendre. Mes mains plus vieilles rompront un jour tes cachets poudreux. Mais qu'écrirai-je sur toi?

II

Il y a déjà dix ans de cela. Aujourd'hui, je suis sur le Nil et nous venons de dépasser Memphis.

Nous sommes partis du vieux Caire par un bon vent du Nord. Nos deux voiles, entre-croisant leurs angles, se gonflaient dans toute leur largeur, la *Cange* allait penchée, sa carène fendait l'eau. Je l'entends maintenant qui coule plus doucement. A l'avant, notre raïs Ibrahim, accroupi à la turque, regardait devant lui, et, sans se détourner, de temps à autre criait la manœuvre à ses matelots. Debout sur la dunette qui fait le toit de notre chambre, le second tenait la barre tout en fumant son chibouk de bois noir. Il y avait beaucoup de soleil, le ciel était bleu. Avec nos lorgnettes nous avons vu, de loin en loin, sur la rive, des hérons ou des cigognes.

L'eau du Nil est toute jaune, elle roule beaucoup de terre, il me semble qu'elle est comme fatiguée de tous les pays qu'elle a traversés et de murmurer toujours la plainte monotone de je ne sais quelle lassitude de voyage. Si le Niger et le Nil ne sont qu'un même fleuve, d'où viennent ces flots? Qu'ont-ils vu? Ce fleuve-là, tout comme l'Océan, laisse donc remonter la pensée jusqu'à des distances presque incalculables; et puis ajoutez par là-dessus l'éternelle rêverie de Cléopâtre et comme un grand reflet de soleil, le soleil doré des Pharaons. A la tombée du jour le ciel est devenu tout rouge à droite et tout rose à gauche. Les pyramides de Sakkarah tranchaient en gris dans le fond vermeil de l'horizon. C'était une incandescence qui tenait tout ce côté-là du ciel et le trempait d'une lumière d'or. Sur l'autre rive, à gauche, c'était une teinte rose; plus c'était rapproché de terre, plus c'était rose. Le rose allait montant et s'affaiblissant, il devenait jaune, puis un peu vert; le vert pâlissait et, par un blanc insensible, gagnait le bleu qui faisait la voûte sur nos têtes, où se fondait la transition (brusque) des deux grandes couleurs.

Danse des matelots. – Joseph à ses fourneaux. – Barque penchée. – Le Nil au milieu du paysage. – Nous sommes au centre. – Les bouquets de palmiers à la base des pyramides de Sakkarah semblent comme des orties au pied des tombeaux.

III

Là-bas, sur un fleuve plus doux, moins antique, j'ai quelque part une maison blanche dont les volets sont fermés, maintenant que je n'y suis pas. Les peupliers sans feuilles frémissent dans le brouillard froid, et les morceaux de glace que charrie la rivière viennent se heurter aux rives durcies. Les vaches sont à l'étable, les paillassons sur les espaliers, la fumée de la ferme monte lentement dans le ciel gris.

J'ai laissé la longue terrasse Louis XIV, bordée de tilleuls, où, l'été, je me promène en peignoir blanc. Dans six semaines déjà, on verra leurs bourgeons. Chaque branche alors aura des boutons rouges, puis viendront les primevères, qui sont jaunes, vertes, roses, iris. Elles garnissent l'herbe des cours. O primevères, mes petites, ne perdez pas vos graines, que je vous revoie à l'autre printemps!

J'ai laissé le grand mur tapissé de roses, avec le pavillon au bord de l'eau. Une touffe de chèvrefeuille pousse en dehors sur le balcon de fer. A une heure du matin, en juillet, par le clair de lune, il y fait bon venir voir pêcher les caluyots.

IV

Vous raconter ce qu'on éprouve, à l'instant du départ, et comme votre cœur se brise à la rupture subite de ses plus tendres habitudes, ce serait trop long, je saute tout cela.

Le bon Pradier est venu nous dire adieu dans la cour des diligences. Au seuil de ce voyage vers l'antique, le plus antique des modernes accourant pour nous embrasser, c'était de bon augure. Il nous a abordés en nous disant : « Fameux, fameux! Savez-vous ce que j'ai vu ce matin, à mon baromètre? beau fixe! C'est bon signe, je suis superstitieux, ça m'a fait plaisir. »

Nous sommes partis, la diligence a roulé sur le pavé des quais, avec son bruit de pieds de chevaux, de vitres et de ferrailles. Le temps était sec, le ciel clair, le vent soufflait.

Entre nous deux, dans le coupé, se tenait, sans mot dire, une dame d'une cinquantaine d'années, la figure emmitouflée de voiles, le corps enveloppé dans une pelisse de soie. Une jeune femme et un monsieur l'avaient conduite jusqu'au bureau. Quand on a tourné la borne de la rue Saint-Honoré, elle a pleuré. Elle allait en Bourgogne, elle devait s'arrêter le soir ou dans la nuit. Son voyage finissait dans quelques heures et elle pleurait! Mais je ne pleurais pas, moi, qui allais plus loin et qui sans doute quittais plus. Pourquoi m'a-t-elle indigné? Pourquoi m'a-t-elle fait pitié? Pourquoi avais-je envie de lui dire des injures, à cette bonne femme? Serait-ce que notre joie est toujours la

seule joie légitime, notre amour, le seul amour vrai, notre douleur, la seule douleur qu'il y ait à compatir?

Vers Fontainebleau, quelques flammèches de la locomotive s'étant envolées, une d'elles est entrée dans le coupé et brûlait tranquillement mon paletot, quand je me suis réveillé à des cris aigus de terreur qui partaient de dessous le chapeau de ma voisine; elle nous croyait déjà tous brûlés vifs, comme à Meudon, et accusait nos cigares dont nous nous étions pourtant abstenus par courtoisie. A la nuit tombante, comme elle grelottait de froid, je lui ai couvert les genoux avec ma pelisse de fourrure. Quelque temps après, elle s'est mise à vomir par la portière, qu'il a fallu laisser ouverte, toujours par bon procédé.

Je suis monté sur l'impériale. Comme il faisait froid, on avait abattu le vasistas. Tout en fumant, je me laissais aller au branle du chemin de fer qui nous emportait sur les rails. Devant nous une diligence sur son truck se balançait comme un navire; les éclats de charbon de terre embrasé voltigeaient avec force des deux côtés de la route. Nous traversions des villages, des collines coupées à pic par la route, ou bien quelques petits champs de vignes où les échalas avaient l'air d'épingles fichées en terre.

A ma droite était un monsieur maigre, en chapeau blanc; à ma gauche, deux conducteurs de diligence qui, par-dessus leur veste, avaient passé leur blouse bleue. Le premier, marqué de petite vérole et portant pour toute barbe une large « mazagran » noire, était notre conducteur à nous. Son compagnon, gros gaillard à figure réjouie, venait depuis quelques jours de donner sa démission et s'en allait à Lyon faire un voyage d'agrément et se livrer à l'exercice de la chasse. Quel mélange d'idées plaisantes ne s'offre-t-il pas à l'esprit dans la personne du conducteur? N'y retrouvez-vous pas, comme moi, le souvenir chéri de la joie bruyante des vacances, le vagabondage de la dix-septième année, la rêverie au grand air, avec cinq chevaux qui galopent devant vous sur une belle route et des paysages à l'horizon, la senteur des foins, du vent sur votre front, et les conversations faciles, les rires tout haut, les interminables pipes que l'on rebourre et que l'on rallume, tout ce que comporte en soi la confraternité du petit verre, sans oublier non plus ces mystérieuses bourriches inattendues qui entrent chez vous, vers le jour de l'an, dans votre salle à manger chauffée le matin, vers dix heures, pendant que vous êtes à déjeuner?

L'avez-vous jamais talonné de questions sur la longueur de la route, cet homme patient qui vous répondait toujours? Dans le coin de votre mémoire, n'y a-t-il pas le souvenir encore ému d'une montée quelconque dominant un pays désiré?

Avez-vous jamais trépigné d'impatience dans une cour de diligence, entre un commis qui écrivait et un facteur qui rangeait des ballots? Avez-vous jamais d'un œil triste jalousé l'homme en casquette qui sautait, après tout le monde, sur la lourde machine que vous suiviez du regard, s'en allant, et qui tournait l'une après l'autre autour de toutes les rues?

V

J'ai souvenir, pendant la première nuit, d'une côte que nous avons montée. C'était au milieu des bois. La lune, par places, donnait sur la route. A gauche, il devait y avoir une grande vallée.

La lanterne qui est sous le siège du postillon éclairait la croupe des deux premiers chevaux. Ma voisine, endormie, la bouche ouverte, ronflait sur mon épaule. Nous ne disions rien; on roulait.

Le soir, vers dix heures, on s'est arrêté à Nangis-le-Franc pour dîner; les hommes ont fumé dans la cuisine autour de la grande cheminée. Des voyageurs pour le commerce ont causé entre eux. L'un d'eux prétendait en reconnaître un autre, ce que cet autre niait. Pourtant il se souvenait de l'avoir vu chez Goyer, à Clermont. Il y avait bien de cela dix-huit bonnes années, et même il faisait un fameux tapage, parce qu'on lui avait donné un lit trop court. – « Ah! comme vous étiez en colère. – Oui, pardieu, vous criiez joliment. – C'est possible, Monsieur, je ne nie pas, il se peut, mais je n'ai point souvenance! »

VI

Donc, de Paris à Marseille (voilà la troisième fois que je monte ou descends cette route, et dans quelle situation différente toutes les fois!) rien qui vaille la peine d'être dit.

Parmi les passagers du bateau de la Saône, nous avons regardé avec attention une jeune et svelte créature qui portait sur sa capote de paille d'Italie un long voile vert.

Sous son caraco de soie, elle avait une petite redingote d'homme à collet de velours, avec des poches sur les côtés dans lesquelles elle mettait ses mains; boutonnée sur la poitrine par deux rangs de boutons, cela lui serrait au corps, en lui dessinant les hanches, et de là s'en allaient ensuite les plis nombreux de sa robe qui remuaient contre ses genoux quand soufflait le vent. Elle était gantée de gants noirs très justes et se tenait la plupart du temps appuyée sur le bastingage, à regarder les rives.

Il y avait aussi, sur un pliant, une femme hors d'âge, qui était sa mère, sa tante, une amie de la famille, sa gouvernante, sa femme de chambre ou sa confidente; puis, dans les alentours, les abordant, les quittant, allant à d'autres, revenant près d'elles, un petit beau jeune homme à moustaches en croc, qui fumait des cigarettes, parlait d'une voix flûtée, jouait avec ses breloques et se donnait des airs de prince. Parmi tout ce qui ballottait suspendu à la chaînette de son gilet, il prit un médaillon et je l'entendis qui disait tout haut à ses deux voisines : « Ce sont des cheveux de la baronne ». O exigences de la galerie! Bientôt cependant il endossa par-dessus sa toilette une sorte de paillasson à longs poils, usé, brossé, encore convenable et dénotant de tous points, dans ses coutures, des habitudes inavouées d'économie clandestine. Si l'homme entier, – voix, gestes, discours, cravate, botte et badine, –

se montrait avec complaisance, si tout cela était arrangé pour le public et rentrait dans son domaine, ce paletot, en revanche, cet infâme paletot était bien à son maître, à lui seul, il y tenait par les racines les plus secrètes de sa vie. Sans doute qu'ils savaient bien des secrets l'un de l'autre, et qu'ils avaient de compagnie traversé l'averse des mauvais jours. Pauvre homme! qui avait compté sur le soleil... le froid était venu; il avait fallu montrer sa guenille.

Quant à moi, tourmenté par ma bosse de la causalité, je me promenais de long en large sur le pont du bateau, cherchant en mon intellect dans quelle catégorie sociale faire rentrer ces gens, et, de temps à autre, pour secourir mon diagnostic, jetant un coup d'œil, à la dérobée, sur les adresses des caisses, cartons et étuis entassés pêle-mêle au pied de la cheminée.

Car j'ai cette manie de bâtir de suite des livres sur les figures que je rencontre. Une invincible curiosité me fait me demander, malgré moi, quelle peut être la vie du passant que je croise. Je voudrais savoir son métier, son pays, son nom, ce qui l'occupe à cette heure, ce qu'il regrette, ce qu'il espère, amours oubliés, rêves d'à présent, tout, jusqu'à la bordure de ses gilets de flanelle et la mine qu'il a quand il se purge. Et si c'est une femme (d'âge moyen surtout) alors la démangeaison devient cuisante. Comme on voudrait tout de suite la voir nue, avouez-le, et nue jusqu'au cœur! Comme on cherche à connaître d'où elle vient, où elle va, pourquoi elle se trouve ici et pas ailleurs! Tout en promenant vos yeux sur elle, vous lui faites des aventures. Vous lui supposez des sentiments. On pense à la chambre qu'elle doit avoir, à mille choses encore, et que sais-je? aux pantoufles rabattues dans lesquelles elle passe son pied, en descendant du lit.

Puis je suis descendu dans la chambre commune, me mettre à une autre place et penser à autre chose. J'y sommeillais à demi, mal étendu sur la dure banquette de velours, au bruit des roues de la vapeur et au cliquetis des couteaux heurtant les fourchettes sur les assiettes, quand tout à coup mon compagnon est entré, les yeux ouverts, les joues pleines de rire; il venait de voir, en entrant par hasard dans le salon des dames, nos deux conducteurs qui étaient en tête à tête avec des demoiselles des premières; à genoux par terre, près des fillettes assises sur des tabourets, rouges, émus, sans casquettes, ils égaraient leurs mains vers le *temple de Vénus*, en absorbant, tous de compagnie, des petits verres d'anisette.

VII

Nous savions que Gleyre était à Lyon chez son frère, son beau-frère ou quelque chose d'analogue. Nous voilà donc, à peine débarqués, cherchant dans un almanach quelconque tous les Gleyre qui s'y trouvaient. Par bonheur nous tombons sur le vrai. Max envoie un mot et, à 11 heures du soir, nous étions déjà au lit quand Gleyre arriva. Nous causons de l'Egypte, du désert du Nil, il nous parle de Sennâr et nous monte la tête à l'endroit des singes qui viennent la nuit soulever le bas des tentes pour regarder le voyageur ; le soir, les pintades se mettent à nicher dans les grands arbres et les gazelles, par troupeaux, s'approchent des fontaines. Il y a là-bas des savanes de hautes herbes et des éléphants qui galopent sans qu'on puisse les atteindre. A 1 heure du matin, cependant, on se dit adieu, et toute la nuit nous rêvons Sennahar.

Il a fallu se lever dès 5 heures pour s'empiler dans le bateau du Rhône, qui n'est parti qu'à 10 à cause du brouillard. Cette navigation, en somme, nous fut désagréable : on avait froid, on s'ennuyait, on était mal, le bord était encombré de barriques d'huile et d'un tas de passagers ; cela vous tachait, buvait de l'absinthe, disait mille sottises, était assommant à périr. A 4 heures du soir encore, nous n'étions qu'à Valence, avec la perspective de passer la nuit sur l'eau et de n'arriver à Marseille que le lendemain fort tard, ou le surlendemain.

Une diligence de hasard se trouvait là. Nous engloutissons un méchant dîner, nous sautons dans la guimbarde, et un quart d'heure après nous roulons sur la route de Marseille.

On sent déjà que l'on a quitté le Nord, les montagnes au coucher du soleil ont des teintes bleuâtres. La route va toute droite entre des bordures d'oliviers. L'air est plus transparent et pénétré d'une lumière claire.

Au milieu de la nuit, nous nous sommes arrêtés dans une ville que j'ai reconnue pour Montélimar, ce qui m'a rappelé des boîtes d'exécrable nougat, que j'y ai achetées jadis, et un déjeuner très froid en compagnie de feu du Sommerard. Il prisait, autant que je m'en souviens, dans une formidable tabatière en buis, avait de gros sourcils, une grosse redingote, l'air bonhomme et très opaque.

A Avignon, il a fallu de suite se mettre en chemin de fer sans pouvoir revoir son château des Papes ni son charmant musée, où l'on est tout seul, lisant les inscriptions antiques sur les stèles de marbre, au bruit des arbres du jardin qui se penchent contre les carreaux.

Ici, en cette ville, j'ai vu autrefois, en passant dans une rue (et de la rue), une chambre au rez-de-chaussée où il y avait sept lits bout à bout. Voilà de la prostitution propre au moins ; les fenêtres étaient toutes grandes ouvertes et les demoiselles en robes roses debout sur le seuil de la porte.

Par respect pour le beau style, je donne un souvenir à Chapelle et à Bachaumont, qui retrouvèrent en terre papale M. d'Assoucy avec son petit page. Voilà deux lurons qui ne s'inquiétaient guère d'archéologie ! et qui voyageaient peu pour le pittoresque. Autre temps, autres phrases, chaque siècle a son encre.

Nous étions seuls dans le chemin de fer, avec un bon monsieur qui souriait chaque fois qu'une locomotive passait devant nous, et qui répétait entre ses dents : « Hein ? ce que c'est pourtant que l'industrie humaine ! »

Il pleuvait quand nous arrivâmes à Marseille, et après avoir déjeuné, nous fîmes un somme sur nos lits.

VIII

La première fois que je suis arrivé à Marseille, c'était par un matin de novembre. Le soleil brillait sur la mer, elle était plate comme un miroir, tout azurée, étincelante. Nous étions au haut de la côte qui domine la ville du côté d'Aix. Je venais de me réveiller. Je suis descendu de voiture pour respirer plus à l'aise et me dégourdir les jambes. Je marchais. C'était une volupté virile comme je n'en ai plus retrouvé depuis. Comme je me suis senti pris d'amour pour cette mer antique dont j'avais tant rêvé ! J'admirais la voilure des tartanes, les larges culottes des marins grecs, les bas couleur tabac d'Espagne des femmes du peuple. L'air chaud qui circulait dans les rues sombres entre les hautes maisons m'apportait au cœur les mollesses orientales, et les grands pavés de la Canebière, qui chauffaient la semelle de mes escarpins, me faisaient tendre le jarret à l'idée des plages brûlantes où j'aurais voulu marcher.

Un soir, j'ai été tout seul à l'école de natation de Lansac, du côté de la baie des Oursins, où il y a de grandes madragues pour la pêche du thon, qui sont tendues au fond de l'eau.

J'ai nagé dans l'onde bleue ; au-dessous de moi, je voyais les cailloux à travers et le fond de la mer tapissé d'herbes minces. Avec un calme plein de joie, j'étendais mon corps dans la caresse fluide de la Naïade qui passait sur moi. Il n'y avait pas de vagues, mais seulement une large ondulation qui vous berçait avec un murmure.

Pour rejoindre l'hôtel, je suis revenu dans une espèce de cabriolet à quatre places, avec le directeur des bains et une jeune personne blonde, dont les cheveux mouillés étaient relevés en tresses sous son chapeau. Elle tenait sur les genoux un petit carlin de la Havane, auquel elle avait fait prendre un bain avec elle. La bête grelottait. Elle la frottait dans ses mains pour la réchauffer. Le conducteur de la voiture était assis sur le brancard et avait un grand chapeau de feutre gris.

Comme il y a longtemps de cela, mon Dieu ! *(20 février, mercredi 1850.)*

Ici finit *la Cange*.

Je copie maintenant mes calepins.

MARSEILLE. Descendons à l'Hôtel du Luxembourg, chez Parocelle.

Visite au docteur Cauvière, qui nous parle politique et changement de ministère, tandis que nous eussions voulu qu'il nous parlât Orient.

Visite à Clot-Bey, que nous bourrons d'éloges et qui nous reçoit fort bien. – Son secrétaire, jeune Français vêtu à la nizam.

Je repasse devant l'Hôtel de la Darse (fermé) et j'ai du mal à en reconnaître la porte.

Le jeudi, jour de Toussaint, nous entrâmes dans une baraque en toile, sur le port, « Il signor Valentino » – .... – Les deux petites laineuses. Pour vérifier l'authenticité de leur chevelure, elles passaient entre les bancs, et le public leur tirait leur tignasse, les grosses mains goudronnées s'enfonçaient là dedans, et halaient dessus. – Il nous chante un air de la *Lucrezia Borgia*.

Nous allons un soir au théâtre voir jouer deux actes de la *Juive*.

Nous nous traînons dans les cabarets chantants du bas de la rue de la Darse; dans l'un, on joue *Un Monsieur et une Dame;* dans l'autre, chanteurs, et parmi eux un être de sexe douteux, *non so come si fa*.

Dimanche matin, 4 novembre. A 8 heures, embarqués à bord du *Nil*, capitaine Rey, lieutenant Roux. – Passagers : M. Codrika, consul de France à Manille, sa femme, sa petite fille, son petit garçon; MM. Lambrecht et Lagrange, voyageurs dans l'Inde; M. Pélissier, consul à Tripoli (Barbarie), un fils en tarbouch, une grande fille de 18 ans, ressemblant en laid à Laure Le Poittevin; un môme en habit de collégien. Aux secondes, des perruquiers, miroitiers, doreurs, etc., menés à Abbas-Pacha avec un gros chien, sous la conduite d'un mamamouchi en tarbouch; ils venaient souvent s'asseoir aux premières et nous assommaient de leurs discours. – « Crème diamanteuse ».

En partant, forte brise, nous dansons. – M. Codrika, assis sur un banc avec sa femme. – L'étourdissement me prend vers le château d'If; j'avale un verre de rhum, que je ne tarde pas à vomir, et je rentre dans ma cabine, où je reste toute la journée sans bouger, dans un état de torpeur.

Le lundi, mieux, quoique sans appétit. Le soir nous passons les bouches de Bonifacio. Roux est sur la passerelle et commande.

Il y avait à bord un grand comique; aux heures des repas il se condensait : la rivalité du Dr Barthélemy, bel homme, et de Borelli, second lieutenant, assez lourde bête, chauve, provençale. – Le commissaire, grand pion, en redingote grise, avec la vérole dans l'oreille. Le capitaine Rey, avec son œil fermé, laissait tout dire et tout faire. Cette petite vie étroite semblait plus étroite encore dans ce large milieu; la régularité des habitudes, que rien ne rompait, faisait perdre toute notion du temps; on ne savait jamais à quel jour de la semaine on était.

Mon meilleur ami était le second, Roux; nous causions voyages par mer, récits du cap Horn, homme jeté à la mer et enfoncé dans l'eau (perdu) par un coup de bec d'albatros.

Mardi soir, vue de Maritimo. La lune roule sur les flots, il semble qu'elle se tord dedans comme un grand flambeau. – Aperception de casques roulant sur l'écume, qui s'emplissent et disparaissent, souvenir des guerres puniques. – Je me sentais bien en mer.

MALTE. Mercredi soir, arrivés à Malte vers 9 heures. – Conversation politique et socialiste après le dîner. – Le père Pélissier reconnaît Maxime pour l'avoir vu aux affaires de Juin.

Le jeudi il fait assez beau comme nous nous réveillons. Dans le port circulent des barques peintes en bandes rouges et vertes, avec un tendelet en indienne, des glands de coton. Une planche, mise de champ, forme la relevée de la proue. Quand ils sont deux à nager, dans ces embarcations, le premier (plus près de l'arrière), debout, pousse, et le second, assis, tire (ramant comme nous).

Pour gagner la ville, on passe sous un grand passage voûté et l'on monte une rue pleine de marchands de fromages et de poissons secs, qui nous initie à la puanteur des épiciers grecs, que l'on retrouve partout dans le Levant, depuis Alexandrie jusqu'à Patras.

Aspect propre et pittoresque, toutes les rues en pente, ou à escaliers, lavées. – Propreté anglaise se marie à quelque chose de l'Orient. – Toutes les maisons, en pierre de taille, ont des fenêtres à balcon supporté par des consoles Louis XIV; la caisse ou plutôt couverture du balcon est en bois, vert d'ordinaire.

Eglise San Giovanni. – Dallée de tombes, mais couvertes de grandes nattes de paille; c'est traiter les tombeaux comme des fauteuils : aux grands jours on retire les housses. C'est une église italienne : de la dorure, de la peinture; les chapelles latérales communiquent de l'une dans l'autre par des portes romanes. Ces chapelles me font l'effet (vues en perspective surtout) d'être de bons endroits pour les rendez-vous espagnols du XVIe siècle : la femme est agenouillée; de dessous l'une de ces portes on la regarde qui prie, abaissée sous son grand voile noir.

Dans une chapelle latérale de droite, tombeau d'un commandeur : le buste porté par deux hommes sur leurs épaules, un nègre et un maure. – Autre chapelle à grille d'argent.

Amirauté. – Rien, de beaux appartements; le portrait de S. M. Georges IV, cravaté rouge, affreux, un vrai coq emmailloté; tentures sombres, tapis turc.

A l'arsenal, les trophées sont complétés par des boucliers en carton; deux ou trois boucliers, que nous essayons à grand'peine de soulever, tant ils sont lourds.

En face l'Administration des paquebots français, la femme d'un pilote anglais, faisant la rue, vieille Andalouse à traits longs et à œil violent d'amour; la graisse de l'âge est venue par-dessus. La graisse est pour les vieilles femmes ce qu'est le lierre aux débris, elle cache la ruine et la consolide.

Femmes de Malte généralement petites, teint pâle, le tablier sur la tête, cela se rapproche déjà du voile.

Partis de Malte le jeudi, à 3 heures de l'après-midi. – Nuit soignée. – Temps lourd vers dix heures. – M. Codrika avec petites pilules homéopathiques, étouffant; l'orage lui pesait sur les nerfs. La pluie tombe à torrents et le fournisseur refuse de donner une orange; Barthélemy le fait appeler et le lui ordonne. On finit par l'avoir.

Craquements du navire. Je partage jusqu'à deux heures du matin le quart du père Borelli qui trouve qu'il ne fait pas mauvais temps. La mer roule. Dans les intervalles du clair de lune, quand elle se dégage un moment des nuages, je vois les gros flots sauter; le gouvernail frappe contre l'arrière, on dirait des coups de canon. Je monte et je redescends plusieurs fois de la cabine sur le pont, du pont dans ma cabine; enveloppé dans ma pelisse et couché sur le banc de tribord, les nuages me pesaient sur la poitrine. Tout le temps de la tempête j'ai pensé à Alfred, les coups de mer sur les tambours rebondissaient jusqu'à moi. Le matin, Roux est d'avis de retourner à Malte, ce ne fut pas si vite fait : vers 3 heures de l'après-midi, on ne savait pas où l'on était ; il y eut un quart d'heure (on avait vu Malte et l'on retournait au large faute de trouver la passe) où ceux qui savaient ce qui se passait furent un peu émus, M. de Lagrange pâlit. (La nuit, des mécaniciens avaient pleuré ; j'ai entendu pendant la traversée un matelot prédire malheur, et le maître de timonerie se méfie du voyage d'Alexandrie à Beyrouth sans savoir pourquoi : « C'est une idée que j'ai » ; je suis inquiet pour lui en ce moment, à cause de ce pressentiment et je voudrais savoir le bateau revenu.) Quant à moi, je sentis un mouvement au ventre qui me déconstipa net ; ce n'était pas de la peur, mais de l'émotion ; il n'y avait pas de danger apparent, c'était l'idée peu gaie de nous perdre la nuit sur les rochers de Malte.

Rentrés à Malte, descendus à l'Hôtel de la Méditerranée (rue Santa Lucia). Nous dînons férocement, nous nous réchauffons, nous nous revêtons. — Sentiment de repos et de force, de brutalité normande et de digestion. — Les maîtres avaient été inquiets la nuit : *la povera vapore, la povera vapore,* répétait l'hôtesse........ — Après le dîner, au coin de la rue Santa Lucia, un jeune gars qui nous accoste en nous disant : « Monsieur, voulez-vous des femmes ? ». Nous ne retrouvons pas ce drôle. — Café ; limonade à la neige, elle venait sans doute de l'Etna. Pour ornement aux murs, des draperies dans le goût de la Restauration.

Le lendemain nous montons sur la terrasse de l'hôtel pour voir le temps qu'il fera. — La mer bleu foncé, encore forte à l'horizon. — Le fils Pélissier avec son bonnet rouge fumant une cigarette, le père Pélissier faisait le sultan dans l'hôtel, et hurlait comme un tigre à propos de l'assaisonnement des mets.

DE CITTA LAVALETTE A CITTA VECCHIA. — Nous montons en *calessina* pour aller à Città Vecchia. — Excellente description de cette boîte dans le livre de Maxime, mais la *calessina* s'augmente de chic quand un prêtre est dedans : vu de profil, avec le tricorne ecclésiastique, c'est charmant. Souvent les curés sont en compagnie de dames ; il y aurait de jolies petites choses à écrire là-dessus.

A la porte de la ville, plusieurs guides s'offrent à nous ; nous en prenons un qui marchait avec de superbes mouvements de taille, pantalon blanchâtre. — Grandes lignes de terrain, deux palmiers à droite. — Aqueduc. — L'église Saint-Paul, cathédrale, nulles. — Une grotte de Saint-Paul ; une autre grotte de Saint-Paul avec un petit autel au fond, celle-là est pleine d'eau. Les grottes sont taillées dans une vilaine pierre blanche très tendre. — Des braves gens veulent nous vendre des médailles. Catacombes dans la roche tendre, couloirs s'enfilant, tournant (beaucoup plus petits que ceux de Naples, et plus tortueux). Des deux côtés, excavations pour mettre les morts : le dessus est un demi-arc très développé ; à côté souvent un autre petit trou pour l'enfant ; quelquefois deux sont à côté l'un de l'autre. Aux carrefours, des sortes de meules rondes posées à plat. — Nous remarquons des façons de colonnes cannelées, dégrossies à même la pierre. — On étouffe. — L'étendue de ces catacombes est inconnue. Notre guide, homme noir, prêtraillon féroce, petit, maigre, mélange d'espagnol, de bédouin et de jésuite, nous raconte que, dans son enfance, un des professeurs de son séminaire s'y aventura et y resta ; un cochon lâché reparut à Città Lavalette. Dans son opinion, les catacombes s'étendent sous toute l'île.

DE MALTE A ALEXANDRIE. — Repartis de Malte le samedi soir à 6 heures, après un dîner très gai à bord ; le bord me chérit, je dis beaucoup de facéties, je passe pour un homme très spirituel.

Journées du dimanche et du lundi assez tranquilles, de la houle ; lundi, vers 3 heures, la mer grossit, le vent debout ne nous quitte plus ; nous piquons dedans, on met les voiles pour appesantir le navire. La nuit fut rigoureuse. Mme Codrika embêtait son mari : « Tes pauvres betits henfants ! c'est l'orgueil de l'être, etc. ». Suée du pauvre homme, profil de l'homme tanné au superlatif ! Il est sorti de sa chambre, débraillé, oppressé, pâle et, me prenant la main : « Vous n'êtes pas marié, vous, mon ami, vous êtes bien heureux ! » Je reste sur le pont, accroché à un cordage de l'arrière ; l'officier de quart ne peut se tenir debout ; tout pète, craque et tremble, une écoute se casse comme un fil ; le gros chien d'Abbas-Pacha ne sait où se mettre, celui du maître d'équipage se cache derrière le compas. J'essaie de me coucher à diverses places ; le commandant, tout habillé, dort sur son canapé, le garçon de service par terre dans le carré, enveloppé d'un prélart. De temps à autre je ris malgré moi du grotesque qui se passe : gens qui gueulent et qui dégueulent, craquements du navire, toutous errants, M. et Mme Codrika qui se disputent. A chaque lame le bateau s'enfonce de tribord et se relève furieusement, en faisant la poêle.

Je sens des instincts marins, l'eau salée m'écume au cœur, il me prend des envies de monter dans les haubans et de chanter ; en d'autres moments je suis embêté une seconde, en songeant qu'après tout on peut périr en mer. Codrika près de moi, me lâcha cette parole : « Quand je pense que ces pauvres enfants jouaient encore aux Champs-Élysées il y a quinze jours ! » Puis nous disons : « montagne humide », « plaine liquide » et nous injurions Racine. Entre 4 et 6 heures du matin, l'ouragan se calme ; le bateau est en triste état : ses cuivres font autant de poches à sa carène, un des caillebotis a été enlevé, la chaudière fuit et s'éteint ; on est obligé de la remplir à bras.

La mer avait été aussi forte et même plus que dans la nuit du jeudi au vendredi, seulement il n'y avait eu ni feu Saint-Elme, ni orage, ni pluie, le temps au contraire était très clair et le ciel étoilé, cela rendait gai, avec la grosse mer.

Mardi, et surtout mercredi, beau temps. Nous nous vautrons sur nos pelisses, sur le pont, sous la tente des premières. Lagrange fait le portrait de Codrika en Don Quichotte, avec le plat à barbe, et Codrika celui de Roux.

Le mercredi, au soir, longue et intime causerie avec Codrika. Elle commença comme toutes les causeries par le b..., puis elle devint sentimentale ; il me raconta de sa vie trois histoires d'amour : 1º à Paris, une maîtresse, dans le faubourg Saint-Honoré, il escaladait son jardin et passait une partie de la nuit souvent les pieds dans la neige; 2° en Grèce, escalade avec une échelle; 3° adieux, à Genève, avec une femme qu'il aimait depuis longtemps. Un matin, par un temps de brouillard, elle le regarda s'en aller du haut de sa terrasse, « et encore une page de la vie fut tournée, nous ne nous sommes plus revus. » – Homme passionné, nerveux, malade, grandes façons de vivre, souffrant beaucoup, a dû inspirer et ressentir de violentes âcretés et des fougues, belle nature nerveuse; il lui manque la fortune et des occasions légitimes d'énergie.

Jeudi matin, temps superbe, tout le monde est gai; on va bientôt débarquer. Nous prenons un pilote pour la passe d'Alexandrie, il a un turban blanc. (Nous avions à bord, sur les passavants, deux hadjis d'Algérie qui n'ont pas bougé de leur place.) Entré dans le port, il demanda du pain et du fromage à Roux en lui prenant la barbe : « As-tu les mains propres, au moins, sacré cochon? » – Débarquement, chaos de cris et de paquets. Sur le bord du quai, à gauche, des bons Arabes pêchent à la ligne. Le premier bâtiment que je vois dans le port est un brick de Saint-Malo, et la première chose sur la terre d'Egypte, un chameau. J'étais monté dans les haubans et j'avais aperçu le toit du sérail de Méhémet-Ali qui brillait au soleil, dôme noir, au milieu d'une grande lumière d'argent fondue sur la mer. - Négresses, nègres, fellahs. – Le canot nous débarque; à cet endroit, il y a une fontaine, les chameaux venaient y remplir leurs outres. – Impression solennelle et inquiète quand j'ai senti mon pied s'appuyer sur la terre d'Egypte.

ALEXANDRIE. Grande ville, avec la place des Consuls, bâtarde, mi-arabe, mi-européenne. – Messieurs en pantalon blanc et en tarbouch. – Hakakim-Bey, beau-frère d'Artim-Bey; ses lunettes vertes (à la représentation de la *Norma*) lui donnaient l'air, avec son grand nez, d'une bête fantastique moitié crapaud, moitié dindon. – Mais quel joli petit nègre! - MM. Jorelle, Gallis-Bey, Gérardin, Prinstot-Bey, Villemin, Soliman-Pacha, le P. Abro, du consulat hollandais de Smyrne, vêtu en Arménien.

Le soir de notre arrivée, promenade de gens dans les rues, portant des fanaux; des enfants nous donnent des petits coups de bâton dans les jambes. Le lendemain, fête d'une circoncision : chameau couvert de piastres d'or, tous les métiers représentés, un phallus mobile. – Visite aux Aiguilles de Cléopâtre, l'une debout, l'autre couchée par terre, à droite de la ville, près d'un corps de garde.

Colonne de Pompée : monolithe avec un splendide chapiteau corinthien et le nom de « Thompson of Sunderland » écrit à la peinture noire, sur la base, en lettres de trois pieds de haut; les tombes ont la couleur grise du sol, sans la moindre verdure.

Bains de Cléopâtre : petite anse dans la mer, avec les grottes à gauche. Toutes sortes de couleurs chatoyaient, le bord des roches dans l'eau était rouge, comme s'il y avait eu de la lie de vin répandue; un Arabe, pieds nus et retroussant sa robe, avancé dans l'eau jusqu'aux chevilles, nettoyait avec un couteau une peau de mouton. Le soleil tapait sur tout cela, j'étais debout et muet. Retour à la ville, nous galopons sur nos ânes. – Quelques Bédouins du désert libyque entourés de leurs couvertures grises.

Halte à un café près de la Mahmoûdîyé, nous mangeons des biscottes. – Premier bain turc, impression funèbre : il semble qu'on va vous embaumer.

VOYAGE DE ROSETTE. Partis d'Alexandrie le *dimanche* 18, à 7 heures un quart du matin.

Nuages violets, chemin large, maisons de plaisance aux environs de la ville, palmiers avec leurs grappes de dattes. La comparaison de Sancho, dans les noces de Camache : « O la belle fille qui s'avance avec ses pendants d'oreilles, comme un palmier chargé de dattes » me frappe par sa justesse.

A la sortie de la ville, le désert commence. Monticules de sable çà et là, quelques palmiers isolés. La route monte et descend légèrement, il n'y a pas de chemin, on suit la trace des chevaux et des ânes. – De temps à autre un Arabe sur son baudet, les plus riches ont de grands parapluies sur la tête. – Une file de chameaux conduits par un homme en chemise.

Femme voilée d'un grand morceau de soie noire toute neuve, et son mari sur un autre âne. « Taïëb », et l'on répond « Taïëb, taïëb » sans s'arrêter. – Tableau : un chameau qui s'avance, de face, en raccourci, l'homme par derrière, de côté, et deux palmiers du même côté, au troisième plan; au fond, le désert qui remonte. – Premier effet du mirage. – A notre gauche, la mer.

ABOUKIR à gauche, à l'extrémité d'une langue étroite de terre. – Forteresse où nous arrivons à 10 heures et demie. La sentinelle, sur le mur, près de sa guérite, nous crie de nous arrêter; deux chiens blancs s'avancent sur le pont-levis et hurlent. Au nom de Soliman-Pacha, nous sommes reçus; l'officier et ses soldats turcs ont les boules les plus pacifiques du monde. Nous déjeunons d'un de nos poulets, sous le passage qui mène à la cour de la forteresse, assis sur des bancs de pierre; c'est un des meilleurs déjeuners de ma vie. Nos bons Turcs admirent nos armes; on cause guerre, militaires, Russie; Maxime commence à faire dire le proverbe de Constantinople : « les Français sont de bons soldats, etc., les Russes de bons cochons ». Excellent qahvéh. Nous repartons à 11 heures et demie et nous suivons constamment le bord de la mer, nos chevaux écrasent des coquilles sous leurs pieds, les lames qui viennent expirer sur le sable sont brunes lie de vin. Çà et là un requin échoué sur la plage; dans le sable des ossements d'animal, entre autres un bœuf, à demi enfoui et dont la tête intacte est momifiée. Nous avons déjà vu en sortant d'Alexandrie un chameau aux trois quarts mangé.

Passage en bac à Edkou. Deux chameaux marchant tranquillement dans le gué; sortis de l'eau, ils se couchent sur le sable pour se sécher, râlent et se vautrent. On a bien du mal à faire embarquer le mulet (celui qui porte nos provisions et sur lequel est monté Joseph), tout le monde se donne beaucoup de mal, si ce n'est le propriétaire du mulet, vieux roquentin aux mollets durs. En sortant du bac, Sassetti s'aperçoit que sa crosse est cassée; ruades, hennissements, cabrade de nos chevaux; ils n'ont pour bride qu'un licol et se conduisent au sifflet. Quoiqu'ils aient l'air d'infâmes rosses, ils s'enlèvent à la voix, ce sont d'excellentes bêtes.

Nous suivons le bord de la mer; des débris de navires, restes de la bataille d'Aboukir. Nous tirons des cormorans et des pies de mer; nos Arabes (des enfants, sauf le vieux en petit turban) courent comme des lévriers et vont en grande joie ramasser les bêtes que nous avons tuées.

Solitude. – La mer est immense. – Effet sinistre de la pleine lumière qui a quelque chose de noir. – Histoire de l'homme aux dattes et à la fessée; effet de la veste de Sassetti s'envolant au vent, et le vieux cul noir de l'homme au milieu des vagues blanches. Quels cris, mais quelle pile!

Nous suivons le bord de la mer jusqu'à 5 heures du soir. On prend à droite; de place en place des colonnes en briques dans le désert pour indiquer la direction de Rosette. Les sables sont très mous, le soleil se couche : c'est du vermeil en fusion dans le ciel; puis des nuages plus rouges, en forme de gigantesques arêtes de poisson (il y eut un moment où le ciel était une plaque de vermeil et le sable avait l'air d'encre). En face et à notre gauche, du côté de la mer et de Rosette, le ciel a des bleus tendres de pastel; nos deux ombres à cheval marchant parallèlement sont gigantesques, elles vont devant nous régulièrement, comme nous. On dirait deux grands obélisques qui marchent de compagnie.

Minarets blancs de Rosette. – La végétation recommence, palmiers, monticules. Un de nos petits saïs marche devant nous, on fait plusieurs détours, la nuit est close tout à fait, nous arrivons devant la porte de Rosette; elle s'ouvre et crie comme une porte de grange. Nous traversons des rues étroites à moucharabiehs treillagés; elles sont sombres et étroites, les maisons semblent se toucher, les boutiques des bazars sont éclairées par des verres pleins d'huile suspendus par un fil. Si nous eussions gardé nos fusils en travers de nos selles, nous les eussions brisés, à cause de l'étroitesse des rues; un cheval emplit en effet presque à lui seul le passage entre les boutiques. Nous traversons toute la ville et arrivons à la caserne. Escalier sombre, sentinelle à la porte du Pacha (Hussein-Pacha). – Grande chambre en avancée sur la mer, entourée de fenêtres de tous côtés; le Pacha assis sur des coussins main droite estropiée, ressemble à Beauvallet; le colonel Ismaïl-Bey, œil à demi fermé, grand mâtin qui a l'air fort brave. On échange beaucoup de politesses; la chambre qu'on nous destine pour coucher est à côté. Souper turc, petites galettes sucrées excellentes. Nuit mauvaise, les chiens de Rosette hurlent atrocement; les puces et le mal de ventre!

Le lendemain, *lundi 19*, pendant que je me lavais, entrée du Dr Colucci amené par le Pacha; petit homme bon, franc, aimable. Nous sortons avec lui, nous

visitons une manufacture de riz : grands fouloirs en bois terminés par une vis en fer. – Filature de coton à la main, homme qui tournait le dévidoir, courbé en deux, qui passait et repassait comme un cheval au moulin et souriait devant nous pour nous demander le batchis.

Par une mosquée entrouverte, nous voyons dans la cour des colonnes peintes. Sur la porte se tient un jeune Turc qui ressemble à Louis Bellangé. Nous allons dans une sorte d'hôpital où, dans des chambres basses, sont couchés sur la planche des malades qui m'ont l'air bien malades; odeur de fièvre et de sueur, soleil passant entre les interstices des murs en planches. Nous montons chez le pharmacien, qui nous offre une pipe. – Je crève de faim, retour à la caserne, visite au Pacha, recafé, rechibouk. – A 1 heure et demie, dîner : au moins trente plats (un nègre nous chasse les mouches avec un petit balai, la fenêtre est ouverte et donne sur la mer; valetaille nombreuse, bigarrée de peau et de vêtements de soie); la pâtisserie me semble bonne, le reste exécrable; je goûte du pain arabe, pâte incuite en larges galettes. Je m'observe le plus que je peux pour ne pas faire d'inconvenances. Dans l'après-dîner, promenade à Abou-Mandoûr, sur la rive gauche du Nil. – Jardin et roseaux (le seul endroit du Nil où j'en aie vu, il n'y en a presque pas sur les bords du Nil). – Grand soleil sur l'eau.

A Abou–Mandoûr, le Nil fait un coude à gauche (rive droite) et de ce côté il y a de hautes berges de sable.

Une cange en tartane passe dessus : voilà le vrai Orient, effet mélancolique et endormant; vous présentez déjà quelque chose d'immense et d'impitoyable au milieu duquel vous êtes perdu.

Sur une fortification un musulman faisant sa prière et se prosternant du côté du soleil couchant. – Abou-Mandoûr est un santon. – Sycomore. – L'homme qui garde le santon nous donne à manger quelques fruits du sycomore, qui ressemblent à des figues. Ce que nous appelons en Europe sycomore ne ressemble pas au sycomore. Le gardien du santon me donne aussi quelques dattes, un chien me suit, la colique me travaille. Le Nil fait ici un coude, le désert est en face et à droite; à gauche, au delà du Nil, ce sont d'immenses prairies vertes avec de grandes flaques d'eau. – Nous montons au télégraphe, le gardien me baise la main.

Retour à la caserne. Nous dînons tous les trois dans notre chambre, à l'européenne; haricots excellents, adieu au Pacha, nuit bonne.

Le lendemain *mardi*, départ; le Pacha nous salue de sa fenêtre. Il fait froid toute la journée, nous gardons nos cabans. Sur le bord de la mer nous retrouvons les chameaux à dattes; l'homme rossé nous voyant venir de loin avait pris le large.

EDKOU. Pendant qu'on appelle le passager, nous chassons dans le marais; Max et moi abattons à la fois cinq pies de mer, dont deux se perdent dans l'eau : c'est mon premier gibier tué.

Nous déjeunons de l'autre côté du passage, à l'abri contre le mur du télégraphe, avec la moitié de notre second poulet et les provisions de Hussein-Pacha. Il fait froid, la mer est forte, nous rencontrons moins de coquilles qu'avant-hier.

A une lieue environ d'Alexandrie, il passe à côté de nous, à droite, deux chameaux montés par un nègre et un Arabe; ils sont sans charge, les cordes sont entre-croisées à la selle et pendent sur leurs hanches; les hommes montés dessus se tiennent debout et les battent à grands coups de bâton de palmier en riant d'une voix rauque; les chameaux trottent comme des dindes. Ils ont passé vite. – Rire et air féroce, notes gutturales, âcres, avec de grands coups de bras.

Avant de rentrer à Alexandrie, sur la gauche, sur une hauteur, un moulin tout seul.

Nous sommes restés à Alexandrie jusqu'au dimanche 25. Beaucoup de visites. Mal au ventre.

D'ALEXANDRIE AU CAIRE. Dimanche matin 25, départ sur un bateau remorqué par un petit vapeur qui ne contient que la machine. Rives plates et mortes de la Mahmoûdîyé; sur le bord quelques Arabes tout nus, qui courent; de temps à autre, un voyageur à cheval qui passe, enveloppé de blanc et trottinant sur sa selle turque. – Passagers : Mme Chedutan, grande, maigre, élégante, vêtue en grecque; son mari, médecin français au service du vice-roi, couché sur les couvertures en bas, avec une Abyssinienne à ses côtés qui le soigne; famille anglaise, hideuse; la maman semblait un vieux perroquet malade (à cause de son auvent vert ajouté à sa capote); M. Duval de Beaulieu, secrétaire de l'ambassade belge à Constantinople; ingénieur arabe parlant anglais et « se paffant » de *porter* le soir à table.

ATFEH. Poules sur les maisons, elles ressemblent à celles des fellahs d'Alexandrie (et de toute l'Egypte). Cela me semble lugubre, surtout au coucher du soleil. Les bateaux des Barbarins, enfoncés dans l'eau, sont rehaussés d'un bordage en terre. Le soleil se couche, les minarets de Fouah brillent en blanc à l'horizon, à gauche; au premier plan, prairie verte.

A Atfeh on entre dans le Nil et l'on prend un bateau plus grand.

Première nuit sur le Nil. – Etat de satisfaction et de lyrisme : je fais des mouvements, je récite des vers de Bouilhet, je ne peux me résigner à me coucher, je pense à Cléopâtre. Les eaux sont jaunes, il fait très calme, il y a quelques étoiles. Vigoureusement empaqueté dans ma pelisse, je m'endors sur mon lit de campement que j'ai fait dresser sur le pont, et avec quelle joie! Je suis réveillé avant Maxime; en se réveillant, il étend son bras gauche pour me chercher

D'un côté du désert (sur la rive gauche) à droite; à gauche, prairie verte. Avec ses sycomores, elle ressemble de loin à une plaine de Normandie avec ses pommiers. A droite, c'est gris rouge. – On voit les deux pyramides, puis une plus petite. – Travaux du barrage, c'est un pont commencé, à plusieurs arches romanes.

A notre gauche le Caire s'entasse sur une colline, la mosquée de Méhémet-Ali élève son dôme; derrière elle, le Mokattam, pelé.

Arrivée à BOULAK, tohu-bohu du débarquement,

un peu moins de coups de bâton qu'à Alexandrie cependant.

De Boulak au Caire, route sur une sorte de chaussée plantée d'acacias ou de gazis. – Nous entrons dans l'Esbekîyé, tout planté. – Arbres, verdure. – Descendus à l'Hôtel d'Orient, chez Coulon.

LE CAIRE

Visite au consul M. Delaporte, bel homme; figure de jour de l'an. – Il ne faut pas marcher sur le sable de sa cour. – Bekir-Bey, baragouinant. – Joli logement avec des plantes et des chinoiseries dans son salon. – Mme Marie, en costume blanc, tarbouch d'or; ancienne superbe femme, c... carré. – Lubert-Bey. – Linant-Bey nous montre ses dessins.

Le soir de notre arrivée, fête d'un santon : hommes rangés en parallélogramme et psalmodiant, avec des gestes indiqués par un homme au milieu; un autre, dans l'angle, chantait la mélodie. Figure idiote d'un jeune homme (maigre, lippu, crâne fuyant, nez avançant) pris par le vertige du rythme. Un enfant chantant aussi, en s'agitant comme les hommes.

Bouffons à la noce, l'un faisant la femme. – Plaisanteries obscènes de la malade et du médecin : « Qui va là? non, je n'ouvre pas. Qui? – C'est... – Non. – Qui (etc. répété) qui? une p... – Ah! entrez. – Que fait le médecin? – Il est dans son jardin. – Avec qui? – Avec son âne qu'il enc... »

Hier 1er décembre, nous avons vu au pied de la citadelle un saltimbanque avec un enfant de six à sept ans et deux fillettes nu-pieds en blouses bleues, bonnets de laine pointus par terre. – Pets que les fillettes faisaient avec leurs mains. – Le môme était excellent, petit, laid, carré : « Si vous me donnez cinq paras, je vous apporterai ma mère à b...; – je vous souhaite toutes sortes de prospérités, surtout d'avoir un long v... » – Expression avec laquelle il a dit *Allah* en découvrant un pot rempli de gâteaux. – La langue arabe m'a paru charmante. – Deux ou trois voitures de pachas ont passé sur la place sans que le peuple se détourne. – Fil de plusieurs couleurs sortant de la bouche du maître, bâtons doubles pour se frapper. – Dans une scène de surdité l'enfant, désespéré de ne pouvoir se faire entendre, lui criait au derrière.

Au bout de peu de jours nous quittons l'Orient, malgré la société du sieur Neuville, pour l'Hôtel du Nil, tenu par Bouvaret et Brochier. – Personnel : le docteur Ruppel, Mouriez, Delatour, le baron de Gottbert. Le corridor du premier étage est tapissé des lithographies de Gavarni arrachées au *Charivari*. Quand les sheiks du Sinaï viennent pour traiter avec les voyageurs, le vêtement du désert frôle sur le mur tout ce que la civilisation envoie ici de plus quintessencié comme parisianisme (Bouvaret est un ancien comédien de province; c'est lui qui colle ces choses aux lambris); les lorettes, étudiants du quartier latin, et bourgeois de Daumier restent immobiles devant le nègre qui va vider les pots de chambre.

Un jour nous rencontrons, derrière l'Hôtel d'Orient, une noce qui passe. Les joueurs de petites timbales sont sur des ânes, des enfants richement vêtus sur des chevaux; femmes en voile noir (de face, c'est comme ces ronds de papier dans lesquels sautent les écuyers, si ce n'est que c'est noir) poussant le zagarit; un chameau tout couvert de piastres d'or; deux lutteurs nus, frottés d'huile et en caleçon de cuir, mais ne luttant nullement, faisant seulement des poses : des hommes se battant avec des sabres de bois et des boucliers; un danseur, c'était Haçan el-Bilbesi, coiffé et habillé en femme, les cheveux nattés en bandeau, veste brodée, sourcils noirs peints, très laid, piastres d'or tombant sur le dos; autour du corps, en baudrier, une chaîne de larges amulettes d'or, carrées; il joue des crotales; torsions de ventre et de hanches splendides, il fait rouler son ventre comme un flot; grand salut final où ses pantalons se sont gonflés, répandus.

Petite rue derrière l'Hôtel d'Orient. On nous fait monter dans une grande salle. Le divan avance sur la rue; des deux côtés du divan, de petites lucarnes donnant sur la rue et qui ne peuvent se fermer; en face le divan, une grande fenêtre sans châssis ni vitre, à grille de fer, par laquelle on voyait un palmier. Sur un grand divan à gauche, deux femmes accroupies; sur une sorte de cheminée, une veilleuse qui brûlait et une bouteille de raki. La Triestine est descendue, petite femme, blonde, rougeaude. La première des deux femmes, grosses lèvres, camuse, gaie, brutale, « *un poco mata, signor* » nous disait la Triestine; la seconde, grands yeux noirs, nez régulier, air fatigué et dolent, est sans doute au Caire la maîtresse de quelque Européen. Elle entend deux ou trois mots de français et sait ce que c'est que la croix d'honneur. La Triestine avait une peur violente de la police, et qu'on ne fît du bruit chez elle. Abbas-Pacha, qui aime les hommes, vexe beaucoup les femmes; on ne peut, dans cette maison publique, ni danser ni faire de la musique. Elle a joué du tarabouk, sur la table, avec ses doigts, pendant que l'autre, ayant roulé sa ceinture et l'ayant nouée bas sur ses hanches, dansait; elle nous a dansé une danse d'Alexandrie qui consiste, comme bras, à porter alternativement le bord de la main au front. Autre danse : bras droits, étendus devant soi, la saignée un peu fléchie, le torse immobile, le bassin fait des trilles. Ablution préalable de ces dames. Une portée de chats s'est dérangée de dessus ma couverture. Hadely n'a pas défait sa veste, elle m'a fait signe qu'elle avait mal à la poitrine.

Effet : elle devant, frou-frou des vêtements, bruit des piastres d'or de sa résille, bruit clair et lent. – Clair de lune. – Elle portait un flambeau.

Sur la natte : chairs dures, ... de bronze, ... rasé, sec quoique gras; l'ensemble était un effet de pestiféré et de léproserie. Elle m'a aidé à me r'habiller. – Ses mots arabes que je ne comprenais pas. C'étaient des questions de trois ou quatre mots et elle attendait la réponse; les yeux entrent les uns dans les autres, l'intensité du regard est doublée. – Mine de Joseph au milieu de tout cela. – Faire l'amour par interprète.

Citadelle. – A moins qu'on n'y entre par la place de Roumélie, on y monte par des routes entourées de hauts murs.

Sur la plate-forme est la mosquée de Méhémet-Ali : au milieu de la cour, jolie fontaine en albâtre; dans un coin de la mosquée (on la construit maintenant), le tombeau provisoire de Méhémet-Ali, entouré d'une cage en bois, recouvert de tapis, sous un lustre de cristal.

Du haut de la citadelle on a la vue générale du Caire. Les Pyramides étaient en plein soleil, on ne pouvait les voir; à droite, la plaine des tombeaux des khalifes; en face, le Caire; un peu plus loin, à gauche, les masses de décombres qui précèdent le vieux Caire; derrière vous, le Mokattam, rugueux et triste.

Puits de Joseph. – Plusieurs marches, murs gris noir, un immense acacia s'épate dessus : c'est un coin biblique. On descend dans ce grand trou carré, taillé en plein dans le roc; on a fait des ouvertures carrées dans le pan de droite du mur, afin de donner de la lumière. L'eau monte à l'aide d'une roue hydraulique. Dans une excavation du mur est le tombeau de Joseph : c'est un bloc à même la roche, surmonté d'une petite boule; ça sonne plus creux que le roc contigu. Nous redescendons dans la ville par le chemin où furent massacrés les Mameluks; Méhémet regardait la tuerie de la grosse tour d'en haut, où est placé le télégraphe. – Avant d'arriver à la porte qui donne sur la place de Roumélie, rencontre d'un vieux Turc actuellement *pesevenque;* il est parti en France avec Napoléon et est revenu au Caire. – Sur la place nous retrouvons notre saltimbanque de l'autre jour, avec les deux fillettes et le gamin.

A propos de bouffons :

Le bouffon de Méhémet prit une femme dans un bazar et la f... sur le devant de la boutique *coram populo.* Un enfant, il y a quelque temps, se faisait e... par un singe. Un marabout se promenait tout nu dans les rues, avec un chapeau sur la tête et un autre au v...; il le défaisait pour pisser, et les femmes stériles allaient se mettre sous la parabole d'urine et s'en arrosaient. Un saint (idiot) mourut il y a quelque temps épuisé par la m... de toutes les femmes qui allaient le visiter.

Mardi 4 décembre, bonne journée.

En revenant de l'Hôtel d'Orient et cherchant l'ouvrier qui raccommode le pied photographique de Maxime, j'ai considéré le joli portail de l'hôtel habité par la légation de Toscane : arcade romane à bâtons brisés, fûts à quatre colonnes, noués comme des cordes; dans la cour, deux autruches en liberté qui se grattent avec le bec les poux de leur dos.

Kan khabile. – Bazar des orfèvres, étroit, sombre, bruyant. – Bazar des parfumeurs. – Rentré pour déjeuner, quatre lettres de ma mère.

Course aux tombeaux des khalifes, entre la levée de terre qui est derrière les portes du Caire et le Mokattam. – Couleur grise de la terre, des tombeaux, des mosquées; à l'horizon, du côté du désert de Suez, il y a des mouvements de terrain ressemblant à des tentes.

Mosquée de X... (?). – Dans la cour centrale, un arbre chargé d'oiseaux. Nous montons au minaret; les pierres sont rongées, déchiquetées. Sur les marches du haut, débris d'oiseaux, qui sont venus mourir là, le plus haut qu'ils ont pu, presque dans l'air. De là, j'ai le Caire sous moi; à droite le désert, avec les chameaux glissant dessus et leur ombre à côté qui les escorte; en face, au delà des prairies et du Nil, les Pyramides : le Nil est tacheté de voiles blanches, les deux grandes voiles entrecroisées en fichu font ressembler le bateau à une hirondelle volant avec deux immenses ailes. Le ciel est tout bleu, les éperviers tournoient autour de nous; en bas, bien loin, les hommes tout petits, ils rampent sans bruit. La lumière liquide paraît pénétrer la surface des choses et entrer dedans.

Maxime marchande un collier de corail à une femme, collier à boule de vermeil. Elle allaitait un enfant; elle s'est cachée pour retirer son collier, par pudeur, mais elle n'en montrait pas moins ses deux « tetons », comme dit le père Ruppel. Le marché n'a pas lieu.

A la tombée du jour, la lumière gris bleu violet pénètre l'atmosphère.

Rentrée dans la ville. – Pipe et café dans un café. Commencement de préparatifs pour l'expédition des Pyramides. – Bon état physique et moral, bon espoir et bon ventre. Allons, allons, tout va bien!
(Mardi, 4 décembre, 11 heures et demie du soir.)

LES PYRAMIDES
SAKKARAH. MEMPHIS

Départ. *Vendredi*, partis à midi pour les Pyramides.

Maxime est monté sur un cheval blanc qui encense, Sassetti sur un petit cheval blanc, moi sur un cheval bai, Joseph sur un âne.

Nous passons devant les jardins de Soliman-Pacha. – Ile de Rôda. – Nous passons le Nil en barque : pendant qu'on est occupé à faire embarquer les bêtes, un mort nous croise, porté dans sa bière, à bras. – Vigousse de nos rameurs qui chantent, ils se penchent en avant et se renversent en arrière en criant crânement. La voile est très enflée, nous filons vite.

GIZEH. Maison en terre comme à Atfeh, bois de palmiers. – Deux roues hydrauliques, l'une est tournée par un bœuf, l'autre par un chameau.

Maintenant s'étend devant nous une immense prairie très verte, avec des carrés de terre noire, places récemment labourées et les dernières abandonnées par l'inondation, qui se détachent comme de l'encre de Chine sur le vert uni. Je pense à l'invocation à Isis : « Salut, salut, terre noire d'Egypte ». La terre en Egypte est noire. Des buffles broutent; de temps à autre, un ruisseau boueux, sans eau, où nos chevaux enfoncent dans la vase jusqu'au genou; bientôt nous traversons de grandes flaques d'eau ou des ruisseaux.

Vers 3 heures et demie, nous touchons presque au désert, où les trois Pyramides se dressent. Je n'y tiens plus et lance mon cheval qui part au grand galop,

pataugeant dans le marais. Maxime, deux minutes après, m'imite. Course furieuse. – Je pousse des cris malgré moi, nous gravissons dans un tourbillon jusqu'au Sphinx. Au commencement, nos Arabes nous suivaient en criant : « σφίγξ, σφίγξ, oh! oh! oh! » Il grandissait, grandissait et sortait de terre comme un chien qui se lève.

Vue du Sphinx Abou-el-Houl (le père de la terreur). – Le sable, les Pyramides, le Sphinx, tout gris et noyé dans un grand ton rose; le ciel est tout bleu, les aigles tournent en planant lentement autour du faîte des Pyramides. Nous nous arrêtons devant le Sphinx, il nous regarde d'une façon terrifiante; Maxime est tout pâle, j'ai peur que la tête ne me tourne et tâche de dominer mon émotion. Nous repartons à fond de train, fous, emportés au milieu des pierres; nous faisons le tour des Pyramides, à leur pied même, au pas. Les bagages tardent à venir, la nuit tombe.

On dresse la tente (c'était son inauguration; aujourd'hui, 27 juin 1851, je viens avec Bossière de la replier, très mal : c'est sa fin.) – Dîner. – Effet de la petite lanterne en toile blanche suspendue au mât de la tente. – Nos armes sont croisées sur les bâtons, les Arabes sont assis en rond autour de leur feu, ou dorment enveloppés de leurs couvertures, dans des fossés qu'ils creusent dans le sable avec leurs mains; ils sont couchés là comme des cadavres dans leur linceul. Je m'endors dans ma pelisse, savourant toutes ces choses; les Arabes chantent un canzone monotone, j'en entends un qui raconte une histoire : voilà la vie du désert.

A 2 heures, Joseph nous réveille croyant que c'est le jour; ce n'était qu'un nuage blanc en face, à l'horizon, et les Arabes avaient pris Sirius pour Vénus. Je fume une pipe à la belle étoile, regardant le ciel; un chacal hurle.

Ascension. – Levé à 5 heures le premier, je fais ma toilette devant la tente, dans le seau de toile. Nous entendons quelques cris de chacal. – Montée de la Grande Pyramide, celle de droite (Chéops). Les pierres, qui, à deux cents pas de distance, semblent grandes comme des pavés, n'en sont pas moins, les plus petites, trois pieds de haut; généralement elles vous viennent à la poitrine. Nous montons par l'angle de gauche (celui qui regarde la Pyramide de Khéphrèn); les Arabes me poussent, me tirent, je n'en peux plus, c'est désespérant d'éreintement. Je m'arrête cinq ou six fois en route, Maxime est parti devant et va vite. Enfin j'arrive en haut.

Nous attendons le lever du soleil une bonne demi-heure.

Le soleil se levait en face de moi; toute la vallée du Nil, baignée dans le brouillard, semblait une mer blanche immobile, et le désert derrière, avec ses monticules de sable, comme un autre océan d'un violet sombre dont chaque vague eût été pétrifiée. Cependant le soleil montait derrière la chaîne arabique, le brouillard se déchirait en grandes gazes légères, les prairies coupées de canaux étaient comme des tapis verts, arabesques de galon. En résumé, trois couleurs, un immense vert à mes pieds au premier plan, le ciel blond rouge, vermeil usé; derrière et à droite, étendue mamelonnée d'un ton roussi et chatoyant, minarets du Caire, canges qui passent au loin, touffes de palmiers.

Enfin le ciel a une bande d'orange du côté où va se lever le soleil. Tout ce qui est entre l'horizon et nous est tout blanc et semble un océan; cela se retire et monte. Le soleil, paraît-il, va vite et monte par-dessus les nuages oblongs qui semblent du duvet d'un flou inexprimable; les arbres des bouquets de village (Gizeh, Matârîyé, Bédrachein, etc.) semblent dans le ciel même, car toute la perspective se trouve perpendiculaire, comme je l'ai déjà vue une fois du port de la Picade dans les Pyrénées; derrière nous, quand nous nous retournons, c'est le désert, vagues de sable violettes : c'est un océan violet.

Le jour augmente, il y a deux choses : le désert sec derrière nous, et devant nous une immense verdure charmante, sillonnée de canaux infinis, tachetée çà et là de touffes de palmiers; puis au fond, un peu sur la gauche, les minarets du Caire et surtout la mosquée de Méhémet-Ali (imitant celle de Sainte-Sophie) dominant les autres. (Je trouve du côté du soleil levant : *Humbert frotteur*, cloué sur la pierre avec des épingles. — Etat pathétique de Maxime qui s'était dépêché pour l'apporter et avait cuydé en crever d'essoufflement.) — Descente facile par l'angle opposé.

Intérieur de la Grande Pyramide. — Après le déjeuner nous visitons l'intérieur de la Pyramide. Elle s'ouvre du côté Nord, couloir tout uni (comme un égout) dans lequel on descend; couloir qui remonte; nous glissons sur les crottes de chauves-souris. Il semble que ces couloirs aient été faits pour y laisser doucement glisser des cercueils disproportionnés. Avant la chambre du roi, corridor plus large avec de grandes rainures longitudinales dans la pierre, comme si on y avait baissé quelque herse. — *Chambre du roi*, tout granit en pierres énormes, sarcophage vide au fond. — *Chambre de la reine*, plus petite, même forme carrée communiquant probablement avec la chambre du roi.

En sortant à quatre pattes d'un couloir, nous rencontrons des Anglais qui veulent y entrer, et tous dans la même posture que nous; nous échangeons des politesses et chacun suit sa route.

Pyramide de Khéphrèn. — On ne monte pas dessus, si ce n'est Abdallah. « Abdallah cinq minutes montir ». A l'extrémité son revêtement subsiste encore, blanchi par des fientes d'oiseaux.

Intérieur. — Chambre de Belzoni. Au fond un sarcophage vide. Belzoni n'y a rien trouvé que quelques ossements de bœuf, c'était peut-être ceux d'Apis. Sous le nom de Belzoni, et non moins gros, est celui de M. Just de Chasseloup-Laubat. On est irrité par la quantité de noms d'imbéciles écrits partout : en haut de la Grande Pyramide il y a un Buffard, 79, rue Saint-Martin, fabricant de papiers peints, en lettres noires; un Anglais, enthousiaste, a écrit : Jenny Lind; de plus, une poire représentant Louis-Philippe (presque tous noms modernes), et le jeu arabe, parallélogramme garni de petits trous; on met de petits cailloux dans les trous, c'est un calcul.

Pyramide de Rhodopis. — Il y a dedans plus de chauves-souris que dans les autres; leur petit cri aigre interrompt le silence de ces demeures cachées. — Une chambre effondrée; était-ce là que gisait Rhodopis? Le plafond est ainsi fait : deux pierres convexes se touchant font une ogive très élargie.

Non loin, par des couloirs, on communique à une autre chambre contenant des cellules latérales, à momies; il y a six cellules, deux au fond et quatre sur le côté droit.

Hypogée, derrière la Grande Pyramide. — Sur les murs, en demi-relief, prêtres, sacrifices d'animaux, joutes navales; une vache vêlant, le veau est tiré par un homme. Le couloir est voûté, mais c'est une seule pierre convexe creusée qui fait la voûte.

Sphinx. — Nous fumons une pipe par terre sur le sable en le considérant. Ses yeux semblent encore pleins de vie, le côté gauche est blanchi par les fientes d'oiseaux (la calotte de la Pyramide de Khéphrèn en a ainsi de grandes taches longues), il est juste tourné vers le soleil levant, sa tête est grise, oreilles fort grandes et écartées comme un nègre, son cou est usé et rétréci; devant sa poitrine, un grand trou dans le sable, qui le dégage; le nez absent ajoute à la ressemblance en le faisant camard. Au reste il était certainement éthiopien; les lèvres sont épaisses.

Après que nous eûmes examiné la seconde Pyramide, nos trois Anglais vinrent (nous les y avions invités) nous faire une visite dans notre tente : café, chibouks, fantasia de nos Arabes, trémoussement du vieux sheik appuyé des mains sur un bâton. Les Arabes s'abaissent et se relèvent en claquant des mains et en chantant : « Pso malem jara leudar; pso malem jara leudar », c'est du langage bédouin et ça veut dire : « Sautons tous en rond. »

Nous avions pris un garde de Gizeh, nègre formidable, armé d'un bâton terminé par un cercle de fer.

Du haut de la Pyramide un de nos guides nous montrait l'endroit de la bataille, et nous disait : « Napouleoùn, sultan Kebir? aicouat, mameluks », et avec les deux mains il faisait le geste de décapiter des têtes.

La nuit, il fait grand vent; la tente tremble sur ses piquets, le vent donne de grands coups dans la toile comme dans la voile d'un vaisseau.

Dimanche. Matinée froide passée à la photographie; je pose en haut de la Pyramide qui est à l'angle S.-E. de la grande.

Tombeau-puits. — Un fossé circulaire en plein roc, puis une plate-forme au milieu de laquelle un trou carré d'environ 80 pieds (vu de haut en bas), sur une trentaine de large; à côté (du côté des Pyramides), un puits carré. — Agilité merveilleuse de nos Bédouins. — Au fond du tombeau, un sarcophage; dans le sarcophage, une grande figure en granit dont on ne voit que la tête. Je n'y suis pas descendu.

Petites grottes au bas de la colline des Pyramides. — Elles ont l'air d'anciennes habitations de Troglodytes. La roche est si déchiquetée qu'elle a des apparences animales, comme seraient des vertèbres informes. Le sable est couvert et rempli de détritus humains, noirs et blancs au soleil, morceaux de momies, fémurs. Nous en ramassons quelques-uns, comme nous avons fait hier, en allant au Sphinx, vers les trois figures de granit couchées dans le sable. Quelqu'un a effacé une partie du cartouche qui est sur l'une d'elles. – Scènes en demi-reliefs : tributs amenés à un roi, bœufs, ânes (parfaits); au fond, un grand Isis et Osiris assis, fort beaux. Les sculptures paraissent plus pures que celles de l'hypogée. – Petites cellules peu profondes; sur le même côté, statue debout, fruste, la tête un peu dans les épaules.

Promenade à cheval dans le désert l'après-midi. Nous passons entre la première et la seconde Pyramide nous arrivons bientôt devant une vallée de sable, faite comme par un seul grand coup de vent. Grandes places de pierres qui semblent de la lave. – Temps de galop, essai de nos cornets, silence. Il nous semble que nous sommes sur une grève marine et que nous allons bientôt voir les flots; nos moustaches sont salées, le vent est âpre et fortifiant; des traces de chacal, les pas de chameau à demi effacés par le vent. En haut de chaque colline on s'attend à découvrir quelque chose de nouveau et l'on ne découvre que toujours le désert.

Nous revenons; le soleil se couche. – La verte Egypte au fond; à gauche, pente de terrain toute blanche, on dirait de la neige : les premiers plans sont tout violets; les cailloux brillent, baignés littéralement dans de la couleur violette; on dirait que c'est une de ces eaux si transparentes qu'on ne les voit pas, et les cailloux entourés de cette lumière, glacée sur elle, ont l'air métallique et brillant. Un chacal court et fuit à droite. On les entend glapir à l'approche de la nuit. – Retour à la tente, en passant au pied de la Pyramide de Khéphrèn, qui me paraît démesurée et tout à pic; ça a l'air d'une falaise, de quelque chose de la nature, d'une montagne qui serait faite comme cela, de je ne sais quoi de terrible qui va vous écraser. C'est au soleil couchant qu'il faut voir les Pyramides. (*Dimanche 9 décembre, 8 h 1/2 du soir, sous la tente.*)

DES PYRAMIDES A MEMPHIS. *Lundi 10.* Nous longeons le désert, qui s'affaisse et descend sur la vallée. – Soleil, grand air. – Les Pyramides de Sakkarah sont plus petites de beaucoup et plus ruinées que celles de Gizeh. A Sakkarah nous avons perdu les bagages; je reste au milieu du village, bois de palmier, pendant que Max bat les environs au grand galop pour retrouver nos gens. Quelques Arabes fumaient au pied d'un mur en terre. – Cour entourée d'une palissade de roseaux secs; des poules çà et là. – Notre saïs en petit bourgeron bleu (il courait les coudes en arrière, comme un oiseau, et la tête en avant), avec le croisé de la corde par-dessus, et coiffé d'un petit turban blanc, promenait au pas mon cheval en sueur. Des Arabes nous remettent sur la route et nous arrivons à Memphis. – Campement sur une sorte de petit cap planté de palmiers, au bord d'un grand étang, restes de l'inondation; à gauche, maisons échelonnées avec un santon blanc; au fond, perspective plate, verdure.

Mardi matin 11. Promenade au bord du lac avec nos fusils sur l'épaule. – Arrivée de Neuville escorté d'une masse de messieurs. – Pipe et café, nuée de tourterelles au bord du trou où gît, et sur lui-même, un colosse (Sésostris?) couché à plat ventre dans l'eau.

Nous montons à cheval, et à travers des champs cultivés, chevauchant par une longue chaussée de terre poussiéreuse, nous nous dirigeons sur les Pyramides de Sakkarah. Au pied d'une de ces pyramides, re-rencontre de ces messieurs, ils ont perdu Neuville dont on entend au loin la fusillade. – Quantité formidable de scorpions. – Des Arabes viennent à nous en nous offrant des crânes jaunis et des planchettes peintes. Le sol semble fait de débris humains; pour rarranger la bride de mon cheval, mon saïs a pris un fragment d'os. La terre est trouée et mamelonnée par les puits, on monte et descend; il serait dangereux de galoper dans cette plaine tant elle est effondrée. Des chameaux passent au milieu, avec un enfant noir les conduisant.

Pour avoir des ibis nous descendons dans un puits, puis c'est un couloir dans lequel il faut ramper sur le ventre; on se traîne sur du sable fin et sur des débris de poterie; au fond, les pots à ibis sont rangés comme des pains de sucre chez un épicier, en tête-bêche.

Hypogée. – On dévale sur le sable par une ouverture étroite : colonnes carrées, enfouies, restes de peinture et d'un beau dessin; chambres voûtées par des pierres convexes longitudinales; modillons aux corniches, niches à momies. Ça devait être un très bel endroit.

Retour d'Aboukir [?] à Memphis au galop.

Nous lisons nos notes sur Memphis, couchés sur le tapis; les puces sautent sur le papier. – Promenade au coucher du soleil dans les bois de palmiers, leur ombre s'étend sur l'herbe verte comme les colonnes devaient faire autrefois sur les grandes dalles disparues. – Le palmier, arbre architectural. – Tout en Egypte semble fait pour l'architecture, plans des terrains, végétations, anatomies humaines, lignes de l'horizon.

Mercredi, retour au Caire, presque toujours sous des palmiers. La poussière qui s'étend sous leurs pieds est clairsemée des jours du soleil qui passent dessous; un champ de fèves en fleurs embaume; le soleil est chaud et bon. Je rencontre un scarabée sur les pieds de mon cheval. Nous passons le Nil à Bédrachein, laissant Toura de l'autre côté du Nil, un peu sur la droite.

Grand espace de sable jusqu'aux tombeaux des Mameluks, bon soleil, sentiment de route, poudroiement, chaleur. J'étreins mon cheval dans mes genoux et je vais le dos voûté, la tête sur la poitrine. Nous rentrons par Caraméïdan et la citadelle.

Le mercredi 12 était l'anniversaire de ma naissance, 28 ans.

RETOUR AU CAIRE

Mosquée de Hasan : vestibule rond, pendentifs ou stalactites, grandes cordes qui pendent d'en haut. Nous mettons des babouches de palmier.

Mosquée d'Ibn Touloûn, presque détruite, a été

destinée par Ibrahim-Pacha pour faire un hôpital. Abbas-Pacha a enlevé les ouvriers pour sa maison de campagne, sur la route de Matârîyé. – Cour immense; bas-côtés ogivaux, soutenus par des piliers en carré long, flanqués aux quatre coins d'une colonne.

Place de Rouméilé. – Sur la place de Rouméilé, nous trouvons nos amis les saltimbanques. L'enfant faisait le mort (fort bien), on quêtait pour le ressusciter; on lui mettait un porte-mousqueton en fer dans la bouche et il se promenait avec cela, tout nu. Non loin, groupe d'Arabes jouant du tarabouk et chantant; plus loin un autre contait un conte, de l'encens brûlait près de lui.

Bain turc. – Petit garçon en tarbouch rouge qui me massait la cuisse droite d'un air mélancolique.

Mariée dans les rues. – J'ai entendu une noce et je me suis dépêché. La mariée, sous un dais de soie rose, escortée de deux femmes à yeux magnifiques, celle surtout qui était à sa gauche; la mariée, comme toujours, recouverte d'un voile rouge, qui, avec sa coiffure conique, la fait ressembler à une colonne; la mariée peut à peine marcher tant elle est empêtrée.

Des santons. – Un santon de Rosette tombe sur une femme et la ... publiquement; les femmes qui étaient là ont défait leurs voiles et couvert l'accouplement. – Histoire d'un Français perdu dans la Haute-Egypte et sans moyens d'existence; pour vivre il s'imagine de se faire passer pour santon et y réussit. Un français le reconnaît... Le santon finit par obtenir une place de 12,000 francs dans l'administration militaire. *(Dimanche 16 décembre 1849.)*

En remontant de déjeuner, j'ai entendu le cri aigre de L... qui se mourait. – J'ai lu sur mon divan les notes de Bekir-Bey sur l'Arabie, il est 3 heures et demie. – A 5 heures je suis descendu dans le jardin fumer une pipe. Mme X... était morte; en passant sur l'escalier, j'ai entendu les cris de désespoir de sa fille. Autour du bassin, près du petit singe attaché au mimosa, il y avait un Franciscain qui m'a salué, nous nous sommes regardés et il a dit : « Il y a encore un peu de verdure », et il s'en est allé. Les enfants de l'école du Juif jouaient dans le jardin, deux petites filles et trois garçons, dont l'un faisait crier une mécanique qui fait tourner des soldats. Le docteur Ruppel est venu, a donné une noix au singe qui a sauté sur lui : « Ah! cochon! ah! cochon! ah! petit cochon! », a-t-il dit, puis il s'en est allé faire ses courses en ville, car il avait son chapeau. Dans la cour, Bouvaret, en chemise et fumant son cigare, m'a dit : « C'est fini. On va enlever la mère et la fille qui se crampone à elle; elle crie maintenant à tue-tête, ce sont presque des aboiements. »

C'était une Anglaise élevée à Paris; dans le quartier où elle vivait elle a fait la connaissance d'un jeune musulman, maintenant caïmakan, et s'est faite musulmane. Les prêtres musulmans et les catholiques se disputent son enterrement; elle s'est confessée ce matin, mais depuis la confession elle est revenue à Mahomet et va être enterrée à la turque. *(4 heures moins le quart.)*

A partir de lundi 17, toute la semaine il a plu; le temps a été employé à l'analyse des notes de Bekir-Bey et à la photographie. Deux fois, nous nous sommes risqués avec nos grandes bottes dans les rues du Caire, pleines de lacs de boue : les pauvres Arabes pataugeaient là dedans jusqu'à mi-jambe et grelottaient; les affaires sont suspendues, les bazars fermés, aspect triste et froid; des maisons s'écroulent sous la pluie. Pour sécher la boue, on répand dessus de la cendre et des décombres; ainsi s'élève graduellement le niveau des terrains.

Samedi 22, visite au tombeau d'Ibrahim-Pacha dans la plaine qui est entre le Mokattam et le Nil, après Caraméïdan. Tous les tombeaux de la famille de Méhémet-Ali sont d'un goût déplorable, rococo, canova, europo-oriental, peintures et guirlandes de cabaret, et par là-dessus des petits lustres de bal.

Nous longeons l'aqueduc qui porte des eaux à la citadelle; des chiens libres dormaient et flânaient au soleil, des oiseaux de proie tournaient dans le ciel. – Chien déchiquetant un âne dont il ne restait qu'une partie du squelette et la tête avec la peau complète; la tête, à cause des os, est sans doute le plus mauvais morceau. C'est toujours par les yeux que les oiseaux commencent, et les chiens généralement par le ventre ou l'anus; ils vont, tous, des parties les plus tendres aux plus dures.

Jardin de Rôda. – Grand, mal tenu, plein de beaux arbres, palmiste des Indes. Au bout, du côté du Caire, escalier qui descend dans l'eau. – Palais de Méhémet-Bey (sur la droite en regardant le Caire), celui qui fit ferrer son saïs qui lui demandait des markoubs. – Dans le jardin de Rôda il y a, du côté de Giseh et cachée sous les arbres, près d'un sycomore magnifique, une maison qu'on louait jadis aux consuls et où l'on menerait bien la vie orientale...

Hôpital de Kasr el-'Aïni. – Bien tenu. Œuvre de Clot-Bey, sa trace s'y trouve encore. – Jolis cas de véroles; dans la salle des mameluks d'Abbas, plusieurs l'ont dans le ... Sur un signe du médecin, tous se levaient debout sur leurs lits, dénouaient la ceinture de leur pantalon (c'était comme une manœuvre militaire) et s'ouvraient l'anus avec leurs doigts pour montrer leurs chancres. – Infundibulums énormes; l'un avait une mèche dans le...; v... complètement privé de peau à un vieux; j'ai reculé d'un pas à l'odeur qui s'en dégageait. – Rachitique : les mains retournées, les ongles longs comme des griffes; on voyait la structure de son torse comme à un squelette et aussi bien, le reste du corps était d'une maigreur fantastique, la tête était entourée d'une lèpre blanchâtre.

Cabinet d'anatomie : préparation en cire d'Auzoux, dessin d'écorché aux murs, fœtus d'Auzoux dans sa boîte ronde; sur la table de dissection un cadavre d'Arabe, avec une belle chevelure noire, il était tout ouvert.

Pharmacien corse, en veste de canne.

Le soir, scène de Sassetti.

Lundi 24 décembre, journée passée au Mokattam, où nous n'avons rien vu. Déjeuner entre deux roches;

les ânes se perdent, Joseph passe tout son temps à les chercher. Nous marchons dans le désert, nous nous couchons par terre, pas une idée, presque pas une parole, bonne journée d'inaction et d'air. Sur la hauteur en vue de la citadelle, une vieille mosquée. Nous montons les marches ruinées du minaret, d'où l'on voit le Caire, le vieux Caire presque au premier plan, les deux grands minarets blancs de la mosquée de Méhémet-Ali, les Pyramides, Sakkarah, la vallée du Nil, le désert au delà, Choubra au fond à droite. Nous avons bu une tasse de café dans un café près de la citadelle et fumé dans de longs chicheks (de la Mecque). A ma gauche, un peu derrière moi, un homme, monté sur le banc, faisait sa prière; un enfant, pour faire une farce, a soufflé dans le cornet de Joseph; un âne était à la porte, se tenant dans une pose parthénonienne, une jambe en avant et la tête gourmée comme l'âne de J.-C. dans la fresque de Flandrin à Saint-Germain-des-Prés. Après avoir fait sa prière, l'homme s'est tranquillement peigné la barbe, comme fait un monsieur dans son cabinet de toilette. Ce même âne de Maxime, qui brayait souvent, avait à la fin des gargouillements comme le chameau; est-ce à force d'en entendre? on n'a pas encore étudié jusqu'à quel point va l'imitation chez les animaux; cela pourrait finir par dénaturer leur langue, ils changeraient de voix.

Messe de minuit (latine). – Evêque sous un dais, chandelles, colonnes garnies de damas rouge. – Au-dessus, gynécée en bois de palmier, en forme de ventre (comme malgré soi et la force de sa destination même?); quelques voiles de femmes paraissaient à travers. – Pendant que les prêtres mettaient leurs chasubles, airs dansants de l'orgue.

Mardi 25, jour de Noël, visite à M. Delaporte. Mme Delaporte, petite, blonde, est anglaise, le bas du visage comme la Muse. – Lambert n'est pas chez lui. – Mougel-Bey. – Interminable promenade sur l'Ezbékîyé avec Lubert et Bekir. – Peur de se compromettre de ces messieurs. Quelle sotte et triste vie! – Le fils du shériff de la Mecque avec toute sa suite à cheval, turban en cachemire, caftan vert, teint de café. – Dîner, conversation plus que légère, puis socialo-philosophique; a dû peu amuser la société.

26, visite aux mosquées avec Delatour et môsieu Malézieux : redingote, col, chapeau, gants jaunes, air pitoyablement couenne, ne s'amusant pas du tout de l'architecture arabe. En revanche, en passant près du bazar des nègres, du côté de Bab-el-Foutoûk, s'est émoustillé : « Dites donc à votre guide de lui dire de se mettre toute nue », à propos d'une pauvre négresse qui était devant nous.

Mosquée d'El-Azhar. – Mollahs par terre au soleil, dans la cour, écrivant, pérorant; enfilades de colonnes au pied desquelles on voyait des cercles de turbans blancs. Le sheik écartait à coups de bâton la foule, quand elle devenait trop compacte autour de nous. – Brutalité de notre cavas pour faire ranger le monde : sur les marches des mosquées, il prenait son long bâton à pomme d'argent à deux mains et tapait de droite et de gauche.

Séyidna-'l-Hasanein.

Hôpital civil de l'Ezbékîyé. – Fous hurlant dans leur loge. – Un vieux qui pleurait pour qu'on lui coupât le cou. – L'eunuque noir de la grande princesse est venu me baiser les mains. – Une vieille femme me priait de la b..., elle exhibait son flasque et long teton pendant jusqu'au nombril et tapait dessus; penchant la tête de côté et montrant les dents, elle avait des sourires d'une exquise douceur. Dans la cour, en m'apercevant, s'est mise à cabrioler sur la tête « et leur monstroyt son cul »; c'est sa coutume lorsqu'elle voit des hommes. – Dans sa loge, une femme dansait en tapant sur son pot de chambre de fer-blanc comme sur un tarabouk.

Singe devant l'Hôtel d'Orient. – Une dame de la suite de la grande-duchesse de Hollande lui a donné ses gants. Avec elle était un monsieur décoré du Grand Lion néerlandais et ayant pour épingle de cravate un vaisseau à trois ponts. – Visite à Batissier.

Le soir, bal masqué dans la rue des b... valaques. Il y avait en tout deux masques ayant le physique de p... à 3 francs, spincers noirs avec des fourrures. – Grosse femme, maîtresse de l'établissement, table de jeu et consommation de petits verres : c'était d'un comique froid et stupide.

Jeudi 27. Bazar des parfumeurs. – Visite à l'évêque catholique, réfectoire, bon dîner de ces messieurs; il y a deux espèces de gâteaux de Savoie. – Il n'y a moyen d'en rien tirer; après vingt minutes de conversation presque à moi seul, je salue la compagnie.

Tombeau des Khalifes où photographie Maxime Delatour. – Rentrée au Caire, tout est clair, mais ce n'est, du côté du vieux Caire, une place d'or dans le ciel sur lequel se détachent en noir quelques minarets.

Le Caire aux lumières.

Vendredi 28. Démarches infructueuses pour les renseignements commerciaux. – Visite à l'évêque Copte, qui me reçoit dans sa cour, précédé par Haçan qui lui dit : « C'est un cawadja françaou qui voyage par toute la terre pour s'instruire et qui vient vers toi pour causer de ta religion ». Dans un petit jardin de quelques arbres, plate-bande de haute verdure sombre un divan treillagé en fait le tour.

L'évêque copte, vieux à barbe blanche, dans sa pelisse accroupi dans un coin du divan, nu-pieds; il toussotait. Autour de lui, des livres; à une certaine distance trois docteurs en robe noire, plus jeunes, debout, et avec de longues barbes aussi.

Quand il a été fatigué, un autre prêtre a continué. – Haçan, au milieu, debout, les bras croisés dans ses larges manches. – J'avais laissé mon courbach à l'entrée. – Moi assis sur le divan et devisant.

Samedi 29. A 3 heures de l'après-midi, été à Boulak faire notre première visite à Lambert-Bey. – Le soir, vieux bonhomme qui vient chez nous; il a connu Bonaparte et nous fait la description exacte de sa personne : « Petit, sans barbe, la plus belle figure qu'il ait jamais vue, beau comme une femme, avec des cheveux tout jaunes; il faisait indistinctement l'aumône aux juifs, aux chrétiens et aux musulmans ». Notre vieux nous dit qu'il s'embête et voudrait bien que nous l'emmenions avec nous dans notre pays. C'est un fumeur d'opium; le seul effet que cela lui fasse, c'est qu'il reste plus longtemps sur sa femme, quelquefois une heure. Il a été jadis très riche, a été marié 21 fois et s'est ruiné.

Nous avons eu ce jour-là, après notre déjeuner, des danseurs, le fameux Haçan el-Bilbesi, et un autre avec des musiciens; son compagnon eût été remarqué sans lui. Pour costume à tous les deux, de larges pantalons et une veste brodée, les yeux peints avec de l'antimoine (koheull). La veste descend jusqu'à l'épigastre, tandis que les pantalons, retenus par une énorme ceinture de cachemire pliée en plusieurs doubles, ne commencent à peu près qu'au pubis, de sorte que tout le ventre, les reins et la naissance des fesses sont à nu, à travers une gaze noire retenue par les vêtements inférieurs et supérieurs. Elle se ride sur les hanches comme une onde transparente à tous les mouvements qu'ils ont. La flûte aigre, tarabouk, vous sonne dans la poitrine; le chanteur domine tout.

Voici la traduction de ce que chantait le chanteur pendant la danse :

« Un objet turc d'une taille svelte possède des regards aiguisés et pénétrants.

« Les amants, à cause d'eux, ont passé la nuit dans les fers de l'esclavage.

« Je sacrifie mon âme pour l'amour d'un faon qui a su enchaîner des lions.

« Mon Dieu, qu'il est doux de sucer le nectar de sa bouche!

« Ce nectar-là n'est-il pas la cause de ma langueur et de mon dépérissement?

« O pleine lune, c'est assez de rigueur et de tourments; il est temps que tu accomplisses la promesse que tu as faite à l'amoureux languissant.

« Et surtout ne mets pas un terme aux faveurs que tu lui accorderas. »

Les danseurs passent et reviennent. Inexpressivité de la figure sous le fard et la sueur qui coulent.

L'effet résulte de la gravité de la tête avec les mouvements lascifs du corps; quelquefois ils se renversent tout à fait sur le dos, par terre, comme une femme qui va s'étendre, et se relèvent tout à coup d'un soubresaut brusque, tel un arbre qui se redresse une fois le vent passé. Dans les saluts et révérences, temps d'arrêt; leurs pantalons rouges se bouffissent tout à coup comme des ballons ovales, puis semblent se fondre en versant l'air qui les gonfle. De temps à autre, pendant la danse, le cornac fait des plaisanteries et baise Haçan au ventre. Haçan, tout le temps, ne s'est pas quitté de vue de dedans la glace.

Mouriez déjeunait pendant ce temps-là sur une petite table ronde à gauche.

Dimanche, visité l'église copte du vieux Caire. — M. de Voltaire eût dit : « Quelques méchants gredins réunis dans une vilaine église accomplissent sans pompe les rites d'une religion dont ils ne comprennent même pas les prières ». De temps à autre, le premier assistant venu indique tout haut la prononciation du mot que le prêtre ne peut lire.

Crypte de la Vierge, où l'on dit qu'elle se reposa avec son enfant quand elle arriva en Egypte. La crypte est supportée par des arcs plein cintre sur les côtés. Du reste, nulle. On nous lit des fragments d'évangile.

Mosquée d'Amr, au vieux Caire, sur le plan de celle de la Mecque. On nous montre la colonne qu'Omar chassa à coups de fouet de la Mecque en lui ordonnant de venir se placer ici, ce qu'elle exécuta; on voit la marque du coup de fouet. On nous montre un puits dans lequel dernièrement un Algérien retrouva sa tasse qu'il avait laissé tomber dans le puits Zemzem. A l'entrée, à gauche, on montre deux colonnes jumelles : l'homme qui n'a pas dit de mensonge peut, quoiqu'elles soient fort rapprochées, passer entre elles deux et elles se referment ensuite.

Visite à Birr, commandant, aide de camp de Soliman-Pacha, grand et bon Allemand qui nous offre à déjeuner, ce que nous refusons.

Lundi, Saint-Sylvestre. Départ pour le barrage, à dromadaire, qui nous réussit assez. Delatour et Joseph trottinent à âne. — Famille Mongel. — Mohammed. Photographie. — Villages de fellahs de l'autre côté du Nil. — Soirée musicale. — Couché dans la cange. — Scandalisé Delatour.

Mardi, jour de l'an. Matinée froide et brumeuse. Nous repartons sur les dromadaires. — Atrocement triste jusqu'à Choubra, il m'est impossible de parler.

Mercredi, visite à Linant-Bey. Il nous reçoit dans son jardin dont on taille les haies; il y a des roses, nous sommes le 2 janvier. Linant nous montre l'atlas de M. Jomard sur son voyage à l'oasis d'Ammon.

Jeudi 3, achat de graines, excellent bain.

MATARIYÉ-HÉLIOPOLIS. *Vendredi 4,* départ pour Matârîyé. Route sous des arbres. — Obélisque dans le jardin de Sélim-Effendi. — Un Arménien à long nez d'oiseau de proie, signe distinctif de la race. — Petite sakieh à l'entrée du jardin où est l'obélisque. — L'arbre de la Vierge est dans un autre jardin, sur la droite en arrivant à Matârîyé; c'est comme plusieurs bûches mises de champ, du milieu de la réunion desquelles sort un tronc. Le jardin est plein de roses.

Je rentre au Caire, seul, dans un bon état. Le matin, en venant, j'avais vu un ibis blanc picorant dans l'herbe verte à côté des buffles; quelquefois on en voit de posés sur leur dos ou sur leurs cornes.

Samedi 5. J'ai traversé le Caire à pied tant on glissait. Tout le long de la route, tantôt je descendais de mon baudet, tout en colère, je faisais quelque cent pas à pied, puis je remontais, et toujours de même. Le jeune Mohammed criait : « Haênbraïm aïbraïm!! » de toute sa force, et Brahim ne venait pas. Nos fouilles auprès de deux piliers carrés de pierre à l'entrée de Matârîyé sont infructueuses, nous ne trouvons qu'un gros bardach, un caillou rond et une espèce de bracelet en poterie. — Rentrée au Caire par le désert de Suez. — Le soir à dîner conversation des plus libres.

Dimanche 6 janvier. Aqueduc de Joseph. Nous passons tout l'après-midi à tirer des oiseaux de proie le long de l'aqueduc de Pharaon. Des chiens blanchâtres, à tournure de loup, à oreilles pointues, hantent ces puants parages; ils font des trous dans le sable, nids où ils couchent. – Carcasses de chameaux, de chevaux et d'ânes. – Il y en a qui ont le museau violet de sang caillé recuit au soleil; des mères pleines se promènent avec leur gros ventre; suivant leur caractère individuel, ils aboient aigrement ou se dérangent pour nous laisser passer. Un chien d'une autre tribu est fort mal accueilli, lorsqu'il vient dans une tribu étrangère. – Des huppes tigrées et au long bec picorent les vermisseaux entre les corps des charognes. – Les côtes du chameau, plates et fortes, ressemblent à des branches de palmier dégarnies de feuilles et courbées. – Une caravane de quatorze chameaux passe le long des arcs de l'aqueduc pendant que je suis à guetter des vautours. Le grand soleil fait puer les charognes, les chiens roupillent en digérant, ou déchiquetant tranquillement.

Après la chasse aux aigles et aux milans, nous avons tiré sur les chiens : une balle qui tombait près d'eux les faisait s'en aller lentement sans courir. Nous étions sur un mamelon, eux sur un autre; tout le vallon compris entre eux et nous était dans l'ombre. Un chien blanc posé au soleil, oreilles droites. – Celui que Maxime a blessé à l'épaule s'est tourné en demi-lune, a roulé avec des convulsions par terre, puis s'en est allé... mourir dans son trou, sans doute. A la place où il avait été atteint, nous avons vu une flaque de sang et une traînée de gouttelettes s'en allait dans la direction de l'abattoir. C'est un enclos de médiocre grandeur, à 300 pas de là; mais il y a cent fois plus de charognes en dehors qu'en dedans, où il n'y a guère que des tripailles et un lac d'immondices. C'est au delà, entre le mur et la colline qui est derrière, que se voient d'ordinaire le plus de cercles tournoyants d'oiseaux. Tout le terrain de ce quartier n'est que monticules de cendre et poteries cassées. Sur un morceau de poterie, des gouttes de sang.

C'est le long de l'aqueduc que se tiennent d'ordinaire les filles à soldat, qui se livrent là à l'amour moyennant quelques paras. Maxime, en chassant, a dérangé un groupe, et j'ai régalé de Vénus nos trois bourriquiers moyennant la somme de 60 paras (une piastre et demie, 7 sols environ). Ce jour-là, quelques soldats et des femmes fumaient au pied des arches et mangeaient des oranges; un d'eux monté sur l'aqueduc faisait le guet. Je n'oublierai jamais le mouvement brutal du viel ânier s'abattant sur la fille, la prenant du bras droit, lui caressant les seins de la main gauche et l'entraînant, le tout dans un même mouvement, avec ses grandes dents blanches qui riaient, son petit chibouk de bois noir passé dans le dos, et les guenilles enroulées au bas des jambes malades.

Lundi 7, entrée au Caire de la princesse belle-mère d'Abbas-Pacha, revenant du pélerinage de la Mecque. On a été l'attendre au palais, qui est dans le désert de Suez. – Pèlerins montés sur des chameaux, qui descendent sur les bras de leurs amis ou parents. – Deux hommes qui s'embrassent en pleurant et s'écartent aussitôt. – Manœuvres de l'infanterie irrégulière dans le désert. – Il fait froid et beaucoup de poussière; Bekir-Bey nous fait entrer parmi l'état-major; la musique joue des polkas. – Le chef de musique, grosse bedaine en redingote et en souliers-bottes, à cheval; Nubar-Bey, jeune Arménien à la tournure quartier latin, figure grotesque des pauvres pachas turcs serrés dans leurs uniformes européens.

Les chameaux de la princesse ont aux genouillères des miroirs entourés de colliers de perles, autour du cou un triple collier de sonnettes, sur la tête des bouquets de plumes de couleurs.

Les fenêtres de sa litière sont en forme de hublot de navire et décorées de glaces à l'intérieur.

Les lances des *irréguliers* sont, au bout de la hampe, décorées d'un hérisson de plumes.

Mercredi, je me promène tout seul dans le Caire, par un beau soleil, dans le quartier compris entre Caraméïdan et la porte de Boulak (celle qui est au cœur de l'Ezbékîyé, à gauche en regardant le nord). Je me perds dans les ruelles et j'arrive à des culs-de-sac. De temps à autre je trouve une place faite par des décombres de maisons ou plutôt par des maisons qui manquent; des poules picorent, des chats sont sur les murs. – Vie tranquille, chaude et retirée. – Quelques effets de soleil éblouissant, lorsque tout à coup on sort de ces ruelles si resserrées que les auvents des moucharabiehs des maisons entrent les uns dans les autres.

Jeudi 10, rentrée de la caravane de la Mecque, entrée du Tapis.

Nous nous levons matin et nous allons dans la rue du côté de Bab-el-Foutoûh, attendre la caravane. On voit des têtes de femmes aux fenêtres, sous les auvents des moucharabiehs, et qui se voilent dès qu'elles s'aperçoivent qu'on les regarde.

Sur un chameau est assis un homme tout nu jusqu'à la ceinture, qui se dandine en mesure, dervichisant. Les hommes de la cavalerie irrégulière ont des attitudes superbes de déguenillement et de férocité; pas de pièces à leurs vêtements, de la poussière et pas de taches, mais, en revanche, quelque bien disciplinée (relativement) que soit la troupe, c'est d'une opposition grotesque. – Plagiat européen, les pauvres officiers en souspieds, et quelles chaussures!

Chammas – Mlle Rose Jallamion – Histoire de Bir... et du baron de Gottbert.

Jeudi 17. Boulak, Nil, cange, soleil, vaste et calme aspiration. – Bains, seuls, parfums, lumière par les lentilles de verre des rotondes. – Bardaches. – Jusqu'à 1 heure de nuit nous travaillons avec Khabel-Effendi.

C'est l'Epiphanie des Grecs, nous sortons à 1 heure du matin; en attendant l'ouverture de l'église, nous stationnons dans un café. L'église ouvre à 4 heures du matin. – Eglise des Arméniens : une espèce de rotonde vitrée à l'entrée, dans laquelle on vend des bougies. Au moment où nous entrons, les assistants sont tournés le dos à l'autel et le nez vers la porte. Les tableaux religieux sont dans le goût de ceux des Coptes. – Effet charmant des chœurs à demi-voix (chantés par les enfants) qui continuent à le point d'orgue du fausset poussé par l'officiant. Quand le fausset est au bout de son point d'orgue, le chœur, *mezza voce*, continue

Peu de beauté dans les costumes. Le signe de croix est mêlé aux vraies prosternations musulmanes : ainsi, d'abord un signe de croix, puis une prosternation où le front touche à terre.

Re-station dans un café, Max va se coucher, les Grecs ne sont pas encore ouverts. – Troisième station dans un café, Joseph et moi; il est 4 h. du matin.

Dans l'église grecque, tableaux byzantins d'un goût russe, cela vous reporte aux neiges. En entrant (pour la 2e fois) dans l'église, le demi-crépuscule commençait, j'avais ce picotement des yeux d'un homme qui a veillé sur ses jambes. Quelques grandes dames grecques entraient dans l'église; j'ai été saisi par une bouffée de bonne odeur (fraîche) qui sortait de dessous leur voile, dans le grand mouvement de coude qu'elles faisaient pour le raffermir sur leur tête, et par le bas que le vent soulevait. A cette heure je vois passer devant moi un bas d'étoffe rose et le bout d'un pied dans une pantoufle jaune pointue.

L'office fut interminable. Le patriarche dans sa chaire, fier et dur de regard, a apostrophé deux ou trois fois vigoureusement les femmes qui babillaient dans le gynécée. – Petit garçon en redingote allant lui baiser la main et se prosternant. – Abus du baisement de main. – Lui-même baise l'évangile. – Après une quête on verse aux assistants de l'eau de fleur d'oranger sur les mains. – Je m'en vais à 8 heures et la messe n'a fini qu'à 10!

Le lendemain matin, contrat avec raïs Ferzalis au consulat.

Lundi matin, visite à Soliman-Pacha.

Vendredi 25 janvier, cérémonie du Danseh. – Piétinement. – Tohu-bohu de couleurs, à cause de tous les turbans qui se pressaient. Deux voitures pleines d'étrangers; une troisième voiture, verte, d'où sort la tête d'un nègre. Sur la terrasse du palais, à droite, des eunuques qui regardent. Deux troupes d'hommes se sont avancés, se balançant et hurlant, quelques-uns avec des broches de fer passées dans la bouche, ou des tringles passées dans la poitrine, et aux deux bouts étaient des oranges. Un grand nègre, la tête portée en avant, et tellement furieux qu'on le tenait à quatre; il ne savait plus où il était. Des eunuques tombaient sur la foule à grands coups de bâton de palmier pour faire place; on entendait les coups sonner sur les tarbouchs comme sur des balles de laine, ça avait le son régulier et nombreux d'une pluie. Par ce moyen un chemin a été ouvert dans la foule et l'on y a déposé les fidèles en tête-bêche, couchés à plat ventre par terre. Avant que le shériff ne passât, un homme a marché sur l'allée d'hommes pour voir s'ils étaient bien serrés les uns contre les autres et qu'il n'y eût pas d'interstice.

Le shériff en turban vert, pâle, barbe noire, attend quelques moments que la rangée soit bien tassée; son cheval est tenu à la bouche par deux saïs, et deux hommes sont aux côtés du shériff et le soutiennent lui-même. Cheval alezan foncé, le shériff en gants verts. A la fin, ses mains se sont mises à trembler et il s'est presque évanoui sur sa selle, au bout de la promenade. Il y avait, à vue de nez, environ 300 hommes; le cheval allait par grands mouvements et avec répugnance, donnant des coups de reins sans doute. La foule se répand aussitôt derrière le cheval quand il est passé, et il n'est pas possible de savoir s'il y a quelqu'un de tué ou blessé. Bekir-Bey nous a affirmé qu'il n'y avait eu aucun accident.

La veille, nous avions été au couvent des Derviches. Furieux coups de tambourin, un homme se roulait par terre avec un couteau. Quels coups de tarabouks! le canon n'en approche pas, comme effet terrifiant. – Tentes sur l'Ezbékîyé, nous nous y promenons le soir, aux lumières, à regarder les longues files de gens chanter.

Lundi 28, présentation de M. Lemoyne, consul général, au consulat du Caire. – Effet triste de l'habit brodé d'argent de M. Belin, sans croix, entre celui de M. Lemoyne et celui de M. Delaporte. – Pompe. – M. Desgontanis, en Européen, que nous avions vu la veille en vieil Egyptien, regardant chanter dans une tente de l'Ezbékîyé.

Mardi 29, réception de M. Lemoyne à la citadelle. – Non-envoi de troupes, on part nonobstant. – Grand divan en brocatelle. – Au fond, dans un angle, Abbas-Pacha (quelque chose de Baudry plus grand). – Mamelucks déplorables, ressemblent à des domestiques de louage. – Triste luxe. – Chammas avec une bande d'or à son pantalon, à cheval avec la canne. – Visite au consulat. – Zizinia descend de voiture, coulé en argent; ressemblait à un bâton de sucre de pomme entouré de sa feuille de plomb. Il descend de sa voiture d'une manière carrée. – Visite chez Bekir. Lubert : « Son altesse a été charmante. » – M. Benedetti et Mme Mari. – La négresse de Bekir, drapée du menton dans son voile blanc, apportant les chibouks et le café.

Soirée froide et sans soleil.

Mardi 5 février, dîner chez Soliman-Pacha, avec M. Macherot, ex-professeur de dessin à l'école de Gizeh (supprimée).

A 8 heures, couché dans la cange; dévoré de puces pour l'inaugurer.

SUR LE NIL

Nous restons la nuit amarrés devant le conak de Soliman-Pacha, Maxime attend des glaces par le courrier de demain.

Le matin, mercredi 6, nous entendons jouer au billard chez Soliman. – Nous faisons une petite course en sandal jusqu'à la pointe de l'île de Rôda; nos marins sont tout étonnés de voir un cawadja manier des avirons. A 2 heures, Joseph arrive... sans glaces! Nous partons.

Bon vent arrière; peu à peu, les barques, si nombreuses, s'éclaircissent. – Déjeuner. – La cange va, inclinée sur tribord; le canot de la douane nous accoste : trois piastres et nous passons.

Il fait beau, nos marins sont joyeux, nos matelots font de la musique; Joseph, à son fourneau, et l'écumoire à la main, exécute deux ou trois pas; Chimy, le grotesque de la troupe, danse avec un bardach sur la tête. Le vent faiblit à l'entrée de la nuit. – Coucher de soleil. Les Pyramides de Sakkarah se détachent en gris dans la couleur d'or, qui s'étend depuis la ligne de la terre jusqu'au milieu du ciel; à gauche, c'est d'abord rose, jaune, vert, enfin bleu; au milieu est le Nil jaune, et au milieu du fleuve la cange, et Joseph au milieu de la cange, avec un mouchoir noué sur son tarbouch.

Jeudi matin 7. Quand je monte sur le pont, je suis tout près de la rive. La couleur de la terre est exactement celle des Nubiennes que j'ai vues au bazar des esclaves.

On hale à la corde. Vers 10 heures, on s'arrête à une île du fleuve; les Pyramides de Sakkarah sont derrière nous, à droite. Nous descendons avec nos fusils dans l'île, nous rencontrons deux hommes couchés dans les roseaux, des canards et des oiseaux blancs; c'est le grotesque de l'équipage qui nous suit avec un grand et gros bâton. – Sable dont l'aspect général est celui des bords de l'Océan; sur la grève, quelques places mouillées qui ressemblent à de la crème de chocolat grise.

Khamsin. On s'enferme, le sable croque sous les dents, les visages en deviennent méconnaissables; il pénètre dans nos boîtes de fer-blanc et abîme nos provisions, il est impossible de faire la cuisine. Le ciel est complètement obscurci, le soleil n'est plus qu'une tache dans le ciel pâle. De grands tourbillons de sable se lèvent et fouettent les flancs de notre dahabieh, tout le monde est couché. Une cange d'Anglais descend le Nil avec furie et tournoie dans le vent. A la nuit tombante Max descend à terre avec Sassetti et Joseph, et tend quelques lignes de fond.

Vendredi. Tiré à la corde le matin pendant quatre heures. Nous amarrons au village de Kafr-el-Ayyât, où nous sommes un peu protégés de la poussière par sa berge plus haute. Quelques bateaux sont amarrés au bord. Nous passons la journée de khamsin renfermés dans notre chambre. Le soir nous mettons pied à terre et nous allons à 20 minutes de là chasser des tourterelles dans un bois de palmiers qui entoure un village. – Jeune garçon en turban qui nous suit et nous indique les oiseaux sur les branches, tout en filant au fuseau du coton jaunâtre.

Samedi. Même mouillage, chasse le matin au même endroit. Vent froid. – Groupes de moutons et de buffles qui passent çà et là entre les palmiers, conduits par un enfant déguenillé ou par une femme; le vent tord et colle avec furie les vêtements bleus de la fellah. – Silence. – Bientôt le village tout entier marche autour de nous et nous accompagne; un jeune garçon grimpe au haut d'un palmier dénicher une tourterelle qui s'y était accrochée en tombant. Après le déjeuner, retour au même endroit et plus loin encore, dans un autre bouquet de palmiers. Toute la journée nous faisons un effroyable abattis d'oiseaux. Couchés à 7 heures du soir, nous dormons quinze heures.

Dimanche. Mauvais temps; restés dans la cange toute la journée; amarrés un peu plus loin que le vil-lage précédent. Un Arabe tenant en laisse les lévrier[s] de Haçan-Bey est venu les faire boire à la rivière. – Deux ou trois bateaux là. – Lu de l'Homère, écrit d[e] *la Cange.*

Lundi. Le temps se radoucit. – Pyramide de Zâouiye à droite, que je vois le matin. Toute la journée halé à la corde. – Un peu de vent, le Nil est tout plat, nou[s] marchons sur la berge, foulant du beau sable fin. Nou[s] passons l'après-midi à paresser sur le pont; le soi[r] nous redescendons à terre à gauche, sur la rive droite[.]

Des nuages d'or, semblables à des divans de satin[,] le ciel est plein de teintes bleuâtres gorge-pigeon[;] le soleil se couche dans le désert. A gauche, la chaîn[e] arabique avec ses échancrures; elle est plate par so[n] sommet, c'est un plateau; au premier plan, des pal[-] miers, et ce premier plan est baigné dans la teint[e] noire; au deuxième plan, au delà des palmiers, de[s] chameaux qui passent, deux ou trois Arabes von[t] sur des ânes. Quel silence! pas un bruit. De grande[s] grèves et du soleil! le passage ainsi peut arriver [à] devenir terrible; le Sphinx a quelque chose de ce[t] effet.

BENI-SOUEF. Le 13, arrivée à Beni-Souef. Comm[e] notre cange aborde, un barbier se présente avec so[n] miroir rond, incrusté, et ses serviettes pelucheuses. – Maison du gouverneur crépie à la chaux. – Son enfan[t] vêtu à la stambouline et tiré dans des sous-pieds[.]

Jeudi 14. Départ pour Medinet el-Fayoum, su[r] d'exécrables ânes, munis de bâts plus exécrables encor[e.]

Campagne plate, tapis vert uniforme, relevé de temp[s] à autre par un bouquet de palmiers cachant un village[.] Immense quantité de fèves; on dirait que ce légum[e] se venge de son interdiction. – Déjeuner près d'un[e] fontaine, au village de El-Agegh. – Autre village plu[s] grand où Maxime se perd.

Tombeaux ruinés, qui ressemblent à des culs d[e] four; des guenilles, des os blanchis paraissent à mêm[e] dans la terre, comme une galantine coupée par l[a] moitié.

Douar de Bédouins. – Belles filles dans la campagne[.] – Chiens hurlant autour des tentes déchirées. – Nou[s] traversons un petit bout de désert, campagne redevien[t] cultivée.

MEDINET EL-FAYOUM. « Favorisca » pour le café. – Couvent. – Deux Allemands sans culottes et en redin[-] gotes humant le raki. – Boule d'un janissaire, Saba Rahil, petit homme vif, ressemblant un peu à Pottier[.] – Consommation de petits verres, avec des dragées. – Le soir on cause de saint Antoine, Arius, saint Atha[-] nase; les notables du pays viennent nous examiner. – Dans un divan, accrochés au mur : une vue de Quil[-] leboeuf, une de Graville, paysage aux environs d[e] Rouen; ces méchantes lithographies lui venaient d[e] Monsieur Drouettes.

Le soir, après le dîner, re-petits verres et cantique[s] de la Vierge à tue-tête.

Le jeune garçon de Saba-Rahil présentant les chi[-] bouks avec beaucoup de grâce. – Pour ses péchés, l[e] padre lui ordonnait comme pénitence de balayer s[a] chambre avec sa langue.

Je passe la nuit à me gratter, et à entendre les chiens aboyer.

Le lendemain matin, promenade le long du Bahr-Yoûsouf. Nous regardons un homme jeter un épervier. — Mosquée en ruines dont on voit les arcades au bord de l'eau; tas de décombres réduits en tas de poussière grise; arbustes au bord de l'eau, c'est là l'ancienne Medinet. — Promenade dans les bazars. — Visites au frère du gouverneur de la ville, Mahmoud-Aga, et au gouverneur du Fayoum, Yousouf-Effendi.

Départ pour le lac Mœris. — Couché à Abou-Ganchou. — Hazir, vieux, estropié de la main, figure de polichinelle. — Pour dîner, un plat de pain trempé. Le tapis sur lequel nous nous étendons a plus de puces que de fils, la chambre est bâtie en terre; elle a deux fenêtres et une porte au haut d'un escalier en ruines. Je passe la nuit les yeux ouverts; je vais fumer, dans ma pelisse, sur le mur, près de là, à gauche en sortant, et je regarde les étoiles. Le ciel est pur, les étoiles ont l'air de colliers, de couronnes brisées... les chiens aboient; plus près, un petit enfant crie dans la nuit. À 5 heures, je réveille Joseph qui se lève d'un bond : « Si signore »; à 6 heures, nous partons pour le lac, le sheik en tête.

Au bout de deux heures de marche, la verdure nous quitte, le terrain, sec, est crevassé par de grandes fentes régulières. — Canal de Bahr-Yoûsouf, énorme encaissement; l'eau coule au fond entre des verdures rabougries. — Pittoresque inattendu des montagnes au milieu d'un pays plat.

Le lac est tout bleu foncé, les montagnes derrière. On arrive jusqu'au bord difficilement, à cause du marais. Les gens de la suite du sheik vont dans l'eau jusqu'aux genoux pêcher des poissons qu'ils prennent avec la main. Nous ne voyons du lac aucune extrémité, ni ce qui se termine à droite, ni ce qui le termine à gauche, mais seulement ce qui est en face, et la rive où nous sommes.

Retour à Abou-Ganchou. Nous dévorons à pleines mains un morceau de mouton. Le brave sheik reçoit, à l'insu de ses gens, quatre medgids.

Retour à Medinet. Les buffles, les moutons, les chèvres, tout rentre, les gamins à califourchon sur des ânes chargés d'herbes, la poussière tourbillonne sous le pied des bêtes. — Dîner chez Saba-Rahil : le bon padre fait gras par politesse pour nous, et nous en donne la permission. — Plaisanterie de l'hôte sur le padre à ce sujet. Cela me rappelle M. le maire tourmentant M. le curé qu'il invite à dîner le dimanche. Notre hôte cependant faisait maigre. — Sa femme, grosse Syrienne, laide, à bonne figure, enceinte (des œuvres du padre?). — Il boit à « la republica francesa »; brave homme, religieux, hospitalier; ses politesses nous touchent.

Dimanche. Retour à Beni-Souef. — Déjeuner près d'un santon, sous un grand arbre. — De pauvres Arabes qui travaillent aux digues par corvée. — Bu, en guise de tasse, dans le long pot en fer-blanc à tabac.

Lundi. Repos. — Rencontre de la cange de M. Robert et du Polonais qui a habité Neufchâtel. — Grands radeaux faits avec des jarres *ballass* et que l'on rame

avec les baliveaux déracinés. — Nos matelots font venir une p... à bord, qui danse. — Danse dos à dos et tête à tête. — Au soleil couchant, le Nil est tout plat, le ciel rose, la terre noire; sur le bleu du fleuve une teinte rosée, reflet du ciel; devant nous, en plein raccourci, arrive une cange, les marins rament en chantant; toute noire dans la lumière qui l'entoure; elle aborde près de nous. Au dîner, Joseph se surpasse dans la confection d'un pâté comme il avait fait le matin pour une omelette.

DE BENI-SOUEF A SIOUT. Les berges du fleuves, souvent, sont à grandes lignes droites les unes sur les autres.

La montagne blanche (charab) est mamelonnée en monticules, qui sont rayés en gris, rayés comme le dos d'une hyène; d'autres fois, c'est une falaise blanche toute unie.

GUEBEL-EL-TÉIR. Couvent Copte. Moines à l'eau descendant tout nus de la montagne : « Cawadja christiani, batchis, cawadja christiani »; et les échos dans les grottes répètent « Cawadja, cawadja ». — Ils entourent le bateau... gueulades, coups de bâton; Joseph frappe avec ses p*inn*cettes. — Les noms d'Allah et de Mohammed; tohu-bohu de manœuvres, de coups. — Pendant ce moment, une barque nous croise.

À gauche (rive droite), la chaîne arabique se rapproche de nous. Quelquefois elle est inclinée, avec un attique qui règne en haut; d'autres fois elle est à pic; généralement elle affecte le profil d'un plateau, son sommet est presque toujours plat.

La chaleur commence.

SAWADAH. *Vendredi 22*, mouillé le soir à Sawadah. — Lune, bois de palmiers (c'est sur la rive droite, à gauche). Nous nous promenons dans un champ de cannes à sucre, trois matelots nous escortent avec leurs bâtons; des chiens aboient, des rigoles coulent au pied des cannes à sucre.

De temps à autre, on rencontre une cange qui descend, presque toujours c'est un Anglais. Effet triste : on se croise, on se regarde passer sans rien dire. Sur le bord de l'eau, des échassiers rangés en file; quand on descend sur la grève, on voit les marques innombrables de leurs longues pattes minces. Dans le ciel, bandes d'oiseaux qui se déploient comme la gigantesque lanière d'un fouet, détachée; cela va en l'air comme une corde abandonnée, poussée dans le vent.

Pas de montagnes à droite, sur la rive gauche, ligne unie de palmiers; la berge est grise.

Santon de SHEIK-SAID. — On donne à manger aux oiseaux qui sont censés porter le pain au santon pour la consommation des pauvres et des voyageurs; on émiette du pain sur le pont, ils y viennent et le mangent; on le leur jette dans l'eau, ils foncent dessus, les ailes ouvertes, et repartent.

De temps à autre, dans la roche, il y a des trous : ce sont les demeures des anciens ermites

Le Nil, souvent, a l'air d'un lac, on est emprisonné par des coudes, on ne sait pas de quel côté on va, et comment on pourra sortir. La chaîne arabique généralement est une haute falaise blanche.

Sur le bord de l'eau, un buffle qui nous regarde.

MANFALOUT. Bâtie sur la rive, les maisons sont de même couleur qu'elle. Le Nil emporte la ville par morceaux.

Lundi 24. Depuis deux jours nous ne voyons plus de grues, mais des hérons. Tantôt le bateau s'est engravé, nous avons poussé tous. Pendant le dîner nous arrivons au rivage de Siout et nous nous y amarrons. Quand nous sortons sur le pont, il fait à gauche un large clair de lune sur les flots, c'est une plaque d'argent. – Préparatifs de lettres pour demain matin. – Aujourd'hui salut d'un bateau dont nous ne pouvons reconnaître le pavillon. – Quatre coups de feu.

SIOUT (LYCOPILIS) est à un grand quart de lieue du Nil. – Au bord des digues, gazis; dans une prairie, ibis noir.

Nous entrons dans la ville par le divan, le conak est à droite. – Grande cour carrée, blanche, plantée d'arbres; rues en pente bien balayées. – Promenade vers la ville des morts, avec le docteur Curg; nous voyons passer un enterrement.

Nous montons dans les grottes de Lycopolis. Par l'ouverture, large vue encadrée des prairies; au fond, la chaîne arabique. Au premier plan, se détachant dans la lumière, un âne; à gauche, en bas, lorsqu'on descend, grand cimetière avec ses murs dentelés et ses dômes : les murs dentelés représentent d'ensemble un régiment confus de mâchoires de requins.

Notre guide nous prend par la main et nous conduit mystérieusement pour nous montrer l'empreinte, sur le sable, d'une bottine de femme. C'est une Anglaise qui a passé là il y a quelques jours. Pauvre garçon !

Déjeuner chez Curg. Sa femme, fille de Linant-Bey. Promenade dans les bazars. – Gros Syrien marchand de toiles. – Un Polonais causant en italien avec Max. – Bain excellent, tellement chaud que je ne peux mettre le pied dans la piscine.

Le jour s'abaisse, nous retournons à la cange; les gens qui marchent sur la rive du fleuve ont l'air d'ombres chinoises; il est nuit.

Mercredi. Notre grotesque Chimy déserte. Après l'avoir attendu quelque temps, nous partons à 11 heures. Excellent vent arrière. Maxime a tué ce matin un petit oiseau vert qu'il vient de jeter à l'eau : c'était comme une fleur s'en allant sur les ondes, ce qui lui a fait dire spirituellement : « Les oiseaux ne sont-ils pas les fleurs de l'air ? »

Mercredi 27, jeudi 28, bon vent arrière.

Vendredi 1er mars. A 11 heures 10 minutes du matin, aperçu le premier crocodile, il se tenait sur le sable, au bord de l'eau. Bientôt nous en voyons quelques autres, parmi les arbrisseaux, sur la berge, à gauche. Le raïs se soucie peu de nous descendre, à cause de la mauvaise réputation « de ces parages » où il y a beaucoup de voleurs. Pendant une heure et demie nous chassons vainement; les crocodiles glissant et déboulinant dans les herbes.

Samedi 2. Au milieu du jour, nous voyons plusieurs crocodiles à la pointe d'un îlot. Quand la cange approche, ils se laissent glisser dans l'eau, comme de grosses limaces. Nous marchons sur cet îlot de sable pendant une heure sans rien trouver. Au bout de l'îlot, je tue un petit vautour.

HAMAMEH. Le soir, nous mouillons à Hamameh, en face Dendérah; cela devient grand. – Palmiers doums : cet arbre fait penser à un arbre peint. Petit bois, à tournure, avec des hommes en robe bleue, assis au pied, fumant leurs pipes. – Au coucher du soleil, la verdure devient archi-verte (on entre dans une autre nature, le caractère agricole de l'Egypte disparaît), la chaîne arabique est lie de vin, tout le paysage énorme.

Un pêcheur nous propose un crocodile empaillé. – Chien qui hurlait affreusement à son côté. – Nous enjambons plusieurs chadoufs pour aller dans le champ où était le crocodile.

KENEH. *Dimanche matin.* Comme Siout, la ville à quelque distance du Nil, un bras stagnant du fleuve est au pied des maisons. Mais pour aller de la cange à la ville il faut une demi-heure à pied, vingt minutes en se pressant, d'abord sur le sable, ensuite sur une haute digue. Des arbres à gauche, parmi lesquels des cassiers.

Les bazars sentent le café et le santal. Au détour d'une rue, en sortant du bazar, à droite, nous tombons tout à coup dans le quartier des almées. La rue est un peu courbe; les maisons, de terre grise, n'ont pas plus de quatre pieds de haut. A gauche, en descendant vers le Nil, une rue adjacente, un palmier. Ciel bleu. Les femmes sont assises devant leur porte, sur des nattes, ou debout... Vêtements clairs, les uns par-dessus les autres, qui flottent au vent chaud; des robes bleues autour du corps des négresses. Elles ont des vêtements bleu ciel, jaune vif, rose, rouge, tout cela tranche sur la couleur des peaux différentes. Colliers de piastres d'or tombant jusqu'aux genoux, coiffures de fils de soie (enfilés de piastres) au bout des cheveux, et faisant du bruit les unes sur les autres. Les négresses ont sur les joues des marques de couteau longitudinales, généralement trois sur chaque joue : c'est fait dans l'enfance, avec un couteau rougi.

Femme grosse (Mme Maurice) [2] en bleu, yeux noirs enfoncés, menton carré, petites mains, les sourcils très peints, air aimable. – Petite fille à cheveux crépus descendus sur le front, marquée légèrement de petite vérole (dans la rue qui continue le bazar en suivant tout droit pour aller à Birr-Amber, passé l'épicier grec.). – Une autre était vêtue d'un habar de Syrie bariolé. – Grande fille qui avait une voix si douce en appelant « Cawadja ! cawadja !... » Le soleil brillait beaucoup.

Arrivée inopportune de Fioravi (M. de Lauture m'a dit qu'il était mort depuis) et du sieur Ortali : il faut aller chez eux ! – Récriminations d'Ortali sur le compte de Curg. – Arrivée d'un domestique anglais et du drogman Abraham chez Fioravi, qui nous montre, sous une barrique, dans sa cour, une statue égyptienne (de la décadence) assise et les bras croisés : c'est une femme. A la fenêtre, nous voyons une Grecque, petite, blanche, yeux bleus, allaitant un enfant (c'est la femme de Fioravi ?). – Fioravi, pantalon de toile, veste, main estropiée, spina ventosa. – Ortali : « Si vous avez besoi

2. Mme Maurice Schlesinger.

de moi? », me rappelle François, mon guide d'Ajaccio.

Nous retournons dans la rue des almées, je m'y promène exprès; elles m'appellent : « Cawadja, cawadja, batchis! batchis, cawadja! » Je donne à l'une, à l'autre, des piastres; quelques-unes me prennent à bras le corps pour m'entraîner, je m'interdis de les b... pour que la mélancolie de ce souvenir me reste mieux, et je m'en vais.

Le fils Issa aveugle.

Nous avons un nouveau matelot, Mansourh. Avant de partir, nous achetons à un homme qui nous les propose, sur le rivage, une boîte de dattes sèches de la Mecque!

Repartis vers 2 heures et mouillé à 11 heures du soir à Nakhadah.

Jusqu'à présent le Nil ne se rétrécit pas.

La nuit, quelques étoiles se mirent dans l'eau, elles y sont allongées comme la flamme de grands flambeaux. Le jour, sous le soleil, à la pointe de chaque vague brille une étoile de diamant.

Les montagnes ont quelquefois des dispositions de lignes pareilles à celles qui se trouvent dans un aérolithe, quand on le coupe par le milieu.

Lundi 4 mars, 2 heures. Nous allons bientôt passer devant Thèbes. A droite, devant nous, derrière la montagne, se trouve la vallée des Rois; à gauche, devant moi, il y a une petite barque où sont des hommes qui pêchent. Elle touche une grande grève de sable, au bout de laquelle est une ligne verte de palmiers. Le vent vient de reprendre, nous allons plus vite.

Passé devant LOUQSOR. – Je nettoyais ma lorgnette quand nous avons aperçu Louqsor, à notre gauche; je suis monté sur la chambre. – Les sept colonnes, l'obélisque, la maison française. – Des Arabes assis au bord de l'eau près d'une cange anglaise. – Le gardien de la maison française nous crie qu'il a une lettre pour nous, c'est la carte du baron Anca. Nous haltons. Parmi les gens, devant notre barque, un nègre, drapé comme une momie, tout en cartilage, desséché, avec un petit takieh sale sur le haut de la tête; des femmes baignent leurs pieds dans l'eau, un âne est venu boire.

Coucher de soleil sur Medinet-Habout. – Les montagnes sont indigo foncé (côté de Medinet-Habou); du bleu par-dessus du gris noir, avec des oppositions longitudinales lie de vin, dans les fentes des vallons. Les palmiers sont noirs comme de l'encre, le ciel rouge, le Nil a l'air d'un lac d'acier en fusion.

Quand nous sommes arrivés devant Thèbes, nos matelots jouaient du tarabouk, le bierg soufflait dans sa flûte, Khalile dansait avec des crotales; ils ont cessé pour aborder.

C'est alors que, jouissant de ces choses, au moment où je regardais trois plis de vagues qui se courbaient derrière nous sous le vent, j'ai senti monter du fond de moi un sentiment de bonheur solennel qui allait à la rencontre de ce spectacle, et j'ai remercié Dieu dans mon cœur de m'avoir fait apte à jouir de cette manière; je me sentais fortuné par la pensée, quoiqu'il me semblât pourtant ne penser à rien; c'était une volupté intime de tout mon être.

ESNEH. *Mercredi 6.* Arrivés à Esneh vers 9 heures du matin. Près de la berge quelques palmiers; un peu plus loin on descend légèrement et l'on remonte par un mouvement de terrain, là se trouve le quartier des Nubiens.

Bembeh. – Pendant que nous déjeunions, une almée, maigre et les tempes étroites, les yeux peints d'antimoine et ayant un voile passé par-dessus sa tête, et qu'elle tenait avec ses coudes, est venue causer avec Joseph. Elle était suivie d'un mouton familier, dont la laine était peinte par places en henné jaune, le nez muselé par une bande de velours noir, très touffu, les pieds comme ceux d'un mouton factice, et ne quittant pas sa maîtresse.

Nous descendons à terre. La ville, comme toutes les autres, en boue sèche, moins grande que Kesneh, les bazars moins riches. Sur la place, café avec des Arnautes. La poste y réside, c'est-à-dire l'Effendi y vient faire sa besogne. – Ecole au-dessus d'une mosquée, où nous allons pour acheter de l'encre. – Première visite au temple, où nous ne restons guère. – Sur les maisons sont des sortes de tours carrées, avec des perches couvertes de ramiers. Sur leurs portes, quelques almées, moins qu'à Kesneh, d'un costume moins brillant, d'un aspect moins crâne.

Maison de Ruchiouk-Hânem. Bembeh nous précède, accompagnée du mouton; elle pousse une porte et nous entrons dans une maison qui a une petite cour; et en face de la porte un escalier. Sur l'escalier, en face de nous, la lumière l'entourant et se détachant sur le fond bleu du ciel, une femme debout, en pantalons roses, n'ayant autour du torse qu'une gaze d'un violet foncé.

Elle venait de sortir du bain, sa gorge dure sentait frais, quelque chose comme une odeur de térébenthine sucrée; elle a commencé par nous parfumer les mains avec de l'eau de rose.

Nous sommes entrés au premier étage. On tourne à gauche au haut de l'escalier, dans une chambre carrée, blanchie à la chaux : deux divans, deux fenêtres, une du côté des montagnes, une autre donnant sur la ville; de celle-là, Joseph me montre la grande maison de la fameuse Saphiah.

Ruchiouk-Hânem est une grande et splendide créature, plus blanche qu'une Arabe, elle est de Damas; sa peau, surtout du corps, est un peu cafetée. Quand elle s'assoit de côté, elle a des bourrelets de bronze sur ses flancs. Ses yeux sont noirs et démesurés, ses sourcils noirs, ses narines fendues, larges, épaules solides, seins abondants, pomme. Elle portait un tarbouch large, garni au sommet d'un disque bombé, en or, au milieu duquel était une petite pierre verte imitant l'émeraude; le gland bleu de son tarbouch était étalé en éventail, descendait, et lui caressait les épaules; devant le bord du tarbouch, posée sur les cheveux et allant d'une oreille à l'autre, elle avait une petite branche de fleurs blanches, factices. Ses cheveux noirs, frisants, rebelles à la brosse, séparés en bandeaux par une raie sur le front, petites tresses allant se rattacher sur la nuque. Elle a une incisive d'en haut, côté droit, qui commence à se gâter. Pour bracelet, deux tringlettes d'or tordues ensemble et tournées l'une autour de l'autre. Triple collier en gros grains d'or creux. Boucles d'oreilles : un disque en or, un peu renflé, ayant sur sa circonférence de petits grains d'or.

Elle a sur le bras droit, tatouées, une ligne d'écritures bleues.

Elle nous demande si nous voulons une petite fantasia.

Les musiciens arrivent : un enfant et un vieux, l'œil gauche couvert d'une loque ; ils raclent tous les deux du rebbabeh, espèce de petit violon rond, terminé par une branche de fer qui s'appuie par terre, avec deux cordes en crin. Le manche aussi est très long par rapport au corps même de l'instrument. Rien n'est plus faux ni plus désagréable. Les musiciens ne discontinuent pas d'en jouer ; il faut crier pour les faire s'arrêter.

Ruchiouk-Hânem et Bembeh se mettent à danser. La danse de Ruchiouk est brutale, elle se serre la gorge dans sa veste de manière que ses deux seins découverts sont rapprochés et serrés l'un près de l'autre. Pour danser, elle met, comme ceinture pliée en cravate, un châle brun à raie d'or, avec trois glands suspendus à des rubans. Elle s'enlève tantôt sur un pied, tantôt sur un autre, chose merveilleuse ; un pied restant à terre, l'autre se levant passe devant le tibia de celui-ci, le tout dans un saut léger. J'ai vu cette danse sur des vieux vases grecs.

Bembeh affectionne la danse en ligne droite ; elle va avec un baisser et un remonter d'un seul côté de hanche, sorte de claudication rythmique d'un grand caractère. Bembeh a du henné aux mains (elle a servi de femme de chambre au Caire, dans une maison italienne, et entend quelques mots d'italien ; un peu mal aux yeux). Leur danse, du reste, sauf ce pas de Ruchiouk indiqué plus haut, ne vaut pas de beaucoup celle de Haçan el-Bilbesi. L'opinion de Joseph est que toutes les belles femmes dansent mal.

Ruchiouk a pris un tarabouk. Elle a, quand elle en joue, une pose superbe : le tarabouk est sur ses genoux, plutôt sur la cuisse gauche ; le bras gauche a le coude baissé, le poignet levé, et les doigts, jouant, tombent entr'écartés sur la peau du tarabouk ; la main droite frappe et marque le rythme ; elle se renverse la tête un peu en arrière, gourmée et la taille cambrée.

Ces dames, surtout le vieux musicien, absorbent considérablement de raki. Ruchiouk danse avec mon tarbouch sur sa tête, elle nous reconduit jusqu'au bout de son quartier, et alternativement monte sur nos deux dos en faisant beaucoup de charges.

Café de ces dames. – Gourbis, avec des jours de soleil entrant par les branches et faisant des taches lumineuses sur la natte où nous sommes assis. Nous prenons une tasse. – Joie de Ruchiouk en voyant nos deux méches et en entendant Max dire : « La alah illah Allah, Mohammed rassoul Allah ».

Seconde visite plus détaillée au temple, nous attendons l'Effendi pour lui remettre une lettre. – Dîner.

Nous revenons chez Ruchiouk. La chambre était illuminée par trois mèches dans des verres pleins d'huile, mis dans des girandoles de fer-blanc accrochées au mur. Les musiciens sont à leur poste. – Petits verres pris très précipitamment, le cadeau de liquides et nos sabres font leur effet.

Entrée de Saphiah-Zougaïrah, petite femme à nez gros, yeux noirs, enfoncés, vifs, féroces et sensuels ; son collier de piastres sonne comme une charrette ; elle entre et nous baise la main.

Les quatre femmes assises alignées sur le divan et chantant. Les lampes font des losanges tremblotants sur les murs, la lumière est jaune. Bembeh avait une robe rose à grandes manches (toutes sont en étoffes claires) et les cheveux couverts d'un fichu noir à la fellah. Tout cela chantait, les tarabouks sonnaient, et les rebecs monotones faisaient une basse, criarde, piano : c'était comme un chant de deuil gai.

Ruchiouk nous danse l'abeille. Préalablement, pour qu'on puisse fermer la porte, on renvoie Fergalli et un autre matelot, jusqu'alors témoins des danses et qui, au fond du tableau, en constituaient la partie grotesque ; on a mis sur les yeux de l'enfant un petit voile noir, et on a rabattu sur les yeux du vieux musicien un bourrelet de son turban bleu. Ruchiouk s'est déshabillée en dansant. Quand on est nu, on ne garde plus qu'un fichu avec lequel on fait mine de se cacher et on finit par jeter le fichu ; voilà en quoi consiste l'abeille.

Du reste elle a dansé très peu de temps et n'aime plus à danser cette danse. – Joseph, animé, battant des mains : « Là, eu, nia, oh ! eu, nia, oh ! » – Enfin, quand après avoir sauté de ce fameux pas, les jambes passant l'une devant l'autre, elle est revenue haletant se coucher sur le coin de son divan, où son corps remuait encore en mesure, on lui a jeté son grand pantalon blanc rayé de rose, dans lequel elle est entrée jusqu'au cou, et on a dévoilé les deux musiciens.

Quand elle était accroupie, dessin magnifique et tout à fait sculptural de ses rotules.

Autre danse : on met par terre une tasse de café ; on danse devant, puis tombe sur les genoux et continue à danser du torse, jouant toujours des crotales, et faisant dans l'air une sorte de brasse comme en nageant. Cela continuant toujours, peu à peu la tête se baisse, on arrive jusqu'au bord de la tasse que l'on prend avec les dents, et elle se relève vivement d'un bond.

Elle ne se souciait pas trop que nous restions à coucher chez elle, de peur des voleurs qui viennent lorsqu'ils savent qu'il y a des étrangers. Des gardes ou maquereaux (auxquels elle ne ménageait pas les coups) ont couché en bas dans la chambre à côté, avec Joseph et la négresse, esclave d'Abyssinie qui portait à chaque bras la cicatrice ronde (comme une brûlure) d'un bubon pestilentiel. Nous nous sommes couchés, elle a voulu garder le bord du lit. – Lampe : la mèche reposait dans un godet ovale à bec. – Après une b... des plus violentes, elle s'endort la main entre croisée dans la mienne, elle ronfle ; la lampe, dont la lumière faible venait jusqu'à nous, faisait sur son beau front comme un triangle d'un métal pâle, le reste de la figure dans l'ombre. Son petit chien dormait sur ma veste de soie, sur le divan. Comme elle se plaignait de tousser, j'avais mis ma pelisse sur sa couverture. J'entendais Joseph et les gardes qui causaient à voix basse ; je me suis livré là à des intensités nerveuses pleines de réminiscences. – Sensations de son ventre sur mes..., la... plus chaude que le ventre me chauffait comme un fer. – Une autre fois, je me suis assoupi le doigt passé dans son collier, comme pour la retenir si elle s'éveillait. J'ai pensé à Judith et à Holopherne couchés ensemble. A deux heures trois quarts, réveil plein de tendresse. Nous nous sommes dit beaucoup de choses par la pression ; tout en dormant, elle avait des pressions de mains ou de cuisses machinales comme des frissons involontaires. Je fume un chicheh, elle va causer avec Joseph, rapporte un pot de charbons allumés, se chauffe, se recouche. « Basta ! »

Quelle douceur ce serait pour l'orgueil si, en partant, on était sûr de laisser un souvenir, et qu'elle pensera à vous plus qu'aux autres, que vous resterez en son cœur !

Le matin, nous nous sommes dit adieu fort tranquillement.

Nos deux matelots viennent pour porter nos affaires à la cange, je vais chasser autour d'Esneh après être rentré à la cange. – Champ de coton sous des palmiers et des gazis. – Des Arabes, des ânes, des buffles vont aux champs. Le vent soufflait dans les branches minces des gazis, cela sifflait comme chez nous dans les joncs. Le soleil monte, les montagnes ne sont plus comme le matin, en sortant de chez Ruchiouk, rose tendre ; l'air frais me fait du bien aux yeux. Hadji-Smaël, qui m'escortait, se penche de temps à autre pour découvrir des tourterelles entre les branches ; quand il m'en montrait, je ne les voyais guère. Un homme puisait à un chadouf.

J'ai beaucoup pensé à ce matin (St-Michel), chez le marquis de Pomereu, au Héron, où je me suis promené tout seul, dans le parc, après le bal : c'était dans les vacances de ma quatrième à ma troisième.

Je retourne à la barque prendre Joseph. – Lettre donnée à l'Effendi. – Achat de viande, de ceintures. – Le tailleur pour mes guêtres dans un khan où a habité Joseph lorsqu'il servait deux maîtres qui cherchaient des trésors. – Nous prenons de l'encre à la mosquée, les moutards emplissaient l'école et écrivaient sur des planches.

Nous rencontrons Bembeh et la quatrième femme qui jouait du tarabouk ; Bembeh s'est occupée de notre provision de pain. Elle a la figure extrêmement fatiguée.

Parti de Esneh à midi moins le quart. – Des Bédouins nous ont vendu une gazelle qu'ils avaient tuée le matin, de l'autre côté du Nil.

Temple d'Esneh. – Est au milieu de la ville, enfoncé dans les terrains. On y descend par un escalier en terre, fait depuis les déblais opérés jusqu'au pied des colonnes : ce n'est que le pronaos du temple. Au fond, porte au milieu, deux autres plus petites ; les murs sont couverts de grands dessins représentant des présentations d'offrandes à des divinités, partout les mêmes scènes sont répétées. Les colonnes sont couvertes d'hiéroglyphes. Sur les colonnes on voit une espèce d'oiseau ressemblant par le corps à un perroquet avec des oreilles et des pattes de lièvre ; il est accroupi sur le train de derrière, dans une position animée, et les pattes rapprochées de la tête. Comme plastique, l'ensemble du dessin de toutes ces représentations est généralement lourd, mastoc, décadent ; les genoux, au lieu d'être perpendiculaires à la jambe, sont rentrés en dedans, comme les miens, ce qui est laid.

Ce temple a de longueur 33 m. 70 et de largeur 16 m. 89, la circonférence des colonnes est de 5 m. 37, la hauteur totale des colonnes est de 11 m. 37. Il y a 24 colonnes.

Par l'ouverture supérieure, entre le sol et le plafond, la lumière arrivait en plein. – Sur un mur d'en face, poteries rondes pour recevoir des pigeons. – Un Arabe est monté sur le chapiteau d'une colonne pour laisser tomber le ruban métrique. Une vache jaune, à gauche, a passé sa tête.

A l'entrée, débris de momies confisqués par le Gouvernement dans les environs et que l'on a mis là. Dans un des cercueils, tête d'enfant bien conservée, et encore parfaitement reconnaissable.

Sur les dalles couronnant les murs (toit du temple), des noms de troupiers français. Mur de l'Est, et la date 1799 : Louis Ficelin, Ladouceur, Lamour, Luneau, François Dardant.

Il y a là aussi à côté – c'est ici que je le vois pour la première fois – des marques de pieds faites au couteau, comme si l'on avait, avec un couteau, suivi tout le contour du pied ; ensuite on a, par des raies, figuré la séparation des doigts. C'est au coin Sud-Est que se trouvent le plus de marques de pieds. A côté d'un de ces pieds est cette inscription :

ΠΑΧΟΜ
ΠΕΙΕΝ
88φγ/8

ASSOUAN. *Samedi 9 mars.* Arrivés à Assouan à travers les rochers qui sont au milieu du fleuve ; ils sont chocolat noir, et de longues fientes d'oiseaux font dessus de grandes raies blanches qui vont s'élargissant par le bas. A droite, des colonnes de sable, nues, sans rien autre chose sur elles que le bleu du ciel, cru, tranchant. L'air est très profond, la lumière tombe d'aplomb, c'est un paysage nègre.

Assouan sur la rive droite. Nous doublons l'île d'Eléphantine pour y arriver, et nous voyons des gens du pays passer le fleuve, assis dans l'eau comme des Tritons, sur des bottes de cannes ou sur des troncs de palmier, et pagayant avec une seule rame. Le corps nu et noir brille au milieu des flots, jusqu'à la ceinture. Sur le bord on défait sa chemise, on la roule en turban autour de sa tête, on y glisse le chibouk ; arrivé à la rive opposée on laisse là cet étrange bateau, on remet (ou non) sa chemise et l'on s'en va.

Sur la plage d'Assouan, quelques petites canges. Des Nubiens sont autour de marmites qui bouillent, sous une espèce de tente supportée par quatre bâtons. – A gauche, en arrivant à Assouan, quand on double Eléphantine, restes d'un mur romain. – Rocher avec une inscription hiéroglyphique.

ELÉPHANTINE. Promenade dans Eléphantine. Une cange échouée sur sa rive (côté d'Assouan), sous des palmiers, dans la position d'un gros poisson laissé par la marée. – Mansourh nous accompagne. – Enfants qui nous suivent. – Nous tournons, nous passons sous les sakis; les sakis, tirés par deux maigres vaches, crient; un enfant est assis derrière. Au bout de l'île, banc de sable; au milieu de l'île, verdure de l'orge; à la partie méridionale, ruines, débris de poteries et un cimetière près de deux piliers (restes d'une porte), dont les dessins sont fort abîmés. A cet endroit, en se tournant vers le Nord, on a le paysage suivant : au premier plan, des terrains gris; entre deux avancées de palmiers, la verdure de la prairie; au bout de l'île, le Nil dans la découpure des rochers, et, sur la droite, le palais blanc de Mahmoud-Bey, qui semble tout au bout de la prairie quoique en étant très loin; des deux côtés, le Nil; à gauche, des collines de sable toutes jaunes; à droite, Assouan dans les palmiers.

Au coucher du soleil, les arbres ont l'air faits au crayon noir et les collines de sable semblent être de poudre d'or. De place en place elles ont des raies noires, minces (traînées de terre, ou plis du vent), qui font des lignes d'ébène sur ce fond d'or, – or comme celui des vieux sequins.

Assouan n'est pas tout à fait sur le bord du Nil, il faut monter.

Nous allons dans un petit khan acheter de la gomme (à gauche, du même côté que le café). Le dessus, fait de nattes de palmiers, était pénétré de soleil, il pendait en déchirures épaisses, losangées, etc. – Toiles d'araignée qui pendaient dans les coins. – La poussière unissait le ton varié des fils des nattes; le bleu du ciel, féroce, passait à travers les trous de formes différentes.

Le Mâlim avec son fils, malade.

Le gouverneur, sur le devant de sa porte, porte ses deux mains à son turban pour saluer nos firmans; à côté de lui, un gros blond obèse, couvert d'habits, ancien gouverneur de Ouadi-Halfa. On lui amène un homme qui a découvert de l'argent dans l'île d'Eléphantine, qui l'a déclaré, et auquel on n'en donne pas moins la question pour savoir s'il n'a pas mis quelques pièces de côté; un soldat déserteur; une petite Nubienne fort bien faite, dont on mesure la taille avec un bâton pour tarifer la somme que chaque marchand doit payer par tête d'esclave.

Dans une boutique nous voyons une almée, grande, mince, noire ou plutôt verte, cheveux crépus nègres; ses yeux d'étain roulent, de profil elle est charmante. – Autre petite femme gaie, avec ses cheveux crépus, ébouriffés sous son tarbouch.

Azizeh. – Cette grande fille s'appelle Azizeh. Sa danse est plus savante que celle de Ruchiouk. Pour danser, elle quitte son vêtement large et passe une robe d'indienne à corsage européen. Elle s'y met; son col glisse sur les vertèbres d'arrière en avant, et plus souvent de côté, de manière à croire que la tête va tomber : cela fait un effet de décapitement effrayant.

Elle reste sur un pied, lève l'autre, le genou faisant angle droit, et retombe dessus. Ce n'est plus de l'Egypte, c'est du nègre, de l'africain, du sauvage, c'est aussi emporté que l'autre est calme.

Autre pas : mettre le pied gauche à la place du droit, et le droit à la place du gauche, alternativement, très vite.

La couverture qui servait de tapis dans sa cahute faisait des plis, elle s'arrêtait de temps en temps pour la retirer.

Elle s'est mise nue, elle avait sur le ventre une ceinture de perles de couleur, et son grand collier de piastres d'or lui descend...; elle le passe par le bout dans sa ceinture de perles.

En dansant, précipités des hanches furieux et la figure toujours sérieuse. Une petite fille de deux ou trois ans, en qui le sang parlait, tâchait de l'imiter, et dansait d'elle-même, sans rien dire.

C'était sous une hutte en terre, à peine assez haute pour qu'une femme s'y tînt, dans un quartier hors de la ville, tout en ruines, et ruines à ras de terre. – Au milieu du silence, ces femmes en rouge et en or.

Sur le bord de la plage, un homme tenant des plumes d'autruches à la main, nous les propose à vendre.

Lundi 11 mars. Le matin, nous nous disposons à passer la cataracte et nous partons avec deux raïs spéciaux, et un pilote nubien (raïs Haçan) qui nous doit mener jusqu'à Ouadi-Halfa.

Notre vieux pilote, ridé, à grand nez, courbé sur la barre et regardant au loin. – Des enfants, montés sur des troncs de palmiers, se jettent dans les tourbillons d'écume et disparaissent; on voit la proue de leur tronc de palmier qui se cabre lorsqu'ils remontent à la surface, ils abordent sur le pont, tout ruisselants d'eau. Çà a l'air de statues de bronze dégouttelant de l'eau des fontaines, que le soleil fait briller sur leurs corps. Les dents des Nubiens sont plus longues, plus larges et plus écartées, la musculature est moins forte que celle des Arabes.

Les rochers semblent être de grands blocs de charbon de terre, morceaux de granit rose; ailleurs, le granit est veiné comme du marbre.

A midi et demi, nous nous arrêtons au bas des cataractes et nous y passons la nuit dans une petite anse, au milieu des rochers. – Promenade sur les rochers. – Les cataractes sont encloses de collines. Il y en a trois, à gauche; sur un plan secondaire, une quatrième s'aperçoit entre la deuxième et la troisième. Deux enfants nous accompagnent, l'un petit, tout nu, tête moutonnée, auquel nous avons donné des colliers le matin. – Succès de nos colliers.

A gauche, il y a une grande digue naturelle de sable, c'est le vent qui l'a faite. Nous marchons dans l'ombre qu'elle fait, nous montons dessus. Nous étions tout à l'heure sur son côté Ouest; quand nous sommes parvenus sur sa crête, nous trouvons tout le côté Est illuminé par le soleil d'une teinte d'or pâle. Nous marchons, faisant ébouler le sable qui fuit sous nos pieds comme une onde.

Mardi 12. Nous partons à 7 heures du matin. La grande voile de la cange passe entre les rochers, qu'elle frise souvent. Vue de terre, avec ses deux voiles dépliées et lorsqu'elle est au repos, elle semble un grand oiseau (une cigogne) arrêté les ailes ouvertes, mais dont la tête serait cachée sous ses jambes.

Un homme se jette à l'eau pour porter le câble de l'autre bord. Je vais à pieds nus sur les rochers, guidé par le fils d'un sheik d'un village voisin qui, la veille, était venu travailler à bord. On attache un câble de côté pour que le bateau ne dévie pas, et avec un second câble on tire en avant.

Un vieux raïs (Douchi) vient là rien que pour crier; il se balançait comme un singe et lançait ses bras en poussant des cris aigus qu'il variait, paraissant s'inquiéter beaucoup plus de faire suivre ce rythme que de la manière dont on tirait le câble. Quelquefois le bateau était entré dans l'eau jusqu'à moitié par l'avant, tandis que l'arrière, levé déjà du niveau inférieur, restait suspendu en l'air. Une longue file d'hommes sur les rochers, tirant tous à la fois en chantant; la cange couverte d'hommes qui poussaient, criaient, chantaient; bruit des eaux, enfants s'y jetant, corps ruisselants d'eau qui en sortent, écume au bord des rochers noirs, soleil, sables jaunes.

Nous passons au milieu d'un petit village nubien. Un soldat (en vert) veut me prendre mon guide pour une rixe de la veille; j'arrange l'affaire. – Petite fille nue avec un caleçon de franges de cuir, un collier et des bracelets de perles de couleur; les cheveux frisés en petites mèches sont disposés sur le front de manière à y décrire un fer à cheval.

La cataracte abandonnée, ouverte il y a une quarantaine d'années et où il a perdu un vaisseau d'Ibrahim-Pacha, est toute droite comme un canal (elle est à droite en montant, lorsqu'on suit le grand chenal). Cinq hommes s'y jettent pour m'amuser, trois sont montés sur des troncs de palmiers et deux ont sauté à la nage.

MAHATTA. Je monte dans notre sandal conduit par deux enfants, qui me mènent jusqu'au village de Mahatta, où doit arriver la cange. Bouquets de palmiers entourés de petits murs circulaires, au pied d'un desquels fumaient deux Turcs; c'était comme une gravure, une vue de l'Orient dans un livre. Dans la poussière se traînait un enfant rachitique, ses cuisses n'étaient pas plus grosses que le bas de ses jambes, et son dos était bossu comme s'il avait eu la colonne vertébrale cassée.

Au village nubien que j'ai traversé avec Joseph, il m'a montré un jouet d'enfant, consistant en un tout petit bout de bois d'où partent plusieurs lanières de cuir, dont quelques-unes sont garnies de perles de couleur, le tout est recouvert de trois ou quatre loques, grises de poussière.

Nous rembarquons nos bagages apportés par des chameaux. – Sassetti couvert d'armes.

Après Mahatta, les palmiers deviennent fort gros. Une file de bœufs du Kordofan passe à gauche sur la rive droite, le Nil va se resserrant, les montagnes ne le quittent plus; il a l'air de ne pas couler; le courant, si fort en deçà des cataractes, est ici faible.

Mercredi 13. Il passe devant nous une migration de cigognes. – Fête grotesque donnée à Fergalli : il est nommé pacha, ses sujets viennent lui présenter leurs hommages; avec leur main et leur bouche ils imitent le bruit des instruments, pets factices faits avec les mains. Fergalli fait semblant de leur donner un batchis; le bierg, avec un couteau, lui scie quelques poils de la barbe.

ABOU-HOR. *Jeudi 14.* Arrêtés à Abou-Hôr, juste sous le tropique du Cancer, faute de vent. Quelques Nubiens viennent nous vendre différents objets. Maxime essaie de faire une épreuve d'un chadouf. – Laideur d'un grand nègre qui pose à droite.

Le village est au pied de la montagne, dont les assises régulières, amoncelées, donneraient (si on ne les avait déjà vues) la meilleure idée de la base en ruine de la Grande Pyramide. Les petits garçons sont tout nus, les jeunes filles n'ont qu'un caleçon d'aiguillettes de cuir. L'aiguillette de cuir se retrouve partout et les chevelures me semblent l'imiter, à moins que ce ne soit l'aiguillette qui imite la chevelure.

Le courrier de la poste s'est arrêté devant moi pour me demander un batchis, il portait sur son dos une sacoche en cuir et à la main le petit bâton de gazis, recourbé. Derrière lui, et courant aussi, suivait un jeune garçon sonnant une sonnette et qui avait, passé au bras gauche, un poignard attaché à un bracelet de cuir. Ils sont repartis en courant.

J'ai vu une petite fille de douze ans environ, nue, charmante, avec son petit caleçon de cuir battant sur ses petites cuisses et ses petites mèches tressées tombant sur ses épaules. Ses yeux d'émail souriaient, ses reins cambrés. Elle avait un petit collier rouge et des bracelets à grains bleus, elle portait un panier dans une pauvre maison et elle en est ressortie. A côté d'elle, sa mère, contre laquelle elle se tapissait, femme à figure carrée, d'expression douce, fort belle autrefois. – Vieille femme aveugle conduite par une petite fille; petite fille aveugle, toute nue, à qui nous avons donné l'aumône.

Le soir, nous nous sommes promenés sur la berge, sous des palmiers touffus. Deux nègres, assis par terre, épluchaient du coton. Entre ces grands palmiers, qui sont au premier plan, et un bouquet d'autres palmiers plus petits et dont les branches retombaient en courbes molles, comme eussent fait des jets de liquide vert, on voyait le Nil; après le Nil, qui entrait là dans les terres, au troisième plan, s'avançait une demi-lune de grands palmiers; après eux, une grande pelouse d'orge, très verte, qui allait jusqu'à la montagne au pied de laquelle est le village. Ses maisons grises confondent avec elle leur ton, et comme ces maisons sont carrées, il semble que ce ne soit que quelques grosses pierres des assises inférieures de la montagne. Entre les premiers palmiers et le Nil (entre le premier et le second plan), il y avait deux petits carrés de cotonniers, dont les feuilles sont rouges, rouillées par place; des coques de coton commençaient à s'ouvrir.

D'Abou-Hôr à Maharrakah, cela redevient Egypte. Les montagnes basses et épatées sont plus reculées; sur les rives, un peu d'herbe. On prendrait de loin la montagne de Maharrakah pour une pyramide. Le Nil, plus large depuis ce matin, se resserre.

MÉDIK. Nous amarrons le soir, à 5 heures, à Médîk.

Promenade à droite, sur la rive gauche : sable très jaune; dans le sable, par places, parmi sa couleur jaune, de grandes dalles de grès gris. Le Nil est couleur bleu sale ou ardoise pâle, les montagnes sont gris noir. Le soleil toute la journée a été caché, le ciel pâle et sale. – Fort vent d'ouest. – Nous sommes arrêtés maintenant près d'une sakieh; à mesure que l'on avance, elles deviennent de plus en plus couvertes.

KOROSKO. Paysage grandiose et dur, encadré (lorsqu'on arrive) par deux vieux gazis. – Grandes montagnes de pierre : une, deux et la troisième par derrière. – Dans la gorge à droite, en débarquant de la barque, est le commencement du chemin de Khartoum, c'est par là qu'on s'en va.

Hideuse vieille femme accroupie à arranger du coton, et qui avait une petite fille sur ses genoux.

Quelques Ababdiehs. – Leurs chameaux : quelques-uns ont, quant à la tête, une mine de girafes. L'on raccommodait l'ongle du pied de l'un d'eux avec un bout de cuir. – Coiffure des Ababdiehs : pas de bonnet; des deux côtés de la tête ils portent les cheveux longs en deux grosses touffes; sur le sommet les cheveux sont hérissés, coupés en brosse, ou rasés (plus rare). Ils ont le type bien moins nègre que les Nubiens et la peau beaucoup moins noire aussi. Air brave et intelligent. – Saleté des femmes de Korosko : elles se graissent les cheveux avec de la graisse de mouton, qu'elles délayent dans leur bouche; leurs mèches en sont collées de manière à ne pouvoir reconnaître que ce soient des cheveux; la crasse noire reste par plaques sur leur peau. – Deux femmes : une petite, camuse, nez très écrasé du milieu, fort, grands yeux; une grande à qui je marchande deux mèches avec ses ornements en or. La première tournait des grains dans un panier plat.

Au coucher du soleil, le ciel s'est divisé en deux parties : ce qui touchait à l'horizon était bleu pâle, bleu tendre, tandis qu'au-dessus de nos têtes, dans toute sa largeur, c'était un immense rideau pourpre à trois plis, un, deux, trois. Derrière moi et sur les côtés, le ciel était comme balayé par de petits nuages blancs, allongés en forme de grèves; il avait eu cet aspect toute la journée. La rive à ma gauche était toute noire. Le grand rideau vermeil s'est décomposé en petits monticules d'or moutonnés, c'était comme tamponné par petites masses régulières. Le Nil, rougi par la réflexion du ciel, est devenu couleur sirop de groseille. Puis, comme si le vent eût poussé tout cela la couleur du ciel s'est retirée à gauche, du côté de l'Occident, et les ténèbres sont descendues.

Dimanche 17 mars. Pas de vent, nous faisons environ deux lieues, à la corde. – Chassé sur la rive gauche, sous des palmiers; je tue plusieurs tourterelles et trois oiseaux de proie, dont deux gypaètes. Des enfants et un grand nègre nous suivaient. Les animaux atterrés avaient peur de nos coups de fusil et bondissaient en tirant sur leur corde.

Au coucher du soleil, nous voyons les montagnes de la chaîne libyque par des échappées de palmiers; le ciel est bleu tendre, l'atmosphère rose.

Temple de Hamada, sur la rive gauche du Nil, à deux cents pas du rivage; le sable le domine sur les côtés.

Il est en grès. Quatre files de piliers, trois piliers à chaque file; au bout de chaque file, une colonne à chapiteau carré.

Le temple est recouvert par de grandes dalles plates, dont plusieurs sont chargées d'inscriptions grecques illisibles. Il y a sur ces dalles des ondulations régulières naturelles, comme seraient des vagues : c'est le temps qui a fait cela, la pierre qui s'est usée, à moins de supposer, ce qui est peu probable, qu'on ne l'ait pas suffisamment dégrossie.

Une porte carrée, un couloir transversal sur lequel s'ouvrent les trois portes des trois couloirs parallèles qui, par le fond, communiquent entre eux. Dans le pronaos, des caractères sont profondément entaillés; dans le temple, ils sont en relief et peints comme les figures.

Le couloir du milieu est le plus large, comme serait la nef, et au fond, juste en face la porte, il y a, peinte sur le mur, une cange portant trois figures : la première est assise, coiffée du pschent, coloriée en jaune; la deuxième assise, en rouge, à tête d'épervier, coiffée de la boule et tenant le nilomètre; la troisième, en rouge, sans coiffure apparente, debout, présente aux deux premiers personnages quelque chose dans ses deux mains, qui semble être deux boules ou sphères. Une très longue inscription hiéroglyphique est placée sous cette représentation.

Même pièce : le visage tourné vers la porte et assises sur des trônes sont deux figures de grandeur nature : la première à droite, en rouge, à tête d'épervier, coiffée de la boule, tenant la clef et le nilomètre, avec un appendice qui part au-dessus de l'articulation du genou et retombe vers les pieds, espèce de long crochet plus large à mesure qu'il descend vers la terre; la deuxième, à gauche, en bleu, avec ce même crochet, portant la clef et le nilomètre, coiffée d'un très long pschent dont les petits carrés sont alternativement rouges et bleus.

A droite, après l'inscription, trois grandes figures debout : la première, tournée vers le fond, en rouge, calotte noire, bâton sur lequel il appuie sa main gauche; la deuxième, en bleu, très long pschent, la clef; il est tourné vers la porte d'entrée; la troisième, tournée vers le précédent, en rouge, uræus (mutilée).

Sur le mur de gauche, trois grandes figures, rouges : la première, plus près du fond, le regarde; la deuxième, au milieu, à une tête d'épervier, des bandelettes bleues, et présente un vase sur lequel il y a une clef et deux autres attributs; la troisième, sa coiffure figure une espèce de lyre et est portée en arrière, sa main droite porte la clef, sa gauche est unie à la droite du précédent et de leurs mains confondues pendent, de chaque côté, comme des jets parallèles.

Le temple est éclairé par le jour de la porte et par les trous du plafond faits par les Arabes qui l'ont habité.

Dans la petite pièce du fond, après le couloir de droite, trou dans l'angle droit. Un large rayon de soleil passait, dans lequel tournoyait de la poussière; la lumière allait frapper un œil surmonté d'un vase et éclairait les figures bleues et rouges.

Pièce de droite : près la porte d'entrée, un pasteur, debout, conduit ses troupeaux; quatre bœufs, échelonnés l'un sur l'autre, entre les intervalles des cordes qui vont en faisceau se réunir dans la main du pasteur, partant du pied des bêtes où elles sont attachées.

Même pièce, sur le côté gauche en entrant : figure debout, une étoile, un glaive, la main gauche fermée; le corps est terminé en gaine et deux mains, qui passent par derrière et que l'on voit en raccourci, semblent y rajouter des pieds.

Dans le pronaos il y avait trois Nubiennes et une négresse qui ramassaient des crottes de chèvre, qu'elles épluchaient dans le sable. Le temple y est enfoui.

Au-dessus du pronaos, ruines du tombeau.

Quand on est monté sur les dalles extérieures du temple, on a derrière soi le désert avec ses sables jaunes, en face le Nil, et au delà des montagnes grises mamelonnées. Entre le Nil et les montagnes, ligne de verdure des palmiers et des champs d'orge. La rive du Nil est ornée de place en place de sakiehs; à droite, le Nil fait un coude et l'horizon s'aplatit.

Du fond du temple on voit le Nil compris entre le sable qui dévale vers l'entrée du temple et le grès du plafond et des piliers du pronaos; les dieux peints sur le bari pouvaient voir les canges passer.

EL-DERR. – Une plage. – Montée. – Un grand sycomore ramus. – Le gouverneur, accroupi sur un divan en terre recouvert d'un tapis râpé, nous invite à prendre le café. Les rues sont larges, des murs gris assez élevés entourent des jardins pleins de palmiers et dont les feuilles retombent; il fait tranquille, air chaud. Des Nubiens en longue chemise blanche passent; à l'angle d'un mur, un groupe assis et fumant.

Au bout de la ville, une colline. – Quelques tombes entourées de murs en briques crues. – Ce qui est sur le mort même (ce qui remplace la pierre sépulcrale) est un assemblage de petits cailloux; sur le mur règnent, pour ornement, des briques posées obliquement et se touchant par leurs angles comme des châteaux de cartes; le sommet des angles est recouvert d'un rang de briques posées à plat.

Temple. – Le pronaos est détruit, il ne reste que les bases des piliers. Sur les deux côtés de la porte, un grand guerrier en mouvement, tenant sous sa main un faisceau de peuples vaincus.

Sur le mur de gauche, un dieu coiffé de la coiffure d'Ammon, tenant un fouet et ayant le phallus en érection horizontale; plus loin, sur le mur, un homme dans une forêt.

Nous voyons sur la grève des pastèques dans des petits tas de sable longs.

Mardi 19. Fait sept lieues environ. – Dans l'après-midi, abordé deux canges de marchands d'esclaves qui descendent vers le Caire. – Acheté des ceintures et des amulettes.

Bateaux de Gellabs. – Le premier avait pour maître un gros homme à favoris noirs; nous montons sur la chambre, il nous offre des bouquets de plumes d'autruches.

Les mâts sont abattus, le bateau descend à l'aviron, les femmes noires sont entassées dans des poses différentes; quelques-unes broient de la farine sur des pierres, avec une pierre, et leur chevelure pend par-dessus elles, comme la longue crinière d'un cheval qui broute à terre. Dans ce mouvement de broiement, leurs seins ballottent avec le catogan de cuir qu'elles ont sur le dos et leur chevelure tressée. – Une mère avec son petit enfant. – On en coiffait une. – Petite fille du plateau de Gondar avec des piastres au front, elle est restée immobile et placide quand Maxime lui a mis le collier de boules de mercure. Toutes ces têtes sont tranquilles, pas d'irritation dans le regard, c'est la normalité de la brute.

Pour avoir encore quelques colliers, le gellab, quand nous sommes partis, a fait sortir de la chambre deux ou trois des mieux ou des plus proches de la porte. Une Abyssinienne, grande, hautaine, se tenait debout, appuyée sur le plat-bord, le poing sur la hanche, et nous regardait nous en aller.

Deuxième barque : le marchand est en turban blanc. Nous nous asseyons sous le tendelet, sur un divan sanglé. On coiffe une femme avec une pointe de porc-épic, on défait ainsi une à une les petites mèches tressées et puis on les refait.

Les gellabs nous proposent de beaux sacs, des courges; celui du deuxième bateau une sorte de pot à eau en cuir, à deux bras, et que l'on peut porter à l'aide d'une courroie.

Ces femmes sont balafrées de tatouages; dans la seconde barque il y en avait une qui avait son dos ainsi marqué du haut en bas, ça faisait tout le long des reins des lignes de bourrelets successifs, cicatrices de coupures cicatrisées au fer chaud. Sur tous ces bateaux, il y a, parmi les femmes, de vieilles négresses qui font et refont sans cesse le voyage; c'est pour consoler et encourager les nouvelles esclaves; elles leur apprennent à se résigner et servent d'interprètes entre elles et le marchand, qui est Arabe.

Dans certains couchers du soleil, les nuages partent d'une crête principale comme les mèches d'une crinière (de cheval) lumineuse.

Les nuages marbrent le Nil en grandes plaques bleu pâle.

OUADI-HALFA. *Vendredi 22.* Nous abordons sur la plage de Ouadi-Halfa comme nous finissons de dîner. Le clair de lune brille si bien sur le sable que ça semble un effet de neige, le sable paraît fort blanc, la plage est large. A un demi-quart de lieue (à gauche) est une ligne de palmiers dans lesquels sont quelques maisons : c'est là tout le village; à droite, de l'autre côté du Nil, est le désert avec deux petites montagnes de forme conique (tronquées par le sommet) et très larges par la base.

Sur la plage, un ingénieur arabe, parlant bien le français, Khahill-Effendi, et un autre effendi nubien, en chemise blanche qui, au clair de lune, flottait au vent. Toute la journée le vent avait été fort et nous avait bien poussés. – Visite de ces trois messieurs. L'ingénieur arabe (Mahmoud?) : haine des Anglais, dont un dernièrement lui avait refusé une bouteille de raki et qui, le lendemain, en avait vendu cinquante à un autre compatriote! Il nous fait des citations de la *Tour de Nesle*, chante : « Ouvre-moi ta porte », parle du fanatisme musulman, etc. (le lendemain matin, Joseph l'a vu faire ses ablutions et ses prières comme un bon dévot); il est venu ici pour le travail de canalisation des cataractes. Nous lui faisons cadeau d'une bouteille de raki, ce qui paraît lui faire extrêmement plaisir : il faut qu'il prenne la goutte tous les matins, « il ne peut s'en passer ».

GUEBEL-ABOUSIR. *Samedi 23*, excursion à Guebel-Abousîr, par le désert d'Abou-Solôme, rive gauche du Nil.

Le derrière de la montagne – « Adonc principier à gaster la montagne » (*sic*) – ressemble au derrière de la tête du Sphinx. Beau ravin de sable entre les roches. La deuxième cataracte, dont nous ne voyons d'ici qu'une partie, me paraît plus plate que la première. C'est une succession de petits lacs encadrés dans des rochers noirs très luisants, comme du charbon de terre. Çà et là, entre l'eau et les granits noirs, quelques lignes minces de verdure; ce sont des gazis qui ont poussé entre les roches. La tête d'Abousîr, par derrière (forme de champignon), est couverte de noms de voyageurs : toutes dates modernes, peu de Français, presque tous Anglais; il y en a qui ont dû demander trois jours à entailler. – Belzoni 1816.

Nous descendons vers la seconde cataracte par une pente de sable où nous enfonçons jusqu'aux genoux. D'en bas, la montagne, coupée à pic, ressemble à une falaise. Il y a dans l'épaisseur du roc une grande entaille, comme une dalle immense posée de champ, comme un long pan de mur qui se détache. Nos Arabes jettent des troncs dans la fissure pour faire envoler des oiseaux. – Silence. – Bruit de l'eau et des cascades, tourbillons sur le courant. Des endroits plats, tels que des nappes d'huile, indiquent les places circonscrites par des courants. Max se jette à l'eau pour aller dans une petite île voisine, à droite; nous remontons par le ravin de sable.

Grand vent et grande chaleur pour revenir à Ouadi-Halfa, la poussière nous abîme les yeux et croque sous les dents, elle colle sous les cils, nous avons soif.

Avant de repasser l'eau pour gagner notre barque, nous visitons des marchands du Sennâr qui sont campés là, en face Ouadi-Halfa. – Dents d'éléphant, enfermées dans des peaux blanches qui prennent la forme des dents et toutes leurs marques. Un petit singe maigre et fatigué est attaché à un tronc d'arbre renversé, il boit dans une courge.

Les hommes du Sennâr sont gras, sans musculature saillante; poitrine développée et seins pointus comme une femme. Ils sont extrêmement noirs, avec des traits caucasiques : nez peu larges, longs, fins, lèvres minces; le regard n'est ni sémitique ni nègre, il est doux et malicieux; l'œil est entièrement noir sans que le blanc soit couleur café, comme chez les Nubiens. L'un d'eux a une exostose au front et un autre en a une au poignet.

Dimanche 24 mars, jour des Rameaux. – Parti à 6 heures du matin, en canot, pour la cataracte, avec raïs Haçan et trois autres Nubiens de la première cataracte. J'ai avec moi un petit raïs de quatorze ans environ, Mohammed; il est de couleur jaune, une boucle d'oreille d'argent à l'oreille gauche. Il ramait avec une vigueur pleine de grâce, criait, chantait en passant les courants, menait tout le monde; ses bras étaient d'un joli style, avec ses biceps naissants. Il a ôté sa manche gauche; de cette façon il était drapé sur tout le côté droit, avait le côté gauche et une partie du ventre à découvert. Taille mince. Plis du ventre qui remuaient et descendaient, quand il se baissait sur aviron. Sa voix était vibrante en chantant : « El naby, el naby ». C'est là un produit de l'eau, du soleil des tropiques, et de la vie libre; il était plein de politesses enfantines : il m'a donné des dattes et relevait le bout de ma couverture qui trempait dans l'eau.

Sur des rochers plusieurs gypaètes étaient posés; au bas d'un rocher, à gauche en allant à la cataracte un vieux crocodile échoué. Le soir nous avons revu les mêmes gypaètes et, de plus, avec eux, un chacal qui s'est enfui à notre approche.

J'arrive au pied de Guebel-Abousîr à 9 heures, et je tire de nombreux coups de fusil pour appeler Maxime. De loin un rocher noir, brillant au soleil, me fait l'effet d'un Nubien en chemise blanche, posté en vigie, ou d'un morceau de linge blanc qui sèche. Comment ce qui est noir peut-il ainsi arriver à paraître blanc? c'est quand le soleil éclaire le tranchant d'un angle. J'ai plusieurs fois observé ce même effet, et Gibert m'a dit, à Rome, l'avoir remarqué également.

Je déjeune sous la pente de la tente, en plein soleil. Je m'étais couché pour terre pour chercher un peu d'ombre, mais l'ombre n'a pas tardé à s'en aller.

Promenade autour des deux pics voisins, la tente était devant eux, en avant de la cataracte (c'est-à-dire du flanc de la cataracte). Au détour du premier pic, du côté du désert, grand mouvement de sable ondulé; les cataractes sont au bout, dans cet encadrement (bien entendu faisant dos à l'Ouest). Du haut du second pic, on voit le désert, d'abord mamelonné, puis s'en allant par grandes lignes plates. En se tournant vers le Nord on voit un bout du Nil. Je reviens à la tente tout seul, par le désert et derrière les montagnes. – Silence. – Silence. – Silence. – La lumière tombe d'aplomb, elle a une transparence noire. Je marche sur les petits cailloux, la tête baissée; le soleil me mord le crâne.

Retour à Ouadi-Halfa en canot, avec Maxime. – Le petit Mohammed comme le matin. – Nous sommes balancés par le vent et par les vagues, la nuit tombe, les vagues battent l'avant de notre canot qui se cabre, la lune se lève. Dans la position où j'étais, elle éclairait ma jambe droite et la partie de ma chaussette blanche comprise entre mon pantalon et mon soulier.

Lundi. A 9 heures du matin, je pars seul à âne, pour aller à la cataracte tuer le chacal que nous avons vu la veille autour d'un crocodile mort. Mon âne est intraitable. Il ne veut aller que de côté. Je reviens à pied au bout d'une demi-heure, par le bord de l'eau, j'étais parti par le derrière de Ouadi-Halfa. En allant ce matin photographier à la cataracte, Max a vu de loin un chameau qui courait, avec quelque chose de noir qui le suivait en bas : c'était un esclave des gellabs, qui s'était enfui et que l'on ramenait ainsi attaché au chameau.

Nous partons de Ouadi-Halfa, vers midi, la barque est démâtée. Le soir, arrêtés au milieu du fleuve, nous nous promenons au clair de lune sur un long îlot de sable, où nous causons d'Hennet, de Kessler. Le lendemain autres causeries au clair de lune, sur du sable aussi.

IPSAMBOUL. (ABOU-SIMBEL). Les colosses. – Effet du soleil vu par la porte du grand temple à demi comblé par le sable : c'est comme par un soupirail.

Au fond, trois colosses entrevus dans l'ombre. Couché par terre, à cause du clignement de mes paupières, le premier colosse de droite m'a semblé remuer les paupières. Belles têtes, vilains pieds.

Les chauves-souris font entendre leur petit cri aigu. Pendant un moment, une autre bête criait régulièrement, et cela faisait comme le battant lointain d'une horloge de campagne. J'ai pensé aux fermes normandes, en été, quand tout le monde est aux champs, vers trois heures de l'après-midi... et au roi Mycérinus se promenant un soir, en char, faisant le tour du lac Mœris, avec un prêtre assis à côté de lui ; il lui parle de son amour pour sa fille. C'est un soir de moisson... les buffles rentrent...

Essais d'estampage.

Petit temple : sur les piliers, figures semblables à des perruques fichées sur des champignons de bois.

Que signifie, dans le grand temple, un bloc de maçonnerie, couvert d'inscriptions démotiques, entre le troisième et le quatrième colosse à gauche en entrant ?

Dans le grand temple, nef de gauche, belles représentations de chariots ; les ornements de tête des chevaux sont compliqués et les chevaux généralement longs et ensellés.

Le *Jeudi-Saint*, nous commençons les travaux de déblaiement pour pouvoir dégager le menton d'un colosse extérieur.

Vendredi. Travaux de déblaiement « aouafi, aouafi ». – Taille cambrée d'un petit nègre frisé, laid (yeux abîmés de poussière), qui apportait sur sa tête un vase plein de lait.

Dans le petit temple, quantité d'alvéoles de guêpes, surtout aux angles.

Réflexion : les temples égyptiens m'embêtent profondément. Est-ce que ça va devenir comme les églises en Bretagne, comme les cascades dans les Pyrénées ? O la nécessité ! Faire ce qu'il faut faire ; être toujours, selon les circonstances (et quoique la répugnance du moment vous en détourne), comme un jeune homme, comme un voyageur, comme un artiste, comme un fils, comme un citoyen, etc. doit être !

IBRIM. *31 mars*, dimanche de Pâques, arrivé le soir devant le vieil Ibrîm, sur la rive droite du Nil. Pendant que Max faisait, d'en bas, une épreuve de la forteresse, j'y suis monté lentement par le flanc de la montagne, me heurtant les ongles des orteils aux pierres sèches déboulinées d'en haut. La terre a l'air de cendre. Trois ou quatre Arabes ont passé à ma droite, montés sur des ânes. Je tourne tout autour de la citadelle pour trouver une issue afin d'y entrer ; à la fin j'en trouve une sur le plateau qui regarde l'Est.

L'intérieur est une ville entière comprise dans les murs, les maisons sont ruinées toutes et tassées les unes près des autres, ou plutôt même contiguës ; entre elles des rues serpentent ; au milieu, une grande place. Si vous montez sur un mur, toutes ces bases de maisons ruinées, dont il ne reste plus que les quatre murailles, font l'effet d'un damier régulier. – Ruines d'une mosquée, avec une colonne de granit sur laquelle est une croix grecque : des colonnes pareilles servent de seuils dans plusieurs endroits. La porte d'entrée était du côté du Nord. Par les brèches des murs on voit de grandes longueurs du Nil ; il a de larges îles de sable. De l'autre côté du Nil, le désert ; au second plan du désert, un arbre tout seul, à droite ; un peu plus loin, deux à gauche.

L'ensemble de cette ruine sent la fièvre, on pense à des gens ennuyés, s'y mourant de marasme : c'est de l'Orient moyen âge, mameluk, barbare. La citadelle, bâtie tout à pic sur le rocher, appartenait jadis aux mameluks, qui dominaient le fleuve. – Elle est généralement bâtie en pierres sèches ; quelques parties, mais rares, aux angles plutôt, sont en pierres taillées.

Il fait un grand silence, personne, personne, je suis seul, deux oiseaux de proie planent sur ma tête, j'entends de l'autre côté du Nil, dans le désert, la voix d'un homme appeler quelqu'un.

Je suis revenu à la nuit tombante lentement et regardant de partout l'ombre noire qui s'étendait. A ma gauche, un long ravin qui conduit dans le désert ; sur le flanc de la ravine serpente un sentier, chemin d'hyène. Il y en a beaucoup par ici ; le soir, le raïs nous avertit de ne pas nous écarter du bateau ; l'année dernière, un Turc a été mangé à la première cataracte avec son cheval. Maxime, inquiet de ma longue promenade, avait envoyé des matelots à ma rencontre.

Lundi 1er avril, seconde visite à la forteresse avec Maxime.

Les grottes d'Ibrîm, au bord du fleuve, élevées de 8 à 9 pieds, sont une bonne mystification : il n'y a rien du tout, cela m'égaie pour toute la journée.

Nous passons l'après-midi couchés à l'avant du navire, sur la natte de raïs Ibrahim, à causer, non sans tristesse ni amertume, de cette vieille littérature, tendre et inépuisable souci ! – Le soir, arrivés et couchés à Hamada.

KOROSKO. *Mardi 2 avril*, temps de khamsin, journée lourde, le soleil est caché par des nuages. En arrivant, à midi, à Korosko, il m'arrive comme les exhalaisons d'un four (comparaison littérale), des bouffées de vent chaud, on en sent les poumons chauffés (*sic*). D'où vient le vent ? voilà de quoi rêver.

Un jeune homme dont j'avais arrangé l'affaire à

la première cataracte en montant (c'était la même affaire que celle dans laquelle figure le soldat, mon guide de la première cataracte avait déchiré, je crois, une milayah à celui-ci) me reconnaît (je lui avais payé l'amende de l'autre), il m'accompagne jusqu'au bout du pays, au chemin de Khartoum.

Il y a un petit campement d'Abadiehs à crinières léonines. Un d'eux est appuyé sur un bâton passé sur sa nuque, avec les deux mains ramenées au bout comme un ours; sa chevelure est ramenée en arrière. Il a parlé aux hommes qui étaient avec lui, c'était comme le claquement de bec d'un pélican. Je reviens, des chameaux sont couchés au soleil; dans une maison, un petit enfant crie.

Joseph me rejoint, nous allons jusqu'au bout du pays pour acheter une lyre nubienne et trouver des provisions. Nous entrons dans une maison séparée en deux intérieurement par une natte et y buvons de l'eau dans une courge creuse.

Un corbeau se tient, immobile, non loin d'un chameau malade, il sent l'odeur du moribond; de temps à autre, quand je lui jette des pierres, il s'écarte, puis il revient bientôt. Ces chameaux, éreintés, ont le dos bleu par l'usure de la selle, aux jambes des gales et des marques de feu; ils ferment l'œil à demi, sont très maigres. Trou profond à l'arcade zygomatique.

Maison où l'on boit du bouza, toute basse et couverte de plusieurs nattes qui s'épandaient au dehors : un homme, accroupi contre le mur et qui p..., était presque aussi grand qu'elle. Un homme chantait dans la maison, par la porte j'ai vu ses jambes. Un peu plus loin, à gauche, même aspect, seulement la maison est un peu plus grande. – Agglomération de deux ou trois maisons. – Je revois une p... que j'avais vue la première fois en montant le Nil. Petite, grasse, mastoïdes écartés, bras très forts et très beaux, elle est entourée d'un linge, gris de crasse; verroterie au col et aux bras, au col un collier de ficelle dont le milieu est une espèce de scarabée.

Les selles des chameaux sont rangées debout, le cul · l'une dans l'autre; des tas de grains sont entourés de nattes.

Au bord de la rive, des bateaux amarrés. Des enfants, quand nous partons, se jettent à l'eau et viennent nager autour de la cange pour avoir un batchis.

Vers 2 heures, aperçu, sur un petit rocher, trois crocodiles : Max en blesse un, qui s'en va lentement, nous le poursuivons en canot sans le pouvoir atteindre.

Le soir, à 5 heures, pris un bain dans le Nil.

EL-SABOUA. Sur la rive gauche, deux ou trois maisons. En avant d'elles, un palmier bas, touffu, dont les paquets de feuilles jaunes pendent de loin comme des besaces attachées sur branches vertes.

Temple : deux colosses d'environ dix à douze pieds, les poings fermés, le pied gauche en avant; ensuite des sphinx. Les deux premiers, qui sont près des colosses, paraissent jusqu'à la croupe. – Couleur de marbre de celui de droite. – Les deux seconds enfoncés dans le sable jusqu'à la tête, celui de gauche est encore reconnaissable; une fissure de la pierre a exagéré la fente de la bouche qui va ainsi jusqu'à ses bandelettes.

Des deux troisièmes on ne voit que le sommet de la tête de celui de droite, les autres sphinx du dromos manquent.

Pylônes; sur chacun, un guerrier tenant des peuples vaincus et, en face de lui, un dieu. Le pronaos est enfoui dans le sable, on distingue trois piliers de chaque côté.

Le temple même est complètement enfoui dans les sables.

En se tournant vers le Nil, qui fait comme un arc, montagnes à crête aiguë, mamelonnée, dont la ligne générale ondule.

Au pied du pylône, à gauche, un colosse renversé, les pieds plus hauts que la tête; à droite, un autre tombé sur le ventre.

Sur le sommet de la tête du sphinx il y a des trous de quelques pouces de profondeur (3 ou 4). Quel en était l'usage? Avaient-ils une coiffure mobile, en métal, surajoutée?

En quittant le temple, acheté deux lances. – Nous passons la nuit au milieu du Nil.

Jeudi 4 avril. Partis à 4 heures du matin.

Vers 11 heures, nous rencontrons la cange de l'Effendi que nous avions déjà vu à Ouadi-Halfa et qui est le nazir d'Ibrîm, chargé d'extorquer l'impôt depuis Assouan jusqu'à Ouadi-Halfa (il ressemble à Schimon). Il a pris de force, par surprise, un sheik d'un village qui n'avait pas donné un sou de l'impôt exigé; le vieillard était attaché au fond de la barque, on ne voyait que son crâne nu et noir reluisant au soleil. La cange de l'Effendi nous côtoie quelque temps, puis nous accoste par l'avant; un homme transborde à notre bord un petit mouton qui bêle : c'est un présent de l'Effendi, qui n'est pas fâché d'être avec nous, en cas de rixe. Toute la journée, en effet, nous voyons des hommes et des femmes des villages révoltés nous suivre (ou mieux le suivre), sur la rive.

Il nous fait une longue visite, nous lui faisons cadeau d'une bouteille de vin de Chypre et d'une de raki. Le sheik sera reconduit à Derr où, après quatre à cinq cents coups de bâton, on le laissera accroché au grand sycomore qu'il y a là, jusqu'à ce que quelqu'un réponde pour lui.

Nous causons bastonnade avec le nazir. Quand on veut faire mourir un homme, quatre ou cinq coups suffisent, on lui casse les reins et la nuque; quand on veut seulement punir le condamné, on frappe sur les fesses : quatre à cinq cents coups, c'est l'ordinaire; le patient en a pour cinq à six mois à être malade, il faut attendre que les chairs tombent. L'Effendi nous dit cette petite phrase en riant. Le plus ordinairement, en Nubie, c'est sur la plante des pieds que se pratique la bastonnade. Les Nubiens redoutent beaucoup ce supplice, parce qu'ils ne peuvent plus marcher après. Au bout d'une visite de trois heures, le nazir nous quitte, il fait aborder sa cange à la maison d'un chef des Ababdiehs, avec un jardin clos et les palmiers. Un arbre trapu sous lequel nous distinguons beaucoup de monde; il est assis dessous et se chamaille avec eux, sans doute.

Le soir, abordé près du temple de Maharrakah, que

nous allons voir après dîner, à la clarté des étoiles. Elles brillent entre les colonnes, au-dessus de nos têtes, dans les brèches des ruines ; un matelot nous éclaire avec sa lanterne.

MAHARRAKAH. *Vendredi matin*, visité le temple. Était-ce un temple ? une église ? Un voyageur moderne, au dire d'un jeune Arabe qui nous accompagne, a mis ces inscriptions grecques, dont il a ensuite recouvert quelques-unes, et des peintures murales sur le mur de droite. Sur un pan de mur, qui fait partie d'une petite enceinte carrée voisine du temple, et dont il m'est impossible de retrouver la destination, à côté de restes de figures égyptiennes entaillées sur la pierre, est représentée une sòrte de Vierge, d'un style fruste, tenant un homme sur ses genoux ; derrière elle, un gros palmier mal fait. – Autre bonhomme de même style, portant un vase long. – Amas d'étrons d'hyènes, elles viennent ch... là toutes les nuits.

Pendant que Maxime travaille son épreuve, Joseph, assis à côté de moi sur le sable, me parle de son enfance et de la manière dont il a quitté son pays. – Deux ou trois compagnies de perdrix passent et vont s'abattre plus loin. – A gauche, derrière nous, une petite ligne de palmiers. – Gentil petit enfant noir pataugeant dans le sable et qui faisait des grimaces pour m'amuser. – On repart, après avoir tué le mouton du nazir d'Ibrîm.

DAKKEH. Temple en grès. – Pylône : on monte dedans par un escalier qui est éclairé par des soupiraux, ou mieux des créneaux ; de place en place, de petites salles. Sur le plateau des pylônes, le couronnement, extérieurement recourbé, fait parapet. De chacun des deux œils-de-bœuf supérieurs, anciennement carrés comme tous les autres jours des pylônes, part longitudinalement une entaille carrée, telle que la rainure à faire glisser la herse ; elle est plus large en bas qu'en haut. Le mur du pylône n'était point vertical, cette rainure l'est ; cela existe du côté de l'entrée ; quel en était l'usage ?

Sur la porte des pylônes, des deux côtés, uræus surmontant la boule, et restes de peintures bleues.

Sous la porte, côté gauche, un personnage debout, coiffé du pschent. La pierre étant enlevée, on ne peut voir les attributs. Devant lui : figure assise tenant un sceptre entouré du serpent et coiffée ; 2e figure, femme léontocéphale, tenant la clef ; 3e femme avec l'uræus, tenant un bâton (l'extrémité manque). Les deux portes pour pénétrer dans les pylônes sont sur le côté qui regarde le temple.

Temple. Façade : deux colonnes, trois portes ; celle du milieu plus grande que les deux autres latérales. A toutes les trois, sur les deux côtés et en dessus, une demi-colonnette, engagée dans le linteau de la porte, figure les faisceaux ; la porte du milieu repose de chaque côté sur la moitié des deux colonnes qui supportent le toit.

Entre le temple et les pylônes, excavations comme des souterrains comblés, morceaux de poterie. Sur chacun des côtés de la façade, belles représentations, surtout du côté droit, à ras du sol. Deux représentations : 1o derrière un dieu, une déesse tenant une enfilade de lotus ; 2o derrière un dieu, une déesse portant une espèce de champ d'épis au bout duquel sont plusieurs volatiles ; les oies semblent tomber de sa main.

1re salle : plafond et partie supérieure des murs abîmés par un enduit sur lequel se retrouvent des restes de mauvaise peinture chrétienne, ancienne église copte sans doute ? Des figures de femmes, et surtout de femmes léontocéphales sont nombreuses ; elles tiennent un lotus, la boule avec l'uræus. Sur une des colonnes, en dedans, le musicien Typhon (?) avec la lyre droite qui est dans les planches de Creutzer ; sur l'autre colonne, à la même place, entre le dépassement de la porte et la petite porte, un cynocéphale debout et tenant un vase long, surmonté d'une coupe dans laquelle est une figure surmontée elle-même. Est-ce une bari, ou une façade du temple ?

Sur la petite porte de ce même côté (gauche), en regardant le pylône, au bout d'une présentation il y a dans un vase un cynocéphale femelle, assis, qui tient quelque chose d'indistinct sur ses genoux (un lièvre ?) et semble coiffé du pschent.

Sur la portion intérieure du mur dont l'épaisseur des deux petites portes tient la moitié et à partir d'elles jusqu'en bas, il y a comme ornement des sortes de corps de salamandres à têtes de cynocéphales et de serpents. – Façade du second naos : très riche, beaucoup de femmes léontocéphales avec le spectre, l'uræus, la boule.

Dans une petite chambre latérale, la figure du lion est reproduite en grand.

Dans la dernière chambre, même genre de sujets : femmes léontocéphales à longue chevelure tressée, un personnage en grand fait l'offrande d'un lion. Au haut de coiffures composées de trois urnes à calice (lotus ?) sont trois oiseaux, un sur chacun de ces cylindres ventrus et évasés par le haut. En bas, sur les quatre côtés, règne la représentation d'une femme entre des calices superposés, ouverts, d'où partent des boutons ; la femme est coiffée de trois lotus épanouis et tient de chaque main une espèce d'urne surmontée d'une croix. Elle a double téton, un petit en dessous, un plus long et plus gros en dessus. Double collier, cuisses larges, d'un style lourd ; sa ceinture, qui commence à la cambrure du dos, fait un angle, se courbe, contourne son ventre et remonte à la hauteur du nombril, cela ressemble à un cor de chasse. A ses pieds est le bœuf Apis ou un gros oiseau.

Samedi matin. J'achète deux mèches de femmes avec leurs ornements ; les femmes auxquelles on les coupe pleurent, mais les maris qui les coupent gagnent dix piastres par chaque mèche.

Embarqués et prêts à partir, on vient nous en offrir une autre, que prend Max. Ça a dû être une désolation pour ces pauvres femmes, qui paraissent y tenir beaucoup. Sous le soleil du matin, il y avait là des têtes luisantes de graisse, qui brillaient comme des barques goudronnées à neuf.

KOSHTAMNA. Sable. – Le village à l'air moins pauvre que le précédent. Un grand arbre sous lequel sont assis des bœufs du Sennâr avec leur figure à la Apis et leur bosse sur le garrot. A droite, en montant vers le temple, mosquée carrée, bâtisse en limon gris assez propre. Nous montons, des enfants prennent des bouts de câble pour nous servir de torches.

Dromos détruit, colosses mutilés, quelques-uns n'ont plus que la saillie des pierres où ils se tiennent encore par parties; la tête de l'un est renversée par terre, le front en bas.

Spéos comme celui d'Ipsamboul, colosses de même style, encore plus trapus. L'allée au milieu d'eux est étroite; dans les bas côtés, excavations carrées dans la muraille où sont des figures en pied méconnaissables. Les colosses de l'intérieur portent sur le ventre, à la place de l'agrafe de leur ceinture, des têtes de lions. On est ébloui et étourdi par la multitude de chauves-souris; elles tournoient et crient; nos enfants arabes agitent leurs torches, un d'eux se tenant debout sur une table et levant sa torche en l'air. Quand elles partent par la porte d'entrée, on voit l'air bleu à travers les minces ailes grises des chauves-souris. A la porte un âne se tenait, découpé dans la lumière; au delà le ciel et le Nil sont tout bleus; entre le ciel et le Nil, une ligne jaune, c'est le sable.

Nous redescendons au village. Un vieux, propre, à barbe blanche, finit par vendre à Maxime un flacon d'antimoine. Un homme en blanc, fumant un chibouk sur une porte, donne une poignée de main à Joseph. Dans l'intérieur de la maison, un marchand d'esclaves, assis sur sa natte; à gauche, au-dessus de lui, est suspendue une longue chaîne en fer pour son commerce et que Joseph guigne pour le voyage de Syrie. — Embarquement au canot. — Coups de bâton administrés aux gamins qui se précipitent trop violemment pour le batchis. — Au bout de quelque temps, arrêtés à cause du vent contraire. Acheté là deux colliers en cuir, près d'une sakieh, sur la rive droite.

A la nuit tombante, arrivés à Dendoûr. La première étoile paraît comme je suis assis sur le mur de l'enceinte du temple; grand éboulement de pierres, palmiers bouffants, à droite un peu de verdure, le Nil tranquille et les montagnes qui, du côté d'Abou-Hôr, à gauche, étaient tout à l'heure lie de vin noir.

GARBI-DENDOUR. *Dimanche 7*, restés à Garbi-Dendoûr à cause du vent contraire. Dans l'après-midi, promenade au bord du Nil : nous passons dans un village où un homme a une légère lèpre blanche sur la partie supérieure du visage.

KALABSCHÈH. *Lundi 8*, arrivés à 10 heures et demie à Calabschi ou Calabachi, sur la rive gauche. — Palmiers doums. — Le village est parmi les ruines des ouvrages extérieurs du temple. D'abord une longue chaussée en dalles, qui tourne son T vers le Nil; grand pylône dont le couronnement est détruit, avec des jours comme à Dakkeh et une grande fente longitudinale et carrée, des deux côtés de la porte comme à Dakkeh; cour qui avait des colonnes sur les deux côtés. En face, devant nous, le naos même avec quatre colonnes, une porte et quatre portes pleines plus petites : les deux qui sont près de la grande porte ont dans leur plein un carré coupé dans la pierre, qui servait d'entrée.

La cour est encombrée des débris des colonnes, grandes pierres bousculées, les unes par-dessus les autres; à droite une porte latérale, et trois autres plus petites sur le côté gauche; je n'en vois que trois petites.

Naos, première chambre : deux colonnes à gauche encore subsistantes, sur la porte d'en face (celle de la seconde pièce), figures en demi-relief encore bonnes, une Isis donnant à téter à Horus et une espèce d'oiseau à figure d'homme étrangement coiffé.

A partir d'ici, car cette façade en est toute la largeur, commence un second naos plus petit que le précédent et qui a trois salles allant de plus en plus petites.

Dans la seconde, un grand nombre de peintures sont conservées; le bleu et le rouge dominent : le rouge est pour les chairs, pour les boules et les sphères des coiffures; les pschents sont bleus. Caleçons rayés longitudinalement avec le mouvement de la fesse indiqué. Les sièges sont généralement peints en petites lames, un rang de rouge, un rang de vert ou de bleu. Un personnage très abîmé, portant un sceptre et la coiffure en lyre, est enveloppé d'une longue robe (transparente? on voit toute la cuisse à travers la draperie tendue droite) dont le dessin est des petites bandes blanches obliquement croisées, formant par leur intersection des losanges de couleur violette, au milieu desquels est une petite rondelle blanche ayant à son centre un pois rouge; au point d'intersection, des bandes ont aussi des pois rouges se trouvant sur la même ligne que ceux des rondelles. Cette pièce était éclairée par un soupirail en haut, sous le plafond, à droite.

La troisième pièce en a un à droite, un à gauche, et deux en face; elles avaient pour plafond un dallage énorme, en pierre de taille d'au moins trois pieds d'épaisseur. Le second étage était parallèle au premier, quant au second naos du moins. De là un escalier (à droite si vous regardez le Nil) dans l'épaisseur de la muraille vous descend à une petite pièce carrée de quatre pas de longueur sur quelques cinq pieds de large, ayant une porte du même style que les grandes portes : colonnes rondes où s'appuie le linteau de la porte à chapiteau, porte à demi pleine. Porte ici dans l'antichambre entre l'escalier et la porte de cette pièce.

Eclairage des temples. — Fenêtre à gauche, qui éclaire la première chambre du deuxième naos; l'antichambre paraît n'avoir pas eu de plafond, ainsi la lumière arrivait par plusieurs détours et non d'aplomb, une pièce moins éclairée la recevait d'une autre plus éclairée.

Une enceinte, qui continue le mur même du dromos, entoure les deux naos; il y a aussi une seconde enceinte qui me paraît avoir été en terrasse, c'est-à-dire plate comme... Ce mur extérieur, celui qui touche à la montagne, est plus élevé; dans l'épaisseur, je vois une porte.

Les moignons de pierres qui règnent sur le mur extérieur du second naos ont-ils servi à supporter des constructions abritant l'espace compris entre ce mur et la deuxième enceinte?

De la seconde enceinte, on pénétrait par une porte dans une autre enceinte carrée, adjacente au temple, qui est sur son côté droit; on y entrait aussi de face par une porte simple et qui est sur la même ligne que le pylône du temple. Qu'était-ce que cette construction?

BEIT-EL-OUALI. (Voir la description de Champollion le jeune dans ses *Lettres sur la Nubie*.)

TAFEH. *Mardi*, à 6 heures moins un quart du matin.

Deux temples, petits tons doux; l'un, complètement engagé dans le village, sert d'habitation.

Gens qui viennent apporter du lait, des poulets, de petits paniers et des boucliers en peau de crocodile et d'hippopotame. – Une femme marchant avec un pot de lait sur la tête et son enfant sur le bras gauche, le bras droit est découvert. – Grande bougresse qui vend des pigeons à Joseph : bras virils, figure un peu camuse, bandeaux tressés de petites tresses; c'est réuni en plaques noires, verni par la graisse, cambrure de son dos brun, bague en cuivre au pouce.

Quelques palmiers, les montagnes au fond, soleil du matin.

KARTASSI. A 9 heures du matin. Non loin des ruines du temple, chapelle égyptienne au milieu d'une carrière; l'entour est tabulaté d'inscriptions grecques. Dans les environs, dans le désert, pour y venir, marques de pieds entaillées sur la pierre; il y a aussi un pied d'enfant. C'était sans doute un lieu de pèlerinage.

DHEMIT. Dans l'après-midi, promenade entre des palmiers et des champs, sur le bord du fleuve. – Une grosse femme.

DÉBOD. *Mercredi matin.* – Temple. Trois portes encore debout en enfilade. Le temple est fort ruiné; il n'a pas été achevé, le mur en certains endroits n'est pas encore ciselé, et des carrés de pierres sur les portes attendent que l'on sculpte le globe avec l'uræus. Je reste à l'ombre dans un coin, fouillant le sol avec mon bâton de palmier : j'ai trouvé la moitié du sabot d'une vache. Un petit oiseau blanc à tête et queue noires, descendant du mur qui est derrière moi, est venu se poser tout en face et près de moi; quand tout le monde a été parti, deux autres sont venus se mettre sur le chapiteau d'une colonne, à gauche.

Avant de nous rembarquer, un sorcier nègre, au nez épaté, nous dit la bonne aventure. Dans un panier plat, plein de sable, il fait des cercles, et de ces cercles partent des lignes qu'il trace avec le doigt. Il me prédit que « je recevrai à Assouan deux lettres, qu'il y a une vieille dame qui pense beaucoup à moi, que j'avais eu l'intention d'emmener ma femme avec moi en voyage, mais que, tout bien décidé, je suis parti seul; que j'ai à la fois envie de voyager et d'être chez moi, qu'il y a dans mon pays un homme très puissant qui me veut beaucoup de bien, et que de retour dans ma patrie je serai comblé d'honneurs ».

PHILAE. Arrivés vers 5 heures du soir.

Je file avec Joseph à Assouan, par le désert. Nous sommes armés jusqu'aux dents, de peur des hyènes; nos ânes trottinent bon pas, un jeune garçon de douze ans environ, charmant de grâce et de prestesse, vêtu d'une grande chemise blanche, court devant nous en portant une lanterne. Le bleu du ciel est tacheté d'étoiles, ce sont presque des feux, ça flambe, vraie nuit d'Orient!

Un Arabe, monté sur un chameau et qui chantait, a débouché à droite, a coupé la route, et s'en allait devant nous.

A Assouan il y a un paquet énorme, mais rien pour moi; la *Gabrielle* d'Augier y était, seule chose à mon usage. Du reste, des lettres pour Max et Sassetti : cela m'a semblé très amer. Nous revenons de suite par les villages au bord des cataractes, nos petits guides ayant peur du désert à cause des bêtes féroces.

Jeudi 11. Notre tente est déposée sur la plage orientale de Philæ, où nous sommes amarrés. – Arrivée inattendue de Mourier et de Villemin en chapeaux blancs, Abdallah (ancien domestique de l'Hôtel Brochier) est avec eux, ainsi que le médecin d'Assouan, qui reste en compagnie des domestiques. – Déjeuner très gaillard, on se quitte à 3 heures. – Promenade de l'autre côté de l'eau, vers le village de Bab; je monte la montagne, entre dans le santon de Koubbet-el-Haoua; pour poser, je monte au haut de la mosquée de Keleil-Rasoun-Saha. – Mine immense de notre vieux Fergalli expliquant comme quoi il n'entend rien à la photographie et que ce n'est pas son métier.

Vendredi 12 avril. Descente des cataractes. La cange est chargée de monde, comme pour les monter; il y a à bord un prêtre qui dit tout le temps des prières, se balaçant sur le plat-bord de tribord. Moment d'anxiété quand le bateau, filant sur le grelin, plonge de l'avant : c'est comme un bouchon de liège courant sur la chute d'un moulin.

Nous arrivons à midi à Assouan, moi crevant de faim. Déjeuner au café, avec du poisson frit et des dattes. Quel bon déjeuner! – Barbier. – Visite au bateau de ces messieurs. . . . .

Nous revenons par le désert. – Campés à Philæ samedi, dimanche et lundi. – Je ne bouge de l'île et je m'y ennuie. Qu'est-ce donc, ô mon Dieu, que cette lassitude permanente que je traîne avec moi! Elle m'a suivi en voyage! je l'ai rapportée au foyer! la robe de Déjanire n'était pas mieux collée au dos d'Hercule que l'ennui ne l'est à ma vie! elle la ronge plus lentement, voilà tout!

Lundi, khamsin crâne, les nuages sont rouges, le ciel est obscurci, le vent chaud emplit tout le sable, on a la poitrine serrée, l'esprit triste; dans le désert ce doit être affreux.

Ce qui indigne à Philæ, ce sont les dévastations religieuses; cela rappelle par son parfum de sottise les *expurgata*. Dans la dernière salle du grand temple, jolie Isis allaitant Horus, souvent moulée; dans la première cour, mille jolis détails. Dans une des salles supérieures, scènes d'embaumement : dans le coin à droite, femme ployée sur les genoux, avec des bras désespérés, lamentants; l'observation artistique perce ici à travers le rituel de la forme convenue. – Petit temple d'Athor : le plus beau, c'est la fameuse inscription « une page d'histoire ne doit pas être salie » et l'annotation « une page d'histoire ne s'efface pas ».

Mardi. Parti par le désert, avec cinq chameaux portant notre immense bataclan. – Deux stations pour boire;

dans la seconde, près du gros vase, une petite souris morte.

Arrivé à Assouan à peu près en même temps que Max, qui a descendu la cataracte en sandal.

ASSOUAN. *Mercredi 17.* Promenade dans Assouan, achat d'une bague d'argent à une marchande de pain ; les marchandes de pain, au coin des rues, sont généralement d'anciennes almées. – Soultân, pauvre diable écrasé, rongé, dévoré de vérole, que j'ai l'idée d'expédier au Caire.

Au coucher du soleil, visite de ces dames, Aziseh et la petite rieuse, et une troisième, grande, de figure immobile et marquée de petite vérole ; les marins nous regardent, avec le public survenu pour la circonstance au bruit des tarabouks, tout cela nous dérange. – Elles ont toutes ce mouvement de cou glissant sur la vertèbre qui nous avait émerveillés la première fois. Nous nous enfermons avec elles pour qu'elles nous dansent l'abeille, qui est un mythe ; Joseph prétend ne l'avoir vraiment vu danser qu'une fois, et c'était par un homme. Quant à celle-ci, ça consiste à se mettre nue et à crier : « In ny a oh ! in ny a oh ! »

Jeudi 18. Matin, visite du gouverneur d'Assouan, de Mâlim-Khalil et de son fils, du nazir d'Ibrîm ; ces messieurs viennent dans l'espérance d'une bouteille de raki, nous payons une oque de tabac à Mâlim-Khalil. Ce sont tous d'affreuses canailles et dont la bassesse reluit de tous les respects dont on les entoure. – Démarches pour Soultân ; il y a un mauvais vouloir évident. Quand il a su qu'il partirait et qu'il pourrait guérir, il a voulu nous baiser les pieds, ses yeux pleurant pleins de tendresse ; la reconnaissance non méritée gêne, c'est la récompense d'un sacrifice qui n'a pas eu lieu, on se trouve honteux et devoir quelque chose à l'obligé.

A 6 heures du soir, Haçanin, en portant une poutre, se casse la jambe, il tombe comme un oiseau blessé. Pansement sur le sable, aux flambeaux. Toute la nuit nous l'entendons crier « cawadja ! cawadja ! » d'une voix dolente.

Vendredi 19. Promenade le matin dans l'île d'Éléphantine, pendant qu'on tire le bateau sur la plage pour le réparer. Nous nous asseyons sous des palmiers, du côté de l'Ouest. – Enfant borgne qui chasse les autres avec un bout de palmier dont l'extrémité est tressée en fouet.

Déjeuner au café d'Assouan. – Chameaux qui passent. Soleil, nattes en paille sur nos têtes. – Tous ces gens qui viennent boire là. – En face de nous un cawas (russe) avec des bottes recourbées. – Il était midi, le prêtre chantait dans la mosquée. – Transbordement d'Haçanin dans le bateau, départ d'Assouan.

KOUBANIYÉ-EL-ABOU-ARIS. Arrivés à 6 heures du soir, nous montons sur la berge, Mansourh nous accompagne. – Hommes en silhouette, au milieu des gazis et des palmiers ; grandes bandes vermillon dans le ciel. Des lacs vert pâle se fondent dans le bleu du ciel, les palmiers s'irradient par gerbes, comme des fontaines ; à mesure que vient la nuit ils foncent de ton. Quelques

voiles sur le Nil, les montagnes basses du côté du Levant sont roses.

Que serait une forêt où les palmiers seraient blancs comme des bouquets de plumes d'autruche ?

Les hommes, lorsqu'ils viennent de faire leur prière, gardent au front et au nez la poussière de la prosternation.

KOM-OMBO. *Samedi 20.* Arrivés dans l'après-midi. Les ruines du temple sont descendues jusque dans le Nil ; le fleuve, de là, fait un coude à gauche ; juste en face, un grand îlot de sable ; à gauche, champs entourés de clôtures en roseaux secs ; plus loin, quelques arbres, un grand village gris avec deux pigeonniers carrés, le désert, et la bordure des montagnes à l'horizon.

Le temple est enfoui dans le sable. Au plafond, le vautour répété, Isis d'un joli style, un homme qui fait le mouvement d'un nageur, restes de peintures bleues. Il reste 13 colonnes, elles sont couvertes d'uræus, c'est là ce qu'il y a de plus fréquent et de plus nombreux. Sur le portique du temple, une barque portant au milieu une sphère dans laquelle un homme accroupi ; ailleurs, personnage accroupi dans une espèce de courge ; sur un pan de mur en pierres de taille subsistant encore, séparé du temple, mais près du fleuve, reste de pylône sans doute, il y a, plusieurs fois répétée, la croix aussi sur l'espace en retrait entre les deux pans ; il y a alternativement une ligne de croix et une ligne de bonshommes dans un vase rond avec des inscriptions hiéroglyphiques. Sur le secos, inscription grecque indiquant que Ptolémée et Cléopâtre ont dédié ce secos à Apollon et aux autres dieux ; c'est sur le linteau supérieur, nous n'avons pu lire le reste.

Parmi les noms de voyageurs, S. Chasseloup-Laubat, officier français, 1825, et Darcet ; la date est illisible. Le nom a été gravé par petits traits, il est sur la façade du temple, un peu à droite, à hauteur d'homme.

Pendant que j'étais à regarder le plafond, monté par derrière, tourné vers le Nil, un oiseau est venu s'accrocher des pattes à un roseau desséché qui a passé par la fente du plafond et se tient là droit. Les petits oiseaux vivants regardent les vautours sculptés et s'envolent après.

Un homme sur son cheval blanc a débouché de par derrière, du côté des ruines en briques crues, a passé devant le temple, et est revenu du côté de la brèche dans le plan longitudinal de briques crues, à gauche, pour gagner le côté des paysans.

EL-MAHAMID. Le soir, nous montons à El-Mahâmid. – Mangé à dîner une pastèque. – Le chat noir que Joseph a pris à Assouan commence à m'embêter ; Haçanin se remue sur son matelas comme un possédé, malgré toutes les recommandations qu'on lui fait pour rester tranquille.

Carrières de Silsilé. – Affreuse blague ! Ce sont des pans de mur à pic, taillés à même dans la montagne. Grand soleil ! Nous suons beaucoup sur le sable.

Temple de Guebel-Silsilé. – Galerie en voûte creusée, dieux dans le mur : six à chaque bout, et trois dans des niches, à même les piliers. – Déception relativement à

nos fouilles, tout ce qui sonne creux n'est pas trésor. –
Trous nombreux dans le mur faits par les Arabes.
Lundi 22 avril, khamsin. Le Nil a des flots comme la
mer. – A la nuit tombante, arrivés à Edfou, c'est-à-dire
à une demi-lieue, car le village et le temple ne sont pas
sur le bord du fleuve (rive gauche).

EDFOU. Le village entoure le gigantesque temple et
a même monté sur lui en partie. Pylônes énormes, les
plus grands que j'aie vus; dans les pylônes, plusieurs
salles. Belle Isis à droite. De dessus la porte du pylône,
vue des colonnades des deux côtés. La cour avec des
mouvements de terrain, amas de poussière grise.

Du haut des pylônes, vue splendide : en se tournant
vers le Nord on voit la route d'Esneh qui s'en va; on
plonge sur le village, dont les maisons ont pour toit
des nattes de paille. Partout c'est la même scène, on
s'occupe de la vie : une femme donne à boire à un âne
dans une courge; deux chèvres luttent en heurtant leur
front; une mère emporte son enfant sur son épaule et
prépare à manger. Au haut du pylône, noms de troupiers français.

Le temple d'Edfou sert de latrines publiques à tout
le village.

Dans les pylônes, les meurtrières, énormes, sont
pratiquées à hauteur de talon et éclairent les salles
par en haut, la lumière frise sur les dalles.

Du pronaos, sur le toit duquel sont bâties des
maisons, les chapiteaux des colonnes enfouies sont
alternés, un égyptien composite, l'autre feuille de
palmier. Non loin, tout à côté et si bien enfoui qu'on
a du mal à le trouver, le petit temple; il est dévasté,
et ne tient plus que par une colonne faite d'un tas de
pierres brisées, ramassées. Sur les murs, représentations
peintes d'Isis allaitant Horus. Les Isis d'Edfou, comme
à Philæ, ont généralement le visage allongé par le
bas, les joues bouffies, le nez pointu, tel est le style
de visage des Bérénice et des Arsinoë dont on *prétend*
que ces représentations sont les portraits.

Non loin du bord du Nil, magasin du Gouvernement,
grands tas de blé; pour monter jusqu'en haut, un
homme marche sur les troncs de palmiers jetés sur le
talus du tas.

EL-KAB. *Mercredi 24.* Dès le matin, partis pour les
grottes. Plusieurs insignifiantes, mais dans deux, restes
de peintures curieuses représentant des scènes de la
vie rustique, une surtout : au fond, trois dieux ou
déesses dans une niche, les deux dieux ou déesses
latéraux passent la main derrière la taille du dieu du
milieu et ont l'air de le soutenir; sur le panneau de
droite, hommes et femmes agenouillés ou plutôt
accroupis et respirant des lotus; homme tuant un
bœuf, la tête est retournée en bas, le bœuf est ouvert,
on lui voit les côtes sanglantes; roi et reine, mari et
femme (demi-nature) assis sur des divans, la femme
passant la main sur l'épaule de l'homme et de l'autre
lui tenant l'avant-bras; les pieds des meubles sont en
jambes de lion. Les femmes étaient vêtues d'une manière
de sarrau descendant jusqu'au mollet, très décolleté,
et qui tenait aux épaules par deux larges bandes mon-
tantes, à la façon des tabliers d'hôpital.

Sur le pan de droite, ânes allant aux champs, l'un
se baisse pour brouter un chardon, l'autre détourne
la tête et regarde en arrière; troupeau de cochons,
troupeau de chèvres, un bouc veut en saillir une; un
char : le cheval a des tournures de stepper anglais, nez
levé, jambes qui tombent dans la position d'un cheval
lancé au grand galop et qui s'arrête tout court. –
Laboureurs : derrière la charrue on ensemence; belle
pose du semeur, le blé en jets s'en va de ses mains tel
qu'une fontaine jaune; tas de blé qu'on empile, on en
remplit de grands sacs longs, les bœufs tournent et
battent, c'est là qu'est la chanson : « Battez, battez, ô
bœufs, de la paille pour vous, de la farine pour vos
maîtres » (voir l'*Egypte* de Champollion-Figeac, *Univers pittoresque*). – Vendanges : une vigne en berceau,
des hommes portent du raisin sur leur tête dans des
paniers, on le presse entre des ais de bois qui coulissent
sur une potence, on ramasse le vin et on le met dans des
pots. – On prépare des oies que l'on met dans des pots;
poissons secs éventrés que l'on colle ensuite contre les
murs. – Barque avec des avirons dont le bout de la
palette est rond; un homme tombe à l'eau la tête en
bas.

Voiture des anciens Egyptiens. – La voile tendue
roulait sur une roue placée sur le toit de la chambre. –
Autres barques que l'on a tirées à la corde.

Rien n'est amusant comme ces peintures qui sortent
de la rigidité impitoyable de l'art égyptien.

Sur le bord de l'eau, à peu près, grande enceinte en
briques pharaoniques, dont les murs ont bien une
trentaine de pieds d'épaisseur; à peine si l'on reconnaît
les ruines d'un temple qu'il y avait là et que Méhémet-
Ali a fait détruire pour bâtir son palais d'Esneh.

A 10 heures, nous sommes partis.

Marché pendant une heure en plein soleil, sur le sol
blanc du désert. – Pans de montagnes, cirques immenses.
– En allant, nous causons d'Abd-el-Kader et en revenant de la garde nationale de Paris. – Quelques nuages,
lumière blanche et fine comme de la poussière; c'est
énorme!

Petit temple d'Athor : têtes à perruques comme au
petit temple d'Ipsamboul; peintures assez bien conservées. A gauche, au fond, grand dieu bleu avec les
plumes de pintade (Nilus? Ammon?). Autour du
temple, marques de pieds au ciseau. Personne n'a
encore rien dit là-dessus, et chaque fois que je rencontre ces pieds, je suis ému; c'est trop beau comme
témoignage, rien que la marque d'un pied!

Je regarde longtemps une tarentule, avec ses gros yeux
verts, qui marchait dans un trou de la porte, à la renverse; elle avait de gros yeux verts effrayants, on eût
dit qu'elle était étonnée de voir deux si grosses choses
que nous deux; puis elle est rentrée dans sa cachette.

Autre temple, speos en voûte; on y montait par un
escalier. L'intérieur complètement dégradé. Joseph
ramasse des crottes de gazelle qui sentent le musc et
qui sont bonnes à fumer.

J'aperçois un caméléon tout blanc; il se réfugie
sous une pierre, je la lève, il court sur la terre blanche,
Max le tue d'un coup de bâton sur le cou. Le Nil

autrefois passait peut-être par la route que nous suivons, la sonde des pilotes a heurté ces grands rochers (les m... d'oiseaux par terre ou sur les pierres semblent de loin la couleur de la pierre ou de la terre), car le Nil s'ennuie dans ses sables et change de cours.

Jeudi 25. Temps de khamsin, retenus tout le jour au mouillage de Sabayeh.

ESNEH. *Vendredi 26.* Arrivés à 6 heures du matin, temps lourd et couvert, le ciel est blanc.

A 10 heures environ, Bembeh vient à la cange et monte à bord; elle a mal à l'œil droit, qui est couvert de son bandeau, nous lui donnons de l'eau blanche. Le mouton n'est plus avec elle, le mouton est mort. Nous allons chez Ruchiouk-Hânem, par le derrière de la ville, Bembeh marche devant nous.

Chez Ruchiouk-Hânem. – La maison, la cour, l'escalier ruiné, tout est là, mais elle n'est plus là, elle, sur le haut, le torse nu, éclairée, dans le soleil! Nous entendons sa voix qui salue Joseph; nous montons au premier, Zeneb verse de l'eau sur les pavés. Silence, temps lourd, nous attendons.

Elle arrive, sans tarbouch, sans collier, ses petites tresses tombent au hasard, nu-tête; aussi son crâne est très petit, à partir des tempes. Elle a l'air fatigué, et d'avoir été malade. Elle se coiffe avec un mouchoir, elle envoie chercher ses colliers et ses boucles d'oreilles, que tient en dépôt un seraf de la ville, avec son argent; elle n'a rien chez elle de peur qu'on ne la vole. Nous nous faisons des politesses et des compliments. Elle a beaucoup pensé à nous, elle nous regarde comme ses enfants et n'a pas rencontré de cawadja aussi aimable.

Deux autres femmes : la première à nez fort, droit, accroupie à gauche; la deuxième petite, noire, assez jolie de profil, mais dansant fort mal. – Notre vieux musicien et un autre à barbe blanche, escorté de sa femme, vieille qui joue du tambour de basque; c'est une maîtresse de danse, elle fait des signes à la petite qui danse, et se dépite, marque la mesure, indique le pas. – Physionomie souriante, face carrée comme d'un vieil eunuque blanc. – Elle se met à danser, sa danse est une pantomime dramatique; nous avons là quelque chose de l'ancienne danse.

Ruchiouk danse. Mouvement du col se détachant, comme Azizeh, et son charmant pas antique, la jambe passant l'une devant l'autre.

Dans sa chambre, au rez-de-chaussée, il y a comme ornement, collées au mur, deux petites étiquettes, l'une qui représente une Renommée jetant des couronnes et une autre couverte d'écritures arabes. Ma moustache l'indigne encore; puisque j'ai une petite bouche je devrais ne la pas cacher. Nous nous quittons avec promesse de lui venir dire adieu.

Dans la cour, grande canaille, l'œil couvert d'un bandeau et qui tend la main en disant « ruffiano »; je lui donne trois piastres.

De tout cela il en est résulté une tristesse infinie; elle s'était, comme le premier jour, frotté les seins avec de l'eau de rose. C'est fini, je ne la reverrai plus, et sa figure, peu à peu, ira s'effaçant dans ma mémoire!

Bazars. – Café où je reste presque tout l'après-midi

à regarder le monde, un enterrement passe sur la place.

Four à poulets. – C'est une longue galerie voûtée, ayant des fours latéraux que l'on chauffe sur les quatre côtés dans des espèces de petites rigoles. Au milieu, correspondant à la lumière de la voûte (trou par lequel arrive le jour de l'air), est un trou. Sous le four sont placés les œufs, ils restent là quatorze jours; le quatorzième jour on les met *sur* le four jusqu'au vingt-deuxième, où ils éclosent. Un tas de poulets grouillent par terre, cela ondule comme de la vermine blanche et jaune; on les balaye à coups de pied pour que nous ayons de la place.

Cela me fait un effet étrange de corruption, et une des choses qui m'ont le plus étonné de ma vie, comme factice remplaçant l'organique : l'homme ici crée, en quelque sorte.

Vendredi 26 avril. Couvent copte des Martyrs : mauvais temps; nous allons au couvent des Martyrs, à une lieue d'Esneh, à travers des champs de blé où nous tournons. Un chien d'Erment, hérissé, à poils longs, aboie sur le mur. Joseph frappe à la porte avec un caillou; un frère copte vient nous ouvrir. Dans le corridor couvert qui mène à une cour, un petit ânon. Le couvent se compose d'une série de pièces quadrilatérales, voûtées en dôme; le jour tombe d'un trou par en haut, le sol recouvert partout de nattes de palmier. Partie romane très ancienne, grands cubes qui ont l'air de tombeaux. – Une colonne en fer sur laquelle on pose l'évangile. – Chaire à prêcher fruste, dans un coin. – Aspect mystérieux et caché, le tout vu par un demi-jour. – Deux vieillards, dont l'un est borgne, quatre ou cinq gamins qui les servent; c'est là le christianisme primitif.

Il y a dans ce couvent, de passage, un prêtre abyssinien qui revient de Jérusalem, grand, maigre, yeux en amande, long nez aquilin, belle physionomie, type tout indien; il souffre de la poitrine et a la maigreur des gens qui meurent de langueur; il s'ennuie beaucoup, regrette son pays, l'Egypte est un enfer pour lui.

Nous causons ensemble d'Abyssinie. La fureur de l'émasculation existe réellement telle qu'on me l'avait dit. Il y a en Abyssinie plus de vingt rois. Dernièrement les Abyssins ont tué une garnison turque entière, qui était dans l'île située en face Massaouah. Il y a, pour les Européens voyageant en petit nombre, du danger dans les montagnes, parce que ces montagnes sont couvertes de forêts affermées pour la chasse de l'éléphant. Il s'étend beaucoup sur le bon marché des vivres de l'Abyssinie. En nous séparant, nous nous souhaitons de revoir nos patries dont nous sommes loin l'un et l'autre. Que Dieu l'ait ramené dans la sienne! Quant au lien chrétien, il me paraît nul; le vrai lien est dans la langue : cet homme-là est bien plus le frère des musulmans que le mien.

Je reviens nu-pieds, à cause de mes bottes qui me gênent atrocement. Non loin de la cange, entre Esneh et le palais de Méhémet, je me suis arrêté à regarder les montagnes. Les collines, basses, dénudées, grises, et vues à travers la transparence de la lumière rose étalée sur elles et qui s'apâlissait sur le gris, avaient pour couleur générale un grand ton uni, vaporeusement rembourré d'en dessous; c'était comme de grands voiles blonds posés sur les collines.

En notre absence, Ruchiouk-Hânem et Bembeh sont venues pour nous voir.

Le soir, nous passons de l'autre côté du Nil pour aller tuer des spatules, que nous manquons. – Immense étendue de sable plate, la lune dessus, nos deux balles côte à côte.

Un homme riche rentrant chez soi. – Le gouverneur de Sioût revient d'Esneh pour coucher au palais du Gouvernement, à cheval, avec du monde, précédé de deux hommes qui portent des machallahs. On ne voit qu'eux se détachant sur le mur éclairé par la résine brûlante, le reste s'agite dans l'ombre, ombres plus noires; des parcelles de feu voltigent et tombent à terre derrière eux.

Dimanche matin 28. Partis de bonne heure d'Esneh, marché à l'aviron toute la journée, malgré le vent.

ERMENT. *Lundi.* Le temple et le village à une grande demi-lieue du rivage. – Plaine couverte de tombeaux turcs. – Santon; derrière, grande prairie avec des animaux. – Ruines du temple : les chapiteaux des colonnes sont couverts de pigeons qui viennent des pigeonniers voisins, pigeonniers faits avec des branches d'arbre sèches. – Chaleur. – Photographie. – Je cure les plateaux. – Effendi de Mustapha-Bey, gros jeune homme, malade à l'œil; sac à papiers; il ramène son âne par le licou jusqu'à notre barque, où il nous accompagne; il nous fait cadeau de fromages arabes, petits fromages blancs à la pie, fort détestables selon moi.

Le soir, à 8 heures, nous arrivons à Louqsor.

THÈBES

ARRIVÉE A LOUQSOR. Nous sommes arrivés à Louqsor le *lundi 30 avril*, à 8 heures et demie du soir; la lune se levait. Nous descendons à terre. Le Nil est bas, et un assez long espace de sable s'étend du Nil au village de Louqsor; nous sommes obligés de monter sur la berge pour avoir quelque chose. Sur la berge, un petit homme nous aborde et se propose à nous comme guide; nous lui demandons s'il parle italien : « *Si, signor, molto bene* ».

La masse des pylônes et des colonnades se détache dans l'ombre, la lune qui vient de se lever derrière la double colonnade, semble rester à l'horizon, basse et ronde, sans bouger, exprès pour nous, et pour mieux éclairer la grande étendue plate de l'horizon.

Nous errons au milieu des ruines, qui nous semblent immenses, les chiens aboient furieusement de tous les côtés, nous marchons avec des pierres ou des briques à la main.

Par derrière Louqsor et du côté de Karnak, la grande plaine a l'air d'un océan; la maison de France éclate de blancheur à la lune, comme nos chemises de Nubiens; l'air est chaud, le ciel ruisselle d'étoiles; elles affectent ce soir la forme de demi-cercles, comme seraient des moitiés de colliers de diamants, dont çà et là manqueraient quelques-uns. Triste misère du langage! comparer des étoiles à des diamants!

LOUQSOR. Le lendemain, mardi, nous visitions Louqsor. Le village peut se diviser en deux parties, divisées par les deux pylônes : la partie moderne, à gauche, ne contient rien d'antique, tandis qu'à droite les maisons sont sur, dans, et avec les ruines. Les maisons habitent parmi les chapiteaux des colonnes, les poules et les pigeons huchent, nichent dans les grosses feuilles de lotus; des murs en briques crues ou en limon forment la séparation d'une maison à une autre, les chiens courent sur les murs en aboyant. Ainsi s'agite une petite vie dans les débris d'une grande.

Il y a trois colonnades, deux de petites colonnes, une de grosses; les grosses ont des chapiteaux-champignons, les petites ont des chapiteaux-lotus non épanouis.

Pylônes. – La corniche des pylônes a été brisée, elle subsiste seulement dans la partie interne de la porte. Des deux côtés de la porte, deux colosses enfouis jusqu'à la poitrine; les épaules du colosse de gauche sont la seule chose d'eux qui soit intacte; ils devaient être d'un très beau travail à en juger par les bandelettes et les oreilles. Un troisième colosse, sur le pylône de droite, est complètement enfoui; on n'en voit plus que le bonnet de granit poli qui brille au soleil comme une pipe de porcelaine allemande. En face des pylônes, sur les maisons qui font vis-à-vis, pigeonniers; les pigeons s'envolent et vont battre des ailes au sommet des pylônes. Sur le pylône de gauche on voit une bataille : les chars sont alignés, c'est-à-dire échelonnés les uns sur les autres, par défaut de perspective; tous les chevaux sont cabrés; pêle-mêle de gens et de chevaux tombant les uns sur les autres; le roi (grande nature) est debout sur un char à deux chevaux, et tire de l'arc, derrière lui un flabellifère; il est au milieu de la bataille; plus loin des gens dans une grande barque, debout. Un homme debout (nature moyenne) sur son char, conduisant les mains très en avant, chic anglais. Sur le pylône de droite on voit vaguement des chars et des guerriers; un homme (de grande nature), assis, semble recevoir des captifs. Le pylône de gauche représentait la bataille et celui de droite le triomphe. C'est contre le pylône de gauche que se trouve l'obélisque, dans un état parfait de conservation. Une ch... blanche d'oiseaux tombe d'en haut et s'épate par le bas comme une coulée de plâtre; c'est par la m... des oiseaux que la nature proteste en Egypte, c'est là tout ce qu'elle fait pour la décoration des monuments, ça remplace le lichen et la mousse. L'obélisque qui est à Paris se trouvait contre le pylône de droite. Huché sur son piédestal, comme il doit s'embêter là-bas, sur la place de la Concorde, et regretter son Nil! Que pense-t-il en voyant tourner autour de lui les cabriolets de régie, au lieu des anciens chars qui passaient jadis au niveau de sa base?

L'intérieur des pylônes est difficile à monter; les pierres sont disposées angle sur angle, de la même manière que dans les couloirs des Pyramides. D'en haut, nous voyons Joseph en bas avec sa chemise blanche, tranquillement assis sur la natte de la mosquée, car il y a, en dehors de la mosquée, une sorte de longue plate-forme ou terrasse basse recouverte d'une natte.

Pour monter sur les pylônes, nous passons par l'intérieur de la mosquée où piaule, en se dandinant sur ses jambes croisées, toute une école de bambins; le maître lit tout haut, chantant d'un ton de fausset, l'escalier du pylône descend jusque dans l'intérieur de la mosquée.

Jardin de Prisse. — Nous visitons l'ancien jardin de Prisse, qui appartient maintenant au sheik des Ababdiehs. Une treille en maçonnerie couverte de vignes, des palmiers nains, ou petits. Deux ou trois domestiques nègres circulent là dedans. On nous apporte des bouquets de laurier-rose. Quand nous allons pour sortir, un nègre se met le dos contre la porte pour nous demander batchis, ce qui fait que nous ne lui en donnons aucun.

Jardin français. — Planté par les officiers du *Louqsor;* les murs sont plantés de feuilles d'aloès, sèches. Ce jardin est plein d'orangers et de citronniers; quelques palmiers s'élèvent droits, au-dessus de ces masses rondes. Le plaisir de la verdure m'a surpris avec un charme étrange. On nous apporte des petits citrons verts et des bouquets de menthe. Dans l'après-midi nous partons pour Karnak.

KARNAK. La première impression de Karnak est celle d'un palais de géants, les grilles en pierre qui se tiennent encore aux fenêtres donnent la mesure d'existences formidables; on se demande, en se promenant dans cette forêt de hautes colonnes, si l'on n'a pas servi là aux hommes entiers enfilés à la broche comme des alouettes. Dans la première cour, après les deux grands pylônes en venant du Nil, il y a une colonne tombée et dont toutes les pierres sont encore disposées, malgré leur chute, comme serait une colonne de dames, à bas. Nous revenons, l'allée des sphinx n'a pas une tête, ils sont tous décapités. Des gypaètes blancs, au bec jaune, voltigent sur une butte autour d'une charogne; à droite il y en a trois sur leurs pattes, arrêtés, et qui nous regardent passer tranquillement. Un Arabe passe au grand trot devant nous sur son dromadaire.

Coucher de soleil à Louqsor. — Au coucher du soleil, je m'en vais du côté du jardin français, vers une petite crique que fait le Nil; l'eau est toute plate, un moucheron y trempant ses ailes la dérangerait. Des chèvres, des moutons, des buffles pêle-mêle viennent y boire, de petits chevreaux tettent leurs mères, pendant que celles-ci sont à boire dans l'eau; une d'elles a les mamelles prises dans un sac. Des femmes viennent prendre de l'eau dans de grands vases ronds, qu'elles remettent sur leur tête; quand un troupeau est parti il en revient un autre, les bêtes bêlent ou mugissent avec des voix différentes, peu à peu tout s'en va, la nuit vient; sur le sable, de place en place, un Arabe fait sa prière. Les montagnes grises d'en face (chaîne Lybique) sont couvertes d'un ton bleu; des nappes d'atmosphère violet se répandent sur l'eau, puis peu à peu cette couleur blanchit et la nuit vient.

PREMIÈRE VISITE A MÉDINET-HABOU. Après le dîner nous traversons le Nil et nous allons au pied de la montagne de Médinet-Habou passer la nuit à l'affût de l'hyène. Nous nous couchons, à la belle étoile (et quelles étoiles!) sur nos paletots, au milieu des pierres;

Joseph et les guides causent toute la nuit; le mouton que nous avions pris dans un village (de ce côté du Nil) reste attaché, et le lendemain nous le retrouvons intact.

A 6 heures du matin, nous déjeunons dans le palais de Médinet-Habou, avec du lait et des œufs durs. La montagne, toute proche par derrière, domine ce grand édifice encore debout; architecture et paysage semblent avoir été faits par le même ouvrier.

Le sieur Rosa. — Nous allons faire visite au sieur Rosa, marchand d'antiquités, Grec de Lemnos. C'est pousser loin la haine de toute végétation, le site est un vrai four à plâtre; des chiens aboient, on ne veut pas nous ouvrir, enfin on nous ouvre la porte. Dans la cour, momies débandelettées, debout, dans le coin à gauche en entrant; l'un s'écore des deux mains sur son phallus, un autre fait une torsion de la bouche et a les épaules remontées comme si le vivant fût mort dans une grande convulsion. Dans une salle basse, au rez-de-chaussée, il y a des momies dans leur cercueil : fort beau cercueil de femme, peinture brune; deux autres momies dans des cercueils non ouverts. Le vieux Grec vit là, il a mal aux yeux et les essuie avec son mouchoir; on cause politique, c'est-à-dire des affaires de Grèce, il va se chercher des journaux grecs et en lit tout bas quelques passages.

Les colosses de Memnon sont très gros; quant à faire de l'effet, non. Quelle différence avec le Sphinx! Les inscriptions grecques se lisent très bien, il n'a pas été difficile de les relever. Des pierres qui ont occupé tant de monde, que tant d'hommes sont venus voir, font plaisir à contempler. Combien de regards de bourgeois se sont levés là-dessus! chacun a dit son petit mot et s'en est allé.

De retour à la cange vers 3 heures.

VALLÉE DE BIDAN EL-MOULOUK. Le lendemain, *jeudi 2 mai,* parti à 6 heures du matin à cheval. On m'a donné une selle anglaise, j'ai mes grandes bottes et mon large pantalon de toile à la nizam, je jouis d'être à cheval. Visité le temple de Kourna et les tombeaux des rois à Bidan el-Moulouk. Pour aller à la vallée des Rois, le paysage est anthropophage : on monte lentement dans une large ravine, entre des montagnes pelées; elles sont coupées à grands pans, les éclats de pierre roulent sous les pieds des chevaux, les étriers me brûlent les pieds.

Affaire du sheik à propos de nos estampages dans le petit tombeau de Kourna. — Trombe de sable. Ça se lève comme une colonne de fumée et ça tourne en vis comme un tire-bouchon, tout en montant en l'air; bientôt l'horizon est complètement pris, on est obligé de s'envelopper tout à fait la tête, les chevaux en paraissent gênés.

Nous allons coucher dans la maison de France.

Maison de France. — L'escalier donne sur un quartier plein de décombres, au bout duquel se trouvent les maisons de filles. Nous avons deux pièces. Dans la première, il y a un chambranle de cheminée, Joseph s'y établit. — Abdulmineh (gardien de la maison) et les matelots sur une natte. — La petite chambre pour la photographie est à droite ; notre chambre à divan, à gauche, avec balcon donnant sur le Nil. – Vue des montagnes de la chaîne Libyque. – Visite au gouverneur pour l'affaire du sheik de Kourna. – Dans l'après-midi, course à Karnak (sur une selle qui me casse le c...) afin de marquer les estampages à faire.

Le soir, le gouverneur nous rend notre visite.

Samedi matin. Promenade dans Louqsor : café, bons Turcs fort aimables, Arnautes qui jouent avec des petites coquilles dans une sorte de damier creusé, un Arnaute qui essaie de faire monter son cheval sur l'escalier, Turc en veste rouge qui m'offre à boire du bouza.

Nous partons pour Karnak. – Logés dans la chambre du roi, c'est celle qu'a occupée le docteur Lipsius. – Petite mare verte où toutes les nuits navigue une cange d'or avec des hommes d'or, le bord est piqué de joncs pointus, piquants, Maxime s'y baigne. – Aspect de son corps nu, debout sur les bords.

Je passe la nuit en dehors sur un matelas mis sur une pierre, seulement vêtu de ma chemise de Nubien ; les étoiles resplendissent de scintillations. – Gardes. – Un au-dessus de ma tête que j'aperçois dans la nuit. – Les chacals aboient affreusement et en multitude. – Claquement de bec des tarentules. – Les chacals la nuit viennent manger nos provisions.

Dimanche 5. Surveillé les estampages dans le palais. Quand cette besogne stupide fut achevée, promenade autour de Karnak du côté Nord. J'ai été boire de l'eau dans une fontaine près d'un santon ; l'eau est dans une grande jarre, on la puise avec une écuelle en terre et l'on boit. Des nattes dans le santon ; au milieu, un petit tombeau, c'est un lieu de repos. Belle chose que les santons !

Un peu plus loin, village (sur la gauche entre Karnak et le Nil) avec un palmier recourbé comme une cravache. Des bœufs, au fond, passent dans les palmiers. Je reprends, sur la droite, une porte Nord ; il y avait là encore une allée de sphinx, un seul se reconnaît à la croupe. Cette porte Nord ainsi que celle de l'Est sont abîmées quant aux représentations anaglyptiques.

Le soir, un Effendi, propriétaire des environs, vient nous faire une visite ; il est vêtu de blanc, se laisse repousser la barbe, a l'air d'avoir fort chaud, larges manches de chemise ; il se passe la main sur les bras ; pieds et mains gras. A ma droite un domestique noir accroupi tenant une lance, son fusil est dans un coin, un yatagan à sa ceinture.

Lundi. Re-estampage. Le moyen mange le but, une bonne oisiveté au soleil est moins stérile que ces occupations où le cœur n'est pas. Comme nous sommes dans le petit temple ptoléméïde de Karnak (à gauche en arrivant), bouffon monté sur un âne ; il nous tire, par pompe, des coups de pistolet chargé à poudre, son pistolet d'Arnaute est enveloppé avec soin dans des guenilles et dans un fourreau en cuir.

Nous allons nous promener au bord du Nil. Au bord, femmes avec des pots sur la tête, l'eau agitée, soleil frisant sur l'eau et me gênant l'œil. En nous en retournant à notre logement de Karnak, un enfant courait devant nous, tout nu, en traînant une branche d'arbre,

cela faisait de la poussière. Le soir notre ami l'Effendi vient nous faire encore une visite : il est de Bagdad, nous aime beaucoup et accepte « pour son père » une boîte de pilules de cantharides. Dans la journée il nous avait fait cadeau d'œufs, de lait, de poules et d'un mouton. Son petit nègre : veste de damas, yeux ronds et sortis, un peu injectés de sang.

MÉDINET-HABOU. Enceinte ptoléméïde du temple, deux pylônes.

A gauche, entrée du palais, pavillon à deux étages. L'étage était supporté par des consoles, qui sont des têtes d'hommes ; les fenêtres carrées sont plus grandes en large qu'en long, de face, tandis que les fenêtres de côté, les latérales, sont plus grandes en long qu'en large. Sur la face intérieure du pavillon, rois tenant à la main des vaincus et les amenant à des dieux ; les vaincus ont des coiffures de sauvages.

Dans la première cour, petit temple carré, avait deux étages, était enclavé dans le palais. Les ruines des maisons arabes encombrent tout et moutonnent à l'œil. Le dos ainsi tourné au Nil, quand on regarde devant soi, on voit les montagnes blanches à gauche, la chaîne Libyque en face dominant le palais ; à droite des colonnades de l'Amenophium bordées à leur extrémité par quelques gazis ; derrière cette pointe de verdure, les montagnes vont s'abaissant à l'horizon jusqu'à une grande ligne de palmiers qui décrit à l'œil la moitié de l'horizon. Au premier plan, le petit temple blanc est enfoui entre les décombres gris noir des anciennes maisons arabes. A ma droite et plus près encore, le grand pavillon, avec ses fenêtres pleines d'ombre, maintenant carrés noirs.

Troisième cour, carrée, était entourée de colonnes dont cinq subsistent encore : les fûts sont brisés et gisent pêle-mêle par terre. Sur le côté Est et Ouest, piliers carrés ; le côté Nord et Sud a de grosses colonnes rondes, chapiteaux unis tout ronds. Outre ces piliers, le côté Ouest a un second rang de colonnes à chapiteaux unis, les bracelets des chapiteaux des colonnes sont peints en bleu ; les colonnes de l'intérieur de la cour ont des chapiteaux en feuilles de lotus.

Le plafond des galeries est en grandes dalles peintes en bleu, parsemé d'étoiles blanches.

Le dessous de la porte des pylônes : Osiris en vautour, avec de grandes ailes et des attributs, le tout en bleu.

Figures des galeries, côté Sud. – En haut trois groupes :

1º Bari portée par des hommes presque grandeur nature, le nu peint en rouge. Les rames de la barque sont pressées et disposées l'une sur l'autre, à l'avant, imitant une aile étalée. Y a-t-il intention de rappeler ici Osiris reproduit par l'oiseau ?

2º Deux files d'hommes marchant deux à deux et portant une corde, dont un personnage coiffé de l'uræus tient le milieu ; le nu des hommes est rouge, colliers bleus. Celui qui marche en tête, seul, tient dans ses mains un carré qu'il présente.

3º Homme portant un brancard sur lequel sont des petits bonshommes, chacun entre une colonne. Les hommes qui portent sont fort beaux, la tête complète-ment nue. Derrière le brancard et comme le conduisant marche un homme portant un bâton au haut duquel sont deux bandelettes et un oiseau.

En bas : un roi sur son char, le dos tourné vers la tête du cheval ; des hommes, qui viennent à la hauteur des naseaux du cheval, l'arrêtent ; le cheval est coiffé de plumes et de lotus, sa couverture est rayée en long de bandes bleues. *Qu'était-ce que la boule qui est toujours sur le garrot des chevaux ?* Deux grands flabel-lums ombragent le roi, tourné vers trois files d'hommes ; on lui présente des mains et des phallus naturels coupés ; les phallus se voient tout en bas, contre terre, ils ont leurs testicules et ne sont point circoncis. Un écrivain, placé derrière l'homme qui les compte et qui a un bâton, ou plutôt un instrument tranchant sous le bras, enre-gistre. Viennent des captifs, quelques-uns les bras liés très élevés au-dessus de la tête, tuniques bleues, vertes, avec deux bandes blanches en large ; ils ont des figures angulaires, des barbes en pointes, et d'au-dessus de leurs oreilles, continuant la mèche des tempes, pendent des cornes ou des trompes recourbées en dedans par le bout.

Côté Est. – 1° Mêlée guerrière, comme sur le pylône de Louqsor, chars, etc. ; les hommes renversés coiffés comme ci-dessus. Un homme, que l'on voit la tête en bas et qui se trouve sous la verge du cheval du roi, est coiffé comme un sauvage. Je ne sais si ce sont des plumes ou des cheveux droit levés, comme seraient les mèches des Ababdiehs si on les levait ; il a aussi la barbe en pointe. Grand char du roi, le cheval est *rampant*, couverture bleue et rouge rayée en large. Le roi a les guides passées autour des reins, il décoche une flèche, son arc est près de lui ; le char passe sur le corps d'un homme. En dessous, des escadrons marchent au pas et à grands pas.

2° Le roi sur son char, cheval se gourmant, chic an-glais dans les pieds, couverture en damier comme une étoffe écossaise. Debout, le roi tient le fouet de la main droite ; c'est un tout petit fouet, qui ne pouvait atteindre que sur les fesses des bêtes.

3° Le roi à pied amène les prisonniers enchaînés à Ammon, qui tient le nilomètre.

Angle Nors-Ouest. – Hommes portant des rames dans leur chevelure, comme aux cataractes.

Côté Nord. – Fort belle bari, ayant à la poupe et à la proue des têtes de bélier (Ammon) au cou desquelles sont suspendus par deux cordes des carrés terminés par des franges ou clochettes. Ces béliers ont un triple collier, frisé comme de la laine.

Belle bari ornée à la poupe et à la proue de têtes humaines coiffées de cornes et avec un collier comme ci-dessus.

La face extérieure du pylône qui regarde la mon-tagne est presque enfouie sous les décombres des mai-sons arabes. Les pierres de l'escalier de ce pylône ne sont pas disposées comme dans l'intérieur des Pyra-mides et dans le pylône de Louqsor ; elles sont droites, mais la bandelette d'hiéroglyphes suit le mouvement de l'escalier.

Deuxième cour. – Sur le pylône de gauche (étant tourné vers la montagne), le roi amène au dieu des captifs ; quelques-uns coiffés tout à fait comme des sauvages ; le pylône de droite est couvert d'hiéroglyphes.

Le côté gauche a des colonnes ; le côté droit a des piliers.

Les deux galeries latérales de cette cour sont presque enfouies, les hiéroglyphes profondément entaillés. Restes de peintures.

Maxime retourne à la cange préparer des papiers, on va camper près des deux colosses. Je monte à cheval et je vais me promener seul autour de Médinet, je monte vers le syrinx. Un renard sort d'une grotte avec un bruit de serpent qui dérange les pierres, il monte à pic, se détourne et me regarde tranquillement ; je prends mon lorgnon et nous nous contemplons. Même aventure m'arrive dix minutes après, en descendant, avec un chacal. Un homme se tenait debout sur un monticule avec un chien.

Je descends vers le Nil. – Village avec des pigeonniers. Deux affreux chiens d'Erment sautent à la croupe de mon cheval.

Je passe la nuit près des colosses, sous la tente, le vent est furieux, les moustiques me dévorent, je suis abîmé de poussière.

Le matin, je fais une course à cheval du côté de l'hippodrome, précédé de notre guide Omer (grand, sec, bon homme, coiffé d'un cône raide, gris blond, en feutre, qui le fait ressembler à un prêtre de Persépolis. C'est ce qui a précédé le tarbouch ; si on l'enroulait d'une écharpe, ce serait tout à fait l'ancien turban des gravures. Omer a un petit chibouk de bois noir à nœuds.

Grande campagne nue, les chevaux marchent sur la terre dure, régulièrement balafrée de longues crevasses de sécheresse.

Le temple a une enceinte en briques crues pharao-niques et un revêtement complet romain. C'est dans cet édifice romain que se trouve un naos égyptien ptolé-méïde. – Retour au galop par Médinet-Habou, fantasia avec Omer. – Nos Arabes sont au pied du colosse. – Le sieur Rosa nous vient faire une visite ; il a un turban blanc, une chemise de Nubien blanche, il marche sous un parapluie de coton blanc et porte à la main son chi-bouk et un bâton de bois blanc, terminé par un pic qu'il s'est tourné lui-même.

Pendant que l'on charge tout pour s'en aller au Ramesséum, rébellion d'un de nos chameaux, course à travers champs ; la charge s'en allait graduellement, le broc de fer, passé à un pied de la bête, saute comme un bracelet, la table de Brochier est mise en pièces.

Joseph et moi partons pour Louqsor. – Mâlim. – Café où je fume un chicheh avec plaisir. – Arnautes, ces bons camarades !

Amenophium. – Colosses comme ceux d'Ipsamboul, mais n'ont pas la frange au milieu des cuisses. Sur la paroi intérieure de la porte de l'Amenophium grand combat, hommes levant les mains, d'une bonne façon, avec intention de naïveté. Un homme *combattant à cheval ?* Champollion dit que la cavalerie n'est pas mentionnée sur les monuments, à de rares exceptions près ; est-ce celle-là qu'il sous-entend ? Le point d'interrogation que je retrouve dans mes notes indique, je crois, qu'il y a peut-être derrière l'homme la place pour un char absent. Il me semble cependant que non ?

Hypogées ou syrinx. – C'est incontestablement ce qu'il y a de plus curieux comme art en Égypte.

Représentation de métiers, etc. ; joueurs de mandoline, la mandoline à manche très long ; joueurs de flûte et de harpe ; p... nues, avec l'intention lubrique de la cuisse dont le genou est rentré très en dedans ; ces demoiselles ont des robes transparentes, cela rappelle les b... Devéria 1829. La gravure cochonne a donc existé de toute antiquité !

Dans la même grotte, grand couloir, mur à droite : un homme nu peint en rouge, qui est dans une barque et qui cueille des lotus ; au-dessus de sa tête une branche s'incline, une cigogne se tient sur l'arbrisseau, chose charmante pleine de grâce et d'originalité.

On sent une odeur de laiterie et de chauves-souris. Quelques-unes de ces grottes s'étendent en large, d'autres en profondeur seulement. Des familles vivent là dedans avec leurs enfants nus, des poussins, etc. ; quelques-unes ont des portes avec des planches peintes de cercueil.

De là, la terre sous vos pieds est trouée comme un tamis et d'une effrayante façon. – Plaine de Thèbes : au milieu, les deux colosses vus de dos ; Médinet-Habou sur la droite, qui se découpe carrément dans la plaine, fuyant et se rétrécissant de ce côté. Au delà de la plaine, le Nil bleu, Louqsor, à qui rien n'est comparable comme effet de ruine dans le paysage ; au fond, les montagnes, blanches au sommet et déchiquetées, avec un glacis rose sur leur bleu (le bleu domine de beaucoup). A gauche, au fond, Karnak confus ; l'Amenophium (ou Rammesséum) à nos pieds ; un peu plus loin, Qournah, avec ses dalles basses, revêtement supérieur de son toit, et qui de ce côté, à cause des monticules (terres provenant des trous) qui l'entourent, paraît très bas.

Nous passons la nuit dans le Rammesséum, au milieu de grosses colonnes, la figure tournée vers le pylône. Il fait des étoiles, le piaulement des chacals alterne avec l'aboiement des chiens.

QOURNAH. Grotte noire et puante à côté. – Palmiers très près du temple, à côté, en venant du Nil. – Au Rammesséum, quelques gazis en y arrivant.

Visite aigre du sheik à propos du petit tombeau de Qournah.

BIBAN-EL-MOULOUK. Nous partons de Qournah pour la vallée des Rois. Terrains blancs, soleil ; on sue de l'entrefesson sur sa selle. Omer marche à pied devant moi. Nous sommes campés à l'entrée du tombeau marqué n° 18. Il y a en entrant le portrait de Mustapha-Bey (ressemble à un curé) et celui de Lallemant par Dantan jeune, janvier 1849. – Arabes couchés par terre et causant à voix basse, Sassetti dormant sur le paquet de tapis, Max parti dans le tombeau de Belzoni.

(Vendredi 10 mai, 3 heures de l'après-midi.)

Gargar. – Gargar, vieux, sec, et robuste, amateur de raki et de bardaches. Selon lui, on ne peut être fort que lorsqu'on boit de l'eau-de-vie, c'est là la cause de la supériorité des Franks sur les musulmans. Il se frappe la poitrine à grands coups, et bouscule les autres Arabes pour nous le prouver. Une fois par terre, il fait mine de les vouloir sodomiser. Il nous charge de faire ses compliments aux officiers de Louqsor, qu'il aime beaucoup.

Chasseurs d'hyènes. – Mine des chasseurs d'hyènes. Le vieux, petit, barbe grise, figure souriante, chaussé de bons souliers rouges ; son compagnon, homme de 36 ans, sandales, fusil à mèche, sombre personnage, plus effrayant à rencontrer que son gibier. Ils portent une petite outre pleine d'eau, qui est toute leur provision pour trois ou quatre jours ; quand ils ont tué une hyène, ils la mangent et prennent la peau. Le mauvais état de nos chaussures fait que nous sommes obligés de renoncer à cette partie de chasse, qui aurait pu être curieuse.

Tout le temps que je suis à Médinet, on me donne pour saïs une petite fille de dix à douze ans, qui est obligée de suivre mon cheval au trot et au galop, ce qui fait que je suis obligé d'aller au pas. Les parents de ce pays sont donc encore plus bêtes que ceux du nôtre ?

18. MENEPHTHAH. Grande salle des momies.

Dalles à hauteur d'appui, faisant console circulaire sur laquelle étaient disposées les momies.

Sur le linteau supérieur, du côté droit en entrant, lituus, couronnés du pschent et terminés en bas par la harpe.

Côté immédiat de l'entrée, à droite ; des hommes sur une barque, entourant Ammon, ont autour du torse une espèce de camisole rattachée aux épaules par deux cordons dont le dessin est en damier ; ce sont de petits carrés indigo sur bleu plus pâle.

Grand serpent vert à taches noires, portant sur le sommet de ses ondulations des têtes d'hommes, face rouge, chevelure indigo (ou noire), barbe indigo (ou noire) ; la commissure des yeux est marquée par un gros trait qui continue la paupière supérieure jusqu'à l'oreille. Il y a quatre têtes. Sous la gueule du serpent est la croix ; de son gros œil rouge quatre lignes noires descendent. A-t-on voulu figurer des larmes ? ou des plis de la peau ?

Sur la plinthe du milieu, homme ayant sur la tête un scarabée posé horizontalement dans l'ellipse d'un serpent à cinq têtes.

Sur la plinthe du bas, serpents debout ; de leur bouche découle un liquide qui engendre la harpe. Ces serpents sont rouges, tachés de noir ; la bordure indique la harpe rouge, plus pâle, bordée d'une ligne noire.

Côté du fond en entrant : uræus droits, la queue repliée sous eux et posés sur des espèces d'échasses bifurquées à leur base.

Plinthe du milieu : quatre béliers, la toison est en gros bleu, le corps en jaune, portant le pschent, les plumes, la boule.

Série de têtes à des potences. Est-ce une généalogie ? Chacune de ces potences a à côté d'elle des hiéroglyphes différents; ce n'est donc pas une répétition de la même chose, quoique toutes ces représentations se ressemblent.

Barque tirée par des hommes; au milieu, debout, sous l'arceau d'un serpent, Ammon tenant le crochet.

Côté gauche, plinthe inférieure : crocodile vert avec les écailles d'un joli travail, sur un rocher de sa taille, qui a à son extrémité, sous la tête du crocodile, une tête humaine; le rocher est tacheté et porte à son extrémité, sous la patte environ du crocodile, un œil humain, deux têtes humaines et deux signes méconnaissables pour moi.

Plinthes du milieu : sortes de couches terminées par des têtes humaines.

Il y avait, au milieu de cette admirable chambre, deux piliers : l'un, fût renversé par le docteur Lipsius sur le deuxième palier, d'un travail exquis et peint sur ses quatre faces, dieux à visage vert, les poings près l'un de l'autre sur la poitrine, les coudes écartés, et tenant dans leurs mains le sceptre et le fouet.

Aux quatre coins de l'appartement, sous la console circulaire, un divan à tête de léopard et à pieds de lion, peint.

Sur le côté gauche immédiatement en entrant : corps de femme terminé par un long serpent.

Grande salle du fond : plafond peint, fresques d'un ton blond. – Un typhon dévoré par le crocodile : le crocodile, dressé debout par derrière, appuie ses pattes sur les épaules du typhon. Etourdissante chose comme vestige de religion antique!

Petite chambre à droite avant d'arriver à cette salle (la chambre des momies est à gauche en allant au grand plafond voûté) : un bœuf sur la paroi d'en face; une panégyrie s'agite dans ses jambes, les hommes lui viennent au jarret. Au-dessus de lui et autour, le mur est blanc, les noms des voyageurs écrits au couteau y disparaissent les uns sous les autres, c'est tout aussi hiéroglyphique que les hiéroglyphes qui entourent les trois autres côtés de la chambre.

16. Entrée difficile. Une seule chambre avec un sarcophage en granit, vide. Une inscription au crayon déclare que Belzoni, Stralton Beechy et Bennett ont été présents à son ouverture le 11 octobre 1817.

Sur la paroi de droite, hommes sans bras portant des figurines.

Hommes : chevelure verte, barbe noire; aux deux bouts du bâton qu'ils portent, un bœuf; de sa tête pend une corde que tient un homme (il y en a quatre), un (rouge) en tablier blanc et sans barbe; sur les deux extrémités du bâton ou brancard, le bœuf lui-même est porté, se tenant debout.

Paroi d'en face, dans l'angle : femme jolie, les nus en jaune, les bracelets jaunes et verts aux bras, un collier jaune et vert; sur sa chevelure noire un scarabée jaune.

Le roi est conduit par un dieu à tête d'épervier, coiffé du pschent (le nu en rouge) à Ammon-Rha assis. Près de lui et lui tournant le dos, un dieu tenant la croix et le nilomètre (le nu en rouge, la tête de scarabée noire), assis sur un trône; d'au-dessus de sa rotule part l'appendice souvent remarqué.

Sur la porte d'un petit caveau, même paroi : trois personnages à genoux sur le genou droit, la main gauche sur la poitrine. Le premier est à tête de chacal, le second à tête humaine, le troisième à tête d'épervier; les nus en rouge.

Sur la paroi de gauche, petites momies en noir, couchées les unes au bout des autres. Plus loin, grandeur nature, le roi entre un dieu à tête de chacal et un dieu à tête d'épervier.

A droite, dans l'angle, sur les quatre côtés de l'appartement, la figure du serpent se retrouve, soit pliée en plusieurs doubles comme une série de 8, soit verticale, ondulant dans la bandelette d'un cartouche.

Des deux côtés de la pièce, chambres comblées dans lesquelles on ne peut plus entrer.

9. Chambre du sarcophage. – Des bras, se bifurquant à partir du coude et ayant deux mains suppliantes vers une boule d'où part un jet qui va rejoindre une autre boule; sous l'arc du jet un personnage tout rouge, debout, barbu, coiffé du bonnet en pointe à bouton.

Ailleurs, des têtes levant la main.

Une tête lève deux bras démesurés. Sur le pouce des mains il y a un homme debout qui lève les mains. Sur la tête principale, une femme debout a les bras levés; au-dessus de sa tête, une boule rouge.

Les hommes sans têtes et les bras liés ne devaient pas simplement vouloir dire des captifs, mais avaient sans doute un sens symbolique plus élevé.

Sur le linteau de la porte de l'antichambre qui précède la salle du sarcophage, une boule avec quatre serpents; à gauche, un homme courbé comme un bûcheron; à droite, un homme les bras liés, à genoux; au-dessus, à droite, un homme les bras liés, la tête en bas, une autre ainsi. A la place du quatrième, à gauche, rien de distinct.

Couloir à gauche. – Des hommes ou mieux des âmes montent un escalier au haut duquel Ammon est assis avec ses insignes; un homme tient une balance. Plus loin l'âme, sous forme de porc dans un bateau, est renvoyée par un personnage qui la fouette.

6. Couloir à gauche. – Crocodile tout seul sur un navire; sur le dos du crocodile une tête humaine, visage rouge, cheveux bleus; de devant son menton part une ligne qui porte à son extrémité le bonnet pointu à bouton. La proue du navire est en forme de ce bonnet pointu à bouton, et est couronnée du pschent, en sens inverse; avant la proue et la poupe et les séparant du crocodile, il y a une rame debout, c'est-à-dire : poupe-rame debout-crocodile-rame debout-proue. En face, sur le mur de droite, se tiennent les débardeurs.

Côté droit dans le couloir : une momie peinte, fort belle, avec le phallus cassé; elle est oblique et comme si elle tombait, elle lève les bras au ciel, elle est entourée du serpent, le tout sur fond jaune tacheté de petites taches rouges. Est-ce une mort subite? quelque punition divine?

Non loin, flèches jaculatoires qui ont l'air d'engendrer des serpents.

Partis de Bivan-el-Mouloûk le dimanche 12.

Lundi 13. Promenade à cheval, d'abord le long de la crique du Nil, qui se jette à droite du palais de France, quand on le regarde le dos tourné au fleuve. Nous passons derrière le Jardin de France, nous nous écartons beaucoup et nous tombons dans le Sud. Halte dans un jardin où il faut se baisser pour passer sous les arbres. Nous nous asseyons sur un tas de feuilles de palmier sèches, un bonhomme nous apporte une jatte de lait caillé et des petits pains chauds sur un panier plat ; le lait caillé se répand en voulant mettre la jatte d'aplomb, Maxime plante des petites branches sèches dans les caillots de lait frémissants ; ça fait un paysage de Norvège ; le lait figure la neige et les petits bâtons les peupliers sans feuilles.

Le ruisseau de Sakir coule devant nous, je suis dans mes grandes bottes en cuir de Russie, nous fumons un chibouk, nous causons.

Nous passons encore une fois par Karnak, sur la berge méridionale de la petite mare verte. J'ai envie de revoir notre petite chambre et la pierre où j'ai dormi aux étoiles. Karnak me semble plus beau et plus grand que jamais. Tristesse de quitter des pierres ! pourquoi ?

KENEH. *Jeudi 16 mai,* notre cange aborde sur la plage de Keneh, où nous trouvons le petit baron de Gottbert, dans son nizam gros bleu, qui nous attendait. Déjeuner avec lui. Toute la journée et celle du lendemain est occupée aux préparatifs du voyage de Kosséïr.

Visites aux sieurs Ortalis, médecin, en manches de chemise et en bonnet crasseux, et Fiorani. – Long déjeuner chez le père Issa, où se débattent les prix pour la traversée du désert. – Un Grec, épicier, natif de Chio, établi dans la rue qui prolonge le bazar, à droite, même rue que celle où demeure Osnah Taouileh ; elle nous prie de lui rapporter de Kosséïr des poissons secs. C'est à elle que je vois, la première fois, se laver la bouche avec un morceau de savon de Marseille. Nous achetons des outres, que l'on va laver dans le petit bras du Nil qui est derrière Keneh. En faisant ses courses, dans le bazar, Joseph se f... par terre d'une façon triomphante. A peine arrivés chez Fiorani, nous apprenons que Gottbert vient de faillir tuer plusieurs personnes, son fusil est parti inopinément, ce dont nous l'avions prévenu. Sa figure embobelinée de son coufieh, petits gants de coton pour s'abriter les mains du soleil, une canne ; il va dans le désert établir des télégraphes de Keneh à Kosséïr.

KOSSEIR

Samedi 18 mai. Nous nous levons au petit jour ; il y a, amarrés sur la plage, quatre bateaux de gellabs. Les esclaves, descendus à terre, marchent conduits par deux hommes ; ils vont par bandes de 15 à 20. Quand je suis monté sur mon chameau, Hadj-Ismaël saute pour me donner une poignée de main. L'homme à terre, allongent le bras pour donner une poignée de main ou offrir quelque chose à l'homme monté sur son chameau, est un des plus beaux gestes orientaux ; surtout au départ,

il y a là quelque chose de solennel et de gravement triste. Les habitants de Keneh ne sont pas encore levés ; sur leurs portes, les almées, couvertes de piastres d'or, balayent leur seuil avec des branches de palmier, en fumant le chibouk du matin. Le soleil, sans rayons, est voilé par la vapeur du khamsin. A gauche, montagnes arabiques comme des falaises ; devant nous le désert grisâtre ; à droite, des plaines vertes. Nous marchons sur la limite du désert, peu à peu la plaine cultivée nous quitte ; on la laisse sur la droite et l'on s'enfonce dans le désert. Au bout de quatre heures, on arrive à un petit bois de gazis, avec une longue construction à galerie en arcades, au rez-de-chaussée : c'est un khan, Bir-Ambar. Nous y déjeunons dans le santon sur des nattes, nous y faisons la sieste.

Arrivés à Bir-Ambar à 9 heures et demie, repartis à 11 heures et demie.

Devant la galerie du khan, deux longues auges en pierre où s'abreuvent des chameaux. Arabes à l'ombre, qui mangent, prient, dorment ; les animaux, comme les gens, sont sous les arbres, au hasard, comme ils sont venus ou ont pu se mettre ; c'est la vraie halte du voyage.

Le terrain, mouvementé, est caillouteux, la route est aride, nous sommes en plein désert, nos chameliers chantent et leur chant finit par une modulation sifflante et gutturale pour exciter les dromadaires. Sur le sable se voient parallèlement plusieurs sentiers qui serpentent d'accord, ce sont les traces des caravanes, chaque sentier a été fait par la marche d'un chameau. Quelquefois il y a ainsi 15 à 20 sentiers ; plus la route est large, et plus il y a de sentiers parallèles. De place en place, toutes les deux ou trois lieues environ (mais au reste sans régularité), larges places de sable jaune comme verni par une laque terre de Sienne ; ce sont les endroits où les chameaux s'arrêtent pour pisser. Il fait chaud ; à notre droite un tourbillon de khamsin s'avance, venant du côté du Nil, dont on aperçoit encore à peine quelques palmiers qui en font la bordure ; le tourbillon grandit et s'avance sur nous, c'est comme un immense nuage vertical qui, bien avant qu'il ne nous enveloppe, surplombe sur nos têtes, tandis que sa base, à droite, est encore loin de nous. Il est brun rouge et rouge pâle, nous sommes en plein dedans ; une caravane nous croise, les hommes entourés de coufiehs (les femmes très voilées) se penchent sur le cou des dromadaires ; ils passent tout près de nous, on ne se dit rien, c'est comme des fantômes dans des nuages. Je sens quelque chose comme un sentiment de terreur et d'admiration furieux me couler le long des vertèbres, je ricane nerveusement, je devais être très pâle et je jouissais d'une façon inouïe. Il m'a semblé, pendant que la caravane a passé, que les chameaux ne touchaient pas à terre, qu'ils s'avançaient du poitrail avec un mouvement de bateau, qu'ils étaient supportés là dedans et très élevés au-dessus du sol, comme s'ils eussent marché dans des nuages où ils enfonçaient jusqu'au ventre.

De temps à autre nous rencontrons d'autres caravanes. A l'horizon, c'est d'abord une longue ligne en large et qui se distingue à peine de la ligne de l'horizon; puis cette ligne noire se lève de dessus l'autre, et sur elle bientôt on voit des petits points; les petits points s'élèvent, ce sont les têtes des chameaux qui marchent de front, balancement régulier de toute la ligne. Vues en raccourci, ces têtes ressemblent à des têtes d'autruches.

Le vent chaud vient du midi; le soleil a l'air d'un plat d'argent bruni, une seconde trombe nous gagne. Ça s'avance comme une fumée d'incendie, couleur de suie avec des tons complètement noirs à sa base, ça marche... ça marche... le rideau nous gagne, bombé en volutes par le bas, avec ses larges franges noires. Nous sommes enveloppés, le vent frappe si fort que nous nous cramponnons à nos selles pour ne pas tomber. Quand le plus fort de la tourmente est passé, pluie de petits cailloux poussés par le vent, les chameaux tournent le cul, s'arrêtent et s'abattent. Nous nous remettons en marche.

Vers 7 heures et demie du soir, les dromadaires changent brusquement de route et se dirigent vers le Sud. Quelques instants après nous apercevons à travers la nuit quelques masures à ras de terre, autour desquelles dorment les dromadaires, c'est le village de El-Gheta. Il y a là un puits d'eau, bonne pour les chameaux. Une dizaine de huttes informes, composées de pierres sèches amoncelées et de nattes de paille, habitées par les Ababdiehs. Quelques chèvres cherchent un peu d'herbe entre les pierres, des pigeons picorent le reste de la paille des chameaux, des gypaètes se promènent en se dandinant tout autour des masures. On nous refuse du lait. — Téton d'une négresse, il lui descendait bien jusqu'au-dessous du nombril, et tellement flasque qu'il n'y avait guère que l'épaisseur des deux peaux; en se baissant à quatre pattes, il doit certainement traîner à terre.

Nous couchons sur nos couvertures, par terre. A 3 heures, je me réveille, nous partons à 5. D'abord nous marchons pendant une heure à pied.

Au milieu du jour, arrêtés pendant quatre heures à Gamsé-Shems, dans une petite grotte formée par un rocher éboulé, j'y dors couché sur le dos. Quand je lève la main en m'étirant à mon réveil, le vent me la chauffe comme l'exhalaison d'un four, nous sommes obligés d'envelopper les pommeaux de nos selles avec nos mouchoirs. Vers 4 heures du soir, à droite, dans le rocher noir, tableaux hiéroglyphiques surchargés d'inscriptions grecques : sacrifice à Ammon générateur et à Horus. Les montagnes vont se resserrant, nous marchons dans un large couloir. Le soir, belle lune, les ombres des cols de nos chameaux se balancent sur le sable. A 9 heures et demie nous passons près d'une grande construction entourée de murs carrés, c'est le puits de El-Hammâmât, creusé par les Anglais. Nous allons coucher une demi-heure plus loin, après onze heures de marche.

Lundi 20, partis à 4 heures et demie. Défilé dans les montagnes, montée et descente. Au milieu de la route, dans un écartement des montagnes, un gazis mort et dont l'écorce a été enlevée; quelques autres petits en

fleurs, plus loin. Un de nos deux chameliers prend une outre vide et court devant nous; une grande heure après, nous le rejoignons à Bir-el-Ceb (puits de la Serrure, puits fermé). Le puits est une excavation de trois pieds de diamètre dans la terre, on se glisse sous un rocher pour y pénétrer; il a peu d'eau et encore est-elle très terreuse; c'est dans un endroit fort resserré en venant de Keneh, la route monte après. Au bas du puits, dix pas avant d'y arriver, un vieux Turc est là, tranquillement assis, avec ses domestiques et ses femmes, sur des tapis. Près du puits, un chameau râlant couché sur le flanc; il s'est cassé les reins en tombant dans le puits, son maître l'en a retiré, et il reste là à mourir depuis trois mois. Quand son maître passe, il lui donne à manger et les Arabes lui donnent à boire; la grande affluence de Hadjis au puits explique comment il n'est pas dévoré par les bêtes féroces.

Pendant que nous sommes là, passe une caravane qui nous croise : la gorge est fort étroite, encombrement de chameaux et de gens; il faut mettre pied à terre et conduire les dromadaires par le licol. On va à pied pendant quelque temps, à cause de la difficulté de la route; elle est semée de carcasses de chameaux avec la peau, et très proprement évidés en dedans. Ce sont les rats qui font cette besogne; la peau intacte, rongée en dedans, fine comme une pelure d'oignon, desséchée au soleil et tendue comme un tambour, recouvre le squelette gratté. Innombrables trous à rats dans le désert.

La route se rélargit, nous passons près d'un khan détruit Okkel-Zarga (le khan violet). Pas un bruit, chaleur dévorante, les mains vous picotent comme dans une étuve sèche, le carbone miroite à vingt pas de nous, ça fume à trois pieds du sol environ. A 11 heures trois quarts nous nous mettons à l'abri sous un grand rocher en granit rose, où se tenait au frais une compagnie de perdrix du désert; l'endroit se nomme Abou-Ziram (le père des jarres). Nous dévorons une pastèque que Joseph a achetée le matin à Bir-el-Ceb; il faut laisser nos poulets, ils sont pourris. La veille, à la même heure, il nous avait fallu jeter notre gigot; à peine était-il tombé par terre qu'un gypaète s'est abattu dessus et s'est mis à le dévorer. Nous rencontrons toute la journée beaucoup de perdrix.

Le soir, le chameau de Joseph s'emporte, je le vois passer à ma gauche épouvanté et poussant des cris; sa veste blanche se perd dans la nuit; nous sautons pour courir après lui, d'autant que nos chameaux ont bien envie d'imiter le sien. Il revient à nous à pied. Nous passons des ficelles dans les narines de nos dromadaires, qui sont en tremblement et en fureur; nous nous arrêtons prudemment et nous couchons dans un fort bel endroit découvert et comme une petite plaine qui s'étale sur notre gauche, dans la montagne Daoui (endroit clair ou découvert).

Mardi 21. Partis à 4 heures du matin, nous descendons toujours. Les caravanes se multiplient, les montagnes blanchissent avec de grandes raies brunes. A 8 heures nous arrivons à Bir-el-Beida (le puits blanc, à cause des montagnes qui l'avoisinent) ou Bir-Inglîs (puits des Anglais, qui l'ont creusé). Un campement d'Ababdiehs entoure le puits. – Masures de paillassons et de terre. L'endroit est large, c'est une plaine dans la montagne. Un jeune homme nu et seulement recouvert d'un caleçon de toile, grise de crasse ou de poussière, prend mon chameau (geste du bras qui se lève en sautant !) pour le faire boire ; il puise de l'eau dans une outre au bout d'une corde et il retire l'outre pleine ou à peu près et pissant par tous ses trous. Le puits est entouré d'une margelle de pierres sèches, large de base et penchante ; il se piète dessus, en tirant. Les chameaux boivent lentement et énormément, il y a trois jours qu'ils n'ont bu. Il fait soif aussi pour nous et cette eau est exécrable ! les Ababdiehs ne veulent pas nous vendre du lait, seule nourriture qu'ils aient.

La route tourne à gauche, nous descendons ; les montagnes calcaires entourant cette plaine rappellent le Mokattam. Le ciel est tout chargé de nuages, l'air humide, on sent la mer, nos vêtements sont pénétrés de moiteur. Je désire ardemment être arrivé, comme toutes les fois que je touche à un but quelconque : en toutes choses j'ai de la patience jusqu'à l'antichambre. Quelques gouttes de pluie. Une heure après avoir quitté le puits, nous arrivons dans un endroit plein de roseaux et de hautes herbes marécageuses ; des dromadaires et des ânes sont au milieu, mangeant et se gaudissant ; de nombreux petits cours d'eau épandus coulent à terre sous les herbes, et déposent sur la terre beaucoup de sel ; c'est El-Ambedja (endroit où il y a de l'eau). Les montagnes s'abaissent, on tourne à droite. Pan de rocher rougeâtre, à gauche, à l'entrée du val élargi qui vous conduit, d'abord sur des cailloux, ensuite du sable, jusqu'à Kosséïr. Dans mon impatience je vais à pied, courant sur les cailloux et gravissant les monticules pour découvrir plus vite la mer. Dans combien d'autres impatiences aussi inutiles n'ai-je pas tant de fois déjà rongé mon cœur ! Enfin j'aperçois la ligne brune de la mer Rouge, sur la ligne grise du ciel. C'est la mer Rouge !

Je remonte à chameau, le sable nous conduit jusqu'à Kosséïr. On dirait que le sable de la mer a été poussé là par le vent, dans ce large val ; c'est comme le lit abandonné d'un golfe. De loin on voit les mâts de l'avant des vaisseaux, qui sont désarmés, comme ceux du Nil. On tourne à gauche. Sur de petites dunes de sable voltigent et sont posés des oiseaux de proie. La mer et les bâtiments à droite ; Kosséïr en face, avec ses maisons blanches. À droite, avant de tourner, quelques palmiers entourés de murs blancs : c'est un jardin. Comme cela fait du bien aux yeux !

Nous traversons la ville ; nos chameliers prennent les licols de nos bêtes et nous conduisent, les Arabes se rangent en haie pour nous laisser passer. Nous logeons chez le père Elias, frère de Sya, de Keneh. C'est un chrétien de Bethléem, vieillard à barbe blanche, figure franche et cordiale, agent français dans ce pays. Sur le seuil de sa porte nous trouvons M. Barthélemy (fils aîné), chancelier du consulat de Djeddah ; il est débraillé et en chapeau de paille couvert d'une coiffe de coton blanc. On nous installe dans un petit pavillon carré, une fenêtre donne sur la mer, l'autre sur la rue, la troisième sur la cour du père Elias, toute pleine d'ardebs de blé. La mer, vue de ma fenêtre, est plutôt verte que bleue. Les barques arabes avec leur arrière surchargé, leur avant faible et leur pointe qui remonte le plus possible. – Arrivée de M. Métayssier, consul de France à Djeddah, le col dans les épaules, et sentant le musc, ce qui me fait présumer qu'il a un séton : bavard, insipide, funeste, sait tout, connaît tout le monde, a donné des conseils à Casimir-Périer, à Thiers, à Louis-Philippe... pauvre homme ! Mon voyage n'était pas fini que j'ai appris la fin du sien ; il est mort à Djeddah après trois mois de séjour !...

Nous faisons un tour dans la ville ; elle est assez propre ; ça ne ressemble plus à l'Egypte. – Races diverses de nègres : quelques-uns ressemblent à des femmes, un entre autres, que j'ai rencontré sur la jetée en bois (plancher sur pilotis qui s'avance dans la rade) ; il avait des seins, des hanches et des fesses de femme, et le crâne si serré à partir des tempes, qu'il faisait presque pyramide. Il y a, je crois, dans la race nègre, plus de variétés encore que dans la race blanche. Comparez le nègre du Sennâr (type indien, caucasique, européen, pur noir) avec le nègre de l'Afrique centrale : la tête du nègre de Guinée est une tête de Jupiter à côté.

Ces gens nus et portant pour tout bagage une écuelle (calebasse vidée), viennent on ne sait d'où, il y en a qui sont en marche depuis plusieurs années. Le Dr Ruppel en a vu au Kordofan qui étaient en route depuis sept ans ; MM. Barthélemy et Métayssier, en venant de Keneh à Kosséïr, en ont trouvé un à demi mort de soif sur la route ; il était en marche dans le désert depuis un an. Quelques-uns viennent avec leurs femmes, elles accouchent en route. Des Tartares de Bukkara, en bonnet fourré, nous demandent l'aumône, ils ont des figures d'affreux gredins, l'un surtout à qui il manque deux dents sur le devant et qui sourit. Nous les retrouvons couchés à l'ombre d'une barque et recousant leurs haillons. Les pèlerins vous persécutent pour avoir l'aumône et se ruent comme des vautours affamés sur les écorces des pastèques, que l'on dévore ici jusqu'au vert. – Nègres excessivement grands, et non moins extraordinairement maigres ; ils semblent n'avoir que les os et être d'une faiblesse extrême, c'est encore une espèce particulière de nègre. – Pirogues de pêcheurs de perles, qui sont creusées dans des troncs d'arbres ; avirons qui sont de simples perches au bout desquelles on a cloué une planchette ronde. – Nous nous promenons au bord de la mer, le long des barques tirées sur la plage ; plusieurs sont en une espèce de bois des Indes, jaune, très dur, toutes sont clouées avec des clous en fer. – Impitoyabilité de M. le consul, qui me demande pas mieux que d'allonger la promenade d'une petite demi-heure ; je suis harassé de lui et de fatigue. Parmi les animaux féroces, un des plus dangereux c'est « l'homme qui aime à faire un tour ».

Dîner abondant, eau exécrable ! Moi qui m'étais promis de boire à Kosséïr ! tout est infesté de cette épouvantable odeur de savon et d'œuf pourri, jusqu'aux latrines, qui sentent l'eau de Kosséïr et non autre chose ! On a beau y mettre un peu de raki, ça ne la corrige pas.

Le fils de M. Elias ne dîne pas avec nous : c'est un jeune homme d'une vingtaine d'années, l'air timide et dévot, avec un nez pointu et une bouche pincée. Nous sommes servis par un jeune eunuque de 18 ans environ, Saïd, en veste à raies de couleur, tête nue, moutonné, un petit poignard passé dans sa ceinture façon cachemire, bras nus, grosse bague d'argent au doigt, souliers rouges pointus. Sa voix douce, quand, nous présentant le plateau de café de la main droite, il mettait le poing gauche sur la hanche en disant : « Fadda ». Il a pour compagnon un long imbécile d'Abdallah, déguenillé, et dont l'intelligence n'est pas suffisante pour parvenir à moucher les chandelles. Comme j'ai bien dormi la nuit, sur le divan du père Elias! quelle délicieuse chose de reposer ses membres!

Mercredi 22. Promenade dans la ville. Les cafés sont de grands khans ou mieux okkels; ils sont vides dans le jour; les chichehs de la Mecque reluisent. Nous visitons la barque où doivent s'embarquer ces messieurs; nous passons sous les amarres (d'écorces de palmier) de toutes celles qui les précèdent; deux enfants, debout, nous font aller en passant de câble en câble, ils chantent. La barque de la mer Rouge est effrayante, ça sent la peste, on a peur d'y mettre le pied; je remercie Dieu de n'être pas obligé de m'en servir. Pour latrines, il y a une sorte de balcon ou de fauteuil en bois, accroché extérieurement au bastingage; quand la mer un peu forte, on doit être enlevé de là, net. Le divan et la chambre occupent le château d'arrière, le tout non ponté et plein de marchandises. Des hommes jouaient aux cartes avec de petites rondelles de cuir imprimé de couleurs, il y avait dessus des soleils, des sabres, etc. Le soir nous prenons un bain de mer, au soleil couchant. Quel bain! comme je m'étalais avec délices dans l'eau!

Jeudi 23 mai, nous partons sur des ânes de très grand matin pour aller visiter le vieux Kosséïr, dont il ne reste absolument rien. Nous sommes accompagnés de M. Barthélemy, du fils Elias avec son large vêtement brun qui s'agite au vent et conduisant habilement un dromadaire, et du janissaire de M. Métayssier, Reschid. C'est un Khurde, il a été fait prisonnier dans l'Hedjaz et a tourné les sakiehs pendant sept ans. Toute son ambition est de voir Paris et de s'engager pour servir en Afrique. Il est amoureux fou d'une femme qu'il emmène avec lui à Djeddah; il l'avait déjà renvoyée pour inconduite, mais en repassant à Keneh, où elle était fille publique, il l'a reprise. Il porte un arsenal sur lui et se charge avec plaisir de nos deux fusils. Se disputant, ces jours passés, avec un descendant du Prophète qui se vantait de sa souche, il prit sa pantoufle, cracha dessus, et soufffetant avec elle le petit-fils de Mohammed : « Tiens, voilà le cas que je fais de ta famille, du Prophète et de toi! » Le second janissaire de M. Métayssier, Omer-Aga, grand, figure maigre, plus intelligent que son confrère, robe bleue. Au vieux Kosséïr, la mer prend des couleurs fabuleuses et sans transition de l'une sur l'autre, depuis le marron foncé jusqu'à l'azur limpide. La mer Rouge ressemble plus à l'Océan qu'à la Méditerranée. Que de coquilles! Maxime, indigéré, dort sur le sable, M. Barthélemy et le fils Elias cherchent des coquilles. Odeur des flots. De grands oiseaux passaient à tire d'ailes. Soleil, soleil et mer bleue; dans le sable, de grands morceaux de nacre.

A 4 heures nous disons adieu au père Elias; c'est un des moments de ma vie où j'ai été le plus triste, l'amertume me crispa le cœur; le père Elias lui-même la ressent, il a les yeux pleins d'eau et m'embrasse.

Couché à EL-BEIDA. Seul je mange, Maxime a son indigestion, et Joseph est empoigné de la fièvre. Vent violent toute la nuit.

Vendredi 24 mai. L'eau de Kosséïr, repourrie dans les outres, devient trop mauvaise pour être bue, il faut s'en tenir aux pastèques. Nous rencontrons des pèlerins d'Alexandrie qui vont à Kosséïr, tous à dromadaire; les femmes crient en se disputant et en gesticulant fort. A 10 heures nous nous arrêtons en plein soleil, dans une grande plaine, El-Mour; avec une corde nous attachons nos couvertures à un gazis tant bien que mal, et nous essayons de dormir dessous. Le soir, à 7 heures trois quarts, nous nous arrêtons et couchons à El-Marhar (la grotte).

Samedi 25, à BIR-EL-CEB. Le pauvre chameau est mort et assez entamé, les gypaètes le guignent. Je me jette la tête dans une terrine en bois et je bois à grands traits l'eau terreuse du puits, mais bien préférable à celle que nous avons dans nos outres. A 10 heures et demie nous dormons dans l'escalier du grand puits de Bir-el-Hammâmât. A 8 heures, arrêtés, passé la nuit à Kourousou-el-Benet (le reste des filles), malgré les observations de nos chameliers qui nous disent que c'est un endroit fréquenté par le diable et qu'il n'est pas prudent de s'y arrêter. Pendant la nuit un chacal vient enlever une partie de nos provisions qu'on avait mises au frais.

Dimanche 26, partis à 3 heures trois quarts du matin. Déjeuner à la Djita, nous mangeons des pastèques. – Vieille femme qui se glisse pour venir en ramasser les côtes. – Nous repartons sans faire la sieste.

A 4 heures du soir nous arrivons à BIR-AMBER; Joseph a eu le délire pendant les trois dernières heures du voyage. Nous nous couchons sous les gazis, à l'ombre, et nous buvons à notre aise et à notre saoul. Au milieu des chevaux, des ânes, des chameaux, des poules qui font tant de bruit que notre nuit en est troublée.

Lundi 27, à 4 heures moins le quart du matin, nous partons pour Keneh. Au bout de deux heures de marche, nous commençons à rencontrer grand nombre de personnes, nous apercevons les pigeonniers carrés de Keneh. A 8 heures nous arrivons à la cange, où nous sommes reçus avec effusion. Hadji-Ismaël est le premier qui me salue, comme il avait été le dernier qui m'ait dit adieu.

De Keneh à Kosséïr, 45 heures ½ de marche; retour, 41 heures ¼.

Course dans Keneh, je suis éreinté, bain. – Une almée (mère Maurice), yeux noirs, très allongés par l'antimoine; visage retenu par des bandes de velours, bouche rentrée et menton saillant, sentant le beurre; robe bleue.

Elle demeure au bout de la rue, dans la maison qui en fait le fond. Je revois Osnah Taouileh, qui me fait signe que j'ai de beaux yeux et surtout de beaux sourcils, et qui en veut à mes moustaches comme toutes ces dames d'Egypte. – Dîner chez Fiorani. – Son épouse ! – On m'a dit depuis qu'il était mort, ce bon Fiorani !

Mardi 28 mai, DENDERAH. Bois de doums avec de longues herbes ; nous sommes obligés de faire un coude sur la droite.

Il y a un pylône, à gauche, séparé de toute espèce de construction ; le pylône du temple même est ruiné, ça ne fait plus qu'une porte.

On arrive au temple par une sorte de couloir formé par deux murs en briques crues, construction arabe que l'on a faite lorsque le temple servait de magasin.

Le village, qui est derrière le temple, est complètement ruiné. Tous les chapiteaux du temple représentent la figure d'Athor. – Dans l'angle droit, petit temple d'Athor. – Dans un arrière-temple, qui est derrière le grand, ainsi que sur les faces des chapiteaux du pronaos, figure d'Isis allaitant : un bras offre le sein et l'autre est fièrement posé sur le genou, le pouce en dehors et les doigts en dedans.

Extérieurement, sur les trois faces du temple, des têtes de lions accroupis ressortent, ils sont posés sur des poutrelles de pierre qui sortent du mur.

Dans le typhonium, à droite, figures de typhons entiers sur tous les chapiteaux et des quatre côtés. Il tient de chaque main deux guirlandes droites de lotus, qui, au-dessus de sa tête, font berceau ; il a sur la poitrine, passée à une chaîne, une amulette ronde que je prends pour un scorpion ? Antithèse du scarabée ?

Sur la quatrième colonne, en entrant à droite, côté qui regarde le mur, bracelet au haut des bras et aux poignets, barbe très étapée, le bout des seins indiqué ; le nombril est creusé ; sous le nombril, une ceinture qui lui prend le ventre.

La frise des trois côtés est composée de têtes de typhons. Un typhon de profil me paraît adorer un roi (pschent et uræus) assis sur un lotus ? à la manière arabe, le cul étant sur le même niveau que les talons.

Intérieur. Deux chambres : première, quelques petites têtes d'Athor, presque méconnaissables ; deuxième chambre : Isis allaitant, coiffé du pschent et de la boule. – Insupportable odeur des chauves-souris, couleur noire de la pièce.

Grand temple : première salle, trois rangs de colonnes, de trois chacun, des deux côtés ; en haut, sur des bandes latérales, zodiaque sur fond bleu, avec des étoiles, dieux dans des barques.

Sur les colonnes, clefs dans des courges. – Exagération du symbolisme, coiffures très compliquées.

DECHNÈH. Maisons clairsemées dans la campagne, c'est là la ville. Grands pigeonniers carrés. C'est jour de bazar, c'est-à-dire quelques marchands étalent en plein air leurs denrées sur un tapis ou par terre. – Un café, avec un grand arbre au milieu ; sur nos têtes des nattes trouées, sur les divans de terre sèche quelques Arnautes.

BELIANÈH, dont je ne vois rien que quelques palmiers. Je renâcle pour Abydos, éreinté que je suis encore par la fièvre, suite de mon voyage de Kosséïr. Et puis, franchement, je commence à avoir assez de temples. Mon âne surtout, dont je ne peux rien faire et sur lequel je roule, est pour beaucoup dans le parti que je prends de retourner à bord, où je dors toute la journée.

M. Giorgi Frengi, petit gros homme, à cul lourd, en veste, selle anglaise sur son âne. – Assez agréable de conversation. « C'est un bougre bien adroit », nous disait Fiorani.

GIRGEH. Est dévoré par le Nil. On monte à pic à travers les décombres. Quand on est en haut on a en face de soi une montagne toute grise et qui s'arrête net ; à droite, le Nil, qui fait un grand coude, et une prairie verte avec des lignes de palmiers ; à gauche, un minaret avec un bouquet de palmiers et une mosquée en ruines, coupée par le milieu et dont on voit de plan les arcades. En se retournant un peu, second minaret et autres palmiers.

La ville jadis était plus grande que Siout, mais elle est en décadence. – Bazar ; vieux marchand à barbe blanche qui nous vend des michmichs. – Nous retrouvons le Polonais de Siout, auquel nous achetons du vin de Chypre pour faire cuire les abricots. – Nous allons chez ces dames où nous restons quelque temps assis sur un cafas, après quoi nous partons. – Une négresse, portant un enfant, avait de gros bracelets d'argent aux pieds, ainsi que la vieille du lieu ; balle affreuse.

Le 3 juin au soir, raïs Ibrahim, qui a déjà fait si triste mine à Girgeh avec sa dent arrachée, refuse d'atterrir, de peur des voleurs, ce qui excite notre hilarité.

Depuis plusieurs jours, vent constamment violent et contraire.

AKHMIM. *Mardi 4.* Au coucher du soleil, arrêtés à Akhmim, que nous traversons au pas de course. – Café avec une belle grille en bois percée à jour. – Il ne reste rien du temple. – Une inscription grecque sur une pierre ; la nuit nous empêche de voir si elle est complète ou partielle. – Pour arriver là, on descend. – Mouvement de terrain, bouquet de palmiers, palmiers aussi de l'autre côté de la ville, en entrant. – Rues larges, maisons assez hautes ; en somme, rien de remarquable.

SIOUT. *Vendredi 7.* Arrivés à 4 heures et demie.

Dr Cuny ; visité avec lui la mosquée et avec le pharmacien, grand escogriffe, l'air assez bon enfant, abruti par l'alcool et la misère. – Colère d'un musulman. – Sakir où nous nous asseyons. – M. Dimitri avec son chapeau blanc. – Dîner qui nous restaure.

Le lendemain, déjeuner et sieste chez Cuny, qui est désolé de ne pouvoir nous donner une partie de filles : l'ancien gouverneur qui vient de partir les a chassées par puritanisme. – Visite à Aymi-Bey, dans sa belle maison sur le bord de l'eau. Intérieur sale ; nous tournons dans deux ou trois petites cours où des chevaux aux entraves hennissent. – Aymi-Bey, vieillard sec, ardent patriote, ennemi des prêtres, qu'il regarde comme des comédiens, vieux républicain de 93, s'indigne de la bassesse et de la tyrannie, balle plaisante et énergique. – Dîner chez le docteur ; son moutard ; coucher dans le divan du rez-de-chaussée. La statue au bas de l'escalier. – Petite négresse dans ses vêtements blancs. – Nous mangeons au premier dans un appartement ouvert donnant sur la cour. Bonne et cordiale hospitalité; nous nous quittons le dimanche matin, nous ne partons du mouillage de Siout que le soir.

Lundi et mardi, temps exécrable.

Mercredi 12. Arrivés à 6 heures du matin à Chegueg gu'il, d'où nous partons pour visiter les grottes de Samoun ou grottes des Crocodiles.

GROTTES DE SAMOUN. Nous allons à âne jusqu'au pied de la montagne, que nous montons obliquement. Vue splendide du Nil et d'une immense étendue de terre, paysage plat sans incidents, beau par son étendue et ayant pour premiers plans les dévals de la montagne. – Un peu de désert. – Mouvement de terrain, léger. – Un trou dans lequel on descend; il faut marcher sur les genoux. C'est du sable, bientôt ce n'est plus que de la pierre; les pierres anguleuses sont grasses, mais glissantes. Douleur aux genoux, tout suinte le bitume, on rampe sur la poitrine, atroce fatigue; seul, on n'irait pas loin, la peur et le découragement vous prendraient. On tourne, on descend, on monte, souvent il faut se glisser de côté pour passer, je suis souvent obligé de me mettre sur le dos et de me glisser à coups de vertèbres comme un serpent. A deux cents pas environ du chantier des momies, cadavre desséché d'un Arabe que l'on ne voit bien que jusqu'au tronc : il a la face horriblement contractée, la bouche de côté, ronde comme un œuf, crie de toute la force humaine possible; c'est un Arabe venu là avec un Maugrabin, et mort on ne sait comment. La tradition est qu'ils étaient venus chercher des trésors et que le Diable l'a étranglé. Il y a quelques années à peine, si l'on pouvait entrer dans ces grottes on y étouffait au bout de cinq minutes; il se sera déclaré sans doute quelque courant d'air depuis. Il y a quelques années, le feu y a pris et a duré un an; c'est là sans doute la cause de l'espèce d'humidité qui y règne, le bitume suinte de partout, les roches en ont des sortes de stalactites, on en sort goudronné; l'Arabe, mentionné plus haut, s'est momifié tout seul. On me dit de faire un effort pour monter, je m'appuie (les bougies sont éteintes) sur les deux pieds de momie, qui font seuil, et j'entre.

Amoncellement désordonné de momies de toutes sortes, le plafond noir de bitume, les côtés pleins d'ombre, le sol gris jaune, de la couleur des bandelettes; je m'assois haletant par terre, la toux ne me quitte pas.

Ils ont là tous, les uns sur les autres, entassés, tranquilles; on casse des os sous ses pieds, on baisse la main et on tire un bras. Jusqu'à quelle profondeur faudrait-il descendre pour trouver le sol? Il y en a tant qu'il peut y en avoir.

Le retour est encore plus pénible, on a la fatigue précédente en sus. A partir de la seconde moitié de la route, c'est accablant... on arrive brisé, suant à grosses gouttes, le cœur battant à vous rompre les côtes, la poitrine oppressée comme si l'on portait dessus des quintaux; l'impression de terreur et d'étrangeté y est peut-être pour beaucoup.

Ce voyage a duré pour moi trois quarts d'heure et cinq minutes, trois quarts d'heure juste pour Maxime.

Nous revenons à la cange par un beau et clair temps, le vent frais; la vue est encore plus belle en descendant la montagne qu'en la montant, on voit sans être obligé de se retourner. A peu près au haut de la montagne, à droite, en montant, trou naturel, carré, au bord duquel se tenait le matin un gros oiseau; au haut de la montagne, endroit (à droite en descendant) couvert de grosses pierres rondes ressemblant assez à des boulets. Nos matelots disent que c'étaient originairement des pastèques et que Dieu les a changées en pierres. Pourquoi? parce que ça lui a fait plaisir. Voilà toute la légende.

AMARNAH. Nous arrêtons à Amarnah (non indiqué sur la carte) le *jeudi 13 juin*, à 5 heures du soir, sur la rive droite.

Palmiers, coude du Nil, deux bateaux qui remontent étant à ma gauche par rapport à la place où je suis assis. – Trois petites filles passent, assises sur un seul âne, la plus grande à l'arrière, la plus petite sur le garrot; les six jambes ballottent pour faire aller l'âne. – Homme qui passe sur un chameau; une femme derrière se tient accroupie. – Paysage charmant et d'une largeur tranquille.

SHEIK-ABADEH (ANTINOÉ). *Vendredi 14*, arrivé à 11 heures du matin.

Enorme et rameux sycomore.

Il ne reste rien : trous, monticules gris, un palmier çà et là, la chaîne arabique au fond. – Ruines d'un bain qui ressemble complètement à un bain arabe; par terre, traces de colonnes de marbre.

Dans le village, par terre, un chapiteau composite; une colonne passe au milieu d'une maison.

Antinoé est la vraie ruine dont on dit : « Ici pourtant fut une ville »!

Des Arabes nous viennent offrir de sottes curiosités. – Petite fille rousse, large front, grands yeux, nez un peu épaté et reniflant, figure étrange pleine de fantaisie et de mouvement; autre enfant brune, à profil droit, sourcils noirs magnifiques, bouche pincée. Quel charmant groupe un peintre eût fait avec ces deux têtes et le paysage à l'entour! Mais où trouver le peintre? et comment composer le groupe?

BENI-HASSAN. *Samedi 15.* Le matin, Joseph est malade de la fièvre, il ne nous suit pas. – Sables, puis on monte tout droit. Nous visitons les deux grottes le plus au Nord. Dans la première : chasses; un lion qui tombe sur une antilope, gymnastique très drôle; dans la deuxième : chasses; mais plus abîmée que la précédente. Les colonnes de l'intérieur ont disparu. Trois voûtes parallèles, c'est-à-dire trois corps de plafonds taillés en forme de voûtes. A l'entrée des deux grottes, colonnes doriques. La création du sheik, ici à son apogée, nous empêche de bien considérer les grottes.

MINIEH. *Dimanche 16.* Le pharmacien du Gouvernement espagnol. – M. Monnier et « sa compagne ». – M. Narcisse Poirier. – Le père Antonini. – Le pharmacien du régiment. Longue sieste chez M. Monnier.

GUEBEL-TEIR. *Lundi 17*, à midi, nous sommes forcés d'amarrer en face; c'est là qu'est situé le couvent copte. Cette fois, c'est bien pâle : deux ou trois moines seulement viennent nous demander batchis à la nage; ils ont, comme la première fois, la mine de gredins, mais notre grotesque n'est plus là!

VILLAGE DE GARARA. *Mercredi 19.* Avec le santon de Sheik-Embârak. L'intérieur du santon est couvert, par terre, de nattes usées; une cange est pendue en ex-voto au plafond, à l'aide d'un fil, et une autre plus petite de même.

Je suis resté longtemps assis sur le seuil du santon, le dos tourné vers le village adossé au pied de la montagne blanche.

FECHN. *Jeudi 20.* A quelque distance du fleuve est le village. Santon de Sheik-Shesnerdé, grands arbres à l'entour, bruit régulier de grosse caisse et de cymbales; deux hommes dansaient ou plutôt s'inclinaient de droite et de gauche, l'un devant l'autre, en faisant des mines avec leur milayah : ça tenait le milieu entre le danseur et le derviche, et c'était en somme assez pitoyable.

La ville n'a rien de particulier.

Vendredi 21, temps exécrable.

BENI-SOUEF. *Samedi 22.* Arrivés à 9 heures du matin.

A 8 heures du matin, comme nous venons de nous lever, arrivée à bord d'un petit santon tout nu, ruisselant d'eau, et qui nous embrasse avec effusion : 10 piastres.

A Beni-Souef, achats. – Capitaine aimable chez le barbier. – Le b... est démoli, je reconnais seulement, en y allant, la poutre contre laquelle j'ai cuydé me tuer. Dans la rue, un chien avec un chancre à l'oreille, qui était pleine de mouches et d'œufs de mouches. – Nous allons chez une vieille femme acheter des poulets : calme, chèvres qui montent et descendent l'escalier une surtout avec des taches noires sur ses oreilles blanches; le poulailler était une espèce de four, bas, où on prenait les poules.

A 4 heures et demie, nous nous arrêtons, à une lieue environ de Beni-Souef, à cause du vent contraire.

SAOUL. *Dimanche 23,* nous nous arrêtons, au milieu du jour, au village de Saoul. Le soir, nous allons, avec Joseph, pour chercher du lait; les buffles revenaient du fleuve, on les a attendus pour nous donner du lait. – « Fi léban? »

Des bœufs, tournant en rond, battaient les blés, ce qui me rappelle l'idylle égyptienne : « Battez, battez, ô bœufs, etc. ».

Placés sur un monticule de poussières, ayant derrière nous une ligne de palmiers dans lesquels un soleil couchant se répandait, nous avions devant nous la chaîne arabique, le Nil au deuxième plan, la campagne blonde de blés coupés, avec des fellahs et des bœufs s'y agitant; sur les murs des maisons, des blés. La lune a paru toute ronde, entre deux palmiers. Rien ne faisait mieux songer à l'Egypte ancienne, l'Egypte agricole et dorée. Peu à peu la nuit est venue.

RETOUR AU CAIRE. *Mardi 25,* au matin, nous avons vu le Caire; nos hommes rament d'un air gai, nous revoyons les Pyramides, le nombre des barques augmente peu à peu, et, successivement, Rôda, Gizeh, le conak jaune de Soliman-Pacha, le palais de la grande princesse, Boulak; nous voilà revenus.

LE CAIRE. Je vais de Boulak au Caire à pied, je rencontre Brochier dans la rue de l'hôtel. Le Caire m'a paru vide et silencieux, impression pareille à celle que l'on a lorsqu'on descend de diligence et qu'on se trouve tout à coup seul, désœuvré, dans un hôtel. Je défais les cantines et les range. – Courses au consulat pour les lettres, paquet de lettres. – Catastrophe galante de Maxime! – Dîner, la table est mise près du jardin. – M. Rochasse. – Daguerréotypes, le soir. – La nuit, regret énorme du voyage et du bruit des avirons tombant en cadence dans l'eau! Pauvre cange! oui, pauvre cange, où es-tu maintenant? qu'est-ce qui marche sur tes planches?

Mercredi 26. Visites. – Dîner à Boulak, chez raïs Fergalli; le petit Khalill en gilet de soie nous sert; nous dînons dans une salle basse, un peu obscure, ayant des carreaux dans l'angle du fond, à gauche, en entrant. – Luxe de pains. – Caractère patriarcal du raïs Fergalli.

Le soir, à l'Ezbékîyé, musique. – Lambert-Bey et Batissier.

De toute la semaine, rien! le soir les musiciens maltais de l'Ezbékîyé, « etni chicheh » crié par un grand Nubien qui court en les portant : « Cawadja Yousef, etni chicheh ». – Conversation de Lambert, discussions esthétiques et humanitaires avec Lambert sur la théorie de l'art. – Histoire du cheval de Krosew-Bey et de Sassetti. – Visite à Linant-Bey, jardin embaumant au fond, avec Lubert et le docteur Arnousse. – Histoires polissonnes de Lubert-Bey; anecdote de la princesse Bagration aux Champs-Elysées, avec un grand escogriffe en redingote blanche, et en canne par derrière. – Nuit passée jusqu'à 4 heures du matin avec Mourier, à parler du père Jourdain; nous avions commencé par parler de Hamlet. Fagnard vient dîner à l'Hôtel du Nil.

Dernière journée. Aujourd'hui *lundi 1er juillet,* visite le matin à Villemin, qui est au lit, se lève en caleçon; à Lambert en takieh et en robe de chambre, il s'élargit vers nous quant aux doctrines esthétiques.

Après le déjeuner, chicheh au Café du Mouski.

Adieux à MM. Delaporte et Belin. – Nous allons à l'hôpital de Kars el-Aïnî. – Roseaux. – Navrement profond de f... le camp. Je sens par la tristesse du départ la joie que j'aurais dû avoir à l'arrivée. Des femmes puisent de l'eau, fellahs que je ne verrai plus! Un enfant se baigne dans le petit canal de la Sakieh.

Sultane : le public m'empêche d'être ému suffisamment de ses larmes de reconnaissance; elle veut nous suivre dans notre pays! J'avais déjà éprouvé cette émotion à Assouan, c'est pour cela peut-être qu'elle fut faible ici.

Boulak-Haçanin. – Adieux des matelots; l'émotion avait été hier en embrassant raïs Ibrahim pour lui dire adieu. M. et Mme Fagnart : Fagnart me semble plus dégagé plastiquement (il ne pose plus le gai), parce que là il est dans le vrai. – Dîner chez Villemin. – Dernière soirée avec Lambert, adieu à la grille de son jardin; une sympathie quittée.

Mourier jusqu'à 3 heures; le jour paraît, les coqs chantent, mes deux bougies brûlent, je sue dans le dos, les yeux me piquent et j'ai le frisson du matin. Combien de nuits n'ai-je pas déjà passées!... Dans quatre heures je quitte le Caire. Adieu à l'Egypte! Inch Allah! comme disent les Arabes. *(Mardi matin, 4 heures 5 minutes.)*

DU CAIRE A ALEXANDRIE. Paquebot du Caire à Alexandrie. – Delaporte, Belin, Lubert venant dire adieu à M. et Mᵐᵉ Langlois; Lubert en chapeau de paille. – le colonel Langlois et sa femme.

ALEXANDRIE. Hôtel d'Orient. – Après-midi passé à lire *Valentine, Indiana, Thadeus le ressuscité, la Guerre du Nizam, une Veuve inconsolable* de Méry; quelques visites : en somme, rien.

MM. Dufau, Choyecky (Koieski), Smith.

Nous retrouvons le Polonais compagnon de M. Robert qui, dans ce moment, dirige la construction d'une église au bout de la place des Consuls. – Préparatifs du départ, emballage. – M. Custos, commis de la maison Pastret.

Un jour, en allant dans les bazars pour acheter des takiehs, femme accroupie, vêtue de blanc, au coin d'une rue, et qui en a deux ou trois. – Patron de barque grecque. – Après-midi passé sur le port ou dans la rade.

Au spectacle, *Bruno le fileur* en italien.

La veille de notre départ, promenade en calèche avec M. Girardin, à la maison de campagne de M. Pastret et à celle d'Abbas-Pacha (ancien jardin Rosetti). Ces jardins sont d'un aspect atrocement triste, on y crève d'ennui; le désert est là derrière, ça semble vouloir le nier et il vous persécute dans les horizons. Au jardin d'Abbas-Pacha, colonnes au pavillon; premier plan : verdure, le désert au bout. C'est bien le jardin d'où, dans son pavillon, la sultane voit venir au loin un dromadaire qui galope à toutes jambes, elle jette un regard triste sur l'horizon sans bornes...

Nous revenons, notre saïs court devant la calèche et fait claquer son fouet.

Narguilehs fumés dans un café grec. – Estrade en planche sur la mer.

D'ALEXANDRIE A BEYROUT. Le lendemain, embarqués sur l'*Alexandra*, à 1 heure. On ne part que le lendemain mercredi, à cause du tourillon. C'est pendant que je dormais que le bateau est parti, je n'ai pas vu s'en aller à l'horizon la terre d'Egypte, je ne lui ai pas fait mes derniers adieux!... Y retournerai-je?...

Capitaine peu aimable, grand nez comme de Maurepas. – Polichinelle de docteur. – M. Hébert, père Parain maritime, ancien négrier, de Nantes. – M. Delabouq-Perehne. – Pas de mal de mer.

A bord, petite négresse qui appartient à des marchands chrétiens de Syrie; elle pleurait en abondance et est restée presque tout le temps couchée sur le flanc, au soleil, à côté de la cheminée. (Dans les rues d'Alexandrie, flâne un gredin de nègre vêtu à l'européenne, garni d'un chapeau et d'une canne.) Deux moines, l'un hollandais, qui va en Perse, l'autre a l'air italien et va je ne sais où.

Le soir du jeudi on aperçoit la terre de Syrie : brume sur les côtes, tout est trempé d'humidité, quelques lumières à ras de l'eau, c'est Beyrout. Le bateau va à demi-vapeur. – Silence. – Une poule sous l'avant glousse, la lanterne suspendue à la vergue crépite dans la nuit; commandements du capitaine sur la passerelle, sondage; on repart, on s'arrête, la lune est couchée, étoiles, étoiles. Il vient de terre un cri strident et répété (ce sont les cigales?) comme un chant de grillon; puis la voix d'un coq et un autre qui lui répond, les lumières grandissent. Nous laissons à notre gauche un navire dont la chambre du capitaine est éclairée. On lâche l'ancre, je vais me coucher, il est 3 heures du matin.

PALESTINE, JUILLET-OCTOBRE 1850

Vendredi 19. Départ de l'*Alexandra* à 7 heures du matin. – Voix du timonier de notre barque qui me rappelle celle du marchand de mouron. – Nous prenons avec nous une petite Alsacienne qui va rejoindre son fiancé à Jérusalem et un jeune Allemand en lunettes qui l'accompagne. – Débarquement, embarras et colère, bêtise des lazarets en général et du chef gardien du lazaret de Beyrout en particulier. – Le docteur du bord prend un bain, sa balle avec son chapeau de paille dans l'eau. – On s'arrange. – Grand vent dans le lazaret. – Le soir, bain de mer; quelle mer! – Liban couronné de nuages, cigales qui sautent dans les buissons. – Lazaret. – Voix de l'homme qui nous conduit dans sa barque; elle me rappelle celle du marchand de mouron. Palais du Lazaret où nous logeons : embarras du débarquement, le chef gardien, grand dégingandé avec un œil

de travers; trois jours, grand vent par les fenêtres, émigré italien cognant dans le corridor. – Bain de mer.

Le *mardi matin,* nous en sortons. – Homme en veste bariolée, en coufieh, qui arrive au galop, figure pâle, fière tournure. – Haies de figuiers de Barbarie, café au bord de l'eau, voyageurs sur des ânes. Cela me fait l'effet d'un paquet de rubans qu'on me secoue devant les yeux.

BEYROUT. Les maisons sont en pierre, ce n'est plus l'Egypte; je ne sais quoi qui fait déjà penser aux croisades. – Hôtel de Baptista sur le port. – Fort dans la mer, à droite, démoli par les Anglais. – Bataille pour les pastèques qui arrivent de Jaffa. – Les enfants qui se baignent là, toute la journée, se font des turbans verts avec les morceaux de pastèques qui flottent sur l'eau.

Hôtel. – Le chancelier d'Autriche : « Le séjour de

Damas est-il délicieux? y passez-vous des soirées sereines?» – Un Russe, le capitaine maltais, l'émigré italien qui me fait l'effet d'une canaille et accepte très bien nos 50 francs. – Bazars : c'est très heurté, tassé, populeux, beaucoup de soie. – Soirées du Ramadan; petite mécanique dans les cafés, qui fait du bruit; on boit de la neige.

MM. de Lesparda, Rogier, Peretié, M. et Mme Suquié.

Cimetière, un soir, à la tombée du jour : trois moutons qui paissaient l'herbe parmi les pierres; un Arabe couché sur un tombeau, avec deux ou trois autres qui avaient l'air de blaguer et faisaient tranquillement leur kief; un chemin au beau milieu et par-dessus les tombes. – La mer, verdure, et Beyrout à droite; beaucoup d'herbes. – Un vieux, maigre, à barbe grise, qui dit son chapelet sur une pierre. – Enceinte qui renferme deux tombes, et a un dessus de tente pour protéger les branchages sur les deux tombes.

Pique-nique sur l'herbe aux pins : moines passant avec des chapeaux couverts de mouchoirs; chameaux; ciel violet sur les montagnes à travers les arbres. – Matinée chez Rogier : la petite Turque, coiffure de jasmin, Fatmé mélancolique; la grosse, la maigre, balle sereine de Rogier, importance d'Abdallah

Partis de Beyrout à 4 heures et demie du matin. – D'abord sables entre des haies, puis les montagnes; grandes pentes. Entre les gorges, une poussière de lumière comme de la neige éthérée qui se tiendrait en l'air immobile et en serait pénétrée; à droite la mer. – Le cuir de ma selle crie. – Des bouquets de caroubiers se versent sur la terre et ont l'air taillés comme des arbres de jardin. – Rencontre de zingari (je ne crois pas que ça en soit) : un enfant, portant une grosse caisse sur le dos, à la tête de mon cheval, me montre le ciel en levant les mains et répète plusieurs fois Allah d'une façon attendrissante; femmes qui portent l'enfant dans une espèce de hamac suspendu à leurs mamelles. – Lauriers-roses, rivière el-Damour, un tournant où ça a l'air d'un coin de parc. – Un peu avant, effet d'un pont dont il ne reste plus que les arches initiales. – Les lauriers-roses en fleurs poussent jusque sur le bord de la mer. – Nos chevaux passent dans l'eau.

Déjeuner à 11 heures et demie, à Nebi-Jones, endroit où Jonas fut vomi. – Une grande gorge qui se dévale vers le rivage, avec deux grands arbres. – Dormi sur une natte dans un café; une petite varangue de branchages secs devant; nos mulets débâtés se roulent. Nous repartons à 2 heures. La route (ancien chemin, on le suit par moments) monte des coteaux, descend, suit le bord de la mer, la mer, enfonce dans les sables, remonte parmi les pierres, où nos chevaux marchent lourdement. La pente des montagnes s'incline à cause de la quantité de pierres mêlées à la verdure; ça ressemble à un immense cimetière abandonné.

SIDON au fond de l'horizon, à la pointe, dans les flots, avancée en pâté. Devant la ville, un rocher, long, autour duquel plusieurs vaisseaux. – Jardins. – Silence de la ville en y entrant. – Un vieillard aveugle, en turban vert, conduit par un enfant. – Au milieu des rues est une espèce de rigole carrée pour les chevaux; on sent l'en-

cens, l'église, une odeur sacerdotale, quelque chose qui fait penser à la fraîcheur des églises en été. – Khan français : vasque carrée; au milieu, bananier. – Chevaux de l'émir Beschir. – Couvent des frères de la Terre-Sainte. – Docteur Gaillardon, son divan. – Souper dans une grande salle; pots en étain qui contiennent de l'eau d'où on la verse dans notre carafe. – Père Casimir, longue barbe, parlant italien, vite, et fermant l'œil.

Mercredi 31 juillet, 9 heures du soir. – La journée d'aujourd'hui moins accidentée qu'hier. On sort de Saïda par des jardins, puis on regagne la mer, que l'on suit presque toute la journée; les montagnes sont plus basses que le jour précédent et plus loin du rivage. – Une vieille tour du temps des croisades, entourée de feuillages à la base, éclairée par le soleil levant. – Presque toute la journée on traverse une lande couverte de chardons desséchés, de petits caroubiers que le vent de mer a rasés; quelquefois un champ de maïs, un plant de tabac. – Le matin, nous avons passé une rivière, le pont à angle a sa troisième arche séparée de lui, le bloc s'en est allé se pencher sur le flanc et reste là au soleil.

Déjeuner à Anhydra, au bord de la mer; il y a une petite baie, nous la voyons à travers deux grands arbres. – Vasque carrée, sur le rebord de laquelle nous avons déjeuné avec des figues, de la viande froide et de la confiture de dattes. Un grand figuier dans la cour (derrière la maison), où coule dans un petit aqueduc l'eau qui va tomber dans la vasque. – Veau qui tétait une vache de couleur gris perle.

Nous repartons; seconde rivière; je reste monté sur le bord à voir tous les mulets passer à travers le bois de lauriers-roses qui s'épanouissent à l'entour de l'eau. – La lande, triste, triste. – Troisième rivière; nous la passons sur le pont, elle est trop large, l'eau est très verte. – Gourbi de branchages où nous haltons. – Vieux bonhomme assis là, qui est pris de convulsions.

TYR est au milieu d'une espèce de demi-lune très évasée. – Arrivés à 2 heures, descendus au couvent grec; plus rien, quelques méchants bazars, un silence de peste et de mort, çà et là un enfant magnifique. – La race ici (femmes), ce que j'en peux voir, me semble fort belle. – Avant d'arriver à Tyr, sur le sable un vieux vaisseau échoué, un homme qui lave un mouton dans la mer. Le port est à gauche en arrivant. – Deux grands blocs restés debout dans l'eau. – Pour monter dans le haut quartier de la ville, il faut passer le long du mur d'une maison qui plonge ses pieds dans l'eau, sur quelques pierres mises là, ou qui sont là en forme de trottoir. – Personne; c'est encore plus silencieux qu'en bas. Le drapeau blanc du consul de Naples flotte à son mât sur une maison. – Des remparts, vue bleue de la mer, le ciel est triste, quelques nuages, l'air est sombre quoique lumineux. – La ville entourée de remparts moyen âge, comme Aigues-Mortes. – En face de nous, à une demi-portée de fusil, un tas dispersé de colonnes de granit dans l'eau; il y en a plusieurs dans le port aussi, la mer les lave et les relave sans cesse.

À l'endroit où nous étions, il y avait un coude des remparts, ça faisait angle, le soleil casse-brillait sur les flots bleus. – M. Elias, agent français, va bientôt crever; grand divan blanc avec un divan tout autour, voûté, ancienne église; sa petite et grassouillette vieille femme pète dans un chibouk pour le curer. Effet de ses joues enflées, avec les longs fils de soie de sa chevelure qui lui pendent jusqu'au cul. – La grande négresse sur ses patins, qui jetait de l'eau dans la cour. – Femme mûre assise en face de nous, les genoux écartés, immobile, œil noir et fendu, nez aquilin arqué, visage marmoréen; je pense aux races antiques et ce que devait être la femme d'un patricien de Tyr. Sa fille, visage ovale, blanche avec des cheveux noirs. – Légion de demoiselles dans l'appartement à droite en entrant.

Du haut de la terrasse de cette maison, la mer, les remparts, les maisons avec leurs terrasses blanches que relèvent les verdures qui les séparent; quelques palmiers (le palmier de Tyr sur les médailles) tournés vers la terre, une plaine. – Le Liban: une chaîne basse, de couleur un peu gris violet; derrière elle, une seconde chaîne, violet très pâle, noyée dans les nuages et teintée de lait, d'un effet aérien. – Mauvais dîner. – L'épouse du sieur Elias demande un petit batchis à Joseph. – Jeune homme, fils de l'agent d'Autriche, à qui nous donnons du sulfate de quinine. – Dans la cour du couvent grec, nous ne voyons ni couvent, ni Grec, mais à droite, en entrant, d'assez belles filles avec des matelots grecs: c'est une famille qui demeure là, ça m'a l'air un peu b..., et c'est ce qui me flatte, en pensant à l'Ennoïa de Simon que j'ai fait danser nue devant des matelots grecs. – Couchés au premier, dans une grande chambre, sur des nattes. Toute la nuit démangeaisons de boutons de puces, et moustiques. La lampe, suspendue près de la porte ouverte, éclaire. – Bruit des sonnettes des mulets.

Vendredi. Partis à 4 heures du matin, avant le lever du soleil. – Me semble plus courte que la précédente, quoiqu'elle soit plus longue. – Moins de lauriers-roses, mais ça change. La montagne, toujours à notre gauche, s'abaisse de façon à ne plus être que des mouvements de terrain. – Bouquets d'arbrisseaux à fleurs violettes, qui ressemblent à de la lavande; les arbres du côté de la mer sont courbés et rasés par le vent.

En sortant de la ville, tour carrée, enfoncée dans la verdure; le soleil n'est pas encore levé, c'est d'un ton dur et verdâtre; la tour est carrée, ronde sur ses angles, les fenêtres vont s'élargissant de l'intérieur à l'extérieur. Un escalier conduisait à l'entrée de la tour, on n'y peut monter, il y a brèche entre lui et la tour. – En fait de vasques de Salomon (nous tournons autour d'un clos sans savoir pourquoi, cheval de Joseph), je vois une grande auge carrée, mais c'est un assemblage de moulin, de bruit d'eau, de cabanes et de verdure accoudés à un déval de terrain. – Nous sommes joints par un jeune homme en veste verte, à nez cambré comme M. de Radepont, et à yeux noirs, qui me paraît beau de loin et assez laid de près, monté sur un cheval, à la turque, avec un tapis sur la selle. – L'ancienne voie reparaît par places; elles sont droite, tirée au cordeau et de la largeur d'une grande route de troisième classe; nos chevaux trébuchent sur ces grosses pierres. A gauche pente qui monte, à droite pente qui descend; rochers

parmi la verdure ou verdure parmi les rochers; les fleurs violettes de la veille, caroubiers, etc. – On monte. – Djebel El-Abiad (cap blanc). – Chemin ardu, la corniche en grand, on monte, on monte, les chevaux donnent de grands coups de reins; on donne en plein sur la mer. Grandes marches naturelles, comme d'un escalier, ça tourne quelquefois. On aperçoit tout à coup la mer entre les deux oreilles de son cheval, à quelques centaines de pieds au-dessous de soi. Comme c'est beau! La descente est plus difficile. La voie recommence, elle s'arrête à deux fontaines qui coulent à pleine gorge. – Collines qu'on monte et qu'on descend. – Autre montagne, mais d'un effet moins magnifiquement empoignant comme montée; il n'y a qu'au haut, d'où l'on a une vue immense de la mer, tout à coup. C'est sur celle-là qu'allaient, faites pour elle, les galères à proues peintes. De là on peut voir Tyr, là sans doute on venait pour voir arriver les vaisseaux qui revenaient de?...; plaine à nos pieds à gauche. – Une ancienne maison à l'ombre de laquelle nous haltons un instant, deux étrons à l'endroit le plus beau. Il faut repartir, nous redescendons. – Déjeuner dans le bouquet d'arbres que nous apercevions d'en haut; nous dormons au bord de la route sous un saule.

Repartis, on va tout droit; un janissaire, vêtu de blanc, passe au galop devant nous; à l'entrée d'un petit pont nous rencontrons une troupe de gens à mine étrange, bronzés, hâlés, quelques-uns avec des peaux de gazelle et de mouton, coiffés de bonnets pointus; deux portent sur leurs épaules quelque chose d'enveloppé dans une coiffe, qui m'a l'air de guitare ou pourrait être des carabines: ce sont des derviches, arrêtés par la police du lieu pour voyager sans tesquereh. Cette bande n'a pas l'air rassurant, Max se rapproche des bagages. – Rencontre de Bédouins du pays de Hauvay, ils viennent vendre des blés à Saint-Jean-d'Acre. – Gens hâlés, beaux comme chic, avec des cordes de chameau à la tête et de grandes couvertures à raies sur les épaules. – Deux femmes marchant à pied, l'une a les lèvres peintes en bleu.

Aqueduc de Djesaher-Pacha, que nous voyons à El-Maya; il traverse le paysage. Nous l'avions passé quelque temps auparavant, il était couvert de verdure et disparaissait dessous. Rien n'est joli comme la campagne vue dans l'encadrement d'une arche d'un de ces ponts ou d'un aqueduc, surtout quand passent dessous des chameaux ou des mulets.

SAINT-JEAN-D'ACRE, de loin un carré long avec une tour à chaque bout. La ville me semble, à l'arrivée, un bazar animé; marchand de sherbet et de boissons froides, avec un morceau de neige sur un pic en fer. – Khan sale et abandonné, où nous déposons nos bagages. – Nous dînons dans un cabaret, avec une ratatouille où il y avait des tomates, et que nous dévorons à pleines mains en buvant du sherbet à la neige qui sent le raisin, la rose et la mélasse. – Espèce de canaille grisonnante, à accent anglais, qui nous fait des questions de gendarmes. – Couchés près de la vasque vide du khan, sur nos lits, sous un saule où brûle suspendue une mèche dans un verre d'huile; elle éclaire le feuillage sur ma tête.

Saint-Jean-d'Acre, désolé, vide, maisons en pierres comme dans les autres petites villes. On y pense à des engagements de croisés dans les rues. La ville est pleine de ces Bédouins, leurs tas de blé encombrent une cour qui ferme sur la mer : c'est l'entrée du port qui n'existe pas. La rade est fort grande, mais c'est plutôt à Caïffa que l'on pourrait en faire un. – Deux tombes d'officiers anglais au milieu de la ville; pourquoi ne pas les avoir mises au cimetière turc? c'est d'une vanité triste. – Tombes antiques, l'une couronnée d'une urne et la seconde carrée à la romaine; les chiens ch... tout autour.

Grande cour, ancien camp fortifié, garni de quantité de petites arcades supportant des arcades; ça a un aspect de cirque et me rappelle au premier coup d'œil les arènes de Nîmes. – Traces de boulets anglais; la veille, avant d'arriver à Saint-Jean-d'Acre, nous avions trouvé un obus dans les champs. – Nous voyons des femmes qui s'enfilent sur un côté de la tête des brochettes de piastres d'argent ou des talaris.

Jusqu'à Caïffa on suit le bord de la mer; sur le rivage des débris de pastèques, quelques-uns blanchis par le soleil, à l'intérieur, ont l'air de crânes vidés. Rien n'est plus triste qu'un beau fruit sale. – Paniers échoués, débris des naufrages, des nattes aussi, carcasses de vaisseaux enfouis dans le sable comme seraient d'animaux marins morts de vieillesse sur la grève. Au fond de la rade un vaisseau sur le flanc, qui n'a plus que sa membrure et un mât, ressemble à une mâchoire dans laquelle serait fiché un cure-dent. – Nous passons deux rivières à gué, la seconde assez large et plus profonde, nos chevaux ont de l'eau jusqu'au ventre.

CAÏFFA. Rien, ville neuve, bazar ouvert, sans nattes pour garantir du soleil. – L'agent français nous dit que les Wahabites se sont emparés de la Mecque. – Sur la plage, un oiseau de mer, gris avec le bout des plumes noires et bas sur pattes (une mouette), volait et marchait devant moi, tantôt partait puis se rabattait tout doucement. J'étais dans un bon état. – De Caïffa au Carmel on monte. Au pied du raidillon qui mène au monastère, énormes oliviers creux en dedans : la Terre-Sainte commence, ils sont au bas de la montagne et sur la pente; on a vu ça dans les vieilles histoires saintes. Je songe à Chateaubriand en Palestine, à Jésus-Christ qui marchait nu-pieds par ces routes. – Arrivés au monastère à midi environ, il fait grand vent; devant le couvent, jardin potager avec une petite pyramide au milieu; elle indique les restes des Français à Saint-Jean-d'Acre, pendant l'expédition de Bonaparte.

MONT-CARMEL. *Samedi 3 août 1850*, 9 heures et demie du soir. – Le couvent, grande bâtisse blanche.– Eglise en dôme, fortifiée; il y a même des moucharabiehs dissimulés. – Rien de curieux, ça sent le couvent moderne, le Sacré-Cœur, c'est propre et froid, rien de vrai. Comme ça contrarie le sens religieux de l'endroit! que c'est peu le Carmel, quoique ce soit au Carmel! Au-dessous du chœur de l'église, grotte d'Elie. – Le Père Charles, le Père hospitalier. – Sieste, pris mes notes, dîner. – Max copie les plus belles choses des voyageurs dans le livre.

Dimanche 4, visité le couvent. – Un capitaine marchand, marseillais, avec son gamin. – Partis à 9 heures jusqu'à Castel-Pelegrino, au bord de la mer, dans des sables tirants.

CASTEL-PELEGRINO. Ruine d'un effet charmant et terrible. Quels gars que les croisés! quelles poitrines et quels bras ça avait! C'est maçonné comme le Château-Gaillard, qui est de la même époque (3e croisade, Philippe Auguste, Richard Cœur-de-Lion), seulement la maçonnerie de galets et de mortier est recouverte de pierres de taille. Un grand pan de mur, du côté du Carmel, encore debout tout droit; de ce côté une petite tour (arabe?); du côté de la pleine mer, belle et vaste salle ogivale (des gardes?); – bâti en pierres énormes, porte sur la mer. Du côté faisant face à la terre, petit navire à droite (avec une grue qui sert à transporter des pierres à Saint-Jean-d'Acre). – Vue générale de la ruine : à gauche, un puits comblé; en haut, une construction carrée, plus moderne, faite avec les débris de la forteresse et habitée par quelques Arabes dont l'un demande à voir le couteau de chasse de Joseph. – Dans les environs quelques cahutes arabes, des chiens aboient après nous. – Contraste de cette ruine du monde germanique, normand, roux et brumeux, avec ce ciel de soleil et cette mer.

La vue jusqu'à Thura (Dora). A notre gauche, la chaîne de collines couleur de terre est brodée et comme fresquée en gris par les pierres; à un endroit, mouvement de terrain, tout gris blanc, à cause d'elles; ce sont de grandes dalles. – Deux ou trois maisons carrées en haut. – En bas de la pente, à peu près, un arbre, sorte de frêne, déchiqueté et dont les racines, sorties et couchées sur le sol, ont plus de deux longueurs de cheval de long. C'est comme d'énormes câbles les uns sur les autres et étendus, mal attachés, au pied de l'arbre.

Tous ces jours-ci, quantité de cigales, de lézards ou de salamandres et de caméléons; ceux-ci se promènent lentement sur la pointe des buissons desséchés ou sur les grosses feuilles piquantes des figuiers de Barbarie. Hanna en a pris un par la queue, l'a donné à Max, qui l'a lâché sur la crinière de son cheval (il avait des taches chocolat), est monté jusqu'aux oreilles, d'où il a dégringolé par terre; le cheval de Joseph, derrière nous, a failli l'écraser en passant.

THURA. Chétif village au bord de la mer. Au coin du khan où nous descendons, hommes accroupis; l'un lit le Koran à haute voix à la société, un autre se fait raser. Nous logions au premier, dans une salle qui me semble remonter aux croisades, ouverte à tous les vents. – Dîner par terre, sur le tapis, sur la terrasse en vue de la mer. Avant le dîner, promenade au bord des flots le long de la petite anse, pour aller vers un pan d'une tour ruinée qui domine la mer. Là, restes, dans l'eau, d'anciennes constructions probablement du temps de Castel-Pelegrino, que l'on voit au loin. Nous revenons les pieds dans l'eau. – Nuit insectée.

Lundi, partis avant le jour. – Froid du matin; nos tarbouchs sont trempés par l'humidité; jusqu'à Césarée nous enfonçons dans les sables.

CÉSARÉE. L'enceinte se voit encore, mur continu

avec des avancées carrées, en partie couvertes de verdure, multipliées et très larges de la base. – Anse et restes de constructions (tours?) qui défendaient sans doute l'entrée du port.

Nous siestons à 10 heures, à Mina-Saboura, au bord de la mer, sous une avancée de rochers qui nous protège du soleil. De toute la journée nous n'avons pas vu de montagnes, c'est seulement un mouvement de terrain continu ; à notre gauche, sables, sables parsemés de caroubiers. Nous rencontrons un homme presque nu avec deux gros bardachs pendus à son corps ; il porte sur l'épaule un long bâton. Avant d'arriver à Omkaled-el-Mukhaled, en sortant d'une lande complètement nue, à la teinte roussie par les herbes desséchées et qui va en montant, on découvre tout à coup une plaine immense, d'une teinte vert très pâle, piquée au fond par les boules vertes des oliviers ; à l'horizon un bourrelet de montagnes. – En arrivant ici, femme vêtue en bleu, qui montait le chemin en portant un vase sur sa tête ; elle revenait de la fontaine, qui est à gauche, au bas du village en y arrivant. – Nous avions guigné un arbre pour y passer la nuit, mais une petite caravane s'est trouvée être dessous ; nous avons traversé le village, nous sommes de l'autre côté, sous un vieux sycomore, les mulets, les muletiers et le bagage devant nous, les chevaux derrière. A notre gauche repose, couché, appuyé sur son habarah, notre guide de la journée, sheik Mohammed, homme à grand nez recourbé et qui porte le poids de son turban sur le côté droit ; il a son fusil en travers sous l'oreille. – Hier, galopage de Hanna pour attraper des crabes ; aujourd'hui ces messieurs ont plaisanté à coups de poing et à coups de pied. – Le matin, trous de pieds de bêtes fauves sur le sable.

Après une nuit blanche, causée par les puces, sous le beau sycomore, nous partons au petit jour jusqu'à Ali-ebu-Arami, dans l'intérieur des terres, landes parsemées de pierres et de caroubiers.

ALI-EBU-ARAMI. Restes de forteresse à droite ; là, on prend le bord de la mer et l'on voit au loin le pâté long des maisons étagées de Jaffa. – Sables où l'on enfonce, passage d'une rivière.

Arrivés à JAFFA vers midi. – Cinq vaisseaux en rade. – On monte pour arriver à la ville. – Cimetière en pente. – Quelques dômes s'arrondissent au-dessus des maisons, le cimetière au premier plan, la ville au second ; plus haut, à gauche, des nopals, des jardins (c'est à la place du camp français de Bonaparte). – Entrée tumultueuse dans Jaffa ; nous traversons toute la ville. – Couloir entre les maisons et le rempart en partie dénudé et dont plusieurs blocs sont tombés dans la mer. – Khan arménien ; nous logeons dans un appartement de femmes, petite pièce carrée à croisillons de bois. – Rues en pente d'une saleté inouïe, toutes espèces d'immondices et de reliques. – M. B. Damiani et son père, officiers du *Mercure* ; nous faisons avec lui une promenade. – Hôpital des pestiférés de Jaffa. – Couvent arménien à arcades au premier. – Couvent catholique nul. – M. Damiani nous montre, au pied des remparts, du côté des jardins, un puits qui est l'extrémité de la mine par où Bonaparte a attaqué la ville. – Khan charmant,

avec une fontaine à arceaux au milieu ; dans l'intervalle des arcades, sur la face intérieure, sortes de fausses tourelles, terminées par des cônes. – Déjeuner dans une locanda grecque, avec du vin de Chypre, du poisson frit froid et des raisins. – Le soir, chicheh dans un café, au pied de notre khan. – Matelots du *Mercure*.

Mercredi matin 7. Déjeuner chez M. Damiani avec M. Houman, vice-consul à Saïda, et un Polonais, chef de la quarantaine de Jaffa.

Partis à 5 heures, routes dans les sables, entre des nopals, comme en sortant de Beyrout du côté des pins. – Fontaine d'une construction pareille à celle du khan ci-dessus : colonnes, tourelles à cônes, une grande arcade au milieu, qui est la fontaine ; derrière, trois cyprès. C'est un carrefour : un homme se tenant près de la fontaine, à gauche. – Campagne plate, avec de doux et larges mouvements (çà et là un carré de sésame, en approchant de Ramleh), ton général blond quoique très cru. Le ciel est excessivement bleu et sec, sans nuages ; à l'horizon, fond laiteux des montagnes. Nous rencontrons quelques voyageurs, les femmes (une petite noire, un peu bouffie) voyagent à visage découvert.

Ramleh au fond de la plaine plate, au pied des montagnes. – Plaine unie ; on aperçoit la ville en descendant d'une espèce de mouvement de terrain en dos d'âne. – Quelques oliviers, rien n'est plus Palestine et Terre-Sainte. – Singulière transparence des couleurs : la route, en sable, est vermeille, textuellement, et toute la plaine grise, illuminée d'une teinte d'or très pâle. – Cimetière avant d'arriver à Ramleh : larges tombes carrées en maçonnerie ; Max fait marcher son cheval dessus.

RAMLEH. Rue déserte, dômes, quelques palmiers maigres entre eux, le ciel bleuissant de la nuit au milieu de tout ça, passant sur les arbres et entre les maisons démantelées. – Les constructions sont en grosses pierres, anciennes destinations militaires. – Nous passons sous une voûte ogivale, où un cheval est attaché ; la ville me paraît aux trois quarts inhabitée. Nous campons en aval de la ville, sous des oliviers.

A cause des moustiques, des chevaux et de l'idée que je dois voir Jérusalem le jour suivant, nuit blanche.

Le matin *jeudi 8*, promenade au jour levant dans Ramleh : rien que nous n'ayons vu la veille, c'est grand, vide et sale. – Jeune homme boiteux qui tenait nos chevaux pendant cela ; c'était un de nos gardes de la nuit passée. – Nous rejoignons notre bagage parti trois quarts d'heure avant nous, nous marchons pendant trois heures avant d'atteindre le pied de la montagne. – Village de Rohab, on battait les blés ; Max me parle de Ruth. – Vers le pied de la montagne, nous sommes accostés par une espèce de vieux gredin à barbe blanche et l'épaule couverte d'un habar noir et blanc ; il nous sert de guide pendant quelque temps et nous quitte à une maison de pierres, à gauche. La montagne est une succession de gorges les unes sur les autres ; quand on croit en avoir fini, on en a encore. – Oliviers magnifiques, vieux, creusés en dedans, larges ; les pierres ont des trous et ressemblent à des éponges ; elles tachent en gris la verdure des touffes de caroubiers, de lentisques et d'une espèce de petits chênes en buissons (rouvre?). Plus on monte, plus les pierres augmentent, la lumière blanchit et donne un ton d'une crudité féroce à la montagne grise (arbustes et herbes sur lesquelles la trace des limaces a l'air de givre, mais c'est avant la montagne). – Çà et là un carré foui d'oliviers, mais plus petits. – Plateau.

Le village de Kariet-el-Aneb est en descendant déjà, à droite. – Maisons en pierre. – Une grande construction, qui était une église. – Jeune homme, en turban jaune, qui me sourit à la porte de l'ancienne église où Max était entré. – Nous remontons à cheval.

Hanna avait pris à droite, sous les oliviers, et était descendu par le plus court; Joseph file vite et sans lever la tête. – Femmes qui dansaient en rond : « C'est un mort ». Je crie à Sassetti de ne pas s'arrêter, il le dit en arabe d'une façon brutale, à Abou-Issa. – On descend encore quelque temps. – Sur les sommets de cet entonnoir, quelques petites tours anciennes. – On remonte, c'est de plus en plus sec et dur. – Pour descendre il faut quitter son cheval, larges dalles. (Avant le village, la montagne est ainsi, surtout vers le bas : une ligne de pierres, c'est la couche calcaire; une ligne de verdure, et ces lignes parallèles vont dans le sens de la montée). Enfin nous arrivons, mourant de faim, la tête vide et tout nous dansant dans le cerveau, au fond d'une vallée pleine d'arbres où il y a de l'eau. – Un pont.

Gazerel-Karoum. Jardin, citronniers, vignes. – Famille juive qui nous donne des tapis. – Les femmes avec leur espèce de chapeau en visière ou de visière qui fait chapeau. – La femme du jeune homme qui nous avait fait toutes ces politesses, plaquée un peu, tétons que l'on voit facilement, grâce au décolletage intermédiaire complet : elle nourrissait son enfant. – Nous dormons une heure sous un citronnier, nous nous lavons la figure sous le pont et nous remontons à cheval à 3 heures.

On monte encore pendant une grande heure. Arrivée sur le plateau; tous les terrains des montagnes ont une couleur de poudre de bois, rouge foncé, ou mieux de mortier. A chaque instant je m'attends à voir Jérusalem et je ne la vois pas. – La route (on distingue la trace d'un ancien chemin) est exécrable, il n'y a pas moyen de trotter. – Enclos de pierres sèches dans ce terrain de pierres. Enfin, au coin d'un mur, cour dans laquelle sont des oliviers; j'aperçois un santon, c'est tout. – Je vais encore quelque temps, des Arabes que je rencontre me font signe de me dépêcher et me crient : « El Kods, el Kods » (prononcé il m'a semblé *codesse*); 27 femmes vêtues de blouses bleues, qui m'ont l'air de revenir du bazar; au bout de trois minutes, Jérusalem.

Comme c'est propre! les murs sont tous conservés. – Je pense à Jésus-Christ entrant et sortant pour monter au bois des Oliviers; je l'y vois par la porte qui est devant moi, les montagnes d'Hébron derrière la ville, à ma droite, dans un transparence vaporeuse; tout le reste est sec, dur, gris; la lumière me semble celle d'un jour d'hiver, tant elle est crue et blanche. C'est pourtant très chaud de ton, je ne sais comment cela se fait. – Max me rejoint avec le bagage, il fumait une cigarette.

– Piscine de Sainte-Hélène, grand carré à notre droite. Nous touchons presque aux murs; la voilà donc! nous disons-nous en dedans de nous-mêmes. – M. Stéphano, avec un fusil sur l'épaule, nous propose son hôtel. – Nous entrons par la porte de Jaffa et je lâche dessous un pet en franchissant le seuil, très involontairement; j'ai même au fond été fâché de ce voltairianisme de mon anus. Nous longeons les murs du couvent grec; ces petites rues en pente sont propres et désertes. – Hôtel. – Visite à Botta. – Couchés de bonne heure.

Vendredi 9, promenade dans la ville. Tout est fermé à cause du Baïram, silence et désolation générale. – La boucherie. – Couvent arménien. – Maison de Ponce Pilate. – Sérail, d'où l'on découvre la mosquée d'Omar. – Jérusalem me fait l'effet d'un charnier fortifié; là pourrissent silencieusement les vieilles religions, on marche sur des m... et l'on ne voit que des ruines : c'est énorme de tristesse.

Vendredi 9, 5 heures. – Jérusalem, Hôtel de Palmyre. – En revenant de chez M. Botta, où nous avons rencontré des messieurs alsaciens.

JÉRUSALEM
11 août 1850.

Voilà le troisième jour que nous sommes à Jérusalem, aucune des émotions prévues d'avance ne m'y est encore survenue : ni enthousiasme religieux, ni excitation d'imagination, ni *haine des prêtres*, ce qui au moins est quelque chose. Je me sens, devant tout ce que je vois, plus vide qu'un tonneau creux. Ce matin, dans le Saint-Sépulcre, il est de fait qu'un chien aurait été plus ému que moi. A qui la faute, Dieu de miséricorde? à eux? à Vous? ou à moi? A eux, je crois, à moi ensuite, à Vous surtout. Mais comme tout cela est faux! comme ils mentent! comme c'est badigeonné, plaqué, verni, fait pour l'exploitation, la propagande et l'achalandage! Jérusalem est un charnier entouré de murs; la première chose curieuse que nous y ayons rencontrée, c'est la boucherie. Dans une sorte de place carrée, couverte de monticules d'immondices, un grand trou; dans le trou, du sang caillé, des tripes, des m..., des boyaux noirâtres et bruns, presque calcinés au soleil, tout à l'entour. Ça puait très fort, c'était beau comme franchise de saleté. Ainsi disait un homme à rapprochements ingénieux et à allusions fines : « Dans la ville sainte, la première chose que nous y vîmes, c'est du sang. »

Tout était silencieux, nous n'entendions pas de bruit, personne ne passait; çà et là, le long du mur et nous faisant place, quelque juif polonais, long, barbu, avec son gros bonnet de poil de renard; les bazars sont fermés. C'est le Baïram, ce qui fait, à toutes les évolutions religieuses de la journée et de la nuit musulmanes, tirer une quantité emphatique de coups de canon. Les devantures des boutiques semblent rongées par la poussière et quelques-unes tombent en ruines. Elles sont couvertes, longues, étroites et d'un bel effet comme perspective.

Tout est voûté à Jérusalem; de temps à autre, dans

les rues, on passe sous une moitié ou sous un quart de voûte; les maisons se sont établies dans ces anciennes constructions, et partout on a des voûtes sur sa tête. Sauf les environs du quartier arménien, qui sont très balayés, tout est fort sale; le pavé est presque impossible pour les chevaux; dans la rue de notre hôtel, un chien jaune pourrit tranquillement au beau milieu, sans que personne songe à le pousser ailleurs; les m... le long des murs sont effrayantes de mauvaise qualité! Mais il y a pourtant moins de débris de pastèques qu'à Jaffa.

Ruines partout, ça respire le sépulcre et la désolation; la malédiction de Dieu semble planer sur la ville, ville sainte de trois religions et qui se crève d'ennui, de marasme et d'abandon. De temps à autre un Arnaute armé. Dans ces rues vides, en pente, le soleil là-dessus, des décombres, de grands trous dans les murs. Il y a, comme à Tyr, à Sidon, à Jaffa, sur toute la côte, des enfants à belle tête, les petites filles surtout, avec leurs figures pâles, entourées de cheveux noirs mal peignés. – Notre guide, le jeune Iousouf, adolescent de 18 à 20 ans, à yeux noirs et à tournure féminine, rougissant, modeste, doux; les soldats turcs (tout comme le Pacha) sont amoureux de lui, et l'appellent quand il passe près des remparts : « Cawadja Iousouf, guel bourda, cawadja Iousouf. »

Le couvent arménien est immense, c'est propre, bien maçonné, considérable de cours intérieures, de terrasses et d'escaliers. – Constructions pour les moines, autres pour les pèlerins. – L'Arménien me paraît ici quelque chose de bien puissant en Orient; il y a de ces inutilités de propriétaire, qui dénotent le gousset plein, telles que les rampes en fer sur les terrasses. L'église est surprenante de richesse, le mauvais goût atteint là presque à la majesté. Suffit-il donc qu'une chose soit exagérée pour qu'elle arrive à être belle? Malheur à qui ne comprend pas l'excès!

Revêtement en faïence bleue jusqu'à hauteur d'homme, colonnes carrées. – A gauche, chapelle de Saint-Jacques; la place où il fut décollé marquée par un cercle, et, sous l'espèce d'autel entouré de fleurs et de flambeaux, vue sous verre, une tête décapitée. L'autel tient tout le fond de l'église, est en dorure, composé de trois arceaux, le plus grand au milieu. – Peintures généralement mauvaises, portraits des patriarches. Au-dessus, scènes de la vie de Jésus, les Saintes Vierges avec le bambino, auréolées d'argent ainsi que lui. – On voit ainsi la figure peinte dans un cadre de métal, une a au doigt un vrai diamant. – Tableau des martyrs : les gens qui lapident saint Etienne sont d'une férocité intentionnelle bien grotesque, voilà de vrais « meschants ». Un lion qui dévore je ne sais plus quel saint, à côté. c'est aussi fort bon; il a la gueule plus grande que le reste du corps. Un saint Laurent sur des flammes impossibles. Du côté de la porte, un Martyre des Innocents où au moins il y a quelques intentions : un petit enfant, au premier plan, qui meurt en vomissant.

A mesure qu'on examine le détail de cette église, la première impression s'en va. Si le mot d'Henri Heine : « Le catholicisme est une religion d'été », est d'une vérité de sensualité si profonde, le mot n'en est pas moins pour moi lié à l'idée moyen âge, et celle de moyen âge à l'idée de pluie et de brouillard. O pauvres églises de ma patrie, aux parois verdies par les hivers, combien je vous aime! Religieusement parlant, ce n'est plus de notre monde à nous. Luther est revenu protestant de l'Italie de Léon X.

Dans l'église grecque du Saint-Sépulcre, même ornementation. C'était charmant, une grande lumière illuminait tout, vêtements blancs des femmes, turbans et vestes de couleur des hommes, groupes debout tournés du côté de l'autel, patriarches à barbe blanche, Grecs venant baiser toutes les scènes de la Passion qui sont sur la cloison qui sépare l'église du chœur véritable. L'église arménienne, effet plein de fantaisie : des longues guirlandes d'œufs d'autruches coloriés qui tombent du plafond; à la porte, à gauche, timbre en airain, plaque sur laquelle on frappe pour remplacer les cloches.

Dans la rue qui mène à la maison de Ponce Pilate (rue de Hatta? = Hart-Hatta), maison de Véronique, à droite en descendant, basse, à petite porte, à demi enfouie sous terre et comme toutes les autres. La maison de Ponce Pilate est une grande caserne, c'est le sérail. De sa terrasse supérieure on voit en plein la mosquée d'Omar, bâtie sur l'emplacement du Temple.

Le lendemain matin, nous nous sommes levés à 6 heures pour aller voir les juifs pleurer devant les restes de ses murs. Ils sont, à la base, en pierres cyclopéennes, qui rappellent l'Egypte par la puissance du travail, carrées et ornementées d'un quadrilatère intérieur pareil à celui que les menuisiers poussent au rabot sur les portes. – Vieux juif dans un coin, la tête couverte de son vêtement blanc, nu-pieds, et qui psalmodiait quelque chose dans un livre, le dos tourné vers le mur, et en se dandinant sur ses talons. La même construction, le même mur se retrouve de l'autre côté du Temple, côté Est. Comme nous nous en allions de là, nous avons rencontré d'autres juifs qui y venaient sans doute. Je me suis fait raser chez un barbier, qui me regardait en riant, sans que je sache pourquoi, et qui m'a rasé à l'eau chaude. De là nous avons été fumer un chichem dans un café. En nous retournant du divan de bois où nous étions assis, nous apercevons une grande piscine carrée (piscine d'Ezechiel), pleine d'eau verdâtre, entourée de hauts murs percés çà et là, à des places rares, de petites fenêtres irrégulières; ce sont les murs de derrière des maisons qui l'entourent.

Rentré à l'hôtel, j'ai lu la Passion dans les 4 Evangélistes. – Sieste. – Dîner chez Botta, homme en ruines, homme de ruines, dans la ville des ruines; nie tout, et m'a l'air de tout haïr si ce n'est les morts; rappelle le moyen âge de tous ses vœux, admire M. de Maistre. Il apprend maintenant le piano et avoue qu'il n'est pas un creuseur. C'est une phase de la vie de cet homme : fatigué de tentatives (sa vie en est un tissu, médecin, naturaliste, archéologue, consul), il a essayé de celle-là, il n'en veut pas d'autre, c'est assez. « Que l'humanité soit comme moi », disent tous ceux qui ne peuvent ni la dominer, soit la comprendre. Son chancelier, néo-catholique, partisan de la musique sérieuse, ignore

Hummel, Spohr, Mendelssohn, etc., m'assomme avec des Haendel que je ne l'avais pas prié de me jouer; sa main droite allait plus vite que la gauche. Pauvres bougres, en définitive.

Saint-Sépulcre. – Samedi, visite au Saint-Sépulcre. L'extérieur, avec ses parties romanes, nous avait excités; attente trompée sous le rapport archéologique. Les clefs sont aux Turcs, sans cela les chrétiens de toutes sectes s'y déchireraient. Les gardiens couchent dedans, près de la porte, sur un divan. Pour voir l'église quand elle est fermée (et elle l'est toujours, sauf le dimanche), il faut passer sa tête par des trous pratiqués *ad hoc* dans la porte; on voit alors la pierre d'onction sous ses lampes, et les bons Turcs sur leur divan; on fait la conversation avec eux. Nous trouvons dans le Saint-Sépulcre notre Italien réfugié, il s'y est fait enfermer exprès et y vit jour et nuit (temporairement toutefois) pour « s'inspirer de la poésie de ces lieux ». Quel artiste! je le suppose plutôt être une infecte canaille qui carotte les Pères latins afin de se nourrir gratis et longtemps dans leur couvent.

Une chose a dominé tout pour moi, c'est l'aspect du portrait en pied de Louis-Philippe, qui décore le Saint-Sépulcre. O grotesque, tu es donc comme le soleil! dominant le monde de ta splendeur, ta lumière étincelle jusque dans le tombeau de Jésus! Ce qui frappe le plus ensuite, c'est la séparation de chaque église, les Grecs d'un côté, les Latins, les Coptes; c'est distinct, retranché avec soin, on hait le voisin avant toute chose. C'est la réunion des malédictions réciproques, et j'ai été rempli de tant de froideur et d'ironie que je m'en suis allé sans songer à rien plus. Un chrétien a demandé à mon drogman si je n'étais pas le pacha. Dieu me préserve, pourtant, d'avoir eu une pensée d'orgueil! Non, j'allais là, bêtement, naturellement, sans me fouetter à rien, et dans la simplicité de mon cœur calme. Heureux sont-ils tous ceux qui là ont pleuré d'amour céleste! Mais qui sait les déceptions du patient moyen âge, l'amertume des pèlerins de jadis, quand, revenus dans leurs provinces, on leur disait en les regardant avec envie : « Parlez m'en! parlez m'en! »

« Méfie-toi du hadji » (proverbe arabe). Les Arméniens qui font le pèlerinage de Jérusalem ont défense, sous peine d'excommunication, de parler, à leur retour, de leur voyage, dans la crainte que ce qu'ils en diraient ne dégoûtât leurs frères d'y aller (Michaud et Poujoulat). La déception, s'il y en avait une, ce serait sur moi que je la rejetterais et non sur les lieux.

En revenant, nous sommes entrés sur le seuil de l'église protestante : messieurs en noir, assis sur des bancs de chaque côté; autre monsieur en rabat dans une chaire, à gauche, lisant l'Evangile; murs nus tous; ça ressemblait à une école primaire ou à une salle d'attente dans un chemin de fer. J'aime mieux les Arméniens, les Grecs, les Coptes, les Latins, les Turcs, Vichnou, un fétiche, n'importe quoi! Adieu! bonsoir! c'est assez! sortons de là! Nous n'y sommes pas restés *un quart de minute*, et j'ai eu le temps de m'y ennuyer véritablement et profondément.

Dans l'après-midi, avec Stéphano, Iousouf, Sassetti

et deux moucres, visité les tombeaux des Rois, la montagne des Oliviers, Siloë et la maison de Caïphe.

A l'ouest de la ville, tombeaux des Rois. On entre par une espèce de grotte ouverte. – Ouverture à gauche où il faut se courber pour passer. – C'est une série de salles (il y en a deux étages), avec des excavations dans le mur. L'entrée est petite et carrée. – Chaque caveau contient chacun la place de trois cercueils, un au fond, deux de chaque côté. Sur les côtés de ceux-ci, petits trous dans le mur, en forme de pyramide creusée, faits pour contenir des lampes sépulcrales. Après l'Egypte, cela n'a rien que de très médiocre; c'est un travail de carrier assez habile, voilà tout.

Le Jardin des Oliviers, petit enclos en murs blancs, au pied de la montagne de ce nom. – Grand vent, les oliviers au feuillage pâle et argenté tremblaient, l'air était âpre quoique chaud, la route blanche, le ciel féroce de bleu. En haut, de dessus le minaret qui domine le mont des Oliviers, vue générale de Jérusalem : la ville, en amphithéâtre, incline de l'Ouest à l'Est, elle penche du côté des tombeaux, du côté de la vallée de Josaphat qui change de nom à la fontaine de Siloë et prend celui de Cédron. – Dans la mosquée de l'Ascension, vieux bonhomme à nez de polichinelle, en espèce de paletot jaune, qui est venu nous ouvrir; on montre une pierre entourée d'un cadre de pierre, sur laquelle les croyants voient la marque du pied de Jésus; c'est là qu'il s'élança pour monter au ciel. – Le soir nous allons faire une visite à Botta; il est avec le révérend père des Latins.

Lundi. Partis à 7 heures un quart pour Bethléem. Jusqu'au couvent grec d'Elie, assez belle route. – Au couvent, rien que des confitures, du café et un assez bon homme, papas grec en barbe blanche, qui m'a l'air émerveillé de la politique que lui fait Maxime à propos des protestants, juifs convertis : ceux-ci menacent de devenir maîtres de Jérusalem.

De là à Bethléem, aspect pierreux et montagneux, c'est presque le désert, ça commence. De temps à autre quelques femmes de Bethléem, avec leurs vêtements rayés, ont sur la poitrine un carré de soie de couleur. Ce sont les filles qui portent la guimpe de pièces d'argent autour de la tête, les femmes portent une calotte aux deux oreillons terminés en pointe qui couvrent les oreilles. Au frontal, rangées de pièces les unes sur les autres; par derrière quelques autres d'où pendent de grosses médailles à des ficelles; le contour supérieur du bonnet est un bourrelet qui, chez les riches, se change en cercle d'argent.

BETHLÉEM, grand village de pierre. Devant lui, une vallée ou plutôt un vaste entonnoir, une gorge avec des gorges qui y aboutissent ou en partent. – Bâti en pierres, constructions solides, on truelle beaucoup. – A l'entrée, femmes au puits qui puisaient de l'eau au milieu des chameaux. A gauche, place écœurante, ce sont les latrines de la ville. – De là, nous voyons non loin de nous, en face, dans le champ qui est au-dessous, des femmes chanter en se lamentant : c'est un enterrement, on dit la messe des Morts dans l'église arménienne quand nous y arrivons. – Tout l'édifice a un toit de bois, première partie séparée du reste par un refend, colonnes rondes, chapiteaux à feuilles d'acanthe peints et d'un effet désagréable; deux rangées de colonnes de chaque côté; en dessus, restes de mosaïques indistincts. – Comme au Saint-Sépulcre, il y a les Arméniens, première chapelle à gauche en entrant; les Grecs, la grande au milieu et la petite à droite; les Latins séparés des deux autres et d'une nullité désespérante, sauf leur grotte de saint Jérôme, pauvre et obscure.

Eglise grecque : retable en bois ciselé à jour, sculpté, très fouillé, doré, la porte du milieu toute dorée. Entre chacune des colonnes du retable, tableaux : saint Jean tenant dans la main droite un plat sur lequel est sa tête décapitée (c'est l'apothéose?); est-ce pour cela qu'il est représenté avec des ailes, là et ailleurs? A droite, portraits de saint Nicolas et de saint Spiridion ensemble, debout, de face. La partie supérieure du retable, son second étage, orné de tableaux plus petits, scènes de la vie de Jésus. A hauteur d'appui du retable et glissant sur une rampe, petits tableaux de même style, sur panneau et faits pour le baisement des fidèles.

Dans le coin à gauche, lorsqu'on est de face au retable, tableau d'Abraham et d'Isaac : au premier plan, à droite, Abraham prie le Seigneur; à gauche, il marche avec Isaac se dirigeant sans doute vers le lieu du sacrifice, avec l'âne qui porte du bois sur son dos et baisse la tête vers la terre (pour mieux marcher ou pour brouter?). Au second plan Isaac lui-même porte le bois sur son dos et son père tient à la main le couteau. Au troisième, Isaac est couché, Abraham va l'égorger, un mouton est là attaché *par une corde* au pied d'un arbre; cependant l'ange détournateur est en haut à droite, et Abraham détourne la tête à sa voix. Partout Abraham et Isaac ont la tête entourée d'un disque d'or, si ce n'est Isaac lorsqu'il est étendu prêt à être sacrifié.

Un tableau du même genre, vers le côté droit de l'entrée de la Crèche, près de la deuxième chapelle grecque : au milieu (le panneau est en demi-sphère), la Vierge sur sur laquelle descend la conception en forme de longue langue de feu, une gloire en pointe. Au milieu de la poitrine, debout et les bras étendus comme elle, Jésus en l'âge mûr; il est porté sur le large pli de son vêtement qui cintre en allant d'un bras à l'autre bras; elle-même est au milieu d'un disque de gloires lumineuses lancéolées. Au-dessus de la conception plane le Père au sommet, et vers elle se penchent, des deux côtés, les patriarches et les prophètes pour la voir descendre sur la Vierge. Ce tableau représente les scènes diverses de la vie de Jésus; la Vierge en est le centre, mais bien entendu sans aucun rapport dramatique avec tout le reste. – Près de la troisième chapelle ou troisième autel (église grecque), une somptueuse Vierge byzantine avec le bambino. Les parties vêtues sont couvertes, en nature, d'un brocart recouvert d'un tas de choses étincelantes; elle a un voile noir en résille, c'est-à-dire qui lui passe sur la tête comme aux femmes d'ici, à bandes d'argent; de sa couronne part, en superfétation d'ornement, une sorte de queue de paon à œils bleus et blancs; quelques blancs sont emportés à la pièce, et ces trous sont remplis par des têtes de chérubins.

Crèche : deux escaliers tout pareils, en marbre d'une couleur rosâtre, dix marches à monter de l'entrée jusqu'à la Crèche, six du niveau du sol de l'église au seuil de la Crèche même; l'escalier est en demi-cercle. – Porte romane avec un léger mouvement ogival cependant, deux petites colonnes en marbre blanc de chaque côté; au-dessus de la porte, côté droit, une Vierge avec le bambino byzantin relevé d'or. Rien n'est d'une suavité plus mystique et d'une splendeur plus douce que l'entrée de la Crèche par le côté gauche, l'œil se perd dans l'illuminement des lampes qui brillent au milieu des ténèbres, on en voit devant soi une longue enfilade à droite et à gauche et au fond.

Cinq lampes sont allumées à l'endroit même de la Nativité, protégées par une grille; les lampes empêchent de voir (par leur lumière) une Nativité, qui fait fond, encadrée d'argent. L'endroit de l'Adoration des mages est en demi-lune, éclairé de 16 lampes, sous une sorte d'avancée en forme d'autel. Par terre, le lieu même où Jésus fut posé était marqué par une grande étoile dont on a enlevé l'or. Quelques-unes de ces lampes brûlent dans des verres verts, elles sont surmontées d'œufs d'autruches au-dessus de l'endroit où les cordes s'attachent; entre-croisement des cordes au plafond. Tout est tendu (ou recouvert) d'une petite indienne. Je suis resté là, j'avais du mal à m'en arracher, c'est beau, c'est vrai, ça chante une joie mystique; quelques lampes étaient éteintes! sur les cinq de l'Adoration des mages, une l'était!

Déjeuner chez Issa, parent de celui de Kesneh. – Acheté des objets de piété. – A une demi-heure de Bethléem, jardins de Salomon (villa de Orthas). Effet charmant de cette petite oasis (qui se répand au Sud), au milieu de ces gorges grises poudrées de pierres; la Crau est un enfantillage à côté. Vasques de Salomon, 3; dans la seconde il y a un peu d'eau, et la troisième est pleine à moitié. Recouvertes à l'intérieur d'un enduit en ciment, carrées au fond, trois étages le long des murs; pour descendre, escaliers le long des murs. On pense aux filles d'Israël descendant là pour puiser de l'eau dans de grandes urnes; c'est de l'architecture à la Martins.

Village de (sans nom), dans une ancienne forteresse turque, toujours prétendue bâtie par Salomon. Il n'y a presque rien dedans qu'un grand *kique* de ruiné. – Nous ne revenons pas par Bethléem. – Issa nous quitte et prend un chemin à droite. – A gauche, verdure des oliviers, qui remplissent une gorge et remontent des deux côtés, à mi-côte. – Rencontre de Bédouins sur des chameaux, en chemises blanches, dépoitraillés, presque nus, se laissant dandiner sur leurs bêtes. – Un nègre, le dernier de la bande. – Autre rencontre : au haut d'une montée, troupeau de jeunes dromadaires sans licol et sans charge, allant à la file; pour descendre ils se sont éparpillés. Le bleu du ciel cru passait entre leurs jambes raides aux mouvements lents. Derrière, sur le dernier, une femme tenant une toute petite fille avec son petit bonnet couvert de pièces d'argent. – Je suis descendu tout seul dans le Gethsémani, je suis remonté et nous sommes rentrés par la porte de Jaffa.

Saint-Sépulcre (2e visite). – A l'entrée, pierre d'onction, en marbre rosâtre veiné, dans une espèce de cadre *idem*, aux coins duquel sont quatre boules en cuivre; à la tête et aux pieds, six candélabres; au-dessus pendent à une chaîne de fer huit lanternes découpées, enluminées de bleu et de vert et qui de loin ont l'air de lanternes chinoises; en face, quand on entre, au delà de la pierre d'onction, tapisseries sur la muraille, représentant les principaux miracles de Jésus-Christ.

Le Saint-Sépulcre même : coupole plâtrée, soutenue par dix-huit piliers carrés, ornés de tableaux pitoyables. Le dôme tombe en ruines. Au milieu, sous le dôme, petite chapelle quadrilatérale, au bout de laquelle, extérieurement, se trouve l'autel copte. Pour entrer dans le Saint-Sépulcre, on défait ses souliers, l'usage musulman prévaut. – Notre janissaire turc chasse à grands coups de bâton les mendiants (intolérables du reste). – Aveugle auquel il donne un coup de poing; c'est un grand jeune homme à veste rouge qui m'a l'air de s'ennuyer atrocement. – Entre deux piliers du dôme j'aperçois la cuisine des gardiens du Saint-Sépulcre (lesquels on voit sur un divan à l'entrée), on lave des assiettes, au fond j'aperçois du feu, on marmitonne, on fait le café. Dans le couvent des Latins (capucins de la Terre-Sainte) nous avons retrouvé notre janissaire prenant sa petite tasse de café avec les bons Pères.

Il y a deux pièces, la première soutenue par douze colonnettes, engagées dans les murailles, en marbre blanc. A côté de la porte, ouverture d'un étroit escalier qui monte sur la plate-forme de l'édifice. Cette pièce est éclairée par 15 lampes, 5 aux Arméniens, 5 aux Grecs, 5 aux Latins. Au milieu, contenu dans une console carrée en marbre blanc, un cube de pierre : c'est ce qui reste de celle qui bouchait l'entrée du véritable Sépulcre. – La seconde pièce sent une odeur de première communion; il y a tant de lampes pressées les unes près des autres que ça a l'air du plafond de la boutique d'un lampiste, 13 aux Arméniens, 13 aux Grecs, 13 aux Latins, 4 aux Coptes. Parmi les cierges qui entourent la salle il n'y en a que 4 qui brûlent. Economie!

Au fond, taillé dans le mur, en bas relief, un Christ, peinturluré et flanqué d'une Résurrection et d'une Ascension, d'un goût rococo XVIIIe siècle déplorable. Des fleurs roses sont dans de petits vases en porcelaine, de couleur groseille de province. – La pierre du Sépulcre en marbre blanc; quelques taches d'huile, une grande fente au milieu. – Au fond, une petite armoire où se mettent les queues de rat que l'on allume contre le rebord de la muraille; nous en avons allumé comme les autres. Le prêtre grec a pris une rose, l'a jetée sur la dalle, il y a versé de l'eau de rose, l'a bénite et me l'a donnée; ç'a été un des moments les plus amers de ma vie, c'eût été si doux pour un fidèle! Combien de pauvres âmes auraient souhaité être à ma place! comme tout cela était perdu pour moi! que j'en sentais donc bien l'inanité, l'inutilité, le grotesque et le parfum! – Une femme d'environ 50 ans, maigre, laide, pâle, venue et frappait sa poitrine sèche de ses mains maigres.

En face, église grecque : retable à 7 arches. – Je n'ai jamais vu de cierges si gros, ce sont des arbres. – Au-dessus de la principale arcade du retable, élevée et en dehors du niveau du retable, une sorte de chaire en forme de balcon, d'où, aux jours de fête, le patriarche donne la bénédiction. Du bas de ce balcon en tambour s'envolent 5 colombes (Saint-Esprit) qui tiennent au bout d'un fil, à leur bec, des boules bleues; cela me rappelle les *langues* de Babylone dont parle Philostrate dans la Vie d'Apollonius. Au milieu de l'église grecque, dans une espèce d'urne ronde, boule de marbre blanc rayé d'une bande noire, qui marque la place où l'ange est apparu aux saintes Femmes.

On monte au Calvaire par un escalier de dix-neuf marches. Il est séparé en deux. Une moitié appartient aux Grecs, la plus luxueuse; la seconde aux Latins. Partout lampes, marbres de couleur; mais surtout et chez tous, mauvais goût révoltant.

Galerie supérieure tout le long du pourtour du dôme, séparée en deux : une aux Arméniens, l'autre aux Latins; c'est contre le mur de celle-ci que se trouve le portrait de Louis-Philippe.

L'église arménienne est en bas, il faut descendre plusieurs marches en dessous de l'église grecque (il faut prendre à droite, en entrant dans le Saint-Sépulcre, entre l'escalier du Calvaire et l'église grecque).

Le Pacha a les clefs du Saint-Sépulcre, sans cela les sectes s'y massacreraient. Au point de vue de la paix, il est heureux que les Turcs aient les clefs du Saint Sépulcre; cela pourtant choque si énormément que ça en fait rire. – Le meurtre d'un Juif sur la place du Saint-Sépulcre se rachète par 60 paras. – Pendant que nous visitions le Saint-Sépulcre, j'ai entendu 4 heures sonner aux différentes horloges des églises. *(Mardi 13 août.)*

Jeudi 15, jour de l'Assomption, nous sommes sortis par la porte de Saint-Etienne, sur la face extérieure de laquelle se voient quatre lions, classiques, retroussés, féroces, bons lions tels qu'il s'en trouve dans les « histoires du monde » du XVIe siècle. Des soldats lavaient leur linge dans leurs cuvettes de bois; un d'eux a appelé le jeune Iousouf qui était avec nous. – Place dans le rocher où fut lapidé saint Etienne. – Le jardin des Oliviers est fermé, voilà la seconde fois que nous ne pouvons le voir.

Eglise du tombeau de Marie, à gauche. A la porte, un Abyssinien en turban bleu, que nous avons déjà vu dans le Saint-Sépulcre; c'est d'un effet très beau. – On descend beaucoup de marches. – Obscurité, quelques lampes çà et là, peu sont allumées, on empoisonne l'encens. – La chapelle est en retour à droite, mais je suis saturé de saintetés. – Nous retrouvons notre petite mendiante blonde, que nous avons déjà vue sur la place du Saint-Sépulcre. – Une espèce de sheik nous fait descendre dans une grotte où, selon lui et les autres, Jésus a sué la sueur de sang. Quelle rage de tout préciser! ils voudraient tenir Dieu dans leurs mains!

Nous avons fumé un chichek et pris une tasse de café sous un arbre, entre le tombeau de la Vierge et le Jardin des Oliviers. Non loin de nous, dans un enclos, deux capucins se livraient au même passe-temps (de plus, de l'eau-de-vie), en compagnie de deux très belles personnes dont on voyait à nu les seins blancs. Comme ça amuserait M. de Béranger, et quelles railleries il décocherait là-dessus! Décocherait-il « les traits de la satire! » Joseph a acheté là des espèces de gâteaux secs, minces feuilles de pâtisserie, blondes, faites avec de l'huile de sésame.

En descendant la vallée de Josaphat, à gauche, trois tombeaux : premier, d'Absalon, espèce de temple carré surmonté d'une rotonde terminée par une manière de cône rentré. Sur chaque coin, un pilier carré dans lequel est engagée une colonne; sur chaque face, deux colonnes à chapiteau ionien, frise plate avec de petits carrés d'un goût lourd; ensemble fort mauvais. Le second tombeau (de Mathias), pris à même le roc et entouré par lui, de même style, sauf les chapiteaux des colonnes. Au-dessous, dans le roc, deux fenêtres ou trous carrés à même (on entre là dedans par le troisième tombeau et on trouve plusieurs autres petites grottes). Le chemin passe devant, au milieu des tombes israélites, couvertes d'hébreu, ainsi que les murs du troisième tombeau (d'Ezéchias), celui surtout qui est tourné vers l'Ouest, faisant face aux remparts. Colonnes de même style que celles du premier tombeau, le toit en un seul bloc de pierre taillé en pyramide. A côté de ce dernier tombeau, se trouve, en descendant la vallée, un quatrième monument, sorte de petit temple, hypogée enfoui sous terre et dont paraissent encore les chapiteaux informes de deux colonnes; des pierres bouchent, exprès, car elles sont rangées en mur, l'intérieur, et l'entrée a été envahie par un monticule de terre.

La fontaine de Siloë est plus bas, en face le village de ce nom, bâti sur la montagne. Il y a là quelques oliviers, et vingt pas plus loin commencent les jardins légumiers. – Un marmot rampait sur les pierres; un âne regardait dans le fond d'une auge vide. – Des hommes montaient l'escalier de la fontaine, portant sur leur dos leurs outres gonflées. J'ai empêché le little baby de tomber, et je l'ai remis sur l'espèce de plate-forme où il était. – On descend plusieurs marches; une voûte, un second escalier; au-dessus, rochers noirâtres; au fond et comme dans un antre, de l'eau tranquille : c'est la fontaine. – Bruit que faisaient les hommes en remplissant leurs outres avec leur main.

La maison de Caïphe, du côté Sud de la ville, en haut, propre, blanche, voûtée, arcades. De la cour jusqu'au toit, un prodigieux cep de vigne qui monte; c'est le plus grand et le plus énorme que j'aie vu. Sur la terrasse de la maison il y a du raisin, Stéphano en a cueilli; il n'était pas encore tout à fait mûr, grosses grappes, violet, long.

Vendredi 16. EXPÉDITION DU JOURDAIN ET DE LA MER MORTE. A mesure que l'on s'éloigne de Jérusalem, la route devient moins pierreuse; elle ne fait, jusqu'à Jéricho, que monter et descendre. Sheik Mohammed, blond, turban blanc, bottes rouges, et deux autres hommes du village de Siloë nous font escorte; nous rencontrons beaucoup de Bédouins avec leurs chameaux, qui vont vendre du blé à Jérusalem, c'est jour de bazar. Affreux drôles à mine peu rassurante, chaussés de toute espèce de façons, depuis les grosses bottes rouges jusqu'à la simple semelle rattachée avec des cordes; autour du corps une grosse et large ceinture de cuir; coufiehs. Tous ou presque tous ont des fusils longs, à nombreuses capucines de cuir. N'importe quoi, mis sur le dos d'un Bédouin, devient bédouin, c'est ce qui explique que c'est toujours la même couleur, quoique composée d'éléments différents. Quelques-uns sont tête nue; leurs femmes ont des yeux énormes, couleur de café brûlé, lèvres peintes en bleu.

Au fond d'une gorge en entonnoir nous apercevons deux constructions : une sorte d'arcade, et à côté, trois ou quatre autres en ruine; c'est le puits de la Samaritaine. Nous haltons là quelques instants; il y avait des ânes, des chameaux et des Bédouins au repos, tous pêle-mêle. Le soleil tapait dessus et la montagne tout autour. Un chameau va au haut de la montée, en face de moi; il montait lentement. Vu en raccourci, je ne voyais que son train de derrière, l'air passait entre ses jambes allant pas à pas, se découpant sur le bleu; il avait l'air de monter dans le ciel.

La terre a succédé aux pierres, puis c'est le calcaire; je ne sais comment la lumière s'arrangeait, mais, frappant sur les parois blanchâtres de la route, ça faisait du rose, de grandes nappes indistinctes, plus vives à la base, et qui allaient s'apâlissant à mesure qu'elles montaient sur la roche, Il y a eu un moment où tout m'a semblé palpiter dans une atmosphère rose. Le chemin tournait, le soleil frappait sur nous, j'entendais derrière moi les galopades de nos sheiks qui faisaient des fantasias. Ils ont passé à mes côtés, je me suis lancé comme eux. De temps à autre, entre les gorges, apparaît dans un déchirement de la montagne la nappe outremer de la mer Morte; à de certaines places, la terre grisâtre, tachetée régulièrement par des bouquets d'herbes roussies, ressemble à quelque grande peau de léopard mouchetée d'or; ailleurs, entre le fond roux des herbes (ce n'est pas de l'herbe qui pousse, mais de la paille), taches grises de la terre qui se voit par intervalles.

Avant de débusquer sur la plaine de Jéricho, la route se resserre étrangement, couloir sinueux entre deux murailles gigantesques; nous rampons sur le flanc de celle de droite.

Tout au fond de cette vallée de Habi-Moussa se traîne une petite ligne de verdure à la place où coule l'hiver le torrent, à sec maintenant; ça fait l'effet d'une petite couleuvre verte rampant au pied des grands rochers. Du haut de la montagne de Habi-Moussa, grande plaine, sans limites à droite ni à gauche, avec la verdure des arbres piquants, qui surprend et ravit; au second plan, la nappe plate et bleue de la mer Morte; au fond, les montagnes passant, suivant que la lumière marche, par toutes les teintes possibles de ce que je ne peux appeler autrement que bleu; à gauche, le mont de la Quarantaine avec quelques ruines dessus. Nous descendons dans la plaine et, après avoir, pendant une demi-heure, serpenté à travers des bouquets d'arbres épineux, nous arrivons sur les bords d'un petit ruisseau d'eau claire; nous nous déharnachons, déjeunons et faisons la sieste.

Aïn-Sultan. – L'eau est rapide, remplie de petits poissons qui entraînent nos tranches de pastèques. – Nous arrivons à Er-Riha vers 4 heures, forteresse turque, bâtisse carrée, en pierres, au milieu du village composé peut-être d'une quarantaine de maisons ou de huttes. Dans la cour, gourbis où sont attachés les chevaux. – Une jument grise avec son petit poulain, né il y a deux jours; à peine s'il se peut soutenir sur ses jambes, il se cogne les jarrets et marche sur ses paturons.

A droite en entrant, il y a une vasque d'eau où sont assis et fument plusieurs Turcs. A l'étage supérieur de la forteresse, entouré de créneaux faits de boue et de pierre et dont les découpures, d'en bas, sont d'un charmant effet, surtout lorsque quelques soldats s'y dessinent dessus, deux gourbis de branchages. On nous met des tapis sous l'un d'eux, nous fumons la pipe et prenons le café. – En bas, dans une chambre, femme qui fait du pain sur une plaque de fer, le pain est ainsi cuit de suite; fumée qui nous fait, ainsi qu'elle, pleurer. C'est du pain sans levain (le pain de voyage des Hébreux). – Avant de dîner nous sortons dans le bois environnant, le jour baisse, les montagnes d'en face ont des bosses et des creux, ce qui fait des rondelles d'ombre et des points de lumière; ailleurs elles ont des coupes métalliques et comme des facettes régulièrement taillées en long; plus loin, c'est un incendie rose, violet, terre de Sienne; le ciel est blanc, c'est ce qu'il y a de plus pâle dans toute la vue. – Nous cueillons de la menthe à de grosses touffes qui embaument.

Jeune femme, les joues un peu bouffies, vêtue en bleu, les cheveux tressés autour du visage. – J'ai du mal à dîner, à cause d'une légion de petits chats qui nous assaillent, Joseph et Sassetti sont obligés de faire la garde avec des bâtons pour les écarter. Les chacals piaulent d'une façon aigre, ils sont à dix pas de la forteresse; quelques chiens y répondent. La lune se lève dans le Sud, du côté de la mer Morte; dans la direction de Jérusalem, une étoile casse-brille, elle disparaît bientôt. Nous sommes accoudés sur le créneau, peu à peu tout s'apaise, les soldats (bigarrure) causent moins haut, nous nous couchons.

Le lendemain samedi, au milieu d'une escorte qui piaffe et fait fantasia, nous partons pour le Jourdain, à cinq heures et demie. Pendant une heure nous allons à travers les bouquets d'arbres épineux, comme la veille. – Sanglier, cru éléphant ou hippopotame par Maxime. – Hanna, attaqué de la fièvre, rentre à Jéricho.

Le Jourdain. Eau grisaille, couleur lentille, saules qui retombent en touffes. Nous sommes arrêtés à un coude de la rivière; à notre gauche, tout près de nous, un grand arbre penché. Je bois de l'eau à la berge, sur les cailloux, à côté d'un mulet qui buvait comme moi, pendant qu'Abou-Issa, avec sa mine pacifique, le tenait par le licol. Les Arabes de ces pays appellent les Bédouins de l'autre côté du fleuve : *nemré* (tigres). Le Jourdain à cet endroit a peut-être la largeur de la Touques à Pont-l'Evêque. La verdure continue encore quelque temps, puis tout à coup s'arrête et l'on entre dans une immense plaine blanche. A droite, on a le bourrelet blanc de la première chaîne des montagnes qui sont du côté de Jérusalem.

Mer Morte. La mer Morte, par son immobilité et sa couleur, rappelle tout de suite un lac. Il n'y a rien sur ses bords immédiats; cependant, un peu de temps avant d'arriver à elle, à droite, quelque verdure. Ses bords sont couverts de troncs d'arbres desséchés et de morceaux de bois, épaves apportées sans doute par le Jourdain. L'eau me paraît avoir la température d'un bain ordinaire; elle est très claire, contre mon attente. Sassetti, qui en goûte, se brûle la langue; ayant soif, je n'ai pas tenté l'expérience. Nous faisons passer nos chevaux dans l'eau pour aller sur un petit îlot de cailloux, distant de la rive d'environ 60 pas. A ma gauche, je compte quatre montagnes ou quatre grandes divisions de la montagne; la seconde est la plus foncée de toutes, elle est presque brune, puis ça va en se dégradant de ton sensiblement, et la quatrième se perd dans la brume de l'horizon. La couleur de la montagne de droite (celle qu'il faut passer pour aller à Saint-Saba) a du blanc en bas, c'est la première chaîne de collines. Mais, dans sa généralité, c'est du gris par-dessus lequel il y a du violet recouvert d'une transparence de rose.

A trois quarts d'heure de la mer Morte environ, on commence à gravir la montagne. A partir d'ici pour aller à Saint-Saba on ne fait que tourner, descendre, remonter; ce sont des demi-lunes, des cirques, des murs géants, et quand on se retourne l'immense horizon de tout à l'heure et qui grandit à mesure que l'on s'élève.

Nous allons sur la corniche d'un mur; à nos pieds, un précipice; au fond, une grande ligne blanche avec des arbres sur ses bords comme une route, c'est le torrent desséché. – Perdrix qui trottinent sur le sable sec. – Après cette première chaîne, une seconde, une crête comme le dos d'un poisson échoué là, ou comme le dessus de la nef d'une église; un plateau, une troisième chaîne se présente, ça recommence. La terre est piquée de touffes rousses pâles de ces grosses perruques épineuses que l'on voit partout; des places léopardées, comme la veille; toute l'herbe qu'il y a est de la paille desséchée, droite et dure, poussée à la hauteur d'un pouce environ. Le ciel bleu sec et dur, de temps à autre une bouffée de vent frais; il fait bien moins chaud que le matin, du Jourdain à la mer Morte. Une citerne creusée dans le roc à droite, l'eau est verte, elle a mauvais goût; Abou-Issa en puise avec une corde. – Pierres pour découvrir la montagne d'El-Habi-Moura, sur laquelle est une mosquée; elles sont rangées de façon presque à faire croire que ce sont des tombes.

Saint-Saba. Avant d'arriver à Saint-Saba, une grande rampe qui mène jusqu'au couvent. La vallée, ou plutôt le précipice, est encore plus beau que celui d'El-Habi-Moura, en ce que c'est plus haut, plus taillé et que ça a plus de tournure et de façon. Des pigeons volent d'un côté à l'autre, partant des anfractuosités où ils logent.

Le couvent bâti sur les rochers et à même eux, de tous les côtés, en haut, en bas; il y a des précipices dans l'intérieur; c'est là, comme position, le vrai couvent de Palestine. On monte notre lettre dans un panier. –

Grand divan où nous logeons, sur des tapis, une lampe de cuivre au plafond. – Le moine qui nous sert, bonhomme à barbe blanche, voûté.

Dans l'église, tableaux de même style que dans toutes les églises grecques, c'est un art à part. Sur la porte d'entrée, un tableau représentant le Jugement dernier : l'enfer est dans la gueule d'un monstre ; les bienheureux, en foule tassée, la tête entourée du disque de gloire, entrent à la Jérusalem céleste ; les tombes s'ouvrent, Jonas sur sa bête, deux Turcs au pied d'un prophète, etc. ; c'est très amusant. Dans un autre tableau, les saints sont représentés comme des santons, ou plutôt comme des brahmanes, longs, maigres, avec des barbes prodigieuses qui leur tombent jusqu'aux pieds. Trait fréquent dans les tableaux religieux grecs : Jean-Baptiste toujours avec des ailes, l'air dur, féroce même ; la Vierge avec Jésus. – Jésus, les bras ouverts, l'embrasse comme un petit enfant. Plusieurs tableaux, dons faits par la Russie.

On nous montre le tombeau de Saint-Saba, à travers une grille ; plusieurs crânes, qui sont ceux des moines massacrés par les Bédouins ; on nous montre même l'horloge. – Dans le jardin, pigeon factice. – Le couvent nourrit deux renards ; chaque soir on leur jette deux pains, chaque soir ils viennent là attendre, le pain tombe, ils le saisissent et l'emportent. – La nuit, je ne dors pas. Clair de lune sur les montagnes et sur le couvent, tintement régulier de l'horloge. La cloche sonne, chants des prêtres dans l'église. Je fume sur une chaise en regardant la nuit, les pieds appuyés sur le petit parapet de la muraille.

Nous partons à 7 heures, après une tasse de café, un petit verre et une grappe de raisin qui nous avaient réveillés *ex abrupto*. Nous descendons la rampe de Saint-Saba et nous prenons le chemin de Jérusalem. Ennuyé d'aller au pas derrière le cheval de sheik Mohammed, j'enlève ma bête au galop et je me maintiens devant tout le monde à la distance d'une centaine de pas, pendant peut-être dix minutes. J'allais au pas, quand j'entends tout à coup un coup de feu et des aboiements de chien : « C'est Max qui a sans doute tiré un toutou », me dis-je, connaissant ses théories à ce sujet. J'arrête mon cheval et je le retourne. Alors je vois un fumignon monter à cent pas derrière moi (devant moi maintenant), mais comme il me semblait partir d'un point plus élevé que la route, je ne doutais pas que ce ne fût quelque Bédouin qui chassait ou un de nos hommes qui faisait de la fantasia. Pendant que j'étais calmement livré à cette double conjecture (l'idée d'un danger ne m'était pas approchée), je vis Max, Joseph et nos deux sheiks déboucher tranquillement, au pas, et sans parler haut, ce qui me confirma dans mes prévisions pacifiques. « S'il y avait eu un chien de tué, me dis-je, on vociférerait, j'entendrais le monde s'expliquer haut. » Max me rejoint et me conte l'affaire, peu satisfait que je ne fusse pas accouru dès que j'ai entendu le bruit du pistolet. Il avait peut-être raison, en principe du moins ; mais là, ma meilleure excuse est que je n'y avais pas songé du tout, ne me doutant de rien, et d'ailleurs dès que j'ai eu retourné mon cheval, je les vis

venir, et dès lors je les attendis. Nous marchions côte à côte quand une balle passe entre nous deux, près de Max ; j'entends un coup de fusil (et l'idée ne me vient pas encore du danger). Max se retourne, il aperçoit un homme qui nous mire en joue et me crie alors avec une figure expressive : « C'est sur nous qu'on tire, f... le camp, n...! de D...! file! file! » Je le vois s'enlever à fond de train, baissant la tête sur celle de son cheval et saisissant son sabre de la main gauche ; je passe près de Joseph à qui je crie : « Au galop! au galop! » Je vois tout son havresac débouliner, son fusil et les pipes tomber, et lui-même faire le mouvement d'arrêter son cheval pour ramasser tout cela (ce qui est complètement faux ; j'ai mal vu, il n'y a eu que mon chibouk de perdu, et encore il était sur la selle d'un sheik). J'entends un second coup de feu, Max me crie quelque chose que je n'entends pas, je le vois fuir comme le vent. Alors commence à comprendre, saisissant mon sabre de la main gauche, et les rênes de la droite, je me lance dans une course effrénée, sautant tout. C'était d'un charme qui me tenait tout entier, ma seule inquiétude était de tomber de cheval, là pour moi était le danger ; mais j'étais de bronze, je le serrais, je l'enlevais, je le portais au bout du poing ; quelquefois je rattrapais mes guides, qui avaient glissé dans ma main, avec mes dents, tout en jouissant intérieurement de ce chic cuirassier-empire. D'ailleurs les détours de la montagne, se renouvelant sans cesse, devaient nous cacher aux coups de feu. Mais là aussi (ce fut la seule réflexion inquiétante qui me vint) était le danger ; ils pouvaient, par des chemins à eux connus, gagner une pointe et nous prendre de flanc. Deux fois Max s'est arrêté, j'ai entendu les sheiks crier : « Gawon! Gawon! » Nous sommes repartis, j'ai arrêté mon cheval une troisième fois par pitié pour lui, mais voyant que Max ne s'arrêtait pas, je suis reparti et je l'ai rejoint. Ça a peut-être duré dix minutes, je ne sais combien nous avons fait de chemin, environ une lieue? A un carrefour, nous nous sommes arrêtés ; Joseph, que je croyais bien loin derrière nous, était tout près. Embarras d'une minute pour prendre la bonne route. Nous ne nous trompons pas du reste, les sheiks nous rejoignent, nous nous apercevons qu'il y a une sacoche de perdue, celle dans laquelle sont nos firmans ; on nous l'a rapportée ce matin.

Rentrée à Jérusalem par Siloë et la porte Saint-Étienne.

Visite au consul (avec sheik Mohammed) à qui nous contons l'affaire. – Sieste. – Dîner chez lui. – Le soir, sonate de Beethoven qui me rappelle ma pauvre sœur, le père Malenson et ce petit salon où je vois miss Jane apporter un verre d'eau sucrée. Un sanglot m'a empli le cœur, et cette musique si mal jouée m'a navré de tristesse et de plaisir ; ça a duré toute la nuit, où j'ai eu un cauchemar y relatif. *(Lundi, 19 août, 3 heures.)*

La journée du lendemain occupée à écrire des lettres. *Mercredi 21.* Visité, avec Stéphano, le couvent de Saint-Jean. – Sortis par la porte de Damas, chemin pierreux, 1 heure un quart pour aller.

SAINT-JEAN, au fond d'une petite gorge. On traverse

un village où il y a de gros oliviers. – Gens de la campagne dessous. – Une branche d'olivier à reflet d'argent se lève au vent dans le soleil et tremble. – Chapelle du couvent avec un Zacharie au fond, flanquée de deux petits autels recouverts d'un baldaquin en damas rouge. – Place où saint Jean-Baptiste est né à gauche du chœur, grotte convertie en chapelle; petits bas-reliefs tout alentour, représentant les différentes scènes de la vie de saint Jean. – Sacristie dont on revernissait les armoires. – Un petit crucifix espagnol très tragique. – Dans le divan où nous sommes reçus, devant moi, une carte d'Espagne et de Portugal. – Nous revenons silencieusement.

Jardin près de Jérusalem, planté par un Grec, le secrétaire du patriarche, au profit de la communauté, au beau milieu des rochers. – Rentrée à 5 heures et demie.

Vers midi, dans une rue voisine de notre hôtel, femme chrétienne, un peu âgée, noire, laide, sale, beaux yeux, nez droit, vilaines dents; à gauche chambre, matelas noir. Sheik Mustapha et Joseph dans la cour; la servante vieillotte, blanche, très souriante avec des petites pièces autour du front. C'était une petite porte à gauche en descendant. Une femme en guenilles attendant dans la rue et nous introduisant. – Silence, soleil, sentiment de rues désertes et d'humidité à l'ombre, soleil sur les terrasses, choses de ménage dans des coins; un chat sur un mur, levant la queue.

Vendredi 23. Partis de Jérusalem. – Scène Sassetti. – Adieux à Max Botta, Barbier de Mesnard, Amédée. – Stéphano nous conduit pendant une heure jusqu'à ce que nous ayons rejoint le bagage. Jérusalem, à mesure qu'on la quitte, s'enfonce dans la verdure des oliviers qui sont du côté du tombeau des Rois, et du côté Nord les lignes droites de ses murs s'abaissent et saillissent à travers les espaces du feuillage. Je croyais la revoir encore et lui dire adieu en me tournant vers elle; une petite colline me l'a cachée tout à fait; quand je me suis retourné, elle avait complètement disparu. En commençant les terrains sont un peu moins pierreux, la terre a une sorte de couleur roux pâle brun, assez semblable à celle du tabac d'ici.

Halte à El-Bir, dans une sorte de vaste khan ou forteresse. Joseph nous dit que ça a été bâti par les pèlerins; quelques pierres çà et là tombent de la voûte, les voyageurs qui viennent là bouchent les trous. De temps à autre nous rencontrons quelque petit troupeau de chèvres noires. – Stérilité complète, ce n'est que pierres, cailloux, rochers, quelques-uns ont la couleur de la pierre ponce, jusqu'à la fontaine Aïn el-Karamieh (œil des voleurs). Ravin avant d'y arriver et qui descend avec de grandes roches; sur la droite, quelques-unes ont la forme vague de chapiteaux énormes ébauchés. Des enfants chantaient à mi-côte sur la montagne, cachés par les oliviers; un homme se reposait à la fontaine, tenant son petit cheval par la bride. Deux ou trois chameaux ont passé pendant que nous étions là à souffler un peu à l'ombre et à fumer une pipe; un d'eux, la lèvre tombante et orné sur les deux côtés de la tête de deux

grosses houppes pendantes, ressemblait à une vieille femme au nez busqué, coiffée à l'anglaise. Au bout de 2 heures, après avoir descendu une descente rocailleuse et difficile, nous arrivons dans le vallon, où nous sommes campés. En face de nous un mamelon, deux à gauche, un à droite, un derrière nous; nous sommes au bas du mouvement de terrain, la route passe devant nous, j'entends la voix de trois femmes qui passent en ce moment; la nuit tombe. – Sassetti fait les lits. – Grelot d'un mulet. – La fontaine est à notre droite; au bas de la descente, khan Leban.

Nous nous levons au clair de lune, grelottant du froid qu'il a fait toute la nuit; à 4 heures et demie nous sommes en marche, le chemin est meilleur qu'hier. Nous allons sur le versant de droite de la montagne, que nous tournons pour entrer dans la vallée de Sichem. Vers 8 heures du matin, en passant devant Howara qui est à notre gauche, tout le monde fait son petit repas. Devant nous une large vallée entourée de montagnes de tous côtés, avec quelques carrés cultivés ou de verdure, çà et là, au milieu d'elle; elle est rayée par une route qui va à Tibériade. Nous tournons à gauche et nous entrons dans la vallée de Naplou. Vers ce coude de notre route, passent deux femmes portant des fardeaux; une à grands yeux noirs, tarbouch rouge enfoncé sur le front, avec une piastre d'argent au milieu, figure énergique et vive, me salue de « Combakrer ».

NAPLOU, tout en pierres, dômes et murs à lignes droites. Sur la gauche, avant d'y arriver, on traverse un bois d'oliviers. Grands et ombreux jardins, de l'eau qui coule, petits chemins de verdure, avec des ronces qui retombent des branches; des m... sur la berge du ruisseau. Nous sommes campés dans un jardin, sous un mûrier gros comme un chêne raisonnable. Il y avait tantôt des femmes non voilées qui y prenaient le frais; Joseph a établi sa cuisine auprès; un homme du jardin, gardien ou jardinier, a pris une grosse couleuvre noire.

A Naplou, mêmes constructions qu'à Jérusalem, bazars plus beaux. Nous traversons la ville dans toute sa longueur et revenons de même, après nous être arrêtés à un café. La mosquée a pour porte principale le portail d'une église du temps des croisades, dernier roman, chapiteaux à feuilles d'acanthe; le dessus du portail, nervures successives superposées, arcadiques, le tout d'un style très intact. Des peaux, devant quelques boutiques, sont à sécher par terre, on marche dessus. Un Copte à turban noir nous montre quelques pierres insignifiantes. – Enormité des bouillottes à eaux dans un ou deux cafés. – Habar en laine blanche ou laine de soie. – Quelques hommes portent le tarbouch ainsi : autour de la tête un petit turban, le tarbouch est tiré en arrière (étant retenu à la tête par ce turban de manière que le fond retombe de côté, à un pouce ou deux de l'épaule).

Nous quittons Naplou le matin. Verdure et maisons à notre gauche, exécrable chemin jusqu'à Iaabed. Avant d'y arriver, quand on domine le vallon, c'est comme un océan de pierres. S'il n'y avait çà et là un peu de terre entre elles, tout serait pierreux. Oliviers, champs clos par des murs de pierres sèches, ça rappelle quelques aspects du bas de la montagne du Carmel, et plutôt celle d'Abou-Gousch.

SASSUR, forteresse, à gauche, sur une hauteur, au milieu d'une grande plaine.

RABATIJH. Village blanc, sec, poudreux; nos moucres ne savent pas quel chemin prendre dans le village. Les habitants ont fort mauvaise mine, les enfants nous insultent : « Chien de chrétien, que Dieu vous brûle, vous tue, etc. » Nous passons lestement, non sans avoir remarqué que trois hommes ont pris leurs fusils et marchent devant nous. Un bois d'oliviers, le terrain monte. Avant le premier village, lentisques où sont appendues des guenilles, nous y mettons des crins de nos chevaux. Quelques buissons; là, nous perdons nos trois gaillards de vue. « Préparez vos armes ». Nous tournons dans des défilés. – Précaution de nos moucres qui ont trouvé que c'était un meilleur chemin que de passer sur la hauteur. – Fontaine avec un troupeau de chèvres; quelques chiens aboient.

DJENIN. Campés comme la veille sous un mûrier. Mosquée au milieu de la verdure, large paysage tout alentour. – Les campagnes d'Israël. – Le gouverneur, gros blondin, assis sur une natte à sa porte, chef militaire à barbe noire, nez crochu, yeux bons et vifs, frottés d'eau de rose; veston rouge à raie noire. – Courte promenade dans Djenin où il n'y a rien à voir qu'un chien qui dévore une charogne de cheval enflée, il le commençait par l'anus. Deux ou trois boutiques, Joseph achète du raisin dans mon foulard bleu. – Le cousin du gouverneur nous suit pour avoir du sulfate de quinine. – Moulin, eau claire qui coule; une femme puisant de l'eau : ceinture, voile de couleur qui couvre seulement la bouche, beau bras et belle main, un peu dans le style Mignard, nez tout droit, yeux noirs baissés vers l'eau. – Tohu-bohu de consultations dans notre campement. Ce pays est dévoré de fièvres, et de brigands. – Nuit moins froide que la précédente.

Levés à 3 heures, partis à 4. Immense et magnifique plaine connue sous le nom de campagne d'Israël. Quelques champs de sésame, carrés, verts, qui se détachent sur le fond blond des herbes roussies par l'été; ombrelles chinoises des chardons. Il y a aussi, çà et là, un peu de coton et de maïs. Le soleil se lève à droite; ses rayons, avant qu'il ne paraisse sur les montagnes, font des gloires; un nuage enroulé en écharpe longue, or dans la partie qui recouvre le soleil, puis tout à coup bleu et allant s'apâlissant vers Djenin. – Abou-Ali nous cueille des fleurs de jusquiame. – Trois soldats turcs d'escorte, l'un avec une lance de 12 à 15 pieds au moins de long, en bambou, ornée de deux grosses houppes au haut de la hampe. – Algarade, ils courent à fond de train, le pistolet au poing; long détour du soldat de gauche pour les envelopper. – Le matin, prise d'un lièvre. – Au bout de la plaine est la petite montagne derrière laquelle se trouve Nazareth; à droite, le mont Thabor, détaché complètement à l'œil des autres montagnes, et ayant la forme d'une demi-sphère un peu convexe. De la montagne, quand on se retourne en arrière, la plaine, d'ensemble, est d'un brun très pâle, chocolat clair, avec des tons blonds par place. Une fumée

montait, restes d'un feu allumé la nuit? Nous passons devant huit à dix tentes de pasteurs, qui font là brouter leurs chèvres; nous ne voyons personne que deux ou trois chiens jaunes. Au pied de la montagne notre escorte nous quitte; d'en haut, on voit tout à coup Nazareth à gauche.

NAZARETH. La première chose qu'on en voit, c'est le minaret de la mosquée entourée de cyprès. Tout le terrain est tigré de pierres blanches, c'est d'un effet de surprise charmant. Au bas de la côte, la route tourne à droite; une autre descendant vient s'y embrancher à gauche. Les nopals sont couverts de poussière, le soleil brille, tout éclate de lumière. – Maisons blanches de Nazareth. – Nous avons vu moins de lézards qu'hier, où il y en avait un à chaque arbre. – Couvent de l'Annonciation, barbe du capucin qui nous reçoit. – Le capitaine hollandais et sa femme et sa petite-fille, enfant blonde, à yeux bleus, en papillotes. – Visite à l'agent français; son fils trouvé dans une boutique; le voyage d'ici à Damas paraît dangereux et difficile; on s'arrange pour des escortes, etc.

Visite à l'église grecque, en dehors de la ville, pleine d'Arabes qui l'encombrent; c'est demain la fête de la Vierge selon les Grecs. On empoisonne dans l'église; tas de chibouks à la porte.

Église latine : tapisseries d'Arras; grotte où l'Ange est venu annoncer à la Sainte Vierge; une colonne coupée. On nous montre une armoire qui est la fenêtre par où l'Ange est descendu. – Grottes derrière l'autel : oratoire et cuisine de la Sainte Vierge. – Maison de Joseph : autre grotte, où l'on étouffe de chaleur humide et qui n'a qu'un petit coin de mur de construction romaine. – Autre endroit où l'on voit une énorme table en pierre, ou plutôt un rocher plat, sur laquelle Jésus, avant et après sa résurrection, a plusieurs fois mangé avec ses apôtres.

Femmes à la fontaine, criant et se disputant; elles sont fort belles ici, et de haut style, avec le bas de leur robe à deux fentes volant au vent; cruches sur la tête, mises sur le flanc. Plusieurs sont blondes. – Groupe de femmes au coin d'une rue, comme nous sortons du couvent pour aller chez l'agent; une grande, viandée, blonde, à nez busqué un peu. La ceinture qu'elles ont autour du corps comme les hommes leur fait ressortir les hanches.

Intérieur de l'agent consulaire de France : les portraits d'Amélie, Clara, Hortense, etc.; une bataille de l'Empereur, image coloriée; une scène de la *Tour de Nesle*.

De Nazareth à Cana, même paysage.

CANA, au milieu d'un vallon entouré de montagnes de tous côtés. Le village est assis sur une pente. – Nopals. – Nous passons derrière l'église grecque que je refuse de voir. Je songe au tableau de Véronèse.

Après Cana la route est plus praticable. Grande plaine, assez verte, qui monte par le bout, avant de toucher à la colline qui domine Tibériade; à droite, une plaine avec une montagne (la montagne?), ça fait cirque. A l'extrémité à droite, un grand feu; la fumée montait droite et ronde exactement comme une colonne. On tourne une colline du haut de laquelle on voit la mer de Galilée, petite nappe bleue; je suis étonné de la trouver si petite, entre les montagnes assez basses, grises, tachetées de pierres. – Les murs démantelés par le tremblement de terre arrivé en 1828. – Nous descendons à un hôtel tenu par un juif.

Temps de khamsin; après-midi passé sur mon divan à suer et à souffrir du ventre et de l'estomac. Le soir, après le dîner, promenade dans le pays; je ne vois que juifs, soit en bonnet fourré ou avec le large chapeau noir. – Smaël-Aga, le chef de notre escorte, nous mène au bord de l'eau. – Ton rose pâle par-dessus la couleur grise des montagnes. – Un veau qui boit, troupeau de vaches dans les rues; à gauche, la mosquée et un palmier. – Sur le sommet de la montagne, Zafeth. – Smaël nous introduit dans une cour où il y a beaucoup de juifs assis (la synagogue?).

Dans la salle basse où se tiennent nos gardes et où Joseph et Sassetti dînent, petit enfant tout nu qui dort dans un branle. Les *kiques* sont habitées par un chien jaune et une bouillotte; quand on vient, il vous cède la place d'un air ennuyé, puis revient s'y mettre. Je me fonds en sueur; Aréthuse coulait moins que moi.

TABARIEH, *mardi 27 août*, 7 heures 5 du soir. Il a fait comme hier un temps de khamsin étouffant, nous avons passé la journée à suer sur notre divan et à dormir. Vers 4 heures nous sommes sortis à cheval, pour aller voir les bains situés à une petite demi-lieue sur la route entre la montagne et la mer, le terrain est plein de pierres volcaniques et de colonnes renversées par terre; partout, restes de murs. Jujubiers, un laurier-rose et quelques menthes. – Les bains d'Ibrahim-Pacha: piscine soutenue par des colonnettes; deux femmes fort laides et un vieux juif en sortent comme nous y entrons. L'eau me semble à la température de 36 degrés, la source même est plus chaude. Les vieux bains sont un peu plus loin. – Maxime prend un caméléon qui a des taches brun chocolat sous nos doigts. – Nous revenons par le bord de l'eau; les montagnes du Hauran, grises avec un glacis rose par-dessus. Nous essayons de rentrer par les fortifications démantelées, ce qui nous est impossible. La dernière tour côté Sud est détachée du reste comme un décor; on voit par derrière un palmier qui se détache dessus. – Nous rentrons par une porte à l'entrée de laquelle un homme en veste rouge est assis. – En passant par les rues de la ville, nous voyons quelques femmes juives du Nord, avec leurs cheveux blonds, et leur coiffure frisonne.

Jeudi 29. Partis de Tabarieh à 3 heures un quart du matin, avec le clair de lune qui dessine l'ombre de mon cheval à ma gauche; nous longeons le lac au pied des montagnes, dans le direction du Nord, vers Zafeth que nous voyons en face de nous sur le haut des montagnes. En bas, à droite, entre la pente et l'eau, quelques arbrisseaux, bauge à sangliers. Nos Arabes s'amusent à tirer des perdrix à balle, on en tue une. Quelques poules d'eau glissent sur la surface bleue de la mer de Tibériade, qui commence à devenir plus foncée au jour levant. La montagne de gauche s'écarte un peu, elle est taillée à pic en cet endroit; c'est l'entrée d'un vallon qui va vers l'Ouest, dans laquelle Smaël-Aga nous dit qu'il y

a beaucoup de grottes et une forteresse taillée à même la montagne. Il y a ici un peu de verdure, les bouquets d'azaroliers reparaissent comme à la mer Morte.

Quelques huttes ou gourbis, un cours d'eau, Génézareth, quelques maisons à droite du sentier: cela dure quelque temps. On a à sa gauche un vallon étroit, dans une direction parallèle à celle de la route et dont les pans chocolat sont taillés à pic par assises; puis, par une pente douce, on s'élève doucement. De grandes herbes blanc doré, ou filasse blonde, desséchées, couvrent le sol; à droite, un troupeau de dromadaires qui broute dedans, éparpillé et levant le nez quand nous passons. Second cours d'eau; lauriers-roses: deux bouquets superbes, un de chaque côté du sentier. Ici on commence véritablement à monter, peu à peu toutes les autres montagnes de derrière vous s'élèvent, le paysage suit votre mouvement, si bien que lorsqu'on se retourne, le lac, qui est bien plus bas que vous, semble être à votre niveau. Graduellement, les montagnes brun roux, vagues allongées les unes derrière les autres, saillissent en s'allongeant. Halte à l'ombre d'une falaise à assises et à couleur de rouille, une source coule là. Nous repartons, tout s'agrandit, se développe, le bout du lac de Tibériade se perd dans la brume, on voit le dôme oblong du Thabor qui paraît plus grand que les autres montagnes.

ZAFETH. La forteresse de Zafeth, en haut du pays, assise sur le versant. – Rues si étroites que notre bagage ne peut passer; foule pour nous voir, surtout des juifs avec leurs affreuses coiffures. Nous descendons chez l'un d'eux, agent consulaire français, qui nous installe dans une petite salle voûtée, éclairée par une lampe suspendue, en verre, à triple chaînon. Le soir, consultation à une grande femme juive, avec son bonnet rouge, qui nous amène son pauvre petit enfant tout pâle et dolent de fièvre. – Notre hôte fumait son chibouk sur le divan de Max, avec ses deux jeunes garçons à ma gauche.

Montagnes rousses au premier plan, léopardées de cailloux; par places cela fait des plaques de tigré. Les descriptions d'horizon précédentes sont toutes résumées dans la vue que l'on a de Zafeth (Bétulie).

Je passe une exécrable nuit, pleine de puces, de punaises, et démangeaisons de toutes sortes. N'y tenant plus, je prends la pelisse de Max et je me hasarde à traverser la chambrée juive et à aller dormir à l'air. Toute la famille est vautrée par terre, pêle-mêle, sur des matelas, le père ronfle, la mère pisse, l'enfant crie, ça sent la chassie et la vesse nocturne. Je vais tâcher de dormir sur la terrasse, à côté de Joseph et de Sassetti, couchés sur une natte, Sassetti roulé dans son manteau, et Joseph roulé dans sa couverture de feutre. Il fait si froid et la peau me brûle tellement que je ne peux prendre du repos; le matin seulement, vers 9 heures, j'ai roupillé un peu sur mon divan-insecte. A 11 heures nous nous préparons pour partir. Notre hôte nous parle des dangers de la route: on a assassiné celui-ci à tel endroit, volé celui-là à tel autre; il y a quelques jours on a tué un Turc, on lui a coupé la tête et les mains, etc. Nos gardes sont à la mosquée; tous ces gens sont fort dévots en voyage, et avant de partir ils se mettent la conscience en règle : quelqu'un de nous va peut-être rester en route, voilà ce que chacun se dit à soi-même, sans le répéter trop haut. – Bref, nous partons après toutes les recommandations possibles aux moucres, qui ont ôté les sonnettes et grelots de leurs mulets.

La route, pierreuse, commence à monter sous des oliviers ; un de nos hommes, gaillard facétieux, auquel il manque les incisives de devant et monté sur une petite rosse baie, se met à chanter, puis nous descendons et nous arrivons dans une plaine. C'est là qu'Abou-Issa et Abou-Ali reçurent de l'escorte une si belle trempe pour les avoir insultés ; ce qui me fit dire, le soir à dîner, non pas : une gelée de garde, mais : une dégelée de gardes. Il y eut un mot de Joseph, sublime : « Ce sont des Turcs, qu'ils se tuent entre eux, s'ils le veulent, ça ne nous regarde pas ». Les herbes sont brûlées par le feu, manière d'engraisser la terre ; ça donne au sol une teinte noire.

Vers 5 heures nous arrivons à Djisr-Benat-el-Yakub, nous campons là. Nous avons le pont à notre gauche ; devant nous la rivière, qui coule entre les herbes et les roseaux ; au delà du pont, la grande nappe bleue de Bahr-el-Huleh. Avant d'arriver à notre campement, nous avons remarqué, sur des buttes qui sont au bord du lac, quelques cabanes de Bédouins. Max croit qu'on nous observe, la nuit vient.

De l'autre côté du pont, une caravane de dromadaires et de marchandises, le tout couché par terre et les hommes, debout dans leur habar et chibouk à la main, circulant au milieu.

A Zafeth, nous avons pris un bonhomme qui a demandé la permission de se joindre à nous ; c'est un vieux à barbe blanche, voûté et usé par le temps, il a vu bien des hivers, un énorme turban, armé jusqu'aux dents ; négociant en chevaux, il ramène avec lui une pauvre rosse blanche qui met en gaîté nos chevaux entiers. Il a été en Autriche, en Perse ! c'est un vieux qui a beaucoup d'expérience : « Ah ! il est un brave », dit Joseph. Il mange tout seul sur son tapis, arrange son cheval, fait sa prière. Je n'ai jamais rien vu de plus expressif que son œil lorsqu'il parlait à Joseph des précautions à prendre pour la nuit ; il agit au moment tourné vers Bahr-el-Huleh, et de profil ; quel œil !

A peine avons-nous pris l'œuf dur du voyage, qu'Ismaël-Aga parle de partir, quoiqu'il soit convenu que l'on se mettra en marche à 10 heures ; on objecte les mulets et les chevaux, bref, à 8 heures, on est f... en selle. Nous avons, pendant le dîner, beaucoup ri à l'idée de nous f... des coups de fusil à tort et à travers, pendant la nuit, et surtout à celle de canarder le bagage, décapiter Abou-Ali, éreinter le bisarche.

Il est nuit complète, je n'y vois goutte ; le bagage est devant nous précédé par deux (quelquefois trois) hommes d'escorte, Joseph et Sassetti sont derrière nous, puis le vieux négociant, qui tend dans les ténèbres son œil de lynx ; les trois autres gardes sont derrière tout le monde ou sur les flancs. Nous passons le pont, nous montons au milieu des pierres ; l'envie de dormir m'empoigne pendant un quart d'heure environ, ce

n'est guère le moment cependant ; je me dirige en suivant la croupe blanche du cheval de Maxime ; le bouffon de la bande chante à tue-tête, sur un ton dolent et aigre, il jette sa voix ; les pieds des chevaux trébuchent sur les pierres. Puis nous montons par une pente douce. Vers 10 heures, le ciel blanchit en face de nous, la lune bientôt se lève. Nous sommes dans une campagne plantée de caroubiers, ils sont énormes et gros comme des pommiers ; de temps à autre il y a de grandes places où l'on voit plus clair ; je me souviens, à ma gauche, de quelque chose qui avait l'air d'un grand vallon qui descendait (de jour cette route doit être superbe). La lune est très claire, on y voit bien, nous marchons bon pas, le chemin est devenu moins mauvais. Vers minuit, nous mangeons un morceau. Caroubiers. Nous sommes sur un plateau, nous passons près d'un douar, les chiens hurlent, il faut se taire. De temps à autre on fume une pipe (Smaël-Aga m'apporte la sienne, un petit chibouk noir, à nœuds, recouvert d'une calotte de cuivre), on admire la tournure d'un arbre au clair de lune. J'ai énormément joui du voyage cette nuit-là. La nuit est froide, vers le matin je suis obligé de descendre plusieurs fois à pied pour me réchauffer. Sassetti tombe de sommeil, il voit de grands escaliers. Le jour paraît : nous sommes au milieu des caroubiers et des azaroliers, bouquets de verdure inégalement plantés, c'est charmant. Nous descendons vers la plaine, le soleil paraît tout à coup, il m'enflamme la figure ; les joues me rôtissent ; je remonte à cheval. Nous sommes environ au milieu de la route, nous avons encore sept heures de marche. Le vieux négociant se rapproche de Joseph et lui inspire des craintes que nos hommes ne trouvent pas ridicules : « Nous avons deux heures sérieuses à passer ».

Deux femmes de Bédouins, que nous rencontrons parmi les arbres, elles ont l'air d'avoir peur de nous ; le vieux négociant leur demande de quelle tribu elles sont : elles sont du côté gauche. C'est de droite, des monticules, vers le pays de Hauran, que le danger est à craindre ; tous nos gardes passent de ce côté et marchent en rang sur la même ligne ; chacun a son fusil sur la cuisse ; j'ai mis des balles dans ma poche pour les atteindre plus vite en cas de guerre.

Nous marchons pendant sept heures, jusqu'à 10 heures du matin, dans cette immense plaine, ayant à notre gauche des montagnes qui ont de la neige à leurs sommets ; à droite, le mouvement du terrain, qui remonte, nous cache les horizons qui s'étendent vers le pays de Hauran.

Deux heures avant d'arriver à Sasa, on trouve les restes d'un ancien chemin. – Ici, il y a un encombrement de pierres à se rompre le cou, l'ancienne voie paraît et disparaît, de grands blocs de rochers plats, naturellement arrangés, la continuent, les pierres redoublent.

Sasa est au fond de l'horizon, dans la verdure ; nous y arrivons vers 10 heures, après être entrés dans une rage superbe contre Joseph, à cause de la façon inepte dont il mène son cheval. Nous campons en dehors du pays, sous un arbre, entourés d'eau ; une petite caravane halte à côté de nous, on débite les morceaux d'un chameau.

A 4 heures du soir, nous nous réveillons, je me décrasse dans le ruisseau qui coule derrière moi, auprès duquel est couché le vieux. Bientôt la nuit vient, nos gardes font leur prière, nous dînons et nous nous couchons sur nos lits. Je commençais à dormir, quand Joseph s'écria : « Entendez-vous? ils se battent! ». Je me réveille en sursaut, il venait d'entendre plusieurs coups de fusil dans la direction des montagnes de l'Est. A minuit, nous sommes partis, nous nous étions levés à 10 heures et demie. – Les chiens aboient, la lune rouge se lève, son croissant est couché sur le flanc, elle est moins belle et moins odalisque qu'hier, où elle avait des tournures d'une langueur ineffable. A sa clarté nous passons plusieurs rivières, le chemin est bon, nous filons vite.

Au bout de deux heures, Khan-el-Sheik, espèce de grande forteresse ou caravansérail, sur la droite de la route. Nous ne sommes arrêtés que par les nombreux cours d'eau qui se présentent, on s'attend, on se réunit, on repart. Les étoiles pâlissent, le jour se lève, nous sommes tous répandus sur le large chemin. Poésie de Cervantès, te voilà donc! A gauche, les montagnes ont des teintes gris perle foncé, avec de la nacre au sommet; c'est de la neige. Nous rencontrons quelques chameaux, on sent les approches d'une grande ville, tout le monde est gai, le bouffon chatouille son cheval pour le faire ruer et mordre; ils blaguent Abou-Issa dans son patois beyroutien. La campagne est large, grasse, cultivée. Nous rencontrons une petite caravane de chameaux qui portent des peaux, nous traversons un grand village, nous attendons le bagage sous des arbres. Au bout de trois quarts d'heure, nous touchons à la longue ligne basse de verdure et de maisons que nous voyons depuis quelque temps, et nous entrons dans un interminable faubourg où nos chevaux glissent sur le pavé. Tas de blé par terre, fileurs de coton, teinturiers, mosquées, fontaines, des arbres qui pendent en grappes et tiennent leur flot de verdure suspendu sur la multiplicité de couleurs qui s'agitent sous eux, quelques beaux corps de garde turcs, un grand cimetière que traverse la route, avec des petites branches vertes fichées au pied de chaque tombe (le dessus des tombes est généralement convexe en forme de cylindre). Nous entrons dans la ville, nous tournons plusieurs rues étroites, l'encombrement augmente au point que nos chevaux ne peuvent avancer. Enfin nous arrivons à Damas, à l'hôtel, où nous retrouvons MM. Striber, Husson et Muller.

DAMAS. Ce jour-là, dimanche, pioncé tout l'après-midi.

Lundi 2. Visité, avec ces messieurs et le janissaire du consulat français, plusieurs maisons juives. – Pris un bain le matin; c'est là que Smaël-Aga est venu me dire adieu, je me suis senti les yeux humides en le regardant pour la dernière fois. – Flâné dans les bazars, qui me paraissent superbes.

Portraits. – Le vieux Iousouf de l'Hôtel de Palmyre, à Jérusalem, petit homme maigre, dans une robe de couleur poussière à fleurs violettes pâles; énorme turban sale, un grand nez dessous, sourcils très forts, ensemble comique. Je n'ai jamais vu rien d'un gracieux plus singulier que ses gestes, lorsqu'il racontait à Stéphano comment, sous le gouvernement d'Ibrahim-Pacha, quelques hommes, pour pénétrer sous les décombres de Jérusalem, avaient chassé devant eux un chien; à ses mouvements de bras et à ses grimaces je suivais la narration d'un bout à l'autre.

La grosse femme juive que nous avons vue lundi dernier ressemble à Flore, des Variétés : le front rasé, les sourcils amincis par le rasoir et peints; beaucoup de rides autour des yeux, l'air bon et aimable, regardant de haut en bas, montée sur ses patins incrustés de petits carrés de nacre, et tendant son gros ventre en avant. Il y avait là aussi une vieille femme maigre, qui avait de chaque côté de la figure, à la place de cheveux, des plumes d'autruche. Elles travaillaient dans la cour, sous la galerie extérieure. – Chichehs, narguileh. – Une servante d'Abyssinie, maigre, alerte, le nez percé.

Comme cour intérieure et verdure, ce que nous avons vu de mieux, c'est la cour de notre hôtel avec ses pampres et ses lauriers-roses; la cour des autres maisons nous a paru, sous ce rapport, un peu sèche; dans toutes, un bassin au milieu. Les appartements les plus beaux sont au rez-de-chaussée, la plupart non meublés. – Emploi de morceaux des miroirs entre les arabesques des boiseries, systèmes de croisillons cloués sur la porte, *idem* pour les volets des fenêtres; les poutrelles du plafond, conservant encore la forme de troncs d'arbres, sont peintes en bleu, en vert, relevé d'étoiles d'or, ou de raies; à quelques plafonds aussi une espèce de cul-de-lampe polygonique, en morceaux de miroir qui fait rosace au milieu du plafond. Dans toutes les chambres, à très peu d'exceptions près, un bassin, vasque en marbre de différentes couleurs, pavé de mosaïque. Le style d'ornementation de quelques-uns de ces appartements est tellement tourmenté que ça en arrive quelquefois au Louis XV; dans quelques-uns, lustres en verre de Venise, excavation dans le mur pour contenir les matelas, les serviettes, les tapis, tous sans portes. L'élévation de ces pièces en fait surtout la beauté : deux niveaux, le divan, puis le sol à hauteur du rez-de-chaussée. Beaucoup de bleu parmi les couleurs, rinceaux en boiseries peintes appliqués sur la boiserie, ça fait à la fois relief et couleur. Dans les niches de la partie plus basse de l'appartement, niches à hauteur d'homme et dont quelques-unes ont pour couronnement le système de stalactites si usité dans les mosquées du Caire; on a fait au fond des peintures : paysages atroces, une maison blanche de chaque côté, un jardin avec un cyprès au milieu. La corniche dans la cour, ce qui est sous l'avancée de la terrasse, est également peinturlurée de ces grotesques tableaux. Je crois, du reste, l'innovation récente.

Dans la première maison juive que nous visitons, avec MM. Striber, etc., une jolie petite fille blonde, qui vient pour voir les étrangers et reste tout le temps avec nous. Dans celle qui est attenante à la seconde (maison de la grosse femme) et qui appartient, je crois, au propriétaire de notre hôtel, – si bien rossé hier par Carlo,

– au premier étage, au haut de l'escalier, il y a une petite clôture en bois, haute d'environ 6 pouces et qu'il faut enjamber pour entrer dans la varangue qui précède la chambre; elle contient un espace de quelque 4 pieds carrés, destiné à recevoir les sandales des visiteurs.

Rien n'est moins curieux à voir que la synagogue des juifs. Nous y sommes allés un matin (samedi dernier); les femmes, toutes en blanc, restent à la porte dans la cour, les hommes seuls et les jeunes gens sont dans la synagogue, assis sur des bancs, tous lisant (ou chantant) dans un livre et la tête couverte d'un voile. Au milieu, une espèce d'estrade, le prêtre se balance avec ce même mouvement que nous avons vu au juif qui priait contre le mur du Temple à Jérusalem. Devant lui, sur une espèce d'autel (mal vu à cause de la foule), deux ou trois machines en argent, ressemblant à des tuyaux de galaoums, et avec des chaînettes d'argent. – Bientôt ils se sont mis tous à crier à tue-tête. J'avais à ma droite un enfant d'environ 12 à 13 ans, qui détonnait, en psalmodiant et se balançant, de toute la force de sa voix grêle; il était debout et lisait dans un livre où lisait aussi, assis, un homme, son père sans doute. Un peu plus loin, à droite, le dos appuyé au mur, un vieillard édenté en turban noir et à besicles. Je ne sais qui était derrière moi, mais je me sentais la nuque chauffée par le vent d'une haleine chaude qui sortait en cadence d'une poitrine psalmodiante.

Les turbans des juifs d'ici n'ont pas la forme de bande roulée qu'ils ont à Jérusalem, à Tabarieh, à Zafeth; il me semble qu'il y a plus de liberté, quelques-uns ressemblent tout à fait au turban copte. Je n'ai pas non plus vu le bon chapeau en lune, que portent les femmes à Jérusalem; en revanche, la chevelure factice en soie tressée et qui tombe derrière le dos est énorme et très lourde. Dans une des maisons juives, nous en avons vu une qui devait couvrir tout le dos et tomber jusqu'au jarret, c'était un vrai caparaçon de cheval, le tout terminé par des glands très lourds, toujours noirs.

Toute la vie de Damas est concentrée dans les bazars, ils sont aussi animés et grouillant de monde que les rues sont désertes et silencieuses; les robes des hommes, roses, vertes ou bleues, et la quantité de soieries, le tout éclairé par le jour doux d'en haut, fait de l'ensemble une grande couleur bigarrée d'un charme singulier. – Chaque marchand, assis sur le devant de sa boutique, fume le galaoum et reçoit ses visiteurs et ses acheteurs.

Les boutiques se ferment; au milieu du paysage circulent le marchand de cherbet à la neige, le marchand de glaces et le loueur de galaoum, avec son réchaud de charbon pour allumer les pipes; très peu de chibouks. Çà et là, au milieu des bazars, un bain; le fellah passe tout nu, n'ayant qu'une serviette autour du corps, il va acheter du sucre chez l'épicier pour quelque cawadja qui se trouve au bain. A une place, le tombeau d'un santon : par la grille on peut voir des bâtons, des béquilles, des chapeaux, des bonnets, des loques et des guenilles de toutes sortes, appendus aux murs. Un santon se promène tout nu, espèce d'idiot qui fait des grimaces et crie; les femmes stériles viennent lui baiser le membre; il y a quelque temps il y en avait un qui les

saillissait en plein bazar, les Turcs dévots entouraient aussitôt le groupe et, avec leurs robes, le cachaient aux yeux du public qui passait. La boutique de notre ami sheik Bandar-Abdul-Kader était au bout du bazar des tailleurs, à gauche.

Jeune homme à barbe jaune, coquet de manières, élégant de mise, turban de Bagdad, robe bleue, qui venait tous les soirs nous faire une visite à l'hôtel, apportant quelque antiquaille cachée dans son dos. Quand je n'y étais pas, il se faisait tranquillement bourrer mon chicheh et m'attendait sur le divan. Son domestique, Abyssinien d'humeur folâtre, a été châtré net en son pays et porte les cicatrices de plusieurs blessures reçues à la guerre.

Ce qu'il y a de plus remarquable dans les bazars et à Damas en général c'est la beauté des hommes de 18 à 20 ans. – Mon tailleur, qui m'a fait ma veste de soie, un jeune homme parlant le français, marchand de soieries recommandé par le consulat; il nous a déployé des étoffes dans sa boutique située dans un khan qui donne sur le bazar. – Hommes généralement petits, à cheveux et à yeux noirs, à peau blanche. Quel succès à Paris auraient des drôles semblables! Si j'étais femme, je ferais à Damas un voyage d'agrément!

Dans le bazar des confiseurs, celui chez lequel nous avons acheté des confitures, grand gaillard maigre, vêtu de bleu et encadré dans l'ouverture de sa boutique, entre les bocaux et les vases; sur un plat, morceaux de rahat-loukoum. – Politesse et bonnes manières en général des gens de Damas; Joseph les trouve très changés, beaucoup moins fanatiques et plus tolérants que jadis. Mahomet tombe donc aussi et sans avoir eu son Voltaire? Le grand Voltaire, c'est le Temps, useur général de toutes choses.

Le lundi, lendemain de notre arrivée, le supérieur des Lazaristes, sachant qu'il y avait des Français à l'hôtel, est venu nous faire une visite : petit homme gras et commun, timide, ressemblant à mon ancien pion de sixième, Guérard; son turban noir est pareil à celui des juifs, et quand je lui en ai demandé la différence, il ne me l'a pas expliquée. Il nous raconte tout au long l'histoire du Père Thomas, assassiné par les juifs : on l'a, d'après son récit, après l'avoir égorgé, décapité, et sa tête a été broyée dans un pilon. Le couvent des Lazaristes n'a rien de curieux. Pendant que nous sommes là, visite de l'évêque de Homs et de Hama, qui arrive avec une canne de janissaire; le supérieur lui baise la main, on cause ballons, l'évêque nous demande des explications. Ces messieurs me paraissent, à peu près sur toutes les matières possibles, d'une ignorance cléricale respectable. Le Père supérieur nous mène dans une maison chrétienne qui, dit-il, est la plus belle des chrétiens; elle l'est bien moins que celle des juifs et les paysages muraux sont encore plus arrogants. C'était chez des fabricants de soieries : un fils de la maison, blondassin à grand nez et parlant italien, se tenait debout; son bonhomme de père, assis et fumant le chibouk. Vasque de forme oblongue dans l'appartement.

Nous sortons de la ville par le côté Est, du côté de

Bahr-el-Ateïbeh, la porte dorée et murée comme à Jérusalem. On distingue encore très bien les bases de l'ancienne porte, à d'énormes amas de pierre ; la base des remparts modernes, légers et faits de boue et de cailloux, est encore de cette construction. Dans les fossés comblés et sans eau, quelques chiens morts, à demi rongés, couchés sur le flanc. Chiens jaunâtres qui rôdent. Il faisait très chaud et le soleil tapait dur.

Cimetière chrétien : ce sont tous caveaux ; on met dans un toute une famille, quelquefois une nation entière. Ils sont effondrés, l'endroit sent le cadavre. Nous nous sommes penchés à l'embouchure d'un de ces caveaux et nous avons vu dedans plusieurs débris humains pêle-mêle, un gros chien mort (sans doute qu'il sera entré là alléché par l'odeur et que, ne pouvant en sortir, il y sera crevé), puis, au fond, une sorte de momie desséchée, raidie sous des lambeaux de linceul. Çà et là quelques bêtes sans corps, quelques thorax sans têtes, et, au milieu, jaune, blond doré, serpentant dans la poussière grise, une longue chevelure de femme.

Un peu plus loin, on nous montre les ruines d'une chapelle bâtie à l'endroit où saint Paul fut renversé de cheval par l'apparition de l'Ange. Nous longeons le mur de grands jardins pleins d'ombre. Les murs sont composés d'espèces de grands carrés, faits de boue et de cailloux et mis les uns sur les autres ; le vent en enlève la poussière et la fait tourbillonner dans le chemin. Nous arrivons à côté des remparts, près d'un marais d'où les corbeaux s'envolent, charmant endroit plein d'ombre, de silence et de fraîcheur. Quelle belle et bonne chose que la verdure en Orient ! A notre gauche, se trouve une fontaine ; sur une pierre, à côté, un homme est assis, il nous râle quelque chose en arabe et tend vers nous ses bras. Ses lèvres, rongées, laissent voir le fond de son gosier, il est atroce de purulences et de croûtes ; à la place de doigts ce sont des loques vertes qui pendent, c'est sa peau ; avant de mettre mon lorgnon, j'avais cru que c'était des linges. Il est venu là pour boire.

Nous entrons dans une espèce de petite ferme ou basse-cour, où nous voyons cinq ou six lépreux, et trois ou quatre lépreuses. Ils sont à prendre l'air, l'une a le nez totalement rongé, comme par la vérole, et quelques croûtes sur la figure ; une autre a la face toute rouge, d'un rouge de feu. Nous avons déjà vu passer, près du bazar des parfumeurs, un homme à figure pareille. Un jeune homme à figure pâle, vert comme l'herbe, avec des taches, quelques pustules. Tout cela geint, crie et se lamente ; les hommes et les femmes sont ensemble, plus de séparation de sexes ni de distinction autre que celle de la souffrance. Quand ils ont reçu notre aumône, ils ont levé les bras au ciel en répétant Allah ! et appelant sur nous des bénédictions. Je me rappelle surtout la femme sans nez, avec l'espèce de baragouinement sifflant qui lui sortait du larynx. Ils sont là tout seuls, se soignant entre eux, sans que personne les secoure. A la première période de la maladie, on souffre beaucoup, puis la paralysie vient graduellement. Ce qu'il doit y avoir de pis pour eux, c'est de se

voir. Quelle chose ce serait s'il y avait des miroirs aux murs de leurs cahutes !

Le Frère supérieur nous a menés aussi dans une espèce de chapelle bâtie dans la maison du Père Thomas. Dans la chambre du frère son portrait, vieillard à barbe blanche, avec son domestique (assassiné avec lui) et qui lui présente une tasse de café. Dans la chapelle une inscription constatant la date de la mort du Père Thomas et disant qu'il a été assassiné par les juifs. L'endroit appartient aux Arméniens unis.

Le consul de France, M. Vabeyène, gros ci-devant empâté, lourd, épais, ne croit au monde qu'au bœuf, ne parle que bœuf et bien-être matériel, admire beaucoup Louis-Philippe et aimerait mieux être le maréchal Soult que Molière ; à table, parle anglais à son domestique. Son chancelier, M. Garnier, sans barbe, chauve, trogne, a l'air d'une vieille femme, nous montre des peintures obscènes de Perse. C'est la même chose dans tous les pays, le but cochon rend la nature impossible ; afin de vouloir montrer les organes, on représente des poses invraisemblables. Quel beau cours d'esthétique il y aurait à faire sur les gravures et les livres cochons ! Je m'en rappelle une, où l'on voit une femme sur un homme ; sa chevelure, répandue, lui couvre le dos, et le c... (nu, pour l'agrément du spectateur) rond, rose, large, semble remplir toute l'image et resplendit comme un soleil ; il y a là un amour de la chair excessif. M. Garnier nous montre des encriers et des boîtes persanes : chasses, hommes à cheval avec des javelots et de grandes barbes, chiens, paysages, arbres, rochers et ruisseaux que sautent des cavaliers à figure grave et courant à toutes brides. Deux petits panneaux en bois pour faire des couvertures de manuscrits. Le premier représente un accouchement : l'accouchée, en pantalon collant rayé, est couchée sur le dos dans une posture pâmée et souffrante, l'enfant est porté sur un plat, les matrones sont autour, une lève les mains au ciel demandant sans doute qu'il lui en arrive autant, une autre, mettant l'index sur le coin de sa bouche, lui fait signe que ça fait bien mal ; dans le deuxième, on voit la circoncision de l'enfant ; c'est une matrone qui fait l'opération : une femme tient un canard pour amuser l'enfant, une servante apporte du cherbet ; le tout plein de détails naïfs de la vie intime, comme les vieux dessins moyen âge, quoique ce soit d'un style très avancé, et d'une composition savante. Ces petites peintures font très rêver, et je voudrais en être le propriétaire pour les tenir dans mes mains, tout seul, au coin de mon feu, les jours de pluie.

Hier nous avons été dans un café, au bord de l'eau. Il y a une chute d'eau, un enfant s'est déshabillé tout nu pour aller chercher des poissons ; il y a là des arbres, on est à couvert sous des nattes percées ; l'eau ressemble à celle du Jourdain. C'est près d'un pont, en dehors de la ville, nous avons fumé un chichek et bu de l'eau sucrée à la neige dans des tasses peintes.

Samedi 7, nous sommes sortis à 3 heures, nous avons tourné longtemps dans les chemins, entre des murs de terre enfermant de grands jardins d'où l'ombre retombait sur nous. Noyers, citronniers, arbres à fruits de toute espèce, verdure sombre, lumière froide. – Beaucoup de vent, de l'eau, un moulin. – Une grande porte en bas, à demi ouverte, c'était la porte d'un moulin, elle ressemblait à celle d'une grange dans la Champagne. – Quelques femmes voilées qui passaient allant je ne sais où, venant je ne sais d'où ; c'était très triste et très amer, à cause sans doute du silence de ces rues pareilles et vides, où la poussière tourbillonnait en petites trombes... Et de la verdure si verte, et de l'ombre ! – Enfin nous arrivons vers des débris de mosquée, nous longeons un mur, nous tournons à gauche, et nous montons Djebel-Salahahieh.

En haut est un santon abandonné. Avant d'y arriver, on traverse une petite gorge de rochers, où le vent soufflait si fort qu'il en soulevait les fontes de nos pistolets. De là on a toute la vue de Damas, ville blanche, avec ses minarets pointus, au milieu de l'immense verdure qui l'entoure ; à la ville se rattache dans le vert une longue raie blanche : c'est l'interminable faubourg que nous avons suivi quand nous sommes arrivés de Jaffa, et toute cette verdure est entourée du désert, entourée de montagnes. Nous essayons de revenir par un chemin, nous nous perdons et arrivons à la porte d'un jardin ; nous avons rebroussé chemin, pris la route pavée de Beyrout, et après avoir traversé toute la ville, les chiens commençaient à grogner, nous sommes rentrés chez nous, le soleil étant couché. Les chiens, gras et tranquilles, occupent les rues, le soir ; dans chacune, une bande de cinq à six. Aujourd'hui, au milieu de la rue, une chienne, couchée sur le dos, allaitait toute sa portée sans que personne songeât à l'inquiéter.

À peine la nuit arrivée, on ferme les portes de chaque rue. Pour revenir de chez le consul, le soir que nous y avons dîné, nous avons bien frappé à cinq ou six ; le beau, c'est qu'on vous ouvre tout de suite. On donne 20 francs ou rien du tout.

Au bout du bazar des parfumeurs, dans la rue qu'on traverse pour aller à celui des tailleurs, quand nous nous rendions chez notre ami sheik Bandar, à un coude il y a un café où il y a un billard. Les Turcs, dans leur costume européen et campés sur des chaises, regardaient pousser les billes ; une espèce de bardache assez éreinté marquait les points avec une queue. L'Europe dans l'Asie ! elle y pénètre par le billard, par l'estaminet, par Paul de Kock, Béranger et les journaux. Comme ça se civilise ! Que deviendra l'Orient ? il attend peut-être le Bédouin pour le régénérer.

Aujourd'hui, comme nous allions sortir à cheval, à 4 heures, M. Guyot, le supérieur des Lazaristes, est venu nous voir. Il nous parle des chrétiens d'ici ; les prêtres arabes sont plus turcs que chrétiens, le lien national est plus fort que le lien religieux ; ils prélèvent sur chaque succession, avant les héritiers et les créanciers, un tiers, quelquefois la moitié. – Ignorance crasse de ce clergé, battu (selon lui) par les élèves des Lazaristes. – Influence des femmes excessive dans les familles chrétiennes : c'est par les femmes qu'ils ont l'enfant. – N'a pas à se plaindre des Musulmans, au contraire. – La mort du Père Thomas a aussitôt été mise en vers par un aveugle, qui allait chantant cela de

porte en porte et vivait ainsi ; il y a ainsi beaucoup d'Homères vagabonds très respectés et gagnant beaucoup d'argent ; le sheik bédouin reste sur le bord de sa tente, à conter des histoires ou à en entendre ; partout le merveilleux. Influence de l'imagination excessive. Un grand poète ici serait apprécié populairement, ce qui n'a jamais eu lieu chez nous, quoi qu'on en dise.

Les Maronites ne valent pas mieux que les Druses et leur rendent parfaitement tout ce que ceux-ci peuvent leur faire. Si les Druses leur brûlent deux villages, ils ne manquent pas de leur en brûler deux et quelquefois quatre.

M. Guyot a surpris, ces jours derniers, deux de ses élèves, âgés de 12 ans, environ, qui s'.......... à la porte du couvent ; l'un d'eux avait appris la chose d'un chrétien qui l'avait dépucelé moyennant la somme de vingt paras. Selon le supérieur, la pédérastie est ici excessive : « Grand excès d'hommes, mais pas de femmes ; des femmes, on n'en veut pas ».

À cinq heures, promenade à cheval dans la campagne, entre les jardins et les arbres, dans la direction de l'Est. Il faisait très beau, nous avons fait quelque temps de galop. Les montagnes, toutes grises (or et bleu), se dressant droit derrière Damas, tranchaient sur la verdure qui était à leur pied. En repassant près du cimetière chrétien, à côté d'un santon (celui d'un renégat chrétien, dont M. Guyot n'a pu l'autre jour nous dire le nom), halte de dromadaires, on faisait manger à quelques-uns des pains de Doura. Je suis triste en songeant que j'ai dit adieu au désert et que dans quelque temps je ne verrai plus de chameaux. *(Damas, mardi soir, 9 heures et demie, 10 septembre.)*

La veille de notre départ de Damas, nous sommes sortis le matin pour faire la promenade du tour de la ville, chose impossible à cause de la quantité de jardins et de la non-continuité des remparts : il n'y en a que du côté Est. Nous avons traversé une prairie. – Rivière où les soldats lavaient leur linge, les chemises à grandes manches étaient étendues sur l'herbe. Nous repassons devant le cimetière chrétien et la maison des lépreux. Les écureuils sautaient sur les branches des noyers ; un, gravement assis, mangeait une noix, un autre a sauté du mur sur l'arbre, quand je passais près du mur.

Jeudi, à 1 heure, parti de Damas avec M. Courvoisier et son drogman Giovanni, grand efflanqué à figure bon enfant. – Moucre chrétien portant par pompe un chapeau européen par-dessus son turban. – Le gros janissaire qui nous précède nous quitte au milieu de la montagne de Salameh. – Au delà du haut de la montagne, Damas disparaît. Nous descendons le revers et nous apercevons, enfoncée entre les gorges grises, la petite et verdoyante vallée de Dumar ; nous descendons. À son entrée, chicheh fumé dans un café que traverse un pont, au bord de l'eau, sous les arbres. La route passe sous les arbres, dans des chemins où l'eau court ; les sources tombent des deux côtés, çà et là, sortant d'entre les buissons suspendus. – Un pont, toujours en forme de compas déployé. – A gauche, on a la montagne grise, nue, sèche ; à droite, le cours d'eau et la ligne mince de la vallée, beaucoup de peupliers, peupliers de Virgile, dont les feuilles très blanches tremblent et se détachent dans l'atmosphère bleue. On monte, terrains nus, moins qu'en Palestine; petits buissons, plus de tons violets et moirés de gris. – Arrivés à Himar à la tombée de la nuit, village situé à mi-côte, logés dans une espèce de carrefour cul-de-sac; deux appartements, je couche dehors.

Vendredi, à 4 heures, partis. Chemins très mauvais et difficiles, cours d'eau que traversent les chevaux dans les ténèbres. Au bout d'une heure, nous entrons dans la gorge de El-Bogat, qui me rappelle tout à fait les Pyrénées, mélange de rochers et de verdure; au milieu, une hyène morte, aux trois quarts rongée, sur la route. – Caravanes de moucres et d'ânes, qui encombrent les nôtres. – Quelques sommets dans l'ombre, d'autres déjà éclairés du soleil levant et bleus; froid dans nos culottes de nankin. – La gorge cesse un moment et reprend. – Soldats irréguliers. – Les notes ne peuvent, hélas! rien dire quant à la couleur des terrains qui souvent, quoique voisins et pareils, sont de couleurs toutes différentes; ainsi une montagne bleue, et une noire à côté, et pourtant ce n'est ni du bleu, ni du noir!

A 10 heures, station et sieste dans un gourbi, en face de Medjdel, assis au pied du Liban, qui me paraît gris, recouvert très fortement de bleu et pointillé de glacis violets; à droite, une grande plaine qui nous est presque cachée par la base de l'Anti-Liban, que nous venons de quitter. – Belles grappes de raisin mangées sous le toit à jour de plantes épineuses sèches. – Soldat d'Orfa avec des bas de laine de couleur rayée; Joseph le relance de ce qu'il a touché à mon fusil. – Les moucres à ânes que nous avons dépassés arrivent dans le gourbi et achètent du raisin. Parmi eux, une espèce de bardach pâle, à ample pantalon vert et à large c... – Pantalon du maître du logis, brodé sous les poches, jusque plus bas que les genoux, sur le devant et sur le derrière. – Grande plaine en plein soleil, belle route. En face de nous, un peu à gauche, au pied du Liban, la longue ligne verte de la vallée de Zaachle.

A 2 heures et demie de route, un pont. Nous entrons sous les arbres, l'eau coule sur le chemin.

Nous arrivons à l'entrée de Zaachle et logeons dans une grande maison dont on a dépossédé les propriétaires. – Une femme nous donne des fleurs. – Ebahissement de toute la société pendant que je fais ma toilette. – Promenade. – A droite quelques maisons sur la colline; à gauche la vallée pleine d'arbres, surtout de peupliers, et sur le versant d'au delà, Zaachle même. La route s'abaisse vers l'eau, bouquets de lavande sur les bords, et petite fleur semblable à la violette, mais d'un bleu très pâle. – Moulin : c'est là que je suis passé en revenant. – Premier village, la rivière s'élargit, on descend, vieux pont. – Vue de Zaachle sur la pente. – Bazar (?), sorte de galerie à poutre. – Monté dans la ville, politesse des habitants. – Abou-Issa me retrouve dans les rues. – Je reviens par le même chemin. – Femme jeune, à œil démesurément noir, nez régulier, petite, grasse et tenant un enfant, couverte de blanc, à l'angle de la maison que l'on tourne en revenant du pont. –

Je longe, de l'autre côté, la berge de la petite rivière. – Moutards qui en traînaient un autre sur le c... – Quelques hommes passent et me saluent. – Le moulin, chameaux, bouquets, odeur, bruit de l'eau, premiers plans et horizons (composition toute faite, moment juste) et, sous une avancée de toit, une femme que je vois de loin, qui a tout le bas de la figure voilé; le nez et les yeux me paraissent de loin d'un style très sévère et très violent. – Dîner luxueux, pris le café sur la terrasse, au soleil couchant, en vue des montagnes à teintes bleues différentes. Je me couche sur la terrasse et, accoudé sur mon lit, en fumant la pipe du soir, je regarde les étoiles et trois feux de pasteurs allumés dans la plaine. Nuit froide.

Samedi 14. Partis à 6 heures du matin, au jour levant. Nous marchons pendant six heures dans cette grande plaine de Bekaa, entre le Liban à gauche et l'Anti-Liban à droite. Les teintes blondes et bleues dominent. Le Liban est d'une ravissante couleur azur grise, l'Anti-Liban presque noir et dans l'ombre. Quand nous nous sommes levés, toute la plaine était noyée dans le brouillard, cela ressemblait à un grand lac de lait fluide, entre les deux montagnes; peu à peu ça s'est séparé en vapeurs longues qui ont baissé, laissant, au fur et à mesure, plus du sommet de la montagne à découvert, jusqu'à ce que, s'abaissant jusque sur le sol, cette fumée blanche ait disparu en gazes séparées. A notre gauche, dans les creux de la montagne, vallons du Liban; nous voyons quelques petits villages : Malaka, Kurby, Tallin. Sur le sol inculte, herbes sèches et petits chardons; au milieu de la route, cours d'eau. Monticule sur lequel nous montons et que les mulets tournent. A notre gauche, quelques grandes tentes de Bédouins, tentes noires et carrées, creuses au milieu par l'inflexion du poids de la toile supportée par des bâtons. – Des dromadaires épars dans les blondes herbes sèches épineuses et broutant; ils sont gardés par un Bédouin, à pied, à côté de son cheval blanc tout sellé.

BAALBECK. A 11 heures et demie, nous partons en avant tous les trois, pour choisir la place de notre campement, à 500 pas de Baalbeck, petit temple rond supporté par des colonnes; le bleu du ciel et la vue du Liban à travers. Nous tournons tout le pays pour trouver une place où camper, nous nous fixons pour une place près d'un moulin, sous un noyer, au sud du temple. La couleur des ruines de Baalbeck est magnifique, quelques colonnes sont devenues presque rouges; tantôt à midi, en arrivant, une partie de frise, couronnant les six grandes colonnes debout, m'a semblé un lingot d'or ciselé. Voilà un paysage historique comme aucun peintre que je sache n'en a encore fait; rien n'y manque, ni la ruine, ni les montagnes, ni le pâtre, ni l'eau qui coule et dont j'entends le bruit maintenant. La lune n'est pas encore levée, j'espère la voir demain sur la frise.

Vers 3 heures, nous sommes sortis visiter le temple où nous sommes restés deux heures. Dans la cour, assis sur une pierre à l'ombre, à côté d'un jeune garçon qui nous servait de guide et dont le nez était brûlé par un coup de soleil, nous avons pensé tout haut à l' « Imperium romanum ». (*Samedi 14 septembre, Baalbeck, 7 h. 1/2 soir.*)

La lune brillante, dans le ciel bleu cru et froid, luit sur le petit bois de peupliers qui est derrière nous, noir maintenant, au bord du ruisseau dans lequel Sassetti a lavé son linge tantôt.

Le temple ou les temples (l'état de dévastation ne permet pas de reconstituer l'ensemble) est tout entouré ou mieux encombré par la forteresse moyen âge qu'on a bâtie avec et tout autour. Une partie de l'ancienne enceinte du temple subsiste encore sur le côté Ouest; c'est là (et sur le côté Sud quelques-unes) qu'on voit d'immenses pierres cyclopéennes faisant mur, que M. Michaud attribue à un âge antérieur à l'âge romain. Le naos est ce qu'il y a de mieux conservé; il était orienté vers le Nord, son derrière donne sur la plaine du côté Sud. Sur le côté Est, colonne appuyée au mur. C'est non loin de son entrée qu'est la tour où Max a photographié; elle est en croix à l'intérieur, chaque fenêtre double; la largeur de la barbacane a été calculée sur celle qu'il faut à un archer pour tendre son arc. – Trou au milieu. – Restes d'une grande colonnade, six belles colonnes encore debout au milieu de la cour, et constructions romaines çà et là. – Petites chapelles dans le mur, couronnées par des consoles. – Le dessus de l'intérieur est une coquille renversée. – L'eau entoure la forteresse à l'Est et au Nord. Vers l'angle Nord-Est, à côté de peupliers trembles et de saules, ancien petit temple de Vesta (ou Vénus), avec quelques restes décrépits sur lesquels on distingue des fragments de peintures chrétiennes. L'eau passe par la porte d'une ancienne maison arabe complètement disparue; c'est là devant, sous les noyers, que se tenait hier un campement de Bohémiens : une femme de 30 ans environ, brûlée du soleil, la bouche ouverte, des yeux d'ébène, des dents de tigresse, les pieds et le pantalon gris de poussière, balançait un enfant suspendu dans un hamac, couche voyageuse que l'on accroche aux arbres des forêts et à l'entrepont des navires.

Deux longs et larges souterrains, l'un vers l'angle Nord-Est et l'autre vers l'angle Nord-Ouest, s'ouvrent sous la forteresse; le premier est décoré à la voûte par des bustes pareils à ceux qui se trouvent au plafond de la galerie extérieure du naos; le jour arrivant sur eux, couchés horizontalement, éclaire le front et accuse fortement les ombres, cela donne de la vie à ces figures où l'on ne distingue plus grand-chose. Dans ce premier souterrain, nous avons pénétré dans deux chambres où l'on ne voit plus rien. Ces souterrains servaient sans doute d'écuries à la forteresse. Le plafond de la galerie extérieure du naos, creusé de rinceaux droits entre-croisés, faisant losange; au milieu, bustes d'empereurs et d'impératrices, tous méconnaissables (je ne retrouve nulle part Jupiter et Léda indiqué dans les « Voyageurs »). Je me suis amusé avec ma canne à fouiller un grand morceau tombé.

Les pierres de Baalbeck ont l'air de penser profondément. Effet olympien. Je suis resté deux jours à me promener seul là dedans, le vent faisait voler dans l'azur bleu les flocons blancs arrachés aux chardons desséchés qui poussent au milieu des ruines; quelquefois c'était un battement d'aile subit qui partait de 70 pieds au-dessus de moi, oiseau caché dans un chapiteau et qui s'envolait. Comme j'étais dans le naos (entrée bouchée par un mur de la forteresse) à regarder la belle couleur rouge des pierres, à ma gauche, sur le chapiteau de la deuxième colonne, est venu se poser un grand oiseau peint (faucon?), le corps roux, vermeil, et le bout des ailes noires; il se tenait tranquillement, remuant les plumes de son col, et vivait d'un air fier. Il m'a fait songer à l'aigle de Jupiter. Comme il était bien là, sur son chapiteau corinthien! Quelque temps après, j'ai entendu des petits cris d'oiseau, comme une voix de détresse.

C'est en cet endroit, à l'entrée, que se trouve la plus grande quantité de noms de voyageurs, les anciens disparaissant sous les nouveaux, écritures anglaises, turques, arabes, françaises, gens venus de tous les côtés du monde, et qui me sont plus indifférents et plus loin de moi que les pierres cassées que je foule. Ce témoignage de tant d'existences inconnues, lu dans le silence, quand le vent passe, qu'on n'entend rien, est d'un effet plus froid que les noms des défunts sur les tombes dans un cimetière.

Aujourd'hui il a fait froid, les bourrasques de vent qui passaient entre les colonnes, comme entre des troncs d'arbres; les nuages qui roulaient vite, cachant et montrant le soleil; quand il paraissait, tout à coup la ruine sculptée s'éclairait, c'était comme un sourire du dieu endormi qui rouvre les yeux et les referme. – La colonnade de l'intérieur de la cour, les six grandes colonnes vues ayant derrière elles un nuage blond. – Mais c'est en pleine lumière qu'elle a toute sa majesté.

Neuf chapelles couronnées de consoles dans le naos.

Caserne commencée d'Ibrahim-Pacha, à l'Ouest.

Vue du Liban du haut de la tour où travaillait Maxime; de la neige entre les sommets.

Arbre qui sert de bûcher au village, quand on va au Temple de Vesta.

Aujourd'hui, sortis à midi, par le grand vent. – Négresses vêtues de blanc que nous avons vues du côté du premier souterrain et que nous avons cru nous appeler; nous les avons suivies jusqu'au second souterrain. Nous nous étions trompés, un enfant et un homme (un nègre) les suivaient et nous observaient de loin. – Fièvre de Joseph, qui grelotte par terre sous l'amas de toutes nos couvertures.

La forteresse est bâtie avec les anciennes pierres du temple; on voit dans un mur des bases de colonnes, des chapiteaux renversés, des fûts de pilastres, etc., le tout engencé selon l'alignement de la muraille. Elle est, du reste, solide et crâne. Sur la frise du naos, petit reste de mur arabe, côté Nord.

Dans la cour, arcades intérieures dans les murs, comme à Saint-Jean-d'Acre. *(Lundi soir, 16.)*

Mardi, vers 10 heures, nous partons de Baalbeck, quittant notre hôte à barbe blanche qui, pour nos 40 piastres, nous comble de bénédictions. Nous dirigeant droit vers Deir-el-Ahmar, nous sommes trois heures à traverser la plaine; rien à remarquer si ce n'est le Liban devant nous, composé de deux parties : la première, verte et qui fait bosse un peu jusqu'au milieu de la montagne, et la seconde toute grise. – Femmes à visage brun, avec des voiles blancs sur la tête, qui coupent des blés dans les herbes sèches de la plaine; toutes s'arrêtent quand nous passons, elles nous regardent avec avidité et étrangeté, leur faucille à la main.

A 1 heure et demie nous arrivons à Deir-el-Ahmar, après que Maxime, en partant au galop, a eu occasionné la chute du bagage de deux mulets et demi. Nous campons sous une espèce de hangar soutenu par deux colonnes, au milieu des volailles, des chiens, des ânes et des femmes. Elles sont généralement laides et sales; leurs tétons pointus pendent et ballotent dans et hors de leur robe grise de poussière. Circule lentement, s'appuyant sur une canne, un vieux gueux à barbe blanche épanouie et coiffé d'un haut turban bleu, dont la forme me rappelle la coiffure du grand prêtre dans la *Norma* : c'est un prêtre du pays, comme qui dirait le curé de l'endroit. Des hommes, à notre droite, sous un hangar du même goût que le nôtre, sont occupés à bourrer de paille des bâts d'âne, ils paraissent très gaillards, causent très haut et se repassent tous le même galaoum. Un des habitants de la maison se précipite comme un sauvage sur un morceau de sucre que Sassetti cassait pour donner à Joseph, lequel, couché au milieu de la cour, tremble de tous ses membres, grelotte et délire en arabe, en italien et en français. Les femmes ont, comme les juives, un ornement de tête qui leur pend jusqu'aux fesses, mais non en tresse de soie; ce sont trois grosses queues en fils de soie, retenues par des calices d'argent; ce doit être horriblement lourd.

Je regarde longtemps un enfant de deux à trois ans, sale et presque indistinguable des haillons, à travers lesquels pourtant on retrouve ces jolis petits membres de l'enfance qui attendrissent les yeux; il joue tout seul, sans que personne ne fasse attention à lui, se parlant à lui-même en mots indistincts, dans son jeune jargon arabe. Il essaie à lier ensemble et à mettre sur son dos trois tiges de plantes à tabac, c'est autant de poutres pour lui; souvent la charge verse et il recommence avec patience. Je songe aux petits enfants des Tuileries, si propres, si bien habillés, qui jouent avec le sable sous les yeux d'une dame ou d'une bonne; ils ont une pelle, ceux-là, et une brouette; on leur achète de beaux joujoux. Celui-là s'amuse bien tout de même, sans savoir qu'il y a des jours de l'an en Europe et des foires Saint-Romain à Rouen.

La nuit, quantité de puces respectable, tintamarre de volailles, de chiens, de femmes qui se disputent et d'enfants qui crient, d'hommes qui font des comptes. Quand tout semble calmé, l'hôtesse vient près du feu où se chauffait une chienne qui allaitait ses petits, prend à propos de rien les petits et les jette par-dessus le mur comme des balles. Le plus tranquille de la nuit fut un chameau qu'il y avait dans la cour. Dans l'écurie se tenait, couché sur le flanc, un pauvre âne qui se crevait, raide comme un mort et qui n'avait plus la force que de remuer une patte.

VERS LE LIBAN. *Mercredi matin*, à 5 heures et demie, nous nous séparons, Maxime va reconduire à Beyrout Joseph, qui a toutes les peines du monde à se lever, et moi, menant tout le bagage, je prends le chemin du Liban avec Sassetti. Il est petit jour, il fait froid. La première partie du Liban, celle qui vient de Baalbeck, est verte et divisée elle-même en deux parties, deux grands flots, l'un qui veut monter par-dessus l'autre; la première est la plus boisée et pourrait presque passer pour une forêt, ce sont tous caroubiers. A mesure qu'on s'élève, le Liban grandit, et l'Anti-Liban quand on se retourne, et la plaine quand on regarde à droite ou à gauche; puis, un plateau qui s'incline un peu en pente et qu'on descend. Au bas de cette espèce de plaine inclinée et plantée, coule un ruisseau, torrent d'eau glacée qui descend de la montagne; il saute de place en place par cascades naturelles; à une place, un peu plus haut, il se rencontre avec un autre, lequel est divisé là en deux branches : ça fait quantité de petits ruisseaux, le tout faisant de grands petits bruits d'eaux et étant très clair. Mon cheval essaie à boire, mais son mors le gêne, ce n'est pas assez profond. Nos hommes se couchent à plat ventre et boivent.

On commence à monter de nouveau, il fait plus raide, les arbres peu à peu sont plus écartés les uns des autres et plus petits, il y en a une quantité incroyable de morts. – Le chemin, très peuplé, du reste, devient exécrable et l'on est obligé de hisser le cheval d'Abou-Ali, qui menace de crever de fatigue dans la montagne; cela ne nous promet pas poires molles pour notre bagage qui commence, malgré tout le mal que je me donne, à se diviser et à traîner joliment la patte. Quoique, de loin, le terrain sur lequel nous marchons maintenant semble complètement privé de végétation, il y en a quelque peu; çà et là, un petit buisson entre les cailloux blancs et la terre grise. Le ciel renforce son bleu et la plaine se lève tout doucement vers Baalbeck, faisant suite, comme mouvement, à l'inclinaison des dernières chaînes de l'Anti-Liban. Je cherche des yeux la neige que j'avais vue ces jours derniers, il y en a un peu à ma droite, à trois portées de fusil.

Sassetti est pris par le froid et la fatigue, les mulets vont un train déplorable ou mieux ne vont presque point.

La vue s'agrandit, dans quelques instants je serai au haut du Liban. Verrai-je la mer de l'autre côté? La route tourne et contourne un mamelon et par une entrée assez étroite (qui se trouve à droite sous vous, lorsqu'on est au sommet) j'entre dans un tout petit vallon creusé avec un mouvement de cuillère et où il y a une place d'herbe très verte. On monte encore cinq minutes, de la neige à droite; quand elle sera fondue, il poussera sans doute de l'herbe à la place.

Du haut du Liban, sur la crête aiguë de la montagne, on a à la fois (il ne s'agit que de se retourner) la vue de l'Anti-Liban, de la plaine El-Bekaa, le versant oriental du Liban d'un côté, et de l'autre, celle de la vallée des Cèdres et de la mer, bleue et couverte de brume, au bout de cette gorge teinte d'ardoise avec des traînées rouges et des tons noirs. La vallée part d'en face de vous, par une courbe incline sur la gauche, puis redevient droite et s'abaisse vers la mer. De là-haut, elle a l'air d'une grande tranchée taillée entre les deux montagnes, fossé naturel entre les deux murs géants. Sur son ton, généralement bleu très foncé, places noires; ce sont des arbres, dans lesquels on distingue des petits dés gris, qui sont des maisons. Aux premiers plans, à droite, mamelons qui descendent vers la vallée, comme des épines dorsales régulières de couleur rose, pâle d'ensemble; la crête de chacun est presque rouge et graduellement, en descendant vers le fond, va s'apâlissant en gris, pour se marier aux terrains blancs inférieurs. Quelques traînées blanches au milieu des mamelons, entre chacun d'eux; ce sont les sentiers des ravins à sec. C'est de ce côté que se trouvent les cèdres, verts au milieu du gris qui les entoure. Dans l'ensemble d'un si vaste paysage, ce n'est qu'un détail, je m'attendais à plus d'importance de leur part. Du reste, comme bouquet et imprévu dans la composition, ils sont là d'un bel effet. A gauche, grand mouvement de terrain, creusé comme une vague, lisse à l'œil et tout gris, sans verdure aucune; c'est un peu plus bas que commencent les couleurs vertes. Vers la droite (du côté de Tripoli), il y a une base de montagne blanche, c'est celle-là qu'on tourne pour aller à Ahdan. Grand bouquet vert à mi-côte, avant d'arriver aux plaines qui s'étendent (de ce côté) jusqu'à la mer. Le village de Bercharra, au milieu de ses arbres longs et verts, comme seraient des sapins (ce sont des peupliers trembles), a l'air tout penché sur l'abîme, et la vallée (dont, à cause de la hauteur où l'on est, on ne peut voir les pentes qui y mènent) a l'air creusée à pic.

Quand on se retourne vers l'Anti-Liban, on a d'abord le Liban; au premier plan, la partie dégarnie de la montagne, puis le plateau qui monte vers la partie boisée. Son fond est grisâtre, çà et là parsemé de bouquets verts, le terrain fait gros dos et va joindre la forêt de caroubiers dont on ne peut voir le versant oriental. Vient, en y faisant suite, la plaine de Bekaa, qui a l'air de monter et va s'asseoir aux pieds de l'Anti-Liban qui accumule les unes derrière les autres ses chaînes successives. Il me paraît très large et plus épaté, plus couché que le Liban. Au milieu de la plaine, la petite montagne que nous avons doublée l'autre jour, en allant à Baalbeck; à gauche, le Liban et l'Anti-Liban m'ont l'air de se rejoindre et d'enfermer la Cœlésyrie, tout au moins se confondent-ils; à droite les montagnes derrière lesquelles est Zaachle. C'est de ce côté que Maxime est en marche; comme j'étais à moitié chemin à peu près de la montagne, j'ai tâché de chercher dans la plaine si je ne le verrais pas. Pas d'oiseau, pas de bruit, plus rien, un vent glacial et l'étourdissement des hauts lieux.

Bêtes et gens m'ont rejoint, tous avariés; j'avais déjà vu le mulet de la cuisine se rouler, avec tout son bagage, sur la place d'herbe dont j'ai parlé; Abou-Ali et son cheval sont restés dans la montagne. Sassetti m'a l'air plus mort que vif, je suis obligé de lui donner mon paletot pour le réchauffer, ce qui le gratifie d'un air poussah des plus lourds; il est gelé, fort triste et démoralisé. Il descend de cheval et ne peut marcher, deux ou trois fois roule sur lui-même, comme étourdi, finit à grand'peine par remonter à cheval. C'est grande chance s'il ne s'y est pas tué, il ne tenait pas plus sur sa selle qu'un

paquet de linge sale, – à toute minute il me demande pour combien de temps nous avons encore de route – je le réconforte de mon mieux.

Descente, pas de pierres, de la terre seulement. Elle est si rapide que je suis obligé d'aller à pied. Nous descendons, la vallée s'élargit, elle n'a plus l'air d'un fossé entre deux murs, mais d'une gorge à pentes très escarpées. Nous laissons les cèdres sur la droite et nous nous enfonçons dans la vallée. Après nous être carabossés de rochers en rochers et qu'Abou-Issa s'indigne toutes les fois qu'on dit : Allah!, voilà mes deux imbéciles qui prennent leurs voix dans les deux mains pour demander la route à des hommes qui travaillaient au loin dans la campagne. Station d'une demi-heure, les mulets batifolent dans les environs, l'âne est perdu, il faut aller chercher l'âne. Nous sommes à l'entrée du village de Bercharra. Deux hommes arrivent et indiquent aux moucres la route à prendre pour regagner le bon chemin : nous ne devions pas descendre, mais suivre tout droit, sur la droite, à partir des cèdres. Il s'agit de monter une colline presque à pic, ou du moins en pain de sucre, nos chevaux s'en tirent à grand renfort d'éperons; quant aux bagages que j'attends en haut près de trois quarts d'heure, tout fut renversé et l'on fut obligé de porter la charge de trois mulets sur le dos.

Pendant que je suis là, sur le derrière de Bercharra, regardant la montagne qui est devant moi (côté de la vallée) avec ses teintes rouges, places cultivées, ses crêtes grises éclairées, ses vallons déjà dans l'ombre, et les étendues montueuses qui continuent plus loin, confondues dans une couleur vaporeuse bleu noir, une vieille femme, au visage doux et en cheveux gris hérissés, vient m'offrir dans un pot du riz bouilli. Elle a sur le sommet de la tête une sorte de cône en argent, évasé par le haut et haut de trois pouces environ; cela se met sous le voile et la tête dessus un peu convexe. Une grande et mince fille blanche, l'œil bleu, la dent blanche et l'air bon enfant, vient peu de temps après se mettre à côté d'elle, à la bride de mon cheval. Tout ce que je comprends à ce qu'elles me disent, c'est qu'elles m'engagent à rester ici, à passer la nuit chez elles; je vais me perdre en route et n'arriverai à Ahdan qu'après le coucher du soleil. La jeune fille me fait un œil des plus engageants, sa figure épanouie rit comme un printemps, et la vieille femme, se plaçant derrière elle et me la désignant, me fait le geste de main arabe en répétant « Buono, buono ». J'hésite à coucher. Sassetti dort sur ses arçons; il a eu un « sacré imbécile de m... » sublime, adressé aux gens qui ont aidé à monter le bagage et qui nous tenaient des discours. Dans sa fureur de ne pas leur faire comprendre ce qu'il leur disait, il ne parlait rien moins que de « leur f... des coups de sabre »; puis, re-calme plat.

On part, deux mulets se f... dans un trou, ces braves moucres étant, comme toujours, à un quart de lieue de leurs bêtes. Abou-Issa arrive, on procède au sauvetage des mulets (pendant ce temps-là, les deux autres s'égarent, l'âne est en arrière avec Hussein). Pour faire grimper les bêtes au niveau du sentier, il faut aplanir le terrain avec les mains afin d'en diminuer la pente; néanmoins la mule qui portait les cantines dégringole.

Je crie « taïeb », Abou-Issa se baisse et ramasse deux cailloux, les deux cantines tombent, je continue « taïeb kébir! ». Abou-Issa, un caillou de chaque main, se frappe des deux côtés de la tête de toutes ses forces (son turban s'en défait) en poussant des cris inarticulés où les H et les A dominent; on se remet à flot, et l'on part. La nuit allait venir, il fallait se dépêcher, nous étions encore à une grande heure d'Ahdan. J'enfourche au trot un sentier qui y conduit, je m'aperçois qu'il me mène au haut de la montagne; alors je redescends et vais à travers champs, je me dirige sur le village. Un troupeau de chèvres noires broutait au versant d'une colline, le soleil se couchait dans la mer, et sa grande couleur rouge étalée derrière les montagnes empourprait ce côté du ciel, comme serait la queue du Phénix déployée. Quelques coteaux étaient noirs, d'autres bleu foncé; au fond le massif de verdure d'Ahdan. Je passe à travers tout : champs, rochers, ravins, enclos de pierres sèches; Sassetti, gelé et les lèvres pâles, me suit de loin tant qu'il peut.

AHDAN. L'entrée d'Ahdan est charmante : massif de noyers au milieu de grosses pierres blanches, la route sous des arbres suit un cours d'eau, le versant droit de la montagne est planté. Le cerveau me bat dans le crâne et me fait mal à chaque mouvement du cheval. Je demande à un capucin où est le couvent des Lazaristes, il me fait signe que c'est au milieu du pays, ce qui me fait m'arrêter à un grand khan en pierres, où un cheval arrêté faillit tuer le mien à force de ruades. – J'arrive enfin au couvent; grâce à ma pantomime, je suis reçu par un jeune frère trop timide, qui ne sait comment s'y prendre. Il me réveille une heure après pour manger; je dormais d'un sommeil de mort et je préfère continuer mon sommeil; il ne fut pas long à cause de la quantité de puces qui me torturèrent toute la nuit.

Jeudi matin. Promenade au bout du pays, jusqu'à une petite élévation d'où l'on voit Tripoli, dans la plaine, au bord de la mer. Nous causons des Maronites, il me paraît sur la réserve à l'endroit de la question. Il y a quelque temps des ministres anglais de Tripoli voulurent venir passer l'été à Ahdan, ils furent obligés d'en partir sur la menace que leur fit le sheik maronite de brûler leur maison. Le même fait se renouvela une seconde fois, cette fois il y eut menace de brûler la tente. La chose alla au divan de Beyrout, et le droit resta aux Maronites, les ministres retournèrent à Tripoli. Je demande à mon compagnon s'ils ont, eux, quelque influence sur la vie civile des Maronites. Il me dit : « Aucune ». La question était peut-être trop près du fait précédent.

Jalousie du clergé maronite envers le clergé latin, ignorance de ceux qui sont mariés; ils sont obligés de travailler, d'aller en journées, de là, déconsidération et mépris. Vers 10 heures, le supérieur arrive. Espagnol de façons graves, jolie physionomie brune; il revient de retraite, portant dans une petite caisse tous les ustensiles sacrés pour officier. Dans ma première visite, nous causons un peu des religions chrétiennes de l'Orient, il me paraît jusqu'à présent plus instruit que tous ses confrères que j'ai vus. Survient le sheik du pays, vilain,

blond, couvert d'un beau habar de drap noir brodé d'or, et coiffé d'un turban en soie rouge pointillée d'argent. On cause Druses, il dit quelques bêtises que relève le prieur. Selon ce dernier (on a saisi il y a quelques années, après l'invasion d'un des villages druses, quelques-uns de leurs livres mystiques, écrits en très vieil et pur arabe et on les a envoyés à Paris), voici en quoi consiste la religion druse, du moins d'après ce qu'on a pu savoir. Dieu créa le Verbe, lequel créa le Bien et le Mal. Le Verbe parfois s'incarne et paraît, maintenant il est caché, peut-être est-il dans le corps d'une bête ou d'un scélérat. Tôt ou tard il réapparaîtra; s'il vient un très grand homme ce sera lui. Quand Napoléon parut en Orient, les Druses ne doutèrent pas que ce ne fût lui et voulurent l'aller trouver. Leur religion est une espèce de panthéisme très élevé, mêlé de beaucoup de cabale. Ils sont plus près du christianisme que les Musulmans, selon le supérieur, qui me paraît les estimer assez comme intelligence. – Esprit métaphysique remarquable de quelques Arabes, il a souvent été étonné de la subtilité de leurs questions. – Immoralité des populations du Liban, que le supérieur attribue au contact des Turcs, lorsque les chrétiens, l'hiver, vont habiter la plaine. Dans quelques villages le mari « vend l'usage » de sa femme à l'étranger; il y a quelques jours, un prêtre arabe a battu un Turc qu'il venait de surprendre « faisant des saloperies » avec une femme; quand il l'a abordé, il avait son pantalon couvert de sang et lui a expliqué le motif ci-dessus.

Je passe l'après-midi à prendre mes notes, entouré de spectateurs si nombreux que quelquefois ils me bouchent complètement l'entrée de la tente; ils disent qu'ils n'en ont jamais vu de si belle.

Abou-Ali se présente, il est arrivé avec sa rosse au milieu de la nuit, ayant été obligé en chemin de prendre, moyennant 5 piastres, un homme pour l'aider à frapper sa bête et à la mener jusqu'ici. Il se plaint beaucoup de Joseph et dit qu'il n'a jamais vu un drogman si méchant; le tout traduit par le frère servant de la maison, qui dîne à table avec nous, ne dit mot, et écoute de ses deux oreilles.

Le soir, au coucher du soleil, petite promenade avec le jeune frère. Les montagnes sont violettes, il y a des parties de ciel vermeil ardent, entre les haies et les branches de noyer. En rentrant, ciel tout orangé, par la fenêtre du corridor du couvent, beau soir, clair de lune très clair. Je m'endors sous la tente, seul et me concentrant dans mon petit confortable.

Vendredi 20. Sassetti me paraît assez malade, il a vomi plusieurs fois, je le purge. Le supérieur est éreinté par sa retraite. J'ai les jambes entourées de compresses d'eau blanche, je suis seul sous la tente, les mouches bourdonnent, le soleil brille. Où est Maxime maintenant? *(Ahdan, 10 h. 1/2 du matin.)*

Dans l'après-midi, Sassetti va plus mal. Visite du médecin carmélite, grand Italien maigre; il le saigne. Vers 5 heures du soir, j'envoie Abou-Issa chercher Suquet à Beyrout. Soirée d'inquiétude à l'occasion de Sassetti.

Le *samedi matin*, mieux. Visite du frère carmélite. Maxime arrive à midi un quart, tout botté, tout étonné, tout échigné. Entre autres nouvelles rapportées de Beyrout, il m'apprend celle de la mort de Louis-Philippe. Le soir, avec le supérieur, nous faisons une visite au sheik auquel nous remettons une lettre du Père Hazard.

Dimanche. Sassetti est repris de la fièvre. A 5 heures, nous partons pour les cèdres. Nous suivons le versant de la montagne du côté d'Ahdan; à 8 heures et demie nous sommes aux cèdres. Il en reste peu, mais éreintés et de taille moyenne pour des cèdres; et puis ils sont écrasés, comme hauteur, par les montagnes voisines. Il y a cependant quelques vieux troncs respectables, mais dont les branches sont mortes; dans quelques années les cèdres n'existeront plus. Quelques-uns couverts de noms, celui de Lamartine effacé par un homme de l'ordre quelconque. Sous les cèdres, deux tentes d'Arabes, vertes. Ce sont des Anglais, nous voyons de dessous l'une sortir une lady en chapeau. Le prêtre maronite nous offre un tapis et le livre des voyageurs.

Du sommet du Liban moins belle vue que la première fois, à cause de la brume qui couvre la plaine de Bekaa et nous dérobe l'Anti-Liban; la mer est grise et couverte de vapeur, la vallée des cèdres me semble d'une courbe plus simple que la première fois, c'est peut-être parce que la voie monte moins. Je ne retrouve plus sa neige et il fait aussi moins froid que mercredi dernier. Du reste c'est éternellement beau, je redescends étourdi, tout comme la première fois. Nous revenons par le village de Bercharra : cascades naturelles dans les rochers, chutes d'eau et aspects de rochers comme dans les tableaux de Poussin, pays vraiment fait pour la peinture et qui semble même fait d'après elle. – Mûriers et peupliers. – Nous haltons près de l'église. – Enfants. – Jeune homme qui psalmodie avec un autre dans un livre non relié. – Gamin qui ne sait de l'italien que le mot *si*. – Une fontaine pleurante tombe de la maison du sheik. – Nous remontons. (En descendant, bu du lait de chèvre que nous offrent des pasteurs, dans une tasse de terre; le troupeau, de la couleur des terrains, blanc gris, quelques-unes noires, occupait les deux côtés de la route, bordée là de pierres sèches, et se répandait au large.)

Arrivés à Ahdan à 1 heure et demie où nous trouvons le frère carmélite qui vient encore de saigner Sassetti. Nous allons nous occuper des préparatifs pour le traîner demain à Tripoli.

Le successeur de Joseph, et son homonyme, petit homme maigre et noir, culotte blanche, pas plus brillant que lui sur l'équitation, l'éducation point mièvre ni éveillée.

Dans l'église maronite d'Ahdan, attenante au couvent des Lazaristes, sacs de toile suspendus et qui contiennent des chrysalides de vers à soie, le nom du propriétaire écrit sur chaque sac; ils le mettent là pour attirer sur le contenu de ces sacs la bénédiction divine. Représentations de l'Enfant Jésus porté dans les bras du moine Maroun. *(Jeudi 26 septembre.)*

Le soir, dîner chez le sheik, avec M. Amaya. La maison du sheik est une grande maison en pierre où j'avais abordé lors de mon arrivée à Ahdan et que j'avais prise pour un khan. On a balayé le devant de la porte pour nous faire honneur. Nous montons l'escalier sans rampe, nous traversons une pièce au milieu d'une foule d'une trentaine de domestiques, et le sheik, descendu au-devant de nous, nous fait asseoir dans une grande chambre et porte le même petit turban doré que lors de sa visite au Père Amaya. On nous enfume avec de l'encens et on nous jette sur la figure de l'eau de fleurs d'oranger; un domestique suit avec une longue serviette pour que nous nous essuyions les mains. Dîner à l'européenne, composé de mets locaux dont je cuyde crever le soir de mal d'estomac.

Le lendemain, à 5 heures, Max part pour Tripoli avec un guide fourni par le sheik et il reste seul à faire les bagages et à soigner Sassetti. Je plie et j'emballe tout, au milieu de la population qui me regarde et des moucres qui m'embarrassent. Enfin, à 6 heures et demie, tout est expédié. Sassetti qui, selon le bon frère carmélite, devait être parfaitement bien (« Domina niente, signor, niente »), va plus mal que jamais, la fièvre le reprend; je lui donne 18 grains de sulfate de quinine, elle n'en continue pas moins. – Abou-Issa est revenu avec la lettre de Suquet qui me dit qu'on peut aller jusqu'à 20 par jour.

A 3 heures de l'après-midi, il me paraît aller si mal que je ne sais quel parti prendre, je me décide cependant à partir. Il fallait finir au plus vite et, à 4 heures et demie, je le hisse à cheval. La route jusqu'à Iebhaila (2 heures et demie) a été un supplice; M. Amaya et moi avions le cœur serré comme dans un étau, qui ne fut un peu dévissé que le soir en arrivant. Nous avions peur qu'il ne tombât à chaque pas, de chaque côté un homme le tenait par la cuisse, le malheureux garçon ne cessait derrière moi de répéter : « Quand sommes-nous arrivés? combien de minutes encore? », et M. Amaya, quand je me rapprochais de lui : « Pauvre jeune homme! pauvre jeune homme! »

A 5 heures moins quelques minutes, j'ai dit adieu au frère Lazariste, à M. Pinna, que j'ai embrassé; à toute cette pauvre petite maison où j'avais passé des quarts d'heure anxieux. Le soleil se couchait. Un temps de galop dans le village, avec tout mon harnachement, pour rejoindre Sassetti. Quelques « Messu comb'ah crer'h » des paysans. La mule du Père Amaya marchait devant, nous la suivions avec peine, nous étions obligés de nous arrêter de temps à autre pour Sassetti, chancelant et aux trois quarts agonisant sur son cheval éreinté par sa course à Beyrout; c'est sur lui qu'Abou-Issa était monté pour y aller. Descentes rapides par d'exécrables chemins. Quelques troupeaux de chèvres. A gauche surtout, la montagne est superbe, boisée, rocheuse, ardue; ce sont des lits de torrents, dans lesquels on descend presque en se suspendant aux pierres. Il y a un mamelon, puis une sorte de plateau, puis une seconde descente. Au bas de celle-ci est le village de Iebhaila, où nous arrivons à 7 heures et demie; il fait nuit close, les chiens hurlent, quelques lumières. Un matelas est vite étendu dans la maison du curé maronite, dans une grande chambre voûtée. Au lieu d'être mieux au repos, notre malade nous paraît aller pis, j'ai peur qu'il ne meure dans la nuit, la fièvre est très violente, le regard fixe, il n'a plus guère la force de parler et ne sait plus où il est.

Nous nous installons sous un arbre, sur une espèce de petite terrasse faite, il me semble, pour recevoir des visites et faire le khieff. Le Père Amaya me fait armer mes armes, de crainte des chacals qui, selon lui, vont probablement nous passer sur le corps. « Roulez-vous bien dans votre couverture, me dit-il quelque temps après, il y a dans ce village-ci beaucoup de serpents. » Je le vois lui-même arranger son fusil et il montre comment, pour avoir un point de mire, il fait au bout de la baguette deux petites oreilles en papier. La lune était superbe, elle éclairait toute la vallée; la plaine s'allait perdre dans des profondeurs bleu sombre où se tenait le silence. Nous avons causé des morts, il m'a conté le jour où il avait quitté sa mère pour la dernière fois, et tous ceux qu'il a perdus : ç'a été un des moments les plus graves et les plus profondément poétiques de ma vie. Je me rappellerai longtemps sa grande robe noire se détachant dans le clair de lune, quand il était agenouillé à faire sa prière, et ses façons si maternelles auprès du malade, sa patience angélique à faire bouillir une tasse de thé avec des brins de paille, pour Sassetti. Nous dormons environ deux heures à des reprises différentes, les puces, l'inquiétude et l'envie de partir matin nous tenant éveillés.

A 2 heures un quart nous nous remettons en route. Au bout d'une heure, nous arrivons dans ce qu'on appelle *la Plaine* et qui n'est qu'une succession de petites montées et descentes. Un long champ d'oliviers, vieux et le tronc rugueux. La lune pâlit, le jour va paraître. Un ruisseau à gauche de la route, je descends de cheval et je m'y lave la figure et les mains avec délices. Un troupeau d'ânes, que le Père Amaya bûche à grands coups de courbach; je crois que, lorsque les hommes ne lui font pas place, il doit les traiter de la même façon. De grands roseaux, que nous longeons par un sentier pratiqué au flanc d'un coteau. Tout à coup on aperçoit Tripoli, ville blanche, étirée en long dans la plaine; la Marine, au bout, assise au bord de la mer.

TRIPOLI. Nous glissons longtemps dans les rues de Tripoli, quelques enfants saluent le Père Amaya et marchent devant nous, surtout un jeune môme à yeux noirs magnifiques, pâle, nez un peu épaté par le bout, une mèche de cheveux sur la tête, un simple takieh pour toute coiffure. Au couvent des Carmes je ne trouve pas Maxime parti à ma rencontre; Hussein, que je rencontre dans la rue, me dit qu'il est parti à la Marine. Bref, après avoir drogué pendant une grande heure dans le couvent, je rengaine mon dada (sans mes bottes, l'état de mes jambes ne me le permettant pas), et, prenant avec moi ma pelisse (pour Sassetti) que je mets sur mes genoux, je pars pour la Marine, suivi de mon jeune drôle. A la porte, il faut attendre dix minutes pour qu'il prenne un âne, et quand il a pris l'âne, pour qu'il change de la monnaie.

De Tripoli à la Marine, temps de galop, une belle route entre des jardins; de temps à autre quelques femmes à cheval, à califourchon, voilées de blanc et en bottes jaunes. Mon jeune guide me suit de très loin sur son mauvais âne, je jouis du plaisir d'être seul, d'aller au galop, à cheval, en plein soleil; l'ombre du gland de mon tarbouch saute par terre, sur l'herbe mince; avec ma grande pelisse étalée devant moi j'ai des allures majestueuses de pacha. A la Marine, le gros Mustapha-Gasis, agent français, m'aborde et me dit que la barque est prête. Je trouve Sassetti couché sur le dos sous la porte du khan, au milieu des marchandises et des chameaux qui passent, je lui fais de la limonade et je reste à attendre Maxime dans un café au bord de la mer. Là je vois encore quelques Bédouins, ce sont les derniers, et je dis aussi adieu aux chameaux.

Max revient, il court après moi depuis le matin, enfin nous nous retrouvons, nous embarquons Sassetti, à qui nous faisons un lit sur le lest de sable du bateau. – Officiers du *Mercure*. – Nous revenons tout doucement à Tripoli, au couvent carmélite, où nous retrouvons les officiers du *Mercure*. Le lieutenant, à mon nom, me demande si je ne suis pas le fils du médecin; il me dit s'appeler M. Lenormand et être parent d'E. Chevalier. La première et seule fois que je l'ai vu, c'était en 1832, à Rouen, chez M. Mignot, lorsqu'il venait pour subir son premier examen de marine; il n'avait pas encore vu la mer; nous ne nous doutions guère alors, ni l'un ni l'autre, que nous nous rencontrerions sur la côte de Syrie; à cette époque il n'avait pas de barbe, et je le retrouve tout chauve.

Instances ennuyeuses du supérieur Carmélite pour nous faire accepter un rafraîchissement quelconque. – Longue visite du Père Amaya, Maxime va voir M. de Choisey et je reste seul avec lui. Nous causons ensemble des passions. Au point de vue chrétien, l'orgueil est la mère de tout péché, comme sentiment désordonné du moi, comme attirant tout au moi, au lieu de l'attirer vers Dieu.

La maison des Lazaristes. J'y avais été le matin et j'avais aidé le Père Amaya à ouvrir les fenêtres et à refaire le divan. – Grosse femme du procureur. – On traverse une cour abandonnée, petit jardin avec deux bananiers à gauche, escalier sans rampe, chambres assez propres. Deux tableaux passables dans leur chapelle, entre autres un portrait de saint Vincent de Paul. Le Père Amaya se plaint que les vers lui mangent tous les livres de sa bibliothèque. A 6 heures nous lui faisons nos adieux pour aller dîner chez M. de Choisey.

M. de Choisey (ex-M. Gudin), aide de camp du duc de Nemours, a eu des malheurs au jeu et est venu se réfugier à Tripoli; homme commun et trop poli, vous accable de prévenances. On se sent mal à l'aise chez lui, parce qu'on n'y ose parler de beaucoup de choses. Mme Bellot, sa voisine, tient la maison, tire son ouvrage de la table à travailler, est traitée sur le pied d'étrangère; le langage y est plus tenu que devant la plus honnête femme du monde. Que c'est bête, mon Dieu, de n'être pas franc! – Son drogman Abdallah. Dans quelques maisons d'étrangers, on voit ainsi, à table, un jeune homme vêtu à la turque, fraîchement rasé et de façons agréables; *sic* chez M. Suquet et chez M. Pitzalozza.

C'est une position qui serait, je crois, à étudier, intermédiaire entre la vie turque et l'européenne. Il doit savoir beaucoup de secrets de l'un et de l'autre, doit servir au mari et à la femme, n'est qu'un domestique à 150 piastres par mois, et ne peut pas ne pas être autre chose. A Beyrout, on nous a dit qu'il jouait avec lui et ne pouvait s'empêcher de le tricher; à ce qu'il paraît que c'est plus fort que lui! Je n'ai pas revu M. Pérétié, qui a une si belle moustache et porte des éperons pour aller en bateau; sa rage de la chasse se combinant avec ses vieilles habitudes militaires, il a rêvé pour lui et ses compagnons un *uniforme de chasse*.

Mercredi matin. Partis à 5 heures du matin, seuls, sans drogman ni bagages; les mulets, non chargés, nous suivant de loin. Cette côte me paraît bien moins belle que celle qui s'étend entre Beyrout et Saïda, c'est sec et sans grandeur; du reste, à mesure que l'on avance, ça gagne. A 10 heures, nous arrivons à Batrun, sur le bord de la mer, dans un grand khan voûté, où nous employons la pantomime pour avoir à boire et à manger; une espèce de drôle, parlant un jargon italien, nous aide un peu. Après l'œuf dur du voyage et quantité de raisin non mûr, nous faisons un somme par terre, sur une natte, et, à 2 heures, nous repartons. La route, comme le matin, est presque toujours en vue de la mer. Pendant la première heure, soif ardente, due à la mauvaise eau de Batrun, qui me semble une des plus détestables que j'aie bues en voyage. A 5 heures du soir, arrivés à Djebel, nous campons sous un gourbi, dans un cimetière qui est au milieu du pays; bêtes et gens se placent alentour. Djebel est entouré de murailles, je n'ai rien vu, du reste, mon pied me faisait beaucoup souffrir dès que je voulais marcher.

A 1 heure et demie, la lune casse-brillait; je réveille Maxime, et à 2 heures un quart nous nous mettons en marche, ayant rengainé, pour le dernier jour de la Syrie, mes bottes tout humides.

DE DJEBEL A BEYROUT. Dans une vallée étroite, seul chemin que l'on puisse prendre pour aller de Beyrout à Tripoli. Tout au milieu, et gardant le passage, un château fort bâti sur un rocher séparé, qui se trouve là comme mis exprès et comme un grand bloc poussé.

La baie de Djorié, à moitié route, s'ouvre tout à coup à gauche, et les montagnes du Liban, que l'on voit de Beyrout, apparaissent tout à coup. Il a l'air de s'y faire beaucoup de commerce, nous y avons vu quantité de chameaux, quelques barques; on faisait des constructions.

Encore presque au clair de lune, nous avons traversé Nahr-Ibrahim, le fleuve d'Adonis, qui tourne entre de grands roseaux. Dans le crépuscule du jour naissant, deux ou trois hommes, à espaces différents, que nous avons vus embusqués, nous paraissaient attendre du gibier humain. Le fleuve d'Adonis m'a semblé de couleur verdâtre comme ses roseaux et sortir d'une vallée étroite et profonde, où les rochers (les murs des deux côtés) étaient taillés à pic.

Nahr-el-Kelb, le fleuve du chien, pont très élevé, qui monte et descend; dans la montagne, figures en bas-relief à même le rocher et dans des poses égyptiennes,

mais de loin me semblent plus frustes. Jusqu'à Beyrout, au bord des flots, pataugeant dans le sable mouillé, et nous éclaboussant d'eau. Lutte d'équitation.

Nous tournons à gauche, nous marchons sur du sable rouge, la route bordée des deux côtés de grands roseaux. Nous passons sur un pont où nous étions déjà venus un matin que nous avions fait une promenade, nous rencontrons quelques femmes à cheval, un Turc dans son tartaravanne, qui suit son harem, des gens de la campagne, et à 9 heures du matin, nous sommes rentrés à Beyrout.

Pendant que nous étions occupés à retirer nos bottes, entre M. César Casatti qui, en qualité de compatriote, venait nous faire une visite. Nous retrouvons aussi ici le Dr Poyet, que nous n'avions fait qu'entrevoir au Carmel. – Balles de l'Hôtel Baptista : M. César Casatti, perruque brunâtre tenue par des lunettes, moustaches et pointe, habit, canne, un chapeau gris, touriste propre et bien tenu, d'un galbe aussi inepte que son patron; le Dr Poyet (appelle la mer « l'onde amère »), gros, court, empâté, vif en paroles, profil mêlé de Germain et de Théophile Gautier, emploie des mots scientifiques dont il ignore la valeur, beau parleur, vous mangeant dans la main, sale monsieur; son épouse et son enfant, maladifs et laids, toute la santé est retirée au papa; un sheik et son élève, lunettes, pas de barbe, chapeau de paille, air étonné : « Est-ce vrai? par exemple. » Instituteur allemand avec son jeune homme, jeune Russe, blond et rouge; Courvoisier, jeune Suisse de Bâle, convenable, voyageur en horlogerie, toujours bien brossé et propre d'habits.

Nous passons notre temps, à Beyrout, à faire nos paquets. – Nous dînons trois fois chez Suquet. – Matinée chez Rogier, moins agréable que la première, les dames ayant moins d'entregent et me paraissant d'ailleurs appartenir à une classe de la société moins relevée.

Dimanche, dîner chez M. de Lesparda, avec Artim-Bey. – Le Dr Pitzalozza et sa ronde petite femme, succès photographiques d'ycelui.

Le *mardi 1ᵉʳ*, à 4 heures, nous nous embarquons à bord du *Stambul*, où nous sommes reconduits en canot par le jeune Henri Dantin, commis de Rogier. Tout le côté bâbord des premières est occupé par des Turcs et par un harem, séparé des mâles et dans son box comme des chevaux; les femmes, blanches, négresses, jeunes, vieilles, sont étalées sur des matelas et des tapis. La pauvre femme du Dr Poyet est aussi là avec son enfant; j'ai vu peu de choses plus tristes que le chapeau de cette femme, brun, passé, avec quelques fleurs fanées; il était appuyé sur le toit de la chambre à côté des bottines de Monsieur. Celui-ci a donné sa démission et va s'établir à Constantinople; il nous dit avoir été déjà au service de Méhémet-Ali et du shah de Perse. Il y a à bord le Mâlim du Pachalik de Beyrout et le sheik de Beyrout. Le premier, gros et blanc, beau jeune homme couvert d'une demi-pelisse doublée de mouton, lorgnette, chaîne d'or, gilet de soie, habillé à l'européenne portait ses souliers en savates, à la turque; le second, homme maigre, à long nez, à barbe noire, turban e[t] ceinture verte, ensemble déplaisant. – Le capitaine, italien, comme tout son équipage, parlant le turc, pas de barbe sauf une petite moustache. « La pipa di sua esselenza. » – Le lieutenant, grand, bossu. – Un petit Turc, espèce de bardache à peau blanche et à cheveux noirs, coiffé d'un bonnet grec de Mlle Bernier.

Avant de partir, il est venu s'asseoir à côté du gouvernail une grande jeune femme noire et maigre, à la taille brisée, à la face pâle, bracelets en fils de jaseron en or, dans les sens de la largeur du bras, et réunis par un fermoir commun, le bracelet large d'environ trois pouces et faisant gant; œil profond et prodigieusement noir; à côté d'elle, une vieille et grosse femme, profil à la George, choses superbes dans le bas du visage, pleines et riches comme dans le buste de Vitellius, air triste. Elles étaient en deuil. Un jeune homme, vêtu à la grecque et en deuil aussi, leur a tenu compagnie quelque temps sur le pont, puis est parti quand le navire a levé ses ancres. Avec elles, deux négresses vêtues de robes jaunes; l'une avait en outre une veste rouge, figure tout à fait animale, téton ballottant dans son corsage, se tenant appuyée debout, les mains écartées sur le bastingage du navire. – L'enfant du Mâlim, petite fille de 3 à 4 ans, les sourcils joints par de la peinture.

Mercredi matin, à 6 heures, nous ancrons dans la rade de Larnaca. – La Marine étend sa ligne blanche au bord de l'eau; la côte de Chypre me paraît nue et sèche, on doit y cuire; quelques palmiers. – Larnaca est dans un pli, entre la Marine et le pied des montagnes. Le mont Olympe est pointu, un peu échancré du côté droit (Est) et de couleur brunâtre, léger. Les côtes de Chypre me semblent ressembler à celles de Syrie; les côtes de la Karamanie, moins hautes mais plus boisées.

Vendredi. Par un temps froid et couvert de nuages, nous entrons dans Rhodes. La mer, houleuse toute la veille, est loin de se calmer et nous dansons très gentiment pour atteindre les cahutes de la quarantaine, où le Pacha nous fait de suite apporter à dîner. Visites de son interprète et de M. Pruss, vice-consul de France. *(Lazaret de Rhodes, dimanche matin, 6 octobre 1850.)*

RHODES, OCTOBRE 1850

Mardi, 8 *octobre* 1850. Sortis de la quarantaine à 7 heures du matin. Nous logeons au casin de M. Simiane, dans le faubourg européen, côté Nord de la ville. – Chambres de cabaret de campagne. – Sa bibliothèque; – il reçoit jusqu'à trois journaux!

Visite de M. Alkim, interprète du Pacha.

Pruss vient nous voir, sa petite fille est morte l'avant-veille au soir. Quand ils sont entrés dans leur logement, une hirondelle est tombée du plafond au moment où ils entraient dans le salon; quelques mois auparavant, son enfant avait fait, avec du papier, une enveloppe à chaque domino, ce qui est aussi un présage de malheur.

Promenade dans Rhodes. – Nous longeons quelque temps le bord de la mer, nous entrons dans la ville basse par une porte basse trouée dans les murailles. – Petit port avec une douzaine de bateaux amarrés, trois en construction; bruit des marteaux. – Conak du Pacha à droite: grand bâtiment carré et bas; devant restent des ifs et des croissants en bois, qui soutenaient les illuminations lors de la visite récente du Sultan à Rhodes. – Nous longeons le port: cabarets grecs et boutiques séparées de l'eau par une rangée de grands et beaux arbres (tilleuls? platanes?). Nous rentrons dans la ville sur la droite, par une porte ouverte dans la muraille, mais plus moderne que la muraille, et faite après elle.

Rue des Chevaliers: va en montant, assez large, vide, grandes marches d'une vingtaine de pieds de large, les moucharabiehs sortent des maisons de pierre. Les plus belles maisons sont sur la droite en montant: écussons nombreux, fenêtres carrées, séparées en quatre par des croisillons de pierre, porte ogivale. – Silence. – De temps à autre un enfant turc qui joue. – Le ton général de la rue est gris, c'est plus triste que beau. En haut de la rue est une grande porte ou grande arcade, qui va d'un côté de la rue à l'autre. Lorsqu'on est en dedans de cette porte, elle est irrégulièrement double, les deux ogives ne se répondent pas; ainsi, du côté droit, les deux linteaux sont l'un contre l'autre, tandis que, du côté gauche, il y a un intervalle entre eux.

Là, on se trouve sur une petite place ombragée d'un grand platane. A gauche, est l'église Saint-Jean; en retour, à droite, la maison du Grand Maître; en face, une maison à jolies croisées encadrées de chardons. Délicieuse cour, herbue, silencieuse.

Eglise Saint-Jean: fenêtres ogivales, le vaisseau est couvert en bois, jadis c'était peint en bleu avec des étoiles d'or; huit colonnes de porphyre badigeonnées, quatre de chaque côté; trois ont des chapiteaux presque corinthiens, deux autres sont de simples tailloirs; le huitième a des espèces de pointes rangées symétriquement en cercles.

Au fond du chœur, fenêtre carrée à barreaux de fer; une vigne passait à travers, pénétrée de soleil. – Deux ou trois tombes de Grands Maîtres, beaucoup sont absentes, presque toutes fort endommagées. – C'est maintenant une mosquée, et mosquée peu respectée, à en juger par le sans-façon dont on la traite. La Keblah et le Nimbar sont à droite. – Nous étions entrés par une porte latérale, nous sommes sortis par la porte principale, au bout de la nef; elle est en bois et ornée encore de trèfles et de fleuronnements. Deux sièges à la porte, devant les marches: l'un est un chapiteau corinthien en marbre blanc, l'autre un petit autel aussi entouré de guirlandes, porté par des têtes de bœufs. – Il y avait deux Anglais dans l'église, l'un peignait et l'autre grattait des inscriptions. J'ai retrouvé le premier (ancien officier de marine militaire) dans la diligence de Côme à Lugano.

Pendant que Max prenait des notes dans l'église, j'étais devant, sur la petite place. Deux femmes turques, voilées, montaient la rue, une de chaque côté, sur l'espèce de petit trottoir creusé par les pas des passants qui borde les maisons; il faisait silence, le ciel était couvert. La première était en vert, l'autre en bleu, toutes deux en yamak blanc, toutes deux âgées; celle qui était habillée en vert était grosse et s'est retournée plusieurs fois pour me voir. On n'entendait que le bruit de leurs bottines jaunes traînant sur les dalles, elles allaient lentement.

Nous redescendons dans la ville : il y a parfois des passages voûtés ogivaux, communiquant d'une rue à l'autre, sous lesquels les matelots mettent à sec leurs antennes et leurs avirons. Les bazars sont clairs et n'ont plus le caractère oriental, ça sent l'épicier grec. – Grands cafés animés, vitrés; souvent est accroché à la muraille une peinture qui représente une sorte de lion à tête de femme (Alborak?). – Il y a dans cette rue des cyprès, des mûriers, la rue est large. – Pris un bain dans un bain turc, à droite en montant la rue.

Méhémet-Regib-Pacha. – Visite au Pacha, gros et bon homme empâté. – Quelques Turcs sur son divan : un Porné! Il pioche le français, Pruss lui doit lire *Gil Blas*, il se fait lire la *Révolution*, de Thiers. Il nous demande si nous ne pourrions pas lui faire avoir le traité universel et tous les traités de France avec la Porte. – Pipes à bouquins, endiamantées, café dans des godets d'émail et de diamant.

Tour Saint-Nicolas, haute et carrée; aux quatre angles, échauguettes. La plate-forme est surmontée d'une tourelle à laquelle on parvient par un escalier en bois. – Les remparts sont chargés de canons, dont on a couvert les lumières avec des pectoraux de cuirasses. – Fiente de pigeons dans l'intérieur de la tour. – Dans l'intérieur, une chambre à voûte ogivale. – Ciel gris, pas de soleil, temps triste.

La tour Saint-Nicolas est au nord de la ville et de l'île.

Au-dessus des terrasses des maisons gris noir, s'élancent huit minarets, parmi lesquels les plus hauts sont ceux des mosquées de Saint-Jean et de Soliman; quelques palmiers sortent d'entre les maisons. Derrière la ville, coteaux boisés, habités; au delà, la crête dentelée des montagnes violettes; au Sud-Ouest, grande baie qui s'avance en demi-cercle dans des terres incultes et couvertes de chardons; dans le Nord-Est, le quartier franc, mâts de pavillons consulaires; entre lui et la mer, une langue de sable. Au bout de cette langue de sable, des moulins qui tournent. Avant le port, ruines d'un ancien môle où sont amarrées quelques petites barques. Toute la partie que le Sultan devait visiter a été blanchie à la chaux.

Tour des fortifications. – L'ancien port des galères était compris dans la rue des Chevaliers et la muraille, maintenant fermée, comblée de débris. Partout où les murs ne donnent pas immédiatement sur la mer, ils dominent un fossé large, profond, et souvent creusé dans le roc. – Couleuvrines usées, énormes affûts de canons, beaucoup sont aux fleurs de lys de France; l'un d'eux a été évidemment rogné. Pendant le siège, un boulet, parti de là, enleva un vase des mains de Soliman qui faisait des ablutions; il jura qu'il rognerait la pièce et tint parole après la victoire.

Les trois enceintes se voient très bien du côté Sud-Est. Sur les murs, longues trainées de plomb fondu et de résine, elles commencent à peu près à moitié de la hauteur de la muraille.

Nous avons à gauche la mer, à droite la ville, nous plongeons dans les jardins et sur les terrasses des maisons; çà et là, à une fenêtre, une juive, figuiers énormes, de temps à autre un palmier; intérieur de tours turques, orangers et citronniers. La ville, sous le ciel en deuil, est d'un ton gris désagréable, ce qui tient à cette vilaine couleur sèche grise de pierres.

L'Arsenal. – Rien, un palmier dans la cour, de vieilles carabines turques, quelques hallebardes et fauchars.

Palais des Grands Maîtres. – Insociabilité des Kurdes qui l'habitent; le camarade de celui qui nous répondait du dedans, si brutalement, portait sur la tête une petite jatte de lait et ne disait rien; haut turban, pantalon à grandes raies rouges. – Intervention de l'officier turc, il débarricade la porte et nous ouvre.

Grande cour quadrilatérale ruinée, couvercles carrés pyramidiformes, en bois, pour recouvrir le grain. – Sur la face Nord, grand escalier, une galerie en dessus. – C'est au bout, vers le corps de bâtiment supérieur, qu'est le harem des Kurdes exilés.

Le soir, visite à Pruss. – Sa mère! – Sa femme! – Les Turcs et les Juifs sont seuls admis à habiter dans l'*enceinte* de la ville. Pourquoi les Juifs? est-ce en récompense de quelque service rendu pendant le siège?

Le drogman du consulat de France était un petit vieux juif, roux, très poli, très vif. Nous avons été lui faire une visite : maison propre, limonades et gâteaux d'amandes au miel; sa belle-fille, femme de trente ans, fort grosse, rousse, mais dont on ne voit pas les cheveux, excitante, babouches jaunes, robe-redingote vert et or, ceinture large brodée d'or et rattachée par deux énormes plaques d'or, veste noire brodée d'argent, seins cachés par une chemise de soie écrue plissée, grand chapelet de piastres d'or à grosses plaques; les cheveux sont cachés, et la tête est couverte d'un tarbouch disparu sous un foulard roulé en turban.

Sa petite fille, belle enfant de huit ans, avec de fins cheveux roux sortant en petites boucles de dessous son tarbouch presque caché par un amas de piastres d'or et de réseaux de perles fines; au col, collier de larges piastres; même vêtement que sa mère; à la ceinture une belle plaque, des anneaux aux doigts, des bracelets aux bras. – C'est sa mère qui nous offre la limonade. – L'intérieur de la maison est pavé de petites pierres noires et blanches.

Mercredi 9 octobre, excursion dans l'intérieur de l'île. – Sortis de Rhodes à 10 heures du matin. Il tombe de la pluie; nous sommes sur les mulets, ce qui nous donne un chic de touristes anglais voyageant en Suisse.

Nous longeons le bord de la mer, elle est couleur de plomb, nous avons de petits rochers à notre gauche, temps gris et bête.

TRIENDA. Premier village, Trienda. Beau chemin entre les arbres. – Maison anglaise où nous buvons un verre d'eau. – Un très beau chêne. – Les maisons anciennes sont généralement carrées, quelquefois il y a une tourelle en haut. – Des chênes et des myrtes. – Pendant la pluie on nous passons près d'un myrte sous lequel il y a un homme et une femme à l'abri.

Rhodes a un caractère pastoral antique, c'est moins sauvage que la Corse. – Aspect gras, giboyeux; volées de ramiers et de perdrix.

Après Trienda on tourne à gauche. – Champ d'oliviers. – Nous gravissons le raidillon qui mène à Philérimos (l'ancienne Rhodes), situé sur une hauteur; les grands pins d'Italie, au bord du ravin, tranchent par leur verdure pâle sur la couleur presque noire des montagnes; notre sentier est bordé d'arbousiers avec leurs fruits, de myrtes, de rhododendrons et de bruyères gigantesques. Nous montons jusqu'à une fontaine qui coule sous un grand mûrier; à côté est une petite maison blanchâtre, perdue dans la verdure précédée d'une tonnelle droite toute couverte de pampres. – Là nous quittons les mulets et nous montons à pied. – Sapins verts au pied d'une sorte de falaise rouge.

PHILÉRIMOS. Tout le sommet de la montagne était certainement autrefois ceint de murailles entourant la ville et la forteresse. – Deux ruines moyen âge, la seconde, celle du côté Est, plus grande, mais ces deux ruines (une église gothique convertie en bergerie) sont sans importance.

De la hauteur de Philérimos on a sous soi un immense cirque dont on occupe le sommet. Au premier plan, des sapins verts et au bout du cirque la mer; en face, la côte de Karamanie; des montagnes des deux côtés, qui forment les parois (s'abaissant et fuyant) du cirque. Quand on se retourne du côté de l'intérieur de l'île, ce sont des vallons et des mamelons gris, couverts de grandes plaques vertes çà et là; les derniers plans sont bleus et bruns. Nous redescendons la montagne, la route continue dans la plaine.

THREMASI. – Eglise grecque, très propre; le saint Jean est avec des ailes. (On retrouve constamment dans les églises grecques saint Jean, saint Georges et saint Spiridion; dans l'église de Kolossi, le portrait de Spiridion est sur un pupitre séparé.) – Parvis très propre, mosaïque en cailloux blancs et noirs faisant des arabesques, des ifs, etc. Ce dallage est très répandu à Rhodes, et on le retrouve sur les ponts (qui sont loin d'être beaux comme ceux de la Syrie.) Nous allons à pied jusqu'au village. – Un café dont on répare le toit et où l'on manque de nous assommer. – Nous y fumons un narguileh et mangeons du pain et des raisins.

VILLA NUOVA. – Trois ou quatre maisons, ruines du château où il y avait une église, un peu de souterrains. – La mer vue par l'encadrement des brèches. – Une petite fille de douze ans, en blanc, se sauve de nous, avec frayeur, en poussant des cris.

Nous suivons la plaine. – Dans un champ, entre nous et la mer, femmes qui travaillaient, elles étaient toutes en blanc et la tête baissée, je les avais prises de loin pour des tombeaux turcs. – On traverse le lit d'un ravin desséché. – Lauriers-roses. – On tourne à gauche.

KOLOSSI, sur une petite éminence. Eglise grecque : un Jugement dernier dans le goût de ceux de Saint-Saba; un saint Georges terrassant le démon, lequel a barbe et cheveux blancs et ressemble à M. Mayart, conseiller de préfecture à Rouen. – Notre moucre Dimitri embrasse les saintes images. – Champs pleins de chênes et d'oliviers surtout. – L'île de Scarpento en face de nous, un peu sur la gauche. – Le soleil se couche, brume à l'horizon, les nuages sont vert pâle, bordés d'or, la mer brune, les montagnes du fond violettes, presque noires. – Feux d'herbes dans les champs comme nous arrivions à Soroné; nos mulets passent dans la fumée. – Quelques beaux chiens dans l'île, lévriers. Au bas de la descente de Philérimos, de beaux chiens roux nous regardent passer. Nous avons marché, ce jour-là, sept heures.

SORONÉ. Nous couchons dans une grande salle, séparée par une arcade au milieu; l'ornement principal consiste en une quantité d'assiettes communes, peintes, accrochées par un clou et un fil à la muraille; les derniers rangs sont si haut qu'il faut une échelle pour y atteindre. Max couche sur l'espèce de dikkeh, estrade qui est à droite en entrant, moi par terre sur mon matelas, les deux moucres sont couchés à côté de la cheminée, Stéphano et Sassetti par terre sur une couverture, les deux époux, maîtres de la maison, en retrait dans l'enfoncement. Une lampe pend de la voûte et éclaire la chambre, une autre domine l'estrade; la première s'éteint d'abord, puis la seconde. – Les puces! – Couché sur mon matelas, je regarde cet intérieur rustique, je vais fumer des pipes dehors, je rentre quand il fait trop froid, il pleut un peu. A 2 heures et demie, les moucres se réveillent et rallument, nous parcourons le village pour avoir du café, Stéphano m'apporte du *phrascomia*, sorte de tisane sauvage dont font usage les vieillards d'ici : c'est un tonique et un réchauffant. Nous faisons pas mal de bruit dans le pays et nous troublons le sommeil des habitants. – Plaisanteries de notre Dimitri, qui est un gaillard très aimable et spirituel. – Nous partons à 6 heures du matin. – Verdures! verdures! ravin à sec.

DYMA. Nous passons à travers le village de Dyma, il est dans un fond, ses maisons grises disparaissent sous les pampres. C'est à Rhodes qu'il faut envoyer les jardiniers pour leur apprendre ce que c'est que la verdure grimpante. Nous passons sous un chemin presque couvert par la quantité de plantes qui se sont accrochées aux arbres, et nous montons. Nous gravissons la montagne de Fondoukli, c'est un étourdissement de verdure, myrtes, rhododendrons, chênes, oliviers chargés d'olives; nous mangeons le fruit rouge de l'arbousier, Stéphano m'en cueille à un arbrisseau sur ma gauche : c'est pâteux, quoique sec, et a un goût de grenade parfumé.

FONDOUKLI. Déjeuner sous de grands platanes dont l'écorce écaillée est tombée à terre; avec les platanes de Godefroy de Bouillon, aux eaux d'Asie à Constantinople, ce sont les plus beaux que j'aie vus. – Coule un ruisseau d'eau claire, à la glace. – Nous mangeons des œufs durs et du poulet froid, Stéphano et Sassetti écrivent leurs noms sur l'écorce des arbres.

Maintenant, c'est une forêt presque permanente de sapins d'un vert tendre; tons foncés des myrtes à côté, couleur rouge du feuillage des arbrisseaux épineux, morts, grands squelettes de sapins brûlés, noirs et qui jonchent le sol dans les éclaircies, comme de grands serpents morts et raidis. C'est dans ces parages que se trouvent le plus de daims, ils ont été introduits dans l'île par les Chevaliers. L'inimitié de ces animaux pour les serpents n'est point une fable; le daim piétine dessus jusqu'à ce qu'il l'ait tué, l'odeur de la corne de daim brûlée chasse les serpents des maisons, tout cela m'a été affirmé par M. Aublé, propriétaire à Rhodes; l'usage des bottes pour les hommes et les femmes (ποδίρακα) vient bien sûr de la quantité de serpents, usage commun à Rhodes, Chypre et Candie.

Aujourd'hui nous rencontrons peu de monde : 1° une femme marchant avec des bottes (bottes jaunâtres) et dont le bas de la jupe, fourré dedans, était brodé; 2° un homme à cheval; la femme, derrière, marchait à pied et portait le fusil.

POLNA. Cinq ou six maisons assez sales; nous y dormons une heure, sur une natte, dans une cour, à côté de femmes qui filaient des cordes de poil de chèvre. – Ruines d'une tour crénelée, insignifiantes. Devant nous s'étend une grande montagne, boisée à sa base et dont le sommet est couvert d'un nuage gris qui nous envoie de la pluie. Nous traversons un ravin plein d'eau.

ARTEMISI. Deux maisons. – Eglise grecque complètement nulle. – Je ne vois rien des ruines du temple d'Artemis, qu'on dit être là. – Bonne odeur des pins, bruyères hautes et plus hautes même qu'un homme à cheval. On descend, on monte, on redescend; derrière une montagne on trouve tout à coup le village de Laëma.

LAEMA. Des bœufs, des femmes en blanc, arbres fruitiers, une trentaine de maisons, basses; le village est dominé par un amas de rochers. – Stéphano est pris de la fièvre.

Nous logeons dans une maison où une petite femme enceinte, avec son gros ventre et un sale enfant, broie du grain sur le moulin en pierre. Pendant que je suis assis, en dehors, sur le petit mur d'appui, une vieille femme file au fuseau, debout près de moi; elle a l'air doux, pas de dents, menton en galoche, ses cheveux sont plus blancs que le coton qu'elle file. De crainte des puces, je vais me coucher sur la terrasse d'une maison voisine, à côté des mulets, j'y reste sous mes vêtements et sous la pluie jusqu'à 2 heures du matin. Le ciel était couvert d'étoiles, de temps à autre un nuage passait dessus, les voilait, et crevait sur moi, puis le ciel s'éclaircissait de nouveau sur ma gauche, les étoiles reparaissaient et les nuages revenaient; j'écoutais la pluie tomber sur le capuchon de mon paletot rabattu sur ma figure, comme sur la capote d'un cabriolet. A la fin, me trouvant au milieu d'une mare, je suis rentré dans le gîte, où tout

le monde dormait par terre, Maxime près de la cheminée éteinte. Au bout d'une heure, où j'étais resté assis les coudes sur les genoux, je me suis couché par terre, le plus près possible de la porte, et j'ai dormi jusqu'à six heures.

DE LAEMA A LINDO, on descend; la terre, mouillée par la pluie de la nuit, était grasse, recouverte des détritus de la forêt, nos mulets marchaient dessus sans bruit, des nuages bas s'envolaient, levés par le vent frais du matin. Les pins s'égouttent, le soleil passe à travers, la verdure a des tons d'or et de bronze, d'or dans les lumières, de bronze dans les ombres. – Grandes places de la forêt, brûlées, manière de défricher à laquelle je suis habitué depuis la Corse. Quelquefois un pin est brûlé par le bas, il a repris vigueur et est verdoyant par la tête.

Nous tournons dans le Sud, je marche à pied pour me délasser de mon mulet. – Un golfe, la terre s'étend en langue du côté gauche, la végétation cesse brusquement, puis on tourne à droite, marchant parallèlement au sens du rivage. – Montagnes de rochers nus, en marbre bleu turquin très foncé. – On monte aussi et l'on descend successivement deux collines. Le soleil est très chaud, je marche avec furie, seul moyen que je sente d'aller, tant je suis brisé par toutes mes nuits d'insomnies précédentes et par mon mulet, que je maudis du fond du cœur.

LINDO. On aperçoit Lindo à gauche, en bas, au bord d'un petit golfe. La ville s'étend en demi-cercle, entourée de jardins pleins de figuiers, de vignes, de mûriers; la route est au bord de l'espèce de falaise qui contourne le vallon au fond duquel est Lindo. Maisons blanches, beau village éclairé et propre, mer bleue, silence. – A l'entrée du golfe, deux rochers; à l'entrée de la ville, une fontaine turque en marbre blanc, avec quatre robinets, ornée d'une inscription turque ombragée d'un grand platane.

Nous descendons chez une veuve à réputation suspecte, et honnie dans le pays pour avoir été de connivence avec un pirate, femme d'environ 40 ans, jadis belle. – Mosaïque en caillou noirs et blancs, intérieur propre, un violon au-dessus du divan.

La forteresse domine le pays et est à pic sur la mer, des escaliers larges y mènent. Sur le plateau de la forteresse, des arbres sont venus au hasard : un figuier sauvage, un arbousier; il y a un palmier qui, seul, couronne le tout et passe sa tête par-dessus les murs. – Restes de murs antiques, grecs, admirablement construits, à pic du côté de la mer et dans les rochers sur lesquels la forteresse est bâtie. En bas, il y a des excavations dans lesquelles la mer s'engouffre; elle est immense et tranquille, couleur vert fond de bouteille, en bas, sous moi, quoique transparente; je la regarde longtemps entre les créneaux des vieux murs. A gauche, du côté de la terre, vue du golfe. J'ai derrière moi, au delà de Lindo, la montagne sèche, grise, un peu bleue; à ses pieds, une plate-forme; c'est là qu'est le temple troglodytique de Minerve. Le village est dans le fond, au bas de la forteresse, avec les terrasses blanches de ses maisons. Maxime va voir le temple; et moi je ne peux me détacher de la forteresse où je reste le plus longtemps possible : c'est ce qui m'a le plus impressionné de toute l'île de Rhodes.

Nous repartons à 2 heures; nous reprenons quelque temps la même route, puis nous la laissons à gauche et nous tournons une petite baie, un promontoire de rochers, une seconde baie plus large; les pieds de nos mulets enfoncent dans les cailloux de la plage. Nous quittons le bord de la mer.

MASSARI. Nous passons près de Massari, caché dans la verdure. – Un maçon qui travaille à une maison. – Cour verte, avec de splendides et énormes grenades qui pendent aux branches de l'arbuste. – Mon mulet me secoue, je descends, il m'échappe, course à travers le village pour le reprendre, je remonte dessus; je ne peux plus aller dessus qu'au pas ou au galop. – Grande plaine. – Nous marchons pendant près d'un quart de lieue dans le lit desséché du Gaïdouru Potamos, il est plein de cailloux et de lauriers-roses.

MALONA. Enfin nous arrivons à Malona, dans une grande maison où l'on nous dresse des matelas; nous nous étendons dessus, nous prenons le café, et je fume deux narguilehs, ce qui me ranime complètement.

DE MALONA A ARCHANGELO, route charmante, touffue, herbue; petits chemins creux en berceau, haies épaisses, des figues aux figuiers, des grenades aux grenadiers; un cours d'eau apporté de quelque ruisseau voisin disparaît entre les haies de roseaux, de myrtes et de vignes. Après cette route étroite, grand champ d'oliviers, vallée rare et magnifique, où viennent aboutir trois collines; ifs, pins, etc. Nous tournons, au bout de cette vallée, une montagne aride à son sommet, ce qui contraste avec la richesse feuillue des premiers plans de sa base; cela est sur notre droite. Nous montons cette raide montée, en haut nous découvrons Archangelo tout à coup.

ARCHANGELO. Les maisons sont blanches; des jardins; un rocher surmonté d'une forteresse domine le village.

Coucher de soleil : nuages blanc jaune, puis un seul nuage, allongé en forme de grand poisson, lie-de-vin rosé, coupé par des bandes ou des arêtes transversales de cuivre rouge brun; à côté, le ciel bleu pâle. Le nuage peu à peu se rembrunit, perd son or, et finit par devenir une large tache d'encre sur le ciel devenu pâle.

Nous sommes dans une maison dont la grande pièce du rez-de-chaussée est divisée par une grande arcade, comme à Soroné et comme le lendemain, chez notre guide, à Costinos; la veuve chez laquelle nous logeons a encore peur de se compromettre (comme celle de Lindo) en recevant des étrangers.

Un papas grec vient nous faire une visite; il n'a jamais pu nous dire pourquoi, dans leurs églises, saint Jean était représenté avec des ailes et pourquoi, à Lindo, saint Christophe avait une tête d'animal moitié âne, moitié lièvre. Il reste court, et Stéphano le blague, il sera demain très déconsidéré dans le village. A Bethléem, les Arméniens et les Latins ont fait gorge chaude, depuis nous, sur le compte du pauvre papas qui avait embrouillé l'histoire de sainte Elisabeth avec celle de la Vierge.

Eglise ogivale badigeonnée, beau retable tout neuf, non encore doré; oiseaux de plâtre mis au haut des chapiteaux, le bout des feuilles des chapiteaux est doré; un grand saint Georges (byzantin) que Dimitri embrasse. – La citadelle n'a rien de curieux que sa position. – Nuit excellente et sans puces, je puis dire que c'est la première fois que je dors depuis que nous sommes en excursion.

D'ARCHANGELO A COSTINOS, route assez plane, entrecoupée par des collines, plaines entre les montagnes et la mer, oliviers magnifiques; je n'en ai jamais vu de si bien portants que ceux de Rhodes. De temps à autre un ravin élargi, desséché, que l'on traverse à sec. Partout traces effroyables des pluies d'hiver : les terrains des collines sont dégradés ou abaissés en grands plans par le déboulement. Près d'un champ enclavé de haies, une femme s'enfuit en nous apercevant, court, et va se cacher sans doute dans quelque buisson; Dimitri, je crois, lui avait crié des facéties peu rassurantes pour sa pudeur. Une montagne nous ferme l'horizon, nous montons dessus, tournons à droite, longeons un précipice, descendons une pente ébouriffée d'arbres en verdure, et nous entrons à Costinos.

COSTINOS. Situé sur la crête aiguë d'une petite montagne que nous avons à gauche en arrivant. On contourne la montagne (à droite) pour y arriver, comme à Lindo, mais avec cette différence qu'à Lindo le village est dans un fond.

Déjeuner chez notre moucre Dimitri. Il y a d'accrochés au mur 277 plats et assiettes, sans compter les verres et carafes. Nous fumons sur l'estrade au milieu des sacs de grain; au-dessus de nos têtes, deux peaux qui sèchent, outres pour recevoir le vin. – Amas de coussins bourrés de laine dans un coin; quantité d'enfants blonds et beaux qui nous entourent.

Les montagnes nous quittent, nous restons en vue de la mer, Rhodes au fond. Nous descendons insensiblement. – Champs remplis de chardons. – Nous passons un ravin desséché, sur un grand pont de deux arches, de construction antique, mais dont la voie a été restaurée en caillloutage ci-dessus; au fond il y a de petits roseaux et des fleurs jaunes. Nous tournons à gauche, chemins ombragés de figuiers.

ZIMBOLI. Un ravin escarpé, couvert ou pour mieux dire traversé par un petit aqueduc à deux étages d'où pendent des buissons et des ronces et dont les assises sont antiques; une grande vasque carrée; à côté un petit autel votif (autour duquel une danse?) et qu'on a creusé pour faire une auge à boire; en face fontaine turque, comme toujours en forme de mur droit; platanes gigantesques qui couvrent tout; singulier effet de tristesse, dû à la mauvaise lumière du ciel, nuages, temps couvert, pas de vent.

Nous revenons à Rhodes par le derrière de la ville, dans des rues à moitié rustiques; les figuiers pendent en dehors; Dimitri se met debout sur son mulet, pour en prendre. Stéphano, grelottant de fièvre, couvert de son caban et son pantalon de toile dans ses bottes, nous a quittés à Zimboli.

Nous traversons un long cimetière qui coupe la

route ; les tombes ne sont plus couvertes du tarbouch, mais quelques-unes d'un vrai turban, qui a des allures de potiron. A droite dans un enclos, deux arbres, poussés en même temps, ont entré leur feuillage l'un dans l'autre. Nous passons par une rue, entre des jardins dont les murs sont blanchis à la chaux, avec une plinthe bleue au bas. C'est à une maison dans cette rue que le Sultan est descendu, lors de son entrevue avec Abbas-Pacha. – Petites élévations en maçonnerie que l'on a faites pour l'aider à monter à cheval.

Rentrés à Rhodes à 3 heures, *samedi 12 octobre.*
Dimanche 13, pris mes notes, lu le premier volume de la « Bibliothèque d'un homme de goût? » et les « Mémoires du marquis de Tavannes. » – Le soir, dîner bourgeois chez Pruss. – Sa femme. – Sa mère. – Mlle Arsène.

Le lendemain *lundi 14 octobre*, embarqués pour Marmaris.

Vingt-sept heures de marche dans l'intérieur de l'île.

ASIE MINEURE, SMYRNE
DE SMYRNE A CONSTANTINOPLE PAR LES DARDANELLES,
OCTOBRE-NOVEMBRE 1850

DE RHODES A MARMARIS. *Lundi 14 octobre 1850*, embarqués de Rhodes pour Marmaris, dans un bateau dont l'avant et l'arrière sont seuls pontés. Au milieu, paniers et pierres du lest. – Notre raïs : yeux bleus, brèche-dents, tête carrée, air franc ; un de ses hommes : veste de drap brodée aux manches ; foulard sur son tarbouch ; vilain mousse : grosse tête de Tartare, petits yeux sales ; un passager : vieux à traits réguliers et à barbe blanche.

Nous avons dormi sous l'arrière presque tout le temps de la traversée. L'entrée du golfe de Marmaris me rappelle le lac de Côme : succession inégale de rochers, de hauteur moyenne, les uns derrière les autres, et de tons bleu foncé. La mer est très calme, nous sommes trois heures à passer le goulet. A Marmaris ça s'élargit un peu. La ville est tout au bord de l'eau, la lune se lève comme nous y arrivons ; en qualité de ville militaire, à cause de sa petite forteresse, on ne peut entrer à Marmaris après le coucher du soleil ; nous passons la nuit à bord, moi sous l'arrière.

MARMARIS. *Mardi 15*, visite à Méhémet-Dar, gros bonhomme, grand, replet, nez aquilin, barbe du samedi. Nous avons pour lui une lettre du Pacha de Rhodes. Nous le trouvons assis sur une estrade donnant sur le fond du golfe. Il est tranquille comme un lac et tout entouré de montagnes boisées. – Latrines publiques sur la berge avec un courant d'eau. – Pendant que nous sommes chez Méhémet-Dar, visite du nazir de la Douane, à qui son fils, habitant de Rhodes, vient d'envoyer une barrique d'eau-de-vie. C'est chez lui, près d'une grande cheminée et sur un tapis de feutre, que nous nous habillons et déjeunons avant de partir.

La route commence par monter et descendre entre des sapins, à peu près comme à Rhodes. – Grande plaine entre des montagnes. – Quelques chameaux, mais le chameau, là, n'est plus dans son pays, il m'y plaît moins. – Une rivière entourée d'arbres, qui retombe en s'élargissant dans les bouquets. – Beaucoup de vigne sauvage, elle dévore les autres arbres et leur fait des couvertures de verdure ; quelquefois elle s'étend sur un arbre mort qui ne sert plus qu'à la supporter ;

d'autres fois cette verdure suit à la file tous les arbres et compose ainsi, avec eux, des haies consécutives démesurées.

Halte : un moulin, un gourbi ; des nègres font marcher nos chevaux en sueur. Nous repartons à 2 heures et demie, montée, descente ; à notre gauche, ruisseau, une plaine, au bout, à gauche, elle s'ouvre, une grande ligne blanche, c'est la mer. Nous marchons sur les restes d'une ancienne petite voie. – Trois ponts. – Les bouquets d'arbres entremêlés de broussailles vous fouettent la figure en passant ; au bout de la voie, au pied de la montagne, quelques bâtisses.

DJOVA. Un grand khan en bois, qui, de loin, avec son toit en planches, a des tournures de chalet. Avant d'y arriver, tout près de lui, une citerne ronde comme le dôme d'un santon ; nous n'y trouvons personne, tout est désert, nous ne voyons que des négresses. Stéphano nous installe dans une chambre vide. – Estrade aux deux bouts de la galerie. – Derrière le khan, du côté de la mer, un grand arbre. – Dans la cuisine, Stéphano se fait aider un peu par deux négresses, toutes affreuses, l'une brèche-dents avec un petit garçon très gentil qui a peur de moi ; dans la cour, grands bâtiments bas à un seul étage, pour les chameaux et les chevaux. C'est bien là la halte des longs voyages, le lieu où l'on arrive en pelisse avec des marchandises lointaines. Le soir, avant de dîner, nous avons, à la porte, regardé la vue et fumé sur une des estrades de la galerie côté Nord, celle qui regarde la montagne ; un nègre nous a fait signe de ne pas trop nous avancer au bord, que le bois était pourri.

Mercredi 16. Moins belle journée qu'hier. Partis à 7 heures du matin (levés à 6 heures), il était trop tard pour aller, comme on nous l'avait proposé, chasser les sangliers, dont il y a grand nombre dans les environs du lac de Cos ; nous ne nous sommes pas levés à 4 heures du matin, comme il l'eût fallu. Pour gravir la montagne, il faut monter l'ancienne voie à escaliers. Au bout de deux heures environ, à peu près en haut, gourbi où nous haltons. Nous mangeons un morceau de pain, quelques figues enfilées très serré à de petits roseaux disposés triangulairement, nous prenons une tasse de café, nous repartons. Le cafetier était un vieux Turc, assez nul; une petite fille, grosse, pataude, fort laide, à qui Stéphano fait des mamours; il nous dit avoir laissé un fils en Perse, qui doit avoir six ans maintenant et qui s'appelle Napoléon.

Ce ne sont plus, comme hier, de grands arbres et de larges feuillages, mais un makis clairsemé. Le temps est tout à fait européen, nuages toute la journée. Nous descendons une montagne. – Plaine, nous nous y perdons. – Restes de l'ancienne voie, la même qu'hier. – Un Turc qui voyage à pied et porte à son tarbouch une grande fleur jaune nous avertit de notre erreur; nous filons un temps au galop à travers champs, dans de la terre grasse, vers une maison, au bas de la montagne, sur notre gauche, pour savoir notre route. Un homme sort de cette maison, met son manteau sur ses épaules et marche devant nous; nous remontons et descendons. – Une plaine; au bout de la plaine, au pied d'un mont, Mouglah.

MOUGLAH. Toits en tuiles, longues varangues, les maisons saillissent entre la verdure clairsemée, aspect froid et suisse; du village s'élèvent deux minarets. Les montagnes sont moins boisées; au sommet, la couleur grise de la roche paraît. – En descendant la seconde montagne pour venir ici, nous avons longtemps marché entre de petits rochers de couleur bleu clair, comme serait de l'eau de lessive très délayée. Dans la campagne, à un endroit qui semblait très désert, nous avons rencontré quelques tombes très couvertes de verdure. Hier, même rencontre, mais elles étaient couvertes d'épines. Avant d'entrer à Mouglah, il y a un grand cimetière, le neuf et l'ancien; des branches d'arbres arrachées sont posées sur les tombes, tout comme chez nous le buis bénit; au lieu de croix ce sont seulement des turbans. – Il y aurait de belles choses à dire sur cette coutume universelle de répandre de la verdure sur les tombeaux. D'où vient-elle?

Mouglah est désert et surtout à cause du Courbbairam; beaucoup de portes ont des cadenas, les belles et grandes portes neuves ne sont pas rares. – Conak du gouverneur. – Visite au lieutenant du gouverneur ou chef des cavas, nous causons avec lui de la route à suivre.

Nous sommes logés chez des Grecs : chambre à estrade, découverte, cheminée aux deux bouts; nous couchons vers celle de gauche en entrant, Stéphano établit la cuisine vers celle de droite. La maîtresse de la maison est une grosse femme à teton pendant, à gros ventre et à visage ouvert. Petite fille de 11 à 12 ans, cheveux rouges, portant un enfant sur son dos, et filant son fuseau à la porte quand nous sommes arrivés. On égorge pour nous un poulet, qui se débat longtemps dans la cour, quoique la tête soit séparée des vertèbres. Stéphano, assis à la turque, avec son pantalon bleu persan, en chemise, nu-tête, au milieu de la famille, rangée en cercle, débite des histoires : on boit ses paroles: « Tous ces gens-là, savez-vous bien (avec le geste de l'index au front), je ferais devenir fous si j'y restais ici. » Nous attendons le moucre qui doit nous conduire à Milassa.

Jeudi 17. Quitté Mouglah à 11 heures du matin. – Encombrement de chevaux dans la cour; mine brigande des zeibeks, la manière dont ils mettent leur ceinture, qui leur serre les fesses, les force à marcher des hanches; nous disons adieu à toute la maisonnée.

Presque toujours nous suivons une grande plaine, il n'y a qu'aux approches de Eski-Hissar que l'on monte un peu. La plaine est comme dans un parc, çà et là semée d'arbres espacés; ce sont presque tous sapins ou chênes nains. La montagne de gauche, dont nous longeons le pied, est beaucoup plus boisée et plus belle que celle qui est à notre droite. Les montagnes ont la forme de grandes vagues, celles du fond sont bleu foncé; le ciel est égayé de petits nuages blancs.

De temps à autre un gourbi, ordinairement ombragé d'un grand arbre. – Un grand platane évidé, séparé en deux à sa base et qui a l'air de s'appuyer sur deux pieds.

Au premier café où nous haltons, deux hommes se reposent; l'un est vêtu à peu près comme un soldat turc (uniforme actuel), il vient de Smyrne, il a mis cinq jours, il y en a deux qu'il est parti de Gusel-Hissar. Au second café, personne, tout est vide; place de pelouse très verte et charmante, quelques tombes. C'est à gauche de la route que le terrain a un léger mouvement qui monte.

De temps à autre nous retrouvons la voie, comme les jours précédents, mais elle est plus effondrée et plus ruinée.

Nous avons pour escorte un nègre, dont le large gland de son tarbouch éparpillé est retenu par les rouleaux de son turban. Quand nous entrons dans Eski-Hissar, nous le trouvons au café.

ESKI-HISSAR. Les maisons du village ont des clôtures faites avec les ruines antiques, colonnes rondes, colonnes cannelées. Les maisons sont bâties en pierres sèches, avec des cheminées carrées en pierres sèches; le ton général est assez celui des vallées des Pyrénées. Ces habitations sont enfouies dans la rigoureuse verdure des grands arbres, les troncs des ceps de vigne enlacent les arbres comme des serpents, ceux qui sont desséchés ont l'air de serpents raidis dans la mort. D'autres fois et plus souvent, c'est l'arbre qui est mort et la vigne verte qui dévore son squelette; cela fait des guirlandes, des nœuds, des pendentifs, des culs-de-lampe.

Sérail du gouverneur. – La maison est au fond; des Turcs, brodés d'or, sont sur l'escalier et sous la large varangue devant la maison; un fin gazon vert s'étend sur la cour, où le nègre promène son cheval en sueur. A gauche dans la cour, en entrant, ruines en pierres énormes, un grand arbre; derrière la maison, ce sont des arbres partout; montagnes au fond. Au bout de la varangue est une tonnelle couverte de vignes et de raisins; le feuillage, de chaque côté, est en masse oblique, ça fait comme les deux rideaux d'une alcôve.

Tour dans le village avant le dîner. – Ruines à profusion : une porte encore debout, avec une frise en astragale d'un assez joli goût; ailleurs on a converti en linteaux de porte deux morceaux d'une frise en rinceaux très belle; colonne corinthienne, debout; profusion d'inscriptions grecques partout (elles ont été toutes relevées par M. Lebas). – Vestiges réguliers d'un ancien théâtre, disparaissant sous les arbustes : c'est en dehors du village, au pied de la montagne. – Dans la cour de la colonne corinthienne qui est demeurée debout, il y a un grenadier avec toutes ses grenades et une vigne qui est montée sur un arbre mort, crochu : c'est comme un bras qui étendrait l'ample manche qui le recouvre.

Au coucher du soleil, les nuages sont accumulés sur les montagnes, comme seraient d'autres montagnes, ils en ont la forme ; dans l'Ouest, les nuages sont au contraire longitudinaux et incendiés.

Un chien noir suit Stéphano et le caresse.

Nous dînons dans le pavillon de verdure avec notre vieux Turc à barbe blanche ; une lanterne, accrochée dans un coin, éclaire à peine. – Effet d'un de ses zeibeks armé, encadré par le feuillage à la porte. – Le soir, à la lueur d'un machallah porté par un Grec, on nous montre, dans la cour du harem du gouverneur (grande maison carrée), une petite vasque carrée ornée de guirlandes attachées à des têtes d'hommes, d'un goût lourd et très décadent.

Nous couchons dans une chambre, près d'une cheminée dont le dessus est percé de quantités de petits trous carrés et où brûle à peine un feu de sapin. J'entends la voix de Stéphano qui blague avec les gardes. Nuit pleine de puces. A 3 heures, les gardes dans la salle à côté (ils dorment avec leur silaklik tout garni de pistolets) se réveillent et font du feu ; de temps à autre j'y vais. – Nègres tout armés et couchés par terre auprès du feu, enveloppés dans des couvertures. – Le matin, à 5 heures, la pluie tombe.

Vendredi 18, partis à 7 heures du matin. Tout le temps de la route sous des pins ; à gauche, un ravin que l'on passe et repasse cent fois ; des veaux tranquillement paissaient dans un cimetière planté de chênes ; ailleurs une tombe d'où s'élèvent trois bâtons qui supportent une guenille rose, laquelle pend par son poids et fait guirlande. Je ne saurai dire combien cela m'a frappé, j'en retrouve une tentative d'esquisse sur mon calepin.

Déjeuner dans un café où sont arrêtés plusieurs Turcs.

Descente qui domine la plaine, entourée de montagnes, au fond de laquelle est Milassa ; à gauche, ravin profond, rochers de forme quadrilatérale entassés les uns sur les autres.

Le chemin que nous avons fait aujourd'hui a par moments des allures forêt de Fontainebleau (sauf les sapins toutefois) ; nos chevaux marchent sur un sol doux, capitonné par les petites branches rousses des sapins tombées. Quand nous sommes près d'arriver à Milassa, le ciel, à notre droite, est couvert de nuages, et la pluie, telle qu'un grand rideau gris bleu entre les gorges, tombe sur les montagnes que nous venons de quitter ; l'autre côté du ciel est assez pur, bleu avec quelques nuages blancs. Il y a du vent, la pluie semble imminente, Sassetti met son manteau, Maxime son paletot, je les imite.

MILASSA. Rues assez longues, eau croupissante au milieu, la boue remuée par les pieds de nos chevaux est infecte. On nous fait attendre dix minutes au conak.

Nous allons loger chez M. Eugène de Salmont, médecin français, de Marseille. Il vient de quitter Samos et porte un grand fez à la grecque, avec un large col de chemise rabattu sur sa redingote verte.

Promenade tout le long de l'aqueduc. Les piliers des arcades sont seuls restés, ça fait des piliers carrés se suivant régulièrement dans la campagne, au milieu des arbrisseaux et de la verdure. Ton gris des pierres. En certaines parties la construction est faite avec des pierres rapportées et qui avaient servi à d'autres architectures ; au bout de l'aqueduc, quelques arcs sont encore intacts et même avec la pile supérieure. La campagne et les montagnes bleues vont se renforçant de ton à mesure qu'elles s'éloignent, vues par le cadre des arcs gris. Sur quelques-uns des arcs en ruines, grands nids de cigognes délaissés.

Visite au second gouverneur. Nous voyons passer sa fille près de nous avec des piastres sur sa tête. – Une pastèque sur une planche est atteinte par M. Salmont. – Inscriptions grecques très nombreuses.

Au bout du pays, *tombeaux à colonnes*, édifice de marbre carré posé sur maçonnerie. La première partie est une muraille de huit pieds de haut ; là-dessus sont des colonnes doubles ; aux coins, ce sont des piliers carrés, toutes les autres colonnes sont rondes, doubles. La partie inférieure, où était le corps (?), est une petite salle à piliers carrés, sans ornement, et pleine de toutes les m... du pays.

Le soir, chez le docteur, visite d'un compatriote, levantin de Smyrne, figure et mains de charbonnier, affreuse canaille. Notre hôte me fait l'effet d'en être une autre, il nous débite d'affreuses blagues. – Son portrait par lui-même ! Celui de la reine de Grèce lithographié, signé Salmont au crayon !

Samedi 19. Le docteur nous accompagne jusqu'au pied de la montagne. Toute la journée s'est passée à monter, puis à descendre la montagne qui sépare la vallée de Milassa de celle où nous sommes maintenant. Près du sommet de la montagne, colonnes disposées en rond (restes d'un temple de Vesta ?). Près de là, un grand morceau de mur en pierres ajustées les unes sur les autres, ouvrage romain. – Déjeuner près d'un ruisseau à eau jaunâtre, stationnant dans les creux de rochers. – Au haut de la montagne, à un tournant de la route, vue magnifique : toute la vallée, les montagnes boisées à droite et à gauche, se succédant en forme d'accents circonflexes élargis les uns derrière les autres et passant par tous les tons du bleu ; le plus foncé au fond, tandis que les premiers plans sont verts.

Nous descendons pendant près de cinq heures, par des chemins fantastiquement mauvais, Stéphano déclare qu'il n'en a jamais vu de pareils ; cependant il n'y a ni précipice ni ravin. De temps à autre une fontaine couverte en pierres sèches, un tronc d'arbre creusé et plein d'eau. Moins d'arbres brûlés que sur l'autre versant de la montagne. Dans la montagne, couverte de sapins partout, nous rencontrons une jument et son poulain paissant tout seuls. Avant d'arriver à Karpouzelou, petit cimetière à droite, avec des chiffons suspendus sur les tombes.

Karpouzelou. Café, gourbi. Nous couchons à vingt pas de là, dans une petite maison où l'on monte par un escalier en bois. Dormi sur la terrasse, nuit froide et étoilée, clair de lune tout le temps.

Dimanche 20. Toute la journée nous avons été à plat, sans descendre ni monter, la route suivant la plaine entre les montagnes; pendant les quatre premières heures, c'est encore assez boisé.

Café où il n'y a personne; seulement un zeibek assis devant, sous un arbre, garde les animaux qui paissent parmi les broussailles tout alentour. Après le café, on passe trois fois la même rivière, plus large chaque fois : elle s'appelle Tchina tchaï (la rivière de la Chine). Les montagnes deviennent de moins en moins boisées, celle de droite surtout est complètement grise et marquée de taches blanchâtres; à gauche, de l'autre côté du fleuve qui est vert pâle, la montagne est mamelonnée en petits dômes.

Arbrisseaux maigres. – Au premier plan, des herbes longues (chardons?), rousses et espacées les unes des autres; des chameaux nous passent et se rendent vers le fleuve; ils sont forts et couleur tabac d'Espagne. Le vent est âpre, il fait du soleil, ciel bleu et froid. Le soleil passe dans les poils roux de la bosse d'un jeune chameau qui lève le nez dans les herbes. – Autre, petit et bossu, de figure ressemblant à Amédée Mignot en costume d'agréé au tribunal de commerce.

Un peu plus loin, le fleuve est très large; îlots de sable sur lesquels, de place en place, sont des lauriers-roses, mais rares. – Au premier plan, touffe d'arbrisseaux. – Paysage sauvage et à mauvais coups. – Sur la montagne pelée, groupe de cinq à six maisons en pierres sèches, les arbustes se tassent, c'est presque un petit makis. On tourne brusquement à droite, contournant le pied de la montagne et l'on arrive au fleuve que l'on passe en bac. Le bateau se conduit avec une corde faite de ceps de vigne rattachés avec des ficelles. Au pied de la montagne d'en face, un peu sur la gauche, Haïdin (Gusel-Hissar), avec les minarets blancs de ses mosquées. De là à la ville on marche dans une plaine; la route, bientôt, va entre des espèces de hauts bords, nous rencontrons des chariots à roues pleines, au lieu de ridelles ce sont de hautes claires-voies en osier, c'est conduit par un timon et deux bœufs.

Gusel-Hissar. Nous traversons la ville et logeons à l'autre bout, au Seraï, très grand, dans une pièce spacieuse. Divans larges.

Achats de provisions de voyage dans la ville. Elle est en pente, grands auvents au-dessus des boutiques. On voit qu'on est dans un pays froid : feutres, gros vêtements de drap, jambarts en laine. – Aspect un peu tartare. Quoique le pays, comme nature, ressemble bien plus à l'Europe qu'à la Syrie par exemple, ça paraît plus asiatique, plus reculé, plus lointain. – Un beau platane dans une rue, près de la boutique où nous avons acheté des feutres pour nos chevaux. – Chez les marchands de tabac, le tabac est dans de grands bocaux de verre, comme il y en a chez les confiseurs pour mettre les dragées. – On vend de la glace; marchands de gâteaux au miel et de calvas (sorte de gélatine élastique au miel).

– Notre hôte Hadji Osman Effendi, homme de hautes façons. – Petit pavillon où il se retire pour boire; derrière, vue sur les montagnes. Nous y parlons de Crésus et des collections de Paris.

Lundi 21. Partis le matin, à 6 heures moins un quart, et traversé, comme hier pour entrer dans la ville, un long faubourg. – Caravane immense de chameaux partant pour Smyrne, ils nous encombrent la route, nous passons à côté. Ils sont roux, poilus. Le dernier a sur l'épaule une énorme cloche, sorte de fragment de tuyau de poêle qui fait un grand bruit. – Chariot à roues pleines, traîné par deux buffles à jambes épatées, écartées; toute une famille est dedans pêle-mêle, les femmes voilées.

A 9 heures du matin, déjeuner à un gourbi de zeibeks.

Toute la journée, pendant près de huit heures, nous allons tantôt entre des bosquets d'arbustes, tantôt sur une lande garnie d'une herbe rare. Le sentier tourne dans des verdures. Ruisseaux passés à gué, du reste il y en a moins qu'hier; le pays aussi est boisé, plus riant. Toutes les heures nous rencontrons un gourbi avec un grand arbre et une fontaine; la route est plus peuplée de voyageurs que les jours suivants. Nous avons deux hommes d'escorte, donnés par le gouverneur de Gusel-Hissar, et deux moucres qui vont au trot, montés sur leurs bêtes; la route tourne en suivant le cours d'eau que nous avons à notre gauche, coulant en bas, entre des verdures très vertes, jeunes et hautes.

A 1 heure un quart, halte sous un gourbi au pied d'une montagne; les zeibeks, là, sont effroyablement armés. Nous prenons le café, servis par un petit homme gris et maigre et qui ressemblerait à une femme, sans ses moustaches. Il passe une femme à cheval, à califourchon, toute voilée de blanc de la tête aux pieds.

Montée; nous retrouvons la voie antique qui nous suit jusqu'à Ephèse. – Descente : à gauche, torrent encombré de chênes, de frênes, etc., le torrent tombe en petites cascades; paysage de romans de chevaliers, il y a là quelque chose de vigoureux et de calme. Je pense à Homère, il me semble que l'eau dans son murmure roule de vers grecs perdus; je suis en avant de tout le monde; je passe au milieu d'un troupeau de chèvres : elles sont rousses et noires avec des taches blanches, elles ont des yeux jaunes, pêle-mêle, au hasard, perchées sur les pointes de rocher entre les arbres, une surtout, qui baissait la tête, en bas, regardait l'eau et semblait l'écouter. Il faisait du vent dans les feuilles, au-dessus de moi le ciel bleu pâle. La route ici est très resserrée entre les flancs des deux montagnes.

Un aqueduc de marbre, tout gris maintenant, va d'une montagne à l'autre; il a deux rangées d'arcades, grêles d'ailleurs; une inscription le déclare dédié à César Auguste.

Plaine d'Ephèse. Ah! c'est beau! orientalement et antiquement splendide! ça rappelle les luxes perdus, les manteaux de pourpre brodés d'or. Erostrate! comme il a dû jouir! La Diane d'Ephèse!... A ma gauche, des mamelons de montagne ont des formes de teton poire. Suivant toujours le sentier, nous traversons un petit bois d'arbustes (*ligaria*, en grec) et nous arrivons à Ephèse.

AïAsOLOUK (EPHÈSE). Dômes en briques. La forteresse, avec le pays, est sur une éminence évasée par la base et à l'œil complètement détachée de la plaine; de loin, la forteresse éclatait; on la voit de très loin, ainsi qu'une colonnade sur la droite, qui n'est autre que les restes d'un aqueduc.

Des oliviers sauvages ont poussé dans la grande mosquée, nous faisons envoler une nuée de corbeaux. – Restes d'une vasque. – La mosquée divisée en deux parties. Etait-ce une église? Portes et fenêtres d'un charmant style arabe primitif. Nous allons jusqu'à la porte de la forteresse. – Dîner chez le sheik, les gardes et les moucres mangent avec Stéphano et Sassetti, tous en rond, sous la petite lanterne suspendue à une corde; un gars tout en rouge (robe et veste) rôde par là, et allume nos pipes. – Notre hôte, personnage désagréable et taciturne.

Mardi 22. Promenade de quatre heures au milieu de ruines éparses d'Éphèse. – Restes de monuments romains méconnaissables; beaucoup de constructions en briques sur des constructions en pierres; des trous faits dans les pierres indiquent un revêtement en marbre qui n'existe plus. Ces ruines sont surtout à gauche du village d'Aïasolouk, au pied de la montagne; la ville, établie dans la plaine, entre les montagnes, se dégorgeait largement vers la mer que l'on voit parfaitement de la hauteur d'Aïasolouk. Le peu de sculpture que nous voyons : deux morceaux qu'on nous apporte, et d'autres rapportés avec une intention de symétrie à la porte de la forteresse, sont d'une époque décadente, c'est lourd. – Six chacals que nous voyons presque en même temps en visitant les ruines.

Jolie petite mosquée près des cafés, à côté de la fontaine et du cimetière, ombragée de deux frênes énormes. Le portail a des colonnes antiques; sous les arcs, système de gouttières et de bâtons alternatifs qui, de face et de trois quarts, fait le plus joli effet du monde. Le minaret, comme celui de la grande mosquée, est en forme de colonne évasée par le haut, il est de même ornementé de macaronis blancs qui courent sur les briques. La mosquée est bâtie avec des morceaux de pierres et de marbres; chaque morceau est encadré de deux briques; un peu plus haut, croisillons, comme dans toute l'architecture arabe. Sur les stèles plates des tombes, on peut étudier l'ancienne forme des turbans; le turban en rouleaux longitudinaux oblongs s'arrête net au milieu du tarbouch, qui le surmonte de beaucoup. Au-dessus de quelques tombes, un petit trou pour observer les oiseaux. (J'ai vu cela en Bretagne, mais c'est pour y mettre de l'eau bénite.) Ces tombes, de côté, dans tous les sens, ont l'air de cartes blanches, fichées en terre et qui vont s'abattre; très belles écritures dessus.

Les coiffures de ces pays sont démesurées; la quantité de rouleaux que l'on se contourne autour du chef monte si haut et est si lourde, que notre moucre est obligé de les retenir par une ficelle mise de côté.

A 1 heure moins 5, nous partons d'Aïasolouk. La route va entre des makis de ligaria et de menthes, le vent les courbe, quand nous passons près des arbres le feuillage frémit; toute la journée le ciel fut sombre. Axiome : c'est le ciel qui fait le paysage. Au sortir d'Aïasolouk, caravane de chameaux, le dernier portant un énorme tocsin; un surtout, avec de formidables bouquets de poils au haut des fémurs et des espèces de fanons qui lui pendaient du cou; il crie quand nous passons près de lui.

Çà et là, tentes de Turcomans.

Une demi-heure après Aïasolouk, une rivière fait un coude; elle est, en cet endroit, large et assez dénudée, c'est le Méandre. Au delà, montagnes grisâtres, mont des Chèvres, très ardu, avec une forteresse dessus, à gauche lorsqu'on s'en va d'Aïasolouk, de l'autre côté du fleuve. Rencontre de chameaux dans un chemin creux, qui nous barrent le passage; l'enfant qui les conduit, voyant que nous les brutalisons pour passer, hurle de peur, sans doute à l'aspect de nos mines et de nos fusils. Une heure avant d'arriver à Thyra, temps de galop; j'avais un excellent petit cheval gris sale, à crinière abondante éparpillée sur son cou.

THYRA. A l'entrée de Thyra, platane démesuré, cinquante hommes avec leurs chevaux y tiendraient à l'ombre; si ce n'est cinquante, plus de trente à coup sûr. Nous sommes un quart d'heure à traverser la ville, où tout est fermé; la lune levante brille dans la cour d'une mosquée auprès de laquelle nous passons, sur notre gauche.

Au Séraï, nous sommes reçus dans la salle des officiers. – Amabilité de ces messieurs, on crie en turc et en grec, tapage superbe à l'occasion de la route des moucres. Une négresse, vêtue de blanc et se voilant, entre, en se cachant et essayant de se fourrer dans la muraille; c'est une esclave qui vient de s'échapper de chez son maître et qui se réfugie ici. Le chef des moucres de Thyra, gros homme à prestance de pacha, lui donne une claque sur le menton, en manière de facétie et de mépris, et l'emmène chez lui. – Visite au gouverneur, homme nul.

Mercredi 23. Rien de particulier dans les bazars. – Auvents en bois. – Rue avec un ruisseau carré au milieu pour les chevaux. – Cimetières dans la ville. Depuis plusieurs jours, nous trouvons souvent, dans la campagne, des tombes à des endroits complètement inhabités; là sans doute fut quelque campement, ce sont les tombes des amis de ceux qui ont porté leurs tentes ailleurs, cela donne à la route quelque chose de très grand et d'inattendu. En venant d'Aïasolouk à Thyra, un enclos contenant quelques tombes, un peuplier au milieu; dans le cimetière d'Aïasolouk, des oies se promenaient; un coup de vent est venu, elles se sont assises et rengorgées en bateau pour le laisser passer; quelques-unes ont mis la tête sous l'aile.

Partis à 8 heures et demie. – Déjeuner sous un platane, près d'une citerne; on puise de l'eau dans une outre, l'eau coule d'elle par tous les côtés. Un troupeau de moutons vient à côté de nous.

Nous avons marché toute la journée dans une grande plaine; cirque immense au milieu des montagnes en amphithéâtre. Les montagnes sont loin de nous; sur la gauche, leur galbe est sinueux et aigu. Nous passons près d'un chariot tassé de chanvre (roues à jantes et rayons) et traîné par des buffles ; ils soufflent bruyamment lorsqu'ils sont arrêtés.

Nous passons par le village de Œdemich, au milieu du petit bazar qui forme sa rue principale : beaux enfants et en assez grande quantité, les petites filles surtout, avec leur chevelure blonde qui a des tons jaune doré dedans.

BIRKÉ est au pied des montagnes (à gauche quand on vient de Œdemich), entouré de bois ; de loin, une ligne de peupliers. Avant d'arriver à la ville, lit d'un torrent large et profondément entré dans la terre ; des deux côtés, oliviers. On monte. Le torrent (à sec) passe au milieu de la ville en pente ; au fond, un grand pont en accent circonflexe.

Dans la route nous avons passé sur un pont en bois ; il n'y a que des poutres assez petites, mises de travers, elles sont pour la plupart pourries ou cassées, les pieds de nos chevaux enfoncent dedans ; mais il y a un parapet, chose étrange ! – Moins de tentes de Turcomans que la veille. – Maxime tire un aigle qu'il manque. – Nous rencontrons couché sur le chemin un cheval qui se crève, il a le dos tout suppurant, l'épaule dénudée, rouge ; il est dévoré par des millions de mouches. – Il a fait toute la journée un temps lourd, le ciel était couvert ; nos chevaux tourmentés des mouches, le mien faisait des bonds subits et donnait des saccades de tête.

Position d'un chameau de Turcoman à une halte de caravane ; il était couché sur le côté, comme un cheval à l'écurie (position très rare), et au lieu d'avoir les jambes repliées sous lui, l'épaule droite de devant et une partie de son cou étaient appuyées contre un sac ; il se prélassait là comme un monsieur dans un fauteuil élastique.

Arrivés à Birké à 3 heures de l'après-midi, logés au conak, dans une charmante petite chambre turque : panneaux en boiseries peintes, plafond vert croisillonné de baguettes jaunes ; au milieu, un grand carré rouge croisillonné de baguettes jaunes.

Nous descendons la ville par où nous sommes arrivés. – Aspect suisse de la partie supérieure de la ville, à cause de ses maisons jetées au hasard sur la pente, avec des toits en tuiles, et carrées. – Nous fumons un narguileh dans un café (partie gauche de la ville en montant). – Entrés dans l'église grecque en bois que l'on est en train de bâtir.

Le soir, à dîner, nous nous empiffrons avec d'excellent melon, beaucoup de perdrix et une sorte de pudding en pâte épaisse, faite avec du miel, de la farine, du beurre et du sucre. – Sassetti a encore trouvé une tortue.

Jeudi 24, partis à 7 heures et demie. Montée qui tourne sur elle-même ; au bout d'une heure, planure. Petite montagne que l'on monte et descend, prairie encaissée entre deux montagnes sèches ; elle est verte, herbue, plantée de peupliers.

Déjeuner au village de Bosdall. – Noyers monstrueux, enclos de pierres sèches. Combien il y a sur la terre d'existences enfouies ! Nous suivons la prairie encore quelque temps, puis nous nous séparons du ravin, que nous laissons sur la droite, et nous continuons parallèlement à lui. Un moulin, l'eau tombe et pleure du ruisseau en bois qui va se verser dans un grand entonnoir carré ; le jour passe entre la nappe et les filets d'eau.

Rencontré deux Grecs, le gamin est à cheval et le jeune homme à pied. L'enfant de 12 ans qui est l'aide de notre moucre, resté en arrière avec Sassetti, lui propose de couper le cou aux Grecs, et, comme il ne comprend pas, il lui fait signe avec son couteau, signe du reste qu'il traduit lui-même clairement, quand Stéphano lui a ensuite demandé ce qu'il avait voulu dire.

Nous nous tenons sur le versant gauche, les deux montagnes ont l'air d'avoir été tout à coup et brusquement séparées par le torrent, les angles rentrants de l'une faisant face aux angles sortants de l'autre. Le versant de droite est plus dénudé ; sur cette grande pente, presque à pic ou du moins fort inclinée, d'un ton brun très pâle, çà et là quelques arbres fichés, la verdure revient de notre côté : chênes, petits frênes, noyers, fougères, de l'eau. On tourne un coude à gauche, et, au bout de l'étroit vallon formé par le torrent, est une immense plaine, blond pâle, terminée par un bourrelet bas de montagnes. Par son étendue, ça rappelle le désert ; le ciel est bleu, le soleil brille, bouffées d'air chaud. Au bas de la descente, grand lit à sec du torrent ; là, il s'élargit dans la plaine comme pour se venger d'avoir été si longtemps comprimé. Des vaches noires marchent dans un champ, en cassant sous leurs pieds les tiges sèches du maïs ; quelques tentes de Turcomans, toujours en rude et rugueuse toile noire de chameau ; sous l'une d'elles, à gauche, un enfant nu nous regarde passer. Nous suivons une heure la plaine ; à 4 heures, arrivés au village de Salikli.

SALIKLI. L'éteignoir en fer-blanc de son minaret brille de loin. – Le collecteur d'impôts arménien nous paraît vexé de nous céder l'unique chambre logeable. – Beau lévrier noir.

Vendredi 25. Toute la journée dans la même plaine qu'hier. Pour aller coucher à Salikli, nous avons incliné à l'Est ; maintenant nous allons dans l'Ouest, nous dirigeant sur Smyrne.

SART (SARDES). A 1 heure et demie de Salikli, ruines de Sardes (Sart) ; à côté, petit café où nous déjeunons. Les ruines de Sardes sont au bas de la montagne, sur un espace d'un quart de lieue : souterrains en pierres et en mortier, à arcades parallèles, à demi enfouies en terre ; fragments de constructions romaines en pierre (belle construction), surmontés de fragments de maçonneries en briques fort belles, ouvrage solide. Deux colonnes en marbre : pas une seule assise de même dimension, le chapiteau est à volutes ioniennes, le tailloir semé d'oves ; entre les volutes, des oves ; la base du chapiteau cannelée ; sur le profil du chapiteau, écailles de poisson. Le chapiteau de la colonne de droite (en arrivant de Salikli) est déplacé de la colonne et comme poussé du dehors. Très bel effet de l'ensemble, surtout en se tournant du côté de l'Ouest. Entre ces deux colonnes, petite montagne à angles et crêtes aigus, de couleur argileuse et nue ; au premier plan, au pied des colonnes, des broussailles, parmi lesquelles une colonne écroulée, comme dans la cour des Bubastites à Thèbes, seulement ici les dalles sont en marbre, cela fait de fières meules de moulin; ces deux colonnes sont un peu grises et roussies par le haut.

Rien de remarquable, le reste de la journée. Pendant que nous déjeunons, passe une longue file de chameaux; quelques-uns ont, des deux côtés de la tête, des espèces de pendants d'oreilles en coquillages de couleur. Ah! qu'elles ne se doutaient guère, ces coquilles, lorsqu'elles étaient au fond de la mer, que, suspendues à l'oreille des chameaux, elles voyageraient par les plaines, les montagnes, le désert!

Nous trottinions dans la plaine, quand nous avons vu venir devant nous, allant vers Salikli, à une cinquantaine de pas à droite, un groupe de cavaliers escorté de beaux lévriers. Stéphano les appelle, ils viennent à nous. Le lévrier qui me fait le plus envie avait un collier de coquilles blanches et coûterait 600 piastres si on voulait le vendre. – Maxime achète un cheval blanc moyennant 275 francs. Nous continuons. – Halte à un café, où nous mangeons une pastèque. – Maxime a reçu à la jambe un coup de pied du cheval que montait Sassetti. – Nous cheminons toute la journée côte à côte; des roseaux à tige blanche et à cime violet pâle s'agitent au vent, toute la journée il a fait du vent; à gauche, petites montagnes bleues. Arrivés à Kassaba à 4 heures.

KASSABA. C'est un très grand village, au milieu de la plaine, entre la verdure. Pour entrer nous passons par de longues rues étroites et boueuses : rues larges, bazars en bois, marché aux fruits ombragé d'un grand arbre; on sent vaguement que l'on est près d'une grande ville, il y a plus de monde, c'est plus ouvert, plus animé.

Logés à khan, fort grand. Jolie levrette avec ses petits, que l'on habille le soir. – Dîner avec beaucoup de plats. Nous sommes dans une petite chambre à escalier séparé, à gauche en entrant dans le khan. – Nuit bourrée, hérissée, échevelée de puces! je n'en ai jamais tant eu, ni de si grosses! mon lit donne sur la niche des lévriers! Il fait beau clair de lune, je me promène dans la cour; au fond, à gauche, du côté des écuries, un Arabe joue de la flûte.

Samedi 26, à 5 heures du matin, nous partons. Interminable file de chameaux qui défilent dans la clarté vaporeuse et blanche du matin; la caravane était peut-être composée de trois à quatre mille chameaux (?), les petits ânes qui en conduisent les différentes sections ne paraissent pas plus grands que des chiens; sur l'âne est le conducteur, dans son habar raide de feutre blanc.

Nous marchons d'abord dans une espèce de désert, lande ouverte, puis grand ravin à sec. On monte, plateau à gauche; au pied des montagnes est Nymphie. – Colique stomachique de Stéphano. – Déjeuner à un café grec où je le trouve couché sur le dos. – De là à Nymphie, une heure à travers champs, chemin plein d'ombre, d'eau, de sources, de broussailles et de cascades; je dors sur mon cheval et je ne vois guère Nymphie que d'un œil entr'ouvert.

Je suis pris de la rage d'arriver, ce que j'éprouve toutes les fois que je dois terminer quelque chose, que je touche à un but quelconque, à une fin quelle qu'elle soit; je galope. – Village au haut de la montagne qui domine

la plaine de Smyrne; descente sur une voie pavée, oliviers; la ville n'arrive pas! – Je retrouve Sassetti. – Champ des morts des deux côtés de la route. – Pont des caravanes; désillusion complète, la plus forte ou, pour mieux dire, la seule que j'aie eue en voyage : il a une balustrade en fer! – Nous entrons par le quartier arménien et grec. Maisons européennes; ça ressemble à une ville de province de second ordre. Stéphano et Maxime me rejoignent dans la ville. – Arrivés à 4 heures du soir à l'Hôtel des Deux-Augustes, chez Milles. Pas de lettres!

SMYRNE

Dimanche 27. Le soir au théâtre français, troupe du sieur Daiglemont. Nous voyons *Passé minuit, la Seconde année, Indiana* et *Charlemagne*. Maxime est pris de la fièvre.

Pluie et temps exécrable toute la semaine.

Lecture d'*Arthur*, d'E. Sue, les *Souvenirs d'Antony* de Dumas, la moitié du premier volume du *Solitaire* de d'Arlincourt, *Jacqueline Pascal* de Cousin.

Hôtel des Deux-Augustes. – Personnages de l'hôtel : M. Aublé, redingote jaune, chapeau gris, barbe grisonnante; M. Horace Walpole, possesseur d'un chien d'Erzeroum, a voyagé dans le Hauran; il a été volé plusieurs fois; dépossédé et sans ressources, il a volé un âne et a forcé son propriétaire, qui était un juif, à le suivre à pied pour le servir; le colonel américain Willougby, vieux, solide, à barbe grise; Weber Oscar; famille italienne d'un docteur d'Erzeroum qui vient s'établir à Smyrne; famille valaque logée en face de nous; la comtesse, son fils et le précepteur, pasteur protestant de Marseille, petit pingre en lunettes; Diamanti, drogman en fustanelle; le frère de Stéphano, Joseph, domestique de l'hôtel, petit, noir, doux, collier.

Smyrniotes; le Dr Raccord; le Dr Camescasse, famille d'iceluy, sa fille en corsage de tricot rouge.

M. Pichon, consul; Guillois, air d'avoir des engelures quoiqu'il n'en ait pas, carottier achevé; le père Ledoux, bien nommé, pied-bot; Carabette, a la figure au bas de sa perruque; M. Dautin, inepte directeur de la poste.

Temps triste et ennuyeux tout le temps que j'ai été à Smyrne; je suis nerveusement et moralement mal disposé, l'hiver approche.

Promenade à Budscha. – Weber nous accompagne. – Froid. – Nous montons. En haut de la montée, ruines blanchâtres d'un aqueduc. Budscha à gauche dans le fond, maisons entourées de jardins, petit cimetière turc. Nous traversons le village. – Halte dans un café, promenade aux aqueducs, il y en a trois. – Moulin. – Vue d'en bas, les pieds dans la rivière; l'eau déborde de l'aqueduc et tombe en nappe, le soleil passe à travers, il perce aussi les filets d'eau tombant des arcades supérieures. – Retour par la petite vallée Sainte-Anne. – Couvent grec, grande bâtisse blanche. – Nous rencontrons des chasseurs à l'affût.

Promenade à Bournabad. – Un autre jour, je vais tout seul à cheval, suivi du drogman Théodore (Stéphano a la fièvre). Au premier village à droite, en sortant de Smyrne, après le grand champ, on tourne à gauche. Au milieu du chemin passe une Grecque en vêtement blanc, nu-pieds, nu-col, nu-tête; je ne me rappelle plus ses traits, mais c'était d'un très grand style comme ensemble. – Route pavée entre des verdures, elle incline à droite.

BOURNABAD, petite ville au pied de la montagne, maisons de campagne des commerçants levantins. – Deux très grands cyprès dans un jardin qui a, sur le devant, une maison blanche. – Entrée ridicule que je fais dans le jardin d'un certain gros M. Nicolazzi (?) qui me dit : « Misérable! » en me montrant des choux et des rosiers. Il était en habit noir et en pantalon blanchâtre, cheveux ras, grosse boule, parlant un jargon que j'ai pris tour à tour pour français, anglais, italien, turc et grec. – Nous traversons en droite ligne toute la plaine, par des chemins, entre des arbres, pleins d'eau à cause de la pluie des jours précédents; nous pataugeons dans la terre labourée par places, nous baissons la tête pour passer sous des arbres. Plantations nombreuses. Nous coupons la route qui mène à Nymphie; par une pente escarpée on monte au village de Cacoutjath.

CACOUTJATH. Vue de toute la plaine : au premier plan, verdure des oliviers; en face, montagne d'un ton roux très pâle; à droite, montagnes bleues de Nymphie; à gauche, la mer, ardoise, et Smyrne blanc avec ses toits rouges. Le ciel est froid, bleu, clair.

Dans le village, ancienne mosquée, de même construction que la petite mosquée d'Éphèse. Je monte droit toute la montagne (c'est dans ces environs qu'il y a deux jours on a arrêté et volé deux jeunes gens de Smyrne qui chassaient) et je retombe sur Budscha.

Retour à Smyrne par une descente pavée.

Mont Pagus. – Montée du mont Pagus. – Petit cimetière. – Peu à peu, Smyrne grandit à mes pieds, la nuit vient. J'entre dans la forteresse par une des anciennes portes; dans la cour intérieure, une petite mosquée, de l'herbe partout; je n'ai pas le temps de voir s'il y a quelque chose à voir, la nuit tombe et je regarde le coucher du soleil. Je n'en ai pas encore vu de si diversement beau, à cause des découpures du golfe et des montagnes : à gauche, derrière les montagnes des Deux-Frères, bleu ardoise sombre; au-dessus, le ciel est empourpré, vermeil; du côté de Bournabad, les montagnes sont blondes des plus blonds possibles, puis rose, rouges... O mon Dieu! mon Dieu!...!!!...???

Je m'en reviens, je traverse le petit champ des morts, en pente, et je rentre dans la ville par le quartier juif et turc. Rues étroites, la pluie des jours passés fait des rivières entre l'espace des deux trottoirs des rues; petites lampes allumées aux boutiques; foule grouillante. Approche de l'hiver, froid. Quelques maisons éclairées, gens qui entrent, gens qui sortent, de la mangeaille, des chiens et des enfants sur les portes, intérieurs sombres.

Jeudi 7 novembre. Promenade à Cordelio avec Stéphano. – On suit la route de Kassaba, puis on tourne à gauche comme pour aller à Bournabad, et on la quitte pour prendre à gauche, au bout de quelque temps. Chaussée pavée, grand marais salin au bord de la mer, petites criques. A droite, montagnes nues; à gauche au premier plan, la mer; Smyrne de l'autre côté du golfe; en face de nous, les verdures de Cordelio. – Passe dans les rochers; à l'entrée un laurier-rose. Je m'arrête là à regarder les chameaux qui viennent.

Halte à un café, servi par un jeune homme nègre, boiteux. – Levantins smyrniotes en partie de campagne, avec une flûte et un violon. – Nous faisons le tour du pays.

Halte à un café, bâti sur pilotis dans la mer.

A travers champs, fossés et marais, Stéphano me conte des histoires de sorcier : il a vu à Beyrout un sorcier qui faisait venir à travers les airs, de Damas à Beyrout, une fille sur son lit; il finit pourtant par m'avouer qu'il n'a vu que le nuage qui enveloppait la jeune fille, ou même qu'un nuage. A Smyrne, on croit beaucoup au sortilège, aux enchantements; quant à lui il n'accepterait jamais une tasse de café ou un verre d'eau d'une jeune fille de peur d'être forcé malgré lui à l'aimer. Une jeune personne, amie de Mlle Camescasse, m'a dit que celui qui cueillait les feuilles du *Ligaria* se faisait aimer de la personne qu'il aime; j'en ai souvent cueilli sans y songer, je cherche à savoir qui m'aimera. O vertu de la plante! comme je t'aurais bénie dans ma jeunesse!

Nous revenons à Smyrne en trois quarts d'heure, temps de galop brillants. Le soir, dîner chez le docteur Ballard. – Mme Matron, grosse bonne de Smyrne, en robe verte, bonnet, gants blancs, trois mentons, et le nez pointu quoique épaté de la base. – Après le dîner, au théâtre, « il signor Nicosia », grec, violoniste à longs cheveux et qui met son mouchoir dans la poche de son pantalon; Weber, ivre et troublant la salle de spectacle; présentation à M. Daiglemont, en robe de chambre, quelle cordelière! et à M. Desbans; œil du sieur Desbans, paletot du sieur Andrieu. Nous revoyons la *Seconde année* de Scribe!

DE SMYRNE A CONSTANTINOPLE. *Vendredi 8*, départ pour Constantinople sur l'*Asia* de la Compagnie du Lloyd. – Weber est ému d'un déjeuner qu'il vient d'avoir avec Oscar.

Passagers : M. Constant, gros et bon brutal Américain; Mme Constant, petites boucles d'oreilles en diamant; son fils, maniaque de la lorgnette; Oscar; un gros armateur de Trieste, charpenté, en redingote jaune blanc, figure de bouledogue, insipide; M. Peyret, français établi à Constantinople; sa femme en coiffure grecque, lèvres boudeuses et suceuses, pelisse jaune; gros Arménien bon enfant, qui nous donnait des prises de tabac (nous l'avons rencontré aujourd'hui dans la cour du tekeh des derviches tourneurs), il avait la figure toute bleue, ce qui venait d'un mouchoir en toile peinte tout neuf, dont il se servait; sa fille, Arménienne viandée, à cheveux noirs, venait avec lui à Constantinople chercher une femme pour son frère; Aline Duval; le gouverneur de Samos.

Je suis sorti de ma cabine et j'ai vu Ténédos à gauche, derrière moi; plus en remontant, Lemnos.

Sur le rivage à droite, buttes de terre; on vous en montre une que l'on dit le tombeau de Patrocle. Le rivage est bas, mais c'est dans un admirable pays; je ferai, coûte que coûte, le voyage de la Troade. (Voilà ce que j'écrivais!). A gauche, nous avons l'Europe. – Aller d'ici à Venise, par terre, ce serait un voyage!

DARDANELLES. *Samedi 9* et *dimanche 10 novembre*, quarantaine aux Dardanelles, nous restons à bord. Quel jambon que le jambon croate de l'*Asia!*

Lundi 11. Le matin nous descendons dans le village des Dardanelles, côte d'Asie. – Promenade en famille pataugeant dans la boue des rues, qui sont du reste assez larges et, pour des rues turques, en hiver peu boueuses! – Visité deux potiers. On fabrique ici de grandes jarres vertes, vernies, avec des fleurs d'or par-dessus et pouvant à la rigueur servir de pots; il y a des monstres fantastiques, se rapprochant du Martichoras (ou plutôt de l'Alborak!). – Nous menons Mme Constant dans un grand café propret, chauffé par un mangal; un Turc se lève pour la saluer quand elle entre. Ce café est en même temps la boutique d'un barbier et d'un dentiste. – Nous tâchons vainement d'entrer dans la forteresse.

Pendant toute la traversée des Dardanelles, je pense à Byron; c'est là sa poésie, son Orient, Orient turc, à sabre recourbé; sa traversée à la nage était rude.

GALLIPOLI. Le soir à 2 heures, arrêtés à Gallipoli. Il y a là un petit port avec beaucoup de petits navires tassés dedans; la mer est assez forte, ça remue.

Au delà de la ville, aspects de campagne tranquilles et européens, ciel gris et froid, poules qui picorent dans un champ labouré. – Vieille forteresse dominant le pays et où nous nous promenons, mais nous laissons la compagnie de son côté et nous faisons le tour du pays tout seuls. Nous traversons un cimetière où il y a une vache, Stéphano demande sa route à des femmes turques assises sur le seuil d'une maison (fabrique de tombes) qui est au milieu du cimetière. Café sur le port : deux hommes, dans un coin à ma gauche, sont en affaires, l'un en robe, veste, et barbe noire, parlant très vite, avec volubilité.

Retour à bord et partis.

ARRIVÉE A CONSTANTINOPLE. *Mardi 12 novembre*, à 7 heures du matin, nous apercevons Constantinople. – Iles des Princes, à droite : elles ont l'aspect désert; à gauche, le château des Sept-Tours, puis longues files de maisons blanches; à droite, Scutari, une forêt au-dessus : c'est le grand champ des morts; le Bosphore devant nous; Nez-du-Sérail à gauche, palais dans la verdure; par derrière, dômes et minarets. On tourne cette pointe et l'on entre dans la Corne-d'Or, golfe entre Stamboul et Péra : c'est une mer peuplée de vaisseaux et gâtée seulement par deux ponts en bois.

Tandis que nous stoppons avant de débarquer, mine d'un caïdji accompagné de son caïque, qui se promène autour de nous : veste bleue, tarbouch, cheveux noirs, figure avancée, souriant un peu. Une caravelle a passé tout près de nous, côté bâbord, nous lui avons fait signe qu'elle allait le heurter, il nous a répondu par un sourire de fatuité accompagné d'un *la* de tête, muet, plein de confiance. (*Fini de copier ces notes le samedi soir, minuit sonnant, 19 juillet 1851, à Croisset.*)

CONSTANTINOPLE, NOVEMBRE-DÉCEMBRE 1850

Nous débarquons à l'embarcadère de Top-Hana, nous montons la petite rue de Péra. – Hôtel Justiniano.

TOUR DE GALATA. – Escalier intérieur qui donne sur des planchers en bois; en haut, café tenu par les guetteurs de nuit. Nous voyons là les piques qu'ils portent à la main, lorsqu'ils courent la nuit aux incendies. Circulant autour du parapet, il me semble que la tour remue par la base et s'incline par le sommet, comme un mât de navire sur lequel je serais posé; c'était sans doute le mouvement de la mer qui continuait en moi.

Promenade dans le bas quartier de Galata : rues noires, maisons sales, salles du rez-de-chaussée; violon aigre qui fait danser la romaïque; jeunes garçons en longs cheveux qui achètent des dragées à des marchands. – A la nuit tombante, promenade dans le cimetière de Péra : tombe d'une jeune fille française qui s'est empoisonnée pour ne pas épouser un homme que son père lui destinait, il l'avait même introduit dans sa chambre. Ces histoires d'empoisonnement par amour sont fréquentes à Smyrne, où l'on s'occupe beaucoup de galanteries. Stéphano nous dit que dans ce cimetière, le soir très tard ou le matin de très bonne heure, les p... turques viennent s'y faire b..., par les soldats particulièrement. Entre le cimetière et une caserne que l'on bâtit à gauche, vallon; dans ce vallon, des moutons broutaient.

Le soir, nous allons voir *la Lucia*, représenté convenablement. – Oscar dans la loge de l'amant de la *prima donna*. – M. Constant et sa femme, en chapeau blanc; à côté d'eux Aline Duval, en chapeau rose, un voile noir.

Mercredi, nous avons passé le pont de Galata pour aller de l'autre côté, à Stamboul. Sur le pont, rencontré un Indien richement vêtu, de couleurs vertes et or; il marche doucement sous un parapluie, quoiqu'il n'y ait guère de soleil, et porte un binocle en écaille; a habité trois ans la France.

Bazars : me semblent sans fin. – Ludovic. – Ecrivains dans de petites boutiques, où nous faisons écrire le nom de Bouilhet. – Nous allons donner à manger aux pigeons de la mosquée de Bajazet (Baiezidiey), ils s'abattent de tous les côtés de la mosquée. – Bruit du grain qui tombe sur eux et les fait s'envoler un peu, quand on le leur jette. Un homme est là, près d'un coffre plein de grain, où il le puise avec une tasse.

Jeudi. Eté à Scutari. – Rue en pente et déserte, café à l'entrée du champ des morts, où nous attendons l'heure d'entrer chez les hurleurs.

Tekeh des derviches hurleurs. – Pièce carrée, balustrade tout autour. Sur la muraille du côté où est le Merab, instruments de supplice à l'usage des hurleurs : longues broches terminées par une espèce de palette recourbée et espèces de coins ronds terminés par des pointes; de la partie supérieure du cône, chaînettes. Sur les planches tout autour sont rangés de grands tambours de basque, des cymbales et de petits tambourins. On a commencé par les prières. – Iman, vieillard grisonnant; son fils, figure impassible, joues un peu bouffies, nez régulier, droit, un peu de petite vérole au bout, robe verte garnie de fourrure de renard, immobile dans sa pose à genoux. – La file s'est ébranlée : pas de costume particulier, il y avait dedans des soldats turcs, plusieurs vêtus à l'européenne. – Le chef d'orchestre petit, noir, remuant tout et menant tout; le chef des cérémonies, gros bonhomme en robe puce, ressemblait un peu à Soliman-Pacha. – Un vieux, rien qu'avec son takieh, assis par terre et chantant. – Jeune homme en pantalon, en petit turban, ressemble à Biéry, s'est mis à la fin à pleurer à chaudes larmes.

Cela m'a semblé plus musical que ceux que nous avions vus au Caire, la voix de dessus dominant et passant à travers les hurlements. Un moment, ça a ressemblé au bruit du piston d'une machine à vapeur; d'autres fois, en fermant les yeux, à deux ou trois lions en cage et rugissant. – Vers la fin de la cérémonie, malades venant se faire marcher sur l'endroit malade par l'iman; aux petits enfants, il faisait seulement des passes avec la main et les insufflait.

Promenade dans le cimetière de Scutari. – Descendus par la grande rue. – Traversée en caïque, qui manque de sombrer à chaque lame; nous en voyons flotter à l'eau un à qui cet accident vient d'arriver, plusieurs hommes qui le montaient se sont noyés. – Vue d'un milord doré qui appartient à Sa Hautesse, chevaux enharnachés d'argent lourd.

Vendredi 15. Tourneurs de Galata, tekeh rond, galerie autour en bas et en haut, petites lampes et lustres de verre : ça a l'air bastringue. – Iman, vieillard en robe verte. – Procession à la file, 17 derviches, ils saluent le Merab après l'avoir passé et se saluent eux-mêmes. Bientôt la ronde commence. Cela n'est pas assez vanté : chacun a une extase particulière, vous pensez aux rondes des astres, au songe de Scipion, à je ne sais pas quoi? Un jeune homme, les bras tout levés et la figure perdue de volupté; un autre qui ressemblait à un archange, avec un air d'autorité; un vieux, pointu, à barbe blanche; un de teint blanc jaune (maladie de cœur?), de même teinte morte que son bonnet de feutre. Nul étourdissement quand ils s'arrêtent. – Mouvement de leur robe qui tourne encore et les drape.

Samedi 16, visite au général Aupik, ambassadeur. – Reçu celle de M. Fauvel. – Accident arrivé à un de mes commensaux, M. de Noary, qui a laissé tomber à l'eau un sac contenant 80 000 piastres.

Dimanche 17. Le matin Besestain fermé aux trois quarts, les Grecs et les Arméniens et quantité de Turcs faisant dimanche. – Déjeuner dans un café avec du rebab; le froid nous y fait grelotter. – Le soir, dîner chez le Dr Fauvel. – MM. Danglars, Mangin, etc.

Lundi 18. Partis le matin (après avoir attendu deux heures, à l'Hôtel d'Angleterre,) avec M., Mme Constant et leur fils, la « petit femme grecque », MM. Fortier, Pélissier qui trimbale ses bottes, et Mme Navie, grosse femme arménienne, plaquée de fard et qui fait l'œil jouisseur quand on passe devant elle, Hamelin (des Andelys), Hoffman, docteur en droit, vêtu d'un tarbouch porté sur le derrière de la tête. Nous entrons dans le Vieux Sérail par la porte de Top-Kapou (= porte du canon), longue avenue plantée; les arbres sont enguirlandés de vigne. Après avoir défait nos chaussures, nous montons dans les appartements, pièces ovales donnant sur le Bosphore. On voit naviguer à pleines voiles les vaisseaux. Aux murs, pilastres en plâtre, rideaux de mousseline; housses en perse ou en calicot, ameublement et ornementation mesquine, qui jure avec la délicieuse forme architecturale des appartements et leur position. – Galerie longue, sur le mur de laquelle gravures anciennes et un tableau de Gudin. – Salles de bain en marbre blanc, robinets de cuivre (!); c'est du reste ce qu'il y a de mieux, avec une pièce du rez-de-chaussée où il y a divan et vasque au milieu.

Les jardins, compris entre les différents corps de bâtiment du Vieux Sérail, sont taillés en petits jardinets rococo. Rien ne répond moins à l'idée du jardin oriental, mais rien ne répond mieux à celle qui nous est représentée dans les gravures anciennes, où l'on voit le sultan avec l'odalisque, existence resserrée, mesquine, fardée, sans grandeur ni volupté; c'est enfantin et caduc, on y sent l'influence de je ne sais quel Versailles éloigné, apporté là sans doute par je ne sais quel ambassadeur en perruque, vers la fin de Louis XIV.

Les appartements sont de couleurs différentes, l'un blanc, l'autre noir, l'autre rose, etc.; dessus de cheminées en cuivre taillé à jour. – Bibliothèque dans une autre cour en face. – Collège des Icoglans; nous voyons plusieurs de ces jeunes drôles, dont la plupart serviront plus tard au Sultan. – Manuscrits entassés dans une armoire. Par terre, on nous déroule une pancarte sur laquelle sont peints les portraits des Sultans, affreux petits bonshommes en turban, et accroupis sur des divans.

Salle du trône : fenêtre grillée, appartement sombre. Le trône est un baldaquin destiné à renfermer un divan, admirable chose en argent doré, incrusté partout de diamants et de pierres précieuses, vrai luxe oriental s'il en fut! La bordure du baldaquin, partie comprise entre l'arc et la corniche, est ornée et terminée par des sortes de petits arcs, terminés par des sortes de glands du plus gracieux effet du monde. – Cuisines, rien de curieux. – Arsenal dans l'ancienne église Sainte-Irène. – Belle salle d'armes en dôme, voûtée, avec nefs pleines de fusils en mauvais état; au fond, à l'étage supérieur, armes anciennes et d'un prix inestimable, casques persans damasquinés, cottes de mailles, communes la plupart, grandes épées normandes à deux mains. – Sabre de Mahomet, droit, large et flexible comme une baleine, la garde recouverte d'une couverture en peau verte; tout le monde l'a pris et brandi, moi seul excepté. – On nous montre aussi, sous verre, les clefs des villes prises par les Sultans. – Vieilles espingoles à bois usé, noir, culotté, tromblons épatés, toute l'artillerie fantastique et lourde d'autrefois. – Machine-Fieschi.

Il y a aussi au Sérail un musée d'antiques : une statuette de comédien avec le masque; quelques bustes, quelques pots, deux pierres avec figures et caractères égyptiens. – Nous sortons par la porte qui donne sur la place de Sainte-Sophie. – Déjeuner dans un café pendant que le reste de la société tâche de voir la Monnaie.

Sainte-Sophie, amalgame disgracieux de bâtiments, minarets lourds; elle est repeinte en blanc et ceinte de place en place de bandes rouges. Nous entrons par une porte de la cour extérieure qui fait l'angle de la place et de la rue, à toit avancé, retroussé. – À l'église même, porte de bronze latérale sur laquelle on reconnaît les marques d'une croix. Le vaisseau est d'une hauteur écrasante qui n'est surpassée que par celle du dôme couvert de mosaïque. De la galerie du premier étage, les lampes suspendues ont l'air de toucher à terre et l'on ne sait comment les hommes peuvent passer dessous. Ancienne porte murée sur le côté droit. Aux quatre coins du dôme, chérubins gigantesques. – Arcades romanes (voilà du byzantin!), feuilles de fougère. – Les dalles couvertes de nattes. – Deux drapeaux verts des deux côtés du Nimbar; à l'entrée de la mosquée, petites vasques à ablutions.

Achmet, à côté de la place de l'Hippodrome, entourée d'arbres, 6 minarets. Bien plus belle d'extérieur qu'à l'intérieur, piliers lourds, énormes, cannelés en bosse, toute blanche.

Orosmane. – On dirait *Lazer*, je n'ai pu la bien voir. Dans un coin, sous des arbres, sarcophage insignifiant que l'on prétend être celui de Constantin.

Barezed. – Pigeons. – Une négresse leur a apporté à manger de la part de sa maîtresse qui est malade. – *Idem* aux hurleurs. C'était un vase d'eau que l'on devait toucher et insuffler. Comme la mosquée était pleine de monde, nous n'avons pu la voir.

Suleimanieh, charmante, toute couverte de tapis, vitraux persans au fond. Çà et là une école avec son maître, qui criait et expliquait tout haut, argumentant et se répondant à lui-même. – Disciples autour, hommes couchés sur le coude et qui étudiaient. – Coffres en dépôt dans un coin, ou plutôt sur tout le côté qui est en face du Merab. Comme existence musulmane calme et studieuse, c'est ce que j'ai encore vu de mieux avec El-Azhar du Caire; mais ici c'est plus recueilli et plus tranquille.

Turbehs. – Sont des salons dans lesquels, sur des tapis, sont des tombeaux recouverts de cachemires magnifiques, surtout dans celui de Mahmoud, bande de mousseline sur lequel est écrit le Koran entier de sa main. (Le matin, au Seraï, dans une armoire, son admirable encrier.) Dans celui de Bajazet, on nous montre sa chemise, sa ceinture, que l'iman baise devant nous. – Turbans sur les tombeaux, avec des aigrettes. – L'appartement est toujours clair et propret, blanc et plein de lampes luisantes, inondé de jour. Autour du Sultan, sa famille, petites tombes d'enfants en grande quantité, draps de velours brodé d'or.

Turbeh de Soliman. – Allée d'arbres, plan de la Mecque, les hommes figurés par des petits clous, marchant deux à deux.

Mardi 19. Le matin visite d'un tourneur, le beau jeune homme qui tourne avec une expression si navrante de volupté mystique. Il nous dit que tous, dans son ordre, boivent, quelques-uns s'en font mal; il n'éprouve nullement de vision béate, mais seulement demande à Dieu la rémission de ses péchés; le Diable ne peut entrer en eux quand ils tournent ainsi. L'apprentissage dure de vingt à quarante jours, ils s'exercent sur un disque posé sur un pivot. Selon lui, la corruption est maintenant à son maximum, autour de lui il ne voit que p... : « Qu'est-ce que fait un Turc? Il prend une femme, la b... trois jours; puis il voit un jeune garçon, lui soulève son bonnet, le prend chez lui et quitte la femme, qui se fait... par le jeune garçon!!! » L'ordre des tourneurs me paraît très tolérant : la véritable Mecque, selon eux, est dans le cœur; ils ne refusent aucune explication ni communication avec les giaours. Selon ce derviche, le nombre de pèlerins diminue sensiblement et les mosquées deviennent vides.

Le soir, nous avons été encore une fois les voir tourner; même chose que la fois précédente. Ce n'est pas devant le Merab qu'ils saluent, mais devant la chaise de l'iman, et c'est eux-mêmes qu'ils saluent. Chacun part les bras croisés sur la poitrine, fait quelques tours, puis les détend. (Notre ami est capable de tourner les bras croisés six heures de suite.) Ils tournent sur le pied gauche, le droit envahissant par-dessus, la pointe du droit décrivant, pendant que le gauche tourne, un demi-cercle pour aller rejoindre celui-ci. Ces derviches sont mariés, quelques-uns exercent des métiers. Ils sont à peu près 300 en tout dans l'Empire ottoman. – Bruit de leurs nattes tombant toutes ensemble par terre lorsqu'ils s'agenouillent.

À 6 heure et demie du soir, dîner turc. Mme Constant à ma droite, en robe de soie, sentant le cold cream, charmante et mangeant très résolument avec ses doigts; M. Constant s'empiffre gaiement et M. Fortier silencieusement; M. Kosielski à ma gauche. Après le dîner, *Robert le Diable* dans la loge de M. Constant; à côté de son épouse, je hume son essence de mousseline et son linge blanc. Drôle de ville que celle-ci, où l'on sort des tourneurs pour aller à l'opéra! les deux mondes sont encore à peu près mêlés, mais le nouveau l'emporte; même dans Stamboul, le costume européen domine, pour les hommes seulement, il est vrai!

Mercredi. Le matin, course au Besestain, où nous achetons des bouquins, des pipes. Quoiqu'il soit beau, le Besestain, en fait d'antiquités, me paraît assez maigre; il y a beaucoup de gibernes dorées et de sabres modernes. Acheté des lanternes turques, dont les vendeurs sont auprès de la Suleimanieh. Dans la cour de la mosquée, dispute de femmes nègres et de cavas; une surtout, grande, à la peau nubienne, les joues coupées longitudinalement de coups de couteau, criait en montrant ses dents blanches et gesticulant avec ses grandes manches. Manteau couleur tabac d'Espagne.

Jeudi. Promenade autour des murailles de Constantinople, avec M. Kosielski qui nous rejoint sur le pont de Mahmoud; nous prenons des chevaux au bout du pont. – Traversé le Phanar, grande arcade, sous laquelle on passe. – Maison à mâchicoulis.

Balata. – Quartier juif. – Le grand cimetière de Stamboul, immense; on n'en finit plus; infinité de tombes et de cyprès. Nos chevaux passent à travers et dessus. – Pelouse jonchée de tombeaux grecs, les Phanariotes sont là, les descendants des Comnène et des Paléologue. – Eglise Boulougli (des poissons) : des femmes embrassent à la porte un Saint Nicolas, la place de tous les baisers a sali en noir le panneau; vendeurs de cierges en quantité. On nous montre une fontaine vers laquelle on descend par plusieurs marches et qui se trouve dans une petite chapelle souterraine; l'eau est tellement claire que nous croyons d'abord qu'il n'y en a pas, c'est quand elle s'est ridée que nous nous en sommes aperçus. On nous conte la légende suivante : un marin, en mer, vint à mourir; avant de mourir il fit promettre au capitaine de la barque de porter son corps à cette église et de lui en faire faire trois fois le tour. Le capitaine exécuta sa promesse, le mort ressuscita et resta dans le couvent. Le bruit de ce miracle vint jusqu'en Angleterre, où quelqu'un, en doutant, se mit en route pour aller voir le ressuscité; il le trouva qui faisait frire des poissons à côté de la fontaine; il ne voulut pas croire au miracle et dit : « Je ne croirai pas plus ce que vous me dites que je ne crois que ces poissons frits puissent renager ». Ce qui fut dit se fit, ils sautèrent de la poêle dans l'eau et se remirent à nager. En effet nous voyons dans l'eau d'imperceptibles petits poissons.

Les murailles de Constantinople sont couvertes de lierres par places. – Trois enceintes. – Tours carrées avec des ronces, des arbustes, toute la prodigalité des ruines. Les murs de Constantinople ne sont pas assez vantés, c'est énorme! Nous passons devant la Porte Dorée, murée, et le château des Sept-Tours, nous arrivons devant la mer agitée et qui rebondit. Au pied du mur, à notre gauche, boucherie en bois sur pilotis, odeur infecte se mêlant à celle des flots, grand vent, quantité de chiens qui rôdent par là; des oiseaux de proie voltigent, poussent des cris, tournoient, s'abattent sur les flots. – Revenu à travers tout Stamboul : maisons en bois, fenêtres grillées partout; la vie turque grouillante et tranquille. Ça me rappelle, comme à Smyrne, le moyen âge chez nous.

Aqueduc de Valens, haut, orné de lierres, traverse Stamboul en large; les maisons sont là, en bas, écrasées par lui. Nous revenons au bout du pont de Mahmoud et nous allons chez le peintre persan, qui nous montre plusieurs couvertures de livres, des boîtes et des encriers. Khan persan : tapis de feutre sur lesquels ils sont assis,

narguilehs en bois rouge sculptés; intérieur sombre, plein de fumée, les Persans avec leur haut bonnet pointu et leur nez recourbé. Je ne retrouve pas la figure ronde, les yeux sortis et les énormes sourcils des images persanes. Tous leurs chevaux (sur les peintures) ont les jambes très minces, la croupe et le ventre énormes, le corps en cylindre. Nous retraversons le pont de Mahmoud et remontons par les quartiers *brocs* de Galata; la nuit est presque venue, nous ne voyons aucun drôle sur les portes.

Vendredi 22. Nous allons à bord de la petite goélette anglaise voir le sauvetage des écus de M. de Noary; il nous donne à tâter son pouls, qui bat très fort pendant que l'on fait les préparatifs du sauvetage. – Casque de l'homme effrayant, ça a l'air d'une énorme bête marine fantastique, tenant le milieu entre l'ours et le phoque, surtout lorsqu'on l'a hissé hors de l'eau et qu'il se débattait entre le canot russe et la goélette.

Nous prenons un caïque à deux rameurs vêtus de chemises de soie (le premier en face de nous, suant à grosses gouttes, figure d'un officier d'armée d'Afrique), et nous remontons la Corne-d'Or. Après le pont de Mahmoud, flotte turque, vaisseaux désarmés, figures de lions et d'aigles à la proue. – Amirauté. – A gauche Balata, casemate pour les canaux; Eyub, mosquée enfoncée dans les bois, cimetière. La Corne-d'Or décrit une courbe : barrières dans l'eau; le fleuve (réunion du Cydarès et du Barbéris) se rétrécit, prairies, kiosques de pachas, grandes herbes sur l'herbe, place de verdure où l'on descend, arbres à mi-côte; avant eux cimetière juif, plus loin palais du Sultan. – Femmes dans des carrosses dorés, pâleur naturelle sous leur voile ou donnée plutôt par leur voile même (?); à travers leurs voiles, les bagues de leurs mains, les diamants de leur front. Comme leurs yeux brillent! Quand on les regarde longtemps, cela n'excite pas, impressionne; elles finissent par avoir l'air de fantômes couchés là comme sur des divans; le divan suit l'Oriental partout. Aux côtés des voitures dorées, musiciens qui jouent de différentes espèces de guitares aiguës et de flûtes, accroupis par terre. Levantins à l'européenne : c'est un air vif et toujours le même. – Affreuses guimbardes soi-disant européennes. – Nous fumons un narguileh près d'une tente d'où s'exhale une violente odeur de raki.

C'est bien en ces lieux que l'on vivrait avec l'odalisque ravie. Cette foule de femmes voilées, muettes, avec leurs grands yeux qui vous regardent, tout ce monde inconnu, qui vous est si étranger, enfants et jeunes gens à cheval, courant au galop, vous donnent une tristesse rêveuse, empoignante; nous revenons à Constantinople sans ouvrir la bouche, le brouillard descend sur les mâts, sur les minarets, sur la mer.

Descendus au bout du pont de Mahmoud, nous remontons par le petit champ des morts de Péra : une baraque en bois, noir dedans; poules qui picorent à l'entour; autre maison au bout du champ des morts, drapée de feuillage.

Dîner mauvais chez Schefer. – Manuscrits persans et arabes : vignettes moyen âge, reliure peinte ressemblant à J. de Bruges; manuscrit sur l'art militaire, bonshommes à cheval (auxquels quelque enfant a fait une barbe avec de l'encre) qui s'exercent à la lance, au sabre, lances à feu, feu grégeois.

Samedi 23. Resté toute la journée à l'hôtel, à écrire des lettres et à prendre des notes. – Bain à Péra : petit masseur à figure de cheval (Maurepas, Mme de Radepont, Mme Rampal), yeux noirs, vifs, impudents, places de cheveux chauves, cicatrices de teigne. – Le soir, au dîner, champagne bu à propos de la guerre déclarée par la Prusse à l'Autriche; discussion littéraire avec M. Fortier, à propos de Chateaubriand et de Lamartine. – M. de Noary est comme une âme en peine dans l'hôtel. Son mot, hier, quand on a cru que le sac était retrouvé : « Eh bien, ils n'auront pas été longtemps à retrouver leur argent ».

Mercredi 27. Course à Thérapia, visite au général Aupick. – Par les hauteurs, terrains plats, avec de légères ondulations, cela ressemble un peu à certaines landes de la Bretagne; à gauche les plaines de Daoud-Pacha; à droite le Bosphore; bientôt, en face de nous, la mer Noire. Nous tournons à droite et descendons vers le Bosphore; conaks en bois peints en gris, au bord de l'eau. – Le général en robe de chambre, à collet et parements de velours; M. de Saalgi, Edouard Delessert. – Promenade dans le jardin de l'ambassade. – Nous revenons par le même chemin, avec de grands temps de galop, à la nuit tombante. – Apostoli, notre drogman.

Jeudi 28. Re-visite au Sérail et aux mosquées. Dans le Vieux Sérail, revu avec plaisir la pièce du rez-de-chaussée avec ses jets d'eau; entre les fenêtres et dans les enfoncements de la muraille, étagères pour mettre des pots de fleurs. – Aux alentours la salle du trône, le nain, costumé à l'européenne et quelques anciens eunuques blancs, figures de vieilles femmes ridées, proprement habillés, chaînes d'or sur leurs gilets, pantalons larges à l'européenne, à plis; par-dessus, des pelisses; un à figure carrée, mâchoire large par le bas, jouant avec le nain du Sultan. La vue d'un eunuque blanc fait une impression désagréable, nerveusement parlant, c'est un singulier produit, on ne peut détacher ses yeux de dessus eux; la vue des eunuques noirs ne m'a jamais causé rien de semblable. – La salle du trône, entourée de porcelaine bleue à partir du milieu, c'est comme une longue plinthe qui règne. – Dans l'arsenal, formidables timbales des janissaires, couvertes de peau; ça ressemble à des cuves à lessive; épées à deux mains, du temps des croisades; piques terminées par une sorte de kandjiar à deux branches; pointes de fers de flèches, à dards rentrants articulés. Quand on voulait retirer le trait de la blessure, les deux pointes rentrées s'écartaient d'elles-mêmes, il fallait tout déchirer. Je manie le sabre de Mahmoud, il me paraît horriblement lourd; celui d'Eyub moins long, plus commode, d'une largeur effrayante, bien en main et terminé en glaive, mêmement recouvert d'une peau verte. Je vois une très belle cotte de maille, flexible et souple comme de la flanelle; en effet, c'étaient les gilets de santé d'alors. – Dans Sainte-Sophie, je ne vois rien de nouveau, je reste long-

temps à regarder les arcs, deux rangées; beaucoup de fenêtres en haut, la plus grande partie de la lumière tombe d'en haut; les chérubins sont sans tête, c'est une réunion d'ailes. Pour les ablutions, vases énormes de chaque côté en entrant, fermés comme d'énormes cruches très ventrues. – Dans le turbeh d'Achmet et de Soliman, longue inscription, en caractères blancs sur porcelaine bleue, qui court tout autour; rien n'est propre et gai comme les turbehs. Dans la mosquée d'Achmet, Stéphano va parler à des gens qui écrivent, à droite en entrant, et lit quelques lettres de l'alphabet. Dans la Suleimanieh, nous ne voyons pas de docteurs professant comme la première fois; en revanche, des femmes qui font leurs prières et prosternations à la manière des hommes. – Nous retournons voir les derviches de Scutari, l'iman monte sur le corps d'enfants de 4 à 5 ans; on passe, sous le souffle des derviches, des vêtements de malades. – Beauté pontificale du fils de l'iman, qui ne se fatigue pas. – Un derviche déguenillé; nu-tête; moins de férocité que la première fois? – Le soir, dîner à l'Hôtel d'Angleterre, chez M. de Saulcy.

Vendredi 29. Vu le Sultan à son entrée dans la mosquée de Fondoukli; la place devant la mosquée encombrée de chevaux et d'officiers étranglés dans des redingotes. Il faut encore plusieurs générations pour qu'ils s'y habituent. Nous étions au bord de l'eau, à côté d'un mur en ruines. – Femmes; on a voulu nous faire déloger, pour que nous ne restions pas avec elles; elles sont venues de notre côté, trouvant que la place était plus commode pour voir, les cavas n'ont pu les faire s'en aller de là. Le canon des forts a annoncé le Sultan. – Premier caïque, portant deux Pachas à genoux, tournés vers le second où était Sa Hautesse; caïques blancs bordés d'un ruban d'or, tendelet à l'arrière, rampe d'argent à celui du Sultan. – Il a l'air profondément ennuyé, petit jeune homme pâle, à barbe noire, nous a regardés fixement, tournant la tête à droite. – Manière particulière de ramer de ses caïqdjis : ils se lèvent et saluent, tout en ramant; les boules du premier bras de levier m'ont paru moins grosses que celles des caïques ordinaires.

Danses des jeunes garçons dans un café de Galata. Dans une petite chambre, trois jeunes imbéciles, en habits grecs surchargés de broderies, se contorsionnent sans verve; un seul, noir, commun, mais vigoureux et à très belle chevelure, dont les anneaux tombants me rappellent ceux des perruques Louis XIV : c'est, comme danse, un souvenir lointain des danses d'Egypte. En somme, ce fut pour nous une des plus affreuses journées de notre voyage.

Autre excursion à Galata, chez une vieille femme. Ameublement de quartiers maritimes, une caricature sur Louis-Philippe; négresses dégoûtantes, en robe européenne noire, trouée, énorme, qui était au bain et qui arrive couverte de fourrures. Mais dans une chambre plus propre et mieux meublée était enfermée Rosa, fille de la maîtresse de la maison, blanche, châtaine, avec de la dentelle dans les cheveux, à l'espagnole, casaquin de soie noire qui lui serrait la taille. – Les rues de Galata sont profondes comme mœurs et couleur :

lumière noire, ruelles sales, fenêtres donnant sur des arrière-cours d'où sort le son aigre d'une mandoline ou d'un violon; çà et là, à la fenêtre ou sur le seuil de la porte, une sale mine de p..., habillée à l'européenne et coiffée à la grecque; envahissement de la gravure polissonne des Héloïse et des Abailard. L'émancipation de la femme en Orient entrerait-elle par le chic Faublas? – Importance du ballet. – Dans cent ans le harem sera aboli en Orient, l'exemple des femmes européennes est contagieux, un de ces jours elles vont se mettre à lire des romans. Adieu la tranquillité turque! tout craque de vétusté, partout.

Samedi 30. Adieux à la bande Saulcy, à bord du *Lloyd*.

Dimanche 1er. Visite chez Artim-Bey, à Kourout-chechmé. – Les maisons arméniennes peintes de couleur sombre, grises, noires, ou brun tabac; intérieurs tristes quoique grands. On a je ne sais quelle contrainte sur les épaules. Artim nous reconduit jusqu'à la maison qu'il fait réparer : petite cour entourée de murs, serre au fond.

Lundi 2. Visite chez Antonia. – Arméniennes ou plutôt Grecques. – « Piccolo, μεγαλω », peur de ma barbe, gestes enfantins en se cachant sous sa pelisse de fourrure. – La mienne, dents découvertes et nez écrasé par le bout, corsage noir, poitrine très belle couverte de s... sur le sein et au cou. L'homme qui fait des s... à une p... va de pair avec celui qui écrit son nom avec un diamant sur les vitres d'auberge. – Lithographies de l'histoire d'Héloïse et d'Abailard sur les murs.

Mardi 3. Rencontré Fagniart dans la rue, en sortant de chez M. Cadalvène. Le soir, au théâtre, ballet du *Triomphe de l'amour;* Dieu Pan en culotte avec des bretelles, cancan effréné de ces dames, admiration naïve du public. – Le major X et le petit secrétaire de Kosielski. – Térésa, grosse, couverte de bagues. Pourquoi ses protestations de fidélité à son amant et son dégoût de l'argent m'ont-ils tellement révolté que je suis rentré chez moi avec la mort dans l'âme?

Mercredi 4. Sorti seul avec Stéphano, par les hauteurs de Péra, et passé devant le grand champ. Froid, vent. Nous tournons à gauche et nous descendons à travers champs, nous remontons et redescendons, landes, rien. Au fond, à gauche, Constantinople. Dans les gorges, à l'abri du vent, il fait chaud. Tout à coup nous nous trouvons aux Eaux douces d'Europe; un berger bulgare faisait paître ses moutons sur la pelouse où viennent l'été les harabas chargés de femmes; il n'y avait personne, les feuilles jaunies des platanes tombaient à terre. – Douceur des jours d'hiver, quand le froid se repose. – Nous longeons quelque temps le bord de la petite rivière, puis Eyub, mosquée au milieu d'un cimetière planté comme un jardin, plusieurs tombes dorées. – Quartier du coin jaune, Sari-eivah; interminable Balata, sale, noir, honteux. Aussitôt qu'on entre dans le Phanar, la rue devient plus propre, maisons à mâchicoulis, aspect boutonné et sévère. Nous passons le pont de Mahmoud et rentrons par le petit champ.

Jeudi. Promenade aux environs de Scutari. Nous montons la grande rue, nous passons au milieu du grand champ, des soldats allaient sous les cyprès et sur les tombes se livrer à l'amour avec une fille. – Beau jour d'hiver. Nous laissons aller nos chevaux dans la campagne; çà et là un carré de terre labouré, deux ou trois tentes noires, à l'horizon le Gigant. – Un vallon vert; au fond, un carrosse doré qui passe tout seul, un cimetière juif, tombes à plat. Nous retombons au bord du Bosphore.

Vendredi. Avec Stéphano, aux Eaux douces d'Asie. – Le Sultan passe devant nous pour se rendre à Scutari. – Le vent vient de la mer Noire, beaucoup de navires, les voiles blanches toutes déployées. – A Orta-Keuï ou Arnaüt-Keuï, il y a un cimetière juste au bord de l'eau; des pêcheurs étaient là avec leurs barques; grands filets qui séchaient accrochés aux cyprès, tendus en long; cela faisait draperie avec de grands plis, occasionnés par les câbles du filet; le soleil derrière, ce qui faisait que les tombes et les arbres, vus à travers les mailles, étaient comme à travers une gaze brune. Plus loin, d'autres filets étaient couchés sur les tombes; les stèles, çà et là, les levaient en vagues. – Abordés aux Eaux douces : ancien kiosque du Sultan, pourri et qui tombe dans l'eau; jolie petite fontaine carrée, soldats à un corps de garde. Que de corps de garde et de casernes à Constantinople! Nous passons dans un champ où Stéphano demande la route à des femmes grecques qui jardinent, chemin boueux, pelouse entourée de montagnes, grands arbres au pied. – Café, Stéphano joue une espèce de partie de trictrac avec des dames jaunes et noires. – Nous revenons par le même chemin; au pied de la fontaine un chien me caresse. – Revenus très vite à Constantinople. – A Top-Hana, rencontré une pipe qu'on ne veut pas me vendre. – Le soir, dîner à l'ambassade, chez le général Aupic.

Samedi. Resté à l'hôtel toute la journée.

Dimanche 8. Visite à Fagniart, qui demeure sur le petit champ des morts de Péra. Je descends le champ des morts et je m'enfonce au hasard dans le quartier de Saint-Dimitri : une longue rue où coule un ruisseau sur de la boue, un côté de la rue bordé par un mur de planches, marchands de tabac, cafés grecs où l'on est enfermé en fumant des pipes, à la chaleur d'un mangal qui brûle; sur un trottoir en terre, une vieille négresse qui demande l'aumône. Je monte par une rue très escarpée, campagne, herbe rase, grand vent, une caserne avec des casemates en corps de logis avancés. Je monte sur la hauteur et je vois Constantinople, qui me paraît démesuré, mais sans me pouvoir rendre compte de la position où je suis. Je redescends une rue moitié à escaliers et moitié en pente, maisons peintes en noir, avancées sur la rue, dames endimanchées qui reviennent de vêpres ou vont faire des visites, moitié à l'européenne, moitié à la grecque. Je me perds dans les rues et parmi tout ce monde; étourdissement de toutes ces figures qui passent devant moi, je m'en vais récitaillant des vers, je me retrouve au bas du petit champ, je le quitte et passe par-devant le pont de Mahmoud, tout le bas de Galata et Top-Hana; rentré éreinté. – Reçu la visite de M. de Margabel, premier secrétaire de l'ambassade. –

Le soir, soirée de l'ambassade, exhibition de messieurs et de dames de la localité.

Lundi 9. Parti avec Stéphano, le matin à 8 heures, pour Belgrade. Landes nues, chemins pleins de boue, typhons. Nous laissons le chemin de Thérapia à droite. Au milieu de la boue, dans une montée, un carrosse embourbé, avec le pauvre petit cheval maigre qui suait et le conducteur à pied. – Descente, pelouse, un bouquet de platanes fort beaux, feuilles toutes jaunes. – Bouyouk-Déré au bord de l'eau, la petite rade pleine de navires avec leurs voiles blanches. Je fais quelques tours à pied sur le quai pour me réchauffer les pieds. – Déjeuner dans un hôtel, le second en arrivant près d'un ship chandler. – Nous remontons à cheval, belle route; prairie, arbre; aqueduc de Belgrade : à l'air tout neuf et n'est beau que de loin... et de près, à cause de la vue qu'on a de là. – Bains de Mahmoud. – Course dans la forêt, beaucoup de chênes, aspect de forêt européenne; j'arrive à une place où les arbres cessent, vue de la mer Noire qui est bleue; nous redescendons la forêt.

BELGRADE, petit village à mi-côte, devant une grande prairie plantée. Que cela doit être charmant en été, mon Dieu! – Quelques maisons brûlées s'écroulent. – Stéphano prend un guide dans un café grec, il nous mène voir trois ou quatre réservoirs : ce sont de grands lacs, à sec maintenant et qui font prairie, compris entre des collines couvertes de bois. – A l'extrémité du réservoir, un mur énorme pour soutenir le poids des eaux, maçons grecs qui réparaient le dernier que nous avons vu. – Fondrières où nos chevaux enfoncent jusqu'au jarret. – Nous repassons sous l'aqueduc de Belgrade : de dessous l'arche et encadrées par elle, deux grandes pentes qui descendent en vallons à plans successifs; au fond la mer, bleu ardoise; les pentes rousses, couleur vin de Chypre foncé, tabac brun, avec des bouquets violets par places, comme seraient de grands massifs de bruyères; c'est un paysage vigoureux et plein de largeur.

Bulgarie?... Thrace?... Nous rencontrons des Bulgares, les jambes entortillées de cordes. – Temps de galop à travers les flaques d'eau et la boue; le soleil se couche et m'aveugle, le galop et le froid me font pleurer, le ciel fond bleu cru, nuages bruns et noirs, entassés à ma droite les uns par-dessus les autres, longues bandes d'or horizontales qui leur font bordure rectiligne. Mon cheval m'emporte, j'arrive au haut d'une montée et le lâche, un chien lui fait peur, je suis obligé de le tourner contre un haut bord de la route pour l'arrêter, la nuit vient. Rentrée à Péra, toujours difficile et ennuyeuse, à cause de ce long pavé troué qui n'en finit. En passant devant la caserne qui est près le grand champ, gueulade du soir des soldats qui saluent le Sultan. La première fois que j'ai entendu cela, c'est à Jérusalem.

Mardi. Resté à l'hôtel, visite de M. de Margabel dans l'après-midi. J'ai mal aux reins et aux cuisses des soubresauts et du galop de mon cheval d'hier.

Mercredi. Resté à la maison, reçu la visite d'Artim-Bey, qui vient avec un papas de ses parents, plus libéral que lui et dont il contient les excentricités politiques.

Jeudi 12, anniversaire de ma naissance. – A 5 heures je pars, monte en caïque avec Kosielski, et son domestique avec Stéphano me suit dans un autre. La neige couvre les maisons de Scutari et de Constantinople, ça fait des petits dés blancs. Dans les villages, sentiers glissants, il a gelé par-dessus; nos chevaux bronchent, nous allons d'abord au trot, puis au pas. Une fois arrivés aux Eaux douces d'Asie, nous prenons dans la montagne. – Longs mouvements de terrain, vagues blanches de terre, du vent, personne; çà et là, sur la neige, pattes de gibier. – Nous arrivons devant une espèce de maison que l'on bâtit, sorte de khan et de ferme; des ouvriers travaillent aux fenêtres, nous passons. Quelquefois la route, contournant en creux une colline, fait comme la moitié d'un grand cirque; au galop là-dessus, le bruit des pieds des chevaux est amorti par la neige. – Ferme des Lazaristes. – Un peu plus loin nous nous perdons; sur l'indication de bergers bulgares, plus ours qu'hommes, nous piquons dans la direction de la ferme polonaise, nous descendons une pente horriblement inclinée; sans les broussailles nous glisserions comme une tuile : c'est tout ce que nous pouvons faire que de n'être pas écrasés par nos chevaux qui se laissent aller sur les pieds de derrière. – Petits cours d'eau sous les chênes rabougris couverts de neige, quelques bruyères, flaques d'eau gelées dans les fondrières, mais le plus souvent pelouse de neige. La lumière blanche et froide a l'air d'être factice, notre souroudji slave chante dans les intervalles du galop, Kosielski se rappelle la Pologne, et moi je pense à la Tartarie, au Thibet, aux grands voyages d'Asie. – Arrivés à la ferme vers 1 heure et demie : un chevreuil égorgé suspendu à la porte à un poteau, Polonais chauve, un jeune homme à cravate rouge et en blouse, du feu dans la cheminée de plâtre; aux murs, lithographies dans le goût Devéria, représentant les Polonais en Angleterre, scène de cottage, départ des Polonais pour la Sibérie, etc. – Silence de la ferme entourée de neige. – Me chauffant à cette cheminée, il m'est revenu en mémoire le souvenir de jours d'hiver où j'allais avec mon père chez des malades à la campagne. – Nous mangeons un morceau de viande et des pommes de terre.

A 3 heures repartis, on accroche à grand'peine le chevreuil au cheval du souroudji. – En revenant, la route descend presque toujours. – Grand trot soutenu, relevé de temps de galop; je tiens la tête de mon cheval au bout de mon bras, nous passons comme des fous la prairie des Eaux douces. – A Kandilih, pas de caïque! nous reprenons le pavé. Trot rapide; Kosielski lance son cheval sur les chiens, qu'il fait hurler à coups de fouet; nous traversons les villages, nous tournons les rues, la course ne se ralentit pas, au contraire. Passivité du domestique de Kosielski qui me suit immédiatement. – Le soleil se couche rouge, la nuit tombe quand nous rentrons dans Scutari; nous sommes gris de boue, à la figure et sur nos habits nous en avons des étoiles, nos chevaux sont noirs. Nous passons le Bosphore agité, il faut se bien tenir. Je m'estime heureux de ne m'être pas noyé en caïque, pendant que j'étais à Constantinople. – Clair de lune sur les flots. – Nous rentrons vers 6 heures du soir.

Vendredi. Adieux à MM. Fauvel, Cadalvène, etc. – Oscar, Mirinitch et Fagniart dînent avec nous. – La veille et l'avant-veille, visite chez Mme Fenez, maigre, yeux noirs, ressemble un peu à Heinefelter.

Samedi. Fait les paquets, dîner à l'ambassade.

Dimanche. Adieux à tout le monde. De Noary est revenu. – M. Martin, architecte, et son compagnon Suédois. – Kosielski et M. Hamelin nous reconduisent à bord du vapeur.

Adieux à Kosielski et de lui. Quand nous reverrons-nous ? Nous reverrons-nous ? et qu'est-ce qui se passera d'ici-là ?

M. Javal, Blanche Delalande.

Lundi, beau temps.

Mardi matin, débarqué à Smyrne, visite à MM. Raccord, Camescasse, Pichon.

Mercredi, gros temps le matin. Vers midi, doublé le promontoire Sunium. – Colonnade à colonnes. – La côte grise, violette, sèche, sans arbres ni végétation, du rocher seulement (la veille au soir passé devant Chio, les terrains étaient·noirs et les montagnes couvertes de nuages). – L'Acropole d'Athènes seule brillait en blanc au soleil, Egine à gauche, Salamine en face, Pausilippe derrière l'Acropole. ⌐ La frégate *la Pandore* et le brick *le Mercure* pavoisés pour la fête de Saint-Nicolas. – Shakos de cérémonie des marins russes. – Joie de me trouver à Athènes. – En Grèce !... Mais j'y dois rester trop peu de temps.

Ah ! comme j'étais triste, l'autre jour dimanche, en passant dans la cour de la mosquée de Top-Hana ! Adieu, mosquées ! adieu, femmes voilées ! adieu, bons Turcs dans les cafés !... *(Au Pirée, jeudi, 19 décembre.)*

ATHÈNES ET ENVIRONS D'ATHÈNES, DÉCEMBRE 1850 - FÉVRIER 1851

D'ATHÈNES A ÉLEUSIS

Eleusis – Aujourd'hui, *mercredi 25 décembre*, jour de Noël, nous sommes partis d'Athènes à 8 heures du matin pour Eleusis (Lepsina).

La route laisse celle du Pirée à gauche et entre dans un bois d'oliviers. Un ciel bleu ardoise foncé, fait de couches épaisses les unes sur les autres, avec des éclaircies d'azur, paraissait par grands morceaux entre la verdure vert gris des oliviers. De l'eau à côté de la route and dans des carrés de terre cultivés, entre les pieds des arbres ; de petits courants passent sous leur vieux tronc déchiqueté. A gauche le Jardin botanique. Successivement nous passons sur trois ponts, trois branches du Céphise ; le lit principal est, selon Aldenhoven, plus à droite et bu par les irrigations des jardins. Où est le fameux pont où les gars d'Athènes venaient engueuler les femmes se rendant aux Mystères ? Si mes souvenirs ne me trompent, il y avait un bois de lauriers-roses à côté, dans lequel les gens se cachaient ; sur toute la route je n'ai pas vu un seul laurier-rose ? Après le bois d'oliviers, le sol est inculte, on ne rencontre que quelques petits bouquets épineux et que des bruyères, beaucoup de pierres. Les montagnes entourant toute la plaine d'Athènes me paraissent ainsi : elles sont grises à leur sommet et sans végétation. Au bout de la plaine, on monte. – Défilé du Gaidarion. – La montée est assez longue, la roche paraît sous la route, on descend.

Vue charmante de la mer : le golfe de Lepsina, pris entre les montagnes, a l'air d'un lac, on ne sait de quel côté en est l'ouverture. La route descend tout droit en face, comme si elle allait se jeter dans la mer. Pentes douces de terrain à gauche ; à droite, dans le rocher

(à la place de Vénus Phile ?) [Aldenhoven], sont taillées plusieurs excavations, la plupart ovales par le haut, un pied de hauteur environ, quelques-unes quadrilatérales et qui semblent destinées à recevoir des statuettes et des tableaux. Nous rencontrons un troupeau de moutons : les bergers portent dans leurs bras de petits agneaux qui ne peuvent marcher ; les hommes sont couverts de ces grands cabans en laine blanche et à long poil, et ont à la main de longs bâtons recourbés en croc ; chevelures fournies, bouclées, tombant sur les épaules au hasard ; la laine des moutons est très blanche et paraît fine. Au premier plan, le troupeau ; à gauche, mouvement de terrain doux, remontant vers les montagnes ; à droite, la roche couleur de lichen verdâtre çà et là sur elle, et des cailloux ; au deuxième plan, la route descendant, puis la mer fuyant au large des deux côtés et fermée à l'horizon par les montagnes.

Tout à coup, au bas de la pente, on tourne à droite ; les rochers sont taillés en ligne droite, on a fait la route à même : c'est l'ancienne voie incontestablement. Le chemin passe entre la mer et les lacs Rheïti, un pont vous fait passer sur la petite rigole qui les unit. Les lacs Rheïti ressemblent aux criques faites par la marée. On dit les lacs ; je n'en vois qu'un, ou plutôt comme serait un marécage inondé.

Plaine de Thria. Au fond de la plaine, à droite, le village de Mandra, maintenant éclairé par le soleil : on n'y parle point grec, mais albanais. Route plate, monte insensiblement jusqu'au village de Lepsina. A l'entrée du pays, un puits antique : grand disque de pierres, rassemblées en guise de dallage et s'élevant jusqu'au point central, comme qui dirait le moyeu où est le puits même, c'est-à-dire le trou. Couleur verte des pierres à l'intérieur. Le fond de l'eau est ridé en demi-cercles continuels, par une grosse goutte d'eau qui tombe d'entre les pierres 5 ou 6 pouces plus haut.

Le village est composé de quelques petites maisons, baraques basses, à toit. Nous déjeunons dans un café où nous sommes servis par un jeune homme à nez droit, un peu épais du haut, joli col, cheveux bruns, tournure élégante sous son manteau blanc.

Nous montons la colline qui domine Lepsina (où était l'acropole?); de là, nous voyons, à une portée de carabine, le petit môle de Lepsina en croissant. Le ciel est blanc grisâtre sale, un moulin à notre droite.

Tout le village encombré dans sa partie Ouest par des fûts de colonnes cannelées en marbre blanc.

Près de l'église de Hagios Zacharios, médaillon colossal, avec arabesques, contenant le buste décapité d'un homme cuirassé : le travail est lourd; c'est plus décadent encore que les bustes de plafond de Baalbek. Dans l'église, qui a plutôt l'air d'un four et où il n'y a de sacerdotal qu'une veilleuse dans un coin : deux statues très drapées, debout, sans tête ni pieds; une tête romaine d'homme, chevelure séparée et poussée par le vent, ainsi que la barbe, d'un travail lourdaud.

Dans les environs d'Eleusis et dans Eleusis, nous ramassons au bout de nos bâtons beaucoup de cornes de chèvres; elles sont droites et ondées; toutes sont creuses.

Du haut de la colline d'Eleusis, en se tournant vers le Sud, vers la mer, l'ouverture du golfe est en face de vous, petite et comme un défilé; en se tournant vers le Nord, on a la plaine de Thria au fond, en face une ligne épaisse d'un vert gris, au pied des montagnes qui sont grises, piquées de points de noir et blanchissant de ton en se rapprochant des sommets. De grandes plaques pâles, faites par les lumières passant entre les nuages; ailleurs, c'est comme de grandes voiles noires tombées par terre, ombres des nuages; l'ensemble est très assis, très doux, d'une beauté paisible.

A mesure que l'on s'avance dans cette plaine et qu'on laisse Eleusis derrière soi, pour se rapprocher de la montagne qui nous sépare de la plaine d'Athènes, le caractère du paysage grandit; ces montagnes, que l'on souhaitait plus hautes, s'élèvent et cette plaine, que l'on voulait plus étendue, s'élargit.

En revenant, nous rencontrons dans la montagne un troupeau de chèvres, quelques chiens aboient après nous. En passant sur un pont, nous causions de ceux de la campagne de Rome.

Rencontré, près le Jardin botanique, deux amazones. – Les paysannes d'Eleusis ont par-dessus leur jupe une sorte de paletot avec des broderies carrées sur les côtés; c'est, du reste, à décrire d'une façon plus explicite. – Petite fille couverte de gros vêtements blancs, se tenant près de la fontaine.

D'ATHÈNES A MARATHON

La route prend derrière le palais du roi, on laisse le Lycabettus à droite, et jusqu'à Céphissia on monte.

Nous n'y voyions guère, enfermés que nous étions dans la voiture, étant d'ailleurs partis à la nuit, la pluie tombant et le vent soufflant. En fait d'horizon, je vois la manche découpée du cocher qui fouette ses rosses. A ma gauche, quand le jour se lève, de grands mouvements de terrain, plats, verts, lignes se succédant; au fond, une montagne.

Au village de Céphissia, nous changeons de chevaux. D'abord un bois d'oliviers, puis une lande, un bois de sapins, le village Apasso Samati; la route va entre un mur et un ravin; une plaine.

On commence à gravir le Pentélique. – Petits bois verts, sapinettes, caroubiers, et un arbuste à feuilles ressemblant assez à celles du laurier ou du pêcher, et dont les branches, lavées par la pluie, sont rouges et luisent comme de l'acajou verni. Les marbres blancs, blanchis par les pluies, sonnent sous les pieds de nos chevaux, qui descendent avec précaution. La plaine de Marathon paraît tout d'un coup, comme au fond d'un entonnoir; à mesure qu'on descend, elle s'étend à gauche vers la mer, et elle recule devant vous. Là, dans le bois, au milieu de la montagne, nous avons rencontré sept ou huit chevaux tout seuls, sans mors ni brides, qui paissaient le makis; hennissements; pour nous laisser passer, ils sont montés sur le talus ou se sont enfoncés dans le bois. Vingt minutes après, au bas de la montagne en retour, à droite, village de Vrana, déjeuner à une maison où l'on montait par un escalier en bois, *non sine lacrimoso fumo.* – Sourd-muet, la figure écorchée par une chute d'âne, en allant chercher du bois, et qui geignait à chaque mouvement comme un malade.

Nous repartons au milieu de la pluie battante, nos chevaux enfoncent dans la terre labourée; nous piquons à travers la plaine, droit au tumulus, en face de la mer, nous y faisons monter nos chevaux; pour voir un peu, nous sommes obligés de leur tourner la croupe contre le vent. Sur le tumulus, sillonné par la fente d'un ruisseau, quelques petits arbrisseaux sans feuilles. Le vent siffle, la pluie tombe, la plaine de Marathon entourée de montagnes de tous côtés, ouverte seulement du côté de la mer, à l'Est. – Pluie, pluie, pluie. – Dans la montagne, rencontre nouvelle de chevaux qui viennent flairer les nôtres. Les torrents ont grossi; la plaine, entre le pied du Penthélique et le bois de sapins avant Céphissia, couverte d'eau par places, comme un marais.

Dix minutes avant d'arriver à Céphissia, dans le bois d'oliviers, Max et son cheval tombent par terre.

A Céphissia, nous reprenons la voiture qui s'arrête souvent, en route, dans les trous, les fondrières; une fois, on nous prie de descendre au milieu d'un lac, je me mets dans l'eau jusqu'aux genoux pour pousser à la roue.

Grande et large campagne, à plans calmes, avant de rentrer à Athènes.

Partis à 6 heures et demie du matin, arrivés à 9 heures à Céphissia, à 11 heures à Vrana, rentrés à Athènes à 5 heures du soir.

D'ATHÈNES A DELPHES ET
AUX THERMOPYLES

PAR KASA (ELEUTHÈRES), KOKLA (PLATÉE), ERIMO-CAS-
TRO (THESPIES), LIVADIA (LEBADÉE), CASTRI (DELPHES),
GRAVIA, LES THERMOPYLES, MOLOS, RAPURNA (CHÉ-
RONÉE). – PŒNES, CITHÉRON, HÉLICON, PARNASSE.

4-13 janvier 1851.

Aujourd'hui *4 janvier 1851, samedi*, nous sommes
partis d'Athènes à 9 heures du matin, escortés d'un
drogman, d'un cuisinier, d'un gendarme et de deux
muletiers. Jusqu'à Daphné, rien que nous n'ayons vu
dans notre promenade à Eleusis.

De la hauteur qui domine Daphné, le soleil, qui a
brillé très beau toute la journée, nous permet de voir
la mer plus immobile qu'un lac et d'un bleu d'acier
foncé ; à gauche, les montagnes de Salamine ; à droite,
la pointe de Lepsina qui avance ; au fond, en face, les
montagnes de Mégare couronnées de neige. A Daphné,
halte sous un treillage sans feuilles, où Giorgi raccommode la gourmette du cheval de Maxime ; les dindons
gloussent, le soleil me chauffe la joue gauche. A ma
droite, un monastère grec. Nous descendons, le ciel est
sec et très pur. Nous tournons, lacs Rheïti à gauche,
nous passons entre la mer et les lacs. La mer fait de
grandes rides, efforts pour faire des flots ; comme c'est
tranquille ! L'atmosphère est bleu pâle, verdure affaiblie des oliviers. Quelles femmes se sont baignées dans
ces mers-là ! O antique !

La plaine d'Eleusis (qui, lorsqu'on arrive au bord de
la mer, au tournant de la descente de Daphné, est vue
en raccourci et paraît comme une bordure au pied des
montagnes) insensiblement se rallonge, s'étend ; c'est
tout plat, fort long. Nous chevauchons au pas, (un
soleil traître nous mord l'occiput,) dans la direction
du petit village de Mandra. Avant d'y arriver : un bois
d'oliviers, lit desséché d'un grand torrent (grand, respectivement). Ce que j'ai vu de plus large, comme lits
de torrent, c'est à Rhodes et dans les environs de Smyrne.
Dans ce village, on parle albanais. Enclos de pierres
sèches, village comme tous les villages.

On monte, la route tourne entre les petits sapins et
des chênes nains ; les montagnes grises, picotées çà et
là de vert pâle, ont un glacis rose, léger, et qui tremble
sur elles. Rencontré une fois un troupeau de chèvres ;
peu de temps après, un troupeau de moutons, un petit
agneau qui broutait, à genoux sur les jambes de devant.
Mais combien j'aime mieux les chèvres ! Derrière elles
le pasteur avec son grand bâton blanc, recourbé.

De Mandra à Kasa, le pays consiste (en résumé) en
deux grands cirques séparés par des montagnes. On
monte une montagne, on descend, plaine entourée
de toutes parts de montagnes, et l'on recommence.

Il faisait froid quand nous sommes arrivés ici (le
soleil venait de se coucher), à l'ombre surtout.

En arrivant dans la vallée au fond de laquelle se
trouve Kasa, on a en face de soi le Cithéron, couvert
de neige à son sommet. Comme il y a de petits endroits
qui ont fait parler d'eux, mon Dieu !

Logés dans un khan qui ne ressemble guère à un
khan : grande maison blanche près d'un poste de gendarmerie, deux cheminées dans la longue pièce où nous
sommes : les Grecs paraissent redouter excessivement
le froid ? A propos de gendarmes, le nôtre n'a voulu
manger ni perdrix ni poulet, c'est carême (grec), il
fait maigre. Quelle pitié cela ferait à un tourlourou
français ! *Kasa (ancienne Eleuthères ?), 8 heures et demie
du soir.*

Dimanche 5 janvier. Partis à 7 heures juste. Le soleil
se levait derrière le Parnès, que nous avions franchi
hier ; de grandes bandes rouges s'étendaient dans le
ciel, dans l'intervalle béant entre deux pics de montagnes. Nous sommes montés à cheval, couverts de nos
peaux de biche et ressemblant à des faunes par les
cuisses. La route sur le versant oriental du Cithéron
longe un ravin à sec, un vent glacé nous souffle au
visage, je suis obligé, malgré mon triple costume, de
me battre les bras à l'instar des cochers de fiacre
de Paris. Le chemin est carrossable ou à peu près ; de
temps à autre, aux tournants, ponts en pierre jetés sur
le torrent.

Au bas de cette montagne la route cesse, on descend
parmi les pierres à même la pente. De là s'étend devant
vous toute la plaine de Platée ; à gauche, tout près et
vous dominant immédiatement, le Cithéron, couvert
de neige d'autant plus tassée et unie que l'œil remonte
vers son sommet, qui est couronné, dans toute sa forme
oblongue, d'une calotte de nuages très blancs que l'on
prendrait de loin pour un glacier. Ils sont immobiles
et se tiennent là comme gelés par les neiges qu'ils
recouvrent ; à l'extrémité de la montagne ils s'allongent, font une courbe comme pour descendre à terre
et s'évaporent. A nos pieds, au bas de la descente, un
peu sur la droite, le petit village de Kriekonki. Au
fond de l'horizon et fermant la grande plaine, l'Hélicon
à gauche et le Parnasse à droite : le premier, en dôme
pointu ou angle dont le sommet est adouci ; le second
s'étendant davantage et bien plus couvert de neige que
son voisin. Le côté droit de la plaine (Est) est fermé à
l'œil par le mur mouvement des montagnes de l'Eubée ; ce qui fait mur est au milieu ; aux deux bouts, montagnes qui avancent sur un plan antérieur. On nous
montre la pointe de Chalus, pic entièrement neigeux
et qui brille au soleil, sur la droite tout à fait, presque
derrière nous.

Nous sommes sortis de l'ombre de la montagne,
nous avons le soleil. Nous passons par le village de
Kriekonki, dont les rares maisons blanches, éparpillées
comme elles le veulent, ont des enclos de broussailles
sèches, provisions de bois pour l'hiver, ou en cailloux.
Une femme passe près d'une maison, la bouche couverte de son voile comme une musulmane (ce sont des
Albanais qui habitent ce village), une espèce de sale
torchon blanc qui lui couvre la tête passe sur sa bouche
et revient derrière le col ; nu-pieds, elle vide un panier
sur un tas de fumier. Les femmes ; jusqu'à présent,
sont couvertes d'une espèce de paletot gris clair, avec
des bordures noires plates sur les côtés, vêtements assez
gracieux pour les enfants.

Nous suivons la plaine jusqu'à 10 heures, et passant au milieu de pierres que l'on nous dit être les ruines de Platée, nous arrivons à Kokla, au pied du Cithéron. Il y a, à l'entrée, un seul arbre desséché et sans feuilles ; avec un autre au pied du mamelon où est Thespies (Erimo-Castro), sauf quelques petits chênes nains et arbousiers rabougris ce matin, ce sont les deux seuls que nous ayons vus aujourd'hui.

On a fait à l'entrée du pays des trous où il y a de l'eau.

Nous déjeunons dans une chambre dans le goût de celle où nous avons couché. Un papas grec, costumé comme les paysans d'ici et dont je reconnais la dignité à sa grande barbe, roule un chapelet et essaie mon lorgnon. Une femme, paletot brodé, deux énormes glands d'argent longs lui ballotent sur les fesses, au bout d'un cordon, gros bas de laine très épais et bien plus bariolés encore que les chaussettes persanes ; le jupon descend jusqu'au-dessus du mollet.

Les femmes grecques me paraissent courtes, ramassées, tailles assez lourdes, déformées sans doute par le travail ; toute la beauté, jusqu'à présent, me semble réservée aux jeunes gens. Ce matin, dans l'écurie, il y avait une douzaine de gredins embobelinés et drapés de toutes espèces de guenilles et de peaux, qui se chauffaient en rond à un grand feu clair ; un d'eux m'a offert un verre de vin que j'ai refusé, redoutant la résine.

De Kokla, la plaine de Platée, inculte, est relevée de place en place par des carrés réguliers de couleur tabac d'Espagne foncé : ce sont les rares endroits cultivés.

L'emplacement de Platée, sorte de vaste terrasse au-dessus du niveau de la plaine, se reconnaît à une enceinte de murs ruinés qui supportent les terrains. Çà et là deux ou trois colonnes ; un endroit que l'on dit être le tombeau de Mardonius, rien que des pierres ; par-dessus, ruines d'une construction turque ou d'une petite église grecque ? Toutes ces pierres, du reste, sont vilaines et considérablement abîmées par les taches de lichen.

De Kokla à Erimo-Castro, où nous arrivons à 2 heures de l'après-midi, rien. Nous suivons toujours la plaine sur un chemin passable, nous passons deux ou trois ruisseaux où nos chevaux enfoncent dans la boue ; partout ces affreux petits bouquets épineux qui ressemblent à des hérissons verts et qui m'ont si joliment arrangé les chevilles l'autre jour, en revenant de l'Ilyssus.

Thespies est sur un mamelon qui semble, quand on arrive dessus, juste entre l'Hélicon et le Parnasse. Un troupeau de moutons est échelonné au hasard sur le mamelon. Tantôt à Kokla, quand nous sommes partis, le pays, silencieux d'hommes, ne résonnait que du bruit de fer des clochettes des troupeaux ; après cela, rien.

Nous logeons dans l'école. Aux murs sont suspendus des tableaux imprimés pour les jeunes gars, avec, à quelques-uns, un petit bâton démonstratif.

Manière grecque de tenir les rênes d'un cheval. Aux murs extérieurs d'une église située à dix minutes du village, sur un autre mamelon, Giorgi nous montre :

1º Un bas-relief représentant un cavalier drapé seulement au torse, tenant ses rênes de la main gauche, les ongles en dessous ; dans le col du cheval on voit très bien les trous où s'attachait la bride métallique, disposition qui se retrouve partout, non pas sur le col comme ici, mais à la bouche du cheval (ici), et à la main du cavalier. Celui-ci, à la main droite, tient un bâton, la main posant sur la cuisse, comme une cravache ; la jambe gauche du cheval, enlevé au galop, est courbée en l'air, très longue ;

2º Une statue de femme, grande Victoire avec des ailes (sans tête), style dur et sec (en marbre pentélique), poitrine étroite, une bosse sous le nombril, mouvement de ventre exagéré : un relief triangulaire, dans le niveau du marbre, immédiatement au-dessus de la draperie qui passe au haut des cuisses et dont les lignes latérales s'en vont dans la direction de l'aine (un peu au-dessus, pourtant, il me semble ?) ;

3º Un adolescent regardant un chien, style mou, cuisses détestables. Après le Parthénon, j'ai bien peur de ne plus trouver rien de beau en sculpture.

Nous sommes assiégés par des enfants qui chantent des noëls à notre porte, et qui quelquefois l'entr'-ouvrent ; ils vont ainsi, de porte en porte, chanter dans tout le pays. Quel silence dans ces villages grecs ! Quel désert ! Tout l'après-midi le vent a soufflé avec fureur, nous sommes abîmés de fumée, des troncs d'arbres entiers brûlent dans notre cheminée, dont le manteau est découpé comme une pèlerine. (*Erimo-Castro, 8 heures et demie.*)

Lundi 6. D'Erimo-Castro à Panapanagia, on monte par une pente douce se rapprochant toujours de l'Hélicon, qui est à votre droite. Vu à sa base, l'Hélicon a l'air d'un dos d'éléphant ou plutôt d'une carapace de tortue très bombée, verte, avec le dessus blanc ; nous ne voyons que le versant oriental. Il a trois grandes rides parallèles qui partent d'en haut et coulent en bas, plus foncées comme couleur, presque noires, pleines d'ombre. A travers la neige, nous voyons, aux deux tiers de son élévation, des pins très verts.

A Panapanagia, quantité de pressoirs sur les maisons. Ce sont des boîtes carrées avec des bras, comme serait une chaise à porteur renversée la tête en bas. Après le village nous entrons dans une église à sales peintures grecques où notre drogman (quel drogman ! miséricorde !) nous montre, sur une colonne, une inscription grecque illisible pour moi ; il nous dit que tous les voyageurs tiennent beaucoup à la voir.

La route prend à droite, on a l'air de quitter l'Hélicon et de passer seulement entre deux collines, puis tout à coup le sentier tourne brusquement à gauche et l'on est sur le versant gauche d'une ravine escarpée. Le chemin, qui court au flanc de la montagne en montant, en s'enfonçant, en se relevant, va parmi les pierres et les chênes nains, au bruit du ravin qui coule en bas, au-dessous de vous. Le pan de droite, à pic, est décoré de rochers gris taillés comme des cristaux, tenus dans de la terre rougeâtre, avec des bouquets de chênes nains et de chênes tout autour. Les chênes dépouillés sont plus grands, ils se tiennent auprès de l'eau ; d'à côté de vous partent de la roche des fontaines qui se perdent entre les troncs des arbustes et vont tomber dans le torrent.

Un soleil chaud nous tiédissait, on était étourdi du bruit des eaux, on avait les yeux singulièrement réjouis par les couleurs des roches et du feuillage ; j'ai passé dans tout cela avec un sourire du cœur sur les lèvres.

Une grâce pleine de majesté ressort du singulier dessin de cette ravine, qui est comme un grand couloir bordé de séductions rustiques. J'ai vu de plus beaux paysages, aucun qui m'ait plus intimement charmé. A droite, il y a des dévals de la montagne tout verts, faiblement creusés, s'évasant, avec des troncs noueux de chênes sans feuilles çà et là, – tapis pour les pieds des Muses, quand elles descendaient boire au ravin.

Peu à peu, cependant, cela s'élargit, on monte, les deux côtés s'abaissent.

ZAGORA. Déjeuner par terre sur une couverture que des paysans nous prêtent. La maîtresse du tapis a sur le dos deux grosses tresses de laine, tressées comme des cheveux, et portant au bout quatre glands d'argent ; autour de sa taille, une énorme ceinture noire ; jupon très brodé en rouge. Sur le gros paletot de dessus, broderies sous les aisselles et sur les deux côtés ; de la broderie sortent horizontalement des peluches, qui font des étages successifs de franges. Sur la tête, mouchoir d'une description difficile et que l'on nous promet de pouvoir acheter à Delphes ; par-dessus elle croise un voile blanc. Ce costume a été observé sur une fille blonde rousse, à cheveux épars autour des joues, et qui nous rappelle en laid Mme Pradier.

Après Zagora, prairie, quelques peupliers épars, rares, espacés au bord de la petite rivière ; leur tronc ressemble à des têtards, et de là partent, se dirigeant immédiatement en haut, les branches. On entre bientôt dans un petit bois de chênes, les arbres vous viennent à la hauteur du flanc, on passe à cheval entre eux. Le terrain, ici, fait une grande courbe très adoucie, d'où il résulte que le sommet du bois, exposé inégalement à la lumière, revêt des teintes différentes : à droite foncé, clair devant vous, tandis qu'à gauche un glacis violet commence à onduler en nappe transparente sur la couleur de fer des feuilles.

Avant le bois, entre deux gorges, nous apercevons très loin une montagne toute blanche, de la blancheur de la poudre d'iris, sur laquelle se joue une toute petite teinte rose : ce sont les montagnes de Corinthe.

Personne, silence complet, pas de vent, seulement de temps à autre le bruit de l'eau. On monte encore, et voici que s'ouvre devant vous un grand flot de terrain qui se courbe avec rapidité, se relève devant vous un peu sur la droite, et s'écouler tout à fait à droite, vers la plaine d'Orchomène que l'on commence à voir. A gauche, mouvement grandiose, portant son bois de chênes brun rouge, violacé maintenant. Entre eux, larges pelouses qui descendent. La lumière tranquille, tombant d'aplomb et d'en haut comme celle d'un atelier, donnait aux rochers à tout le paysage quelque chose de la statuaire, sourire éternel analogue à celui des statues.

Au premier plan, la descente ; traces d'une ancienne voie ; devant vous le terrain, très creusé, remonte en une haute montagne très portée sur la droite, et qui, s'échancrant et finissant brusquement à la partie gauche, laisse derrière elle et en perspective voir d'autres montagnes. Si vous tournez la tête, vous apercevez la plaine d'Orchomène, toute plate, avec le lac de Copaïs s'étendant dessus en large, à rives basses, au milieu des sables. Nous descendons sur des dos de verdure. Troupeaux de chèvres ; la première que j'ai vue tout à coup était couleur isabelle et portait une grosse clochette de fer.

Max est loin devant nous ; deux dogues vigoureux, blanchâtres, à queue fournie, s'élancent sur mon cheval en aboyant, les pasteurs les rappellent à eux, avec un cri guttural qui me remet en tête ceux des muletiers de la Corse : tâe ! tâe ! Sur les versants sont des enclos en paille, ovales et dont les murs sont très inclinés en dedans : c'est pour les moutons dont nous voyons ici de grands troupeaux ; laine singulièrement blanche et assez propre pour figurer dans une idylle, ce que j'attribue à leur habitude de toujours vivre en plein air ; à côté de ces parcs, grandes huttes pour le berger. J'en remarque un presque rond où il y a dedans d'autres petits enclos : l'un est pour les génisses, un autre pour les béliers, sans doute, tout comme au temps de Polyphème, quand il trayait son troupeau sur le seuil de sa caverne.

Descendant toujours par un versant qui incline, pour nous, de droite à gauche, nous arrivons bientôt au village de Kotomoula.

(Dans une chambre voisine du Khan où nous sommes, une vieille femme chante un air dolent et nasillard, une autre voix s'y mêle, je continue.)

KOTOMOULA. Nous tournions dans les rues du village quand nous avons entendu des voix en chœur, et, tout à coup, sur une place, nous avons vu un chœur de femmes, avec leurs vêtements bariolés, qui dansaient en rond en se tenant par la main. Loin d'être criard comme les chants grecs, c'était quelque chose de très large et de très grave. Elles se sont arrêtées dans leur danse pour nous voir passer. Le chemin était entre la place et un mur ; au pied du mur, se chauffant au soleil, d'autres étaient assises et couchées par terre, vautrées comme si elles eussent été sur des tapis. Rêve du bonheur de Papety ! L'une d'elles, sur les genoux d'une autre, se faisait chercher ses poux. – Petit enfant avec un bonnet de drap brodé, couvert de piastres d'or, avec des gales lie de vin sur le visage.

Quand nous avons été à une portée de carabine en bas du village, notre guide nous a fait revenir sur nos pas, la route était défoncée ; nous avons revu sur la hauteur l'essaim colorié de toutes ces femmes, qui nous suivaient de l'œil ; elles auront repris leur danse sans doute ?

On tourne à gauche pour doubler le mont derrière lequel est Lebadea.

La plaine d'Orchomène à notre droite, le lac Copaïs s'étend. La plaine est fermée, sur son côté oriental, par des montagnes, qui semblent séparées et non en murs comme celles de l'Eubée : une, puis une autre; la voie reparaît par places, nous passons des ponts, quelques arbres. Tout à coup Livadia, derrière un monticule.

LIVADIA. Toits et tuiles avec des pierres dessus, maisons huchées en pente; aspect suisse, dessins Hubert; – beaucoup d'eau, beaucoup d'eau, des moulins. C'est Noël, les hommes, très propres, se promènent manteau sur l'épaule et en fustanelle. Avant d'arriver à la ville, quelques jardins légumiers. – Rencontre du commandant de gendarmerie. – Nous logeons dans un khan qui a balcon, l'escalier a son pied dans l'écurie.

Notre muletier nous a conduits au bout du pays, près de la source, au pied de l'acropole, sur laquelle ruines franques, selon Buchon; moi je n'ai vu (mais je n'y suis pas monté) que des ruines turques. A droite, laissant le pont en compas à gauche, à l'entrée d'une gorge profonde et presque à pic, la roche est entaillée de quantité de petites niches, comme sur la route d'Eleusis, mais bien plus nombreuses; quelques entaillements quadrilatéraux, mais rares. D'abord, une espèce de chapelle avec des niches autour, puis en retour; tout le long de la roche, fendue de deux grandes fentes horizontales (naturelles?), comme si l'on avait voulu en enlever une grande tranche, petits trous inégaux, gros comme les deux poings et plus, et niches; à niveau du sol, entrée d'une grotte où il faut se courber pour pénétrer. – M. Buchon dit qu'au fond il y a un puits.

De l'autre côté du pont, en face, autre grotte naturelle beaucoup plus haute; elle sert d'écurie à des ânes. Peu profonde et finissant en pointe. Est-ce là l'antre de Trophonius? Mais Pausanias n'aurait pas dit : « L'oracle est sur la montagne qui domine le bois sacré », ou bien l'oracle était bien éloigné de l'antre. Ou aurait-il été sur ce qu'on appelle maintenant l'acropole? S'il en est ainsi, ce ruisseau serait l'Hercyna? mais où aurait été le bois sacré? « Lebadée est séparée par le fleuve Hercyna du bois sacré de Trophonius. » De l'autre côté? mais où la montagne complètement pierreuse remonte tout de suite? En tout cas, la quantité de niches à offrandes que l'on voit, en cet endroit, peut permettre l'hypothèse. *(Lebadée (Livadia), 9 heures du soir.)*

Mardi 7. Quoique levés à 5 heures et demie nous ne sommes partis que deux heures après, grâce à la lenteur de Giorgi; rien n'était prêt, et le gendarme (nous en avons changé) n'était pas arrivé.

Le Parnasse, au soleil levant, montrait toutes ses neiges; il était taillé en deux tranches aiguës, proéminentes, appuyées sur des bases très larges qui en faisaient, à l'œil, la transition. Sommet épaté, mince, d'un blanc brillant comme de la nacre vernie; la lumière, qui circulait dessus, semblait un glacis d'acier fluide. Bientôt une teinte rose est venue, puis s'en est allée, et il est redevenu blanc, avec ses filets noirs placés où la verdure paraît, où la neige n'est pas tombée. Derrière nous, une partie du ciel toute rouge, roulée en grosses volutes, avec des moires en bosses, et entre elles des places brunes de cendre.

La vallée ici (fin de la plaine d'Orchomène) est assez large; des deux côtés les versants des montagnes, peu élevés, s'épatent jusqu'à vous. Bouquets de chênes nains, reste de la même petite voie qu'hier, beaucoup de boue, chemin exécrable pour les chevaux.

Giorgi avec son cheval est tombé dans un trou plein d'eau, il en a eu jusqu'aux aisselles, le cheval s'en est allé de son côté, l'homme du sien. A peine s'en était-il dépêtré que je le vois s'y reprécipiter avec fureur, c'était pour sauver le bissac aux provisions; il est revenu sans lui sur le bord du trou. Peu ému et avec un calme très stoïque, il a attendu, pour changer, le bagage qui nous suivait de loin.

Le Parnasse est devant nous; il a une gorge à chacun de ses bouts, nous devons prendre celle de gauche. De là je vois trois grands mouvements de terrain peu distincts : d'abord une petite montagne ronde toute verte, séparée de ce qui est derrière elle et avancée vers nous; puis, derrière cette masse verte, un mamelon plus gros, qui dépasse le précédent en hauteur et en largeur, et de teinte roussâtre; et enfin, dépassant tout cela, au troisième plan, le Parnasse, blanc, avec ses deux grandes côtes à chaque extrémité, et dont la base est verte.

La route tourne à gauche, et, [comme] pour l'Hélicon, semble d'abord éviter la montagne; il semble que l'on va seulement prendre le Parnasse par derrière, que l'on a maintenant à sa droite. On se trouve dans un large vallon, au fond duquel coule un ruisseau tombant de rochers en rochers, de grandeur moyenne en le lit d'un grand ravin; l'eau, sur sa couche de graviers blancs et entre ses berges escarpées, m'a semblé, ainsi que les roches, couleur bleu turquin très pâle, comme si tout cela était lavé par une teinte délayée de bleu de lessive. La route est sur les bords de ce torrent, que l'on traverse plusieurs fois, tantôt à gauche, tantôt à droite. La montagne, à main gauche, est rayée en long, de place en place, par des lignes vert de bouteille, avec un fond plus brun, comme si le dessous était à l'encre de Chine : ce sont des sapins qui descendent, partant des grandes masses noires qui viennent après la zone de la neige. Du bas des sapins jusqu'à nous, grande pente creusée, couverte de verdure; à main droite, la montagne de temps à autre s'achève en pans de murs naturels, placés à pic sur le sommet oblique de la montagne : ils s'arrêtent et reprennent, comme si l'intervalle qu'il y a entre eux fût une brèche qui les eût rasés.

Nous tournons brusquement à gauche. Y a-t-il un autre chemin vers la route? Est-ce là la place du chemin fourchu d'Œdipe? – Tombeau de Laïus, où es-tu?

A midi moins le quart, nous arrivons au khan Gemino, près d'une petite fontaine où nous voyons un âne, une Anglaise à grand chapeau et en veste de tricot, deux Anglais et un Grec qui voyage avec eux et les exploite, selon Giorgi, lequel, monté sur un tas de matelas, fait du haut de son mulet la conversation avec nous. Comme nous sommes aux fêtes de Noël, le khan est fermé. – Déjeuner sur la fontaine, avec un maigre poulet et les re-éternels œufs durs du voyage. La pluie tombe. Nous saluons le Parnasse, en pensant à la rage que sa vue aurait excitée à un romantique de 1832, et nous repartons.

La pluie nous empêche, à vrai dire, de voir le pays jusqu'au village d'Ara-Khova. De loin, en apercevant les murs blancs de ses maisons, j'ai cru que c'étaient des places de neige sur l'herbe. Le village est grand, situé sur un coteau avancé à peu près dans la position de Zafed en Syrie. Après le village, champs de vignes; en haut des carrés de vignes, sur les bords du chemin, des cuves en maçonnerie dont le fond très incliné se déverse, par une petite ouverture longitudinale, dans une sorte de petits puits d'où l'on retire le jus de la grappe.

La route a toujours été inclinant sur la droite, on a maintenant le Parnasse derrière soi, on l'a tourné; bientôt, dans la perspective d'une ravine très profonde, entre les montagnes, on aperçoit un bout de mer. La ravine s'agrandit, on arrive sur elle. A gauche, à dix pas de la route, ruines grecques : mur en pierres sèches carrées, la construction fut quadrilatérale. Nous avons marché tout à l'heure sur des tronçons d'une voie antique, beaucoup plus large que celle d'hier et de ce matin en partant de Livadia. A distances rapprochées les unes des autres, deux ou trois mètres au plus, les lignes transversales qui sortent du niveau du pavé pour arrêter les pieds des chevaux.

Au fond du ravin, coule, blanc comme une anguille de nacre, un ruisseau qui se tortille entre un bois d'oliviers; il va s'épatant ensuite dans la plaine que nous devons passer demain. A gauche, le golfe de Salona s'avance dans les terres; après le golfe, montagne; après, une autre, puis une troisième, noyée dans la brume, et, de côté (à droite), d'autres qui se pressent comme des têtes de géants qui se poussent pour voir.

DELPHES. Au premier plan, à droite, montagne de Delphes. Deux pics en arrivant (à pic, taillés à facettes comme un accumulement infini de piliers décapités, étagés tout du long), de ton brun rouge, avec des bouquets de verdure sur les sommets plats de chaque fût de roche. C'est un paysage inspiré! il est enthousiaste et lyrique! Rien n'y manque : la neige, les montagnes, la mer, le ravin, les arbres, la verdure. Et quel fond! Nous passons près de la fontaine Castalie, ou plutôt au milieu (le bassin est à droite et la chute à gauche), laissant de ce côté des oliviers à grande tournure et d'un vert splendide.

Nous descendons dans une maison, il n'y a pas de cheminée; nous allons dans une autre, où dans la chambre qu'on nous destine deux couvertures sont étendues par terre, de chaque côté de la cheminée, qui, le soir, nous abîme de fumée.

Giorgi nous présente, pour nous servir de guide, une manière de gendarme qui baragouine un peu de français. Nous sortons avec lui, il nous montre d'abord, dans une roche, un caveau contenant trois tombeaux vides, auges creusées à même le rocher avec une arcade en dessous : cela m'a l'air chrétien et ressemble aux tombeaux des cryptes, comme aux catacombes de Malte. C'est ici le rendez-vous de tous les chiards du pays, on marche sur une effroyable quantité d'étrons de toute dimension.

Petite église grecque, avec un reste de mur qui a l'air grec dans certaines parties, cyclopéen (quoique les pierres soient bien petites pour cela) dans d'autres. Dans l'église, une pierre avec une inscription, où nous lisons ce mot βιβλιοθήκη. Cimetière autour de l'église, sans tombes ni croix, seulement des petites boîtes en bois (destinées à recevoir des chandelles) et couvertes avec des pierres; quand il y a un an, deux ans que cela dure ainsi, on laisse la boîte et puis c'est tout, pas plus de monument sépulcral que ça! rien, on voit seulement que la terre a été un peu remuée.

Dans les environs, le terrain semble indiquer un théâtre et un tronçon de construction concave; le stade, nous dit le guide, était au-dessus.

Nous passons, pour revenir vers la fontaine, devant un grand pan de mur qui soutient des terrains : c'est la plus grande ruine de Delphes.

Comme nous arrivions à la fontaine, une femme, coiffée de rouge, se tenait debout auprès de la chute, en deçà de la route, sous les oliviers; une bande d'enfants nous suivait, quelques femmes lavaient du linge.

Pour arriver au bassin, plein de cresson, on monte sur de grosses pierres de marbre. Au delà du bassin, excavation carrée dans le roc, allant ainsi par le haut, qui est garni de troncs morts d'un lierre; sur cette surface, trois niches, une petite chapelle moderne, en pierres sèches (recouvrant l'*héroum* d'Antinoüs?); plus à gauche, gorge étroite comme un couloir et très haute; l'eau coule sur des rochers de marbre vert et de marbre rouge à raies vertes transversales.

Nous descendons dans les oliviers, à gauche de la route; en descendant, un grand carré dans la roche fendue par le milieu et avec tenons, comme s'il y avait eu là, collé, quelque grand tableau.

Parmi les oliviers, église Panagia. C'est la place du Gymnase; une femme et deux enfants nous regardent de dessus le balcon de bois attenant à la maison qui est dans la cour. L'église est précédée de colonnes de marbre; sur l'une d'elles, couverte de noms, se lit « Byron », écrit en montant de gauche à droite, moins profondément gravé que sur la colonne du prisonnier de Chillon. Rien dans l'église. – Dans la cour, mauvais bas-relief d'homme, grandeur naturelle (position d'indicateur de chemin de fer), avec des parties génitales de sexe douteux (hermaphrodite?); c'est pourtant bien un homme, les bras et la naissance des mains énormes, les côtes et les muscles du ventre très indiqués, ensemble désagréable. – Derrière l'église, un mur antique soutenant une plate-forme ou terrasse, fontaine abandonnée.

Nous rentrons à 5 heures et demie, nous nous séchons auprès du feu, quoique j'étouffe de chaleur, à la figure surtout, effet de la pluie sans doute. Elle tombe toujours; un berger a dit à Giorgi qu'il ferait beau temps demain parce que l'on entend les coqs chanter. Dieu le veuille!

Je ne sors pas d'ébahissement à propos de la beauté des gens d'ici. Voilà bien la figure de l'homme dans tout son éclat; les femmes, beaucoup de blondes, moins belles comparativement; l'enfant et l'adolescent admirables. – Un portant un fusil, nez un peu avancé, large chevelure s'échappant de dessous son bonnet, qui a passé près de nous, en dessous de la fontaine. Bâton de berger pour attraper les moutons par la jambe. *(Castri (Delphes), 9 heures 1/2.)*

Mercredi 8. La chambre où nous avons couché hier avait bon aspect; enfermé dans ma pelisse, et ma couverture de Bédouin sur les jambes, je l'ai longuement considérée en fumant ma pipe, couché sur mon lit. J'étais dans le coin de droite, un flambeau posé dans l'angle de la cheminée, je regardais les poutres noircies de fumée; une d'elles se trouvait éclairée et se détachait en gris des autres, les murs étaient couleur chocolat foncé, tout le reste poussiéreux; la grande cheminée ronde, la table à X au milieu; dans les coins, des tas d'olives qui séchaient, et des sacs pêle-mêle dans l'autre : c'était un vrai décor de théâtre (drame allemand), scène de nuit, le rideau vient de se lever. – Il a plu toute la nuit; à travers mon sommeil j'entendais les rafales qui descendaient de la montagne de Delphes.

Ce matin le mauvais temps s'est calmé, nuages rouges quand nous sommes partis. Quelque temps après que l'on a quitté Castri, la route tourne à droite; on a à sa gauche, tout en bas, le bois d'oliviers qui borde le ravin de Delphes et s'élargit une fois arrivé dans la plaine; là, il y a une place vide, prairie, puis une autre grande masse d'oliviers. Au pied de la montagne sur laquelle est, Crissa; plus loin le golfe de Salona (en se retournant on aperçoit derrière soi les montagnes du Péloponnèse) au bord duquel est Galaxidi; en face, sur les penchants de la montagne, de l'autre côté, trois villages : le dernier et le plus gros, Salona.

La route descend toujours, se tenant sur le flanc du Parnasse, que l'on suit dans la direction du Nord. La forme des montagnes qui sont de l'autre côté de la vallée en face est ainsi : un mur oblique dont la base s'appuie sur la vallée, le sommet de ce mur affecte la ligne droite, il est égal comme niveau; là-dessus, un plateau; puis, dans un plan plus reculé, les montagnes reprennent. Au niveau de ce plateau, des nuages se roulaient.

Nous descendons toujours, et nous nous trouvons au bord d'un large torrent à lit tout blanc, plein de pierres, nous le passons. L'eau coule sur la rive droite; il se dirige du côté de la mer, bordé d'oliviers à sa droite. L'eau est toute jaune, elle roule la terre rouge des terrains supérieurs : la teinte rouge domine dans les montagnes de ce pays, entre le gris naturel des roches et les verdures qui s'y sont cramponnées.

Nous apercevons bientôt le village de Topolia, à mi-côte; devant lui, un rocher vert, à petits carrés longitudinaux, comme de grandes marqueteries; un bois d'oliviers dominé par les hautes pentes des montagnes. Tout cela a quelque chose de déjà vu, on le retrouve, il vous semble qu'on se rappelle de très vieux souvenirs. Sont-ce de tableaux dont on a oublié les noms et que l'on aurait vus dans son enfance, ayant à peine les yeux ouverts? A-t-on vécu là autrefois? N'importe! Mais comme on se figure bien (et comme on s'attend à l'y voir) le prêtre en robe blanche, la jeune fille en bandelettes, qui passe là, derrière le mur de pierres sèches! C'est comme un lambeau de songe qui vous repasse

dans l'esprit... : « Tiens... tiens, c'est vrai! Où étais-je donc? Comment se fait-il?... » Après, brrr!

Déjeuner sur le devant d'un épicier, en vue d'une nombreuse société de gamins qui nous considère, et d'un petit chien à qui nous donnons à ronger les os de notre morceau de chevreau.

On monte par une route escarpée, pavée, nous retrouvons la voie très bien dallée par places.

Les montagnes sont assez basses, à bassins resserrés; cirques irréguliers où l'œil se roule en des courbes molles, sur une verdure parfois à tons foncés de brun; places de vignobles, terres roussâtres.

Nous sommes dans un bois de petits chênes, à la hauteur des nuages qui, suspendus sur la vallée, à gauche, courent dans le même sens que nous. A un endroit où la pente s'infléchissait, creusée en cuillère, la nuée grise a monté comme un flot de fumée. – Feuilles fer rouillé des chênes à travers la brume. – Nos chevaux pataugent dans la boue de neiges fondues et nous éclaboussent en glissant sur les pierres.

De temps à autre, au bord du chemin, petites places de neige très blanches; bientôt nos chevaux en ont jusque par-dessus le sabot, la pluie tombe, nous prenons nos peaux de bique.

Tout à coup un val devant nous, grande pente abrupte à notre droite, couverte de neige seulement déchirée par les arbres, qui deviennent plus grands et plus tassés : vieux chênes dans lesquels on a fait le feu et qui n'ont plus que l'écorce, troncs noirs calcinés gisant par terre au milieu du blanc de la neige.

Nous sommes à une jonction de montagnes, une ligne s'en va sur la gauche, celle qui est à notre droite continue dans le même sens. Nous sommes sur une hauteur, vallon étroit très profond dans lequel il faut descendre. De l'eau, de l'eau, sapins, chic alpestre, une grande cascade au delà du torrent à droite; les arbres sont drapés du velours vert des mousses, les feuilles sèches tremblent au vent, la route zigzague dans les chênes et les sapins, nous entendons le bruit du torrent qui descend de cascade en cascade; des arbres pourris se tiennent suspendus sur l'abîme; un, sans feuilles, penché sur l'eau transversalement. Peu à peu nous nous rapprochons de l'eau. Troupeau de chèvres : nous nous arrêtons à les regarder passer sur le pont, tronc d'arbre jeté; le bouc surveille le passage.

Nous quittons le torrent et nous nous élevons par la voie pavée, dont de place en place, dans la descente, se trouvent des tronçons au hasard. Les arbres cessent un peu, un grand mur gris de chaque côté. Nous apercevons au bout une plaine et quelques maisons rouges à l'entrée : c'est Gravia, où nous devons coucher. Descente.

Gravia, au pied de la montagne. – Khan avec un foyer sans cheminée, des Grecs y font cuire des morceaux de viande sur des brochettes de bois. – Nous attendons le bagage; on nous loge dans un compartiment du khan réservé aux gens de qualité : la cloison est en planches non rabotées, pour plafond les tuiles, entre quatre pierres le feu, mais nous sommes séparés du reste de la société; aux pieds de mon lit, une trappe où l'on serre le grain; la veste du cuisinier se sèche à notre feu, à côté de mon paletot.

La nuit promet d'être froide, j'entends rouler le bruit permanent du torrent et, de temps à autre, sonner les clochettes des mulets qui sont ici, à côté, dans l'écurie. *(Gravia, 9 heures du soir.)*

Jeudi 9. En sortant de Gravia nous trottons une grande demi-heure et nous atteignons le pied de la montagne. Elle est couverte de chênes, nous allons sous les arbres, nous sentons le vent du matin et l'odeur des feuilles mortes. Quand nous sommes arrivés au pied du bois taillis, sur la berge, un rayon de soleil illuminait par en bas les chênes : c'était la France au mois de novembre, tout à fait.

La route monte et descend sous les arbres; troncs tout gris, sans une feuille, couchés par terre avec leurs moignons de branches biscornues. (Avant d'arriver à Livadia, il y en avait ainsi sur le bord du ruisseau; vu de face (il était couché obliquement) quant à son mouvement convexe, deux grosses bosses qu'il avait ressemblaient à des seins et le tronc, la poitrine, partaient d'au-dessus.) De temps à autre, une clairière; à un endroit, les petits chênes ont leurs branches toutes couvertes de lichens verts, pelucheux, comme si on les eût engainés dedans.

D'en haut on a le Parnasse complètement derrière soi. – Descente. – La montagne s'appelle Laphovouni, nous haltons à ses deux tiers. – Déjeuner sur une fontaine. De là, la vue s'étend sur une partie de la plaine des Thermopyles; un bout de mer (golfe Lamiaque) à droite; sur la montagne, en face, à gauche, Lamia.

On descend encore pendant une demi-heure et l'on tourne à droite au pied de la montagne que l'on a descendue.

Le golfe Lamiaque s'étend devant vous; la plaine est nue, grève blanchâtre, sonnante sous le pied des chevaux, avec quelques filets d'eau qui courent dessus. Au pied de la montagne, qu'il faut tourner, une abondante source d'eau chaude. Avant d'y arriver, un poste de gendarmerie. En continuant la route, on a à sa gauche un grand marais, qui s'étend jusqu'à la mer, et à sa droite une longue colline bombée, à deux plans, couverte d'arbres épineux et qui va se rattacher à la montagne. A un quart d'heure de la source d'eau chaude, on vous fait monter sur un petit tertre carré où il y a des pierres (restes de mur?) et l'on vous dit que c'est là qu'était le lion de Léonidas. Un quart d'heure ensuite, s'écartant plus de la montagne et avancée davantage dans le marais, une sorte de redoute carrée. De ce point, quand on tourne le dos au Nord, à la mer, à l'île de Négrepont, on a, à droite, la chaîne de montagnes de la Thessalie, avec Lamia à un bout et Stilidia (au bord de la mer) à l'autre, et à gauche, à l'avant-dernier plan, une grosse montagne blanche; le fond est occupé par une ligne de montagnes plus petites, sur laquelle vient s'appuyer la grande continue, de droite. Sur ce côté gauche, pour venir jusqu'à nous, deux côtes de terrains descendant parallèlement. Suit la montagne, qui va dans la direction de la mer, s'abaissant jusqu'à

Molos; on la suit l'ayant toujours à sa droite pour aller jusqu'à Molos. Bientôt on découvre, ouverte au milieu, une haute tranchée, sorte de couloir un peu crochu, un peu courbé. Si l'on tirait une ligne droite, elle se trouverait aboutir entre Stilidia et Agia-Marina, petit village à gauche de Stilidia.

Où étaient les Thermopyles? Notre guide et Buchon sont d'accord. Quand Giorgi nous a dit : « Vous y êtes », cela nous a paru absurde. Pourquoi les Perses n'entraient-ils pas plus au delà, par la montagne par où nous avons descendue ce matin? Qui les forçait de venir jusqu'ici? Comment se fait-il que, selon Hérodote, les Perses tombaient dans la mer? la mer n'est pas là, elle est à plus d'une lieue! Faut-il entendre par *mer* marais? Alors les Grecs auraient été sur cette colline couverte d'épines où nous nous sommes déchirés tantôt pour voir s'il y avait un défilé par derrière, défilé que nous n'avons pas vu! Le marais est traversé par un grand cours d'eau; est-ce le Sperchius? Je n'ai pas vu les restes du mur de Justinien dont parle Buchon.

Les Thermopyles ne seraient-ils pas la gorge étroite au haut de laquelle est Budhonitza? Alors je comprends que, pour arriver à ce sommet, les Perses aient mis toute la nuit. Quel est le sens du mot précis traduit par *défilé* dans Larcher? En résumé, c'est là, à l'extrémité Nord de cette longue colline, que devait se trouver le passage, ou c'est la gorge de Budhonitza. Dans cette hypothèse, les Perses, par le flanc, auraient pu tomber dans la mer, et c'est bien là un défilé, et qui s'ouvre par en bas, qui a une « place plus large ».

Mais l'objection revient toujours : Pourquoi les Perses se sont-ils obstinés à venir par là, tandis qu'au delà des sources d'eau chaude, il y a une grande entrée dans la montagne?

Jusqu'à Molos, route plate, assez belle, entre des arbustes.

Molos, grand village, étendu sur le terrain marécageux, près de la mer, en face de Stilidia, de l'autre côté du golfe. – Logés chez un papas. *(Molos, 8 heures du soir.)*

Vendredi 10. Journée pénible et longue. Partis à 8 heures de Molos, arrivés à Rapurna (Chéronée) à 5 heures du soir, ne nous étant arrêtés que vingt minutes à peu près.

En quittant Molos, on va quelque temps sur la plaine mamelonneuse qui s'étend jusqu'à la mer ou côtoie la montagne. – Tournant à droite. – Un grand torrent. – Après l'avoir passé on aperçoit les platanes; ils augmentent. On monte insensiblement, gardant le torrent à sa gauche, puis l'on entre dans un véritable bois de platanes, ils sont tous dépouillés, leurs feuilles amortissent le bruit des pas de nos chevaux, on respire une bonne odeur; le ciel est barbouillé de sales nuages bruns, qui estompent le contour des montagnes. Nous déjeunons (moi avec un morceau de pain sec) sur le tronc incliné d'un gros platane, au bord du torrent, qui fait un coude en cet endroit et dégringole doucement de pierre en pierre.

Quelque temps après qu'on a dépassé les platanes et

quelques hautes petites prairies inclinées au pied des montagnes, on s'élève. – Mamelons. – A gauche, une série de collines se détachant d'une montagne, et croulant parallèlement vers le fond de l'étroite vallée, ayant la forme de cylindres.

Nous nous élevons sur des crêtes de montagnes où il y a juste la place du sentier; de chaque côté, une vallée d'où l'œil descend par une pente escarpée. Les sapinettes ont succédé aux platanes, elles deviennent de plus en plus rares, la végétation cesse. Montagnes chenues, gris blanc par places et couvertes généralement de petites touffes épineuses vertes. Nous dominons une grande plaine noyée dans la brume et où tombe la pluie; au bas de la plaine, le grand village de Drachmano ou Abdon Rakmahill. – Trois vieux puits comme celui d'Eleusis.

Nous suivons le chemin fangeux qui coupe la plaine par le milieu; bientôt elle se resserre entre deux bases de montagnes qui avancent, on tourne à droite légèrement, et l'on entre dans une seconde division de la plaine, où est située Chéronée. – Troupeaux de moutons nombreux, tous à longue laine et en bon état. – Nos chevaux enfoncent dans la terre marécageuse, des vanneaux et des bécassines s'envolent, de temps à autre tombe une petite pluie fine.

Nous passons à gué une grosse rivière, le Céphissus; de temps à autre, pont bâti sur les places d'eau dans le marais.

RAPURNA, au fond de la plaine, à droite, au pied de la montagne. Avant d'y arriver, restes d'un petit théâtre taillé à même dans la pierre : les marches en sont étroites, on n'y pouvait s'asseoir et y mettre les pieds tout à la fois; au-dessus, restes des murs de l'acropole.

En suivant la route que nous devons prendre demain, un peu après le village, à droite, se voient, dans un petit trou au milieu des broussailles, les restes d'un lion gigantesque : ses membres sont épars, couchés et cachés pêle-mêle; tête colossale, à crinière frisée autour du facies. En marbre, assez beau travail. A l'extrémité des incisives de chaque côté de la gueule, un trou qui communique d'un côté à l'autre, comme si le lion avait eu, passé dans la gueule, un frein.

Les chiens de Rapurna hurlent affreusement, se ruent sur nous. Nous les voyons poursuivre deux pauvres diables qui vont de porte en porte : c'est un aveugle qui joue du violon, violon à manche large, à trois chevilles; il marche par-derrière, en tenant sa main gauche sur l'épaule de son conducteur chargé de deux besaces; ils viennent à la maison où nous sommes logés, l'aveugle est sans yeux, une balle lui a passé d'une tempe à l'autre; son compagnon a la tête enroulée d'un voile noir en turban, qui ressemble à un chaperon moyen âge (duc de Bourgogne?), figure de femme, petite moustache noire, l'air d'une affreuse canaille.

Nous attendons le bagage deux heures, il arrive à la nuit; la pluie tombe à torrents, cela ne nous promet pas poires molles pour demain! (*Rapurna, 9 h. 1/2 du soir.*)

Samedi 11. La pluie et le vent n'ont cessé toute la nuit, Giorgi a demandé à coucher dans la même chambre que nous. Toute la famille, qui l'habite, a passé la nuit dehors, avec les muletiers et l'ironique cuisinier, dont les chalouars blancs sont maintenant noirs de boue; aussi, le matin, les femmes et l'affreuse nichée d'enfants viennent-ils en grelottant se chauffer à nos tisons. A travers la crasse qui les couvre on distingue quelques-uns de leurs traits, qui seraient beaux peut-être s'ils n'étaient si sales; mais quelle saleté! cela dépasse tout ce que j'ai vu à présent! La jeune femme du lieu met son marmot dans son berceau, tronc d'arbre creusé, à peine dégrossi, et le dandine auprès du feu : la forme de ce berceau me rappelle les pirogues de la mer Rouge.

Notre bagage part en avant, devant nous précéder à Thèbes; nous partons après lui, à 11 heures, couverts de nos peaux de bique et de nos couvertures de Bédouin mises par-dessus et attachées avec une corde sur le devant de la poitrine, à la manière d'un burnous. La pluie tombe sur nous sans discontinuer pendant deux heures.

La route monte une montagne, puis la redescend; en face de nous nous apercevons Livadia, le Parnasse à droite, noyé dans la brume et dans la pluie.

Le bagage s'est arrêté au khan de Livadia, et les agayaturs déclarent qu'ils ne veulent pas aller plus loin; la bêtise de notre drogman s'en mêle, force nous est donc de rester à Livadia.

Nous passons la journée à faire sécher nos couvertures et nos hardes et à fumer sur nos lits; en bas, dans l'écurie par où l'on monte à notre chambre, c'est un pêle-mêle de chevaux, de mulets et d'hommes.

Le torrent qui passe devant Livadia grossit toujours, toute la plaine est noyée d'eau, la pluie rebondit sur les tuiles, le vent chante à travers les planches du khan.

La soirée fut employée par nous à recoudre nos peaux de bique et à y ajouter des genouillères en *flocate*.

Dimanche 12. Journée épique!

Partis de Livadia à 7 heures du matin, le mieux accoutrés que nous pouvons, nous tenons la plaine que nous descendons insensiblement; à notre gauche, au loin, le lac Copaïs est perdu dans les marais; les montagnes sont toutes estompées de brouillard.

A 11 heures nous nous arrêtons dans le khan de Julinari, hommes et bêtes y sont pêle-mêle, les hommes sur une espèce de plancher en bois, construction carrée qui se trouve dans un coin et sur laquelle est le foyer; les chevaux sont attachés au râtelier.

Nous avons changé de gendarme; celui que nous venons de prendre à Livadia est facétieux et folâtre, il donne de grands coups de poing à tout le monde, rit très haut, et va nous chercher du bois, ce que notre Giorgi n'a pas même l'intelligence de faire; le drôle nous sert encore son inévitable agneau et les éternels œufs durs, ma gorge se ferme à leur vue et je déjeune, comme les jours précédents, avec du pain sec. En face de moi est assis, jambes croisées comme un Turc, le maire d'un village voisin, il mange une ratatouille d'œufs; sur ses cuisses passe son sabre; sa figure est encadrée par sa coiffure; un petit turban noir, roulé autour de sa tête, pend des deux côtés sur sa joue, lui passe sur la partie inférieure du visage, en mentonnière, et va s'enrouler autour du col, comme un cache-nez; c'est un grand gars d'une cinquantaine d'années, grisonnant, nerveux, l'air bandit et très *frank*.

Nous remontons sur nos bêtes trempées et nous poussons notre route; il faut renoncer à aller à Thèbes et à Orchomène, nous allons coucher à Kasa.

Nous pataugeons dans la boue, nous passons dans des marais, nos chevaux éclaboussent l'eau tout autour d'eux, j'ai le c... mouillé sur ma selle.

Des vanneaux et des bécassines s'envolent en poussant de petits cris, le chien du gendarme nous suit en trottant tant qu'il peut de ses petites jambes.

La grêle tombe; nous passons dans des terres labourées où nos chevaux enfoncent jusqu'au-dessus de la cheville; sitôt qu'ils le peuvent, nous les faisons galoper; la nuit vient.

En passant une grande place d'eau, le chien du gendarme se noie; voilà le cheval de Giorgi qui se met à boiter et à enfoncer sa tête entre ses jambes, nous croyons un moment qu'il va crever sur place, et nous nous demandons si les nôtres nous mèneront jusqu'à Kasa; quant au mien, il commence à ne plus sentir l'éperon. Quand je dis l'éperon, c'est le mot, car j'ai perdu celui du pied gauche aux Thermopyles, dans ce petit bois où je me suis si bien déchiré, et d'où nous avons fait débusquer un lièvre.

Nous avons tourné brusquement sur la droite, quittant la route de Thèbes; deux heures après, nous passons devant Erimo-Castro, nous en avons encore pour cinq heures, il est presque nuit, le temps devient non pas pire, c'est impossible; mes pieds sont complètement insensibles, j'ai chaud à la tête. Nous blaguons beaucoup en songeant que nous avons perdu le bagage, et nous nous consultons comme au restaurant pour savoir quoi nous mangerons à notre dîner : « Garçon, du sauterne avec les huîtres! une bisque à l'écrevisse! deux filets chateaubriand! crême de turbot! une croûte madère! un feu d'enfer et des cigares! allez! »

La neige tombe, elle s'attache aux poils qui sont dans l'intérieur des oreilles de nos chevaux et les emplit; ils ont l'air d'avoir du coton dans les oreilles.

L'Hélicon est sur notre droite, nous apercevons des sommets blancs dans les interstices des nuages et du crépuscule.

Sur une éminence où l'œil est amené par une pente blanche et très douce, enfoui dans la neige comme un village de Russie, avec ses toits bas, Kokla.

Nous n'entendons plus nos chevaux marcher, tant la neige assourdit leurs pas, nous allons nous perdre pour passer le Cithéron, Giorgi demande un guide, personne ne veut venir.

Nous continuons; ma gourde d'eau-de-vie, que j'avais précieusement gardée pendant tout le voyage, me devient utile, le froid de ma culotte de peau me remonte le long du dos dans l'épine dorsale; s'il fallait me servir de mes mains, j'en serais incapable. Le moral est de plus en plus triomphant. Mes yeux se sont habitués à la neige, qui re-souffle de plus belle, Maxime en est ébloui. Nous allons sur la pente Nord du Cithéron, nous rapprochant

le plus que nous pouvons vers sa base, afin de trouver la route. Nous passons un torrent, que nous laissons à droite, et nous nous élevons rapidement. Des pierres sous la neige font trébucher nos chevaux; nous sommes complètement perdus, le gendarme et Giorgi n'en sachant pas plus que nous sur la route. Pour continuer jusqu'à Kasa il faudrait savoir le chemin; quant à nous en retourner à Kokla, ce que nous allons pourtant essayer de faire, il est probable que nous allons nous perdre encore.

Nous entendons aboyer un chien, j'ordonne au gendarme de tirer des coups de fusil, il arme son pistolet qui rate; enfin il parvient à tirer un coup, le chien aboie dans le lointain.

Décidément j'ai froid, ça commence à me prendre.

Nous redescendons, le gendarme tire encore deux ou trois fois des coups de pistolet, les aboiements se rapprochent, nous sommes dans la bonne direction, nous repassons le torrent à sec.

Bientôt nous apercevons quelques maisons; les chiens, en nous sentant venir, font un vacarme d'enfer; pas d'autre bruit dans le village, pas une lumière, tout dort sous la neige.

Le gendarme et Giorgi frappent à la porte d'une cabane, personne ne dit mot; nous allons frapper à une autre, une voix d'homme épouvantée répond, on ne veut pas ouvrir. Le gendarme donne de grands coups de crosse dans la porte, Giorgi des coups de pied; la voix, furieuse et tremblante, répond avec volubilité, une voix de femme s'y mêle. Giorgi a beau répéter *milordji, milordji*, on nous prend pour des voleurs, et l'altercation mêlée de malédictions de part et d'autre continue. Je me range en dehors de la porte, près de la muraille, dans la crainte d'un coup de fusil. O mœurs hospitalières des campagnards! ô pureté des temps antiques!

A une troisième porte, enfin, quelqu'un de moins craintif consent à nous ouvrir. Jamais je n'oublierai de ma vie la terreur mêlée de colère de cette voix d'homme. Quel propriétaire! était-il chez lui! avait-il peur de l'étranger! se moquait-il du prochain! et la voix claire de la femme piaillant par-dessus celles des hommes!

Celui-ci nous mène au khan, que l'on nous ouvre. Nous entrons dans une grande écurie pleine de fumée, où je vois du feu! du feu! Quelqu'un de là m'a détaché ma couverture, et je me suis approché de la flamme avec un sentiment de joie exquis. Souper avec une douzaine d'œufs à la coque, que nous fait cuire une bonne femme, la maîtresse du khan. J'ai bu du raki, j'ai fumé, je me suis chauffé, rôti, refait, dormi deux heures sur une natte et sous une couverture pleine de puces prêtée par l'hôtesse du lieu; le reste de la nuit se passe à faire sécher et à brûler nos affaires. Les chevaux mangent, le bois flambe et fume, de temps à autre je me lève et vais chercher le bois dont les épines m'entrent dans les mains, les autres voyageurs dorment couchés tout autour du feu. Quand il arrive quelqu'un, on crie : « Khandji! Nadji! », la porte s'ouvre, l'homme entre avec cheval tout fumant, la porte se referme, le cheval va s'atteler à la mangeoire et l'homme s'accroupe près du feu, puis tout rentre dans le calme. – Ronflements divers des dormeurs. – Je pense à l'âge de Saturne décrit par Hésiode! Voilà comme on a voyagé pendant de longs siècles; à peine sortons-nous de là, nous autres.

Le lendemain *lundi 13* (jour de l'an de l'année grecque), dès qu'on y voit, nous sortons du khan. La neige tombe tassée; un enfant (Dimitri, le fils de la bonne femme), avec son capuchon sur la tête, gros petit robuste paysan, à l'air bête et à lèvres sensuelles, nous sert de guide jusqu'à la route, nous n'en avons pas été loin hier au soir; il fallait, comme nous l'avons pensé, laisser le ravin sur la gauche.

Nous passons le Cithéron à grand'peine, nos chevaux un peu plus ne pourraient s'en tirer. La couverture de laine de Maxime a l'air d'une peau de mouton veloutée, et par le bas revêt, en certaines places, des tons bruns à glacis d'or (taches de fumée, ou la laine qui reparaît en dessous?) pareils à de la peau de léopard.

A 11 heures du matin, arrêtés trois quarts d'heure à Kasa, il y fait froid. Déjeuner avec du pain chaud et pas mal de petits verres de raki. Nous remettons nos couvertures sur nos dos, ma peau de bique est déchirée. Avec mon tarbouch rabattu sur les yeux, ma grande barbe et mes vêtements de poils et de grosse laine, le tout rattaché par des ficelles et des cordons, j'ai l'air d'un Cosaque.

A mesure que nous nous abaissons, la température s'adoucit, la neige cesse, bientôt le bleu du ciel paraît.

La chaleur vient; à Mandra nous retrouvons des oliviers et du soleil, je fais ferrer mon cheval qui boitait d'une façon irritante.

Au khan qui est avant les lacs Rheïti en venant d'Eleusis, nous rencontrons, dans une voiture l'Anglaise, les deux Anglais et le Grec leur cicerone, que nous avons déjà vus au pied du Parnasse, en allant de Livadia à Delphes.

A Daphné, mon cheval ne veut pas aller plus loin et se cabre plusieurs fois.

De Mandra à Athènes, tancé le jeune Giorgi d'importance et d'une si belle manière, à ce qu'il paraît, qu'il a avoué la vérité à Elias, mon hôte, que je l'effrayais beaucoup.

Après le Jardin botanique, rencontré la Reine qui se promenait en voiture.

Nous sommes rentrés à Athènes à 5 heures moins un quart du soir; notre bagage y est arrivé le surlendemain mercredi, dans la matinée, une quarantaine d'heures après nous. (*Athènes, jeudi 16, 3 heures de l'après-midi.*)

MUNYCHIE. PHALÈRE

A l'Est du Pirée, un petit port ovale, à entrée étroite; sur le côté Est de ce port, restes de quais éboulés dans la mer; les pierres sont très grises, quoique perpétuellement lavées par l'eau. Pour des bâtiments de petit tonnage, ce port devait être excellent: c'est là Munychie.

En suivant le bord de la mer, ruines d'une chapelle où Sa Majesté vient se déshabiller quand elle prend des bains froids. O rivage! ton sable fut foulé par

d'autres pieds! O vent de la mer Egéenne, tu as rafraîchi d'autres derrières!!!

Il y a à Munychie une espèce de petit avant-port ou d'arc très évasé, l'extrémité fait promontoire, le rivage rentre tout à fait et bientôt fait un cercle charmant: c'est Phalère. Il y a dans le dessin de ce cirque naturel quelque chose de doux et de grave. A l'entrée, à droite, un grand bloc isolé, énorme, debout. On voit là dedans entrer des barques peintes, la nature avait tout fait pour ces gens-là!

Nous avons continué par le rivage. – Petites criques. – Notre drogman est descendu ramasser des coquilles pour nous, nos chevaux marchaient péniblement dans le sable. (*Promenade faite le 21 janvier 1851, mardi.*)

ACROPOLE
SCULPTURES DANS LE TEMPLE DE LA VICTOIRE APTÈRE

Bas-relief très ressorti, 3 personnages: une femme, un taureau, une femme. Hauteur approximative, 3 pieds.

En commençant par la gauche, première figure ailée, sans tête, ni bras droit; le bras gauche seulement jusqu'au coude, rongé ainsi que le devant de la poitrine et les deux cuisses; pieds disparus. Elle s'incline vers le taureau qui s'élance, le sein gauche rond, proéminent sous la draperie. Dans la ceinture, qui était une simple corde, trois petits trous. La queue du taureau paraît derrière elle. La draperie, attachée sur l'épaule gauche et portée sur cette partie du corps, qui fléchit, s'amasse sur la cuisse gauche, un peu relevée à partir de l'aine, elle coule entre les deux cuisses. – Le taureau s'élançant, moignons des jambes de devant, pas de tête, cou rongé, puissante musculature de l'épaule droite; les plis du col indiquent que la tête devait être baissée.

Deuxième figure, vue de face, deux ailes dans un mouvement d'élan emporté, sein droit enlevé. Bras gauche (qui se levait un peu plus haut que l'autre, les deux bras étaient écartés; au-dessus de ce bras, l'aile est plus levée que l'autre) n'existe que jusqu'au coude à peu près. Tout le mouvement de la draperie est furieux; le chiton, serré par une ceinture (un cordon avec deux trous), est poussé par le vent et colle sur le sein gauche, pomme; c'est cette partie du corps qui s'avance, la jambe et la cuisse gauches en avant, genou saillant, mollet dessiné, les pieds simplement chaussés d'une semelle. La draperie part de dessous la fesse droite, dans une courbe touffue, se porte sur la cuisse gauche, tourne et laisse retomber sa plus grande masse à la hauteur du jarret droit; le reste dégradé entre les jambes écartées et va reposer à terre. La draperie qui tombe extérieurement du bras gauche, largement contourné, par le bas se frise presque en volute. – Peut-être un peu trop de frisé dans l'ensemble du style des draperies.

Un torse drapé sans tête. Hauteur de cette feuille de papier.

Le bras gauche repose sur la hanche et y retient la

draperie amassée; la chemise (chiton?) légère, plis droits suivant le mouvement de gauche; le corps reposant sur la hanche gauche, le ventre s'en va à droite. Seins ronds. Le bras gauche, nu, abondamment couvert au coude, au-dessus et au-dessous par la draperie qui passe entre le bras faisant angle et le corps; le bras droit vêtu de cette même chemise fine qui se ferme de places en places par des boutons laissant voir le nu par losanges. Haut de la poitrine nu, seins très bas. Un cordon passe sous les deux aisselles et fixe la chemise au corps et contourne par derrière le cou qui le porte.

Bas-relief de femme ailée rattachant sa sandale.

Même hauteur que le premier, sans tête ni mains, deux ailes. Appuyée sur le pied gauche dont le genou est légèrement fléchi, sa main droite touche son cou-de-pied droit, dont le talon vient à peu près à la hauteur du genou gauche, la cuisse gauche faisant avec la jambe angle droit. Le bras gauche retient faiblement la draperie qui s'échappe et qui, de ce côté, va tomber, tandis que, de l'autre, elle est relevée par tout le grand mouvement de la cuisse droite. La draperie, attachée aux deux épaules, glisse de la droite qui se baisse et tombe jusqu'à mi-bras, laissant voir l'aisselle. Sous la draperie transparente, seins fermes et ronds, pointus au bout, très écartés. Deux plis au ventre, le supérieur plus creusé. Le pied droit manque. – On ne peut se lasser de voir cette délicieuse chose.

DANS LA PINACOTHÈQUE

Torse de femme, chemise plissée.

Les plis tombent tout droit, carrés et réguliers; entre les deux seins, un pli plus large que tous les autres fait milieu et, de chaque côté de lui, tombent les autres, le second descendant plus bas que le premier, ainsi de suite; cela va ainsi comme par étages jusqu'au-dessous des seins.

Coiffure de femme à un petit torse sans tête.

Les cheveux sont divisés en deux; de chaque côté quatre tresses qui tombent sur les seins, que l'on voit entre elles. Les tresses, se touchant d'abord, vont, à mesure qu'elles descendent, en s'écartant.

Une tête d'homme ceinte d'un cordon; entre le cordon et le front, les cheveux sont disposés en petits boutons pressés.

Le travail de chaque boucle peut se comparer à une coquille de colimaçon. Quatre rangées. Cette coiffure, faisant courbe, couvre la moitié du front et descend jusqu'aux oreilles.

Idem dans une petite tête de femme.

Un petit bas-relief: une femme et un faune, partie inférieure du corps seulement.

La femme, debout et comme moulée dans son vêtement qui lui colle au corps, vue de trois quarts; les deux mains cachées sous sa draperie qui fait des plis entre son corps et son bras droit. Main gauche appuyée sur la hanche gauche, coude (enlevé) faisant angle. Le voile de sa tête pend du côté droit, lui passe sur la gorge et revient s'appuyer sur l'épaule gauche. Menton légèrement incliné sur la poitrine. Sa main droite, couverte de la draperie, la tend. – Le faune est assis, cuisses velues, jambes de bouc, sur un rocher. Ses sabots vont, comme hauteur, à mi-cuisse de la femme; sa tête est sur le même niveau que la sienne. Les jambes du faune sont serrées l'une près de l'autre, il voudrait les croiser et ne peut. Cette pose est pleine d'esprit.

DANS LE THESEUM

1º *Personnage rustique, à cuisses et jambes de chèvre.*

Adossé tout droit, debout, à un petit pilier carré, il est drapé soigneusement, comme pour se garantir du froid, dans un manteau qui lui passe sous la barbe et va faire une courbe sur l'épaule gauche, d'où il retombe ensuite. Dans la main gauche, une syrinx. Barbe longue, peu frisée; oreilles pointues de chèvre, courbées dans le sens du front et confondues avec la chevelure. Pose d'ensemble vivace et gaillarde.

2º *Statue d'un vieillard au front très ridé.*

Rides symétriques, à courbes très profondes sur le milieu du front. La poitrine naturellement couverte de poils de bête. Il porte sur son épaule gauche un personnage sans autres membres ni tête, qui porte à sa main droite une tête d'homme beaucoup plus grosse que lui et même que n'est celle du personnage principal.

3º *Grand bas-relief: statue plate d'homme de la vieille manière, trouvée à Marathon.*

Guerrier debout, tenant à la main gauche une lance; la droite est fermée sur la cuisse, le bras tombe naturellement. Cheveux en petites boucles tombantes sur la nuque; barbe frisée et symétriquement taillée en pointe; œil ouvert et très sorti. Sur son épaule droite, passe une large bande, qui est ou la partie supérieure de sa cuirasse ou comme le collet de son vêtement de dessus, ou son baudrier, l'épée devant être au côté gauche, qui est, par derrière, caché. Supposition moins probable, car ça a l'air de devoir s'attacher sur la poitrine. La ceinture attache autour du corps un vêtement-cuirasse qui pend en plis (ou lames) carrés, longs. De dessous ce vêtement en passe un autre à pans pareils, et sous ce second vêtement on voit passer les plis inégaux et pressés d'une chemisette à tuyautés plats, comme au haut des bras. Doigts des pieds très effilés, chevilles saillantes, jambarts avec les rotules saillantes et de grands plis autour du mollet.

4º *Homme nu, debout, près de son cheval.*

Vu de face; le cheval de profil, seulement le poitrail et la tête trois quarts. C'est un petit tableau en creux. A gauche, un arbre branchu, assez nu de feuillage, avec un oiseau dans ses branches qui ressemble à un geai, à une pie? A l'arbre s'enroule un serpent, monstrueux par rapport à l'arbre. Le cavalier, manteau seulement sur les épaules (un peu trop grand, svelte et mou?), donne à manger au serpent, qui avance sa tête vers lui. Pas de barbe. – Le cheval est derrière lui, piaffant. – Un enfant, à droite, apporte au héros son casque; de l'autre côté, à gauche, l'épée est passée à une branche de l'arbre près duquel sont sa cuirasse et son bouclier.

5º *Petit pilier carré à quatre faces: trois de femmes, une d'homme.*

Ce pilier, plus large au sommet, et aux quatre angles duquel se voient encore des trous, servait de support à quelque meuble. Trois côtés sont surmontés d'une tête de femme. Seins. Draperie largement traitée et se confondant presque avec la paroi même du pilier. Le quatrième côté a une tête d'homme barbue. La représentation s'arrête après le buste, net. Sur le milieu de la paroi qui est sous cette tête, un phallus dressé, vu de face, avec les testicules.

A L'ACROPOLE

Près le corps de garde, à gauche, en entrant :

Deux femmes, l'une assise, l'autre debout, sans tête ni l'une ni l'autre.

Celle qui est assise est sur un tabouret; l'autre, à droite, debout, porte une boîte dans sa main gauche, la partie droite du buste de celle-ci enlevée. Celle qui est assise, de profil, tourne sa poitrine de trois quarts et tient sur ses cuisses quelque chose qui est brisé (une boîte?). La draperie, attachée aux deux épaules, légère, et couvrant les seins, s'échancre en s'infléchissant sur la gorge et couvre le bras droit, où elle est retenue par des boutons qui, dans les intervalles, laissent voir la chair à nu. A remarquer les plis de la draperie prise entre la cuisse droite de la femme et le tabouret. – Entre les deux femmes, et tourné du côté de celle qui est assise, un enfant (sans tête) qui lui vient, comme hauteur, au niveau du genou, l'épaule droite nue; drapé sur l'épaule gauche, sa main gauche très remontée, le coude (caché) devant faire angle aigu sur le genou gauche de la femme.

A côté de là, *une femme sur un char.*

Le pied gauche seulement repose dessus, faisant angle droit avec la cuisse; le pied droit est en l'air complètement, en arrière. (Comment pouvait-elle s'y tenir? La position des gens sur les chars me paraît toute conventionnelle. Dans une des tablettes du Parthénon, un guerrier, avec son bouclier et qui est sur un char, a le pied posé sur la jante de la roue.) Son pied gauche est posé seulement sur le bord du char; ses deux bras en avant tiennent les rênes dans un mouvement très attentif. Le char est évidemment emporté avec vitesse : la draperie est incourbée symétriquement sur le dos, qui penche dans tout le mouvement du corps porté en avant, et du dos elle va se ramasser sur le bras. L'avant-bras est nu. Elle a comme coiffure un gros chignon, carré par le bout.

TABLETTES DU PARTHÉNON

Mouvement des jambes de devant des chevaux (jambe cabrée) très élevé; la jambe déployée toute droite serait fort longue. Tous les chevaux ont les veines *excessivement* saillantes; *à tous*, au coin de la bouche, un trou; *sic* dans la main du cavalier. Il y avait, sans aucun doute pour moi, des rênes en métal, qui ont disparu.

Dans une tablette, où une Victoire est entre deux cavaliers et arrête l'un (celui qui est derrière), une grosse veine court longitudinalement le long du biceps du premier cavalier, qui se détourne presque de face et regarde le spectateur. La Victoire debout est aussi grande qu'un homme à cheval; sa tête est sur le même niveau que celle du cheval du cavalier qu'elle arrête; et le cheval se cabre, cette invraisemblance ne choque nullement.

Cette même étude des veines se remarque encore dans la tablette où un cavalier rajuste sa coiffure tout en continuant à courir; le cavalier qui précède celui-ci a les veines indiquées sur sa main gauche : le bras tombe naturellement, le sang descend et doit remplir les vaisseaux.

L'effet est plus marqué encore dans une tablette d'une tout autre manière, et qui évidemment est d'un autre artiste (inférieur). Un homme est assis sur un tabouret, deux femmes *sic;* l'homme a la main gauche levée, le coude plié, les doigts sont fermés, et l'index posé sur l'ongle du pouce, comme s'il se grattait cet ongle avec l'ongle de l'index : à sa main droite, le bras tombe naturellement, veines très marquées.

Dans les Propylées, adossé au mur de la tour vénitienne, un torse de femme. *Deux seins* pomme, le gauche couvert d'une draperie, le droit nu! Quel teton! comme c'est beau! que c'est beau! que c'est beau!

Coiffure des Cariatides qui supportent l'architrave du temple de Pandrose.

Les cheveux, séparés par une raie, juste sur la ligne médiane, descendent en bandeaux épais, violemment ondés, jusqu'à la hauteur de l'oreille, d'où partent de chaque côté deux amples tire-bouchons, qui passent sur les épaules et tombent jusqu'à la hauteur des seins environ. Sur le derrière de la tête, portion comprise d'une oreille à l'autre, ce sont trois grosses couronnes de cheveux rangées l'une sur l'autre; la quatrième est écrasée par le coussin carré, chapiteau de colonne qui est sur leur tête et qui supporte l'architrave. De dessous la couronne inférieure partent deux grosses mèches tordues (tortis très lâches et abondants), tombant naturellement s'amincissant à mesure qu'elles descendent vers le nœud qui les lie ensemble. Les cheveux repartent en s'élargissant, en forme (comme ligne extérieure) de catogan. Ils sont libres, frisés naturellement en plus petits tortis, et, vus d'en bas ou plutôt d'en dessous, l'extrémité de chaque petite mèche fait une boucle.

TEMPLE DE THÉSÉE (THESEUM)

Sa face postérieure regarde la montagne de Daphné et le chemin d'Eleusis; son fronton (oriental), l'Hymette.

En tournant le dos à l'Hymette, on a un peu à gauche les deux Pnyx; en deçà, le chemin creux où Cimon, fils de Miltiade, est enterré avec ses chevaux; et plus près, tout à fait à gauche, l'Acropole.

Sur ce côté gauche du temple, plate-forme avec quelques sièges en marbre, vraies gondoles pour la forme; un soldat irrégulier, avec son fusil creusé pour être mis sous l'aisselle, était assis dans l'un d'eux.

Sur ses deux faces latérales, le temple a treize colonnes, en comprenant les deux colonnes d'angle; et sur ses deux façades extrêmes, six, en comprenant les deux colonnes d'angle.

Le larmier est très avancé, les tablettes du larmier sont ornées de *guttae*.

Chaque métope est séparée de sa voisine par une sorte de gril composé de trois fûts en relief.

Le joint des pierres de l'entablement tombe juste sur le milieu du tailloir du chapiteau.

Sur la façade orientale et aux angles latéraux y attenant, encore quelques sculptures des métopes (quatre de chaque côté); ailleurs, les sculptures des métopes ont été complètement enlevées ou n'ont jamais été faites.

Aux deux extrémités du naos, la frise représente des combats de Centaures (plus distincts à la partie occidentale au-dessus de l'opisthodome), qui combattent avec de grosses pierres.

Sous le portique, plafond; – les poutres en marbre ont, dans l'espace qui les sépare entre elles, des caissons ou carrés, alternativement creux et pleins.

Sur les ptéromes, les poutres seules subsistent.

JUPITER OLYMPIEN

Au nord de l'Acropole.

De la petite colonne en face, ou plutôt à droite en regard de l'Hymette, et qui domine l'Ilyssus, on voit que les arcades, qui semblent continuer le théâtre d'Hérode Atticus, servaient à soutenir le terrassement sur lequel le temple était bâti; d'autant plus qu'au bout de ce mur il y en a un autre tout uni, sans arcades ni contrefort, qui fait angle droit et ne pouvait servir à autre chose qu'à soutenir les terres. De là, du reste, la plate-forme occupée par le temple se voit très bien; mais ce que l'on voit, ces seize colonnes, sont-elles autre chose qu'un portique?

TOUR DES VENTS

Les figures allégoriques extérieures sont affreusement lourdes. Jambes tuméfiées, leur poids seul empêcherait le corps de voler.

Edifice octogonal. – Corniche avec tambours carrés; au-dessus, à la hauteur de sept pieds environ, une plinthe circulaire, de petites colonnes cannelées à chapiteau dorique; – une seconde plinthe, puis le toit, tranches de pierres, allant s'amincissant vers le sommet et dont la combinaison fait dôme.

Deux portes, une grande vers le Sud-Ouest, une plus petite s'ouvrant en face de l'Est.

A l'extérieur du monument, et communiquant avec lui, une sorte de tourelle ronde, de même construction.

Trois fenêtres ou jours enlevés à même le mur, deux sous la première plinthe, une sous la corniche, à côté du Merab.

THÉÂTRE D'HÉRODE ATTICUS

Les restes de gradins sont surtout vers la partie droite quand on descend de l'Acropole et qu'on regarde la mer.

A chaque extrémité, deux grandes masses; à gauche, un double rang de trois arcades encore existantes, puis la grande ligne des arcades plus basses; au milieu, une debout; à droite, une ligne de trois.

Le soleil éclairait en plein l'intérieur roux des arcades et les rendait vermeilles.

Longue ligne d'arcades du côté extérieur; de la plaine,

portique où le peuple allait se mettre pendant la pluie.

Quand Pausanias fit sa description d'Athènes, le théâtre d'Hérode n'était pas encore bâti, il en parle incidemment dans son livre de l'Arcadie (?).

Comme j'étais à regarder cela, un âne que je n'avais pas vu s'est mis à renifler et m'a fait détourner la tête. *(23 janvier.)*

THÉÂTRE DE BACCHUS

Sur le même flanc de l'Acropole, vers l'Est, les deux colonnes du théâtre de Bacchus (la pente me paraît très forte), au-dessus d'un antre à entrée carrée. Il y a, à la gauche de cet antre, des excavations carrées comme pour des tableaux votifs; sur la droite, quelques restes (peu de chose) de gradins taillés à même la roche.

STADE

Le stade est au delà de l'Ilyssus. Pont en ruines, dont il n'y a plus que les assises; deux grandes redoutes (*cavaliers* en termes d'artillerie) formant une sorte de quadrilatère allongé, plus large vers l'entrée; à gauche un tunnel dans la roche, il s'élargit après le coude qu'il fait. C'est dans cette partie qu'il y a trace, cette fois évidente, de roues de chars. Le tumulus d'Hérode est de ce côté, plus à gauche, en se dirigeant vers le Lycobettus.

PANDROSE. ÉRECHTÉE. MINERVE POLIADE

Pandrose, comme niveau, est supérieur aux deux autres.

Côté ouest de Minerve Poliade (l'entrée est par le temple de Neptune, qui n'est peut-être qu'un portique): piliers ioniques sur le mur, devaient être adossés à quelque chose, mais à quoi? Cette colonnade est supérieure, comme niveau, à celle qui est en face, à l'Est. Ici, du reste, ce sont de vraies colonnes.

Le chapiteau de ces ioniques, tassé par la colonne, a l'air d'un coussin.

S'il y avait là deux temples, comme l'inégalité de niveau des murs l'indique, pourquoi cela n'existe-t-il pas extérieurement? Alors pourquoi n'avoir pas fait les deux temples de la même largeur à l'intérieur, quand, à l'extérieur, des deux côtés, c'est une construction faite d'un seul coup?

Le temple du milieu, plus bas comme niveau que Pandrose, est de plain-pied avec Erechtée.

Dans les rosaces, sur le linteau de la magnifique porte qui communique d'Erechtée en Minerve, il y a dans chacune un trou au milieu, comme s'il y avait eu là un ornement *extérieur* rapporté, un bouton de métal, une pierre précieuse.

PROPYLÉES

Ce chemin tournait, sans doute, au pied de l'aile droite des Propylées (aile plus longue que celle qui est en face), sur laquelle est bâti le petit temple de la Victoire Aptère; le chemin qui montait entre les deux ailes pouvait avoir des escaliers sur les côtés, quoiqu'on n'en voie pas de trace, mais au milieu il avait une voie dallée en marbre, avec des cannelures en relief, comme seraient des troncs d'arbres, pour faciliter la montée des chevaux. Séparé de l'aile gauche (Pinacothèque) et devant elle, est un piédestal en marbre bleuâtre, dont les couches de pierre sont séparées par des pierres plus minces, dalles mises à plat.

L'entrée du temple de la Victoire Aptère est à l'Est et regarde la tour carrée bâtie en face de la Pinacothèque : cette aile des Propylées a été complètement détruite.

Le temple n'est pas bâti sur la même ligne que le mur de l'aile qui le supporte. Quatre colonnes ioniques pour portique, puis, pour supporter l'architrave du temple même, deux piliers plus étendus en long qu'en large.

L'autre face du temple (occidentale) a de même quatre colonnes ioniques, frisées, sculptées tout autour. – Elégance des colonnes, moindre pourtant que celles de Minerve Poliade et d'Erechtée, parce qu'ici les colonnes sont moins hautes.

On monte au niveau de la colonnade des Propylées par quatre marches; trois colonnes doriques de chaque côté, en tout six. Un mur transversal, percé de cinq portes, la plus grande au milieu, puis deux petites et deux plus petites, sépare les Propylées en deux parties; on monte à ce mur par quatre degrés. Après ce mur, un autre compartiment, puis pour clore, trois colonnes doriques de chaque côté, avec une porte au milieu qui donne entrée sur la place de la citadelle (derrière la troisième colonne à droite, côté gauche, se trouve à l'extérieur le petit autel de Périclès). Le chemin pour aller au Parthénon tourne à droite, le Parthénon étant situé plus sur la droite.

La Pinacothèque s'ouvre par un portique de trois colonnes doriques, terminé à ses deux extrémités par un pilastre; la troisième colonne (extrémité droite) de ce portique est sur la même ligne (si vous vous retournez pour faire face au portique des Propylées) que la troisième colonne de gauche des Propylées : ainsi, lorsqu'on regardait les Propylées, elle en allongeait la façade. Ce portique, carré long, est percé d'une porte carrée au milieu, et de deux fenêtres une de chaque côté; fenêtres longues et étroites par rapport à leur largeur.

Pour rentrer dans la Pinacothèque même (2e pièce), une marche. Les pierres des murs sont si bien jointes que l'on distingue à peine les joints, c'est une ligne mince seulement. Sur le mur de droite, deux fenêtres l'une au-dessus de l'autre, de dimensions inégales, celle d'en bas plus large, d'ornementation différente, et qui ne sont pas sur la même ligne.

La plus petite a une corniche ornementée et des linteaux tournés, demi-fûts en relief, tandis que la plus grande est à même enlevée net dans le mur, à angle droit.

A l'extérieur de ce mur (lorsque, par une voûte moderne qui se trouve à gauche, une fois sorti des Propylées, vous avez pénétré dans une sorte de petite cour pleine de décombres où il y a une masure turque) on voit des tenons à toutes les pierres. Y avait-il en dehors une autre construction?

PARTHÉNON

La façade occidentale (entrée) a son tympan brisé, surtout dans la partie droite (celui de la façade orientale l'est complètement); seulement, à gauche, on voit un torse d'homme nu, comme affaissé sur ses genoux et se tournant vers une femme drapée et debout, sans tête; la jambe gauche de l'homme est entourée de draperies.

Portique de huit colonnes, espace égal entre elles; seize colonnes sur les ptéromes, y compris les colonnes d'angles.

La porte ouvre sur l'intérieur même du temple, fermé d'un mur carré sur les quatre faces. – Dans cette enceinte, à remarquer : 1o au milieu, vers la droite, les restes de quatre colonnes ioniques. Etait-ce là, au milieu, que se trouvait la *cella* proprement dite, le sanctuaire? 2o après cet espace carré, ces quatre colonnes n'en étant qu'une des faces, au bout du naos il faut monter une marche, vestiges de terrasse, et sur ce plancher, supérieur au niveau de tout le reste du naos, se voit un reste de construction curviligne, faisant comme la courbe de l'arc dont la marche serait la corde. Est-ce là l'opisthodome ou trésor public? Au delà de la partie la plus convexe de cette courbe, c'est un mur haut de deux pieds et demi environ. Le mur du naos se présente, ouvert par une porte, trois marches, la première plus haute que les deux autres, vous ramenant dans la galerie extérieure, côté oriental. Sur la face occidentale du naos, se voient encore assez nettement des cavalcades de même style que les tablettes exposées dans l'intérieur du Parthénon. Ces sujets (courses olympiques) devaient régner tout le long de la frise du naos.

Aujourd'hui *23 janvier*, *jeudi*, j'ai été dire adieu à l'Acropole.

Dans le Parthénon, aux pieds d'une des tablettes, un fémur rongé, tout gris.

Il faisait grand vent, le soleil se couchait, le ciel était tout rouge sur Egine; derrière les colonnes des Propylées, il s'épatait en jaune d'œuf.

Comme je revenais du temple de Neptune, deux gros oiseaux se sont envolés de dessus le fronton et sont partis dans l'Est, du côté de Smyrne, de l'Asie.

En poussant la porte de l'Acropole, j'ai remarqué qu'elle grinçait péniblement, comme celle d'une grange.

J'étais sorti et je regardais le théâtre d'Hérode, quand un soldat est venu me vendre, pour deux drachmes, une petite figure de femme à coiffure retroussée sur le sommet de la tête.

Une femme en haillons, et que je n'ai vue que de dos, montait dans la citadelle.

En allant au Parthénon et en y revenant, j'ai longtemps regardé cette poitrine aux seins ronds, qui est faite pour vous rendre fou d'amour.

Adieu Athènes! Autre part, maintenant! (*10 heures et demie du soir.*)

ATHÈNES MODERNE

Le colonel Touret, philhellène français; il est compris dans ces cinq mots : sa grosse et petite femme.

Le général Morandi. – Anecdotes sur Lord Byron,

qui habitait à côté de l'ancienne poste : place aux fiacres; histoire du pucelage de la paysanne Maria à lui vendue comme étant la fille du Pacha; superstition de Byron : « Il en avait pour vingt-quatre heures à se remettre d'une lampe renversée par terre ». Morandi était l'intime de Gamba, frère de la Guiccioli (que dans son opinion à lui, Morandi, Byron n'a jamais possédée); la Guiccioli n'a pas été la maîtresse de Byron, et cela sur la défense de lui, Byron; il lui envoyait des vers sur les billets mêmes que la Guiccioli lui écrivait. Une partie de cette correspondance a été remise par Gamba à Morandi, qui l'avait déposée à Ancône. Poursuivi par la politique pendant vingt ans, quand il l'a redemandée, le dépositaire était mort et les enfants ne savaient ce que c'était devenu.

Ecole d'Athènes. Dîner à l'Ecole d'Athènes. – M. Daveluy, gros petit abbé XVIIIe siècle, me fait penser à M. de Bernis, a la nostalgie et s'embête à crever; – dans les premiers temps, faisait fermer sa fenêtre du côté de l'Acropole; il y a plusieurs monuments à Athènes qu'il n'a pas vus (la Tour des Vents entre autres). Admire Nisard, exècre Hugo. On a parlé littérature, le *Gamin de Paris* a été cité comme une bonne pièce. Ces messieurs sont ici payés par le Gouvernement pour retremper les lettres aux pures sources de l'antique! *(22 janvier.)*

La Reine de Grèce monte à cheval tous les jours et va en voiture. Elle a un costume d'amazone d'un goût rue de La Harpe. Les dimanches, elle vient sur la place écouter la musique, on la regarde, le cheval piaffe, elle le caresse de la main, après quoi, elle fait un tour sur la place au petit galop, saluant de droite et de gauche, suivie d'une demoiselle de compagnie qui a un très long nez, d'un affreux palicare, d'un gros écuyer et de deux laquais.

C'est d'une telle prostitution de soi qu'un homme un peu délicat défendrait cela à sa femme, fût-elle une ancienne danseuse de corde, élevée jusqu'à lui!

J'ai revu Sa Majesté au théâtre; décidément elle est laide, toute la figure de même ton; œil de lapin, sourcils trop blonds, vilains cils. On dit qu'elle a une belle poitrine et une belle peau. Figure sans caractère et disgracieuse! Sa Majesté fait six repas par jour, on ne lui donne aucun amant.

Le peuple est las d'elle, et moi aussi, sans savoir pourquoi.

Vu les *Puritains.* A gauche, dans une loge, Mlle Conduriottis, figure ronde, pâle, magnifiques sourcils noirs, œil à demi fermé, vous faisant de temps à autre le cadeau de s'ouvrir entièrement pour qu'on les voie; belle narine remontée et très ovale, seul trait animé de ce placide et beau visage; toute la tête entourée d'un ample fichu rose à graines d'or, qui passe sur les cheveux, autour du cou, s'entre-croise sur la poitrine à draperies raides et cassées, donnant à la physionomie tout à la fois quelque chose de mignon et d'enfantin.

Mercredi 22 janvier, visite à Canaris. – Petite maison jaune, à réchampis blancs autour des fenêtres, intérieur très propre.

Reçus par Mme Canaris en costume psariote, une bavette à bandes d'or sur la poitrine, sorte de turban rose incliné sur l'oreille gauche, et recouvert de la draperie d'un voile blanc; grosse petite femme dodue, rieuse, aimable, parlant d'une voix aigre, riant beaucoup.

M. Canaris était au Sénat.

Salon à meubles d'acajou et noyer; ameublement, salon d'un médecin de petite ville; verres de couleur sur des morceaux de tapisserie à bordures en peluche, gravures modernes aux murs.

Canaris entre, en nous donnant une poignée de main. Petit homme trapu, gris, blanc, nez écrasé et de côté par le bout, figure carrée; air brutal doux, pas de front. Il reste la jambe droite étendue de côté, le genou rentré, le pied en dehors, étant assis sur son fauteuil.

Ne fait que parler de M. Piscatory, qu'il paraît admirer beaucoup, rompt les chiens toutes les fois qu'il est question de lui, a entendu parler de Victor Hugo (je lui ai promis de lui envoyer les pièces qui le concernent) petits yeux. Placé assez loin de lui je ne puis voir le jeu de sa figure.

Un petit portrait de lui, à l'huile, exécrable, où il est représenté avec un compas et une carte.

Vrai bourgeois! visite triste! Voilà pourtant un homme éternel, immortalisé!

Comme ça rehausse l'autre (Hugo), et comme ça le rehausse aussi, lui!

PÉLOPONNÈSE

24 janvier-6 février.

Vendredi 24 janvier. Il faisait très froid quand nous sommes partis, ce matin à 10 heures, d'Athènes, après les adieux du colonel Touret, de M. Roman, commissionnaire en vins qui nous a remis la carte de sa maison. Nous prenons le chemin d'Eleusis; au haut du défilé du Gaidarion, nous nous retournons et nous disons adieu à Athènes. J'en suis sorti triste, et dans le bois d'oliviers j'ai intensivement songé à l'amertume de mon départ de Kosséïr, quand le père Elias a levé sa main pour me serrer la main et que je me suis penché du haut de mon dromadaire pour la lui donner.

A Daphné, halte d'une minute pour montrer nos passeports; un petit garçon de 7 à 8 ans, en veste et sans culotte, promène mon cheval.

La mer d'Eleusis est bleu ardoise; en face, sur les monts de Salamine, une sorte de demi-lune couchée sur sa partie convexe, échancrure de la montagne.

Nous repassons devant les marais Rhéïti; nous voyons Mandra au loin, à droite, nous continuons la route d'Eleusis.

A une portée de pistolet d'Eleusis, la route tourne à droite, puis on infléchit à gauche, piquant dans le Sud et contournant le long coteau ovale d'Eleusis.

Vue des deux cornes du Keratas.

On monte par une pente douce, on revoit la mer, dont on se rapproche; tout en s'élevant, la route suit les sinuosités de la côte, terrain gris et pierreux à gauche, sur les pentes de la montagne; quelques rares oliviers et myrtes. Le soleil est chaud lorsqu'on est à l'abri du vent; la mer est bien belle dans le canal de Salamine. La route s'abaisse; il y a, à gauche, quelques pierres au bord de l'eau; Aldenhoven les indique comme les restes d'un môle; nous nous rapprochons de la mer, nous humons l'odeur du varech.

Descente, quelques pins rares, la route s'écarte un peu de la mer, bois d'oliviers, plaine qui s'étend à votre droite, ayant à son extrémité le blanc Cithéron; devant vous, un monticule sur lequel quelques ruines et maisons, mais dont la plus grande partie nous est cachée, car le pays est tourné dans l'autre sens, vers la mer.

Comme nous passions là, deux hommes nous ont appelés, ils venaient de découvrir, en travaillant la terre, une citerne.

MÉGARE, très grand, en amphithéâtre, maisons carrées. Quand on se tourne vers la mer, on a au premier plan une plaine, puis toute la mer, golfe enfermé par des montagnes aux formes allongées et très découpées sur leur galbe : ce sont les montagnes de Salamine; à gauche, on retrouve encore une autre mer, c'est celle qui va jusqu'à Eleusis. Sur le bord des flots, à gauche, Nisée (Dodeka Ecclesiai); nous y distinguons des pierres. Près de là, vers le Sud, deux petites îles; sur la droite, de l'autre côté du golfe, une île plus grande en forme de tortue.

Nous sommes conduits par un vieillard qui nous mène jusqu'au haut du pays, au pied d'une tour franque bâtie en vilaines pierres grises entre-mêlées de briques. Dans un mur, une inscription placée à l'envers. Traces des fondements d'une grande construction franque.

De l'acropole (j'appelle ainsi le point le plus élevé), vue de la mer quand on se tourne vers le Sud, vue de la grande plaine quand on se tourne vers le Nord. Au fond de la plaine, verdures fortes, la plaine est verte et très grasse de ton, surtout à son extrémité; les montagnes d'en face, qui vous séparent de la Béotie, grises et contrastant comme ton avec le Cithéron tout blanc, qui est à gauche, au dernier plan, et la verdure qui s'étend au premier. *(Mégare, 9 heures du soir.)*

Samedi 25. En partant de Mégare, la route, inclinant sur la droite, s'enfonce dans les terres et bientôt monte légèrement; dans un pli de terrain, nous rencontrons un troupeau de moutons et de petits agneaux dont les voix éplorées font retentir la campagne.

La route monte, il y a quelques oliviers, le terrain est en pente, couleur grise : cela me rappelle des aspects de Palestine. Le temps est beau et nous promet une belle journée.

Bientôt on se trouve en face de la mer, le golfe s'étend, la route est étroite et cramponnée à la montagne, dont elle suit toutes les sinuosités; sur la pente, à droite, des petits pins, quelquefois des caroubiers. On monte, on descend, le soleil brille; la mer tranquille, à pic sous vous, a par places au delà de la bordure blanche de son sable fin, de grandes places vert bouteille au milieu de sa couleur glauque claire; la vague paisible expire et se retourne sur la grève. Pendant quelque temps nous sentons une violente odeur de charogne; sont-ce les cadavres des victimes de Sciron?

Reste impur des brigands dont j'ai purgé la terre. (Phèdre.)

La place était bonne, un homme y arrêterait un régiment, le chemin est si étroit que, si votre cheval faisait un faux pas, on tomberait dans la mer, resserrée entre le précipice et la montagne. Le sentier est soutenu parfois par des pierres reliées avec des branches non dégrossies; de temps à autre, restes de soutènements anciens de l'ancienne route. La couleur des roches qui vous dominent est grise, avec de grandes plaques rouges en long, à peu près de la couleur du Parthénon, mais plus brique, moins bitume; entre les roches et vous, la pente est plantée de pins.

Soleil, liberté, large horizon, odeur du varech. De temps à autre la pente se retire et, le chemin tout à coup devenu bon, on se promène au petit trot entre des pins-arbrisseaux qui forment comme des bosquets; le paysage entier est d'un calme, d'une dignité gracieuse, il a le je ne sais quoi antique, on se sent en amour. J'ai eu envie de pleurer et de me rouler par terre; j'aurais volontiers senti le plaisir de la prière, mais dans quelle langue et par quelle formule?

KAKI-SCALA est l'endroit où l'on descend plus rapidement en se rapprochant de la mer. Le chemin, très en pente, tourne sur lui-même en descendant, il y a danger de se casser le cou. - Restes d'une vieille voie taillée à même le rocher qui, adoucissant sa coupe, fait de chaque côté comme le vaste dossier d'un siège. A un endroit, au détour de la route, un pin incliné; on ne voit que lui se détachant sur la mer, pénétré de lumière et seul là; il était peu jauni à sa partie gauche. On est de niveau avec la mer et on va quelque temps au milieu du bois.

KINETA, rares maisons espacées, nous déjeunons dans l'une d'elles. - Petite fille de 10 à 12 ans, brune, grand nez, yeux noirs en amande, expression mûre et fatiguée, air aristocratique, regard avide et étonné. - A la fin du repas, un homme du pays entre avec un enfant de 2 ans à la main, à qui je donne un sandwich.

A partir d'ici la montagne à plan abrupt cesse, les chaînes qui la continuent sont beaucoup plus reculées et semblent plus basses; nous cheminons à travers le bois de pins, ils sont plus grands que tout à l'heure, les arbousiers aussi; la pente à l'extrémité de laquelle nous marchons est plus douce et va se perdant, en montant du côté des montagnes.

Le golfe se rétrécit devant nous, à droite, resserré par les montagnes qui s'abaissent; quelques rares maisons neuves, espacées, sont au bord de la mer : c'est Kalamaki. Nous tournons à droite, nous sommes sur le quai.

KALAMAKI. Sur le quai il y a deux ou trois hommes, une vieille guimbarde à quatre roues, dételée, un épicier. - Café où nous fumons un narguileh et laissons souffler nos chevaux un quart d'heure. Nous repartons, doublant le fond du golfe, qui s'étend sur la droite; la route revient sur la gauche, en face Kalamaki.

A droite, une sorte de longue terrasse, soutenue par des soutènements naturels de rochers, place où se célébraient les jeux isthmiques; c'est une sorte de petite plaine, de stade naturel, c'est situé dans le sens de travers de l'isthme.

A droite, un peu plus loin, restes d'une sorte de canal, à murs de chaque côté, fragments d'anciens ouvrages.

La route monte légèrement; en face de nous, un gros pâté s'élevant sur l'horizon : c'est l'Acrocorinthe; à droite, l'Hélicon tout blanc. Au point le plus élevé de la route on voit facilement les deux mers.

La campagne est grasse à l'œil, l'Acrocorinthe se trouve un peu sur la gauche; plus loin, masses de verdure s'allongeant du Nord au Sud; ce sont des bois d'oliviers à l'horizon; le golfe de Corinthe s'élargit.

PETIT VILLAGE D'HAGAMILI. La route descend, Corinthe est au pied de l'Acrocorinthe, à pic derrière; de l'autre côté de la baie, en face de Corinthe, un peu sur la droite, Loutraki, au pied des montagnes.

Nous prenons à travers champs labourés et, retournant sur la gauche, nous trouvons un ancien petit cirque, sur les bords duquel se promène un troupeau de moutons. François demande au berger pourquoi les brebis n'ont pas encore mis bas; elles sont en retard ici. Le berger répond que les agneaux sont déjà venus, mais qu'ils sont séparés de leurs mères pour qu'on puisse traire celles-ci, le soir. Le cirque est très petit, des éboulements aux deux bouts lui ont donné une forme ovoïde; en bas des gradins inférieurs, excavations noires. Nous passons sur des roches, nous entrons dans Corinthe.

CORINTHE. Rien! rien! Où êtes-vous, Laïs? où est ton tombeau couronné d'une lionne tenant un bélier dans ses pattes?

Au milieu de la ville, à sa partie la plus élevée, sept colonnes de vieux dorique très lourd, d'un seul fût; la pierre grise est d'un vilain ton. Celles-ci sont abîmées de trous, la dernière des cinq a son chapiteau déplacé comme celle de Sardes; un bourrelet rond au chapiteau.

Les montagnes en face de Corinthe vont en s'élevant à droite de gauche et montent graduellement par des plans successifs déchiquetés sur leur galbe.

Aujourd'hui une des bonnes journées du voyage, des plus profondément senties, des plus intimement plaisantes; de Mégare à Kineta, ça restera pour moi comme des instants de soleil de ma vie. Pauvre chose que la plume, rien même que pour se rappeler cela! *(Corinthe, 9 heures moins 20.)*

Dimanche 26. Journée pénible et pluvieuse.

En partant de Corinthe, on marche quelque temps dans le sens de la plaine, puis on tourne à gauche et la route monte. Un torrent jaune à droite, l'eau tombe du haut d'un rocher. – Moulin de la Veuve. – Après avoir traversé un ruisseau le long duquel on marche longtemps pour trouver un gué, on se trouve bientôt dans une espèce de lande mamelonneuse dont la route suit les inégalités.

Hauteur, plaine sous nous, le terrain remonte une autre montagne.

Au milieu de cette plaine, à droite de la route, trois colonnes, chapiteau dorique, cannelées, du temple de Jupiter Néméen; la pierre est grise, fort laide, très rongée; tout autour des colonnes, ruines amoncelées; à cinquante pas plus loin, ruines d'une petite chapelle construite avec des matériaux antiques. La petite plaine où est le temple est très unie, plate et propre à des jeux.

La route remonte. Il pleut si formidablement que je ne vois rien; engourdi par le froid, j'ai à peine la force d'ouvrir les yeux. On traverse un ruisseau derrière lequel est immédiatement le petit village de Dervenati, que l'on aperçoit tout à coup en descendant une colline.

La route se resserre et va dans des gorges basses, qui se succèdent les unes aux autres. Pluie, pluie! on finit par arriver sur une hauteur d'où l'on découvre un grand horizon : à droite et à gauche, montagnes; devant vous, le terrain s'abaisse en une grande plaine qui va jusqu'à la mer; tout au fond, une espèce de rempart, c'est Nauplie; Argos est de l'autre côté, à droite, au bas de son acropole.

La route descend, nous prenons à gauche, à travers des blés verts, un homme de la campagne nous crie des malédictions pour ce méfait. Nous continuons à doubler un mamelon, devant nous s'étend un petit mur bâti de pierres cyclopéennes, nous tournons et nous entrons dans une sorte de petite rue ou couloir ayant de chaque côté un mur cyclopéen.

Lions de Mycènes. Au fond, établis sur le chambranle de la porte (pierre unique appuyée sur deux autres, comme les trilithes de Bretagne), se voient les deux fameux lions : sculpture lourde, mais vigoureuse; à tous les deux, à la place du jarret, des anneaux ou bourrelets ronds; la queue est puissante, la dernière fausse côte indiquée.

MYCÈNES. Verdure et pierres grises sur un monticule entre deux collines de forme à peu près pyramidale, très hautes par rapport à lui.

Un peu plus bas, Trésor des Atrides, édifice souterrain, en forme de cornet très évasé, ouvrage cyclopéen. Une porte et, au-dessus de la porte, une ouverture de forme pyramidale, à même les pierres, qui sont taillées : ce monument est très grand et d'un bel effet. A côté, à droite en entrant, une chambre souterraine plus petite, taillée à même le roc. Les murs du Trésor ont des trous sur le bord supérieur de chaque pierre, comme si elles avaient été revêtues de plaques métalliques.

La route descend, la plaine s'étend devant elle, sur la gauche; les montagnes qui la bordent de ce côté nous sont cachées par la brume; à droite, montagnes plus près; dans leurs rides, il y a de la neige. Nous passons à gué une rivière, où nous voyons la culée de l'arche d'un pont détruit.

Le soleil perce les nuages, ils se retirent des deux côtés et le laissent couvert d'un transparent blanc qui l'estompe; le ciel, noir sur la gauche, devient bleu outremer très tendre, avec des épaisseurs plus foncées dans certains endroits; le bleu a un ton gris perle fondu sur lui. Les masses se dissipent, le bleu reste bordé de petits nuages blancs déroulés; derrière l'acropole d'Argos, à notre droite, près de nous et sur elle, un petit nuage blanc, cendré. La lumière, tombant de ma droite et presque d'aplomb, éclaire étrangement François et Max à ma gauche, qui se détachent sur un fond noir; je vois chaque petit détail de leur figure très nettement; elle tombe sur l'herbe verte et a l'air d'épancher sur elle un fluide doux et reposé, de couleur bleue distillée.

Avant d'arriver à Argos, deux moulins.

ARGOS, très grand bourg, rue droite avec un trottoir sur le côté, boutiques à auvents, aspect turc, un café sur la place avec un toit avancé.

Logés dans une cour, dans une chambre au rez-de-chaussée. Dans la cour boueuse, un cochon traîne un bâton au bout d'une corde.

27 janvier. En sortant d'Argos, sur le flanc de l'acropole, restes d'un aqueduc, la ligne court à même la montagne; au milieu de la pente de l'acropole, une maison blanche.

Ruines du théâtre, adossé à la montagne : les marches sont petites, le théâtre devait être fort grand; des deux côtés des gradins, deux avancées en terre. Il y a encore trois petits escaliers longitudinaux dans toute la longueur des gradins, ils partent d'en bas et montent.

A côté du théâtre, en retour au monticule de gauche, autres gradins : c'étaient probablement les marches servant à parvenir à quelque édifice supérieur disparu. Près des ruines du théâtre, restes d'une église en pierre et mortier revêtus de briques, construction byzantine (?).

La route continue par la plaine (on voit très bien Nauplie à gauche) jusqu'à un coude où il y a une caverne dans le rocher; un fort ruisseau sort en cet endroit; sur la paroi intérieure du rocher, une croix peinte : c'est une chapelle grecque.

Nous entrons dans la montagne, où nous cheminons pendant quatre heures, nous entrons dans les nuages et nous en sortons tour à tour. Partout le terrain stérile est couvert de petites touffes de chênes nains. Quelquefois nous découvrons, au milieu d'un vallon longitudinal, une chaîne qui le remplit; il y a de grandes pentes de verdure abruptes. Une heure avant d'arriver à la station, nous marchons sur une route nouvelle, horriblement faite, avec des tournants qui ont l'air imaginés pour faire verser les voitures.

Après-midi triste et pluvieux, j'étouffe sous ma couverture, qu'il faut pourtant mettre sous peine d'être trempé jusqu'aux os. François nous soigne, nous nous bourrons outrageusement aux repas pour nous prémunir contre le mauvais temps : dîner avec une soupe grasse, roastbeef, poisson de mer, merles, pruneaux cuits, figues et amandes, une bouteille de vin de Santorin.

Nous sommes logés dans un khan, le bois épineux du chêne nain brûle dans le foyer, nos affaires sèchent autour; j'entends sous moi manger les chevaux au râtelier. Un enfant nous apporte du bois, Max est couché, j'ai bien peur que nos pauvres bêtes ne puissent nous mener jusqu'à Patras, elles ont l'air harassées dès maintenant. *(Achladhokampos, 8 heures du soir.)*

Mardi 28. Nous descendons dans la plaine; cinq minutes après être partis, nous voyons le village de Achladhokampos, au-dessus de nous, sur la pente de la montagne, étagé, à notre droite.

Pendant une demi-heure, la plaine entourée de montagnes de tous côtés; la route tourne à gauche et nous entrons dans une gorge étroite entre deux hautes montagnes, comme un immense fossé sinueux; la route, accrochée au flanc droit de la montagne, étroite et difficile, monte par une pente très rapide. Au-dessus de nos têtes nous voyons des paysans couverts de manteaux blancs, avec des chevaux chargés de broussailles de chênes nains, qui descendent. La route a, de places en places, un petit parapet de pierres sèches. Nous entrons dans les nuages, nous ne voyons rien que le brouillard humide qui nous entoure, il fait froid. Passe à notre droite un troupeau d'une douzaine de femmes en guenilles; elles n'ont pour compagnon et protecteur qu'un enfant de 10 ans, mais leur laideur, et leur saleté surtout, les protègent plus qu'un régiment de dragons. – Traces d'une ancienne route. – En haut de la montagne, à gauche, une maison, khan abandonné (?) où un cheval de notre bagage veut entrer.

Nous descendons pendant vingt minutes à peu près, et tout de suite nous nous trouvons inopinément dans une grande plaine vaseuse, où nos chevaux entrent jusqu'au jarret; nos hommes vont nu-pieds pour n'y pas laisser leur chaussure. Après avoir pataugé dans cette effroyable gouache pendant trois quarts d'heure, la route par places redevient passable; il y a des champs de vigne sur la gauche.

Nous haltons une minute au village de Agiorgitika, il n'est que 10 heures. Nous continuons, nous passons une rivière qui a de grandes berges de sable, plaine unie.

Déjeuner au village de Akouria, en face un maréchal ferrant qui forge, chez une sorte d'épicier où nous gelons.

La route continue par la plaine, nous traversons un potamos. Des gens crient après nous : ce sont des gendarmes qui nous demandent nos passeports; nous continuons; un d'eux, soldat irrégulier, nous apostrophe de l'autre côté du fleuve et brandit son pistolet; nous trouvons le procédé trop militaire et nous l'attendons, décidés à le sermonner ferme. Lui et l'autre pauvre diable passent le fleuve et viennent à nous : on leur a dit dans le village qu'il était passé des Européens se rendant à Sparte, et comme il y a, dans la montagne, quatre bandits redoutés, ils ont voulu nous accompagner et se sont tout de suite mis à courir après nous; le gendarme, en effet, est à peine vêtu; son compagnon a l'air d'un gredin achevé, avec ses jambarts rattachés par des ficelles, sa mine blonde et pâle, son nez fin d'oiseau de proie; c'est lui qui retourne au village chercher du renfort, que nous attendons vingt minutes au pied de la montagne, assis sur de grosses pierres; la pluie commence, nous remontons à cheval sans attendre les gendarmes et nous entrons dans la montagne. Côtés élargis, terrains gris et stériles, petites collines, ensemble pauvre.

D'une hauteur, nous voyons au fond de l'horizon, à droite, comme un grand lac : c'est encore un fleuve que nous devons traverser; derrière lui, montagnes élevées couvertes de neige; il y a de la neige par places, tout près de nous. Descente.

On traverse le fleuve, qui se trouve bientôt encaissé entre deux hauts pans de montagnes, murs inclinés, avec des courbes nombreuses qui arrêtent la vue et la renouvellent. Le sentier, tantôt d'un côté, tantôt de l'autre, suit avec difficulté le bord du fleuve; nous le traversons *quarante fois*, nos chevaux par moments ont de l'eau jusqu'au poitrail et elle n'est pas chaude; la pluie tombe à torrents, cela devient si beau que nous en rions; le bagage ne chavire pas, ce qui nous étonne; le malheureux gendarme le suit, ainsi que nos muletiers, nu-pieds, dans la boue, l'eau et les pierres; Lephteri claque son fouet dont la mèche mouillée fume. La dernière fois que nous passons l'eau, c'est au grand galop, en poussant des cris. Nous entrons dans le khan en sautant par-dessus le petit mur; pas de cheminée, nous perdons nos yeux avec la fumée. What an uncomfortable house! Il y a de quoi faire gueuler les moins difficiles. François est un très bon compagnon, dont les excellentes blagues « bravent l'honnêteté »; on voit qu'il est Grec, ses plaisanteries courtes et solides sentent le terroir.

Comme il pleut! quelle sacrée pluie! demain Sparte. *(Kryavrissi, 7 heures et demie.)*

Mercredi 29. On traverse encore, en sortant du khan, le Saranta Potamos. En face le khan il y a, sur la montagne, les ruines d'un château. Le fleuve se resserre, la route continue dans le Sud; ce sont, des deux côtés, de petites montagnes à base très large et formant de temps à autre des sortes de bassins; les terrains, fond gris, sont couverts de la chétive verdure des chênes nains. Paysage grêle pendant quatre grandes heures. Quelque temps avant d'arriver au khan de Krevata, on descend, la végétation augmente, les monticules se succèdent, il faut les monter et les descendre; dans des champs cultivés, sur la droite, oliviers. On passe entre des arbousiers, des poiriers sauvages, des lentisques, un petit torrent coule sur des pierres vertes; terrain végéteux des deux côtés, la route ombreuse passe au milieu.

Le khan de Krevata sur une éminence : une prairie, avec des mûriers et des platanes (le tout sans feuilles), les platanes, comme des têtards, ont poussé au bord de l'eau, au bout de la prairie coule un fleuve; derrière le fleuve, la prairie, puis des montagnes basses à ton roux, très épatées de base. La neige cesse de craquer sous nos pas; ce matin, nous avons traversé une campagne où il y en avait par places de grandes épaisseurs. Comme il a gelé depuis, la marque des pieds des chevaux est restée dedans comme une sculpture en creux, ainsi que cela se voit sur le roc, dans les passages étroits de la route. – Combien a-t-il fallu de caravanes pour creuser ainsi le rocher!

A partir de Krevata on descend la montagne (mont Parnom); une sorte de plaine, bassin entouré de montagnes, où François nous dit qu'il s'est livré un grand combat entre les Thébains et les Spartiates. Lequel?

Lentisques, arbousiers, poiriers sauvages; par terre, plante à fleur jaune, plusieurs petites tiges à feuille lancéolée, très laiteuse, odeur pourrie se rapprochant de l'urine de bête fauve (euphorbe?).

Bientôt, devant nous, derrière les montagnes vertes, le Taygète, bleu ardoise foncé, avec des sommets blancs; il a l'air très mamelonné en long, couvert de nuages; entre lui et nous, la plaine où est Sparte; sur la gauche en amphithéâtre, le village de Vourlia.

Nous passons un torrent qui coule sur du sable, affluent de l'Eurotas, que nous trouvons bientôt devant nous, et nous tournons tout de suite sur la droite. L'Eurotas, tout jaune (à cause des pluies), me paraît grand comme la Touques à peu près; il y a sur ses bords des lauriers-roses, des troènes, des mûriers. Nous passons un pont en compas, très élevé, très grêle, très élégant. Pour l'écoulement des eaux, on a (contre toute symétrie) pratiqué deux arcades à droite et une seule à gauche. Après qu'on a passé le pont, on revient sur la gauche et l'on marche, en plein, au milieu de la vallée de l'Eurotas. A droite, une petite chaîne de collines vertes, derrière lesquelles, par moments, le Taygète apparaît en pic bleu sombre, drapé de neige sur sa tête; à gauche les montagnes, au delà du fleuve bordé d'arbres, affectant la forme d'un long rempart, allant, s'abaissant à mesure qu'il va vers Sparte, d'un ton roussâtre et d'un galbe droit. Je ne sais pourquoi cela me rappelle le dorique et me plaît étrangement, plus que le Taygète même (si beau pourtant) : ce sont des montagnes stoïques ou bien spartiates.

Quand on a gravi la colline qui est sur notre droite, la route fait un coude dans ce sens; on a au fond le Taygète, presque à pic, à mamelons pressés, plaques rouges dans sa couleur grise, piquée de verdure; à mi-hauteur, verdure sombre des pins; plus haut, neiges; à droite, Mistra et son acropole turque, aspect gris, bâti sur la dernière pente de la montagne; à gauche, sur une éminence, au milieu de la plaine, maisons blanches de Sparte. Cinq minutes avant d'entrer dans la ville, ruines d'un théâtre. Des chiens aboient après nous, des petits agneaux bêlent. La route va entre deux enclos bordés de murs; pour entrer dans la ville même, elle monte un peu.

SPARTE. Une grande rue, bordée de boutiques à la turque et de maisons dont quelques-unes ont des balcons en bois, couverts.

Pendant que nous cherchons un gîte, une foule de soixante à quatre-vingts personnes nous contemple, elle nous suit dans le café où nous nous réfugions, et se range en cercle autour de nous à nous regarder : je nous fais (?) l'effet de sauvages salle Valentino, que l'on vient voir pour de l'argent.

François, à la fin, nous découvre un logement où il y a une cheminée, le public nous accompagne, on se met aux fenêtres pour nous voir passer, et, au détour de la rue, nous apercevons le clergé qui est sorti de l'église. *(Sparte, 9 heures.)*

Jeudi 30 janvier. Passé la matinée à coudre les bretelles de mes éperons, ce qui m'agace considérablement. A 11 heures et demie, le commandant de la gendarmerie, chez lequel Max a été pour s'informer s'il est nécessaire de prendre une escorte, vient nous faire visite et reste une grande demi-heure à nous assommer en causant politique.

Il fait du vent et froid, le temps a l'air de se décrasser un peu ; nous sortons de Sparte, escortés de deux gendarmes, nous retournons au théâtre. Il n'y a plus guère que la forme demi-circulaire, en terre, et deux assises ou bouts de mur en pierre de chaque côté. Les agneaux, dans leur espèce de parc rond, tournent en rond et bêlent tous.

Nous suivons la même route qu'hier, entre les collines vertes et l'Eurotas, ce sont de petits mamelons qui se succèdent ; sur les bords du fleuve, carrés verts, roseaux, des mûriers, des peupliers blancs mais rares, iris, euphorbes ; de l'autre côté du fleuve, l'espèce de mur rouge et droit, à ligne nette par le sommet uni.

Le Taygète va en s'abaissant à mesure qu'on le suit dans la direction de l'Ouest ; les crêtes de ses mamelons longitudinaux sont grises, les entre-deux vert foncé et couverts de sapins, ce qui renfonce des ombres, des creux, les parties proéminentes étant dans la lumière ; le sommet est couvert de neige, et les neiges de nuages ; ils s'entassent de ce côté, sur la montagne, et laissent graduellement toutes les autres parties du ciel plus pures.

Suivant toujours le pied du Taygète, ou plutôt de la petite chaîne basse de collines qui lui fait bourrelet, nous quittons bientôt l'Eurotas, et nous nous trouvons sur les bords d'un fleuve de même caractère, c'est l'Iri (Ηρη). Peupliers blancs, grèves blanchâtres, la route par moments est tout contre la montagne. Nous passons au pied d'un petit aqueduc qui mène l'eau d'un moulin ; ensuite le chemin tourne à droite.

L'Iri est assez large, jaune comme l'Eurotas à un endroit ; de l'autre côté, sur la rive gauche, restes de quai, pierres cyclopéennes.

A mesure que nous avançons, le Taygète semble s'abaisser et les montagnes de l'autre côté reculent ; toute la vallée, étroite jusqu'à présent, s'élargit et finit en vaste cul-de-four.

A gauche, sur une petite hauteur, village de Iogitzanika. – L'église en bas, maisons plus haut. – Nous descendons dans une maison blanche, un cochon et des poules d'Inde mangent à même sur une sorte de disque pavé, aire à battre qui fait terrasse dans la cour.

François revient nous dire que la plus belle chambre du logis est occupée par un moribond, et nous cherche un autre abri ; je reste à regarder le Taygète et encore plus le porc, les deux dindons et quelques poules. Le cochon mange avec une avidité et une préoccupation exclusives, il fouille de son groin la bouillie grise jetée par terre ; les deux dindons font la roue et gloussent en même temps. Frissonnement en large de leurs plumes du dos lorsqu'elles sont hérissées. Ils ont sur la poitrine deux gros rouleaux de plumes qui descendent comme deux cylindres mobiles. Un autre porc est venu et s'est rué sur ce qui restait, ce qui a engagé le précédent à manger plus vite.

Il y avait dans cette maison une vieille femme qui portait dans sa coiffure une longue mèche en filet rouge sortant de dessous son mouchoir et tombant jusqu'au-dessous du mollet.

On nous loge dans une autre maison : vieille femme à cheveux noirs, nez fin, figure aristocratique. Combien n'y a-t-il pas de marquises nées, qui pataugent nu-pieds dans la crotte !

Le chien d'un de nos gendarmes aboie contre les passants, mais se cache et se réfugie sous les jambes du cheval de son maître lorsqu'il aperçoit plusieurs chiens.

Pendant que le porc et les dindons mangeaient et se pavanaient, il y avait, assis sur son train de derrière et les contemplant, un chien jaune, flegmatique, à museau noir. *(Iogitzanika, 7 heures et demie.)*

Vendredi 31. La vallée ne finit pas tout de suite, fermée en cul-de-four, comme il m'a semblé hier de loin, à cause du mamelon qui paraît la boucher et sur lequel est Iogitzanika. Le Taygète, à gauche, s'abaisse, et les montagnes, qui sont à droite se rapprochent et s'abaissent aussi. Petits cours d'eau sortant de dessous l'herbe, cascades d'un pied de haut, arbustes, ligaria, etc., bassins successifs. On va dans une succession de petites gorges couvertes de chênes nains ; le chêne nain compose à lui seul les trois quarts et demi de la végétation du Péloponnèse. Quelques arbousiers, rares.

Nous passons un torrent, nous quittons la gorge qui s'étend devant nous et nous en prenons une qui est de suite à gauche. De temps à autre, parmi les chênes nains, un chêne ; il est sans feuilles, celles qui lui restent sont roux blond, racornies et frisées par le bout ; le bleu du ciel cru passe à travers ce feuillage doré, qui est plus pâle sur la ligne extrême.

Nous déjeunons sur le bord d'un torrent, auprès d'une fontaine en ruines ; nos chevaux sont attachés à de petits chênes grêles, au bord de l'eau.

La route, montant et descendant, monte sensiblement, le makis de chênes nains cesse ; nous avons sur la droite de grandes pentes, grisâtres, stériles, sur lesquelles, de place en place comme un jalon, un chêne tout seul : ce n'est plus la charmante et gracieuse végétation de ce matin, avec ses arbrisseaux au bord de l'eau. La montagne des deux côtés a cessé, nous sommes à son niveau, ou plutôt elle a disparu pour nous ; la vue est restreinte par des bois, ce sont toujours des chênes ; ils ont leurs troncs biscornus, leurs branches tordues, quelques-unes à moitié calcinées par le bas.

Nous arrivons sur une hauteur d'où l'œil plonge dans une grande vallée (vallée de Mégalopolis) ; la plaine, couverte de bois, est d'un ton puce, les montagnes derrière elle, à droite, gris bleu, avec de grandes plaques de renforcement bleues, comme peintes par-dessous, exprès. Mégalopolis est au milieu et, d'où nous sommes, semble plutôt un peu au pied de la montagne.

Nous nous détournons trois pas de notre route pour faire le tour d'une ancienne petite église (Érimoclisi), pierres entourées de briques plates (de champ), construction byzantine. Sur le côté Nord de la petite éminence ou promontoire sur laquelle est l'église, un grand chêne nain ; de là, vue de la plaine.

Nous continuons dans les bois, descendant tout doucement, écoutant mon cheval qui bute sur les cailloux; je suis triste, et le soleil est très beau pourtant!

LÉONDARI se découvre tout à coup, sur une éminence qui domine la plaine de Mégalopolis. Grande quantité de ruines turques, gros bourg. Nous mangeons des oranges chez un épicier, où j'achète une peau de renard pour réparer ma peau de bique, pendant qu'on repique des clous aux fers de nos chevaux.

De Léondari jusqu'ici, on descend à travers des chênes, la vue de la plaine vous est cachée par de perpétuels mouvements de terrain. – Un torrent, le Xérillo, affluent de l'Alphée.

Les chênes, d'abord broussailles, deviennent ensuite de véritables arbres; c'est une forêt, puis place plus clairsemée, sans feuilles, où ils sont arbrisseaux; leur tronc est très noir. Dans la forêt nous rencontrons un homme avec une petite fille que l'affreux chien du gendarme veut mordre; plus loin, deux jeunes gens; celui qui marchait derrière portant un long bâton recourbé de pasteur, et maigre, avait sous son bonnet de longs cheveux noirs, épars, très découverts.

Avant d'arriver à Macriplagi, vue de la plaine de Messénie.

Logés dans un khan avec grand balcon, d'où en se retournant à droite on voit la plaine.

Coucher de soleil: le ciel noir, finissant par une ligne droite, rectangulaire, s'épatant par les deux bouts; en dessous, longue bande large, blanc orangé, vermeille, dominant la silhouette de deux petits pics; pyramides de montagnes; montagnes noires. *(Macriplagi, 8 heures et demie.)*

Samedi 1er février. Nous descendons dans la plaine de Messénie, sur le versant droit de la gorge qui dévale vers lui; sur ce versant, oliviers. Bientôt nous entrons dans la plaine, la mer est à gauche et cachée maintenant par des monticules qui ferment la plaine. L'hiver dernier a fait mourir les nopals, il y en a des enclos; nous entrons dans un enclos de nopals où il y a des mûriers. – Parc d'agneaux en branches sèches. – François achète un dindon qu'a peine à soulever la petite fille qui le va chercher. – Nous continuons par la plaine, nos chevaux enfoncent dans l'herbe détrempée.

Déjeuner au village de Meligala. Des femmes passent, chargées de bois; elles sont si effroyablement sales que l'on sent, en les effleurant, l'odeur de l'étable, du fumier, de la bête fauve, je ne sais quelle senteur aigre et humide.

Nous sommes ici au pied du mont Ithome, nous le tournons pour aller à Messène; nous passons sur la lisière d'un bois, chênes, arbrisseaux verts, chênes verts. – Village de Vourcano. – Des chiens hurlants nous suivent quelque temps dans un petit chemin creux couvert d'arbres. – A une place, beaucoup d'iris sur l'herbe, des vaches noires à poil roux sur le dos, qui broutent.

MESSÈNE, à l'entrée d'une vallée qui descend sur la mer, vallée verte et plantée. La porte principale de Mégalopolis forme la base d'un grand V très évasé, dont les deux côtés sont représentés par une montagne; celui de droite plus long, mais moins élevé.

Le mur court du sommet de la pente de droite jusqu'aux deux tiers de celle de gauche, dont la partie supérieure est grise, ardue, à pic. En arrivant, c'est d'abord les murs de droite, terminés par une tour et serpentant suivant le mouvement du terrain, que l'on voit. En suivant le mur qui s'étend à votre gauche, mur en pierres presque cyclopéennes, très bien taillées, épais de 7 pieds environ; on trouve en haut une tour carrée, à deux étages; en dedans, le premier étage (rez-de-chaussée) est plus épais, il y a une entrée du mur sur lequel s'appuyait le plancher du second. Sur le pan qui correspond au Sud-Est, deux meurtrières très bien faites, sur le pan d'en face et qui regardait la ville, rien; le mur est plein; sur chacun des deux autres côtés, une seule meurtrière.

Au second étage, deux petites fenêtres carrées sur les trois côtés; à chaque angle de ces petites fenêtres quadrangulaires du second étage, il y a un trou dans le mur. Un côté du mur de cette tour, celui qui regarde la porte de Mégalopolis, est lézardé par une fissure oblique qui, séparant les pierres, les a disjointes comme en deux escaliers emboîtés l'un sur l'autre.

Après la tour, le mur continue à monter, dans le sens de la montagne, encore environ soixante pas, après quoi sont les ruines d'une seconde tour carrée.

La porte de Mégalopolis, rotonde de vingt-trois pas de diamètre, bâtie en grosses pierres taillées, convexes et guillochées en long au ciseau, pour tenir un revêtement qui a disparu. A l'endroit où le revêtement s'arrêtait, à trois pieds du sol actuel, une sorte de bandeau circulaire succède à l'alignement des pierres, disposition qui se retrouve au dehors, aux entrées de la porte. Des deux côtés de la porte, ruines de tour carrée; l'épaisseur de la porte même a cinq pas.

En dedans, près de la porte, en arrivant de Mégalopolis, deux fenêtres ou niches, avec corniches et console saillante (celle de gauche est la mieux conservée); tout autour, une rainure, comme pour y appuyer une fermeture en bois. Cette niche n'était pas creusée dans le mur, mais enlevée à même; le fond est à jour et bouché par une grande pierre (de l'époque de la construction), mais qui est loin de fermer hermétiquement. Sur la pierre qui forme le plafond de la fenêtre à votre droite, une rainure large de 2 pouces et demi environ.

Les linteaux qui forment la partie supérieure des deux portes, énormes; celui de la porte qui regarde la mer est soutenu encore, incliné, par une des pierres éboulée, elle-même, du mur – dans la fenêtre de droite, des lentisques. – Après la porte qui regarde la mer, restes d'une voie, en très larges et belles dalles, qui descendait vers la ville.

Nous revenons au khan, où nous avons déjeuné, et nous repassons sur le vieux pont qu'il y a là sur le torrent (Mourozoumena). N'est-ce pas le Pamisus dont les sources étaient bonnes pour les petits enfants? Le pont fait un coude et sur son coude vient s'adjoindre un troisième bras.

Nous allons pendant deux heures dans le village de Constantinos, la plaine de Messénie nous est fermée par des montagnes, le mont Ithome est tout à fait derrière nous, sur la gauche.

Une colline; nous la doublons et prenons sur la gauche.

Le village de Bogazi, où nous devons coucher, est assis au pied de la montagne. Avant d'arriver au village, un aqueduc amenant l'eau à un moulin; il est vêtu de lianes sèches qui pendent; un torrent que nous traversons, le village étagé, un peu comme Eiden dans le Liban.

Le logis où nous sommes est la maison du papas. Il y a dans l'unique pièce nos deux lits, nos selles, toutes les affaires de François, des tas de grains, la cuisine, des tonneaux, une femme et un homme qui y couchent, de plus deux enfants, des tamis, des cuves, du linge, des hardes, des oignons secs au plafond, etc., etc. Accrochés au mur : un lièvre et un dindon, etc., etc. Rien ne ferme, la quantité de vents coulis qui soufflent donne un rhume de cerveau à nos deux bougies, elles coulent abondamment. Par les trous du toit, on voit le ciel. *(Bogazi, 7 heures et demie.)*

Dimanche 2. En sortant du village, on monte; toute la journée s'est passée dans la montagne et parmi les chênes.

Les mamelons du mont Ira sont secs et grisâtres. Bientôt l'on découvre toute la plaine de Messénie, que domine le mont Ithome comme un grand mur. Il n'est pas surprenant que Sparte ait tant envié cette plaine, elle vaut un peu mieux que la sienne. – Quand on a quitté de vue la plaine de Messénie, on ne tarde pas à apercevoir la mer d'Arcadie sur la gauche.

Montées, descentes, quelquefois la route revient si brusquement sur elle-même, dans les pentes, que votre cheval a peine à tourner; puis on entre dans un petit bassin, et l'on remonte. – Passage sous des chênes nains, élevés, ombreux; froid, qui doit être, l'été, délicieux. Les chênes ont des caleçons de velours vert en mousse.

Un quart d'heure avant d'arriver au village où nous déjeunons, traversé un large torrent (avant le torrent, une longue chute d'eau qui tombe de la montagne, à droite de la route; après cette chute une autre plus petite et moins belle), le Bazi; un platane renversé arrête l'eau et la barre, ça fait cataracte, elle passe par-dessus et tombe.

Déjeuner au village de Dhragoï, dans une maison aux poutres calcinées par la fumée. Nous marchandons à deux belles filles qui se trouvent là des mouchoirs brodés qu'elles se mettent sur la tête; j'en achète un. – Une surtout petite, grosse, figure blanche et carrée; c'est elle qui, tenant un enfant par la main et debout sur le seuil de la maison, avait reculé quand elle m'avait vu arrêter mon cheval.

Pendant notre repas, pose d'un vilain petit chien qui reste assis sur son cul, les jambes de devant levées et retombant le long de sa poitrine.

Le jeune garçon, pâle et nu-tête qui avait tenu nos chevaux pendant que nous déjeunions, marche devant nous pour nous servir de guide au temple d'Apollon

Epicureus; nous devons gravir maintenant le mont Lycée.

Au bout d'une heure et demie, nous arrivons au temple d'Apollon. Quand on lui tourne le dos, voici le paysage que l'on a :

Deux mers : le golfe de Messénie, en face, et à droite la mer d'Arcadie; entre elles deux, sur la droite de la plaine de Messénie, le mont Ithome; l'entre-espace des deux mers vous est bouché par une colline au premier plan, bombée comme un dos de tortue; derrière elle s'aperçoivent d'autres montagnes; de derrière l'Ithome, à sa gauche, descendent deux chaînes qui s'abaissent obliquement en allant vers la mer et finissent en pointes allongées. A main gauche, au deuxième plan, montagnes à gorges, d'un ton roux, à ombres noires dans les creux; derrière elles, deux chaînes successives, de dessins semblables, l'une apparaissant derrière la ligne de l'autre, toutes deux bleu sombre; enfin, derrière celles-ci, on aperçoit le sommet de montagnes couvertes de neige (surtout en se retournant sur la gauche); sur les neiges sont des nuages blancs, immobiles comme elles, mais moins blancs, enroulés, floconnés, longs, de même forme que le sommet des monts, et qui ont l'air de les continuer, s'il n'y avait en dessous, à leur partie inférieure, une grande ligne de base, droite.

Au premier plan, à votre droite (c'est par là que nous sommes arrivés au temple), un vallon avec des chênes à perruques blondes, sur un terrain pierreux, gris, piqué de rare verdure; dans l'angle évasé du vallon s'aperçoit la mer d'Arcadie. L'Ithome, jusqu'aux deux tiers de sa hauteur, et la partie de la plaine de Messénie qui y touche, sont noyés dans une lumière vaporeuse, bleuâtre, foncée, du même ton que la mer, qui cependant s'en différencie un peu par un petit glacis vert.

Le Temple d'Apollon est bâti dans un renfoncement de la montagne, en cul-de-four, simulant si l'on veut le dossier concave d'un vaste fauteuil; le côté droit (en tournant le dos à la mer de Messénie), côté Est, est un peu plus bas que l'autre.

Le temple est d'une couleur grise uniforme; les colonnes doriques, cannelées (trois rainures sous le bourrelet du chapiteau), sont, par places, tachetées de taches roses comme seraient des taches de vin; dans ces taches roses (lichens), des petits points ou plutôt lignes blanches ondulées, il y a aussi quelques taches jaunes.

Le temple, orienté au Nord, regarde la montagne qui est derrière lui quand on y arrive. Bâti en beau calcaire ridé et cassé par le temps; les caissons du plafond, tombés par terre, sont en marbre. J'ai ramassé des morceaux mi-partie calcaire et marbre de Paros, le calcaire avait une surface de marbre.

Je n'ai pas trouvé dans l'intérieur la colonne corinthienne dont parlent Hackbleberg et Donaldson.

Sur chaque façade, 6 colonnes, en comprenant les deux colonnes d'angle; sur les ptères, en comprenant les colonnes d'angle, 14 de chaque côté; le côté Ouest qui regarde la mer d'Arcadie n'en a plus que 13.

Au milieu, la disposition de la *cella* est encore très visible : cinq bases de colonnes ioniques de chaque côté, une est presque entière; elles étaient engagées dans le mur, qui allait s'appuyer en contrefort contre la muraille du naos même, la dernière cannelure de la colonne se trouve de même plan que le pilier. – Mur.

Première partie : entrée carrée, la première assise des pierres subsiste, les pierres sont grandes comparativement au temple. L'architrave règne en entier, si ce n'est sur une colonne de la façade et sur les colonnes de l'antifaçade (côté qui regarde le golfe de Messénie).

C'était fort beau, ça dominait presque tout le midi du Péloponnèse, au milieu des chênes, en vue de deux mers et des montagnes.

En partant du temple, on monte toujours, la route se resserre, on arrive sur un sommet étranglé et sans horizon, d'où à coup s'ouvre un tableau d'autres montagnes. – Vallée immense sur la pente de laquelle est le village d'Andritzena, où nous sommes.

Toute la journée nous avons tourné dans les montagnes boisées, le sentier faisant des coudes. Marchant le dernier (c'est la bonne place), je voyais quelquefois Max et François remonter en trottant sur l'autre côté de la gorge. Quelquefois, au fond de la gorge, le ravin n'a pas d'eau, les pluies se sont écoulées par un autre côté.

Une fois, cet après-midi, je ne sais plus où, un vallon escarpé dans toute la longueur de ses bords, régulièrement ridé par des petites gorges parallèles, très profond, s'en allant dans la mer d'Arcadie, et qui m'a rappelé celui qui passe sous Delphes et va vers Cirrha.

En sortant de déjeuner, François et son cheval se sont accrochés dans un arbre et ont eu du mal à en sortir.

Sur le bord de la route, dans les buissons, petites fleurs bleues. *Andritzena, 2 heures.)*

Lundi 3. La vallée va du Nord au Sud, contrairement au sens dans lequel nous y arrivons. Ce n'est pas une vallée proprement dite, mais une portion de pays, que nous dominions hier au soir, et qui, pour nous, couverte de mamelons et de petites vallées, s'en va vers notre gauche.

En partant d'Andritzena, la route descend d'abord. – Montagnes stériles, grises, couvertes d'une verdure rare, puis de chênes; de temps à autre une fontaine. – Une place sur une pente, comme une petite prairie inclinée; au bout, un bois d'arbustes. – Le chemin sous la voûte verte; comme François devant nous y entrait, en est sorti un troupeau de chèvres. A propos de chèvres: sur une grosse pierre à pans presque à pic, groupes de chèvres (je m'étonne toujours à considérer comment elles peuvent se tenir sur des pentes semblables); elles étaient posées, immobiles, quand nous sommes passés, chacune dans sa posture, comme si elles eussent été de bronze.

Nous nous trouvons au bord d'un fleuve, éparpillant ses eaux en plusieurs branches sur des grèves blanches étendues; il est bordé d'arbustes sans feuilles, à couleur grise, lavandes, ligaria, etc., de temps à autre un sycomore, dont le tronc blanc saillit de loin. Des deux côtés de la vallée où tourne paisiblement le fleuve,

montagnes de hauteur moyenne, d'un ton généralement roux : c'est l'Alphée; nous le passons à gué, ayant de l'eau jusqu'au-dessus du genou, l'eau m'entre par le haut de mes bottes, le courant pousse nos chevaux, je travaille le mien à coups d'éperon; à force de bonds, je l'amène à l'autre bord.

Nous longeons quelque temps la rive droite du fleuve, le soleil est chaud; çà et là un bouquet d'arbres sans feuilles, sur une hauteur le petit village de Hagios Joannis (emplacement d'Herca).

De Hagios Joannis jusqu'ici (Polignia) c'est une charmante route, paysage classique s'il en fut, tranquille; on a vu cela dans d'anciennes gravures, dans des tableaux noirs qui étaient dans des angles, à la place la moins visible de l'appartement.

Nous traversons deux fleuves : le Ladon. Giorgi, notre moucre, reste en arrière, nous sommes obligés de payer un paysan qui va avec son cheval le chercher, il était resté sur un îlot de sable cailouteux; dans le courant de l'eau et arrêtés, troncs d'arbres; sur la rive du fleuve, de l'autre côté, celui où nous abordons, des paysans assis. Le second fleuve que nous traversons est l'Érymanthe.

Tous ces trois fleuves, Alphée, Ladon (Ruphia), Érimanthe (Dhouana), les deux derniers affluents du premier, ont le même caractère; seulement, quelque temps avant d'arriver ici, l'Alphée, qu'on retrouve, est un véritable fleuve, il est large (à peu près comme la Seine à Nogent).

Cheminant par beau soleil, sur l'inclinaison d'une pente, ce sont sans cesse des chemins dans des bosquets de lentisques verts; par places, des pelouses d'herbes, de temps à autre un grand arbre. O art du dessinateur des jardins! A notre droite, la montagne; à notre gauche, au bas de la lisière du bois, coule le fleuve, gris sur son lit blanc; de l'autre côté, prairie, arbres à ton roux, à cause de l'absence de feuilles, et, après, les montagnes. Partout le paysage a ce caractère de simplicité et de charme, on sent de bonnes odeurs, la sève des bois s'infiltre dans vos muscles, le bleu du ciel descend en votre esprit, on vit tranquillement, heureusement.

Le paysage, suivant la courbe des montagnes, fait des coudes perpétuels.

Nous arrivons au soleil couchant au khan; il se couchait juste en face de nous et nous aveuglait, j'étais obligé de mettre ma main sur les yeux pour voir le chemin, quand mon cheval galopait.

Dans trois jours nous serons à Patras! *(Polignia, 9 heures du soir.)*

Mardi 4 février. Nous avons couché dans une grande chambre de khan, aux poutres vernies par la fumée; pour avoir du feu, j'ai récolté pendant une demi-heure des sarments de ligaria épars dans la cour, et arraché des bourrées épineuses à un enclos. Nuit froide et pleine de puces.

Nous partons à 8 heures du matin, par beau temps, nous longeons toujours la rive droite de l'Alphée, les montagnes s'abaissent, couvertes de sapinettes et de pins, quelques-unes très beaux; la vallée s'élargit.

Une heure après notre départ du khan, le côté de la montagne que nous longions a un renfoncement, cela s'ouvre en un large cul-de-sac, bordé de collines rares, boisées (restes de l'Altis?). Dans deux trous, fouilles de l'expédition française : traces de murs énormes, grosses pierres très bousculées, une base de colonne cannelée, énorme comme grosseur, voilà tout ce qui reste d'Olympie. Un peu plus loin, à droite, dans la plaine, un reste de mur romain.

Pour que les fouilles fussent fructueuses, il faudrait qu'elles fussent profondes ; l'Alphée a dû, dans son cours très capricieux, apporter beaucoup de terres, l'alluvion se reconnaît à chaque instant ; parfois, sur le bord du chemin, nous voyons des pans de terre remplis de galets, c'est comme un plum-pudding où il y aurait plus de raisins de Corinthe que de pain.

Deux paysans nous rejoignent et nous offrent à acheter une petite monnaie des princes de Morée et une chétive urne lacrymatoire, fausse.

Bientôt la montagne cesse et tourne complètement à droite, l'Alphée s'en va vers la gauche dans la direction de la mer, nous entrons dans la grande et boueuse plaine de Palumba. Cultures de place en place, roseaux au bord des petits cours d'eau, l'Alphée a avancé quelques petits bras dans les terres plates et molles, comme des criques. Nous déjeunons au bord d'un petit ruisseau à côté des ligarias secs.

De temps à autre, dans l'herbe, une fleur d'iris.

Nous nous perdons et sommes obligés de revenir sur nos pas ; mon cheval, entrant dans la boue jusque par derrière les jarrets, manque d'y rester.

Un paysan laboure avec deux petits bœufs et sa charrue de bois, qui entre dans la terre comme dans du beurre ; il ne la pousse pas, il la maintient seulement (hier j'ai rencontré un homme qui la portait sur son dos), les deux bœufs noirs marchaient devant lui, n'ayant que le joug.

Nous cheminons au pas dans la direction de la mer, l'Alphée serpente (réellement) dans la plaine, qui est au niveau de ses rives.

PYRGOS est derrière une éminence qui est à notre droite ; nous la montons et la descendons, nous avons alors la mer à notre gauche et Pyrgos en face, sur une hauteur étalée.

François n'a plus tant de rhume, il reblague.

Entré à Pyrgos à 3 heures. Longue rue, pleine de boutiques noires, de marchands de clous, de cordes et de cuirs ; devant les boutiques, des deux côtés de la rue, galerie ouverte à piliers de bois. Le Turc pèse encore là, comme couleur, mais sous le rapport du confortable, ça ne le vaut pas ; il nous a été impossible de nous procurer un mangal. *(Pyrgos, 7 heures du soir.)*

mais qui fut charmant, à savoir le passage du Jardanus, rivière située à une heure et demie de Pyrgos environ. Toute la nuit une pluie torrentielle avait sonné sur les tuiles de notre logis et dégouttait à travers elles, sur nos têtes ; nous sommes néanmoins partis à la grâce de

Dieu à 10 heures du matin. Le temps se décrasse un peu et je retire de dessus mon dos mon affreuse couverture pliée en double et qui me pèse horriblement ; nous marchons dans la plaine nue, sous le ciel gris, par un temps doux.

Passage du Jardanus. François s'avance le premier, bientôt son cheval perd pied et va à la dérive ; Maxime et moi passons côte à côte ; son cheval, plus faible que le mien, est poussé par le courant ; il en a jusqu'au milieu des hanches et moi seulement jusqu'aux deux tiers des cuisses. – Sensation de l'eau froide quand elle vous entre par le haut des bottes. – Enfin nous arrivons tous sur l'autre bord, ayant lâché la bride à nos bêtes, qui s'en sont tirées comme elles ont pu.

Restait le bagage, nous l'attendons. Conseils et délibérations ; le parti fut vite pris, à savoir de traverser quand même. Des bergers nous indiquent un endroit, un peu plus bas, où il y avait une sorte de petit radeau de branchages et deux îlots d'herbes. On défait le bagage, que l'on portera à la main, et les bêtes, nues, traverseront à la nage. Maxime et François remontent pour assister à la natation des chevaux, tandis que je reste avec Dimitri (le cuisinier), Giorgi (le saïs) et un jeune berger qui nous aide ; lui et moi nous faisons la chaîne. Glissant avec mes grosses bottes sur le talus boueux du fleuve, j'allais dans l'eau jusqu'au bout du petit pont ; le berger, ayant du fleuve jusque par-dessus les genoux, m'apportait le bagage, que nous avons ainsi passé un à un. Pendant que nous étions occupés à cela, arrive un troupeau de moutons : embarras, résistance des bêtes à cornes, qui f... le camp de tous les côtés ; les bergers gueulent et courent après. Muni d'un long roseau, j'aide à *cacher* le bétail ; on prend les premiers par la laine et on les passe de force, les autres suivent, moitié sautant, moitié nageant ou barbotant. Après quoi nous avons recommencé notre exercice de facchino ; je m'enfonce dans le pont et j'y reste accroché par un éperon, la mécanique s'était détraquée sous le poids des moutons. A partir de ce moment, je me suis contenté de rester au bas du talus, mon compagnon de fardage m'apportait le bagage jusque-là.

Maxime et François reviennent avec les chevaux de bagage, mouillés jusqu'aux oreilles ; ce n'a pas été non plus facile. Il pleut, nos selles sont trempées, je les bouchonne avec l'écharpe péloponnésienne que j'ai achetée dimanche à Dhragoï, et nous repartons.

La plaine est viable, la pluie se calme ; à gauche la mer, bleu gris sale, avec Zante dans la brume ; plus près de nous, Gastuni sur une montagne, en acropole. Nous rencontrons, allant dans le même sens que nous, de bons gendarmes, dont l'un tombe de cheval en voulant sauter un fossé large de 18 pouces.

Avant d'arriver à Dhervish-Tcheleby, clôtures d'aloès ; ils sont fort beaux, touffus, avec leurs grandes palmes épaisses, recourbées.

Depuis le passage du fleuve jusqu'à notre arrivée, m'exerce à faire *le hurleur* ; François y excelle et me donne des leçons, le soir j'étais arrivé à une certaine force ; mais j'avais, comme disait Sassetti à propos des chevaux qui trottaient dur, « l'estomac défoncé ».

Pendant que nous sommes sur le balcon de notre maison, à Dhervish-Tcheleby, attendant notre bagage, nous voyons un maître chien noir hurler après deux hommes et les poursuivre. Ce sont des musiciens ambulants : l'un joue du biniou et l'autre le suit, en portant un énorme bissac accroché à son côté ; ils viennent à nous, tous deux couverts de ces lourds manteaux blancs des paysans grecs, si pesants qu'on ne met jamais les manches et le capuchon, seulement dans les cas extrêmes. Le premier, jeune homme de vingt ans environ (coiffé comme l'homme de Chéronée), a ses sandales de toile noires de pluie, de vétusté et de crasse ; pendant que l'air s'échappe de sa vessie, il regarde de droite et de gauche, et de temps à autre il abaisse la bouche sur le bout de la flûte engagée dans l'outre pleine. Son compagnon n'a pas plus de 12 ans, il le suit et porte le bissac. Dans une maison voisine, une femme lui donne quelque relief qu'il met dans son sac de toile. Après qu'ils nous ont eu joué leur air, ils partent et le chien se remet à hurler et à les suivre. Pourquoi le vagabond, musicien surtout, me séduit-il à ce point ? la contemplation de ces existences errantes et qui semblent maudites partout (il s'y mêle du respect pourtant) me tient au cœur. J'ai vécu quelque part de cette vie, peut-être ? O Bohème ! Bohème ! tu es la patrie de ceux de mon sang ! Il y avait sur eux (les Bohèmes) quelque chose de mieux à faire que la chanson de Béranger. Walter Scott sentait fortement (sous le rapport du pittoresque surtout) cette poésie-là (Edic, O'Kiltris, etc.).

En face de nous, dans cette maison : servante bossue avec de gros seins ; de quel côté la prendre, si son mari aime les tetons durs ?

Nous sommes logés sans feu ; le fils de la maison, jeune gredin à l'œil à demi fermé, vient nous regarder et s'asseoit sur un coffre, il tâche de voler le bâton de gellab de Maxime et puise sans se gêner dans mon sac, à table. Le lendemain matin, la maîtresse fait barouffe avec François, trouvant qu'on ne l'a pas assez payée. Nuit exécrable, presque blanche à cause des puces.

Jeudi 6. Nous avons pris un guide, qui porte nos deux sacs de nuit ; un quatrième cheval avait été pris la veille à Pyrgos pour alléger les autres, le bagage viendra derrière nous, comme il le pourra, notre intention est d'aller coucher le soir même à Patras.

Nous allons sur la plaine, nue, sans maisons, sans arbres, sans culture, sans habitants et sans voyageurs ; elle est d'un ton blond pâle uni, comme le ciel, qui est blanc gris ; de temps à autre, des glaïeuls ou de grandes herbes minces, desséchées, effilées.

A gauche nous avons la mer. Traversé le Pénée (rivière de Gasturi) en bac, le bateau est à quille et roule sous le sabot de nos chevaux, qui tremblent de peur.

A 10 heures, déjeuner au village de Tragano, chez un épicier grec.

Nous continuons, piquant dans le Nord-Ouest. A notre droite, une montagne de ton bleuâtre foncé, atténué par la brume, et derrière elle, très loin, bien au delà, s'avançant en pointe, une autre se dessinant en blanc, dans le ciel gris pâle : c'est derrière, et au pied de celle-là, que se trouve Patras.

La plaine continue, nous trottons ; de temps à autre on s'arrête au pas, pour passer une fondrière pleine d'eau, et le cheval reprend son allure. Pas de culture, personne ; la terre est grasse ; çà et là, quelques arbres, bientôt cela devient presque régulier, ce sont des chênes comme plantés de place en place sur l'herbe (restes d'une forêt disparue ?).

Il y a deux ou trois sentiers parallèles, filant en long devant nous, ça fait des rigoles carrées à demi pleines d'eau stagnante ; de temps à autre un troupeau de moutons, dont la présence nous est annoncée par des chiens velus et forts, qui accourent sur nous en aboyant et poursuivent quelque temps nos chevaux. Après avoir aboyé ils s'en retournent ; en vain nous cherchons des pierres pour en remplir nos poches, nous n'en trouvons pas, si ce n'est une fois que je descends exprès et que j'en ramasse trois.

Il était deux heures quand nous nous sommes arrêtés à une sorte de khan, où l'on nous a dit que nous en avions encore pour neuf heures de marche.

Nous repartons au grand trot et au galop pendant une heure ; autre khan, il était trois heures.

Le jour baisse, il devient plus sombre, toute la journée, ç'a été la même lumière immobile et blanchâtre, le soleil caché ne montrait pas même sa place, le ciel était porcelaine dépolie.

Les chênes sont un peu moins espacés, il faut se baisser pour passer sous les branches inférieures, j'y accroche mon tarbouch qui tombe dans l'eau. A notre droite, à travers les arbres, de temps à autre la masse pâle de la montagne du fond, celle qui est plus près de nous se rapproche et devient d'un bleu plus distinct ; à notre gauche, au delà de la mer que nous ne voyons pas encore, sommet neigeux des montagnes du continent. Nous allons, nous allons, au trot, toujours le même, les chênes n'en finissent.

Rencontré des gens à cheval et qui passent devant nous, à ma gauche : « Calimera, Calimera ».

Les chênes s'éclaircissent, nous apercevons la mer devant nous, le chemin y descend. Arrivés sur la plage, il y a un tas de bois. Nous nous sommes évidemment trompés, nous revenons sur nos pas pendant un quart d'heure, nous retombons dans le bon sentier, il côtoie le bord de la mer. Le jour tombe, il ne fait pas froid, la mer est calme ; nos pauvres chevaux vont toujours. Nous avons encore un fleuve à traverser, nous poussons pour y atteindre avant la nuit. Le terrain est très fangeux, nos bêtes y enfoncent leurs sabots et ont peine à se tenir debout sur la crête de petites chaussées de terres élevées entre des fossés. Un khan, où l'on nous dit qu'à une heure et demie de là est un autre khan ; y resterons-nous ? allons toujours ! Un village, espèce de route carrée très boueuse ; nous suivons le bord de la mer.

RALYVIA. Cabanes de paille ; dans les cabanes il y a du feu, que l'on voit par la porte ; l'intérieur a l'air animé ; en passant près de l'une d'elles, j'entends crier un petit enfant.

Passage du Pirus ou Peiros. Un jeune homme nous

indique le gué, nos chevaux n'en ont que jusqu'aux sangles; le fleuve, en cet endroit, passe entre des bosquets d'arbustes, le terrain descend avant le fleuve et remonte après.

Une demi-heure après, halte au khan de Petraki-Asteno, l'écurie est pleine de chevaux et de mulets; au fond, un feu. Nous débridons nos chevaux et allons nous asseoir sur une natte, auprès du foyer; un papas grec nous propose une chaise sur laquelle il est assis; François en profite, je reste debout à me réchauffer les pieds, que j'ai douloureusement humides. Nous mangeons une ratatouille d'œufs et quelques tranches de jambon. A 6 heures 38 minutes, nous remontons à cheval; un guide, que nous avons pris là, nous précède; quant à l'autre, depuis midi environ, il ne nous suit plus.

Jusqu'à Patras, nous allons tout à fait au bord de la mer, quelquefois nous marchons dedans, le gravier bruit lourdement sous les pieds fatigués de nos montures; j'ai, comme fatigue, le bras droit las de tenir la bride. La nuit est douce, on y voit, quoique la lune soit cachée; l'air frais me fait du bien à la tête, on sent l'odeur des buissons de lentisques et l'odeur de la mer, son bruit est faible. Je vais derrière François, suivant la croupe blanche de son cheval; vers 8 heures, je passe devant et vais derrière Maxime. – Le golfe a l'air de se rétrécir. A notre droite, grande clarté d'un feu de pâtres, qui se chauffent dans la nuit; aboiements lointains des chiens qui, sans doute, nous sentent; tout au fond, à l'horizon, deux lumières qui ont l'air d'être à ras des flots.

A 9 heures, un grand bâtiment carré à ma droite : c'est l'église Saint-André, nous sommes à Patras.

PATRAS. Une avenue plantée et qui descend; à gauche, une maison illuminée. Nous descendons une grande rue, c'est illuminé (à cause de la fête de la Reine, nous dit-on le soir). Quelles tristes illuminations! et quelle triste ville!

Nous faisons trois visites à trois hôtels sans trouver de logement; tout est plein. Enfin, on nous met dans une grande maison inachevée, sans rideaux, sans meubles, et sans feu (sans feu!!!), où il y a des gens qui chopent dans le corridor et des chiens qui aboient.

A 11 heures moins le quart, un garçon boiteux nous apporte deux poulets résistants et une bouteille d'affreux vin sucré, mousseux.

François couche dans l'escalier, Maxime par terre et moi dans une couche (il faut que je m'y habitue, on me l'a redonnée) où je suis à la fois étouffé et brisé; mais que j'y ai bien dormi!

Le lendemain, à 7 heures, nous déménageons. – Hôtel des Quatre Nations, gargote infâme. – Le jeune Christo, charmant petit domestique à moustache naissante, qui fait toute la besogne.

Patras, ville neuve. – La saleté du Grec dans toute son épaisseur; il n'y a pas eu moyen de prendre un bain turc. Plus de bains turcs! plus de voyage! tout a une fin. Que l'homme est bête!

Aujourd'hui samedi, anniversaire de la naissance de Maxime, beau temps. – Nos pelisses sur le balcon, au soleil. – François a nettoyé nos deux selles. – On ne *démange* pas dans la salle voisine; dans l'étage au-dessus on ne *dé-marche* pas.

C'est mardi que nous devons partir pour Brindisi. Autre pays! autres journées! *(Patras, samedi 8 février, 3 heures un quart.)*

ITALIE, FÉVRIER-JUIN 1851

PATRAS. Théâtre. – Dames dans l'église Saint-André, femme grecque de la campagne qui baise les images crasseuses avec un mouvement de reins de derviche. M. Bertini, sa femme. – Départ par le vapeur. – A bord, M. Malézieux.

ZANTE, feux.

Au milieu de la nuit, CÉPHALONIE. Lune, nuages d'argent ronds.

Côtes d'Albanie, pays turcs. – Les bons Turcs qui disent *vapour*.

Le soir, CORFOU. Maison du gouverneur. – Départ. – Brave homme malade. – Le capitaine ressemble à Panofka, de profil.

BRINDISI. Vue de *Brindisi*, côtes basses, fort, port. – Attente. – Les marins en tricot. – Estimation de la capote. – Musicien ambulant et jeune môme, rouge, en redingote de velours, casquette sur le coin de l'oreille. – Hypertrophie du cœur. – Douane. – M. le commissaire de police. – Rues blanches et courbes à Brindisi, théâtre, Hôtel de Cupido. – L'agent français. – Dîner. Prome-nade hors la ville, route aloès, coin fortifié, couleur de soleil orange, calme. – Paysans et paysannes qui revenaient des champs : « Buona sera! » – Retour à l'hôtel. – Théâtre, *la Fille du comte Orloff*. – Nuit dans de grands lits.

Mardi, 11 février. J'attends, le matin, Max qui est parti faire le tour de la ville. – Police. – A midi juste, partis. – Vieux carrosse, tapissé de rouge, haut sur roues; trois chevaux noirs, plumes de paon sur la tête; le padrone, gros homme en bonnet de soie sous son chapeau blanc, nous accompagne; il y a, en outre du cocher, un garçon derrière, sur nos cantines.

Sortis par l'endroit où nous avons été hier soir nous promener. – Route droite, plaine plate, très verte, bien cultivée; la mer à droite, bientôt on la quitte de vue. – Une ferme. – Mauvais pas, nous mettons pied à terre, la terre est poussiéreuse, friable, épaisse. – Petit bois de chênes nains. – Des ouvriers travaillent à faire des ponts pour les inondations.

SAN VITO, petit village de quelques maisons.

CARO-VIGNO, que nous laissons à droite, est sur une hauteur. Continuant la route qui y mène, une rue infecte, maisons blanches, grises, élevées. Après Caro-Vigno, il y a beaucoup d'oliviers; culture de fèves dessous, tranchant dessus, carrés de lin.

OSTUNI, sur un mamelon s'élevant au-dessus de la plaine. La ville est groupée autour de l'église, qui la domine; d'elle à la mer, à droite, grande plaine couverte d'oliviers d'un seul ton, avec quelques maisons blanches dedans, tranchant dessus : c'est du vert, puis la mer bleue. – Au milieu de la ville, une place carrée, fontaine avec une statue d'évêque, le bras levé. – San Ronno. – L'albergo en dehors de la ville : en bas, pièce où nous nous chauffons, petites lampes antiques accrochées au mur, fumeuses; un jeune môme qui nous questionne. – Visite de MM. de la police. – Difficulté de se procurer à manger, depuis deux heures nous attendons notre dîner, nous avons maintenant des oranges, de la salade et des câpres.

Mercredi 12 février. Toute la journée, encore plus d'oliviers que la veille, belle campagne. – Arrêtés, à 11 heures, à Monopoli, où nous sommes escortés par toute la population du pays qui s'empresse pour nous voir.

MONOPOLI. Grande place blanche, où toutes les maisons sont blanchies à la chaux, ainsi que tout le reste de la ville. – Nous entrons dans une église où des menuisiers travaillent au maître autel.

Monopoli est sur le bord de la mer. – Deux ou trois barques. – A droite de la crique où elles sont, restes de fortifications. – Place escarpée qui domine la mer. – Un vieux mendiant, aveugle, déguenillé, qui a servi Napoléon et qui nous fait l'exercice. – Belle route. – Les sellettes énormes des voitures dorées. – Aspect propre et aisé de toutes ces populations. – Hors la ville, des prêtres en tricorne, qui se promènent avec des jeunes gens en costume séculier.

Le soir, arrivés à Bari, à la nuit presque close, nous faisons toutes les auberges du pays sans pouvoir trouver de logement. Enfin nous usons de la recommandation de l'agent de Brindisi pour un M. Lorenzo Miulla; nous entrons dans une salle où des enfants jouent et crient le mot « Puccinello ». – Amabilité de notre hôte, homme dans le goût (physiquement) du sieur Delaporte, mais mieux. – Petits verres de rosolio. – Don Federico Lupi, moustaches, favoris rouges, nous mène à son hôtel. – Sa chambre, sa conversation; idées de fusion et d'extinction des nationalistes sont répandues partout, quoique sous des formes différentes.

Salle d'attente. – Un jeune prêtre; son frère, avocat. Partis à 11 heures et demie.

Jeudi 13 février. Le jeudi matin, pris le café à Barletta. – Déjeuner à 1 heure, à Foggia.

Temps froid. – Notre compagnon nous chante du Béranger, parle de la nature et porte sur sa poitrine une amulette en papier bleu de la Vierge du Carmel. – Pauvre Italie! les régénérateurs du passé ne te feront pas revivre; le parti libéral souhaite le protestantisme, c'est selon moi un anachronisme inepte.

Journée triste et froide, la diligence m'éreinte, notre compagnon nous embête; la nuit, la route monte; vers le matin, elle descend. – Chênes dans des vallées étroites, ressemblant à celles qui sont aux environs du mont de la République, avant d'arriver à Rouanne. Nous rencontrons pas mal de chapeaux pointus.

A Nola, nous marchons devant la diligence pour nous réchauffer les pieds - Une femme nous donne à boire, nous nous mettons à l'abri sous la porte de sa maison; elles étaient deux et faisaient de la toile. – Route plantée de je ne sais quels arbres (peupliers de Virginie?); des deux côtés, champs de mêmes arbres; allant de l'un à l'autre, grandes vignes grimpantes, qui font corde. – Arrêtés longtemps à la barrière, où l'on visite attentivement les malles de notre compagnon qui, depuis le matin, est remonté dans le coupé avec nous. A notre gauche, le Campo Santo, grand cimetière neuf; en face de nous, la forteresse qui domine la montagne au pied de laquelle est Naples.

NAPLES

Entrés par la porte Capouane. Il pleut, les citadines trottinent sur le pavé; il me semble que je rentre à Paris, comme au mois de novembre 1840, en revenant de la Corse.

Du bureau de la diligence nous allons à la poste, qui est à côté; un ruffiano nous aborde et nous offre ses services.

Descendu à l'Hôtel de Genève. – Grande salle à manger au premier, copies du Valentino, balcon sur la place.

L'après-midi, visite à notre banquier, M. Meuricoffre Sorvillo.

Samedi 22. Promené à la Chiaia. – Visite à M. Grau, chancelier de la Légation, course à la grotte du Pausilippe. – Le soir, demoiselles. Nous sommes agréablement assaillis par la quantité de maquereaux. – Le matin, marchandes de violettes qui nous mettent des bouquets à la boutonnière et nous font, comme signes d'engagement, des gestes de m... – Le soir, promené dans Tolède, pris une glace dans un café; un curé à côté de nous.

Dimanche 23. Promené à la Chiaia. – Au théâtre San Carlo : représentation de jour, la fin d'un ballet, *la Prova d'un opera seria*, ouverture de la *Semiramide*, le premier acte de *Bélisaire*. – Après le dîner, reçu la visite de M. Grau, sheik. *(8 heures un quart du soir.)*

Jeudi 27. Jeudi gras. Aujourd'hui les studii ferment à midi. – Pris un wurtz à deux chevaux, passé sous la grotte du Pausilippe, des lanternes l'éclairent. Haute à l'entrée, elle va en montant, puis le terrain redescend et là elle est moins élevée. Au bout de la grotte, un village à maisons blanches alignées sur le bord de la route; aux portes et aux fenêtres, des guirlandes d'écorces d'oranges qui sèchent au soleil (absent).

Après avoir passé la grotte, vallon enfermé de montagnes et plein de plantations pareilles à celles qui sont avant d'arriver à la porte Capouane, avec des vignes d'un arbre à l'autre. La route perce ensuite une autre montagne, travail analogue à celui des chemins de fer ; les deux bords sont très escarpés et très hauts, presque à pic. – On descend. – Vue du lac, ancien cratère de volcan entouré de montagnes d'un ton roux pâle ; au bord du lac, longs roseaux desséchés, vert pâle. Sur la pente du cratère, çà et là quelques villas blanches ; sur le haut, en face de vous, quand vous arrivez, le couvent des Camaldules ; à gauche, du côté de Solfatare, quelques pins parasols.

A gauche quand on arrive, un cabaret ; à droite, kiosque de Sainte-Marie, une écurie et quelques arbustes, intention de bosquet.

C'est en suivant de ce côté qu'est la Grotte du Chien, plus petite que je ne m'y attendais, ayant une porte et une clef. Je refuse l'expérience qui coûte 6 carlins ; les flambeaux s'éteignent effectivement, le sol fume et vous chauffe les pieds. – De ce côté, en revenant près du kiosque du roi, grotte ammoniacale : une porte et une clef, 4 piastres.

Bains de vapeurs de San Germano : par des trous, une violente chaleur sort ; en soufflant sur un morceau d'amadou, on voit sortir de ces trous beaucoup de fumée.

Villa de Lucullus : restes de bains antiques, avec des conduits pour déverser l'eau, construction en pierres et ciment avec un revêtement de pierres en losange.

En revenant, rencontre de chasseurs.

En passant par le village qui est après la grotte du Pausilippe, vu, dans une maison, une femme qui buvait, la tête renversée, dans une bouteille de gros verre de forme pirale.

Rencontré quelques corricolos. Les femmes en corricolo me semblent pleines de couleur.

MUSÉE BORBONICO
TABLEAUX

REMBRANDT. *Portrait de Rembrandt peint par lui-même*, 386. En pelisse de velours grenat, bordée de fourrure, il porte au col un collier avec une décoration, la toque de velours noir est inclinée sur le côté gauche. Front large et plein, bossu, en pleine lumière, du côté droit ; œil rond, menton rond, petite bouche rentrée, nez en pied de marmite ; sa joue par le bas fait bajoue et s'appuie, en plis, sur le col de la chemise, qui paraît un peu. Il était laid, mais bien beau, l'œil ne se détache pas de cette peinture vivante et d'un relief inouï ; c'est peint d'une grande et forte manière et comme sculpté dans la couleur.

SPIELBERG *Chanoinesse assise*. Toute en noir, avec une fraise également tuyautée tout autour de la tête. Robe gris noir, les tempes maigres et rentrées, les sourcils blonds et rares ; les yeux très beaux et encore jeunes sourient avec finesse, ainsi que la bouche dont les commissures à boulettes et à chairs molles sont très soignées ; les paupières très régulières. C'est une blanche et gaie figure de dévote mondaine ; ses mains fortes et nourries, très bien faites. De la main gauche, elle tient des gants en peau.

LUCAS DE LEYDE. *Un dévot avec sa famille adorant le Calvaire*, triptyque. Le calvaire est au milieu. Dans le compartiment de gauche est le mari (avec ses fils), qui sans doute a commandé le tableau ; dans celui de droite, la femme avec ses deux filles et une autre femme ; jeune fille blonde, debout, belle, qui fait pendant à un autre homme, en même posture dans le compartiment du mari. Le père a deux fils à genoux, derrière lui, comme la mère a deux filles *idem*. A côté de la femme, agenouillée sur un prie-Dieu et un livre à la main, paraît la figure monstrueuse du diable-dragon, qui rit ; il a à l'intérieur des oreilles coloriées comme si on y avait figuré des fleurs. Dans les fonds, paysage à eau et à rocher. Charmante figure, comme ressemblance et naïveté, d'une des petites filles, celle qui est plus à droite. Au pied de la croix, la Madeleine, qui l'embrasse, et la Vierge debout ; à droite, un homme. Un petit ange, en vol, recueille dans un calice le sang qui dégoutte des pieds du Sauveur ; un autre recueille dans un calice le sang de sa main droite et de son flanc droit, et un troisième celui de la main gauche.

LUCAS DE LEYDE. *Adoration des mages*, triptyque. Un mage de chaque côté. Dans la Naissance, un homme baisant la main de l'Enfant ; à droite, est un nègre tenant de la main droite un calice d'or, et ayant à hauteur de son genou gauche un lévrier, gris, de profil, piété en avant et qui porte des écussons à son collier noir. Le nègre a, pour pendants d'oreilles, une grosse perle blanche ; par-dessus une culotte de drap d'or, ou plutôt à fils d'or tressés, une toque rouge inclinée sur l'oreille droite, à losanges noirs sur le bord qui est relevé ; entre les losanges noirs de ce rebord, de petits boutons d'or comme pour les tenir ; une plume d'autruche est passée sur le côté gauche, le bout en reparaît, elle a été arrachée quelque part et enfoncée, simplement. Une chemisette blanche, plissée, lui monte, en collant sur la poitrine, et se termine par un collet bas ayant en dessous un transparent jaune. Il a sur les épaules un grand manteau à vastes manches coupées, pendantes, rouge et doublé de peau de léopard ; en dessous il porte un pourpoint vert à large galon d'or, échancré carrément sur la poitrine. Sur le cou passe à deux tours une petite chaîne tenant au bout une médaille bigarrée. Les manches du pourpoint crevées et laissant voir, dans leurs fentes, la chemisette, sont vertes à grandes bandes d'or. Des gants gris, et qui devaient remonter haut comme des gants à la crispin, mais mols, amassent des plis retombés autour des poignets et sont terminés par un gland, qui (main gauche) arrive à la hauteur de l'œil du lévrier. La jambe et la cuisse sont serrées dans une étoffe collante rayée à grandes bandes blanches et bleues ; c'est crevé aux genoux, pour que le genou puisse mouvoir, le dessous est jaune ; en guise de jarretière, une ample écharpe violet pâle, largement nouée. Souliers de velours noir, carrés du bout, très découverts, à oreilles carrées rouges, c'est le revers qu'on voit ; le pied droit est très en dehors et porté sur la partie gauche. Que c'est crâne ! quel costume ! quelle tournure !

Les Bambinos de l'école allemande. Façon de traiter le Christ nouveau-né. Dans deux tableaux de l'école allemande, 475 et 460, le Christ, bambino, est représenté dans (460) une *Nativité* comme un avorton, et dans une *Adoration des Mages* il a des formes de squelette. Est-ce déjà la Passion qui prévaut? (dans une autre *Nativité*, on voit au fond Judas Iscariote amenant les soldats), la douleur qui pèse sur l'enfant dès le ventre de sa mère? Dans les Nativités et Adorations de mages espagnoles et italiennes, le Bambino est tout autre. Ou bien les peintres allemands ont-ils copié servilement le modèle? le nouveau-né des pays froids est-il ainsi? cette dernière hypothèse me paraît moins raisonnable que la première.

ALBERT DURER. *La Nativité de Notre-Seigneur* (342, Galerie des chefs-d'œuvre). Immense et profonde composition à soixante personnages. Il y aurait dessus tout un livre à faire. Pauvres figures pâles, comme vos yeux sont tristes et pleins d'amour !

Au milieu, le Christ, qui vient de naître, entre la Vierge et saint Joseph; de chaque côté, des hommes et des femmes en costumes du XVe siècle, qui prient le doigt dans un livre et l'œil perdu. De partout quantité de Chérubins qui arrivent, ceux du premier plan jouent et chantent de la musique, lisant le plain-chant; d'autres, suspendus aux corniches de l'espèce de temple à colonnes et à arcades où la scène se passe; un d'eux encense le Christ couché. Dans les fonds, une mer avec des nefs, une ville avec des églises, une montagne couronnée d'une forteresse vers laquelle montent des cavaliers, un pré où paissent les troupeaux, et les moutons vont boire à la rivière; sur le bord du toit, une colombe, et un autre oiseau blanc qui vole.

Les femmes, toutes des religieuses en béguin, sont à droite : au fond, trois en béguin blanc, laides et se ressemblant, avec le nez de travers; plus près de nous une vieille religieuse en noir, la main dans le livre (je n'en vois pas dans ces peintures qui lisent dans le livre de messe, le livre est là, mais on rêve, on prie de cœur : il y a aussi à cela une raison esthétique, dont l'artiste à coup sûr ne s'est pas rendu compte); dessous de la mâchoire creux et ridé, tempes plates, mains supérieurement faites.

A gauche sont les hommes : un homme à genoux fait pendant à la religieuse ci-dessus, de même qu'un, debout après le groupe des hommes agenouillés, fait pendant à la splendide jeune femme debout (après le groupe des femmes agenouillées), vêtue de brocart et portant une croix d'or très ornée.

Mains de la Vierge!... Des points lumineux pétillent dans sa chevelure blonde, et s'en échappent en rayons.

Les Chérubins, contrairement à tous les autres personnages, sont gras, ronds, joufflus, frisés et bien plus modernes par rapport à nous. Au premier plan, ils font de la musique; un, debout, soufflant dans une sorte de flageolet, est piété et s'écore sur sa cuisse, le pied porté en avant; un autre, assis, joue d'une espèce de tehegour, dont il pince les cordes avec un long crochet. Le Chérubin qui encense a un mouvement de jambes pareil à celui de son encensoir : l'encensoir revient, et le Chérubin, suspendu en l'air, a les jambes qui s'en vont en arrière, en une courbe analogue; il encense de tout son corps et de tout son encensoir, le corps suit

l'encensoir, les deux ne font qu'un. Le Chérubin lui-même est-il autre chose?

CORRÈGE. *La Sainte Vierge* connue sous le nom de la *Zingarella*, ou de la *Madona del coniglio*. – Les pieds embobelinés de bandes et la tête *idem*, coiffure très vraie; accroupie de fatigue sur l'Enfant, qui repose endormi sur son sein; vêtue d'une draperie de drap bleu; sur les épaules, une manche blanche. A gauche, un lapin blanc qui broute. Beau, d'intention et d'effet, c'est bien la Bohémienne proscrite et harassée. Très empâté, très riche de couleur. Pourquoi les tons bleus et rouges sous la manche de chemise blanche du bras droit?

BASSANO. *Le Christ ressuscite Lazare*. Grande toile, recherche de la couleur. Lazare se lève de dessus une pierre où sont écrits des caractères hébreux. A droite, une femme qui a un dos et un bras couleur brique. La teinte de Lazare est fausse, ardoise et rouge au lieu de livide? La tête assez belle, ainsi que celle du Christ. Ensemble peu fort.

FABRICIO SANTAFEDE. *La Sainte Vierge avec l'Enfant Jésus*. La Vierge exaltée, les pieds posés sur le croissant de la lune, présentant le sein au Bambino. Tête charmante de la Vierge, blonde; ses cheveux, couronnés d'un diadème d'or, à améthystes peu nombreuses, s'en vont de droite à gauche. Petit sein fin. En bas, saint Marc ou saint Jérôme (et lion) : belle tête, douce, barbe en deux pointes par le bas. De l'autre côté de saint Marc, un autre homme (un évangéliste? saint Pierre?). Petite draperie violette sur le bras droit de la Vierge. Au bas du tableau, cette inscription :

BEATVS PETRVS GA
BACVRTA DE PISIS

RAPHAEL? *La Sainte Vierge* connue sous le nom de la *Madona del passaggio*. Jean-Baptiste (enfant) rencontre Jésus enfant et l'embrasse, baissant la tête et le regardant d'en bas; la Vierge tient Jésus. Au fond, saint Joseph de profil, portant une besace sur l'épaule, détourne la tête et regarde. Paysage à eaux tournantes dans le fond. Un ton blond sur toute la toile (de chevalet).

CARAVAGGIO. *Judith coupe la tête à Holopherne*. Elle l'égorge comme un poulet, lui coupant le col avec son glaive; elle est calme et fronce seulement le sourcil, de la peine qu'elle a. De la main gauche, elle tient la tête empoignée par la chevelure, et tout son corps étant ainsi penché vers la gauche, son sein droit entrevu tombe de côté. La servante appuie sur Holopherne qui, du bras droit, le poing fermé, le repousse. Judith a une robe bleue. Le sang (vrai, noir, rouge brun, et non pas rouge pourpre comme d'ordinaire) coule sur le matelas. Tableau très féroce et d'une vérité canaille.

LÉONARD DE VINCI. *Jésus Christ apparaissant à Marie-Madeleine sous les traits d'un jardinier* (Galerie du Prince de Salerne). Toile inappréciable. La Marie-Madeleine, manches de velours vert. Quel modelé de bras! Elle a, par le bas, une robe de brocart jaune à arabesque d'argent. Tête enfantine, naïve, étonnée. Le Christ marche, le pied droit en avant, se détourne, et la touche de la main droite à la tempe.

BERNARDO LUINI. *Saint Jean-Baptiste* (3ᵉ gal. des écol. ital.). Tenant la croix de la main gauche et montrant de la droite écrit sur le mur : « Ecce Agnus Dei ». - Chevelure en tire-bouchons, la bouche sourit et remonte en demi-lune, les yeux sourient et remontent par les coins ; mignardise du facies exagérée, ça finit par devenir grimacier ; le bras droit très mauvais. Peinture solide, d'un joli ton blond chaud, mais la figure du saint Jean-Baptiste me paraît déplaisante au suprême degré ; le type de l'école est exagéré ici de façon à dénaturer l'idée même du tableau.

SALVATOR ROSA. *Jésus disputant au milieu des docteurs de la loi.* C'est dans le clair-obscur, Jésus est vu de profil et même moins que de profil, il est, à coup sûr, moins important là que le dos jaune d'un docteur en turban blanc, couleur magnifique. Tête chauve d'un homme qui est en face de Jésus. Admirable couleur qui passe sur tout.

SALVATOR ROSA. *Jésus allant au Calvaire succombe sous le poids de la croix.* La scène se passe la nuit. - Véronique, en jaune, hommasse, bras énorme, se penche vivement en tendant le mouchoir qu'elle tient du bout des doigts ; le Christ, succombant, est très empêtré dans sa tunique ; tombé sous la croix, il s'appuie de la main gauche. Au fond, de face, en raccourci, un soldat à cheval, portant un bâton, pousse sa bête en avant pour qu'on relève le Christ et qu'on se dépêche. La lumière, venant de côté, passe sur le dos jaune de la Véronique, sur le torse nu d'un homme, en tête de la croix, sur le bras un peu verdâtre du Christ et sur le casque et le bras gauche d'un soldat armé (bel effet) qui se penche pour relever la croix.

Dans la galerie du Prince de Salerne :

Un *Napoléon* (atroce croûte) coiffé de lauriers, nu et tenant la foudre à la main ; ça vient du palais de Murat.

Une *Joséphine*, en robe de velours grenat, sourcils noirs épais et longs, bouche très rose, petit air polisson et sensuel.

INGRES. *Françoise de Rimini.* Détestable, sec, pauvre de couleur ; le col du jeune homme qui va pour embrasser Françoise n'en finit.

GÉRARD. *Les trois âges de la vie.* Peinture à faire périr d'ennui ; très léché, très soigné. Joli pied de la femme (tête de Marie-Antoinette ou dans ce genre) apparaissant sous la draperie ; le crâne de l'enfant reposant naturellement sur elle très bien dessiné. Le jeune homme, le torse tourné, assommant, avec sa chevelure frisée. Quelle prétention ! quelle pose ! quel froid ! il gèle à 36° dans cette école ! Aimait-on peu le soleil sous l'Empire !

RIBÉRA. *Silène ivre, couché à terre et entouré de satyres.* Très beau. Silène, tout nu. Ce n'est pas Silène, la figure est toute espagnole, noire, au lieu d'être rouge, le nez non camus, l'œil rond, ouvert, et singulièrement pur et beau ; il est tout rasé, tons bleuâtres de la barbe ; il tend la main pour qu'un satyre lui verse à boire dans une coquille ; ventre trop rond, trop hydropique, trop

dur. La cuisse gauche, à plis, très belle, quoiqu'il me semble que le second pli se rapproche un peu trop des plis de la chair des petits enfants. La tête est bien bête ! c'est un Sancho brutal. A gauche, au fond, tête d'un âne qui brait, relevant les gencives et montrant les dents ; en dessous, jeune homme couvert d'une peau de bête, mi-nu, qui vous regarde en riant (?). A droite, un satyre à cornes (*sic* celui qui verse). Dans la confection des cornes mariées à la chevelure, la tradition ici est suivie. En bas, le nom de Ribéra écrit sur une feuille de papier déchirée que mord un serpent ; de l'autre côté, une tortue.

PARMESAN. — *La Sainte Vierge et l'Enfant Jésus.* Elle lui met le doigt dans la bouche, sur le bord des lèvres. Vilaine main, doigts en salsifis, trop relevés du bout, mais quel joli profil de femme ! Le nez, tout droit, continue le front, l'œil est à demi fermé, plein de langueur, de tristesse, de bonté.

PARMESAN. *Lucrèce s'enfonçant le poignard.* Le sein droit est découvert ; figure blonde rosée, chevelure archi-blonde, presque blanche sur les tempes ; la bouche ouverte, le nez un peu retroussé du bout, l'œil ouvert et regardant en haut. Vilain bras droit, petite oreille charmante (comme dans tous les portraits du Parmesan). Adorable petite femme à mettre dans un nid.

PARMESAN. *La ville de Parme sous les traits de Minerve.* Elle caresse je ne sais quel petit Farnèse, cuirassé, figure agréable de gamin, avec ses petites cuisses serrées dans un maillot rouge. La tête de femme est tout à fait de même genre que celle de la Lucrèce, et coiffure analogue.

ANNIBAL CARRACHE. *Composition satirique contre son rival Michel Ange Amerighi de Caravaggio.* A gauche, un homme avec un chien et un perroquet sur son épaule, le perroquet mange des cerises que lui présente le personnage du milieu, assis ; ce personnage a la figure toute couverte de poils, mais cela n'empêche nullement de distinguer ses traits. Entre ses jambes, un chien donne la patte à un singe ; il a sur son épaule un singe qui lui gratte la tête. A droite est un homme qui rit et vers lequel se tourne le personnage à figure couverte de poils, d'un air langoureux et doucereux.

HOLBEIN. *Portrait d'Érasme.* Tout en noir, figure en lame de couteau, nez pointu, petite moustache ; à la place de pointe, une simple ligne de poils sur le menton ; le chapeau est très enfoncé sur le front ; sourcils fins et partant de très bas, peu de distance entre le nez et la bouche ; son encrier et son cahier. Air tranquille et malin, quelque peu renfrogné, physionomie profondément fine.

TITIEN. *Portrait de Philippe II* (en pied). Manches bleues à arabesques grises, très épaisses et dures (les manches), pourpoint jaune à tons d'or pâle, manteau de velours bleu à fourrure noire, sandales de grosse toile ; barbe naissante, mâchoire en avant, paupières épaisses et lourdes, œil ivre et froid. Fort beau.

SÉBASTIEN DEL PIOMBO. *Portrait du pape Alexandre VI.* Petit bonnet et pèlerine rouge, figure brune, rasée, austère, grands traits longs et forts, paupière large, bouche dessinée, sourcils épais, le regard est de côté et d'aplomb. Figure beaucoup plus noble que celle que l'on s'attend à trouver d'après l'idée faite d'Alexandre VI.

RAPHAEL. *Portrait du chevalier Tibaldeo.* PARMESAN. *Portrait de Christophe Colomb.* Le premier, en petit chaperon noir, barbe petite et courte, œil brun, front carré; le second est un beau cavalier, avec toute sa barbe très soignée et une grande moustache fauve qui descend dessus; œil bleu, nez très fin, front large, chevelure brune blonde soigneusement séparée sur le front, œil bleu foncé ouvert et charmant, ensemble coquet et très troussé. Derrière lui, un casque et une masse. Manches grenat pâle, à crevés. C'est là bien plutôt un cavalier, et le portrait indiqué comme celui de Tibaldeo pourrait bien être celui de Christophe Colomb; j'ai peine à croire qu'il n'y ait pas méprise dans le catalogue. Ce portrait n'est guère non plus dans la façon du Parmesan, si blond d'habitude; tout, au contraire, ici est brun et très mâle.

PARMESAN. *Portrait d'Améric Vespuce.* Est-ce du Parmesan? en tout cas ses portraits d'hommes ne ressembleraient guère à ses tableaux? Même observation que ci-dessus. Belle peinture. Toque, barbe roux brun, courte, deux longues pointes de son rabat tombent en avant sur sa poitrine; tout en noir, un livre ouvert.

M. SPADARO. *Portrait de Masaniello fumant sa pipe.* Petit chapeau retroussé avec une médaille et une plume; de la main gauche il tient un petit pot à tabac avec un couvercle; l'épaule gauche découverte, visage rond, physionomie gaie et insouciante, air gamin, bouche dessinée, pas de barbe, nez pommé, un peu rouge par le bout. Peu de type méridional, nullement l'air féroce, au contraire l'air joyeux et gaillard.

PEINTURES MURALES

Architecture et paysages :
Trois grands bas-reliefs peints, 25-24-23. – 25. Une femme ouvre une porte et va descendre l'escalier qui vient vers vous; la porte entre-bâillée est en perspective. Effet cherché et qui se retrouve dans 24 deux fois, à chaque extrémité du tableau. Cette recherche de l'effet produit par la perspective me paraît constant dans les reproductions d'architecture; on l'observe ici, 25, sur la ligne supérieure d'un baldaquin près de la porte; sous ce dais carré une femme nue assise sur ses genoux; un autre baldaquin semblable, 23, avec une femme pareille.

Le fond des portes, panneau principal, est rouge avec de larges bordures jaunes, les linteaux sont jaunes; en dessus des corniches, très en relief, femmes à queue de dragon et sphinx ailés.

Sur les piliers et les corniches, statues : ainsi dans un *salon à colonnes d'un ton jaune* (ancien nº 240), couvert sur les boiseries d'arabesques Louis XV, se voit un lion sur le large socle carré d'une lourde statue; le socle est très large pour pouvoir servir de piédestal au lion ainsi dans le nº 15, sur le bord d'un entablement, un éléphant serre dans sa trompe son petit. Quelquefois la représentation, se borne à une perspective de portiques et de colonnades : *ex-ancien* nº 901, le dessus, après une bordure où il y a des personnages peints, représente la partie supérieure d'une maison avec une terrasse défendue par un balcon de bois en X; sous l'X semble être une tenture; les murs sont verts et les fenêtres (auvents des fenêtres) chocolat rouge.

Peintures de moyenne grandeur et fantaisies :
Un vieillard à cheveux blancs, torse nu, un satyre en érection et un Amour. – Le satyre est près d'un Amour qui le tire par la main, il a passé son jarret sous le genou de l'Amour pour l'enlacer, et son sabot cache le pudendum de l'Amour; il est en pleine érection; ses cornes, sa barbe en pointe et deux autres cornes partant à côté des oreilles et allant en descendant, le font ressembler au Diable. La figure plastique du Diable vient-elle ainsi du Pan exagéré? Mais que signifie le vénérable vieillard qui regarde tranquillement cette scène?

Deux satyres qui se battent avec des chèvres. – Celui de droite, fort remarquable, pose ramassée et puissante, la cuisse droite levée de niveau à la hanche, le genou faisant angle; la chèvre présente le front, cela rappelle tout à fait les vers de Chénier :

> *Le Satyre, averti de cette intimité,*
> *Affermit sur le sol le corne de son pied.*

Excellente petite peinture.

Peinture murales :
Bacchus et Ariane. La plus belle peinture peut-être du Musée. Ariane, couchée, est endormie, l'aisselle gauche appuyée sur le genou d'une femme (ou d'un jeune homme?) qui porte un petit vase dans ses mains, le jarret gauche sur le genou droit, et le bras droit levé sur sa tête, faisant angle, et le poignet retombant; la bouche entr'ouverte et les yeux fermés, ligne des cils rapprochés; tête ronde, charmante, pleine de repos et de volupté. L'Amour la montre à Bacchus, retirant de dessus elle la gaze transparente qui lui couvre le torse nu. A partir des cuisses, il y a en dessous une draperie lie de vin atténuée par la blancheur de la gaze de dessus. Au centre du tableau, Bacchus debout, appuyé en posture triomphale, la jambe droite en avant, sur son long thyrse; à gauche, un Bacchant, très rouge, œil rond écarquillé, montre d'un air lubrique et empressé à un Silène (la figure n'est pas celle de Silène, la tradition aurait-elle été déjà perdue? en tout cas, le ventre y est) la femme endormie, et lui tend la main comme pour le tirer à lui et l'aider à monter.

Mars et Vénus. Vénus est assise sur un fauteuil et vêtue d'une robe lilas; Mars, debout par derrière, ayant une plume droite de chaque côté de son casque, lui prend de la main droite le teton gauche. Dans tous les sujets érotiques, pour bien indiquer l'action, l'homme caresse toujours ainsi la femme. A gauche du tableau, une femme portant une robe de même couleur est accroupie par terre, les talons au cul, et cherche quelque chose dans un coffret. Généralement les yeux des femmes sont grands et ouverts tout ronds, quelque ovale que soit la forme extérieure de l'œil, le sourcil très allongé et fin. Toute la figure forte et pleine, le nez droit, les joues colorées, apparence d'une santé solide : les Romans aimaient la femme royale.

Io conduite en Égypte par un Triton. Le Triton a l'expression et la tête amoureuses, mélancoliques, données ordinairement au taureau qui enlève Europe. La figure d'Io, cornes naissantes dans la chevelure, est enfantine et étonnée, avec quelque inquiétude. L'Égypte, figure de même caractère que toutes les autres, tenant un serpent entortillé au bras gauche, lui tend la main droite ; elle est entourée de voiles blanches. Pour faire saillir le jet du regard, on entassait les ombres dans les coins des yeux (témoin la *Médée* 96) et dans les bouches, qui rarement sont complètement fermées, tandis que dans le sommeil, au contraire, ils s'attachaient à dessiner la ligne mince des cils réunis (l'œil aux trois quarts fermé, comme il l'est la plupart du temps dans la nature, eut-il été trop laid ? et aurait ressemblé à la mort ?).

PORTRAITS

La servante indiscrète. Peinture assez sérieuse, surtout la servante, coiffée d'une sorte de coiffe rouge. Me paraît être le portrait de deux femmes ; la maîtresse tient un stylet et des tablettes, de même que dans la prétendue *Sapho* 42, la position est la même. On se faisait peindre avec un stylet et des tablettes ou couronné de feuillages, comme maintenant la main appuyée sur un livre et en cravate blanche !

ANIMAUX

Une cigale sur un char traîné par un perroquet vert. Fantaisie exquise, les Romans connaissaient aussi le Granville. Les deux rênes partent des deux côtés de la tête de la cigale et ses antennes, en arrière, imitent des cordes ; le char est couleur d'acajou foncé, les brancards et les roues couleur paille.

Deux paons sur le haut de candélabres au bout d'un mur. Entre eux deux un candélabre arabesque ; ils n'ont point la queue déployée et sont vus de profil, celui de gauche baisse la tête comme pour regarder en bas.

Deux oiseaux près de petites marguerites. Œil rond des oiseaux, air naïf et calme. Comme vérité et intensité de nature, c'est peut-être dans la peinture d'animaux (les oiseaux surtout avec leur air paisible et remplumés) que les Romans me semblent avoir été le plus avant.

DANSEUSES D'HERCULANUM

Rien au monde de plus *rêveur* que ces figures en *vol* sur leur fond noir ; elles ont le caractère d'un songe, vagues, aériennes, colorées. Ce qui fait le charme de ces figures, c'est leur peu de fini ; quoique de petite dimension (quatre pouces au plus), elles sont très largement traitées et faites pour être vues de loin.

BRONZES

(Statues, groupes, chevaux)

Mercure assis. La jambe gauche repliée, le dos infléchi, l'avant-bras gauche posant sur la cuisse gauche et le poignet de cette main tombant libre naturellement, tandis que la droite s'appuie sur le rocher ; la jambe droite, le bout du pied levé, a le talon par terre. Les ailes (chaussure talonnière) sont attachées par une courroie qui passe sous la plante du pied et se rattache sur le cou-de-pied. Dos charmant et très étudié. Extérieurement la cuisse gauche de profil est vilaine, toute droite comme une poutre et dure ; même observation pour la main droite, celle qui est appuyée sur le rocher. La jambe droite, celle qui est en avant, un peu trop incurvée en dehors et rococo. Ensemble mouvementé et plaisant. Rien de plus charmant que cette chaussure ; comme les ailes, partie postiche des pieds et qu'on sait n'en pas faire partie, ajoutent de mouvement et de légèreté ! Supériorité sur les ailes des anges, appendice choquant, qui a toujours l'air d'une monstruosité et qui ne se prête jamais à l'expression gesticulative des autres membres.

Faune ivre. Le bras appuyé sur une outre, porté sur la partie gauche du corps, appuyant son bras gauche sur une outre à demi pleine et qui est sur un rocher recouvert d'une peau de bête féroce, il lève en l'air son bras droit et son pied droit. La main (droite), le médium sur le pouce, l'index en l'air, l'annulaire et le petit doigt fermés, il claque des doigts comme pour chanter ou danser ; sa bouche, où les dents du côté droit manquent (je ne crois pas que ce soit une cassure, mais plutôt intentionnel), rit et montre ses dents supérieures. Dans sa chevelure en mèches hérissées (assez mal faites), petites grappes de raisin, deux petites cornes naissantes et qui semblent faire pendant avec deux petites loupes qu'il a au cou, sous la ligne des carotides. (Mêmes petites loupes sous la mâchoire dans un *Faune endormi*, mais ici les cornes, en forme de vignot et non plus de bouquetin, sont plus rapprochées sur le front et se confondent moins avec la chevelure). Ses cornes naissantes ne sont pas plus grandes que ses deux petites loupes. Le ventre flasque, charnu, à peaux molles, plein de vin doux mousseux et de pets qui gargouillent, s'en va de gauche à droite dans le sens de la jambe droite qui se lève. Les membres sont maigres, la chair peu ferme sur les os ; la débauche a vieilli cet être. Vilaines mains, doigts mal faits. *La jumelléité du 2e et du 3e doigt du pied ne me semble observée nulle part* jusqu'à présent, elle est pourtant constante dans la nature.

Faune dansant, statuette. Très jolie chose comme mouvement, entente des cheveux et des cornes confondus ensemble ; le chevelure en mèches hérissées des Faunes n'a peut-être pas d'autre sens que de pouvoir se marier aisément avec les cornes, dont on tâche par ce moyen d'atténuer l'excentricité qu'elles ont par rapport au crâne humain et au visage. Les jambes trop longues, comme dans toutes les statuettes de danseurs et de danseuses. A observer que la queue chez les Faunes est toujours placée au-dessus du sacrum et non au bout du coccyx, comme chez les animaux.

Bacchus et un Faune. Le Bacchus a une chevelure et une tête de femme, le reste est un corps d'homme. La juvénilité de Bacchus et Adonis, arrivant par gradation à des formes femelles, est-ce là ce qui a conduit à l'hermaphrodisme? En tout cas, esthétiquement parlant, c'en est la transition.

CHEVAUX

Cheval du quadrige de Néron. Râblé, plis nombreux sous le cou; la tête est sèche comme toujours, et les narines très ouvertes; poitrine large, bas de l'encolure énorme, un bouquet de poils aux paturons et sur la sole. Son collier est en deux bandes de cuir plates et s'attache de chaque côté sur le haut des épaules avec de petites courroies. *Les anciens ne brûlaient pas le poil dans l'intérieur des oreilles* des chevaux; ici il est peigné dans son sens, et dans la *tête colossale* 83, on dirait qu'on les a arrangés pour leur donner une espèce de forme de palme. La crinière toujours taillée toute droite, comme au Parthénon.

BUSTES

Buste d'un inconnu. Chevelure sur le front en véritables tire-bouchons; il y en a deux rangs, 42 en tout. Le tire-bouchon du rang d'en haut descend sur l'entre-deux des tire-bouchons du rang d'en bas. Les sourcils sont très longs et fortement indiqués. Vilain buste.

Ptolémée-Apion. Chevelure en tire-bouchons plats. Au lieu d'être un gros fil tordu, c'est une petite bande tordue; les tire-bouchons sont retenus par un bandeau noué par derrière, plus courts sur le front et s'allongeant à mesure qu'ils se rapprochent des oreilles. Cette chevelure, prise sous son bandeau, rappelle comme galbe le coufieh pris sous la corde en poils de chameau. Les tire-bouchons entourent complètement la tête, tandis que, dans le buste précédent, ils s'arrêtent aux oreilles; ils sont au nombre de 75 (sans compter ceux qui, faisant partie du buste même, sont collés sur le cou; ils ont été rajoutés après coup). Bouche mi-ouverte dans une expression souffrante, visage ovale carré par le bas, front très épais dans l'entre-deux des sourcils.

Tibère. Buste tout vert, avec des yeux d'argent devenus bruns. Tête discrète et fine, répondant à l'idée qu'on se fait de Tibère, aplatie au sommet (absence des bosses de la bienveillance et de la religion), mais fournie sur les côtés au-dessus des oreilles; la bouche est petite, le front bas et large sous les mèches plates des cheveux courts, qui tombent carrément dessus; paupières très étroites, menton saillant. Grand air de distinction et de réserve, aucune expression du chat, du renard, ni de l'oiseau de proie.

Scipion l'Africain. Grand air de ressemblance. Vieillard chauve et sans barbe, chauve sur le devant et les tempes; la chevelure, partout ailleurs, est indiquée par des pointillés. Le front est creusé de trois grandes rides et d'une supérieure qui s'efface un peu vers le milieu du front. Sur le front une loupe, au-dessus du sourcil droit; sourcils épais, les poils très indiqués; les joues sont maigres et tombent, on sent que cette mâchoire-là n'a plus de dents. Aux deux coins de la bouche, sur le bas des joues, comme deux petites boules qui semblent pousser du dedans. Le nez s'infléchit par le bout, la narine est épaisse, la bouche coupée

toute droite sans dessin, l'oreille très détachée de tête (trait commun aux bustes antiques).

Platon. Une des plus belles choses antiques que l'on puisse voir, le bronze a pris des couleurs veinées de marbre vert foncé. La tête, infléchissant le menton sur la poitrine, est coiffée d'un bandeau qui retient sur le front les cheveux peignés. Admirable travail des cheveux; il semble que le peigne vienne d'y passer; les cheveux sortent du bandeau, se divisent en deux et repassent par-dessus, où leur bout, faisant un peu coque ovale ou bourrelet sur les oreilles, est réuni par lui; pour faire transition entre ce rouleau et le commencement de la barbe, qui prend assez bas, frisée largement sur les pommettes, puis peignée, et se terminant par le bas en rares petits tire-bouchons, il y a entre la barbe et ce rouleau, au-dessous de lui et s'en échappant, de petits anneaux de cheveux tordus (creusés à jour). Le col très fort, surtout de profil. Expression sérieuse et mâle, beauté, idéalité, puissance, et quelque chose de tellement sérieux qu'il y a un peu de tristesse. La *sérénité*, cachet du divin antique, absente.

Bérénice. Les cheveux sont tirés vers le haut et montés (pour agrandir la ligne du front et du nez) comme à la chinoise; une double couronne de cheveux tressés sur le sommet de la tête; point de chignon; les tempes et le front sont également découverts par cette chevelure remontée. Visage ovale, menton carré, très grands yeux, grande distance de l'angle interne de l'œil au méplat du nez, qui est tout droit. La ligne du front et du nez est plutôt même convexe à l'entre-deux des sourcils, le front est *très* charnu. Le bord extérieur de chaque lèvre fort marqué par la ligne de la peau qui arrive là, très nette. Ligne du sourcil longue, à arête aiguë. Fort belle tête et des plus grecques.

Architas. Coiffé d'un turban petit et rond comme une anguille; il est serré par une bande diagonale croisée par-dessus une autre.

COLLECTION DES PETITS BRONZES

Système d'éclairage composé d'un pilier carré supportant quatre lampes. Le support, sur lequel est planté le pilier, est en argent et carré, portant à terre par quatre griffes; il est échancré à sa partie antérieure, sur la droite de laquelle est un petit autel avec un bûcher et un feu qui brûle; de l'autre côté, à gauche, c'est un Amour, nu, tenant de la main droite une corne d'abondance et à cheval sur un léopard. De l'extrémité du pilier partent quatre bras, recourbés, sur lesquels est suspendue à une chaînette, par un anneau, une lampe de forme différente. Sur le dessus de la première, deux dauphins dos à dos, appuyant leur queue l'une contre l'autre, dont la réunion fait pyramide cintrée. Des deux côtés de la lampe (toutes ovales de forme) partent deux têtes d'éléphants. Sur la seconde, ce sont des têtes de bœuf qui sortent; sur le dessus de la troisième, deux aigles, ailes déployées; la quatrième toute simple.

Système d'éclairage composé d'une colonne cannelée supportant trois lampes. La base n'est pas échancrée sur l'avant, comme la précédente. Sur la partie du milieu, un peu en retrait, s'élève une tour, à pans, surmontée d'une boule.

Système d'éclairage composé d'un tronc d'arbre à nœuds et d'un bout de branche supportant quatre lampes. Les lampes, toujours suspendues à des chaînettes, ont leur anneau passé aux quatre bras du tronc, qui sont des branches. La quatrième lampe est suspendue à une branche, plus basse et plus courte, partant du milieu du tronc à peu près.

Système d'éclairage composé d'une colonne supportant quatre lampes. Comme dans la précédente, la base d'où s'élève la colonne est complètement carrée, les lampes toujours de formes différentes; la colonne ici est placée juste au milieu.

Un tronc d'arbre se bifurquant supporte deux lampes.

A un autre *tronc d'arbre* supportant trois lampes, les lampes sont en forme d'escargot, l'animal sort de sa coquille.

Quantité de candélabres : tiges droites en haut desquelles est un petit plateau pour mettre des lampes. La tige est un tronc de palmier, un roseau, une épine (plus rare) avec des nœuds, imitant un bâton qu'on vient de couper. Ces tiges, appuyées sur trois ou quatre pieds, terminées par des pattes de biche ou des griffes; elles sont toutes fort longues, celles qui sont simples sont généralement cannelées. L'une a un bracelet long qui glisse dans toute la largeur de la tige et qui supporte, par une tringle faisant col de cygne, un support pour mettre une seconde lampe; ce bracelet s'arrêtait par une épingle que l'on enfonçait dans un trou pratiqué dans la tige et attaché à la tringle en col de cygne par une petite chaînette. Sur le haut de la tige, une rondelle pour poser la lampe comme à toutes les autres; on avait ainsi, dans le même ustensile, une lumière fixe dessus, et une autre plus bas, que l'on pouvait abaisser et monter (et maintenir) à volonté.

Une petite lampe en forme de pied humain. Pied gauche. La mèche sortait par le pouce, le trou est la place de l'ongle, l'huile se versait par la place du milieu de l'os, coupé.

Vases à cendre. Avec des anses mobiles que l'on entre et que l'on défait par la pression. Sur le bord extérieur du vase, sorte de panier oblong, deux têtes de biches dans la bouche desquelles est cachée la couette où entre le goupil de l'anse.

Deux seaux plus minces à la base qu'en haut. Les anses, toutes plates, se rabattent des deux côtés exactement sur les bords du vase, et disparaissant ainsi à l'œil, font un léger renflement, corniche sur le bord du vase, et semblent adhérents à son architecture. C'est une des choses les plus ingénieuses que l'on puisse admirer.

Un rhyton. Tête de cerf en bronze, à yeux d'argent; les oreilles sont à leur place, mais les cornes sont réunies (pour pouvoir servir d'anses) jusqu'à une certaine distance, où elles se divisent et partent chacune de leur côté.

Des peignes. Tous en forme de démêloirs, quelques-uns très petits.

Trois poids pour peser des combustibles. L'un est un cochon, l'autre un osselet, le troisième un fromage; ils ont, sur leur dessus, une poignée de la forme de celle de nos fers à repasser.

Une sorte de gril plein, à manche, avec quatre demi-sphères en creux. C'était, sans doute, pour mettre cuire des boulettes de viande farcie, ainsi que cet autre, plat, tout rond, beaucoup plus grand que le précédent et à trous nombreux un peu plus profonds; il y a 29 trous.

Ustensile en forme de château fort pour faire chauffer l'eau. C'est un quadrilatère, ayant une tour carrée à chaque angle, et les tours sont reliées par des courtines; tour et courtines, le tout est crénelé. L'eau se versait en levant le couvercle qui fait plate-forme de la tour; elle était échauffée par des charbons que l'on plaçait au centre du carré, entre les quatre courtines, dans la cour de la forteresse enfin; un robinet, pratiqué sur la face extérieure d'une des courtines, versait l'eau. On maniait ce meuble par quatre anses.

Plusieurs romaines. Le plateau est supporté par quatre chaînettes carrées, le bras du levier *a toujours pour poids un buste.*

LES CASQUES

Ont généralement un abat-jour très large, ou rebord, tout autour de la tête, ça encadre le visage, et ça part ensuite presqu'à angle droit à la hauteur des oreilles. Les œillères sont des rondelles composées de cercles à jour, mobiles, attachées en haut par une charnière, et retenues par le bas dans une patte transversale en laquelle est engagée la patte terminant l'œillère. Ce qui abritait la figure en deux morceaux (sauf dans un casque énorme, chargé de sculptures en relief et d'un poids effrayant). Pour s'en débarrasser, il fallait d'abord soulever les œillères, les remonter, puis passer la main en dessous, dans le casque, et défaire l'épingle d'une charnière intérieure qui retenait la mentonnière. Cette mentonnière étant divisée en deux, il fallait faire ce qui précède pour chacun des côtés. Ils fermaient, du reste, exactement, croisant même un peu l'un sur l'autre; pour mieux maintenir les deux parties, on les attachait par le bas à l'aide d'une petite courroie passant dans les trous.

A l'un de ces casques, il y a, sur le côté gauche, un bouton avec un bout de lanière, le tout en bronze. La quantité d'ornements, leur poids et leur forme pompeuse me font présumer que c'étaient des casques de théâtre ou d'apparat, il me paraît impossible que ce fussent des casques militaires; de gladiateurs, peut-être? Sur les bords de la crête de ces casques, des trous; à l'un d'eux, des anneaux, sans doute pour attacher des panaches.

A des casques plus simples et plus légers, il n'y a pas de ces visières (de casquette), abat-jour, et au lieu d'œillères ce sont tout simplement des trous pour les yeux.

Des casques ont seulement, pour garantir le visage, deux longues oreilles faisant partie du casque même, et qui tombaient sur les joues. A l'un d'eux, elles imitent la silhouette d'une tête de bélier (le nez en bas).

Quant au nez, il était à peine protégé par une petite languette de bronze, très mince et par l'extrémité s'élargissant un peu en trèfle.

Le casque de la sentinelle trouvé avec le crâne dedans, à Pompéi, est ainsi, avec une bande descendant sur le nez ; les deux côtés protégeant le col avancent comme un vigoureux col de chemise très haut, et ne sont que le prolongement sur les joues de la partie postérieure du casque.

Un casque singulier en forme de pain de sucre, orné de deux bandes plates, qui remuent et d'une espèce de fourche sur son sommet.

N. B. – L'expression « la visière baissée », « il baissa sa visière » serait donc ici impropre, puisqu'elle ne pouvait remonter, et par conséquent, descendre dans l'épaisseur du casque, qui est simple. On l'accrochait d'en dedans et on la décrochait du dehors. Car, comme l'abat-jour entoure aussi le casque en bas pour protéger le cou, on devait avoir de partout le col serré, et il n'y avait pas assez de place pour que la main pût passer par en bas, glisser le long du visage, et arriver à la charnière située à la hauteur des tempes. On retirait donc d'en dehors, de par le trou des yeux, l'épingle et toute l'armure du visage tombait. Mais qu'en faisait-on ensuite ?

Entraves pour passer les pieds des criminels. Montants recourbés ; le condamné mettait ses pieds entre eux, et une barre de fer passait dans les courbes, l'empêchant de pouvoir s'en dégager ; il était bien entendu couché sur le dos. La machine, évidemment, pouvait servir à plusieurs à la fois.

Une cuvette ou casserole en forme de coquille.

Vase à lait d'une forme charmante. Deux petites chèvres en haut du vase ; en bas, entre les deux branches du vase, un petit Amour.

MARBRES

Bacchus indien, buste, très beau. Un diadème retient les cheveux disposés en boucles (creux dans les boucles) sur le front ; partant de derrière les oreilles, deux longues papillotes à l'anglaise viennent tomber sur les épaules. La barbe frisée en boudins réguliers, tombe toute droite ; travail pareil à celui des cheveux. Nez droit, globe de l'œil très sorti.

Bacchus indien, buste. Figure plus carrée, d'un travail très inférieur. La bouche, à lèvre inférieure épaissie et à demi entr'ouverte, tourne presque au satyre ; les cheveux, frisés e*n roses*, sont disposés sur le front en deux rangs ; de derrière chaque oreille part un large ruban qui vient tomber sur le devant des épaules ; barbe naturelle.

Bacchus indien. Hermès. Barbe taillée, ou mieux tirée carrément, frisée en longues mèches ondées parallèles, partant du bas des pommettes et couvrant toute la mâchoire. Malgré la moustache, la lèvre se voit ; le dessous de la lèvre inférieure, espace compris jusqu'au menton, est couvert par une petite demi-rondelle de barbe en forme d'éventail. La tête est serrée par une bandelette ; de dessous elle sur le front, partent deux larges masses de cheveux qui s'élèvent sur la tête, et remontent par-dessus le bandeau, puis repassent dessous ; là, sur les temporaux, les cheveux s'échappant du bandeau, sont disposés en une masse de trois rangs

de boucles, frisés en bouton ; de l'occiput, la chevelure tombe d'elle-même sur le dos ; deux longues mèches naturelles, se séparant de cette masse (chacune de ces mèches est composée de deux), viennent tomber en avant sur les deux côtés de la poitrine.

Bacchus indien. Hermès. Barbe en pointe, bouclée seulement sur les joues, par le bas elle frise naturellement ; cheveux retenus par un bandeau noué par derrière. Sur le front, une double demi-couronne de cheveux bouclés en petites boucles (trous dans les boucles) ; deux mèches (chacune de deux) naturelles partent de derrière les oreilles et tombent sur la poitrine. Bouche entr'ouverte très visible. Cette chevelure vise à faire coiffure. *A remarquer que dans tous ces bustes jamais la moustache n'empêche de voir les lèvres, ni la coiffure l'oreille.*

Bacchus indien. Les cheveux tombent naturellement sur les épaules ; la barbe, naturelle, dans le style un peu de celle des Faunes, très longue, pend sur la poitrine ; les cheveux, en un chignon énorme comme ceux d'une femme, sont rattachés derrière la tête.

Bacchus, buste couronné de pampres et de raisins. La tête ici est carrée et les yeux, au lieu d'être ronds et à ras du visage, comme dans les Bacchus indiens, sont renfoncés ; la barbe naturelle en grosses mèches, le front carré sous son bandeau, la bouche mi-ouverte.

Buste de femme à chevelure très ondée sur le front. La raie du milieu semblant dissimulée autant que possible, le reste de la chevelure fait couronne tout autour de la tête, l'extrémité est cachée. Au-dessus des bandeaux ondés, ou mieux au-dessus de la partie de la chevelure ondée, deux cordes, puis deux petites tresses minces qui font la couronne ; la troisième tresse se trouve en partie appartenir à la couronne et en partie aplatie dessus.

Plotine, femme de Trajan. Longue figure régulière et froide, nez long (restauré), longs sourcils droits, peu arqués. Le chevelure est divisé en deux parties bien distinctes ; le chignon, en plusieurs tresses, est tordu et attaché ensemble sans peigne. Sur le devant, étagé à sept degrés, dont l'ensemble fait une visière plantée le plus droit possible, à peu près sur la même ligne que le front ; le dernier et l'avant-dernier, à partir d'en haut, sont des rouleaux très réguliers ; le premier à partir d'en bas est un rouleau aplati, terminé de chaque côté par deux petites papillotes tombant sur les tempes (pour faire, comme effet et vu de face, l'office de pendants d'oreilles ?) ; le deuxième et le troisième rouleaux sont ronds, ceux du milieu un peu moins symétriques.

Julie, fille de Titus. Ressemble au précédent, comme traits et comme coiffure. La coiffure-visière est plus régulière encore, et terminée par quatre petites papillotes de chaque côté sur les tempes.

Buste d'impératrice à coiffure-visière double. La coiffure sur le front est complètement double et dentelée en queue de paon ; la seconde, plus haute, apparaît derrière la première (celle qui est immédiatement sur le front).

Julia Pia, buste vilain. Epaule et moitié du sein gauche découverts ; les cheveux, simplement peignés, collent sur la tête et vont jusqu'à l'oreille; à partir de là, réunis en une large plaque tressée qui remonte en s'amincissant, jusque sur le sommet de la tête, et arrive carrément sur la raie du milieu qui les sépare sur le devant. La draperie est attachée sur l'épaule droite.

Plautilla, buste. Devait être blonde. Figure douce et fade, visage ovale, plein, un peu bouffi dans le haut; yeux à fleur de tête, la prunelle levée en l'air, les sourcils arqués se réunissent par quelques poils sur le nez; petite bouche, petit menton, le front est plein vers le milieu, joli col. Les cheveux sont peignés naturellement. Derrière la tête, d'une oreille à l'autre, une torsade qui descend comme le derrière d'un casque grec, prenant la forme du cou et s'appuyant sur les mastoïdes; l'extrémité des cheveux est ramenée en cercles concentriques sur le col, cercles allongés, ovales.

Agrippine, mère de Néron, buste médiocre. Visage carré du haut, pointu du bas; menton carré, en galoche; grands yeux ouverts. Sur le front, cinq rouleaux lâches et peu serrés entre eux, le reste est peigné naturellement; derrière la tête, des cheveux sont noués en catogan; sur le col, de chaque côté, deux petits rouleaux qui tombent.

Agrippine. Meilleur. Même tête, le travail ici est plus indiqué, le premier buste doit être l'ébauche de celui-ci. Le nez est un peu bombé au milieu, les pommettes sont plus saillantes. Elle est ici plus vieillie et plus belle que dans le buste précédent. Les cheveux sont séparés sur le front en petites mèches ondées.

Néron, buste. Ressemble à sa mère, la figure est également très large du haut et pointue du bas; dépression au milieu du front, proéminence de l'angle interne du sourcil. Les yeux sont rentrés et le nez un peu bossu comme celui de sa mère; le menton est plus carré, en galoche; la bouche petite et à la lèvre inférieure large. De profil, la base du nez a une dépression considérable et la partie inférieure du front avance dessus. Jolie tête puissante, couronnée de pampres.

Cléopâtre. Est-ce Cléopâtre? Petite tête mignonne, pleine de gentillesse, joues pleines en haut, visage pointu du bas, petit menton, l'entre-deux des sourcils est de niveau avec la base du nez, plein. Ses cheveux sont disposés en 19 bandes parallèles, tout autour de sa tête, en long; bandes rondes, les cheveux sont en large de la bande, par derrière réunis en chignon rond. Physionomie éveillée et agréable; de profil, plus d'élévation comme caractère. L'oreille a été négligée, le trou est énorme.

Agrippine, femme de *Germanicus*, statue assise. Dans une pose pensive et naturelle, les jambes étendues en avant, le mollet de la gauche sur le tibia de la droite; le sein est petit et très saillant sous la chemisette de dessus; elle tient sa main droite dans sa main gauche. Frisée en cheveux très bouclés, qui font presque comme des anneaux levés droit, et qui rappellent la frisure d'un caniche; par derrière, ils sont rattachés en catogan. Travail des cordes qui attachent la sandale.

Fille de Balbus. Statue à cheveux d'un ton d'argile. La chevelure est petite, peignée naturellement et ondée, peinte en jaune, le ton est entre le roux et le jaune.

Sa tunique à longs plis lui tombe sur les pieds, le vêtement de dessus est ramené et pris sous l'aisselle droite et collé ainsi contre le haut de la hanche droite. Figure ressemblante, assez laide, nez un peu retroussé, pommettes rondes, le bout du nez et le menton pointus.

Fille de Balbus. Autre selon le catalogue; est-ce la même? Pire, moins de trace de peinture sur les cheveux, la couleur est moins vive. Le bras droit drapé est porté sur l'épaule gauche, la main droite couverte par la draperie (le pouce et l'index seuls paraissent) tient et semble présenter un pan du peplum, qui passe nombreux entre le pouce et l'index.

Vieille femme très drapée, *Viricia Archas*, mère de Balbus. La tunique tombe à plis droits sur les pieds; le bras gauche est collé au corps par la face interne de la main, et embobeliné par la draperie du peplum; il recouvre également le bras droit, dont la main à demi fermée remonte vers la clavicule droite. Tout le vêtement, à plis secs et nombreux, est tiré, collé sur le ventre et les hanches. Inscription. Effet désagréable.

Balbus père (inscription). Statue debout, draperie abondante, très amplement rejetée sur l'épaule gauche et supportée par le bras. Tête chauve, visage rasé.

Marcus Nonius Balbus. Figure ronde et insignifiante, haut de la mâchoire saillant, tempes plates. La draperie énorme est rejetée sur l'épaule gauche, un bout vient passer par-devant, sous la partie de la draperie qui vient du côté gauche, laquelle partie arrive sur le haut du ventre en forme de ceinture plissée. Ce même mouvement de draperie se retrouve dans la statue en bronze de Marcus Calatorius, moindre qu'ici, il est vrai; la draperie de l'autre est portée sur l'épaule gauche et l'avant-bras gauche, autrement tout tomberait, et cet amas de plis transversal ne pourrait tenir.

Nerva, buste. Figure souffrante et mélancolique, chauve, front ridé, ayant seulement des cheveux sur les côtés de la tête, l'entre-deux des sourcils creusé, visage complètement rasé; une grande ride part au-dessus de chaque narine et entoure la bouche. Cuirasse à draperie boutonnée sur l'épaule droite. Sur les épaules la draperie tombe en plis épais, carrés, longs, et séparés les uns des autres, terminés par des franges; ça tombe jusqu'au milieu du bras à peu près; ces franges sont-elles l'origine de la graine d'épinards? Sur le milieu de la poitrine, une tête ailée de singe.

Caracalla, buste. Très beau buste, la tête tournée vivement sur l'épaule gauche (nez restauré). Figure petite, carrée, animée; barbe et cheveux frisés; le travail de la chevelure, frisée en petites mèches naturelles, sans prétention, se marie avec celui de la barbe (peu fournie). La nuque est herculéenne, se continuant droit au col. Front bas, charnu, gras, ridé; sourcils épais, yeux enfoncés, ensemble brutal; l'entre-deux des sourcils très gras. Le regard fixe et soupçonneux, la draperie est attachée sur l'épaule droite.

Sénèque, buste. Cheveux plats, en mèches tombant inégalement sur le front, visage maigre et ridé, pommettes saillantes, nez un peu de corbeau, la bouche mi-ouverte. Figure chagrine, ergoteuse, spirituelle, inquiète.

Philosophe, tête d'un inconnu. Est la tête que l'on

donne sur les pendules de médecin comme étant celle d'Hippocrate, ayant sur l'épaule trois plis épais et ronds, en forme de collet d'habit, un peu. La tête est avancée en avant, au bout du col qui est long. Figure sans barbe de vieillard chauve.

Euripide, deux bustes. Fort belle tête, la tempe est considérablement déprimée, le front monte ensuite et s'élargit, l'arcade sourcilière saillante avec une bosse à l'angle interne de chaque sourcil, l'angle externe du sourcil saillant à cause du retrait des tempes; la face est maigre et la pommette fait angle, le crâne très vaste par derrière. La chevelure, en mèches plates, courtes et rares sur le front et plus nombreuses sur les côtés, contribue à l'élargissement du crâne. Tête méditative et profondément philosophique, plutôt que lyrique.

Cælius Caldus. Très beau buste, d'un aspect sévère et élevé, bouche toute napoléonienne, joue maigre, tempes aplaties et partie supérieure du front très développée, surtout vers les coins; la chevelure est rare et courte, rejetée en arrière, faite en petites mèches plates; le nez, fort dès la naissance, est un peu tordu à droite; dans les yeux, restes de peinture bleue.

Deux bustes d'hommes, casques en forme de casquettes de jockey. Un des bustes a par-dessus son casque une couronne civique; toute la mâchoire, jusqu'au niveau de la pommette, est protégée par une mentonnière, rattachée sous le menton par deux rubans entre-croisés, se boutonnant à gauche.

Roi Dace prisonnier, petite statue d'un style rustique. Il est debout, la jambe droite a le gras du mollet appuyé sur le tibia de la gauche, le coude droit est sur la main gauche, et la main fermée sur la bouche. Pantalon, sandales, tunique et chiton, bonnet pointu d'où sort, sur le front, une ligne de cheveux bouclés à petites boucles, trous dans la chevelure. Expression triste de la physionomie.

Petite statue de Priape (Herculanum). Remarquable par l'expression forte de la figure, debout et nu, appuyé à un tronc d'arbre, la tête est baissée sur la poitrine; haut des bras et du torse puissant. La barbe, tourmentée largement, est divisée en quatre pointes qui tombent sur la poitrine et les épaules. Figure mouvementée et pleine de fantaisie.

Deux Hermès terminés par des figures rustiques. L'un complètement drapé, la forme du bras droit est seule indiquée dessous; la tête herculéenne, un peu inclinée à droite et d'expression triste.

Hermès représentant un histrion. Tunique et chiton, une ceinture large, visage épaté, barbe de satyre, répandue; coiffé d'une sorte de turban en forme de cheminot. A la main droite une patère; tient de la gauche un cylindre creusé, comme serait un fémur évidé.

Hermès à capuchon, indiqué comme un Hercule. La tête sans barbe est puissante, surtout de profil, je l'avais d'abord prise pour une tête de femme. La tête est entourée d'un capuchon dont les deux côtés s'avancent en oreilles, sur la figure, à la hauteur des pommettes, laissant le haut de la tête découvert; le capuchon est terminé et noué sur la poitrine par deux pattes de lion.

Bras vigoureux. Sur les flancs une peau de lion, à la main droite un cylindre creusé (os?); la gauche (restaurée) tient des fruits (pommes d'or du jardin des Hespérides).

Petit satyre velu. Le genou droit en terre, ses bras, à demi levés, croisent leurs mains qui sont portées vers l'oreille gauche. Formes dodues du premier âge, surtout dans les cuisses et dans les pieds, notamment celui de gauche dont le talon est relevé et les doigts levés en l'air. Tout le corps est couvert de poil très frisé, l'intérieur de chaque boucle a un trou.

Diane Lucifer, statue. Mauvaise. Marche le pied droit en avant, tenant un flambeau à la main. Son voile derrière elle fait conque et l'enveloppe de dos. Le pied très court et empâté, surtout sur le cou-de-pied. Cette statue n'a pour elle que le mouvement. Plis du chiton mouvementés, mais raides et durs.

Groupe de deux hommes occupés à écorcher un sanglier. Le porc tué a été jeté sur la marmite, sa tête pend en arrière. Un homme, debout, tête carrée (trous dans la chevelure et autour des parties naturelles), racle avec un tranchet les poils du sanglier; un second personnage sans barbe, la main gauche appuyée sur le rebord de la marmite, se baisse pour souffler le feu (joues enflées en soufflant) et tient de la droite un morceau de bois qu'il pousse sous la marmite. Tous deux sont nus et n'ont autour des reins qu'une peau d'animal pour se couvrir. Petit groupe un peu lourd, mais plein de vérité et d'amusement.

Silène ivre, petite statue. C'est un personnage rustique, appuyé sur une outre pleine et ouverte. La tête est inclinée sur la poitrine; la barbe, en tire-bouchons, avec des trous, fait de loin l'effet de madrépores.

Diane, petite statue charmante. Elle marche le pied droit en arrière. Tuyautés, plats du vêtement de dessus, dont la bordure est encore peinte en rose violet. Une petite chevelure ondée (par derrière nouée en catogan) encadre le visage; un diadème avec des boutons roses. Deux mèches naturelles sur chaque épaule. Le baudrier, partant de l'épaule droite, lui passe sur la poitrine. Physionomie souriante, pleine de charme.

BAS-RELIEFS

Sous la porte, *deux trirèmes* (Pompéi). Sur l'une, 25 rames; sur l'autre, 20. Sur la trirème de gauche en entrant, il y a à l'avant un homme debout, nu; sur la trirème de droite est la poupe, une sorte de petite cachette ou dunette. Le corps des hommes se voit jusqu'au coude, le bordage paraît épais; pour gouvernail, une rame. Dans celle de gauche (partie malheureusement endommagée), le patron a l'air de la manier avec des cordes; dans celle de droite, il y a des tenons de chaque côté du gouvernail en haut, comme des bras pour manier cette rame à très large palette.

Chasseur en repos (Pompéi). Rappelle le guerrier de style grec primitif qui est à Athènes dans le temple de Thésée, un peu moins sec cependant, moins pur comme style. Il est vu de profil et le corps est fait de trois quarts; de même on voit la rotule de la jambe droite, et le pied de cette même jambe est complètement de profil (vu par le côté extérieur du pied). Le mollet de la jambe gauche (de même que les deux rotules) est très indiqué, très détaché de l'os, la clavicule et les tendons du col saillants, la barbe en pointe. La tête est ce qu'il y a de plus caractéristique comme style. Il s'appuie sur un long bâton posé sous son aisselle gauche, où il a ramené les plis de son vêtement pour faire coussinet et empêcher le bâton de le blesser. A ses pieds, son chien lève vers lui sa tête dans un mouvement, la tête est à l'envers; les pattes du chien étudiées, ongles très saillants. Au poignet gauche, un poignard; près de cette main, dans le mur, collée, suspendue (comment?), une petite fiole ronde.

Bas-relief mithriatique. Lourd et vilain. Grandeur : petite nature. Un homme en bonnet phrygien, tunique, chiton, manteau (envolé au vent par-derrière), appuie son genou gauche sur le taureau (les cornes manquent) que le serpent mord à l'épaule gauche; le chien saute à son poitrail. Aux deux angles supérieurs du tableau, deux têtes de femmes : celle de droite a un croissant sur le front, celle de gauche une couronne en fer de lance; sous celle-ci, un oiseau (geai?). Aux deux angles inférieurs, deux petits bonshommes qui tiennent à la main un instrument de musique (?). Exécution détestable, l'homme à droite plus petit que le chien, quoique celui-ci soit à un plan plus reculé. Inscription dont la première partie est sur la bande supérieure du cadre et la seconde sous celle d'en bas : OMNIPOTENTI DEO MITHRÆ APPIUS CLAUDIUS TYRRHENIUS DEXTER V. C. DEDICAT.

Bas-relief mithriatique. Mauvais. Deux amours sacrifient chacun un taureau; au milieu du tableau une sorte de candélabre; autel, ayant sur chacune de ses faces pour ornement un hippocampe. Le Génie ailé, un Amour, a le genou gauche appuyé sur le garrot de l'animal, dont la jambe est pliée sous soi; le Génie est armé d'un glaive, celui de l'Amour de droite cassé. Intention d'étude dans les fanons des taureaux, très en relief, aigus.

Bas-relief mithriatique. Le taureau, queue retroussée, en colère, se cabre; l'homme, le genou appuyé sur le garrot, est complètement monté sur l'animal et le tient par les naseaux. A chaque angle supérieur du cadre, une tête de femme; celle de droite est coiffée de rayons, sous elle un oiseau sur un rocher; la femme de droite a un croissant sur la tête. A chaque angle inférieur, un homme tenant un flambeau, renversé chez l'homme de gauche, élevé chez celui de droite. Le chien saute au poitrail du taureau; le serpent le mord à l'épaule.

Deux chameaux sur l'eau (Pompéi). Ce sont des chameaux *syriens;* l'eau coule de la bouche d'un fleuve; l'un des chameaux est sur un radeau.

Nègre sur un char, petit bas-relief. Tête nue, figure camuse, cheveux courts et crépus, il se penche vers les chevaux et a l'air de leur tendre la main; un homme portant un glaive au côté, à pied devant les chevaux, a l'air de les tirer à lui comme pour les faire partir; les chevaux sont écorés sur les jambes de devant, et reculent. Sur le poitrail du cheval de droite (le plus en vue), pour ornement une très large figure épatée.

Sacrifice (Œdipe assis et voilé avec Antigone?),

petit bas-relief. Debout, une femme, de chaque main, tient un long faisceau; un homme, assis et voilé, tenant un faisceau; devant lui, autre homme (à droite), ceinture par-dessus le chiton, barbe, turban (?), verse du liquide sur le feu; à gauche, un arbre.

Un homme et une femme sur le même cheval (Caprée). « On croit que c'est Tibère avec une de ses maîtresses!! » (Catalogue). – La femme est devant l'homme qui, tout nu, porte seulement au cou un collier; la femme, n'ayant qu'un drapeau au bas des hanches, tient un flambeau qu'elle dirige vers un arbre; un esclave tâche de faire avancer le cheval, qui s'arrête sur la jambe droite; à droite, un arbre; de l'autre côté de l'arbre, debout, sur un piédestal enroulé d'une guirlande, un enfant nu, portant des fruits. Morceau joli, quoique la sculpture ne soit guère bonne et d'un style licencieux; quoiqu'il n'ait rien d'obscène, il a une corruption interne.

Festin d'Icarius. Le fond représente une maison avec des fenêtres; vue par l'angle, on la voit dans tout son côté et de face, les toits sont en tuile; plus près de vous, une seconde maison, ou corps de logis plus bas et, dedans, une chambre ouverte, tentures aux murs. Sur un lit, un homme est sur son séant et se détourne; couchée sur le même lit que lui, une femme, appuyée sur le coude et le menton reposant sur sa main; devant eux, une table chargée; aux pieds du lit, un candélabre. L'homme se soulève de son coussin et fait signe d'entrer à un personnage nouveau venu, auquel un petit Faune (queue en trompette) dénoue sa sandale. Le gros et grand personnage, très barbu a l'air endormi, un autre Faune le soutient, le bras gauche du dieu fait toit sur sa tête. En dehors de la porte, quatre autres personnages dans un couloir : un jeune homme, couronné, tout nu, et portant un bâton démesurément long (terminé par des fleurs et des épis et orné en haut d'une banderolle nouée), a l'air de vouloir repousser du pied un gros Silène botté, dont la robe retroussée montre exprès le phallus, et qui souffle, ivre, dans une double flûte; derrière lui, un jeune homme (très joli), sur la pointe des pieds, se détourne en souriant vers une femme (pose suppliante? tête très levée) qu'un cinquième personnage (sans bras) tient par la taille.

Deux esclaves en marbre phrygien. Portant des vases carrés sur le dos, ils fléchissent sous le poids et mettent un genou en terre; les pieds et les mains noirs. Le marbre imite à l'œil la bigarrure d'un vêtement étranger.

Sarcophage bas-relief représentant un mariage. Treize personnages et deux petits. L'action semble divisée en trois parties distinctes : 1° En partant de l'angle gauche, cinq hommes, qui sont : deux, un, deux, celui du milieu plus drapé et plus jeune fait centre, il tient à la main un rouleau et se détourne vers l'homme qui est à sa droite; 2° Trois personnages, deux hommes d'âge semblable, celui de gauche tient un rouleau; entre eux deux, un homme, barbu, parle et se tourne vers l'homme de droite; 3° Trois femmes et deux hommes; la première pose une couronne sur la tête d'une jeune fille à visage mélancolique, vis-à-vis de laquelle un jeune homme barbu, qui la regarde. Entre ces deux personnages, une matrone qui se tourne vers le jeune homme; derrière celui-ci, un homme, torse nu, amulette au cou, et tenant à la main une corne d'abondance. Que signifient deux petits bonshommes (tête absente) qui viennent comme hauteur au genou des autres? le premier (à gauche) est placé entre le quatrième et le cinquième personnage de gauche, le deuxième est au bas de la femme qui pose la couronne sur la tête de la jeune fille; ils sont tous deux debout et de même mouvement que les autres personnages.

Diane d'Ephèse, couronnée de murs avec trois portes. Sur le disque qui est debout derrière sa tête, lions ailés de chaque côté qui sont un, deux, un; une grosse guirlande de petites roses fait le tour de la poitrine en demi-couronne. Sur la poitrine, constellations? (les Gémeaux sont sculptés en large, une femme (la Vierge?), le Scorpion, une femme); au-dessous de la guirlande, collier de glands de chênes. Sur chaque bras, trois lions qui tournent la gueule vers la déesse.

Elle a 20 mamelles, d'inégales grandeurs; la gaine du corps divisée en trois bandes, celle du milieu et deux latérales, chaque sujet dans son petit cadre.

Première bande en descendant: 1er carré, lions ailés la jambe repliée sous eux; 2e carré, *idem;* 3e carré, *idem;* 4e carré, trois cerfs, jambe repliée; 5e carré, deux taureaux; 6e carré, abeille.

Bandes latérales: 1er carré en descendant, une femme ailée; le torse finit en haut des cuisses dans une espèce de conque qu'elle tient elle-même de ses deux mains; 2e carré, un bouton, rosace et un papillon en dessous; 3e carré, une femme comme la précédente; 4e carré, griffon à tête de femme, vu de profil; 5e carré, abeille; 6e carré, rosace ou rose épanouie.

Deuxième file à gauche: 1er carré, sphinx femelle de profil; 2e carré, femme ailée, le corps s'arrêtant dans une conque qu'elle tient à la main; 3e carré, rosace; 4e carré, abeille; 5e carré, rosace; 6e carré, est vide.

Les deux bandes (chacune en deux files) latérales sont semblables, pieds, mains et tête de bronze, le reste d'albâtre oriental.

Sortant de l'emmaillotement qui la serre, la draperie tout à coup s'évase en liberté et arrive jusque sur le milieu des pieds, qui en sortent, jusqu'au bas du cou-de-pied environ.

Cratère. Mercure, coiffé du pétase et sans ailes aux pieds, apporte un enfant, Bacchus, à la nymphe Leucophaë, qui est assise et tend un lange pour recevoir l'enfant. Derrière Mercure, et le suivant, s'avance sur la pointe des pieds (il danse) un Bacchant soufflant dans une double flûte et portant sur l'épaule gauche une peau de bête féroce, léopard ou tigre, aux ongles aigus; derrière lui, une femme échevelée, la tête renversée et portant le menton au vent, joue d'un grand tambourin; derrière elle, un Bacchant, peau de bête féroce sur l'épaule et tenant à la main un long thyrse surmonté d'une pomme de pin.

Derrière la Nymphe (Mercure vient du côté gauche, la Nymphe est à droite), trois personnages, debout, portant également un long bâton surmonté d'une pomme de pin, sont debout dans une attitude de calme, au repos. La troisième femme (en partant de la Nymphe)

a le torse nu et appuie sa main droite à un tronc d'arbre qui la sépare de la seconde. A la chaussure, le second personnage peut être un homme? il me semble y avoir des sortes de bottes.

Sur le cratère, entre Mercure et la Nymphe, en haut se lit: Σαλπίων Ἀθηναῖος ἐποίησε. Ce beau vase a longtemps servi sur la place de Gaète à amarrer les barques; la corde a usé tous les personnages aux cuisses, il fut ensuite transféré dans la cathédrale de cette ville, où il servit de baptistère.

Apollon et les Muses, bas-relief composé de trois femmes et d'un homme. – A gauche, une femme debout, ayant un long vêtement léger qui se sépare au haut de la cuisse gauche et fait fente, tient dans sa main des cymbales dont elle va frapper; elle se détourne tout à coup vers Apollon, en frôlant sa tête sur son bras. Apollon, le corps porté vers la partie droite, du côté où est la femme, étend sa main droite (qui passe sur le col de la femme); cette main porte le grattoir de sa lyre, le bas de son poignet s'appuie sur le dessus de la main de la femme; de la gauche il tient sa lyre (énorme, montant en forme de cornes de bœuf) dont il jouait tout à l'heure. Il est un peu appuyé le dos au mur, dans une pose pleine d'abandon, il est nu, son vêtement est derrière lui et fait draperie contre la muraille; ventre, et poitrine fort belle, gracieuse et forte; la tête est restaurée.

Sur un lit sont deux femmes, la première a la jambe droite repliée sous elle, le genou est très étudié; elle est nue, sa draperie s'est dérangée dans le mouvement qu'elle fait pour aller toucher le bas de la lyre d'Apollon, qui est occupé avec l'autre femme et complètement tourné vers elle; cependant elle détourne un peu la tête pour écouter une troisième femme qui, à genoux sur le lit et tenant une lyre de la main gauche (lyre semblable), vient de se lever tout à coup (d'après les plis amassés et qui viennent de tomber sur le milieu de ses cuisses) dans un mouvement rapide et s'avance vers elle.

Charmant morceau, bas-relief complètement sorti; la sculpture est peut-être un peu longue, mais cela contribue à l'élégance. Les seins des femmes fort écartés, les côtes se voient sous la chair; admirable ventre de la femme qui tend le bras (la seconde).

POMPÉI

AMPHITHÉÂTRE

Deux entrées, une du côté du Vésuve, une autre du côté de Castellamare. Pour arriver sur l'arène, il faut par toutes les deux descendre; l'entrée tournée du côté du Vésuve avait une rampe, ce qui se reconnaît à des trous placés dans le dallage et destinés à tenir les bâtons qui supportaient la rampe; l'autre entrée n'arrive pas droit sur l'arène, elle fait un angle. En entrant par le côté du Vésuve, il y a plus de gradins conservés à gauche qu'à droite, c'est la partie qui est du côté de Castellamare qui a moins souffert; ses constructions supérieures existent encore.

Les gradins, à partir du haut, sont au nombre de 18,

puis un petit couloir de circulation pour les gens qui avaient à se placer sur ces gradins; le couloir est fermé par un mur au-dessous duquel sont 12 gradins. En bas de ces gradins, un couloir fermé par un mur au delà duquel sont, *au milieu seulement*, 4 gradins très larges. Vers les deux entrées, de chaque côté, ce ne sont plus 4 gradins, mais 5; l'escalier, qui amenait les spectateurs de ces quatre et de ces cinq gradins, pénétrait d'en dessous et se dégorgeait en dedans, de manière qu'il n'y ait aucune confusion; c'étaient les entrées à part.

Sur le côté gauche en regardant le Vésuve existe une petite porte, c'était par là que l'on faisait entrer les bêtes féroces dans la *cavea;* l'entrée donnant sur Castellamare était celle des gladiateurs (?) (à ce que nous dit le cicerone), on les emmenait par l'entrée d'en face, celle qui a la rampe. Il est à remarquer que les gradins sont entaillés pour les pieds, afin que les spectateurs du rang supérieur ne gênassent point ceux qui étaient assis en dessous.

La partie supérieure de l'amphithéâtre est un mur circulaire, creusé de portes voûtées; au-dessus de ce mur en retrait, piliers de briques et de pierres, ruines d'un ordre supérieur; ce deuxième ordre n'existe que du côté de Castellamare. Ces portes ici ouvrent sur la campagne, qui se trouve de plain-pied par derrière; le mur est plein pour pouvoir soutenir le second ordre.

PETIT THÉATRE

Sur la scène, large de quatre pas, trois portes, une de chaque côté et une plus grande au milieu; de plus, à chaque bout, deux petites, bouchées du côté de la scène, mais qui se voient encore très bien du côté du postscénium. Le postscénium a cinq grands pas et est donc plus large que le scénium. Il y a sur le scénium deux grandes portes latérales, de même hauteur que la porte du milieu du fond.

Le public entrait par deux grandes portes latérales, voûtées, au-dessus desquelles est une tribune (c'est là le podium), une pour le préteur, une pour les vestales. Cette tribune est ainsi composée : d'abord une plate-forme, large de trois pas, puis des gradins allant en montant jusqu'au mur.

A quoi servait l'espèce de fossé, entouré d'un double mur et large de deux pieds et demi environ, qui est à l'avant de la scène ? etait-ce pour rouler les toiles ou pour mettre les musiciens? Qu'y avait-il dans la *cavea* même?

Les quatre derniers gradins d'en bas sont plus larges et séparés des supérieurs par un mur; au delà de ce petit mur, gradins et escaliers pour le public, il y a six escaliers. Au bas de chaque escalier des côtés, celui qui longe le mur extérieur au podium est une cariatide d'homme (terminant l'escalier) qui supporte une tablette sur laquelle sans doute était une statue.

Devant cette cariatide est l'entrée du couloir qui circule derrière le mur séparant les quatre grands gradins; ce mur est terminé à ses bouts par un sphinx correspondant aux cariatides.

On arrivait de suite aux gradins supérieurs du théâtre par un escalier extérieur compris entre deux murs.

GRAND THÉATRE

Le postscénium est plus étroit et la scène plus large, elle s'ouvrait également sur le postcénium par trois portes; ainsi il y avait une porte plus grande au milieu flanquée en avant de deux piliers, ou plutôt piédestaux qui devaient supporter des statues.

Ce mur, se courbait, s'avançait et son avancée semble destinée à supporter quelque chose, sans préjudice des statues placées derrière, dans des niches; il y avait encore un retrait du mur, puis une avancée et une porte, après quoi une avancée et une retraite; enfin, sur les deux côtés de la scène, une porte latérale.

Dans le fossé entouré d'un double mur qui est sur l'avant de la scène, il y a dans le sol des trous carrés, assez profonds; le long du mur qui regarde le scénium, entaillement carré longitudinal destiné (?) à recevoir des piliers qui y auraient été adossés; le peu de largeur de cet entaillement ne permet pas de supposer que c'était la place destinée aux musiciens (?). Quant au côté extérieur de ce même mur, celui qui fait face aux spectateurs, voici ce qu'il présente (en le regardant le dos tourné au public) : au milieu, une demi-rotonde, puis, de chaque côté, une petite niche carrée, un escalier de quatre marches (montant sur la scène? alors on passait sur le fossé, entre deux murs qui auraient été recouverts?), le mur, un pilier en briques, le mur.

TEMPLE D'ISIS

Enceinte carrée, entourée de colonnes de briques recouvertes de stuc, colonnes cannelées et plus larges à partir du milieu; le bas est en rouge, le haut est en jaune. A l'entrée, deux piliers carrés, peints en rouge.

A gauche, se voit une petite construction carrée, enduite de stuc, couverte d'arabesques, rinceaux et sujets dans les grands panneaux.

Sur la face de l'entrée : un Génie ailé portant une boîte, homme et femme en vol, la femme vue de dos, l'homme vu de face, ayant des ailes aux pieds et entraînant la femme qui pose sa main droite sur son épaule; un Génie ailé.

Des deux côtés de la porte : femme drapée régulièrement, debout, cuisses et jambes rapprochées et la draperie les entourant régulièrement, à plis obliques et larges; côté qui regarde le temple : Génies ailés mutilés; la quatrième face n'offre rien, elle a été complètement restaurée.

A l'entrée de ce petit monument carré, à droite de sa porte (en la regardant), un large autel carré; de l'autre côté, en face, faisant vis-à-vis, une fontaine contenant à présent de l'eau du Sarno.

Le temple est sur une plate-forme de quelque 4 pieds carrés. De chaque côté, un pilier; on monte par un petit escalier de huit marches et l'on est sur la plate-forme, flanquée de chaque côté d'une niche ronde surmontée d'un tympan pyramidal. Sur cette plate-forme ou petit portique, deux colonnes de chaque côté de l'escalier, puis, sur les côtés (de la plate-forme), une ronde unie à gauche, une cannelée à droite.

En face est la porte du sanctuaire, escortée des deux

niches ci-dessus. Le sanctuaire est divisé en deux parties, c'est-à-dire que s'élève, dans toute la largeur de la pièce, une construction en briques à hauteur d'homme à peu près, telle qu'un long et haut fourneau de cuisine ; le dessous de cette construction est voûté, c'est-à-dire qu'elle repose sur une petite voûte dans laquelle on pénètre par deux petites portes, hautes de deux pieds et demi environ. Sur le dessus de cette construction, au milieu, une borne carrée (piédestal ? socle d'autel ?).

Sur les murs latéraux du sanctuaire, à mi-hauteur, il reste des avancées de pierre (modillons sculptés, qui devaient supporter les poutres du plancher du second étage ? ou des statuettes ? s'il n'y avait pas de second étage).

Les niches des deux côtés, citées plus haut, reposent sur une base très large qui ressort du plan extérieur de la plate-forme du temple, et extérieurement fait saillie sur cette ligne. – En dehors du mur du fond du sanctuaire est une petite niche, avec un tympan et décorée de rinceaux.

Tout autour du carré qu'enferme la colonnade quadrilatérale, et en dedans d'elle, court une rigole pour l'écoulement des eaux. Parmi les colonnes, sur leur ligne, entre elles, se voient des espèces de larges piliers en brique, à hauteur de la poitrine à peu près, avec, sur le dessus, une gorgerette de dégagement ; il y en a deux sur la ligne de colonnes qui regarde le mur de fond du sanctuaire, et un sur chaque côté.

MAISON DU BOULANGER

Le four est exactement comme les nôtres : une cheminée, une voûte au fond de laquelle on enfournait par une ouverture carrée, et en dessous, au niveau du sol, une seconde voûte. Des deux côtés du four (de cette seconde voûte) sont, dans le sol, deux petites cuvettes ou vasques en maçonnerie. Les cônes des meules sont tous creusés par le haut ; pourquoi ?

BAINS

Se composent de quatre pièces. On entre, par un corridor voûté, dans la première pièce, qui est un carré long, sorte de galerie voûtée, avec un banc tout autour de la muraille. Au bout de cette pièce s'ouvre, par une porte, le *frigidarium*, rotonde voûtée coniquement, ne recevant de jour que par en haut ; une vasque ronde, en marbre, occupe toute cette pièce. Autour du mur, quatre niches rondes pratiquées dans le mur. Sur le linteau circulaire, au pied de la voûte qui court en dessus des niches, sont représentés en bas-reliefs des courses de chars (joli mouvement) et des hommes à cheval.

Au fond, en face la porte, au milieu du mur, un bec, en bronze, carré et à ouverture étroite, de façon à laisser échapper l'eau en nappe.

On descendait au fond de la vasque par deux marches assez élevées, ce qui permettait de s'asseoir.

La troisième pièce, parallèle à la première et s'ouvrant sur le flanc droit de celle-ci, est toute entourée de niches, séparées les unes des autres par des petites cariatides d'hommes nus, à visages rustiques et barbus, et qui ont des caleçons à petits losanges descendant

comme des lames triangulaires l'un sur l'autre ; d'autres de ces bonshommes ont simplement un caleçon d'étoffe (ou de peaux ?). Ces cariatides supportent un large plateau. Parmi les bas-reliefs en stuc de cette pièce, Ganymède enlevé par l'aigle.

La quatrième pièce, s'ouvrant sur la droite de la précédente, avait tout son sol chauffé d'en dessous par des fourneaux ; le sol est supporté par de petits piliers en briques. À droite quand on entre, il y a une vasque de marbre, carrée, en façon de grande baignoire ; au fond de cette pièce, dans la demi-rotonde qui la termine, une vasque supportée sur un cône de pierre ; du milieu de cette vasque s'élevait un jet d'eau.

Cette pièce avait trois ouvertures à sa voûte, deux de chaque côté et une au milieu ; de plus, un œil-de-bœuf à sa demi-rotonde, et, en dessous de cet œil-de-bœuf, au-dessus de la vasque à jet d'eau, sort de la muraille une sorte de carré en maçonnerie avec un trou au milieu, ce qui se retrouve dans la première et dans la troisième pièce, quoique, dans la première, le fond semble bouché. Étaient-ce des bouches de dégorgement pour la chaleur, ou des niches à lanternes ? Ces carrés sortants sont très mal faits, et semblent (comme travail) ajoutés là après coup. La première et la troisième pièce ont au fond une fenêtre carrée.

MAISON DU JUGE

On entre par un petit corridor donnant sur la rue. Sur le mur de droite de ce corridor, une femme jouant de la double flûte ; dans la cour, à droite en entrant, un petit autel.

À côté du corridor, ou mieux allée d'entrée, et dans le même sens, une petite pièce, carré long, logement du portier. La cour a, sur chaque côté, deux chambres ; c'est dans la chambre de gauche qu'est représenté sur le mur du fond un Faune, avec un prodigieux phallus rouge (incliné de côté pour qu'on puisse mieux le voir), caressant une femme qu'il étreint ; la femme est couchée, lui debout.

Au fond de la cour *(Impluvium)*, espace mosaïqué carré ; au delà est le jardinet. À côté de la salle mosaïquée, à droite, grande pièce avec grandes peintures. Sur le mur du fond, un Triomphe de Bacchus ou d'Hercule : tête d'homme sur laquelle le héros passe le bras, il a sa tête prise sous l'aisselle ; une femme à droite, coiffée d'une peau de lion, tient la massue ; un enfant, sur les épaules du dieu, lui souffle le son dans l'oreille avec une double flûte.

Par un escalier, sur la gauche de la salle à sol de mosaïque, on monte dans le jardin et dans les nombreux autres appartements qui lui sont de plain-pied ; sur le mur de droite de cet escalier, il y a peint un gros masque de femme et un paon.

Au milieu du jardinet est un petit bassin de marbre ; tout autour du bassin sont disposés des animaux qui le regardent : un canard, une vache, des petits chiens ; plus loin, un lapin qui mange une grappe de raisin. Petit groupe d'un enfant retirant un caillou de dedans le sabot d'un Faune. Le jardin est décoré à ses angles d'Hermès doubles : une tête de Bacchus indien et une tête de femme (ou de Bacchus adolescent, quoique cependant les traits du visage me semblent bien être ceux d'une femme). Au fond du jardin, une petite grotte factice, en mosaïque bleue avec des lignes de coquilles naturelles; au fond de ce berceau à voûte, un Silène appuyé sur une outre (sur un tronc d'arbre), d'où sortait l'eau, qui cascadait sur un escalier à marches placé au bas du berceau et allait s'amasser dans le bassin. Il est impossible de voir quelque chose de plus profondément rococo, le propriétaire de ce logis était en même temps un libertin. Quel bourgeois!!

PŒSTUM

Il y a trois temples à Pœstum : celui de Neptune, le plus beau, est au milieu; celui de Cérès est le premier en arrivant, et la basilique est le dernier; tous trois sont à droite de la route quand on arrive de Salerne.

TEMPLE DE NEPTUNE

Dorique lourd, en pierre poreuse, de couleur roussâtre; mais quelle différence avec le Parthénon!

Le tympan est bas, l'entablement fort épais et dépassé par le dé du chapiteau, triglyphes avec *guttae* ainsi que sur les tablettes du larmier; il y a dix métopes.

En comptant les 2 colonnes d'angle, 6 colonnes sur les faces, 14 sur les côtés.

De chaque côté du naos, encore très visible à cause du surhaussement du terrain sur lequel il était, il y a un pilier carré, sans chapiteau, et finissant seulement avec une incurvation légère comme quelques piliers d'Egypte. Entre ces deux piliers, deux colonnes de même style que les autres.

Les colonnes intérieures de la *cella* existent encore, il y en a 7 de chaque côté; un second ordre est encore debout sur elles, composé de 3 colonnes d'un côté et de 7 de l'autre.

Le bourrelet du chapiteau a en dessous trois raies circulaires; au-dessous de ces trois raies, quatre pouces plus bas environ, juste au haut du fût de la colonne, il y en a trois autres, mais brisées et faites dans le sens des cannelures de la colonne, c'est-à-dire arrêtées par l'arête montante de la cannelure. Ensemble lourd, mais puissant et solide.

BASILIQUE

Dimension énorme du dé du chapiteau, qui dépasse de beaucoup l'entablement; l'amincissement des colonnes par le haut contribue encore à rendre cet effet plus frappant.

18 colonnes sur les côtés, 9 sur les faces, en comptant les 2 colonnes d'angle.

Au milieu du naos, ou plutôt du bâtiment même, il reste une colonnade de trois colonnes, avec leur architrave, et deux chapiteaux par terre. Le chapiteau a de largeur ma brasse (le chapiteau pris, bien entendu, de son sens le plus étendu, à savoir dans le sens du dé). Le bourrelet de ces chapiteaux semble très lourd; les

colonnes sont presque bombées au milieu, car elles sont plus étroites à la base, c'est d'un effet désagréable.

L'intérieur s'ouvrait par cinq colonnes, dont deux piliers carrés à chapiteau carré.

Sur l'entablement, intérieurement, il y a encore quantité de trous carrés pour les poutres de la toiture, qui allaient sans doute s'appuyer sur la colonnade du milieu; ces trous sont placés sur la ligne de jonction des pierres, ligne qui correspondait juste au milieu du dé du chapiteau.

La couleur générale de la basilique est grise.

TEMPLE DE CÉRÈS

Les chapiteaux me semblent un peu moins lourds que dans la basilique. *Cella* plus haute; sur le côté gauche de la cella, trois tombeaux chrétiens; toit conique. 13 colonnes sur les côtés, 6 sur les faces.

ROME
Avril 1851.

MUSÉE DU COLLÈGE ROMAIN DES JÉSUITES

Petite collection de bronzes et d'ustensiles antiques très curieuse, provenant des fouilles opérées dans les domaines des Jésuites. Au milieu de la salle, quelques-unes des plus vieilles monnaies romaines et un *très beau vase en bronze*, en forme de seau, sur lequel est représentée au trait l'histoire des Argonautes (?). Le sujet ne m'en paraît pas clair : un satyre, un fleuve ou une fontaine coulant de la bouche d'un lion, un vieillard attaché à un arbre. Le couvercle, plus beau encore comme dessin, représente une chasse au sanglier, au cerf.

Petite statuette d'Atys. Haute de deux pouces à peine, même costume que l'Atys du Musée Chiaramonti au Vatican; sa chemise est ouverte des deux côtés sur le ventre, qu'elle laisse voir et qu'elle encadre circulairement; bonnet phrygien et pantalons.

Un petit bœuf du Sennâr avec une bosse au garrot.

Torse d'un petit squelette, les côtes et la poitrine très bien évidées et creusées.

Amulettes. Des jettatura, comme les mains modernes de Naples; deux têtes de bœufs ou de béliers à un seul corps, une tête à chaque extrémité du cylindre figurant le corps, au milieu un anneau, comme pour passer l'objet à une corde. Quelques-unes des têtes de bœufs ont des cornes prodigieuses par rapport au reste. On en voit aussi de chevaux.

Bracelets en fer, cercles roulés en spirales.

Grandes plaques ou bandes d'airain surmontées d'une tête, sortes d'Hermès. Des mains sortent toujours, à hauteurs inégales; d'autres fois la main saillit de la plaque même, et non du bord, elle est alors en relief dessus au lieu d'être sur le bord.

A remarquer une, où les jambes, monstrueusement longues, sont indiquées; la main droite se trouve à la hauteur de la hanche et le coude est très en arrière; la main gauche, sortie du bord de la lame, tient un serpent.

A côté, *deux statuettes qui sont entre ce style et l'étrusque le plus fruste*. Toutes deux ont un casque à ailes et à crête : le premier a une crête énorme sur son casque, il est serré dans un pourpoint étroit ou cuirasse du bord duquel dépasse en dessous, comme une cotte de mailles, une chemisette, ce peut être un *Mars* (?); la seconde, une Minerve, marche et a les jambes très écartées et couvertes jusqu'en bas d'une chemise tirée et tendue par le mouvement des jambes. Ces deux statuettes n'ont pas d'épaisseur, on dirait qu'elles ont été aplaties, laminées; de quelque point qu'on les regarde, elles ne semblent jamais qu'un profil.

Un soldat portant un chariot dans son dos, de la manière dont les Arabes portent le chibouk, si ce n'est qu'ici c'est sur le vêtement et non entre le vêtement et la peau. Le timon s'engrène dans deux crampons fixés au dos du bonhomme, ça se retire à volonté. La statuette a environ 10 pouces de hauteur et le char, en l'air, dépasse bien la tête de 4 bons pouces. Il porte sur la tête une sorte de bonnet ne recouvrant pas les oreilles, coiffure molle, ayant en avant deux pointes levées qui se recourbent et avancent; au bout de ses bras tendus (les coudes sont appuyés sur la poitrine) il présente un très grand bouclier rond, ayant à son centre une pointe *(umbo)*. La sculpture qui a son point de départ dans les premières lames semble arrivée ici à la perfection de ce style, ça en sort presque, mais ça le rappelle? le Mars ci-dessus en serait la transition?

SAINTE-AGNÈS-HORS-LES-MURS

On arrive dans l'église, après avoir traversé une cour pleine de rosiers, par un escalier d'une cinquantaine de marches espacées de cinq en cinq par de grands paliers; les murs sont couverts de place en place d'inscriptions rapportées. Au bas de l'escalier on fait un coude et l'on entre à droite dans l'église.

Elle est divisée en trois nefs et à deux ordres. A remarquer une cannelure particulière : un bourrelet au milieu, puis une moulure droite de chaque côté du bourrelet, ensuite deux bourrelets, deux lignes carrées, et enfin la gouttière, ou creux même de la cannelure.

Mosaïque de l'abside. Sainte Agnès au milieu, debout, nimbe, large étole d'or, robe d'un violet chocolat; elle a de chaque côté un homme tonsuré, tunique de même couleur que la sienne; celui de droite (qui est à sa gauche) tient un livre, celui de gauche une petite maison à deux étages (le second moins large) et dont l'entrée a des rideaux blancs disposés comme ceux de l'alcôve d'un lit, c'est-à-dire en châle croisé; il porte, ou mieux il offre cette maison sur ses avant-bras.

SAINTE-PRAXÈDE

Mosaïque de l'abside. Jésus-Christ au milieu, robe jaune d'or, à bandes rouges, tenant un rouleau à sa main gauche, lève son bras droit; à sa gauche, un homme en blanc. Femme portant une double couronne, assez semblable de forme à un miroir turc qui serait creusé; ses yeux sont tout ronds, grands ouverts et regardent fixement; sur ses cheveux noirs un diadème de diamants; de ses oreilles pendent d'énormes boucles d'oreilles, carrées d'en bas; au bas de sa robe et au

haut des bras, des étoiles rondes. Le troisième personnage est tonsuré, en blanc, et tient un livre; puis un palmier avec des dattes.

A droite du Christ, homme en blanc qui passe son bras droit sur l'épaule d'une femme (celui qui est à gauche de Jésus fait le même geste) qui porte la même chose que la précédente; puis un homme portant une petite maison, mais qui n'est plus couronné du nimbe comme tous les autres personnages, mais d'une sorte de quadrilatère bleu outremer qui lui entoure la tête; enfin, comme de l'autre côté, un palmier. Sur une branche du palmier se tient un échassier d'un ton brun doré, la tête entourée d'un nimbe bleu dont la ligne extérieure du cercle est inégalisée triangulairement de pointes d'argent.

Tout autour du Christ, de chaque côté, montent à partir de ses pieds jusqu'à ses épaules quantité de choses (pains? poissons? nuages?), rangés les uns sur les autres et alternativement rouges et verts. Au-dessus de Jésus, ces espèces de saumons de couleur se représentent; là, ce sont évidemment des nuages; une main en sort, tenant une couronne.

Les pieds des personnages sont appuyés sur un sol d'or, au bas duquel coule horizontalement le Jourdain *(Jordanis)*.

Sous cette mosaïque est une bande de moutons, comme à Sainte-Marie-du-Transtévère; celui du milieu, qui se trouve sous Jésus-Christ, est entouré du nimbe et a une figure presque humaine, il est monté sur une sorte de disque vert, élevé de terre et supporté par quatre pieds qui ressemblent assez à des troncs d'arbres mal dégrossis.

La chapelle où l'on montre la colonne de la Flagellation, très puissante d'effet; à l'extérieur elle est décorée de quantité de petits portraits en mosaïque. Expression presque effrayante de portraits plus grands (alignés en face de la chapelle de la Colonne, avec leurs grands yeux ouverts, blancs. Aux joues, pour imiter la couleur des pommettes, la mosaïque tranche en rouge sur la pâleur, comme du sang, et la rehausse.

J'étais tellement occupé de ces prodigieuses mosaïques, que je n'ai presque pas vu le tableau de la *Flagellation* de Jules Romain, dans la sacristie; il ne m'a pas frappé, et je suis ressorti. Qui est-ce qui a étudié le byzantin?

SAINTE-MARIE-MAJEURE

Mosaïque de l'abside. Jésus et la Vierge sur un beau et large triclinium; il lui pose la couronne sur la tête, c'est un roi et une reine, ils ont chacun un tabouret sous leurs pieds.

De chaque côté, trois hommes, nu-tête et nimbés, s'avancent, chaque groupe précédé d'un petit évêque à genoux.

Jésus et la Vierge, sur leur triclinium, sont dans un grand rond d'or; sur les flancs de ce rond, chœur d'anges nimbés, aux ailes de couleur, à genoux, et étagés les uns sur les autres, en perspective.

De chaque côté de la mosaïque, dans les angles, un grand arbre, candélabre à arabesques régulières au lieu de branches, et sur ces arabesques ou rinceaux sont perchés de grands oiseaux, paons, aigles, poules, un perroquet (?).

Jusqu'à l'endroit de la courbe, l'arbre est orné de trois espèces de bracelets.

CORSINI

MURILLO *(La Vierge de)*. Elle porte le Bambino sur la cuisse gauche, dont le pied est posé sur une marche ; le genou droit, plus bas par conséquent, est éclairé, la lumière tombe dessus. Elle le tient du bras gauche, et la main gauche est appuyée sur son épaule gauche ; de sa main droite avancée elle retient un linge blanc qui passe sur le ventre du Bambino, le poignet de cette main est à nu ; au-delà du poignet, la chemise blanche retroussée et la doublure bleu pâle de sa robe violette. Un fichu jaune est sur son épaule, transparent à mesure qu'il descend, et laissant passer à travers lui la teinte enflammée de la robe. La robe est ouverte pour donner à téter et le sein gauche à nu ; c'est un sein poire, petit, chaud, d'une inconcevable beauté comme douceur et allaitement. Belle ligne qui descend du col jusqu'au bout de ce sein. La tête est un peu tournée vers le côté droit et il y a une ombre sur la mâchoire de ce côté.

C'est une tête ronde, ayant tout autour d'elle sur le front (ils ne descendent pas sur les tempes) des cheveux noirs de suie avec un ton roux brun par-dessus ; derrière la tête et en contournant la ligne extrême, un voile grisâtre amassé en bourrelet irrégulier. Les yeux sont noirs, calmes, purs, vrais, regardent d'aplomb et descendent en vous. Des tons un peu bleuâtres entre les sourcils au haut du nez, le nez droit, fin, les narines petites, la gouttière du nez à la lèvre est très creusée, la bouche petite, fort dessinée, petit menton rond.

L'enfant ressemble à sa mère : même couleur de cheveux mais plus clairs, le blanc des yeux bleu et la pupille très lumineuse ; la poitrine est large et d'une anatomie splendide comme force et vérité, c'est bombé, plein et carré par les deux lignes externes. Bon petit bras gauche, dont la main s'appuie sur le revers de la chemise de sa mère. Son linge lui cache la fesse gauche comme le ventre, et passe ensuite sous le jarret droit. Sa jambe droite est toute allongée (plante du pied vue) sur la cuisse gauche de sa mère ; il est assis sur le manteau bleu qui couvre cette cuisse et qui est parti plus haut du bras gauche, dans l'ombre.

Fond : à droite, derrière Jésus, une sorte de pilier grisâtre ; derrière la Vierge et au-dessus, nuage gris, épais ; elle est assise sur un banc de pierre d'où s'élève, derrière, un petit arbrisseau à feuilles brunes.

HOLBEIN. *Luther* (6e ch.), petit portrait. Toque noire, houppelande violette à plis longitudinaux réguliers et à collet droit, cheveux grisonnants coupés carrément et tombant plus bas que les oreilles, grosse figure grasse, à chair molle, double menton, nez épaté du bout ; largeur de la paupière supérieure ; l'air bonhomme rehaussé par une sorte de fierté rustique, œil brun.

HOLBEIN. *La femme de Luther*, petit portrait. Coiffe blanche et bonnet à grandes barbes carrées par-dessus, tombant sur les épaules ; figure blanche et ridée, de 55 à 60 ans et plus ; peu de sourcils ; expression douce et souriante.

VAN DYCK. *Portrait d'homme chauve*, au front très éclairé, grand rabat de guipure. Toile d'effet.

MURILLO. *Portrait d'homme à grands cheveux noirs.* Soin du dessin de la bouche, très beau comme éclat de la pâleur, rouge dans le coin de l'œil. Les moustaches sont ainsi : la lèvre supérieure est rasée, sauf un léger fil de poils, qui prend le plus près possible du bord interne de la cloison du nez, descend verticalement pour arriver au coin de la lèvre, la moustache décrit ainsi un accent circonflexe très ouvert et laisse voir parfaitement toutes les finesses de la lèvre. (A propos de la manière de porter les moustaches à l'époque de Louis XIII.)

REMBRANDT. *Portrait de vieille femme.* De face, ridée, terreuse, avec un voile noir sur la tête lui descendant jusqu'au milieu du front, et tombant sur chaque épaule.

TITIEN? *Philippe II*, portrait, jusqu'au haut des cuisses. Pourpoint noir doublé de fourrure grise, la main droite appuyée sur une table, la gauche sur le pommeau de son poignard.

Bien moins beau que celui de Naples, quoique ce soit tout à fait le même visage et la même taille.

La face a un vilain ton gris, pareil à celui de la fourrure, et quelque chose de terne qui ne me semble pas devoir être du Titien ?

CALLOT. *La vie du soldat*, douze petits tableaux. *L'arbre aux pendus :* à un seul arbre il y en a vingt d'accrochés, un vingt et unième est sur l'échelle, précédé du bourreau et suivi d'un moine qui lui montre un crucifix, tandis que lui, les mains jointes, regarde au loin dans la campagne.

Au pied de l'arbre, un moine en exhorte un autre qui va tout à l'heure y passer à son tour, il écoute à genoux. De l'autre côté de l'arbre, à droite, deux hommes, deux condamnés, en chemise, jouent aux dés sur un tambour ; à droite au premier plan, un moine, un crucifix à la main, confesse un condamné, debout comme lui.

Les condamnés sont en chemise et en culotte, mais les pendus n'ont rien que la chemise.

Homme pendu par le milieu du corps, la tête et les pieds retombant, les mains derrière le dos : à gauche, quatre hommes en chemise, les mains attachées derrière le dos, sont à califourchon sur un cheval de bois, assez haut pour dominer la foule.

Des soldats rangés semblent braquer leurs fusils vers la poterne où est accroché le patient dans la position susdécrite ; foule de soldats, régiments en ligne.

Potence : un pieu supporte un bras terminé d'un bout par une corde de l'autre par le patient pendu ; cette corde s'enroule à un cylindre, qui a l'air de faire s'abaisser et s'élever le bras de la potence. On monte à cette potence par une échelle. La corde peut-être glissait sur le bras de la potence, et le supplice consistait à le monter et à le descendre continuellement.

Le cheval de bois sur lequel sont les condamnés était sans doute une espèce de pilori.

CAPITOLE

BUSTES. *Un Bacchus indien*, et comme les plus vulgaires, c'est-à-dire avec le nez à lignes carrées sur le pied duquel (buste-hermès) : ΠΛΑΤΩΝ.

Buste de femme, avec deux mèches sur les épaules, une sur chaque, et la coiffure en petits vignots (deux rangs) comme les bustes-indiens, avec cette inscription : ΣΑΠΦΩ ΕΡΕΣΙΑΣ.

Faune avec des raisins et le pedum; à la place des carotides, deux petites loupes oblongues, comme aux Studi.

FARNÉSINE
(2e chambre du 1er étage, en face la fenêtre.)

JEAN ANTOINE dit LE SODOME. *Alexandre offrant la couronne à Roxane*, fresque. Roxane est assise sur un lit à colonnes cannelées et à rideaux rouges, des Amours lui retirent sa chaussure, les seins sont voilés d'une gaze blanche que va ôter un Amour; derrière le lit, trois femmes : une négresse à bracelets d'or, une autre de dos qui porte un vase sur sa tête, une autre qui s'en va. Elle se déshabille, elle retrousse sa draperie jaune. Délicieuse tête blonde, pleine de luxure, rêveuse; l'œil est noyé de langueur lascive, le ventre, vu sous la gaze sur laquelle par le haut circule un filet d'or, est tourné dans la torsion du torse, car elle est assise un peu de côté.

Mouvement très étudié de l'Amour qui retire sa sandale avec peine, une autre se découvre sous son jarret; une rangée d'Amours soulèvent sur la corniche du baldaquin une énorme draperie verte, à grand'peine, et sont pris dessous; l'un d'eux en est enveloppé tout autour du visage, d'une manière ingénieuse qui lui en fait un capuchon et l'encadre. Dans le ciel, quantité d'autres Amours lancent des flèches.

Alexandre (stupide) présente la couronne.

Dans l'autre coin du tableau, Alexandre est avec Ephestion.

Dessin lourd, décadent, mastoc, rococo, mais j'ai vu peu de choses plus excitantes et plus profondément cochonnes que la tête de la Roxane.

BORGHÈSE

TITIEN. *L'Amour sacré et l'amour profane* (Xe ch., n° 23). Deux femmes assises sur un sarcophage antique : l'une, à gauche, habillée, celle de droite nue; la première est en robe de satin blanchâtre gris perle, elle tient des fleurs noires, elle a des gants gris de fer un peu lâches (un gant juste, une main bien gantée doit être une chose exécrable en peinture, il faut que le gant fasse des plis); sa chevelure rousse est épanchée sur l'épaule gauche, le coude gauche est en arrière et la main de ce côté appuyée sur un vase rond découvert.

Entre les deux femmes, un Amour, penché sur le sarcophage plein d'eau (elle s'en échappe en bas par un goulot), y plonge son bras droit.

SAINT-PAUL-HORS-LES-MURS
(RENCONTRE)

Nous venions de voir l'église Sainte-Hélène et nous étions venus à Saint-Paul-hors-les-Murs, en passant devant la pyramide de Cestius. De la pyramide à Saint-Paul, c'est une route plantée; à gauche, dans la voiture, la poussière sortait de dessous les roues, de mon côté; les chevaux allaient lentement, personne, l'air chaud.

On reconstruit la basilique Saint-Paul. Notre cocher nous indiqua pour y entrer le mauvais côté, celui de l'entrée principale; c'était vide, des menuisiers rabotaient des planches et varlopaient. Grande boutique, nue, belle par sa dimension; sur des tables des rosaces en bois tourné, destinées à être mises au plafond. Par la porte toute ouverte, le grand jour entrait; à côté d'un menuisier, un soldat (du pape) avec son fusil.

La basilique à cinq nefs; sur les côtés de la principale, en dessins, médaillons destinés à contenir des mosaïques modernes, portraits de saints, un de saint Damase et un autre de X? Au fond de la nef, à l'endroit où la croix se va bifurquer, un immense établi qui monte jusqu'en haut; à chaque angle de l'établi, un faisceau de poutres reliées par quatre morceaux de bois qui sont cloués dessus, ça monte en colonnes; là, à droite, une petite porte provisoire, en bois, qui pénètre dans la partie de l'église achevée, c'est-à-dire dans la tête et les bras de la croix. Près de là, assis au pied d'une colonne, un ouvrier lisant ou priant dans un petit livre. M. Lacombe a voulu entrer par cette porte, une voix de l'intérieur lui a répondu de faire le tour.

Nous sommes sortis de l'église et nous avons fait le tour. Nous sommes rentrés par la porte qui donne sur une petite rue; à la porte était une méchante calèche, la capote déployée, et le cocher sur le siège.

Nous avons passé par une espèce de petit vestibule carré, avec des médaillons, portraits à la mosaïque, anciens et de figure grotesque, et nous avons pénétré dans l'église. C'est blanc, et très haut. Un custode nous avait vus et nous suivit; nous regardions, sur la coupole qui domine l'autel, une mosaïque antique fort belle : Jésus-Christ au milieu des évangélistes, assis sur un triclinium; à ses pieds et tout petit, le pape Honorius III, couché et rampant comme un animal.

En tournant la tête à gauche, j'ai vu venir lentement une femme en corsage rouge, elle donnait le bras à une vieille femme qui l'aidait à marcher; à quelque distance un vieux en redingote, et ayant autour du cou une cravate tricotée, les suivait. J'ai pris mon lorgnon et je me suis avancé, quelque chose me tirait vers elle.

Quand elle a passé près de moi, j'ai vu une figure pâle, avec des sourcils noirs, et un large ruban rouge noué à son chignon et retombant sur les épaules; elle était bien pâle! Elle avait des gants de peau verdâtres, sa taille courte et carrée se tordait un peu dans le mouvement qu'elle faisait en marchant, appuyée du bras droit sur le bras gauche de la vieille bonne.

Une rage subite m'est descendue, comme la foudre, dans le ventre, j'ai eu envie de me ruer dessus comme un tigre, j'étais ébloui!... Je me suis remis à regarder les fresques et le custode qui tenait des clefs à la main.

Elle s'était arrêtée et assise sur un banc, contre le grand carré d'échafaudage; je l'ai regardée et j'ai... de suite, à la douceur envahissante qui m'est survenue.

Elle avait un front blanc de vieil ivoire ou de paros

bien poli, front carré, rendu ovale par ses deux bandeaux noirs derrière lesquels fulgurait son ruban rouge (bordé de deux filets blancs) qui rehaussait la pâleur de sa figure. Le blanc de ses yeux était particulier. On eût dit qu'elle s'éveillait, qu'elle venait d'un autre monde, et pourtant c'était calme, calme! sa prunelle, d'un noir brillant, et presque en relief tant elle était nette, vous regardait avec sérénité. Quels sourcils! noirs, très minces et descendant doucement! il y avait une assez grande distance entre le sourcil et l'œil, ça grandissait ses paupières et embellissait ses sourcils que l'on pouvait voir séparément, indépendamment de l'œil. Un menton en pomme, les deux coins de la bouche un peu affaissés, un peu de moustache bleuâtre aux commissures, l'ensemble du visage, rond!

Elle s'est levée et s'est remise à marcher; elle a une maladie de poitrine? ou de reins? à sa démarche; elle est peut-être convalescente, elle avait l'air de jouir du beau temps; c'est peut-être sa première sortie, elle avait fait toilette.

Le custode a passé devant elle et lui a ouvert la petite porte qui donne dans la basilique; le vieux monsieur, que j'avais cessé de voir, lui a donné la main pour l'aider à descendre les trois marches qu'il y a; j'étais resté béant sur la première, hésitant à la suivre.

Puis nous avons été voir le cloître, avec ses colonnes tordues, granulées de mosaïques vertes, or et rouges; j'ai senti l'air chaud, il faisait beau soleil. Moins de roses que dans le cloître de Saint-Jean-de-Latran, auquel il ressemble tout à fait. M. Lacombe a demandé au custode s'il connaissait cette dame malade, le custode a répondu que non.

En sortant de l'église, je l'ai revue au loin, assise sur des pierres, à côté des maçons qui travaillaient.

Je ne la reverrai plus!

J'avais eu dans l'église envie de me jeter à ses pieds, de baiser le bas de sa robe; j'ai eu envie, tout de suite, de la demander en mariage à son père (?)! Dans la voiture, j'ai pensé à avoir son portrait et à faire venir pour cela de Paris Ingres ou Lehmann... si j'étais riche! J'ai pensé à aller me présenter à eux comme médecin pour la guérir!... et à la magnétiser! Je ne doutais pas que je l'aurais magnétisée et que je l'aurais guérie peut-être!

Que ne donnerais-je pas pour tenir sa tête dans mes mains! pour l'embrasser au front, sur son front! Si j'avais su l'italien, j'aurais été vers elle, quand elle était sur ces pierres; j'aurais bien su trouver moyen de lier la conversation.

Quel beau temps! la campagne d'ici me semble bien belle, nous avons repassé par la porte près de la pyramide de Cestius.

Rencontré deux ecclésiastiques en grandes robes rouges et à chapeaux pointus.

Nous avons tourné le Palatin et nous sommes trouvés au bord du Tibre, devant la douane; nous sommes descendus de voiture près le pont rompu, au bas de l'île du Tibre, délicieuse vue de chic, avec ses filets qui tournent dans l'eau.

Rentré à l'hôtel à 4 heures.

Déjà ses traits s'effacent dans ma mémoire. Adieu! adieu! *(Mardi saint, 15 avril 1851.)*

VATICAN
CHIARAMONTI

Buste de femme drapée. Une tresse ronde, comme une anguille posée sur le sommet de la tête, en fait le tour comme une couronne; de dessous cette tresse, à la naissance des cheveux, les cheveux sont tirés; sur le devant de la tête, un diadème montant à trois bandes de chaque côté; de dessous le diadème en bas sortent des accroche-cœurs.

Buste de femme. Sur le sommet du front une mèche ou plutôt une houppe de cheveux, hérissés, séparée en deux petites masses. Est-ce une imitation de la fleur du lotus? Le catalogue attribue à ce buste quelque ressemblance avec Zénobie, reine de Palmyre, d'après les médailles.

Tête de femme. Mignonne, vraie figure Pompadour et XVIIIe siècle s'il en fut; une raie de chaque côté de la tête; entre les deux raies court parallèlement une large mèche de cheveux, ayant au milieu et dans le même sens une tresse; à la hauteur de l'oreille les cheveux sont ramenés en dessous, en champignon, il en reste peu à partir de là (où ça fait différence de niveau), c'est-à-dire sous les oreilles et aux alentours de la nuque; sur le chignon, tresse enroulée en vignot.

Isis, buste colossal. Elle avait sur le sommet du front une fleur de lotus. Rétabli en stuc. Trois colliers ou mieux trois gros chapelets à grains longs, oblongs, entourent son cou; un quatrième, passé sous son voile, est posé sur sa tête et tombe des deux côtés avec son voile, pris dedans, et suivant ses plis.

Tête bachique couronnée de pampres. Expression d'ivresse, charmante; la bouche, entr'ouverte, sourit et montre les dents; le col tendu; la figure est portée en avant; le pampre ciselé, déchiqueté, très mouvementé, retombant de sa couronne, lui couvre la mâchoire en manière de barbe; aux deux coins de la bouche, le pampre lui fait deux loupes.

Atys? statuette. Mauvais. Il est debout, à un tronc d'arbre; à sa droite sont accrochés des crotales; de la main gauche il tient un tambourin, et de la droite un bâton recourbé dont il semble le frapper; il est vêtu d'une camisole à manches, nouée en haut et toute ouverte sur la poitrine, qu'elle laisse à nu, ainsi que le ventre jusqu'à la hauteur du pubis; ses jambes sont enfermées dans une sorte de pantalon gris, plus petit par le bas et noué au-dessus des chevilles; il est coiffé d'un bonnet phrygien.

Plotine (Tête supposée de), femme de Trajan. Coiffée en longs boudins montants, lesquels, dans leur largeur, ont des trous comme pour y mettre des perles ou des pierres précieuses. Ce genre de coiffure montée et frisée se trouve quelquefois sans boudin; les cheveux ne font qu'une seule masse sur le devant de la tête, et semblent tout crêpés d'un seul bloc; ça imitait la plume, le duvet, la gorge de canard ou de cygne? en tout cas, c'est fort laid en sculpture. Cette dernière chevelure devait se prêter à la poudre. Quelquefois, comme dans le buste que l'on croit de Matidie, mère de Trajan, la chevelure ainsi montée est faite en quantité de petites mèches frisées.

VATICAN

Chevaux marins portant des femmes sur leur dos. Malgré la ressouvenance du sabot, comme forme générale, le bout des pieds est palmé; à l'angle interne des épaules, nageoires; la crinière aussi, divisée en larges mèches plates séparées, ressemble à des crêtes de dos de poisson.

Lucille, buste. Chevelure pareille à celle de Cléopâtre du Musée de Naples, yeux sortis de tête, très ronds, très grands; les narines sont ouvertes et remontent, nez fin et large du bas; la bouche, petite, est avancée et fait la moue.

Buste d'un *inconnu* et de *Salluste* (non l'historien). Ce dernier, drapé dans une draperie d'albâtre oriental. Ouvrages médiocres. A considérer le travail de la barbe qui est *installée en lignes droites,* figurant une barbe plate et peignée et non pas frisée, comme d'habitude.

Bustes: les deux premiers *inconnus,* le troisième de *Philippe.* Drapés du *cinctus gabinus,* ou du laticlave? Une épaisse bande de draperie, et partant toujours de l'épaule gauche, leur passe carrément sur le bras, sur la poitrine, et va se remplier en dessous à peu près au niveau du sein droit. Cette bande me paraît faite de plusieurs duplicata collés l'un sur l'autre. Dans un des bustes il y a, figurés dans l'épaisseur du marbre de cette bande transversale, quatre plis. Comment cela pouvait-il avoir lieu? et d'où venait cette draperie?

CLEMENTINO
(Cabinet de Mercure)

Bas-relief représentant une procession d'Isis. En commençant par la droite: 1° une femme, portant un seau de la main droite, a le bras gauche enroulé d'un serpent qui lève la tête; ses cheveux sur son dos sont séparés en deux tresses, sur le sommet de la tête un lotus; 2° homme nu-pieds et nu de tout le torse, à partir de la ceinture seulement drapé; il porte un rouleau à la main, la tête est ornée d'ailes d'épervier (?); 3° homme, la tête rasée, son vêtement (il est très enveloppé dedans) lui passe sur la tête et fait voile, il tient dans ses mains un grand vase ventru et à anse, il est chaussé de sandales à bandelettes nombreuses; 4° femme nue jusqu'au dessous des seins, cheveux tressés tombant sur le dos, elle tient le xyste de la main droite et de la gauche un instrument.

L'amour que les anciens semblaient avoir dans la peinture pour les yeux visant à la surprise, témoin ces peintures de Pompéi où des portes sont à demi ouvertes avec une femme qui entre, se retrouve dans un bas-relief au crayon, non dans le catalogue.

Le centre du bas-relief est occupé par une porte à deux battants; à gauche, un personnage drapé est assis entre deux autres debout, celui qui est près de la porte a un pantalon; à droite, personnage drapé, également assis entre deux autres debout; celui qui est près de la porte a le corps engainé dans une sorte de cotte de mailles (?) toute pointillée à la tarière. Le battant gauche de la porte est à demi ouvert et fait saillie, bien entendu; les panneaux carrés de la porte sont ornés de têtes humaines barbues, avec des anneaux passés dans la bouche. Sous chaque personnage assis est un gros masque. Que veulent dire ces masques qui reviennent partout?

Silène. Avec la peau de bête (féroce?) sur l'épaule gauche. De la main gauche il tient une grappe de raisin, de la droite une coupe; couronné de pampres très détachés, très sortis de la tête. Statue courte et lourde, le type n'est pas pur, c'est entre le Bacchus et le Silène. Serait-ce Silène enfant? Le ventre excessif et la face cyniquement et bonhomiquement hilarante manquent. Sur le ventre, les *poils sont indiqués* fortement en petites mèches, ainsi qu'autour du bouton des seins et sur le torse; autour du phallus, ils sont saillants. Travail madréporique. La jambe gauche est restaurée.

Polymnie (?). Jolie statue, mignonne. Couronne de roses, elle fait le geste de rejeter sa draperie sur l'épaule gauche; sous la draperie de ce côté, la main jaillit voilée par elle, le pied droit en arrière infléchi.

Aspasie, hermès voilé. Coiffée comme la Cléopâtre du Musée de Naples, un voile sur les cheveux, visage fort et grave, peu d'intervalle entre la paupière et le sourcil (ce qui donne dans la nature beaucoup de vivacité à l'œil, le regard étant renforcé du sourcil, surtout lorsqu'il est brun); petit menton pointu, saillant. Le bout du nez est restauré.

Dieu marin dit *l'Océan,* hermès colossal. La chevelure nouée par un cep de vigne, avec une feuille de vigne de chaque côté de la tête; sur le front, chevelure léonine. Les cheveux et la barbe sont traités en longues mèches descendantes. Il a deux cornes, quatre grappes de raisin mariées à la chevelure tout autour de la tête; à peu près à l'extrémité de la barbe du menton, deux dauphins montrent leurs têtes. Une peau de poisson couvre la face du dieu jusqu'au-dessus des sourcils, où elle s'arrête déchiquetée; il en est de même sur la poitrine, où elle finit comme une pèlerine escalopée. Au-dessous sont figurés des flots.

Junon Sospita ou *Lanuvina,* statue colossale. Les bras et les pieds sont restaurés. Sur sa tête une peau de chèvre dont les cornes sont par derrière, un diadème par-dessus; la peau fait capuchon sur les côtés de sa face, couvre en pèlerine les épaules et est attachée entre les deux seins, les pattes à sabot fendu qui la terminent pendent en bouts; le corps entier est pris dans une autre peau en forme de paletot noué par une ceinture mince autour des reins; les pattes à sabot fendu pendent en pointes par le bas, des deux côtés. Sous cette peau est un second vêtement long, et sous celui-ci un troisième à plis droits, plus longs et tombant jusqu'en bas. L'ensemble est fort laid, la restauration moderne l'a, de plus, affublée d'une lance et d'un bouclier nature.

Tête de femme avec un ornement en forme de concombre. Tout autour de la tête les cheveux sont lisses, une corde la ceint, les cheveux des tempes y sont contournés autour, sur le sommet du front, et au milieu de cette corde est un ornement en forme de concombre ou mieux d'épi de maïs à six cylindres. La chevelure totale est divisée en trois, une de chaque côté, séparée par une raie; entre ces deux raies, la troisième partie de la chevelure court de la nuque vers le côté intérieur de l'épi oblong (où elle s'enroulait peut-être?). Je ne vois pas le travail des cheveux autour.

Buste de femme avec la testudo (?) sur la tête. Trois pointes s'avancent et font comme un dais très escalopé sur la tête; par derrière ça fait mur ou capuchon très élargi; sur le front et autour des joues, les cheveux sont peignés, divisés par différentes petites plaques successives figurant assez bien le treillis de certains paniers d'osier.

Buste d'une matrone voilée. Coiffure en trois ordres; le premier, celui qui touche au front, en petites boucles; les deux autres en carrés recroquevillés en avant.

Buste de Domitia, femme de Domitien, très restauré. Cinq véritables rouleaux ou boudins minces, comme ceux des perruques XVIIIe siècle, étagés les uns sur les autres; seulement, de place en place, quelques interstices dans le rouleau par où le fer s'est introduit, car il n'a pu d'un seul coup friser tout le rouleau cintré, qui suit la forme du visage; coiffure sèche et grêle; par derrière, les cheveux sont réunis en catogan. Ces derrières de coiffure, dont le type se trouve dans les Pandrosiennes, devaient être d'un fort bel effet sur les épaules, c'était ample, ça jouait sur le haut du dos et l'enrichissait; avec des cheveux noirs la peau blanche devait reluire de blancheur, effet cherché dans l'antiquité. Comme forme, ce catogan donnait du contrepoids à la tête et la forçait à se tenir droite.

Triton demi-figure de grandeur naturelle, les bras mutilés, une peau écailleuse sur les épaules. La peau est nouée sur la poitrine, couvre les épaules, passe sous l'aisselle et revient sur la saignée du bras. Expression souffrante du visage. Les oreilles sont très longues, pointues, séparées de la tête et non mariées à la chevelure largement massée; la bouche est ouverte, la langue sur les incisives de devant et collée au palais. La fraise du sein gauche très basse et très portée en dehors; je ne puis croire que ce soit même la fraise du sein; qu'est-ce? une verrue? Celle du sein droit est beaucoup trop haute, la place des bouts du sein doit se trouver sous les bouts de la peau marine nouée sur la poitrine.

Bacchus indien dit *Sardanapale.* Remarquer la chaussure, composée d'une semelle et d'un véritable filet en corde qui enveloppe le pied.

Auriga, statue. De la main droite il tient une palme, dans la gauche un morceau de ses guides coupées (?) il a le corps entouré de cordes, par derrière il n'y a aucun intervalle, c'est tout uni, ça fait cuirasse, les cordes commencent sous l'aisselle et s'arrêtent au milieu des hanches; sous celles du côté gauche, sont passés une harpe, kandjiar, poignard recourbé. Il est bras nus; un petit chiton descend jusqu'à mi-cuisse, la cuisse droite sous le chiton est entourée d'un ruban noué, la cuisse gauche en a deux; pourquoi? et qu'est-ce? Il a des sandales comme celui de l'Apollon Citharète de la même salle, c'est-à-dire composées de rubans plats entre-croisés.

Sarcophage, les fils de Niobé dardés par Apollon et Diane. Que signifie un vieillard à longue barbe, portant par-dessus ses vêtements une peau de mouton (personnage rustique et très en dehors, comme couleur, des autres), qui tient un enfant comme pour le protéger? L'enfant a l'air de se réfugier vers lui.

Jeune Romain en toge avec la bulle. La bulle est portée par un ruban large.

Vase orné de feuilles. Du fond du vase partait un jet d'eau; tout autour du vase, à l'intérieur, sont rangées de longues feuilles pendent en dehors un peu recourbées. Quand le vase était plein, l'eau devait couler dans la rainure interne de la feuille, et se suspendre en gouttes à la pointe des feuilles avant de tomber à terre. Ce sont des grandes feuilles longues, de laurier?

PÉROUSE

CATHÉDRALE DE SAINT-LAURENT

Sur la place, devant la fontaine de Jean de Pise. C'est de là, en tournant le dos à l'église, qu'on voit le magnifique palais, d'un ragoût si franc, avec son double escalier, ses fenêtres romanes et ses murs couronnés de moucharabiehs.

Dans la sacristie, un vieux tableau de l'école allemande (ou italienne?) primitive, la Vierge assise et lisant dans un livre; Jésus est sur ses genoux et lit aussi dans le même livre. On n'a pas assez remarqué, il me semble, l'importance du livre, au moyen âge, comme attribut de l'idée; tout se résume dans le livre, c'est le symbole le plus élevé de la pensée humaine, et lire, par conséquent, c'est la plus haute action de l'esprit; sous le rapport de la présentation, l'artiste a la commodité, par là, de cacher les yeux, toujours baissés naturellement. Aux pieds de la Vierge, par terre, au premier plan, un ange est assis et pince d'une guitare ou viole dont il serre les chevilles, en prêtant l'oreille et baissant la tête de côté dans une position très attentive et très étudiée. De chaque côté de la Vierge, deux hommes : à gauche, saint Jean-Baptiste et un autre saint qui a un caleçon de feuillage et dont les genoux sont ridés, comme la peau de saint Jérôme dans la *Communion de saint Jérôme* du Dòminiquin; à droite, deux hommes, en chape, dont l'un tient un livre.

IL CAMBIO

Fresques du Pérugin dans deux salles voûtées ne recevant de jour que par la porte.

Parmi les *Sages de l'antiquité* (première salle, paroi de gauche en entrant), à remarquer le Salomon avec une couronne à pointe; c'est déjà du Raphaël.

Transfiguration. Le Christ en haut, en robe pâle; le rayonnement s'échappe ovoïdement de tout son corps; de chaque côté, à genoux, dans une pose d'adoration, Elie et Elisée; en bas, par terre, assis, deux apôtres; un troisième à genoux, à droite, se détourne. Admirable tête d'expression. Tous sont blonds et avec le nimbe. Sous les pieds du Christ est écrite cette singulière légende : BONUM EST NON HIC ESSE.

Sur les autres parois, des Sybilles et des guerriers.

Scènes de la vie de saint Jean-Baptiste (seconde salle). *Décollation.* Au premier plan, à genoux, et sans tête, les poings l'un sur l'autre, et les coudes en dehors, saint Jean ; le sang jaillit de son cou, et tombe, devant lui, devant vous, en face, au premier plan ; le bourreau, levant sa tête, la met sur le plat que tient Marianne.

Nativité de saint Jean. Sa mère est couchée dans un grand lit. Intérieur : au premier plan, femme qui lave l'enfant dans un bassin.

Marianne à table recevant la tête de saint Jean. Hérode, le sceptre à la main, est assis ; un domestique, à droite, crevés aux genoux, le poing sur la hanche, et présentant un plat ; domestique, en maillot rouge et à grande chevelure blonde, verse du vin d'une bouteille dans une autre, en se penchant, très vrai et très beau mouvement ; la chevelure tombe en grande masse du côté gauche.

UNIVERSITÉ

Sur des feuilles de bronze, repoussées en dehors, travail du plus pur étrusque, *Homme (casqué) et femme se donnant la main.* La barbe pointue est l'arrangement artistique de la barbe égyptienne ; rien ne ressemble plus à l'art égyptien que ces deux personnages, figure, costume et action, mouvement du dessin.

Des animaux broutant. Même observation. J'ai vu cela cent fois, à Hamada entre autres.

FLORENCE
TOSCANS

FIESOLE. *La Vierge au tombeau.* Derrière elle rayonne le Christ, debout avec la croix dans son nimbe, comme aux mosaïques byzantines et *tenant un petit Jésus dans ses bras ? ?* Aux quatre coins du tombeau de la Vierge, de grands candélabres d'or ; tout autour sont rangés des saints et des apôtres ; le Christ la considère, le sourire aux lèvres et étendant le bras droit vers elle. Au fond, palmiers et montagnes des deux côtés, qui encadrent l'action.

Les Christ de Fiesole ont généralement la mâchoire carrée du bas ; dans le *Couronnement de la Vierge,* c'est frappant ; la Vierge est ainsi du reste, et ressemble par là à son fils. S'il y avait eu, comme idéalité céleste, autant de différence entre la Vierge et Jésus et les bienheureux et bienheureuses, qu'il y a de distance entre ceux-ci et les mortels, où serait-il monté, sainte Marie ! jusqu'à vous tout à fait !

Quel homme que ce Fiesole ! quel cœur et quelle foi ! rien n'est plus propre à rendre dévot... à souhaiter ces joies, à s'y perdre l'âme d'aspiration.

FIESOLE. *Les Noces de la Vierge.* Le grand-prêtre, barbe et cheveux épanchés majestueusement, coiffé d'un bonnet pointu (comme ceux des derviches) avec une large bordure d'or, prend Joseph et Marie par le bras et les attire doucement l'un vers l'autre, en regardant la Vierge d'un regard attentif et indescriptible. A droite, groupe de femmes qui s'avancent en joignant les mains et dans des poses recueillies ; elles ont de grands

manteaux bleus et rouges à franges d'or et des voiles transparents, elles me rappellent les femmes de Constantinople. A gauche, des hommes, mais moins beaux que les femmes.

Comme dans le tableau du Pérugin, même sujet, symbole du bâton rompu. Au fond, de ce côté, des hommes soufflant dans d'énormes trompettes.

Au fond, un mur blanc, un large et bas pot de fleurs sur le mur ; derrière le mur, un *palmier doum* (quoiqu'il ait un tronc unique, ce qui est inexact, mais c'en est bien sûr, aux feuilles en éventail de carton), un palmier, deux autres arbres.

La maison est en bois, on y monte par un escalier droit à plusieurs marches, balcon circulaire comme à un chalet. Les panneaux de la maison, au rez-de-chaussée et au premier étage (on n'en voit pas davantage), sont peints de marbre rose avec des veines, à moins que ce ne soient des panneaux de bois précieux.

FIESOLE. *Le Couronnement de la Vierge,* sur cuivre. Des lignes, enlevées au burin sur la plaque, font des rayons dans lesquels se perdent en bas, au premier plan, deux anges qui jouent du violon et de l'orgue ; les nimbes des bienheureux sont réservés sur la plaque, et tracés au poinçon entre les couleurs des vêtements et des têtes ; de petites entailles, plus profondes et rondes, semblent indiquer qu'ils étaient destinés à être incrustés de pierres précieuses.

Tout en haut, au milieu, assis, Jésus et la Vierge. Jésus rassure le nimbe, ou le place sur la tête de sa mère ; leurs pieds reposent sur des édredons de nuages bleus. De chaque côté, entassement d'anges jouant du clairon et d'immenses trompettes, minces, évasées du bout, et de couleur noire ; devant cette cour, en avant du couple céleste, de chaque côté, deux grands anges aux longues ailes, minces, fulgurantes, qui ont l'air d'introduire la cour. A gauche, foule d'hommes ; à droite, de femmes et d'hommes ; en bas, au premier plan, vus de dos et noyés dans les rayons qui descendent du Christ et de la Vierge sur eux, deux anges musiciens, et deux autres plus en avant, qui encensent.

A remarquer parmi la foule des hommes, à gauche, la figure d'un évêque, de face, portant la croix en relief, sur le cuivre (repoussé) ; un autre évêque en manteau bleu, vu de profil. Ce sont de belles mitres d'évêque, de belles chevelures douces, blondes ou blanches, quelques-unes brunes mais rares ; pas de femmes autrement que blondes.

Au deuxième plan, à gauche, et formant bordure, tête de femme avec une coiffure de fleurs dans ses cheveux blonds retroussés sur le front ; de son oreille pend une chaînette d'or qui tient à son bout une perle. Profil d'une religieuse coiffée d'un voile bleu étoilé d'étoiles d'or, sa joue et le menton voilés d'une mousseline.

CHRISTOFANO ALLORI. *Madeleine couchée et lisant.* Une tête de mort à côté d'elle : c'est exactement le même tableau que celui du Corrège ; au lieu d'être une grotte l'entourage est la campagne ; la peinture ici est plus dure.

CHRISTOFANO ALLORI. *Judith tenant la tête d'Holo-*

pherne. Une servante à côté. Admirable petite toile.

Elle est nu-tête, en robe jaune ; la servante, par derrière, à droite, se penche, une draperie sur la tête ; physionomie travaillée, creusée, peinte comme dans l'école flamande.

La Judith est bien belle, paupières épaisses, visage plein de volupté et de hardiesse.

LÉONARD DE VINCI. *Tête de la Méduse coupée.* A côté, crapauds. Fort belle étude de vipères (coiffure de la tête), les écailles sont rudes, on sent le froid de la peau.

MASACCIO. *Un portrait de vieillard ridé*, sur toile, avec un petit bonnet. Grande expression de ressemblance.

ARTÉMISE LOMI. *Judith égorgeant Holopherne.* C'est le même tableau qui est à Naples sous le nom de Caravaggio.

MARIOTTO ALBERTINELLI, *La Visitation de sainte Elisabeth.* Il n'y a que sainte Elisabeth et la Vierge dans le tableau, qui est plein ; c'est de la plus grande peinture.

Elisabeth arrive et se penche vers la Vierge en lui parlant bas, elle porte sa main gauche sur le bras droit de la Vierge, elles se serrent les mains ; le haut du visage de sainte Elisabeth est dans l'ombre portée sur elle par le visage de la Vierge. La Vierge est en rouge, couverte d'un manteau bleu ; Elisabeth en vert, couverte par le bas d'une draperie jaune ; elles sont sous une architecture à petits piliers Renaissance rehaussés d'arabesques ; fleurs sous leurs pieds.

ANDRÉ DEL SARTO. *Son portrait*, jusqu'au buste. Fort beau. Robe grise, chaperon noir, cheveux brun roux, nez fort, bouche dessinée, yeux cernés et noirs, la physionomie ardente et attentive.

RIDOLPHI GHIRLANDAJO. *Translation du corps de saint Zénobe porté à la cathédrale.* Eclat gras de la couleur, aucune idéalité, au sens raphaëlesque du mot ; les têtes sont surtout expressives. Grande manière de peindre, vraie et forte.

GEORGES VASARI. *Portrait de Laurent de Médicis.* Assis, en robe verte à fourrure tachetée aux parements ; le visage est maigre, le nez bombé, la mâchoire inférieure carrée et avancée, un peu en gueule de singe ; le nez creusé en dedans, fin et relevé du bout ; le front bombé, le teint général bistré, pas de barbe ; mains grandes, maigres et vigoureuses, très étudiées.

ALEXANDRE ALLORI. *Le Sacrifice d'Isaac.* Curieux pour la composition. D'abord, en commençant par la gauche, on voit dans le fond une maisonnette. Scène rustique : 1° Isaac et Abraham se mettent en marche ; 2° plus près de nous, Isaac fait le paquet de bois, l'âne est là ; 3° au premier plan, nous voyons l'âne chargé des provisions, un chien qui fouille dans un panier à terre et deux hommes qui dorment sur l'herbe ; 4° Isaac et Abraham sont en marche.

(Comme dimension, nous sommes ici au sujet principal de la toile, Isaac porte le bois et Abraham un brandon allumé. Belle draperie rouge et jaune d'Abraham, étude d'anatomie et de couleur, surtout dans les bras nus.)

5° Au haut de la montagne, Isaac sur le bûcher, et l'ange qui arrive ; 6° même motif répété plus loin dans le fond à droite, mais il n'y a dans la pensée de l'auteur évidemment de principal que la montée et le bûcher.

Tout ce qui précède est sur un plan plus reculé, comme un lointain au sujet, comme un précédent à l'action ; mais pourquoi avoir répété deux fois la scène du bûcher avec l'ange qui arrive ?

Quelque chose de gêné dans l'exécution de tout ce tableau, cet art n'est pas encore arrivé à la liberté de sa forme.

SALLE DU BAROCCIO

RUBENS. *Une bacchanale.* Un Silène nu est assis sur une barrique ; entre le bois et sa fesse, un drap de velours brun ; il tend une coupe que remplit une Bacchante assise près de lui. De la coupe un peu inclinée coule le vin blanc ; un petit Faune se renverse la tête en arrière pour boire ; de l'autre côté, un vieux Faune, cornu et chauve, boit à même le goulot d'un vaste flacon, et au premier plan, devant la barrique, un petit enfant, relevant sa chemise et tendant son ventre en avant, pisse ; le jet d'urine troue la terre.

De l'autre côté, un lion est couché sur le flanc, mâchant des raisins dont le jus découle de sa gueule ; sur lui est posé le pied du Silène.

La Bacchante est blonde, d'un blond blanc vert, à cause du reflet des feuillages ; son bras, sa tête, sa chevelure, la coupe en verre du Silène, et le vin qu'elle verse, tout cela est à peu de chose près du même ton, c'est de la lumière qui se joue là-dedans. Le sein de la Bacchante, rond et pesant, est sorti de sa robe rouge dans le mouvement qu'elle fait en levant le bras pour verser ; sa bouche est petite, rose, ouverte ; son nez assez fin, pointu, aux narines très remontées.

Dans les plis des ombres des chairs du Silène, tons ardoise ; aux endroits lumineux, tons de brique ; c'est là de l'admirable viande, de la graisse ferme et en pelote serrée sous la peau.

La tête renversée du Faune qui boit, vue en raccourci par derrière (celle du petit Faune l'est de profil), est en plein frappée du soleil. Admirable cambrure crâne de l'enfant qui pisse.

Tableau dont on ne peut se détacher et qui attire à soi chaque fois qu'on veut sortir de la salle.

CARLO DOLCI. *La sainte Marie-Madeleine.* Tenant une urne ou un vase de baume sur son cœur. Est une chose ennuyeuse et prétentieuse, quoique la tête indépendamment soit belle ; mais cette femme, pressant avec amour un pot, ça semble niais.

RUBENS. *Portrait d'Hélène Fourment, sa seconde femme.* Elle tient un fil de perles dans la main, elle a autour du cou un petit collier de perles, une grande collerette blanche empesée remonte derrière elle ; corsage et manches jaunes à crevés ; chevelure très blonde, sans prétention ; des yeux noirs ou du moins brun très foncé, ce qui contraste avec ce teint si blanc et si rose et ces cheveux si blonds. Les sourcils, quoique blonds, suffisamment fournis et très dessinés ; fossettes au menton et aux joues, visage ovale, nez mignon et pointu

(Rubens aimait les nez pointus). Dans sa chevelure, deux petites fleurs blanches et une rouge.

Fort beau portrait.

SASSOFERRATO. *Vierge voilée de bleu, la tête penchée sur l'épaule et joignant les mains.* Fort beau, ça me semble moins blanc que les Sassoferrato ordinaires.

ÉCOLE ALLEMANDE OU FLAMANDE

NICOLAS FRUMENTI. *Lazare ressuscitant; Marthe aux pieds de Jésus; Madeleine lavant les pieds de Notre-Seigneur,* triptyque. Lazare sort de son tombeau, les mains jointes et attachées; l'homme (en pourpoint jaune, chauve et barbu) qui le lève, les lui détache. Lazare est maigre, presque un squelette déjà et tourne les yeux vers le Christ debout. De face près du Christ, un homme qui lit dans un livre comme s'il faisait des exorcismes; à gauche, une femme (la Vierge sans doute, à son nimbe) éplorée se met un mouchoir sur la bouche. A droite, un homme debout, en riche pourpoint brodé; sur son bras un bracelet (en dessus) d'or incrusté de pierreries et d'où pendent de longues franges; il est coiffé d'une sorte de haut bonnet pointu, autour duquel passe une écharpe blanche nouée, qui devait pendre très bas et dont il prend un bout pour se boucher le nez; ses cuisses et ses jambes sont enfermées dans un maillot rouge très collant, souliers à la poulaine très pointus; sa main gauche, vue en dedans par le spectateur et tournée la face externe contre la hanche, est passée jusqu'au pouce dans la ceinture qui tient son poignard, dont on voit seulement le pommeau; il fait la grimace.

A droite, *Madeleine lavant les pieds.* Jésus est au bout de la table; en bas, Madeleine doucement lui lave les pieds, la main gauche portant délicatement le pied et la droite le caressant; elle est en pleurs. Près du Christ, le même homme en pourpoint jaune, chauve et barbu, coupe du pain et regarde de travers le Christ; plus loin, homme debout, en rouge, qui boit dans un verre; à gauche, près du Christ, homme debout, en vert (c'est le disciple avare, qui désigne la Madeleine du doigt et fait une grimace); sur la table, des côtelettes.

Expressions basses et bourgeoises des figures. Très fort, scènes profondément senties. Le parfum est contenu dans un petit gobelet long.

FRANCESCO FRANK. *Un triomphe de Neptune.* Neptune et Vénus au milieu, sur un char, coquille traînée par des chevaux marins. Vénus a les jambes prises dans un filet qui descend jusqu'aux doigts (sorte de mitaine pour les jambes); chaussure héroïque des femmes, que j'ai déjà remarquée ailleurs.

Les Néréides portent des bâtons en croix, au bout pendent des poissons; sous un rocher plus loin, une tablée; au fond, un volcan ou du feu sur une montagne. Bleu foncé de la mer et du ciel.

Peinture animée, belles femmes mouvementées, dans l'eau.

HOLBEIN. *Portrait de François Ier armé, à cheval,* petite toile. Il tient le sceptre et est coiffé d'une toque. Cheval blanc, noir aux jambes, crinière peignée et égalisée (imitant l'effet d'une chevelure), un mors effroyable, bride et caparaçon rose vif; sur la tête du cheval, bou-

quet de plumes jaunes, vertes et rose pâle; le caparaçon couvre toute la croupe et de longs cordons, terminés par des glands, pendent jusqu'aux jarrets, à la façon des hordges du dromadaire.

Le roi est enfermé dans une riche armure d'acier ciselée d'or, et engravée de sujets; la genouillère est formée par un masque, l'arçon de la selle est très haut et creusé de façon à pouvoir prendre les cuisses en cas de chute.

UGUE VAN DER GOES DE BRUGES. *La Vierge, le Bambino, sainte Catherine à genoux et une autre femme.* Les cheveux des deux femmes sont, sur le front, rasés, ou du moins tellement rejetés en arrière qu'on n'en voit mèche; la femme à gauche, qui présente une pomme au Bambino, a une belle chevelure épandue, couleur blond roux, de même ton que sa robe. Sous sa couronne d'or est pris un voile empesé, gaze mince et raide, qui s'avance carrément en forme d'auvent et laisse à travers sa transparence voir à nu son crâne; il en est ainsi pour la femme de droite qui tient un livre, on ne lui voit aucun cheveu; sur le côté droit de la tête elle a une sorte de calotte d'or très dur, posée sur l'oreille, c'est-à-dire tenue entre l'oreille et la tête. Cette calotte (qui semble formée de la réunion de plusieurs bandes concentriques) est dure, lourde et garnie de pierreries. Sur son casaquin de velours vert elle porte au bras gauche un bracelet incrusté de pierres précieuses, d'où pendent de longues franges d'or jusqu'au coude; de dessous ces franges, sort la manche.

MIERRIS. *Intérieur.* Femme debout, en robe de satin blanc, tenant une guitare sous le bras; un jeune garçon présentant un plateau; femme en casaquin de velours violet garni de fourrure blanche et buvant dans un verre. Derrière, homme debout, tenant le manche d'un gros instrument. Sur une table, fruits, un singe qui mange, bouteille à flacon d'or avec une chaînette. Du plafond pend un Amour suspendu par un fil.

Chef-d'œuvre du genre, comme dirait le catalogue!

GALERIE DU PALAIS PITTI

PARMESAN. *La Vierge au long col.* Non seulement le col est long, mais le grand Bambino qu'elle porte sur ses genoux. La femme de gauche, qui porte une buire : style de la jambe maniéré, la jambe fait arc et est très contournée. Les têtes sont charmantes, comme toutes celles du Parmesan; ton des chevelures blond gris. La Vierge a une robe grise; par-dessus, un manteau vert. Dans le fond, trois colonnes et un homme qui déroule un rouleau.

GIORGIONE. *Un concert de musique,* grand tableau de chevalet. Trois personnages. Au milieu, un homme joue du clavecin et détourne la tête, l'œil est ouvert et interrogateur, il a peu de cheveux et est habillé de noir; à gauche, jeune homme en jaune, toque à plume blanche; à droite, homme en pélerine ecclésiastique, chemise plissée en dessous, tient le manche d'une basse et met la main droite sur l'épaule du musicien. Admirable tête du musicien, réalité exacte.

GUIDE. *Cléopâtre se tuant.* Elle a le coude posé sur des coussins bleus, et tient l'aspic par le bout des doigts comme une lancette; à côté est le panier de figues. De la main droite elle retient sa chemise sur le creux de l'estomac. Blanc, joli, caressé, agréable, on ne peut plus embêtant.

RAPHAEL. *Portrait de Thomas Feda Inghirani.* En rouge, toque rouge, il écrit, œil blanc, de travers.

MICHEL-ANGE. *Les Trois Parques* (Jupiter). Trois vieilles femmes : celle de gauche tient les ciseaux et interroge du regard celle qui file à la quenouille lui demandant s'il est temps de couper, il est impossible de voir quelque chose de plus *expressif;* la troisième regarde les deux autres, la bouche ouverte.

Peinture d'un ton gris, cela sent la fresque.

RUBENS. *Nymphes attaquées par des Satyres,* avec un paysage au fond, largement fait. Grande toile pleine de mouvement.

ALLORI. *Judith tenant la tête d'Holopherne à la main,* est le même en grand que le petit qui est aux Offices.

VAN DYCK. *Portrait du cardinal Bentivoglio.* En pied, assis, chauve et carré du haut de la tête, pointu du bas; mâchoire étroite, figure fine d'une grande distinction et très spirituelle; il y a à côté :

RUBENS. *Son portrait avec deux autres hommes.* Livres et papiers sur une table recouverte d'un tapis; un chien; buste de Sénèque dans une niche, avec des tulipes.

TITIEN. *Portrait de Cornaro.* Comme ça écrase et le Rubens et le Van Dyck, qui seraient d'admirables toiles, placées ailleurs!

Vieillard chauve, à petite barbe blanche rare, teint animé en dessous, maigre, pas de dents, vêtu de noir.

GUIDE. *Saint Pierre en larmes entendant le coq chanter.* Composition absurde et d'une sentimentalité ridicule. Il est posé sur le genou gauche et écarte les bras en levant la tête de côté et pleurant, le col tendu. Draperie jaune sur son vêtement vert. Dans un coin, le coq.

REMBRANDT. *Son portrait.* De face, toque noire, hausse-col de fer, manteau et chaîne d'or par-dessus, figure hardie et attirante. Très belle toile, mais quelle différence comme peinture et intensité morale avec son portrait vieux, à Naples!

SALVATOR ROSA. *La Conjuration de Catilina.* Au premier plan, deux hommes se donnent la main. Clair-obscur général, la lumière éclaire vivement le bras de l'homme (de droite) qui tient une coupe; ce bras a une cotte de mailles et sur la cotte de mailles une chemise; un manteau terre de Sienne par-dessus son armure. Figure ardente et animée. Les autres conjurés sont dans le fond.

TITIEN. *La maîtresse du Titien.* Robe bleue à broderies, manches violettes, collier et chaîne d'or, boucles d'oreilles d'or en corail et en perles, cheveux roux avec des yeux noirs, sourcils très soigneusement arqués, figure raide, tenue gothique et empesée. Tableau de caractère, mais d'une exécution médiocre relativement au Titien. Quelle différence avec le portrait de Cornaro!

BOTTICELLI. *La Belle Simonette.* Tout à fait de profil, maigre et mince, robe couleur purée de lentilles; ses mains, ou plutôt sa main est dans sa poche; le col,

excessivement long et mignon, est relevé d'un cordonnet noir qui coule dessus; les cheveux, sur le derrière de la tête, sont pris dans une coiffe blanche, une mèche se détache naturellement de son bandeau blond gris pâle. Profil calme et d'une douceur charmante, œil tranquille, très ouvert.

Toile d'un grand ragoût.

SALVATOR ROSA. *La Forêt des philosophes,* paysage!!! *La Paix brûlant les armes de Mars.* À droite, massif d'arbres rose tabac, qui vont s'abaissant en perspective vers le fond et s'éclaircissant de ton à mesure qu'ils s'éloignent; au pied de cette ligne d'arbres, de l'eau.

Au premier plan, à gauche, un grand arbre et un autre plus petit; au pied du grand arbre, la Paix brûle les armes de Mars.

TRIBUNE

ANDRÉ DEL SARTO. *Sainte Famille.* La Vierge au milieu, debout sur une sorte d'autel votif, portant le Bambino sur son bras droit; à ses côtés, plus bas, un moine en gris portant une croix, et une femme en rouge portant un livre; des deux côtés du piédestal sur lequel est la Vierge, des enfants ailés. La chevelure des deux femmes est rouge brun. La Vierge, vêtue en robe rouge, retient sur sa cuisse gauche une draperie verte avec un livre appuyé dessus par la tranche; sur la poitrine et le bras, passe une draperie jaune; sur sa tête, un voile blanc tombant sur l'épaule gauche. Sa main droite est sous la fesse du Bambino, qui appuie son pied droit sur le haut de sa cuisse, et qui, portant la main et le bras à son col sur lequel il s'écore, s'efforce de monter jusqu'à elle.

Ici, le besoin artistique du mouvement fait de la représentation de Dieu un sujet dramatique. Se fût-on permis cela au moyen âge? Le Bambino m'y semble toujours immuable. Le sens profondément religieux de l'Enfant-Dieu assis dans les bras de sa mère, sans bouger, comme vérité éternelle, fait place ici au sentiment de la vie et du vrai humain; la religion perd, l'art empiète. Le Bambino en mouvement se trouve dans le tableau suivant.

RAPHAEL. *Le Bambino, saint Jean-Baptiste enfant, et la Vierge.* Ici seulement la main de la Vierge (assise) est sur l'épaule du Bambino, pour l'aider à monter; à ses pieds le petit saint Jean, avec la peau autour des reins, va s'agenouiller devant eux, et leur montre la légende sur une banderole enroulée. Le bout du pied de la Vierge dépasse de sa draperie verte. La main et le bras gauches du Bambino sont étendus sur le col de sa mère pour monter jusqu'à son visage.

RAPHAEL. *La Vierge au chardonneret.* Saint Jean-Baptiste enfant (couvert de la peau avec une petite tasse accrochée à la ceinture de corde de sa peau) présente un chardonneret à Jésus-Christ debout entre les genoux de sa mère; son pauvre petit charmant corps est tourné vers saint Jean, qu'il regarde d'un œil mélancolique, tandis que la tête de saint Jean, au contraire, est très vive, très animée et joyeuse sous sa chevelure frisée (dans le même système à peu près que le buste d'Othon). La Vierge, tenant un livre de la main gauche, regarde saint Jean avec de longues paupières baissées. Raccourci du profil de sa main appuyée sur l'épaule et vue du spectateur, de face, par le bout des doigts.

Les cheveux du Bambino sont rares et plats, laissant ses tempes plus à découvert, ce qui ajoute encore à l'expression profondément pensive de la physionomie, et en fait, avec le regard, quelque chose de profondément mûr sous ses traits jeunes. Sur le bas de son ventre, entre le pubis et le nombril, une petite bande de mousseline. Son pied droit (le genou est fléchi en dedans) est appuyé sur le pied de sa mère.

Pour fond, des arbres grêles à la Pérugin, des terrains verdâtres, un bois, des montagnes. La Vierge est en robe rouge et en manteau vert.

RAPHAEL. *Saint Jean dans le désert.* Tout nu, assis de face, montrant la croix (3e manière).

Raphaël a peut-être atteint l'apogée de sa force dans sa seconde manière, c'est là qu'il est tout à fait lui et me paraît avoir l'individualité la plus tranchée; pour les tableaux de chevalet du moins, cela me paraît incontestable.

Cette toile est d'un effet désagréable; la musculature du bras droit est très étudiée; le talon du pied droit est appuyé sur une pierre, le bout du pied levé. Une peau de léopard sur le bras gauche, le flanc et la cuisse droite.

Recherche d'animation dans la figure, teinte d'un blanc brillant et mort tout à la fois : c'est d'une école française fort ennuyeuse, les peintres de l'Empire devaient regarder ce tableau comme le prototype de la peinture.

MICHEL-ANGE. *Sainte Famille.* A l'air de loin d'une peinture de Botticelli, comme ton. La Vierge se retourne pour donner le Bambino à saint Joseph, elle est agenouillée et couchée sur ses jambes; elle se retourne vue de trois quarts, et le Bambino, appuyant ses deux mains sur la tête de sa mère, met son pied droit sur son bras.

Dans le fond, académies d'hommes tout nus, inutiles, appuyés sur une sorte de parapet; on dirait qu'ils sortent du bain, un groupe de deux à gauche, de trois à droite. La Vierge, comme traits, est vraiment plutôt laide.

La Vierge est en robe violet clair, blanchi par les places de lumière aux *saillances;* par le bas une draperie verte et bleue. Même observation pour la draperie rouge de saint Joseph. Effet cru.

LUCAS CRANACH. *Eve.* La même femme que la Vénus du palais Borghèse, que je préfère du reste; elle est ici nu-tête; de sa main gauche contournée sur la hanche, elle tient une branche de feuillage, qui cache le pudendum; à la main droite elle tient une pomme. Sa chevelure blonde a la plus grande masse épanchée sur l'épaule droite.

VOYAGE A CARTHAGE
DU 12 AVRIL AU 12 JUIN 1858

C'est en mars 1857 que Flaubert renonce à publier La Tentation de saint Antoine, version remaniée en 1856 et dont des extraits ont paru dans l'Artiste, les 21 et 28 décembre 1856 et les 11 janvier et 1er février 1857. En revanche, il annonce que son prochain roman aura Carthage pour titre et pour sujet. De septembre à novembre 1857, Flaubert se met au travail et rédige, non sans mal, le premier chapitre de Salammbô, titre nouveau et définitif de Carthage. Mais il s'aperçoit très vite qu'il piétine et qu'un voyage sur les lieux peut seul lui communiquer le souffle, l'ivresse, l'inspiration palpitante qui lui manquent. Au printemps de 1858, il se décide à entreprendre ce pèlerinage aux sources, quitte Paris le 12 avril, s'embarque à Marseille le 16 avril à destination de Philippeville. Après une visite à Constantine, il gagne Tunis par la mer; il est dans cette ville le 24; il y retrouve le parfum de l'Orient et la présence de la mer. Du 3 au 12 mai, il accomplit diverses excursions archéologiques à Carthage et Bizerte. Il quitte Tunis le 21, pousse jusqu'au Kef, regagne Philippeville par Souk-Ahras, Guelma et Constantine. Le 6 juin il est à Paris et le 9 à Croisset. Il dort quarante-huit heures d'affilée, met ses notes de

voyage au clair. Tout est achevé dans la nuit du 12 au 13 juin. Le voyageur peut désormais redevenir sédentaire et se remettre à Salammbô. Quatre ans d'effort seront encore nécessaires.

De larges fragments des notes du voyage à Carthage ont été publiés par Louis Bertrand dans la Revue des Deux Mondes du 15 juillet 1910. Le texte complet en paraît pour la première fois dans l'édition Conard (Notes de voyages, tome II, 1910).

Comme pour le voyage en Orient et pour les mêmes raisons, nous avons cru bon d'opérer une transcription plus cohérente (ou moins anarchique) des noms de localités algériennes ou tunisiennes nommées par Flaubert. Mais l'orthographe et la rédaction phonétique utilisées par le voyageur sont souvent si fantaisistes qu'on a dû parfois renoncer à identifier avec certitude tel ou tel lieu évoqué. Du moins, pour l'ensemble, le rétablissement de l'orthographe géographique la plus usuelle permet-il au lecteur de suivre sans trop de peine, sur une carte ou dans un guide touristique, les pérégrinations maghrébines de l'auteur de Salammbô.

Lundi 12 avril 1858.
Mélanie a été me chercher un fiacre, Foulongne sonne. – Au chemin de fer, marin; mes trois compa-

gnons, bêtes de nullité : 1o blond, à pointe; 2o vieux mastoc, blanc, collet de fourrure à son manteau; 3o monsieur bien; étant « du Nord » et s'occupant d'agriculture, il disserte sur les huiles. – La nuit est belle et les étoiles brillent, je fume et je refume en retournant en moi toutes mes vielleries.

A LYON, la place où la statue de Nieuwerkerke déshonore l'univers. – Un barbier au coin de la rue. – Je lis : *Café du Monument.*

Je m'empiffre à Valence, avec rapidité et délices. – Ma joie de voir des montagnes et le Midi.

A AVIGNON, des sorbets à la glace. – Mes trois compagnons se sont changés en trois autres plus supportables. – Grand étang à droite, bastide.

MARSEILLE. La mer bleue ! – Omnibus : deux vieilles dames. – Chez Parrocel, tout est plein pour le maréchal Castellane ; on me loge tout en haut, dans une petite chambre. – Télégraphe. – Bureau des paquebots. – Je me bourre de bouillabaisse et je vais au café : amateurs marseillais jouant aux dominos.

Le lendemain *mercredi*, bain. La maîtresse des bains a mal aux yeux comme moi. – Je cherche et je retrouve l'*Hôtel de la Darse*[1] ; le rez-de-chaussée, ancien salon, est un bazar maintenant ; c'est le même papier au premier !

Viste à bord de l'*Hermus*, dans le port neuf. – Jardin zoologique délicieux ; des montagnes (de Saint-Loup) brunes et sèches, couvertes d'un glacis bleu ; une cascade tombe et babille pendant qu'un lion rugit doux comme une pompe ; des paons sur des arbres ; un paon blanc. C'est un endroit délicieux. – Soir, café.

Jeudi. Promenade au musée. – Re-visite à l'Hôtel de la Darse. – Les rues du vieux Marseille. – Un débit de tabac où l'on ne connaît pas les *londrès*. – Place du Puget. – Un agent de police engueulant un marchand de rubans. – Les murs des maisons s'effritent. – Rues en pentes !! – Maison meublée tenue par X. – Les femmes petites, noires, en cheveux, évidemment le type italo-arabe ; pas une ne m'accoste, même de l'œil. Quel bel éloge de la police !...

Un verre de malaga dans le Chalet. – Promenade au Prado pour aller demander une table à Courty, mais je ne retrouve pas Courty ; course qui n'en finit, c'est un quartier triste ; *forcé*, un fiacre me conduit au bout, où je reconnais la place pour être venu avec le père Cauvière.

Retour à l'hôtel. – M. Touraide ou Touraine, avocat d'Aix, tout blanc, un père Lormier passé à la mélasse, met son bonnet de velours pour dîner ; son épouse le regarde. C'est un avocat d'Aix que les cors aux pied préoccupent vivement : « Mes bottes... » et la femme *idem :* « Je ne peux mettre que de vieilles bottines ». – Le soir, Gymnase-Dramatique, où l'on chante diverses romances. L'odeur des latrines est tellement forte que je m'enfuis.

Vendredi midi, embarquement : beaucoup de troupiers, des émigrants pêle-mêle sur le pont ; tout cela se calme, le vent fraîchit, on disparaît dans ses cabines. Jamais je n'ai vu de personnel plus insignifiant ni plus taciturne. (Je n'ai pas depuis huit jours échangé dix

---

1. Il s'agit de l'Hôtel Richelieu, rue de la Darse, où Flaubert avait rencontré Eulalie Foucaud, en 1840, lors de son voyage dans le midi.

paroles.) Le navire roule, engourdissement et mal de tête. Le soir, la lune se lève, mince et recourbée comme le patin d'une Chinoise ; il fait froid, je rentre me coucher.

Toute la journée du samedi, malaise et engourdissement, sans maux de cœur ; je dîne dans ma cabine, couché. L'ancien remède indiqué par le père Borelli (du *Nil*), du pain frotté d'ail, m'a réussi, et, le soir, je prends le thé tout seul. J'entends, la nuit, les dégueulades de mes compagnons.

A 5 heures, dimanche, je monte sur le pont, la terre d'Afrique est devant moi. A droite, montagnes noires de médiocre hauteur ; la mer foncée, *marmora ponti* est une expression réaliste. On ne sait pas très bien où est Stora. – Un petit officier de cavalerie ressemble un peu à Pendarès. Une femme de chambre sylphide, avec un œil à demi clos, a été dans l'Inde : chapeau de soie puce, éreinté. Les émigrants sont toujours sous le capot, pêle-mêle ; les troupiers enveloppés dans de grandes couvertures grises, comme des cadavres. Le navire se balance et balance tout cela monstrueusement. Un Russe, grande redingote (M. Suc), très malade, l'air *rébarbatif ;* son compagnon, grand, blond, un peu sot, répète : « Les hommes forts sont plus malades, tandis que les faibles supportent mieux ; ainsi, moi. » Mais la plus belle balle, c'est un bourgeois hideux, le Ferrand des *Mystères de Paris*, cravate blanche, habits noirs fripés, chapeau blanc très haut et défoncé ; couturé de petite vérole. Une destinée ignoble est gravée là : il a fait tous les métiers et il doit être ou maître d'école ou pharmacien ; il tire de sa poche un grand portefeuille.

Débarqué dans une barque maltaise qui est de Naples ; l'homme qui la conduit a de gros favoris, nez de vautour, il sourit ; ses cheveux noirs sont par petites mèches, comme des paquets de ficelles égrondées.

Hôtel des Colonies. – Télégraphe, une mosquée à droite. Pour y aller, « Maison de la porte de fer » avec 2 pots au premier qui contiennent des fleurs, m'a l'air d'un b... – Des Arabes couverts de grands linges grisâtres ; un, surtout, un vieux, chassant un âne qui porte des fagots.

La rue principale a des arcades genre rue de Rivoli ; des Arabes jouent des couteaux au tourniquet, beaucoup de cafés, café Defoy sur la place, en vue de la mer. – Deux petits rochers à l'entrée du golfe. – L'*Hermus* est en face de moi, devant Stora ; à gauche, sur les rochers, la route de Stora à Philippeville ; sous ma fenêtre, allant à droite, un chemin. La mer est toute bleue, des cormorans jouent dans l'air. J'ai pris une bouteille de limonade gazeuse sur la terrasse de l'Hôtel des Colonies, au rez-de-chaussée.

Philippeville est bâtie dans une espèce de ravin qui descend vers la mer. (*Dimanche, 4 heures et demie du soir.*)

PHILIPPEVILLE. En regardant la mer, au fond, un bout de la montagne ; rocher et, à droite, deux casernes. La ville au milieu. En bas, maisons à toits en tuiles, elles sont blanches et toutes modernes. Je suis sous la mosquée qui est bâtie sur le versant droit (tournant le dos à la mer); j'ai passé par la rue de Kébir : roses, nopals, petites fleurs bleues.

En regardant la vallée, on a : à gauche, montagne; à droite, *idem* qui la rejoint; très vert, avec des bouquets plus foncés, taches d'or par places. Le mur des fortifications est devant moi.

Rencontré trois religieuses et des enfants qui faisaient s'envoler des écouffles. – Il y a devant la mosquée où je suis beaucoup d'herbes, des oiseaux crient dans les créneaux de la mosquée; en face de moi, derrière une quatrième caserne, une grande meule de foin; çà et là un bouquet de genêts. Le ciel bleu pâle.

A mon second séjour à Philippeville, le soir, baraques de saltimbanques; vue des hauteurs, de la même place. – Deux espèces de nains, parmi les ruines, recueillis dans le théâtre, trapus, têtes énormes, vêtements striés; – travail évidemment punique.

CONSTANTINE. Parti le soir, dimanche, sur la banquette. Il y a derrière moi deux Maltais, un spahi et un Provençal ou Italien. La voiture craque et gargouille comme un ventre trop plein. Ces animaux, derrière moi, puent et gueulent; le Provençal veut blaguer le spahi, qui rit en arabe; les Maltais hurlent; tout cela n'a aucun sens qu'un excès de gaieté. Quelles odeurs! quelle société! « Macache! macache! » A ma droite, un petit monsieur tout en velours, entrepreneur de toute espèce de choses, assurances, terrains, etc. Il a été spahi.

La route est bordée de saules, les montagnes sont basses, cela ressemble au centre de la France; la poussière obscurcit la lumière des lanternes, il fait très chaud, j'ai mal aux yeux. En montant à pied une côte, mon voisin me montre une place où il a, une nuit, en p...ant ainsi avec d'autres voyageurs, aperçu trois lions, couchés tranquillement; le pays en est plein.

Au milieu de la nuit, nous nous sommes arrêtés dans un village. Auberge comme en Italie : grande salle nue, au premier au fond d'un corridor; une longue table, des hommes qui dorment, un comptoir et des tonneaux. On entre dans une écurie; escalier droit. Les auberges, qui sont pleines, ont l'air d'abord désertes.

Aperçu un incendie sur la droite; de temps à autre, des files de charrettes dételées et stationnant dans les villages; les ponts sont plus étroits que le chemin.

La végétation diminue, les montagnes grandissent, nous montons toujours. Elles sont d'un vert épinard à ma gauche; celles de l'horizon, grises par le sommet.

On commence à descendre. De pauvres Arabes couverts de haillons (pas une femme) chassent des ânes couverts de branches avec leurs feuilles; des jardins au bord de la route, des roses, un palmier, mais vilain; une chèvre jaune et sans cornes broute sur une pente à droite; troupeaux de chèvres.

Les montagnes du fond s'accumulent les unes derrière les autres. On tourne sur la gauche pour gagner Constantine et l'on monte, à pied. Interminable ascension. Un de nos compagnons (un horloger), horriblement pied bot, monte avec sa béquille.

Sous les remparts de Constantine, place grise, en pente, couverte d'Arabes. Leurs cahutes, en forme de loges à chien, ont un toit (ce qui les différencie de celles des fellahs); elles sont en pierres et en boue, hautes de trois et quatre pieds. Le terrain est très en pente, les hommes font de longues masses blanc sale flottant; ce qu'il y a de plus brun, ce sont les visages, les bras et les jambes, cela est d'une pauvreté et d'une malédiction supérieures : ça sent le paria. Ce sont d'anciens habitants rejetés hors la ville.

On entre par la place d'Armes. – Zouaves faisant l'exercice. – En face, la pyramide du général Damrémont. – Des garçons d'hôtel vous assaillent. – Hôtel du Palais.

M. Vignard, chef du bureau arabe. – Des décombres devant la porte, entrée par des petits couloirs à porte basse, patio, colonnes, murs blanchis à la chaux. Son salon donne sur le marché où je suis venu et la montée qui mène à Constantine.

Visite chez le pharmacien, le Dr Reboulot, élève de J. Cloquet. – Le secrétaire de M. Vignard, Salah-bey, petit-fils du bey de Constantine, grand jeune homme pâle, à tournure distinguée et un peu molle; il a pris une seconde femme et s'échigne dessus. Il me mène dans les bazars, lesquels me rappellent ceux de la Haute-Egypte : tous les hommes en blanc, à figure brune; je sens (je re-sens) cette bonne odeur d'Orient qui m'arrive dans des bouffées de vent chaud.

Visite à trois mosquées : elles sont fraîches, les tapis alternent avec des nattes. Dans l'une, un homme accroupi écrit à un petit pupitre, à côté du tombeau d'un marabout; dans une autre, des figuiers dans la cour abritent des tombes. A la mosquée de Sid-el-Kitam, Salah-bey me montre celle de son grand-père. Il y en a quelques autres; dans un compartiment entouré de grilles en bois, tombe d'une femme entourée de voiles verts et jaunes : c'est là que dort une de ses aïeules, une vierge mystique, qui n'a jamais voulu se marier et qui est devenue maraboute; deux hommes dorment au pied.

Salah-bey me conduit jusqu'aux bords du Rummel, près des débris du pont d'El Kantara.

Retour chez M. Vignard. – Promenade à cheval. Il me montre, en descendant, trois gaillards grêles et étranges : ce sont des mangeurs de haschisch, chasseurs de porcs-épics; quand ils en ont pris un, ils font un grand dîner. Ces mêmes hommes prennent les hyènes vivantes, les amènent à Constantine et les lâchent à leurs chiens. Pour prendre une hyène, ils vont à sa caverne, bouchent l'ouverture avec des toiles, et y laissent un trou. Ils poussent une sorte de zagarit, l'hyène vient au bord, le chasseur lui parle : « Tu es jolie, on te peindra de henné, on te donnera un mari, des colliers, etc. » L'hyène s'avance, l'homme passe sa main enduite de bouse de vache : cette graisse, dont il frotte la patte de l'hyène, plaît à cet animal; on y passe un nœud coulant. Alors les autres chasseurs, placés derrière, tirent à eux et la bâillonnent.

Nous mettons pied à terre, on contourne le rocher sur un petit sentier bordé d'un parapet, et l'on entre dans le Rummel. Cascades, peu d'eau au fond du torrent, énormes à pic, couleur rouge, des trous d'oiseau;

des gypaètes tournoient dans l'air. – Une arche naturelle, elle a bien de hauteur deux cents pieds (c'est par là que des gens de Constantine, lors de la prise de la ville, sont descendus au bout d'une corde ; quant au bey, le tableau de Court est faux : il était dans l'intérieur), puis une sorte de tunnel ; en continuant, on arrive au pont d'El Kantara.

Le Rummel me rappelle Gavarnie et Saint-Saba, c'est dans le goût. Quelquefois le rocher s'élargit en manière de cirque, c'est un endroit féerique et satanique. Je pense à Jugurtha, ça lui ressemble. Constantine, du reste, est une vraie ville, au sens antique, un *acros* ἄστυ.

Légende : un nègre et un Romain se trouvaient au passage d'une rivière en même temps qu'une jeune fille ; le Romain avait un cheval. Contestation pour passer la fille afin d'en jouir, elle se défend. Le Romain lui prête son cheval et elle passe seule ; ils passent ensuite tous les deux, et, là, la bataille commence entre eux à qui l'aura. La nègre est tué, la jeune fille, au moment d'être ..., est changée en rocher et les deux hommes en deux rivières, le Rummel et le X..., condamnés perpétuellement à tourner autour d'elle et à lui baiser les pieds.

Dîner avec le directeur des postes et trois autres messieurs. – Ils connaissent la *Bovary* !

Nuit affreuse en diligence.

Arrivée à PHILIPPEVILLE à 6 heures ; au lit jusqu'à 3.

Visité le jardin de M. Nobels, en vue de la mer. Rosiers en fleurs embaument. Une mosaïque, trouvée sur place, représente deux femmes, l'une assise et conduisant un monstre marin à bec d'aigle ; une autre assise et conduisant un cheval, des iris entre les oreilles font des flammes rouges ; une troisième danseuse, avec des anneaux aux chevilles, pieds et jambes remarquables de forme et de mouvement, la droite sur la gauche ; le champ est semé de poissons. Le nègre jardinier qui m'a conduit va m'emplir un arrosoir et asperge la mosaïque pour me la faire voir. Je suis pris de tendresse dans ce jardin ! Le temps est brumeux, les soldats de la terrasse en face jouent des fanfares.

Difficulté pour avoir une voiture ; la mer est mauvaise, toutes les barques parties. – Cabriolet que je mène.

Départ de Stora à 6 heures, nous mouillons à 8 heures et demie à l'abri du Cap de Fer. (*Ecrit le soir à 10 heures, le navire roule un peu sur ses ancres.*)

Le vent d'Est nous force à passer la nuit au Cap de Fer. Le lendemain mardi et le mercredi, restés au Fort Gênois, à cause du mauvais temps et de l'hélice prise dans une chaîne de bouée.

Jeudi, débarqué à BONE. Plage d'où la mer se retire : les chevaux se baignent à une grande distance du rivage. C'est désert, bête et lamentable ; les montagnes sont vertes. – Hippone, mamelon vert dans une vallée entre deux montagnes, inclinant un peu sur la gauche. – Nous montons à la casbah : prisonniers militaires terrassant une terre blanche en plein soleil ; inscriptions exaspérantes sur les murs, tout en est maculé ; M. de Bovie et M. de Kraff trouvent cela tout simple.

Le gouverneur, grand blond, à barbiche ; l'abbé de la Fontan, charmant, un Fénelon brun.

En redescendant, nous voyons nos plongeurs napolitains qui sortent de l'église Saint-Augustin, où ils avaient été prier pour que le ciel leur accordât une augmentation de paie.

Histoire de l'amulette de M. de Kraff ; *il y croit* quoi qu'il dise. La faculté d'assimilation des Russes est-elle une puissance ? ne faut-il pas, *pour vaincre*, un élément nouveau, une originalité quelconque ? Qu'apportera une pareille race d'hommes ?... merveilleux comme des mécaniques.

Je passe la nuit à causer avec le commandant. Il sait par cœur bon nombre de vers de Virgile et d'Hugo, c'est un ancien voltairien devenu catholique, il accomplit toutes ses pratiques ; est-il sincère ? Front élevé, exalté, petite taille, bouche épaisse et très sensuelle.

Anecdote : dans la Polynésie, toutes les femmes, lorsqu'elles sont vieilles, se font... par des chiens ; elles poussent des cris affreux lorsqu'on en tue une.

La nuit est douce, humide, claire, cependant la lune de temps à autre voilée ; les étoiles brillent et la mer est calme.

A notre droite, nous passons près des « Deux-Frères », qui ont l'air de vagues éléphants ou d'hippopotames, de je ne sais quels monstres sortant de la mer ; ces grandes masses noires sont effrayantes sous la lune au milieu du désert des flots. Les falaises, qui se suivent depuis Philippeville, finissent au cap Blanc ; le rivage s'abaisse et continue à plat ; au loin, à gauche, les Cani.

L'entrée par LA GOULETTE me rappelle l'Egypte : terrains bas, murs blancs, du bleu, du bleu ; une silhouette d'homme ou de maison se dessinant là-dessus ; douane, barque, deux grandes voiles. Bon vent, nous penchons. La couleur jaune du lac me rappelle le Nil.

Hôtel de France, dans une ruelle, comme l'Hôtel du Nil ; un tas de femmes qui cousent et repassent dans le patio. Petite chambre.

Promenade dans les bazars, conduit par M. de Kraff. Babouches.

Cimetière qui domine la ville. – En nous en retournant par le quartier maure, un Aïssaoua qui faisait danser des serpents ; vieux, en haillons, maigre ; ses dents canines supérieures très proéminentes, seules dents qui lui restassent, le font ressembler à une bête féroce. Il a tiré d'un sac deux serpents à tête très plate. En face de lui, un joueur de tambourin et un fifre ; un enfant dansait, ou plutôt sautait, et lui, le vieux, criant, gesticulait, tirait la langue et imitait le balancement des serpents qui se traînaient sur le ventre en faisant osciller leur tête. Le cercle des spectateurs, entièrement composé de Maures, était tout blanc gris, et généralement la tête couverte ; figures et bras bruns.

Le lendemain *dimanche*, promenade au Belvédère, avec M. Dubois, dans les oliviers. Le terrain monte doucement, ça me rappelle certains aspects de la Palestine. De temps à autre, une banquise entre les arbres, traces de l'aqueduc ; la terre est très labourée sous les oliviers. Nous montons sur le sommet d'une colline très haute, d'où l'on voit la mer, le lac derrière Tunis et la plaine de la Medjerda.

Brume. – Retourné à l'Ariana : charmante, délicieuse, enivrante chose. Les terrasses blanches des maisons à volets verts saillissent au milieu de la verdure, le tout est dominé, en échappées, par des montagnes bleues; champs d'oliviers, caroubiers énormes; des haies de nopals où les feuilles, vieillissant, sont devenues des branches.

La terrasse du café : Juifs et Juives avec des jambarts d'or; une putain, les sourcils peints, complètement joints; une miss, belle-sœur du consul anglais, sur un cheval blanc. – Retour avec MM. Dubois, de Saint-Foix, de Kraff. – Soir au cercle.

Lundi 26. Journée perdue, visite à MM. Wood, Rousseau, de Marcel; visite dans le quartier maure.

Mardi. Parti à 8 heures du matin, au pas dans toute la plaine de Tunis. Les oliviers, rares, cessent; une grande plaine d'herbes, verte maintenant; sur la droite, à l'embranchement de la route de La Goulette, un café. Le terrain monte, haies de nopals, la Marsa. – La tente du bey sur la place, au fond de deux lignes de canons. – Station chez un maréchal. – Hôtel.

MALGA. On entre dans des caves, voûtées çà et là, où habitent de pauvres gens; elles sont très enfouies et l'on touche le haut de la voûte avec la main.

Monté à Saint-Louis, enclos de murs. – Déjeuner dans une chambre délabrée. – Gardien français, ancien domestique du colonel Pélissier. Je suis venu avec lui de Marseille à Malte. – Deux statues dans le jardin.

Descendu vers le port. – Deux maisons rouges au bout, à droite. – Fait le tour des deux ports; pas une trace de mur autour des ports. – La colline est pleine de coquelicots, au milieu des blés verts et de petites fleurs jaunes. – Promenade au bord de la mer, mon cheval marche dans les flots. A quoi servaient les murs qui descendent vers la mer comme des cloisons? Restes d'une cale, d'un môle, juste en face Saint-Louis; il devait y avoir un chemin en ligne droite pour y monter. – Des coquilles, la pluie, citernes, un vieux drapé comme une statue.

Retour au puits artésien. – La famille du contre-maître. – Pluie, temps de galop, halte au cap. – De bons Turcs dans de bons cabriolets.

Le soir, station dans un café chic. Un banc de chaque côté du mur; au milieu, une longue estrade. Trois musiciens juifs : un aveugle, jouant de la mandoline, long nez, aveugle et balançant sa tête continuellement comme un éléphant; un pâle, haut front, jouant d'une sorte de violon sans corps; un gros, bête, jouant du tambour de basque. Enfant de 12 à 13 ans, veste couleur vin d'Espagne, un trou au coude (il jouait de la mandoline avec une plume d'oiseau), front élevé, teint pâle, yeux superbement noirs, l'émail brillant, les narines relevées et fines, la bouche en cœur et les lèvres charnues, les dents un peu longues; il restait dans la même attitude, le regard levé. Au plafond, quantité de cages d'oiseaux : on entendait le cri des petites bêtes, qui avaient l'air de se réjouir de la musique.

Aux murs, une lithographie coloriée, représentant une femme; des images de manœuvres militaires (Epinal). Au fond, deux lions gigantesques tirant la langue.

Les spectateurs sont impassibles. Odeur de tabac, de café, de musc et surtout de benjoin. – Un gentleman qui nous fait brûler de l'encens sous le nez; ses haillons de toutes couleurs lui donnent l'air d'être revêtu d'écailles bigarrées.

J'ai rencontré à la Marsa un santon, couronné d'herbes comme un dieu marin.

Mercredi 28. Achat de parfums, d'une ceinture, de petites bouteilles. – Pluie, boue atroce. – Le musée de l'abbé Bourgade. – Ecoles religieuses. – Dîner chez M. Rousseau. – Promenade, le soir, dans les rues pleines de boue; il est trop tard pour voir Carragheuss!...[2]

Quand on sort par Bab El Khadra, plaine, à droite; le lac et Hammam-lif en face. Si l'on se tourne vers Hammam-lif, on a d'abord la plaine, puis le lac, et, ayant le flanc droit tourné à la porte de la chapelle Saint-Louis, en face : le port double et un espace de gazon, la mer; Hammam-Lif un peu à gauche, le Zaghouan dans le fond.

Jeudi 29, jour de courrier, écrit à ma mère. – Le soir, promenade sur la place de la Casbah, avec MM. de Saint-Foix, d'Haubersaërt, etc. Lune magnifique et les minarets illuminés quand nous arrivons sur la place. A gauche, cafés pleins de monde et de bruit, de la musique qui grince et bourdonne, avec des voix glapissantes par-dessus; en face, un énorme caroubier à côté du grand mur blanc de la casbah, un mur coupé violemment par une large draperie d'ombre, qui a l'air de faire la suite du sol, la terre (dans l'ombre) étant comme un tapis.

Le ciel était d'un bleu extrêmement pur et profond, avec des étoiles couleur de diamant; çà et là, au-dessus des terrasses blanches, un minaret carré entouré de lumières jaunes (lampes à huile qui brûlaient). – Odeur de tabac et de benjoin.

En face de la casbah, un peu à gauche quand on lui tourne le dos, des monticules de terre, immondices ou décombres devenus collines, étaient perdus dans l'ombre; les places de terre éclairées par la lune étaient grises, et les murs d'une étonnante blancheur. En face de la casbah, un peu à droite des monticules, un palmier se découpait sur le ciel bleu; des tambourins résonnaient, des voix chantaient; tout cela était très joyeux et d'une extrême douceur.

Nous avions, en venant là, vu un Carragheuss; il avait une bosse et une espèce de costume espagnol, les Arabes se ruent pour le voir : « Barra! barra! »

Avec M. de Kraff, j'en vois un autre : celui-ci est mieux. Dans une salle étroite et longue, et si pleine de monde qu'on y étouffait, les Arabes tassés sur deux bancs, en haut du théâtre, un homme qui faisait des paniers, et Achmet, le domestique de M. de Kraff, qui y était monté à l'aide d'un perchoir. Il ne paraissait encore rien derrière le transparent. Un homme, entre les deux bancs, dans l'étroit passage qu'ils laissent, marchait en cadence en relevant très haut les genoux, ou bien dansait sans les remuer, agitant le bassin à la

---

2. *Carragheuss* : (ou mieux *Caragheuz*); personnage central du théâtre d'ombres turc, espèce de Polichinelle satirique et obscène.

mode égyptienne (mais avec quelle infériorité!). Ce qu'il y avait de beau, c'était les trois musiciens qui, de temps à autre et à intervalles réguliers, reprenaient ce qu'il disait, ou mieux *réfléchissaient* tout haut à la façon du chœur; cela était très dramatique et il me sembla que j'avais compris. Quant au Carragheuss, son pénis ressemblait plutôt à une poutre; ça finissait par n'être plus indécent. Il y en a plusieurs, Carragheuss; je crois le type en décadence. Il s'agit seulement de montrer le plus possible de phallus. Le plus grand avait un grelot qui, à chaque mouvement de reins, sonnait; cela faisait beaucoup rire! Quel triste spectacle pour un homme de goût! et pour un monsieur à principes!!!

Vu des ombres chinoises déplorables dans le bouge d'un Maltais, même quartier.

Vendredi. Visite au palais du bey. Rien n'est ravissant comme le patio, incrusté de bandes noires sur le fond blanc du marbre. Au-dessus, des ornements en plâtre!!! Les murs des appartements, en petits carreaux de faïence; puis, au-dessus de la faïence, la bande de plâtre. Pas un des carrés pleins d'ornements ne ressemble à l'autre, quelquefois les vis-à-vis se ressemblent. – Merveilleux plafonds, profonds, creusés, peints en vert, en bleu et en or.

Le mobilier (Empire et Restauration : pendules dorées à sujets, canapés et fauteuils en acajou), avec les lithographies coloriées (vieux Devéria, *Amour, François I*er *et sa sœur*), déshonore cette merveille de l'architecture arabe.

Il en est de même pour le palais de la Manouba, où nous avons été l'après-midi. – Rencontré des Bédouins armés de coutelas énormes. – Aqueduc espagnol. – Le Bardo. – Jardin de la Manouba : on embaume; quantité de petites colonnes sur lesquelles sont des vases pleins de plantes en fleurs. – Un plafond à poutrelles bleues; le tranchant est doré, ça fait comme de grandes lames d'épées bleuâtres, dont le fil serait d'or. – Jardinier français passablement idiot, camus.

Retour par le lac derrière Tunis, une immense bande de flamants est au milieu. – Monticule. – Quartier maure. – Fait le tour de la ville, rentré par la place. – Le soir, au cercle.

*Samedi, 1*er *mai.* Porté mes lettres au consulat. – Sellier. – Juive : on est enfermé sous les rideaux qui pendent carrément.

EN ALLANT A UTIQUE. Plaine; à gauche, des montagnes basses à grandes ondulations bleuâtres; à droite, un bout de terrain vous cache la vue.

Au bout de cette première plaine, une seconde; la végétation cesse tout à coup après les oliviers (la première s'appelle Ras Tabia et la seconde Menihla; arrêté à Sabel-Settabah [3], fontaine à trois colonnes) et on entre dans une plaine aride. Les montagnes disparaissent; à droite, un santon abandonné. Des Bédouins passent près de nous, armés jusqu'aux dents. C'est dans les oliviers que l'on a tué le père de Bogo.

La vallée finit. Petite montagne, et tout à coup se déploie une autre plaine qui est immense, elle se pré-

3. Sans doute : La Sebala (16 k. au N.-O. de Tunis).

sente plate comme la main, toute unie; on arrive de suite au fondouk du Pont.

La Medjerdad est large comme la rivière de Bapaume et de couleur jaune; les montagnes reparaissent sur la gauche. – Un grand troupeau de moutons blancs à tête noire. – Une heure après, arrivés à Menzel Ghoul, (Halte du Diable).

Le douar est au fond ou plutôt à l'entrée d'une gorge, nous descendons de voiture et allons à la chasse des scorpions, la montagne est nue et couverte de petites épines. – Un enfant du douar, avec un double bâton crochu. – Le ravin est sur notre gauche; nous redescendons et nous installons dans un gourbi, sur des planches, très gaiement, tant que les planches du lit que Amorr-Ben-Smidah a défaites pour nous les donner.

Nous fumons des pipes dehors, dans l'enceinte faite en bouse de vache desséchée; de petites vaches, dans la cour, sont couchées par terre; nous manquons de tomber dessus; les chiens du douar aboient. Ils ont cette habitude d'aboyer sans cesse, pendant toute la nuit, afin d'écarter les chacals; s'il se présente un homme (ou un danger quelconque), ils aboient d'une autre façon, pour donner l'éveil. Notre cahute est en terre, plus longue que large; trois arbres fourchus soutiennent le toit, qui est en roseaux, et une lampe suspendue nous éclaire et vacille. Les chiens aboient, nous sommes couchés sur les planches. (*Minuit, puces nombreuses.*)

Nuit gaie, Bogo seul dort, Saint-Foix ne rêve que képi et revolver; de temps à autre, un de nous se relève et alimente la lampe avec l'huile de notre boîte à sardines.

Le lendemain, *dimanche 2 mai*, partis de bonne heure, à pied, pour les ruines d'Utique.

Le pont de Dzana, vieux pont qui conduit à Bizerte; le Dzana est une petite rivière, sur la droite, à un quart de lieue du douar.

Petites fleurs bleues, d'autres violet foncé, d'autres jaunes. Le ciel est couvert, mes compagnons chassent des cailles, les coups de feu pètent au milieu des petits cris des alouettes, dans les blés verts tout pleins de coquelicots en fleurs. Quand nous nous sommes levés pour partir, il y avait une grande bande bleue sur le ciel, du côté de l'Est.

Nous rencontrons à notre gauche, à mi-côte, deux douars de Bédouins. – Chameaux.

La route monte un peu, en inclinant sur la gauche, et arrive en angle droit sur un vallon; premier, deuxième, puis troisième palmier à gauche. Plaines plates; au milieu, à une lieue de distance, des ruines comme des palmiers et çà et là, des blocs de maçonnerie : nous marchons sur les restes d'une chaussée romaine.

A gauche, des entrées de caves, de souterrains; elles sont surmontées de petites collines qui ont l'air artificiel et sont à pans droits.

A droite, le bourrelet des collines, extrêmement bas, se relève, finit brusquement et laisse la plaine à découvert, indéfiniment, du côté de l'Est; à droite, c'est comme un grand demi-cirque : montagnes à base très

large, mamelonnées, couvertes de bois et de broussailles; elles ont des lambeaux de verdure çà et là.

Un vallon de cent pas de long sur vingt-cinq de
large, chemin au milieu, de l'eau, de longues herbes; un
palmier se découpe, à gauche; un troupeau qui pâture,
au loin, fait comme des bornes noires dans la campagne.

Nous tournons à gauche : ruines informes, grands
blocs de maçonnerie comme si un tremblement de
terre les eût renversés; à notre gauche, le vallon se
ferme en courbe.

Monté sur le sommet du cirque, près des aqueducs.
Tournant le dos au soleil levant, on a devant soi, visible,
une partie de la plaine d'où la mer s'est retirée. L'eau
de l'aqueduc venait de la montagne à gauche (en se
tournant vers l'Ouest).

Les citernes sont de même construction qu'à Carthage, à demi enfoncées; mais, bien que Bogo prétende
qu'elles se communiquaient, elles ne s'entrecroisent
pas.

La face Est des grandes ruines regarde un espace
semi-circulaire, qui devait être le théâtre. Le Forum,
plus douteux, était placé au-devant de l'entrée Ouest
du cirque, qui a complètement disparu sous l'herbe.

Fontaine sous un palmier jauni, les feuilles du bas
dans un négligé charmant; un enfant et un homme
battent le linge avec leurs pieds, coutume arabe; cela
fait un rythme. → Un vieux qui a une figue au nez.

Nous retournons au douar sur des bourriques. En
face, la montagne Quel-Nah est comme un mur; la
montagne Menzel Ghoul fait une avancée entre la vallée
de Menzel Ghoul et la plaine d'Utique et les sépare.

Pont de la Medjerda.

Etant adossé à la montagne, on a devant soi, à
vingt-cinq pas après le fondouk une butte de terrains
très rapprochés. — Mur antique parallèle à la rivière.
— Bac. — Rives argileuses, éboulées à pic. — Un troupeau de bœufs qui se battent.

Du phare de Sidi-bou-Saïd, tourné vers l'Est : au
premier plan, la mer, que l'on surplombe; elle se continue, filant à gauche; en face le mont Korbous, le rivage
s'abaisse et la plaine, un peu bosselée, continue jusqu'au Hammam-Lif. J'ai sous mes pieds le cap de
Kamart; la mer est en retrait à droite et à gauche.

Au Sud : le village de Sidi-bou-Saïd, la mer, Hamman-Lif avec ses deux cornes[4]; derrière, comme un
grand bloc d'indigo, le Soliman. Une autre montagne,
la Mammediah, s'étend, et, à droite, le Zaghouan apparaît par derrière. Le Zaghouan est bleu; Hammam-
Lif, verte, brumeuse, des lignes rousses. La Mammediah est une longue banquise presque droite.

En face : la pointe de La Goulette; tout Carthage est
beaucoup plus bas que moi, maisons blanches; places
vertes : des blés.

A l'Ouest, j'ai la plaine qui s'étend vers Tunis; à
gauche, la pointe de Kamart, un golfe, des montagnes
basses, au fond.

Au Nord, la pleine mer.

4. Il s'agit sans doute du Djebel Bou Korneïn (ou Bou Kournine).

Un dromadaire sur une terrasse, tournant un puits :
cela devait avoir lieu à Carthage.

Chameau dans les airs, ses oreilles énormes le font
ressembler à une grenouille.

Mardi. Partis de Tunis à 8 heures et demie.

Douar Ech Chott. – Ouvriers. – Docteur Heap,
mosaïques dans sa cour, lunch.

SIDI-BOU-SAÏD. Rue en pente. – Phare. – Revenu aux
ouvriers.

LA MARSA. Longé le bord de la mer. – Pavillon de
plaisance du bey. – Arrêtés par les rochers, nous rebrous-
sons chemin; montée raide.

Vue du haut de Kamart : sables à droite et Sebkha;
à gauche, verdure et conacs entourés de palmiers; en
face, les montagnes de Porto-Farina, gris perle.

Nous prenons sur la gauche. Maison du docteur
Davis; galerie découverte à pleins cintres en maçonnerie pour entrer, cour, escalier, vasque carrée, portique
moresque. – Mme Davis, maigre, gracieuse, petits
yeux, os saillants; prête, je crois, à accepter l'invitation à la valse; Mlle Nelly Rosemberg, pur type
zingaro, longs cils, lèvres charnues, courtes et découpées; un peu de moustache, des cils comme des éventails, des yeux plus que noirs et extrêmement brillants,
quoique langoureux; pommettes colorées, peau jaune,
prunelles splendides et noyées. – Visite gaie.

Course au bord de la Sebkha-er-Riana. Elle communique à la mer par trois ouvertures entre de grandes
banquises plates; la terre, quand il y en a, est couverte
de touffes jaunes, en fleurs, pareilles à la fleur du genêt.
L'eau s'est retirée; il reste de grandes flaques sèches,
couvertes de sel, cela a l'air de neige. Entre les bancs
de sable de Kamart, la mer apparaît avec une brutalité inouïe, comme une plaque d'indigo, le ciel bleu en
paraît sale, le sable est blond, des mouettes volent
magistralement : ça a l'air de l'écume des vagues qui
s'envole, de grands flocons blancs emportés par le
vent, dans les airs.

Nous revenons de la Sebkha en longeant la face
Ouest de Kamart : bois d'oliviers à notre gauche, troupeaux de moutons à tête noire et à queue carrée. Les
bœufs et les vaches ne sont pas plus grands que des
veaux.

J'ai rencontré le bey dans une sorte de mylord.

Dîné seul dans une chambre, à l'hôtel italien de la
Marsa. *(Mardi 9 h. ½ du soir.)*

Quand on vient de la Marsa par le bord de la mer
pour aller à Saint-Louis, on a à droite la montagne de
Sidi-bou-Saïd; à gauche, la mer; une fontaine d'eau
douce en sortant de la Marsa, à droite. Partout où l'on
creuse sur ce rivage, on trouve de l'eau douce.

Dans la mer, rochers carrés, rouges; les falaises en
terre, généralement; les ravins qui les coupent régulièrement les font ressembler à des colonnes informes
obliquement posées.

Quatre golfes : Kamart, Meria, Sidi-bou-Saïd et
Saint-Louis; – Saint-Louis ayant le sien à sa gauche.

Les terrains, à mesure que l'on se rapproche de
Saint-Louis, s'abaissent, inattaquables du côté de

VOYAGES

Sidi-bou-Saïd à cause des rochers. Dans le golfe de Sidi-bou-Saïd, on ne voit pas même Hammam-Lif; un promontoire bas, puis tout à coup on aperçoit l'anse à l'extrémité de laquelle, en haut, est Saint-Louis. De cette pointe, j'ai à droite l'anse, Saint-Louis, les deux maisons rouges; en face, le Zaghouan; un peu à gauche, Hamman-Lif.

Du sommet du promontoire, regardant le soleil (10 heures du matin) : en face, le Korbous, brun, vaporeux; la mer en face, bleue à gauche, bleue, le soleil y fait rouler des étoiles; à droite, au fond, le Zaghouan. Des nuages sur le sommet de Hammam-Lif, qui a l'air en bronze, rouge par la base, brun doré en dessus. A droite, trois anses dans une.

Tournant le dos au soleil : au premier plan, la montagne du cap même qui, avançant, empêche de voir les golfes de Sidi-bou-Saïd, de la Marsa et de Kamart.

Les galets, en une espèce de grès, sont blancs et lie de vin; quelques-uns ont comme des bandes de fer plus foncées. De petits rochers à fleur d'eau, pleins de trous comme de grosses éponges; quelques-uns sont divisés naturellement comme des blocs de grands dallages.

De Djebel Sidi-bou-Saïd, le dos tourné à la maison du Kasnadar, à l'endroit où l'on prend de la terre rouge de dessus une butte : en face, la Marsa, plaine, isthme, verdures, maisons blanches, puis la montagne de Kamart et, à droite, le promontoire de Kamart, avec la crête promontoire fermant le golfe de la Marsa; par derrière, montagne de Porto-Farina, gris, brumeux, avec des plaques blanches, la pente du promontoire de Kamart est gris rose; près de moi, à droite, la pente et le village de Sidi-bou-Saïd; à gauche, au fond, montagne brumeuse, bleue, presque gris noir; Sebkha, sables à peine perceptibles, plaine.

En regardant Saint-Louis : en face, plaine, Saint-Louis au delà, et, à droite, le golfe de Tunis; à gauche, Kasnadar, mer bleu vert, Hammam-Lif.

Pour venir là nous avons pris un ravin très large, d'argile rouge; ça a l'air de vagues de sang pétrifiées. On y trouve des restes de fouilles, le dessus d'une voûte. Il se bifurque et, au bas de sa branche droite, en regardant la mer, quatre grandes ruines et un mur.

Ces restes sont énormes, l'épaisseur des murs a environ deux longueurs de cheval; le mur isolé à droite (sous la maison du Kasnadar) est en pierres de taille.

La mer rentre et, deux cents pas plus loin, deux entrées de voûtes, un mur à ras du sable; cent pas plus loin, une masse énorme qui fait cap; on y entre : c'est une grande voûte, plus de deux fois haute comme moi à cheval.

En dehors, du côté de Saint-Louis, c'est comme une montagne qui a plus de soixante pas de largeur; c'est bâti avec des galets de la mer. Immédiatement après, les rochers qui descendent font une défense naturelle; ruines mêlées aux rochers, puis, pendant soixante pas (sous le fort), je longe les restes d'un mur énorme qui devait être un quai.

De dessus une butte, ayant le fort à gauche et les citernes à droite, en face, dans la mer, des ruines. Est-ce un môle ou les restes d'une tour carrée? ça a bien, sur chaque face, deux cents pieds.

Sous les citernes, les ruines recommencent : au bord de la mer et dans la mer, colonnes blanches et brunes dans le sable; autre carré de ruines dans l'eau; cinq cents pas plus loin, un blocage carré, juste en face la façade de Saint-Louis.

Il devait y avoir un chemin, c'est le bout de la chaussée ou de la rue, comme la base d'une tour.

J'aperçois, à droite, Sidi-bou-Saïd et, au bas, les citernes; plus à droite, les ruines s'avançant dans la mer à fleur d'eau; à ma gauche, les deux maisons rouges.

J'ai remarqué (sous les citernes) au bord de la mer, des pierres de taille, comme base de blocage, quarante-quatre murs descendant parallèlement vers la mer. Étaient-ce des murs? car, à certaines places, entre le seizième et le dix-septième, l'entre-deux est plein.

Partant de la Marsa, nous allons sur la crête de la Marsa et nous arrivons au sommet des terrains rouges de ce matin.

Après le Kasnadar, au bas du fort, à sa gauche, ruines descendant vers la falaise peu élevée, un mur, une masse de blocage, le haut d'une voûte et des restes informes.

Le dos tourné à la mer et regardant le fort : murs qui descendent comme ceux au bord de la mer, ce devait être un palais en terrasse.

Derrière, le fort, dont on nous refuse l'entrée, deux quadrilatères, restes de deux terrasses; celle de gauche (ayant le dos tourné au fort) est plus basse que celle de droite. Murs de quatre pieds d'épaisseur environ. La terrasse supérieure a une surface de 150 pieds de long sur 50 de large; la seconde terrasse, plus large et plus longue, supporte celle-ci.

Derrière cette seconde, commencent les citernes, dont on voit le dessus, ça fait comme un hippodrome; on a creusé les terres, évidemment. On ne connaît pas toutes les citernes, elles doivent aller souterrainement jusqu'au fond de l'excavation. A l'angle Ouest des citernes et le terminant, il y a un dôme de même travail que les citernes; le dessus, le sommet est tronqué; se terminait-il en pointe? L'intérieur fait une rotonde, briques et blocage alternés.

Dans l'intérieur des citernes, partout à chaque bassin, sous le stuc, deux rangs de briques à plat, supportant le blocage. Deux bas côtés, une nef, et les bassins sont transversaux, ils ne devaient communiquer que par les côtés. Les trous à la voûte laissent entrer le soleil; des mouches bourdonnent, des herbes pendent par les trous, comme des lustres; Khalifa, avec nos deux chevaux, est couché à l'entrée en pleine lumière; un oiseau s'envole avec un bruit d'aile, un autre chante; poussière très fine, silence, parois vertes sur les murs, de l'eau livide et épaisse dans quelques bassins.

Au-dessus des citernes, pente douce, éminence qui a une forme presque régulière.

Fouilles : mosaïques romaines communes, murs en stuc blanc, avec de larges bandes de chocolat en réchampi.

Au bas des citernes, sous le fort et à sa droite en regardant la mer, grand amas de ruines dans toutes les positions possibles ; quand on arrive vers elles, ça a l'air de vagues dolmens : morceaux de voûtes, grands blocs à demi couchés qui se tiennent d'eux-mêmes.

Course à LA GOULETTE. Langue de terre qui va se resserrant de plus en plus, ligne de murs propres, place européenne, cafés.

Passé de l'autre côté du canal. – Hammman-Lif a l'air divisée, par vagues obliques, tons bleus et gris superbes.

Dans un café, j'examine à loisir l'illustre Karoubi, le premier ruffian de la Tunisie et qui a posé devant S. A. R. M. le prince de Joinville, dans une fonction extra virile. Il a l'air très vénérable : chapeau de paille et paletot de matelot, son chic participe du marin et du modèle d'atelier ; barbe longue, bagues nombreuses, calvitie sur le devant de la tête : peut poser pour un saint Jean.

Revenu à la Marsa au grand galop ; le soleil, comme un bouclier rougi, se couchait à gauche.

Jeudi 7 mai. Notes prises au clair de lune. – Lever du soleil, vu de Saint-Louis : d'abord, deux taches, celle du jour levant, à droite ; la lune sur la mer, à droite ; le ciel, un peu après, devient vert très pâle et la mer blanchit sous le reflet de cette grande bande vague, tandis que la tache que fait la lune sur la mer se salit. La bande vert d'eau gagne dans le Nord, la mer s'étend orange pâle ; il n'y a plus que très peu d'étoiles, fort espacées ; toute la partie Sud et Ouest de Carthage est dans une blancheur brumeuse, la prairie de La Goulette se distingue ; les deux ports, les montagnes violet noir très pâle, estompées de gris, le Korbous est plus distinct ; quelques petits nuages dans la partie blanche du ciel, au-dessus de la bande orange.

Un navire (barque de pêche ?) comme une grosse mouette noire. Du côté de Tunis, le ciel qui perle et les montagnes violet brun. Le ciel est d'un bleu extrêmement doré ; au pied de Hammam-Lif, la mer est verdâtre. Il y a encore une étoile, à la droite de la lune, du côté de Tunis. Les maisons blanches de La Goulette sont très distinctes, le cap Bon s'aperçoit très bien ; les maisons de Sidi-bou-Saïd ; le mont Korbous est estompé d'une brume violette, et tout en général.

La partie Est du ciel est maintenant rosée ; ce qui domine immédiatement la ligne de l'horizon, blanchâtre et comme poudreux. Derrière le Korbous d'autres montagnes très indécises ; *idem* derrière Hammam-Lif.

De la butte des terrains rouges, au pied de Sidi-bou-Saïd, en regardant Carthage, les inégalités de terrain qui existent d'ici à Byrsa disparaissent. Byrsa me cache en partie le lac, que je revois à droite avec Tunis. Montagnes, puis la Sebkha-er-Riana, à gauche de Byrsa ; la Goulette, les ports, la mer, la Hammam-Lif. La mer est verte, le soleil se lève juste derrière les terrains rouges, au pied de Sidi-bou-Saïd, du cap Carthage, le cap Kamart fait comme un croissant.

Du plateau (où sont encore des mosaïques), à droite des citernes, même vue, mais plus belle et plus rapprochée.

C'était sans doute là Mégara, les Mappales étaient aux terrains rouges. Byrsa se détache complètement ; toute la plaine de Tunis, l'extrémité du lac et Tunis en rose ; tout ce qui est à gauche de Saint-Louis, les ports, La Goulette, la mer, Hammam-Lif, très visible. En se tournant à droite, la Sebkha bleue, bordée d'une ligne blonde ; terrains très bas pour y arriver, le coteau de Kamart, couvert d'arbres brun vert.

De là, en descendant vers Saint-Louis, la forme d'un hippodrome. Le cul-de-four est très visible, puis ça s'élargit jusqu'au vallon transversal qui descend de la Marsa vers la mer ; ce vallon est très étroit à son entrée (venant de la Marsa).

Il y a au pied Est de Saint-Louis un autre vallon et une petite colline.

Parmi les fragments conservés à Saint-Louis, un bras droit avec une manche lacée.

Du plateau de Kamart, dans les oliviers, regardant l'Est, Sibi-bou-Saïd, fait une bosse, puis tout dévale vers la droite ; le cap Carthage s'avance, la mer des deux côtés ; à droite, en face, Hammam-Lif.

Les terrains rouges, au pied de Sidi-bou-Saïd, sont juste en face le plateau de Kamart, où il y a des catacombes.

La Sebka-er-Riana contrairement à ce que j'avais cru, est entièrement fermée ; mais, dans l'hiver, quand il y a plus d'eau, elle doit communiquer.

Après le plateau de Kamart, un vallon transversal ; venant des sables du bord de la mer et allant à la mer ; puis une re-colline, qui est à proprement parler le cap Kamart ; mais, vu de la mer, il ne se s'aperçoit pas.

Vendredi 8. Dormi toute la journée. Rhume.

Samedi 9. Écrit des lettres.

Dimanche 10, parti pour Bizerte. – Jusqu'à Utique, route connue. – Déjeuner sous le pont. – Pierres. – Revolver. – Fusil. – Ils filent. – Hallouf ! hallouf !

Laissé notre douar à gauche, monté la route blanche que l'on aperçoit du pont ; en haut, la plaine d'Utique. Nous longeons le fond de la baie. – Re-côte, broussailles, verdure, fontaine à gauche, un cirque naturel. On redescend en prenant sur la gauche, à travers des broussailles ; on aperçoit un grand lac, à gauche. Au fond de l'horizon, un peu à droite, grand village blanc dans la verdure et les palmiers. – Traversé le village. – En haut, on aperçoit la mer à droite ; on laisse les dunes à droite ; oliviers, et on arrive à la ville.

BIZERTE. De l'angle Ouest des fortifications, sur une petite éminence, au premier plan, les murs de la ville ; à gauche, la courbe de la baie, grève à sables blonds, et les sables en monticules, au fond, font de grandes vagues ; par derrière, lignes de montagnes basses.

En face : la ville, l'isthme par où l'on arrive, blond à gauche, vert à droite, deux lacs : le plus petit, le plus éloigné ; le deuxième, plus près, se continue en canal pour aller communiquer au grand lac à droite. Par derrière, montagne verte qui va diminuant vers la droite ; derrière celle-ci, lignes de montagnes bleues qui vont s'abaissant pour se relever tout à fait sur la droite, derrière le grand lac. Au milieu, une grande montagne en forme de pyramide ; il y a dedans des buffles sauvages.

Bizerte·était plus à l'Ouest que maintenant.

Sur l'éminence, au bord de la mer, deux disques d'eau comme à Carthage; deux petits villages blancs au bord de l'eau, en dehors des murs. Il y a en avant comme un tumulus sur lequel est un fort; les constructions espagnoles sont bâties (à la partie Ouest) sur des restes romains.

Du bas de Laliah [5], en face, à gauche, le village sur la montagne se détachant en blanc sur le ciel bleu cru (on contourne cette montagne); au pied, ligne de nopals. Quand on se retourne, vallée verte, avec des plaques noires; au fond, le grand lac de Bizerte, comme une plaque d'acier : le soleil tape dessus, le ciel est tout blanc.

Formes étranges des peupliers dans les rues de Bizerte : on dirait des sycomores ou des pommiers.

Broussailles épineuses, à droite et à gauche; de l'eau, des tortues, puis, entre deux coteaux à pente et évasés et couverts de bouquets (comme en Bretagne), vue de la plaine d'Utique, immense, toute plate, d'un vert blond, la mer au fond et les montagnes de Hammam-Lif.

Quand on arrive : porte, un pont à gauche, que l'on passe, et l'on a un lac entouré de murs à droite, c'est le port. En face, quai avec boutique et quelques peupliers qui ont la forme de pommiers.

La maison de M. Monge, consul de France : à gauche, patio sans colonnes; chien de chasse qui aboie; drogmans : un maigre et brun, attaqué de la poitrine; un Turc, ressemble à Joseph.

Visite à M. Suchinaïs, Juif, bégayant, à tics dans la figure, ressemble, en laid à Fiorentino. — Mme Costa, anciennement belle, yeux noirs, parle très vite. — Nous revenons pour dîner. — Ereintés sur nos divans. — Arrivée du Père Jérémie et de M. Costa. — Sommeil sans puces.

Le lendemain, bain maure.

La ville est charmante, c'est une Venise orientale à demi abandonnée; l'eau du canal a trois ou quatre pieds de profondeur, très bleue; les voûtes sous lesquelles on passe se comblent par le bas. Maisons en ruines; des chameaux goudronnés sont étendus par terre.

Le Père Jérémie, jovial, ressemble un peu à Bourlet : chéchia sur le derrière de la tête, cheveux ébouriffés, spirituel et très comique, fait cas des «bons vivants» : c'est son mot. Ancien curé de Boufarik, il a mangé, par expérience, du lion, du chacal, de la panthère, de l'hyène : il prétend que le lion est une excellente nourriture. Il élève un sanglier «n'ayant que quatre paroissiens», s'occupe beaucoup de vers à soie.

M. Costa, court, brun, excellent homme, abondance de képis, pantalon verdâtre, bordé de soie sur les coutures; — Mademoiselle leur fille, grosse brune rougeaude du pays de Caux, en robe rose. Aux murs, gravures, images : *Passage du Saint-Bernard*, et des sujets vertuoso-polissons : *le Mari, l'Enfant, l'Accouchée*. On nous montre une belle lettre du fils, qui est en pension à Tunis, et *il casco*.

5. Sans doute : El Alia.

Après le déjeuner, nous pionçons sur nos divans. — Promenade dans le grand canal : pêcheries, clôtures en roseaux; deux Napolitains nous conduisent.

Débarqué, fait le tour des murs du côté du grand lac; une montagne au milieu, il y a dedans des buffles sauvages. Des animaux se promènent le long des murs. — Coup de fusil. — Halte, nous regardons la mer. — Après le dîner, nous avons été à un café au bout du port. — Mme et Mlle Costa avec leurs châles sur la tête.

Mardi matin 11. — Retourné à la halte de la veille. Les deux villages blancs qui sont au pied de la ville étaient des repaires d'assassins et de pirates; la ville romaine était plus à l'Ouest, sur l'éminence; la moitié de la ville moderne est dans une île. Le port-canal a une espèce de *rialto;* de dessus, on voit une grille qui ferme le lac à cause des poissons.

Visité les vers à soie du Père Jérémie. Le ver à soie dort la tête levée.

Adieux. Encore des gens et des lieux que je ne reverrai plus!...

Nous repassons sous les oliviers et le charmant village de dimanche; nous laissons la route d'Utique à droite, et nous contournons les montagnes. — Nymphéis, roseaux, tortues (Laliah), oliviers, la mer à droite, les montagnes à gauche : elles ont l'air de grandes vagues vertes retirées et qui vont s'abaisser et reprendre leur mouvement. Après les oliviers, plaine; puis on arrive sur le bord de la mer, ou plutôt du golfe de Porto-Farina. Haies de nopals mêlés d'autres verdures (à gauche), beaucoup d'amandiers, des cassiers. Quelle est cette fleur violette qui est toujours dans les haies de nopals? — Beau jardin à grille européenne sur la gauche, abandonné. — Un fort, officier qui reste coi à nous regarder. — Église et capucins. — M. Mosco, Italien, nu-pieds dans des pantoufles fort sales. — Un Français à haute chéchia, que je prends pour un employé du bey, fils d'un instructeur français.

Dîner. — Appartement en pente. — Le capucin chauve, humble et empressé — Nous logeons dans les appartements de Monseigneur; on nous dit que nous ne pouvons monter sur les terrasses à cause de la jalousie des Maures. Dans l'église, ce sont des tasses à café au lait enfoncées dans la muraille qui servent de bénitier.

PORTO-FARINA est tout à fait adossé à la montagne, en pente. — Un beau café, où nous avons été le soir.

Mercredi 12. Le matin, promenade au pied de la montagne pour voir la ville. Partis à 8 heures, nous tournons le lac. Plaine, soleil. Ces messieurs nous quittent au passage de la Medjerda. Toute la journée, nous marchons dans la plaine qui n'en finit; les montagnes de Porto-Farina, vers 3 heures du soir, paraissent grises avec un glacis rose; au sommet, des taches blanches comme de la neige. Sur l'immensité de la plaine, à l'horizon, points noirs carrés; ce sont des huttes de Bédouins, en terre.

Des blés verts, des places où l'eau a séjourné; la terre se fend si régulièrement, en forme de dalles, comme dans la Haute-Égypte.

Nous passons la *Rivière sans eau*, ancien lit de la

Medjerda. Du côté de La Goulette, en face, des fumées filent à ras de terre, cela se représente plusieurs fois. Mirage? les objets supérieurs, estompés à la base par ces fumées, ont l'air suspendu. A gauche, la montagne de Kamart; à l'horizon, les bois de l'Ariana. La Sebkha est à droite.

Nous passons sous un marabout huché sur une montagne, les roches transversales ont l'air de ruines. Bois d'oliviers, troupeaux çà et là; nous les avons vus, à la Medjerda et dans les grandes flaques, rester dans l'eau.

Accoutrement de Fregy, mon nègre. – Sa réponse à tout est « Arabe ». Notre ânier dort un peu : il a fumé du haschich toute la nuit; de temps à autre, il chante.

Retour de Larsana à Tunis en cabriolet, conduit par un Maltais. – Rencontré en route MM. Dubois, Freeman, etc. – Dîner avec MM. de Kraff et Cavalier.

Jeudi 13. Je me suis purgé. – Reçu des lettres de ma mère et de Bouilhet. – Visite, après déjeuner, de MM. Dubois, Cavalier et Kraff : conversations libres. – Fregy nettoie mes habits et cire mes bottes. *(3 h. 1/4 de l'après-midi.)*

Vendredi 14. Cérémonie du baise-main. – Parti en cabriolet jaune, avec Fregy dans sa houppelande brune et en vieux tarbouch. – Bardo à gauche; mulets, chevaux et guimbardes stationnant. – Entrée : pont-couloir avec boutiques, on tourne à gauche, voûte, cour carrée entourée de bâtiments; autre voûte, cour, escalier, palier, patio.

Un gros homme, habillé de rouge, portant un bâton à trois chaînettes, hurle d'une voix formidable; le bey paraît et s'assoit sur sa chaise en os de poisson; un sabre et des pistolets sont derrière lui, avec sa tabatière et son mouchoir. Figure fatiguée, bête, grisonnant, grosses paupières, œil enivré, il disparaît sous les dorures et les croix. Chacun, à la file l'un de l'autre, vient baiser l'intérieur de sa main, dont il appuie le coude sur un coussin. Presque tous donnent deux baisers : un, puis ils touchent le haut de la main avec leur front, et un second baiser pour finir.

D'abord les ministres, puis les hommes à turban vert et à turban potiron. Les militaires, en costume, sont pitoyables : gros culs dans des pantalons informes, souliers éculés, épaulettes attachées avec des ficelles, immense quantité de croix et de dorures; les prêtres, blancs, maigres, sinistres ou stupides : l'air bigot est le même partout, l'intolérance du Ramadan m'a rappelé celle du carême des catholiques. Les lignes de troupiers finissent, re-prêtres. Le bey rentre dans ses appartements, le hurleur recommence.

La voiture de parade est attelée de neuf mules. – Un chariot arabe : le conducteur est monté sur une selle qui est au milieu du joug; quatre ou six mules, deux roues, une capote en roseaux, la caisse portée sur l'essieu qui est en bois et serré avec de la sparterie.

Samedi. Répétition de la veille : corps consulaires! binettes administratives, les bons habits exhibés. – M. Rousseau nous introduit. – Prière des ulémas et notaires, la paume des mains ouverte, tandis que le baise-main continue. – Déjeuner chez M. de Laverne, l'après-midi, place de la Casbah. – Frise michelangesque.

Dimanche. Visite à M. Davis. Dîner à 3 heures, avec le médecin et le capitaine du navire qui doit me mener au cap Bon, lady Franklin et sa dame de compagnie, Mlle Rosemberg (Nelly). Elle est grande, taille flexible, sans corset, profil un peu allongé, nez fort, peau brune, dorée, lèvres minces et retournées, rouges comme du corail et très dessinées, large bouche et dents admirables. Les yeux sont archi-noirs, sourcils démesurés, en arcs; elle a l'air de toujours sourire. Quelque chose de langoureux et de bon enfant dans tout cela.

Revenu à Tunis à 7 heures, sur un cheval atroce. *Lundi.* Retour du camp : poussière et vent, les blés mûrs remuent dessous, ça leur verse un glacis par-dessus leur ton rose. – Chameaux. – Réguliers. – Les irréguliers. – Fantasia des cavaliers dans la poussière. – Promenade avec M. Dubois sur les hauteurs. – Forteresse, vieux cimetière turc. Du haut, on voit les deux lacs et Carthage en face. – Carrières de pierres, un peu jaunâtres.

Mardi. Course à Hamman-Lif. – Sorti par le vieux cimetière, oliviers; tourné à droite, monté sur le premier mamelon; ravin. – Tout en haut, Fregy a perdu son burnous, il le retrouve. – Descendu à la bride, douar, chiens; remonté. Les nuages font des taches sur la plaine et sur la mer.

Descendu. – Bains, café, au bord des flots bleus! petites coquilles. Pour aller à La Goulette, jardins, figuiers, petit pont en bois, les navires à droite. – Le village de Radès, blanc et propre, lieu saint; un prêtre, à la porte d'une mosquée, hurle l'*aseur*, car il n'y a pas de minaret. C'est un rendez-vous de parties fines pour les musulmans, une espèce de Fontainebleau; on y vient passer la belle saison avec sa maîtresse. – Rencontré sur un mulet un officier du général Khereddine.

Mercredi. Oudna.

Au bord du lac, vase, Mohammedia abandonné, un seul palmier sur la droite. Grand fondouk avec des chameaux couchés, champ d'orge. On descend légèrement, Oudna est à gauche, a l'air d'être au pied de Zaghouan. Les ruines[6], méconnaissables, sont largement disséminées; l'aqueduc comme la colonnade de Palmyre; à droite, citernes. – Etable, grande quantité de bœufs et des vaches. – Les arcs sont plein cintre pur et le stuc assez bien conservé. – Tout le village m'accompagne; tentes noires, soleil, chiens, clôtures en pierres et en broussailles sèches.

Marché à pied dans les herbes raides, longues et jaunes. – Paquets d'épines (comme dans la plaine d'Athènes). – On me fait glisser dans un trou. – Autres citernes, qui ressemblent aux thermes de Titus à Rome, c'en est peut-être. Si ce sont des citernes, elles ne ressemblent pas à celles de Carthage ni d'Utique, la construction même en est toute différente, c'est plus régulier

6. Ruines de l'antique Uthina, devenue colonie romaine dès le début de l'Empire.

et plus propre. – Longé l'aqueduc. – Retour par la Mohammedia. – Ravin large et à sec. – Accès de joie : je chante *Malborough* et je fais claquer mon fouet. – Revenu à Tunis à 6 heures.

Jeudi 20. Dîner chez M. Wood. – Le soir, Moynier, M. et Mme Rousseau. – Soirée chez M. de Kraff, musiciens juifs que j'ai déjà vus dans un café. Avant d'aller chez M. Wood, visite chez M. Cavalier. – Intérieur d'un célibataire, pots de fleurs à la fenêtre, un petit chat, deux ou trois pauvres curiosités.

Vendredi 4 heures et demie. Dîner chez M. de Taverne avec M. de Bovy, conversation religieuse.

Je me suis, la nuit de jeudi, et celle du vendredi, couché fort tard à cause de mes paquets et je suis parti de Tunis pour le Kef, éreinté.

Samedi. Parti à 8 heures moins le quart, par la porte qui est au Sud.

Première plaine (du Bardo). Nous passons entre la route du Bardo et le lac à gauche ; à droite, ondulations très larges et douces des montagnes ; à gauche, le lac, puis de petites collines grises, montagnes bleues derrière. Au bout d'une heure, on monte ; la route, sur un rocher, est resserrée, puis s'ouvre la deuxième plaine, très large et en forme de grand hippodrome. A l'entrée de cette plaine, à gauche, massif de cyprès, palais du bey. Des montagnes, on ne voit plus que le Zaghouan à gauche ; au fond, montagne bleue ; à droite, c'est plus resserré et plus bas, vert pâle.

Arrêté au beau fondouk de Bordj-el-Amri. Je fais la sieste en haut. Fenêtre : trou carré ; sous ma main, sous le matelas, une flûte. Grands appartements silencieux ; dans la cour, niches ogivales tout autour.

La plaine se resserre en montant insensiblement, et on va dans une gorge élargie qui s'appelle Djarkoub-el-Djedavi ; elle est couverte de jujubiers sauvages, parmi lesquels des bouquets d'une verdure plus verte et luisante, feuilles ovoïdes ; puis on descend, l'horizon se termine vite à gauche. – Place large et déserte. – Les puits. – Sebabil : réservoir.

Vieille femme qui se dispute contre un de nos cavaliers. Tentes installées par le bey pour la sûreté de la route. – Ça ressemble aux puits de Kosséir.

On remonte. A droite : grande ligne de montagnes basses, la première banque toujours noir vert et la seconde grise, estompée de bleu. La nuit vient, la lune me suit, à gauche.

Second paysage de jujubiers, mais plus disséminés. La plaine de Medjez-el-bab a au fond un entassement de montagnes basses, escalopées, bleuâtres, les unes derrière les autres. Quand on la découvre, elles semblent devoir vous boucher la route, puis elles se placent à gauche comme si elles glissaient invisibles. Les montagnes sont tantôt à droite, tantôt à gauche : on dirait qu'elles se déplacent.

Pont El-Koerichiah, village à droite, en haut ; c'est le lieu de jonction de la rivière d'Elsorieh et de la Medjerda. Une grande ogive, deux petites latérales et deux fenêtres romanes : ça ressemble au pont de l'Eurotas avant d'arriver à Sparte. Traces de murs évidemment antiques ; les ruines marquées sur la carte ressemblent à celles de Carthage, comme matériaux. N'est-ce pas ici le pont d'Hamilcar ? Trois mamelons avant d'y arriver, puis la plaine est large, toute plate. Orges mûrs : c'est blond uni par terre et bleu rose à l'horizon.

A partir du pont, on entre dans la vallée de la Medjerda.

MEDJEZ-EL-BAB. Sous la mosquée, hommes au café. – Un homme qui passe, au clair de la lune, portant de la braise sur sa tête dans un pot.

Ecrit au rez-de-chaussée du fondouk. Enorme jarre pour me laver, qui a du mal à entrer par la porte.

Dans le premier endroit des jujubiers, on marche sur du sable ; au pont, rochers à fleur de terre. La Medjerda est petite et enfoncée dans la terre.

Nuit terrible par les puces, couché dans la cour. – Chameaux qui entrent au milieu de la nuit et encombrent la cour.

Dimanche. Partis à 5 heures juste. – Froid. – Nous passons un pont en sortant de la ville, la route suit le côté gauche de la vallée. – Morceau de ruines, carré, en briques, ressemblant à une tour. – Autre plaine, l'horizon est bouché. On passe la Medjerda à gué. En face, Sloughia, village, sparterie, lauriers-roses ; le bord d'en face en est si tapissé que l'on dirait un espalier.

La Medjerda coule au pied des montagnes ; à droite, elles sont grises, avec des taches, et deviennent de plus en plus chenues ; à gauche, c'est borné et très bas, on ne marche plus dans un ravin plus ou moins élargi, mais dans une véritable vallée, avec un fond plat et deux murs. – Oliviers : voilà les premiers depuis Tunis.

TESTOUR à gauche, blanc et propre. – Deux minarets, cimetière à gauche : porte basse en ruines. – Barbier. – Souks tout le long de la rue principale. – Nous avons rencontré un homme de Constantine qui s'y rend à pied. – Usage des Arabes de brûler leurs enfants avec des charbons pour les rendre forts (Hérodote) : on dirait des marques d'anciens vésicatoires. – Les jambes de nos chevaux font des ombres minces sur le sable, cela les grandit, on dirait des girafes. – Après Testour, on repasse encore la Medjerda sur un pont, puis on s'engage au milieu de bouquets épineux dans les montagnes ; celles de gauche restent brumeuses, mais celles de droite deviennent de plus en plus grises et même rouges. Un grand rocher saillant, très nu, semblable à une crête de coq.

TUGGA[7]. – Dormi sous un gros peuplier, cela me rappelle mes haltes de Syrie ; et les puces aussi me rappellent la Syrie !

Trois ruines importantes :

1° Un cul-de-four en maçonnerie, de 80 pas de diamètre ;

2° Restes d'un monument carré, en pierres de taille sans ciment ; il en subsiste cinq pans ;

3° *Idem* mais plus grand (en bas) : c'est là que sont les pierres salomoniques.

---

7. Sans doute : Aïn Tounga, où s'élèvent les ruines de l'antique Thignica, ville importante devenue municipe au début du IIIe siècle.

En dehors, une colonne par terre de 9 ½ de long, d'autres entièrement lisses, des morceaux de frises avec des astragales. Ce qui reste debout du monument est net comme du grec. – Une pierre avec des trous à crampons, feuilles d'acanthe.

Quant au grand monument, il ne reste que les angles et une partie du mur Ouest; le reste est des clôtures postérieures, faites avec des pierres rapportées.

Les petites ruines sont nombreuses.

La ville avait devant elle un amphithéâtre naturel; à droite, la montagne est gris rouge; le rocher Schereras, qui est à droite en sortant de Testour, est ici (sous l'olivier) en face de nous, à gauche. Deux femmes viennent de passer, sur des ânes.

A la hauteur de Glah, la vallée finit et on entre dans une large gorge, boisée de buissons. Ravin au fond, il tourne sur la gauche. – En se retournant, rocher comme le piédestal d'un colosse disparu. – Un quart de lieue après, on descend, plateau, et le lit du torrent desséché que nous avions à droite tombe dans le chemin que nous allons suivre. Nous entrons dans Kellad, il y a des lions. Le plateau n'est pas plat, il en a l'air de loin. – Oliviers sauvages, puis une lande; nous tournons à droite pour aller à Dougga. Montagne en forme de tombeau, un peu sur la gauche; on monte rapidement, champs d'oliviers à gauche; nous arrivons dans le village, chiens qui gueulent. – Inscription sur un mur d'habitation. – Scheik. – Temple [8] : quatre colonnes à chapiteaux corinthiens et cannelés; dans le tympan, un fragment de statue (une aile et un bras); l'attique supportée par des modillons; au-dessous, astragales, œufs et ruban, cela me semble dans le goût de Baalbek. Deux colonnes latérales seulement; au fond, l'opisthodome est encore très visible.

Sur le côté Ouest de la vallée, trois masses de ruines ou de rochers; une autre dans la vallée, qui est très verte à cause des orges, blanche par places. Les montagnes, des deux côtés, sont moins chenues, nous sommes très haut.

En face et en regardant la façade du temple (un peu à gauche), deux mamelons, puis le fond.

Dîner au couscoussou. Gassen me demande, de la part des Arabes, si je connais des femmes « d'une autre jambe » (empuse!); il y en a une dans le pays. Je suis ici dans la patrie d'Apulée.

Nuit sur la terrasse, clair de lune, chiens; le fronton du temple, les maisons blanches, la plaine bleue et perdue dans la brume.

Lundi. Départ à 6 heures. On descend et on suit la pente de droite, tournant vers la droite. – Petite rivière : Oued-Remel, laurier-rose, trois crapauds qui s'entre-dévorent; ruines sur la droite : leur destination est méconnaissable, mais je distingue des pierres salomoniques. Il est difficile de loin de distinguer des rochers des ruines; ces dernières sont presque toujours sur une petite éminence.

Les deux montagnes qui sont au fond de la vallée

et qui ressemblent à des tumulus sont, à ce que prétend Gassen, les tombeaux d'un frère et d'une sœur. – El-Akhouat.

Longeant toujours la plaine d'El-Koreb [9], Bédouins. – Je bois du lait à cheval. – Plus loin, à droite, à mi-côte, rocher avec un grand trou. – Sidi Abd Er Rebou, restes d'un arc de triomphe [10] (ou d'une porte?); deux piédestaux de chaque côté, en larges pierres de taille; une petite corniche à 12 pieds du sol environ. Il y en a une autre de même construction, douze pas plus loin. – Le santon du saint à côté, sur la droite.

Pierres dispersées dans les environs. Sur l'une, qui a encore des trous à crampons, une tête de Christ, dans une entaille; rayons et longues boucles. Sont-ce des boucles ou le cordon de la coiffure? Plus loin, restes d'une autre porte (ou arc de triomphe?); à côté, une voie; on quitte la plaine El-Garca (celle qui pince à cause du froid).

Autre très longue, en couloir, propre aux évolutions militaires; collines basses, vertes à gauche, grises et vertes à droite; au fond, deux montagnes grises, avec des taches blanches, teinte bleue. Rieff [11] est derrière celle de gauche.

Nous sommes dans la plaine de Bednadjat. Quand on se retourne, le côté gauche des collines a disparu; au fond, à droite, un mamelon comme une tortue. La plaine se soulève, on monte, tourne à gauche. – Manière dont les moutons marchent pour se garer du soleil, par lignes d'un à la file, chacun mettant sa tête, inclinée, contre la cuisse de derrière de son devancier.

Fondouk de Bordj-el-Massaoud. – Dispute avec un Algérien à cause de nos chevaux; Si-Massaoudy entre à la fin de la bagarre. – Fusil de chasse. – Un de ses hommes portant un plat de petits oiseaux, blanc, propre, doux, yeux bleus, chéchia verte en arrière, élégant. C'est un chasseur de lions : il en a tué 32. S'amuse très fort, amène des douzaines de femmes et ripaille, boit son café très lentement, accepte de l'eau-de-vie et me demande la bouteille.

On continue à droite, c'est élargi. – Makis, bouquets épineux. Nous arrivons à un cul-de-four, plus développé à gauche; en face, montagnes assez basses. – Une petite rivière, Ouad-el-Louy, « rivière de l'amandier ». – Quelque temps après, on s'engage dans les gorges de Khanguet-el-Kedim, charmant : lauriers-roses, oliviers sauvages énormes, puis sur un plateau un peu s'inclinant vers la droite de la montagne de Kef, comme des corniches successives.

Au fond, à l'extrême horizon, comme le haut d'un énorme pain de sucre un peu arrondi, tout noir. Kef est derrière la première montagne, qui est bronze avec une tache blanche.

Sur ma route, à droite, je rencontre une petite Bédouine, le coude dans la main et la joue dans les trois doigts! Qui lui a appris cette pose-là?

Des ruines toutes pareilles et très fréquentes sur des éminences carrées, formées (sans doute) par les

---

8. Ruines de l'antique Thugga, ville déjà importante à l'époque punique et qui devint, sous l'empire, municipe, puis colonie romaine.

9. Sans doute : la plaine du Krib.
10. Ruines de l'antique Musti.
11. Sans doute : Le Kef.

décombres et qui permettent de supposer les contours du monument. Cela est très fréquent : de demi-lieue à demi-lieue environ; elles sont généralement à gauche de la route. Ça devait être de petits temples, des stations pour aller au Kef? Au fond, par derrière, un mouvement de terrain bas. La forme de Hamman-Lif, la demi-lune, n'est pas rare.

Rencontré des hommes assis par terre: c'est un marié. – Jeune garçon qui joue d'une flûte longue, jaune, à taches noires, tout seul, pour eux quatre, dans la campagne.

Cette plaine, B'Hiret-el-Khelenkaz n'en finit! c'est désespérant d'uniformité. – A droite, c'est comme une succession de terrasses vues de flanc, ou bien un mur à divers étages. Puis on tourne à droite.

KEF sur un sommet, tout à droite, mais on a du mal à y arriver à cause des mamelons transversaux, obliques, qui présentent de profil leur ventre; il faut monter sur chacun et le redescendre. D'en bas, à gauche, l'horizon qu'on a de la plaine est plein de montagnes, plusieurs ont la forme de demi-lunes ou de seins (une ressemble à Hamman-Lif); mais, d'en haut, cet effet diminue.

DAR EL BEY. Bains. – Nuit excellente. – Fontaine en grosses pierres de taille, eau claire, négresses battant le linge avec leurs pieds, éclaboussures d'argiles blanches partout; une très maigre, dans l'eau jusqu'aux chevilles et retroussée jusqu'au haut des cuisses.

Citernes du Rieff [12]. – Dix couloirs, avec une porte romaine mieux conservés qu'à Oudna; dix réservoirs parallèles, chacun à 30 pas de long sur 10 de large; il y en a encore deux autres, en tout 12.

Du haut du rocher, vers l'Ouest, à droite, une ligne de montagnes rouges et noires, mamelonnées, Ouad-Mesmedah; puis une longue table, avec une pointe à droite, Djebel-Ourrah-Zo; une comme Hamman-Lif, Fegel (Djebel?), Arroubah. En continuant vers la gauche, une ligne très basse, droite et longue, puis deux autres Hammam-Lif qui s'appellent Djebel-Harraba. Autre table, une montagne pointue, Guarn Altaya, et la ligne droite reprend; tout cela, depuis les deux Hammam-Lif, est plus loin.

Vers le Sud-Ouest, une autre chaîne, plus près, Ouaglet-el-Chevur; une pointe écrasée, une alpe, puis, vers le Sud, une grande ligne et, par derrière, une autre en se tournant vers l'Est. Cette seconde grandit et je finis par en voir trois. L'Est et le Nord me sont bouchés par le rocher même sur lequel je suis.

Sortant de Kef, mosquée à droite, immense plaine, noire. Quand on est au bas, Oued-el-Ramel. – Tourné à droite, rivière, arbres, lauriers-roses, porte (rocher) gourbis à droite. On tourne à gauche très vivement et on laisse à gauche une montagne très boisée, Djebel Soddim (Khangget-el-Terrabya); on passe le Meglagh, pays plus plat, assez boisé, puis on monte. – Banques de granit, chênes, aubépines; plateau dénudé sur lequel est un petit ruisseau dit Sakiet-Sidi-Youssef. – Couché.

Le lendemain, bois sur un plateau, puis bas-fond.

On côtoie les contreforts d'une montagne à ma gauche. – Ravin, grandes vagues d'herbes à n'en plus finir, toutes à gauche; défilé, Medjerda, forêt; on aperçoit Souk-Ahras sur la gauche; lignes rouges.

NOTES PRISES A CROISSET
LE SAMEDI 12 JUIN 1858.

Lundi 24 mai. Arrivé au Rieff [13], le soir.

RIEFF. Un tombeau romain, sur la droite; je lis en passant : « Livius. » La ville se recule, à cause des vallons transversaux qui vous en séparent, il faut monter puis redescendre. – La maison du caïd, tout en haut à gauche : banc de maçonnerie à gauche, devant la porte, cour intérieure, énorme escalier droit, grande pièce. – Bain turc excellent; raïs Ibrahim, ne craignant pas la chaleur, vient me voir dans la dernière étuve. C'est encore lui qui me donne l'éternel caouïeh. – Dîner arabe luxueux. – Bonne nuit. Le caïd, petit homme maigre, grêlé.

Le lendemain, visité la ville. – Parti à midi; départ solennel : cinq cavaliers, puis sept; une vingtaine d'hommes à pied me suivent. C'est maintenant comme un bal masqué dans ma tête, et je ne me souviens plus de rien. Le caractère féroce du paysage finit au fond de la vallée. On tourne à gauche. Dans certains moments, il y a des banques de gazon, des vaches; c'est une place de parc anglais, et puis la montagne reprend.

Couché chez les Bédouins : tente blanche, ouverte; la lune se lève en face, vent terrible. L'ombre des animaux du douar passe comme des ombres chinoises. J'attends très longtemps, politesses arabes, couscoussou en commun.

Parti au petit jour, nous attendons que le vent soit un peu calmé. Toute la nuit, j'ai pensé à ma première nuit aux Pyramides. Bientôt le paysage devient monotone; sur les hauteurs, grandes vagues d'herbes qui n'en finissent. Gassen est toujours en retard. Pluie fine, continue.

Surprise du douar, femmes au bord des tentes, sans voiles. Je galopais, ma pelisse sur mes genoux, mon takieh sous mon chapeau; zagarit, coup de fusil, fantasia, le fils du caïd en ceinture rouge, Souk-Ahras! Souk-Ahras! tout cela envolé dans le mouvement. J'ai ralenti devant les tentes, ils vont venir me baiser les mains, me prendre les pieds. De quelle nature était l'étrange frisson de joie qui m'a pris? j'en ai rarement eu (jamais peut-être?) une pareille.

Le fils du caïd et son père galopent longtemps à côté et devant moi, le père s'en va le premier, le fils me demande, deux heures après, la permission. - La pluie n'en finit. – Descente, forêt, un cabaret vide où je demande ma route, les lignes rouges des bâtiments militaires de Souk-Ahras.

SOUK-AHRAS. Ville neuve, atroce, froide, boueuse; M. de Serval, sécot, inhospitalier; Andrieux, l'hôtelier, sa microscopique épouse. – Couché, relevé, dîner. –

---

12. Cf. note 11; ruines de l'antique Sicca, devenue colonie romaine sous Auguste.

13. Cf. notes 11 et 12.

Table d'hôte : MM. les officiers; ignoble et bête, collet crasseux du directeur des postes; le lendemain, M. Gosse, aliéné; il croit qu'on l'insulte. Ressemblances : le vétérinaire de mon régiment, Carpentier, M. Constant, brave et gros hussard, déjeune avec nous : « Un bon déjeuner, s... n... de D..., un bon déjeuner!!! »

Le jeudi 27, partis à 3 heures. – Deux muletiers excellents. On monte, forêt charmante, le camp, à droite. – Rencontré deux officiers qui n'y comprennent rien. – Nous redescendons, de temps à autre, une grande voiture de charbonnier dans la forêt. Les ordonnances du commandant sont au diable. Nous apercevons un bordj, deux Arabes dedans, deux troupiers de sa colonne, éreintés; l'un a un coup d'air sur l'œil et un coup de soleil sur le nez. Désolés de l'état de leur commandant : « Vous êtes Carpentier! », et il me prend au collet.

Je découvre le moulin de Medjez Sfa, en bas, au bord de l'eau, la Seybouse. – M. Auberger, gros mastoc, assez cordial; sa femme, brune, distinguée. Le commandant n'y tient pas pendant le dîner, se lève, se promène. – Couché dans le moulin. – Cartille, domestique.

Le lendemain, M. Auberger nous accompagne; fourrure courte, bottes. – Lauriers-roses et saules pleureurs. Passage de l'hyène, passage du lion. Nous passons plusieurs fois dans une rivière, larges quais; nous remonte plein. C'est exquis, délicieux, plein de fraîcheur et de liberté. Puis le paysage devient plus sec, les montagnes pelées reparaissent; tout au fond, dune immense; à gauche, les maisons blanches et un minaret : c'est Guelma. Nous allons longtemps dans la plaine.

MILLESIMO, Village atroce, tout droit; ligne d'acacias devant les maisons basses, petites clôtures : c'est la civilisation par son plus ignoble côté. – Enseignes de marchands de vin, et les maisons sont vides, les fenêtres sans carreaux; des femmes, dans les champs, labourent ou sarclent mis en vestes et en chapeaux d'hommes, portières de Paris transportées au pays des Moresques, la crasse de la banlieue dans le soleil d'Afrique. Et les misères qu'il doit y avoir là dedans, les rages, les souvenirs, et la fièvre, la fièvre pâle et famélique.

GUELMA. Café de M. Aubril. – Les monuments pour la troupe tiennent une grande place : logement charmant et entouré de verdure du commandant supérieur, M. de Vanory; ressemble en beau à E. Delamare. – Déjeuner avec mon commandant; M. Borrel, du bureau arabe, m'en débarrasse.

Parti à 3 heures; mon spahi, sorte de nègre blond, idiot, me précède. Verdure et eau, un grand quai, voitures et carrioles de maître. L'ancien pénitencier, grande bâtisse où je bois du lait; le moulin d'Osman Mustapha, petits bâtiments, peupliers; une montagne assez basse en face.

Je couche dans le pavillon supérieur (bruit de chiens et de chevaux), sur un tapis; nuit atroce de puces. On m'avait fait du feu; nous sommes sur les hauteurs, il fait froid.

Le cawas, maigre, turban vert, yatagan, connaît tout l'Orient; gueulard, officieux; aime l'alcool.

La route du moulin à Constantine est assommante d'ennui : petites montagnes toutes se ressemblant, puis une plaine, les fils du télégraphe tantôt sur la droite, tantôt sur la gauche; cela est pauvre sans grandeur et monotone sans majesté. Je fouette à tour de bras le mulet de bagages. – Ferme Faucheux : le fermier, monsieur dégradé, borgne, le bras luxé; bouteille de mon bordeaux de Souk-Ahras bue avec délices.

Reparti à 3 heures. On descend presque continuellement, l'admirable Constantine s'aperçoit de loin. – Descente de la rampe du Rummel; aloès sur le bord; mon mulet glisse.

CONSTANTINE. Entrée triomphante à Constantine, avec mon plumet. – Hôtel. – Payé mon jeune Arabe et mon idiot de spahi, qui s'endormait dans les blés où il laissait brouter son cheval. – MM. Vignard, Viel, Niepce, Vignot. – Bain turc exquis; un nègre admirable pour masseur; celui du Rieff me massait les genoux avec sa tête. – Grand lit de M. Vignard.

Partie de campagne à la Hamma, chez M. Paolo de Palma. – Le petit village nouveau sous un grand caroubier. – Baignade dans la rivière d'eau chaude, déjeuner. Je m'empiffre et je résiste au sommeil. – Danse, Cagnot conduisant la polka. Le notaire (Vignot), en chapeau de meunier, joue aux cartes avec M. Dominique, le fils de la maison. – Un joueur de harpe.

Rentré, le soir, au clair de la lune, qui finit par se lever; j'ai peur de me f... bas à cause de mon cheval.

Arembourg, procureur impérial, léger, petit, gai, chapeau de paille de matelot, bordé de noir, guêtres.

Lundi. Reposé. – Parti le soir. – Adieux. – Le spahi saoul : « Je vais consulter mon père, Père Eder! allons, Père Eder ». – L'employé du bureau monté sur l'impériale pour prendre l'air. – On s'arrête pour prendre des « champoreaux », mon spahi se calme.

Journée du *mardi* passée à mes caisses et à dormir. – Le soir, M. le conseiller de préfecture, homme bien et complètement nul. – Restes du théâtre : école municipale; citernes romaines modernisées. – Adieu aux couchers de soleil roses.

Mercredi. A bord de la chaloupe avec M. Ricordeau, propriétaire de Bône, tout en coutil gris, ressemble à Dainez. – Chaleur, beaucoup de femmes. – Passagers : le capitaine Robert, un avocat de Paris, un vieux en alpaga et à tabatière, conduisant deux jeunes femmes; la petite g... des quatrièmes et le vieux gendarme galant; un chasseur d'Afrique; le bureaucrate militaire à pantalon bleu, en lunettes, en casquette et en canne rotin; un Alsacien; le comte polonais, tueur de lions, grand blond à cheveux et à barbe, déplaisant : « Valareck! valareck! ». Un monsieur bien, officier de la Légion d'honneur, grisonnant, parent de M. F. Barrot. – Mes deux nuits sur le pont, les jambes de mon pantalon nouées avec des mouchoirs dans ma pelisse.

Les *Profils et grimaces* de Vacquerie et un volume de critiques de Texier, et *Promenades hors de mon jardin* de Karr.

Arrivé à Marseille à 2 heures. – Intolérable douane. – Odeurs. – Omnibus. – La vieille actrice de Bône, rôle de Mme Laurent, et une demoiselle de Philippeville, fille d'un pharmacien, grosse dondon enceinte.

Hôtel Parrocel. – Bain. – Embarras d'argent. – Fusil, armurier. – Je vais à l'Hôtel des Colonies. – Le père Ricordeau, dans le jardin. – Dîner : il ne vient pas! Je vais chez le père Cauvière : colique. L'idée de M. de Body me vient enfin, je le retrouve sur le devant de sa porte. – Galop au sieur Parrocel.

Bureau du chemin de fer sur la Canebière; sentiment de débarras, de retour, de bien-être. – Je pars! (M. de lès-Campenne fils) seul dans une calèche; mes affaires se débouclent dans la gare.

Deux employés de chemin de fer atroces! Enfin ils s'en vont, on s'endort. – A Lyon, Saulcy. – Pour compagnons, un chirurgien de marine et son chien, mon bureaucrate militaire qui va à Saint-Quentin, au delà; l'Alsacien est descendu en route pour aller à Strasbourg. – Déjeuner solide à Dijon. – Ennui de l'après-midi, chaleur. Quel sot pays que la France! – Fontainebleau, Melun, la gare!

Le boulevard en été. – Ma maison vide. – Bousculade pour aller chez Feydeau : on me sert à dîner. – Visite chez Mme Pradier, Masquillier, Person, de Tourbey : tout le monde absent. – Crique : « Flaubert! c'est toi, Flaubert! »; elle pleurait : maladie de son neveu. – Souper au Café Anglais. – Je dors sur mon divan. – Déjeuner au Café Turc. – Visite à la Tourbey, Sabatier, Mme Maynier; Mlle a une loupe dans la gueule. – Auteuil, le Parc des Princes, Thérèse, dîner. – Le soir, de Tourbey.

Lundi. Armurier, fourreur, Duplan, etc., etc. – Café de Foy, Boyer. – Auteuil. – Pradier, Janin, de Pène, de Tourbey. – Dîner chez Feydeau, *pas fort.* – Guimont, Plessy, A. Dumas fils, Uchard, Scholl, Saint-Victor, Pasquier, re-Boyer et son épouse; Person en matelot, perruque rouge. Comme le vrai est peu compris!!!

Mardi. Courses encore! Sabatier, Sainte-Beuve, Sandeau, Plessy, Maury. – Dîner chez la Tourbey : Cabarrus, Marchal, Gozlan, Gatayes, Théo, Ernesta, Saint-Victor!...

Le lendemain, chemin de fer à 8 heures 30, matin. – Deux bourgeois. – Rouen! Hôtel-Dieu!

Voilà trois jours passés à peu près exclusivement à dormir. Mon voyage est considérablement reculé, oublié; tout est confus dans ma tête, je suis comme si je sortais d'un bal masqué de deux mois. Vais-je travailler? vais-je m'ennuyer?

Que toutes les énergies de la nature que j'ai aspirées me pénètrent et qu'elles s'exhalent dans mon livre. A moi, puissances de l'émotion plastique! résurrection du passé, à moi! à moi! Il faut faire, à travers le Beau, vivant et vrai quand même. Pitié pour ma volonté, Dieu des âmes! donne-moi la Force – et l'Espoir!...

(Nuit du samedi 12 au dimanche 13 juin, minuit.)

APPENDICE

UNE NUIT DE DON JUAN

La correspondance de Flaubert nous aide à saisir ce que pouvait bien être le scénario qu'on lira ci-dessous. Le 14 novembre 1850, Flaubert écrit, de Constantinople, à son ami Bouilhet : « A propos de sujets, j'en ai trois, qui ne sont peut-être que le même et ça m'embête considérablement : 1º Une nuit de Don Juan à laquelle j'ai pensé au lazaret de Rhodes; 2º l'histoire d'Anubis, la femme qui veut se faire aimer par le dieu (...); 3º mon roman flamand de la jeune fille qui meurt vierge et mystique, entre son père et sa mère, dans une petite province, au fond d'un jardin planté de choux et de quenouilles, au bord d'une rivière grande comme l'Eau de Robec. Ce qui me turlupine, c'est la parenté d'idées entre ces trois plans. Dans le premier, l'amour inassouvissable sous les deux formes terrestres de l'amour et de l'amour mystique. Dans le second, même histoire (...) Dans le troisième, ils sont réunis dans la même personne, et

l'un mène à l'autre...» Le 10 février 1851, de Patras, Flaubert écrit au même Bouilhet : « J'ai beaucoup songé à ma Nuit de Don Juan, à cheval, ces jours-ci. Mais ça me semble bien commun et bien rabâché (...). Pour soutenir le sujet il faudrait un style démesurément fort, sans faiblir d'une ligne. » Et encore, au même, le 9 avril, mais de Rome, cette fois : « Le Don Juan avance piano; de temps à autre, je « couche par écrit » quelques mouvements. » On peut déduire de ces confidences qu'il s'agit d'un projet de roman, ruminé durant le voyage en Orient, et qui sera abandonné par la suite moins pour des raisons de fond que de forme; car on voit bien ce qui dans le sujet pouvait séduire l'auteur de la Tentation de saint Antoine : ne contenait-il pas en germe les variations les plus riches sur un thème cher entre tous au cœur de Flaubert, celui de l'unité du désir sensuel et de l'amour mystique?

I

Le faire sans parties d'un seul trait.

Commencement mouvementé comme action, en tableau deux cavaliers arrivent sur les chevaux essoufflés. Aperçu de paysage, mais pas encore trop indiqué, seulement comme lumière, dans les arbres; — on laisse paître les chevaux dans les broussailles, — ils s'y empêtrent la gourmette, etc. Cela au milieu du dialogue, coupé, de temps à autre, par de petits détails d'action.

Don Juan se déboutonne et jette son épée qui sort un peu du fourreau sur le gazon. — Il vient de tuer le frère de doña Elvire. — Ils sont en fuite. — La conversation commence par des aigreurs et des brusqueries.

Paysage. — Le couvent derrière eux. — Ils sont assis sur une pelouse en pente sous des orangers. — Cercle des bois autour d'eux. — Terrain d'une pente légère devant eux. — Horizon de montagnes pelées par le sommet. — Coucher de soleil.

Don Juan est las et s'en prend à Leporello. — Mais est-ce ma faute, la vie que vous menez et me faites mener? — Eh bien, la vie que je mène, est-ce ma faute aussi? — Comment, ce n'est pas votre faute! — Leporello le croit, car il lui a souvent vu de bonnes intentions de mener une vie plus rangée. — Oui, le hasard en dispose autrement. Exemples. — Leporello reprend les exemples : désir qu'il a de connaître toutes les femmes qu'il voit, jalousie universelle du genre humain. — Vous voudriez que tout fût à vous. — Vous cherchez les occasions. — Oui, une inquiétude me pousse. Je voudrais... aspiration. — Moins que jamais il ne sait pas ce qu'il voudrait, ce qu'il veut. — Leporello depuis longtemps ne comprend plus rien à ce que dit son maître. — Don Juan souhaite d'être pur, d'être un adolescent vierge. — Il ne l'a jamais été, car il a toujours été hardi,

impudent, positif. — Il a voulu souvent se donner les émotions de l'innocence. — Dans tout et partout c'est la femme qu'il cherche. — Mais pourquoi les quittez-vous? — Ah! pourquoi! — Don Juan répond par l'ennui de la femme possédée. — Embêtement que cause son œil, tentation de battre celles qui pleurent. — Comme vous les repoussez, les pauvres petites biches! — Comme vous oubliez! — Don Juan s'étonne lui-même de l'oubli et sonde cette idée, c'est une chose triste. — J'ai retrouvé des gages d'amour que je ne savais plus d'où ils me venaient. — Vous vous plaignez de la vie, maître, c'est injuste. — Leporello jouit scélératement à l'idée du bonheur de don Juan. — Les jeunes gens le regardent avec envie, lui, Leporello, comme participant à quelque chose de la poésie de son maître. Rêverie de don Juan à l'idée que lui soumet Leporello qu'il peut avoir un fils quelque part?

Et je vous ai vu désirer de revoir des anciennes. — Désir qu'à don Juan de pouvoir préciser dans sa pensée des visages presque effacés. — Que ne donnerait-il pas pour ravoir une idée nette de ces images?

Ce n'est pas tout de changer. C'est que vous changez souvent pour pire. — Amour des femmes laides. N'avez-vous pas été, l'an passé, fou de cette vieille marquise napolitaine?

Don Juan raconte comment il a perdu son pucelage (une vieille duègne, dans l'ombre, dans un château). — Mais tu ne sais donc pas ce que c'est qu'un désir, pauvre homme (en lui saisissant le bras) et ce qui le fait naître? — Excitation d'un désir physique. — Corruption. — Abîme qui sépare l'objet du sujet, et appétit de celui-ci à entrer dans l'autre. — Voilà pourquoi toujours je suis en quête. — Silence.

Il y avait dans le jardin de mon père une figure de femme, proue de navire. — Envie d'y monter. — Il y grimpe un jour, et lui prend les seins. − Araignées dans le bois pourri. − Premier sentiment de la femme, excitation du péril. − Et toujours j'ai retrouvé la poitrine de bois. − Comment, mais pourtant quand elles jouissent! car je vous vois heureux. − Etonnement de la jouissance (calme avant, calme après), c'est ce qui m'a toujours fait soupçonner qu'il y avait quelque chose au delà. − Mais non. − Impossibilité d'une communion parfaite, quelque adhérent que soit le baiser. − Quelque chose gêne et de soi fait mur. Silence des pupilles qui se dévorent. Le regard va plus avant que les mots. De là le désir, toujours renouvelé et toujours trompé, d'une adhérence plus intime. (A des places différentes noter :

Jalousie dans le désir = savoir, avoir.

Jalousie dans la possession = regarder dormir, connaître à fond.

Jalousie dans le souvenir = ravoir, se souvenir bien.)

C'est pourtant toujours la même chose, dit Leporello. − Eh! non, ce n'est jamais la même chose! Autant de femmes et autant d'envies, de jouissances et d'amertumes différentes.

Que le vulgarisme de Leporello fasse ressortir le supériorisme de don Juan et le pose objectivement en montrant la différence, et pourtant il n'y a de différence que dans l'intensité!

Envie des autres hommes. Vouloir être tout ce que les femmes regardent. − Avoir toute beauté, etc. − Vous avez pourtant bien des femmes. − Qu'est-ce que ça me fait? Le grand nombre de maîtresses, qu'est-ce que c'est comparativement au reste? Combien m'ignorent et pour lesquelles je n'aurai jamais rien été!

Deux espèces d'amour. Celui qui attire à soi, qui pompe, où l'individualisme et les sens prédominent (pas toute espèce de volupté, pourtant). A celui-là appartient la jalousie. Le second, c'est l'amour qui vous tire hors de soi. Il est plus large, plus navrant. plus doux. Il a des effluves à la place où l'autre a des âcretés rentrantes. Don Juan a éprouvé les deux quelquefois à propos de la même femme. Il y a des femmes qui portent au premier, d'autres qui provoquent le second, quelquefois tout à la fois. Cela dépend des moments, des hasards et des dispositions.

Don Juan est las et finit par avoir l'envie de crever qui vous prend quand on a trop pensé, sans solution.

On entend la cloche des morts. En voilà un pour qui tout est fini. Qu'est-ce donc?

Et ils levèrent la tête.

II

Don Juan escalade le mur et voit Anna Maria couchée. − Tableau. − Longue contemplation, − désir, − souvenir. − Elle se réveille. D'abord quelques mots entrecoupés comme faisant suite à sa pensée. Elle n'a pas peur de lui (le moins heurté possible, sans qu'on puisse distinguer le fantastique du réel).

Il y a longtemps que je t'attends. Tu ne venais pas. − Raconte sa maladie et sa mort. − A mesure que le dialogue prend, elle se réveille de plus en plus. − Sueur sur ses bandeaux, se lève lentement, lentement, d'abord sur les coudes, puis assise. − Grands yeux ébahis. Rentrer dans le précis. − Comment?

C'est donc toi dont j'entendais les pas dans les bois, − étouffement des nuits. − Promenade dans le cloître, ombre des colonnes, qui ne remuaient pas comme eussent fait les arbres. Je plongeais mes mains dans la fontaine. − Comparaison symbolique du cerf altéré. − Après-midi d'été.

On nous défendait de raconter nos songes − à propos du crucifix qui domine le lit d'Anna Maria, ce Christ qui veille sur les rêves. − Le crucifix est toujours immobile pendant que le cœur de la jeune fille est agité et saigne souvent.

Ce qu'est le Christ pour Anna Maria, mais il ne me répond pas dans mon amour. − Oh! je l'ai bien prié pourtant! Pourquoi n'a-t-il pas voulu, pourquoi ne m'a-t-il pas écoutée? Aspirations de chair et d'amour vrai (complétant l'amour mystique), en parallèle avec les aspirations dévergondées de don Juan, qui a eu, dans ses autres amours, surtout aux moments de lassitude, des besoins mystiques. (Indiquer ceci, quant à don Juan, dans sa conversation avec Leporello.)

Mouvement d'Anna Maria entourant don Juan de ses deux bras. − Le gras de l'avant-bras porté sur les carotides et les poignets au bout des mains raidies, plus petites pour atteindre à lui; une boucle des cheveux de don Juan, en se baissant vers elle, se prend dans le bouton de sa chemise.

La nuit animée, — feu des pâtres sur les montagnes. Là aussi on parle d'amour. − C'est l'amour qui les occupe. Tu ne connais pas la joie simple. Le jour vient.

Aspirations de la vie d'Anna Maria à l'époque des moissons. Matinées de dimanche les jours de fête dans l'église. − Les directeurs la tourmentent. − J'aimais beaucoup le confessionnal. Elle s'en approchait avec un sentiment de crainte voluptueuse, parce que son cœur allait s'ouvrir. − Mystère, ombre. − Mais elle n'avait pas de péchés à dire, elle aurait voulu en avoir. Il y a, dit-on, des femmes à vie ardente, − heureuse.

Un jour elle s'évanouit toute seule dans l'église, où elle venait mettre des fleurs (l'organiste jouait tout seul), en contemplant un vitrail pénétré de soleil.

Désirs fréquents qu'elle a de la communion. Avoir Jésus dans le corps, Dieu en soi! − A chaque nouveau sacrement il lui semblait qu'une soif serait apaisée. − Elle multipliait les œuvres, jeûnes, prières, etc. − Sensualité du jeûne. − Se sentir l'estomac tiraillé, faiblesses de tête. − Elle a peur, elle s'étudie à se donner des peurs, etc. − Mortifications. − Elle aimait beaucoup les bonnes odeurs. Elle flaire les choses dégoûtantes. − Volupté des mauvaises odeurs. − Elle en est honteuse devant don Juan, que cela enthousiasme. − Anna Maria s'étonne de son désir. − Qu'est-ce? Comment se fait-il que je désire et qu'elle désire ce qu'elle ne sait pas? La volupté se glisse partout en elle (comme le dégoût chez don Juan). − J'entendais parler du monde. − Parle-moi! parle-moi!

La lampe s'éteint faute d'huile. − Les étoiles éclairent la chambre (pas de lune). − Puis le jour paraît. − Anna Maria retombe morte.

On entend les chevaux brouter et faire sonner leur selle sur leur dos. Don Juan s'enfuit.

Ton du caractère d'Anna Maria = *doux*.

Ne jamais perdre de vue don Juan. L'objet principal (au moins de la seconde partie), c'est l'union, l'égalité, la dualité, dont chaque terme a été jusqu'ici incomplet, se fusionnant, et que chacun montant graduellement aille se compléter et s'unir au terme voisin.

Poser − 1° l'inconstance qui est le caractère même de don Juan − ennui de la femme possédée déjà;

2° embêtement que donne la femme;

3° étonnement du cœur qui l'oublie;

4° désir de revoir des anciennes;

5° c'est que vous changez pour pire − amour des femmes laides;

6° légitimité et spécialité du désir − autant de femmes, autant de désirs et de voluptés;

7° jalousie universelle du genre humain − désir de connaître à fond toutes − de là inquiétude et recherche − effort à attirer à soi;

8° et pourtant de quoi vous plaignez-vous? – vous avez beaucoup de femmes;

9° qu'est-ce que cela fait, le nombre des maîtresses?

10° la femme à tête de bois;

11° mais pourtant quand elles jouissent, – impossibilité d'une communion parfaite – lassitude – je ne veux plus de femmes.

La sœur Maria allait mourir – agonie – les prêtres – la mère – on referme les rideaux – le moine de long en large –

il s'endort – deux hommes descendent de cheval : don Juan et Leporello – coïncidence – angoisses – don Juan finit par se taire, il est triste et repasse toute sa vie.

Il entre – il voit – curiosité – prend la main de Thérèse – ah! tu te réveilles – il la reconnaît quoiqu'il ne l'ait jamais vue – ils se reconnaissent – tu mourras si je t'embrasse – non, tu vivras – suspension – ils se couchent – il veut l'emmener – il la prend pour la descendre sur son cheval – elle meurt sur le bord de la fenêtre.

Ce qu'elle avait donné à don Juan ne périt pas quand la statue du Commandeur l'engouffra.

LE PROCÈS DE MADAME BOVARY

Le 1ᵉʳ octobre 1856, la Revue de Paris, *que dirigent Maxime Du Camp et Laurent Pichat, commence la publication de* Madame Bovary; *elle s'échelonne sur six numéros. Les incidents mineurs qui opposent, parfois vertement, Flaubert à ses éditeurs vont bientôt faire place à d'autres incidents dont les conséquences pourraient être beaucoup plus sérieuses :* la Revue, *– dont le libéralisme déplaît au Pouvoir –, y risque, en effet bel et bien son existence. Ces incidents, ce sont les poursuites judiciaires engagées contre Pichat, directeur de* la Revue, *Pillet, son imprimeur, et Gustave Flaubert, auteur du livre incriminé, pour « outrage à la morale publique et religieuse et aux bonnes mœurs », délits prévus par l'article I de la loi du 17 mai 1819 et réprimés par les articles 59 et 60 du Code pénal. Le 29 janvier 1857 (et non pas le 31 janvier comme on le dit généralement, à la suite de Flaubert lui-même) les trois accusés viennent s'asseoir sur le « banc d'infamie » de la 6ᵉ chambre correctionnelle du Palais de Justice de Paris. Le président du tribunal est un historien du Droit romain; l'accusateur public, Ernest Pinard, un petit homme de trente-cinq ans, promis à une belle carrière politique, prononce un réquisitoire dont M. R. Dumesnil dit avec esprit qu'il est un « monument de sottise et de mauvaise foi (...) né de la collaboration de Tartuffe et de Homais »; quant au défenseur,* c'est Mᵉ Sénard, *un grand bourgeois normand, ami des Flaubert, homme d'ordre, certes, mais esprit libéral, qui a été, voici sept ans, président de l'Assemblée nationale. L'autorité morale et l'habileté de Sénard jouèrent un rôle décisif dans cette affaire. Flaubert exultait et pouvait écrire à son frère au lendemain de l'audience : « Mᵉ Sénard a écrasé le ministère public (...). La salle était comble. C'était chouette et j'avais une fière balle (...). Le père Sénard a parlé pendant quatre heures de suite (...). Voici une de ses phrases : Vous lui devez non seulement un acquittement, mais des excuses! » L'acquittement général, assorti toutefois de considérants nuancés, fut prononcé le 7 février. La victorieuse plaidoirie de Sénard valait bien une dédicace et, quand le roman parut en volume, en avril, Flaubert avait substitué à la dédicace de l'amitié – « à Louis Bouilhet » – celle de la reconnaissance – « à Marie-Antoine-Jules Sénard, membre du Barreau de Paris, ex-président de l'Assemblée nationale et ancien ministre de l'Intérieur. » Tout le bruit fait par le procès était en tout cas d'un excellent rendement publicitaire et Michel Lévy, en éditeur avisé, ne se fit pas faute d'en profiter.*

Les trois pièces du dossier que nous reproduisons ci-dessous ont été jointes par Flaubert lui-même à l'édition définitive de Madame Bovary *publiée chez Charpentier en 1873.*

RÉQUISITOIRE, PLAIDOIRIE ET JUGEMENT
DU PROCÈS INTENTÉ A L'AUTEUR DEVANT LE TRIBUNAL
CORRECTIONNEL DE PARIS (6ᵉ CHAMBRE), PRÉSIDENCE DE M. DUBARLE
AUDIENCES DES 31 JANVIER ET 7 FÉVRIER 1857

LE MINISTÈRE PUBLIC CONTRE GUSTAVE FLAUBERT

RÉQUISITOIRE DE M. L'AVOCAT IMPÉRIAL
M. ERNEST PINARD

Messieurs, en abordant ce débat, le ministère public est en présence d'une difficulté qu'il ne peut pas se dissimuler. Elle n'est pas dans la nature même de la prévention : offenses à la morale publique et à la religion, ce sont là sans doute des expressions un peu vagues, un peu élastiques, qu'il est nécessaire de préciser. Mais enfin, quand on parle à des esprits droits et pratiques, il est facile de s'entendre à cet égard, de distinguer si telle page d'un livre porte atteinte à la religion ou à la morale. La difficulté n'est pas dans notre prévention, elle est plutôt, elle est davantage dans l'étendue de l'œuvre que vous avez à juger. Il s'agit d'un roman tout entier. Quand on soumet à votre appréciation un article de journal, on voit tout de suite où le délit commence et où il finit; le ministère public lit l'article et le soumet à votre appréciation. Ici il ne s'agit pas d'un article de journal, mais d'un roman tout entier qui commence le 1ᵉʳ octobre, finit le 15 décembre, et se compose de six livraisons, dans *la Revue de Paris,* 1856. Que faire dans cette situation? Quel est le rôle du ministère public? Lire tout le roman? C'est impossible. D'un autre côté, ne lire que les textes incriminés, c'est s'exposer à un reproche très fondé. On pourrait nous dire : si vous n'exposez pas le procès dans toutes ses parties, si vous passez ce qui précède et ce qui suit les passages incriminés, il est évident que vous étouffez le débat en restreignant le terrain de la discussion. Pour éviter ce double inconvénient, il n'y a qu'une marche à suivre, et la voici, c'est de vous raconter d'abord tout le roman sans en lire, sans en incriminer aucun passage, et puis de lire, d'incriminer en citant le texte, et enfin de répondre aux objections qui pourraient s'élever contre le système général de la prévention.

Quel est le titre du roman : *Madame Bovary*. C'est un titre qui ne dit rien par lui-même. Il en a un second entre parenthèses : *Mœurs de province*. C'est encore là un titre qui n'explique pas la pensée de l'auteur, mais qui la fait pressentir. L'auteur n'a pas voulu suivre tel ou tel système philosophique vrai ou faux, il a voulu faire des tableaux de genre, et vous allez voir quels tableaux!!! Sans doute c'est le mari qui commence et qui termine le livre, mais le portrait le plus sérieux de l'œuvre, qui illumine les autres peintures, c'est évidemment celui de Mme Bovary.

Ici je raconte, je ne cite pas. On prend le mari au collège, et, il faut le dire, l'enfant annonce déjà ce que sera le mari. Il est excessivement lourd et timide, si timide que lorsqu'il arrive au collège et qu'on lui demande son nom, il commence par répondre *Charbovari*. Il est si lourd qu'il travaille sans avancer. Il n'est jamais le premier, il n'est jamais le dernier non plus de sa classe; c'est le type, sinon de la nullité, au moins de celui du ridicule au collège. Après les études du collège il vint étudier la médecine à Rouen, dans une chambre au quatrième, donnant sur la Seine [1], que sa mère lui avait louée chez un teinturier de sa connaissance. C'est là qu'il fait ses études médicales et qu'il arrive petit à petit à conquérir, non pas le grade de docteur en médecine, mais celui d'officier de santé. Il fréquentait les cabarets, il manquait les cours, mais il n'avait au demeurant d'autre passion que celle de jouer aux dominos. Voilà M. Bovary.

Il va se marier. Sa mère lui trouve une femme : la veuve d'un huissier de Dieppe; elle est vertueuse et laide, elle a quarante-cinq ans et 1.200 livres de rente. Seulement le notaire qui avait le capital de la rente partit un beau matin pour l'Amérique, et Mme Bovary jeune fut tellement frappée, tellement impressionnée par ce coup inattendu, qu'elle en mourut. Voilà le premier mariage, voilà la première scène.

M. Bovary devenu veuf, songea à se remarier. Il interroge ses souvenirs; il n'a pas besoin d'aller bien loin, il lui vient tout de suite à l'esprit la fille d'un fermier du voisinage qui avait singulièrement excité les soupçons de Mme Bovary, Mlle Emma Rouault. Le fermier Rouault n'avait qu'une fille, élevée aux Ursulines de Rouen. Elle s'occupait peu de la ferme; son père désirait la marier. L'officier de santé se présente, il n'est pas difficile sur la dot, et vous comprenez qu'avec de telles dispositions de part et d'autre les choses vont vite. Le mariage est accompli. M. Bovary est aux genoux de sa femme, il est le plus heureux des hommes, le plus aveugle des maris; sa seule préoccupation est de prévenir les désirs de sa femme.

Ici le rôle de M. Bovary s'efface; celui de Mme Bovary devient l'œuvre sérieuse du livre.

Messieurs, Mme Bovary a-t-elle aimé son mari ou cherché à l'aimer? Non, et dès le commencement il y eut ce qu'on peut appeler la scène de l'initiation. A partir de ce moment, un autre horizon s'étale devant elle, une vie nouvelle lui apparaît. Le propriétaire du château de la Vaubyessard avait donné une grande fête. On avait invité l'officier de santé, on avait invité sa femme, et là il y eut comme une initiation à toutes les ardeurs de la volupté! Elle avait aperçu le duc de Laverdière, qui avait eu des succès à la cour; elle avait valsé avec un vicomte et éprouvé un trouble inconnu. A partir de ce moment, elle avait vécu d'une vie nouvelle; son mari, tout ce qui l'entourait, lui était devenu insupportable. Un jour, en cherchant dans un meuble, elle avait rencontré un fil de fer qui lui avait déchiré le

doigt; c'était le fil de son bouquet de mariage. Pour essayer de l'arracher à l'ennui qui la consumait, M. Bovary fit le sacrifice de sa clientèle, et vint s'installer à Yonville. C'est ici que vient la scène de la première chute. Nous sommes à la seconde livraison. Mme Bovary arrive à Yonville, et là, la première personne qu'elle rencontre, sur laquelle elle fixe ses regards, ce n'est pas le notaire de l'endroit, c'est l'unique clerc de ce notaire, Léon Dupuis. C'est un tout jeune homme qui fait son droit et qui va partir pour la capitale. Tout autre que M. Bovary aurait été inquiété des visites du jeune clerc, mais M. Bovary est si naïf qu'il croit à la vertu de sa femme; Léon, inexpérimenté, éprouvait le même sentiment. Il est parti, l'occasion est perdue, mais les occasions se retrouvent facilement. Il y avait dans le voisinage d'Yonville un M. Rodolphe Boulanger (vous voyez que je raconte). C'était un homme de trente-quatre ans, d'un tempérament brutal; il avait eu beaucoup de succès auprès des conquêtes faciles; il avait alors pour maîtresse une actrice; il aperçut Mme Bovary, elle était jeune, charmante; il résolut d'en faire sa maîtresse. La chose était facile, il lui suffit de trois occasions. La première fois il était venu aux Comices agricoles, la seconde fois il lui avait rendu une visite, la troisième fois il lui avait fait faire une promenade à cheval que le mari avait jugée nécessaire à la santé de sa femme; et c'est alors, dans une première visite de la forêt, que la chute a lieu. Les rendez-vous se multiplieront au château de Rodolphe, surtout dans le jardin de l'officier de santé. Les amants arrivent jusqu'aux limites extrêmes de la volupté! Mme Bovary veut se faire enlever par Rodolphe, Rodolphe n'ose pas dire non, mais il lui écrit une lettre où il cherche à lui prouver, par beaucoup de raisons, qu'il ne peut pas l'enlever. Foudroyée à la réception de cette lettre, Mme Bovary a une fièvre cérébrale, à la suite de laquelle une fièvre typhoïde se déclare. La fièvre tua l'amour, mais resta la malade. Voilà la deuxième scène.

J'arrive à la troisième. La chute avec Rodolphe avait été suivie d'une réaction religieuse, mais elle avait été courte; Mme Bovary va tomber de nouveau. Le mari avait jugé le spectacle utile à la convalescence de sa femme, et il l'avait conduite à Rouen. Dans une loge, en face de celle qu'occupaient M. et Mme Bovary, se trouvait Léon Dupuis, ce jeune clerc de notaire qui fait son droit à Paris, et qui en est revenu singulièrement instruit, singulièrement expérimenté. Il va voir Mme Bovary, il lui propose un rendez-vous. Mme Bovary lui indique la cathédrale. Au sortir de la cathédrale, Léon lui propose de monter dans un fiacre. Elle résiste d'abord, mais Léon lui dit que cela se fait ainsi à Paris, et alors, plus d'obstacle. La chute a lieu dans le fiacre! Les rendez-vous se multiplient pour Léon comme pour Rodolphe, chez l'officier de santé et puis dans une chambre qu'on avait louée à Rouen. Enfin elle arriva jusqu'à la fatigue même de ce second amour, et c'est ici que commence la scène de détresse, c'est la dernière du roman.

Mme Bovary avait prodigué, jeté les cadeaux à la tête de Rodolphe et de Léon, elle avait mené une vie de luxe, et, pour faire face à tant de dépenses, elle avait souscrit de nombreux billets à ordre. Elle avait obtenu de son mari une procuration générale pour gérer le patrimoine commun; elle avait rencontré un usurier qui se faisait souscrire des billets, lesquels n'étant pas payés à l'échéance, étaient renouvelés, sous le nom d'un compère. Puis étaient venus le papier timbré, les protêts, les jugements, la saisie, et enfin l'affiche de la vente du mobilier de M. Bovary qui ignorait tout. Réduite aux plus cruelles extrémités, Mme Bovary demande de l'argent à tout le monde et n'en obtient de personne. Léon n'en a pas, et il recule épouvanté à

---

1. *Sic*, voir t. I, page 577 de cette édition.

l'idée d'un crime qu'on lui suggère pour s'en procurer. Parcourant tous les degrés de l'humiliation, Mme Bovary va chez Rodolphe; elle ne réussit pas, Rodolphe n'a pas trois mille francs. Il ne lui reste plus qu'une issue. De s'excuser auprès de son mari? Non; de s'expliquer avec lui? Mais ce mari aurait la générosité de lui pardonner, et c'est là une humiliation qu'elle ne peut pas accepter : elle s'empoisonne. Viennent alors des scènes douloureuses. Le mari est là, à côté du corps glacé de sa femme. Il fait apporter sa robe de noces, il ordonne qu'on l'en enveloppe et qu'on enferme sa dépouille dans un triple cercueil.

Un jour, il ouvre le secrétaire et il y trouve le portrait de Rodolphe, ses lettres et celles de Léon. Vous croyez que l'amour va tomber alors? Non, non, il s'excite, au contraire, il s'exalte pour cette femme que d'autres ont possédée, en raison de ces souvenirs de volupté qu'elle lui a laissés; et dès ce moment il néglige sa clientèle, sa famille, il laisse aller au vent les dernières parcelles de son patrimoine, et un jour on le trouve mort dans la tonnelle de son jardin, tenant dans ses mains une longue mèche de cheveux noirs.

Voilà le roman; je l'ai raconté tout entier en n'en supprimant aucune scène. On l'appelle *Madame Bovary;* vous pouvez lui donner un autre titre, et l'appeler avec justesse : *Histoire des adultères d'une femme de province.*

Messieurs, la première partie de ma tâche est remplie; j'ai raconté, je vais citer, et, après les citations viendra l'incrimination qui porte sur deux délits : offense à la morale publique, offense à la morale religieuse. L'offense à la morale publique est dans les tableaux lascifs que je mettrai sous vos yeux, l'offense à la morale religieuse dans des images voluptueuses mêlées aux choses sacrées. J'arrive aux citations. Je serai court, car vous lirez le roman tout entier. Je me bornerai à vous citer quatre scènes, ou plutôt quatre tableaux. La première, ce sera celle des amours et de la chute avec Rodolphe; la seconde, la transition religieuse entre les deux adultères; la troisième, ce sera la chute avec Léon, c'est le deuxième adultère, et, enfin, la quatrième, que je veux citer, c'est la mort de Mme Bovary.

Avant de soulever ces quatre coins du tableau, permettez-moi de me demander quelle est la couleur, le coup de pinceau de M. Flaubert, car enfin, son roman est un tableau, et il faut savoir à quelle école il appartient, quelle est la couleur qu'il emploie et quel est le portrait de son héroïne.

La couleur générale de l'auteur, permettez-moi de vous le dire, c'est la couleur lascive, avant, pendant et après les chutes! Elle est enfant, elle a dix ou douze ans, elle est au couvent des Ursulines. A cet âge où la jeune fille n'est pas formée, où la femme ne peut pas sentir ces émotions premières qui lui révèlent un monde nouveau, elle se confesse.

« Quand elle allait à confesse (cette première citation de la première livraison est à la page 30 du numéro du 1er octobre [1]), quand elle allait à confesse, elle inventait de petits péchés afin de rester là plus longtemps, à genoux dans l'ombre, les mains jointes, le visage à la grille sous le chuchotement du prêtre. Les comparaisons de fiancé, d'époux, d'amant céleste et de mariage éternel qui reviennent dans les sermons lui soulevaient au fond de l'âme des douceurs inattendues. »

Est-ce qu'il est naturel qu'une petite fille invente de petits péchés, quand on sait que, pour un enfant, ce sont les plus petits ou le plus de peine à dire? Et puis, à cet âge-là, quand une petite fille n'est pas formée, la montrer inventant de petits péchés dans l'ombre, sous le chuchotement du prêtre, en se rappelant ces comparaisons de fiancé, d'époux, d'amant céleste et de mariage

éternel, qui lui faisaient éprouver comme un frisson de volupté, n'est-ce pas faire ce que j'ai appelé une peinture lascive?

Voulez-vous Mme Bovary dans ses moindres actes, à l'état libre, sans l'amant, sans la faute. Je passe sur ce mot du *lendemain,* et sur cette mariée qui ne laissait rien découvrir où l'on pût deviner quelque chose, il y a là déjà un tour de phrase plus qu'équivoque, mais voulez-vous savoir comment était le mari?

Ce mari du lendemain « que l'on eût pris pour la vierge de la veille », et cette mariée « qui ne laissait rien découvrir où l'on pût deviner quelque chose ». Ce mari (p. 29) [2] qui se lève et part « le cœur plein des félicités de la nuit, l'esprit tranquille, la chair contente », en allant « ruminant son bonheur comme ceux qui mâchent encore après dîner le goût des truffes qu'ils digèrent ».

Je tiens, messieurs, à vous préciser le cachet de l'œuvre littéraire de M. Flaubert et ses coups de pinceau. Il a quelquefois des traits qui veulent beaucoup dire, et ces traits ne lui coûtent rien.

Et puis, au château de la Vaubyessard, savez-vous ce qui attire les regards de cette jeune femme, ce qui la frappe le plus? C'est toujours la même chose, c'est le duc de Laverdière, amant, « disait-on, de Marie-Antoinette, entre MM. de Coigny et de Lauzun », et sur lequel « les yeux d'Emma revenaient d'eux-mêmes, comme sur quelque chose d'extraordinaire et d'auguste; il avait vécu à la cour et couché dans le lit des reines! »

Ce n'est là qu'une parenthèse historique, dira-t-on. Triste et inutile parenthèse! L'histoire a pu autoriser des soupçons, mais non le droit de les ériger en certitude. L'histoire a parlé du collier dans tous les romans, l'histoire a parlé de mille choses, mais ce ne sont que des soupçons, et, je le répète, je ne sache pas qu'elle ait autorisé à transformer ces soupçons en certitude. Et quand Marie-Antoinette est morte avec la dignité d'une souveraine et le calme d'une chrétienne, ce sang versé pourrait effacer des calomnies, à plus forte raison des soupçons. Mon Dieu, M. Flaubert a eu besoin d'une image frappante pour peindre son héroïne, et il a pris celle-là pour exprimer tout à la fois les instincts pervers et l'ambition de Mme Bovary!

Mme Bovary doit très bien valser, et la voici valsant : « Ils commencèrent lentement, puis allèrent plus vite. Ils tournaient : tout tournait autour d'eux, les lampes, les meubles, les lambris et le parquet, comme un disque sur un pivot. En passant auprès des portes, la robe d'Emma par le bas s'ériflait au pantalon; leurs jambes entraient l'une dans l'autre, il baissait ses regards vers elle, elle levait les siens vers lui; une torpeur la prenait, elle s'arrêta. Ils repartirent, et, d'un mouvement plus rapide, le vicomte l'entraînait, disparut avec elle, jusqu'au bout de la galerie où, haletante, elle faillit tomber, et, un instant, s'appuya la tête sur sa poitrine. Et puis, tournant toujours, mais plus doucement, il la reconduisit à sa place; elle se renversa contre la muraille et mit la main devant ses yeux. »

Je sais bien qu'on valse un peu de cette manière, mais cela n'en est pas plus moral.

Prenez Mme Bovary dans les actes les plus simples, c'est toujours le même coup de pinceau, il est à toutes les pages. Aussi Justin, le domestique du pharmacien voisin, a-t-il des émerveillements subits quand il est initié dans le secret du cabinet de toilette de cette femme. Il poursuit sa voluptueuse admiration jusqu'à la cuisine.

« Le coude sur la longue planche où elle (Félicité, la femme de chambre) repassait, il considérait avidement

---

1. Voir page 586, t. I, de la présente édition.

2. Page 585, t. I.

toutes ces affaires de femmes étalées autour de lui, les jupons de basin, les fichus, les collerettes et les pantalons à coulisse, vastes de hanches et qui se rétrécissaient par le bas.

« – A quoi cela sert-il? demandait le jeune garçon, en passant sa main sur la crinoline ou les agrafes.

« – Tu n'as donc jamais rien vu? » répondait en riant Félicité.

Aussi le mari se demande-t-il, en présence de cette femme sentant frais, si l'odeur vient de la peau ou de la chemise.

« Il trouvait tous les soirs des meubles souples et une femme en toilette fine, charmante et sentant frais, à ne savoir même d'où venait cette odeur, ou si ce n'était pas la femme qui parfumait la chemise. »

Assez de citations de détail! Vous connaissez maintenant la physionomie de Mme Bovary au repos, quand elle ne provoque personne, quand elle ne pèche pas, quand elle est encore complètement innocente, quand, au retour d'un rendez-vous, elle n'est pas encore à côté d'un mari qu'elle déteste; vous connaissez maintenant la couleur générale du tableau, la physionomie générale de Mme Bovary. L'auteur a mis le plus grand soin, employé tous les prestiges de son style pour peindre cette femme. A-t-il essayé de la montrer du côté de l'intelligence? Jamais. Du côté du cœur? Pas davantage. Du côté de l'esprit? Non. Du côté de la beauté physique? Pas même. Oh! je sais bien qu'il y a un portrait de Mme Bovary après l'adultère des plus étincelants; mais le tableau est avant tout lascif, les poses sont voluptueuses, la beauté de Mme Bovary est une beauté de provocation.

J'arrive maintenant aux quatre citations importantes; je n'en ferai que quatre; je tiens à restreindre mon cadre. J'ai dit que la première serait sur les amours de Rodolphe, la seconde sur la transition religieuse, la troisième sur les amours de Léon, la quatrième sur la mort.

Voyons la première, Mme Bovary est près de la chute, près de succomber.

« La médiocrité domestique la poussait à des fantaisies luxueuses, les tendresses matrimoniales et des désirs adultères »... « elle se maudit de n'avoir pas aimé Léon, elle eut soif de ses lèvres. »

Qu'est-ce qui a séduit Rodolphe et l'a préparé? Le gonflement de l'étoffe de la robe de Mme Bovary qui s'est crevée de place en place selon les inflexions du corsage! Rodolphe a amené son domestique chez Bovary pour le faire saigner. Le domestique va se trouver mal, Mme Bovary tient la cuvette.

« Pour la mettre sous la table, dans le mouvement qu'elle fit en s'inclinant, sa robe s'évasa autour d'elle sur les carreaux de la salle : et comme Emma, baissée, chancelait un peu en écartant les bras, le gonflement de l'étoffe se crevait de place en place selon les inflexions du corsage. » Aussi voici la réflexion de Rodolphe :

« Il revoyait Emma dans la salle, habillée comme il l'avait vue, et il la déshabillait. »

P. 417[1]. C'est le premier jour où ils se parlent. « Ils se regardaient, un désir suprême faisait frissonner leurs lèvres sèches, et mollement, sans effort, leurs doigts se confondirent. »

Ce n'est là que les préliminaires de la chute. Il faut lire la chute elle-même.

« Quand le costume fut prêt, Charles écrivit à M. Boulanger que sa femme était à sa disposition et qu'ils comptaient sur sa complaisance.

« Le lendemain à midi, Rodolphe arriva devant la porte de Charles avec deux chevaux de maître; l'un portait des pompons roses aux oreilles et une selle de femme en peau de daim.

« Il avait mis de longues bottes molles, se disant que sans doute elle n'en avait jamais vu de pareilles; en effet, Emma fut charmée de sa tournure, lorsqu'il apparut avec son grand habit de velours marron et sa culotte de tricot blanc...

...

« Dès qu'il sentit la terre, le cheval d'Emma prit le galop. Rodolphe galopait à côté d'elle. »

Les voilà dans la forêt.

« Il l'entraîna plus loin autour d'un petit étang où des lentilles d'eau faisaient une verdure sur les ondes...

...

« – J'ai tort, j'ai tort, disait-elle, je suis folle, de vous entendre.

« – Pourquoi? Emma! Emma!

« – O Rodolphe!... fit lentement la jeune femme, en se penchant sur son épaule.

« Le drap de sa robe s'accrochait au velours de l'habit. Elle renversa son cou blanc, qui se gonflait d'un soupir; et défaillante, tout en pleurs, avec un long frémissement et se cachant la figure, elle s'abandonna.

« Lorsqu'elle se fut relevée, lorsque, après avoir secoué les fatigues de la volupté, elle rentra au foyer domestique, à ce foyer où elle devait trouver un mari qu'elle adorait, après sa première faute, après ce premier adultère, après cette première chute, est-ce le remords, le sentiment du remords qu'elle éprouva, au regard de ce mari trompé qu'elle adorait? Non! le front haut, elle rentra en glorifiant l'adultère.

« En s'apercevant dans la glace, elle s'étonna de son visage. Jamais elle n'avait eu les yeux si grands, si noirs, ni d'une telle profondeur. Quelque chose de subtil épandu sur sa personne la transfigurait.

« Elle se répétait : J'ai un amant! un amant! se délectant à cette idée comme à celle d'une autre puberté qui lui serait survenue. Elle allait donc enfin posséder ces plaisirs de l'amour, cette fièvre de bonheur dont elle avait désespéré. Elle entrait dans quelque chose de merveilleux, où tout serait passion, extase, délire... »

Ainsi, dès cette première faute, dès cette première chute, elle fait la glorification de l'adultère, elle chante le cantique de l'adultère, sa poésie, ses voluptés. Voilà, messieurs, qui pour moi est bien plus dangereux, bien plus immoral que la chute elle-même!

Messieurs, tout est pâle devant cette glorification de l'adultère; même les rendez-vous de nuit, quelques jours après.

« Pour l'avertir, Rodolphe jetait contre les persiennes une poignée de sable. Elle se levait en sursaut; mais quelquefois il lui fallait attendre, car Charles avait la manie de bavarder au coin du feu, et il n'en finissait pas. Elle se dévorait d'impatience; si ses yeux l'avaient pu, ils l'eussent fait sauter par les fenêtres. Enfin elle commençait sa toilette de nuit, puis elle prenait un livre et continuait à lire fort tranquillement comme si la lecture l'eût amusée. Mais Charles, qui était au lit, l'appelait pour se coucher.

« – Viens donc, Emma, disait-il, il est temps.

« – Oui, j'y vais! répondait-elle.

« Cependant, comme les bougies l'éblouissaient, il se tournait vers le mur et s'endormait. Elle s'échappait en retenant son haleine, souriante, palpitante, déshabillée.

« Rodolphe avait un grand manteau; il l'en enveloppait tout entière, et passant le bras autour de sa taille, il l'entraînait sans parler jusqu'au fond du jardin.

« C'était sous la tonnelle, sur ce même banc de bâtons pourris où autrefois Léon la regardait si amoureusement durant les soirées d'été! Elle ne pensait guère à lui, maintenant.

---

1. Page 625, t. I.

« Le froid de la nuit les faisait s'étreindre davantage, les soupirs de leurs lèvres leur semblaient plus forts, leurs yeux, qu'ils entrevoyaient à peine, leur paraissaient plus grands, et au milieu du silence il y avait des paroles dites tout bas qui tombaient sur leur âme avec une sonorité cristalline et qui s'y répercutaient en vibrations multipliées. » Connaissez-vous au monde, messieurs, un langage plus expressif? Avez-vous jamais vu un tableau plus lascif? Écoutez encore :

« Jamais Mme Bovary ne fut aussi belle qu'à cette époque; elle avait cette indéfinissable beauté qui résulte de la joie, de l'enthousiasme, du succès, et qui n'est que l'harmonie du tempérament avec les circonstances. Ses convoitises, ses chagrins, l'expérience du plaisir et ses illusions toujours jeunes, comme font aux fleurs le fumier, la pluie, les vents et le soleil, l'avaient par gradations développée, et elle s'épanouissait enfin dans la plénitude de sa nature. Ses paupières semblaient taillées tout exprès pour ses longs regards amoureux où la prunelle se perdait, tandis qu'un souffle fort écartait ses narines minces et relevait le coin charnu de ses lèvres, qu'ombrageait à la lumière un peu de duvet noir. On eût dit qu'un artiste habile en corruptions avait disposé sur sa nuque la torsade de ses cheveux. Ils s'enroulaient en une masse lourde, négligemment, et selon les hasards de l'adultère qui les dénouait tous les jours. Sa voix maintenant prenait des inflexions plus molles, sa taille aussi; quelque chose de subtil qui vous pénétrait se dégageait même des draperies de sa robe et de la cambrure de son pied. Charles, comme au premier temps de leur mariage, la trouvait délicieuse et tout irrésistible. »

Jusqu'ici la beauté de cette femme avait consisté dans sa grâce, dans sa tournure, dans ses vêtements; enfin, elle vient de vous être montrée sans voile, et vous pouvez dire si l'adultère ne l'a pas embellie : — Emmène-moi! s'écria-t-elle. Enlève-moi!... Oh! je t'en supplie!

« Et elle se précipita sur sa bouche, comme pour y saisir le consentement inattendu qui s'exhalait dans un baiser. » Voilà un portrait, messieurs, comme sait en faire M. Flaubert. Comme les yeux de cette femme s'élargissent! Comme quelque chose de ravissant est épandu sur elle, depuis sa chute! Sa beauté a-t-elle jamais été aussi éclatante que le lendemain de sa chute, que dans les jours qui ont suivi sa chute? Ce que l'auteur vous montre, c'est la poésie de l'adultère, et je vous demande encore une fois si ces pages lascives ne sont pas d'une immoralité profonde!!!

J'arrive à la seconde citation. La seconde citation est une transition religieuse. Mme Bovary avait été très malade, aux portes du tombeau. Elle revient à la vie, sa convalescence est signalée par une petite transition religieuse.

« M. Bournisien (c'était le curé) venait la voir. Il s'enquérait de sa santé, lui apportait des nouvelles et l'exhortait à la religion dans un petit bavardage câlin, qui ne manquait pas d'agrément. La vue seule de sa soutane la réconfortait. »

Enfin elle va faire la communion. Je n'aime pas beaucoup à rencontrer des choses saintes dans un roman, mais au moins, quand on en parle, faudrait-il ne pas les travestir par le langage. Y a-t-il dans cette femme adultère qui va à la communion quelque chose de la foi de la Madeleine repentante? Non, non, c'est toujours la femme passionnée qui cherche des illusions, et qui les cherche dans les choses les plus saintes, les plus augustes.

« Un jour qu'au plus fort de sa maladie elle s'était crue agonisante, elle avait demandé la communion; et à mesure que l'on faisait dans sa chambre les préparatifs pour le sacrement, que l'on disposait en autel la commode encombrée de sirops, et que Félicité semait par terre des fleurs de dalhia, Emma sentait quelque chose de fort passant sur elle, qui la débarrassait de ses douleurs, de toute perception, de tout sentiment. Sa chair allégée ne pesait plus, une autre vie commençait; il lui sembla que son être montant vers Dieu allait s'anéantir dans cet amour, comme un encens allumé qui se dissipe en vapeur. »

Dans quelle langue prie-t-on Dieu avec les paroles adressées à l'amant dans les épanchements de l'adultère? Sans doute, on parlera de la couleur locale, et on s'excusera en disant qu'une femme vaporeuse, romanesque, ne fait pas, même en religion, les choses comme tout le monde. Il n'y a pas de couleur locale qui excuse ce mélange! Voluptueuse un jour, religieuse le lendemain, nulle femme, même dans d'autres régions, même sous le ciel d'Espagne ou d'Italie, ne murmure à Dieu les caresses adultères qu'elle donnait à l'amant. Vous apprécierez ce langage, messieurs, et vous n'excuserez pas ces paroles de l'adultère introduites, en quelque sorte, dans le sanctuaire de la divinité! Voilà la seconde citation; j'arrive à la troisième, c'est la série des adultères.

Après la transition religieuse, Mme Bovary est encore prête à tomber. Elle va au spectacle à Rouen. On jouait *Lucie de Lammermoor*. Emma fit un retour sur elle-même.

« Ah! si dans la fraîcheur de sa beauté, avant les souillures du mariage et les désillusions de l'adultère (il y en a qui auraient dit : les désillusions du mariage et les souillures de l'adultère), avant les souillures du mariage et les désillusions de l'adultère, elle avait pu placer sa vie sur quelque grand cœur solide, alors la vertu, la tendresse, les voluptés et le devoir se confondant, jamais elle ne serait descendue d'une félicité si haute. »

En voyant Lagardy sur la scène, elle eut envie de courir dans ses « bras pour se réfugier en sa force, comme dans l'incarnation de l'amour même, et de lui dire, de s'écrier : Enlève-moi, emmène-moi, partons! à toi, à toi! toutes mes ardeurs et tous mes rêves! »

Léon était derrière elle.

« Il se tenait derrière elle, s'appuyant de l'épaule contre la cloison; et de temps à autre elle se sentait frissonner sous le souffle tiède de ses narines qui lui descendait dans la chevelure. »

On vous a parlé tout à l'heure des souillures du mariage; on va vous montrer encore l'adultère dans toute sa poésie, dans ses ineffables séductions. J'ai dit qu'on aurait dû au moins modifier les expressions et dire : les désillusions du mariage et les souillures de l'adultère. Bien souvent, quand on s'est marié, au lieu du bonheur sans nuages qu'on s'était promis, on rencontre les sacrifices, les amertumes. Le mot désillusion peut donc être justifié, celui de souillure ne saurait l'être.

Léon et Emma se sont donné rendez-vous à la cathédrale. Ils la visitent, ou ils ne la visitent pas. Ils sortent.

« Un gamin polissonnait sur le parvis.

« — Va me chercher un fiacre! lui crie Léon. L'enfant partit comme une balle...

« — Ah! Léon!... vraiment... je ne sais... si je dois!... et elle minaudait. Puis, d'un air sérieux : C'est très inconvenant savez-vous?

« — En quoi? répliqua le clerc, cela se fait à Paris.

« Et cette parole, comme un irrésistible argument, la détermina. »

Nous savons maintenant, messieurs, que la chute n'a pas lieu dans le fiacre. Par un scrupule qui l'honore, le rédacteur de *la Revue* a supprimé le passage de la chute dans le fiacre. Mais si *la Revue de Paris* baisse les stores du fiacre, elle nous laisse pénétrer dans la chambre où se donnent les rendez-vous.

Emma veut partir, car elle avait donné sa parole qu'elle

reviendrait le soir même. « D'ailleurs, Charles l'attendait; et déjà elle se sentait au cœur cette lâche docilité qui est pour bien des femmes comme le châtiment tout à la fois et la rançon de l'adultère... »

« Léon, sur le trottoir, continuait à marcher, elle le suivait jusqu'à l'hôtel; il montait, il ouvrait la porte, entrait. Quelle étreinte!

« Puis les paroles après les baisers se précipitaient. On se racontait les chagrins de la semaine, les pressentiments, les inquiétudes pour les lettres; mais à présent tout s'oubliait, et ils se regardaient face à face, avec des rires de volupté et des appellations de tendresse.

« Le lit était un grand lit d'acajou en forme de nacelle. Les rideaux de levantine rouge, qui descendaient du plafond, se cintraient trop bas vers le chevet évasé, et rien au monde n'était beau comme sa tête brune et sa peau blanche, se détachant sur cette couleur pourpre, quand, par un geste de pudeur, elle fermait ses deux bras nus, en se cachant la figure dans les mains.

« Le tiède appartement, avec son tapis discret, ses ornements folâtres et sa lumière tranquille, semblait tout commode pour les intimités de la passion. »

Voilà ce qui se passe dans cette chambre. Voici encore un passage très important — comme peinture lascive!

« Comme ils aimaient cette bonne chambre pleine de gaieté malgré sa splendeur un peu fanée! Ils trouvaient toujours les meubles à leur place, et parfois des épingles à cheveux qu'elle avait oubliées, l'autre jeudi, sous le socle de la pendule. Ils déjeunaient au coin du feu, sur un petit guéridon incrusté de palissandre. Emma découpait, lui mettait les morceaux dans son assiette en débitant toutes sortes de chatteries, et elle riait d'un rire sonore et libertin, quand la mousse du vin de Champagne débordait du verre léger sur les bagues de ses doigts. Ils étaient si complètement perdus dans la possession d'eux-mêmes, qu'ils se croyaient là dans leur maison particulière, et devant y vivre jusqu'à la mort, comme deux éternels jeunes époux. Ils disaient notre chambre, nos tapis, nos fauteuils, même elle disait mes pantoufles, un cadeau de Léon, une fantaisie qu'elle avait eue. C'étaient des pantoufles en satin rose, bordées de cygne. Quand elle s'asseyait sur ses genoux, sa jambe, alors trop courte, pendait en l'air, et la mignarde chaussure, qui n'avait pas de quartier, tenait seulement par les orteils à son pied nu.

« Il savourait pour la première fois, et dans l'exercice de l'amour, l'inexprimable délicatesse des élégances féminines. Jamais il n'avait rencontré cette grâce de langage, cette réserve du vêtement, ces poses de colombe assoupie. Il admirait l'exaltation de son âme et les dentelles de sa jupe. D'ailleurs, n'était-ce pas une femme du monde, et une femme mariée? une vraie maîtresse, enfin? »

Voilà, messieurs, une description qui ne laissera rien à désirer, j'espère, au point de vue de la prévention? En voici une autre ou, plutôt, voici la continuation de la même scène:

« Elle avait des paroles qui l'enflammaient avec des baisers qui lui emportaient l'âme. Où donc avait-elle appris ces caresses presque immatérielles, à force d'être profondes et dissimulées? »

Oh! je comprends bien, messieurs, le dégoût que lui inspirait ce mari qui voulait l'embrasser à son retour; je comprends à merveille lorsque les rendez-vous de cette espèce avaient lieu, elle sentît avec horreur, la nuit, « contre sa chair, cet homme étendu qui dormait. »

Ce n'est pas tout, à la page 73[1], il est un dernier tableau

que je ne peux pas omettre; elle était arrivée jusqu'à la fatigue de la volupté.

« Elle se promettait continuellement pour son prochain voyage une félicité profonde, puis elle s'avouait ne rien sentir d'extraordinaire. Mais cette déception s'effaçait vite sous un espoir nouveau, et Emma revenait à lui plus enflammée, plus haletante, plus avide. Elle se déshabillait brutalement arrachant le lacet mince de son corset qui sifflait autour de ses hanches comme une couleuvre qui glisse. Elle allait sur la pointe de ses pieds nus regarder encore une fois si la porte était fermée, puis elle faisait d'un seul geste tomber ensemble tous ses vêtements; — et pâle, sans parler, sérieuse, elle s'abattait contre sa poitrine, avec un long frisson. »

Je signale ici deux choses, messieurs, une peinture admirable sous le rapport du talent, mais une peinture exécrable au point de vue de la morale. Oui, M. Flaubert sait embellir ses peintures avec toutes les ressources de l'art, mais sans les ménagements de l'art. Chez lui point de gaze, point de voiles, c'est la nature dans toute sa nudité, dans toute sa crudité!

Encore une citation de la page 78[2].

« Ils se connaissaient trop pour avoir ces ébahissements de possession qui en centuplent la joie. Elle était aussi dégoûtée de lui qu'il était fatigué d'elle. Emma retrouvait dans l'adultère toutes les platitudes du mariage. »

Platitudes du mariage, poésie de l'adultère! Tantôt c'est la souillure du mariage, tantôt ce sont ses platitudes, mais c'est toujours la poésie de l'adultère. Voilà, messieurs, les situations que M. Flaubert aime à peindre, et malheureusement il ne les peint que trop bien.

J'ai raconté trois scènes : la scène avec Rodolphe, et vous y avez vu la chute dans la forêt, la glorification de l'adultère, et cette femme dont la beauté devient plus grande avec cette poésie. J'ai parlé de la transition religieuse, et vous y avez vu la prière emprunter à l'adultère son langage. J'ai parlé de la seconde chute, je vous ai déroulé les scènes qui se passent avec Léon. Je vous ai montré la scène du fiacre – supprimée – mais je vous ai montré le tableau de la chambre et du lit. Maintenant que nous croyons nos convictions faites, arrivons à la dernière scène, à celle du supplice.

Des coupures nombreuses y ont été faites, à ce qu'il paraît, par *la Revue de Paris*. Voici en quels termes M. Flaubert s'en plaint :

« Des considérations que je n'ai pas à apprécier ont contraint *la Revue de Paris* à faire une suppression dans le numéro du 1er décembre. Ses scrupules s'étant renouvelés à l'occasion du présent numéro, elle a jugé convenable d'enlever encore plusieurs passages. En conséquence, je déclare dénier la responsabilité des lignes qui suivent; le lecteur est donc prié de n'y voir que des fragments et non pas un ensemble. »

Passons donc sur ces fragments et arrivons à la mort. Elle s'empoisonne, pourquoi? « Ah! c'est bien peu de chose, la mort, pensa-t-elle; je vais m'endormir et tout sera fini. » Puis, sans un remords, sans un aveu, sans une larme de repentir sur ce suicide qui s'achève et les adultères de la veille, elle va recevoir le sacrement des mourants. Pourquoi le sacrement puisque, dans sa pensée de tout à l'heure, elle va au néant? Pourquoi, quand il n'y a pas une larme, pas un soupir de Madeleine sur son crime d'incrédulité, sur son suicide, sur ses adultères?

Après cette scène, vient celle de l'extrême-onction. Ce sont des paroles saintes et sacrées pour nous. C'est avec

1. Pages 669-670, t. I.

2. Page 672, t. I.

ces paroles-là que nous avons endormi nos aïeux, nos pères, ou nos proches et c'est avec elles qu'un jour nos enfants nous endormiront. Quand on veut les reproduire, il faut le faire exactement; il ne faut pas du moins les accompagner d'une image voluptueuse sur la vie passée.

Vous le savez, le prêtre fait les onctions saintes sur le front, sur les oreilles, sur la bouche, sur les pieds, en prononçant ces phrases liturgiques : *Quidquid per pedes, per aures, per pectus*, etc. toujours suivies des mots *misericordia*... péché d'un côté, miséricorde de l'autre. Il faut les reproduire exactement, ces paroles saintes et sacrées; si vous ne les reproduisez pas exactement, au moins n'y mettez rien de voluptueux.

« Elle tourna sa figure lentement et parut saisie de joie à voir tout à coup l'étole violette, sans doute retrouvant au milieu d'un apaisement extraordinaire la volupté perdue de ses premiers élancements mystiques, avec des visions de béatitude éternelle qui commençaient.

« Le prêtre se releva pour prendre le crucifix; alors elle allongea le cou comme quelqu'un qui a soif, et collant ses lèvres sur le corps de l'Homme-Dieu, elle y déposa de toute sa force expirante le plus grand baiser d'amour qu'elle eût jamais donné. Ensuite il récita le *Misereatur* et l'*Indulgentiam*, trempa son pouce droit dans l'huile et commença les onctions : d'abord sur les yeux, qui avaient tant convoité toutes les somptuosités terrestres; puis sur les narines, friandes de brises tièdes et de senteurs amoureuses; puis sur la bouche, qui s'était ouverte pour le mensonge, qui avait gémi d'orgueil et crié dans la luxure; puis sur les mains, qui se délectaient aux contacts suaves, et enfin sur la plante des pieds, si rapides autrefois quand elle courait à l'assouvissement de ses désirs, et qui maintenant ne marcheraient plus. »

Maintenant il y a les prières des agonisants que le prêtre récite tout bas, où à chaque verset se trouvent les mots : « Ame chrétienne, partez pour une région plus haute. » On les murmure au moment où le dernier souffle du mourant s'échappe de ses lèvres. Le prêtre les récite, etc.

« A mesure que le râle devenait plus fort, l'ecclésiastique précipitait ses oraisons; elles se mêlaient aux sanglots étouffés de Bovary, et quelquefois tout semblait disparaître dans le sourd murmure des syllabes latines qui tintaient comme un glas lugubre. »

L'auteur a jugé à propos d'alterner ces paroles, de leur faire une sorte de réplique. Il fait intervenir sur le trottoir un aveugle qui entonne une chanson dont les paroles profanes sont une sorte de réponse aux prières des agonisants.

« Tout à coup on entendit sur le trottoir un bruit de gros sabots, avec le frôlement d'un bâton, et une voix s'éleva, une voix rauque, qui chantait :

> *Souvent la chaleur d'un beau jour*
> *Fait rêver fillette à l'amour*
> *Il souffla bien fort ce jour-là*
> *Et le jupon court s'envola.* »

C'est à ce moment que Mme Bovary meurt.

Ainsi voilà le tableau : d'un côté le prêtre qui récite les prières des agonisants; de l'autre, le joueur d'orgue, qui excite chez la mourante « un rire atroce, frénétique, désespéré, croyant voir la face hideuse du misérable qui se dressait dans les ténèbres éternelles comme un épouvantement... Une convulsion la rabattit sur le matelas. Tous s'approchèrent. Elle n'existait plus. »

Et puis ensuite, lorsque le corps est froid, la chose qu'il faut respecter par-dessus tout, c'est le cadavre que l'âme a quitté. Quand le mari est là, à genoux, pleurant sa femme, quand il a étendu sur elle le linceul, tout autre se serait

arrêté, et c'est le moment où M. Flaubert donna le dernier coup de pinceau.

« Le drap se creusait depuis ses seins jusqu'à ses genoux, se relevant ensuite à la pointe des orteils. »

Voilà la scène de la mort. Je l'ai abrégée, je l'ai groupée en quelque sorte. C'est à vous de juger et d'apprécier si c'est là le mélange du sacré au profane, ou si ce ne serait pas plutôt le mélange du sacré au voluptueux.

J'ai raconté le roman, je l'ai incriminé ensuite et, permettez-moi de le dire, le genre que M. Flaubert cultive, celui qu'il réalise sans les ménagements de l'art, mais avec toutes les ressources de l'art, c'est le genre descriptif, la peinture réaliste. Voyez jusqu'à quelle limite il arrive. Dernièrement un numéro de l'*Artiste* me tombait sous la main; il ne s'agit pas d'incriminer l'*Artiste*, mais de savoir quel est le genre de M. Flaubert, et je vous demande la permission de vous citer quelques lignes de l'écrit qui n'engagent en rien l'écrit poursuivi contre M. Flaubert, et j'y voyais à quel degré M. Flaubert excelle dans la peinture; il aime à peindre les tentations, surtout les tentations auxquelles a succombé Mme Bovary. Eh! bien je trouve un modèle du genre dans les quelques lignes qui suivent de l'*Artiste* du mois de janvier, signées *Gustave Flaubert*, sur la tentation de saint Antoine. Mon Dieu! c'est un sujet sur lequel on peut dire beaucoup de choses, mais je ne crois pas qu'il soit possible de donner plus de vivacité à l'image, plus de trait à la peinture que dans ces mots d'Apollinaire[1] à saint Antoine : « Est-ce la science? Est-ce la gloire? Veux-tu rafraîchir tes yeux sur des jasmins humides? Veux-tu sentir ton corps s'enfoncer comme dans une onde dans la chair douce des femmes pâmées? »

Eh bien! c'est la même couleur, la même énergie de pinceau, la même vivacité d'expression!

Il faut se résumer. J'ai analysé le livre, j'ai raconté sans oublier une page, j'ai incriminé ensuite, c'était la seconde partie de ma tâche : j'ai précisé quelques portraits, j'ai montré Mme Bovary au repos, vis-à-vis de son mari, vis-à-vis de ceux qu'elle ne devait pas tenter, et je vous ai fait toucher les couleurs lascives de ce portrait! Puis, j'ai analysé quelques grandes scènes. la chute avec Rodolphe, la transition religieuse, les amours avec Léon, la scène de la mort, et dans toutes j'ai trouvé le double délit d'offense à la morale publique et à la religion.

Je n'ai besoin que de deux scènes : l'outrage à la morale, est-ce que vous ne le verrez pas dans la chute avec Rodolphe? Est-ce que vous ne le verrez pas dans cette glorificarion de l'adultère? Est-ce que vous ne le verrez pas surtout dans ce qui se passe avec Léon? Et puis, l'outrage à la morale religieuse, je le trouve dans le trait sur la confession, p. 30[2] de la première livraison, numéro du 1er octobre, dans la transition religieuse, p. 854[3] et 550[4] du 15 novembre, et enfin dans la dernière scène de la mort.

Vous avez devant vous, messieurs, trois inculpés : M. Flaubert, l'auteur du livre, M. Pichat qui l'a accueilli, et M. Pillet qui l'a imprimé. En cette matière, il n'y a pas de délit sans publicité, et tous ceux qui ont concouru à la publicité doivent être également atteints. Mais nous nous hâtons de le dire, le gérant de *la Revue* et l'imprimeur ne sont qu'en seconde ligne. Le principal prévenu, c'est l'auteur, c'est M. Flaubert, M. Flaubert qui, averti par la note de la rédaction, proteste contre la suppression qui est faite à son œuvre. Après lui, vient au second rang M. Laurent Pichat, auquel vous demanderez compte non de cette suppression qu'il a faite, mais de celles qu'il aurait dû faire, et, enfin,

---

1. Apollinaire *(sic)* pour Apollonius de Thyane!
2. Page 586, t. I.
3. Page 646, t. I.
4. Page 648, t. I.

vient en dernière ligne l'imprimeur qui est une sentinelle avancée contre le scandale. M. Pillet, d'ailleurs, est un homme honorable contre lequel je n'ai rien à dire. Nous ne vous demandons qu'une chose, de lui appliquer la loi. Les imprimeurs doivent lire; quand ils n'ont pas lu ou fait lire, c'est à leurs risques et périls qu'ils impriment. Les imprimeurs ne sont pas des machines; ils ont un privilège, ils prêtent serment, ils sont dans une situation spéciale, ils sont responsables. Encore une fois, ils sont, si vous me permettez l'expression, comme des sentinelles avancées; s'ils laissent passer le délit, c'est comme s'ils laissaient passer l'ennemi. Atténuez la peine autant que vous voudrez vis-à-vis de Pillet; soyez même indulgents vis-à-vis du gérant de *la Revue;* quant à Flaubert, le principal coupable, c'est à lui que vous devez réserver vos sévérités!

Ma tâche remplie, il faut attendre les objections ou les prévenir. On nous dira comme objection générale : mais, après tout, le roman est moral au fond, puisque l'adultère est puni?

A cette objection, deux réponses : je suppose l'œuvre morale, par hypothèse, une conclusion morale ne pourrait pas amnistier les détails lascifs qui peuvent s'y trouver. Et puis je dis : l'œuvre au fond n'est pas morale.

Je dis, messieurs, que des détails lascifs ne peuvent pas être couverts pas une conclusion morale, sinon on pourrait raconter toutes les orgies imaginables, décrire toutes les turpitudes d'une femme publique, en la faisant mourir sur un grabat à l'hôpital. Il serait permis d'étudier et de montrer toutes ses poses lascives! Ce serait aller contre toutes les règles du bon sens. Ce serait placer le poison à la portée de tous et le remède à la portée d'un bien petit nombre, s'il y avait un remède. Qui est-ce qui lit le roman de M. Flaubert? Sont-ce des hommes qui s'occupent d'économie politique ou sociale? Non! Les pages légères de *Madame Bovary* tombent en des mains plus légères, dans des mains de jeunes filles, quelquefois de femmes mariées. Eh bien! lorsque l'imagination aura été séduite, lorsque cette séduction sera descendue jusqu'au cœur, lorsque le cœur aura parlé aux sens, est-ce que vous croyez qu'un raisonnement bien froid sera bien fort contre cette séduction des sens et du sentiment? Et puis, il ne faut pas que l'homme se drape trop dans sa force et dans sa vertu, l'homme porte les instincts d'en bas et les idées d'en haut, et chez tous, la vertu n'est que la conséquence d'un effort, bien souvent pénible. Les peintures lascives ont généralement plus d'influence que les froids raisonnements. Voilà ce que je réponds à cette théorie, voilà ma première réponse, mais j'en ai une seconde.

Je soutiens que le roman de *Madame Bovary*, envisagé au point de vue philosophique, n'est point moral. Sans doute Mme Bovary meurt empoisonnée; elle a beaucoup souffert, c'est vrai; mais elle meurt à son heure et à son jour, mais elle meurt, non parce qu'elle est adultère, mais parce qu'elle l'a voulu; elle meurt dans tout le prestige de sa jeunesse et de sa beauté; elle meurt après avoir eu des amants, laissant un mari qui l'aime, qui l'adore, qui trouvera le portrait de Rodolphe, qui trouvera ses lettres et celles de Léon, qui lira les lettres d'une femme deux fois adultère, et qui, après cela, l'aimera encore davantage au delà du tombeau. Qui peut condamner cette femme dans le livre? Personne. Telle est la conclusion. Il n'y a pas dans le livre un personnage qui puisse la condamner. Si vous trouvez un personnage sage, si vous y trouvez un seul principe en vertu duquel l'adultère soit stigmatisé, j'ai tort. Donc, si, dans tout le livre, il n'y a pas un personnage qui puisse lui faire courber la tête; s'il n'y a pas une idée, une ligne en vertu de laquelle l'adultère soit flétri, c'est moi qui ai raison, le livre est immoral!

Serait-ce au nom de l'honneur conjugal que le livre serait condamné? Mais l'honneur conjugal est représenté par un mari béat qui, après la mort de sa femme, rencontrant Rodolphe, cherche sur le visage de l'amant les traits de la femme qu'il aime (liv. du 15 décembre, p. 289 [1]). Je vous le demande, est-ce au nom de l'honneur conjugal que vous pouvez stigmatiser cette femme, quand il n'y a pas dans le livre un seul mot où le mari ne s'incline devant l'adultère.

Serait-ce au nom de l'opinion publique? Mais l'opinion publique est personnifiée dans un être grotesque, dans le pharmacien Homais, entouré de personnages ridicules que cette femme domine.

Le condamnerez-vous au nom du sentiment religieux? Mais ce sentiment, vous l'avez personnifié dans le curé Bournisien, prêtre à peu près aussi grotesque que le pharmacien, ne croyant qu'aux souffrances physiques, jamais aux souffrances morales, à peu près matérialiste.

Le condamnerez-vous au nom de la conscience de l'auteur? Je ne sais pas ce que pense la conscience de l'auteur; mais, dans son chapitre x, le seul philosophique de l'œuvre (liv. du 15 décembre [2]) je lis la phrase suivante :

« Il y a toujours après la mort de quelqu'un comme une stupéfaction qui se dégage, tant il est difficile de comprendre cette survenue du néant et de se résigner à y croire. »

Ce n'est pas un cri d'incrédulité, mais c'est du moins un cri de scepticisme. Sans doute il est difficile de le comprendre et d'y croire; mais, enfin, pourquoi cette stupéfaction qui se manifeste à la mort? Pourquoi? Parce que cette survenue est quelque chose qui est un mystère, parce qu'il est difficile de le comprendre et de le juger, mais il faut s'y résigner. Et moi je dis que si la mort est la survenue du néant, que si le mari béat sent croître son amour en apprenant les adultères de sa femme, que si l'opinion est représentée par des êtres grotesques, que si le sentiment religieux est représenté par un prêtre ridicule, une seule personne a raison, règne, domine : c'est Emma Bovary. Messaline a raison contre Juvénal.

Voilà la conclusion philosophique du livre, tirée non par l'auteur, mais par un homme qui réfléchit et approfondit les choses, par un homme qui a cherché dans le livre un personnage qui pût dominer cette femme. Il n'y en a pas. Le seul personnage qui y domine, c'est Mme Bovary. Il faut donc chercher ailleurs que dans le livre, il faut chercher dans cette morale chrétienne qui est le fond des civilisations modernes. Pour cette morale, tout s'explique et s'éclaircit.

En son nom l'adultère est stigmatisé, condamné, non pas parce que c'est une imprudence qui expose à des désillusions et à des regrets, mais parce que c'est un crime pour la famille. Vous stigmatisez et vous condamnez le suicide, non pas parce que c'est une folie, le fou n'est pas responsable; non pas parce que c'est une lâcheté, il demande quelquefois un certain courage physique, mais parce qu'il est le mépris du devoir dans la vie qui s'achève, et le cri de l'incrédulité dans la vie qui commence.

Cette morale stigmatise la littérature réaliste, non pas parce qu'elle peint les passions : la haine, la vengeance, l'amour; le monde ne vit que là-dessus, et l'art doit peindre; mais quand elle les peint sans frein, sans mesure. L'art sans règle n'est plus l'art; c'est comme une femme qui quitterait tout vêtement. Imposer à l'art l'unique règle de la décence publique, ce n'est pas l'asservir, mais l'honorer. On ne grandit qu'avec une règle. Voilà, messieurs, les

1. Page 692, t. I.
2. Page 684, t. I.

principes que nous professons, voilà une doctrine que nous défendons avec conscience.

PLAIDOIRIE DU DÉFENSEUR
Me SÉNARD

Messieurs, M. Gustave Flaubert est accusé devant vous d'avoir fait un mauvais livre, d'avoir, dans ce livre, outragé la morale publique et la religion. M. Gustave Flaubert est auprès de moi; il affirme devant vous qu'il a fait un livre honnête; il affirme devant vous que la pensée de son livre, depuis la première ligne jusqu'à la dernière, est une pensée morale, religieuse, et que, si elle n'était pas dénaturée (nous avons vu pendant quelques instants ce que peut un grand talent pour dénaturer une pensée), elle serait (et elle redeviendra tout à l'heure) pour vous ce qu'elle a été déjà pour les lecteurs du livre, une pensée éminemment morale et religieuse pouvant se traduire par ces mots : l'excitation à la vertu par l'horreur du vice.

Je vous apporte ici l'affirmation de M. Gustave Flaubert, et je la mets hardiment en regard du réquisitoire du ministère public, car cette affirmation est grave; elle l'est par la personne qui l'a faite, elle l'est par les circonstances qui ont présidé à l'exécution du livre que je vais vous faire connaître.

L'affirmation est déjà grave par la personne qui l'a fait, et, permettez-moi de vous le dire, M. Gustave Flaubert n'était pas pour moi un inconnu qui eût besoin auprès de moi de recommandations, qui eût des renseignements à me donner, je ne dis pas sur sa moralité, mais sur sa dignité. Je viens ici, dans cette enceinte, remplir un devoir de conscience, après avoir lu le livre, après avoir senti s'exhaler par cette lecture tout ce qu'il y a en moi d'honnête et de profondément religieux. Mais, en même temps que je viens remplir un devoir de conscience, je viens remplir un devoir d'amitié. Je me rappelle, je ne saurais oublier que son père a été pour moi un vieil ami. Son père, de l'amitié duquel je me suis longtemps honoré, honoré jusqu'au dernier jour, son père, et permettez-moi de le dire, son illustre père, a été pendant plus de trente années chirurgien en chef de l'Hôtel-Dieu de Rouen. Il a été le protecteur de Dupuytren; en donnant à la science de grands enseignements, il l'a dotée de grands noms; je n'en veux citer qu'un seul, Cloquet. Il n'a pas seulement laissé lui-même un beau nom dans la science, il a laissé de grands souvenirs, pour d'immenses services rendus à l'humanité. Et en même temps que je me souviens de mes liaisons avec lui, je veux vous le dire, son fils, qui est traduit en police correctionnelle pour outrage à la morale et à la religion, son fils est l'ami de mes enfants, comme j'étais l'ami de son père. Je sais sa pensée, je sais ses intentions, et l'avocat a ici le droit de se poser comme la caution personnelle de son client.

Messieurs, un grand nom et de grands souvenirs obligent. Les enfants de M. Flaubert ne lui ont pas failli. Ils étaient trois, deux fils et une fille morte à vingt et un ans. L'aîné a été jugé digne de succéder à son père : et c'est lui qui, aujourd'hui, remplit déjà depuis plusieurs années la mission que son père a remplie pendant trente ans. Le plus jeune, le voici : il est à votre barre. En leur laissant une fortune considérable et un grand nom, leur père leur a laissé le besoin d'être des hommes d'intelligence et de cœur, des hommes utiles. Le frère de mon client s'est lancé dans une carrière où les services rendus sont de chaque jour. Celui-ci a dévoué sa vie à l'étude, aux lettres, et l'ouvrage qu'on poursuit en ce moment devant vous est son premier ouvrage. Ce premier ouvrage, messieurs, qui provoque les passions, au dire de monsieur l'avocat impérial, est le résultat de longues études, de longues méditations. M. Gustave Flaubert est un homme d'un caractère sérieux, porté par sa nature aux choses graves, aux choses tristes. Ce n'est pas l'homme que le ministère public, avec quinze ou vingt lignes mordues çà et là, est venu vous présenter comme un faiseur de tableaux lascifs. Non; il y a dans sa nature, je le répète, tout ce qu'on peut imaginer au monde de plus grave, de plus sérieux, mais en même temps de plus triste. Son livre, en rétablissant seulement une phrase, en mettant à côté des quelques lignes citées les quelques lignes qui précèdent et qui suivent, reprendra bientôt devant vous sa véritable couleur, en même temps qu'il fera connaître les intentions de l'auteur. Et, de la parole trop habile que vous avez entendue, il ne restera dans vos souvenirs qu'un sentiment d'admiration profonde pour un talent qui peut tout transformer.

Je vous ai dit que M. Gustave Flaubert était un homme sérieux et grave. Ses études, conformes à la nature de son esprit, ont été sérieuses et larges. Elles ont embrassé non seulement toutes les branches de la littérature, mais le droit. M. Flaubert est un homme qui ne s'est pas contenté des observations que pouvait lui fournir le milieu où il a vécu; il a interrogé d'autres milieux :

Qui mores multorum vidit et urbes.

Après la mort de son père et ses études de collège, il a visité l'Italie, et de 1848 à 1851, parcouru ces contrées de l'Orient, l'Égypte, la Palestine, l'Asie Mineure, dans lesquelles, sans doute, l'homme qui les parcourt, en y apportant une grande intelligence, peut acquérir quelque chose d'élevé, de poétique, ces couleurs, ce prestige de style que le ministère public faisait tout à l'heure ressortir, pour établir le délit qu'il nous impute. Ce prestige de style, ces qualités littéraires resteront, ressortiront avec éclat de ces débats, mais ne pourront en aucune façon laisser prise à l'incrimination.

De retour depuis 1852, M. Gustave Flaubert a écrit et cherché à produire dans un grand cadre le résultat d'études attentives et sérieuses, le résultat de ce qu'il avait recueilli dans ses voyages.

Quel est le cadre qu'il a choisi, le sujet qu'il a pris, et comment l'a-t-il traité? Mon client est de ceux qui n'appartiennent à aucune des écoles dont j'ai trouvé, tout à l'heure, le nom dans le réquisitoire. Mon Dieu! il appartient à l'école réaliste, en ce sens qu'il s'attache à la réalité des choses. Il appartiendrait à l'école psychologique en ce sens que ce n'est pas la matérialité des choses qui le pousse, mais le sentiment humain, le développement des passions dans le milieu où il est placé. Il appartiendrait à l'école romantique moins peut-être qu'à toute autre, car si le romantisme apparaît dans son livre, de même que si le réalisme y apparaît, ce n'est pas par quelques expressions ironiques, jetées çà et là, que le ministère public a prises au sérieux. Ce que M. Flaubert a voulu surtout, ç'a été de prendre un sujet d'études dans la vie réelle, ç'a été de créer, de constituer des types vrais dans la classe moyenne et d'arriver à un résultat utile. Oui, ce qui a le plus préoccupé mon client dans l'étude à laquelle il s'est livré, c'est précisément ce but utile, poursuivi en mettant en scène trois ou quatre personnages de la société actuelle vivant dans les conditions de la vie réelle, et présentant aux yeux du lecteur le tableau vrai de ce qui se rencontre le plus souvent dans le monde.

Le ministère public résumant son opinion sur *Madame Bovary*, a dit : Le second titre de cet ouvrage est : *Histoire des adultères d'une femme de province*. Je proteste énergiquement contre ce titre. Il me prouverait à lui seul, si je ne l'avais pas senti d'un bout à l'autre de votre réquisitoire, la préoccupation sous l'empire de laquelle vous avez constamment été. Non! le second titre de cet ouvrage n'est pas : *Histoire des adultères d'une femme de province;* il est, s'il vous faut absolument un second titre : histoire de l'éducation trop souvent donnée en province; histoire des périls auxquels elle peut conduire, histoire de la dégradation, de la friponnerie, du suicide considéré comme conséquence d'une première faute, et d'une faute amenée elle-même par des premiers torts auxquels souvent une jeune femme est entraînée; histoire de l'éducation, histoire d'une vie déplorable dont trop souvent l'éducation est la préface. Voilà ce que M. Flaubert a voulu peindre, et non pas les adultères d'une femme de province; vous le reconnaîtrez bientôt en parcourant l'ouvrage incriminé.

Maintenant le ministère public a aperçu dans tout cela, par-dessus tout, la couleur lascive. S'il m'était possible de prendre le nombre des lignes du livre que le ministère public a découpées, et de le mettre en parallèle avec le nombre des autres lignes qu'il a laissées de côté, nous serions dans la proportion totale de un à cinq cents, et vous verriez que cette proportion de un à cinq cents n'est pas une couleur lascive, n'est nulle part; elle n'existe que sous la condition des découpures et des commentaires.

Maintenant, qu'est-ce que M. Gustave Flaubert a voulu peindre? D'abord une éducation donnée à une femme au-dessus de la condition dans laquelle elle est née, comme il arrive, il faut bien le dire, trop souvent chez nous; ensuite, le mélange d'éléments disparates qui se produit ainsi dans l'intelligence de la femme, et puis, quand vient le mariage, comme le mariage ne se proportionne pas à l'éducation, mais aux conditions dans lesquelles la femme est née, l'auteur a expliqué tous les faits qui se passent dans la position qui lui est faite.

Que montre-t-il encore? Il montre une femme allant au vice par la mésalliance, et du vice au dernier degré de la dégradation et du malheur. Tout à l'heure, quand, par la lecture de différents passages, j'aurai fait connaître le livre dans son ensemble, je demanderai au tribunal la liberté d'accepter la question en ces termes : Ce livre, mis dans les mains d'une jeune femme, pourrait-il avoir pour effet de l'entraîner vers des plaisirs faciles, vers l'adultère, ou de lui montrer, au contraire, le danger dès les premiers pas, et de la faire frissonner d'horreur? La question ainsi posée, c'est votre conscience qui la résoudra.

Je dis ceci, quant à présent : M. Flaubert a voulu peindre la femme qui, au lieu de chercher à s'arranger dans la condition qui lui est donnée, avec sa situation, avec sa naissance; au lieu de chercher à se faire à la vie qui lui appartient, reste préoccupée de mille aspirations étrangères puisées dans une éducation trop élevée pour elle; qui, au lieu de s'accommoder des devoirs de sa position, d'être la femme tranquille du médecin de campagne avec lequel elle passe ses jours, au lieu de chercher le bonheur dans sa maison, dans son union, le cherche dans d'interminables rêvasseries, et puis, bien bientôt, rencontrant sur sa route un jeune homme qui coquette avec elle, joue avec elle le même jeu (mon Dieu! ils sont inexpérimentés l'un et l'autre), s'excite en quelque sorte par degrés, s'effraye quand, recourant à la religion de ses premières années, elle n'y trouve pas une force suffisante; et nous verrons tout à l'heure pourquoi elle ne l'y trouve pas. Cependant l'ignorance du jeune homme et sa propre ignorance la préservent d'un premier danger. Mais elle est bientôt rencontrée par un homme comme il y en a tant, comme il y en a trop dans le monde, qui se saisit d'elle, pauvre femme déjà éclairée, et l'entraîne. Voilà ce qui est capital, ce qu'il fallait voir, ce qu'est le livre lui-même.

Le ministère public s'irrite, et je crois qu'il s'irrite à

tort, au point de vue de la conscience et du cœur humain, de ce que, dans la première scène, Mme Bovary trouve une sorte de plaisir, de joie à avoir brisé sa prison, et rentre chez elle en disant : « J'ai un amant. » Vous croyez que ce n'est pas là le premier cri du cœur humain! La preuve est entre vous et moi. Mais il fallait regarder un peu plus loin, et vous auriez vu que, si le premier moment, le premier instant de cette chute excite chez cette femme une sorte de transport de joie, de délire, à quelques lignes plus loin la déception arrive, et, suivant l'expression de l'auteur, elle semble à ses propres yeux humiliée.

Oui, la déception, la douleur, le remords lui arrivent à l'instant même. L'homme auquel elle s'était confiée, livrée, ne l'avait prise que pour s'en servir un instant comme d'un jouet; le remords la ronge, la déchire. Ce qui vous a choqué, ç'a été d'entendre appeler cela les désillusions de l'adultère; vous auriez mieux aimé les *souillures* chez un écrivain qui faisait poser cette femme, laquelle n'ayant pas compris le mariage, se sentait souillée par le contact d'un mari; laquelle, ayant cherché ailleurs son idéal, avait trouvé les désillusions de l'adultère. Ce mot vous a choqué; au lieu des *désillusions*, vous auriez voulu les *souillures* de l'adultère. Le tribunal jugera. Quant à moi, si j'avais à faire poser le même personnage, je lui dirais : « Pauvre femme! si vous croyez que les baisers de votre mari sont quelque chose de monotone, d'ennuyeux, si vous n'y trouvez — c'est le mot qui a été signalé – que les platitudes du mariage, s'il vous semble voir une souillure dans cette union à laquelle l'amour n'a pas présidé, prenez-y garde, vos rêves sont une illusion, et vous serez un jour cruellement détrompée. » Celui qui crie bien fort, messieurs, qui se sert du mot souillure pour exprimer ce que nous avons appelé désillusion, celui-là dit un mot vrai, mais vague, qui n'apprend rien à l'intelligence. J'aime mieux celui qui ne crie pas fort, qui ne prononce pas le mot de souillure, mais qui avertit la femme de la déception, de la désillusion, qui lui dit : Là où vous croyez trouver l'amour, vous ne trouverez que le libertinage; là où vous croyez trouver le bonheur, vous ne trouverez que des amertumes. Un mari qui va tranquillement à ses affaires, qui vous embrasse, qui met son bonnet de coton et mange sa soupe avec vous est un mari prosaïque qui vous révolte; vous aspirez à un homme qui vous aime, qui vous idolâtre, pauvre enfant! cet homme sera un libertin, qui vous aura prise une minute pour jouer avec vous. L'illusion se produira la première fois, peut-être la seconde; vous serez rentrée chez vous enjouée, en chantant la chanson de l'adultère : « J'ai un amant! » La troisième fois vous n'aurez pas besoin d'arriver jusqu'à lui, la désillusion sera venue. Cet homme de vous aviez rêvé, aura perdu tout son prestige : vous aurez retrouvé dans l'amour les platitudes du mariage; et vous les aurez retrouvées avec le mépris et le dédain, le dégoût et le remords poignant.

Voilà, messieurs, ce que M. Flaubert a dit ce qu'il peint, ce qui est à chaque ligne de son livre; voilà ce qui distingue son œuvre de toutes les œuvres du même genre. C'est que chez lui les grands travers de la société figurent à chaque page; c'est que chez lui l'adultère marche plein de dégoût et de honte. Il a pris dans les relations habituelles de la vie l'enseignement le plus saisissant qui puisse être donné à une jeune femme. Oh! mon Dieu, celles de nos jeunes femmes qui ne trouvent pas dans les principes honnêtes, élevés, dans une religion sévère de quoi se tenir fermes dans l'accomplissement de leurs devoirs de mères, qui ne le trouvent pas surtout dans cette résignation, cette science pratique de la vie qui nous dit qu'il faut s'accommoder de ce que nous avons, mais qui portent leurs rêveries au dehors, ces jeunes femmes les plus honnêtes, les plus

733

pures, qui, dans le prosaïsme de leur ménage, sont quelquefois tourmentées par ce qui se passe autour d'elles, un livre comme celui-là, soyez-en sûrs, en fait réfléchir plus d'une. Voilà ce que M. Flaubert a fait.

Et prenez bien garde à une chose : M. Flaubert n'est pas un homme qui veut peint un charmant adultère, pour faire arriver ensuite le *Deus ex machina*, non; vous avez sauté trop vite de la page que vous avez lue à la dernière. L'adultère, chez lui, n'est qu'une suite de tourments, de regrets, de remords; et puis il arrive à une expiation finale, épouvantable. Elle est excessive. Si M. Flaubert pèche, c'est par l'excès, et je vous dirai tout à l'heure de qui est ce mot. L'expiation ne se fait pas attendre; et c'est en cela que le livre est éminemment moral et utile, c'est qu'il ne promet pas à la jeune femme quelques-unes de ces belles années au bout desquelles elle peut dire : après cela, on peut mourir. Non! Dès le second jour arrive l'amertume, la désillusion. Le dénouement pour la moralité se trouve à chaque ligne du livre.

Ce livre est écrit avec une puissance d'observation à laquelle monsieur l'avocat impérial a rendu justice : et c'est ici que j'appelle votre attention, parce que si l'accusation n'a pas de cause, il faut qu'elle tombe. Ce livre est écrit avec une puissance vraiment remarquable d'observation dans les moindres détails. Un article de l'*Artiste*, signé Flaubert, a servi encore de prétexte à l'accusation. Que monsieur l'avocat impérial veuille remarquer d'abord que cet article est étranger à l'incrimination; qu'il veuille remarquer ensuite que nous le tenons pour très innocent et très moral aux yeux du tribunal, à une condition que monsieur l'avocat impérial aura la bonté de le lire en entier, au lieu de le déchiqueter. Ce qui a saisi dans le livre de M. Flaubert, c'est ce que quelques comptes rendus ont appelé une fidélité toute daguerrienne dans la reproduction du type de toutes les choses, dans la nature intime de la pensée, du cœur humain – et cette reproduction devient plus saisissante encore par la magie du style. Remarquez bien que s'il n'avait appliqué cette fidélité qu'aux scènes de dégradation, vous pourriez dire avec raison : l'auteur s'est complu à peindre la dégradation avec cette puissance de description qui lui est propre. De la première à la dernière page de son livre il s'attache sans aucune espèce de réserve à tous les faits de la vie d'Emma, à son enfance dans la maison paternelle, à son éducation dans le couvent, il ne fait grâce de rien. Mais ceux qui ont lu comme moi du commencement à la fin, diront – chose notable dont vous lui saurez gré, qui non seulement sera l'absolution pour lui, mais qui aurait dû écarter de lui toute espèce de poursuite – que, quand il arrive aux parties difficiles, précisément à la dégradation, au lieu de faire comme quelques auteurs classiques que le ministère public connaît bien, mais qu'il a oubliés pendant qu'il écrivait son réquisitoire et dont j'ai apporté ici des passages, non pas pour vous les lire, mais pour que vous les parcouriez dans la chambre du conseil (j'en citerai quelques lignes tout à l'heure), au lieu de faire comme nos grands auteurs classiques, nos grands maîtres, qui, lorsqu'ils ont rencontré des scènes de l'union des sens chez l'homme et la femme, n'ont pas manqué de tout décrire, M. Flaubert se contente d'un mot. Là toute sa puissance descriptive disparaît, parce que sa pensée est chaste, parce que là où il pourrait écrire à sa manière et avec toute la magie du style, il sent qu'il y a des choses qui ne peuvent pas être abordées, décrites. Le ministère public trouve qu'il a trop dit encore. Quand je lui montrerai des hommes qui, dans de grandes œuvres philosophiques, se sont complu à la description de ces choses, et qu'en regard je placerai l'homme qui possède la science descriptive à un si haut degré et qui, loin

de l'employer, s'arrête et s'abstient, j'aurai bien le droit de demander raison à l'accusation qui est produite.

Toutefois, messieurs, de même qu'il se plaît à nous décrire le riant berceau où se joue Emma encore enfant, avec son feuillage, avec ses petites fleurs roses ou blanches qui viennent de s'épanouir, et ses sentiers embaumés, – de même, quand elle sera sortie de là, quand elle ira dans d'autres chemins, dans des chemins où elle trouvera de la fange, quand elle y salira ses pieds, quand les taches mêmes rejailliront plus haut sur elle, il ne faudrait pas qu'il le dît! Mais ce serait supprimer complètement le livre, je vais plus loin, l'élément moral, sous prétexte de le défendre, car si la faute ne peut être montrée, si elle ne peut pas être indiquée, si dans un tableau de la vie réelle qui a pour but de montrer par la pensée le péril, la chute, l'expiation, si vous voulez empêcher de peindre tout cela, c'est évidemment ôter au livre toute sa conclusion.

Ce livre n'a pas été pour mon client l'objet d'une distraction de quelques heures, il représente deux ou trois années d'études incessantes. Et je vais vous dire maintenant quelque chose de plus : M. Flaubert qui, après tant d'années de travaux, tant d'études, tant de voyages, tant de notes recueillies dans les auteurs qu'il a lus – vous verrez, mon Dieu! où il a puisé, car c'est quelque chose d'étrange qui se chargera de le justifier, – vous le verrez, lui aux couleurs lascives, tout imprégné de Bossuet et de Massillon. C'est dans l'étude de ces auteurs que nous allons le retrouver tout à l'heure, cherchant, non pas à les plagier, mais à reproduire dans ses descriptions les pensées, les couleurs employées par eux, Quand, après tout ce travail fait avec tant d'amour, quand son œuvre a son but, est-ce que vous croyez que, plein de confiance en lui-même et malgré tant d'études et de méditations, il a voulu immédiatement se lancer dans la lice! Il l'aurait fait, sans doute, s'il eût été un inconnu dans le monde, si son nom lui eût appartenu en toute propriété, s'il eût cru pouvoir en disposer et le livrer comme bon lui semblait, mais je le répète, il est de ceux chez lesquels noblesse oblige – s'appelle Flaubert, il est second fils de M. Flaubert; il voulait se tracer une voie dans la littérature, en respectant profondément la morale et la religion, – non pas par inquiétude du parquet, un tel intérêt ne pourrait se présenter à sa pensée, – mais par dignité personnelle, ne voulant pas laisser son nom à la tête d'une publication, si elle ne semblait pas, à quelques personnes en lesquelles il avait foi, digne d'être publiée. M. Flaubert a lu, par fragments et en totalité même, devant quelques amis haut placés dans les lettres, les pages qu'un jour il devrait livrer à l'impression, et j'affirme qu'aucun d'eux n'a été offensé de ce qui excite en ce moment si vivement la sévérité de monsieur l'Avocat impérial. Personne même n'y a songé. On a seulement examiné, étudié la valeur littéraire du livre. Quant au but moral, il est si évident, il est écrit à chaque ligne en termes si peu équivoques, qu'il n'était pas même besoin de le mettre en question. Rassuré sur la valeur du livre, encouragé d'ailleurs par les hommes les plus éminents de la presse, M. Flaubert ne songe plus qu'à le livrer à l'impression, à la publicité. Je le répète, tout le monde a été unanime pour rendre hommage au mérite littéraire, au style et en même temps à la pensée excellente qui préside à l'œuvre depuis la première jusqu'à la dernière ligne. Et quand la poursuite est venue, ce n'est pas lui seulement qui a été supris, profondément affligé; mais, permettez-moi de vous le dire, c'est nous qui ne comprenons pas cette poursuite, c'est moi tout le premier, qui avais lu le livre avec un intérêt très vif, à mesure que la publication en a été faite; ce sont des amis intimes. Mon Dieu! il y a des nuances qui quelquefois pourraient nous échapper dans nos habitudes, mais qui ne peuvent pas échapper à des femmes d'une grande intelligence, d'une grande pureté, d'une grande chasteté. Il n'y a pas de nom qui puisse se prononcer dans cette audience, mais si je vous disais ce qui a été dit à M. Flaubert, ce qui m'a été dit à moi-même par des mères de famille qui avaient lu ce livre, si je vous disais leur étonnement après avoir reçu de cette lecture une impression si bonne qu'elles ont cru devoir en remercier l'auteur, si je vous disais leur étonnement, leur douleur, quand elles ont appris que ce livre devait être considéré comme contraire à la morale publique, à leur foi religieuse, à la foi de toute leur vie, mon Dieu! mais il y aurait dans la réunion de ces appréciations mêmes de quoi me fortifier, si j'avais besoin d'être fortifié au moment de combattre les attaques du ministère public.

Pourtant, au milieu de toutes ces appréciations de la littérature contemporaine, il y en a une que je veux vous dire. Il y en a une, qui n'est pas seulement respectée par nous à raison d'un beau et d'un grand caractère, qui, au milieu même de l'adversité, de la souffrance, contre lesquelles il lutte courageusement chaque jour, grand par le souvenir de beaucoup d'actions inutiles à rappeler ici, mais grand par ses œuvres littéraires qu'il faut déclarer parce que c'est là ce qui fait sa compétence, grand surtout par la pureté qui existe dans toutes ses œuvres, par la chasteté de tous ses écrits : Lamartine.

Lamartine ne connaissait pas mon client ; il ne savait pas qu'il existât. Lamartine à la campagne, chez lui, avait lu, dans chacun des numéros de *la Revue de Paris*, la publication de *Madame Bovary*, et Lamartine avait trouvé là des impressions telles, qu'elles se sont reproduites toutes les fois que je vais vous dire maintenant.

Il y a quelques jours, Lamartine est revenu à Paris, et le lendemain il s'est informé de M. Gustave Flaubert. Il a envoyé à *la Revue* savoir la demeure d'un M. Gustave Flaubert, qui avait publié dans le recueil des articles sous le titre de *Madame Bovary*. Il a chargé son secrétaire d'aller faire à M. Flaubert tous ses compliments, et de lui exprimer toute la satisfaction qu'il avait éprouvée en lisant son œuvre, et lui témoigner le désir de voir l'auteur nouveau, se révélant par un essai pareil.

Mon client est allé chez Lamartine; et il a trouvé chez lui non pas seulement un homme qui l'a encouragé, mais un homme qui lui a dit : « Vous m'avez donné la meilleure œuvre que j'ai lue depuis vingt ans. » C'étaient, en un mot, des éloges tels que mon client, dans sa modestie, osait à peine me les répéter. Lamartine lui prouvait qu'il avait lu les livraisons, et le lui prouvait de la manière la plus gracieuse, en lui disant des pages tout entières. Seulement Lamartine ajoutait : « En même temps que je vous ai lu sans restriction jusqu'à la dernière page, j'ai blâmé les dernières. Vous m'avez fait mal, vous m'avez fait littéralement souffrir! L'expiation est hors de proportion avec le crime; vous avez créé une mort affreuse, effroyable! Assurément la femme qui souille le lit conjugal, doit s'attendre à une expiation, mais celle-ci est horrible, c'est un supplice comme on n'en a jamais vu. Vous avez été trop loin, vous m'avez fait mal aux nerfs; cette puissance de description qui s'est appliquée aux derniers instants de la mort m'a laissé une indicible souffrance! » Et quand Gustave Flaubert lui demandait : « Mais, monsieur de Lamartine, est-ce que vous comprenez que je sois poursuivi pour avoir fait une œuvre pareille, devant le tribunal de police correctionnelle, pour offense à la morale publique et religieuse? » Lamartine lui répondait : « Je crois avoir été toute ma vie l'homme qui, dans ses œuvres littéraires comme ses autres, a le mieux compris ce que c'était que la morale publique et religieuse; mon cher enfant, il

n'est pas possible qu'il se trouve en France un tribunal pour vous condamner. Il est déjà très regrettable qu'on se soit ainsi mépris sur le caractère de votre œuvre et qu'on ait ordonné de la poursuivre, mais il n'est pas possible, pour l'honneur de notre pays et de notre époque, qu'il se trouve un tribunal pour vous condamner. »

Voilà ce qui se passait hier, entre Lamartine et Flaubert, et j'ai le droit de vous dire que cette appréciation est de celles qui valent la peine d'être pesées.

Ceci bien entendu, voyons comment il se pourrait faire que ma conscience à moi me dît que *Madame Bovary* est un bon livre, une bonne action? Et je vous demande la permission d'ajouter que je ne suis pas facile sur ces sortes de choses, la facilité n'est pas dans mes habitudes. Des œuvres littéraires, j'en tiens à la main qui, quoique émanées de nos grands écrivains, n'ont jamais arrêté deux minutes mes yeux. Je vous en ferai passer dans la chambre du conseil quelques·lignes que je ne me suis jamais complu à lire, et je vous demanderai la permission de vous dire que lorsque je suis arrivé à la fin de l'œuvre de M. Flaubert, j'ai été convaincu qu'une coupure faite par *la Revue de Paris* a été cause de tout ceci. Je vous demanderai, de plus, la permission de joindre mon appréciation à l'appréciation plus élevée, plus éclairée que je viens de rappeler.

Voici, messieurs, un portefeuille rempli des opinions de tous les littérateurs de notre temps, et parmi lesquels se trouvent les plus distingués, sur l'œuvre dont il s'agit, et sur l'émerveillement qu'ils ont éprouvé en lisant cette œuvre nouvelle, en même temps si morale et si utile!

Maintenant comment une œuvre pareille a-t-elle pu encourir une poursuite? Voulez-vous me permettre de vous le dire? *La Revue de Paris*, dont le Comité de lecture avait lu l'œuvre en son entier, car le manuscrit lui avait été envoyé longtemps avant la publication, n'y avait rien trouvé à redire. Quand on est arrivé à imprimer le cahier du 1er décembre 1856, un des directeurs de *la Revue* s'est effarouché de la scène dans un fiacre. Il a dit : « Ceci n'est pas convenable, nous allons le supprimer. » Flaubert s'est offensé de la suppression. Il n'a pas voulu qu'elle eût lieu sans qu'une note fût placée au bas de la page. C'est lui qui a exigé la note. C'est lui qui, pour son amour-propre d'auteur, ne voulant pas que son œuvre fût mutilée, ni que, d'un autre côté, il y eût quelque chose qui donnât des inquiétudes à *la Revue*, a dit : « Vous supprimerez si bon vous semble, mais vous déclarerez que vous avez supprimé »; et alors on convint de la note suivante :

« La direction s'est vue dans la nécessité de supprimer ici un passage qui ne pouvait convenir à la rédaction de *la Revue de Paris*; nous en donnons acte à l'auteur. »

Voici le passage supprimé, je vais vous le lire. Nous en avons une épreuve, que nous avons eu beaucoup de peine à nous procurer. En voici la première partie, qui n'a pas une seule correction; un mot a été corrigé sur la seconde :

« Où allons-nous? – Où vous voudrez, dit Léon poussant Emma dans la voiture. Les stores s'abaissèrent, et la lourde machine se mit en route.

« Elle descendit la rue du Grand-Pont, traversa la place des Arts, le quai Napoléon, le pont Neuf, et s'arrêta court devant la statue de Pierre Corneille.

« – Continuez! fit une voix qui sortait de l'intérieur.

« La voiture repartit, et se laissant, dès le carrefour Lafayette, emporter par la descente, elle entra au grand galop dans la gare du chemin de fer.

« – Non! tout droit! cria la même voix.

« Le fiacre sortit des grilles, et bientôt arrivé sur le Cours, trotta doucement, au milieu des grands ormes. Le cocher s'essuya le front, mit son chapeau de cuir entre ses jambes et poussa la voiture en dehors des contre-allées, au bord de l'eau près du gazon.

« Elle alla le long de la rivière, sur le chemin de halage pavé de cailloux secs, – et, longtemps, du côté d'Oyssel, au delà des îles.

« Mais tout à coup elle s'élança d'un bond à travers Quatre-mares, Sotteville, la grande chaussée, la rue d'Elbœuf, et fit sa troisième halte devant le Jardin des Plantes.

» – Marchez donc! » s'écria la voix furieusement.

« Et aussitôt, reprenant sa course, elle passa par Saint-Sever, par le quai des Curandiers, par le quai aux Meules, encore une fois par le pont, par la place du Champ-de-Mars, et derrière les jardins de l'Hôpital où des vieillards en veste noire se promènent au soleil, le long d'une terrasse toute verdie par des lierres. Elle remonta le boulevard Bouvreuil, parcourut le boulevard Cauchoise, puis tout le mont Riboudet jusqu'à la côte de Deville!

« Elle revint; et alors, sans parti pris ni direction, au hasard, elle vagabonda. On la vit à Saint-Paul, à Leseure, au mont Gargan, à la Rouge-Mare, et place du Gaillarbois, rue Maladrerie, rue Dinandrie, devant Saint-Romain, Saint-Vivien, Saint-Maclou, Saint-Nicaise, devant la Douane, à la basse Vieille-Tour, aux Trois-Pipes et au Cimetière-Monumental! De temps à autre, le cocher, sur son siège, jetait aux cabarets des regards désespérés. Il ne comprenait pas quelle fureur de locomotion poussait ces individus à ne vouloir point s'arrêter. Il essayait quelquefois; et aussitôt il entendait derrière lui partir des exclamations de colère. Alors il cinglait de plus belle ses deux rosses tout en sueur, mais sans prendre garde aux cahots, accrochant par-ci, par-là, ne s'en souciant, démoralisé, et presque pleurant de soif, de fatigue et de tristesse.

« Et sur le port, au milieu des camions et des barriques, et dans les rues, au coin des bornes, les bourgeois ouvraient de grands yeux ébahis devant cette chose si extraordinaire en province, une voiture à stores tendus, et qui apparaissait ainsi continuellement, plus close qu'un tombeau et ballottée comme un navire.

« Une fois, au milieu du jour, en pleine campagne, au moment où le soleil dardait le plus fort contre les vieilles lanternes argentées, une main nue passa sous les petits rideaux de toile jaune et jeta des déchirures de papier, qui se dispersèrent au vent, et s'abattirent plus loin, comme des papillons blancs, sur un champ de trèfles rouges tout en fleurs.

« Puis vers six heures, la voiture s'arrêta dans une ruelle du quartier Beauvoisine; et une femme en descendit qui marchait le voile baissé, sans détourner la tête.

« En arrivant à l'auberge, Mme Bovary fut étonnée de ne pas apercevoir la diligence. Hivert, qui l'avait attendue cinquante-trois minutes, avait fini par s'en aller.

« Rien pourtant ne la forçait à partir; mais elle avait donné sa parole qu'elle reviendrait le soir même. D'ailleurs, Charles l'attendait; et déjà elle se sentait au cœur cette lâche docilité qui est pour bien des femmes comme le châtiment tout à la fois et la rançon de l'adultère. »

M. Flaubert me fait remarquer que le ministère public lui a reproché la dernière phrase.

M. l'avocat impérial. – Non, je l'ai indiquée.

Me Sénard. – Ce qui est certain, c'est que s'il y avait un reproche il tomberait devant ces mots : « le châtiment tout à la fois et la rançon de l'adultère ». Au surplus, cela pourrait faire la matière d'un reproche tout aussi fondé que les autres ; car dans tout ce que vous avez reproché, il n'y a rien qui puisse se soutenir sérieusement.

Or, messieurs, cette espèce de course fantastique ayant déplu à la rédaction de *la Revue*, la suppression en fut faite.

Ce fut là un excès de réserve de la part de *la Revue;* et très certainement ce n'est pas un excès de réserve qui pouvait donner matière à un procès; vous allez voir cependant comment elle a donné matière au procès. Ce qu'on ne voit pas, ce qui est supprimé ainsi paraît une chose fort étrange. On a supposé beaucoup de choses qui n'existaient pas, comme vous l'avez vu par la lecture du passage primitif. Mon Dieu, savez-vous ce qu'on a supposé? Qu'il y avait probablement dans le passage supprimé quelque chose d'analogue à ce que vous aurez la bonté de lire dans un des plus merveilleux romans sortis de la plume d'un honorable membre de l'Académie française, M. Mérimée.

M. Mérimée, dans un roman intitulé *la Double Méprise*, raconte une scène qui se passe dans une chaise de poste. Ce n'est pas la localité de la voiture qui a de l'importance, c'est, comme ici, dans le détail de ce qui se fait dans son intérieur. Je ne veux pas abuser de l'audience, je ferai passer le livre au ministère public et au tribunal. Si nous avions écrit la moitié ou le quart de ce qu'a écrit M. Mérimée, j'éprouverais quelque embarras dans la tâche qui m'est donnée, ou plutôt je la modifierais. Au lieu de dire ce que j'ai dit, ce que j'affirme, que M. Flaubert a écrit un bon livre, un livre honnête, utile, moral, je dirais : la littérature a ses droits; M. Mérimée a fait une œuvre littéraire très remarquable, et il ne faut pas se montrer si difficile sur les détails quand l'ensemble est irréprochable. Je m'en tiendrais là, j'absoudrais et vous absoudriez. Eh! mon Dieu! ce n'est pas par omission qu'un auteur peut pécher en pareille matière. Et, d'ailleurs, vous aurez le détail de ce qui se passa dans le fiacre. Mais comme mon client, lui, s'est contenté de faire une course, et que l'intérieur ne s'était révélé que par « une main nue qui passa sous les petits rideaux de toile jaune et jeta des déchirures de papier qui se dispersèrent au vent et s'abattirent plus loin comme des papillons blancs sur un champ de trèfles rouges tout en fleurs »; comme mon client s'était contenté de cela, personne n'en savait rien et tout le monde supposait – par la suppression même – qu'il avait dit au moins autant que le membre de l'Académie française. Vous avez vu qu'il n'en était rien.

Eh bien! cette malheureuse suppression, c'est le procès, c'est-à-dire que, dans les bureaux qui sont chargés, avec infiniment de raison, de surveiller tous les écrits qui peuvent offenser la morale publique, quand on a vu cette coupure, on s'est tenu en éveil. Je suis obligé de l'avouer, et messieurs de *la Revue de Paris* me permettront de dire cela, ils ont donné le coup de ciseaux deux mots trop loin; il fallait le donner avant qu'on montât dans le fiacre; couper après, ce n'était plus la peine. La coupure a été très malheureuse ; mais si vous avez commis cette petite faute, messieurs de *la Revue*, assurément vous l'expiez bien aujourd'hui.

On a dit dans les bureaux : prenons garde à ce qui va suivre; quand le numéro suivant est venu, on a fait la guerre aux syllabes. Les gens des bureaux ne sont pas obligés de tout dire; et quand ils ont vu qu'on avait écrit qu'une femme avait retiré tous ses vêtements, ils se sont effarouchés sans aller plus loin. Il est vrai qu'à la différence de nos grands maîtres, M. Flaubert ne s'est pas donné la peine de décrire l'albâtre de ses bras nus; de sa gorge, etc. Il n'a pas dit comme un poète que nous aimons :

> *Je vis de ses beaux flancs l'albâtre ardent et pur,*
> *Lis, ébène, corail, roses, veines d'azur,*
> *Telle enfin qu'autrefois tu me l'avais montrée,*
> *De sa nudité seule embellie et parée,*
> *Quand nos nuits s'envolaient, quand le mol oreiller*
> *La vit sous tes baisers dormir et s'éveiller.*

Il n'a rien dit de semblable à ce qu'a dit André Chénier.

Mais enfin il a dit : « Elle s'abandonna... Ses vêtements tombèrent. »

Elle s'abandonna! Eh quoi! toute description est donc interdite? Mais quand on incrimine, on devrait tout lire, et monsieur l'avocat impérial n'a pas tout lu. Le passage qu'il incrimine ne s'arrête pas où il s'est arrêté; il y a le correctif que voici :

« Cependant il y avait sur ce front couvert de gouttes froides, sur ces lèvres balbutiantes, dans ces prunelles égarées, dans l'étreinte de ces bras quelque chose d'extrême, de vague et de lugubre qui semblait à Léon se glisser entre eux subtilement, comme pour les séparer. »

Dans les bureaux on n'a pas lu cela. M. l'avocat impérial tout à l'heure n'y prenait pas garde. Il n'a vu que ceci : « Puis elle faisait d'un seul geste tomber ensemble tous ses vêtements », et il s'est écrié : outrage à la morale publique! Vraiment, il est par trop facile d'accuser avec un pareil système. Dieu garde les auteurs de dictionnaires de tomber sous la main de M. l'avocat impérial! Quel est celui qui échapperait à une condamnation si, au moyen de découpures, non de phrases, mais de mots, on s'avisait de faire une liste de tous les mots qui pourraient offenser la morale ou la religion?

La première pensée de mon client, qui a malheureusement rencontré de la résistance, avait été celle-ci : « Il n'y a qu'une seule chose à faire : imprimer immédiatement, non pas avec des coupures, mais dans son entier, l'œuvre telle qu'elle est sortie de mes mains, en rétablissant la scène du fiacre. » J'étais tout à fait de son avis, c'était la meilleure défense de mon client que l'impression complète de l'ouvrage avec l'indication de quelques points, sur lesquels nous aurions plus spécialement prié le tribunal de porter son attention. J'avais donné moi-même le titre de cette publication : *Mémoire de M. Gustave Flaubert contre la prévention d'outrage à la morale religieuse dirigée contre lui.* J'avais écrit de ma main : *Tribunal de police correctionnelle, sixième chambre,* avec l'indication du président et du ministère public. Il y avait une préface dans laquelle on lisait : « On m'accuse avec des phrases prises çà et là dans mon livre; je ne puis me défendre qu'avec mon livre. » Demander à des juges la lecture d'un roman tout entier, c'est leur demander beaucoup, mais nous sommes devant des juges qui aiment la vérité, qui la veulent; qui, pour la connaître, ne reculeront devant aucune fatigue; nous sommes devant des juges qui veulent la justice, qui la veulent énergiquement et qui liront, sans aucune espèce d'hésitation, tout ce que nous les supplierons de lire. J'avais dit à M. Flaubert : « Envoyez tout de suite cela à l'impression et mettez au bas mon nom à côté du vôtre : SÉNARD, *avocat.* » On avait commencé l'impression; la déclaration était faite pour 100 exemplaires que nous voulions faire tirer; l'impression marchait avec une rapidité extrême, on y passait les jours et les nuits, lorsque nous est venue la défense de continuer l'impression, non pas d'un livre, mais d'un mémoire dans lequel l'œuvre incriminée se trouvait avec des notes explicatives! On a réclamé au parquet de M. le procureur impérial, qui nous a dit que la défense était absolue, qu'elle ne pouvait pas être levée!

Eh bien, soit! Nous n'aurons pas publié le livre avec nos notes et nos observations, mais si votre première lecture, messieurs, vous avait laissé un doute, je vous le demande en grâce, vous en feriez une seconde. Vous aimez, vous voulez la vérité; vous ne pouvez être de ceux qui, quand on leur porte deux lignes de l'écriture d'un homme, sont assurés de le faire pendre à quelque condition que ce soit. Vous ne voulez pas qu'un homme soit jugé sur des découpures, plus ou moins habilement faites. Vous ne voulez pas cela. Vous ne voulez pas nous priver des ressources ordi-

naires de la défense. Eh bien! vous avez le livre, et quoique ce soit moins commode que ce que nous voulions faire, vous ferez vous-mêmes les divisions, les observations, les rapprochements, parce que vous voulez la vérité et qu'il faut que ce soit la vérité qui serve de base à votre jugement, et la vérité sortira de l'examen sérieux du livre.

Cependant je ne puis pas m'en tenir là. Le ministère public attaque le livre, il faut que je prenne le livre même pour le défendre, que je complète les citations qu'il en a faites, et que, sur chaque passage incriminé, je montre le néant de l'incrimination; ce sera toute ma défense.

Je n'essayerai pas, assurément, d'opposer aux appréciations élevées, animées, pathétiques, dont le ministère public a entouré tout ce qu'il a dit, des appréciations du même genre; la défense n'aurait pas le droit de prendre de telles allures; elle se contentera de citer les textes tels qu'ils sont.

Et d'abord je déclare que rien n'est plus faux que ce qu'on a dit tout à l'heure de la couleur lascive. La couleur lascive! Où donc avez-vous pris cela? Mon client a dépeint dans *Madame Bovary* quelle femme? Eh! mon Dieu! c'est triste à dire, mais cela est vrai, une jeune fille, née comme elles le sont presque toutes, honnête; c'est du moins le plus grand nombre, mais bien fragiles quand l'éducation au lieu de les fortifier, les a amollies ou jetées dans une mauvaise voie. Il a pris une jeune fille; est-ce une nature perverse? Non, c'est une nature impressionnable, accessible à l'exaltation.

M. l'avocat impérial a dit : Cette jeune fille, on la présente constamment comme lascive. Mais non! on la représente née à la campagne, née à la ferme, où elle s'occupe de tous les travaux de son père, et où aucune espèce de lascivité n'aurait pu passer dans son esprit ou dans son cœur. On la représente ensuite, au lieu de suivre la destinée qui lui appartenait tout naturellement d'être élevée pour la ferme dans laquelle elle devait vivre ou dans un milieu analogue, on la représente sous l'autorité imprévoyante d'un père qui s'imagine de faire élever au couvent cette fille née à la ferme, qui devait épouser un fermier, un homme de la campagne. La voilà conduite dans un couvent, hors de sa sphère. Il n'y a rien qui ne soit grave dans la parole du ministère public, il ne faut donc rien laisser sans réponse. Ah! vous avez parlé de ses petits péchés; en citant quelques lignes de la première livraison, vous avez dit : « Quand elle allait à confesse, elle inventait de petits péchés, afin de rester là plus longtemps, à genoux dans l'ombre... sous le chuchotement du prêtre. » Vous vous êtes déjà gravement trompé sur l'appréciation de mon client. Il n'a pas fait la faute que vous lui reprochez, l'erreur est tout entière de votre côté, d'abord sur l'âge de la jeune fille. Comme elle n'est rentrée qu'à treize ans, il est évident qu'elle en avait quatorze lorsqu'elle allait à confesse. Ce n'était donc pas une enfant de dix ans comme il vous a plu de le dire; vous vous êtes trompé là-dessus matériellement. Mais je n'en suis pas sur l'invraisemblance d'une enfant de dix ans qui aime à rester au confessionnal « sous le chuchotement du prêtre ». Ce que je veux, c'est que vous lisiez les lignes qui précèdent, ce qui n'est pas facile, j'en conviens. Et voilà l'inconvénient pour nous de n'avoir pas de mémoire : avec un mémoire nous n'aurions pas à chercher dans six volumes.

J'appelais votre attention sur ce passage, pour restituer à *Madame Bovary* son véritable caractère. Voulez-vous me permettre de vous dire ce qui me paraît bien grave, ce que M. Flaubert a compris et qu'il a mis en relief? Il y a une espèce de religion qui est celle qu'on parle généralement aux jeunes filles et qui est la plus mauvaise de toutes. On peut, à cet égard, différer dans les appréciations. Quant à moi, je déclare nettement ceci : que je ne connais rien de plus beau, d'utile, de nécessaire pour soutenir, non pas seulement les femmes dans le chemin de la vie, mais les hommes eux-mêmes qui ont quelquefois de bien pénibles épreuves à traverser ; que je ne connais rien de plus utile et de plus nécessaire que le sentiment religieux, mais le sentiment religieux grave et, permettez-moi d'ajouter, sévère.

Je veux que mes enfants comprennent un Dieu, non pas un Dieu dans les abstractions du panthéisme, non, mais un être suprême avec lequel ils sont en rapport, vers lequel ils s'élèvent pour le prier, et qui, en même temps, les grandit et les fortifie. Cette pensée-là, voyez-vous, qui est ma pensée, qui est la vôtre, c'est la force dans les mauvais jours, la force dans ce qu'on appelle dans le monde, le refuge, ou, mieux encore, la force des faibles. C'est cette pensée-là qui donne à la femme cette consistance qui la fait se résigner sur les mille petites choses de la vie, qui la fait rapporter à Dieu ce qu'elle peut souffrir, et lui demander la grâce de remplir son devoir. Cette religion-là, messieurs, c'est le christianisme, c'est la religion qui établit les rapports entre Dieu et l'homme. Le christianisme, en faisant intervenir entre Dieu et nous une sorte de puissance intermédiaire nous rend Dieu plus accessible, et cette communication avec lui plus facile. Que la mère de celui qui se fit Homme-Dieu reçoive aussi les prières de la femme, je ne vois rien encore là qui altère ni la pureté, ni la sainteté religieuse, ni le sentiment lui-même. Mais voici où commence l'altération. Pour accommoder la religion à toutes les natures, on fait intervenir toutes sortes de petites choses chétives, misérables, mesquines. La pompe des cérémonies, au lieu d'être cette grande pompe qui nous saisit l'âme, cette pompe dégénère en petit commerce de reliques, de médailles, de petits bons dieux, de petites bonnes vierges. A quoi, messieurs, se prend l'esprit des enfants curieux et ardents, tendres, l'esprit des jeunes filles surtout ? A toutes ces images, affaiblies, atténuées, misérables de l'esprit religieux. Elles se font alors de petites religions de pratique, de petites dévotions de tendresse, d'amour, et au lieu d'avoir dans leur âme le sentiment de Dieu, le sentiment du devoir, elles s'abandonnent à des rêvasseries, à de petites pratiques, à de petites dévotions. Et puis vient la poésie, et puis viennent, il faut bien le dire, mille pensées de charité, de tendresse, d'amour mystique, mille formes qui trompent les jeunes filles, qui sensualisent la religion. Ces pauvres enfants, naturellement crédules et faibles, se prennent à tout cela, à la poésie, à la rêvasserie, au lieu de s'attacher à quelque chose de raisonnable et de sévère. D'où il arrive que vous avez beaucoup de femmes fort dévotes, qui ne sont pas religieuses du tout. Et quand le vent les pousse hors du chemin où elles devraient marcher, au lieu de trouver la force, elles ne trouvent que toute espèce de sensualités qui les égarent.

Ah ! vous m'avez accusé d'avoir, dans le tableau de la société moderne, confondu l'élément religieux avec le sensualisme ! Accusez donc la société au milieu de laquelle nous sommes, mais n'accusez pas l'homme qui, comme Bossuet, s'écrie : Réveillez-vous et prenez garde au péril ! Mais venir dire aux pères de famille : Prenez garde, ce ne sont pas là de bonnes habitudes à donner à vos filles, il y a dans tous ces mélanges de mysticisme quelque chose qui sensualise la religion ; venir dire cela, c'est la vérité. C'est pour cela que vous accusez Flaubert, c'est pour cela que j'exalte sa conduite. Oui, il a bien fait d'avertir, ainsi, les familles des dangers de l'exaltation chez les jeunes personnes qui s'en prennent aux petites pratiques, au lieu de s'attacher à une religion forte et sévère qui les soutiendrait au jour de la faiblesse. Et, maintenant, vous allez voir d'où

vient l'intention des petits péchés « sous le chuchotement du prêtre ». Lisons la page 30[1].

« Elle avait lu *Paul et Virginie* et elle avait rêvé la maisonnette de bambous, le nègre Domingo, le chien fidèle, mais surtout l'amitié douce de quelque bon petit frère, qui va chercher pour vous des fruits rouges dans des grands arbres plus hauts que les clochers ou qui court pieds nus sur le sable, vous apportant un nid d'oiseaux. »

Est-ce lascif, cela, messieurs ? Continuons.

M. l'avocat impérial. – Je n'ai pas dit que ce passage fût lascif.

Me Sénard. – Je vous demande bien pardon, c'est précisément dans ce passage que vous avez relevé une phrase lascive, et vous n'avez pu la trouver lascive qu'en l'isolant de ce qui précédait et de ce qui suivait :

« Au lieu de suivre la messe, elle regardait dans son livre les vignettes pieuses bordées d'azur qui servent de signets, et elle aimait la brebis malade, le sacré-cœur percé de flèches aiguë, ou le pauvre Jésus qui tombe en marchant sous sa croix. Elle essaya, par mortification, de rester tout un jour sans manger. Elle cherchait dans sa tête quelque vœu à accomplir. »

N'oubliez pas cela ; quand on invente de petits péchés à confesser et qu'on cherche dans sa tête quelque vœu à accomplir, ce que vous trouverez à la ligne qui précède, évidemment on a eu les idées un peu faussées, quelque part. Et je vous demande maintenant si j'ai à discuter votre passage ! Mais je continue :

« Le soir, avant la prière, on faisait dans l'étude une lecture religieuse. C'était, pendant la semaine, quelque résumé d'histoire sainte ou les conférences de l'abbé Frayssinous, et, le dimanche, des passages du *Génie du Christianisme* par récréation. Comme elle écouta, les premières fois, la lamentation sonore des mélancolies romantiques se répétant à tous les échos de la terre et de l'éternité ! Si son enfance se fût écoulée dans l'arrière-boutique obscure d'un quartier marchand, elle se serait peut-être alors ouverte aux envahissements lyriques de la nature, qui, d'ordinaire ne nous arrivent que par la traduction des écrivains. Mais elle connaissait trop la campagne ; elle savait le bêlement des troupeaux, les laitages, les charrues. Habituée aux aspects calmes, elle se tournait, au contraire, vers les accidentés. Elle n'aimait la mer qu'à cause de ses tempêtes, et la verdure seulement lorsqu'elle était clairsemée parmi les ruines. Il fallait qu'elle pût retirer des choses une sorte de profit personnel ; et elle rejetait comme inutile tout ce qui ne contribuait pas à la consommation immédiate de son cœur, étant de tempérament plus sentimental qu'artistique, cherchant des émotions et non des paysages. »

Vous allez voir avec quelles délicates précautions l'auteur introduit cette vieille sainte fille, et comment, pour enseigner la religion, il va se glisser dans le couvent un élément nouveau, l'introduction du roman apporté par une étrangère. N'oubliez jamais ceci quand il s'agira d'apprécier la morale religieuse.

« Il y avait au couvent une vieille fille qui venait tous les mois, pendant huit jours, travailler à la lingerie. Protégée par l'archevêché comme appartenant à une ancienne famille de gentilshommes ruinés sous la Révolution, elle mangeait au réfectoire à la table des bonnes sœurs et faisait avec elles, après le repas, un petit bout de causette avant de remonter à son ouvrage. Souvent les pensionnaires s'échappaient de l'étude pour l'aller voir. Elle savait par cœur des chansons galantes du siècle passé, qu'elle chantait à demi-voix en poussant son aiguille. Elle contait des histoires, vous apprenait des nouvelles, faisait en ville vos commis-

1. Page 586, t. I.

sions, et prêtait aux grandes, en cachette, quelque roman qu'elle avait toujours dans les poches de son tablier, et dont la bonne demoiselle elle-même avalait de longs chapitres dans les intervalles de sa besogne. »

Ceci n'est pas seulement merveilleux littérairement parlant : l'absolution ne peut pas être refusée à l'homme qui écrit ces admirables passages, pour signaler à tous les périls d'une éducation de ce genre, pour indiquer à la jeune femme les écueils de la vie dans laquelle elle va s'engager. Continuons :

« Ce n'étaient qu'amours, amants, amantes, dames persécutées s'évanouissant dans des pavillons solitaires, postillons qu'on tue à tous les relais, chevaux qu'on crève à toutes les pages, forêts sombres, troubles du cœur, serments, sanglots, larmes et baisers, nacelles au clair de lune, rossignols dans les bosquets, *Messieurs* braves comme des lions, doux comme des agneaux, vertueux comme on ne l'est pas, toujours bien mis et qui pleurent comme des urnes. Pendant six mois, à quinze ans, Emma se graissa donc les mains de cette poussière des vieux cabinets de lecture. Avec Walter Scott, plus tard, elle s'éprit de choses historiques, rêva bahuts, salles des gardes et ménestrels. Elle aurait voulu vivre dans quelque vieux manoir, comme ces châtelaines au long corsage qui, sous le trèfle des ogives, passaient leurs jours le coude sur la pierre et le menton dans la main à regarder venir du fond de la campagne un cavalier à plume blanche, qui galope sur un cheval noir. Elle eut, dans ce temps-là, le culte de Marie Stuart et des vénérations enthousiastes à l'endroit des femmes illustres ou infortunées. Jeanne d'Arc, Héloïse, Agnès Sorel, la belle Ferronnière et Clémence Isaure, pour elle se détachaient comme des comètes sur l'immensité ténébreuse de l'histoire, où saillissaient encore çà et là mais plus perdus dans l'ombre et sans aucun rapport entre eux, saint Louis avec son chêne, Bayard mourant, quelques férocités de Louis XI, un peu de Saint-Barthélemy, le panache du Béarnais, et toujours le souvenir des assiettes peintes où Louis XIV était vanté.

« A la classe de musique, dans les romances qu'elle chantait, il n'était question que de petits anges aux ailes d'or, de madones, de lagunes, de gondoliers, pacifiques compositions qui laissaient entrevoir, à travers la niaiserie du style et les imprudences de la note, l'attirante fantasmagorie de réalités sentimentales.

Comment, vous ne vous êtes pas souvenu de cela, quand cette pauvre fille de la campagne rentrée à la ferme, ayant trouvé à épouser un médecin de village, est invitée à une soirée d'un château, sur laquelle vous avez cherché à appeler l'attention du tribunal, pour montrer quelque chose de lascif dans une valse qu'elle vient de danser! Vous ne vous êtes pas souvenu de cette éducation, quand cette pauvre femme enlevée par une invitation qui est venue la prendre au foyer vulgaire de son mari, pour la mener à ce château, quand elle a vu ces beaux messieurs, ces belles dames, ce vieux duc, qui, disait-on, avait eu des bonnes fortunes à la cour!... M. l'avocat impérial a eu de beaux mouvements, à propos de la reine Antoinette! Il n'y a pas un de nous, assurément, qui ne se soit associé à la pensée à votre pensée. Comme vous, nous avons frémi au nom de cette victime des révolutions; mais ce n'est pas de Marie-Antoinette qu'il s'agit ici, c'est du château de la Vaubyessard. Il y avait là un vieux duc qui avait eu – disait-on – des rapports avec la reine, et sur lequel se portaient tous les regards. Et quand cette jeune femme, voyant se réaliser tous les rêves fantastiques de sa jeunesse, se trouve ainsi transportée au milieu de ce monde, vous vous étonnez de l'enivrement qu'elle a ressenti; vous l'accusez d'avoir été lascive! Mais accusez donc la valse elle-même, cette danse de nos

grands bals modernes où, dit un auteur qui l'a décrite, la femme « s'appuie sur l'épaule du cavalier, dont la jambe l'embarrasse ». Vous trouvez que dans la description de Flaubert Mme Bovary est lascive. Mais il n'y a pas un homme, et je ne vous excepte pas, qui, ayant assisté à un bal, ayant vu cette sorte de valse, n'ait eu en sa pensée le désir que sa femme ou sa fille s'abstînt de ce plaisir qui a quelque chose de farouche. Si, comptant sur la chasteté qui enveloppe une jeune fille, on la laisse quelquefois se livrer à ce plaisir que la mode a consacré, il faut beaucoup compter sur cette enveloppe de chasteté, et quoiqu'on y compte, il n'est pas impossible d'exprimer les impressions que M. Flaubert a exprimées au nom des mœurs et de la chasteté.

La voilà au château de la Vaubyessard, la voilà qui regarde ce vieux duc, qui étudie tout avec transport, et vous vous écriez : Quels détails! Qu'est-ce à dire? Les détails sont partout, quand on ne cite qu'un passage.

« Madame Bovary remarqua que plusieurs dames n'avaient pas mis leurs gants dans leurs verres.

« Cependant, au haut bout de la table, seul parmi toutes ces femmes, courbé sur son assiette remplie, et la serviette nouée dans le dos comme un enfant, un vieillard mangeait, laissant tomber de sa bouche des gouttes de sauce. Il avait les yeux éraillés et portait une petite queue enroulée d'un ruban noir. C'était le beau-père du marquis, le vieux duc de Laverdière, l'ancien favori du comte d'Artois, dans le temps des parties de chasse au Vaudreuil, chez le marquis de Conflans, et qui avait été, disait-on, l'amant de la reine Marie-Antoinette, entre MM. de Coigny et de Lauzun. »

Défendez la reine, défendez-la surtout devant l'échafaud, dites que par son titre elle avait droit au respect, mais supprimez vos accusations, quand on se contentera de dire qu'il avait été, disait-on, l'amant de la reine. Est-ce que c'est sérieusement que vous nous reprochez d'avoir insulté à la mémoire de cette femme infortunée?

« Il avait mené une vie bruyante de débauches, pleine de duels, de paris, de femmes enlevées, avait dévoré sa fortune et effrayé toute sa famille. Un domestique derrière sa chaise lui nommait tout haut dans l'oreille les plats qu'il désignait du doigt en bégayant. Et sans cesse les yeux d'Emma revenaient d'eux-mêmes sur ce vieil homme à lèvres pendantes, comme sur quelque chose d'extraordinaire et d'auguste. Il avait vécu à la cour et couché dans le lit des reines. »

« On versa du vin de Champagne à la glace. Emma frissonna de toute sa peau en sentant ce froid à sa bouche. Elle n'avait jamais vu de grenades ni mangé d'ananas. »

Vous voyez que ces descriptions sont charmantes, incontestablement, mais qu'il n'est pas possible d'y prendre çà et là une ligne pour créer une espèce de couleur contre laquelle ma conscience proteste. Ce n'est pas la couleur lascive, c'est la couleur du livre; c'est l'élément littéraire, et en même temps l'élément moral.

La voilà, cette jeune fille dont vous avez fait l'éducation, la voilà devenue femme. M. l'avocat impérial a dit : Essaye-t-elle même d'aimer son mari? Vous n'avez pas lu le livre; si vous l'aviez lu vous n'auriez pas fait cette objection.

La voilà, messieurs, cette pauvre femme, elle rêvassera d'abord. A la page 34 [1] vous verrez ses rêvasseries. Et il y a plus, il y a quelque chose dont M. l'avocat impérial n'a pas parlé, et qu'il faut que je vous dise, ce sont ses impressions quand sa mère mourut; vous verrez si c'est lascif, cela! Ayez la bonté de prendre la page 33 [2] et de me suivre :

« Quand sa mère mourut, elle pleura beaucoup les premiers jours. Elle se fit faire un tableau funèbre avec les che-

1. Page 588, t. I.
2. Page 587, t. I.

veux de la défunte, et, dans une lettre qu'elle envoyait aux Bertaux, toute pleine de réflexions tristes sur la vie, elle demandait qu'on l'ensevelît plus tard dans le même tombeau. Le bonhomme la crut malade et vint la voir. Emma fut intérieurement satisfaite de se sentir arrivée, du premier coup, à ce rare idéal des existences pâles où ne parviennent jamais les cœurs médiocres. Elle se laissa donc glisser dans les méandres lamartiniens, écouta les harpes sur les lacs, tous les chants des cygnes mourants, toutes les chutes de feuilles, les vierges pures qui montent au ciel, et la voix de l'Éternel discourant dans les vallons. Elle s'ennuya, n'en voulut point convenir, continua par habitude, ensuite par vanité, et fut enfin surprise de se sentir apaisée, et sans plus de tristesse au cœur que de rides sur le front. »

Je veux répondre aux reproches de M. l'avocat impérial, qu'elle ne fait aucun effort pour aimer son mari.

M. l'avocat impérial. – Je ne lui ai pas reproché cela; j'ai dit qu'elle n'avait pas réussi.

Me Sénard. – Si j'ai mal compris, si vous n'avez pas fait ce reproche, c'est la meilleure réponse qui puisse être faite. Je croyais vous l'avoir entendu faire; mettons que je me sois trompé. Au surplus, voici ce que je lis à la fin de la page 36 [1] :

« Cependant, d'après des théories qu'elle croyait bonnes, elle voulut se donner de l'amour. Au clair de lune, dans le jardin, elle récitait tout ce qu'elle savait par cœur de rimes passionnées, et lui chantait en soupirant des adagios mélancoliques; mais elle se trouvait ensuite aussi calme qu'auparavant, et Charles n'en paraissait ni plus amoureux, ni plus remué.

« Quand elle eut ainsi un peu battu le briquet sur son cœur sans en faire jaillir une étincelle, incapable, d'ailleurs, de comprendre ce qu'elle n'éprouvait pas, comme de croire à tout ce qui ne se manifestait point par des formes convenues, elle se persuada sans peine que la passion de Charles n'avait plus rien d'exorbitant. Ses expansions étaient devenues régulières; il l'embrassait à de certaines heures. C'était une habitude parmi les autres, et comme un dessert prévu d'avance, après la monotonie du dîner. »

A la page 37 [2], nous trouverons une foule de choses semblables. Maintenant, voici le péril qui va commencer. Vous savez comment elle avait été élevée; c'est ce que je vous supplie de ne pas oublier un instant.

Il n'y a pas un homme, l'ayant lu, qui ne dise, ce livre à la main, que M. Flaubert n'est pas seulement un grand artiste, mais un homme de cœur, pour avoir dans les six dernières pages déversé toute l'horreur et le mépris sur la femme, et tout l'intérêt sur le mari. Il est encore un grand artiste, comme on l'a dit, parce qu'il n'a pas transformé le mari, parce qu'il l'a laissé jusqu'à la fin ce qu'il était, un bon homme, vulgaire, médiocre, remplissant les devoirs de sa profession, aimant bien sa femme, mais dépourvu d'éducation, manquant d'élévation dans la pensée. Il est de même au lit de mort de sa femme. Et, pourtant, il n'y a pas un individu dont le souvenir revienne avec plus d'intérêt. Pourquoi? Parce qu'il a gardé jusqu'à la fin la simplicité, la droiture du cœur; parce que jusqu'à la fin il a rempli son devoir, dont sa femme s'était écarté. Sa mort est aussi belle, aussi touchante, que la mort de sa femme est hideuse. Sur le cadavre de la femme, l'auteur a montré les taches, que lui ont laissées les vomissements du poison; elles ont sali le linceul blanc dans lequel elle va être ensevelie, il a voulu en faire un objet de dégoût; mais il y a un homme qui est sublime, c'est le mari, sur le bord de cette fosse. Il y a un homme qui est grand, sublime, dont la mort est admirable,

c'est le mari, qui, après avoir vu successivement se briser par la mort de sa femme tout ce qui pouvait lui rester d'illusions au cœur, embrasse par la pensée sa femme sous une tombe. Mettez-le, je vous en prie, dans vos souvenirs, l'auteur a été au delà, – Lamartine le lui a dit, – de ce qui était permis, pour rendre la mort de la femme hideuse et l'expiation plus terrible. L'auteur a su concentrer tout l'intérêt sur l'homme qui n'avait pas dévié de la ligne du devoir, qui est resté avec son caractère médiocre, sans doute, l'auteur ne pouvait pas changer son caractère; mais avec toute la générosité de son cœur, et il a accumulé toutes les horreurs sur la mort de la femme qui l'a trompé, ruiné, qui s'est livrée aux usuriers, qui a mis en circulation des billets faux, et enfin est arrivée au suicide. Nous verrons si elle est naturelle la mort de cette femme, qui, si elle n'avait pas trouvé le poison pour en finir, aurait été brisée par l'excès même du malheur qui l'étreignait. Voilà ce qu'a fait l'auteur. Ce livre ne serait pas lu, s'il l'eût fait autrement, si, pour montrer où peut conduire une éducation aussi périlleuse que celle de Mme Bovary, il n'avait pas prodigué les images charmantes et les tableaux énergiques qu'on lui reproche.

M. Flaubert fait constamment ressortir la supériorité du mari sur la femme, et quelle supériorité, s'il vous plaît? Celle du devoir rempli, tandis qu'Emma s'en écarte! Et puis la voilà placée sur la pente de cette mauvaise éducation, la voilà partie après la scène du bal avec un jeune enfant, Léon, inexpérimenté comme lui. Elle coquettera avec lui, mais elle n'osera pas aller plus loin; rien ne se fera. Vient ensuite Rodolphe qui la prendra, lui, cette femme. Après l'avoir regardée un instant, il se dit : Elle est bien, cette femme! et elle sera à lui, car elle est légère et sans expérience. Quant à la chute, vous relirez les pages 42, 43 et 44 [3]. Je n'ai qu'un mot à vous dire sur cette scène, il n'y a pas de détails, pas de description, aucune image qui nous peigne le trouble des sens; un seul mot indique la chute : « elle s'abandonna ». Je vous prierai, encore, d'avoir la bonté de relire les détails de la chute de Clarisse Harlowe, que je ne sache pas avoir été décrite dans un mauvais livre. M. Flaubert a substitué Rodolphe à Lovelace, et Emma à Clarisse. Vous comparerez les deux auteurs et les deux ouvrages; et vous apprécierez.

Mais je rencontre ici l'indignation de M. l'avocat impérial. Il est choqué de ce que le remords ne suit pas de près la chute, de ce qu'au lieu d'en exprimer les amertumes, elle se dit avec satisfaction : « J'ai un amant. » Mais l'auteur ne serait pas dans le vrai si, au moment où la coupe est encore aux lèvres, il faisait sentir toute l'amertume de la liqueur enchanteresse. Celui qui écrirait, comme l'entend M. l'avocat impérial, pourrait être moral, mais il dirait ce qui n'est pas dans la nature. Non, ce n'est pas au moment de la première faute, que le sentiment de la faute se réveille; sans cela elle ne serait pas commise. Non, ce n'est pas au moment où elle est dans l'illusion qui l'enivre, que la femme peut être avertie par cet enivrement même de la faute immense qu'elle a commise. Elle n'en rapporte que l'ivresse; elle rentre chez elle, heureuse, étincelante, elle chante dans son cœur : « Enfin j'ai un amant. » Mais cela dure-t-il longtemps? Vous avez lu les pages 424 et 425 [4]. A deux pages de là, s'il vous plaît, à la page 428 [5], le sentiment du dégoût de l'amant ne se manifeste pas encore, mais elle est déjà sous l'impression de la crainte, de l'inquiétude. Elle examine, elle regarde, elle ne voudrait jamais abandonner Rodolphe :

« Quelque chose de plus fort qu'elle la poussait vers

---

1. Page 589, t. I.
2. *Ibidem.*

3. Pages 627-629, t. I.
4. Page 629, t. I.
5. Page 630, t. I.

lui, si bien qu'un jour, la voyant survenir à l'improviste, il fronça le visage comme quelqu'un de contrarié.

« – Qu'as-tu donc? dit-elle. Souffres-tu? Parle-moi!

« Et enfin il déclara d'un air sérieux que ses visites devenaient imprudentes et qu'elle se compromettait.

« Peu à peu, cependant, ces craintes de Rodolphe la gagnèrent. L'amour l'avait enivrée d'abord, et elle n'avait songé à rien au delà. Mais à présent qu'il était indispensable à sa vie, elle craignait d'en perdre quelque chose, ou même qu'il ne fût troublé. Quand elle s'en revenait de chez lui, elle jetait tout à l'entour des regards inquiets, épiait chaque forme qui passait à l'horizon, et chaque lucarne du village d'où l'on pouvait l'apercevoir. Elle écoutait les pas, les cris, le bruit des charrues, et elle s'arrêtait plus blême et plus tremblante que les feuilles des peupliers qui se balançaient sur sa tête. »

Vous voyez bien qu'elle ne s'y méprend pas; elle sent bien qu'il y a quelque chose qui n'est pas ce qu'elle avait rêvé. Prenons les pages 433 et 434 [1], et vous en serez encore plus convaincus.

« Lorsque la nuit était pluvieuse, ils s'allaient réfugier dans le cabinet aux consultations, entre le hangar et l'écurie. Elle allumait un des flambeaux de la cuisine, qu'elle avait caché derrière les livres. Rodolphe s'installait là comme chez lui. Cependant, la vue de la bibliothèque et du bureau, de tout l'appartement enfin, excitait sa gaieté, et il ne pouvait pas se retenir de faire sur Charles quantité de plaisanteries qui embarrassaient Emma. Elle eût désiré le voir plus sérieux et même plus dramatique à l'occasion, comme cette fois où elle crut entendre dans l'allée un bruit de pas qui s'approchait.

« – On vient! dit-elle.

« Il souffla la lumière.

« – As-tu tes pistolets?

« – Pourquoi?

« – Mais... pour te défendre, reprit Emma.

« – Est-ce de ton mari? Ah! le pauvre garçon!

« Et Rodolphe acheva sa phrase avec un geste qui signifiait : je l'écraserais d'une chiquenaude.

« Elle fut ébahie de sa bravoure, bien qu'elle y sentît une sorte d'indélicatesse et de grossièreté naïve, qui la scandalisa.

« Rodolphe réfléchit beaucoup à cette histoire de pistolets. Si elle avait parlé sérieusement, cela était fort ridicule, pensait-il, odieux même, car il n'avait, lui, aucune raison de haïr ce bon Charles, n'étant pas ce qui s'appelle dévoré de jalousie; – et à ce propos Emma lui avait fait un grand serment, qu'il ne trouvait pas, non plus, du meilleur goût.

« D'ailleurs, elle devenait bien sentimentale. Il avait fallu s'échanger des miniatures, on s'était coupé des poignées de cheveux, et elle demandait à présent une bague, un véritable anneau de mariage, en signe d'alliance éternelle. Souvent elle lui parlait des cloches du soir, ou des voix de la nature, puis elle l'entretenait de sa mère à elle, et de sa mère à lui. »

Elle l'ennuyait enfin.

Puis, page 453 [2] : « Il (Rodolphe) n'avait plus, comme autrefois, de ces mots si doux qui la faisaient pleurer, ni de ces véhémentes caresses qui la rendaient folle; – si bien que leur grand amour, où elle vivait plongée, parut se diminuer sous elle comme l'eau d'un fleuve, qui s'absorberait dans son lit, et elle aperçut la vase. Elle n'y voulut pas croire; elle redoubla de tendresse; et Rodolphe, de moins en moins, cacha son indifférence.

1. Page 631, t. I.
2. Page 632, t. I.

« Elle ne savait pas si elle regrettait de lui avoir cédé, ou si elle ne souhaitait point, au contraire, le chérir davantage. L'humiliation de se sentir faible se tournait en une rancune que les voluptés tempéraient. Ce n'était pas de l'attachement, mais comme une séduction permanente. Il la subjuguait. Elle en avait presque peur. »

Et vous craignez, monsieur l'avocat impérial, que les jeunes femmes lisent cela! Je suis moins effrayé, moins timide que vous. Pour mon compte personnel, je comprends à merveille que le père de famille dise à sa fille : « Jeune femme, si ton cœur, si ta conscience, si le sentiment religieux, si la voix du devoir ne suffisaient pas pour te faire marcher dans la droite voie, regarde, mon enfant, regarde combien d'ennuis, de souffrances, de douleurs et de désolations attendent la femme qui va chercher le bonheur ailleurs que chez elle! » Ce langage ne vous blesserait pas dans la bouche d'un père, eh bien! M. Flaubert ne fait pas autre chose; c'est la peinture la plus vraie, la plus saisissante de ce que la femme qui a rêvé le bonheur en dehors de sa maison trouve immédiatement.

Mais marchons, nous arrivons à toutes les aventures de la désillusion. Vous m'opposez les caresses de Léon à la page 60 [3]. Hélas! elle va payer bientôt la rançon de l'adultère; et cette rançon vous la trouverez terrible, à quelques pages plus loin de l'ouvrage que vous incriminez. Elle a cherché le bonheur dans l'adultère, la malheureuse! Elle y a trouvé, outre le dégoût et la fatigue que la monotonie du mariage peut donner à une femme qui ne marche pas dans la voie du devoir, elle y a trouvé la désillusion, le mépris de l'homme auquel elle s'était livrée. Est-ce qu'il manque quelque chose à ce mépris? Oh non! et vous ne le nierez pas, le livre est sous vos yeux : Rodolphe, qui s'est révélé si vil, lui donne une dernière preuve d'égoïsme et de lâcheté. Elle lui dit : « Emmène-moi! Enlève-moi! J'étouffe, je ne puis plus respirer dans la maison de mon mari dont j'ai fait la honte et le malheur. » Il hésite; elle insiste, enfin il promet, et le lendemain elle reçoit de lui une lettre foudroyante, sous laquelle elle tombe, écrasée, anéantie. Elle tombe malade, elle est mourante. La livraison qui suit vous la montre dans toutes les convulsions d'une âme qui se débat, qui peut-être serait ramenée au devoir par l'excès de sa souffrance, mais malheureusement elle rencontre bientôt l'enfant avec lequel elle avait joué quand elle était inexpérimentée. Voilà le mouvement du roman, et puis vient l'expiation.

Mais M. l'avocat impérial m'arrête et me dit : « Quand il serait vrai que le but de l'ouvrage soit bon d'un bout à l'autre, est-ce que vous pouviez vous permettre des détails obscènes, comme ceux que vous nous êtes permis? »

Très certainement, je ne pouvais pas me permettre de tels détails, mais m'en suis-je permis? Où sont-ils? J'arrive ici aux passages les plus incriminés. Je ne parle plus de l'aventure du fiacre, le tribunal a eu satisfaction à cet égard; j'arrive aux passages que vous avez signalés comme contraires à la morale publique et qui forment un certain nombre de pages du numéro du 1er décembre; et pour faire disparaître tout l'échafaudage de votre accusation, je n'ai qu'une chose à faire : restituer ce qui précède et ce qui suit vos citations, substituer, en un mot, le texte complet à vos découpures.

Au bas de la page 72 [4], Léon, après avoir été mis en rapport avec Homais le pharmacien, vient à l'hôtel de Bourgogne, et puis le pharmacien vient le chercher.

« Mais Emma venait de partir, exaspérée; ce manque de parole au rendez-vous lui semblait un outrage.

3. Page 663, t. I.
4. Page 669, t. I.

741

« Puis, se calmant, elle finit par découvrir qu'elle l'avait sans doute calomnié. Mais le dénigrement de ceux que nous aimons toujours nous en détache quelque peu. Il ne faut pas toucher aux idoles ; la dorure en reste aux mains. »

« Ils en vinrent à parler plus souvent de choses indifférentes à leur amour... »

Mon Dieu ! C'est pour les lignes que je viens de vous lire que nous sommes traduit devant vous. Écoutez maintenant :

« Ils en vinrent à parler plus souvent de choses indifférentes à leur amour ; et dans les lettres qu'Emma lui envoyait, il était question de fleurs, de vers, de la lune, et des étoiles, ressources naïves d'une passion affaiblie, qui essayait de s'aviver à tous les secours extérieurs. Elle se promettait continuellement, pour son prochain voyage, une félicité profonde ; puis elle s'avouait ne rien sentir d'extraordinaire. Mais cette déception s'effaçait vite, sous un espoir nouveau ; et Emma revenait à lui plus enflammée, plus haletante, plus avide. Elle se déshabillait brutalement, arrachant le lacet mince de son corset qui sifflait autour de ses hanches comme une couleuvre qui glisse. Elle allait sur la pointe de ses pieds nus regarder encore une fois si la porte était fermée, puis elle faisait d'un seul geste tomber ensemble tous ses vêtements ; – et pâle, sans parler, sérieuse, elle s'abattait contre sa poitrine avec un long frisson. »

Vous vous êtes arrêté là, Monsieur l'avocat impérial ; permettez-moi de continuer.

« Cependant, il y avait sur ce front couvert de gouttes froides, sur ces lèvres balbutiantes, dans ces prunelles égarées, dans l'étreinte de ces bras, quelque chose d'extrême, de vague et de lugubre, qui semblait à Léon se glisser entre eux, subtilement, comme pour les séparer. »

Vous appelez cela de la couleur lascive ; vous dites que cela donnerait le goût de l'adultère ; vous dites que voilà des pages qui peuvent exciter, émouvoir les sens, – des pages lascives ! Mais la mort est dans ces pages. Vous n'y pensez pas, Monsieur l'avocat impérial, vous vous effarouchez de trouver là les mots de *corset*, de *vêtements qui tombent* ; et vous vous attachez à ces trois ou quatre mots de corset et de vêtements qui tombent ! Voulez-vous que je montre comme quoi un corset peut paraître dans un livre classique, et très classique ? C'est ce que je me donnerai le plaisir de faire tout à l'heure.

« Elle se déshabillait... (ah ! Monsieur l'avocat impérial, que vous avez mal compris ce passage !) elle se déshabillait brutalement (la malheureuse) arrachant le lacet mince de son corset qui sifflait autour de ses hanches, comme une couleuvre qui glisse : et, pâle, sans parler, sérieuse, elle s'abattait contre sa poitrine, avec un long frisson... Il y avait sur ce front couvert de gouttes froides... dans l'étreinte de ces bras, quelque chose de vague et de lugubre... »

C'est ici qu'il faut se demander où est la couleur lascive ? et où est la couleur sévère ? et si le sens de la jeune fille aux mains de laquelle tomberait ce livre peuvent être émus, excités, – comme à la lecture d'un livre classique entre tous les classiques, que je citerai tout à l'heure, et qui a été réimprimé mille fois, sans que jamais procureur impérial, ou royal, ait songé à le poursuivre. Est-ce qu'il y a quelque chose d'analogue dans ce que je viens de vous lire ? Est-ce que ce n'est pas, au contraire, l'excitation à l'horreur du vice que « ce quelque chose de lugubre qui se glisse entre eux pour les séparer ? » Continuons, je vous prie.

« Il n'osait lui faire de questions ; mais, la discernant si expérimentée, elle avait dû passer, se disait-il, par toutes les épreuves de la souffrance et du plaisir. Ce qui le charmait autrefois l'effrayait un peu maintenant. D'ailleurs, il se révoltait contre l'absorption, chaque jour plus grande, de sa personnalité. Il en voulait à Emma de cette victoire

permanente. Il s'efforçait même à ne pas la chérir ; puis, au craquement de ses bottines, il se sentait lâche, comme les ivrognes à la vue des liqueurs fortes. »

Est-ce que c'est lascif, cela ?

Et puis prenez le dernier paragraphe :

« Un jour qu'ils s'étaient quittés de bonne heure, et qu'elle s'en revenait seule par le boulevard, elle aperçut les murs de son couvent ; alors elle s'assit sur un banc, à l'ombre des ormes. Quel calme dans ce temps-là ! Comme elle enviait les ineffables sentiments d'amour qu'elle tâchait, d'après les livres, de se figurer !

« Les premiers mois de son mariage, ses promenades à cheval dans la forêt, le vicomte qui valsait, et Lagardy chantant, tout repassa devant ses yeux. »

N'oubliez donc pas ceci, Monsieur l'avocat impérial, quand vous voulez juger la pensée de l'auteur, quand vous voulez trouver absolument la couleur lascive là où je ne puis trouver qu'un excellent livre.

« Et Léon lui parut soudain dans le même éloignement que les autres. « Je l'aime pourtant », se dit-elle ; elle n'était pas heureuse, ne l'avait jamais été. D'où venait donc cette insuffisance de la vie, cette pourriture instantanée des choses où elle s'appuyait ? »

Est-ce lascif, cela ?

« Mais s'il y avait quelque part un être fort et beau, une nature valeureuse, pleine à la fois d'exaltation et de raffinements, un cœur de poète sous une forme d'ange, lyre aux cordes d'airain sonnant vers le ciel des épithalames élégiaques, pourquoi, par hasard, ne le trouverait-elle pas ? Oh ! quelle impossibilité ! Rien, d'ailleurs, ne valait la peine d'une recherche, tout mentait ! Chaque sourire cachait un bâillement d'ennui, chaque joie une malédiction, tout plaisir son dégoût, et les meilleurs baisers ne vous laissaient sur la lèvre que l'irréalisable envie d'une volupté plus haute.

« Un râle métallique se traîna dans les airs, et quatre coups se firent entendre à la cloche du couvent. Quatre heures ! et il lui semblait qu'elle était là, sur ce banc, depuis l'éternité. »

Il ne faut pas chercher au bout d'un livre quelque chose pour expliquer ce qui est au bout d'un autre. J'ai lu le passage incriminé sans y ajouter un mot, pour défendre une œuvre qui se défend par elle-même. Continuons la lecture de ce passage incriminé au point de vue de la morale :

« Madame était dans sa chambre. On n'y montait pas. Elle restait là tout le long du jour, engourdie, à peine vêtue, et de temps à autre faisait fumer des pastilles du sérail, qu'elle avait achetées à Rouen, dans la boutique d'un Algérien. Pour ne pas avoir, la nuit, contre sa chair, cet homme étendu qui dormait, elle finit, à force de grimaces, par le reléguer au second étage ; et elle lisait jusqu'au matin des livres extravagants où il y avait des tableaux orgiaques avec des situations sanglantes. » Ceci donne envie de l'adultère, n'est-ce pas ? « Souvent une terreur la prenait ; elle poussait un cri. Charles accourait. – Ah ! va-t'en, disait-elle ; ou, d'autres fois, brûlée plus fort par cette flamme intime que l'adultère avivait, haletante, émue, tout en désir, elle ouvrait la fenêtre, aspirait l'air froid, éparpillait au vent sa chevelure trop lourde et regardait les étoiles, souhaitait des amours de prince. Elle pensait à lui, à Léon. Elle eût alors tout donné pour un seul de ces rendez-vous qui la rassasiaient.

« C'étaient des jours de gala. Elle les voulait splendides, et, lorsqu'il ne pouvait payer seul la dépense, elle complétait le surplus libéralement ; ce qui arrivait à peu près toutes les fois. Il essaya de lui faire comprendre qu'ils seraient aussi bien ailleurs, dans quelque hôtel plus modeste, mais elle trouva des objections. »

Vous voyez comme tout ceci est simple quand on lit tout; mais, avec les découpures de M. l'avocat impérial, le plus petit mot devient une montagne.

M. l'avocat impérial. – Je n'ai cité aucune de ces phrases-là, et puisque vous en voulez citer que je n'ai point incriminées, il ne fallait pas passer à pieds joints sur la page 50.

Me Sénard. – Je ne passe rien, j'insiste sur les phrases incriminées dans la citation. Nous sommes cités pour les pages 77 et 78 [1].

M. l'avocat impérial. – Je parle des citations faites à l'audience, et je croyais que vous m'imputiez d'avoir cité les lignes que vous venez de lire.

Me Sénard. – Monsieur l'avocat impérial, j'ai cité tous les passages à l'aide desquels vous vouliez constituer un délit qui maintenant est brisé. Vous avez développé à l'audience ce que bon vous semblait, et vous avez eu beau jeu. Heureusement nous avions le livre, le défenseur savait le livre; s'il ne l'avait pas su, sa position eût été bien étrange, permettez-moi de vous le dire. Je suis appelé à m'expliquer sur tels ou tels passages, et à l'audience on y substitue d'autres passages. Si je n'avais possédé le livre comme je le possède, la défense eût été difficile. Maintenant, je vous montre par une analyse fidèle que le roman, loin de devoir être présenté comme lascif, doit être au contraire considéré comme une œuvre éminemment morale. Après avoir fait cela, je prends les passages qui ont motivé la citation en police correctionnelle, et après avoir fait suivre vos découpures, de ce qui précède et de ce qui suit, l'accusation est si faible, qu'elle vous révolte vous-même, au moment où je les lis! Ces mêmes passages que vous signaliez comme incriminables, il y a un instant, j'ai cependant bien le droit de les citer moi-même, pour vous faire voir le néant de votre accusation.

Je reprends ma citation où j'en suis resté, au bas de la page 78 [2] :

« Il (Léon) s'ennuyait maintenant lorsque Emma, tout à coup, sanglotait sur sa poitrine; et son cœur, comme les gens qui ne peuvent endurer qu'une certaine dose de musique, s'assoupissait d'indifférence au vacarme d'un amour dont il ne distinguait plus les délicatesses.

« Ils se connaissaient trop pour avoir ces ébahissements de la possession qui en centuplent la joie. Elle était aussi dégoûtée de lui qu'il était fatigué d'elle. Emma retrouvait dans l'adultère toutes les platitudes du mariage. »

Platitudes du mariage. Celui qui a découpé ceci, a dit : « Comment, voilà un monsieur qui dit que dans le mariage il n'y a que des platitudes! C'est une attaque au mariage, c'est un outrage à la morale! » Convenez, Monsieur l'avocat impérial, qu'avec des découpures artistement faites on peut aller loin en fait d'incrimination. Qu'est-ce que l'auteur a appelé les platitudes du mariage? Cette monotonie qu'Emma avait redoutée, qu'elle avait voulu fuir, et qu'elle retrouvait sans cesse dans l'adultère, ce qui était précisément la désillusion. Vous voyez donc bien que quand, au lieu de découper des membres de phrases et des mots, on lit ce qui précède et ce qui suit, il ne reste plus rien à l'incrimination; et vous comprenez à merveille que mon client, qui sait sa pensée, doit être un peu révolté de la voir ainsi travestir. Continuons :

« Elle était aussi dégoûtée de lui qu'il était fatigué d'elle. Emma retrouvait dans l'adultère toutes les platitudes du mariage.

« Mais comment pouvoir s'en débarrasser? Puis elle avait beau se sentir humiliée de la bassesse d'un tel bonheur, elle y tenait encore, par habitude ou par corruption; et

chaque jour elle s'y acharnait davantage, tarissant toute félicité à la vouloir trop grande. Elle accusait Léon de ses espoirs déçus, comme s'il l'avait trahie; et même elle souhaitait une catastrophe qui amenât leur séparation, puisqu'elle n'avait pas le courage de s'y décider.

« Elle n'en continuait pas moins à lui écrire des lettres amoureuses, en vertu de cette idée : qu'une femme doit toujours écrire à son amant.

« Mais en écrivant, elle percevait un autre homme, un fantôme, fait de ses plus ardents souvenirs. » Ceci n'est plus incriminé : « Ensuite elle retombait à plat, brisée, car ces élans d'amour vague la fatiguaient plus que de grandes débauches.

« Elle éprouvait maintenant une courbature incessante et universelle... Elle recevait du papier timbré qu'elle regardait à peine. Elle aurait voulu ne plus vivre ou continuellement dormir. »

J'appelle cela une excitation à la vertu, par l'horreur du vice, ce que l'auteur annonce lui-même, et ce que le lecteur le plus distrait ne peut pas ne pas voir, sans un peu de mauvaise volonté.

Et maintenant quelque chose de plus, pour vous faire apercevoir quelle espèce d'homme vous avez à juger. Pour vous montrer non pas quelle espèce de justification je puis prendre, mais si M. Flaubert a eu la couleur lascive et où il prend ses inspirations, laissez-moi mettre sur votre bureau ce livre usé par lui, et dans les passages duquel il s'est inspiré pour dépeindre cette concupiscence, les entraînements de cette femme qui cherche le bonheur dans les plaisirs illicites, qui ne peut pas l'y rencontrer, qui cherche encore, qui cherche de plus en plus, et ne le rencontre jamais. Où Flaubert a pris ses inspirations, messieurs? C'est dans ce livre que voilà; écoutez :

« ILLUSION DES SENS.

« Quiconque donc s'attache au sensible, il faut qu'il erre nécessairement d'objets en objets et se trompe pour ainsi dire, en changeant de place; ainsi la concupiscence, c'est-à-dire l'amour des plaisirs, est toujours changeant, parce que son ardeur languit et meurt dans la continuité, et que c'est le changement qui le fait revivre. Aussi qu'est-ce autre chose que la vie des sens, qu'un mouvement alternatif de l'appétit au dégoût et du dégoût à l'appétit, l'âme flottant toujours incertaine entre l'ardeur qui se ralentit et l'ardeur qui se renouvelle? *Inconstantia, concupiscentia.* Voilà ce que c'est que la vie des sens. Cependant, dans ce mouvement perpétuel, on ne laisse pas de se divertir par l'image d'une liberté errante. »

Voilà ce que c'est que la vie des sens. Qui a dit cela? qui a écrit les paroles que vous venez d'entendre, sur ces excitations et ces ardeurs incessantes? Quel est le livre que M. Flaubert feuillette jour et nuit, et dont il s'est inspiré dans les passages qu'incrimine monsieur l'avocat impérial? C'est Bossuet! Ce que je viens de vous lire, c'est un fragment d'un discours de Bossuet sur les *plaisirs illicites.* Je vous ferai voir que tous ces passages incriminés ne sont, non pas des plagiats, – l'homme qui s'est approprié une idée n'est pas un plagiaire, – mais que des imitations de Bossuet. En voulez-vous un autre exemple? Le voici :

« SUR LE PÉCHÉ.

« Et ne me demandez pas, chrétiens, de quelle sorte se fera ce grand changement de nos plaisirs en supplices; la chose est prouvée par les Écritures. C'est le Véritable qui le dit, c'est le Tout-Puissant qui le fait. Et toutefois, si vous regardez la nature des passions auxquelles vous abandonnez votre cœur, vous comprendrez aisément qu'elles peuvent devenir un supplice intolérable. Elles ont toutes, en elles-mêmes, des peines cruelles, des dégoûts, des amertumes. Elles ont toutes une infinité qui se fâche de ne pou-

1. Page 672, t. I.
2. *Ibidem.*

voir être assouvie; ce qui mêle dans elles toutes des emportements, qui dégénèrent en une espèce de fureur non moins pénible que déraisonnable. L'amour, s'il m'est permis de le nommer dans cette chaire, a ses incertitudes, ses agitations violentes et ses résolutions irrésolues et l'enfer de ses jalousies. »

Et plus loin :

« Eh! qu'y a-t-il donc de plus aisé que de faire de nos passions une peine insupportable de nos péchés, en leur ôtant, comme il est très juste, ce peu de douceur par où elles nous séduisent, et leur laissant seulement les inquiétudes cruelles et l'amertume dont elles abondent? Nos péchés contre nous, nos péchés sur nous, nos péchés au milieu de nous, trait perçant contre notre sein, poids insupportable sur notre tête, poison dévorant dans nos entrailles. »

Tout ce que vous venez d'entendre n'est-il pas là pour vous montrer les amertumes des passions? Je vous laisse ce livre tout marqué, tout flétri par le pouce de l'homme studieux qui y a pris sa pensée. Et celui qui s'est inspiré à une source pareille, celui-là qui a décrit l'adultère dans les termes que vous venez d'entendre, celui-là est poursuivi pour outrage à la morale publique et religieuse!

Quelques lignes encore sur la *Femme pécheresse*, et vous allez voir comment M. Flaubert, ayant à peindre ces ardeurs, a su s'inspirer de son modèle :

« Mais punis de notre erreur sans en être détrompés, nous cherchons dans le changement un remède de notre méprise; nous errons d'objet en objet; et s'il en est enfin quelqu'un qui nous fixe, ce n'est pas que nous soyons contents de notre choix, c'est que nous sommes loués de notre inconstance. »

...

« Tout lui paraît vide, faux, dégoûtant, dans les créatures : loin d'y retrouver ces premiers charmes, dont son cœur avait eu tant de peine à se défendre, elle n'en voit plus que le frivole, le danger et la vanité. »

...

« Je ne parle pas d'un engagement de passion; quelles frayeurs que le mystère n'éclate! que de mesures à garder du côté de la bienséance et de la gloire! que d'yeux à éviter! que de surveillants à tromper! que de retours à craindre sur la fidélité de ceux qu'on a choisis pour les ministres et les confidents de sa passion! quels rebuts à essuyer de celui, peut-être, à qui on a sacrifié son bonheur et sa liberté, et dont on n'oserait se plaindre! A tout cela, ajoutez ces moments cruels où la passion même nous laisse le loisir de retomber sur nous-mêmes, et de sentir toute l'indignité de notre état; ces moments où le cœur, né pour les plaisirs plus solides, se lasse de ses propres idoles, et trouve son supplice dans ses dégoûts et dans son inconstance. Monde profane! Si c'est là cette félicité que tu nous vantes tant, favorises-en tes adorateurs; et punis-les, en les rendant ainsi heureux, de la foi qu'ils ont ajoutée si légèrement à tes promesses. »

Laissez-moi vous dire ceci : quand un homme, dans le silence des nuits, a médité sur les causes des entraînements de la femme; quand il les a trouvées dans l'éducation et que, pour les exprimer, se défiant de ses observations personnelles, il a été se mûrir aux sources que je viens d'indiquer; quand il ne s'est laissé aller à prendre la plume qu'après s'être inspiré des pensées de Bossuet et de Massillon, permettez-moi de vous demander s'il y a un mot pour vous exprimer ma surprise, ma douleur en voyant traduire cet homme en police correctionnelle — pour quelques passages de son livre, et précisément pour les idées et les sentiments les plus vrais et les plus élevés qu'il ait pu rassembler! Voilà ce que je vous prie de ne pas oublier relativement à l'inculpation d'outrage à la morale religieuse. Et puis, si vous me le permettez, je mettrai en regard de tout ceci, sous vos yeux, ce que j'appelle, moi, des atteintes à la morale, c'est-à-dire la satisfaction des sens sans amertume, sans ces *larges gouttes de sueur* glacée, qui tombent du front chez ceux qui s'y livrent; et je ne vous citerai pas des livres licencieux dans lesquels les auteurs ont cherché à exciter les sens, je vous citerai un livre — qui est donné en prix dans les collèges, mais je vous demanderai la permission de ne vous dire le nom de l'auteur qu'après je vous en aurai lu un passage. Voici ce passage, je vous ferai passer le volume; c'est un exemplaire qui a été donné en prix à un élève de collège; j'aime mieux vous remettre cet exemplaire que celui de M. Flaubert :

« Le lendemain, je fus reconduit dans son appartement. Là je sentis tout ce qui peut porter à la volupté. On avait répandu dans la chambre les parfums les plus agréables. Elle était sur un lit qui n'était fermé que par des guirlandes de fleurs; elle y paraissait languissamment couchée. Elle me tendit la main, et me fit asseoir auprès d'elle. Tout, jusqu'au voile qui lui couvrait le visage, avait de la grâce. Je voyais la forme de son beau corps. Une simple toile qui se mouvait sur elle me faisait tour à tour perdre et trouver des beautés ravissantes. » Une simple toile, quand elle était étendue sur un cadavre, vous a paru une image lascive; ici elle est étendue sur la femme vivante. « Elle remarqua que mes yeux étaient occupés, et quand elle les vit s'enflammer, la toile sembla s'ouvrir d'elle-même; je vis tous les trésors d'une beauté divine. Dans ce moment, elle me serra la main; mes yeux errèrent partout. Il n'y a, m'écriai-je, que ma chère Ardasire qui soit si belle; mais j'atteste les dieux que ma fidélité... Elle se jeta à mon cou, et me serra dans ses bras. Tout d'un coup, la chambre s'obscurcit, son voile s'ouvrit; elle me donna un baiser. Je fus tout hors de moi; une flamme subite coula dans mes veines et échauffa tous mes sens. L'idée d'Ardasire s'éloigna de moi. Un reste de souvenir... mais il ne me paraissait qu'un songe... J'allais... J'allais la préférer à elle-même. Déjà j'avais porté mes mains sur son sein; elles couraient rapidement partout; l'amour ne se montrait que par sa fureur; il se précipitait à la victoire; un moment de plus, et Ardasire ne pouvait pas se défendre. »

Qui a écrit cela? Ce n'est pas même l'auteur de *la Nouvelle Héloïse*, c'est M. le président de Montesquieu! Ici, pas une amertume, pas un dégoût, tout est sacrifié à la beauté littéraire, et on donne ceci en prix aux élèves de rhétorique, sans doute pour leur servir de modèle dans les amplifications ou les descriptions qu'on leur donne à faire. Montesquieu décrit *les Lettres persanes* une scène qui ne peut pas même être lue. Il s'agit d'une femme que cet auteur place entre deux hommes qui se la disputent. Cette femme ainsi placée entre deux hommes fait des rêves — qui lui paraissent fort agréables.

En sommes-nous là, monsieur l'avocat impérial! Faudra-t-il encore vous citer Jean-Jacques Rousseau dans *les Confessions* et ailleurs! Non, je dirai seulement au tribunal que si, à propos de sa description de la voiture dans *la Double Méprise*, M. Mérimée était poursuivi, il serait immédiatement acquitté. On ne verrait dans son livre qu'une œuvre d'art, de grandes beautés littéraires. On ne le condamnerait pas plus qu'on ne condamne les peintres ou les statuaires qui ne se contentent pas de traduire toute la beauté du corps, mais toutes les veines, toutes les passions. Je n'en suis pas là; je vous demande de reconnaître que M. Flaubert n'a pas chargé ses images, et qu'il n'a fait qu'une chose : toucher de la main la plus ferme la scène de la dégradation. A chaque ligne de son livre il fait ressortir la désillusion, et, au lieu de terminer par quelque chose de gracieux, il s'attache à nous montrer cette femme arrivant, après le mépris, l'abandon, la ruine de sa maison, à la mort la plus épouvantable. En un mot, je ne puis que répéter ce que j'ai dit en commençant la plaidoirie, que M. Flaubert est l'auteur d'un bon livre, d'un livre qui est l'excitation à la vertu par l'horreur du vice.

J'ai maintenant à examiner l'outrage à la religion. L'outrage à la religion commis par M. Flaubert! Et en quoi, s'il vous plaît? M. l'avocat impérial a cru voir en lui un sceptique. Je puis répondre à monsieur l'avocat impérial qu'il se trompe. Je n'ai pas ici de profession de foi à faire, je n'ai que le livre à défendre, c'est ce qui fait que je me borne à ce simple mot. Mais, quant au livre, je défie M. l'avocat impérial d'y trouver quoi que ce soit qui ressemble à un outrage à la religion. Vous avez vu comment la religion a été introduite dans l'éducation d'Emma, et comment cette religion, faussée de mille manières, ne pouvait pas retenir Emma sur la pente qui l'entraînait. Voulez-vous savoir en quelle langue M. Flaubert parle de la religion? Ecoutez quelques lignes que je prends dans la première livraison, pages 231, 232, et 233 [1].

« Un soir que la fenêtre était ouverte, et qu'assise au bord elle venait de regarder Lestiboudois, le bedeau, qui taillait le buis, elle entendit tout à coup sonner l'*Angélus*.

« On était au commencement d'avril, quand les primevères sont écloses; un vent tiède se roule sur les plates-bandes labourées, et les jardins comme des femmes semblent faire leur toilette pour les fêtes de l'été. Par les barreaux de la tonnelle et au delà, tout autour, on voyait la rivière dans la prairie, où elle dessinait sur l'herbe des sinuosités vagabondes. La vapeur du soir passait entre les peupliers sans feuilles, estompant leurs contours d'une teinte violette, plus pâle et transparente qu'une gaze subtile arrêtée sur les branchages. Au loin, des bestiaux marchaient; on n'entendait ni leurs pas, ni leurs mugissements, et la cloche sonnant toujours, continuait dans les airs sa lamentation pacifique.

« A ce tintement répété, la pensée de la jeune femme s'égarait dans ses vieux souvenirs de jeunesse et de pension. Elle se rappela les grands chandeliers qui dépassaient de l'autel, les vases pleins de fleurs et le tabernacle à colonnettes. Elle aurait voulu comme autrefois être encore confondue dans la longue ligne des voiles blancs que marquaient de noir, çà et là, les capuchons raides des bonnes sœurs inclinées sur leur prie-Dieu. »

Voilà la langue dans laquelle le sentiment religieux est exprimé; et à entendre Monsieur l'avocat impérial, le scepticisme règne d'un bout à l'autre du livre de M. Flaubert. Où donc, je vous prie, trouvez-vous là du scepticisme?

M. l'avocat impérial. – Je n'ai pas dit qu'il y en eût là-dedans.

Me Sénard. – S'il n'y en a pas là-dedans, où donc y en a-t-il? Dans vos découpures, évidemment. Mais voici l'ouvrage tout entier, que le tribunal le juge, et il verra que le sentiment religieux y est si fortement empreint, que l'accusation de scepticisme est une vraie calomnie. Et maintenant, Monsieur l'avocat impérial me permettra-t-il de lui dire que ce n'était pas la peine d'accuser l'auteur de scepticisme avec tant de fracas? Poursuivons:

« Le dimanche à la messe, quand elle relevait sa tête, elle apercevait le doux visage de la Vierge parmi les tourbillons bleuâtres de l'encens qui montait. Alors un attendrissement la saisit, elle se sentit molle et tout abandonnée, comme un duvet d'oiseau qui tournoie dans la tempête, et ce fut sans en avoir conscience qu'elle s'achemina vers l'église, disposée à n'importe quelle dévotion, pourvu qu'elle y absorbât son âme et que l'existence entière y disparût. »

Ceci, messieurs, est le premier appel à la religion, pour retenir Emma sur la pente des passions. Elle est tombée, la pauvre femme, puis repoussée du pied par l'homme auquel elle s'est abandonnée. Elle est presque morte, elle se relève, elle se ranime; et vous allez voir maintenant ce qui est écrit, n° du 15 novembre 1856, p. 548 [2]:

« Un jour qu'au plus fort de sa maladie elle s'était crue agonisante, elle avait demandé la communion; et à mesure que l'on faisait dans sa chambre les préparatifs pour le sacrement, que l'on disposait en autel la commode encombrée de sirops, et que Félicité semait par terre des fleurs de dahlia, Emma sentait quelque chose de fort pesant sur elle, qui la débarrassait de ses douleurs, de toute perception, de tout sentiment. Sa chair allégée ne pesait plus, une autre vie commençait; il lui sembla que son être, montant vers Dieu... (Vous voyez dans quelle langue M. Flaubert parle des choses religieuses.) » Il lui sembla que son être, montant vers Dieu, allait s'anéantir dans cet amour, comme un encens allumé qui se dissipe en vapeur. On aspergea d'eau bénite les draps du lit; le prêtre retira du saint ciboire la blanche hostie : et ce fut en défaillant d'une joie céleste qu'elle avança les lèvres pour accepter le corps du Sauveur qui se présentait.

J'en demande pardon à M. l'avocat impérial, j'en demande pardon au tribunal, j'interromps ce passage, mais j'ai besoin de dire que c'est l'auteur qui parle, et de vous faire remarquer dans quels termes il s'exprime sur le mystère de la communion; j'ai besoin, avant de reprendre cette lecture, que le tribunal saisisse la valeur littéraire empruntée au tableau; j'ai besoin d'insister sur ces expressions qui appartiennent à l'auteur :

« Et ce fut en défaillant d'une joie céleste qu'elle avança les lèvres pour accepter le corps du Sauveur qui se présentait. Les rideaux de son alcôve se bombaient mollement autour d'elle en façon de nuées, et les rayons des deux cierges brûlant sur la commode lui parurent être des gloires éblouissantes. Alors elle laissa retomber sa tête, croyant entendre dans les espaces le chant des harpes séraphiques, et apercevoir en un ciel d'azur, sur un trône d'or, au milieu des saints tenant des palmes vertes, Dieu le Père, tout éclatant de majesté, et qui d'un signe faisait descendre vers la terre des anges aux ailes de flammes, pour l'emporter dans leurs bras. »

Il continue :

« Cette vision splendide demeura dans sa mémoire comme la chose la plus belle qu'il fût possible de rêver; si bien qu'à présent elle s'efforçait de ressaisir la sensation qui continuait cependant, mais d'une manière moins exclusive et avec une douceur aussi profonde. Son âme, courbaturée d'orgueil, se reposait enfin dans l'humilité chrétienne; et, savourant le plaisir d'être faible, Emma contemplait en elle-même la destruction de sa volonté, qui devait faire aux envahissements de la grâce une large entrée. Il existait donc à la place du bonheur des félicités plus grandes, un autre amour au-dessus de tous les amours, sans intermittences, ni fin, et qui s'accroîtrait éternellement! Elle entrevit, parmi les illusions de son espoir, un état de pureté flottant au-dessus de la terre, se confondant avec le ciel et où elle soupira d'être. Elle voulut devenir une sainte. Elle acheta des chapelets; elle porta des amulettes; elle souhaitait avoir dans sa chambre, au chevet de sa couche, un reliquaire enchâssé d'émeraudes, pour le baiser tous les soirs. »

Voilà des sentiments religieux! Et si vous vouliez vous

---

1. Page 611, t. I.

2. Page 646, t. I.

arrêter un instant sur la pensée principale de l'auteur, je vous demanderais de tourner la page et de lire les trois lignes suivantes du deuxième alinéa [1] :

« Elle s'irrita contre les prescriptions du culte; l'arrogance des écrits polémiques lui déplut par leur acharnement à poursuivre des gens qu'elle ne connaissait pas, et des contes profanes relevés de la religion lui parurent écrits dans une telle ignorance du monde qu'ils l'écartèrent insensiblement des vérités dont elle attendait la preuve. »

Voilà le langage de M. Flaubert. Maintenant, s'il vous plaît, arrivons à une autre scène, à la scène de l'extrême-onction. Oh! M. l'avocat impérial, combien vous vous êtes trompé quand, vous arrêtant aux premiers mots, vous avez accusé mon client de mêler le sacré au profane, quand il s'est contenté de traduire ces belles formules de l'extrême-onction, au moment où le prêtre touche tous les organes de nos sens, au moment où, selon l'expression du rituel, il dit : *Per istam unctionem, et suam piissimam misericordiam, indulgeat tibi Dominus quidquid deliquisti.*

Vous avez dit : il ne faut pas toucher aux choses saintes. De quel droit travestissez-vous ces saintes paroles : « Que Dieu, dans sa sainte miséricorde, vous pardonne toutes les fautes que vous avez commises par la vue, par le goût, par l'ouïe, etc.? »

Tenez, je vais vous lire le passage incriminé, et ce sera toute ma vengeance. J'ose dire ma vengeance, car l'auteur a besoin d'être vengé. Oui, il faut que M. Flaubert sorte d'ici, non seulement acquitté, mais vengé! vous allez voir de quelles lectures il est nourri. Le passage incriminé est à la page 271 [2] du n° du 15 décembre, il est ainsi conçu :

« Pâle comme une statue, et les yeux rouges comme des charbons, Charles, sans pleurer, se tenait en face d'elle, au pied du lit, tandis que le prêtre, appuyé sur un genou, marmottait des paroles basses... » «

Tout ce tableau est magnifique, et la lecture en est irrésistible; mais tranquillisez-vous, je ne la prolongerai pas outre mesure. Voici maintenant l'incrimination :

« Elle tourna sa figure lentement, et parut saisie de joie à voir tout à coup l'étole violette, sans doute retrouvant au milieu d'un apaisement extraordinaire la volupté perdue de ses premiers élancements mystiques, avec des visions de béatitude éternelle qui commençaient.

« Le prêtre se releva pour prendre le crucifix; alors elle allongea le cou comme quelqu'un qui a soif, et, collant ses lèvres sur le corps de l'Homme-Dieu, elle y déposa, de toute sa force expirante, le plus grand baiser d'amour qu'elle eût jamais donné. »

L'extrême-onction n'est pas encore commencée; mais on me reproche ce baiser. Je n'irai pas chercher dans sainte Thérèse, que vous connaissez peut-être mais dont le souvenir est trop éloigné; je n'irai pas même chercher dans Fénelon le mysticisme de Mme Guyon, ni des mysticismes plus modernes dans lesquels il se trouve bien d'autres raisons. Je ne veux pas demander à ces écoles, que vous qualifiez de christianisme sensuel, l'explication de ce baiser; c'est à Bossuet, à Bossuet lui-même que je veux la demander :

« Obéissez et tâchez au reste d'entrer dans les dispositions de Jésus en communiant, qui sont des dispositions d'union, de jouissance et d'amour : tout l'Évangile le crie. Jésus veut qu'on soit avec lui; il veut jouir, il veut qu'on jouisse de lui. Sa sainte chair est le milieu de cette union et de cette chaste jouissance : il se donne. » Etc...

Je reprends la lecture du passage incriminé :

« Ensuite il récita le *Misereatur* et l'*Indulgentiam*, trempa son pouce droit dans l'huile et commença les onctions :

1. Page 647, t. I.
2. Page 684, t. I.

d'abord sur les yeux, qui avaient tant convoité les somptuosités terrestres; puis sur les narines, friandes de brises tièdes et de senteurs amoureuses; puis sur la bouche, qui s'était ouverte pour le mensonge, qui avait gémi d'orgueil et crié dans la luxure; puis sur les mains, qui se délectaient aux contacts suaves, et enfin sur la plante des pieds, si rapides autrefois quand elle courait à l'assouvissage de ses désirs, et qui maintenant ne marcheraient plus.

« Le curé s'essuya les doigts, jeta dans le feu les brins de coton trempés d'huile, et revint s'asseoir près de la moribonde pour lui dire qu'à présent elle devait joindre ses souffrances à celles de Jésus-Christ, et s'abandonner à la miséricorde divine.

« En faisant ses exhortations, il essaya de lui mettre dans la main un cierge béni, symbole des gloires célestes dont elle allait être tout à l'heure environnée. Mais Emma, trop faible, ne put fermer les doigts, et le cierge, sans M. Bournisien, serait tombé par terre.

« Cependant elle n'était plus aussi pâle, et son visage avait une expression de sérénité, comme si le sacrement l'eût guérie.

« Le prêtre ne manqua point d'en faire l'observation; et il expliqua même à Bovary que le Seigneur, quelquefois, prolongeait l'existence des personnes lorsqu'il le jugeait convenable pour leur salut. Et Charles se rappela un jour, où ainsi, près de mourir, elle avait reçu la communion. Il ne fallait peut-être pas se désespérer, pensait-il. »

Maintenant, quand une femme meurt, et que le prêtre va lui donner l'extrême-onction; quand on fait de cela une scène mystique et que nous traduisons avec une fidélité scrupuleuse les paroles sacramentelles, on dit que nous touchons aux choses saintes. Nous avons porté une main téméraire aux choses saintes, parce que au *deliquisti per oculos, per os, per aurem, per manus, et per pedes*, nous avons ajouté le péché que chacun de ces organes avait commis. Nous ne sommes pas les premiers qui ayons marché dans cette voie. M. Sainte-Beuve, dans un livre que vous connaissez, met aussi une scène d'extrême-onction, et voici comment il s'exprime :

« Oh! oui donc, à ces yeux d'abord, comme au plus noble et au plus vif des sens; à ces yeux, pour ce qu'ils ont vu, regardé de tendre, de trop perfide et d'autres yeux, de trop mortel; pour ce qu'ils ont lu et relu d'attachant et de trop chéri; pour ce qu'ils ont versé de vaines larmes sur les biens fragiles et sur les créatures infidèles; pour le sommeil qu'ils ont tant de fois oublié, le soir en y songeant!

« A l'ouïe aussi, pour ce qu'elle a entendu et s'est laissé dire de trop doux, de trop flatteur et enivrant; pour ce son que l'oreille dérobe lentement aux paroles trompeuses; pour ce qu'elle y boit de miel caché!

« A cet odorat ensuite, pour les trop subtils et voluptueux parfums des soirs de printemps au fond des bois, pour les fleurs reçues le matin et tous les jours, respirées avec tant de complaisance!

« Aux lèvres, pour ce qu'elles ont prononcé de trop confus ou de trop avoué; pour ce qu'elles n'ont pas répliqué en certains moments ou ce qu'elles n'ont pas révélé à certaines personnes, pour ce qu'elles ont chanté dans la solitude de trop mélodieux et de trop plein de larmes; pour leur murmure inarticulé, pour leur silence!

« Au cou au lieu de la poitrine, pour l'ardeur du désir selon l'expression consacrée *(propter ardorem libidinis)*; oui, pour la douleur des affections, des rivalités, pour le trop d'angoisse des humaines tendresses, pour les larmes qui suffoquent un gosier sans voix, pour tout ce qui fait battre un cœur ou ce qui le ronge!

« Aux mains aussi, pour avoir serré une main qui n'était pas saintement liée; pour avoir reçu des pleurs trop brûlants; pour avoir peut-être commencé d'écrire, sans l'achever, quelque réponse non permise!

« Aux pieds, pour ne pas avoir fui, pour avoir suffi aux longues promenades solitaires, pour ne pas s'être lassés assez tôt au milieu des entretiens qui sans cesse recommençaient. »

Vous n'avez pas poursuivi cela. Voilà deux hommes qui, chacun dans leur sphère, ont pris la même chose, et qui ont, à chacun des sens, ajouté le péché, la faute. Est-ce que vous auriez voulu leur interdire de traduire la formule du rituel : *Quidquid deliquisti per oculos, per aurem*, etc.?

M. Flaubert a fait ce qu'a fait M. Sainte-Beuve, sans pour cela être un plagiaire. Il a usé du droit, qui appartient à tout écrivain, d'ajouter à ce qu'a dit un autre écrivain, de compléter un sujet.

La dernière scène du roman de *Madame Bovary* a été faite comme toute l'étude de ce type, avec les documents religieux. M. Flaubert a fait la scène de l'extrême-onction avec un livre que lui avait prêté un vénérable ecclésiastique de ses amis, qui a lu cette scène, qui en a été touché jusqu'aux larmes, et qui n'a pas imaginé que la majesté de la religion pût en être offensée. Ce livre est intitulé : *Explication historique, dogmatique, morale, liturgique et canonique du catéchisme, avec la réponse aux objections tirées des sciences contre la religion, par M. l'Abbé Ambroise Guillois, curé de Notre-Dame-du-Pré, au Mans, 6e édition*, etc; ouvrage approuvé par Son Éminence le cardinal Gousset, N.N.S.S. les Évêques et Archevêques du Mans, de Tours, de Bordeaux, de Cologne, etc., tome 3e, imprimé au Mans par Charles Monnoyer, 1851. Or, vous allez voir dans ce livre, comme vous avez vu tout à l'heure dans Bossuet, les principes et en quelque sorte le texte des passages qu'incrimine M. l'avocat impérial. Ce n'est plus maintenant M. Sainte-Beuve, un artiste, un fantaisiste littéraire, que je cite; écoutez l'Église elle-même.

« L'extrême-onction peut rendre la santé du corps si elle est utile pour la gloire de Dieu... » et le prêtre dit que cela arrive souvent. Maintenant voici l'extrême-onction :

« Le prêtre adresse au malade une courte exhortation, s'il est en état de l'entendre, pour le disposer à recevoir dignement le sacrement qu'il va lui administrer.

« Le prêtre fait ensuite les onctions sur le malade avec le stylet, ou l'extrémité du pouce droit qu'il trempe chaque fois dans l'huile des infirmes. Ces onctions doivent être faites surtout aux cinq parties du corps que la nature a données à l'homme comme les organes des sensations, savoir : aux yeux, aux oreilles, aux narines, à la bouche et aux mains.

« A mesure que le prêtre fait les onctions (nous avons suivi de point en point le *Rituel*, nous l'avons copié), il prononce les paroles qui y répondent.

« *Aux yeux, sur la paupière fermée :* Par cette onction sainte et par sa pieuse miséricorde, que Dieu vous pardonne tous les péchés que vous avez commis par la vue. Le malade, doit dans ce moment détester de nouveau tous les péchés qu'il a commis par la vue : tant de regards indiscrets, tant de curiosités criminelles, tant de lectures qui ont fait naître en lui une foule de pensées contraires à la foi et aux mœurs.

Qu'a fait M. Flaubert? Il a mis dans la bouche du prêtre, en réunissant les deux parties, ce qui doit être dans sa pensée et en même temps dans la pensée du malade. Il a copié purement et simplement.

« *Aux oreilles :* Par cette onction sainte et par sa pieuse miséricorde, que Dieu vous pardonne tous les péchés que vous avez commis par le sens de l'ouïe. Le malade doit, dans ce moment, détester de nouveau toutes les fautes dont il s'est rendu coupable en écoutant avec plaisir des médisances, des calomnies, des propos déshonnêtes, des chansons obscènes.

« *Aux narines :* Par cette onction sainte et par sa grande miséricorde, que le Seigneur vous pardonne tous les péchés que vous avez commis par l'odorat. Dans ce moment, le malade doit détester de nouveau tous les péchés qu'il a commis par l'odorat, toutes les recherches, raffinées et voluptueuses des parfums, toutes les sensualités, tout ce qu'il a respiré des odeurs de l'iniquité.

« *A la bouche, sur les lèvres :* Par cette onction sainte et par sa grande miséricorde, que le Seigneur vous pardonne tous les péchés que vous avez commis par le sens du goût et par la parole. Le malade doit, dans ce moment, détester de nouveau tous les péchés qu'il a commis, en proférant des juriments et des blasphèmes..., en faisant des excès dans le boire et dans le manger...

« *Sur les mains :* Par cette onction sainte et par sa grande miséricorde, que le Seigneur vous pardonne tous les péchés que vous avez commis par le sens du toucher. Le malade doit, dans ce moment, détester de nouveau tous les larcins, toutes les injustices dont il a pu se rendre coupable, toutes les libertés plus ou moins criminelles qu'il s'est permises... Les prêtres reçoivent l'onction des mains en dehors, parce qu'ils l'ont déjà reçue en dedans au moment de leur ordination, et les autres malades en dedans.

« *Sur les pieds :* Par cette onction sainte et par sa grande miséricorde, que Dieu vous pardonne tous les péchés que vous avez commis par vos démarches. Le malade doit dans ce moment, détester de nouveau tous les pas qu'il a faits dans les voies de l'iniquité, tant de promenades scandaleuses, tant d'entrevues criminelles... L'onction des pieds se fait sur le dessus ou sous la plante, selon la commodité du malade, et aussi selon l'usage du diocèse où l'on se trouve. La pratique la plus commune semble être de la faire à la plante des pieds.

Et enfin à la poitrine (M. Sainte-Beuve a copié, nous ne l'avons pas fait parce qu'il s'agissait de la poitrine d'une femme). *Propter ardorem libidinis*, etc.

« *A la poitrine :* Par cette onction sainte et par sa grande miséricorde, que le Seigneur vous pardonne tous les péchés que vous avez commis par l'ardeur des passions. Le malade doit, en ce moment détester de nouveau toutes les mauvaises pensées, tous les mauvais désirs auxquels il s'est abandonné, tous les sentiments de haine, de vengeance qu'il a nourris dans son cœur. »

Et nous pourrions, d'après le *Rituel*, parler d'autre chose encore que de la poitrine, mais Dieu sait quelle colère nous aurions excitée chez le ministère public, si nous avions parlé des reins :

« *Aux reins (ad lumbos) :* Par cette sainte onction, et par sa grande miséricorde, que le Seigneur vous pardonne tous les péchés que vous avez commis par les mouvements déréglés de la chair. »

Si nous avions dit cela, de quelle foudre n'auriez-vous pas tenté de nous accabler, monsieur l'avocat impérial! et cependant le *Rituel* ajoute:

« Le malade doit, dans ce moment, détester de nouveau tant de plaisirs illicites, tant de délectations charnelles... »

Voilà le *Rituel*, et vous avez vu l'article incriminé; il n'y a pas une raillerie, tout y est sérieux et émouvant. Et, je vous le répète, celui qui a donné à mon client ce livre, et qui a vu mon client en faire l'usage qu'il en a fait, lui a serré la main avec des larmes. Vous voyez donc, Monsieur l'avocat impérial, combien est téméraire — pour ne pas me servir d'une expression qui, pour être exacte, serait plus sévère — l'accusation que nous avions touché aux choses saintes. Vous voyez maintenant que nous n'avons pas mêlé le profane au sacré, quand, à chacun des sens, nous avons indiqué le péché commis par ce sens, puisque c'est le langage de l'Église même.

Insisterai-je, maintenant sur les autres détails du délit d'outrage à la religion? Voilà que le ministère public me dit : « Ce n'est plus la religion, c'est la morale de tous les temps que vous avez outragée; vous avez insulté la mort! » Comment ai-je insulté la mort? Parce qu'au moment où cette femme meurt, il passa dans la rue un homme que, plus d'une fois, elle avait rencontré demandant l'aumône près de la voiture dans laquelle elle revenait des rendez-vous adultères, l'aveugle qu'elle avait accoutumé de voir, l'aveugle qui chantait sa chanson pendant que la voiture montait lentement la côte, à qui elle jetait une pièce de monnaie, et dont l'aspect la faisait frissonner. Cet homme passe dans la rue; et, au moment où la miséricorde divine pardonne ou promet le pardon à la malheureuse qui expie ainsi par une mort affreuse les fautes de sa vie, la raillerie humaine, lui apparaît sous la forme de la chanson qui passe sous sa fenêtre. Mon Dieu! vous trouvez qu'il y a là un outrage; mais M. Flaubert ne fait que ce qu'ont fait Shakespeare et Gœthe, qui, à l'instant suprême de la mort, ne manquent pas de faire entendre quelque chant, soit de plainte, soit de raillerie, qui rappelle à celui qui s'en va dans l'éternité quelque plaisir dont il ne jouira plus, ou quelque faute à expier.

Lisons :

« En effet, elle regarda tout autour d'elle lentement, comme quelqu'un qui se réveille d'un songe; puis, d'une voix distincte, elle demanda son miroir; elle resta penchée dessus quelque temps jusqu'au moment où de grosses larmes lui découlèrent des yeux. Alors elle se renversa la tête en poussant un soupir et retomba sur l'oreiller.

« Sa poitrine aussitôt se mit à haleter rapidement. »

Je ne puis pas lire, je suis comme Lamartine : « L'expiation va pour moi au delà de la vérité... » Je ne croyais pourtant pas faire une mauvaise action, Monsieur l'avocat impérial, en lisant ces pages à mes filles qui sont mariées, honnêtes filles qui ont reçu de bons exemples, de bonnes leçons, et que jamais, jamais on n'a mises, par une indiscrétion, hors de la voie la plus étroite, hors des choses qui peuvent et doivent être entendues... Il m'est impossible de continuer cette lecture, je m'en tiendrai rigoureusement aux passages incriminés :

« Les bras étendus à mesure que le râle devenait plus fort (Charles était de l'autre côté, cet homme que vous ne voyez jamais et qui est admirable), et à mesure que le râle devenait plus fort, l'ecclésiastique précipitait ses oraisons; elles se mêlaient aux sanglots étouffés de Bovary, et quelquefois tout semblait disparaître dans le sourd murmure des syllabes latines, qui tintaient comme un glas de cloche.

« Tout à coup on entendit sur le trottoir un bruit de gros sabots, avec le frôlement d'un bâton; et une voix s'éleva, une voix rauque qui chantait :

Souvent la chaleur d'un beau jour
Fait rêver fillette à l'amour.

« Elle se releva comme un cadavre que l'on galvanise, les cheveux dénoués, la prunelle fixe, béante.

Pour amasser diligemment
Les épis que la faux moissonne,
Ma Nanette va s'inclinant
Vers le sillon qui nous les donne.

« – L'Aveugle! s'écria-t-elle.

« Et Emma se mit à rire, d'un rire atroce, frénétique, désespéré, croyant voir la face hideuse du misérable qui se dressait dans les ténèbres éternelles comme un épouvantement.

Il souffla bien fort, ce jour-là
Et le jupon court s'envola!

« Une convulsion la rabattit sur le matelas. Tous s'approchèrent. Elle n'existait plus. »

Voyez, messieurs, dans ce moment suprême, le rappel de sa faute, le remords, avec tout ce qu'il a de poignant et d'affreux. Ce n'est pas une fantaisie d'artiste voulant seulement faire un contraste sans utilité, sans moralité, c'est l'aveugle qu'elle entend dans la rue chantant cette affreuse chanson, qu'il chantait quand elle revenait toute suante, toute hideuse, des rendez-vous de l'adultère; c'est l'aveugle qu'elle voyait à chacun de ces rendez-vous : c'est cet aveugle qui la poursuivait de son chant, de son importunité; c'est lui qui, au moment où la miséricorde divine est là, vient personnifier la rage humaine qui la poursuit à l'instant suprême de la mort! Et on appelle cela un outrage à la morale publique! Mais je puis dire, au contraire, que c'est là un hommage à la morale publique, qu'il n'y a rien de plus moral que cela; je puis dire que, dans ce livre, le vice de l'éducation est animé, qu'il est pris dans le vrai, dans la chair vivante de notre société, qu'à chaque trait l'auteur nous pose cette question : « As-tu fait ce que tu devais pour l'éducation des filles? La religion que tu leur as donnée, est-elle celle qui peut les soutenir dans les orages de la vie, ou n'est-elle qu'un amas de superstitions charnelles, qui laissent sans appui quand la tempête gronde? Leur as-tu enseigné que la vie n'est pas la réalisation de rêves chimériques, que c'est quelque chose de prosaïque dont il faut s'accommoder? Leur as-tu enseigné cela, toi? As-tu fait ce que tu devais pour leur bonheur? Leur as-tu dit : Pauvres enfants, hors de la route que je vous indique, dans les plaisirs que vous poursuivez, vous n'avez que le dégoût qui vous attend, l'abandon de la maison, le trouble, le désordre, la dilapidation, les convulsions, la saisie... » Et vous voyez si quelque chose manque au tableau, l'huissier est là, là aussi est le juif qui a vendu pour satisfaire les caprices de cette femme, les meubles sont saisis, la vente va avoir lieu; et le mari ignore tout encore. Il ne reste plus à la malheureuse qu'à mourir!

Mais, dit le ministère public, sa mort est volontaire, cette femme meurt à son heure.

Est-ce qu'elle pouvait vivre? Est-ce qu'elle n'était pas condamnée? Est-ce qu'elle n'avait pas épuisé le dernier degré de la honte et de la bassesse?

Oui, sur nos scènes, on montre les femmes qui ont dévié, gracieuses, souriantes, heureuses, et je ne veux pas dire ce qu'elles ont fait. *Questum corpore fecerant.* Je me borne à dire ceci. Quand on nous les montre heureuses, charmantes, enveloppées de mousseline, présentant une main gracieuse à des comtes, à des marquis, à des ducs, que souvent elles répondent elles-mêmes au nom de marquise ou de duchesse : voilà ce que vous appelez respecter la morale publique. Et celui qui vous présente la femme adultère mourant honteusement, celui-là commet un outrage à la morale publique!

Tenez, je ne veux pas dire ce n'est pas votre pensée que vous avez exprimée, puisque vous l'avez exprimée, mais vous avez cédé à une grande préoccupation. Non, ce n'est pas vous, le mari, le père de famille, l'homme qui est là, ce n'est pas vous, ce n'est pas possible; ce n'est pas vous qui, sans la préoccupation du réquisitoire et d'une idée préconçue, seriez venu dire que M. Flaubert est l'auteur d'un mauvais livre! Oui, abandonné à vos inspirations, votre appréciation serait la même que la mienne, je ne parle pas du point de vue littéraire, nous ne pouvons pas différer vous et moi à cet égard, mais au point de vue de la morale et du sentiment religieux tel que vous l'entendez, tel que je l'entends.

On nous a dit que nous avions mis en scène un curé matérialiste. Nous avons pris le curé, comme nous avons pris le mari. Ce n'est pas un ecclésiastique éminent, c'est un ecclésiastique ordinaire, un curé de campagne. Et de même que nous n'avons insulté personne, que nous n'avons exprimé aucun sentiment, aucune pensée qui pût être injurieuse pour le mari, nous n'avons pas davantage insulté l'ecclésiastique qui était là. Je n'ai qu'un mot à dire là-dessus.

Voulez-vous des livres dans lesquels les ecclésiastiques jouent un rôle déplorable? Prenez *Gil Blas*, *le Chanoine*, de Balzac, *Notre-Dame de Paris*, de Victor Hugo. Si vous voulez des prêtres qui soient la honte du clergé, prenez-les ailleurs, vous ne les trouverez pas dans *Madame Bovary*. Qu'est-ce que j'ai montré, moi? Un curé de campagne qui est dans ses fonctions de curé de campagne ce qu'est M. Bovary, un homme ordinaire. L'ai-je représenté libertin, gourmand, ivrogne? Je n'ai pas dit un mot de cela. Je l'ai représenté remplissant son ministère, non pas avec une intelligence élevée, mais comme sa nature l'appelait à le remplir. J'ai mis en contact avec lui et en état de discussions presque perpétuelles un type qui vivra – comme a vécu la création de M. Prudhomme – comme vivront quelques autres créations de notre temps, tellement étudiées et prises sur le vrai, qu'il n'y a pas possibilité qu'on les oublie; c'est le pharmacien de campagne, le voltairien, le sceptique, l'incrédule, l'homme qui est en querelle perpétuelle avec le curé. Mais dans ces querelles qui est, qui est-ce qui est continuellement battu, bafoué, ridiculisé? C'est Homais, c'est lui à qui on a donné le rôle le plus comique parce qu'il est le plus vrai, celui qui peint le mieux notre époque sceptique, un enragé, ce qu'on appelle le prêtrophobe. Permettez-moi encore de vous lire la page 206[1]. C'est la bonne femme de l'auberge qui offre quelque chose à son curé :

« – Qu'y a-t-il pour votre service, monsieur le curé? demanda la maîtresse d'auberge tout en atteignant sur la cheminée un des flambeaux de cuivre qui s'y trouvaient rangés en colonnade avec leurs chandelles. Voulez-vous prendre quelque chose? Un doigt de cassis, un verre de vin?

« L'ecclésiastique refusa civilement. Il venait chercher son parapluie qu'il avait oublié l'autre jour au couvent d'Ernemont, et, après avoir prié Lefrançois de le lui faire remettre au presbytère dans la soirée, il sortit pour se rendre à l'église où l'on sonnait l'*Angélus*.

« Quand le pharmacien n'entendit plus sur la place le bruit de ses souliers, il trouva fort inconvenante sa conduite de tout à l'heure. Ce refus d'accepter un rafraîchissement lui semblait une hypocrisie des plus odieuses; les prêtres godaillaient tous sans qu'on les vît et cherchaient à ramener le temps de la dîme.

« L'hôtesse prit la défense de son curé :

« – D'ailleurs, il en plierait quatre comme vous sur son genou. Il a, l'année dernière, aidé nos gens à rentrer la paille; il en portait jusqu'à six bottes à la fois, tant il est fort!

« – Bravo! fit le pharmacien. Envoyez donc vos filles à confesse à des gaillards d'un tempérament pareil! Moi, si j'étais le gouvernement, je voudrais qu'on saignât les prêtres une fois par mois. Oui, madame Lefrançois, tous les mois une large phlébotomie, dans l'intérêt de la police et des mœurs!

« – Taisez-vous donc, monsieur Homais, vous êtes un impie, vous n'avez pas de religion!

« Le pharmacien répondit :

« – J'ai une religion, ma religion, et même j'en ai plus qu'eux tous avec leurs mômeries et leurs jongleries. J'adore Dieu, au contraire! Je crois en l'Être suprême, à un créateur quel qu'il soit, peu m'importe, qui nous a placés ici-bas pour y remplir nos devoirs de citoyen et de père de famille; mais je n'ai pas besoin d'aller dans une église baiser des plats d'argent et engraisser de ma poche un tas de farceurs qui se nourrissent mieux que nous. Car on peut l'honorer aussi bien dans un bois, dans un champ, ou même en contemplant la voûte éthérée, comme les anciens. Mon Dieu, à moi, c'est le Dieu de Socrate, de Franklin, de Voltaire et de Béranger! Je suis pour la *Profession de foi du vicaire savoyard* et les Immortels principes de 89! Aussi je n'admets pas un bonhomme de Bon-Dieu qui se promène dans son parterre la canne à la main, loge ses amis dans le ventre des baleines, meurt en poussant un cri et ressuscite au bout de trois jours – choses absurdes en elles-mêmes et complètement opposées, d'ailleurs, à toutes les lois de la physique, ce qui nous démontre, en passant, que les prêtres ont toujours croupi dans une ignorance turpide, où ils s'efforcent d'engloutir avec eux les populations.

« Il se tut, cherchant des yeux un public autour de lui, car, dans son effervescence, le pharmacien, un moment, s'était cru en plein conseil municipal. Mais la maîtresse d'auberge ne l'écoutait plus. »

Qu'est-ce qu'il y a là? Un dialogue, une scène, comme il y en avait chaque fois que Homais avait occasion de parler des prêtres.

Maintenant il y a quelque chose de mieux dans le dernier passage, page 271[2] :

« Mais l'attention publique fut distraite par l'apparition de M. Bournisien, qui passait sous les halles avec les saintes huiles. Homais, comme il le devait, compara les prêtres à des corbeaux qu'attire l'odeur des morts; la vue d'un ecclésiastique lui était personnellement désagréable, car la soutane le faisait rêver au linceul, et il exécrait l'une un peu par épouvante de l'autre. »

Notre vieil ami, celui qui nous a prêté le catéchisme, était fort heureux de ce passage; il nous disait : C'est d'une vérité frappante; c'est bien le portrait du prêtrophobe que « la soutane fait rêver au linceul et qui exècre l'une un peu par épouvante de l'autre. » C'était un impie, et il exécrait la soutane, un peu par impiété peut-être, mais beaucoup plus parce qu'elle le faisait rêver au linceul.

Permettez-moi de résumer tout ceci.

Je défends un homme qui, s'il avait rencontré une critique littéraire sur la forme de son livre, sur quelques expressions, sur trop de détails, sur un point ou sur un autre, aurait accepté cette critique littéraire du meilleur cœur du monde. Mais se voir accusé d'outrage à la morale et à la religion! M. Flaubert n'en revient pas; et il proteste ici devant vous avec tout l'étonnement et toute l'énergie dont il est capable contre une telle accusation.

Vous n'êtes pas de ceux qui condamnent des livres sur quelques lignes, vous êtes de ceux qui jugent avant tout la pensée, les moyens de mise en œuvre, et qui vous poserez cette question par laquelle j'ai commencé ma plaidoirie, et par laquelle je la finis : La lecture d'un tel livre donne-t-elle l'amour du vice, inspire-t-elle l'horreur du vice? l'expiation si terrible de la faute ne pousse-t-elle pas, n'excite-t-elle pas à la vertu? La lecture de ce livre ne peut pas produire sur vous une impression autre que celle qu'elle a produite sur nous, à savoir : que ce livre est excellent dans son ensemble, et que les détails en sont irréprochables. Toute la littérature classique nous autorisait à des peintures et à des scènes bien autres que celles que nous nous sommes permises. Nous aurions pu, sous ce rapport, la prendre pour modèle, nous ne l'avons pas fait; nous nous sommes imposé une sobriété dont vous nous tiendrez compte. Que s'il était possible que, par un mot ou par un autre, M. Flaubert eût dépassé la mesure qu'il s'était imposée, je n'aurais pas seulement à vous rappeler que c'est une première œuvre, mais

1. Page 600, t. I.

2. Page 683, t. I.

j'aurais à vous dire qu'alors même qu'il se serait trompé, son erreur serait sans dommage pour la morale publique. Et le faisant venir en police correctionnelle – lui, que vous connaissez maintenant un peu par son livre, lui que vous aimez déjà un peu, j'en suis sûr, et que vous aimeriez davantage si vous le connaissiez davantage, – il est bien assez, il est déjà trop cruellement puni. A vous maintenant de statuer. Vous avez jugé le livre dans son ensemble et dans ses détails; il n'est pas possible que vous hésitiez!

JUGEMENT[1]

Le tribunal a consacré une partie de l'audience de la huitaine dernière aux débats d'une poursuite exercée contre MM. Léon Laurent-Pichat et Auguste-Alexis Pillet, le premier gérant, le second imprimeur du recueil périodique *la Revue de Paris*, et M. Gustave Flaubert, homme de lettres, tous trois prévenus : 1° Laurent-Pichat, d'avoir en 1856, en publiant dans les nᵒˢ des 1ᵉʳ et 15 décembre de *la Revue de Paris* des fragments d'un roman intitulé *Madame Bovary* et, notamment divers fragments contenus dans les pages 73, 77, 78, 272, 273, commis les délits d'outrage à la morale publique et religieuse et aux bonnes mœurs; 2° Pillet et Flaubert d'avoir, Pillet en imprimant pour qu'ils fussent publiés, Flaubert en écrivant et remettant à Laurent-Pichat pour être publiés, les fragments du roman intitulé *Madame Bovary*, sus-désignés, aidé et assisté, avec connaissance, Laurent-Pichat dans les faits qui ont préparé, facilité et consommé les délits sus-mentionnés, et s'être ainsi rendus complices de ces délits prévus par les articles 1ᵉʳ et 8 de la loi du 17 mai 1819, et 59 et 60 du Code pénal.

M. Pinard, substitut, a soutenu la prévention.

Le tribunal, après avoir entendu la défense présentée par Me Sénard pour M. Flaubert, Me Desmarets pour M. Pichat et Me Faverie pour l'imprimeur, a remis à l'audience de ce jour (7 février) le prononcé du jugement, qui a été rendu en ces termes :

« Attendu que Laurent-Pichat, Gustave Flaubert et Pillet sont inculpés d'avoir commis les délits d'outrage à la morale publique et religieuse et aux bonnes mœurs; le premier, comme auteur, en publiant dans le recueil périodique intitulé *la Revue de Paris*, dont il est directeur gérant, et dans les numéros des 1ᵉʳ et 15 octobre, 1ᵉʳ et 15 novembre, 1ᵉʳ et 15 décembre 1856, un roman intitulé *Madame Bovary* Gustave Flaubert et Pillet, comme complices, l'un en fournissant le manuscrit, et l'autre en imprimant ledit roman;

« Attendu que les passages particulièrement signalés du roman dont il s'agit, lequel renferme près de 300 pages, sont contenus, aux termes de l'ordonnance du renvoi devant le tribunal correctionnel, dans les pages 73, 77 et 78 (nᵒ du 1ᵉʳ décembre), et 271, 272 et 273 (nᵒ du 15 décembre 1856);

« Attendu que les passages incriminés, envisagés abstractivement et isolément, présentent effectivement soit des expressions, soit des images, soit des tableaux que le bon goût réprouve et qui sont de nature à porter atteinte à de légitimes et honorables susceptibilités;

« Attendu que les mêmes observations peuvent s'appliquer justement à d'autres passages non définis par l'ordonnance de renvoi et qui, au premier abord, semblent présenter l'exposition de théories qui ne seraient pas moins contraires aux bonnes mœurs, aux institutions, qui sont la base de la société, qu'au respect dû aux cérémonies les plus augustes du culte;

« Attendu qu'à ces divers titres l'ouvrage déféré au tribunal mérite un blâme sévère, car la mission de la littérature doit être d'orner et de récréer l'esprit en élevant

1. *Gazette des Tribunaux*, nᵒ du 9 février 1857.

l'intelligence et en épurant les mœurs plus encore que d'imprimer le dégoût du vice en offrant le tableau des désordres qui peuvent exister dans la société;

« Attendu que les prévenus, et en particulier Gustave Flaubert, repoussent énergiquement l'inculpation dirigée contre eux, en articulant que le roman soumis au jugement du tribunal a un but éminemment moral; que l'auteur a eu principalement en vue d'exposer les dangers qui résultent d'une éducation non appropriée au milieu dans lequel on doit vivre, et que, poursuivant cette idée, il a montré la femme, personnage principal de son roman, aspirant vers un monde et une société pour lesquels elle n'était pas faite, malheureuse de la condition modeste dans laquelle le sort l'aurait placée, oubliant d'abord ses devoirs de mère, manquant ensuite à ses devoirs d'épouse, introduisant successivement dans sa maison l'adultère et la ruine, et finissant misérablement par le suicide, après avoir passé par tous les degrés de la dégradation la plus complète et être descendue jusqu'au vol;

« Attendu que cette donnée, morale sans doute dans son principe, aurait dû être complétée dans ses développements par une certaine sévérité de langage et par une réserve contenue, en ce qui touche particulièrement l'exposition des tableaux et des situations que le plan de l'auteur lui faisait placer sous les yeux du public;

« Attendu qu'il n'est pas permis, sous prétexte de peinture de caractère ou de couleur locale, de reproduire dans leurs écarts les faits, dits et gestes des personnages qu'un écrivain s'est donné mission de peindre; qu'un pareil système appliqué aux œuvres de l'esprit aussi bien qu'aux productions des beaux-arts, conduirait à un réalisme qui serait la négation du beau et du bon et qui, enfantant des œuvres également offensantes pour les regards et pour l'esprit, commettrait de continuels outrages à la morale publique et aux bonnes mœurs;

« Attendu qu'il y a des limites que la littérature, même la plus légère, ne doit pas dépasser, et dont Gustave Flaubert et co-inculpés paraissent ne s'être pas suffisamment rendu compte;

« Mais attendu que l'ouvrage dont Flaubert est l'auteur est une œuvre qui paraît avoir été longuement et sérieusement travaillée, au point de vue littéraire et de l'étude des caractères; que les passages relevés par l'ordonnance de renvoi, quelque répréhensibles qu'ils soient, sont peu nombreux si on les compare à l'étendue de l'ouvrage; que ces passages, soit dans les idées qu'ils exposent, soit dans les situations qu'ils représentent, rentrent dans l'ensemble des caractères que l'auteur a voulu peindre, tout en les exagérant et en les imprégnant d'un réalisme vulgaire et souvent choquant;

« Attendu que Gustave Flaubert proteste du respect pour les bonnes mœurs et tout ce qui se rattache à la morale religieuse; qu'il n'apparaît pas que son livre ait été, comme certaines œuvres, écrit dans le but unique de donner une satisfaction aux passions sensuelles, à l'esprit de licence et de débauche, ou de ridiculiser des choses qui doivent être entourées du respect de tous;

« Qu'il a eu le tort seulement de perdre parfois de vue les règles que tout écrivain qui se respecte ne doit jamais franchir, et d'oublier que la littérature, comme l'art, pour accomplir le bien qu'elle est appelée à produire, ne doit pas seulement être chaste et pure dans sa forme et dans son expression;

« Dans ces circonstances, attendu qu'il n'est pas suffisamment établi que Pichat, Gustave Flaubert et Pillet se soient rendus coupables des délits qui leur sont imputés;

« Le tribunal les acquitte de la prévention portée contre eux et les renvoie sans dépens. »

LA POLÉMIQUE AUTOUR DE SALAMMBÔ

Les quatre textes qu'on va lire sont comme les témoins privilégiés d'une polémique littéraire que ne pouvait manquer de susciter l'intrusion de l'archéologie dans le domaine de l'œuvre d'imagination (ou l'inverse, si l'on préfère). Mis en vente le 24 novembre 1862, le roman de Flaubert obtint en effet un succès de curiosité auprès du public, mais souleva maintes discussions, d'un ton parfois assez vif, dans une partie de la critique. D'entre tous ces articles, deux surtout allaient retenir particulièrement l'attention de Flaubert et provoquer sa réaction.

Sainte-Beuve avait consacré à Salammbô *une longue, minutieuse, vétilleuse étude répartie en trois articles parus dans le* Constitutionnel *des 8, 15 et 22 décembre 1862; de son côté Guillaume Froehner, archéologue d'origine allemande et, par la faveur du Pouvoir, conservateur des Antiques au musée du Louvre, avait cru bon d'arguer de ses connaissances historiques pour se livrer à un éreintement de cuistre dans un article de la Revue contemporaine du 31 décembre 1862, qu'il intitulait avec une ironie un peu appuyée : « Le roman archéologique en France. G. Flaubert,* Salammbô *». Flaubert, en riposte, ne paya pas ses contradicteurs de la même monnaie : avec Sainte-Beuve, auquel l'attachaient des liens d'estime, il joua le jeu de la réponse*

serrée, du combat loyal, où l'on ne cède pas un pouce de terrain sans l'avoir fermement défendu; il faut croire que Sainte-Beuve apprécia le procédé, puisqu'il annonça aussitôt à Flaubert son intention de mettre cette copieuse « Apologie » en appendice aux Nouveaux Lundis *(t. IV), où ses propres articles paraîtraient.*

Avec Froehner, par contre, Flaubert ne se sentit pas tenu aux mêmes précautions; le fleuret moucheté et les gants devenaient inutiles et la main nue, parfois la griffe du géant normand suffirent à la tâche. L'archéologue était à son tour pris en flagrant délit de mauvaise foi ou d'ignorance et un Flaubert cuirassé de textes et de documents se levait pour appuyer les constructions de son imagination créatrice. Cette réponse sans aménité parut dans l'Opinion nationale du 24 janvier 1863. Froehner commit l'imprudence de récidiver le 27 janvier, redoublant ses critiques, renforçant ses menaces et aggravant son cas. Le poing de Flaubert s'abattit à nouveau, mais en marteau-pilon, dans une lettre adressée au directeur de l'Opinion nationale et parue dans ce journal le 4 février 1863. La polémique, semble-t-il, en resta là.

Flaubert devait publier, à titre de « documents », ces quatre lettres dans la troisième édition originale de Salammbô, *Paris, Charpentier, 1874.*

LETTRE DE FLAUBERT A SAINTE-BEUVE

Décembre 1862.

Mon cher maître,

Votre troisième article sur *Salammbô* m'a *radouci* (je n'ai jamais été bien furieux). Mes amis les plus intimes se sont un peu irrités des deux autres; mais, moi, à qui vous avez dit franchement ce que vous pensez de mon gros livre, je vous sais gré d'avoir mis tant de clémence dans votre critique. Donc, encore une fois et bien sincèrement, je vous remercie des marques d'affection que vous me donnez, et, passant par-dessus les politesses, je commence mon *Apologie*.

Etes-vous bien sûr, d'abord, – dans votre jugement général, – de n'avoir pas obéi un peu trop à votre impression nerveuse? L'objet de mon livre, tout ce monde barbare, oriental, molochiste, vous déplaît *en soi!* Vous commencez par douter de la réalité de ma reproduction, puis vous me dites : « Après tout, elle peut être vraie »; et comme conclusion : « Tant pis si elle est vraie! » A chaque minute vous vous étonnez; et vous m'en voulez d'être étonné. Je n'y peux rien, cependant! Fallait-il embellir, atténuer, fausser, *franciser*! Mais vous me reprochez vous-même d'avoir fait un poème, d'avoir été classique dans le mauvais sens du mot, et vous me battez avec *les Martyrs!*

Or le système de Chateaubriand me semble diamétrale-

ment opposé au mien. Il partait d'un point de vue tout idéal; il rêvait des martyrs *typiques.* Moi, j'ai voulu fixer un mirage en appliquant à l'Antiquité les procédés du roman moderne, et j'ai tâché d'être simple. Riez tant qu'il vous plaira! Oui, je dis *simple,* et non pas sobre. Rien de plus compliqué qu'un Barbare. Mais j'arrive à vos articles, et je me défends, je vous combats pied à pied.

Dès le début, je vous arrête à propos du *Périple* d'Hannon, admiré par Montesquieu, et que je n'admire point. A qui peut-on faire croire aujourd'hui que ce soit là un document *original?* C'est évidemment traduit, raccourci, échenillé et arrangé par un Grec. Jamais un Oriental, quel qu'il soit, n'a écrit de ce style. J'en prends à témoin l'inscription d'Eschmounazar, si emphatique et redondante! Des gens qui se font appeler fils de Dieu, œil de Dieu (voyez les inscriptions d'Hamaker) ne sont pas simples comme vous l'entendez. – Et puis vous m'accorderez que les Grecs ne comprenaient rien au monde barbare. S'ils y avaient compris quelque chose, ils n'eussent pas été Grecs. L'Orient répugnait à l'hellénisme. Quels travestissements n'ont-ils pas fait subir à tout ce qui leur a passé par les mains, d'étranger! – J'en dirai autant de Polybe. C'est pour moi une autorité incontestable, quant aux faits; mais tout ce qu'il n'a pas vu (ou ce qu'il a omis intentionnellement car, lui aussi, il avait un cadre et une école), je peux bien aller le chercher partout ailleurs. Le *Périple* d'Hannon n'est donc pas « un monument carthaginois », bien loin « d'être le seul » comme vous le dites. Un vrai monument carthaginois c'est l'inscription de Marseille, écrite en vrai punique. Il est simple, celui-là, je l'avoue, car c'est un tarif, et encore l'est-il moins que ce fameux *Périple* où perce un petit coin de merveilleux à travers le grec; – ne fût-ce que ces peaux de gorilles prises pour des peaux humaines et qui étaient appendues dans le temple de Moloch (traduisez Saturne), et dont je vous ai épargné la description; – et d'une! remerciez-moi. Je vous dirai même entre nous que le *Périple* d'Hannon m'est complètement odieux pour l'avoir lu et relu avec les quatre dissertations de Bougainville (dans les *Mémoires* de l'Académie des Inscriptions) sans compter mainte thèse de doctorat, – le *Périple* d'Hannon étant un sujet de thèse.

Quant à mon héroïne, je ne la défends pas. Elle ressemble selon vous à « une Elvire sentimentale », à Velléda, à madame Bovary. Mais non! Velléda est active, intelligente, européenne. Madame Bovary est agitée par des passions multiples; Salammbô au contraire demeure clouée par l'idée fixe. C'est une maniaque, une espèce de sainte Thérèse. N'importe! Je ne suis pas sûr de sa réalité; car ni moi, ni vous, ni personne, aucun ancien et aucun moderne, ne peut connaître la femme orientale, par la raison qu'il est impossible de la fréquenter.

Vous m'accusez de manquer de logique et vous me demandez : « *Pourquoi les Carthaginois ont-ils massacré les Barbares?* » La raison en est bien simple : ils haïssent les Mercenaires; ceux-là leur tombent sous la main; ils sont les plus forts et ils les tuent. Mais « la nouvelle, dites-vous, pouvait arriver d'un moment à l'autre au camp ». Par quel moyen? – Et qui donc l'eût apportée? Les Carthaginois; mais dans quel but? – Des barbares? mais il n'en restait plus dans la ville? – Des étrangers? des indifférents? – mais j'ai eu soin de montrer que les communications n'existaient pas entre Carthage et l'armée!

Pour ce qui est d'Hannon (*le lait de chienne*, soit dit en passant, n'est point une *plaisanterie*; il était et est encore un remède contre la lèpre : voyez le *Dictionnaire des sciences médicales*, article *Lèpre*, mauvais article d'ailleurs et dont j'ai rectifié les données d'après mes propres observations faites à Damas et en Nubie) – Hannon, dis-je, s'échappe, parce que les Mercenaires le laissent volontairement s'échapper. Ils ne sont pas encore *déchaînés* contre lui. L'indignation leur vient ensuite avec la réflexion; car il leur faut beaucoup de temps avant de comprendre toute la perfidie des Anciens (Voyez le commencement de mon chapitre IV). Mâtho *rôde comme un fou* autour de Carthage. Fou est le mot juste. L'amour tel que le concevaient les anciens n'était-il pas une folie, une malédiction, une maladie envoyée par les dieux? Polybe serait bien *étonné*, dites-vous, de voir ainsi son Mâtho. Je ne le crois pas, et M. de Voltaire n'eût point partagé cet étonnement. Rappelez-vous ce qu'il dit de la violence des passions en Afrique, dans *Candide* (récit de la vieille) : « C'est du feu, du vitriol, etc. »

A propos de l'aqueduc : « *Ici on est dans l'invraisemblance jusqu'au cou.* » Oui, cher maître, vous avez raison et plus même que vous ne croyez, – mais pas comme vous le croyez. Je vous dirai plus loin ce que je pense de cet épisode, amené non pour décrire l'aqueduc, lequel m'a donné beaucoup de mal, mais pour faire entrer convenablement dans Carthage mes deux héros. C'est d'ailleurs le ressouvenir d'une anecdote, rapportée dans Polyen (*Ruses de guerre*), l'histoire de Théodore, l'ami de Cléon, lors de la prise de Sestos par les gens d'Abydos.

On regrette un lexique. Voilà un reproche que je trouve souverainement injuste. J'aurais pu assommer le lecteur avec des mots techniques. Loin de là! J'ai pris soin de tra-

duire tout en français. Je n'ai pas employé un seul mot spécial sans le faire suivre de son explication, immédiatement. J'en excepte les noms de monnaie, de mesure et de mois que le sens de la phrase indique. Mais quand vous rencontrez dans une page *kreutzer*, *yard*, *piastre* ou *penny*, cela vous empêche-t-il de la comprendre? Qu'auriez-vous dit si j'avais appelé Moloch *Melek*, Hannibal *Han-Baal*, Carthage *Kartadda*, et si, au lieu de dire que les esclaves au moulin portaient des muselières, j'avais écrit des *pausicapes*! Quant aux noms de parfums et de pierreries, j'ai bien été obligé de prendre les noms qui sont dans Théophraste, Pline et Athénée. Pour les plantes, j'ai employé les noms latins, les *mots reçus*, au lieu des mots arabes ou phéniciens. Ainsi j'ai dit *Lauwsonia* au lieu de *Henneb*, et même j'ai eu la complaisance d'écrire *Lausonia* par un *u*, ce qui est une faute, et de ne pas ajouter *inermis*, qui eût été plus précis. De même pour *Kok'heul* que j'écris *antimoine*, en vous épargnant *sulfure*, ingrat! Mais je ne peux pas, par respect pour le lecteur français, écrire Hannibal et Hamilcar, sans *h*, puisqu'il y a un esprit rude sur l'*a*, et m'en tenir à Rollin! un peu de douceur!

Quant au *temple de Tanit*, je suis sûr de l'avoir reconstruit tel qu'il était, avec le traité de la Déesse de Syrie, avec les médailles du duc de Luynes, avec ce qu'on sait du temple de Jérusalem, avec un passage de saint Jérôme, cité par Selten, (*De Diis Syriis*), avec le plan du temple de Gozzo qui est bien carthaginois, et mieux que tout cela, avec les ruines du temple de Thugga que j'ai vu moi-même, de mes yeux, et dont aucun voyageur ni antiquaire, que je sache, n'a parlé. N'importe, direz-vous, c'est drôle! Soit! – Quant à la description en elle-même, au point de vue littéraire, je la trouve, moi, très compréhensible, et le drame n'en est pas embarrassé, car Spendius et Mâtho restent au premier plan, on ne les perd pas de vue. Il n'y a point dans mon livre une description isolée, gratuite; toutes *servent* à mes personnages et ont une influence lointaine ou immédiate sur l'action.

Je n'accepte pas non plus le mot de *chinoiserie* appliqué à la chambre de Salammbô, malgré l'épithète d'*exquise* qui le relève (comme *dévorants* fait à *chiens* dans le fameux Songe), parce que je n'ai pas mis là un seul détail qui ne soit dans la Bible ou que l'on ne rencontre encore en Orient. Vous me répétez que la Bible n'est pas un guide pour Carthage (ce qui est un point à discuter); mais les Hébreux étaient plus près des Carthaginois que les Chinois, convenez-en! D'ailleurs il y a des choses de climat qui sont éternelles. Pour ce mobilier et les costumes, je vous renvoie aux textes réunis dans la 21e dissertation de l'abbé Mignot (*Mémoires* de l'Académie des Inscriptions, tome XL ou XLI, je ne sais plus).

Quant à ce goût « d'opéra, de pompe et d'emphase », pourquoi donc voulez-vous que les choses n'aient pas été ainsi, puisqu'elles sont telles maintenant! Les cérémonies, les visites, les prosternations, les invocations, les encensements et tout le reste, n'ont pas été inventés par Mahomet, je suppose.

Il en est de même d'Hannibal. Pourquoi trouvez-vous que j'ai fait son enfance *fabuleuse* ? est-ce parce qu'il tue un aigle? beau miracle dans un pays où les aigles abondent! Si la scène eût été placée dans les Gaules, j'aurais mis un hibou, un loup ou un renard. Mais Français que vous êtes, vous êtes habitué, *malgré vous*, à considérer l'aigle comme un oiseau noble, et plutôt comme un symbole que comme un être animé. Les aigles existent cependant.

Vous me demandez où j'ai pris une *pareille idée du Conseil de Carthage* ? Mais dans tous les milieux analogues par les temps de révolution, depuis la Convention jusqu'au Parlement d'Amérique, où naguère encore on échangeait des coups de canne et des coups de revolver, lesquelles cannes et lesquels revolvers étaient apportés (comme mes poignards) dans la manche des paletots. Et même mes Carthaginois sont plus décents que les Américains, puisque le public n'était pas là. Vous me citez, en opposition, une grosse autorité, celle d'Aristote. Mais Aristote, antérieur à mon époque de plus de quatre-vingts ans, n'est ici d'aucun poids. D'ailleurs il se trompe grossièrement, le Stagyrique, quand il affirme qu'*on n'a jamais vu à Carthage d'émeute ni de tyran*. Voulez-vous des dates ? en voici : il y avait eu la conspiration de Carthalon, 530 avant Jésus-Christ ; les empiétements des Magon, 460 ; la conspiration d'Hannon, 337 ; la conspiration de Bomilcar, 307. Mais je dépasse Aristote ! – A un autre.

Vous me reprochez les *escarboucles formées par l'urine des lynx*. C'est du Théophraste, *Traité des Pierreries* : tant pis pour lui ! J'allais oublier Spendius. Eh bien, non, cher maître, son stratagème n'est ni *bizarre* ni *étrange*. C'est presque un poncif. Il m'a été fourni par Élien (*Histoire des Animaux*) et par Polyen (*Stratagèmes*). Cela était même si connu depuis le siège de Mégare par Antipater (ou Antigone), que l'on nourrissait exprès des porcs avec les éléphants pour que les grosses bêtes ne fussent pas effrayées par les petites. C'était, en un mot, une farce usuelle, et probablement fort usée au temps de Spendius. Je n'ai pas été obligé de remonter jusqu'à Samson ; car j'ai repoussé autant que possible tout détail appartenant à des époques légendaires.

J'arrive aux richesses d'Hamilcar. Cette description, quoi que vous disiez, est au second plan. Hamilcar la domine, et je la crois très motivée. La colère du suffète va en augmentant à mesure qu'il aperçoit les déprédations commises dans sa maison, Loin d'être à *tout moment hors de lui*, il n'éclate qu'à la fin, quand il se heurte à une injure personnelle. *Qu'il ne gagne pas à cette visite*, cela m'est bien égal, n'étant point chargé de faire son panégyrique ; mais je ne pense pas l'avoir *taillé en charge aux dépens du reste du caractère*. L'homme qui tue plus loin les Mercenaires de la façon que j'ai montrée (ce qui est un joli trait de son fils Hannibal, en Italie), est bien le même qui fait falsifier ses marchandises et fouetter à outrance ses esclaves.

Vous me chicanez sur les *onze mille trois cent quatre-vingt-seize hommes* de son armée en me demandant *d'où le savez-vous* (ce nombre) ? *qui vous l'a dit* ? Mais vous venez de le voir vous-même, puisque j'ai dit le nombre d'hommes qu'il y avait dans les différents corps de l'armée punique. C'est le total de l'addition tout bonnement, et non un chiffre jeté au hasard pour produire un effet de précision.

Il n'y a ni *vice malicieux* ni *bagatelle* dans mon serpent. Ce chapitre est une espèce de précaution oratoire pour atténuer celui de la tente qui n'a choqué personne et qui, sans le serpent, eût fait pousser des cris. J'ai mieux aimé un effet impudique (si impudeur il y a) avec un serpent, qu'avec un homme. Salammbô, avant de quitter sa maison, s'enlace au génie de sa famille, à la religion même de sa patrie en son symbole le plus antique. Voilà tout. Que cela soit *messéant dans une* ILIADE *ou une* PHARSALE, c'est possible, mais je n'ai pas eu la prétention de faire l'*Iliade* ni la *Pharsale*.

Ce n'est pas ma faute non plus si les orages sont fréquents dans la Tunisie à la fin de l'été. Chateaubriand n'a pas plus inventé les orages que les couchers de soleil, et les uns et les autres, il me semble, appartiennent à tout le monde. Notez d'ailleurs que l'âme de cette histoire est Moloch, le Feu, la Foudre. Ici le Dieu lui-même, sous une de ses formes, agit ; il dompte Salammbô. Le tonnerre donc bien à sa place : c'est la voix de Moloch resté en dehors. Vous avouerez de plus que je vous ai épargné la *description*

classique de l'orage. Et puis mon pauvre orage ne tient pas en tout *trois* lignes, et à des endroits différents ! L'incendie qui suit m'a été inspiré par un épisode de l'histoire de Massinissa, par un autre de l'histoire d'Agathocle et par un passage d'Hirtius, – tous les trois dans des circonstances analogues. Je ne sors pas du milieu, du pays même de mon action, comme vous voyez.

A propos des parfums de Salammbô, vous m'attribuez plus d'imagination que je n'en ai. Sentez donc, humez dans la Bible Judith et Esther ! On les pénétrait, on les empoisonnait de parfums, littéralement. C'est ce que j'ai eu soin de dire au commencement, dès qu'il a été question de la maladie de Salammbô.

Pourquoi ne voulez-vous pas non plus que *la description du Zaïmph* ait été pour *quelque chose* dans la perte de la bataille, puisque l'armée des Mercenaires contenait des gens qui croyaient au Zaïmph ! J'indique les causes principales (trois mouvements militaires) de cette perte ; puis j'ajoute celle-là comme cause secondaire et dernière.

Dire que j'ai *inventé des supplices* aux funérailles des Barbares n'est pas exact. Heindreich (*Carthago, seu Carth, respublica*, 1664) a réuni des textes pour prouver que les Carthaginois avaient coutume de mutiler les cadavres de leurs ennemis ; et vous vous étonnez que des barbares qui sont vaincus, désespérés, enragés, ne leur rendent pas la pareille, n'en fassent pas autant une fois et cette fois-là seulement ? Faut-il vous rappeler Madame de Lamballe, les *Mobiles* en 48, et ce qui se passe actuellement aux États-Unis ? J'ai été sobre et très doux, au contraire.

Et puisque nous sommes en train de nous dire nos vérités, franchement, je vous avouerai, cher maître, que la *pointe d'imagination sadique* m'a un peu blessé. Toutes vos paroles sont graves. Or un tel mot de vous, lorsqu'il est imprimé, devient presque une flétrissure. Oubliez-vous que je me suis assis sur les bancs de la Correctionnelle comme prévenu d'outrage aux mœurs, et que les imbéciles et les méchants se font des armes de tout ? Ne soyez donc pas étonné si un de ces jours vous lisez dans quelque petit journal diffamateur, comme il en existe, quelque chose d'analogue à ceci : « M. G. Flaubert est un disciple de Sade. Son ami, son parrain, un maître en fait de critique, l'a dit lui-même assez clairement, bien qu'avec cette finesse et cette bonhomie railleuse, qui etc. » Qu'aurais-je à répondre, – et à faire ?

Je m'incline devant ce qui suit. Vous avez raison, cher maître, j'ai donné le coup de pouce, j'ai forcé l'histoire, et comme vous le dites très bien, *j'ai voulu faire un siège*. Mais dans un sujet militaire, où est le mal ? – Et puis je ne l'ai pas complètement inventé, ce siège, je l'ai seulement un peu chargé. Là est toute ma faute.

Mais pour *le passage de Montesquieu* relatif aux immolations d'enfants, je m'insurge. Cette horreur ne fait pas dans mon esprit un *doute*. (Songez donc que les sacrifices humains n'étaient pas complètement abolis en Grèce à la bataille de Leuctres ? 370 avant Jésus-Christ.) Malgré la condition imposée par Gélon (480), dans la guerre contre Agathocle (302), on brûla, selon Diodore, 200 enfants, et quant aux époques postérieures, je m'en rapporte à Silius Italicus, à Eusèbe, et surtout à saint Augustin, lequel affirme que la chose se passait encore quelquefois de son temps.

Vous regrettez que je n'aie point introduit parmi les Grecs un philosophe, un raisonneur chargé de nous faire un cours de morale ou commettant de bonnes actions, un monsieur enfin *sentant comme nous*. Allons donc ! était-ce possible ! Aratus que vous rappelez est précisément celui d'après lequel j'ai rêvé Spendius ; c'était un homme d'escalades et de ruses qui tuait très bien la nuit les sentinelles et qui avait des éblouissements au grand jour. Je me suis refusé un contraste, c'est vrai ; mais un contraste facile, un contraste *voulu* et faux.

J'ai fini l'analyse et j'arrive à votre jugement. Vous avez peut-être raison dans vos considérations sur le roman historique appliqué à l'antiquité, et il se peut très bien que j'aie échoué. Cependant, d'après toutes les vraisemblances et mes impressions, à moi, je crois avoir fait quelque chose qui ressemble à Carthage. Mais là n'est pas la question. Je me moque de l'archéologie ! Si la couleur n'est pas une, si les détails détonnent, si les mœurs ne dérivent pas de la religion et les faits des passions, si les caractères ne sont pas suivis, si les costumes ne sont pas appropriés aux usages et les architectures au climat, s'il n'y a pas, en un mot, harmonie, je suis dans le faux. Sinon, non. Tout se tient.

Mais le milieu vous agace ! Je le sais, ou plutôt je le sens. Au lieu de rester à votre point de vue personnel, votre point de vue de lettré, de moderne, de Parisien, pourquoi n'êtes-vous pas venu de mon côté ? *L'âme humaine n'est point partout la même*, bien qu'en dise M. Levallois. La moindre vue sur le monde est là pour prouver le contraire. Je crois même avoir été moins dur pour l'humanité dans *Salammbô* que dans *Madame Bovary*. La curiosité, l'amour qui m'a poussé vers des religions et des peuples disparus, a quelque chose de moral et de sympathique, il me semble.

Quant au style, j'ai moins sacrifié dans ce livre-là que dans l'autre à la rondeur de la phrase et à la période. Les métaphores y sont rares et les épithètes positives. Si je mets *bleues* après *pierres*, c'est que *bleues* est le mot juste, croyez-moi, et soyez également persuadé que l'on distingue très bien la couleur des pierres à la clarté des étoiles. Interrogez là-dessus tous les voyageurs en Orient, ou allez-y voir.

Et puisque vous me blâmez pour certains mots, *énorme* entre autres, que je ne défends pas (bien qu'un silence excessif fasse l'effet du vacarme), moi aussi je vous reprocherai quelques expressions.

Je n'ai pas compris la citation de Désaugiers, ni quel était son but. J'ai froncé les sourcils à *bibelots* carthaginois, – *diable de manteau*, – *ragoût* et *pimenté* pour Salammbô qui *batifole* avec le serpent, – et devant le *beau drôle de Lybien* qui n'est ni beau ni drôle, – et à l'imagination *libertine* de Schahabarim.

Une dernière question, ô maître, une question inconvenante : pourquoi trouvez-vous Schahabarim presque comique et vos bonshommes de Port-Royal si sérieux ? Pour moi, M. Singlin est funèbre à côté de mes éléphants. Je regarde des Barbares tatoués comme étant moins anti-humains, moins spéciaux, moins cocasses, moins rares que des gens vivant en commun, et qui s'appellent jusqu'à la mort *Monsieur !* – Et c'est précisément parce qu'ils sont très loin de moi que j'admire votre talent à me les faire comprendre. – Car j'y crois, à Port-Royal, et je souhaite encore moins y vivre qu'à Carthage. Cela aussi était exclusif, hors nature, forcé, tout d'un morceau, et cependant vrai. Pourquoi ne voulez-vous pas que deux vrais existent, deux excès contraires, deux monstruosités différentes ?

Je vais finir. – Un peu de patience ! Etes-vous curieux de connaître la faute *énorme* (*énorme* est ici à sa place) que je trouve dans mon livre. La voici :

1° Le piédestal est trop grand pour la statue. Or, comme on ne pèche jamais par *le trop*, mais par *le pas assez*, il aurait fallu cent pages de plus relatives à Salammbô seulement.

2° Quelques transitions manquent. Elles existaient ; je les ai retranchées ou trop raccourcies, dans la peur d'être ennuyeux.

3° Dans le chapitre vi, tout ce qui se rapporte à Giscon est *de même tonalité* que la deuxième partie du chapitre ii

(Hannon). C'est la même situation, et il n'y a point progression d'effet.

4° Tout ce qui s'étend depuis la bataille du Macar jusqu'au serpent, et tout le chapitre xiii jusqu'au dénombrement des Barbares, s'enfonce, disparaît dans le souvenir. Ce sont des endroits de second plan, ternes, transitoires, que je ne pouvais malheureusement éviter et qui alourdissent le livre, malgré les efforts de prestesse que j'ai pu faire. Ce sont ceux-là qui m'ont le plus coûté, que j'aime le moins et dont je me suis le plus reconnaissant.

5° L'aqueduc.

Aveu ! mon opinion *secrète* est qu'il n'y avait point d'aqueduc à Carthage, malgré les ruines actuelles de l'aqueduc. Aussi ai-je eu le soin de prévenir d'avance toutes les objections par une phrase hypocrite à l'adresse des archéologues. J'ai mis les pieds dans le plat, lourdement, en rappelant que c'était une invention romaine, alors nouvelle, et que l'aqueduc d'à présent a été refait sur l'ancien. Le souvenir de Bélisaire coupant l'aqueduc romain de Carthage m'a poursuivi, et puis c'était une belle entrée de Spendius et Mâtho. N'importe ! Mon aqueduc est une lâcheté ! *Confiteor.*

Autre et dernière coquinerie : Hannon.

Par amour de la clarté, j'ai faussé l'histoire quant à sa mort. Il fut bien, c'est vrai, crucifié par les Mercenaires, mais en Sardaigne. Le général crucifié à Tunis en face de Spendius s'appelait Hannibal. Mais quelle confusion cela eût fait pour le lecteur.

Tel est, cher maître, ce qu'il y a selon moi, de pire dans mon livre. Je ne vous dis pas ce que j'y trouve de bon. Mais soyez sûr que je n'ai point fait une Carthage fantastique. Les documents sur Carthage existent, et ils ne sont pas tous dans Movers. Il faut aller les chercher un peu loin. Ainsi Ammien-Marcellin m'a fourni la forme *exacte* d'une porte, le poème de Coripus (la *Johannide*), beaucoup de détails sur les peuplades africaines, etc., etc.

Et puis mon exemple sera peu suivi. Où donc alors est le danger ? Les Leconte de Lisle et les Baudelaire sont moins à craindre que les... et les... dans ce doux pays de France où le superficiel est une qualité, et où le banal, le facile et le niais sont toujours applaudis, adoptés, adorés. On ne risque de corrompre personne quand on aspire à la grandeur. Ai-je mon pardon ?

Je termine en vous disant encore une fois merci, mon cher maître. En me donnant des égratignures, vous m'avez très tendrement serré les mains, et bien que vous m'ayez quelque peu ri au nez, vous ne m'en avez pas moins fait trois grands saluts, trois grands articles très détaillés, très considérables et qui ont dû vous être plus pénibles qu'à moi. C'est de cela surtout que je vous suis reconnaissant. Les conseils de la fin ne seront pas perdus, et vous n'aurez eu affaire ni à un sot ni à un ingrat.

Tout à vous,
GUSTAVE FLAUBERT.

RÉPONSE DE SAINTE-BEUVE

Ce 26 décembre 1862.

Mon cher ami,

J'attendais avec impatience cette lettre promise. Je l'ai lue hier soir, et je la relis ce matin. Je ne regrette plus d'avoir fait ces articles, puisque je vous ai amené à *sortir* ainsi toutes vos raisons. Ce soleil d'Afrique a eu cela de singulier que toutes nos humeurs à tous, même nos humeurs secrètes, ont fait irruption. *Salammbô*, indépendamment de la dame, est dès à présent, le nom d'une bataille, de plusieurs batailles.

Je compte faire ceci : mes articles restant ce qu'ils sont, en les réimprimant je mettrai, à la fin du volume, ce que vous appelez votre *Apologie*, et sans plus de réplique de ma part. J'avais tout dit; vous répondez : les lecteurs attentifs jugeront. Ce que j'apprécie surtout, et ce que chacun sentira, c'est cette élévation d'esprit et de caractère qui vous a fait supporter tout naturellement mes contradictions et qui oblige envers vous à plus d'estime. M. Lebrun (de l'Académie), un homme juste, me disait l'autre jour à propos de vous : « Après tout, il sort de là un plus gros monsieur qu'auparavant. » Ce sera l'impression générale et définitive...

C.-A. SAINTE-BEUVE.

LETTRE DE FLAUBERT
A M. FRŒHNER
RÉDACTEUR DE LA REVUE CONTEMPORAINE

Paris, 21 janvier 1863.

Monsieur,

Je viens de lire votre article sur *Salammbô* paru dans la *Revue contemporaine* le 31 décembre 1862. Malgré l'habitude où je suis de ne répondre à aucune critique, je ne puis accepter la vôtre. Elle est pleine de convenance et de choses extrêmement flatteuses pour moi; mais comme elle met en doute la sincérité de mes études, vous trouverez bon, s'il vous plaît, que je relève ici, plusieurs de vos assertions.

Je vous demanderai d'abord, monsieur, pourquoi vous me mêlez si obstinément à la collection Campana en affirmant qu'elle a été ma ressource, mon inspiration permanente? Or, j'avais fini *Salammbô* au mois de mars, six semaines avant l'ouverture de ce musée. Voilà une erreur déjà. Nous en trouverons de plus graves.

Je n'ai, monsieur, nulle prétention à l'archéologie. J'ai donné mon livre pour un roman, sans préface, sans notes, et je m'étonne qu'un homme illustre, comme vous, par des travaux si considérables, perde ses loisirs à une littérature si légère! J'en sais cependant assez, monsieur, pour oser dire que vous errez complètement d'un bout à l'autre de votre travail, tout le long de vos dix-huit pages, à chaque paragraphe et à chaque ligne.

Vous me blâmez « de n'avoir consulté ni Falbe ni Dureau de la Malle, dont j'aurais pu tirer profit ». Mille pardons! je les ai lus, plus souvent que vous peut-être, et sur les ruines mêmes de Carthage. Que vous ne sachiez « rien de satisfaisant sur la forme ni sur les principaux quartiers », cela se peut, mais d'autres, mieux informés, ne partagent pas votre scepticisme. Si l'on ignore où était le faubourg Aclas, l'endroit appelé Fuscimus, la position exacte des portes principales dont on a les noms, etc., on connaît assez bien l'emplacement de la ville, l'appareil architectonique des murailles, la Tænia, le Môle et le Cothon. On sait que les maisons étaient enduites de bitume et les rues dallées; on a une idée de l'Ancô décrit dans mon chapitre XV, on a entendu parler de Malquâ, de Byrsa, de Mégara, des Mappales et des Catacombes, et du temple d'Eschmoûn situé sur l'Acropole, et de celui de Tanit, un peu à droite en tournant le dos à la mer. Tout cela se trouve (sans parler d'Appien, de Pline et de Procope) dans ce même Dureau de la Malle, que vous m'accusez d'ignorer. Il est donc regrettable, monsieur, que vous ne soyez pas « entré dans des détails fastidieux pour montrer » que je n'ai aucune idée de l'emplacement et de la disposition de l'ancienne Carthage « moins encore que Dureau de la Malle », ajoutez-vous. Mais que faut-il croire? à qui se fier, puisque vous n'avez

pas eu jusqu'à présent l'obligeance de révéler votre système sur la topographie carthaginoise?

Je ne possède, il est vrai, aucun texte pour vous prouver qu'il existait une rue des Tanneurs, des Parfumeurs, des Teinturiers. C'est en tout cas une hypothèse vraisemblable, convenez-en! Mais je n'ai point inventé Kinisdo et Cynasyn « mots, dites-vous, dont la structure est étrangère à l'esprit des langues sémitiques ». Pas si étrangère cependant, puisqu'ils sont dans Gesenius – presque tous mes noms puniques, défigurés, selon vous, étant pris dans Gesenius (*Scripturae linguaeque phœniciae*, etc.,) ou dans Falbe, que j'ai consulté, je vous assure.

Un orientaliste de votre érudition, monsieur, aurait dû avoir un peu plus d'indulgence pour le nom numide de Naravasse que j'écris Narr'Havas, de *Nar-el-haouah*, feu du souffle. Vous auriez pu deviner que les deux *m* de Salammbô sont mis exprès pour faire prononcer Salam et non Salan, et supposer charitablement que Egates, au lieu de Ægates, était une faute typographique, corrigée du reste dans la seconde édition de mon livre, antérieure de quinze jours à vos conseils. Il en est de même de *Scissites* pour *Syssites* et du mot Kabires, que l'on avait imprimé sans un k (horreur) jusque dans les ouvrages les plus sérieux tels que *les Religions de la Grèce antique*, par Maury. Quant à Schalischim, si je n'ai pas écrit (comme j'aurais dû le faire) Rosch-eisch-Schalischim, c'était pour raccourcir un nom déjà trop rébarbatif, ne supposant pas d'ailleurs que je serais examiné par des philologues. Mais puisque vous êtes descendu jusqu'à ces chicanes de mots, j'en reprendrai chez vous deux autres : 1° *Compendieusement*, que vous employez tout au rebours de la signification pour dire abondamment, prolixement, et 2° *carthachinoiserie*, plaisanterie excellente, bien qu'elle ne soit pas de vous, et que vous avez ramassée au commencement du mois dernier dans un petit journal. Vous voyez, monsieur, que si vous ignorez parfois mes auteurs, je sais les vôtres. Mais il eût mieux valu, peut-être, négliger « ces minutes qui se refusent », comme vous le dites fort bien, « à l'examen de la critique ».

Encore une cependant! Pourquoi avez-vous souligné le *et* dans cette phrase (un peu tronquée) de ma page 156 : « Achète-moi des Cappadociens *et* des Asiatiques ». Est-ce pour briller en voulant faire accroire aux badauds que je ne distingue pas la Cappadoce de l'Asie Mineure? Mais je la connais, monsieur, je l'ai vue, je m'y suis promené!

Vous m'avez lu si négligemment que presque toujours vous me *citez à faux*. Je n'ai dit nulle part que les prêtres aient formé une caste particulière; ni page 109, que les soldats libyens fussent « possédés de l'envie de boire du fer », mais que les barbares menaçaient les Carthaginois de leur faire boire du fer; ni page 108, que les gardes de la légion « portaient au milieu du front une corne d'argent pour les faire rassembler à des rhinocéros », mais, « leurs gros chevaux avaient, etc.; » ni page 29, que les paysans un jour s'amusèrent à crucifier deux cents lions. Même observation pour ces malheureuses Syssites, que j'ai employées, selon vous, « ne sachant pas, sans doute, que ce mot signifiait des corporations particulières ». *Sans doute* est aimable. Mais sans doute je savais ce qu'étaient ces corporations et l'étymologie du mot, puisque je le traduis en français la première fois qu'il apparaît dans mon livre, page 7. « *Syssites*, compagnies (de commerçants) qui mangeaient en commun. » Vous avez de même faussé un passage de Plaute, car il n'est point démontré dans *Paenulus* que « les Carthaginois savaient toutes les langues », ce qui eût été un curieux privilège pour une nation entière. Il y a tout simplement dans le prologue, v. 112 : « *Is omnes linguas scit* »; ce qu'il faut traduire : « celui-là sait toutes les langues », le Carthaginois en question et non tous les Carthaginois.

Il n'est pas vrai de dire que « Hannon n'a pas été crucifié dans la guerre des Mercenaires, attendu qu'il commandait des armées longtemps encore après », car vous trouverez dans Polybe, monsieur, que les rebelles se saisirent de sa personne, et l'attachèrent à une croix (en Sardaigne, il est vrai mais à la même époque), livre Iᵉʳ, chapitre xvii. Ce n'est donc pas « ce personnage » qui « aurait à se plaindre de M. Flaubert », mais plutôt Polybe qui aurait à se plaindre de M. Frœhner.

Pour les sacrifices d'enfants, il est si peu *impossible* qu'au siècle d'Hamilcar on les brûlât vifs, qu'on en brûlait encore au temps de Jules César et de Tibère, il faut s'en rapporter à Cicéron *(Pro Balbo)* et à Strabon (liv III). Cependant, « la statue de Moloch ne ressemble pas à la machine infernale décrite dans *Salammbô*. Cette figure composée de sept cases étagées l'une sur l'autre pour y enfermer des victimes appartient à la religion gauloise. M. Flaubert n'a aucun prétexte d'analogie pour justifier son audacieuse transposition. »

Non! je n'ai aucun prétexte, c'est vrai! mais j'ai un texte, à savoir le texte, la description même de Diodore, que vous rappelez et qui n'est autre que la mienne, comme vous pourriez vous en convaincre en daignant lire ou relire le livre XX de Diodore, chapitre iv, auquel vous joindrez la paraphrase chaldaïque de Paul Fage dont vous ne parlez pas et qui est citée par Selten, *De diis syriis*, p. 164-170 avec Eusèbe *Préparation évangélique*, livre Iᵉʳ.

Comment se fait-il aussi que l'histoire ne dise rien du manteau miraculeux, puisque vous dites vous-même « qu'on le montrait dans le temple de Vénus, mais bien plus tard et seulement à l'époque des empereurs romains »? Or, je trouve dans Athénée, xii, 50, la description très minutieuse de ce manteau, *bien que l'histoire n'en dise rien*. Il fut acheté à Denys l'Ancien 120 talents, porté à Rome par Scipion-Émilien, reporté à Carthage par Caïus Gracchus, revint à Rome sous Héliogabale, puis fut vendu à Carthage. Tout cela se trouve encore dans Dureau de la Malle, dont j'ai tiré profit, décidément.

Trois lignes plus bas, vous affirmez, avec la même... candeur que « la plupart des autres dieux invoqués dans *Salammbô sont de pure invention* » et vous ajoutez : « Qui a entendu parler d'un Aptoukhos? » Qui? d'Avezac *(Cyrénaïque)* à propos d'un temple dans les environs de Cyrène; « d'un Schaoûl? un tel nom que je donne à un esclave (voyez ma page 91); « ou d'un Matismann? ». Il est mentionné comme Dieu par Corippus. (Voyez Johanneis et *Mém. de l'Académie des Inscript.*, tome xii, p. 181). « Qui ne sait que Micipsa n'était pas une divinité mais un homme? » Or, c'est ce que je dis, monsieur, et très clairement, dans cette même page 91, quand Salammbô appelle ses esclaves : « A moi, Kroum, Enva, Micipsa, Schaoûl! »

Vous m'accusez de prendre pour deux divinités distinctes Astaroth et Astarté. Mais au commencement, page 48, lorsque Salammbô invoque Tanit, elle l'invoque par tous ses noms à la fois : « Anaïtis, Astarté, Derceto, Astaroth, Tiratha; » et même j'ai pris soin de dire, un peu plus bas, page 52, qu'elle répétait « tous ces noms sans qu'ils eussent pour elle de signification distincte ». Seriez-vous comme Salammbô? Je suis tenté de le croire, puisque vous faites de Tanit la déesse de la guerre et non de l'amour, de l'élément femelle, humide, fécond, en dépit de Tertullien, et de ce nom même de Tiratha, dont vous rencontrez l'explication peu décente, mais claire, dans Movers, *Phenic.* livre Iᵉʳ, p. 574.

Vous vous ébahissez ensuite des singes consacrés à la lune et des chevaux consacrés au soleil. « Ces détails, vous en êtes sûr, ne se trouvent dans aucun auteur ancien, ni dans aucun monument authentique ». Or, je me permettrai, pour les singes, de vous rappeler, monsieur, que les cynocéphales étaient, en Égypte, consacrés à la lune comme on le voit encore sur les murailles des temples, et que les cultes égyptiens avaient pénétré en Lybie et dans les oasis. Quant aux chevaux, je ne dis pas qu'il y en ait de consacrés à Esculape, mais à Eschmoûn, assimilé à Esculape, Iolaüs, Apollon, le Soleil. Or, je vois les chevaux consacrés au soleil dans Pausanias (livre Iᵉʳ, chap. 1), et dans la Bible (*Rois*, liv. II, ch. xxxii). Mais peut-être nierez-vous que les temples d'Égypte soient des monuments authentiques, et la Bible, et Pausanias des auteurs anciens.

A propos de la Bible je prendrai encore, monsieur, la liberté grande de vous indiquer le tome II de la traduction de Cahen, page 136, où vous lirez ceci : « Ils portaient au cou, suspendue à une chaîne d'or, une petite figure de pierre précieuse qu'ils appelaient la Vérité. Les débats s'ouvraient lorsque le président mettait devant soi, l'image de la Vérité. » C'est un texte de Diodore. En voici un autre d'Élien : « Le plus âgé d'entre eux était leur chef et leur juge à tous; il portait autour du cou une image en saphir. On appelait cette image la Vérité. » C'est ainsi, monsieur, que « cette Vérité-là est une jolie invention de l'auteur ».

Mais tout vous étonne : le molobathre, que l'on écrit très bien (ne vous en déplaise) malobathre ou malabathre, la poudre d'or que l'on ramasse aujourd'hui, comme autrefois, sur le rivage de Carthage, les oreilles des éléphants peintes en bleu, les hommes qui se barbouillent de vermillon et mangent de la vermine et des singes, les Lydiens en robes de femmes, les escarboucles de lynx, les mandragores qui sont dans Hippocrate, la chaînette des chevilles qui est dans le Cantique des Cantiques (Cahen, t. xvi, 37) et les silphium, les barbes enveloppées, les lions en croix, etc., tout!

Eh bien! non, monsieur, je n'ai point « emprunté tous ces détails aux nègres de la Sénégambie ». Je vous renvoie, pour les éléphants, à l'ouvrage d'Armandi, p. 256 et aux autorités qu'il indique, telles que Florus, Diodore, Ammien-Marcellin et autres nègres de la Sénégambie.

Quant aux nomades qui mangent des singes, croquent des poux et se barbouillent de vermillon, comme on pourrait « vous demander à quelle source l'auteur a puisé ces précieux renseignements » et que, « vous seriez », d'après votre aveu, « *très embarrassé* de le dire », je vais vous donner, humblement, quelques indications qui faciliteront vos recherches.

« Les Maxies... se peignent le corps avec du vermillon. Les Gysantes se peignent tous avec du vermillon et mangent des singes. Les femmes (celles des Adrymachydes), si elles sont mordues par un pou, elles le prennent, le mordent, etc. » Vous verrez tout cela dans le IVᵉ livre d'Hérodote, aux chapitres cxcix, cxci, clxviii. Je ne suis pas embarrassé de le dire.

Le même Hérodote m'a appris dans la description de l'armée de Xerxès, que les Lydiens avaient des robes de femmes; de plus Athénée, dans le chapitre des Étrusques et de leur ressemblance avec les Lydiens, dit qu'ils portaient des robes de femmes; enfin, le Bacchus lydien est toujours représenté en costume de femme. Est-ce assez pour les Lydiens et leur costume?

Les barbes enfermées en signe de deuil sont dans Cahen (Ézéchiel, chap. xxiv, 17) et au menton des colosses égyptiens, ceux d'Abou-Simbal, entre autres; les escarboucles formées par l'urine de lynx, dans Théophraste, *Traité des pierreries*, et dans Pline, livre VIII, chap. lvii. Et pour qui regarde les lions crucifiés (dont vous portez le nombre à deux cents, afin de me gratifier, sans doute, d'un ridicule que je n'ai pas), je vous prie de lire dans le même livre de Pline le chapitre XVIII, où vous apprendrez que Scipion-Émilien et Polybe, se promenant ensemble dans la campagne carthaginoise, en virent de suppliciés dans cette position, « *Quia caeteri metu pœnœ similis absterrentur eadem noscia,* » Sont-ce là, monsieur, de ces passages pris sans discernement dans l'*Univers pittoresque*, « et que la haute critique a employés avec succès contre moi »? De quelle haute critique parlez-vous? Est-ce de la vôtre?

Vous vous égayez considérablement sur les grenadiers que l'on arrosait avec du silphium. Mais ce détail, monsieur, n'est pas de moi. Il est dans Pline, livre XVII, chap. XLVII. J'en suis bien fâché pour votre plaisanterie sur « l'ellébore que l'on devrait cultiver à Charenton »; mais comme vous le dites vous-mêmes, l'esprit le plus pénétrant ne saurait suppléer au défaut de connaissances acquises ».

Vous en avez manqué complètement en affirmant que « parmi les pierres précieuses du trésor d'Hamilcar, plus d'une appartient aux légendes et aux superstitions chrétiennes ». Non! monsieur, elles sont *toutes* dans Pline et dans Théophraste.

Les stèles d'émeraudes, à l'entrée du temple, qui vous font rire, car vous êtes gai, sont mentionnées par Philostrate *(Vie d'Apollonius)* et par Théophraste *(Traité des pierreries)*. Heeren (t. II) cite sa phrase : « La plus grosse émeraude bactrienne se trouve à Tyr dans le Temple d'Hercule. C'est une colonne d'assez forte dimension. » Autre passage de Théophraste (traduction de Hill) : « Il y avait dans leur temple de Jupiter un obélisque composé de quatre émeraudes. »

Malgré « vos connaissances acquises », vous confondez le jade, qui est une néphrite d'un vert brun et qui vient de Chine, avec le jaspe, variété de quartz que l'on trouve en Europe et en Sicile. Si vous aviez ouvert, par hasard, le *Dictionnaire de l'Académie française*, au mot *jaspe*, vous eussiez appris, sans aller plus loin, qu'il y en avait de noir, de rouge et de blanc. Il fallait donc, monsieur, modérer les transports de votre indomptable verve et ne pas reprocher folâtrement à mon maître et ami Théophile Gautier d'avoir prêté à une femme (dans son *Roman de la Momie*) des pieds verts quand il lui a donné des pieds blancs. Ainsi, ce n'est point lui, mais vous, qui avez fait *une erreur ridicule*.

Si vous dédaigniez un peu moins les voyages, vous auriez pu voir au musée de Turin le propre bras de sa momie, rapportée par M. Passalacqua, d'Egypte, et dans la pose que décrit Th. Gautier, *cette pose* qui, d'après vous, *n'est certainement pas égyptienne*. Sans être ingénieur non plus, vous auriez appris ce que sont les Sakiehs pour amener l'eau des maisons, et vous seriez convaincu que je n'ai point abusé des vêtements noirs en les mettant dans des pays où ils foisonnent et où les femmes de la haute classe ne sortent que vêtues de manteaux noirs. Mais comme vous préférez les témoignages écrits, je vous recommanderai, pour tout ce qui concerne la toilette des femmes, Isaïe, III, 3, la Mischna tit. de Sabbatho; Samuel, XIII, 18; saint Clément d'Alexandrie, *Pæd.*, II, 13, et les dissertations de l'abbé Mignot, dans les Mémoires de l'Académie des Inscriptions, t. XLII. Et quant à cette abondance d'ornements que vous ébahit si fort, j'étais bien en droit d'en prodiguer à des peuples qui incrustaient dans le sol de leurs appartements des pierreries (Voy. Cahen, Ézéchiel. 28. 14). Mais vous n'êtes pas heureux en fait de pierreries.

Je termine, monsieur, en vous remerciant des formes amènes que vous avez employées, chose rare, maintenant. Je n'ai relevé parmi vos inexactitudes que les plus grossières,

qui touchaient à des points spéciaux. Quant aux critiques vagues, aux appréciations personnelles et à l'examen littéraire de mon livre je n'y ai pas même fait allusion. Je me suis tenu tout le temps sur votre terrain, celui de la science, et je vous répète encore une fois que j'y suis médiocrement solide. Je ne sais ni l'hébreu, ni l'arabe, ni l'allemand, ni le grec, ni le latin, et je ne me vante pas de savoir le français. J'ai usé souvent des traductions, mais quelquefois aussi des originaux. J'ai consulté, dans mes incertitudes, les hommes qui passent en France pour les plus compétents, et si je n'ai pas été *mieux guidé*, c'est que je n'avais point l'honneur, l'avantage de vous connaître : Excusez-moi! si j'avais pris vos conseils, aurais-je « *mieux réussi* »? J'en doute. En tout cas, j'eusse été privé des marques de bienveillance que vous me donnez çà et là dans votre article et je vous aurais épargné l'espèce de remords qui le termine. Mais rassurez-vous, monsieur, bien que vous paraissiez effrayé vous-même de votre force et que vous pensiez sérieusement avoir déchiqueté mon livre pièce à pièce », n'ayez aucune *peur*, tranquillisez-vous! car vous n'avez pas été *cruel*, mais *léger*.

J'ai l'honneur d'être, etc.

GUSTAVE FLAUBERT.

LETTRE DE FLAUBERT
AU DIRECTEUR DE L'OPINION NATIONALE

2 février 1863.

Mon cher Monsieur Guéroult,

Excusez-moi si je vous importune encore une fois. Mais comme M. Frœhner doit reproduire dans l'*Opinion nationale* ce qu'il vient de publier dans la *Revue contemporaine*, je me permets de lui dire que :

J'ai commis effectivement une erreur *très* grave. Au lieu de Diodore, livre XX, chap. IV, lisez chapitre XIX. Autre erreur. J'ai oublié un texte à propos de la statue de Moloch, dans la mythologie du docteur Jacobi, traduction de Bernard, page 322, où il verra une fois de plus les sept compartiments qui l'indignent.

Et, bien qu'il n'ait pas daigné me répondre un seul mot touchant : 1º la topographie de Carthage; 2º le manteau de Tanit; 3º les noms puniques que j'ai travestis et 4º les dieux que j'ai inventés, et qu'il ait gardé le même silence : 5º sur les chevaux consacrés au Soleil; 6º sur la statuette de la Vérité; 7º sur les coutumes bizarres des nomades; 8º sur les lions crucifiés, et 9º sur les arrosages de silphium, avec 10º les escarboucles de lynx et 11º les superstitions chrétiennes relatives aux pierreries; en taisant de même sur le jade 12º; et sur le jaspe 13º; sans en dire plus long quant à tout ce qui concerne : 14º Hannon; 15º les costumes des femmes; 16º les robes des Lydiens; 17º la pose fantastique de la momie égyptienne; 18º le musée Campana; 19º les citations (peu exactes) qu'il fait de mon livre, et 20º mon latin, qu'il vous convie de trouver faux, etc.

Je suis prêt, néanmoins, sur cela, comme sur tout le reste, à reconnaître qu'il a raison et que l'antiquité est sa propriété particulière. Il peut donc s'amuser en paix *à détruire mon édifice* et prouver que je ne sais rien du tout, comme il l'a fait victorieusement pour MM. Léon Heuzey et Léon Renier, car je ne lui répondrai pas, je ne m'occuperai plus de ce monsieur.

Je retire un mot qui me paraît l'avoir contrarié. Non M. Frœhner n'est pas *léger*, il est tout le contraire. Et si je l'ai choisi pour victime parmi tant d'écrivains qui ont rabaissé « mon livre », c'est qu'il m'avait semblé le plus sérieux. Je me suis bien trompé.

Enfin, puisqu'il se mêle de ma biographie (comme si je m'inquiétais de la sienne!) en affirmant par deux fois (il le sait!) que j'ai été six ans à écrire *Salammbô*, je lui avouerai que je ne suis pas bien sûr, à présent, d'avoir jamais été à Carthage.

Il nous reste, l'un et l'autre, à vous remercier, cher monsieur, moi pour m'avoir ouvert votre journal spontanément et d'une si large manière, et quant à lui, M. Frœhner, il doit vous savoir un gré infini. Vous lui avez donné l'occasion d'apprendre à beaucoup de monde son existence. Cet étranger tenait à être connu; maintenant il l'est... avantageusement.

Mille cordialités.

GUSTAVE FLAUBERT.

HOMMAGE A LOUIS BOUILHET

Louis Bouilhet, le compagnon et l'ami de Flaubert, meurt, épuisé par l'albumine, le 18 juillet 1869, à l'âge de quarante-huit ans. Son dernier drame, Mademoiselle Aïssé, *allait être monté par l'Odéon. Malgré son chagrin, ou plutôt stimulé par lui et désireux avant tout d'être utile à la mémoire de son ami en même temps que d'en obliger la compagne, désormais dans la gêne, Flaubert s'emploie activement à faire jouer la pièce. Après maintes démarches, il verra ses efforts couronnés : le 6 janvier 1872, l'Odéon créait en effet le drame, dont le succès fut, du reste, fort mitigé.*

La fidélité de Flaubert à la mémoire du disparu va se manifester à deux reprises encore. Flaubert entreprend de faire publier à ses frais par son éditeur, Michel Levy, Dernières Chansons, *un recueil de vers inédits laissés par Bouilhet. Le livre paraît à la fin de janvier 1872, précédé d'une chaleureuse préface de Flaubert, dont on trouvera le texte ci-dessous.*

Cette préface semble lui avoir coûté beaucoup d'efforts : rédigée en mai-juin 1870, elle lui paraît si imparfaite, quand il la relit en novembre 1871, qu'il la récrit complètement. Un fragment en paraîtra dans le Temps *du 23 janvier 1872. Mais le peu d'empressement que Levy semble mettre à la diffusion du livre posthume de Bouilhet exaspère Flaubert, qui finit par se brouiller à mort avec son éditeur. C'est Charpentier qui recueillera la succession et publiera désormais l'œuvre du romancier.*

Flaubert avait d'autre part et conjointement pris l'initiative de constituer un comité en vue de l'érection d'un monument à la mémoire du poète disparu (une fontaine surmontée d'un buste). Alors que Flaubert, qui s'est dépensé sans compter, croit toucher au but, le conseil municipal de Rouen refuse, par treize voix contre onze, le 8 décembre 1871, l'emplacement pour le futur monument. Les prétextes invoqués (Bouilhet n'est pas né à Rouen; il y a péril pour le budget municipal; le mérite littéraire du poète est insuffisant) paraissent misérables à ce dévoué servant de l'amitié et il se délivre de son indignation en adressant, le 17 janvier 1872, une Lettre au Conseil municipal de Rouen, *dont le texte sera publié dans le* Temps *du 26 janvier. Le monument à Bouilhet vit bien le jour : son inauguration eut lieu, en effet, le 24 août 1882. Mais Flaubert était mort depuis le 8 mai 1880.*

PRÉFACE AUX "DERNIÈRES CHANSONS", POÉSIES POSTHUMES DE LOUIS BOUILHET

I

On simplifierait peut-être la critique si, avant d'énoncer un jugement, on déclarait ses goûts; car toute œuvre d'art enferme une chose particulière tenant à la personne de l'artiste et qui fait, indépendamment de l'exécution, que nous sommes séduits ou irrités. Aussi notre admiration n'est-elle complète que pour les ouvrages satisfaisant à la fois notre tempérament et notre esprit. L'oubli de cette distinction préalable est une grande cause d'injustice.

Avant tout, l'opportunité du livre est contestée. « Pourquoi ce roman? à quoi sert un drame? qu'avons-nous besoin? etc. » Et, au lieu d'entrer dans l'intention de l'auteur, de lui faire voir en quoi il a manqué son but et comment il fallait s'y prendre pour l'atteindre, on le chicane sur mille choses en dehors de son sujet, en réclamant toujours le contraire de ce qu'il a voulu. Mais si la compétence du critique s'étend au delà du procédé, il devrait tout d'abord établir son esthétique et sa morale.

Aucune de ces garanties ne m'est possible à propos du poète dont il s'agit. Quant à raconter sa vie, elle a été trop confondue avec la mienne, et là-dessus je serai bref, les mémoires individuels ne devant appartenir qu'aux grands hommes. D'ailleurs, n'a-t-on pas abusé du « renseignement »? L'histoire absorbera bientôt toute la littérature. L'étude excessive de ce qui faisait l'atmosphère d'un écrivain nous empêche de considérer l'originalité même de son génie. Du temps de La Harpe, on était convaincu que grâce à de certaines règles, un chef-d'œuvre vient au monde sans rien devoir à quoi que ce soit, tandis que maintenant on s'imagine découvrir sa raison d'être, quand on a bien détaillé toutes les circonstances qui l'environnent.

Un autre scrupule me retient : je ne veux pas démentir une réserve que mon ami a constamment gardée.

A une époque où le moindre bourgeois cherche un piédestal, quand la typographie est comme le rendez-vous de toutes les prétentions et que la concurrence des plus sottes personnalités devient une peste publique, celui-là eut l'orgueil de ne montrer que sa modestie. Son portrait n'ornait point les vitrines du boulevard. On n'a jamais vu une réclamation, une lettre, une seule ligne de lui dans les journaux. Il n'était pas même de l'académie de sa province.

Aucune vie, cependant, ne mériterait plus que la sienne

d'être longuement exposée. Elle fut noble et laborieuse. Pauvre, il sut rester libre. Il était robuste comme un forgeron, doux comme un enfant, spirituel sans paradoxe, grand sans pose; — et ceux qui l'ont connu trouveront que j'en devrais dire davantage.

II

Louis-Hyacinthe BOUILHET naquit à Cany (Seine-Inférieure) le 27 mai 1822[1]. Son père, chef des ambulances dans la campagne de 1812, passa la Bérésina à la nage en portant sur sa tête la caisse du régiment, et mourut jeune par suite de ses blessures; son grand-père maternel, Pierre Hourcastremé, s'occupa de législation, de poésie, de géométrie, reçut des compliments de Voltaire, correspondit avec Turgot, Condorcet, mangea presque toute sa fortune à s'acheter des coquilles, mit au jour les *Aventures de Messire Anselme*, un *Essai sur la faculté de penser*, les *Etrennes de Mnémosyne*, etc., et après avoir été avocat au bailliage de Pau, journaliste à Paris, administrateur de la Marine au Havre, maître de pension à Montivilliers, partit de ce monde presque centenaire, en laissant à son petit-fils le souvenir d'un bonhomme bizarre et charmant, toujours poudré, en culottes courtes, et soignant des tulipes.

L'enfant fut placé à Ingouville, dans un pensionnat, sur le haut de la côte, en vue de la mer; puis, à douze ans, vint au collège de Rouen, où il remporta dans toutes ses classes presque tous les prix, — bien qu'il ressemblât fort peu à ce qu'on appelle un bon élève, ce terme s'appliquant aux natures médiocres et à une tempérance d'esprit qui était rare dans ce temps-là.

J'ignore quels sont les rêves des collégiens, mais les nôtres étaient superbes d'extravagance, — expansions dernières du romantisme arrivant jusqu'à nous, et qui, comprimées par le milieu provincial, faisaient dans nos cervelles d'étranges bouillonnements. Tandis que les cœurs enthousiastes auraient voulu des amours dramatiques avec gondoles, masques noirs et grandes dames évanouies dans des chaises de poste au milieu des Calabres, quelques caractères plus sombres (épris d'Armand Carrel, un compatriote) ambitionnaient le fracas de la presse ou de la tribune, la gloire des conspirateurs. Un rhétoricien composa une *Apologie de Robespierre*, qui, répandue hors du collège, scandalisa un monsieur, si bien qu'un échange de lettres s'ensuivit avec proposition de duel, où le monsieur n'eut pas le beau rôle. Je me souviens d'un brave garçon, toujours affublé d'un bonnet rouge; un autre se promettait de vivre plus tard en mohican; un de mes intimes voulait se faire renégat pour aller servir Abd-el-Kader. Mais on n'était pas seulement troubadour, insurrectionnel et oriental, on était avant tout artiste; les pensums finis, la littérature commençait; et on se crevait les yeux à lire, au dortoir, des romans; on portait un poignard dans sa poche comme Antony; on faisait plus: par dégoût de l'existence, Bar*** se cassa la tête d'un coup de pistolet, And*** se pendit avec sa cravate; nous méritions peu d'éloges certainement! mais quelle haine de toute platitude! quels élans vers la grandeur! quel respect des maîtres! comme on admirait Victor Hugo!

Dans ce petit groupe d'exaltés, Bouilhet était le poète, poète élégiaque, chantre de ruines et de clairs de lune. Bientôt sa corde se tendit et toute langueur disparut — effet de l'âge, puis d'une virulence républicaine tellement naïve qu'il manqua, vers les vingt ans, s'affilier à une société secrète.

Son baccalauréat passé, on lui dit de choisir une pro-

fession; il se décida pour la médecine, et, abandonnant à sa mère son mince revenu, se mit à donner des leçons.

Alors commença une existence triplement occupée par ses besognes de poète, de répétiteur et de carabin. Elle fut pénible tout à fait, lorsque, deux ans plus tard, nommé interne à l'Hôtel-Dieu de Rouen, il entra sous les ordres de mon père, dans le service de chirurgie. Comme il ne pouvait être à l'hôpital durant la journée, ses tours de garde la nuit revenaient plus souvent que ceux des autres; il s'en chargeait volontiers, n'ayant que ces heures-là pour écrire; — et tous ses vers de jeune homme, pleins d'amours, de fleurs et d'oiseaux, ont été faits pendant des veillées d'hiver, devant la double ligne des lits d'où s'échappaient des râles, ou par les dimanches d'été quand, le long des murs, sous sa fenêtre, les malades en houppelande se promenaient dans la cour. Cependant ces années tristes ne furent pas perdues; la contemplation des plus humbles réalités fortifia la justesse de son coup d'œil, et il connut l'homme un peu mieux pour avoir pansé ses plaies et disséqué son corps.

Un autre n'aurait pas tenu à ces fatigues, à ces dégoûts, à cette torture de la vocation contrariée. Mais il supportait tout cela gaiement, grâce à sa vigueur physique et à la santé de son esprit. On se souvient encore, dans sa ville, d'avoir souvent rencontré au coin des rues ce svelte garçon d'une beauté apollonienne, aux allures un peu timides, à grands cheveux blonds, et tenant toujours sous son bras des cahiers reliés. Il écrivait dessus rapidement les vers qui lui venaient, n'importe où, dans un cercle d'amis, entre ses élèves, sur la table d'un café, pendant une opération chirurgicale en aidant à lier une artère; puis il les donnait au premier venu, léger d'argent, riche d'espoir, — vrai poète dans le sens classique du mot.

Quand nous nous retrouvâmes, après une séparation de quatre années, il me montra trois pièces considérables.

La première, intitulée *le Déluge*, exprimait le désespoir d'un amant étreignant sa maîtresse sur les ruines du monde près de s'engloutir:

> *Entends-tu sur les montagnes*
> *Se heurter les palmiers verts ?*
> *Entends-tu dans les campagnes*
> *Le râle de l'univers ?*

Il y avait des longueurs et de l'emphase, mais d'un bout à l'autre un entrain passionné.

Dans la seconde, une satire contre les *Jésuites*, le style, tout différent, était plus ferme:

> *O prêtres de salons, allez sourire aux femmes;*
> *Dans vos filets dorés prenez ces pauvres âmes!*
> ...
> *Et ministres charmants au confessionnal*
> *Tournez la pénitence en galant madrigal!*
> *Ah! vous êtes bien là, héros de l'Évangile,*
> *Parfumant Jésus-Christ des fleurs de votre style*
> *Et faisant chaque jour, martyrs des saintes lois,*
> *Sur des tapis soyeux le chemin de la croix!*
> ...
> *Ces marchands accroupis sur les pieds du Calvaire*
> *Qui vont tirant au sort et lambeau par lambeau,*
> *Se partagent, Seigneur, ta robe et ton manteau;*
> *Charlatans du saint lieu, qui vendent, ô merveille,*
> *Ton cœur en amulette et ton sang en bouteille!*

Il faut se remettre en mémoire les préoccupations de l'époque, et observer que l'auteur avait vingt-deux ans. La pièce est datée 1844.

---

1. Flaubert se trompe, en réalité, Bouilhet est né le 27 mai 1821.

La troisième était une invective « *A un poète vendu* » qui rentrait tout à coup dans la carrière :

A quoi bon réveiller ton ardeur famélique ?
Poursuis par les prés verts ta chaste bucolique !
Sur le rivage en fleur où dort le flot vermeil,
Archange, enivre-toi des feux de ton soleil !
Chante la Syphilis sous les feuilles du saule !
Le manteau de Brutus te blesserait l'épaule,
Et ton âme naïve et ton cœur enfantin
Viendraient, peut-être encore, accuser le Destin !
Le Destin qui t'a pris.....................
...
Va ! c'est l'âpre Plutus qui marche la main pleine
Et cote en souriant la conscience humaine !
Le Destin ! c'est le sac dont le ventre enflé d'or
Est si doux à palper dans un joyeux transport ;
C'est la Corruption qui, des monts aux vallées,
Traîne aux regards de tous ses mamelles gonflées !
C'est la Peur ! c'est la Peur ! fantôme au pied léger
Qui travaille le lâche à l'heure du danger !
...
Ton Apollon, sans doute, en sa prudente course
Pour monter au Parnasse a passé par la Bourse ;
Dans ce ciel politique, où souvent on peut voir
Le soleil du matin s'éteindre avant le soir,
La lunette en arrêt, promènes-tu ton rêve
De Guizot qui pâlit à Thiers qui se lève,
Et, sur le temps mobile, aujourd'hui règles-tu
Ta foi barométrique et ta souple vertu ?
...
Arrière l'homme grec dont les strophes serviles
Ont encensé Xerxès le soir des Thermopyles !

et la suite, du même ton, rudoyait fort le ministère.

Il avait envoyé cette pièce à la *Réforme*, dans l'illusion qu'elle serait insérée. On lui répondit par un refus catégorique, le journal jugeant inopportun de s'exposer à un procès — pour de la littérature.

Ce fut dans ce temps-là, vers la fin de 1845, à la mort de mon père, que Bouilhet quitta définitivement la médecine. Il continua son métier de répétiteur, puis, s'associant à un camarade, se mit à faire des bacheliers. 1848 ébranla sa foi républicaine ; et il devint un littérateur absolu, curieux seulement de métaphores, de comparaisons, d'images, et pour tout le reste, assez froid.

Sa connaissance profonde du latin (il écrivait dans cette langue presque aussi facilement qu'en français) lui inspira quelques-unes des pièces romaines dont sont dans *Festons et Astragales ;* puis le poème de *Malænis* publié par *la Revue de Paris*, à la veille du coup d'Etat.

Le moment était funeste pour les vers. Les imaginations, comme les courages, se trouvaient singulièrement aplaties, et le public, pas plus que le pouvoir, n'était disposé à permettre l'indépendance de l'esprit. D'ailleurs, le style, l'art en soi, paraît toujours insurrectionnel aux gouvernements et immoral aux bourgeois. Ce fut la mode, plus que jamais, d'exalter le sens commun et de honnir la poésie pour vouloir montrer du jugement, on se rua dans la sottise ; tout ce qui n'était pas médiocre ennuyait. Par protestation, il se réfugia vers les mondes disparus et dans l'Extrême-Orient ; de là les *Fossiles* et différentes pièces chinoises.

Cependant la province l'étouffait. Il avait besoin d'un plus large milieu, et, s'arrachant à ses affections, il vint habiter Paris.

Mais à un certain âge, le *sens* de Paris ne s'acquiert plus ; des choses toutes simples, pour celui qui a humé, enfant, l'air du boulevard, sont impraticables à un homme de trente-trois ans, qui arrive dans la grande ville avec peu de relations, pas de rentes et l'inexpérience de la solitude. Alors de mauvais jours commencèrent.

Sa première œuvre, *Madame de Montarcy*, reçue à correction par le Théâtre-Français, puis refusée à une seconde lecture, attendit pendant deux ans, et ne parvint sur la scène de l'Odéon qu'au moins de novembre 1856. Ce fut une représentation splendide. Dès le second acte les bravos interrompirent souvent les acteurs ; un souffle de jeunesse circulait dans la salle ; on eut quelque chose des émotions de 1830. Le succès se confirma. Son nom était connu.

Il aurait pu l'exploiter, collaborer, se répandre, gagner de l'argent. Mais il s'éloigna du bruit, pour aller vivre à Mantes dans une petite maison, à l'angle du pont, près d'une vieille tour. Ses amis venaient le voir le dimanche ; sa pièce terminée, il la portait à Paris.

Il en revenait chaque fois avec une extrême lassitude, causée par les caprices des directeurs, les chicanes de la censure, l'ajournement des rendez-vous, le temps perdu, — ne comprenant pas que l'Art dans les questions d'art pût tenir si peu de place ! Quand il fit partie d'une commission nommée pour détruire les abus au Théâtre-Français, il fut le seul de tous les membres qui n'articula pas de plaintes sur le tarif des droits d'auteur.

Avec quel plaisir il se remettait à sa distraction quotidienne : l'apprentissage du chinois ! car il l'étudia pendant dix ans de suite, uniquement pour se pénétrer du génie de la race, voulant faire plus tard un grand poème sur le Céleste Empire ; ou bien, les jours que le cœur étouffait trop, il se soulageait par des vers lyriques de la contrainte du théâtre.

La chance, favorable à ses débuts, avait tourné ; mais la *Conjuration d'Amboise* fut une revanche qui dura tout un hiver.

Six mois plus tard, la place de conservateur à la bibliothèque municipale de Rouen lui fut donnée. C'était le loisir et la fortune, un rêve ancien qui se réalisait. Presque aussitôt, une langueur le saisit — épuisement de la lutte trop longue. Pour s'en distraire, il essaya de différents travaux, il annotait Du Bartas, relevait dans Origène les passages de Celse, avait repris les tragiques grecs, et composa rapidement sa dernière pièce, *Mademoiselle Aïssé*.

Il n'eut pas le temps de la relire. Son mal (une albuminurie connue trop tard) était irrémédiable, et, le 18 juillet 1869, il expira sans douleur, ayant près de lui une vieille amie de sa jeunesse, avec un enfant qui n'était pas le sien, et qu'il chérissait comme son fils.

Leur tendresse avait redoublé pendant les derniers jours. Mais deux autres personnes se montrèrent simplement atroces, — comme pour confirmer cette règle qui veut que les poètes trouvent dans leur famille les plus amers découragements ; car les observations énervantes, les sarcasmes mielleux, l'outrage direct fait à la Muse, tout ce qui renforce dans le désespoir, tout ce qui vous blesse au cœur, rien ne lui a manqué, — jusqu'à l'empiétement sur la conscience, jusqu'au viol de l'agonie.

Ses compatriotes se portèrent à ses funérailles comme à l'enterrement des hommes publics, les moins lettrés comprenant qu'une intelligence supérieure venait de s'éteindre, qu'une grande force était perdue. La presse parisienne tout entière s'associa à cette douleur ; les plus hostiles même n'épargnèrent pas les regrets ; ce fut comme une couronne envoyée de loin sur son tombeau. Un écrivain catholique y jeta de la fange.

Sans doute, les connaisseurs de vers doivent déplorer qu'une lyre pareille soit muette pour toujours ; mais ceux qu'il avait initiés à ses plans, qui profitèrent de ses conseils, qui enfin connaissaient toute la puissance de son esprit, peuvent seuls se figurer à quelle hauteur il serait parvenu.

Il laisse, outre ce volume et *Aïssé*, trois comédies en prose, une féerie, et le premier acte du *Pèlerinage de Saint-Jacques*, drame en vers et en dix tableaux.

Il avait en projet deux petits poèmes : l'un intitulé *le Bœuf*, pour peindre la vie rustique du Latium; l'autre, *le Dernier Banquet*, aurait fait voir un cénacle de patriciens qui, pendant la nuit où les soldats d'Alaric vont prendre Rome, s'empoisonnent tous dans un festin, en disant la grandeur de l'antiquité et la petitesse du monde moderne. De plus, il voulait faire un roman sur les païens du vᵉ siècle, contre-partie des *Martyrs*, mais avant tout son conte chinois dont le scénario est complètement écrit; enfin, comme ambition suprême, un poème résumant la science moderne et qui aurait été le *de Natura rerum* de notre âge.

III

A qui appartient-il de classer les talents des contemporains, comme si on était supérieur à tous, de dire : Celui-ci est le premier, celui-là le second, cet autre le troisième? Les revirements de la célébrité sont nombreux. Il y a des chutes sans retour, de longues éclipses, des réapparitions triomphantes. Ronsard, avant Sainte-Beuve, n'était-il pas oublié? Autrefois Saint-Amant passait pour un moindre poète que Jacques Delille. *Don Quichotte*, *Gil Blas*, *Manon Lescaut*, *la Cousine Bette* et tous les chefs d'œuvre du roman n'ont pas eu le succès de *l'Oncle Tom*. J'ai entendu dans ma jeunesse faire des parallèles entre Casimir Delavigne et Victor Hugo; et il semble que « notre grand poète national » commence à déchoir. Donc il convient d'être timide. La postérité nous déjuge. Elle rira peut-être de nos dénigrements, plus encore de nos admirations; car la gloire d'un écrivain ne relève pas du suffrage universel, mais d'un petit groupe d'intelligences qui, à la longue, impose son jugement.

Quelques-uns vont se récrier que je décerne à mon ami une place trop haute. Ils ne savent pas plus que moi celle qui lui restera.

Parce que son premier ouvrage est écrit en stances de six vers, à rimes triplées, comme *Namouna*, et débute ainsi :

> *De tous ceux qui jamais ont promené dans Rome,*
> *Du quartier de Suburre au mont Capitolin,*
> *Le cothurne à la grecque et la toge de lin,*
> *Le plus beau fut Paulus,*

tournure pareille à cette autre :

> *De tous les débauchés de la ville du monde*
> *Où le libertinage est à meilleur marché,*
> *De la plus vieille en vice et de la plus féconde,*
> *Je veux dire Paris, le plus grand débauché*
> *C'était Jacques Rolla.*

sans rien voir de plus, et méconnaissant toutes les différences de facture, de poétique et de tempérament, on a déclaré que l'auteur de *Melaenis* copiait Alfred de Musset! Ce fut une condamnation sans appel, une rengaine, — tant il est commode de poser sur les choses une étiquette pour se dispenser d'y revenir!

Je voudrais bien n'avoir pas l'air d'insulter les dieux. Mais qu'on m'indique, chez Musset, un ensemble quelconque où la description, le dialogue et l'intrigue s'enchaînent pendant plus de deux mille vers, avec une telle suite de composition et une pareille tenue dans le langage, une œuvre enfin de cette envergure-là? Quel art il a fallu

pour reproduire toute la société romaine d'une manière qui ne sentît pas le pédant, et dans les bornes étroites d'une fable dramatique!

Si l'on cherche dans les poésies de Louis Bouilhet l'idée mère, l'élément génial, on y trouvera une sorte de naturalisme, qui fait songer à la Renaissance. Sa haine du commun l'écartait de toute platitude, sa pente vers l'héroïque était rectifiée par beaucoup d'esprit; car il avait beaucoup d'esprit, — et c'est même une face de son talent presque inconnue; il la tenait un peu dans l'ombre, la jugeant inférieure. Mais, à présent, rien n'empêche d'avouer qu'il excellait aux épigrammes, quatrains, acrostiches, rondeaux, bouts-rimés et autres « joyeusetés » faites par distraction, comme débauche. Il en faisait aussi par complaisance. Je retrouve des discours officiels pour des fonctionnaires, des compliments de jour de l'an pour une petite fille, des stances pour un coiffeur, pour le baptême d'une cloche, pour le passage d'un souverain. Il dédia à un de nos amis, blessé en 1848, une ode sur le patron de *la Prise de Namur* où l'emphase atteint au sublime de l'ennui. Un autre ayant abattu d'un coup de fouet une vipère, il lui expédia un morceau intitulé : *Lutte d'un monstre et d'un artiste français*, qui contient assez de tournures poncives, de métaphores boiteuses et de périphrases idiotes pour servir de modèle ou d'épouvantail. Mais son triomphe, c'était le genre Béranger! Quelques intimes se rappelleront éternellement *le Bonnet de coton*, un chef-d'œuvre célébrant « la gloire, les belles et la philosophie » à faire crever d'émulation tous les membres du Caveau!

Il avait le don de l'amusement — chose rare chez un poète. Que l'on oppose les pièces chinoises aux pièces romaines, *Nééra* au *Lied Normand*, *Pastel* à *Clair de lune*, *Chronique du printemps* à *Sombre Eglogue*, *le Navire* à *Une Soirée*, et on reconnaîtra combien il était fertile et ingénieux.

Il a dramatisé toutes les passions, dit les plaintes de la momie, les triomphes du néant, la tristesse des pierres, exhumé des mondes, peint des peuples barbares, fait des paysages de la Bible et des chants de nourrices. Quant à la hauteur de son imagination, elle paraît suffisamment prouvée par les *Fossiles*, cette œuvre que Théophile Gautier appelait « la plus difficile, peut-être, qu'ait tentée un poète »! J'ajoute : le seul poème scientifique de toute la littérature française qui soit cependant de la poésie. Les stances à la fin sur l'homme futur montrent de quelle façon il comprenait les plus transcendantes utopies; — et sa *Colombe* restera peut-être comme la profession de foi historique du xixᵉ siècle en matière religieuse. A travers cette sympathie universelle, son individualité perce nettement; elle se manifeste par des accents lugubres ou ironiques dans *Dernière Nuit*, *A une femme*, *Quand vous m'avez quitté, boudeuse*, etc., tandis qu'elle éclate d'une manière presque sauvage dans la *Fleur rouge*, ce cri unique et suraigu.

Sa forme est bien à lui, sans parti pris d'école, sans recherche de l'effet, souple et véhémente, pleine et imagée, musicale toujours. La moindre de ses pièces a une composition. Les rejets, les entrelacements, les rimes, tous les secrets de la métrique, il les possède; aussi son œuvre fourmille-t-elle de bons vers, de ces vers tout d'une venue et qui sont bons partout, dans *le Lutrin* comme dans les *Châtiments*. Je prends au hasard :

> — *S'allonge en crocodile et finit en oiseau.*
> — *Un grand ours au poil brun, coiffé d'un casque d'or.*
> — *C'était un muletier qui venait de Capoue.*
> — *Le ciel était tout bleu, comme une mer tranquille.*
> — *Mille choses qu'on voit dans le hasard des foules.*

Et celui-ci, pour la sainte Vierge :

Pâle éternellement d'avoir porté son Dieu.

Car il est classique dans un certain sens. *L'Oncle Million*, entre autres, n'est-il pas d'un français excellent?

Des vers! écrire en vers. Mais c'est une folie!
J'en sais de moins timbrés qu'on enferme et qu'on lie!
Morbleu! qui parle en vers? la belle invention!
Est-ce que j'en fais, moi? L'imagination,
Est-ce que j'en ai, moi? Fils de mes propres œuvres,
Il m'a fallu, mon cher, avaler des couleuvres
Pour te donner un jour le plaisir émouvant
De guetter, lyre en main, l'endroit d'où vient le vent!
Ces frivolités-là sagement entendues
Sont bonnes, si l'on veut, à nos heures perdues;
Moi-même, j'ai connu dans une autre maison
Un commis bon enfant qui tournait la chanson...
...

et plus loin :

Mais je dis que Léon n'est pas même un poète!
Lui, poète, allons donc! que me chantez-vous là,
Moi qui l'ai vu chez nous, pas plus haut que cela!
Comment? qu'a-t-il en lui qui passe l'ordinaire;
C'est un écervelé, c'est un visionnaire,
C'est un simple idiot, et je vous réponds, moi,
Qu'il fera le commerce, ou qu'il dira pourquoi!

Voilà un style qui va droit au but, où l'on ne sent pas l'auteur; le mot disparaît dans la clarté même de l'idée, ou plutôt, se collant dessus, ne l'embarrasse dans aucun de ses mouvements, et se prête à l'action.

Mais on m'objectera que toutes ces qualités sont perdues à la scène, bref qu'il « n'entendait pas le théâtre! »

Les soixante-dix-huit représentations de *Montarcy*, les quatre-vingts d'*Hélène Peyron* et les cent cinq de la *Conjuration d'Amboise*, témoignent du contraire. Puis il faudrait savoir ce qui convient au théâtre, — et d'abord reconnaître qu'une question y domine toutes les autres : celle du succès, du succès immédiat et lucratif.

Les plus expérimentés s'y trompent — ne pouvant suivre assez promptement les variations de la mode. Autrefois on allait au spectacle pour entendre de belles pensées en beau langage; vers 1830, on a aimé la passion furieuse, le rugissement à l'état fixe; plus tard, une action si rapide que les héros n'avaient pas le temps de parler; ensuite la thèse, le but social; après quoi est venue la rage des traits d'esprit; et maintenant toute faveur semble acquise à la reproduction des plus niaises vulgarités.

Certainement Bouilhet estimait peu les thèses, il avait en horreur « les mots », il aimait les développements et considérait le réalisme, ou ce qu'on nomme ainsi, comme une chose fort laide. Les grands effets ne pouvant s'obtenir par les demi-teintes, il préférait les caractères tranchés, les situations violentes, et c'est pour cela qu'il était bien un poète tragique..

Son intrigue faiblit, quelquefois, par le milieu. Mais dans les pièces en vers, si elle était plus serrée, elle étoufferait toute poésie. Sous ce rapport, du reste, la *Conjuration d'Amboise* et *Mademoiselle Aïssé* marquent un progrès; — et, pour qu'on ne m'accuse pas d'aveuglement, je blâme dans *Madame de Montarcy* le caractère de Louis XIV trop idéalisé, dans *l'Oncle Million* la feinte maladie du notaire, dans *Hélène Peyron* des longueurs à l'avant-dernière scène du 4e acte, et dans *Dolorès* le défaut d'harmonie entre le vague du milieu et la précision du style; enfin les personnages parlent trop souvent en poètes, ce qui ne l'empêchait pas de savoir amener les coups de théâtre. Exemples : la

réapparition de Marceline chez M. Daubret, l'entrée de dom Pèdre au 3e acte de *Dolorès*, la comtesse de Brisson dans le cachot, le commandeur à la fin d'*Aïssé*, et Cassius revenant comme un spectre chez l'impératrice *Faustine*. On a été injuste pour cette œuvre. On n'a pas compris, non plus, l'atticisme de *l'Oncle Million*, la mieux écrite peut-être de toutes ses pièces, comme *Faustine* en est la plus rigoureusement combinée.

Elles sont toutes, au dénouement, d'un large pathétique, animées d'un bout à l'autre par une passion vraie, pleines de choses exquises et fortes. Et comme il est bien fait pour la voix, cet hexamètre mâle, avec ses mots qui donnent le frisson, et ces élans cornéliens pareils à de grands coups d'aile!

C'est le ton épique de ses drames qui causait l'enthousiasme aux premières représentations. Du reste, ces triomphes l'enivraient fort peu, car il se disait que les plus hautes parties d'une œuvre ne sont pas toujours les mieux comprises, et qu'il pouvait avoir réussi par des côtés inférieurs.

S'il avait fait en prose absolument les mêmes pièces, on eût, peut-être, exalté son génie dramatique. Mais il eut l'infortune de se servir d'un idiome détesté généralement. On a dit d'abord : « Pas de comédie en vers! »; plus tard : « Pas de vers en habit noir! », pour en venir à cet axiome : « Pas de vers au théâtre! » quand il est si simple de confesser qu'on n'en désire nulle part,

Mais c'était sa véritable langue. Il ne traduisait pas de la prose. Il pensait par les rimes — et les aimait tellement qu'il en lisait de toutes les sortes, avec une attention égale. Quand on adore une chose, on en chérit la doublure; les amateurs de spectacle se plaisent dans les coulisses; les gourmands s'amusent à voir faire la cuisine; les mères ne rechignent pas à débarbouiller leurs marmots. La désillusion est le propre des faibles. Méfiez-vous des dégoûtés, ce sont presque toujours des impuissants.

IV

Lui, — il pensait que l'Art est une chose sérieuse ayant pour but de produire une exaltation vague, et même que c'est là toute sa moralité. J'extrais d'un cahier de notes les trois passages suivants :

Dans la poésie, il ne faut pas considérer si les mœurs sont vertueuses, mais si elles sont pareilles à celles de la personne qu'elle introduit. Aussi nous décrit-elle indifféremment les bonnes et les mauvaises actions, sans nous proposer les dernières en exemple.   PIERRE CORNEILLE.

L'Art, dans ses créations, ne doit penser à plaire qu'aux facultés qui ont vraiment le droit de le juger. S'il fait autrement, il marche dans une voie fausse.   GŒTHE.

Toutes les beautés intellectuelles qui s'y trouvent (dans un beau style), tous les rapports dont il est composé, sont autant de vérités aussi utiles, et peut-être plus précieuses, pour l'esprit public que celles qui peuvent faire le fond du sujet.   BUFFON.

Ainsi l'Art, ayant sa propre raison en lui-même ne doit pas être considéré comme un moyen. Malgré tout le génie que l'on mettra dans le développement de telle fable prise pour exemple, une autre fable pourra servir de preuve contraire; car les dénouements ne sont point des conclusions d'un cas particulier il ne faut rien induire de général; — et les gens qui se croient par là progressifs vont à l'encontre de la science moderne, laquelle exige qu'on amasse beaucoup de faits avant d'établir une loi. Aussi Bouilhet se gardait-il de *l'art prêcheur* qui veut enseigner, corriger, moraliser. Il estimait encore moins *l'art joujou* qui cherche à distraire comme les cartes, ou à émouvoir comme la cour d'assises; et il n'a point fait de *l'art démocratique*, convaincu que la forme, pour être accessible à tous, doit descendre très bas, et qu'aux époques civilisées on devient niais lorsqu'on essaye d'être naïf. Quant à *l'art officiel*, il en a repoussé les avantages, parce qu'il aurait fallu défendre des causes qui ne sont pas éternelles.

Fuyant les paradoxes, les nosographies, les curiosités, tous les petits chemins, il prenait la grande route, c'est-à-dire les sentiments généraux, les côtés immuables de l'âme humaine, et, comme « les idées forment le fond du style », il tâchait de bien penser, afin de bien écrire.

Jamais il n'a dit :

Le mélodrame est bon, si Margot a pleuré,

lui qui a fait des drames où l'on a pleuré, — ne croyant pas que l'émotion pût remplacer l'artifice.

Il détestait cette maxime nouvelle qu' « il faut écrire comme on parle ». En effet, le soin donné à un ouvrage, les longues recherches, le temps, les peines, ce qui autrefois était une recommandation, est devenu un ridicule — tant on est supérieur à tout cela, tant on regorge de génie et de facilité!

Il n'en manquait pas, cependant : ses acteurs l'ont vu faire au milieu d'eux des retouches considérables. « L'inspiration, disait-il, doit être amenée et non subie. »

La plastique étant la qualité première de l'Art, il donnait à ses conceptions le plus de relief possible, suivant le même Buffon qui conseille d'exprimer chaque idée par une image. Mais les bourgeois trouvent, dans leur spiritualisme, que la couleur est une chose trop matérielle pour rendre le sentiment; — et puis le bon sens français, d'aplomb sur son paisible bidet, tremble d'être emporté dans les cieux, et crie à chaque minute : « Trop de métaphores! » comme s'il en avait à revendre.

Peu d'auteurs ont autant pris garde au choix des mots, à la variété des tournures, aux transitions, — et il n'accordait pas le titre d'écrivain à celui qui ne possède que certaines parties du style. Combien des plus vantés seraient incapables de faire une narration, de joindre bout à bout une analyse, un portrait et un dialogue!

Il s'enivrait du rythme des vers et de la cadence de la prose qui doit, comme eux, pouvoir être lue tout haut. Les phrases mal écrites ne résistent pas à cette épreuve; elles oppressent la poitrine, gênent les battements de cœur, et se trouvent ainsi en dehors des conditions de la vie.

Son libéralisme lui faisait admettre toutes les écoles; Shakespeare et Boileau se coudoyaient sur sa table.

Ce qu'il préférait chez les Grecs, c'était l'*Odyssée* d'abord, puis l'immense Aristophane, et parmi les Latins non pas les auteurs du temps d'Auguste (excepté Virgile), mais les autres qui ont quelque chose de plus raide et de plus ronflant, comme Tacite et Juvénal. Il avait beaucoup étudié Apulée.

Il lisait Rabelais continuellement, aimait Corneille et La Fontaine — et tout son romantisme ne l'empêchait pas d'exalter Voltaire.

Mais il haïssait les discours d'académie, les apostrophes à Dieu, les conseils au peuple, ce qui sent l'égout, ce qui pue la vanille, la poésie de bouzingot, et la littérature talon-rouge, le genre pontifical et le genre chemisier.

Beaucoup d'élégances lui étaient absolument étrangères, telles que l'idolâtrie du XVIIᵉ siècle, l'admiration du style de Calvin, le gémissement continu sur la décadence des arts. Il respectait fort peu M. de Maistre. Il n'était pas ébloui par Proudhon.

Les esprits sobres, selon lui, n'étaient rien que des esprits pauvres; et il avait en horreur le faux bon goût, plus exécrable que le mauvais, toutes les discussions sur le Beau, le caquetage de la critique. Il se serait pendu plutôt que d'écrire une préface. Voici qui en dira plus long; c'est une page d'un calepin ayant pour titre *Notes et projets* — projets!

« Ce siècle est essentiellemnt pédagogue. Il n'y a pas de grimaud qui ne débite sa harangue, pas de livre si piètre qui ne s'érige en chaire à prêcher! Quant à la forme, on la proscrit. S'il vous arrive de bien écrire, on vous accuse de n'avoir pas d'idées. Pas d'idées, bon Dieu! Il faut être bien sot, en effet, pour s'en passer au prix qu'elles coûtent. La recette est simple; avec deux ou trois mots : « avenir, progrès, société, fussiez-vous Topinambou, vous êtes poète! Tâche commode qui encourage les imbéciles et console les envieux. O médiocratie fétide, poésie utilitaire, littérature de pions, bavardages esthétiques, vomissements économiques, produits scrofuleux d'une nation épuisée, je vous exècre de toutes les puissances de mon âme! Vous n'êtes pas la gangrène, vous êtes l'atrophie! Vous n'êtes pas le phlegmon rouge et chaud des époques fiévreuses, mais l'abcès froid aux bords pâles, qui descend, comme d'une source, de quelque carie profonde! »

Au lendemain de sa mort, Théophile Gautier écrivait : « Il portait haut la vieille bannière déchirée en tant de combats; on peut l'y rouler comme dans un linceul. La valeureuse bande d'Hernani a vécu. »

Cela est vrai. Ce fut une existence complètement dévouée à l'idéal, un des rares desservants de la littérature pour elle-même, derniers fanatiques d'une religion près de s'éteindre — ou éteinte.

« Génie de second ordre », dira-t-on. Mais ceux du quatrième ne sont pas maintenant si communs! Regardez comme le désert s'élargit! un souffle de bêtise, une trombe de vulgarité, nous enveloppent, prêts à recouvrir toute élévation, toute délicatesse. On se sent heureux de ne plus respecter les grands hommes, et peut-être allons-nous perdre avec la tradition littéraire ce je ne sais quoi d'aérien qui mettait dans la vie quelque chose de plus haut qu'elle. Pour faire des œuvres durables, il ne faut pas rire de la gloire. Un peu d'esprit se gagne par la culture de l'imagination et beaucoup de noblesse dans le spectacle des belles choses.

Et puisqu'on demande à propos de tout une moralité, voici la mienne :

Y a-t-il quelque part deux jeunes gens qui passent leurs dimanches à lire ensemble les poètes, à se communiquer ce qu'ils ont fait, les plans des ouvrages qu'ils voudraient écrire, les comparaisons qui leur sont venues, une phrase, un mot, — et, bien que dédaigneux du reste, cachant cette passion avec une pudeur de vierge? Je leur donne un conseil :

Allez côte à côte dans les bois, en déclamant des vers, mêlant votre âme à la sève des arbres et à l'éternité des chefs-d'œuvre; perdez vous dans les rêveries de l'histoire, dans les stupéfactions du sublime! Usez votre jeunesse aux bras de la Muse! Son amour console des autres, et les remplace.

Enfin, si les accidents du monde, dès qu'ils sont perçus, vous apparaissent transposés comme pour l'emploi d'une illusion à décrirc, tellement que toutes les choses, y compris votre existence, ne vous sembleront pas avoir d'autre utilité, et que vous soyez résolus à toutes les avanies, prêts à tous les sacrifices, cuirassés à toute épreuve, lancez-vous, publiez!

Alors, quoi qu'il advienne, vous verrez les misères de vos rivaux sans indignation et leur gloire sans envie; car le moins favorisé se consolera par le succès du plus heureux;

celui dont les nerfs sont robustes soutiendra le compagnon qui se décourage; chacun apportera dans la communauté ses acquisitions particulières; et ce contrôle réciproque empêchera l'orgueil et ajournera la décadence.

Puis, quand l'un sera mort — car la vie était trop belle! — que l'autre garde précieusement sa mémoire pour lui faire un rempart contre les bassesses, un recours dans les défaillances, ou plutôt comme un oratoire domestique où il ira murmurer ses chagrins et détendre son cœur. Que de fois, la nuit, jetant les yeux dans les ténèbres, derrière cette lampe qui éclairait leurs deux fronts, il cherchera vaguement une ombre, prêt à l'interroger : « Est-ce ainsi? que dois-je faire? réponds-moi! » — Et si le souvenir est l'éternel aliment de son désespoir, ce sera, du moins, une compagnie dans sa solitude.

20 juin 1870.

LETTRE A LA MUNICIPALITÉ DE ROUEN

AU SUJET DE SON REFUS D'ACCORDER UN EMPLACEMENT DE QUATRE MÈTRES A UNE FONTAINE SURMONTÉE DU BUSTE DE LOUIS BOUILHET DONT UNE SOUSCRIPTION PUBLIQUE A FAIT LES FRAIS.

Messieurs,

A la majorité de treize voix contre onze (y compris celles de M. le Maire et de ses six Adjoints), vous avez rejeté l'offre que je vous faisais d'édifier *gratis*, sur une des places ou dans une des rues de la ville, à votre choix, une petite fontaine ornée du buste de Louis Bouilhet.

Comme je suis le mandataire des personnes qui m'ont confié leur argent à cette seule intention, je dois protester, par devers le public, contre ce refus, c'est-à-dire répondre aux objections émises dans votre séance du 8 décembre dernier, dont le compte rendu analytique a paru dans les journaux de Rouen, le 18 du même mois.

Elles se réduisent à quatre motifs principaux :

1° Le Comité des souscripteurs aurait changé la destination du monument;

2° Il y aurait péril pour le budget municipal;

3° Bouilhet n'est pas né à Rouen;

4° Son mérite littéraire est insuffisant.

Première objection. (Je copie les termes mêmes du compte rendu.) « Appartient-il au Comité de modifier l'œuvre et de substituer une fontaine à un tombeau? On peut se demander si tous les souscripteurs accepteraient cette transformation? »

Nous n'avons rien modifié, Messieurs; la première idée d'un *monument* (terme vague ne signifiant pas tout à fait tombeau) est due à l'ancien Préfet de la Seine Inférieure, M. le baron Ernest Leroy, qui m'en fit part à moi-même, pendant la cérémonie des funérailles.

Aussitôt des listes de souscription furent ouvertes. J'y vois des noms de toute sorte et de toute provenance : une Altesse Impériale, plusieurs anonymes, George Sand, Alexandre Dumas fils, le grand écrivain russe Tourgueneff, Harisse, journaliste à New York, etc. La Comédie-Française s'y trouve représentée par Mmes Plessy, Favart, Brohan et M. Bressant, l'Opéra par M. Faure et Mlle Nillson; bref, au bout de six mois, nous pouvions disposer d'environ 14 000 francs, sans compter que le marbre nous était promis par le ministère des Beaux-Arts, et que le statuaire, choisi par nous, renonçait d'avance à toute rémunération.

Tous ces gens-là, grands ou petits, illustres ou inconnus, n'ont pas donné leur temps, leur talent ou leur argent pour construire dans un cimetière (que la plupart n'aura jamais l'occasion de visiter) un tombeau aussi dispendieux, un de ces édicules grotesques où l'orgueil tâche d'empiéter sur le néant — et qui sont contraires à l'esprit de toute religion comme de toute philosophie.

Non, Messieurs! les souscripteurs voulaient une chose moins inutile, — et plus morale : c'est qu'en passant dans les rues, près de l'image de Bouilhet, chacun d'eux pût se dire : « Voici un homme qui, en ce siècle de gros sous, consacra toute sa vie au culte des lettres. L'hommage qu'on lui a rendu après sa mort n'est qu'une justice! J'ai contribué pour ma part à cette réparation et à cet enseignement ».

Telle fut leur pensée. Ils n'en eurent pas d'autres. D'ailleurs, qu'en savez-vous? Qui vous a chargé de les défendre?

Mais, le Conseil municipal ayant cru, dit-il, à un tombeau nous a donné dix mètres de terrain, et de plus, s'est inscrit pour 500 francs. Puisque son vote implique une récrimination, nous refusons son argent. Qu'il garde ses 500 francs!

Quant au terrain, nous sommes tout prêts, à vous l'acheter. Quel est votre prix?

En voilà assez sur votre première objection.

La seconde est inspirée par une prudence excessive : « S'il (le Comité de souscription) se trompait dans ses devis, la ville ne pourrait le laisser inachevé *(le monument)*, et elle doit, dès à présent, prévoir qu'elle prendrait implicitement l'obligation de suppléer à l'insuffisance des ressources, le cas échéant ».

Mais notre devis eût été soumis à votre architecte; et si nos ressources se fussent trouvées insuffisantes, le Comité (cela va sans dire) eût fait un appel de fonds aux souscripteurs, ou plutôt il les eût lui-même fournis. Nous sommes tous assez riches pour tenir à notre parole.

L'excès de votre inquiétude manque peut-être de politesse.

Troisième objection. « Bouilhet n'est pas né à Rouen! » Cependant le rapport de M. Decorde l'appelle « un des nôtres »! et, après la *Conjuration d'Amboise*, l'ancien maire de Rouen, M. Verdrel, dans un banquet qui fut offert à Bouilhet, lui adressa les plus flatteuses comparaisons en l'appelant une des gloires de Rouen. Pendant quelques années, ce fut même une des *scies* de la petite presse parisienne que de se moquer de l'enthousiasme des Rouennais pour Bouilhet. Le *Charivari* publia une caricature où Hélène Peyron recevait les hommages des Rouennais lui apportant du sucre de pomme et des cheminots; dans une autre, moi indigne, j'étais représenté conduisant « le char les Rouennais ».

N'importe! d'après vous, Messieurs, il s'ensuivrait que si un homme éminent est né dans un village de trente cabanes, il faudrait lui élever un monument dans ce village, plutôt que dans un chef-lieu de son département.

Pourquoi pas dans le faubourg, dans la rue, dans la maison, dans la chambre même où il est né?

Et si l'on ne connaît pas l'endroit de sa naissance

(l'histoire là-dessus n'est pas toujours décisive), que ferez-vous? Rien, n'est-ce pas?

Quatrième objection. « Son mérite littéraire! »

Et, à ce propos, je trouve dans le compte rendu de bien grosses paroles : — « Question de convenance et question de principes ». — Il y aurait *danger*. « Ce serait une glorification excessive, une haute distinction, un hommage prématuré, un hommage suprême », et « qui ne doit s'accorder qu'avec une extrême réserve »; enfin, « Rouen est un piédestal trop grand pour sa gloire! »

En effet, on n'a pas décerné pareil triomphe :

1º A l'excellent M. Pottier, « qui a rendu à la Bibliothèque de la ville des services bien plus signalés ». (Sans doute! comme s'il s'agissait de votre Bibliothèque!) — Ni 2º à Hyacinthe Langlois! Celui-là, Messieurs, je l'ai connu, et mieux que vous tous. Ne relevez pas cette mémoire! Ne parlez jamais de ce noble artiste! Sa vie a été une honte pour ses concitoyens.

Maintenant, il est vrai, vous l'appelez « une grande illustration normande »; et, distribuant la gloire d'une manière toute fantaisiste, vous citez « parmi les illustrations dont peut s'honorer notre ville » (elle le peut, mais elle ne le fait pas toujours) P. Corneille (Corneille, une « illustration »? décidément vous êtes sévères!); puis, pêle-mêle, Boïeldieu, Lemonnier, Fontenelle et M. Court! — en oubliant Géricault, le père de la peinture moderne; Saint-Amant, un grand poète; Boisguilbert, le premier économiste de la France; Cavelier de La Salle, qui découvrit les embouchures du Mississipi; Louis Poterat, l'inventeur de la porcelaine en Europe, — et d'autres!

Que vos prédécesseurs aient oublié de rendre des « hommages suprêmes, excessifs, suffisants », ou même aucune espèce d'hommage à ces « illustrations », telles que Samuel Bochart, par exemple, laissant la ville de Caen baptiser de ce nom une de ses rues, cela est incontestable! — mais une injustice antérieure doit-elle autoriser les subséquentes?

Il est vrai que Rabelais, Montaigne, Ronsard, Pascal, La Bruyère, Le Sage, Diderot, Vauvenargues, Lamennais, Alex. Dumas et Balzac n'ont dans leur pays natal rien qui les rappelle, tandis qu'on peut voir à Nogent-le-Rotrou la statue du général de Saint-Pol; à Gisors, celle du général Blanmont; à Pontoise, celle du général Leclerc; à Avranches celle du général Valhubert; à Lyon, celle de M. Vaïsse; à Nantes, celle de M. Billault; à Deauville, celle de M. de Morny; au Havre, celle d'Ancelot; à Valence, celle de Ponsard; dans un jardin public, à Vire, le buste colossal de Chênedollé; à Séez, en face de la cathédrale, une statue superbe érigée à Conté, célèbre par ses crayons, etc.

Cela est fort bien, si les deniers publics n'en ont pas souffert. Ceux qui aiment la gloire doivent le payer; que les particuliers qui veulent rendre les honneurs à quelqu'un les lui rendent à leurs frais.

Et c'est là l'exemple, le précédent même que nous voulions établir.

Votre devoir d'édiles — du moment que vos finances ne risquaient rien — était de prendre vis-à-vis de nous des garanties d'exécution. Avec le droit absolu de choisir l'emplacement de notre fontaine, vous aviez celui de refuser notre sculpteur et même d'exiger un concours.

Loin de là, vous vous préoccupez du succès hypothétique de *Mademoiselle Aïssé.*

« *Si ce drame n'était pas applaudi. l'exécution d'un monument public élevé à son mérite littéraire* (le mérite de Bouilhet) *n'en recevrait-il pas un contre-coup ?* »

Et M. Nion (l'adjoint chargé spécialement des Beaux-Arts) trouve que si, par malheur, ce drame tombait, l'adop-

tion de la mesure proposée serait de la part du Conseil municipal « une témérité ».

Donc, il s'agit, tout bonnement et sans ambages, de connaître à l'avance le chiffre des recettes! Si la pièce fait de l'argent, Bouilhet est un grand homme; si elle tombe, halte-là! Noble théorie.

Mais la réussite immédiate d'une œuvre dramatique ne signifie rien quant à sa valeur. *L'Avare*, de Molière, eut quatre représentations; l'*Athalie*, de Racine, et le *Barbier de Séville*, de Rossini, furent sifflés. Les exemples surabondent.

Rassurez-vous, du reste; *Mademoiselle Aïssé* a réussi, au delà de vos espérances.

Qu'importe! car suivant M. Decorde, votre rapporteur, « le talent de Bouilhet n'est pas à l'abri de toute critique » et « sa réputation n'est point suffisamment faite, pas suffisamment établie ». Suivant M. Nion, « il est plus remarquable par la forme que par la conception scénique! » — ce n'est pas un écrivain original, — un auteur de premier ordre! » Enfin, M. Decorde l'appelle « un élève souvent heureux d'Alfred de Musset! »

Ah! Monsieur, vous n'avez pas l'indulgence qui sied à un confrère en Apollon, vous qui, raillant avec finesse cette même ville de Rouen, dont vous défendez si bien la pudeur littéraire, avez stigmatisé *Un bourg en progrès*, Saint-Tard [1] :

> *Dont le nom peu connu,*
> *Sans doute, jusqu'à vous n'était jamais venu!*
> *Il possédait pourtant, chose digne d'envie,*
> *Un bureau de police et de gendarmerie,*
> *La justice de paix et l'enregistrement,*
> *Un hospice assez grand légué par testament.*

Jolie petite localité où :

> *En dépit de l'octroi, contre lequel ils grondent,*
> *Les débits de liqueurs et les cafés abondent.*

Si l'on vous eût demandé de l'argent, j'aurais compris votre répugnance :

> *Ici, c'est autre chose, et de toute façon,*
> *On nous met chaque jour à contribution!*

. . .
> *Les bourgeois de Saint-Tard, d'ailleurs, sont peu portés*
> *A faire grand assaut de générosités.*

Et nous attendions mieux de votre goût, vous qui avez fustigé l'argot moderne dans votre épître *des Importations anglaises* [2], où se trouvent ces quatre vers — dignes d'envie :

> *J'ai lu dans un journal qu'à Boulogne-sur-Mer,*
> *Par un grand* Cricket-Club, *un* match *vient d'être offert.*

. . .
> *Et peut avoir des droits à l'admiration*
> *Pour avoir pauvrement singé la* fashion.

Beau passage! mais dépassé par celui-ci :

> *J'ai lu dans quelque endroit qu'un avare de Rennes*
> *Ne sachant comment faire, en un pareil moment,*
> *S'avisa de mourir le dernier jour de l'an,*
> *De peur de donner des étrennes.*

En effet, vous avez toutes les cordes, — soit que vous chantiez les albums de photographies :

1. Lu à la Séance publique de l'Académie de Rouen du 7 août 1865. (Voyez le Précis analytique des travaux de l'Académie de Rouen.) [Cette note, comme les suivantes, est de Flaubert.]
2. Lu à la Séance publique de l'Académie de Rouen du 7 août 1865. (Voyez le Précis analytique des travaux de l'Académie de Rouen.)

C'est pour les visiteurs une distraction,
Et partout on en fait ample collection.

Ou le jardin de Saint-Ouen :

A ton tour, tu subis le sort de ce grand cours,
Si brillant dans les anciens jours,
Que ne fréquente plus personne [1].

Ou les plaisirs de la danse :

Mais, comme au goût du jour il faut que tout s'arrange,
Terpsychore a subi la loi du libre échange!
Déjà, sans respecter la prohibition,
Les Lanciers nous étaient arrivés d'Albion [2].

Ou les dîners en ville :

Mais vous n'attendez pas, sans doute, que j'expose
Comment de ces repas le menu se compose :
Sur la table, au début, figure le dessert.
. . .
Hélas! tous ces plaisirs ne sont pas sans dépense.
L'hiver, au citadin, coûte plus qu'on ne pense!

Ou les merveilles de l'industrie moderne :

On peut, dès à présent, avec bien moins de frais,
Par des trains de plaisir disposés tout exprès,
Visiter en huit jours la Suisse ou la Belgique.
. . .
Et lorsque de Lesseps, après de longs efforts,
De l'isthme de Suez aura percé les bords,
Le touriste pourra, sans craindre la distance,
Comme on part aujourd'hui pour faire un tour en France,
Aller jusque dans l'Inde ou l'extrême Orient,
*   Faire un voyage d'agrément* [3]!

Faites-le! faites toujours de pareils bonbons! Faites même des drames, vous qui discernez si bien la forme de la conception dramatique, — et soyez sûr, honorable Monsieur que votre réputation fût-elle « suffisamment établie », et bien que vous ressembliez à Louis Bouilhet, car votre « talent », à vous aussi, n'est pas « à l'abri de toute critique » et vous n'êtes non plus ni « un écrivain original », ni un « auteur de premier ordre », jamais on ne vous appellera « un élève » même « heureux » d'Alfred de Musset!

Sur ce point, d'ailleurs, votre mémoire est en défaut. Un de vos collègues à l'Académie des Sciences, Belles-Lettres et Arts de Rouen n'a-t-il pas débité, dans la séance publique du 7 août 1862, un éloge pompeux de Louis Bouilhet? Il le mettait très haut comme auteur dramatique et le défendait si bien d'être un imitateur d'Alfred de Musset, qu'ayant moi-même à dire la même chose dans la préface de *Dernières Chansons*, je n'ai eu qu'à me rappeler, ou plutôt qu'à copier, les phrases mêmes de mon vieil ami Alfred Nion, le frère de M. Emile Nion l'adjoint, celui qui manque de témérité!

Que craignez-vous donc, ô adjoint chargé spécialement des Beaux-Arts? « L'encombrement sur vos places publiques? »

Mais les poètes comme celui-là (ne vous en déplaise) ne sont pas précisément innombrables.

Depuis que vous avez refusé d'accepter son buste, *malgré* le don de notre fontaine, vous avez perdu un des vôtres, votre adjoint, M. Thubeuf; je ne voudrais rien dire de messéant, ni outrager le deuil d'une famille que je n'ai pas l'honneur de connaître, mais il me semble que, dès

maintenant, Nicolas-Louis-Juste Thubeuf est aussi ignoré qu'un Pharaon de la 23e dynastie, — tandis que le nom de Bouilhet s'étale aux vitrines de toutes les librairies de l'Europe, qu'on monte *Aïssé* à Saint-Pétersbourg et à Londres, et que ses pièces seront jouées et ses vers réimprimés dans six ans, dans vingt ans, dans cent ans, peut-être et au delà.

Car on ne vit dans la mémoire des hommes que si on leur a donné de grands amusements ou rendu de grands services. Vous n'êtes pas faits pour nous fournir les uns; accordez-nous les autres.

Et au lieu de vous livrer à la critique littéraire, distraction en dehors de votre compétence, occupez-vous de choses plus sérieuses, telles que :
La construction d'un pont fixe;
La construction d'entrepôts-magasins sur la rive droite de la Seine;
L'élargissement de la rue Grand-Pont;
Le percement d'une rue allant du Palais de Justice aux quais;
La vente des Docks;
L'achèvement de la sempiternelle flèche de la cathédrale, etc.

Vous possédez ainsi, par devers vous, jolie collection qu'on pourrait nommer *Muséum des projets ajournés*. La clef en est remise par chaque administration qui s'évanouit à celle qui lui succède, tant on a peur de se compromettre, tant on redoute d'agir! La circonspection passe pour une telle vertu que l'initiative devient un crime. Être médiocre ne nuit pas; mais avant tout, il faut se garder d'entre-prendre.

Quand le public à bien crié ou plutôt murmuré, on se met en règle en nommant une Commission; et dès lors on peut ne rien faire du tout, absolument rien, « il y a une Commission ». Argument invincible, panacée contre toutes les impatiences.

Quelquefois, cependant, on a l'audace d'exécuter. Mais c'est une merveille, presque un scandale, comme il arrive lors des « grands travaux de Rouen », c'est-à-dire lorsqu'on fit l'ex-rue de l'Impératrice, maintenant rue Jeanne-Darc et le square Solférino! Cependant

Les squares maintenant sont à l'ordre du jour
Il fallait que Rouen en eût un à son tour [4]!

Mais parmi tous vos projets, le plus ajourné, le plus important, le plus urgent, c'est celui de la distribution des eaux. Car vous en manquez, vous en avez besoin, à Saint-Sever, par exemple.

Or nous vous proposions, nous autres, d'établir, à n'importe quel coin de rue, deux colonnes ioniques surmontées d'un tympan avec un buste au milieu, une coquille au-dessous; — et déjà nous voyions notre petite fontaine exécutée. — Des promesses, je dis des promesses formelles, avaient été faites à quelques-uns d'entre nous par plusieurs d'entre vous.

Aussi notre surprise fut-elle grande, d'autant plus que la municipalité est parfois large en ces matières : témoin la statue de Napoléon Ier qui décore la place Saint-Ouen En effet, vous avez donné pour ce chef-d'œuvre (le Conseil général avait voté une première fois 10 000 francs, une seconde fois 8 000 francs, enfin une troisième fois 5 000 francs d'*indemnité au statuaire*, parce que sa maquette avait été renversée fortuitement par la Commission, — toujours les Commissions! Quelle aptitude pour les Arts!) vous avez donné, dis-je, la légère somme de 30 000 francs

---

1. Lettre de Condoléances au Jardin de Saint-Ouen. — Séance du 2 juin 1865. (Voyez le Précis analytique de l'Académie de Rouen.)
2. L'hiver à la ville. (Épître.) Séance du 6 août 1863.
3. Les Vacances. (Épître familière.) Séance du 6 août 1861.

4. Lettre de M. Décorde, *Lettre de condoléance au Jardin de Saint-Ouen*, déjà citée.

pour édifier cette statue — équestre et hydrocéphale — qui n'en a coûté après tout que 160 000 à peu près, on ne sait pas au juste.

Mais pour celle de Pierre Corneille, proposée en 1805, et qui fut élevée vingt-neuf ans plus tard, en 1834, vous avez, vous, Conseil municipal, dépensé 7 037 fr. 38 c., pas un sou de plus.

Il est vrai que c'est un très grand poète, et vous poussez la considération pour les grands poètes jusqu'à vous priver du nécessaire plutôt que de permettre des honneurs à un écrivain de second ordre.

Deux questions, cependant : si la fontaine, si ce monument d'utilité publique, offert par nous, avait dû porter, comme ornement, toute autre chose que le buste de Louis Bouilhet, l'auriez-vous refusé ?

S'il se fût agi d'un hommage à un de ces grands industriels de notre département, dont la fortune se compte par deux douzaines de millions, l'auriez-vous refusé ? J'en doute.

Prenez garde qu'on ne vous accuse de mépriser ceux qui ne donnent point l'exemple de la fortune !

Pour des hommes si prudents et qui considèrent avant tout le succès, vous vous êtes singulièrement trompés, Messieurs ! Le *Moniteur universel*, l'*Ordre*, le *Paris-Journal*, le *Bien Public*, le *XIXᵉ Siècle*, l'*Opinion Nationale*, le *Constitutionnel*, le *Gaulois*, le *Figaro*, etc., presque tous les journaux, enfin, se sont déclarés contre vous violemment ; et pour ne faire qu'une citation, voici quelques lignes du patriarche de la critique moderne, Jules Janin :

« Lorsque vint l'heure enfin de la récompense définitive, on rencontra je ne sais quelle mauvaise volonté qui mit obstacle à l'espérance suprême des amis de Louis Bouilhet. On ne voulut pas de son buste sur une place publique et dans une ville qu'il illustrait de tous les bruits de sa renommée. En vain ses amis proposaient d'amener l'eau sur cette place aride, afin que le buste, ornement de la fontaine, disparût dans ce bienfait ; mais, faites donc entendre aux hommes injustes la cruauté d'un pareil refus ! Ils dresseraient tant qu'on voudrait des images à la guerre. Ils ne veulent pas de la poésie ! »

Parmi vous, d'ailleurs, sur vingt-quatre que vous étiez, onze se sont déclarés pour nous ; et MM. Vaucquier du Traversin, F. Deschamps et Raoul Duval ont éloquemment protesté en faveur des lettres.

Cette affaire en soi est fort peu de chose. Mais on peut la noter comme un signe du temps, — comme un trait caractéristique de votre classe — et ce n'est plus à vous Messieurs, que je m'adresse, mais à tous les bourgeois. Donc je leur dis :

Conservateurs qui ne conservez rien,

Il serait temps de marcher dans une autre voie, — et puisqu'on parle de régénération, de décentralisation, changez d'esprit ! ayez à la fin quelque initiative !

La noblesse française s'est perdue pour avoir eu, pendant deux siècles, les sentiments d'une valetaille. La fin de la bourgeoisie commence parce qu'elle a ceux de la populace. Je ne vois pas qu'elle lise d'autres journaux, qu'elle se régale d'une musique différente, qu'elle ait des plaisirs plus relevés. Chez l'une comme chez l'autre, c'est le même amour de l'argent, le même respect du fait accompli, le même besoin d'idoles pour les détruire, la même haine de toute supériorité, le même esprit de dénigrement, la même crasse ignorance !

Ils sont sept cents à l'Assemblée nationale. Combien y en a-t-il qui puissent dire les noms des principaux traités de notre histoire, ou les dates de six rois de France, qui sachent les premiers éléments de l'économie politique, qui aient lu seulement Bastiat ? La municipalité de Rouen, qui tout entière a nié le mérite d'un poète, ignore peut-être les règles de la versification ? et elle n'a pas besoin de les savoir tant qu'elle ne se mêle pas de vers.

Pour être respectés par ce qui est au-dessous, respectez donc ce qui est au-dessus !

Avant d'envoyer le peuple à l'école, allez-y vous-mêmes ! Classes éclairées, éclairez-vous !

A cause de ce mépris pour l'intelligence, vous vous croyez *pleins de bon sens, positifs, pratiques !* mais on n'est véritablement pratique qu'à la condition d'être un peu plus... Vous ne jouiriez pas de tous les bienfaits de l'industrie si vos pères du XVIIIᵉ siècle n'avaient eu pour idéal que l'utilité matérielle. A-t-on assez plaisanté l'Allemagne sur ses idéologues, ses rêveurs, ses poètes nuageux ? Vous avez vu, hélas ! où l'ont conduite ses nuages ? Vos milliards l'ont payée de tout le temps qu'elle n'avait point perdu à bâtir des systèmes. Il me semble que le rêveur Fichte a réorganisé l'armée prussienne après Iéna, et que le poète Kœrner a poussé contre nous quelques uhlans vers 1813 ?

Vous, pratiques ? Allons donc ! Vous ne savez tenir ni une plume, ni un fusil ! Vous vous laissez dépouiller, emprisonner et égorger par des forçats ! Vous n'avez plus même l'instinct de la brute, qui est de se défendre ; et, quand il s'agit non seulement de votre peau, mais de votre bourse, laquelle devrait vous être plus chère, l'énergie vous manque pour aller déposer un morceau de papier dans une boîte ! Avec tous vos capitaux et votre sagesse, vous ne pouvez faire une association équivalente à l'*Internationale !*

Tout votre effort intellectuel consiste à trembler devant l'avenir.

Imaginez autre chose. Hâtez-vous ! ou bien la France s'abîmera de plus en plus entre une démagogie hideuse et une bourgeoisie stupide.

GUSTAVE FLAUBERT.

PASSAGES CÉLÈBRES ET ÉPISODES IMPORTANTS

FLAUBERT II - 25

PERSONNAGES DES CONTES ET ROMANS

Abdalonim, chef des intendants d'Hamilcar *(Salammbô)*.

Aglaé (Mlle), professeur de piano, convive des Renaud (première *Education sentimentale*).

Agrippa, petit-fils d'Hérode le Grand et frère d'Hérodias *(Hérodias)*.

Alessandri (Mme), sage-femme de première classe *(l'Education sentimentale)*.

Alexandre (le sieur), cabaretier *(l'Education sentimentale)*.

Alfred (M.), cousin de Mme Marescot *(Bouvard et Pécuchet)*.

Alvarès (M. Sébastien), élève à la pension Renaud (première *Education sentimentale*).

Amaëgui (Marquise d'), amie d'Hussonnet *(l'Education sentimentale)*.

Ammonius d'Alexandrie, personnage de l'entourage d'Antipas *(Hérodias)*.

Andervilliers (Marquis d'), propriétaire du château de la Vaubyessard *(Madame Bovary)*.

Andervilliers (Marquise d'), femme du précédent *(Madame Bovary)*.

Andervilliers (Mlle d'), fille des précédents *(Madame Bovary)*.

Anténor, jeune premier (première *Education sentimentale)*.

Apollonie, ancien modèle, fille entretenue *(l'Education sentimentale)*.

Arnoux (Jacques), propriétaire de « l'Art industriel » *(l'Education sentimentale)*. ✗

Arnoux (Marie), femme du précédent *(l'Education sentimentale)*. ✗

Arnoux (Marthe et Eugène), enfants des précédents *(l'Education sentimentale)*. ✗

Artémise, servante de l'auberge du « Lion d'or » *(Madame Bovary)*.

Artémise (Mme), comédienne (première *Education sentimentale)*.

Aubain (Mme), bourgeoise de Pont-l'Evêque, patronne de Félicité *(Un cœur simple)*.

Aubain (Paul et Virginie), enfants de la précédente *(Un cœur simple)*.

Aubain (Nicolas-Juste, dit le Père), commissionnaire *(Bouvard et Pécuchet)*. ✗

Aubert (Georgine), prostituée *(l'Education sentimentale)*.

Auger (ces Demoiselles), amies de Mme Moreau à Nogent *(l'Education sentimentale)*.

Aulnays (Marquis Gilbert des), parrain et convive de Cisy à la « Maison d'or » *(l'Education sentimentale)*.

Autharite, chef des mercenaires gaulois *(Salammbô)*.

Baat-Baal, membre du conseil des Anciens à Carthage *(Salammbô)*.

Bachelu (Thérèse), femme légère *(l'Education sentimentale)*. ✗

Balandard, avoué *(l'Education sentimentale)*. ✗

Barbée (La), fille du père Barbey, soignée par Bouvard *(Bouvard et Pécuchet)*.

Barberou, ancien commis, boursier, voyageur de commerce, ami de Bouvard *(Bouvard et Pécuchet)*.

Barthélemy (l'oncle), oncle à héritage de Frédéric *(l'Education sentimentale)*.

Beauminet (Me), notaire à Paris *(l'Education sentimentale)*. ✗

Beljambe, aubergiste de l' « Hôtel de la Croix d'or » *(Bouvard et Pécuchet)*.

Benoist (Me), ami de Mme Moreau *(l'Education sentimentale)*. ✗

Benoît (Mme), amie de Mme Moreau *(l'Education sentimentale)*. ✗

Bernardi, directeur de théâtre (première *Education sentimentale)*. ✗

Berthelmot (Me), commissaire-priseur *(l'Education sentimentale)*. ✗

Binet, percepteur à Yonville-l'Abbaye, capitaine des pompiers *(Madame Bovary)*.

Boffreu (Joseph), cousin et convive de Cisy à la « Maison d'or » *(l'Education sentimentale)*. ✗

Bordelaise (La), ouvrière de la fabrique Arnoux *(l'Education sentimentale)*.

Bordin (Mme veuve), rentière à Chavignolles *(Bouvard et Pécuchet)*.

Bougon (M.), ecclésiastique *(Bouvard et Pécuchet)*.

Boulanger (Rodolphe), propriétaire du château de la Huchette, amant d'Emma Bovary *(Madame Bovary)*.

Boulard (M.), « Libraire de Monseigneur », spécialisé dans les ouvrages de piété *(Madame Bovary)*.

Bourais (M.), ancien avoué *(Un cœur simple)*.

Bournisien (l'abbé), curé d'Yonville-l'Abbaye *(Madame Bovary)*.

Bouvard (François-Denys-Bartholomée), copiste dans une maison de commerce *(Bouvard et Pécuchet)*.

Bovary (Charles-Denis-Bartholomé), ancien aide-chirurgien-major, père de Charles Bovary *(Madame Bovary)*.

Bovary (Charles), médecin *(Madame Bovary)*.

Bovary (Emma Rouault, femme), seconde femme du précédent *(Madame Bovary)*.

Bovary (Berthe), fille des précédents *(Madame Bovary)*.

Braive (Anténor), portraitiste *(l'Education sentimentale)*✗

Bron (Rose-Annette, dite Rosanette ou la Maréchale), femme de petite vertu, maîtresse de Frédéric *(l'Education sentimentale)*.

Burrieu (Jules), dessinateur *(l'Education sentimentale)*✗

Canivet (Docteur), médecin à Neufchâtel *(Madame Bovary)*.

Caroline, jeune Anglaise *(Mémoires d'un fou)*.

Caron (Mme), bourgeoise d'Yonville *(Madame Bovary)*.

Castillon (Mme), fermière, maîtresse de Gorju *(Bouvard et Pécuchet)*.

Catherine, cuisinière de Mme Renaud (première *Education sentimentale)*.

Catherine, servante de M. Roque *(l'Education sentimentale)* ✗

Cécile (Mlle), nièce de M. Dambreuse *(l'Education sentimentale)*. ✗

Cerpet, ecclésiastique *(Bouvard et Pécuchet)*.

Chamberlan, bedeau, soigné par Bouvard et Pécuchet *(Bouvard et Pécuchet)*. ✗

Chambrion (M.), receveur à Nogent *(l'Education sentimentale)*.

Cisy (vicomte Alfred de), camarade de Frédéric *(l'Education sentimentale)*. ✗

Colmiche (le Père), vieillard soigné par Félicité *(Un cœur simple)*.

Colot (M.), médecin des Arnoux *(l'Education sentimentale)*. ✗

Comaing (baron de), ami et convive de Cisy à la « Maison d'or » *(l'Education sentimentale)*. ✗

Compain, ami de Regimbart *(l'Education sentimentale)*. ✗

Coulon, juge de paix à Chavignolles *(Bouvard et Pécuchet)*.

Dambreuse (M.), banquier, grand bourgeois orléaniste *(l'Education sentimentale)*. ✗

Dambreuse (Mme), femme du précédent *(l'Education sentimentale)*. ✗

Dauphin, savetier *(Bouvard et Pécuchet)*.

David (la Mère), propriétaire de l'« Agneau d'or » à ✗ Trouville *(Un cœur simple)*.

Daviou (Clémence), brodeuse, maîtresse de Deslauriers *(l'Education sentimentale)*. ✗

Delmas (ou Delmar), « chanteur expressif » à l'Alhambra, puis comédien *(l'Education sentimentale)*. ✗

Delphine, servante de Rosanette *(l'Education sentimentale)*. ✗

Demonades, médecin grec d'Hannon *(Salammbô)*.

Derozerays de la Panville, président du jury des comices agricoles d'Yonville-l'Abbaye *(Madame Bovary)*.

Deslauriers (Capitaine), père de Charles *(l'Education sentimentale)*. ✗

Deslauriers (Charles), fils du précédent, camarade de Frédéric *(l'Education sentimentale)*. ✗

Des Rogis ou Desrogis (Docteur), invité au bal chez Rosanette *(l'Education sentimentale)*. ✗ ✗

Dittmer, peintre paysagiste *(l'Education sentimentale)*.

Dubocage, notaire à Rouen, patron de Léon Dupuis *(Madame Bovary)*.

Dubois (M. et Mme), convives des Renaud (première *Education sentimentale)*.

Dubois (Hortense), fille des précédents (première *Education sentimentale)*.

Dubreuil (Mme), bourgeoise d'Yonville *(Madame Bovary)*.

Dubuc (Héloïse), veuve d'un huissier de Dieppe, première femme de Charles Bovary *(Madame Bovary)*.

Ducretot, orateur au « Club de l'Intelligence » *(l'Education sentimentale)*.

Dulaurier (Docteur), médecin (première *Education sentimentale)*. ✗

Dumouchel, professeur, ami de Pécuchet *(Bouvard et Pécuchet)*.

Dumouchel (Olympe), femme du précédent *(Bouvard et Pécuchet)*.

Dupuis (Léon), clerc chez Me Guillaumin, amant d'Emma Bovary *(Madame Bovary)*.

Dussardier (Auguste), commis, puis caissier, camarade de Frédéric *(l'Education sentimentale)*. ✗

Eléazar, pharisien *(Hérodias)*.

Eléonore (Mme), servante, puis femme de M. Roque et mère de Louise *(l'Education sentimentale)*. ✗

Eugène (Louis-Martial-Eugène Lenepveur dit), domestique chez M. Marescot *(Bouvard et Pécuchet)*.

Fabu, garçon boucher à Pont-l'Evêque *(Un cœur simple)*.

Faverges (Comte de), ancien député, notable de Chavignolles *(Bouvard et Pécuchet)*.

Faverges (Comtesse de), femme du précédent *(Bouvard et Pécuchet)*.

Faverges (Yolande de), fille des précédents *(Bouvard et Pécuchet)*.

Félicité, servante de Mme Bovary à Tostes *(Madame Bovary)*.

Félicité, servante de Mme Aubain *(Un cœur simple)*.

Félix, coiffeur de Rosanette *(l'Education sentimentale)*.

Fellacher, empailleur du perroquet Loulou *(Un cœur simple)*.

Forchambeaux (Anselme de), convive de Cisy à la « Maison d'or » *(l'Education sentimentale)*.

Foureau (M.), maire de Chavignolles *(Bouvard et Pécuchet)*.

Fumichon, industriel conservateur, ami des Dambreuse ✗ *(l'Education sentimentale)*.

Gamblin (M.), ami de Mme Moreau à Nogent *(l'Education sentimentale)*. ✗

Ganot, coiffeur *(Bouvard et Pécuchet)*.

Gautherot (Me Athanase), huissier *(l'Education sentimentale)*.

Germaine, servante de Bouvard et Pécuchet *(Bouvard et Pécuchet)*.

Giddenem, gouverneur des esclaves d'Hamilcar *(Salammbô)*.

Girard, valet de chambre de Rodolphe Boulanger *(Madame Bovary)*.

Girbal (M.), directeur des Contributions *(Bouvard et Pécuchet)*.

Giscon, général carthaginois chargé du retour des mercenaires *(Salammbô)*.

Gorju, ancien menuisier de Chavignolles *(Bouvard et Pécuchet)*.

Gosselin (M. et Mme), père et mère d'Henry (première *Education sentimentale)*.

Gougibaud, garde national *(l'Education sentimentale)*.

Gouttman (M.), négociant en articles de piété *(Bouvard et Pécuchet)*.

Gouy (Maître), fermier à Chavignolles *(Bouvard et Pécuchet)*.

Gouy (la Mère), femme de Maître Gouy *(Bouvard et Pécuchet)*.

Gremanville (Marquis de), oncle de Mme Aubain *(Un cœur simple)*.

Grémonville (Paul de), diplomate, ami des Dambreuse *(l'Education sentimentale)*.

Guillaumin (Me), notaire à Yonville *(Madame Bovary)*.

Guyot, employé à la mairie et précepteur des enfants Aubain *(Un cœur simple)*.

Hamilcar, suffète de Carthage, père de Salammbô *(Salammbô)*.

Hannon, suffète de Carthage, collègue et rival d'Hamilcar *(Salammbô)*.

Hareng (Maître), huissier *(Madame Bovary)*.

Henry, ami de Jules et amant de Mme Renaud (première *Education sentimentale)*.

Herbigny (Capitaine d'), « vieux de la vieille », invité au bal chez Rosanette *(l'Education sentimentale)*.

Hérode Antipas, fils d'Hérode le Grand, tétrarque de Galilée de 4 av. J.-C. à 39 ap. J.-C. *(Hérodias)*.

Hérodias ou Hérodiade, femme d'Hérode Philippe, puis d'Hérode Antipas *(Hérodias)*.

Heudras (M.), ami de Mme Moreau à Nogent *(l'Education sentimentale)*.

Heurteaux (Capitaine), propriétaire à Chavignolles *(Bouvard et Pécuchet)*.

Hictamon, partisan d'Hamilcar *(Salammbô)*.

Hippolyte (Hippolyte Tautain dit), garçon d'écurie à l'auberge du « Lion d'or » *(Madame Bovary)*.

Hivert, cocher de la diligence « l'Hirondelle » *(Madame Bovary)*.

Homais (M.), pharmacien à Yonville-l'Abbaye *(Madame Bovary)*.

Homais (Mme), femme du précédent *(Madame Bovary)*.

Homais (Napoléon, Franklin, Irma, Athalie), enfants des précédents *(Madame Bovary)*.

Houppeville (M. de), ami de Mme Aubain *(Un cœur simple)*.

Hurel (M.), factotum du comte de Faverges *(Bouvard et Pécuchet)*.

Hussonnet, journaliste et bohême, camarade de Frédéric *(l'Education sentimentale)*.

Iaçim le Babylonien, personnage de l'entourage d'Antipas *(Hérodias)*.

Iaokanann (ou Jean-Baptiste), précurseur et annonciateur du Christ, mort à Machéronte en 28 ap. J.-C. *(Hérodias)*.

Iddibal, vieil esclave au service d'Hamilcar *(Salammbô)*.

Irma (Mlle), protégée de Rosanette *(l'Education sentimentale)*.

Isaac (le Père), trafiquant de tableaux *(l'Education sentimentale)*.

Isidore, domestique de Mme Moreau *(l'Education sentimentale)*.

Istatten, partisan d'Hamilcar *(Salammbô)*.

Jacob, convive au festin chez Antipas *(Hérodias)*.

Jeufroy (l'abbé), curé de Chavignolles *(Bouvard et Pécuchet)*.

John (Miss), institutrice chez les Dambreuse *(l'Education sentimentale)*.

Jonathas, sadducéen *(Hérodias)*.

Jules, ami d'Henry (première *Education sentimentale)*.

Julien *(la Légende de saint Julien l'Hospitalier)*.

Jumillac (comte de), ancien amant de Rosanette *(l'Education sentimentale)*.

Justin, élève en pharmacie, arrière-cousin et domestique de M. Homais *(Madame Bovary)*.

Kanthera, personnage de l'entourage d'Antipas *(Hérodias)*.

Kapouras, membre du conseil des Anciens à Carthage *(Salammbô)*.

Langlois (Adolphe), notaire des Dambreuse *(l'Education sentimentale)*.

Langlois, épicier à Chavignolles *(Bouvard et Pécuchet)*.

Langlois (Mme), bourgeoise d'Yonville-l'Abbaye *(Madame Bovary)*.

Larivière (Docteur), ancien maître de Bovary, appelé au chevet d'Emma agonisante *(Madame Bovary)*.

Larsillois (Mme de), épouse d'un préfet de Louis-Philippe, amie des Dambreuse *(l'Education sentimentale)*.

Larsoneur, membre du barreau de Lisieux et archéologue *(Bouvard et Pécuchet)*.

Larsonnière (baron de), sous-préfet de Pont-l'Evêque *(Un cœur simple)*.

Larsonnière (Mme de), femme du précédent *(Un cœur simple)*.

Laverdière (Duc de), beau-père du marquis d'Andervilliers *(Madame Bovary)*.

Laverrière (Mlle), ancienne sous-maîtresse de Mme Marescot *(Bouvard et Pécuchet)*.

Lebrun (la famille), amis de Mme Moreau à Nogent *(l'Education sentimentale)*.

Lechaptois (M. et Mme), amis de Mme Aubain *(Un cœur simple)*.

Lefaucheux (Me), avocat *(l'Education sentimentale)*.

Lefrançois (Mme veuve), aubergiste du « Lion d'or » à Yonville-l'Abbaye *(Madame Bovary)*.

Lehoussais (Mme), vieille femme de Toucques, épousée par Théodore *(Un cœur simple)*.

Lemoine (le Père), goutteux, soigné par Bouvard et Pécuchet *(Bouvard et Pécuchet)*.

Lempereur (Mlle), professeur de musique *(Madame Bovary)*.

Lenoir (M. et Mme), marchands de bois, convives des Renaud (première *Education sentimentale)*.

Lenoir (Adolphe et Clara), enfants de M. et Mme Lenoir (première *Education sentimentale)*.

Leroux (Catherine), vieille femme, décorée aux comices de Yonville-l'Abbaye *(Madame Bovary)*.

Leroux (Nastasie Barette, femme), sœur de Félicité *(Un cœur simple)*.

Lestiboudois, gardien du cimetière, fossoyeur et bedeau à Yonville *(Madame Bovary)*.

Lheureux, marchand d'étoffes et de nouveautés *(Madame Bovary)*.

Liebard, fermier à Toucques *(Un cœur simple)*.

Liebard (la Mère), femme du précédent *(Un cœur simple)*.

Lieuvain (M. le Conseiller), conseiller de Préfecture, président des comices d'Yonville *(Madame Bovary)*.

Lormeau (le ménage), amis de Mme Aubain *(Un cœur simple)*.

Lorris (Théodore), poète *(l'Education sentimentale)*.

Loulou (Mlle), danseuse des bals publics *(l'Education sentimentale)*.

Lovarias, artiste peintre *(l'Education sentimentale)*.

Lucinde (Mlle), comédienne (première *Education sentimentale)*.

Magdassan, lieutenant d'Hannon *(Salammbô)*.

Mahurot (M. le baron de), ingénieur, gendre de M. de Faverges *(Bouvard et Pécuchet)*.

Mannaeï, bourreau au service d'Antipas *(Hérodias)*.

Marcel, espèce d'idiot soigné par Bouvard et Pécuchet et devenu leur domestique *(Bouvard et Pécuchet)*.

Marcellus, lieutenant du proconsul Vitellius *(Hérodias)*.

Marescot (M.), notaire à Chavignolles *(Bouvard et Pécuchet)*.

Marescot (Mme), femme du précédent *(Bouvard et Pécuchet)*.

Marescot (Arnold), fils des précédents *(Bouvard et Pécuchet)*.

Maria, la femme à la « pelisse rouge » *(Mémoires d'un fou)*.

Marianne, servante de Mme Bordin *(Bouvard et Pécuchet)*.

Marie, prostituée *(Novembre)*.

Martinon (Baptiste), camarade de Frédéric *(l'Education sentimentale)*.

Masgaba, brigand gétule, allié d'Hamilcar *(Salammbô)*.

Mathieu (le Capitaine), habitué chez Mme Aubain *(Un cœur simple)*.

Mathieu, orfèvre à Chavignolles *(Bouvard et Pécuchet)*.

Mâtho, mercenaire libyen, amoureux de Salammbô *(Salammbô)*.

Meinsius (Pierre-Paul), peintre *(l'Education sentimentale)*.

Mélie, servante de Bouvard et Pécuchet *(Bouvard et Pécuchet)*.

Mendès (Emmanuel), élève à la pension Renaud (première *Education sentimentale)*.

Mignot, ami de Regimbart *(l'Education sentimentale)*.

Migraine, maçon, soigné par Bouvard et Pécuchet *(Bouvard et Pécuchet)*.

Montreuil-Nantua (Duchesse de), amie des Dambreuse *(l'Education sentimentale)*.

Moreau (Mme), bourgeoise de Nogent-s/Seine, mère de Frédéric *(l'Education sentimentale)*.

Moreau (Frédéric), « jeune homme », fils de la précédente *(l'Education sentimentale)*.

Morel, avocat d'affaires, ami de la famille d'Henry (première *Education sentimentale)*.

Morin (Père), garde-champêtre à Port-en-Bessin *(Bouvard et Pécuchet)*.

Nââmann, capitaine des vélites d'Antipas *(Hérodias)*.

Narr'havas, jeune chef numide, rival de Mâtho auprès de Salammbô *(Salammbô)*.

Nastasie, servante des Bovary à Tostes *(Madame Bovary)*.

Nicole (Maître), capitaine de « l'Aimable-Constance » (première *Education sentimentale)*.

Noares (Mme de), dame de compagnie de Mme et Mlle de Faverges *(Bouvard et Pécuchet)*.

Nonancourt (M. de), vieux beau, ami des Dambreuse *(l'Education sentimentale)*.

Onfroy, apothicaire à Pont-l'Evêque *(Un cœur simple)*.

Oudot, filateur à Chavignolles *(Bouvard et Pécuchet)*.

Oudry (Charles-Jean-Baptiste), voisin des Arnoux à Saint-Cloud, entreteneur de Rosanette *(l'Education sentimentale)*.

Oudry (Mme), femme du précédent *(l'Education sentimentale)*.

Palazot (Comte de), amant de Mme Vandael *(l'Education sentimentale)*.

Pécuchet (Juste-Romain-Cyrille), copiste au ministère de la Marine, ami de Bouvard *(Bouvard et Pécuchet)*.

Pellerin, artiste peintre *(l'Education sentimentale)*.

Petit (Alexandre), instituteur à Chavignolles *(Bouvard et Pécuchet)*.

Phanuel, membre de la secte des Esséniens *(Hérodias)*.

Phinées, interprète de Vitellius *(Hérodias)*.

Pilon (le Père), conducteur de calèche à Creil *(l'Education sentimentale)*.

Placquevent, garde-champêtre à Chavignolles *(Bouvard et Pécuchet)*.

Poupart (M.), médecin à Pont-l'Evêque *(Un cœur simple)*.

Prouharam (Me), avoué à Nogent *(l'Education senti-mentale)*.

Pruneau (l'abbé), ecclésiastique *(Bouvard et Pécuchet)*.

Regimbart, dit « le Citoyen » *(l'Education sentimen-tale)*.

Regimbart (Olympe), couturière de la nièce des Dambreuse et femme du précédent *(l'Education sentimen-tale)*.

Reine, servante de M. le curé *(Bouvard et Pécuchet)*.

Remoussot (Mme de), demi-mondaine de petite vertu *(l'Education sentimentale)*.

Renaud (M.), directeur d'une pension à Paris (première *Education sentimentale)*.

Renaud (Emilie), femme du précédent et maîtresse d'Henry (première *Education sentimentale)*.

Robelin, fermier de Geffosses *(Un cœur simple)*.

Rochefeuille (ces Demoiselles), amies de Mme Aubain *(Un cœur simple)*.

Rollet (Mère), nourrice de la petite Berthe Bovary *(Madame Bovary)*.

Romiche, tailleur ambulant *(Bouvard et Pécuchet)*.

Rondelot (Samuel), professeur de Droit *(l'Education sentimentale)*.

Roque (le Père), régisseur de M. Dambreuse à Nogent *(l'Education sentimentale)*.

Roque (Louise), fille du précédent *(l'Education senti-mentale)*.

Rosenwald, compositeur *(l'Education sentimentale)*.

Rouault (le Père), cultivateur, fermier des Berteaux, père d'Emma Bovary *(Madame Bovary)*.

Salammbô, fille d'Hamilcar *(Salammbô)*.

Schahabarim, Grand Prêtre de Tanit *(Salammbô)*.

Séhon, personnage de l'entourage d'Antipas *(Héro-dias)*.

Sénécal, répétiteur de mathématiques, républicain doctrinaire, camarade de Frédéric *(l'Education sentimen-tale)*.

Shahutsnischbach, élève de la pension Renaud (première *Education sentimentale)*.

Simon (la Mère), épicière à Pont-L'Evêque *(Un cœur simple)*.

Sisenna, chef des publicains *(Hérodias)*.

Sombaz, caricaturiste *(l'Education sentimentale)*.

Sorel, garde-chasse *(Bouvard et Pécuchet)*.

Spendius, esclave grec délivré par Mâtho, un des chefs des mercenaires *(Salammbô)*.

Statoë, dit Morico, domestique noir de maître Nicole (première *Education sentimentale)*.

Subeldia, partisan d'Hamilcar *(Salammbô)*.

Taanach, nourrice de Salammbô *(Salammbô)*.

Tellier (M.), propriétaire du « Café Français » à Yon-ville-l'Abbaye *(Madame Bovary)*.

Ternande, artiste (première *Education sentimentale)*.

Théodore, domestique de M. Guillaumin *(Madame Bovary)*.

Théodore, garçon d'estaminet rue St-Denis *(l'Education sentimentale)*.

Théodore, amoureux de Félicité *(Un cœur simple)*.

Tolmaï, personnage de l'entourage d'Antipas *(Héro-dias)*.

Tuvache, maire d'Yonville *(Madame Bovary)*.

Tuvache (Mme), femme du précédent *(Madame Bovary)*.

Tzernoukoff (le Prince), amant de Rosanette *(l'Educa-tion sentimentale)*.

Vandael (Mme), ancienne actrice, invitée du bal chez Rosanette *(l'Education sentimentale)*.

Vanneroy, créancier d'Arnoux *(l'Education sentimen-tale)*.

Varelot (le Professeur), ami de Dumouchel *(Bouvard et Pécuchet)*.

Varin (M.), habitué de chez Mme Aubain *(Un cœur simple)*.

Varin (la Mère), soignée par Bouvard et Pécuchet *(Bou-vard et Pécuchet)*.

Vatnaz (Clémence), célibataire parisienne, amie d'Arnoux, puis de Dussardier *(l'Education sentimen-tale)*.

Vaucorbeil (M.), médecin à Chavignolles *(Bouvard et Pécuchet)*.

Vaucorbeil (Mme), femme du précédent *(Bouvard et Pécuchet)*.

Vaufrylard, artiste peintre *(Madame Bovary)*.

Vauthier (le Père), limonadier rue St-Denis *(l'Educa-tion sentimentale)*.

Vezou (M.), ancien professeur, convive de Cisy à la « Maison d'or » *(l'Education sentimentale)*.

Vicomte (le), valseur au bal de la Vaubyessard *(Madame Bovary)*.

Victoire, femme scrofuleuse, soignée par Bouvard et Pécuchet *(Bouvard et Pécuchet)*.

Victor, neveu de Félicité *(Un cœur simple)*.

Victor et Victorine, enfants (abandonnés) de Touache, le bagnard, élevés par Bouvard et Pécuchet *(Bouvard et Pécuchet)*.

Vinçart, créancier d'Emma Bovary *(Madame Bovary)*.

Vitellius (Lucius), proconsul, père du futur empereur *(Hérodias)*.

Vitellius (Aulus), fils du précédent et futur empereur *(Hérodias)*.

Vourdat, sculpteur *(l'Education sentimentale)*.

Yeoubas, partisan d'Hamilcar *(Salammbô)*.

Zarxas, chef des mercenaires baléares *(Salammbô)*.

Zéphyrin, fils cadet du garde-champêtre Placquevent *(Bouvard et Pécuchet)*.

Zoraïde Turc, tenancière d'une maison de plaisir *(l'Edu-cation sentimentale)*.

*Le chiffre romain indique le tome. Les chiffres arabes renvoient aux pages,
les chiffres supérieurs se rapportant aux notes.*

Boerhaave (Hermann), 1668-1738, botaniste et médecin hollandais : (II) 224.

Boieldieu (François-Adrien), 1775-1834, compositeur français : (II) 766.

Boileau (Nicolas), 1636-1711, écrivain français : (I) 180, 340; (II) 247, 489, 764.

Boisguilbert (Pierre le Pesant, sieur de), 1646-1714, économiste français : (II) 766.

Boitard (Pierre), 1789-1859, agronome français : (II) 215.

Bonald (vicomte Louis de), 1754-1840, écrivain politique français : (II) 230, 458.

Borelli (Giovanni Alfonso), 1608-1679, physiologiste et physicien italien : (II) 222.

Borgia (Lucrèce), 1480-1519, fille d'Alexandre VI et sœur de César Borgia : (II) 466, 555.

Bossuet (Jacques Bénigne), 1627-1704, prélat, prédicateur et écrivain français : (II) 240, 257, 269, 272, 288, 312, 437, 457.

Bouchardy (Joseph), 1810-1870, auteur dramatique français : (II) 52 (31), 245, 247 (28).

Bouddha, VIe siècle av. J.-C., nom sous lequel on désigne d'ordinaire Siddhartha Gautama, personnage historique, fondateur du bouddhisme : (I) 552-553.

Bouhours (Dominique), 1628-1702, jésuite et grammairien français : (II) 247, 248.

Bouilhet (Louis), 1821-1869, poète et auteur dramatique français : (I) 13, 14, 15, 19-37, 375, 376[1], 473, 573; (II) 7, 165, 303, 315, 474 (1), 504, 549, 551, 644, 759, 768.

Boule ou Boulle (André-Charles), 1642-1732, ébéniste français : (I) 679.

Boumaza, chef arabe fait prisonnier en 1847 durant la campagne d'Algérie : (II) 82.

Brantôme (Pierre de Bourdeille, seigneur de), 1540-1614, écrivain français : (I) 19, 326, 355; (II) 12.

Brea (J.-B.), 1790-1848, général français, tué le 25 juin 1848 par les insurgés : (II) 130, 134.

Brillat-Savarin (Anthelme), 1755-1826, gastronome français : (I) 222; (II) 308.

Brongniart (Alexandre), 1770-1847, minéralogiste et géologue français : (II) 230.

Broussais (François), 1772-1838, médecin français : (I) 70; (II) 224, 535, 538.

Brueghel ou Breughel (Pierre), dit l'Ancien, v. 1530-1569, peintre flamand; (Pierre), le jeune, dit Brueghel d'Enfer, v. 1564-v. 1637, peintre flamand; (Jean), dit Brueghel de Velours, 1568-1625, peintre flamand : (I) 375; (II) 457, 463, 465, 466, 485.

Brune (Guillaume), 1763-1815, maréchal de France : (II) 458.

Bruno (Giordano), 1548-1600, philosophe italien, traité à Rome comme hérétique : (II) 284.

Bruno (saint), 1035?-1101?, fondateur de l'ordre des Chartreux : (II) 278, 504.

Brutus (Marcus Junius), v. 85-42 av. J.-C., homme politique et écrivain romain : (I) 219, 223; (II) 71.

Buffon (Georges-Louis Leclerc, comte de), 1707-1788, naturaliste français et écrivain : (II) 226, 763, 764.

Bugeaud de la Piconnerie (Thomas), 1784-1849, maréchal de France : (II) 112.

Buonarotti (Filipo), 1761-1837, révolutionnaire français, d'origine italienne : (II) 257.

Byron (George Gordon, lord), 1788-1824, poète anglais : (I) 20, 49, 114, 181, 183, 184, 186, 223, 229, 233, 293, 296, 321, 365, 367, 375; (II) 13[5], 59, 457, 469, 666-667.

Cabanis (Georges), 1757-1808, médecin et idéologue français : (I) 103.

Cabet (Etienne), 1788-1856, publiciste français, auteur du *Voyage en Icarie* : (II) 57, 257.

Cadet de Gassicourt (Charles), 1769-1821, pharmacien français.

Calame (Alexandre), 1810-1864, peintre et graveur suisse : (II) 471.

Calanos (ou Kalanos), 323-? av. J.-C., gymnosophiste hindou; se donna la mort en se brûlant vif : (I) 544.

Caligula, 12-41 ap. J.-C., empereur romain de 37 à 41 : (I) 69, 219, 513, 545; (II) 189[39].

Calixte (ou Calliste 1er, saint), v. 155-222, pape de 217 à 222 : (I) 540.

Callot (Jacques), 1592-1635, graveur et peintre français : (II) 21, 503, 696.

Calvin (Jean), 1509-1564, écrivain et réformateur religieux français : (II) 470, 764.

Calvo (Carlos), 1824-1906, juriste et diplomate argentin : (II) 254.

Camargo (Marie-Anne de), 1710-1770, danseuse : (II) 485.

Campan (Mme) 1752-1822, secrétaire de Marie-Antoinette : (II) 296.

Canova (Antonio), 1757-1822, sculpteur italien : (II) 468, 488.

Caracalla, 188-217, empereur romain de 211 à 217 : (I) 220; (II) 688.

Caravage (Michele-Angelo Merisi dit le), 1573-1610, peintre italien : (II) 681.

Carpocrate, théologien gnostique, Alexandrie, IIe siècle : (I) 397, 537[43].

Carrache (Annibale), 1560-1609, peintre italien : (II) 682.

Carrel (Armand), 1800-1836, publiciste français : (II) 22[14], 760.

Cartouche (Louis-Dominique), 1693-1721, chef d'une bande de voleurs.

Catherine II la Grande, 1729-1796, impératrice de Russie de 1762 à 1796 : (II) 471.

Catherine de Médicis, 1519-1589, femme de Henri II, roi de France : (II) 243, 476, 480.

Caton l'Ancien ou le Censeur, 234-149 av. J.-C., homme d'Etat romain : (I) 722.

Caton d'Utique, 95-46 av. J.-C., homme d'Etat romain : (I) 219, 220, 223; (II) 249.

Caumont (Arcisse de), 1802-1873, archéologue français : (II) 234.

Cavaignac (Godefroy), 1801-1845, chef du parti démocratique sous Charles X et Louis-Philippe : (II) 130, 134, 140, 254.

Cazotte (Jacques), 1719-1792, écrivain français, auteur du *Diable amoureux* : (II) 266.

Cellamare (Antoine de), 1657-1733, diplomate espagnol, ambassadeur d'Espagne à la Cour de France : (II) 243.

Celse, médecin érudit latin du temps d'Auguste : (I) 634; (II) 761.

Cerdon, hérésiarque syrien du IIᵉ siècle : (I) 536.

Cerinthe, hérésiarque de la fin du Iᵉʳ siècle : (I) 391, 540.

Cervantès (Miguel de), 1547-1616, écrivain espagnol : (II) 503.

César (Caius Julius), 101-44 av. J.-C., général et homme d'Etat romain : (I) 216, 219, 223, 528; (II) 238, 240.

Chalier (Marie-Joseph), 1747-1793, chef des Jacobins lyonnais : (II) 92.

Cham (Amédée de Noé, dit), 1819-1879, dessinateur français : (II) 138.

Chambolle (François-Adolphe), 1802-1883, journaliste et homme politique français : (II) 146.

Chambord (Henri V, comte de),1820-1883, fils posthume du duc de Berry, héritier des légitimistes : (II) 85, 241, 252.

Chamfort, 1741-1794, moraliste français : (II) 266 (30), 303.

Champollion (Jean-François), 1790-1832, orientaliste français : (II) 585.

Changarnier (Nicolas), 1793-1877, général et homme politique français : (II) 115, 140, 144, 256.

Chapelle (Emmanuel-Claude Luillier, dit), 1626-1686, poète français : (II) 555.

Chapsal (Charles-Pierre), 1788-1858, grammairien français : (I) 368; (II) 247.

Charlemagne (Charles Iᵉʳ le Grand, dit), 742-814, empereur d'Occident de 800 à 814 : (II) 238, 243, 466.

Charles Borromée (saint), 1538-1584, archevêque de Milan : (II) 462, 468.

Charles Martel, v. 685-741, maire du palais : (II) 439.

Charles Iᵉʳ, 1600-1649, roi d'Angleterre et d'Ecosse de 1625 à 1649 : (II) 71.

Charles II, 1630-1685, roi d'Angleterre et d'Ecosse de 1660 à 1685 : (II) 257.

Charles-Quint (Charles V, dit), 1500-1558, empereur du Saint Empire romain germanique : (I) 70-73; (II) 125, 465.

Charles VIII l'Affable, 1470-1498, roi de France de 1483 à 1498 : (II) 476.

Charles VI, roi de France de 1380 à 1422 : (I) 51-55, 161.

Charles IX, 1550-1574, roi de France de 1560 à 1574 : (II) 240, 243, 464.

Charles X, 1757-1836, roi de France de 1824 à 1830 : (I) 598; (II) 241, 297.

Charolais (Charles de Bourbon, comte de), 1700-1760, fils de Louis III prince de Condé, et de Mademoiselle de Nantes : (II) 484.

Chasseloup-Laubat (Justin de), 1805-1873, homme politique français : (II) 563, 586.

Chateaubriand (François-René, comte de), 1768-1848, écrivain français : (I) 21, 25, 27, 248, 340, 354; (II) 13 (5), 18, 53 ³³, 433, 437, 489, 535, 536, 539, 545, 753.

Chateaubriant (Françoise de Foix, comtesse de), 1495-1537, favorite de François Iᵉʳ : (II) 477.

Chatelet (marquise du), 1706-1749, amie et inspiratrice de Voltaire : (II) 471.

Chaulieu (Guillaume Amfrye, abbé de), 1639-1720, poète français : (I) 356.

Chénedollé (Charles Lioult de), 1769-1833, poète français : (II) 766.

Chénier (André), 1762-1794, poète français : (I) 275; (II) 248, 551, 683.

Cherubini (Luigi), 1760-1842, compositeur de musique italien : (II) 21.

Chevreul (Eugène), 1786-1889, chimiste français : (II) 264.

Christine, 1626-1689, reine de Suède : (II) 125.

Cicéron, 106-43 av. J.-C., homme politique, orateur et écrivain latin : (I) 367; (II) 466, 756.

Cimabue (Giovanni), v. 1240-1320, peintre et mosaïste italien : (I) 218.

Cincinnatus, patricien romain célèbre pour la simplicité et l'austérité de ses mœurs (consul en 460 av. J.-C.) : (I) 624.

Claude Iᵉʳ, 10 av. J.-C.-54 ap. J.-C., empereur romain de 41 à 54 : (I) 469, 519, 563.

Claude de France, 1499-1524, fille de Louis XII et d'Anne de Bretagne, première femme de François Iᵉʳ : (II) 473, 476.

Clément Iᵉʳ (saint), pape de 88 à 97 : (I) 534, 545.

Clément d'Alexandrie, 150-v. 211, écrivain et docteur de la foi chrétienne : (I) 536; (II) 757.

Cléopâtre VII, 69-30 av. J.-C., reine d'Egypte de 51 à 30 av. J.-C. : (I) 27, 34, 219, 521; (II) 304, 461, 480, 552, 558, 586, 688.

Clisson (Olivier IV, sire de), 1336-1407, gentilhomme breton, connétable de France : (I) 51; (II) 488.

Clovis Iᵉʳ, 465-511, roi des Francs de 481 à 511 : (II) 238, 240, 243.

Cœur (Pierre Louis), 1805-1860, ecclésiastique et prédicateur français : (II) 55.

Coigny (Marie François Henri Franquetot de), 1737-1821, maréchal de France : (I) 591.

Colbert (Jean-Baptiste), 1619-1683, homme d'Etat français : (I) 186.

Colet (Louise), 1810-1876, femme de lettres française : (I) 33, 247, 277, 278, 573; (II) 201, 315, 472.

Colomb (Christophe), 1451?-1506, navigateur génois, qui découvrit l'Amérique : (II) 292, 304, 462, 683.

Commines ou Commynes (Philippe de), 1447-1511, chroniqueur français : (I) 129-156, 181; (II) 12, 240.

Commode, 161-192, empereur romain en 180 : (I) 220.

Comte (Auguste), 1798-1857, philosophe et sociologue français : (II) 57, 257.

Condillac (Etienne Bonnot de), 1715-1780, philosophe français : (II) 271, 275.

Condorcet (Antoine Caritat, marquis de), 1743-1794, philosophe, mathématicien et homme politique français : (II) 266 ³⁰, 760.

Considérant (Victor), 1808-1893, philosophe et économiste français : (II) 124.

Constant de Rebecque (Benjamin), 1767-1830, écrivain et homme politique français : (II) 18, 147, 244 ²².

Constantin Iᵉʳ le Grand, empereur romain de 306 à 337 : (I) 525, 529-530, 559.

TABLE

Achevé d'imprimer en 1981 par l'Imprimerie-Reliure Maison Mame à Tours.
Dépôt légal : 2e tr. 1964. No 1599-4.

MICROCOSME, ÉCRIVAINS DE TOUJOURS

Ce n'est pas seulement le profil d'une œuvre éclairée par l'homme et son époque que cherche à esquisser cette collection, mais un dialogue toujours vivant entre les écrivains de toujours et les hommes d'aujourd'hui. Chacun des volumes, bien que d'un prix modique, est abondamment illustré.

PASCAL PIA
Apollinaire

V.-H. DEBIDOUR
Aristophane

J.-C. MARGOLIN
Bachelard

GAÉTAN PICON
Balzac

J.-M. DOMENACH
Barrès

ROLAND BARTHES
Roland Barthes

A. ARNAUD, G. EXCOFFON-LAFARGE **Bataille**

PASCAL PIA
Baudelaire

PH. VAN TIEGHEM
Beaumarchais

LUDOVIC JANVIER
Beckett

ALBERT BÉGUIN
Bernanos

E. R. MONEGAL
Borges

SARANE ALEXANDRIAN
Breton

MORVAN LEBESQUE
Camus

PIERRE GUENOUN
Cervantès

VICTOR-L. TAPIÉ
Chateaubriand

A. MICHEL, C. NICOLET
Cicéron

P.-A. LESORT
Claudel

ANDRÉ FRAIGNEAU
Cocteau

G. BEAUMONT, A. PARINAUD
Colette

GEORGES POULET
Benjamin Constant

LOUIS HERLAND
Corneille

SAMUEL S. DE SACY
Descartes

JEAN GATTÉGNO
Dickens

CHARLY GUYOT
Diderot

DOMINIQUE ARBAN
Dostoïevski

RAYMOND JEAN
Paul Éluard

J.-C. MARGOLIN
Érasme

MONIQUE NATHAN
Faulkner

VICTOR BROMBERT
Flaubert

PASCAL BRUCKNER
Fourier

JACQUES SUFFEL
Anatole France

O. MANNONI
Freud

CLAUDE MARTIN
Gide

CLAUDINE CHONEZ
Giono

CHRIS MARKER
Giraudoux

J.-A. HUSTACHE
Gœthe

NINA GOURFINKEL
Gorki

R. DE SAINT-JEAN
Julien Green

J.-P. COTTEN
Heidegger

FRANÇOIS CHATELET
Hegel

G.-A. ASTRE
Hemingway

GABRIEL GERMAIN
Homère

PIERRE GRIMAL
Horace

HENRI GUILLEMIN
Hugo

JEAN PARIS
Joyce

K. WAGENBACH
Kafka

M. GRIMAULT
Kierkegaard

ROGER VAILLANT
Laclos

BERNARD PINGAUD
La Fayette (Mme de)

PIERRE CLARAC
La Fontaine

MARCELIN PLEYNET
Lautréamont

EDMOND BARINCOU
Machiavel

CLAUDE FRIOUX
Maïakovski

HENRI GOUHIER
Maine de Biran

CHARLES MAURON
Mallarmé

GAÉTAN PICON
Malraux

PAUL GAZAGNE
Marivaux

A.-M. SCHMIDT
Maupassant

P.-H. SIMON
Mauriac

J.-J. MAYOUX
Melville

ROLAND BARTHES
Michelet

ALFRED SIMON
Molière

FRANCIS JEANSON
Montaigne

JEAN STAROBINSKI
Montesquieu

PIERRE SIPRIOT
Montherlant

J.-M. DOMENACH
Mounier

RAYMOND JEAN
Nerval

JEAN RICARDOU
Le Nouveau Roman

ALBERT BÉGUIN
Pascal

MICHEL AUCOUTURIER
Pasternak

SIMONE FRAISSE
Péguy

JACQUES CABAU
Edgar Poe

J.-L. BACKÈS
Pouchkine

CLAUDE MAURIAC
Proust

MANUEL DE DIÉGUEZ
Rabelais

J.-L. BACKÈS
Racine

PH. JACOTTET
Rilke

YVES BONNEFOY
Rimbaud

J.-B. BARRÈRE
Romain Rolland

DANIEL WILHELM
Romantiques allemands

CLAUDE BONNEFOY
Ronceraille

GILBERT GADOFFRE
Ronsard

GEORGE MAY
Rousseau

LUC ESTANG
Saint-Exupéry

F.-R. BASTIDE
Saint-Simon

FRANCIS JEANSON
Sartre

DIDIER RAYMOND
Schopenhauer

JEAN CORDELIER
Sévigné (Mme de)

JEAN PARIS
Shakespeare

GEORGES NIVAT
Soljénitsyne

GABRIEL GERMAIN
Sophocle

P.-F. MOREAU
Spinoza

CLAUDE ROY
Stendhal

PHILIPPE AUDOUIN
Les Surréalistes

J.-L. LAUGIER
Tacite

SOPHIE LAFFITE
Tchekhov

CLAUDE CUÉNOT
Teilhard de Chardin

J.-H. BORNECQUE
Verlaine

PAUL VIALLANEIX
Vigny

JACQUES PERRET
Virgile

RENÉ POMEAU
Voltaire

MONIQUE NATHAN
Virginia Woolf

MARC BERNARD
Zola